W9-ABE-265

OBRAS SELECTAS DE AZORIN

(Tercera edición)

Azorín
1961.

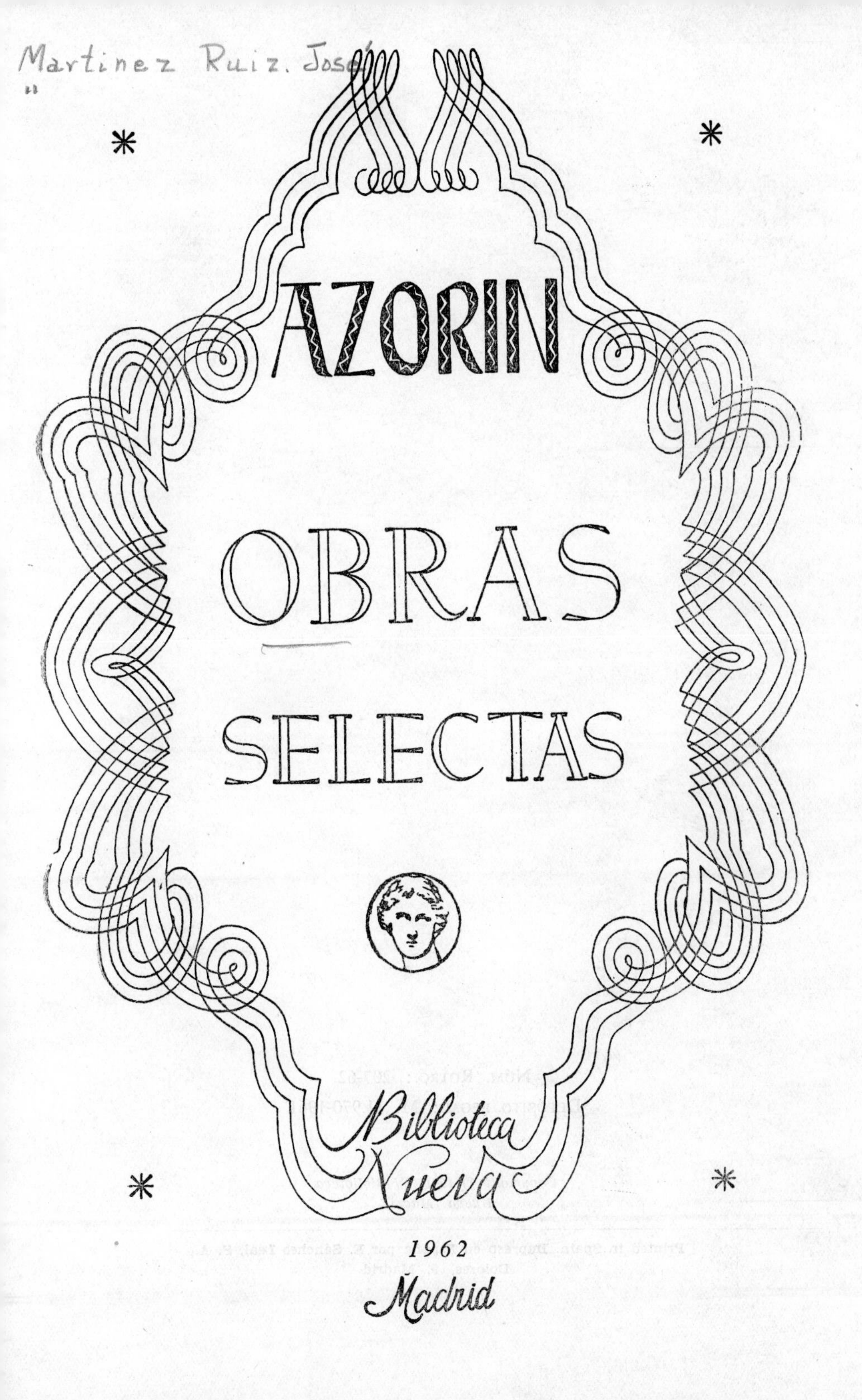
AZORIN
OBRAS
SELECTAS
Biblioteca
Nueva
1962
Madrid

Núm. Rgtro.: 207-62
Depósito legal: M. 11.970-1961

Printed in Spain. Impreso en España por **E. Sánchez Leal, S. A.,**
Dolores, 9, Madrid

MONOVAR, UN PUEBLO FLORECIENTE...

Aquel pueblo floreciente construído en una ladera, que dice la vieja Guía Murray—según leemos en la dedicatoria de *Los pueblos*—, donde hay palmeras, almendros, granados y laureles; donde vivían Lolita, doña Isabel, don Pedro, Rosarito, Conchita, don Joaquín, doña María..., en ese pueblo floreciente nació Azorín. Lo ha descrito en *La Voluntad*, en *Antonio Azorín*, en *El paisaje de España*, en *Superrealismo*, en numerosos artículos como el titulado «Al margen de Fritz Ernst. Tierra alicantina». Si lo conocéis, os será grato recordarlo, llevados de la mano del maestro; si no habéis ido al pueblo nunca, os encantará a buen seguro recorrer estos parajes, que os servirán de sedante para el espíritu cansado.

Salimos de Madrid por la mañana y estaremos en Monóvar después de mediada la tarde. Hemos de atravesar la Mancha, con sus viñas y sus montes bajos. Tomaremos en La Encina el tren que desciende hacia Alicante. Después de la tierra albaceteña, en Caudete, llegaremos a Sax. Huertas, cipreses, acequias; el ambiente se va dulcificando; el cielo es de joyante ızul; en la seda resplandeciente van realtando las ruinas de los castillos morunos. illena, el túnel de Elda, la gama variada los grises; en el grandioso valle, la Peña Cid; Petrel, en la lejanía; Elda, más a. Y la estación de Monóvar. uave emoción. Penetramos en la Es invisible cerrada para el turista. nta de turismo. Para ver esta España eciso sentir. Los turistas no tienen de sentir.» Mas no nos detengamos ceso. De los seiscientos cincuenta sobre el nivel del mar, allá en hemos descendido a los cincuenta sobre el Mediterráneo. Ahora hebir una cuesta para llegar a esta iudad de dieciséis mil habitantes, asentada en la halda de dos colinas; en lo sumo de una, los restos de un castillo; en la cima de la otra, la ermita de Santa Bárbara, con sus tejas azules. Las casas y las calles son limpias; la lluvia deja lavado el piso de piedra caliza. Puertas, sillas y mesas son fregoteadas por estas monoveras tan limpias, tan pulidas, tan joviales. Entre las dos colinas, la torre solitaria del reloj. Unas cuantas plazas y unas cuantas fábricas con maquinaria moderna. El casino, con plátanos frondosos. Escuelas magníficas, ante las cuales se levanta en bronce el busto de Azorín. Olor a sarmientos quemados, a generosos caldos y matalahuva.

Ambiente social grato, que ha ido evolucionando con las lecturas, como la ciudad fué transformándose de agrícola en industrial. Automóviles y ómnibus que nos comunican con los pueblos lindantes, con la capital de la provincia, con el resto de España. Guisos exquisitos y sencillos, aliñados con gusto por las mujeres. Casitas de campo con las cámaras llenas de frutas. Randas labradas sutilmente por las manos blancas de tenues venas azules. Y siempre el dulzor, la serenidad del ambiente, la impresión de paz, arrullados por los sones de las campanas de la iglesia, del convento, de la torre. Se comprende que Castelar prefiriera estos parajes, por donde anduvo en su infancia y al final de su vida. Se encuentra natural que los de esta región cuenten entre sus ascendientes a los griegos y a los árabes. «La intuición del griego y el fatalismo del árabe.» Se da por bueno el recorrido de cuatrocientos veinte kilómetros desde Madrid para gozar de esta luz, de estos olores, de estos sabores, de esta limpidez. Y, sin embargo, de este amor a la región alta, montañosa, de Alicante, «la región de las colinas elegantes, de los almendros y de los granados», no

artista. He ahí las *grandes aventuras* en la existencia de Azorín. Una existencia introvertida, complicada, que requería, para su descubrimiento, la mirada atenta, perspicaz, estudiosa de un alma fina y culta como la de Riopérez.

En este sentido, la obra de Azorín es entendida por Riopérez y Milá como la destilación artística del espíritu del escritor, destilación que resumirá su biografía, su *única biografía:* detrás de cada libro de Azorín, bajo cada página, alienta su vida, la expresión más acendrada de su vida, su aventura vital.

Azorín vive en este libro extraordinario, dibujado en sus perfiles esenciales, siempre vuelto a su infancia decisiva, en una añoranza dulce de sus años pasados en Monóvar: nostálgico y meditabundo, solitario y silencioso, intensamente preocupado por la sensación fugitiva de las cosas y de las personas, atónito ante el problema de la muerte como acontecimiento universal que opera secretamente en el mundo.

Esta magnífica biografía, fruto de un conocimiento profundo de la labor azoriniana y de sustanciosas conversaciones con el maestro, aparece enriquecida con la publicación de valiosas cartas inéditas dirigidas por eminentes hombres a Azorín, que sirven, en su circunstancia histórica, para desvelar curiosos secretos de la vida literaria de la época. Toda una galería de la intimidad de grandes personajes: Baroja, Blasco Ibáñez, *Clarín,* Joaquín Costa, Rubén Darío, Eugenio D'Ors, Maragall, Ortega y Gasset, Pardo Bazán, Ramón y Cajal, Unamuno, Valle Inclán... Y una cuidada iconografía que abarca desde Azorín niño hasta las últimas fotografías del escritor en su madrileña casa de Zorrilla, y que recoge también una reproducción de los lugares representativos de su fecunda vida.

SUMARIO DE «AZORIN INTEGRO»

Un volumen en 4.º mayor, de más de 500 páginas, con profusión de fotografías y reproducción de documentos inéditos de todos nuestros más altos valores literarios de la época.

Fecha aproximada de aparición del volumen, primavera de 1962.

SEMBLANZA DE AZORIN

EDIADA la mañana o al atardecer de los plácidos días otoñales y de los días invernizos gratos, discurre por las calles madrileñas un caballero alto, delgado, rasurada la faz, gris el cabello, pulcro y sencillo en el vestir, en la diestra un ligero bastón, aprehendiendo con la mirada la multitud que se apresura, en contraste con el paso sosegado de este hombre señero, solo, melancólico, ante quien algunos transeúntes se descubren y otros dicen a sus amigos y a sus esposas: «Ese señor es Azorín». Sin monóculo, sin melena, sin paraguas rojo, sin tabaquera de plata, aunque parece «un hombre como todos los otros», esto es, sin nada de extraordinario, la celebridad le rodea como en aquellos días de comienzo de siglo, casi cuarenta años ya, en que la semblanza del maestro Cavia y el retrato de Sancha perturbaron su sosegada existencia. No habrá hoy «conjuración de señoras» en torno suyo, puesto que no entra todos los días en un restaurante, ni después de comer sale al campo, ni se detiene en el Ateneo; mas al pasar, algún caballero le mira rápidamente y pronuncia ciertas palabras misteriosas junto al oído de unas damas; alguna de estas señoras que se van despidiendo de la juventud le mira con cierto interés, y otra bonita, elegante—«ya va viendo el lector que todas las señoras que conocen, que acaso admiran al pequeño filósofo, son elegantes y bonitas»—, pregunta al señor discreto, cortés y afable que es acompañante suyo: «¿No sabes quién es...?»

Sí, es Azorín, bellas lectoras y discretos lectores. Físicamente, tal como Ignacio Zuloaga le retrató para la posteridad en ur lienzo reciente. En lo espiritual, caballer perfecto, desasido de todo lo mundan alejado de toda barahunda, el cual escrib a diario con el entusiasmo de la moce pero con la serenidad de la edad pr fiel a la amistad, indulgente con l tica juventud, rodeado por ar respeto y amor de seguidores sus nuevos libros, que rele en cuanto aparecen en quien yo quisiera tra sencillas, sin ficcion erudición—a las cu siera esbozaros, borada mentalr municación blanza que, so no sea lugar de en el podemos, no debemos olvidar la parte baja de la tierra alicantina, la que linda con Valencia, la denominada la Marina, y no la olvidamos porque en ella está vivo, fluente, como en nuestros corazones, el recuerdo de Gabriel Miró. «Gabriel Miró, atento y meditativo; Gabriel Miró, que es como una montaña, como un río, como un valle de la provincia de Alicante; Gabriel Miró, elemento geográfico de esta tierra. Su atención, su escrupulosidad.» «Y un estilo sabroso, suculento, sensual. Estilo que es la sensualidad del paisaje de la Marina; paisaje mediterráneo, en que la sensual Valencia ha puesto su sello dulce y blandamente. Con la caricia del deseo y del amor.» Y si, un momento nada más, cerramos los ojos, vemos al *Sigüenza* caminante de Benidorm, de Altea, de Villajoyosa, de Polop, abrazarse estrechamente con el Azorín de Novelda, de Sax, de Villena, de Petrel, en un abrazo henchido de cordialidad y de melancolía; la del escritor, ya en la declinación de la existencia, que mira en silencio la conchita humilde en que está escrito «27 de mayo de 1930», día en que Gabriel Miró se alejó en su barquita de vela—magia en Tabarca—para no volver más...

HA NACIDO UN NIÑO

Al amanecer del domingo 8 de junio de 1873, las diligentes monoveras que, sonrientes, peinadas y limpias, comienzan a pasar hacia sus quehaceres dialogan con las que ya trajinan en sus faenas caseras o se hallan en los portales sentadas en sus sillitas bajas de esparto. El *xau-xau* femenino es de noticias gratas. En su casa de la calle de San Andrés, que algunos ancianitos llaman todavía de la Cárcel, a las tres de la mañana ha tenido un niño doña María Luisa Ruiz Maestre, esposa de don Isidro Martínez Soriano. La madre está bien y el niño es muy hermoso; lo han dicho así las criadas de la casa; otros lo han escuchado de labios del médico. El padre está contento de esta ventura, porque el matrimonio, tan religioso, tan bueno, esperaba esta bendición de Dios. Todos se alegran de que fuera así; no en vano don Isidro es abogado y hacendado muy querido aquí, en Monóvar, aunque nació en Yecla; y doña Luisa es señora amable, simpática, nacida en Petrel, de donde es su madre. Acuden las gentes de la pequeña ciudad para averiguar noticias, para atestiguar sus plácemes. A la salida de misa mayor no se habla de otra cosa, según acaece siempre en los pueblos en estos casos.

Al día siguiente se celebra el bautizo. Ministra el sacramento don Máximo Rico. Actúan de padrinos don José Martínez y doña Loreto Ruiz. Terminada la ceremonia religiosa, mosén Máximo saca de un estante el libro 37 del archivo parroquial, y en el número 167 y folio 129 va escribiendo: «Año del Señor de mil ochocientos setenta y tres, día nueve del mes de junio, en la iglesia parroquial de San Juan Bautista de la villa de Monóvar, diócesis de Orihuela, provincia de Alicante. Yo, don Máximo Rico, Vicario Excmo. de la misma, bauticé y puse por nombre José Augusto Trinidad, que nació ayer, a las tres de la mañana; hijo legítimo por matrimonio canónico de don Isidro Martínez, natural de Yecla, y doña María Luisa Ruiz, natural de Petrel...» Siguen los nombres y apellidos de los abuelos paternos, don José y doña Josefa, yeclanos; de los maternos, don Amancio, de Monóvar, y doña Josefa, «todos propietarios», y de los padrinos. Como testigos firmaron David Esteve y Juan Pérez. «De que certifico.» Hecha la firma y rúbrica. Pasado el tiempo, los biógrafos han de exhumar este documento importante, y por él, más aún que por su entusiasmo carlista, el buen sacerdote será conocido.

Al regreso, y cuando el niño vuelve al lecho de la madre, a los amigos se los obsequia con generoso fondillón, exquisitas confituras o sabrosos pedacitos de jamón bien curado. Algunos han preferido una copita de anís, unas rosquitas o unas tortitas.

La alegría familiar se repite: con los años, don Isidro y doña Luisa tienen, además de José, ocho hijos: María, hoy difunta; Luis, que murió de meses; Amancio, Mercedes, Consuelo, Ramón, Amparo y Pilar.

Al padre le podéis ver en una vieja fotografía, alto, delgado, con recio bigote, corta y entallada levita, brillante sombrero de copa; estampa de caballero elegante, conservador, alcalde, diputado provincial. A la madre—que también la podéis mirar ataviada con rico vestido de buen gusto, bella y suave la faz—la ha descrito el hijo, finísimamente, arreglando la ropa blanca, sacando de las grandes arcas los trajes antiguos de seda, los manguitos, un miriñaque, una mantilla negra. «Cuando mi madre ha tomado en sus manos blancas esta mantilla, yo he visto que se quedaba un momento pensativa: esta mantilla es la de su boda. Y yo he sentido que una vaga tristeza—la tristeza de lo pasado—velaba sus hermosos ojos anchos y azules...»

Doña Luisa apuntaba en cuadernitos los sucesos acaecidos en la familia. Placer inefable reservado a los padres, o a los hijos cuando leen esos renglones pasados los años: la primera sonrisa, el primer diente, el primer corte de pelo, el primer vestido... Por aquéllos sabemos cuanto se refiere a nuestro José Martínez Ruiz. Así, fué a la escuela el lunes 21 de octubre de 1878; tenía casi cinco años y medio; llevaría mandiloncillo, puesto que hasta el día de la Purísima no le pusieron pantalones. Acaso fuera contento de hallarse entre otros niños, poco más o menos de su edad, de acompañarlos en sus cantos, de mezclarse en sus juegos; o fuese medroso, retraído, un poco triste al dejar las faldas de la madre, que se quedaría suspirando... Mas ¿cómo era este niño cuando asistía a la escuela? ¿Cuáles serían sus gustos, sus aficiones, la visión que tendría de la vida? Hijo de familia acomodada, ¿nacería entonces su amor a los humildes, que habría de perdurar a lo largo de su existencia? El paisaje alicantino, con sus finos colores, con sus tonalidades suaves, ¿teñiría su imaginación con ensueños de arte, de aquel arte embrionario de los carteles del colegio, de los cuentos infantiles, de las estampitas y de los horizontes grises en que se esfumaba el humo de las fábricas, en los que rodaban las nubes o en que se recortaban las ramas de las palmeras?

INFANCIA DE AZORIN

Si abrís el libro *Visión de España,* lo primero que leeréis será el prólogo—«El otro y el mismo»—que Azorín puso en 1941 a las páginas electas por Erly Danieri. Ha encontrado una antigua fotografía revolviendo viejos papeles; es de un grupo de niños tomado en 1881. Azorín no se reconoce entre ellos, pues entonces tenía ocho años. (¿Sería en esa edad o sería después cuando una enfermedad estuvo a punto de acabar con su vida? Porque si la vida humana está siempre pendiente de un hilo, en la niñez el peligro es aún más fácil. Lo más insignificante puede herir o matar este organismo quebradizo.) Al cabo, por las notas del reverso, se reconoce en uno de estos niños reunidos en un grupo. Sabe quién es. «Lo sé ya; lo estoy contemplando atento y sonriente; el niño que tengo ante mí, que concentra mis miradas, aparece con el pelo hirsuto y revuelto; tiene arrugado el entrecejo y fruncida la boca; mira con los ojos entornados, y mira—cual lobezno recién cazado—entre confiado y medroso; mira el lobezno, sin duda, a quien, un poco desde lejos, le está tendiendo la mano para acariciarlo; tal vez el falagüero no se fía mucho de esta bestezuela y no está seguro de que al aproximar la mano, para pasársela cariñosamente por el cerro, no le hinque de pronto sus dientecillos.» No haya temor; el niño es bueno y, al oírlo, se desarruga el entrecejo y la boca se entreabre sonriente, con sonrisa apenas esbozada. Nos place imaginarlo así al recordar a tantos otros lobeznos montaraces que esquivaban las primeras caricias y que terminaban por ser tratables. Los niños son buenos, y este niño de 1881 es el mismo hombre bueno que en 1941 finge dialogar con él, aunque afirme que no tiene «seguridad de que el otro sea el mismo de ahora». Sí lo es. La «espaciosa vida» que esperaba al niño se ha realizado, y anhelamos fervientemente que se prolongue con salud y en ambiente de paz; espaciosa vida la de aquel niño, puesto que sus progenitores «han sido longevos» —doña Luisa falleció a los setenta y un años, en octubre de 1916, y don Isidro, con setenta y cuatro, tres después—; «los padres de tus progenitores vivieron también luengos años». Ahora veamos qué es lo que predominará en este niño. «En la gaveta del estudio, gaveta del banco en que te sientas a estudiar, tienes, escondida entre los sobados libros de estudio, una novela. ¿Es que la imaginación va a predominar en ti y va a regir tus destinos?» ¿Pintará o llenará montones de cuartillas? «Presumo que esto último.» ¿Dominará en su trabajo literario el sarcasmo o el amor, la cordialidad o el odio? Leed y tornad a leer las siguientes líneas y decidme si quien habla así, con el alma en los labios, no es un hombre ejemplar, merecedor de nuestra devoción ininterrumpida: «No quieres esto último; tu entrecejo está arrugado y tu boca fruncida; tu mirada se filtra recelosa entre las pestañas; pero yo sé que tu corazón es bueno. No pierdas la confianza en la vida; no desesperes nunca; no sientas jamás—y menos en la declinación de la vida—asimiento por las cosas del mundo; sé generoso; da largamente tus energías creadoras y sé franco con la amistad, con los menesterosos; no niegues nunca a ningún perseguido, injustamente perseguido, tu amparo; ama a España; procura reflejar en tus libros—en esos libros que yo deseo que escribas—el ambiente moral, el paisaje y los hombres de España. Y cuando, cansado del largo caminar, te sientes para descansar un momento, para volver la vista atrás y ver la ruta recorrida, ¿es que si haces todo esto no vas a sentirte consolado?» El hombre de hoy, al volver la vista atrás para ver la ruta recorrida, ha de sentirse consolado; nos sentimos nosotros, que le hemos acompañado de lejos casi desde el principio del siglo. Porque tuvo cuanto deseó y aconsejó al niño, todo lo que confió en el niño, «el otro», que es —no dudéis un momento—«el mismo de ahora». Y, a manera de colofón de tan sutiles páginas, otra enseñanza bella: «De toda esta breve aventura sentimental subsiste una cosa: la simpatía, la viva simpatía con que el provecto hombre de ahora mira a la juventud»; porque «la vejez suele desamar a la juventud; el niño de ayer—¡un ayer tan lejano!—convertido en el hombre de hoy tiene, para el otro, representante de los ímpetus juveniles, un vivo afecto». Para los ímpetus juveniles, no lo olvidéis: vivo afecto hacia la juventud. No es raro: Azorín ha escrito, hace años, un supuesto diálogo entre maestro y discípulo: «El mundo es siempre igual, querido maestro. Los jóvenes atacan a los viejos. Cuando esos jóvenes impugnadores llegan a viejos, son atacados, a su vez, por otros jóvenes. ¿Sonríe usted, querido maestro? Sí; sonríe usted bondadosamente.» Porque esos ataques no son nada, «se los lleva el viento», si los jóvenes no cuentan con un punto de apoyo. «Ese punto de apoyo son los bellos, sólidos, originales libros que escriba el impugnador.»

Cabría preguntar al presente, en que los tiempos, «en el planeta entero, se han escindido en dos inmensos fragmentos»; cuando «domina ahora la juventud como no ha dominado nunca»; cabría preguntar—lo ha hecho Azorín en estos mismos días en que escribimos—: «¿Cómo verán estos jóvenes al senecto que los contempla, no con hostilidad, sino con espíritu de comprensión? Tal es el problema.»

CONFESIONES, ADOLESCENCIA

Alteraremos un poco, aparentemente, la cronología. En fin de cuentas, sin que desdeñemos la crítica, no tratamos de hacer un estudio de esta clase. Pretendemos dar a conocer al lector un esbozo biográfico y psicológico de Azorín.

A los treinta años José Martínez Ruiz tenía el semblante afeitado, con leve sombra en el labio superior, la mirada un poco triste e interrogante, el largo cabello peinado hacia atrás y un cuello foque, esto es, almidonado y de puntas rectas. El 8 de noviembre de 1903 aparece el número primero del semanario *Alma Española;* bajo el título resaltante sobre los colores de nuestra bandera se lee un artículo de Pérez Galdós titulado: «Soñemos, alma, soñemos.» Martínez Ruiz escribe en el hebdomadario desde este primer número: bien de teatros, «La Farándula. Prólogo en que un pequeño filósofo declara sus perplejidades», o acerca del estreno de *Mariucha,* o de Coquelin y Benavente, o sobre una comedia de Echegaray, o ciertos reparos a un novelista, o un retrato de Baroja, o escenas de Nochebuena, o unas reflexiones sobre el arte y la utilidad, o, sencillamente, unas docenas de renglones anónimos para rellenar un hueco, sin que pueda evitarse lleven implícito el sello del escritor. Azorín debió de ser uno de los principales sostenedores de esta revista.

En el número 3 (22 de noviembre) hay una página entera, la quinta si quiere el lector que seamos exactos, con el rótulo de *Juventud triunfante* y el subtítulo de «Autobiografías», bajo los cuales asoma el rostro de Martínez Ruiz—así se lee—ya descrito. Cinco capitulillos completan la plana: «Prólogo y disculpa», «Mi madre», «Mi primera obra literaria», «Mi filosofía de las cosas» y «La rareza de mi carácter». Esto quiere decir, advertirá el lector, que estamos en vísperas de *Las confesiones de un pequeño filósofo.* Sí, son las primicias, puesto que el librito se imprime en abril de 1904. Algunas de estas primicias no aparecerán en la denominada «novela»; otras cambiarán de título; a esta novela se incorporará Azorín fundido con el autor, personaje literario en dos libros anteriores y seudónimo en el siguiente.

Estas páginas se emborronaron en la pequeña biblioteca del Collado de Salinas. Se halla esta casa de campo, saliendo de Monóvar por la puerta opuesta de la estación, «hacia arriba, hacia las tierras altas». En *Superrealismo* se le dedica un capítulo especial. El terreno ondula, y en las cañadas o en las lomas se levantan las casas doradas o blancas. Se ven las higueras retorcidas, los plateados olivos, los sensitivos almendros. Desde una altura oteamos el lejano valle de Elda, el pueblo de este nombre y, más alto, Petrel. Queda a un lado la carretera de Pinoso y entramos en la de Salinas; cruzamos unas viñas, subimos entre pinos y estamos en el Collado. «Edificación irregular, asimétrica; conjunto de techumbres de diversa altura; cámaras múltiples; escaleritas penumbrosas que suben y bajan a salas y cuartitos de todas las anchuras.» En una de estas salas, en este ambiente franciscano, atalayando soberbios panoramas, aspirando los efluvios del campo que nos rodea, envuelto en la tonalidad de los grises o recibiendo el claror de las noches estrelladas, Azorín escribió sus confesiones. Joven entonces, las horas pasaban rápidas—al revés que lustros después—en el trabajo placentero...

Ya sabéis el origen—meramente literario—de este libro que ha llegado a ser famoso, como tantos otros libros pequeños: Azorín pensaba aspirar a un acta de diputado y sus amigos lograron «disuadirle de esta idea extraña». Consideraron preferible que escribiera un libro. «Nosotros no queremos despojarte de una ilusión, pero tendríamos más gusto en leer unas páginas libres salidas de tu mano que en verte andar estérilmente por los pasillos o voceando como un hombre vulgar en el hemiciclo.» Convencido el pequeño filósofo, contó no su vida de muchacho y su adolescencia «punto por punto, tilde por tilde», sino «algunas notas vivaces e inconexas—como lo es la realidad—», que le sacaron del aprieto y pintaron mejor su carácter «que no con una seca y odiosa ringla de fechas y de títulos».

He aquí la escuela a un lado del pueblo, «a vista de la huerta y de las redondas colinas, que destacan suaves en el azul luminoso», con un jardín plantado de evónimos y acacias; antiguo convento de franciscanos y, después de escuela, cárcel del partido, como es natural. A la escuela iba el párvulo no con alegría, como hemos supuesto antes, sino con pena; el sentimiento de placer era el verse «fuera de las cuatro paredes hórridas». En ella todos los días recibía una lección especial «como hijo del alcalde»; sabor de amargura y enojo que le produjo, sin proponérselo, aquel don Francisco Lloret, del cual el escritor *Marcolán* enteró a José Alfonso. Oasis delicioso era el juego de «a la lunita» con un vecino que se hizo sacerdote, y el final, «verdadera mente terrible», era que la criada de su amigo se disfrazaba para asombrarlos o se revolcaban «sobre la blanda y cálida paja» de una de las eras próximas. Por contraste, esa mujer «única, extraordinaria», que les regalaba la alegría, «servía a un amo que era su polo opuesto»: el solitario, o sea don José Antimo en la vida, el amigo de los pájaros que acudía al casino, seguido siempre de dos lebreles silenciosos. Entonces el niño empezaría a oír la frase «ya es tarde», que tanto había de influir en su vida; frase tan familiar en esos pueblos en que sobran las horas; escucharía aquello otro de «¡Qué le vamos a hacer!» y «¡Ahora se tenía que morir!»; o nacería su reprobación para los que maltratan a un niño, aunque no pasó por este mal.

De la escuela al colegio de Padres Escolapios establecido en un viejo convento franciscano de Yecla. De Monóvar al «pueblo terrible» en que se formó el espíritu de este niño hay seis u ocho horas en un carro, «caminando por barrancos y alcores»; bajo un olivo, el descanso para saborear la suculenta merienda preparada por la cuidadosa madre; una de las veces, el intento de fuga... Ya en el internado, la vida regular de madrugones, rezos, estudio, sobresalto en las clases, o sucesos ingenuamente insólitos, como la lectura a hurtadillas, la primera obra literaria en forma de discurso, la hazaña de uno de los mayores, apellidado Cánovas; la visión de la luna por un telescopio. Entre los maestros, el sabio padre Lasalde, el simpático padre Peña—que nos recuerda, por el nombre, a otro simpático padre Peña egabrense—, el bonachón padre Miranda, el padre Joaquín, el del amable y enigmático vaticinio. En cuanto a semblanzas de parientes bienamados, el tío Antonio, bueno, sencillo, encubriendo sus dolores, gozando ante una fuente de natillas o al escuchar música de Rossini; el abuelo Azorín, es decir, el bisabuelo paterno, don José Soriano García, impugnador de Talleyrand; abuelo escritor que no quiso dar a la estampa más que dos de sus obras; la tía Bárbara, parienta lejana del padre, siempre gimiendo «¡Ay Señor!»; la tía Agueda, sin más aspiración que la de que el muchacho fuera bueno; Menchirón, aunque excelentísimo e ilustrísimo, «hastiado, cansado, con su manta que arrastra, con sus zapatillas, con su gorra sobre la frente».

Las tenerías, como la cercana al colegio

o la inmortalizada en *La Celestina,* le llevan a manifestar su cariño por los oficios de los pueblos, que poco a poco van industrializándose, o por las vidas opacas de comerciantes o insignificantes oficinistas, de saltimbanquis u hombres misteriosos; le atraen las ventanas, lo mismo que al poeta Baudelaire; las puertas que golpetean por la noche cuando, insomnes acaso, oímos el canto de los Despertadores, o hermanos de la cofradía del Rosario o de la Aurora, poco antes que empiece a sonar el yunque de la herrería. Entre las visiones inconexas, la rogativa para que la sequía implacable termine y acabe así el rencor de los labriegos, su desesperanza, su intensa amargura frente a los campos agostados y los amedrentados niños que piden un pedazo de pan. En contraste, pensemos en esas mujeres que habéis encontrado en diversos lugares, en las cuales no habéis reparado al principio y que al fin hacen brotar de vuestra alma simpatía «recia e indestructible hacia esta desconocida que se ha aparecido momentáneamente en vuestra vida». En los veranos, nuestro colegial iba a la capital de la provincia y se sentaba en los balnearios, junto al mar. Salvaría con ilusión los treinta y cinco kilómetros que separan a Monóvar de Alicante; se aplacería con la variedad de colores y de olores del puerto, con el deleitable espectáculo de las velas blancas sobre el azul; pero, sobre todo, con las mujeres misteriosas que, como el mar que se alejaba, le «hacían pensar en lo infinito». María Rosario, evocada con sus quince años, vestida de negro, con delantal blanco y zapatos pequeñitos, cosiendo a la máquina en un patio entoldado, le hace meditar en si se habrá casado, en que acaso se haya puesto gruesa y que quizá tenga unos pañales sobre la mesa del comedor, lo cual le produce secreta angustia. Pesar íntimo que acomete a los hombres raros, y «Azorín es un hombre raro», lo dice él, aunque no por esto, sino por la zozobra que siente en las visitas; porque tuvo muy presentes estas impresiones de muchacho, «no he querido nunca—nos dice—hacer visitas». No hay que tomarlo al pie de la letra; de igual suerte que no creáis en el mutismo de Azorín. Lo que sucede es que no se disipa inútilmente en cosas estériles tras las cuales las gentes se afanan.

Tales son los años de escuela y de colegio de José Augusto Trinidad Martínez Ruiz: en aquélla, la infancia; desde los ocho años y por otros ocho, el bachillerato con los Padres Escolapios de Yecla. Así se formó su espíritu, y esto es lo que tratamos de hacer que resalte en las anteriores páginas, más que la referencia exacta, minuciosa, del libro: juegos inocentes, la meditación, la tristeza, los primeros choques bruscos con la realidad, el ansia de lecturas, la visión placentera de la huerta y de la vega, que puso en su espíritu los sentimientos iniciales hacia lo bello; el misterio de otros mundos, la sensación del tiempo, la resignación aprendida de las viejecitas y de los labriegos, que acaso «llevan en sus venas un átomo de sangre asiática...». Este ambiente ha influído en su temperamento sobre el lobezno de ocho años que vimos en una fotografía desteñida; este ambiente le ha hecho melancólico, apartadizo, dueño de una fuerza interior, contenida, que en lo por venir le ha de llevar—luego de los inevitables balbuceos y tanteos de los tiempos de aprendizaje literario — a recorrer con firmeza un camino que empieza en los periodiquitos del pueblo, que sigue en los de Valencia y Madrid, para convertirse en libros, efímeros unos—como esas hojas de Prensa—, perdurables a partir de la edad viril, en que volverá la vista con sonrisa de indulgencia hacia los escritos agraces, hacia los tiempos de lucha con la incomprensión de las gentes y la hostilidad de los compañeros de letras, hacia el borbollar de lecturas, de sentimientos, de pasiones juveniles, que han de reposarse, de clarificarse, de encauzarse para no perderse de manera estéril. Ahora, de las tierras altas a Valencia, la bella y luminosa ciudad; desde la ciudad de las campanas, a la ciudad radiante y armoniosa. En el muchacho de dieciséis años una nueva vida va a comenzar: al cofre forrado de piel cerdosa, en que la buena madre iba colocando la ropa para el colegio «con mucho apaño», de nuevo se le pondrá en camino...

AÑOS UNIVERSITARIOS

Desde los estudios en Yecla, pueblo asentado parte en falda de un monte yermo y parte en una pequeña vega, pueblo donde las campanas de diez o doce iglesias tocan a todas horas, baja de madrugada en un tren a Valencia, que es también, según ha escrito don Elías Tormo, «la ciudad de las campanas, pues tiene más de doscientas». La campana produce en Azorín melancolía. «La campana me restituye desde lo frívolo a la gravedad.» Cuando emprendía esos viajes, «alboreaba al dejar el tren los pasajes montuosos, quebrados y áridos de la parte alta de la región. El sol comenzaba a esparcir su clara lumbre sobre los naranjales. Era tibio el ambiente de la mañana; el azahar ponía su grato tenue perfume en el aire. Íbamos desde la casa solariega del pueblo hacia la vida libre del estudiante». «Y luego, ¡qué muchedumbre de recuerdos los de esta hermosa y clara ciudad!» ¡Cuántos proyectos con destino al futuro!

De ese pasado literario queda a los ocho años «una obrita teatral que representamos, como pudimos, en el zaguán de una casa varios amiguitos». Después, el Diario escrito en cuadernitos y entregado a la santa madre que le parece Blanca March, la de Juan Luis Vives, «prototipo de la señora valenciana». La madre, «con sus vestidos oscuros, reservadísima, contenida en sus cariños maternales, pero celosísima por los hijos, curiosa de lectura, amiga del orden y de una pulcritud irreprochable en toda la casa». Luego, artículos publicados en un semanario del pueblo, acaso *El Eco Monovarense* u otro periódico por el estilo.

Mas ya se encuentra nuestro estudiante en una casa de huéspedes de la plaza de las Barcas, de la calle de Santa Teresa, de Moratín, de la Ensalada, de Bonaire, de donde pasará a otra y a otra. Es alto, delgado, abundante el pelo rapado, cuello de pajaritas, plastrón, cuidadoso en el vestir. Lejos están las preocupaciones de toda laya; ni ese mudar de hospedaje de ocho reales diarios por cama, desayuno, comida y cena—los había, nos advierte, «todavía más arreglados: las casas de huéspedes de seis reales»—representa molestia en su afán de vivir; en todas ellas suele verse el papel de las paredes desgarrado, y en el pavimento se mueven los ladrillos; en todas, es indefectible, hay quemaduras de cerillas o de cigarros en la tapa de la mesilla de noche, «y al abrir el cajón —y esto es lo esencial—se exhala en todas partes, invariablemente, como el sino fatal del pupilaje, un fuerte olor a yodoformo». Alguna vez había frente a la casa una linda piruja que «abría los balcones por la noche e iluminaba las estancias para que nosotros, los estudiantes, la atisbáramos, emocionados y ansiosos, ir y venir, volver y revolver en sus menesteres de última hora». Tras la comida, al suntuoso café de España; y mientras con el magnífico Erard el pianista obsequiaba a la clientela con música de Wagner, se sorbía el aromático café y se hacía arder el ron en el platillo. Pagaba por todos uno cualquiera: Llorca, los hermanos Sancho, Arnal, Llopis. Daban largos paseos por la vega; «Valencia está en la huerta», había de escribir en *Buscapiés;* no ya sólo en deambular por la Alameda, o tomar cerveza en El León de Oro, o en admirar desde el Miquelete «un panorama igualmente soberbio que el que se descubre desde la torre de la Vela en Granada», o en darse unas vueltas por la calle de Zaragoza; hay que ir a la vega, asomarse a la barraca, charlar con los labradores, observar sus costumbres, recordar sus repentes... Por un dédalo de callejitas, al Fum-Club, título adecuado; porque «el azar puede en un momento hacerlo todo humo», o, por el contrario, proporcionar unos montoncitos de billetes con los cuales «irse todos—los otros nos esperaban cerca—hacia otras calles y otras mansiones». A su tiempo se dirigían a las fiestas populares; al teatro, para ver representar a Vico, a Zacconi, a Novelli u oír al tenor Viñas; al día siguiente, a los toros, donde lidiaban el *Gordito*, *Cara Ancha*, *Lagartijo*, *Reverte*, el *Espartero*, Fuentes, *Guerrita*... «No perdía yo corrida», declara Azorín.

Mas se preguntará el lector: A todo esto, ¿dónde están los estudios y la literatura? Poco a poco, que todo se andará. En lo de los estudios hay que tener en cuenta que en las puertas de la Universidad pone en letras de bronce: «Universidad literaria», letrero «comprensivo de letras y ciencias en su sentido más lato». Letrero que suscita una sorda irritación en nuestro estudiante por la pugna con su personalidad, por la oposición manifiesta con la literatura creadora. «De esa pugna, nunca anulada, nunca aplacada, había de nacer en mí toda una estética.» Por ello a las primeras novelas de Azorín alguna pluma autorizada las calificó de «incoherentes», sin advertir, sin poder advertir entonces, «la coherencia que en el fondo, no en la superficie, existe en esos libros». Con Cervantes, cada vez más amado por nuestro joven, sucedió algo parecido: los selectos le echaban en cara que no era «científico». Lo oficial es una cosa y lo particular otra. A lo largo de toda la vida de Azorín «ha de manifestarse tal discrepancia». Leed íntegramente este capítulo décimo, fundamental, de *Valencia*. Para fortalecerse en ello ha apelado siempre «a la austeridad en el vivir». En los espectáculos políticos y sociales a que ha asistido ha solido tener, «sin que apenas lo vea nadie, una sonrisa de desdén». La fuerza está «en el desasimiento de las cosas». Esa manera de sentir y de ver le ha llevado a su predilección por los grandes místicos españoles y a tenerla igualmente por los hombres perseguidos, hostilizados, como Pi y Margall y La Cierva. Resolvamos por ahora la antinomia dulcemente: desde la puerta de la Universidad que da a la calle de la Nave vayamos a comer unas empanadillas a la pastelería de la calle de las Comedias. Si no, a la biblioteca universitaria, casi siempre desierta, yendo con una escalera a revolver libros de un lado para otro. También contemplaremos la estatua de Vives, que se levanta sobre un pedestal en el centro del patio; el desfile solemne de los catedráticos, de toga y birrete, precedidos del bedel mayor cuando el reloj da la hora. Entraremos a las clases, mal alumbradas algunas; en la de don José Villó Ruiz, catedrático de Historia de España en el preparatorio de Derecho, el cual «era la Historia misma»; en la de don Eduardo Soler, que hacía amable el Derecho político y que era amante de la Naturaleza; en la de don Juan Juséu y Castanera, autoridad en Derecho canónico... No podemos citar a todos; hemos de ir a la librería extranjera de la calle de Querol para comprar un Baudelaire en que perfeccionar la lengua francesa—¡ay, aquel padre Peña del colegio de Yecla, que no se asombraba de nada mientras el alumno traducía y él leía *El Siglo Futuro!*—, o un Leopardi para ejercitarnos en el italiano; o hemos de recorrer tiendecillas de libros viejos, que ya nos cautivan...

No todo, sin embargo, ha de ser ver correr el Turia, gustar de los manjares y fiestas valencianas o pensar en las cendolillas «que conocimos en esos primeros años de libertad». Hay algo más. En el libro primerizo citado antes, en *Buscapiés*, al elogiar a los doctores Moliner y Mas, describe la visita a algunos otros señores que se creen genios y «ni tienen educación». Estos le reciben fríamente, descortésmente: «¡Pchs!..., bueno..., sí...» «¡Pchs!..., ya le escribiré yo a él directa-

de paisajes, tipos y costumbres, y de leer por leer. Respecto a lo primero, se preguntará en 1917: «¿Será esto un exceso?» Un buen aprendizaje sí que es. Se acostumbra el escritor a observar la realidad, a ajustarse a la realidad. En cuanto a lo segundo, «cuando se lee con propósitos de erudición, ¡qué fácil es perder el espíritu del autor leído! Cuando se lee *impensadamente* por goce, acaso no se puedan dar luego detalles del libro; pero el espíritu, el ambiente de la obra, sí los recogeremos. Y esta impresión total, esta sensibilidad, es lo que, en definitiva, nos da el valor verdadero del libro».

Del calor hogareño, a la frialdad madrileña; de los viejos amigos, a la hostilidad de los compañeros de pluma; de la vida sana de paseos, juegos de pelota, a que era aficionado, y lecturas plácidas, al trasnochar, al mal comer y al hojear precipitadamente cuanto cae en las manos.

PRIMERAS ANDANZAS EN MADRID

Si las crónicas no mienten, esto es, si las primeras líneas de *Charivari* no se equivocan, José Martínez Ruiz llega «a la corte y villa, o viceversa, a Madrid, que, como dice Calderón—¡ah, los clásicos de mi estante!—, *...es el centro—y es la esfera de toda la lindura*», el 25 de noviembre de 1896. Tiene aspecto de hombre hecho y derecho; lleva bigote, que irá creciendo y terminando airosamente en punta; alto tupé, que deja ver la frente; y nuestro héroe se envuelve a veces en una capita.

Ha salido de Valencia en el tren mixto de Madrid, a las dos de la tarde, y ha llegado al final de su viaje a la siguiente, cansado y entumecido de tantas horas pasadas en un fementido vagón de tercera. «Se sentía gozoso al evadirse del estrecho ámbito rodante y descender de un brinco, elásticamente, al ancho andén. Y nada más.»

Luego, a un cuarto o quinto piso abuhardillado de la calle del Barquillo, en donde la luz entraba por una ventana del techo inclinado. Menaje pobre el del aposento. Recién llegado, no invitaba a permanecer en éste. Vayamos a la calle. Ya en ella, no lejos de la casa, se le ofrece a la puerta del teatro de Apolo la visión de lo que él puede ser en lo por venir, porque un caballero, a la luz de los globos, lee unas cuartillas a compañeros que le escuchan. El, José Martínez Ruiz, puede ser, será, en lo futuro, tan conocido o más que estos señores, que deben de ser famosos. Estudio, meditación, ímpetu, constancia: he aquí lo necesario. Lo uno lo posee nuestro joven; a lo otro será capaz de sacrificar cuanto sea necesario. Pasado el tiempo, será indispensable reparar en estas cualidades y en estos esfuerzos; porque la vida no es fácil, como alguna vez le susurró dentro de sí una vocecilla irónica, insidiosa; ni el éxito es de los audaces siempre. Los que no lo sean—y nuestro levantino no lo es—, ¡cuánto han de pasar! Leed esta observación de *Soledades*, henchida de tristeza: «Si tratares en provincias a alguna eminente persona de Madrid, no la visites cuando vayas a la corte, porque no te conocerá.» Eminentes o... no eminentes serían algunas de las personas a las cuales habría conocido en el pueblo, en el bien abastado hogar monovero, y que, distraídas en atenciones o quehaceres de la populosa ciudad, no le reconocerían al verle, acaso ni dispusieran de tiempo para recibirle. ¿No hemos convenido más arriba que la vida no es fácil? Y esos hombres eminentes o... no eminentes—«quite *usté jierro*», se dice en algunos lugares de Andalucía—necesitarían de sus horas para empresas más fructíferas que la de atender a un joven provinciano que no ostentaba elegancia aparatosa en el indumento.

Quien le atendió, a las dos noches de la llegada, fué Ricardo Fuente, el redactor-jefe de *El País*. Sirvióle de presentación una tarjeta escrita por Luis Bonafoux. Le anima Fuente con su charla pintoresca y desgarrada. Pocas noches después, el levantino ayuda al periodista con unas cuartillas—«¡Mi début en el periodismo madrileño!»—, cuartillas que aparecen rehechas el 1 de diciembre. A diario va a la Redacción y escribe «como un desesperado hasta la una o las dos de la madrugada sueltos, artículos políticos, crónicas, telegramas, «arreglos» de las cartas, sin ortografía ni sintaxis—para eso son republicanos—, de los *correligionarios*». Algunos de esos artículos le ocasionan disgustos; otros no se publican; Leopoldo Alas, en *La Saeta,* de Barcelona, le elogia en un «Palique», aquellos paliques que eran, según definición del propio *Clarín,* «un modo de ganarse la cena que usa el autor honradamente, a falta de *pingües rentas*». En este «Palique» de enero de 1897, que atolondradamente han confundido algunos con el que en mayo le dedicó en *Madrid Cómico,* es donde se lee: «No sé quién es un señor Martínez Ruiz, que escribe artículos de costumbres en *El País;* pero quienquiera que sea, tengo el gusto de decirle que, en mi humilde opinión, si publica muchos trabajos como el titulado «Mi crítico», acabará por merecer que se vea en él una de las pocas esperanzas de nuestra literatura satírica.» González Serrano afirmaba que «elogio tan espontáneo, debido a la autoridad literaria, tanto mejor cimentada cuanto más discutida», de *Clarín,* coincidía con la grata impresión que le produjo la lectura de uno de los primeros folletos de Martínez Ruiz.

Casi desconocido, desde un piso cuarto de la calle de Jacometrezo, esquina a Olivo o Mesonero Romanos, oía en la madrugada el estrépito de las máquinas de *El Imparcial.* El balcón de la estancia daba a un hondo y angosto patio donde también se abrían las ventanas de la imprenta y veía «muchas noches escribir a Cavia, el eruditísimo cronista del periódico de Gasset...»; cronista que había de dedicarle admirable semblanza cuando el pequeño filósofo ya empezaba a destacarse en el mundillo literario. Otro a quien veía en los balcones de la Redacción era a Luis Taboada, «trabajador y culto», «ingenio inagotable», que le recordaba a Alfonso Alláis.

Un mal día, el 15 de febrero de 1897, la edición de provincias de *El País* incluyó un suelto diciendo que se prescindía de la colaboración de Martínez Ruiz por sus opiniones sobre el matrimonio y la propiedad; al joven periodista, tan comedido, en contraste con el lenguaje soez, blasfematorio, de algunos compañeros, no se había avisado previamente. Sus artículos, esos artículos vitandos, eran reproducidos en Londres y Nueva York; eran asimismo muy leídos en Barcelona.

Sostenía correspondencia, menos lacónica que después, con Bonafoux, con Emilio Bobadilla *(Fray Candil),* con Gómez Carrillo, con *Clarín,* con algunos extranjeros.

Había conocido a Unamuno, primeramente en Salamanca y de nuevo en Madrid, por quien tuvo siempre afectuosa simpatía; a Joaquín Dicenta, ya popular con su *Juan José;* a Jacinto Benavente, «artista de veras»; a Palomero, a Alejandro Sawa, a Luis Ruiz Contreras, quien había publicado *Tres moradas* (las de Galdós, Pereda y Menéndez Pelayo, en Santander); a Castrovido, que andaba por provincias; a Valle-Inclán, que arrojó «en medio del arroyo... (Regalo la edición)» un ejemplar de su *Epitalamio*... Pereira, el crítico teatral de *El País,* le lleva al Instituto de San Isidro para que conozca al catedrático de Filosofía: «¡Hombre, González Serrano tiene ganas de conocerle!...» Van una mañana: «¡Caramba, Martínez Ruiz!...» El joven escritor queda encantado, como ya lo estaba con la *Psicología del amor,* del maestro. Y no ahora, fuera del periódico, sino cuando iba a la Redacción, nadie pudo sospechar «la dura prueba por que pasé unos días». Días memorables—veinte días consecutivos—«en que no tuve más nutrimento que el siguiente: un panecillo por la mañana y otro al anochecer». «Con veinte céntimos al día hacía yo mi comida. Que pruebe ahora cualquier principiante a hacer lo mismo. Y, sin duda, desde entonces tengo vivo afecto al pan.» Sólo la vocación puede realizar estas hazañas, comentó hace poco Maximiano García Venero, «constante amigo en las bonanzas y en las procelas» de Azorín.

Apareció *Charivari (Crítica discordante)*, folleto compuesto con notas de un diario, con críticas volanderas, con siluetas de maestros y esbozos de jóvenes, según advierte en líneas preliminares; y aparece tal como lo ha escrito, «apasionado, discordante, caótico». Empieza el 25 de noviembre de 1896 y termina el 2 de abril de 1897. Merecen transcribirse estos cinco renglones finales: «Cada vez voy sintiendo más hastío, repugnancia más profunda hacia este ambiente de rencores, envidias, falsedad... Me canso de esta lucha estéril... Y aunque venciera, ¿qué? ¡Vanidad de vanidades!» Las enseñanzas de los místicos no había de olvidarlas nunca. Aunque venciera, ¿qué? ¡Vanidad de vanidades! *Vanitas vanitatum, dixit Ecclesiastes: vanitas vanitatum, et omnia vanitas.* ¿Habremos de negar que la pulpa de estas páginas es ácida para el gusto?... Los veinticuatro años mal contados de José Martínez Ruiz debieron de repetirse el segundo terceto de don Francisco de Quevedo, uno de sus predilectos clásicos, en la *Epístola satírica y censoria contra las costumbres presentes de los castellanos, escrita al conde-duque de Olivares:* «¿No ha de haber un espíritu valiente?—¿Siempre se ha de sentir lo que se dice?—¿Nunca se ha de decir lo que se siente?...» No, no puede, no debe decirse todo: por lo cual gritan, amenazan, intrigan unos; otros, desapasionados, ponen la balanza en el fiel, y entonces *Clarín*, en el *Madrid Cómico* del 8 de mayo de 1897, afirma que no debe quemarse el libro «porque dentro hay una honra literaria que no merece el fuego, y que tal vez un día, si hoy se le hace justicia verdadera, esto es, caritativa, nos dé un escritor talentudo, templado, noble, que será el primero a condenar estas... atrocidades de ahora».

El levantino se ausenta de Madrid. Cuando regresa, después de un lapso de tiempo apaciguador, se rehacen las viejas amistades. Antes, en Monóvar, hace una declaración política de adhesión a Pi y Margall, en septiembre de 1897.

El 31 de octubre de este mismo año se publica en Madrid el número primero de *El Progreso*, «diario republicano progresista». Es un periódico grande, de cuatro páginas, impreso por Fortanet. La Redacción está en Montera, 51. El artículo de saludo, «Presentes», es brevísimo. Al final de éste, los nombres del director, Alejandro Lerroux, y de los redactores y dibujantes. Los redactores son: Francisco Sastre, José Riquelme, Eduardo Rosón, José Jerique, Julián de la Cal, Adolfo Luna, Carlos Llinás, José Martínez Ruiz y Enrique Roger. Los dibujantes, Pedro de Rojas y Carlos López y Bonaire. En la última columna, la quinta, de la primera plana se inserta una crónica literaria de J. Martínez Ruiz, que en verdad es un cuento, el que termina el libro *Soledades*. En el número 2, artículo corto firmado con las iniciales y titulado «Los difuntos». En el 3 empieza la sección «Avisos de Este», sin firma. En el 4, en la misma, la semblanza de Nakens (recogida en las páginas 95-98 del citado libro). En el 6, la de González Serrano (37-40 ídem) a que aludimos antes. En el 7, la de Gómez Carrillo (100-104 ídem). En el 8, la de *Clarín* (55-59 ídem). Se hallaba escribiendo su crónica en la Redacción cuando entró don Alejandro «seguido de dos señores: uno, con sombrero de copa; otro, con hongo». Al rato le llamaron de la habitación contigua. El director le presentó, y luego, cuando estuvo frente al señor del sombrero de copa y «de la faz huraña: ¡Leopoldo Alas! ... Nunca he experimentado sorpresa mayor que esta sorpresa». Así conoció a *Clarín*, a quien tanto admiraba, en octubre del 97. En el número 9, los «Avisos de Este» se refieren a la entrevista con un joven «de mirada altanera, de maneras desenfadadas, de palabra chulesca (páginas 18-22 de *Soledades*), al cual aconseja en aquéllos que se haga «revistero de teatros»; en el libro, «Pues entonces, querido joven, si no tiene usted vergüenza, ni dignidad, ni sinceridad, ni conoce una jota de literatura ni de arte, entonces... ¡hágase usted periodista!» En el número 15, su encuentro con Eusebio Blasco—«Me pareció un peregrino cansado del eterno arenal...»—, cuando el autor de *Corazonadas* paseaba con Leopoldo Alas por la carrera de San Jerónimo (*Soledades*, págs. 98-100). Un Aviso es de pensamientos; en otro elogia *La Farándula*, de Benavente. El seudónimo de *Este* lo utiliza además en revistas de teatros. En el número 18 firma un artículo rotulado «*Clarín* en el Ateneo». En el 22 (del 21 de noviembre) hay la reseña de un banquete a *Clarín* ofrecido el día anterior por la Redacción de *El Progreso*, en el café Inglés, al que asistió Bonafoux. Martínez Ruiz brindó por la amistad de ambos. (Recordemos el terrible folleto del puertorriqueño *Yo y el plagiario «Clarín».*) Continúa José Martínez Ruiz escribiendo en los primeros meses del 98; elogia el periódico en proyecto, de don Luis, *La Campaña*... Poco a poco desaparece la firma del futuro Azorín.

En *El Progreso* colabora una vez, por lo menos, Unamuno. Manifiesta el periódico simpatía por el general Weyler. Dedica un suelto espantoso a otro príncipe de la milicia. Se urde una manifestación contra el diario republicano progresista; después, una contramanifestación. Arrecia la campaña contra la guerra... Don Alejandro convida algunas noches, a cenar, a sus redactores en lugares humildes...

Nos hemos detenido en esta etapa periodística de Martínez Ruiz porque es de las menos conocidas o de las que se han tratado ligeramente, sin estudiarla directamente. Además, es significativa en su carrera de escritor.

DESDE LA REPUBLICA DEL 73 AL 98

Nacido José Martínez a mediados de 1873, España se hallaba en plena República a consecuencia de la abdicación de don Amadeo, hecha el 11 de febrero, a la cual respondió en elevados términos la Asamblea Nacional. Fué nombrado presidente del Poder Ejecutivo don Estanislao Figueras; el 11 de junio le sustituye don Francisco Pi y Margall, quien había de ser una de las más férvidas admiraciones del entonces recién nacido; el 19 de julio, don Francisco es reemplazado por don Nicolás Salmerón; el 8 de septiembre le sucede don Emilio Castelar, otro de los hombres por quien sintió viva simpatía Azorín, aunque ni a éste ni a sus amigos los entusiasmaba en verdad—«ni debía entusiasmarnos», escribe en *Madrid*—, porque «representaba la retórica». En la madrugada del 3 de enero de 1874, el capitán general de Castilla la Nueva, don Manuel Pavía, disuelve la Asamblea violentamente. Los generales Serrano y Zabala, así como Sagasta—el político a quien «se le quería», el gran político que acaso represente «mejor que Cánovas los sesenta años, sesenta años espléndidos, de la Restauración alfonsina»—, son los jefes de los Gobiernos que preparan el reinado de don Alfonso XII.

El 29 de diciembre se pronuncia Martínez Campos por don Alfonso en los campos de Sagunto. El 14 de enero de 1875 entra en la corte, entusiásticamente acogido, el nuevo rey. Cánovas del Castillo gobierna cuatro veces durante este reinado; venía—según la conocida frase—a continuar la Historia de España. Hasta la Regencia presiden el Gabinete cuatro prohombres más. El 30 de junio del 76 se promulga la Constitución. El 25 de noviembre de 1885 fallece el monarca. Asume la Regencia su segunda esposa, la discreta doña María Cristina. El 17 de mayo del 86 nace don Alfonso XIII. Es asesinado don Antonio Cánovas del Castillo en Santa Agueda, en agosto del 97. Queremos transcribir en este lugar una página de Azorín, página llena de vida, que se lee en su libro *Un discurso de La Cierva:* «La última vez que vimos a Cánovas fué la tarde—24 de mayo de 1897—en que, debatiéndose en el Senado el asunto Tetuán-Comas, pronunció el insigne estadista su último discurso. Desde la tribuna pública lo escuchamos. Luego, en la puerta, esperamos a que saliera; queríamos ver de cerca—curiosidad de muchacho—un hombre grande y fuerte: el hombre más notorio de España. Salió Cánovas; desde el umbral caminó unos pasos hasta el coche que le aguardaba. ¿Era entonces el ocaso? ¿Moría entonces la tarde? ¿Unos rayos postreros y oblicuos de sol no hicieron reflejar sus lentes? Salió un hombre más bajo que alto; llevaba un bigote gris, y debajo del labio inferior moteaba una mosca gris. Su cara, de trazos duros, tenía una profunda expresión de voluntariedad y energía. Una larga melena cenicienta caía de debajo del alto sombrero de copa. Llevaba Cánovas un modesto bastoncito, de vuelta, en la mano—lo recordamos bien—, y en el rápido movimiento de su cabeza, en el modo de torcerla ligeramente de pronto, se adivinaba también el hábito de quien escucha altivamente, con dominio de sí, para dar en seguida una orden o rebatir con dos palabras lo que le acaba de ser expuesto...» ¿Se dará más expresivo retrato de este hombre tan mal comprendido?

El 15 de febrero de 1898 se produce la catástrofe del *Maine,* a la cual fuimos ajenos los españoles; en abril se entregan los respectivos pasaportes a los embajadores español y yanqui, y el 25 los Estados Unidos nos declaran la guerra. Recordad, los que entonces fuerais niños o jóvenes, la conmoción de España: las manifestaciones tumultuosas arrastrando los anuncios metálicos de las máquinas Singer, las imprecaciones a MacKinley en discursos y periódicos, el combate de Cavite el 2 de mayo, el de Santiago de Cuba el 3 de julio, la gloriosa muerte de nuestros marinos y soldados; en fin, el Tratado de París, con la pérdida de nuestras colonias. Y aquí es de rigor evocar una imagen de Castelar trazada por Azorín, no la de «El grande hombre en el pueblo», de *Los pueblos;* ni las publicadas en *El Sol* (13 de enero del 31) o en *Luz* (15 de agosto del 32); ni la que surge en *De Granada a Castelar;* ni la de *La Prensa,* de Buenos Aires, al hablar de Colón, ni otras; es la publicada a raíz de la muerte del tribuno. José Martínez Ruiz le conoció un año antes, en el pueblo alicantino de Sax. A don Emilio le había hospedado su compañero de niñez Secundino Senabre, «un valenciano franco y jovial». La tarde en cuestión, durante el crepúsculo, Castelar oye la lectura de los periódicos que acaban de traerle. El lector, «de pronto, se entorpece y balbuce. Se trata de los telegramas de la guerra con los Estados Unidos. Algo tremendo y doloroso ha ocurrido en aguas de Santiago. Sí, es algo trágico y amargo; es la derrota formidable de nuestra escuadra. Entonces, Castelar, conmovido, angustiado, yergue su cuerpo viejo con un esfuerzo heroico y exclama, dirigiéndose al lector: «¡Basta, basta!... ¡La paz, la paz!» Luego vuelve a caer anonadado en su asiento y llora como un niño durante largo rato».

Con motivo de nuestras desdichas coloniales, don Gabriel Maura Gamazo consignó en los *Recuerdos de mi vida* (1934): «No podemos ignorar que las más acusadas mudanzas colectivas de mentalidad, carácter y conducta se operaron cabalmente a raíz y bajo el influjo moral del desastre.» (¿Le corresponde al señor Maura Gamazo «legítimamente el acierto del bautismo de la 98, que, andando el tiempo, tanto daría que hablar», como demostró en *La Gaceta Literaria,* el 15 de febrero de 1931, don Rafael Marquina?)

Cuando nació Azorín, Pérez Galdós —que ya había publicado dos novelas— compone, desde 1837 a 1879, las dos primeras series de los *Episodios Nacionales;*

don Juan Valera, su *Pepita Jiménez,* en 1874; Pedro A. de Alarcón, *El sombrero de tres picos,* en la *Revista Europea;* a doña Emilia Pardo Bazán se le premia el 76, en Orense, su *Examen crítico de las obras del padre Feijoo,* e imprime el 79 su primera novela, *Pascual López;* Pereda, después de sus cuadros de costumbres, da la novela *El buey suelto;* Palacio Valdés, en 1881, *El señorito Octavio.* En la poesía, sea nuestro primer recuerdo para la dulce Rosalía de Castro, fallecida el 15 de julio de 1885 y a la cual ha dedicado Azorín tan sentidas páginas; Campoamor empezaba a popularizar sus *Pequeños poemas;* a Núñez de Arce, «el último de nuestros grandes poetas de la elocuencia», nuestro joven le veía en la librería de Fernando Fe, siempre como aterido; a Vicente Wenceslao Querol le evoca «literariamente a través de sutil neblina»; a Teodoro Llorente, tranquilo y lento. En el teatro, comenzaban a estrenar Echegaray y Sellés. Se da a conocer en la crítica Menéndez Pelayo, y no lo eran todavía sus grandes discípulos don Alfonso Bonilla y San Martín y don Ramón Menéndez Pidal.

Sólo hemos nombrado a aquellos con quienes Martínez Ruiz tuvo alguna relación.

En cuanto a Pérez Galdós—luego Galdós «a secas»—, a pesar de sus deferencias, «siempre hubo entre nosotros — escribe Azorín—como una ligera neblina que no llegaba a disolverse». Don Juan Valera trató amablemente a estos jóvenes; le visitaron cuando ya estaba ciego. De Pedro A. de Alarcón, «gran pintor de España» con la pluma, «infatigable luchador», fallecido en 1891, ha opinado Azorín con cariño. Doña Emilia, «curiosa de toda novedad estética, se inclinó hacia nosotros»; la visitaron; antes de venir a Madrid el joven literato tuvo correspondencia con la Pardo Bazán y le mandó desde Valencia, allá por el 88, una copia manuscrita del *Fray Gerundio,* del padre Isla, hecha cuando se agotó la edición; logró que asistiera a la conferencia de Silverio Lanza en el Ateneo; le presentó al suizo alemán Pablo Schmitz (*Dominic Müller*); representa, en suma, para Azorín, entre todos los maestros que tuvieron los del 98, *la inactual.* Pereda es, en definitiva, «un gran caballero, bueno y afable, que amó fuertemente a su tierra y que ha dejado, con rasguños recios, inmortales, tipos, escenas y paisajes del terruño nativo y del mar que contemplaron tantas veces sus ojos». De Palacio Valdés habló asimismo con simpatía. De su pensar acerca de Campoamor rectificó con nobleza, como de tantos otros, singularmente del padre Claret, porque, llegado Azorín a la hora de la serenidad, consideró que había sido injusto antes. Combatió a Echegaray y elogió *La política de capa y espada,* de Sellés. De «joven sabio universalmente juzgado» calificó a Menéndez Pelayo en *La crítica literaria en España;* le visitó en su aposento de la Academia de la Historia; don Marcelino le agradece su «interesante y bien escrito libro» *El alma castellana;* repetidas veces habla Azorín de «la formidable labor» del gran polígrafo. Es conocido su entusiasmo por *Clarín,* maestro al que dedica *Soledades*—«recuerdo de un discípulo que sigue y agradece sus consejos»—, de quien dispone y prologa unas *Páginas escogidas,* en 1917, y al cual ha vulgarizado constantemente; otro de sus predilectos era Emilio Bobadilla.

De los amigos, Unamuno es el más caracterizado, con nueve años más de edad; cuenta en *Charivari* que le conoció en la librería de Fe; «entre él y yo encuentro semejanzas de vida». En mayo de 1897, don Miguel le envía un retrato desde Salamanca. Se han carteado durante largos años; Azorín le trajo a Madrid para una conferencia, y ha escrito mucho de Unamuno para el público. Otro de los amigos es don Juan Bautista Amorós (*Silverio Lanza*), aquel peregrino ingenio que vivió en Getafe y que puede ser considerado como «un escritor raro». Otro, el bueno y grande don Juan Maragall, el de los *Elogios:* del amor, de la palabra, de la poesía, del pueblo, del teatro, de la danza, del vivir, de la gracia, de una tarde de agosto...

Otros... son muchos, casi todos ellos nombrados a lo largo de estas páginas.

Mas los principales fueron Ramiro de Maeztu y Pío Baroja. Azorín ha referido que se llamaban y los llamaban *los tres*. «Los tres éramos el núcleo del grupo literario y que se disponía a iniciar una acción social.» Los tres fueron los que quedaron cuando se escindió «la primitiva y única agrupación y capitanearon otro grupo Benavente y Valle-Inclán».

¿Cómo se conocieron? Fué allá alrededor de 1900, acaso—o sin acaso—a raíz de la publicación de *Vidas sombrías*. Baroja lo refiere en la carta enviada desde París a la fiesta de Aranjuez (23 de noviembre de 1913) en honor de su amigo. Merecen transcribirse los siguientes párrafos; lo merece la carta entera: «Conocí a Martínez Ruiz hace ya mucho tiempo, a raíz de publicar yo mi primer libro de cuentos. Tenía entonces Martínez Ruiz, en el pequeño círculo de Madrid, fama de hombre malintencionado y punzante, aspecto, para los demás, de estudiantón, libelista y mordaz. Mi editor, amigo suyo, le envió mi primer libro. Martínez Ruiz leyó un cuentecillo de los míos y escribió una carta al editor dando su opinión acerca de la obra; pero luego, sin duda, volvió a leer otros cuentos, rectificó su opinión y escribió al siguiente correo una carta larga analizando la obra, estudiándola y comparándola. Me asombró, me chocó esta probidad intelectual, este respeto a la verdad. Hoy no me hubiera chocado, porque ésa ha sido una de las características de Azorín.» Certera la observación de don Pío; certeras las siguientes: que ha visto a Azorín «siempre sincero, siempre alentador para los demás, absoluto, desprovisto de tristeza del bien ajeno, cosa rara en un escritor y, sobre todo, en un escritor español». Pero no menos importantes estas de don José María Salaverría, en *Nuevos retratos* (1930): «Contaba Baroja que una tarde, paseando por Recoletos, se le acercó Azorín y dijo: «Hola, Baroja; yo soy un admirador suyo», y en seguida: «Yo soy Martínez Ruiz.» Y siguieron juntos el paseo. Desde aquel día no ha cesado Azorín de tributarle a Baroja una adhesión admirativa, una amistad leal a prueba de todos los desvíos y egoísmos en que acaso abunda algo excesivamente el notable novelista.» Es posible lo primero y desde luego cierto todo lo demás. El mismo Baroja lo ha narrado, poco más o menos, en *Juventud, egolatría* (1917). Con lo que Azorín ha escrito acerca de Baroja pudiera formarse un volumen muy nutrido y sustancioso. Baroja ha correspondido con la carta citada y, antes, con el prólogo a *La fuerza del amor*. Acaso lo demás, casi todo lo demás, no deba tenerse en cuenta. Esas páginas sí son nobles páginas de reciprocidad en el afecto. Lo son estas líneas de *Juventud*: «Para mí, Azorín siempre será un maestro del lenguaje y un excelente amigo.» Puedo afirmar que continúa siéndolo.

Análogamente sería la amistad con Ramiro de Maeztu (1875-1936), tan vilmente asesinado por los rojos. Salaverría ha señalado el contraste—«sorda rivalidad», decía Baroja—entre Maeztu y Azorín; porque Maeztu—aquel Maeztu que describía en *España* la lucha entre el tigre *César* y un toro en San Sebastián en julio de 1904, ¿fué Maeztu o fué Grandmontagne?—llevaba la peor parte al dedicarse a la sociología, economía y política universal, aunque esto le abrió las puertas de la Prensa influyente; mientras Azorín, observa el escritor vasco, «se había refugiado en el artículo de periódico que puede luego trasladarse al libro, Maeztu hacía únicamente artículos de periódico que no son más que artículos. En uno se pronunciaba el literato; en el otro, el periodista»; el uno leía por leer, placenteramente; el otro, para documentarse, de manera angustiosa; el público del uno—viene a decir Salaverría—era el que construía un renombre; el del otro, el que no ayuda a la reputación del literato.

Con los *tres* formaron la generación del 98: Unamuno, Benavente, Valle-Inclán, Rubén Darío, Manuel Bueno, Bargiela, los hermanos Fuxá. Influyeron en ellos Nietzsche—el Nietzsche incompleto o fragmentario que se conocía entonces a través del libro de Lichtenberg—, Verlaine, Gautier, Baudelaire, más los amigos extranjeros que les dieron a conocer los libros de estos autores: Cornuty, «apasionado de Verlaine y fervoroso recitador de sus poesías; otro, el doctor suizo Pablo Schmitz, entusiasta de Nietzsche». Entre los españoles, fueron sus maestros Larra, Costa y *Silverio Lanza.* Ganivet, ahogado en el Dwina a fines de noviembre del 98, es conocido después. Mas la protesta de aquellos escritores, generosos, románticos, «no hubiera podido producirse sin la labor crítica de una generación anterior». Amaron los viejos pueblos y el paisaje, a los poetas primitivos, al *Greco,* a Góngora y a Larra; los ideales románticos, la Historia y, sobre todo, España. «No creo que tenga yo ni un solo libro—escribe Azorín—ajeno a España.» A *Los tres,* título de una novela de Gorki, se debe la erección de un monumento en el parque del Oeste a los héroes de las guerras coloniales, en lo cual los ayudó el general Polavieja, aunque luego se olvidaron de los iniciadores. Unos han zaherido y otros han loado la generación del 98.

Pío Baroja niega, en burla y de veras, que existiera nunca. Ahora mismo, en las «Memorias» que publica en la revista *Semana,* insiste en el tema: «Así, pues, joven profesor, si piensa usted publicar un manual de literatura española, puede usted decir, al hablar de la mítica generación del 98, sin faltar a la verdad, primero, que no era una generación; segundo, que no había exactitud al llamarla de 1898; tercero, que no tenía ideas suyas; cuarto, que su literatura no influyó, ni poco ni mucho, en el advenimiento de la República, y quinto, que tampoco influyó en los medios obreros, adonde no llegó, y si llegó fué mal acogida.»

Delicada y objetivamente, Azorín comenta en el *A B C* del 28 de febrero, bajo el título de «Las generaciones»: «¿Existe o no existe la generación de 1830?» «Generación es un concepto abstracto. Hay generación, a pesar de todo lo dicho, en 1830, y tendrá la razón quien lo afirme. Lo mismo se podrá decir de otras generaciones. La diferencia—y aun el antagonismo—estriba en el punto en que se sitúen el negador y el afirmante. El que niega se coloca dentro de la misma generación; ve a la generación por dentro; conoce sus tallas y sus imperfecciones; sabe que no se puede hablar de generación de tal año el supuesto 1830, por ejemplo, como un todo orgánico y coherente; la diversidad de tendencias, gustos, edades y demás circunstancias lo veda. El pleito está fallado; no hay que volver sobre el asunto. Y, sin embargo, la generación existe. Lo afirma quien está situado, no dentro de ella, sino fuera; no quien la ve por dentro, sino quien la contempla con los ojos del público.» ¿Qué influencia tiene una generación de esta clase en la política? «La influencia de las letras es, naturalmente, literaria. Lo demás es adventicio. Y tal influencia es lo que contribuye a definir una generación por su huella en la siguiente.» Ahora sí que el pleito está fallado; no hay que volver sobre el asunto...

HACIA LA FORMACION DE AZORIN

Con veintitantos años, más cerca de los treinta que de los veinte, José Martínez Ruiz es casi, al final del siglo, un joven dedicado por completo a la literatura: laborioso, tenaz, sincero, desinteresado. Estas cualidades han de acompañarle el resto de su vida. Y así, muchos de los que le han combatido—ha sido acaso el más combatido de todos los contemporáneos—no han reparado debidamente en estas virtudes de su vida privada y de su vida pública. No ha obrado por capricho, esto es, por obediencia a móviles y motivos inferiores, ni sus hábitos arraigaron tan fuertemente, tan profundamente, que no permitieran modificación y se transformaran en rutina, psicológicamente hablando. Rutina y constancia suelen confundirse; la primera, escribe un tratadista de Filosofía de los que no nos son afectos, «indica la carencia de voluntad propiamente dicha; la constancia implica la voluntad más desarrollada, a la par enérgica y tenaz». Y antes: «La rutina consiste en obrar siempre de igual manera, incluso cuando las circunstancias ya variaron; la constancia estriba en obrar siempre para el mismo fin, aunque el modo o los medios varíen.» Azorín no actuó nunca por razones inconfesables; jamás obtuvo provecho ilícito —honorífico, ni lícito siquiera—, y es quien fué, aunque con la experiencia de los años.

Por estos a que nos referimos hubo estadas más o menos breves en su lugar de origen. El ambiente era cordial entre los distintos grupos políticos, según en *Superrealismo* ha expuesto: había liberales, conservadores, republicanos posibilistas o de Castelar, federales o de Pi, centralistas o de Salmerón, algún zorrillista. «Nada de las señudas banderías de otros pueblos.» La amistad con alguno de estos señores influiría en el joven escritor; acaso el «prestigioso federal», «amigo de don Francisco Pi y Margall, médico, certero clínico, a quien, a pesar del ambiente de terrorífica incredulidad que le rodea, llaman al punto en las casas burguesas»; este médico, unos cuantos lustros mayor, no será indiscreto decir que se nombraba don José Pérez Bernabéu. Fué político militante cuando la Gloriosa, y el escritor José Alfonso ha descrito a don *Chusep* en su casita de campo monovera Buenos Aires, sentado en una silla terrera de pleita, saboreando unos folletos de su joven amigo o escribiendo «algunos apuntes de geografía médica de la ciudad de Monóvar». Anciano ya, le condujeron al cementerio una tarde, y del ataúd pendían «cuatro cintas llevadas por cuatro médicos».

¿Fué a este caballero a quien dirigió una larga carta, conteniendo su declaración política, el 21 de septiembre de 1897? Tenemos copia de la carta ante nosotros, gracias al querido compañero señor Capilla Beltrán; pero no la transcribiremos íntegra, para que pueda hacerlo, en su *Azorín, paso a paso,* el paisano de Calixto III, de Alejandro VI, de *El Españoleto.* En la carta hace pública adhesión «a los principios que sustenta el gran repúblico Pi y Margall», porque juzga «que el partido federal es, entre todos los partidos de España, el único que ofrece soluciones concretas a los problemas políticos y sociales que hoy preocupan los ánimos». Elogia al «venerable anciano» como pensador independiente, al lado de Valdés, de Marchena, de Vives. Ningún político «posee espíritu más amplio y accesible a las aspiraciones y a las necesidades, cada vez más apremiantes, del pueblo obrero». Pi y Margall, socialista como pensador, lo es como hombre de Estado en el manifiesto-programa del 22 de junio de 1894. Se duele Martínez Ruiz de que el obrero malgaste sus energías «en poner en práctica ideas generosas, sí, nobles sobre todas y altamente humanas, pero irrealizables en estos tiempos». Por eso aplaude y presta su concurso «a partidos de gobierno que, como el republicano federal, pretenden realizar en parte ese ideal supremo y allanar el camino para que generaciones futuras lo vean acabado y completo». Por eso tuvo tanta devoción al Anciano, como le llamaba. Le visitaba a menudo en su casa de Madrid; hizo que le acompañara alguna vez Baroja, y refiere literariamente en *La Voluntad* una de esas entrevistas. Pi y Margall prologó uno de los libros de Azorín: *La sociología criminal.*

José Martínez Ruiz conocería en su pueblo a personajes inolvidables para quien los dió a conocer y para el lector que llega a ser igualmente amigo suyo; así Sarrió, el de *Antonio Azorín,* el de *Los pueblos,* el de la elegía en el diario *España* en enero de 1905, el padre de Carmen, de Lola, de Pepita; así Alvaro Vidal, el Alejandro de *El ideal de Montaigne,* el cual era «uno de esos hombres que llevan una alegría absurda por donde van»; así «la viuda *des gañivetets,* es decir, de los ganivetitos, o sea de los cuchillitos; señora opulenta y solitaria en su caserón; un tren especial en que la viuda hace venir de Madrid un médico; lo que representaba en 1870 un tren especial», y acerca de la cual publicó una semblanza en *Blanco y Negro,* en marzo de 1904, el tercero de los trabajos de José Martínez Ruiz en la popular revista. En el pueblo aprendería...; mas leamos lo que Navarro Ledesma pone en la entonces crónica semanal ilustrada, *A B C* del 23 de junio del mismo año, a raíz de *Las confesiones de un pequeño filósofo:* «Oye las pisadas de los sampedritos entre las macollas de trigo... y siente crecer la hierba»; «Azorín oye lo que le pasa por dentro. Ha nacido y vivido en uno de esos pueblos solos y callados en donde a medianoche no escucha el pensador vigilante sino el pendolear de su corazón... Y como, según el maestro Gracián, el primer paso del saber es saberse, también el primer paso del oír es oírse.» Ahora recordad lo que es el pueblo, en las páginas dedicadas por Azorín a Pío Cid: «El pueblo es la soledad, la monotonía, la inacción exterior; todos los días vemos las mismas caras; todos los días repetimos las mismas palabras.» El mismo paisaje, iguales pasos, idénticas horas en el casino solitario. «Y en este sosiego provinciano, ante las mismas caras siempre, ante el mismo paisaje siempre, vuestro espíritu va divagando por las regiones del ensueño, y vuestro *yo* se crece, se aísla, se agiganta, se desborda hasta en vuestros menores piques y obras...» ¿No fué aquello, el conocimiento de aquello, el porqué los espíritus selectos no se burlaban de él?

En Madrid estudia, observa, escribe; cumple aquel precepto pedagógico que en enero de 1904 había de exponer en la *Revista de Aragón* el arabista señor Ribera y que nosotros aprendimos de su discípulo y maestro nuestro Gómez Izquierdo: «La mejor manera de aprender una cosa es hacerla: se aprende a nadar nadando; a montar, montando; a escribir, escribiendo; a pensar, pensando; a decir, diciendo.» Pasaba horas enteras en las bibliotecas públicas; paseaba solo, contemplando tipos y costumbres; hablaba con unos y otros compañeros, y les escuchaba sobre todo; colaboraba en revistas y periodiquitos efímeros, ya que los grandes diarios no le eran accesibles aún. Unos literatos, como Benavente, Maeztu, Baroja, publicaban en *Revista Nueva,* fundada por Ruiz Contreras en 1899 y que tres veces al mes aparecía en cuadernos de 32 páginas, que semejaban libros en octavo. Otros, en *Juventud* y *Arte Joven:* una, costeada por un catalán fabricante de cinturones eléctricos y dirigida por Picasso; la otra, en la Redacción de un periódico que defendía los intereses de los carniceros. En *Juventud,* cuenta Baroja: «Dogmatizábamos acerca de la moral Maeztu, Azorín y yo, mientras los redactores del periódico carnicero hablaban de los filetes. Otras muchas publicaciones de larga vida (duraron un número y, a veces, hasta dos) lanzamos al mundo.»

Mas lo principal es que José Martínez Ruiz, después de *Soledades* (1898), mosaico de pensamientos ajenos y propios, de semblanzas y de cuentos, y de la fábula o sátira contra un republicano intolerante y anticatólico, *Pécuchet, demagogo* (1898), escrito no destinado al público; después publica el folleto *La evolución de la crítica* (1899), con ocasión del cual volvió a escribir *Clarín* en *Los lunes de El Imparcial* que su autor es «uno de los jóvenes que más prometen, a mi juicio»; *La sociología criminal* (1899), recopilación de teorías modernísimas entonces, prologada por don Francisco Pi y Margall, su austero amigo; *Los hidalgos (La vida en el siglo XVII)* y su complemento o ampliación *El alma castellana* (1900), libro agradecido por Menéndez Pelayo con dos líneas en una tarjeta, y celebrado por Maragall por «ser vivo»; *Diario de un enfermo* (1901), que sobrecogió al mismo don Juan «por la fuerza plástica de la expresión, por la dureza del claroscuro», páginas donde se refieren las visitas a Burell, gobernador de Toledo, «sutil artífice de la prosa, que poco a poco se va apagando», y las que hacían a los conventos de monjas y a los cuadros de Domenico Theotocópuli, a la memoria del cual dedica el *Diario*. Falta aún por mencionar, en esta primera época, la tragicomedia *La fuerza del amor,* que doña María Tubáu y don Ceferino Palencia no se decidieron a poner en escena por lo costoso de la representación. La acción se supone en enero de 1636, dividida en tres jornadas. Son muchos los personajes, entre ellos Quevedo. El autor, en cinco páginas, trata de los vestidos y costumbres. Baroja le elogia en las cuatro del prólogo, como «idealista algo extraño». «En él todo es rectilíneo; su simpatía y su odio van en línea recta, tropezando aquí, cayéndose allá, sin doblarse nunca. En su alma no hay curvas, en sus sentimientos no hay matices; todo en él es claro y algo geométrico.» ¿Por qué se le cree tortuoso? Martínez Ruiz «es consecuente consigo mismo, pero no con los demás, y la inconsecuencia aquí es un crimen que no se perdona». No se destaca su personalidad en esta comedia «bonita, documentada, discreta, un trabajo de erudición, de reconstrucción histórica». En donde hay que leer a Martínez Ruiz «es en sus trabajos personalísimos, iracundos. Siente todo lo personal con una energía rabiosa; es sañudo, violento, extremado». «Alegre su arte, sería un arte griego; amargo como es, es español, puramente español.»

Españoles son los temas que desarrolla, anónimamente, en *El Globo,* diario liberal. A los veintiocho años de haber empezado a publicarse, en la quinta época (1902), luego de haber cambiado de dueño repetidas veces, instalada ahora la Redacción en la calle Mayor, número 6, intenta remozarse con el ingenio de los jóvenes de más valer. Azorín recuerda con fruición el viejo diario. En el libro *Un discurso de La Cierva* escribe: «A fines de 1902 se formó un núcleo de escritores jóvenes en torno a *El Globo,* diario, como su homónimo de Francia en 1830, de brillante tradición literaria. Escribían con entusiasmo aquellos jóvenes. Se hicieron en el periódico citado campañas de política agraria en que el sentido de la tierra iba enlazado con reminiscencias de escritores clásicos. (Esos artículos fueron del autor de estas líneas.) Se revisaron valores literarios. Se hizo una obra de crítica teatral —debida a Pío Baroja—que causó indignación y escándalo. Aquellos escritores ansiaban renovación y vida.» Esos artículos de crítica fueron recopilados en un librito, que prologó Azorín. Esta serie comprende diez artículos: empieza el 29 de octubre, con la crítica de la refundición de *Reinar después de morir,* y termina el 3 de diciembre, con la de *Alma triunfante,* de Benavente. A principios de 1903 se halla Baroja en Tánger, como enviado especial del periódico. Los artículos de Martínez Ruiz en *El Globo* se conocen por su contenido y forma. Deben de ser suyos algunos de la sección «Vida parlamentaria», «Historia de la crisis» (5 de diciembre de 1902), que tuvo éxito resonante, y muchos editoriales, como «La urdimbre», «La entraña», «Los hidalgos»... Son asimismo notables los titulados por Azorín «Un Nietzsche español», analogías entre Gracián y el germano, tan estudiadas después por los extranjeros, que han solicitado dichos artículos. El autor de *Así hablaba Zaratustra* era tema asimismo caro a don Pío Baroja, que lo cultivaba por entonces. El artículo «Vieja España, patria nueva», que Azorín comenta en el libro citado, se lo inspiraron a Baroja unas palabras de Doménech en el Congreso: «Los que esperamos y deseamos la redención de España no la queremos ver como un país próspero sin unión con el pasado; la queremos ver próspera, pero siendo sustancialmente la España de siempre.» No derribar la vieja iglesia y levantar otra nueva, sino restaurarla, aprovechar del viejo edificio cuanto sea aprovechable. Y Azorín, español, patriota, que reconoce de manera expresa lo que debemos a los poetas primitivos y luego a Garcilaso, a

Góngora, a fray Luis de León, al *Greco,* a Velázquez, a Zurbarán, a Goya, a Cervantes, a Larra, acaba por escribir, como remate de lo que es la tradición: «La generación de 1898 ha sentido algo de eso; esa generación ha sentido España. Ha sentido el paisaje de España, los poetas de España. ¡No derribéis la vieja iglesia! ¡Dejadla en pie! Demoled, sí, cuanto sea necesario para que la secular edificación pueda conservarse a través del tiempo. Conservar es renovar.»

AZORIN, PERSONAJE LITERARIO Y SEUDONIMO

Para la mayoría de las gentes, letradas algunas, el seudónimo de Azorín, con que firma don José Martínez Ruiz, nació con *La Voluntad.* No es cierto. La primera edición de esta obra apareció en la «Biblioteca de Novelistas del Siglo XX», de Henrich y Compañía, Barcelona, en 1902. Inició la colección Unamuno, con *Amor y pedagogía;* a José Martínez Ruiz siguió Zozaya, con *La dictadora;* Timoteo Orbe, *Guzmán el malo;* Dionisio Pérez, *La juncalera;* Altamira, *Reposo;* Baroja, *El mayorazgo de Labraz,* y luego publicaron: E. Bobadilla, *A fuego lento;* Martínez Sierra, *La humilde verdad...* Eran tomos en octavo mayor, por los cuales solían abonar dos mil pesetas.

La Voluntad tenía 301 páginas e índice; en las pares se leía J. Martínez Ruiz; en las impares, el título de la novela. En la segunda de la anteportada, las «Obras del autor»: *Charivari (Crítica discordante),* Madrid, 1897. (Ejemplares raros.) Y cuatro más: *La evolución de la crítica, La sociología criminal, El alma castellana* y *La fuerza del amor.*

Lo mismo sucede con *Antonio Azorín (Pequeño libro en que se habla de la vida de este peregrino señor),* editado sin fecha por la viuda de Rodríguez Serra en 1903. En las páginas impares, J. Martínez Ruiz, y en las pares, «Antonio Azorín». (A título de curiosidad bibliográfica, diremos que anunciaba en preparación *El león y la vulpeja (Ensayo sobre la filosofía de Baltasar Gracián),* que no se ha publicado.

Y aún *Las confesiones de un pequeño filósofo* aparecen como «novela» por J. Martínez Ruiz. (En la librería de Fernando Fe, 1904, con el sello o enlace F. B. Francisco Beltrán.)

Lo que sucede es que en estos tres libros el héroe o personaje de más importancia se nombra Azorín, Antonio Azorín. En *La Voluntad* refiere las «primeras andanzas de Antonio Azorín», según la subtituló en las obras anunciadas en el segundo, y el tercero contiene la «infancia de Antonio Azorín», como lo subtituló en anuncios sucesivos. Y Antonio Azorín es el mismo José Martínez Ruiz, por lo cual son libros autobiográficos, aunque no todo lo que narran es fiel reflejo de la vida del autor. Así, Azorín no se casa hasta abril de 1908, y no con Iluminada, como en *La Voluntad,* sino con una honesta y linda joven de quien se dirá después. Hay personajes que son imágenes compuestas, esto es, de varios individuos, y nombres que no se corresponden con los que llevan en el mundo.

Cuenta Azorín en su libro *Madrid* que «en la calle de Relatores—casa vieja, cuartito angostísimo, no podía yo revolverme—escribí parte también de *La Voluntad,* otro libro improperado, menospreciado, a su aparición, libro escrito concienzudamente, con muchedumbre de noticias auténticas y que también con el tiempo—lo dicen los lectores—ha ido ganando». Las noticias se referían, de manera especial, a los conventos de monjas; durante seis meses estuvo trabajando en la biblioteca del Instituto de San Isidro, leyendo, extractando el riquísimo arsenal de libros de mística ascética que allí había. Otros apuntes eran acerca de diálogos y de paisajes; así, para describir algún amanecer se valió de una linternita eléctrica, y a su luz iba copiando en el papel las impresiones de tonalidades y matices. Finalmente, algunos se refieren a cosas actuales: lo del inventor Quijano (XII-XIII, I) ¿no será acaso el *tóxpiro* de don Manuel Daza, del que por entonces se ocupó la Prensa? Puche, Yuste, son figuras vivientes; unas, con nombres supuestos; otras, como el padre Lasalde de que habló en *Escorial,* con el verdadero nombre. El Madrid de entonces, en la segunda parte, es una serie de admirabilísimas estampas; la vida literaria, con sus grandezas y miserias: el banquete a Enrique Olaiz, que es Pío Baroja; el homenaje a *Fígaro* ante su tumba; el viaje a Toledo, ciudad de la cual se pinta idéntica escena que en *Camino de perfección,* como vista por los dos amigos a la vez. Inolvidables también los fragmentos que constituyen la tercera parte y las cartas del epílogo, en las cuales Azorín, muerta Justina, aparece casado con Iluminada, según refiere a su citado amigo Baroja. Martínez Sierra le tuvo desde entonces por el «más íntimo» de sus amigos, por lo que en *Motivos* leemos.

Al reimprimir *La Voluntad,* en 1913, declara que «era otra la sensibilidad del autor cuando escribió estas páginas; hoy tendría que modificar bastante, tanto de la técnica como de la ideología, en este libro. Pero siendo ya otro el autor, habiendo cambiado en la corriente eterna de las cosas su personalidad, consideraría como una indelicadeza el retocar la menor de las frases que en estas páginas escribiera un escritor de antaño». Si con el tiempo Azorín suprime o modifica algo, es porque, a sabiendas, no es capaz de cometer injusticia. Dato significativo: que en la Curia romana fuera leído, como documento importante, el nuevo retrato, justiciero, del padre Claret que Azorín publicó en *La Prensa,* de Buenos Aires.

Antonio Azorín (*Pequeño libro en que se habla de la vida de este peregrino señor*) lo compuso en un cuarto espacioso de la casa vieja y espaciosa también de la calle del Carmen, esquina a Salud. Desde su cuarto veía la iglesia y oía a las amigas que acaso inquietaran a Pepita Sarrió antes de saber que se trataba de las campanas, «que cantan en golpes graves y metálicos por la mañana; que sollozan por la tarde en un canto largo y plañidero de despedida». Allí redactó parte de este libro. «El manuscrito lo metí en un cajón, el cajón de la cómoda, revuelto con ropas y adminículos, y allí durmió durante mucho tiempo. No le daba yo importancia. Y hoy creo que esta novela, una de mis dos primeras novelas—la otra es *La Voluntad*—, tiene una vida singular. En las reediciones posteriores, el público ha gustado—y sigue gustando—de este libro que escribí yo para mí mismo. El tiempo lo ha fortalecido. Y es que lo que el artista hace para sí y no para el público acaba por imponerse al público y ser lo preferido.» Lo mismo aseguraba Palacio Valdés con ocasión de *La aldea perdida:* «Tan cierto es que en literatura nada hay mejor que dar gusto a sí mismo para dárselo a los demás.» Son deliciosas las páginas a la vida cotidiana de Azorín, a las plantas, a los insectos—que nos recuerdan la *Introducción del símbolo de la fe,* de fray Luis de Granada—, a los pueblos alicantinos, a los pueblos castellanos, a don Pascual Verdú—en la vida don Miguel Amado y Maestre—, a Sarrió en el lugar nativo y en Madrid, donde las gentes juzgan de manera absurda. Como hace cuarenta años, éste es uno de nuestros libros dilectos; acaso *La Voluntad*—acerca del cual insertó en *Nuestro tiempo* un amplio estudio Emilio Bobadilla—agrade más al crítico; pero quizá el ambiente íntimo de *Antonio Azorín* guste más al lector. Y eso que *Antonio Azorín,* a lo que dice el autor en la dedicatoria a Ricardo Baroja, «original y ameno artista», es un hombre a quien no le sucede nada de extraordinario, «tal como un adulterio o un simple desafío; ni piensa tampoco cosas hondas, de esas que conmueven a los sociólogos». Mas placería al pintor, que en sus charlas deja caer «muchas sutiles paradojas y un recio espíritu de independencia». Placería asimismo a la demás familia de Baroja, entonces en la calle de la Misericordia, número 2, esquina a Capellanes, casa ya desaparecida; a don Serafín, el padre, ingeniero notable; a doña Carmen, «delgada alta, limpia, silenciosa»; a Carmencita, fina e inteligente; a Pío, el amigo preferido. Ricardo hizo el retrato de los escritores más allegados, y al de Azorín lo recordamos delgado, con monóculo, con bigote, que cae sobre las comisuras de los labios—no el bigote enhiesto de cuando *Los hidalgos*—, con cuello de pajarita y plastrón que oculta la camisa por completo, con el pelo levantado y suave melenita.

Meses después de la aparición del libro salió el semanario *Alma Española*, del que hablamos páginas atrás. No es caso de repetirnos.

A continuación, en abril de 1904, *Las confesiones de un pequeño filósofo*, de que el lector tiene asimismo noticia circunstanciada. Las «Obras del autor» anteriores que anuncia sólo son cuatro, clasificadas así: «Historia antigua»: *El alma castellana, La fuerza del amor;* «Historia contemporánea»: *La Voluntad, Antonio Azorín.* No había de hacer otra clasificación distinta en lo sucesivo.

En el número 108 (12 de mayo) del *A B C*, que entonces era «Crónica semanal ilustrada», empezada a publicar el año anterior, dice así en la primera columna de la octava página y bajo el rótulo «En honor de Martínez Ruiz»: «Muchos jóvenes intelectuales van a honrar al que también lo es, y muy distinguido, señor Martínez Ruiz, obsequiándole pasado mañana con un banquete para festejar al creador de Azorín. *Lengo* ha trazado admirablemente, con cuatro rasgos, la caricatura de Martínez Ruiz en el dibujo que reproducimos.» (Al lado derecho del dibujo se lee: «Banquete en honor de Martínez Ruiz».) Es el primer homenaje que se le ofrece de que tengamos noticia. Por entonces fallecen el poeta Almendros Aguilar, en Jaén—nuestra tierra—, y el dibujante Urrabieta Vierge, en su villa de Boulogne-sur-Seine (París).

Por entonces aparecen tres críticas, entre otras, referentes a *Las confesiones* tantas veces citadas. Por orden cronológico, la primera es de Gómez de Baquero en una «Revista literaria» de *El Imparcial* (29 de mayo), el diario inaccesible al que habían logrado llegar, entre los jóvenes, Maeztu, Valle-Inclán y Cristóbal de Castro; entre los muchachos, Ortega y Gasset. Don Eduardo escribe: «Azorín es un explorador, un descubridor en nuestras letras de una región psicológica casi ignorada, de un rincón del jardín interior en que pocas veces se detienen los ojos del observador. Es la región del detalle humilde, de las nonadas, de los pormenores de la vida sentimental, a los cuales presta la vaga melancolía del recuerdo cierto prestigio poético. Pocos saben admirar como este pequeño filósofo la poesía íntima y familiar del detalle.»

La segunda crítica es de F. N. L. (don Francisco Navarro Ledesma), en el *A B C* del 23 de junio: «El pequeño filósofo va todas las mañanas al Retiro, todas las tardes al Ateneo, todas las noches a la Redacción. A veces le encuentro, a veces voy a buscarle. Hablamos; mejor dicho, hablo yo, y el pequeño filósofo me escucha.» «Como intelectual de los más puros, tiene el oído fino y perspicaz; mucho mejor oído que vista. Ya se sabe: el hombre primitivo, el hombre pasional es sordo.» «El pequeño filósofo, como digo, escucha bien y habla poco; así el maestro Galdós.» «Azorín niño, presentado por Martínez Ruiz en este libro a que me refiero, es tan interesante, en cuanto a muchacho, como David o Trotwood Copperfield, como Oliverio Twist..., como el mismo Jack en sus primeros años...» Ya está dado el espaldarazo autorizadamente, delicadamente, o ratificado, si tenemos en cuenta los juicios anteriores de *Clarín* y de González Serrano.

La tercera crítica son cuatro páginas de *Angel Guerra* (José Betancourt Cabrera) en *La Lectura*—no tenemos anotada la fecha—; termina así: «Desde que lo conocí y traté en el libro, el alma de Azorín me pareció excelente, «meditativa y ensoñadora», y desde entonces lo tengo por amigo y él me cuenta entre los admiradores de sus pequeñas filosofías.»

Sale a la luz pública el diario *España*, en Madrid, el jueves 21 de enero de 1904. El director y gerente es don Manuel Troyano, con sus lentes, su barbita, su mirada aguda. La Administración está en Arlabán, 7. Don Manuel Troyano es el segundo de los maestros de Azorín en el periodismo; según declaración propia, el primero lo fué don Francisco Castell, en Valencia; los otros, en Madrid: Troyano, Ortega Munilla y Luca de Tena. «Don Manuel Troyano era la reflexión sosegada.» «Después de medianoche, escrito ya su artículo de fondo, sale don Manuel Troyano de su despacho y se acerca a la mesa común. El artículo — este artículo claro, preciso y lógico—lo escribe Troyano muchas veces teniendo encasquetada una montera de papel que él ha hecho con un periódico. Lo infantil se junta, en la persona de Troyano, con la prudencia. Lo infantil es lo elemental, y el estilo de Troyano, por lo fácil, por lo sencillo—todo ello en apariencia—, diríase que es el estilo de un niño. Digo en apariencia porque, como todo el mundo sabe, nada hay más arduo que un estilo sencillo.» (En noviembre de 1914, Azorín, con otros diputados periodistas, elevó una proposición de ley al Congreso para que se concediera una pensión vitalicia de tres mil pesetas anuales a doña Rita Mellado, viuda de Troyano—hermana de don Andrés—, que vivía en el infortunio.)

En el número 3 se ve por vez primera en este diario la firma de José Martínez Ruiz. (Mas repasemos *Alma Española:* En el número 9, de 3 de enero, se inserta su crónica «Arte y utilidad», que termina: «Y por eso yo prefiero a la pequeña torre de marfil la casilla a teja vana y los majuelos de tierra blanca, que habré de cultivar yo mismo en los ratos en que dejo la pluma, para dar así un ejemplo de patriotismo a las generaciones presentes y futuras.» Suyas deben de ser las líneas dedicadas a Rubén Darío, por una parte, y a María Alicia y Gloria, por otra (María Vinent, Alicia Longoria y Gloria Laguna). Suyos son, en otros números, una semblanza de Santos Alvarez, con dibujo de Ricardo Baroja, el artículo «Todos frailes» y la necrología de González Serrano.) El 23 de enero de 1904 firma J. Martínez Ruiz, en el diario *España,* «El divorcio», contestando a *Colombine* (Carmen de Burgos), que solicitó su opinión. Pinta el cuadro del escritor pobre casado en Madrid y en un pueblo, y se considera feliz porque él está soltero, como le place. «Ahora estoy libre, en mi cuarto de soltero, ante mi mesa, con mis cuartillas, mis plumas y mis libros, feliz bajo mi capa y mi sombrero de bohemio, escribiendo lo que quiero, saltando de uno en otro periódico, sin que me contenga «el pan de los hijos» ni me fuerce el pago del alquiler a tales o cuales humillaciones, sin hacer nada cuando no me place hacer nada. He aquí, señora, cómo yo me he divorciado sin divorciarme.» En el número 4, el artículo de J. Martínez Ruiz se rotula «Políticos y labriegos». El del número 6, «La decadencia»; está inspirado en las «Relaciones topográficas de España», publicadas por Catalina y Catalina, recogido en 1920 en *Fantasías y devaneos.* El número 7 falta en la colección de la Hemeroteca Municipal de Madrid, y acaso sea el más necesario.

El número 8 de *España* (jueves 28 de enero) emplea el seudónimo de Azorín en las «Impresiones parlamentarias» (Cortes conservadoras); habla de Maura, de Soriano, de Lerroux, de Romero Robledo, que preside la sesión... Es, de consiguiente, la primera vez que utiliza el seudónimo de Azorín en el periódico, salvo que lo hiciera el día anterior.

No hemos de enumerar, uno a uno, los artículos que siguieron; muchos de ellos lastimosamente perdidos y que debieran coleccionarse. Recordemos en este año y en el siguiente: «Aniversario», en memoria de Larra—como nota curiosa, consignemos que dos números antes se insertó una «Carta de Barcelona» sobre el Ateneo, firmada por Fernando del Río Urruti—. «Despachos políticos: el de Maura», «El gran Caprisco», «Un almanaque». «La muerte de un amigo: Sarrió», «La prehistoria», «Los jardines», los de la campaña contra Echegaray, «La celebridad», «Los viejos», «En la Universidad»..., que nosotros, niños entonces, pegábamos en un cuaderno con las tapas de hule que tenemos delante...

Y sucedió que, veraneando don Antonio Maura en Ontaneda, la Policía consideró sospechoso a Azorín y registró, correctamente, su equipaje; el pequeño filósofo regresó a Madrid. *El Imparcial* del 11 de agosto publicó un artículo, «Azorín-Angiolillo», combatiendo una vez más al gran político ya famoso.

En 1905 aparece el libro *Los pueblos (Ensayos sobre la vida provinciana)*. Es el primero donde figura como autor Azorín, apellido corriente en la región levantina y que a Martínez Ruiz le encantaba «por lo eufónico y breve», hasta adoptarlo por seudónimo.

En suma, nuestro escritor utiliza el seudónimo de Azorín en la Prensa desde el número 8 (ó 7) de *España*, a fines de enero de 1904, y en libro desde *Los pueblos* (1905). Minucia para los unos, dato importante para los otros.

EN LA CUMBRE

Los pueblos, que era «el libro más estimado por el autor»—según el *memento* autobiobibliográfico que se inserta al final estudio dedicado a José Martínez Ruiz por el malogrado Antonio González-Blanco en *Los Contemporáneos* (primera serie)—, fué editado por don Leonardo Williams, el autor inglés de *El país de los dones*, «que muy hidalgamente y muy a la española» se ganó un «don», adjudicado por Mariano de Cavia, por su buen gusto en las tareas editoriales que inauguró en España con el *Epistolario*, de Ganivet, y que continuó con *Sol de la tarde*, de Martínez Sierra; *El pueblo gris*, de Rusiñol; *Castilla*, del mismo Williams; *Tierras solares*, de Rubén Darío; ensayos de Shelley y otros.

En *Los pueblos* hay páginas tan delicadas como «La fiesta» y «Una elegía»; tan originales como la de «Los toros»—dedicada a Zuloaga—, «El buen juez» y «El ideal de Montaigne»; tan castizas como «La novia de Cervantes», «Un trasnochador», «Un hidalgo» y «La velada»; tan irónicas, tan ciertamente humorísticas, como las del «Epílogo en 1960»; y figuras tan conocidas o amadas por nosotros como las de «Sarrió», «El grande hombre en el pueblo», las de Zaldívar y Urberuaga.

Y la cumbre ¿dónde está?, se preguntará el lector. En verdad que Azorín se hallaba en un momento culminante de su celebridad, hasta el extremo de que se dolía por ella: «Ya no puedo más. Ya no quiero ser hombre célebre. Ya siento sobre mis hombros una pesadumbre superior a mis fuerzas», escribía ante escenas como las que hemos evocado en los primeros párrafos de la presente semblanza. «Bellas desconocidas, discretas admiradoras mías: todo esto es una leyenda. Apiadaos del filósofo diminuto. Yo quisiera que vosotras os convencierais—termina su «Conjuración de señoras. La celebridad»—de que yo soy un hombre como todos los otros...» *Este hombre* se diría, a buen seguro, como Benavente: «No, no envidiéis a los que, como vosotros decís, ya hemos llegado. ¡Llegado! ¿A qué? ¡Quién pudiera empezar de nuevo! ¡Quién pudiera no haber empezado nunca!» Los muchachos no acabábamos de comprender esto y defendíamos a Azorín, le elogiábamos y le imitábamos. Los viejos y los otros le combatían con fiereza; mas Azorín continuaba su ruta. Tanto que, al contestar a Dicenta—en *La confesión de un filósofo*—, empezó así: «Es costumbre ya antigua en el que estas líneas escribe el dejar sin contestación todo cuanto referente a su persona aparece en la Prensa. Y esto no obedece a otra razón sino a la creencia íntima, profunda, de que el que se ha propuesto recorrer un camino —sea cual fuere—, en vez de detenerse a mirar a un lado y a otro, es decir, en vez de replicar, aguardar la réplica, volver a replicar, puede gastar esta energía en dar un paso más hacia adelante.» Estas palabras, poco conocidas, de Azorín, sirven para explicar una conducta; tanto más cuanto que, por excepción, tuvo en cuenta que hay «ocasiones en que por el prestigio, por la representación, por la autoridad de quien arguye y contradice, parecería descortesía o menosprecio el no contestar cuatro palabras ligeras a sus opugnaciones». No hubiera podido «dar un paso más hacia adelante» si hubiera discutido en la Prensa o hubiera sostenido correspondencia particular minuciosa con sus contradictores o amigos.

Había llegado a la cumbre. «La cumbre de la fama periodística, en aquellos tiempos, era *El Imparcial*. Diario de más autoridad—ha escrito Azorín—no se habrá publicado jamás en España. Los Gobiernos estaban atentos a lo que decía *El Imparcial*. En el mundo parlamentario pesaba lo que opinaba *El Imparcial*. Crisis ministeriales se hacían a causa de *El Imparcial*, y un Gobierno a quien apoyara *El Imparcial* podía echarse a dormir. En lo literario, la autoridad del diario no era menor. *El Imparcial* publicaba cada semana una hoja literaria. No había escritor que no ambicionara escribir en esa página. Publicar un artículo allí era trabajoso. Mucho más lo era publicarlo en los números ordinarios de los demás días.» Fracasó en el intento repetidas veces; al fin lo consiguió. Esos primeros artículos de Azorín en *El Imparcial* son los que componen *La ruta de Don Quijote*. Su autor ha referido cómo don José Ortega Munilla le llamó a su casa y le dió las últimas instrucciones para el viaje; además, un revólver chiquitito, por si le hacía falta «por donde anduvieron los yangüeses». «A Londres, a París, a Roma, va cualquiera—escribía este maestro del periodismo, al recordar en 1918 tales sucesos—. Al Toboso no va sino quien debe ir, quien ha preparado el viaje con larga paciencia. Porque para hallar en aquel lugar mísero algo digno de ser admirado hay que llevar en el alma la poesía cervantina, el amor al Ingenioso Hidalgo, el culto de la maravillosa fábula que asombró al mundo.»

De entonces son las ocho hermosísimas páginas—fechadas en Esquivias, en enero de 1905—tituladas *Génesis del Quijote*, que figuran en el admirable volumen *Iconografía de las ediciones del Quijote*, estampado por Henrich y C.ª en comandita, en Barcelona, en abril de aquel año. Los editores realzan «la espiritualidad y donosura con que Azorín ha interpretado nuestra indicación».

Hizo el viaje de *La ruta de Don Quijote*, a partir de Argamasilla, en un carrito tirado por una mula. Escribía los artículos con lápiz, en los caminos y posadas, «como Saavedra Fajardo nos cuenta que escribió sus *Empresas*». Luis Bello refirió, casi veinte años después—y lo ha ratificado Azorín en público—, que cuando esos artículos fueron llegando a *El Imparcial*, inútilmente intentaron leerlos con éxito, en voz alta, Ortega Munilla, Burell y otros, ya que no tenían estilo oratorio adecuado para tal lectura. *La ruta de Don Quijote*, traducida a varios idiomas, es bastante más conocida, a pesar de los reparos francos o encubiertos, que el estudio de don Antonio Blázquez *La Mancha en tiempo de Cervantes*, y que *El camino de Don Quijote*, de Jaccaci, que fué traducido para *La Lectura* en 1915. Andando los años, en una de nuestras estadas por aquellas tierras dormimos en la posada de la viuda e hijos de Higinio Mascaraque, el cual hacía veintiún meses que había muerto en Puerto Lápiche o de San Juan, como quieren que se le nombre. Dorotea, la viuda, se acordaba de *Zaurín;* de lo que trajinó el escritor con el médico don José Antonio Alarcón, también fallecido diez años hacía, y con don Emilio Rosado, para las fotografías que obtuvieron. En una actuó de ventero Queque, que se retrató al lado de La Morena. El porquero era Chózpez. Refería la viuda que al salir *Zaurín* de su habitación con una bujía, se encontró con la anciana Andrea. «¿Qué hace la buena vieja?», preguntó el escritor. «Aquí barriendillo y entreteniendo el tiempo.» Andrea, que ya no podía servir y que iba a pasar temporadas con un hijo que tenía en Villarta de San Juan, también le recordaba, y guardaban el periódico con el artículo, que de cuando en cuando se hacían leer.

Terminado este viaje, Azorín propuso otro por Andalucía, a la cual suponía, con razón, muy otra de la de «perpetuo y exuberante regocijo». Así fué. Estuvo en Sevilla, en Lebrija, en Osuna, en Arcos de la Frontera. Habló con unos y otros; se enteró de lo que ganaban, de lo que sufrían los labriegos, del drama escondido entre aquellas pobres gentes. «Envié varios artículos a *El Imparcial.* No se publicaron más que contados. El mutismo de la Dirección me inquietaba. No pasó más. Se acabó *La Andalucía trágica* y yo descendí confuso de la cumbre del gran diario.» (Estos artículos son los que se insertan al final de las nuevas ediciones de *Los pueblos.)*

Pero ¿no había más que esta cumbre? ¿Esta era la *cumbre* por antonomasia en el periodismo español? Hemos escrito que *era* y no debemos rectificar. En 1903, don Torcuato Luca de Tena funda el *A B C;* el número 82 es de 1 de enero de 1904. El 1 de junio de 1905 (Año tres. Número 142. Crónica universal ilustrada) aparece como diario. En su artículo de fondo, «Decíamos ayer», se lee, después de la transcripción a que alude: «Esto dijo *A B C* en su primer número semanal, y esto repite hoy en su primer número diario. Su programa no ha variado; sus propósitos son desde hoy una realidad.» Colaboran en este número don Manuel Troyano, *Kasabal* (Gutiérrez Abascal), Sinesio Delgado, Azorín, *Floridor* (Luis Gabaldón) y algún otro. Azorín escribe desde París la «Crónica del viaje regio. La sonrisa del rey». La crónica fué transmitida a las veintitrés horas del día anterior. Munificencia y rapidez tales, valiéndose del telégrafo y teléfono, eran poco menos que desconocidas en la Prensa española. Horas después de escritas tales crónicas en París y Londres, se leían en Madrid y se difundían por el resto de España. Azorín había descendido en abril de una cumbre, para ascender en junio a otra mayor. En *El Imparcial* debieron de comprender que... se habían equivocado. Don José Ortega Munilla no fué el culpable.

En el capítulo IV, «Las redacciones», de su libro *Madrid,* nuestro Azorín traza una breve y vívida semblanza de don Torcuato Luca de Tena, «el ímpetu generoso». Fué su tercer maestro en periodismo en la villa y corte. Firme amistad había de unir de por vida a estos dos hombres. Es admirable la escena de don Torcuato en su casa, conversando mano a mano con el gran escritor: «No, no! ¡Eso no puede ser!—exclama—. ¡Y no será! ¡No puede ser mientras yo tenga vida! ¡Antes quemo el periódico! Con España no se puede jugar. Soy patriota, amo a España intensamente y pongo ese amor por encima de todo.» Así se expresaba en uno de los «momentos delicados» quien no quiso ser más que periodista, quien rehusó formar parte del Consejo de la Corona, quien trabajó incesantemente por nuestra Patria con «fortaleza y claridad», de las cuales era símbolo la gruesa sortija de hierro con fúlgido diamante que llevaba en el meñique de su mano izquierda, según refiere Azorín, su fiel amigo; fiel amigo que, en agosto de 1902, había publicado en *Blanco y Negro* «La viejecita y sus amigos», y desde marzo de 1904 sigue colaborando en esta revista, en la cual su primer artículo firmado con dicho seudónimo fué «Lolita», en octubre del mismo año.

PLENITUD Y FELICIDAD

Desde 1 de junio de 1905 hasta el día 11 transmite por teléfono y telégrafo otras tantas crónicas del viaje realizado por don Alfonso XII a París y Londres. Se preparaba la boda del monarca. Se hablaba de la princesa Patricia de Connaught y de la princesa de Battemberg. Azorín, al escribir su undécimo artículo, en el tren, «A través de las llanuras verdes de Normandía», hacía votos porque la preferida fuese «la dulce y bondadosa Patricia», la de gesto «de serenidad inefable». Así empezó el maestro su colaboración en *A B C*.

En el mismo mes continúa con las «Impresiones parlamentarias», que había iniciado en el diario *España*. Planteada la crisis, sigue con los artículos titulados «Oráculo manual», que, si no son colección de máximas para orientarse en el mundo—como el libro de Gracián publicado en 1647—, contienen un «arte de prudencia» para la vida. En la primera decena de julio va al Norte, y desde San Sebastián transmite por teléfono su crónica; se traslada a Cestona, a Zaldívar, a Carranza. En 1914 nos contaba Azorín a sus lectores que cerca de treinta años ha estado veraneando en Vasconia. «No me he cansado nunca de gozar el ambiente. Los paisajes de mi tierra los he visto mejor por estos paisajes opuestos.» Visita en Polanco la casa en que nació el hidalgo don José María de Pereda. Conversa en San Quintín con don Benito. En Oviedo curiosea en la biblioteca de *Clarín*, y la publicación de las notas de un cuadernito promueve la protesta familiar. Hay una tertulia amable y un ágape heterogéneo con don Melquíades, Ricardo Torres *(Bombita)* y Ramón Pérez de Ayala. Luego, de Caldas de Oviedo pasa a Mondariz. Regresa; continúa la persistente y varia labor de llenar cuartillas... El 21 de septiembre fallece don Francisco Navarro Ledesma, a quien tanto quería. El 25 de febrero de 1906, Unamuno pronuncia su discutida conferencia en el teatro de la Zarzuela. «¡Que las palabras del maestro caigan en los corazones amigos y fructifiquen!», escribe Azorín, que ha sido uno de los organizadores, al término de su crónica. A fines de marzo es enviado a Barcelona con la siguiente misión: «la de oír el pensamiento de las personas más salientes de Cataluña, la de recoger el estado de opinión de todas las clases sociales acerca de la cuestión catalana», para reflejarlo en crónicas... Hasta septiembre, inclusive, de 1930 no deja de colaborar en el gran diario. Dió la noticia *Heraldo de Aragón* y la ratificó el *A B C* con respeto y sentimiento. La explicación de Azorín en otros periódicos fué que, muerto don Torcuato «y después de guardar su luto durante más de un año», comprendió que su sitio estaba en *El Sol*, al lado de don Nicolás María de Urgoiti, quien era otro de sus grandes amigos en el periodismo. El martes 7 de octubre, *El Sol* publicó en primera plana el retrato de Azorín y cuatro columnas de comentario a esta «noticia gratísima». Al día siguiente comenzó la colaboración: «Correo español. Su palidez.» Cuando Urgoiti, con los escritores que se separaron de este diario, fundó el periódico trisemanal *Crisol*, le siguió Azorín. En el número primero (sábado, 4 de abril de 1931) ya está la sección de «Correo español». De *Crisol*, convertido en diario, pasó a *Luz*, en 1932 y 1933; de aquí a *La Libertad*, desde octubre; luego escribe en *Ahora*. Desde muchos años antes hay que anotar sus artículos en *El Pueblo Vasco*, de San Sebastián; en *La Vanguardia*, de Barcelona; en *La Prensa*, de Buenos Aires—para donde aún trabaja, a partir de 1914—; en otros muchos periódicos, algunos humildes, a los cuales regaló sus artículos; y, como dato instructivo para el estudio del sentimiento de la Patria, deben leerse los trabajos del «Proceso del patriotismo», en el libro *Los valores literarios,* que constituyeron su brevísima colaboración en el *Diario de la Marina,* de la Habana (septiembre y noviembre de 1913).

Veinticinco años ininterrumpidos en el *A B C* (1905-1930); centenares, miles de artículos literarios y políticos; algunos coleccionados en libros; muchos perdidos lastimosamente, puesto que merecían no quedar olvidados en las hojas del periódico. A punto de terminar la guerra de Liberación, antes que Azorín regrese de la capital de Francia, en agosto, el *A B C* de Sevilla le abre sus puertas. El 16 de marzo de 1939 se lee en letra pequeñita ante el «Elogio a un amigo»—el padre García Villada, S. J., asesinado bárbaramente por los rojos—: «El insigne Azorín reanuda hoy su colaboración en estas páginas, donde ha dejado numerosas pruebas de su talento durante veinticinco años. Bien venido.» El 30 de noviembre inserta la hermosa «Elegía a José Antonio». Hay otro paréntesis de dos años. En noviembre de 1941, al frente del artículo de Azorín titulado «El embrollo del teatro», esta nota de Redacción: «Azorín, el maestro, vuelve a nuestras columnas. Como cuanto sale de su pluma, el siguiente artículo está lleno de bellos aciertos.» El *A B C* contiene, de consiguiente, la labor periodística más considerable y extensa de Azorín.

Su nombre ya gozaba de autoridad, hacia 1905, en el Ateneo Científico y Literario de Madrid. No era el mozo evocado por don Gabriel Maura que, en las discusiones y desde los escaños de la izquierda—más a la izquierda que los de «los más avanzados socialistas», entre los cuales se sentaba el futuro conde de la Mortera—, emitía «una voz gutural que atravesaba en los discursos ajenos breves y casi siempre eficaces interrupciones»; continuaba siendo «un mozo de recio porte, cara lampiña y ojos menudos de penetrante mirar, cuyo aspecto externo reunía, a la originalidad notoriamente deliberada, la pulcritud más irreprochable»; leía sus trabajos en las veladas que se celebraban en la «docta casa», como la dedicada a la memoria de Ganivet—domingo 29 de noviembre de 1903, en la que actuaron Navarro Ledesma, Unamuno, Azorín y Román Salamero—; como las del tercer centenario de la primera parte del *Quijote,* abril y mayo de 1905, en las que intervinieron desde Bonilla, Canalejas y Cejador hasta Icaza y Palomero; y como la necrológica, el 9 de noviembre, en honor de aquel don Francisco, en la cual hubo prosa y verso de Cavia, Rubén Darío, Santos Chocano, Moret y otros ingenios.

En cuanto a libros, después de un silencio de tres años imprime *El político* (1908), fruto de una convalecencia en el campo; *España (Hombres y paisajes),* donde recoge a los tres años de publicados, en 1906 y antes, algunos ensayos de *Blanco y Negro; Lecturas españolas* (1912), volumen henchido de coherencia y curiosidad «por lo que constituye el ambiente español—paisajes, letras, arte, hombres, ciudades, interiores—y en una preocupación por un porvenir de bienestar y de justicia para España»; *Castilla* (1912), «la obra más acabada y perfecta de Azorín, como escritor y como artista», hasta 1916, para crítico tan severo como don Julio Casares; *Clásicos y modernos* (1913), *Los valores literarios* (1914) y *Al margen de los clásicos* (1915), que son a manera de continuación de *Lecturas españolas,* con algunos otros más; revisiones e interpretaciones «bajo una luz moderna», en suma. Además, *Don Juan* (1922) y *Doña Inés* (1925), novelas delicadísimas; *Una hora de España,* el discurso de recepción en la Academia—26 de octubre de 1924—, que no es un discurso, sino cuarenta y un cuadros del escenario de la Historia que reflejan «la sazonada madurez» que le reconoce don Gabriel Maura al proclamar la «tan unánime complacencia» de la Corporación. Veintiséis libros desde 1908 hasta 1925.

En política, diputado a Cortes cinco veces: cuatro en elecciones generales y una en elección parcial: por Purchena (Almería), en 1907; por Puenteáreas (Pontevedra), en 1914; por Sorbas (Almería), en 1916, 1918 y 1919; subsecretario de Instrucción Pública, dos veces (1917-1918 y 1919).

El 23 de noviembre de 1913, la fiesta de Aranjuez en honor de Azorín. «No, como algunos creyeron, para que la Real Academia Española lo llevara a su seno, que esto era secundario, sino para llevarlo con nosotros a la libre gloria de la estación dorada, se cumplió esta gira en honor de Azorín, iniciada por José Ortega y Gasset con noble fervor, y situada en Aranjuez por Juan Ramón Jiménez.» Así se lee en el cuaderno publicado por la Residencia de Estudiantes en 1915, cuaderno que el autor de estas líneas propuso se hiciera —aunque no a aquélla—, según puede verse en el diario madrileño *Hoy* de aquel noviembre. Mediada la tarde, en la glorieta del «Niño de la Espina», Ortega y Gasset ofreció la fiesta al «artista exquisito, que ha elaborado unas ciertas páginas egregias, cuya belleza perviviría libre de corrupción». Juan Ramón Jiménez dijo su poesía: «¡Alza, amigo y maestro, la iluminada frente—que enflora la amistad!» Se leyó una noble carta de Pío Baroja, enviada desde París. Juan Ramón recitó unos versos de Antonio Machado, «Elogios al libro *Castilla*, del maestro Azorín, con motivos del mismo»: «¡Admirable Azorín, el reaccionario—por asco de la greña jacobina!» Y el agasajado terminó con su admirable discurso: «Amigos, compañeros: Gracias cordialísimas; gracias por siempre y para siempre.» Los cincuenta y tantos asistentes a la fiesta regresaron a Madrid y acompañaron al maestro hasta su hogar. Los telegramas y cartas de adhesión merecen también ser leídos.

En contraste, dos notas de tristeza en estos años de plenitud: el 13 de octubre de 1916 falleció, a los setenta y uno de edad, aquella santa y noble señora que se nombró doña Luisa Ruiz Maestre, madre de Azorín; tres años después, el 30 de octubre de 1919, a los setenta y cuatro, dejó este mundo el venerable padre, don Isidro Martínez Soriano. Habían logrado ver realizadas las esperanzas del hijo, y Azorín pudo ofrecerles sus flores de triunfo y su dicha de hogar.

Porque si retrocedemos, adrede, unos años, he aquí que Azorín va a contradecir con hechos las ideas de su amado maestro Montaigne sobre el matrimonio; va a ser feliz con una bella y honesta señorita de Undres Pintado, del partido judicial de Sos, nombre éste que recuerda a Fernando el Católico; Julia Guinda Urzanqui es la muchacha, menor que el novio, con quien se casa en la iglesia madrileña de San José el 30 de abril de 1908; bendice la unión el arcipreste de Jaca, don Antonio Lacadena Soteral; son padrinos doña Estefanía, hermana de la novia, y el padre del contrayente. Azorín acababa de publicar *El político*. Como en otro tiempo el retrato de Sancha y la caricatura de *Lengo* aumentaron la popularidad del maestro levantino, ahora era divulgada por el lápiz de Fresno. En el *A B C* del día 12, la «Impresión parlamentaria» que escribía se titulaba «Suspensión de sesiones», con motivo de la Semana Santa; reanuda aquéllas el día 22. Ocho días pasados está la Felicidad. Y si las bellas lectoras me preguntan cómo era doña Julia Guinda Urzanqui, la cual comparte todavía la paz del hogar con el esposo, ved su retrato perpetuado en las páginas del libro *El licenciado Vidriera* «visto por» Azorín, ahora titulado *Tomás Rueda*. Es Gabriela, a la cual dedica dos páginas largas del capítulo XIII, «La realidad interior»: «*Gabriela.*—Gabriela va y viene solícita y cuidadosa por la casa. En su estudio sobre Marcelina Desbordes-Valmore, Julio Lemaître—*Les Contemporains*, tomo VII—habla de *ses beaux yeux, ses cheveux éplorés, son long visage pâle, expresif et passionné, d'espagnole des Flandes*. También Gabriela, española de Flandes, tiene un rostro en óvalo, marfileño, expresivo y apasionado. ¿Cómo podríamos hacer en cuatro líneas la etopeya de Gabriela? Ya la vemos físicamente. Pero ¿cómo es su espíritu? *Gabriela, española y humana,* se podría titular un largo estudio que hiciéramos sobre ella; mas ahora no podemos detenernos mucho. La característica más saliente de Gabriela es ésta: *la vida es siempre para ella nueva.* Hay en ella un hondo instinto de bien y de optimismo. Siempre ante las cosas, ante los incidentes de la vida, Gabriela adopta la actitud de un niño que ve por primera vez el mundo. La adversidad, el rencor humano, no dejan en su espíritu huella de melancolía y de odio. Hay en ella siempre un gesto, un ademán espontáneo y sincero de cordialidad. El más interesado pesimista se queda absorto ante un optimismo de tal suerte. Un optimismo que no supone esfuerzo, ni tensión dolorosa de espíritu, ni abnegación, ni reflexión; un optimismo fresco, vivo, natural, ingénito. Muchas veces, ante un árbol recio y lozano—el árbol de Taine—o ante un animal selvático, que se mueve libremente; o ante un perrito joven que retoza lleno de confianza, sentimos que la Naturaleza nos da una profunda lección. La vida es entrega cordial y espontánea de todo nuestro ser. En la casa de Tomás, Gabriela representa una lección perpetua de vida. Gabriela será siempre joven. Cuando su cabeza esté blanca, su corazón estará como el primer día. ¡Novedad perpetua de la vida! ¡Felicidad exquisita la de encontrar siempre nueva la vida! Y luego este gesto de bondad que no se cansa, de cordialidad que jamás desconfía...» Ni aun con los cabellos grises, ni cuando blanquee su cabeza... Este retrato de mujer resaltará siempre en la galería femenina en que están Justina, María Rosario, Pepita, Julín, Rosita Santos, María Jesús, Angela, Jeannette, sor Natividad, Plácida, Magdalena; perfumadas estas mujeres por el amor; el amor que es en los libros de Azorín, según Casares, «como una sutil fragancia de azucenas».

AZORIN, POLITICO

Es inexcusable tratar de esta faceta de la psicología del maestro; no hay razón alguna para soslayarla u ocultarla, esté el lector conforme o disconforme con aquélla.

No hablemos de los tiempos de muchacho, habitante en un pueblo, en los cuales—como Azorín escribía al hacer la psicología de Pío Cid—«vuestro espíritu va divagando por las regiones del ensueño, y vuestro yo se crece, se aísla, se agiganta, se desborda hasta en vuestros menores piques y obras. Es la época de las lecturas desordenadas, de las traducciones, de la correspondencia con Hamon, de *L'Humanité nouvelle*... Después, la influencia de un médico notable, «certero clínico», amigo de Pi y Margall. Ya en Madrid, las visitas frecuentes a don Francisco, en las cuales, muchas veces, salía a abrir las puertas «la propia esposa del grande hombre (una dama modesta, afable, virtuosa)»—según Azorín mismo ha referido en uno de los muchos años, no entonces, al «maestro»—; la visión de la sencillez y modestia por todas partes de aquel hogar; la existencia pobre, sin cobrar cesantía de ex ministro quien había sido jefe del Estado... Muere Pi y Margall. En la sesión necrológica que le dedicó el Congreso el 30 de noviembre de 1901, don Antonio Maura habló de que durante su vida pública no había oído, «en público ni en privado, a nadie que contendiera con él sino con un grandísimo respeto, cualquiera que fuese el cargo de los contendientes». Y es precisamente Maura quien atrae la atención de Azorín; Maura, que ya no es el político inadvertido que asistió a los primeros exámenes de su primogénito—lo refiere éste en sus *Recuerdos*—en el Instituto del Cardenal Cisneros, «ya que, apenas conocido a la sazón, podía fácilmente confundirse con el público anónimo». El Maura conocido por

Azorín había sido varias veces ministro, y dos veces presidente del Consejo. La Prensa empezaba a combatirle sañudamente.

¿Y qué es lo que representaba don Antonio Maura para Azorín? «Una cosa no ha podido serle negada a Maura. Maura ha tomado en serio la política. Maura ha dignificado la política. En este país del devaneo y de la frivolidad, en este país de la inconsciencia y de la petulancia, esa lección es de una trascendencia moral incalculable...» Así se lee en *Un discurso de La Cierva* comentado por Azorín. La Cierva: otra encarnación suprema del conservadurismo; dos políticos que no pensaron nunca en convertir «lo adjetivo en sustantivo». Ambos se compenetraron ideológicamente y fueron «fabricantes de densidad». «Densidad, ¿qué es la densidad? Cuando cruzamos Francia, Inglaterra, Alemania, tenemos, aunque nuestra carrera sea rápida, una sensación de algo denso y sólido.» En las ciudades, en los campos, en las comunicaciones, en el trabajo, en los esparcimientos... Maura le hace diputado; Azorín le corresponde con la dedicatoria de la segunda edición de *Las confesiones de un pequeño filósofo,* en gratitud por haberle sentado en un escaño del Congreso, «deseo de la mocedad».

No se consideró en el partido conservador más que un modesto periodista, que defendió en todo momento «los ideales que encierra y representa don Antonio Maura», escribía el 25 de octubre de 1910 en el *A B C.* Y ved con qué diafanidad se expresa: «Cuando el periodista que tal hace ha sufrido en silencio una larga campaña de hostilidad; cuando por gentes que no han realizado en su vivir diario este acuerdo, esta solidaridad, entre la teoría defendida en público y la práctica realizada en privado, se han lanzado censuras y denuestos sobre quien ha defendido con sinceridad y con lealtad una idea, justo es que al periodista que de este modo ha obrado, ya que no ha tenido jamás ninguno de esos «provechos» inconfesables, clandestinos, pero suculentos, de la política—que otros periodistas pueden haber gozado—; justo es, repito, que a quien así ha procedido no se le niegue la única satisfacción, la única compensación, el único desquite que puede tener sobre los que han seguido conducta bien distinta, y esta compensación, este desquite, es el de hacer público, cuando la ocasión llega, sin ufanía, llanamente, la sinceridad con que se procede en la defensa de un ideal.» Esta intachable conducta política acuerda con la observada siempre como escritor; así pudo escribir el 2 de enero de 1911 en el mismo diario: «Lo que sí digo es que el concepto de intelectual, es decir, de hombre culto, inteligente, apasionado por el estudio, preocupado por los problemas sociológicos y filosóficos, hay que completarlo con las condiciones de escrupulosidad moral, de rectitud y de honradez.» No quisiéramos citar más textos; pero estimamos indispensables, para esta semblanza de Azorín, las palabras de Manuel Bueno en *Los lunes de El Imparcial* del 18 de mayo de 1924, refiriéndose a estos días que comentamos: «Azorín, pobre, viviendo exclusivamente de la pluma, con una probidad intachable, y conservador, da el más alto ejemplo de desinterés político. Lo afrentoso para él sería verle rico, poderoso y conservador, porque entonces su situación revelaría un ilimitado egoísmo.» Y párrafos después, estas otras afirmaciones concluyentes: «Azorín fué en el partido conservador lo que había sido en su breve período juvenil de bohemio apasionado y rebelde: un caballero sin tacha, que ha entrado en los cargos públicos y ha salido de ellos sin inspirar dudas...»

Este «temperamento de asceta, refractario a otras orgías que aquellas que nos procuran las ideas en la serena región de la filosofía y del arte», había sido cinco veces diputado, y dos subsecretario de Instrucción Pública: la primera (13 de noviembre de 1917-26 de marzo de 1918) lo fué con los ministros don Felipe Rodés Baldrich y don Luis Silvela Casado, y la segunda (17 de abril a 27 de junio de 1919), con don César Silió Cortés. Pequeña la merced le pareció a *Angel Guerra.* Y don Miguel de Unamuno, al comentar el suceso, consideraba que los más propiamente llamados intelectuales no debían desdeñar la política, «sino aceptarla, y con seriedad de propósito».

El que había sido espectador continuó siendo cronista en el hemiciclo del Congreso. A *El político,* tratado breve y ameno al modo de Gracián—traducido y reeditado en Italia, del cual gustó Mussolini, según nos consta por Beccari—, siguieron *La obra de un ministro* (1910), es decir, la labor desarrollada por La Cierva, de quien prologó tres opúsculos con discursos referentes a iniciativas nacionales y problemas ferroviarios; *Un discurso de La Cierva* (1914), que es además breviario de la doctrina conservadora, en la cual el político murciano secundó «escrupulosamente, lealmente, fielmente», a don Antonio Maura, y *Parlamentarismo español,* donde en 1916 reúne algunas de las crónicas de esta clase (1904-1916), imitadas tan sin fortuna por algunos y sólo con acierto por Wenceslao Fernández-Flórez en sus *Acotaciones de un oyente* (1918), que dedica: «Al maestro Azorín, genial creador de las crónicas parlamentarias en el periodismo español.» En *Parlamentarismo español,* donde se ve la evolución del periodista que anota lo externo en el que cala lo oculto, resaltan, sobre todas, las dos de «Romero en El Romeral», que tanta barahunda produjeron. Mas como fueron muchas las publicadas en la Prensa—desde *España* hasta el *A B C*—, no era posible coleccionar todas y faltan algunas, como la titulada «Canalejas y el rey», verdaderamente magistral.

Por cierto que es caso de referirnos a Azorín como orador. En vez de valernos de palabras nuestras, traeremos dos autorizadas citas. Ramón Pérez de Ayala, en *La Prensa,* de Buenos Aires, publicó en 1 de marzo de 1931 un artículo titulado «La personalidad», donde se lee: «Azorín ha sido orador, y ha llevado a la oratoria su personalidad insobornable, como a la prosa y la crítica literarias. (No resistimos el deseo de continuar la transcripción.) Ha hecho libros de viajes; ha trazado numerosas páginas de paisajes, señaladamente de Castilla. Se ha dicho que un paisaje es un estado de alma. No un estado de alma de la propia Naturaleza, sino del observador. La Castilla de Azorín en nada se parece a la de Galdós, Picavea, Unamuno, Machado, Mesa, etc. Es un estado de alma, una materialización de la personalidad de Azorín. Es, sin duda, una Castilla para todos, pero es de Azorín exclusivamente. A través de ella claro que comprendemos una buena parte del alma y la tierra castellanas, pero entendemos mejor el alma y la personalidad de Azorín.»

Y el Ramón por antonomasia, esto es, Gómez de la Serna, escribe en la segunda edición, edición argentina, de su *Azorín:* «Para mí nunca fué gélido y silencioso, y otra invención malévola ha sido la de su tartamudez, pues yo he de confesar que, aparte las muchas veces que le oí en privado, le he oído discursos y brindis de paisaje en que, sin cuartillas delante, le oí crear con igual parsimonia que con la pluma las más bellas páginas habladas que he escuchado. Conmigo sonrió y departió amigablemente; por eso debían silenciar que no quiso hablar con ellos los que le encontraron mudo, y eso que conversaba el del monóculo con cristal con el que ya va más allá en la ironía gastando el monóculo sin cristal.»

Y después: «Lo político en Azorín me he convencido que es una ensoñación personal que le lleva por caminos que parecen disparatados, pero que después se ve que no lo son.» «Esa transfiguración que le reprochan no es más que una propensión a apoyar lo que cree en cierto momento que es un bien patriótico, porque Azorín, en su fondo más profundo, es un patriota digno de que estuviera su retrato en el museo de los patriotas españoles.»

De su desinterés responde Ramón, quien le ofreció por unas conferencias diecinueve mil pesos, en nombre de los Amigos del Arte, «desistiendo Azorín, que entonces estaba tan pobre como ahora, porque ya no quería vanidades humanas».

Cuando el golpe de Estado de 13 de septiembre por el general Primo de Rivera, Azorín publicó *El chirrión de los políticos* (1923), «fantasía moral» inspirada en una relectura de Quevedo. Quien había de juzgar la Dictadura en *La Prensa,* de Buenos Aires, no iba a ensañarse con el árbol caído; ni había de aceptar la dirección del órgano de la Unión Patriótica, *La Nación,* que le fué ofrecida antes que a nadie, como manifestó don Manuel Delgado Barreto. Con palabras justicieras escribió Azorín en el prólogo de *El chirrión de los políticos* lo siguiente: «Ni en la política, ni en las otras clases sociales está el hombre irreprochable, perfecto. El hombre ideal está un poco en todas partes. Absurdo me parece considerar a los políticos como dechados de todos los males. Riamos de los políticos—cuando sean risibles—, pero no cometamos la injusticia de considerarlos peores que los demás vivientes.» Palabras henchidas de justicia, salidas de la misma pluma que compuso las tiernas del epílogo, en las cuales nos despedimos del tolerante don Pascual, quien piensa en un bosquecillo de laureles en que canten los ruiseñores de la esperanza; hombre humilde que acaricia a su nieto, y que llora al ver acercarse a un niño pobre que le hace revivir «toda una vida de azares, de trabajos y de dolores».

Las evoluciones políticas de Azorín en los últimos años podrían resumirse, como antaño, «en sinceridad y esfuerzo». Alguien ha dicho—me cuentan—que fueron por lograr la perfección: «algo, sí, que depende de nosotros; de nuestra buena voluntad, de nuestro patriotismo, de nuestra buena fe en el progreso humano». Así escribía en 1917.

SU AMOR A FRANCIA

Azorín ama sobre todo el paisaje y a los autores, clásicos y modernos, de España. Sus libros y sus artículos de periódico lo prueban de manera irrefutable, hasta en los títulos de muchos de aquéllos y en las secciones bajo las cuales aparecen bastantes de éstos. Su crítica no indica animadversión, sino anhelo de renovación, de perfección, de vida. Acercó los clásicos a los lectores de nuestro siglo y, lector infatigable, nos dió a conocer a contemporáneos suyos y a muchos de las generaciones posteriores. El que ejercitara sus fuerzas en la crítica de España fué tópico de los más repetidos en nuestra tierra; «los que lo emplean—razonaba el 28 de septiembre de 1915—son los mismos que nos reprochan nuestro desconocimiento de la historia de España, y son ellos, al usar tal lugar común, quienes la desconocen. ¿Cómo se forma la historia y la conciencia de un país sino con crítica? Para el conocimiento de una cosa precisa la crítica. Un país que no se examine a sí mismo, que no ejerza sobre sí mismo una crítica minuciosa, perseverante, no llegará nunca ni a conocerse, ni a estimarse, ni a tener conciencia de sí mismo, y—lo que es más grave—a formar un anhelo y un ideal para lo por venir. También aquí queremos volver a demostrar un axioma. Y en cuanto a la Historia, echad la vista por ella y veréis que en todos los tiempos se ha dado este fenómeno de la crítica y que en todos los tiempos ha habido, como ahora, quien clamara contra el uso de la crítica.» Y cita, como examinadores de las cosas de España, a Gracián, a Saavedra Fajardo, a Cadalso y al padre Mariana.

Mas en segundo lugar debemos poner su amor a Francia. La quiere desde que, jovenzuelo, aprendió a traducir en Baudelaire; desde que, ya hombre, confería a una amiga: «Yo no leo a Montaigne; lo releo por tercera, por cuarta, por quinta, por sexta vez. Pocos filósofos hay que puedan soportar esta prueba; pero Montaigne no es un filósofo de lo abstracto, de lo confuso, de lo oscuro, de lo ininteligible, de lo inescrutable, de lo fantástico; Montaigne es un filósofo de lo concreto, de lo menudo, de lo trivial, del detalle prosaico, de lo que vemos y palpamos todos los días en la casa y en la calle.» De lo que decía en septiembre de 1904, al tratar de «El amor y el matrimonio», no ha tenido que arrepentirse. De las dos Francias que, en enero de 1905, ve como regiones distintas en la vida del espíritu, prefiere la tradicional, «clásica, clara, simétrica, radiante, ordenada, metódica, exacta»; la Francia fuerte de Montaigne, de La Bruyère, de Racine, de Montesquieu, de Stendhal, de Anatole France; no «la Francia romántica, ensoñadora, desvariadora, nebulosa, caótica, impetuosa», de los románticos, de Rousseau, de Hugo, de Lamartine, de Zola...

En las «Crónicas del viaje regio», con las cuales empieza a trabajar en el *A B C*, le encanta París, «ciudad espiritual, sentimental, irónica»; las manos «finas, blancas, sutiles, maravillosas», de las parisienses; el bosque de Vincennes y sus claros tapizados de césped fino en que evolucionan los soldados; el de Bolonia, «lleno de una multitud pintoresca y numerosa» que presencia las carreras hípicas... ¿Qué consiguió con este viaje, que prosiguió a Londres? Sin duda, la estimación de los lectores y del gran periódico. ¿Nada más? Oigamos lo que nos cuenta Azorín el 22 de septiembre de 1914: «*A B C*, que entonces empezaba a publicarse, nos envió de cronistas a Alvaro Calzado y a mí. *A B C* hizo entonces un espléndido alarde de información. Recuerdo que un solo telegrama, en que a la una de la madrugada transmitía yo una crónica mía hablando de la función de la Comedia Francesa, costó ochocientos francos. Pues bien: toda la muchedumbre de cronistas, informadores, reporteros, fotógrafos, que hicieron el viaje a París, fueron condecorados por el Gobierno francés. Todos, no; hubo dos excepciones: Alvaro Calzado y yo; Calzado y yo, que precisamente nos habíamos distinguido en la tarea de informadores, etc.» «Esto es lo que yo debo a la Francia oficial. Justo es añadir que a la Francia intelectual, literaria, debo mucho.» Le debe amigos queridísimos, elogios a sus libros, traducción de *La ruta de Don Quijote*, en *Le Correspondant*, con prólogo de Morel-Fatio, prestigiosa revista que contaba ochenta y seis años de existencia; después (1929), Pilliment traduce *España*, y Miomandre (1931), *Félix Vargas*, con loanzas en las respectivas introducciones.

Desencadenada la guerra europea, en agosto de 1914, Azorín comprendió que los periódicos tenían «la necesidad imperiosa, ineludible, de no tratar más asuntos que los que con ella se relacionaran». Se dispuso a escribir «sobre estas cosas de tan sangrienta actualidad». Llegó a suspender una serie de artículos dedicados a examinar la obra de Larra; sólo publicó el primero. Y con este propósito, ¿qué actitud adoptaría? El grupo de amigos que en las luchas literarias le había sostenido y alentado defendía la causa de Francia. «La causa de Francia—continúa en el mismo artículo—era el espíritu de discreto y fecundo liberalismo que yo había venido sosteniendo.» «La lógica más elemental dictaba que yo abogara por la causa de Francia; otra cosa hubiera sido incongruente y absurda.» Así lo hizo.

El 23 de agosto empezó sus «Notas de Francia»: «Antes de la guerra» se titulaba el artículo. «La bella, la buena, la intrépida Francia...»; éstas eran las palabras iniciales. Continuó laborando incansable, sin fatiga, con esfuerzo sólo parecido al de su campaña acerca del partido conservador. Fueron impugnadas, censuradas, denostadas sus opiniones e imparcialidades. Don Torcuato Luca de Tena jamás puso traba a la expresión de esas opiniones; «la imparcialidad de *A B C* está demostrada—decía una nota de Redacción, como remate a «una explicación» de Azorín—en el solo hecho de dar cabida en sus columnas a escritos inspirados en ideas y tendencias distintas. En 1916 reiteraba Azorín la fe en el triunfo de Francia y de sus aliados, casi a los dos años de guerra. Interrumpió la tarea, entreverada los útimos meses con temas españoles, cuando en noviembre de 1917 fué nombrado subsecretario de Instrucción Pública; «a causa del criterio vigente en esta casa (la del *A B C*), según el cual no hay compatibilidad entre las tareas del periódico y el desempeño de cargos públicos». La reanudó a primeros de abril de 1918, con el artículo «Francia. Africa en el arte».

Ese año de 1917 se publicó, sin fecha, su libro *Entre España y Francia* (*Páginas de un francófilo*). En el prólogo, datado en diciembre de 1916, manifiesta que creyó debía dedicar su pluma, en estos años, «a destruir nocivos prejuicios relativos a los dos pueblos y a procurar—dentro de nuestra modestia—una mutua y más cordial y perfecta comprensión». Renovamos «nuestro antiguo amor» ante el paisaje y las librerías. El libro sólo comprende una parte de la labor realizada. Lo editó en Barcelona la casa Bloud y Gay, de París, que defendió y trabajó sus publicaciones entre nosotros. Por cierto que fundó una revista que sirviera de «lazo de unión entre franceses y españoles», y, frente al anuncio del libro a toda plana, uno de los colaboradores zahería y molestaba a Azorín; es decir, «a un escritor que ha dado pruebas durante toda su vida de amor fervoroso a Francia» y que había estimado conveniente la aparición de esa revista.

En la primera quincena de mayo de 1918 fué a París como enviado especial del *A B C*. Carlos Maurras y los redactores de la Acción Francesa lo agasajan en un convite. Un año después reunió en un tomito las crónicas que se relacionan con el título de «París, bombardeado», a las cuales agregó dos de evocaciones: «En la lejanía». Las de «Los norteamericanos» fueron coleccionadas en un opúsculo aparte; la actitud de Pi y Margall, entre otras, cuando nuestra guerra con los Estados Unidos, justifica la suya propia. En 1919 ya había terminado esta campaña en favor de la nación vecina. Desde fines de abril a julio, inclusive, se interrumpe de nuevo la colaboración en el *A B C*, porque fué nombrado por segunda vez subsecretario; brevísimo tiempo. Y emprendió otro viaje a Francia. Ampliamente dimos cuenta de esta honrosa estada en una publicación literaria de provincias. Nos informamos en *L'Espagne*, semanario español e hispanoamericano que se publicaba en París (número del 5 de aquel julio). Se celebraba en Burdeos, donde murió Goya, una exposición de pintura española; Azorín representaba a España. El Municipio le ofreció un espléndido banquete, en el cual habló el alcalde, en discurso que fué un himno a nuestra nación y a nuestro rey. Contestó Azorín con emoción y sinceridad. Le regalaron la edición de los *Ensayos*, de Montaigne—el filósofo que en el siglo XVI fué alcalde de Burdeos—, con las correcciones del autor.

En mayo de 1921 vino Sara Bernhardt a España, anciana y mutilada por una operación quirúrgica que le fué practicada a primeros de 1915. El Ateneo de Madrid le rindió homenaje en la tarde del 20. El conde de Romanones, presidente del Centro, leyó su discurso en francés y entregó a la gran trágica el título de socio de honor. Después intervino Azorín. A continuación, Gómez de Baquero y un representante del Sindicato de Actores. Por último, hablaron el ministro de Instrucción Pública, señor Aparicio, y, a insistentes requerimientos del auditorio, don Antonio Maura. Sara, la antaño escultural intérprete de *Hamlet*, pronunció conmovidas palabras de gratitud. Las cuartillas de Azorín se titulaban «A Sarah, la de Racine». «Señora: Recibid un respetuoso y cordial saludo de un apasionado amador de Francia.» Sara, continúa, ha sido «la más gentil intérprete de Racine»; todo un mundo poético va a entrar en la penumbra cuando la artista desaparezca de la escena. Sara ama a España; el escritor piensa en Francia, que se ha formado con el culto del espíritu, y al recordar a Racine imagina que la figura que más bella y hondamente encarna el genio de su pueblo y de su raza es la delicada Berenice. La actriz que ha sonreído dulcemente frente a las más duras adversidades de la vida; la que ha conservado, «frente a la angustia suprema», «la flor de la gracia y de la serena confianza», es saludada por los españoles con la severidad y nobleza que acuerdan con nuestro paisaje. «Habéis vencido nuestros corazones por la admiración y el afecto y os los rendimos sin tener que añadir vanas palabras.»

A fines de 1924 reunió, en uno de los segundos seis cuadernos literarios de *La Lectura*, algunas impresiones de literatura tituladas *Racine y Molière*.

Cuando Azorín tradujo *El doctor Frégoli o la comedia de la felicidad*, del ruso Nicolás Evreinoff, lo hizo fielmente de la versión francesa de *Nozière*, y a los dos años adaptó a nuestra escena *Maya*, de Simon Gantillon, una de las tres obras teatrales agrupadas bajo el título genérico de *Marinas*.

La nueva edición aumentada de *Lecturas españolas* está dedicada a la memoria de Próspero Mérimée, y la comedia *Angelita*, «a la memoria de Juan Racine, el autor de *Berenice*». Unas palabras del prefacio de esta obra sirven de lema al sutilísimo *Don Juan*.

Aunque no se llegó a publicar el tomo de *Autores antiguos* (*Españoles y franceses*), anunciado en las Obras completas que le editó Caro Raggio, por los autores franceses continúa su predilección.

EN LA REAL ACADEMIA ESPAÑOLA

Desde que se fundó, en 1713, por iniciativa del excelentísimo señor don Juan Manuel Fernández Pacheco, marqués de Villena, y fué aprobada la fundación en real cédula de Felipe V, expedida a 3 de octubre del año siguiente, ha sido blanco para toda clase de ataques y de elogios. Lo hemos dicho en alguno de nuestros libros: en la biografía extensa de Palacio Valdés. Lo mismo se ha encubierto con aquéllos el despecho, que se ha disfrazado con los segundos la solicitud vergonzante. También hubo sinceridad en unos y otros. ¿Por qué no creerlo así? En general, «ya es sabido que en todas partes se suele ser antiacadémico... antes de ser académico, como se suele ser demagogo antes de gobernar, y aun para gobernar más pronto o sacar mejores provechos que si se gobernara por decreto real y con responsabilidad ministerial», que áticamente escribió el autor de *El nudo gordiano;* o aquel comentario de Cánovas, en la intimidad: «Muchos hay que tiran piedras a la puerta de la Academia para que les abran.» El reparo de más consistencia ante los ojos del vulgo es que «ni están todos los que son, ni son todos los que están». Azorín y otros escritores han explicado el caso: los académicos de número domiciliados en Madrid han de ser, o habían de ser, treinta y seis (art. IX de los estatutos), y siempre hay mayor número de individuos merecedores de serlo. En lo que se refiere a suponer que no son «todos los que están», obedece muy especialmente a que el público conoce a los poetas, novelistas, oradores, pero no a los eruditos, filólogos y gramáticos, los cuales son los que realizan labor más positiva en la Academia; aquéllos suelen darle esplendor nada más, y todo es necesario. ¿Son muchos en España los que podrían explicar la obra considerable de Rodríguez Marín, Menéndez Pidal, Asín Palacios, González Palencia, Casares, González de Amezúa?...

Azorín nunca sintió impaciencia por ingresar en la docta Corporación; más la sintieron los amigos que trabajaban porque fuera de los elegidos y que le instaban a que presentara su candidatura a la Academia. «Lo que principalmente se veía en mí—inmerecidamente—era este criterio de innovación y de libertad en el arte. No podía triunfar—escribía en septiembre de 1914—mi candidatura.» Así se lo manifestó en una de las conversaciones a don Antonio Maura, cuando el ilustre orador era director de la Academia. Y el 7 de febrero de 1917 trató concretamente del tema con toda serenidad: el reproche de que la Academia «no acoja en su seno la verdadera representación de la literatura» es «totalmente injusto y se halla en absoluto desprovisto de fundamento». Siempre existirá en un país como España un promedio de cien personalidades merecedoras de entrar en la Academia, donde no hay lugar más que para treinta y seis. En cuanto a que fuera la elección por el sufragio de la opinión, de la Prensa, de las corporaciones y sociedades artísticas y literarias, «¡qué profundo error este del sufragio universal en cuestiones de arte! Pero ¿cuándo el voto de la opinión ha sostenido, ha alentado una manifestación nueva de arte? Pero toda forma nueva de arte ¿no ha sido siempre una lucha, a veces durísima, contra la opinión?»

Retrocedamos por un momento hasta la fiesta de Aranjuez. Como *El País* publicara un suelto acerca del homenaje a Azorín, atribuyéndole «un carácter turbulento que, en opinión de algunos entre los iniciadores, ni tiene ni es bueno que tenga», Ortega y Gasset dirigió una carta al director de aquel periódico, en la cual decía: «Vayamos, pues, no en contra de la adusta dama Academia, sino en pro de Azorín. Sin proceder al motín, querido Castrovido, vamos a ver cómo recurrimos de la Academia distraída a la Academia atenta, o—como es uso en la corte vaticana—de la Academia mal informada a la Academia con mejores informes.» Era justificado el deseo de que Azorín fuera académico. «Es—continuaba—el escritor español que con mayor eficacia fomenta hoy, entre la gente joven, la lectura de los libros castizos. Ha acertado con la brecha por donde la sensibilidad moderna puede penetrar en el recinto de la literatura vieja.» En algunas de las adhesiones a la fiesta se expresa el deseo antedicho: «consagración oficial de lo que para todos está consagrado hace no poco tiempo», dice don A. de Beruete; «un sitial entre Galdós y Octavio Picón, que son sus afines en el reino del idioma», afirma Manuel Bueno; «espero los complementos necesarios para colmar la medida de la justicia», escribe don Antonio Maura, por no citar más.

Fallecido don Juan Navarro Reverter, Azorín fué electo académico por unanimidad el 28 de mayo de 1924, a propuesta de don Armando Palacio Valdés, don Leopoldo Cano y don Francisco Rodríguez Marín, quien rectificó con nobleza su discrepancia de antes, como ratificó el elogio en la edición de *La gatomaquia*, de Lope de Vega. «Del mismo opúsculo de Azorín (se refiere el venerable don Francisco a *Lope en silueta*), en el cual abundan, como en todas sus obras, las atinadas observaciones críticas y los certeros y muy personales atisbos.» Ocupa Azorín la silla *P*, asiento sucesivo de don Jerónimo Pardo, el conde de Torrepalma, don Ignacio de Hermosilla, don Casimiro Flórez Canseco, don Agustín José Mestre, don Antonio Gil y Zárate, don Antonio García Gutiérrez, don Miguel Mir y don Juan Navarro Reverter.

El domingo 26 de octubre la Real Academia Española celebró junta pública y solemne para recibir al nuevo académico; «académico hasta físicamente, hasta políticamente», escribió cuatro años antes don Luis López Ballesteros; «única sensibilidad académica—propia, estricta, tradicional, noblemente académica—que conoce la literatura española de hoy», afirmaba *Xenius* a los dos días de la recepción. Y Bagaría, el que en 1913 le caricaturizaba en *La Tribuna* entre «las cornejas del Congreso»—los contertulios del salón de conferencias: Vázquez de Mella, Maestre, Lamana, Manzano...—, le dibujaba ahora en *El Sol* con el uniforme académico, el paraguas de antaño, un librito y cubierto con el sombrero de copa, que es para Azorín símbolo de respeto que impera durante «los sesenta años esplendorosos de la Restauración».

Presidió el director de la Academia, don Antonio Maura, que vestía de uniforme, y tenía a su derecha al obispo de Madrid-Alcalá, doctor Eijo Garay; presidente de la Academia de Medicina, doctor Cortezo, y secretario de la Española, señor Cotarelo, y a su izquierda, al obispo de Monterrey y al presidente de la Academia de Ciencias, doctor Carracido. «La concurrencia—se lee en los periódicos—era verdaderamente extraordinaria, viéndose totalmente ocupados el salón de actos y la tribuna alta, siendo muchas las personas que se vieron precisadas a permanecer en pie.» El recipiendario entró en el salón, entre grandes aplausos, acompañado por los académicos señores Alvarez Quintero (don Serafín) y Casares.

Azorín leyó su discurso—*Una hora de España* (*Entre 1560 y 1590*)—, que no fué un discurso, sino un nuevo libro por el estilo de *El alma castellana*..., con veinticuatro años más de técnica y de saber. Gómez de Baquero lo reputa «el más original en la forma que se ha leído en la Academia desde aquel bello discurso en verso que leyó un viejo y glorioso poeta castellano, Zorrilla». Es la hora—escribía Cristóbal de Castro—en que para Azorín «la justicia no tiene aquel perfil severo que espantaba los sueños de Blas Pascal, sino aquella faz indulgente—pero ensimismada, *pensierosa*—en que Alberto Durero inmortalizó la Melancolía». El discurso de Azorín no fué, naturalmente, en verso, como el del poeta nacional (en 31 de mayo de 1885), ni como el de fray Juan de la Concepción, leído en 1744; en prosa inmaculada y cimera, al modo de la de *Castilla,* fué como pintó la España de 1560 a 1590 en cuarenta y una estampas admirables.

Las palabras iniciales son de gratitud: «Cordialmente os agradezco a todos vuestros favorables sufragios.» Se encuentra entre amigos que sienten los mismos fervores que él. Lo que importa, sobre todo, es el amor a la obra en los oficios liberales o mecánicos. Hombres de procedencias muy varias forman la asamblea académica, en la cual se rinde culto «a las fruiciones del espíritu». De la política venía su antecesor, don Juan Navarro Reverter. Le evoca en un salón mundano, frente al mar. Don Juan acaricia la mano de una hermosa dama. El cronista, es decir, Azorín, echa la imaginación a volar, abstraído de la realidad circundante. «¿Estamos en 1560, o en 1570, o en 1590? Es una hora de España lo que estamos viviendo. Es una hora de España lo que vivimos—con la imaginación—en este atardecer, frente a la inmensidad del mar...» Pasa el anciano rey, abrumado por las pesadumbres; pasan los palaciegos y consejeros áulicos; Avila de los Caballeros, torreada y mística; un religioso que, en conmover, puede colocarse par a par de Cervantes; la *peregrinidad* en el estilo; el realismo español—Mena, Zurbarán, el *Libro de la oración*—; la devoción, inspiración en el arte; las montañitas, en que lucen las hogueras de los pastores; los palacios que admiraba Santa Teresa; los corrales y posadas donde sufren y ríen los cómicos; un viandante—¿Miguel acaso?—que nos envidia el mundo; una religiosa—¿quizá Teresa?—amada por todos; inquisidores perplejos; los castillos de España; la Patria, «creación de la cultura»; un catedrático, lector de Teología, lleno de desilusión; el poder militar, que, si no es espíritu, no sirve para nada; Vasconia suave y Cataluña luminosa; el aposento de un poeta; Maqueda, villa; la filosofía natural; las librerías; los corsarios audaces; el concepto de la gloria en este siglo y en esta nación «profundamente cristiana»; los misioneros, «que se mueven por la caridad»; los pobres labradores, «sustento de la Patria»; un santo y la muchedumbre que le llora; paz de la tarde en un bosque, donde busca reposo el más bravo capitán de las conquistas; la mentida decadencia, que «no ha existido»; ruinas, cautivos; un maestro viejecito y simpático, que adoctrina a sus alumnos; la verdadera española, animosa, esforzada, constante en la fe, perseverante en el amor... «El ensueño ha terminado. Estamos en el mismo salón mundano donde comenzamos a soñar.» ¿Nos inclinaremos por el pasado o por el presente? ¡Intimo conflicto, «pavorosa antinomia — origen de angustias y desasosiegos!» Terminaremos el problema con «una fórmula de respeto y de tolerancia».

Don Gabriel Maura Gamazo, conde de la Mortera, compone, en la discreta y sutil contestación, una glosa «al margen de Azorín», de quien es coetáneo cabal. Expone el panorama espiritual de España de hace un cuarto de siglo; exalta la pulcritud no sólo externa, sino también íntima, que «ha sido y sigue siendo la ética del caballero, del literato y del político» recién llegado a la Academia Española; anota cómo Azorín buscaba insaciablemente lo nacional, mientras los otros jóvenes se desvivían por adoptar las modas forasteras, caídas en descrédito posteriormente; el acierto que le guió a juntar la Literatura y la Historia en la forma mixta del ensayo, «inmejorable para la divulgación de lo abstruso, porque lo fracciona hasta hacerlo concreto», al trabajar con primor de monje, al dibujar con firmeza, al mezclar brillos y mates, o al decidirse por «el rasgueo desenfadado del esbozo»; interpreta, como docto magistral, la España evocada por Azorín, y declara que a todos les parecerá «que hemos convivido largos años dentro de esta Corporación». Mas recojamos el anacronismo que pone de relieve, al recordar a Azorín en el comienzo de este siglo: «Guía espiritual de la España antigua a tiempo en que se propugnaba la europeización de la moderna; periodista que meditaba y leía más que escribía, y escribía más que hablaba; devoto de los pequeños análisis en la época de las grandes síntesis; iconoclasta que pretendía revisar las canonizaciones estéticas; perseguidor de documentos con minuciosidad de entomólogo, cuando estaban más en boga las improvisaciones fáciles; escritor, en fin, que oponía al brochazo del escenógrafo el toque justo del miniaturista, y al estilo usual, recamado de imágenes, tropos y demás pedrería retórica, la semidesnudez helénica de la oración primera de activa». Frase sutil esta última, seleccionada por «la habitual clarividencia crítica» de *Andrenio*.

Mas la semidesnudez helénica asusta; sobre todo, no puede ser apreciada entre el humo de los cafés, en las charlas de las botillerías y en la barahunda de los cenáculos. Por ello la obra de Azorín exige, para que sea comprendida y admirada, la paz de la provincia o el silencio de la biblioteca íntima; la biblioteca donde nos place imaginar—como el maestro lo hiciera al hablar de Góngora—un minuto «en que la rosa—cortada por bellas manos—luce y perfuma en su búcaro de cristal, frente a un retrato de Velázquez, en una estancia en que han resonado las armonías de Beethoven»; «este minuto es lo más alto, lo más fino y lo más exquisito de la civilización humana»; este minuto es indispensable para leer una evocación del sensitivo San Juan de la Cruz o de la ancianita que va todas las tardes a una catedral para encender su lámpara...

Mas, una vez en la Academia, ¿dejaría a un lado sus antiguas devociones?... Sin darse por aludido, Azorín refirió en el *A B C*—del siguiente 5 de noviembre—las andanzas de un bibliófilo trashumante que, al fin, dispone de una biblioteca espléndida; pero... vuelve a su antiguo amor hacia los volúmenes maltrechos y usados. «Aquellos libros espléndidos no eran los que le habían acompañado durante toda su vida. Los otros, los vagabundos, los callejeros, representaban para él la libertad, la independencia de espíritu, la sensibilidad espontánea y viva. Un poco del tráfago de la calle y de la independencia del escritor bohemio estaba infiltrado en sus páginas.»

Azorín es—para nosotros—el imaginario y simpático bibliófilo: no dijo adiós a sus antiguos amores...

Aparte de aquel discurso, Azorín leyó el de contestación a Joaquín Alvarez Quintero (26 de abril de 1925), segundo de los hermanos que ingresaron en la Academia (Serafín tomó posesión el 21 de noviembre de 1920, a los siete años de electo). En el mismo año se publicó, separadamente, el libro a que da título.

«Su labor de académico ha sido breve y protestativa—consigna Ramón Gómez de la Serna, en el libro que consagró a Azorín en 1930—, pues dejó de asistir a las sesiones desde que le negaron la entrada a Gabriel Miró.» Las palabras que dice sometió a la consideración de sus compañeros fueron: *gavillar,* montón de gavillas, admitida; *robadizo,* atolladero; *morredero,* mal paso o mortífero.

En febrero de 1927 firmó Azorín, con Palacio Valdés y Ricardo León, la propuesta de Gabriel Miró para la vacante producida por el fallecimiento de don Daniel de Cortázar. La redacción, bellísima, es del autor de *Los pueblos.* No prosperó «por razones de circunstancia que nada tienen que ver con la obra literaria de Miró». En 1929 volvió a hablarse de este asunto, que Miró no ambicionaba ni desdeñaba; mas el grande y bonísimo Gabriel pasó a mejor vida en la noche del 27 de mayo del año siguiente...

Azorín no asistió mucho, en efecto, a las juntas ordinarias que un día de cada semana celebra la Academia—excepto en julio y agosto—para tratar de sus negocios ordinarios y gubernativos; en el escalafón que se forma para «remunerar la constancia y asiduidad de los académicos», de acuerdo con el artículo 91 del reglamento, figura en 1 de enero de 1936 con el número vigésimo y 169 asistencias; le siguen veintidós compañeros de Corporación. En la lista de los señores académicos de número al empezar este año, no está el ilustrísimo señor don José Martínez Ruiz. No conocemos la disposición que le excluya y esperamos que se subsane la omisión. Azorín siempre habla de la Academia con respeto, y con afecto de muchos académicos. (Así se hizo.)

«¿Que le sobran méritos para tener asiento en aquella docta casa? Eso nadie lo pone en duda. Azorín es un prosista de estilo castizo y fornido, que ha alcanzado elevada categoría en la literatura de nuestro país—son palabras de Manuel Bueno en *Los lunes de El Imparcial* del 18 de mayo de 1924—. Sobre eso no puede haber disentimientos.»

TEATRO Y NUEVAS OBRAS

En uno de nuestros apéndices a la obra dedicada al estudio de Azorín por el profesor alemán Werner Mulertt, analizamos desapasionada, objetivamente y con extensión lo sucedido con este teatro. Fué en 1930, y, recientes aún las discusiones, se nos criticó con saña por la documentación que aportábamos. No hemos de reproducirla ahora; no son las páginas actuales un estudio literario, sino la descripción sintética de una personalidad, y acaece lo que el muy culto don Juan Zaragüeta observa en su estudio «Las facultades del alma», en el número primero de la *Revista de Filosofía* (Madrid, 1942): «Al describir sintéticamente una personalidad, empezamos adoptando el estilo de la biografía, que va registrando cronológicamente el ejercicio de sus facultades; pero luego hacemos lo que se llama su semblanza, que es el diseño específico de sus vivencias, cuyo conjunto constituye como el perfil o la fisonomía mental de la personalidad en cuestión.»

Azorín había escrito con referencia al teatro, a los autores y a los actores en ocasiones distintas; había realizado originalísima crítica teatral, y, al decidirse a cultivarlo, no había de incurrir en los defectos que censurara antes. «Azorín es en sus comedias el Azorín que todos admiramos», declara Gabriel Miró a un periodista que le interroga. El Azorín que, a los ocho años, compuso un discurso y llegó a diputado y subsecretario, lo primero que hizo también cuando niño fué una obrita que representó con sus compañeros: «ésta era realmente mi vocación. Después, la vida me llevó por otros derroteros literarios». Transcurridos unos cuantos lustros, su tragicomedia *La fuerza del amor* no llegó a representarse porque exigía una reconstrucción del siglo XVII, «muy costosa y difícil».

En 1926 se decide a laborar para el teatro y entrega a una actriz catalana, con el entusiasmo de esta señora, *Judit.* No representada, Díaz-Plaja, que ha estudiado con despacio y tino el teatro del maestro, dice que «esta de Azorín monologa en un plano de ensueño evadido de la realidad» —característica «que aparece a lo largo de todo el teatro azoriniano»—; «actúa en todo momento como una llama de rebeldía» y la antiarqueología de que habla el culto catedrático «interviene en el meollo de la acción».

El 13 de septiembre y el 3 de noviembre se estrena en San Sebastián y Madrid, entre inmensa expectación, *Old Spain!;* exclamación de «¡Vieja España!», con la cual el multimillonario don Joaquín González, hijo de español y de norteamericana, comenta el espectáculo que ofrece la Patria de sus abuelos y encuentra redes de amor en una condesita que mora en Nebreda, pueblo castellano donde Azorín fechó «idealmente» el epílogo de *Lecturas españolas.* De «acontecimiento literario» calificó Díez-Canedo, en *El Sol,* el paso inicial de Azorín en la escena. «Oro viejo en molde nuevo», era la comedia para el crítico del *A B C;* «el principal suceso de la temporada teatral», para Gómez de Baquero, mientras otros críticos empezaban su campaña, a la cual Azorín respondió con entereza y dignidad. En el suplemento literario del *Times,* de Londres (1 de mayo de 1930), se leía: «No es la obra de un gran dramaturgo, y hasta es posible que no sea la obra de un dramaturgo; no obstante, su sugestivo y delicado juego de ideas, sin duda le da derecho a existir en la época de Benavente, Shaw y Pirandello.»

La primera representación de *Brandy, mucho brandy,* el 17 de marzo de 1927, la pasó el autor en los sótanos, en que se hallaban los cuartos de los actores, y desde allí «oía el rumor como de tronada, como de tormenta lejana, que se producía al final de cada acto». El 23 había de dar Azorín una conferencia acerca del público y de la crítica en el mismo teatro del Centro, que fué clausurado horas antes. Entonces el diario de la Unión Patriótica, *La Nación,* la publicó con dibujos y fotografías. No había en ella cosa que pudiese molestar a nadie; ni en otra conferencia a que fué invitado por la Asociación de la Prensa valenciana.

El 28 y el 30 de abril, Rosario Pino, «la actriz de esa época—la del 98—», estrena en Santander *Doctor Death, de 3 a 5,* y *El segador,* dos actos de la trilogía *Lo invisible,* y «ocurrió entonces una cosa peregrina: la que había sido toda la vida actriz elegante e irónica se convirtió de pronto en una gran trágica». En octubre, Rosario Iglesias da a conocer en Barcelona *La arañita en el espejo,* que con las dos anteriores integra la trilogía. Cuenta Azorín, en el prólogo de ésta, que se la inspiró la lectura de la obra maestra de Rainer-María Rilke, «el poeta más fino entre todos los modernos», ya desaparecido.

El 25 de noviembre, *Comedia del arte,* visión sentimental de la vida de los actores —tema dilecto, sugerido al presente por un grabado de Watteau—, es aplaudida casi por unanimidad. Crítica y público coinciden en el elogio. En el *Times* citado se lee también de esta comedia: «Su sugerencia de la emoción y el *pathos,* lo mismo que su sugerencia del paisaje, es de una admirable reserva y eficacia»; «sin duda ha tenido el autor que sentir profundamente y poseer muy a fondo su tema».

Exito lisonjero, asimismo, el 3 de febrero de 1928, el de su traducción de *El doctor Frégoli o la comedia de la Felicidad,* de Nicolás Evreinoff, ruso expatriado en

París, que, con Shaw, Pirandello y Lenormand, representaba el «teatro europeo».

El 2 de mayo, fecha simbólica, fué el estreno de la farsa *El clamor,* en colaboración con aquel don Pedro Muñoz Seca, que hasta a los rojos hacía gracia, aunque lo asesinaron vilmente. Reacción violenta de la crítica, mientras el público se reía, aplaudía y llamaba a escena a los autores. La Asociación de la Prensa de Madrid dió de baja a Azorín, lo expulsó, por acuerdo «de antes que se estrenara la obra». Famosos escritores e importantes periódicos repudiaron tan insólita previsión. Castrovido, López Ballesteros, Zulueta, Araquistáin, *El Sol, A B C, La Gaceta Literaria,* se distinguieron honrosamente en la protesta a favor de Azorín.

El 25 de enero de 1930, nueva traducción en escena: *Maya,* de Simon Gantillon. *Maya* era, según la autocrítica de Azorín en el *A B C:* «Transportar toda la fina sensibilidad del artista a un medio social inferior; infiltrar de delicadeza una realidad ruda; elaborar un nuevo realismo, no escueto y repulsivo como el anterior, sino impregnado de una sutil idealidad; ésa es la obra de Gantillon.» Las escenas de la vida de una pecadora en el puerto de Marsella, al ser representadas en el teatro de la Zarzuela, promovieron alboroto; la prudencia se impuso y Azorín salió a recoger los aplausos para transmitirlos al autor. La Prensa estuvo ponderada en general, lo mismo la que le fué favorable que la que se mostró adversa.

El 10 de mayo, una compañía de excelentes aficionados representa por vez primera, en Monóvar, el «auto sacramental» *Angelita.* «La sensación de tiempo en la sensibilidad de un escritor; la sensación de tiempo y la de su inseparable el espacio», escribe en el prólogo de la edición y en una de las notas incluídas en el programa del estreno—la otra se refiere a la honda influencia que en la evolución del teatro ruso han ejercido los aficionados teatrales, según Evreinoff—, en la primera nota declara Azorín que ha querido hacer una obra sencilla, sin enredo, sin los eternos dimes y diretes de amor; de una premisa arbitraria ha pretendido pasar a la verosimilitud; es hora ya de que el teatro español vuelva a utilizar el eficaz y fecundo recurso de lo maravilloso; los autos sacramentales no fueron para un público restringido, sino que se representaron ante las muchedumbres. Las palabras finales de la obra—«Bondad, fe, amor...»—hubieran encantado a *Critile,* seudónimo de Víctor Bouillier, que en el *Mercure de France* (15 de julio de 1929) dedicaba media docena de páginas a «El teatro de Azorín» y le reconocía sensible a todas las seducciones que la vida ofrece a una naturaleza de artista.

El estreno de esta obra motivó que se repitiera, engrandecido, el homenaje que Monóvar ofreció a su hijo predilecto en junio de 1927, al que fué invitado Gabriel Miró, quien llegó expresamente de Polop de la Marina, donde veraneaba. «Pasé tres días en su casa natal—me escribía el autor de *Corpus*—. No parecíamos escritores ni nada. Un encanto de cordialidad.» En los actos celebrados en mayo de 1930 ya no estaba Miró, a quien acechaba la muerte. Estaban el editor de ambos, don José Ruiz Castillo, y otras personas de relieve que presenciaron la representación de *Angelita,* que asistieron al banquete, que aplaudieron—con el pueblo—los discursos y que escucharon a Azorín, ante el busto debido al escultor Palacios, cómo de los franciscanos aprendió humildad y cómo en el colegio de los Escolapios, de Yecla, aprendió a observar y a estudiar la vida. (En febrero del mismo año, Monóvar había agasajado a su hijo ilustre con ocasión de publicarse *Superrealismo* y adquirió ejemplares de este libro para las escuelas de la provincia; porque Azorín fué siempre amigo de los niños y de los humildes.)

Y así como el 23 de noviembre de 1927 «la cena inaugural de la nueva temporada pombiana 1927-1928» fué «un homenaje de reiteración al gran escritor Azorín» —según Gómez de la Serna, que invitó a la fiesta y la ofreció; fiesta en la que, además, hablaron Eugenio d'Ors, el doctor Pittaluga, el agasajado y Sassone—; el 26 de junio de 1930 la juventud literaria y los grandes maestros volvieron a reunirse con Azorín para ofrecerle el tributo de su admiración y simpatía con un banquete que presidió la bella monovera Adela Tortosa Giménez, intérprete de *Angelita*, «esencia azucénica de la obra de Azorín», como dijo Ramón Gómez de la Serna al brindarle asimismo este acto celebrado en el hotel Nacional.

Ya no hay más estrenos, tumultuosos o apacibles, de obras del maestro—puesto que *Cervantes o la casa encantada*, que refleja «las emociones íntimas de Cervantes como si fueran emociones vividas en nuestro siglo», a la manera de la *Juana de Arco*, de Delteil, sólo puede leerse en el tomo segundo de su *Teatro*—; ya no hay más estrenos hasta el de la comedia *La guerrilla*, el 11 de enero de 1936. Episodios de guerra y de amor en la época de la Independencia española, con tipos arrancados de la realidad de 1809, que hablan, como en la vida, henchidos de patriotismo; la comedia para unos y drama para otros, obtuvo fervoroso aplauso. Y así de felizmente termina la campaña teatral que a lo largo de diez años sostuvo Azorín.

Colofón: el estreno por Loreto Prado y Enrique Chicote de la comedia en tres actos *Farsa docente*, en Burgos, el 23 de abril de 1942.

¿Cuál es la nota característica de ella? La fe en la propia obra, la voluntad de vencer sin concesiones denigrantes. Pasado el hervor de las pasiones, con serenidad, en febrero-marzo de 1940 escribía Azorín en su libro *Valencia*, publicado el año siguiente: «Creo que mi teatro, tan combatido, es superior, muy superior, a muchas, muchísimas de las obras más aplaudidas en estos tiempos. Esas obras no pueden ya leerse y mi teatro—que se representará en lo por venir—resiste a la lectura. Lo que sucede es que todos mis terceros actos son terceros actos truncados. Sí, «se pierde la comedia», como decían los críticos. Se pierde la comedia al llegar al tercer acto. Pero es que todos los terceros actos, en todas las obras, son falsos. Y yo he tratado de huir de esa falsedad. Falso a más no poder, por ejemplo, el postrer acto de *El trovador*. Falso el acto último de *Don Alvaro*. Falso el acabamiento de *Los amantes de Teruel*. Y falsos todos los actos terceros de Lope. El acto que vale en una obra es el acto segundo. En ese acto, después de una exposición clara y precisa en el primero, es donde ha de desenvolverse la verdadera comedia. Lo que pase en el tercero puede sustituirse siempre por otro acto en que pase cosa distinta.» Y esto lo escribe—notadlo bien—quien confiesa que ha tenido siempre conciencia de su labor literaria, quien no ha dudado nunca del valor de sus libros; pero no ha querido hablar de éstos, «ni mucho menos—esto me produce disgusto—que me hablaran de ellos. Publicado un libro, trato de olvidarlo». La confidencia es sincera; podemos atestiguarlo: en ocasiones, para un artículo ya publicado que necesitaba, ha tenido que acudir a este modesto discípulo suyo.

★

Mas nosotros sí tenemos que recordar, aunque brevísimamente, sus Nuevas Obras. Se denominan así cuando empieza a editarlas la Biblioteca Nueva, del señor Ruiz Castillo.

La primera es *Félix Vargas (Etopeya)*, 1928. Se trataba, según palabras del autor a un periodista, de «renovar el procedimiento de la novela, que agoniza entre ruinas». Complacerse en lo inorgánico —inorgánico «con relación a una organización anterior, ya caduca»—que puede ser profundamente orgánico; «en todo caso, la elipsis en el tiempo, el espacio y el espíritu»; sin olvido de la imagen que traduce una realidad intrínseca y la ambivalencia de aquélla para hacer visible «la dualidad de una situación psicológica». Españoles como *Andrenio*—que aconsejaba a Azorín que no cediera a tentaciones de novedades puramente formales de entonces—apreciaban en *Félix Vargas* «mucho del mejor Azorín: la sutil filigrana del pormenor, el delicado trabajo de disociación y reconstrucción del paisaje, del medio y también de la situación psicológica y del carácter»; extranjeros como Marcelo Brion, Juan Cassou y Francisco de Miomandre consideraron esta etopeya como su obra maestra. En la introducción del último a su versión francesa, afirma, como punto de partida, que el talento de Azorín une la visión erudita de un Gourmont y la sensibilidad de un Jammes; que todo en *Félix Vargas* es nuevo, hasta el estilo, el cual, sin perder nada de su virtud evocadora, se ha despojado de toda retórica para adoptar un aspecto cortado, invertebrado, áspero y compuesto de anotaciones acumuladas, como los cuadros de los neoimpresionistas estaban hechos de toques minúsculos en que la sabia yuxtaposición recreaba volúmenes y planos. Y antes, esta observación agudísima, imprescindible en la presente semblanza, puesto que resume lo que son las Nuevas Obras: a la edad en que todo artista considera acabada su obra, para no añadir sino algunos trazos definitivos, Azorín, con valor admirable, decide renovarse.

Lo mismo pudiera escribirse de *Superrealismo* (Prenovela), 1929, esto es, «sensación de la novela en su estado predefinitivo»; libertad de las palabras «cansadas de la prisión en que las ha tenido la retórica antigua», y, sobre todo, libro «escrito con fervor intenso» por el cual el mundo conoce y ama a Monóvar. Se comprende el entusiasmo que sintió y la gratitud que exteriorizó la ciudad alicantina. El juicio del autor francés debe extenderse a *Pueblo* (Novela de los que trabajan y sufren), 1930; así el obrero, tan cansado como el escritor, que tampoco estaba «en un lecho de rosas».

Otro aspecto de la literatura de Azorín es el cuento, no cultivado desde sus comienzos hasta que en *Blanco y Negro* y otras revistas lo publica de nuevo con profusión. El talento imaginativo que se le ha negado está de relieve en los cientos que se le deben a su maestría literaria. *Blanco en azul* (1929) es la primera colección afortunada; han de seguirle otras muchas, cada vez más perfectas.

Las demás obras son, no por este orden cronológico, *Andando y pensando (Notas de un transeúnte)*, 1929—colección de ensayos, de quien para algunos es, sobre todo, máximo ensayista—, y *Lope en silueta (Con una aguja de navegar Lope)*, 1935, páginas obligadas en el tricentenario de la muerte de este descollado personaje de nuestras Letras, ya que Azorín era presidente de «Los amigos de Lope de Vega» y lo consigna así.

En la Prensa continuó Azorín su divulgación de ideas, tan merecedoras del libro; a veces se agruparon con el título genérico «De un transeúnte»—desde agosto de 1919 a enero de 1921—; otras veces tuvo la gallardía de protestar contra la confusión de la caridad y la política, y retiró su firma—febrero de 1922—del documento ateneísta en que se hablaba vanagloriosamente de la Revolución rusa; sacó al viejo novelista don José María Mathéu del olvido en que yacía y participó del homenaje que le rindió Zaragoza en febrero de 1923; acucia la generosidad de sus lectores en favor de unas pobres monjitas de Zamora que suplican «una limosna para esta Comunidad tan necesitada, que ni para lo más preciso del sustento tenemos, y con cinco enfermas desde abril del año pasado» — mayo de 1925 — ; emprende la campaña contra la crítica teatral a partir de 1926; se desimpresiona de ésta, desde *El clamor*, y comenta obras de los maestros, como Menéndez Pidal; de los enemigos, como Enrique de Mesa, o de los jóvenes, como Giménez Caballero; retrata a los autores de otros tiempos lo mismo que si vivieran en los actuales, en la serie de «Españoles», y en víspera del Movimiento, de la terrible eversión que condena como todo espíritu delicado, tan refinadamente delicado y compenetrado con nuestra Historia como Azorín, sigue escribiendo de Cervantes, de Lope, de nuestras viejas tradiciones, con las cuales siempre estuvo amorosamente enraizado...

DESDE EL MOVIMIENTO NACIONAL

El 17 de julio de 1936 se inició en la plaza de Melilla la rebelión militar, que inmediatamente después se extendió a toda España.

Desde la tierra cordobesa de la sierra de Cabra, centro geográfico de Andalucía, en el cual nos sorprendieron los sucesos, a 1.223 metros sobre el nivel del mar, veíamos cruzar los aeroplanos por la extensión azul, los automóviles que iban y venían por los caminitos que atraviesan los pueblos, los fugitivos que trepaban por las montañas, y nuestros pensamientos se dirigían, raudos, hacia los seres ausentes queridos, a nuestros deudos, a nuestros amigos fraternales, a los maestros amados. ¿Qué habrá sido de unos y de otros? Y luego, allá, en el pueblo, año tras año, nuestra angustia crecía con el silencio en torno de cosas y personas.

Sin divagaciones y sin literatura, meditábamos: ¿Qué habrá sido de Azorín? ¿Qué malaventuras le acaecerán a este hombre, ya en la declinación de la vida, tan amante de España, tan correcto, tan respetuoso y fino con las mujeres, tan caricioso con los niños, tan sensitivo, tan defensor de la inteligencia, tan amigo del heroísmo, de la abnegación, del esfuerzo de los santos españoles, tan afanoso de que se conserven las iglesias humildes? ¿Dónde, Señor, «¡la aguda torre en el azul de España!», como en el verso final del soneto en que le retrata Antonio Machado?

Azorín no puede seguir en la capital de España, ya en poder de la desatada muchedumbre. Logra trasladarse, a primeros de octubre de 1936, con su esposa, a Valencia, y de Valencia a Barcelona. Entran en tierra francesa por Cerbère. Van pasando las horas. En las estaciones compra periódicos y revistas que hacía tiempo no podía leer. Antes de las doce de la noche, en París. No cabe a medianoche titubear en la busca de hospedaje; él, que conoce en España «desde las fonditas de pueblo, con sus estrépitos nocturnos, hasta las ventas perdidas en los páramos». Desde la misma estación, por corredores y pasadizos, al amplio vestíbulo de un hotel. «Ante un mostrador se atropaban los viajeros. No había tiempo ni humor para reparar en el cuarto que me daban. Lo que me dieran, eso aceptaría yo con gusto.» De nuevo en el ascensor; un pasillo ancho, larguísimo, alfombrado, y el cuarto amplio con su camarilla de baño; no se escucha el ruido; de cuando en cuando retiembla la habitación, sin duda porque en la estación ha entrado un tren. «El sueño cierra mis ojos y enajena mis sentidos.» Un reloj eléctrico suena con su seco *tac*. Aunque asistidos, se hallan como aislados en este hotel; nadie espía al huésped, ni le sigue los pasos, ni anota sus palabras. En ocasiones, han de abrir la ventana para que el aire refresque la habitación, y cuando salen de ésta han de caminar tanto para llegar a la calle, que no se aparta de él «la imagen de un viajero de la estepa». Vivir en este inmenso hotel es grato, sí; pero... «¿Qué voy yo a hacer en París? ¿Cómo se desenvolverá mi vida? No puedo menos de pensar, querido lector, en la cuestión económica. No hay más remedio que pensar en ella. De España, como a los demás viajeros, no me han permitido sino sacar unas pocas pesetas. ¿Y cómo vivir en París, donde la vida es tan cara, con unas pocas pesetas?» Han estado, pues, como prisioneros en este hotel durante unos días. «Lo que era delicia al principio, se ha convertido después en angustia. No podía yo sostenerme aquí —dados mis medios de fortuna—y, sin embargo, no podía marcharme. El lector no necesitará de más explicaciones. En la cárcel de este hotel he permanecido varios días.»

Al fin han podido salir de su simbólica prisión. «¡Adiós al mudo y misterioso reloj!» El cuarto ahora es pequeño, y diminuto el hotel. El barrio, populoso y lleno de ruidos; los automóviles pasan y suenan las bocinas sin parar. Es un hotel íntimo, donde todo el mundo nos mira. «El respeto y aun el afecto de que se me rodea en este hotelito me reconforta.» Pero, aun así, se acuerda del gran hotel silencioso, en el cual se sentía «¡más cerca de España, de mi querida y dolorida España!»

Azorín, que en su primera llegada a Valencia—allá en 1886—pagaba ocho reales diarios por el pupilaje completo, no podía suponer lo insólito medio siglo largo después. «No podía yo imaginar que andando el tiempo, pasado más de medio siglo, viviendo modestamente en París, había de pagar dos mil francos mensuales por un entresuelo, cerca del Arco de Triunfo, sin contar con la electricidad, el gas, el teléfono y el servicio de portería.» En el entresuelito, su tercera vivienda, trabajaba desde antes de la aurora. La pluma empieza a cespitar, a titubear. Se impone el descanso. «Vámonos al mercado.» Los colores y los ruidos nos distraerán; surgirá así la idea remisa; germinará de nuestra conciencia lo que necesitamos. «En París yo iba cotidianamente a comprar al mercadillo de Ternes—escribe Azorín, pues nada inventamos nosotros; nos atenemos a su notación exacta—. No compro aquí (en Madrid) nada. En París me alargaba algunos días, por simple gusto, hasta el mercado de la calle de San Antonio, el más típico de la gran urbe.» Prefería los mercados libres y a cielo abierto que los existentes en edificios adecuados. Las alcamonías, las verduras, las hortalizas, las frutas, los adminículos de cocina, le entretienen; comprueba también, como en otros lugares de la ciudad, el respeto a la mujer. Y de nuevo a escribir...

¿Qué era lo que escribía? Escribía para *La Prensa,* de Buenos Aires. Se intensifica su gratitud a los directores don Ezequiel P. Paz y don Alberto Gainza Paz, «que generosamente me han hecho vividero París», según declara la dedicatoria de *Españoles en París.* A don Ezequiel le dedica además otro libro: *En torno a José Hernández;* la razón es «que tan generoso culto se rinde al gran poeta y que tanto ha hecho por su gloria en el gran diario argentino *La Prensa*». Le hicieron a Azorín «vividero París» con un contrato espléndido. Muy diferente, es cierto, el costo de la vida; pero también lo que se cobra por los artículos: cuando muchacho, dos pesetas o unos duros; ahora, unos miles de francos. Ya está resuelto este problema: a escribir. ¿Y en las horas de descanso?

En las horas de descanso, que no lo es, en las horas de ocio aparente—fructíferas para el artista—, aquellas de antes de la guerra, cuando pasaba algunas en las estaciones del Metro matritense, aquí en París las dedica a sus aficiones: ante todo, los templos: «Lo más interesante de París son las iglesias»; «Nuestra Señora, la Magdalena, San Sulpicio, San Severino, San Esteban del Monte—con su claustro de maravillosas vidrieras—, San Germán de los Prados, San Germán Auxerres, San Roque, donde se convirtió Manzoni; San Pablo, donde está enterrado Bourdaloue. Y el rito oriental griego católico. Atracción profunda de estos ritos orientales—el bizantino, el armenio, el asirio, etc.—, que observan ciento cincuenta millones de católicos, sumidos a la autoridad del Romano Pontífice. Las iglesias de la calle de Daru, iglesia rusa; la rumana de la calle de Bizet, y, sobre todo, la iglesia gótica, antiquísima, de San Julián el Pobre. En su puerta comenzaba el camino de Compostela. Todavía la calle cercana se llama de Saint-Jacques.» Desde el Sagrado Corazón, el inmenso París allá en lo hondo, y luego, la cripta, iglesia tan vasta como la de encima. En otras ocasiones Azorín pasa largos ratos en la galería de los tratos, Galerie Marchande, del Palacio de Justicia. «Nada más instructivo y más curioso.» O se entra por las callejitas del Barrio Latino, como la de Visconti, donde tiene su sede la antigua casa editorial de Rosa y Bouret, y siempre se detiene a contemplar el edificio frontero, donde murió Racine.

Ya en este barrio, era inevitable pasar la callejita corta y estrecha de la Parcheminerie para ir a la iglesia de San Julián, él que ha dedicado tanta atención a las boterías, y, desde luego, en el Quai de la Mégisserie—entre el Châtelet y el Puente Nuevo—los pretiles con los «cajones apetitosos de libros. Los he escudriñado yo veces sin cuento».

Se enredan los recuerdos. Después de la caza de libros viejos, ¿cómo no asomarse—en los claros que existen de trecho en trecho—, de pechos en el pretil, a contemplar el Sena? «Y el Sena, a través de París, es maravilloso. En la primavera, cuando el tiempo es templado, se pasea despacio por esos malecones y se goza de la fusión inefable que se forma entre el cielo de un gris de plata oxidada, la luz cernida, la fronda de los árboles, la corriente que se desliza mansa y las bellas que pasan y se detienen un momento ante los viejos libros.» No olvidemos los museos. Al Museo del Louvre le habrá visitado Azorín en estos tres años unas trescientas veces. «He transitado bien aquellas salas y aquellas galerías. En el Louvre recibía yo una impresión de apacibilidad mundana y de dispersión a los cuatro vientos de Europa. El Louvre, gracioso y delicado, me parecía un museo hembra.» Tenía curiosidad, al volver a Madrid, de poner en contraste esta impresión con la del Museo del Prado—que fué «de severidad y de concentración»—y le pareció «un museo macho». A la salita donde está colocada sola la Venus de Milo estuvo yendo un mes, y de esta larga contemplación resultó uno de sus cuentos más felices.

Azorín es frugal a la mesa, y más que en «la delicia de los diez, de los quince platitos de los antes»—«los antes» en los siglos pasados, entremeses en los actuales—de los restaurantes que hay en los alrededores de la Magdalena, piensa en los humildes platos de Levante servidos en la vidriada escudilla blanca. En cuanto al beber, no bebe más que agua—agua de Witel o parecida—; el agua es para Azorín «un lujo y una voluptuosidad». El pan, también; sólo que entonces era «el amargo pan de la emigración», y esto, como el verso de Martínez de la Rosa—«Desde las tristes márgenes del Sena»—, no pueden comprenderlo sino los que pasaron por tan dolorosa experiencia, por experiencia tan amarga. En ésta no podían faltar las visitas a los cementerios de París: el de Montmartre, el de Montparnasse, el de Passy, «y, sobre todo, el del Padre Lachaise. Cementerios interiores. Cementerios en el corazón de la capital. Cementerios rodeados de altas casas de vecindad—desde las cuales los vecinos contemplan a toda hora el panorama de las tumbas—y que son lugares apacibles que no inspiran ideas tétricas.»

Las inspira, sí, la amada España. «¡Cuánto dolor, cuánto sufrimiento y cuántas angustias! Si se pudiera solidificar el flúido nervioso de los que han sufrido y sufren—dice un poeta a un doctor, de los imaginados por Azorín—, formaría ese flúido una masa inmensa que podría llenar los infinitos espacios sidéreos.» Y el mismo poeta se queja: «Esa saeta eterna y dolorosa que tengo clavada en el pecho, que me han clavado en el pecho, es... el odio.» Dolorosa evocación—dolorosa «al presente»... de entonces—la de las laderas levantinas tapizadas de romero y tomillo, en las que revolotean las abejitas, y se pregunta: «¡Habrá todavía abejas en España?» Un matrimonio de otro cuento piensa: «Diríase que había más distancia de Madrid a París que de Madrid a una ciudad de Australia o Nueva Zelandia. El espacio entre Madrid y París era impenetrable.» «Todo en el Universo eran ideas, menos el dolor de España y el dolor de los familiares adorados», se lee en otra página. Con referencia a unos religiosos, «todos han acabado su vida gloriosa y santamente. Este cartujo hubiera querido también morir. Pero él no dispone de su vida. De su vida dispone quien dispone de todas. Y quien dispone de todas ha querido que viva». En uno de esos museos de París, donde se refugia con su tristeza, medita lo difícil—«pero qué difícil»—que es «el progreso en maridaje con el orden». Las atroces escenas del *Dos de mayo*, de Goya, no le parecen —«por contraste con otras»—tan atroces. No espiguemos más en este dorado campo; he aquí palabras confortadoras del mismo Azorín: «No perdamos nunca la fe. No abandonemos nunca la esperanza. Las vías del Señor son misteriosas. Cuando no se nos logre nuestro anhelo, al menos habremos tenido resignación. Y la resignación es serenidad.» ¿No es éste el Azorín que decía a Ramírez Angel, en 1924, que, si tuviera hijos, «quisiera como don supremo para ellos la fe»?

Meses después afirmaba en su recepción académica: «La religión, única e intangible, unía antiguamente todos los corazones.» «Siempre el creyente reconocía al creyente.» En las catedrales, iglesias, santuarios, ermitas, «en esos lugares, henchidos de espiritualidad viva y fecunda, encontraba descanso el alma». «Y un mismo anhelo hacía latir todos los corazones: el anhelo de la salvación última.» La verdadera española «tiene la constancia en la fe». ¿No es esto algo más que el Azorín del libro *Valencia*, en el cual el padre Quintín Pérez, S. J., sentía—*Ecclesia* del 21 de marzo de 1942—«pasos cortos de acercamiento y voz tímida e indecisa de *Confesiones*?» De la misma obra son estas palabras de Azorín: «La fuerza reside, para mí, en efecto, en el desasimiento de las cosas. Y tal modo de sentir y de ver me ha llevado también al amor hacia los grandes místicos españoles. Conocida es mi predilección por fray Luis de Granada. La fuerza está en poder levantarse sobre los honores, pompas y vanidades del mundo.» En las páginas literarias de Azorín perdurarán las visiones de las romerías con las viejecitas vestidas de negro y un cirio pálido en las pálidas manos, los calvarios plantados de rígidos cipreses, las iglesias donde hay un patizuelo con una cisterna, los humilladeros con las cruces de piedras en los aledaños de las vetustas ciudades, los conventos silenciosos con huertos verdeantes, blancas celdas y largos claustros; en todos los cuales está «todo el espíritu intenso y enérgico de nuestra raza».

Mas insistamos en su constante pensar en España, allá en París. En 1939, al enterarse de que en nuestra Embajada se preparaba una «fiesta española», escribió a nuestro embajador, don José Félix de Lequerica, con el ruego de que no fuese de jipíos y bayaderas la tal fiesta, sino de música popular gallega, que emocionara a la selecta concurrencia. Y, encima de un sexto piso, en la colina de Montmartre, en el estudio de Zuloaga—el pintor de España—, habla de la querida y dolorida Patria con el recio artista, y le anima a pintar, en una amena fantasía, la apoteosis de Cervantes. Hay algo más y más importante que debo revelar someramente —y que el querido maestro me perdone la indiscreción, si la hubiere—: Azorín desempeñó altísima misión en París, superior a la que hubiera realizado en la zona nacional con su pluma; Azorín salvó a muchos españoles que gemían entre las garras rojas. Procuró el canje, lo consiguió, y desde entonces proviene su devoción al Caudillo, al que conoce desde que La Cierva fué ministro de la Guerra. Tan destacado personaje como Rafael Sánchez Mazas no olvida la merced, aunque se malograra la mediación por otras causas, y fué a darle las gracias al maestro. Inédita está la crónica, inédita cuando escribo, en que se refieren las andanzas de este espíritu selecto y que Azorín no publicó en *La Prensa* del Plata porque en ésta se halla vedado cuanto se refiera, de cerca o de lejos, a la política. Al cabo, a los tres años de expatriación, Azorín regresa a España. Ha publicado allí los artículos de su espléndidamente remunerada colaboración; las páginas selectas de *Trasuntos de España* (1938), en la Colección Austral de Espasa-Calpe Argentina, con un prólogo del autor acerca de las bibliotecas «grandes, copiosas, ordenadas, con toda clase de libros antiguos y modernos» y «las reducidas y un tanto caóticas» que tienen su predilección; páginas electas epilogadas con *El arte de vivir* y *Los viejos y los jóvenes.* En la misma colección, acabados de imprimir, en abril de 1939, los cuentos de *Españoles en París,* con el prólogo «Otra vez en París», por el cual se conoce su entrada en Francia. Ha publicado, asimismo, en Buenos Aires—en primoroso tomito de la Editorial Sudamericana—, *En torno a José Hernández* (1939), nueve fantasías acerca del autor del poema *Martín Fierro,* que tanto gustaba a Unamuno, porque era «lo más reciamente español» de lo hispanoamericano que conocía. Ha publicado en el *A B C,* de Sevilla, poco antes de liberarse España, aquel delicado elogio del padre Zacarías García Villada, S. J., que empieza así: «El gran historiador no vive ya. Quienes cortaron bárbaramente su vida, en 1936, cometieron uno de los más horrendos crímenes, entre los infinitos horrendos que tienen dolorida a nuestra España.»

Primero de abril de 1939. Año de la Victoria, fecha memorable en la Historia de España. El generalísimo Franco refrenda el parte oficial de guerra, que finaliza así: «La guerra ha terminado.» Explosión de entusiasmo contenido se difunde por toda la Península; van y vienen las gentes de un extremo a otro; se empieza a tener noticias, alegres o tristes, de los seres queridos. En agosto, Azorín y su familia regresan a su vivienda matritense de la calle de Zorrilla. ¡Qué gozo al pasar de Hendaya a Irún! Hasta por el sabor de las viandas, sentado a la mesa de la fondita, se paladea «la España auténtica». Delicado de salud, repleto de emociones entre los seres amados, hay un alto en su senda literaria, y en los últimos días de noviembre publica su *Elegía a José Antonio,* tan delicada, tan fina, tan espiritual. No había de ser su única contribución al estudio a esta figura cimera, tan simpática, tan cruelmente inmolada. Siempre que evoca a José Antonio, de quien fué amigo cordial, lo hace conmovidamente...

El año 1940 está dedicado por Azorín al libro. Biblioteca Nueva edita uno de los mejores del maestro, *Pensando en España,* evocaciones del pasado español, fechadas el 1939, en París. Recordad aquello del estilo, en *Un pueblecito:* «¿Que cómo ha de ser el estilo? Pues el estilo... mirad la blancura de esa nieve de las montañas, tan nítida; mirad la transparencia del agua de este regato de la montaña, tan límpida, tan diáfana. El estilo es eso; el estilo «no es nada». El estilo es escribir de tal modo que quien lea piense: «Esto no es nada.» Que piense: «Esto lo hago yo.» Y que, sin embargo, no pueda hacer eso tan sencillo —quien así lo crea—, y que eso que no es nada sea lo más difícil, lo más trabajoso, lo más complicado.» Pues a los veinticuatro años de expuesta esta fórmula, se acendra más aún: «Entre todo el laberinto del estilo se levanta, a nuestro entender, el vocablo eliminación.» «Fluidez y rapidez; esas dos son las condiciones esenciales del estilo, por encima de las condiciones que preceptúan las aulas y academias: pureza y propiedad.» Contra la elipsis dañosa, la repetición sin miedo. «Elipsis, sí; pero elipsis, principalmente, no gramatical, sino psicológica.» Esta fórmula, expuesta en el libro *Valencia,* se cumple en el titulado *Pensando en España,* y lo de «las palabras inusitadas» que encantaban al músico Vives, que con tanta gracia refiere Azorín en *Madrid.*

Valencia fué escrito en febrero y marzo de 1940; *Madrid,* en abril y mayo. Los dos aparecieron en 1941. Azorín, que observa vida de trapense, compuso de madrugada estas memorias; goza así del silencio, del «maravilloso silencio» cervantino, que no es fácil de encontrar a otras horas, dedicadas a la lectura de los clásicos —norma de su vida entera—o en las cuales pone a máquina las copias de los artículos que han de ir a la censura y a Buenos Aires. En 1942, al año siguiente de aparecidos los anteriores, la novela psicológica *El escritor,* redactada en abril y mayo de 1941, no contentó a algunos; pero Antonio Tovar—«clara inteligencia y corazón generoso», a quien dedicó *Valencia*—envió a América un artículo laudatorio. A poco, los cuentos de *Cavilar y contar;* en muchos de estos cuentos alienta «un deseo de penetrar en un mundo misterioso»; la predilección de Azorín por éstos se deduce de la dedicatoria a un joven de gran valer, a Julio Rajal, su sobrino «e inestimable secretario, para recuerdo de su continuada y afectuosa cooperación inteligente. *Pectore toto*». También en 1942, los de *Sintiendo a España,* con un prólogo acerca de las influencias literarias y un «Como si fuera epílogo», en que el imaginario Román Rodil nos dice: «Escribo como quien se bebe un vaso de agua. Cual es clara el agua que mana de limpia fuente, es clara la prosa que surte de mi pluma. Y la escritura clara—y en ello tienen razón—no es estimada de los selectos.» No obstante, los selectos leerán con placer *Capricho, La isla sin aurora,* unas *Memorias* que complementan y superan *Las confesiones de un pequeño filósofo,* y cuantos volúmenes los han de seguir, si Dios quiere, a poco que vivamos.

En 1941 reanuda su colaboración en la Prensa española, que ya no ha de interrumpirse. Los periódicos difunden la alocución de Azorín a las Repúblicas de América, dirigida por radio, pidiéndoles cordialidad—«debemos caminar con la mano de uno en la mano de otro»—. En las relaciones con América, la interpretación de Azorín es agudísima, exacta; en *El Español* de este 6 de marzo dice que no necesitamos rememorarles la Historia, de la cual poseen obras monumentales debidas a sus eruditos, filólogos y artistas, sino darles a conocer la realidad moderna de España, que «es espléndida»: letras, catedrales, viejas ciudades, el habla abigarrada del pueblo, mantenimientos, usos coquinarios, paisajes, flora, muebles, artes...

Publica en el diario *Arriba* su tierno homenaje a Concha Espina, que se ha quedado ciega: «Todos estamos a su lado; todos tenemos por usted cariño y admiración. Y todos vamos a traerle a usted bellas y fragantes flores de esta España que usted ama tanto.» Y ya sería prolijo enumerar la colaboración en *Vértice,* donde se insertan algunos de sus mejores trabajos; en *Santo y Seña,* en *Destino* (de Barcelona), en *Legiones y Falanges* (revista de Italia y España)...

Por este tiempo, Ignacio Zuloaga pinta al óleo el retrato de Azorín, en el estudio que «el pintor de España» tiene en la plaza de las Vistillas, ahora de Gabriel Miró. Está de perfil, aunque Zuloaga ha retratado siempre de frente, sentado en una de las sillas violetas y blancas del estudio, con el brazo derecho apoyado en una mesita, con un libro en la mano, y la izquierda pendiente, por un dedo, del bolsillo del chaleco; al fondo, un paisaje castellano, cerrado por un castillo roquero. El mismo Azorín lo describe en dicha revista nacional de R. E. T., *Vértice,* en el número de junio de 1941, e imagina de madrugada el apólogo «El pintor y el poeta»: «Un pintor hizo tan prodigiosamente el retrato de un poeta, que trasladó al lienzo todo el espíritu del poeta. El poeta se quedó sin espíritu. Y no pudo escribir más.» A pesar de lo difícil de la cabeza del modelo—por lo cual Zuloaga la dibujó tres veces—, observación que hicieron otros pintores que le retrataron, como Ramón Casas, José Villegas, Juan Echevarría, Sorolla, Vázquez Díaz, que le ha pintado de nuevo magistralmente para la Exposición Nacional de Bellas Artes de este año; a pesar de esto, el retrato es prodigioso, y allá está en la elegante sala donde Azorín suele recibir atentamente a sus visitantes; allá está, inmortalizado, para las generaciones futuras.

Pero escribió más, pudo escribir más: en noviembre reanudó la colaboración en su periódico por antonomasia, en el *A B C;* la continúa en *La Prensa,* de Buenos Aires. En ésta deben de haberse publicado nuevos artículos acerca de la Mancha, que podrían constituir hermoso libro. En aquél están los de temas cervantinos, temas del Siglo de Oro, temas nacionales, en suma, puesto que lo nacional—creemos con Azorín—consiste en que cada cual ponga amor y esmero en su profesión u oficio para que

España sea grande. En el *A B C* se encuentran las evocaciones de José Antonio: «Ya amanece. Ya está amaneciendo, José Antonio, tu amanecer simbólico, tu amanecer de España.» En el *A B C* se hallan los artículos consagrados fervorosamente al Caudillo. «Franco salvó a España una vez—me dice Azorín a solas, en hora de confidencia, de verdad—y volvería a salvarla si fuera menester.» El Caudillo corresponde a la devoción literaria y patriótica de Azorín. Y en otros periódicos podéis leer la «Imprecación al labrador» —«Si vamos hacia algo distinto y mejor que lo pasado, justo es que todos aceptemos las estrecheces que ese tránsito impone»—; el recuerdo a Unamuno; la resistencia de Baler, a ciento ochenta kilómetros de Manila, cara al Pacífico, con Enrique de las Morenas, padre de otro heroico militar; con Juan Alonso, con Saturnino Martín Cerezo..., «locos sublimes» que siguen luchando aun cuando se había concertado la paz...

LOS AMIGOS DE AZORIN

"¡Ay, muchas veces con la fantasía he querido suplir la realidad!"

AZORÍN: *El espejo irónico.*

En España han existido Sociedades tituladas Amigos de Cervantes, Amigos de Lope de Vega, Amigos de Saavedra Fajardo, Góngora-Club, Pen-Club (poetas, ensayistas, novelistas), Amigos de don Juan Valera—que con tanto amor y tesón sostiene el querido poeta Soca—, Amigos de Ganivet, Amigos de Gabriel Miró —nombre que ampara la finísima edición conmemorativa de las obras completas del inolvidable levantino, debida al fervor de la familia y al talento de su hija menor, Clemencia—, y acaso otras. Algunas existen aún; algunas las presidió Azorín, quien más de una vez trató de las análogas que había constituídas en Francia, en Inglaterra, en Italia, y de la conveniencia de crearlas «en las distintas regiones españolas, en viejas e históricas ciudades españolas. En Sevilla, por ejemplo, podría haber una Sociedad de Amigos de Bécquer; en Toledo, otra de Amigos de Garcilaso; en Valladolod, otra de Amigos de Zorrilla... Lo que el Estado no hace podría hacerlo la iniciativa particular. El Estado, por otra parte, no puede hacerlo todo. Las dichas sociedades se encargarían de propagar el culto a los grandes escritores». Si los amigos formaban una biblioteca pública, debería estar compuesta —como opinaba acerca de la referente al político de Algezares—: primero, de las obras de dicho autor, en todas sus ediciones, antiguas y modernas; segundo, de las traducciones que se hayan hecho de dichas obras; tercero, de todo lo que se haya escrito sobre el clásico o moderno de que se trate; cuarto, de los autores que hubieran influído más en su pensamiento. Y el hecho es que los dichos amigos «pueden, lenta y calladamente, sin discursos, sin banquetes, realizar una obra fecunda y simpática: honrosa para la pequeña Patria, provechosa para la grande».

Azorín mismo nos contó en cierta ocasión, desde el periódico, que en España existían por entonces—enero de 1934—dos Sociedades cervantinas: una, los Amigos de Cervantes; otra, los Amigos de Miguel. «Es casi desconocida esta última; la componen sólo siete admiradores de Cervantes. Cuando hay una vacante, se cubre por elección; las vacantes son muy apetecidas. Nadie conoce esta reducida y selecta Asociación. No celebra sus sesiones con motivo de fechas señaladas en la vida de Miguel, ni de efemérides notables, ni de casos singulares. Cuando le place, un día al mes, y donde le place, en algún lugar cervantino, la Sociedad se reúne. Charlan los amigos de Miguel sosegadamente; discuten sin ardimiento; tal vez se lee algún trabajo que no pasa de seis u ocho cuartillas. Y eso es todo. En Alcalá de Henares, en Esquivias, en El Toboso, en Valladolid, en Castro del Río, en Sevilla, en Madrid mismo, celebra sus sesiones esta sucinta Sociedad.»

¿Por cuál de estas agrupaciones sentiremos predilección? ¿Por qué clase de tales sociedades se inclinaría el maestro? No es aventurado afirmar que por la sociedad pequeña, desconocida, ajena a toda solemnidad. Y hemos querido suponer que existe; ello es inocente; nadie podrá llevar a mal, ni protestar contra ello. No se trata de una proposición o de un proyecto, ni siquiera de una insinuación. Las páginas finalas de *En torno a José Hernández* se titulan «En la cátedra Hernández», una de las treinta o cuarenta cátedras americanas esparcidas — idealmente, sobra advertirlo—por toda España, en las que sólo explican los imaginativos, no los universitarios. Algo así pensábamos como remate de esta semblanza. Mas, catedrático de Filosofía el autor de estos renglones, considera que respecto a un pequeño filósofo es más sencillo lo de la sociedad íntima, sucinta: «Los Amigos de Azorín». Los amigos de Azorín nos congregamos para leer algunas páginas y para hacer unos comentarios sin pretensiones; no se busca tampoco, como se habrá advertido por el nombre, la originalidad ni la rareza. Ni «epílogo en 1960», ni «amigos» nunca vistos.

Sentados en unas piedras apartadas del camino, a la vista de la ciudad, hemos leído unos capítulos de *El escritor*. Cuando terminamos, un señor dijo:

—Este libro no fué de los mejores acogidos cuando se publicó allá en mil novecientos cuarenta y dos. Sin embargo, ha ido ganando con el tiempo.

—Es un caso que se dió con otros de Azorín: con *La Voluntad,* con el mismo *Antonio Azorín,* que para algunos críticos es de los más representativos.

—Cuando apareció en las librerías *El escritor*—interviene un ancianito, catedrático ya jubilado—, yo estaba en un Instituto de pueblo. Se vendieron en seguida quince o veinte ejemplares, y no tenía más de veinte mil habitantes la población. Quiero decir que siempre ha tenido Azorín un núcleo de admiradores aun en los lugares más apartados.

—Es que se simpatiza con la figura de don Antonio Quiroga, pobre y viejo, animando a los jóvenes a cumplir sus promesas—«promesas a la Patria, o promesas a la amistad, o promesas al amor»—, en un ambiente que ya no es el suyo. Y también intimamos con Luis Dávila, quien en la plenitud de la vida—treinta años—se siente cautivado por el maestro...

—Eso nos sucedió a muchos—ha afirmado el más joven de todos los amigos.

—¿Y qué es lo que los atraía entonces a ustedes?—ha preguntado otro caballero.

—Nos atraían en sus libros la descripción del paisaje y el amor a los clásicos; nos atraían en su estilo la sencillez y la claridad.

—Ustedes saben que a un joven que le pidió consejo, le decía Azorín que cuando el escritor tiene experiencia, «los pormenores secundarios, sin valor, desaparecen. Perduran los significativos. Y lo que es más raro y misterioso todavía: la selección del detalle se opera ella sola».

—De ahí esta sencillez tan difícil de imitar. Hice la experiencia—interviene de nuevo el profesor—dándole a leer a mi hijo, que a la sazón tenía catorce años, *Las confesiones de un pequeño filósofo, La ruta de Don Quijote* y *Los pueblos.* Le gustaron mucho; me explicó que le encantaban porque se entendían muy bien y porque le parecían fáciles de escribir. Pasará tiempo, le advertí, antes que puedas hacer algo parecido...

—Pues lo que nos sedujo a otros fué eso que se llamó con elegancia «primores de lo vulgar», que no era vulgar.

—No, no lo era. Ya Azorín, al recoger

y agradecer en su libro *Madrid* la frase de Ortega y Gasset, recuerda que la estética de «primores de lo vulgar» la había definido el carmelita fray Jerónimo de San José en su *Genio de la Historia,* a mediados del siglo XVII, cuando dice que nos parece superfluo referir con mucha particularidad las cosas que nos rodean; pero a los que viven lejos o a los de los siglos futuros, lo que para nosotros es vulgar será muy raro, y mucho y grande lo que para nosotros es poco y pequeño...

—Eso de lo vulgar—opina otro de los menos viejos—es un tópico de los que siempre fueron vulgares, porque vanidosamente se creyeron superiores a los demás o porque vivieron en grandes poblaciones, donde la vida es absurda. Azorín estaba en lo firme con lo de que todo merece ser vivido: «No hay nada que sea inexpresivo, que sea opaco, que sea vulgar a los ojos de un observador. Si vosotros afirmáis que este pueblo es gris y paseáis por él con aire de superioridad abrumadora, yo os diré que la vulgaridad y la monotonía no están en el pueblo, sino en vosotros.» Me sé de memoria estas frases, porque las he leído bastantes veces. Después citaba unas palabras de William James, de *Los ideales de la vida;* por cierto que están al final del discurso segundo: «La vida merece siempre ser vivida, y todo consiste en tener la sensibilidad correspondiente», y así sigue...

—Para mí—media un militar ya retirado del servicio activo, con marcial aspecto de magistrado—, para mí lo admirable en Azorín es su patriotismo, su ferviente patriotismo, sin lugares comunes y sin oropeles ni párrafos declamatorios. España fué de continuo, a lo largo de su obra literaria, uno de sus más grandes amores; se le negó esto; mejor dicho, no se advirtió al principio, y, al final, todos lo reconocieron. Aunque ustedes saben que no soy hombre de letras, o sea un profesional, no se me olvida que en un estudio acerca de Azorín, publicado uno o dos años antes de nuestra guerra por un catedrático de la Universidad de California, se afirmaba que no podía caber duda de que Azorín amaba a España, que la sentía, que la vivía, que la llevaba dentro de su alma y que toda su obra podía reducirse a la fórmula siguiente: Azorín y España, o España y Azorín.

—¿Y a usted qué le parece lo más admirable, lo más simpático, lo más perdurable en toda la obra de Azorín?—han preguntado varios al señor que los preside.

—¡Orden, orden, orden! Preguntan ustedes demasiadas cosas a la vez, y todo lo que han conferido ustedes es muy atinado. Mas si hubiera que elegir sólo una cosa...

Pasan unas muchachas finas, bonitas, que sonríen al saludar y dejan perfumado el aire con las flores que llevan sobre el pecho.

—No sean ustedes maliciosos—ha continuado nuestro amigo, después de parar atención en las tosecillas de algunos—. Ya saben ustedes que la literatura de Azorín es casta por excelencia, aunque de ella no esté exenta la mujer; encantadores retratos de mujeres hay en todos sus libros. Mas, aparte de esto, no se alarga a hablarnos más que de bustos suavemente henchidos, de la curva armoniosa de las caderas o de cómo una de estas muchachas que bromean en el horno deja ver al correr, «entre el revuelo de las faldas, el comienzo de una fina y maravillosa pierna, cubierta de una media roja, azul y amarilla».

—¡Bravo, bravo!

—¡Orden, otra vez! Si tuviera que decidirme por lo que prefiero en Azorín, sería por su labor incesante, tenaz, por el espíritu. Voy a ver si tengo aquí...—ha sacado de un bolsillo interior un cuadernito y ha continuado—. Sí; aquí tengo ciertas notas que lo prueban. Oigan ustedes: «Repitámoslo siempre. Hagamos de ello nuestra profesión de fe más alta. *El espíritu está sobre la materia.* El espíritu mueve el mundo.» En otra ocasión escribía: «Civilización es triunfo del espíritu sobre la materia. Civilización—más sabiamente—es espíritu. No nos cansaremos de repetirlo, y éste es uno de los temas fundamentales de nuestros artículos.» Por eso, el vértigo de la vida moderna no le seduce: «Como fin último de la vida, como fin ideal, lo importante no es hacerlo todo rápidamente, sino que lo que se hace sea conforme a normas eternas de Bien y de Justicia—y de Belleza—. Hay algo que puede esfumarse y desvanecerse en este vértigo de velocidad y en este predominio de lo mucho sobre lo selecto; ese algo es el espíritu. El espíritu es la elevación mental, la finura, la delicadeza, el sentimiento, el sentido del arte, el amor a la más estricta justicia. Cuando la cantidad, la industrialización, la rapidez predominen en el mundo, ¿qué sucederá?» Distingue muy bien la civilización y lo que llama las «maneras»; hasta a la ortografía la incluye entre éstas; escuchen ustedes: «¡Cuántas mujeres que no tienen ortografía son más inteligentes, más buenas, más humanas que centenares y centenares de hombres que escriben correctísimamente, sin el más parvo error!» Mas no continúo, porque todos ustedes están convencidos de antemano...

—¡Qué ejemplar es que aun viejecito se condujera así!

—¡Sí; siempre enamorado de su profesión! Con motivo de la feria de los libros, por la cual tanto hizo, se expresaba de esta manera: «Lo peor que puede sucederle a un obrero cualquiera, el que escribe o el que imprime, es perder el amor a su trabajo.»

—Azorín no lo perdió nunca. Escribía por necesidad vital, no ya porque en España los escritores viejos se encuentran desamparados: «Cuando llegan los años tristes de la vejez, nos encontramos indefensos.»

—Sí, es cierto. ¡Qué lástima! Y más lamentable que les suceda a los hombres que con la pluma han defendido uno de los factores de la tradición. «Una obra de arte crea una nueva sensibilidad. Afina la sensibilidad.» Por eso se explicaba que los periódicos conservadores fueran literarios; no se explicaba—«o, por lo menos, la explicación no es tan aparente», añadía—que no lo fueran los liberales.

—Para Azorín hasta la crítica había de ser creadora: «Creadora de materia estética. La crítica no puede crear valores nuevos; es decir, nuevas personalidades. Sí puede suscitar nuevos estados de conciencia estética. La crítica debe ser una continuación, una ampliación de la obra que se examine.»

—¡Cuántas emociones hay en la obra de Azorín!

—Es natural. «Sin emoción no se puede hacer nada. No se puede crear», afirmaba en uno de sus cuentos.

—De aquí su manera de escribir. Y el viejecito del cuaderno lee de nuevo: «Cada escritor debe tener su manera peculiar. Es posible, por ejemplo, que haya quien comience a escribir por el principio de la novela o del drama y vaya, regular y pausadamente, escribiendo, escribiendo, todos los días, matemáticamente, hasta llegar al fin. El autor de estas líneas no concibe tal modo de escribir. Una novela o un drama no se le aparecen como una braza de tierra que se comienza a labrar por un extremo, y se va labrando uniformemente, hasta acabar por la banda opuesta. ¿Es posible la intensidad del trabajo con un procedimiento así? Y sobre todo—cosa de la más extrema importancia—, ¿es posible la emoción? Una obra artística la constituyen momentos diversos y dispersos, momentos de emoción, de ternura, de pasión, de anhelar supremo, de melancolía, que luego es preciso ir aglomerando, envolviendo en un ambiente total. No disponemos, cuando queremos, del instante de la emoción. Se experimenta la emoción, independientemente de nuestra voluntad, ante una persona determinada, en un momento que no elegimos, con motivo de una escena que no habíamos previsto... Y es preciso aprovechar ese instante para colocarlo en el lugar apropiado de la obra, antes o después, al final o al principio. Y esa necesidad imperiosa, ese surgir inesperado de la emoción, no puede conciliarse con la tarea regular y normal que supone el comenzar la obra en la primera cuartilla y el acabarla en la última.»

Se hace el silencio. Van apagándose las últimas claridades del día. Las montañas lejanas se tiñen de suave carmín. En el cielo, de purísimo azul pálido, relumbra un lucero.

—Nos hemos quedado un poco tristes. Parece que la delicada melancolía que flota en la obra del maestro nos ha envuelto a todos...

—Sí; delicada melancolía, en sus libros y en su vida. Fué un hombre bueno, bonísimo, y un escritor que ha de perdurar. Se le pueden aplicar, asimismo, las palabras que escribió acerca de Mariano de Cavia: «No ambicionó los honores y los galardones... Vivió aislado en medio de la multitud.»

—¿Volvemos? ¡Es tarde!

—¿Es tarde? ¡Es verdad, como en *los pueblos!*

Y pausadamente los amigos de Azorín echamos a andar hacia la ciudad, que se va constelando de puntitos luminosos.

ANGEL CRUZ RUEDA.

Madrid, 1943.

ADICIONES

Ha trascurrido poco más de nueve años, exactamente, desde que don José Ruiz Castillo, de feliz memoria—esposo y padre de los actuales editores de Biblioteca Nueva—, tuvo el acierto de publicar la primera edición de estas OBRAS SELECTAS DE AZORÍN. Nos consideramos en el grato deber de adicionar estas páginas, con el fin de completarlas, siquiera sea de manera sintética, ya que tal selección ha de ser más solícita cada vez por el justo renombre del maestro.

Desde fines de 1943, en que aparecieron parte de las *Memorias* inéditas en las OBRAS SELECTAS DE AZORÍN, hasta principios de 1953, Azorín dió a la estampa unas cuantas novelas (*Capricho, La isla sin aurora, María Fontán y Salvadora de Olbena*), el tomo de *París*, las *Memorias inmemoriales*, completas; dos libros cervantinos: *Con Cervantes* y *Con permiso de los cervantistas*, y las colecciones de artículos más o menos recientes que siguen: *Tiempos y cosas, Veraneo sentimental, Palabras al viento, Leyendo a los poetas, La farándula, Los clásicos redivivos, Los clásicos futuros, Ante Baroja, El artista y el estilo, Escena y sala, Ante las candilejas, La cabeza de Castilla, Con bandera de Francia, El oasis de los clásicos* y *Verano en Mallorca*, oliente todavía a tinta fresca. Es decir, veintidós obras que sumar a las ochenta y dos anteriores, a las que se agregarán en breve otras ya dispuestas, sin contar los nueve tomos de las «Obras completas», por Aguilar, S. A. de Ediciones.

Azorín siguió su colaboración en los diarios, especialmente en el madrileño *A B C* y en *La Prensa*, de Buenos Aires, que cesó de publicarse a fines de enero de 1951, por la hostilidad sindical de los vendedores de periódicos. Los temas de su dilección fueron los clásicos, aunque dedicó atención a modernos y contemporáneos asimismo, y motivos de ficción.

Nuevo aspecto literario que comenta su pluma y espectáculo a que suele asistir, desde pocos años ha, es el cinematógrafo. *El efímero cine* se titulará, salvo cambio, el libro en que se han reunido esos trabajos con bastantes páginas inéditas. Por este amor de Azorín al cine, la Asociación Española de Filmología acordó ofrecer al querido maestro el título de miembro honorario de la Asociación (y al profesor Michotte, de la Universidad Católica de Lovaina). En noviembre del 51, un No-Do, en sus ediciones A y B, hizo desfilar por la pantalla imágenes de la vida cotidiana del maestro. Y el defecto de que no sonara su voz lo suplió Bartolomé Mostaza, redactor del diario matutino de Madrid

Ya, con el diálogo sostenido con Azorín, elogiándole, en Radio Nacional de España en noviembre de 1952. También Pablo Puche ofreció en Radio Madrid, por entonces, una «antología personal», con la voz y el pensamiento de Azorín. El 18 de febrero del 53, el Círculo de Escritores Cinematográficos celebró magnífica velada teatral con el estreno del «pasillo radiofónico», de Azorín, *Diez minutos de parada*. «¡Qué deleite—escribía Luis Calvo en el *A B C* del día siguiente—oír los breves períodos líricos y cristalinos del querido Azorín, amigo y maestro, perfectamente articulados y modulados por Aurora Bautista! También sonaba con inflexiones emotivas la voz clara de Fernando Rey. El tercer hombre radiofónico, Eduardo Fajardo, tuvo intervención menos relevante, porque así correspondía a su papel.» El sábado 21, Radio Nacional retransmitió, a las once de la noche, el mismo diálogo de Azorín, al que seguirán otros del propio autor.

La indicada distinción filmológica no es la primera distinción que obtiene nuestro autor predilecto, aunque no ostenta ninguna; además de las anotadas en el texto de la semblanza, su pueblo nativo, Monóvar, que en 1917 le declaró hijo predilecto, le nombró hijo ilustre en 1946; la Real Academia Gallega (La Coruña), académico de honor, en enero de 1945; en febrero de 1946 se le concede la Gran Cruz de Alfonso X, el Sabio, y en julio, la Gran Cruz de Isabel la Católica. No permitió que se le regalaran, por suscripción, las insignias, ni las lució nunca. En la primera decena de diciembre de 1947, el gremio de libreros expuso en los escaparates de toda España los libros de Azorín y concedió, por concurso, dos premios al mejor artículo publicado en los periódicos y al más sobresaliente de los leídos en las emisiones acerca de aquéllos; los autores laureados fueron Pedro de Lorenzo y Julio Angulo. A fines del mismo mes fué el homenaje de la Hemeroteca Municipal de Madrid, en la Casa de Cisneros. Actuaron don Eulogio Varela Hervías, director; Pío Baroja, con un discurso leído por el mismo señor; el general Millán Astray, que improvisó vibrante arenga literaria; Azorín, con expresivas palabras de gratitud, y el alcalde de Madrid, don José Moreno de Torres, conde de Santa Marta de Babío. El 7 de abril de 1948, Azorín se posesionó de la presidencia del Patronato de la Biblioteca Nacional, integrado por otros ilustres escritores, y pronunció un discurso, no sólo de reconocimiento por la encendida alabanza que le dedicó el ministro señor Ibáñez Martín, sino del concepto del libro y de las bibliotecas, de la federación de éstas, españolas y americanas, y de recuerdo al malogrado erudito Serrano y Sanz. «Se nos confía el tesoro de los libros. La misión es honrosa, pero la responsabilidad es grandísima.» Al final resaltó que el Caudillo «da preponderancia a los valores del espíritu sobre todas las cosas». Azorín entre libros, ¿quién mejor que él?... El reciente diciembre, el Congreso Mundial de Periodistas, reunido en Santiago de Chile, envió, por iniciativa de su presidente, Juan E. Paúl, un cablegrama de «cariñoso saludo al viejo maestro, hoy retirado, al que desea una larga vida». Firmaban el despacho Curzio Malaparte, nuestro novelista Camilo José Cela, Paúl y otros delegados.

Jamás acudió Azorín a certámenes literarios; mas, aun así, sus artículos y libros fueron estimados como los «mejores del mes» en varias ocasiones y premiado espontáneamente, en septiembre de 1943, por la Delegación Nacional de Prensa, el fino *Castillo en Castilla*, seleccionado por el director de *El Adelanto* (Salamanca) y aparecido en *A B C* del 5, domingo.

En Norteamérica se multiplican las tesis doctorales en que se estudian aspectos de la obra azoriniana; debemos resaltar las de nuestras amigas Ana Krause, de California (*Azorín, the little philosopher*), y la de Margarita C. Rand, de la Universidad de Chicago (*The Wision of Castile in the Works of Azorín*), obra de 1.200 nutridas páginas. A su paso por España con otros compatriotas, la señora Rand estuvo en Madrid para saludar al maestro, y la visitamos en un gran hotel. La Academia Mejicana le invita, y, como «achaques y años me lo impiden»—el complacerles—, contesta con hermosa carta al doctor don Alejandro Quijano. Siguen las ediciones inglesas, pulcras, bien presentadas, para el estudio de este idioma en los Estados Unidos; citemos las de *Old Spain*, por el profesor Baer Fundenburg, y la de *El Licenciado Vidriera visto por Azorín*, de Margarita de Mayo. Es primorosa la de *Trasuntos de España*, para el estudio del español en Suecia, por Alfred Akerlund, y concienzuda la versión de cuentos de nuestro autor al ucraniano por el doctor Dmytro Buchynskyj, residente en España. En Italia lo traduce la señorita Flaviarosa Rossini. En Francia acaba de traducir *Castilla*, fielmente, Juana Lafón. En la Universidad de Santiago de Chile, Y. Pino Saavedra pone en español la obra de Hans Jeschke titulada *La generación de 1898 en España (Ensayo de una determinación de su esencia)*. En España suena una y otra vez el nombre de nuestro maestro: en recientes estudios de Laín Entralgo, nuestro rector magnífico; en *Gente del 98*, de Ricardo Baroja, que le trata con respeto y afecto; en labios del doctor Marañón, que le considera su escritor predilecto entre los contemporáneos, ya que Azorín llevó a la literatura la reacción contra el «flato retórico», como Cajal a la ciencia; Juan Ramón Jiménez, que, en *Carta a Carmen Laforet*, publicada en *Insula* (15 de enero del 48), dice: «Azorín, por ejemplo, escribe más bien cada vez.» Y es que Azorín, como afirmaba José Pla en *Informaciones* de julio de 1952, ha sido siempre reacio al disfraz.

Así aparece, sin disfraz, en los libros del doctor F. Marco Merenciano, *Fronteras de la locura (Tres personajes de Azorín vistos por un psiquiatra)*; *En torno al 98 (Política y literatura)*, de Melchor Fernández Almagro; *Estética de Azorín*, por Manuel Granell; *Azorín íntimo*, de José Alfonso, y *Cómo es Azorín*, por Antonio Montoro. Sigue lamentablemente inédito el *Azorín, paso a paso*, de José Capilla Beltrán.

Nota íntima, pero conveniente en una biografía, es la de que el sobrino niño a quien llevaba de la mano, su «inestimable secretario» después, a quien dedicó *Cavilar y contar*, Julio Rajal Guinda, es ya secretario de la Embajada de España en París, y que se casó, el 19 de enero de 1952, con la señorita Margarita Caro Eguilior.

Acerca de la iconografía de Azorín, lo más importante es que el pintor Jenaro Lahuerta presentó un retrato al óleo de Azorín en la Exposición Nacional de Bellas Artes de 1948, y, como fué premiado, el Estado adquirió el lienzo; se halla expuesto a la admiración de los visitantes en el Museo de Arte Moderno. Entonces el artista pintó otro para quien le había encargado aquél (para don Francisco Navarro Rico, residente en Monóvar, entusiasta azorinista, que costeó el busto hecho por J. Palacios); nuevo retrato, diferente del anterior e igualmente laudable. De fotografías, las más dignas de consideración, entre otras, son las que, en enero de 1953, obtuvo en casa de Azorín el aficionado y peritísimo en este arte don Antonio de la Fuente, auxiliado por el doctor Juan Dantín Gallego. Como a los pintores, le atrajeron—para su estudio—las manos de Azorín, manos que han escrito tantas páginas imperecederas. Y, para descansar de esta lectura, bebamos tú y yo, lectora o lector, una copita de *Licor Azorín*, fabricado en las destilerías monoveras de P. Román. Las hierbas aromáticas de la región le dan sabor exquisito. Brindemos de nuevo, pues, por el maestro.

Tales son las notas descollantes en estos nueve años transcurridos desde la primera edición de esta obra. No estoy seguro de no haber olvidado algunas. Mas lo que no puede darse al olvido es la impresión producida, más aún allende el mar que en España, por el anuncio de que Azorín no escribirá más. Juan H. Sampelayo, el querido amigo, lo difundió desde el propio *A B C* del 19 de noviembre de 1952: «Ha terminado—le dice Azorín—mi carrera literaria. Paso de actor a espectador.» Su último artículo, por ahora, fué consagrado a Ramiro de Maeztu; se titula «La trayectoria», y apareció en el diario matutino el domingo día 2; no lo olvidemos. Josefina Carabias, Serrano Anguita, Francisco de Cossío, Isidro Vidal, *Julio Romano; Néstor,* en *Destino,* y pueblos como Avila, Criptana—la de los molinos de viento—y tantos más comentaron el suceso; todos con sentimiento y loanza para su protagonista. El mismo *A B C,* en uno de sus editoriales, declaraba: «Es llegado el momento de rendir a Azorín el homenaje nacional que su copiosa obra y la austeridad de toda su vida, consagrada a la literatura y a la erudición creadora, merecen.» Mas nos consta que Azorín, sencillamente, sin orgullo ni dolor, declinó todo homenaje y jubilación remunerada. En el semanario barcelonés *Revista* (número del 15 al 22 de este enero), Pedro Laín Entralgo se pregunta si el único homenaje posible a un escritor «consiste siempre en demostrarle que perdura la vigencia de su obra», y termina sus «Notas azorinescas»: «La vida del hidalgo que Azorín evocó en *Los pueblos,* ¿ha de ser el destino postrero de los españoles para quienes la palabra escrita no es objeto de mercadería? Quisiera que nuestro Estado y nuestra sociedad se adelantasen a dar una respuesta satisfactoria.» La dieron, en el sentido del «mejor homenaje»—para atestiguar su respeto y admiración—, los generosos y nobles amigos de Albacete, que visitaron a Azorín, presididos por el culto literato y abogado José S. Serna; la dió, dió esa respuesta de inclinación placentera, el presidente de las Fiestas de la Vendimia en Requena, al rogarle personalmente que accediera a que el primer premio del certamen literario con que este pueblo de Valencia exalta aquélla, lleve el nombre de Azorín. El *Heraldo de Aragón* le consagró íntegra su plana de «Las artes y las letras» (27-XI-52), con el retrato por Juan de Echevarría y las firmas de *Kirón,* Horno Liria y José Manuel Blecua. En *Les Nouvelles Littéraires,* de París (29 de enero), Francis de Miomandre elogia a Azorín al glosar la bella traducción francesa de *Castilla.* Y, finalmente, J. Miguel y Macaya, en *Manresa* (28 de febrero), estima, con ocasión de la retirada, que la obra de Azorín «no será completa» mientras no se continúen reuniendo en libros las páginas que duermen en antiguas publicaciones.

¿Escribirá o no escribirá más nuestro Azorín? Confidentes nosotros del querido maestro—por voluntad suya y para honor nuestro—, no nos consideramos autorizados para emitir opinión; pudiera creerse, aunque no nos preocupamos de prejuicios, que nuestras palabras eran sólo un eco. No habría tal cosa. Mas ¿dudará alguien de que sesenta años de escritor habrán creado en Azorín un hábito dificilísimo de desarraigar de los entresijos de su alma? Un hombre que lleva sesenta años, por lo menos, de escribir y leer a diario, ¿puede de pronto dejar de leer y escribir porque se sienta cansado o desilusionado, circunstancialmente, a punto de cumplir los gloriosos ochenta de edad? Sólo Dios lo sabe. Concédale El salud, y lo demás se nos dará por añadidura...

Dos cuentos de *Los pueblos* (Ensayos sobre la vida provinciana) nos inspiraron una comedia, *La fiesta,* que mis alumnas del Instituto Nacional Femenino de Lope de Vega estrenaron y representaron varias veces con primor, en marzo de 1952. Azorín aprobó «con vivo agrado», generoso, esta escenificación en noble carta que va al frente del librito y que le agradecemos.

⋆

Se aumenta esta segunda edición con *Un pueblecito* (*Riofrío de Avila*) y algunos cuentos. En *Un pueblecito* «está todo Azorín», como escribió Ortega y Gasset en 1917. En los cuentos, lo mejor de Azorín. No hemos considerado oportuno, pese a la cultura del público al que se destina esta obra, aumentar en ella la labor crítica de Azorín, sino la de creación o ficción literaria, y así se insertan íntegras las *Memorias inmemoriales*. *Félix Vargas* (Etopeya), de 1928, aparece aquí con el título que ostenta desde 1948: *El caballero inactual*. Y *Superrealismo* (Prenovela), de 1929, con el más expresivo de *El libro de Levante*. (El maestro sustituyó antaño *El Licenciado Vidriera visto por Azorín*, por el título concreto de *Tomás Rueda*.)

Y aquí terminan las adiciones, porque de los *Amigos de Azorín* no debo hablar. Esas asociaciones se organizan en loor de un autor famoso cuando ha fallecido, y nosotros, con sus lectores, le deseamos largos años de vida.

ANGEL CRUZ RUEDA.

Madrid, abril de 1953.

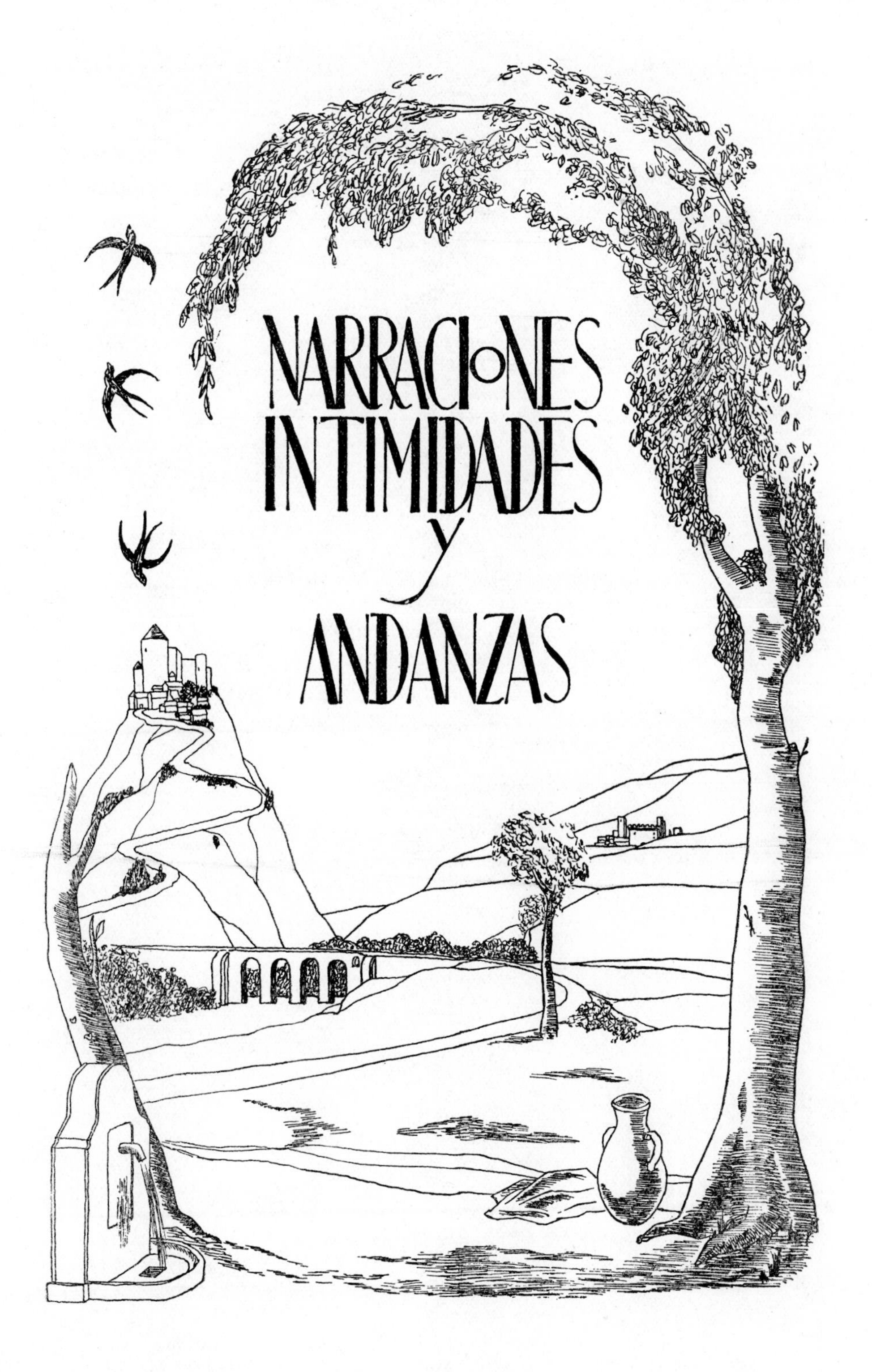
NARRACIONES
INTIMIDADES
Y
ANDANZAS

PROLOGO

N las viejas edades, el pueblo fervoroso abre los cimientos de sus templos, talla las piedras, levanta los muros, cierra los arcos, pinta las vidrieras, forja las rejas, estofa los retablos, palpita, vibra, gime en pía comunión con la obra magna.

La multitud de Yecla ha realizado en pleno siglo XIX lo que otras multitudes realizaron en remotas centurias. La antigua iglesia de la Asunción no basta; en 1769 el Concejo decide fabricar otra iglesia; en 1775 la primera piedra es colocada. Las obras principian; se excavan los cimientos, se labran los sillares, se fundamentan las paredes. Y en 1804 cesa el trabajo.

En 1847 las obras recomienzan. La cantera del Arabí surte de piedra; ya en junio vuelve a sonar en el recinto abandonado el ruido alegre del trabajo. Trabajan: un aperador, con 15 reales; tres canteros, con 10; dos carpinteros, con 10; cuatro albañiles, con 8; siete peones, con 5; siete muchachos, con 3. Es curioso seguir las oscilaciones de los trabajos a lo largo de los listines de jornales. El día 8 los muchachos quedan reducidos a tres. El último de los muchachos es llamado el *Mudico*. Al *Mudico* le dan sólo dos reales. El día 7 el *Mudico* no figura ya en las listas. Y yo pienso en este pobre niño despreciado, que durante una semana trae humildemente la ofrenda de sus fuerzas a la gran obra y luego desaparece, acaso muere.

Las obras languidecen; en octubre la escuadrilla de obreros queda reducida a seis canteros y un muchacho. Las obras permanecen abandonadas durante largo tiempo. En el ancho ámbito del templo crece bravía la hierba; la maleza se enrosca a las pilastras; de los arcos incerrados penden florones de verdura.

La fe revive. En 1857 las obras cobran impulso poderoso. El obispo hace continuos viajes. La junta excita al pueblo. El pueblo presta sus yuntas y sus carros; los ricos ceden las maderas de sus pinares; dos testadores legan sus bienes a las obras. Entre tanto los arcos van cerrándose, los botareles surgen gallardos, los capiteles muestran sus retorcidas volutas y finas hojarascas. De enero a junio, 18.415 pies cúbicos de piedra son tallados en las canteras. Los veintinueve carpinteros de la ciudad trabajan gratis en la obra. Y mientras las campanas voltean jocundas, la multitud arrastra en triunfo enormes bloques de seiscientas arrobas...

En 1858 las obras continúan. Mas el pueblo, ansioso, se enoja de no ver su iglesia rematada. Y el autor de un *Diario* inédito, de donde yo tomo estas notas, escribe sordamente irritado: «Marcha la obra con tanta lentitud, que da indignación ir por ella.» La junta destituye al arquitecto; nombra otro; le exige los planos; el arquitecto no los presenta; la junta le amenaza con destituirle; el arquitecto llega con sus diseños primorosos.

En 1859 el Ayuntamiento reclama fondos del Gobierno. «Presentados que fueron los planos en el Ministerio—dice el autor del *Diario*—, no pudieron menos de llamar la atención de los señores que llegaron a verlos, chocando en extremo la grandiosidad de un templo para un pueblo; lo que dió motivo a que el secretario, en particular, diera muy malas esperanzas respecto a dar algunos fondos, diciendo que para un pueblo era mucha empresa y mucho lujo y suntuosidad.» El Gobierno imagina que no se ha puesto una sola piedra en la obra. El Ayuntamiento ofrece, en nombre de los vecinos, trabajo gratis y ciento veinticinco mil pesetas. El Gobierno, sorprendido del vigoroso esfuerzo, promete cuarenta mil duros.

La Academia aprueba los planos presentados; mas los fondos del Gobierno no llegan. Durante dos meses un solo donante—el caballero Mergelina—ocurre a los dispendios de la obra. Los fondos no llegan; perdidas las esperanzas de ajeno auxilio, la fe popular torna pujante a su faena. De abril a mayo son tallados otros diecisiete mil pies cúbicos de piedra. Los labradores acarrean los materiales. Las bóvedas acaban de cubrirse; los capiteles lucen perfectos; el tallado cornisamento destaca saledizo. El anchuroso, blanco, severo templo herreriano es, por fin, años después, abierto al culto.

Y ved el misterioso ensamblaje de las cosas humanas. Hace veinticinco siglos, de la misma cantera del Arabí famoso en que ha sido tallada la piedra para esta iglesia, fué tallada la piedra para el templo pagano del cerro de los Santos. Al pie del Arabí se extendía Elo, la espléndida ciudad fundada por egipcios y griegos. La ancha vía Heraclea, celebrada por Aristóteles, se perdía a lo lejos entre bosques milenarios. El templo dominaba la ciudad entera. En su recinto, guarnecido de las rígidas estatuas que hoy reposan fríamente en los museos, los hierofantes macilentos tenían, como nosotros, sus ayunos, sus melopeas llorosas; celebraban, como nosotros, la consagración del pan y el vino, la Navidad—en el nacimiento del Agni—, la Semana Mayor—en la muerte de Adonis—. Y la multitud acongojada, eternamente ansiosa, acudía, con sus ungüentos y sus aceites olorosos, a implorar consuelo y piedad, como hoy, en esta iglesia por otra multitud levantada, imploramos nosotros férvidamente: *Ungüento pietatis tuæ medere contrito corde; et oleo misericordiæ tuæ refove dolores nostros.*

PRIMERA PARTE

I

A lo lejos, una campana toca lenta, pausada, melancólica. El cielo comienza a clarear indeciso. La niebla se extiende en larga pincelada blanca sobre el campo. Y en clamoroso concierto de voces agudas, graves, chirriantes, metálicas, confusas, imperceptibles, sonorosas, todos los gallos de la ciudad dormida cantan. En lo hondo, el poblado se esfuma al pie del cerro en mancha incierta. Dos, cuatro, seis blancos vellones que brotan de la negrura, crecen, se ensanchan, se desparraman en cendales tenues. El carraspeo persistente de una tos rasga los aires; los golpes espaciados de una maza de esparto resuenan lentos.

Poco a poco el lechoso claror del horizonte se tiñe en verde pálido. El abigarrado montón de casas va de la oscuridad saliendo lentamente. Largas vetas blanquecinas, anchas, estrechas, rectas, serpenteantes, se entrecruzan sobre el ancho manchón negruzco. Los gallos cantan pertinazmente; un perro ladra con largo y plañidero ladrido.

El campo—claro ya el horizonte—se aleja en amplia sábana verde, rasgado por los trazos del ramaje sombrajoso, surcado por las líneas sinuosas de los caminos. El cielo, de verdes tintas pasa a encendidas nacaradas tintas. Las herrerías despiertan con su sonoro repiqueteo; cerca, un niño llora; una voz grita colérica. Y sobre el oleaje pardo de los infinitos tejados, paredones, albardillas, chimeneas, frontones, esquinazos, surge majestuosa la blanca mole de la iglesia Nueva, coronada por gigantesca cúpula en blancas y azules espirales.

La ciudad despierta. Las desiguales líneas de las fachadas fronterizas a Oriente resaltan al sol en vívida blancura. Las voces de los gallos amenguan. Arriba, en el santuario, una campana tañe con dilatadas vibraciones. Abajo, en la ciudad, las notas argentinas de las campanas vuelan sobre el sordo murmullo de voces, golpazos, gritos de vendedores, ladridos, canciones, rebuznos, tintineos de fraguas, ruidos mil de la multitud que torna a la faena. El cielo se extiende en tersa bóveda de joyante seda azul. Radiante, limpio, preciso aparece el pueblo en la falda del monte. Aquí y allá, en el mar gris de los tejados uniformes, emergen las notas rojas, amarillas, azules, verdes, de pintorescas fachadas. En primer término destacan los dorados muros de la iglesia Vieja, con su fornida torre; más abajo, la iglesia Nueva; más abajo, lindando con la huerta, el largo edificio de las Escuelas Pías, salpicado con los diminutos puntos de sus balcones. Y esparcidos por la ciudad entera, viejos templos, ermitas, oratorios, capillas: a la izquierda, Santa Bárbara, San Roque, San Juan, ruinoso; el Niño, con los tejadillos de sus cúpulas rebajadas; luego, a la derecha, el Hospital, flanqueado de sus dos minúsculas torrecillas; San Cayetano, las Monjas... Las campanas tocan en multiforme campaneo. El humo blanco de las mil chimeneas asciende lento en derechas columnas. En las blanquecinas vetas de los caminos pululan, rebullen, hormiguean negros trazos que se alejan, se disgregan, se pierden en la llanura. Llegan ecos de canciones, traqueteos de carros, gritos agudos. La campana de la iglesia Nueva tañe pesada; la del Niño tintinea afanosa; la del Hospital llama tranquila. Y a lo lejos, riente, locuela, juguetona, la de las Monjas canta en menuditos golpes cristalinos...

*

A la derecha de la iglesia Vieja—ya en la ciudad—está la parte antigua del poblado. La parte antigua se extiende sobre escarpada peña en apretujamiento indefinido de casas bajas, con las paredes blancas, con las puertas azules, formadas en estrechas callejuelas, que reptan sinuosas. Hondas barrancas surcan el arroyo; montículos pelados sobresalen lucientes. Y un angosto pasillo tallado en roca viva conduce a los umbrales, o unas empinadas escaleras ascienden a las puertas. El sol de marzo reverbera en las blancas fachadas. En las aceras, un viejo teje pleita ensimismado; una mujer inclinada sobre aceitosa cabellera va repasándola atenta, hebra por hebra; del fondo lóbrego de una almazara sale un hombre y va colocando en larga rastra los cofines. Y la calleja, angosta, retorcida, ondulante, continúa culebreando hacia la altura. A trechos, sobre la blanca cal, una cruz tosca de madera bajo anguloso colgadizo; en una hornacina, tras mohosa alambrera, un cuadro patinoso.

El laberinto de retorcidas vías prosigue enmarañado. En el fondo de una calleja de terreros tejadillos, el recio companario de la iglesia Vieja se perfila bravío. Misterioso artista del Renacimiento ha esculpido en el remate, bajo la balaustrada, ancha greca de rostros en que el dolor se expresa en muecas hórridas. Y en la nitidez espléndida del cielo, sobre la ciudad triste, estas caras atormentadas destacan como símbolo perdurable de la tragedia humana.

Junto a la torre, la calle de las Once Vigas baja precipitadamente en sus once resbaladizos escalones. Luego, dejada atrás la calle, se recorre una rampa, se cruza la antigua puerta derruída del Castillo, se sale a una pintoresca encrucijada. En el centro, sobre un peñasco enjalbegado, se yergue una doble cruz verde inquietadora. La calle de la Morera desciende ancha. Y doblada la esquina, recorridos breves pasos, la plaza destartalada del Mercado aparece con sus blancos soportales en redondos arcos, con su caserón vetusto del ilustre Concejo.

Y la edificación moderna comienza: casas anodinas, vulgares, pintarrajeadas; comercios polvorientos, zaguanes enladrillados de losetas rojizas. A ratos, una vieja casa solariega levántase entre la monotonía de las casas recientes; junto a los modernos balcones chatos, los viejos voladizos balcones sobresalen adustos; un enorme blasón gris se ensancha en pétreas filigranas entre dos celosías verdes. Van y vienen por las calles clérigos liados en sus recias bufandas, tosiendo, carraspeando, grupos de devotas que cuchichean misteriosamente en una esquina, carros, asnos cargados con relucientes aperos de labranza, labriegos enfundados en amarillentas cabezas largas. Las puertas están abiertas de par en par. Lucen adentro los rojos ladrillos de los porches, resaltan los trazos blancos de los muebles de pino. Las perdices, a lo largo de las aceras, picotean en sus jaulas metidas en arena.

Y los canarios, colgados de las jambas, cantan en arpegios rientes.

II

La casa fué terminada el día de la Cruz de Mayo. En la fachada, entre los dos balconcillos de madera, resalta en ligero relieve una cruz grande. Dentro, el porche está solado de ladrillos rojos. Las paredes son blancas. El zócalo es de añil intenso; una vira negra bordea el zócalo. En el testero fronterizo a la puerta, la espetera cuelga. Y sobre la blancura vívida de la cal, resaltan brilladores, refulgentes, áureos, los braserillos diminutos, las chocolateras, los calentadores, las capuchinas, los cazos de larga rabera, los redondeles...

Ancho arco divide la entrada. A uno de los lados destaca el *ramo*. El ramo es un afiligranado soporte giratorio. Corona el soporte un ramillete de forjado hierro. Cuatro azucenas y una rosa, entre botones de hojarasca, se inclinan graciosamente sobre el blanco farol colgado del soporte.

A la izquierda, se sube por un escalón a una puerta pintada de encarnado negruzco. La puerta está formada de resaltantes cuarterones, cuadrados unos, alargados y en forma de T otros, ensamblados todos de suerte que en el centro queda formada una cruz griega. Junto a la cerradura hay un tirador de hierro; las negras placas del tirador y de la cerradura destacan sus calados en rojo paño. La puerta está bordeada de recio marco tallado en diminutas hojas entabladas. Es la puerta de la sala. Amueblan la sala sillas amarillas con vivos negros, un ancho canapé de paja, una mesa. A lo largo de las paredes luce un apostolado en viejas estampas toscamente iluminadas: *Sanctus Joannes*, con un cáliz en la mano, del cual sale una sierpe: *Sanctus Mattheus*, leyendo atento un libro; *Sanctus Bartholomeus*, con la cuchilla tajadora; *Sanctus Petrus, Sanctus Paulus, Sanctus Simon*... Encima del canapé hay un lienzo: encuadrado en ancho marco negro, un monje de vellida barba, calada la capucha, cogidas ambas manos de una pértiga, mira con ojos melancólicos. Debajo pone: *S. Franciscus de Paula; vera effigies ex prototypo, quod in Palatio Vaticano servatur desumpta*... Sobre la mesa reposan tres volúmenes en folio, y en hilera, cuidadosamente ordenados, grandes y olorosos membrillos. En el fondo, cierra la alcoba una mampara con blancas cortinillas.

A la derecha del porche se abre la cocina de ancha campana. A los lados, adosados a la pared, corren dos poyos bajos. Dos armarios, junto a cada poyo, guardan el apropiado menaje. La luz, en la suave penumbra, baja por la espaciosa chimenea y refleja sobre las losas del hogar un blanco resplandor.

Cerca de la puerta del patio, en lo hondo, brilla en sus primorosos arabescos, azules, verdes, amarillos, rojos, el alizar del tinajero. La tinaja, empotrada en el ancho resalto, deja ver el recio reborde bermejo de su boca. Y el sol, que por el montante de la cerrada puerta penetra en leve cinta, refulge en los platos vidriados, en los panzudos jarros, en las blancas jofainas, en las garrafas verdosas.

Dulce sosiego se respira en el ambiente plácido. En la vecindad, los martillos de una fragua tintinean argentinos. A un extremo de la mesa de retorcidos pies, en la entrada, Puche, sentado, habla pausadamente; al otro extremo, Justina escucha atenta. En el fondo umbrío de la cocina, un puchero borbolla con persistente moscardoneo y deja escapar tenues vellones blancos.

Puche y Justina están sentados. Puche es un viejo clérigo, de cenceño cuerpo y cara escuálida. Tiene palabra dulce de iluminado fervoroso y movimientos resignados de varón probado en la amargura. Susurra levemente, más que habla; sus frases discurren untuosas, benignas, mesuradas, enervadoras, sugestivas. En plácida salmodia insinúan la beatitud de la perfecta vida, descubren la inanidad del tráfago mundano, cuentan la honda tragedia de las miserias terrenales, acarician con la promesa de dicha inacabable al alma conturbada... Puche va hablando dulcemente; la palabra poco a poco se caldea, la frase se enardece, el período se ensancha férvido. Y un momento, impetuosamente, la fiera indomeñada reaparece, y el manso clérigo se exalta con el ardimiento de un viejo profeta hebreo.

Justina es una moza fina y blanca. A través de su epidermis transparente, resalta la tenue red de las venillas azuladas. Cercan sus ojos llameantes anchas ojeras. Y sus rizados bucles rubios asoman por la negrura del manto, que se contrae ligeramente al cuello y cae luego sobre la espalda en amplia oleada.

Justina escucha atenta a Puche. Alma cándida y ardorosa, pronta a la abnegación o al desconsuelo, recoge píamente las palabras del maestro, y piensa.

Puche dice:

—Hija mía, hija mía: la vida es triste, el dolor es eterno, el mal es implacable. En el ansioso afán del mundo, la inquietud del momento futuro nos consume. Y por él son los rencores, las ambiciones devoradoras, la hipocresía lisonjera, el anhelante ir y venir de la humanidad errabunda sobre la tierra. Jesús ha dicho: «Mirad las aves del cielo, que no siembran ni siegan, ni allegan en trojes, y vuestro Padre celestial las alimenta...» La Humanidad perece en sus propias inquietudes. La ciencia la contrista; el anhelo de las riquezas la enardece. Y así, triste y exasperada, gime en perdurables amarguras.

Justina murmura en voz opaca:

—El cuidado del día de mañana nos hace taciturnos.

Puche calla un momento; luego añade:

—Las avecillas del cielo y los lirios del campo son más felices que el hombre. El hombre se acongoja vanamente. «Porque el día de mañana a sí mismo se traerá su cuidado. Le basta al día su propio afán.» La sencillez ha huído de nuestros corazones. El reino de los cielos es de los hombres sencillos. «Y dijo: «En verdad os digo que si no os volviereis e hiciereis como niños, no entraréis en el reino de los cielos.»

Los martillos de la vecindad cantan en sonoro repiqueteo argentino. Justina y Puche callan durante un largo rato. Luego, Puche exclama:

—Hija mía, hija mía: el mundo es enemigo del amor de Dios. Y el amor de Dios es la paz. Mas el hombre ama las cosas de la tierra. Y las cosas de la tierra se llevan nuestra paz.

«Y aconteció que como fuesen de camino, entró Jesús en una aldea, y una mujer, que se llamaba Marta, lo recibió en su casa.

»Y ésta tenía una hermana, llamada María, la cual, también sentada a los pies del Señor, oía su palabra.

»Pero Marta estaba afanada de continuo en las haciendas de la casa; la cual se presentó y dijo: Señor, ¿no ves cómo mi hermana me ha dejado sola para servir? Dile, pues, que me ayude.

»Y el Señor le respondió y dijo: Marta, Marta, muy cuidadosa estás y en muchas cosas te fatigas.

»En verdad una sola es necesaria. María ha escogido la mejor parte, que no le será quitada.»

El silencio torna. El sol, que se ha ido corriendo poco a poco, marca sobre el aljofifado pavimento un vivo cuadro. A lo lejos, las campanadas de las doce caen lentas. En la iglesia Nueva suena el grave tintineo del Ave María. Puche cruza las manos y murmura:

—Virgen Purísima, antes del p a r t o. «Dios te salve, María, llena eres de gracia», etc. Virgen Purísima en el parto. «Dios te salve, María...» Virgen Purísima después del parto. «Dios te salve, María...» —después agrega dulcemente—: El Señor nos dé una buena tarde.

Vuelve a reinar un ligero silencio. Justina, al fin, suspira:

—La vida es un valle de lágrimas.

Y Puche añade:

—Jesús ha dicho: Sed buenos, sed pobres, sed sencillos. Y los hombres no son buenos, ni pobres, ni sencillos. Mas tiempo vendrá en que la justicia suprema reine implacable. Los grandes serán humillados, y los humildes ensalzados. La cólera divina desbordaráse en castigos enormes. ¡Ah, la angustia de los soberbios será indecible! Un grito inmenso de dolor partirá de la humanidad aterrorizada. La peste devastará las ciudades: gentes escuálidas vagarán por las campiñas yermas. Los mares rugirán enfurecidos en sus lechos; el incendio llameará crepitante sobre la tierra conmovida por temblores desenfrenados, y los mundos, trastornados de sus esferas, perecerán en espantables desquiciamientos... Y del siniestro caos, tras la confusión del Juicio último, manará serena la luz de la Verdad Infinita.

En pie, Puche, nimbada su cabeza de apóstol por el tibio rayo de sol, permanece inmóvil un momento con los ojos al cielo.

III

El zaguán, húmedo y sombrío, está empedrado de menudos cantos. Junto a la pared, un banco luce su tallado respaldo; en el centro pende del techo un farolón disforme. Franqueada la puerta del fondo, a la derecha se abre la cocina de amplia campana, y a la izquierda el despacho. El despacho es una anchurosa pieza de blancas paredes y bermejas vigas en el techo. Llenan los estantes de oloroso alerce libros, muchos libros, infinitos libros—libros en amarillo pergamino, libros pardos de jaspeada piel y encerados cantos rojos, enormes infolios de sonadoras hojas, diminutas ediciones de elzevirianos tipos—. En un ángulo, casi perdidos en la sombra, tres gruesos volúmenes que resaltan en azulada mancha llevan en el lomo: *Schopenhauer*.

De la calle, a través de las finas tablas de espato que cierran los ventanos, la luz llega y se difluye en tamizada claridad sedante. Recia estera de esparto, listada a viras rojas y negras, cubre el suelo. Y entre dos estantes cuelga un cuadro patinoso. El cuadro es triste. De pie, una dama de angulosa cara tiene de la mano a una niña; la niña muestra en la mano tres claveles, dos blancos y uno rojo. A la derecha del grupo hay una mesa; encima de la mesa hay un cráneo. En el fondo, sobre la pared, un letrero dice: *Nascendo morimur*. Y la anciana y la niña, atentas, cuidadosas, reflexivas, parecen escrutar con su mirada interrogante el misterio infinito.

En el despacho, Yuste se pasea a menudos pasos, que hacen crujir la estera. Yuste cuenta sesenta años. Yuste es calvo y ligeramente obeso; su gris mostacho romo oculta la comisura de los labios; sobre la nítida pechera la gordezuela barbilla se repliega abundosa. Y la fina cadena de oro que pasa y repasa en dos grandes vueltas por el cuello destaca refulgente en la negrura del limpio traje.

Azorín, sentado, escucha al maestro. Azorín, mozo ensimismado y taciturno, habla poco y en voz queda. Absorto en especulaciones misteriosas, sus claros ojos verdes miran extáticos lo indefinido.

El maestro va y viene ante Azorín en sus peripatéticos discursos. Habla resueltamente. A través de la palabra enérgica, pesimista, desoladora, colérica, iracunda —en extraño contraste con su beata calva y plácida sonrisa—, el maestro extiende ante los ojos del discípulo hórrido cuadro de todas las miserias, de todas las insanias, de todas las cobardías de la humanidad claudicante. La multitud le exaspera: odio profundo, odio tal vez rezago de lejanos despechos, le impulsa fieramente contra la frivolidad de las muchedumbres veleidosas. El discurso aplaudido de un ex ministro estúpido, el fondo palabrero de un periódico, la frase hueca de un periodista vano, la idiotez de una burguesía caquéxica, le convulsionan en apopléticos furores. Odia la frase hecha, el criterio marmóreo, la sistematización embrutecedora, la ley, salvaguardia de los bandidos; el orden, amparo de los tiranos... Y a lo largo de la estancia recargada de libros, nervioso, irascible, enardecido, va y viene mientras sus frases cálidas vuelan a las alturas de una sutil y deprimente metafísica, o descienden flageladoras sobre las realidades de la política venal y de la literatura vergonzante.

Azorín escucha al maestro. Honda tristeza satura su espíritu en este silencioso anochecer de invierno. Yuste pasea. A lo lejos suenan las campanas del santuario. Los opacos tableros de piedra palidecen. El maestro se detiene un momento ante Azorín y dice:

—Todo pasa, Azorín; todo cambia y perece. Y la sustancia universal—misteriosa, incognoscible, inexorable—perdura.

Azorín remuévese lentamente y gime en voz opaca:

—Todo pasa. Y el mismo tiempo que lo hace pasar todo, acabará también. El tiempo no puede ser eterno. La eternidad, presente siempre, sin pasado, sin futuro, no puede ser sucesiva. Si lo fuera y por siempre el momento sucediera al momento, daríase el caso paradójico de que la eternidad se aumentaba a cada instante transcurrido.

Yuste torna a detenerse y sonríe.

—La eternidad...

Yuste tira del bolsillo una achatada caja de plata. En la tapa, orlada de finos roleos de oro, un niño se inclina sobre un perro y lo acaricia amorosamente. Yuste, previos dos golpecitos, abre la tabaquera y aspira un polvo. Luego añade:

—La eternidad no existe. Donde hay eternidad no puede haber vida. Vida es sucesión; sucesión es tiempo. Y el tiempo—cambiante siempre—es la antítesis de la eternidad—presente siempre.

Yuste pasea absorto. El viejo reloj suena una hora. Yuste prosigue:

—Todo pasa. La sucesión vertiginosa de los fenómenos no acaba. Los átomos, en eterno movimiento, crean y destruyen formas nuevas. A través del tiempo infinito, en las infinitas combinaciones del átomo incansable, acaso las formas se repitan; acaso las formas presentes vuelvan a ser, o estas presentes sean reproducción de otras en el infinito pretérito creadas. Y así, tú y yo, siendo los mismos y distintos, como es la misma y distinta una idéntica imagen en dos espejos; así tú y yo acaso hayamos estado frente a frente en esta estancia, en este pueblo, en el planeta este, conversando, como ahora conversamos, en una tarde de invierno, como esta tarde, mientras avanza el crepúsculo y el viento gime.

Yuste—acaso escéptico de la moderna

entropía del universo—medita silencioso en el indefinido flujo y reflujo de las formas impenetrables. Azorín calla. Un piano de la vecindad toca un fragmento de Rossini, la música predilecta del maestro. La melodía, tamizada por la distancia, se desliza opaca, dulce, acariciadora. Yuste se para. Las notas saltan juguetonas, se acorren prestas, se detienen mansas, cantan, ríen, lloran, se apagan en cascada rumorosa.

Yuste continúa:

—La sustancia es única y eterna. Los fenómenos son la única manifestación de la sustancia. Los fenómenos son mis sensaciones. Y mis sensaciones, limitadas por los sentidos, son tan falaces y contingentes como los mismos sentidos.

El maestro torna a pararse. Luego añade:

—La sensación crea la conciencia; la conciencia crea el mundo. No hay más realidad que la imagen, ni más vida que la conciencia. No importa—con tal que sea intensa—que la realidad interna no acople con la externa. El error y la verdad son indiferentes. La imagen lo es todo. Y así es más cuerdo el más loco.

A lo lejos las campanas de la iglesia Nueva plañen abrumadoras. La noche llega. En la oscuridad del crepúsculo las manchas pálidas de los ventanos se disuelven lechosas. Reina en la estancia un breve instante de doloroso anhelo. Y Azorín, inmóvil, mira con sus extáticos ojos verdes la silueta del maestro que va y viene en la sombra, haciendo gemir dulcemente la estera.

IV

A lo lejos, en el fondo, sobre un suave altozano, la diminuta iglesia de Santa Bárbara se yergue en el azul intenso. La calle es ancha, las casas son bajas. Al pasar, tras las vidrieras diminutas, manchas rosadas, pálidas, cárdenas, de caras femeninas, miran con ojos ávidos o se inclinan atentas sobre el trabajo. A lo largo de la acera un hombre en cuclillas arregla las jaulas de las perdices, puestas junto a la pared en ordenada hilera. Más lejos, resaltan en un portal los anchos trazos de maderos labrados; dentro, en el zaguán, entre oleadas de virutas amarillentas, un carpintero garlopa una tabla rítmicamente. La calle blanca refulge en sus paredes blancas. El piso va subiendo en rampa tenue. Al final, en lo alto del peñasco escarpado, destaca el muro sanguinolento de la iglesia; sobre el muro, el ventrudo tejado pardo; sobre el tejado, a plomo con la puerta, el balconcillo con la campana diminuta.

La campana tañe pausada. Los fieles llegan; por la empinada cuesta de una calleja, los trazos negros de las devotas arrebujadas en sus flotadoras mantellinas avanzan. Encorvado, vestido de amarillento gabán de burel recio, un labriego, en el umbral, tira hacia sí de la puerta y desaparece penosamente en la negrura; la puerta torna a girar y rebota con fuerte golpazo sobre el marco. Las manchas negras de los mantos y las pardas manchas de las capas rebullen, se arremolinan, se confunden en el portal; poco a poco se disuelven; aparecen otras; desaparecen. Y la puerta golpea pertinazmente. El viento impetuoso de marzo barre las calles; el sol ilumina a intervalos las fachadas blancas; pasan nubes redondas.

Dentro, en la iglesia, los devotos se remueven impacientados. La iglesia es sencilla. Está solada de ladrillos rojizos; tiene las paredes desnudas. En los altares, sobre la espaciosa pincelada del mantel blanco, resaltan las anchas notas plateadas, verdes, rojas, amarillas, de los ramos enhiestos. Los santos abren los brazos en deliquios inexpresivos; una Virgen, metida en su manto de embudo, mira con ojos asombrados. El altar mayor aparece en el fondo con sus columnas estriadas. La luz difusa de las altas ventanas resbala en tenues reflejos sobre los fustes patinosos, brilla indecisa en las volutas retorcidas de capiteles áureos. Enfrente del altar mayor, al otro extremo, está el coro sobre una bóveda achatada. Debajo de la bóveda hay un banco lustroso.

Los fieles esperan. Entre los claros de la cortina arrugada de una puerta se ve pasar y repasar a intervalos una mancha negra entre bocanadas de humo. De la sacristía sale un muchacho y va encendiendo las velas del retablo. Los pálidos dorados cabrillean; largas sombras tiritan en las paredes grises. Ante el altar, un clérigo susurra persignándose: «Por la señal...» Y las manos revuelan en presto movimiento sobre las caras. El rosario comienza. Al final de cada misterio repica un estridente campanillazo.

Acabado el rosario, otro clérigo, con sobrepelliz, sube al púlpito y susurra las palabras del Evangelio. Corren las altas cortinas azuladas: la iglesia queda a oscuras. Y el predicador, en destempladas voces de pintoresca ortología regionalista, relata las ansias perdurables del Dios-Hombre. De cuando en cuando, del fondo negro de una capilla parte un lastimoso gemido: «¡Ay Señor!» Bajo las lámparas mortecinas relucen los decalvados cráneos de los labriegos. Las luces brillan inmóviles en el retablo. A ratos la puerta del templo se abre y las profundas tinieblas son rasgadas por un relámpago de viva y cegadora luz solar. El viento brama a lo largo del llano inmenso de barbechos negros y verdes sembraduras.

El predicador, terminado el exordio, *implora* el auxilio divino. En el coro, mientras el clérigo permanece de rodillas, entonan una Salve acompañados de un armonio apagado y meloso. Los fieles contestan cantando en tímido susurro dolorido. Los cantores entonan otra estrofa, lánguida, angustiosa, suplicante. Los fieles tornan a contestar en larga deprecación acongojada... El vivo resplandor de la puerta ilumina un instante el conjunto de caras anhelosas. El viento ruge desenfrenadamente fuera. Y el viejo armonio gime tenue, gime apacible, gime lloroso, como un anciano que cuenta sollozando sus días felices.

★

En la sacristía, mientras el sermón prosigue, un clérigo pasea fumando, otro clérigo permanece sentado. La estancia es reducida, alargada; en la pared, sobre la sencilla cajonería de pino, un cristo extiende sus brazos descarnados; el incensario pende de un clavo; la cartilla, entre dos bramantes, muestra sus blancas hojas. Entra la luz por una angosta ventana baja, acristalada con un vidrio empolvado, cerrada por una reja, alambrada por fina malla. Al otro extremo, una diminuta puerta de cuarterones comunica a un oscuro pasillo. Y al final del pasillo, la blanca luz de un patio resalta en viva claridad fulgente.

El clérigo ambulatorio parece absorto en hondas y dolorosas meditaciones. Es alto; viste sotana manchada en la pechera a largas gotas; tiene liado el cuello en una recia bufanda negra; sus mejillas están tintadas de finas raicillas rojas y su nariz avanza vivamente inflamada. Bajo el bonete de agudos picos, caído sobre la frente, sus ojos miran vagarosos y turbios. Hondas preocupaciones le conturban; arriba, abajo, dando furibundas pipadas al veguero, pasea nervioso por la estancia. Y un momento, se detiene ante el clérigo sentado y pregunta, tras una ligera pausa en que considera absorto la ceniza del cigarro:

—¿Tú crees que el macho de José Marco es mejor que el mío?

El interpelado no contesta. Y el clérigo alto prosigue, en hondas meditaciones, sus paseos. Después añade:

—Hemos estado cazando en el Chisnar José Marco y yo. José Marco ha muerto siete perdices; yo, dos... ¡Mi macho no cantaba!

En la puerta aparece un personaje envuelto en vieja capa. Entre los dos trazos pardos de las vueltas, la camisa fofa, sin corbata, resalta blanca. Y sobre el alto y enhiesto cuello de la capa, la fina cabeza redonda luce en la rosada calva y en las mejillas afeitadas. Es un místico y es un truhán; tiene algo de cenobita y algo de sátiro. En el umbral, inmóvil, con las piernas ligeramente distanciadas, mira interrogador a los dos clérigos. Sus ojuelos titilan arriscados; sus labios se pliegan compungidos... Ante él se para el clérigo; los dos se miran silenciosos. Y el clérigo pregunta:

—¿Tú crees que el macho de José Marco es mejor que el mío?

El truhán, beatífico, inclina la cabeza, enarca las cejas y sonríe:

—Según...

Y sonriendo picaresco, mira al otro clérigo como contándole con la mirada lo por centésima vez sabido. Luego, pregunta al propietario de la perdiz taciturna:

—¿*Lo* has sacado?

El andante contesta:

—Hemos ido al Chisnar José Marco y yo: él ha muerto siete perdices; yo, dos —y añade con reconcentrada ira—: ¡Mi macho no cantaba!

El truhán trae una noticia flamante: Puche ha sido, por fin, nombrado cura de la iglesia Nueva.

—Sí—dice el clérigo sentado—, ha sido por Redón—y agrega sordamente—: Y lo hará obispo.

El truhán enarca las cejas:

—Según...—y, al sonreír, en su helgada dentadura brillan blancos sus dientes puntiagudos.

A propósito de Puche se habla de su sobrina Justina.

—¿Se casa con Azorín?—pregunta el clérigo sentado.

El truhán dice que no. Puche se opone de tal modo al casamiento, que Justina será monja antes que mujer de Azorín.

El sermón ha terminado. El predicador entra acezando. El clérigo errabundo, ante la cajonería, se enfunda en el roquete, se pasa por el cuello la estola, se echa sobre los hombros la floreada capa, y sale.

En el umbral da un ligero traspié.

V

En la placidez de este anochecer de agosto, Yuste y Azorín pasean por el tortuoso camino viejo de Caudete. El cielo se ensombrece poco a poco; comienzan a titilar las estrellas; una campana toca el *Angelus*. Y a lo lejos un cuclillo repite su nota intercadente...

Yuste se para y dice:

—Azorín, la propiedad es el mal... En ella está basada la sociedad actual. Y puesto que a su vez la propiedad está basada en la fuerza y tiene su origen en la fuerza, nada más natural, nada más justo, nada más humano que destruir la propiedad...

Azorín escucha silencioso al maestro. Yuste prosigue:

—La propiedad es el mal... Se buscarán en vano soluciones al *problema* eterno. Si el medio no cambia, no cambia el hombre... Y el medio es la vivienda, la alimentación, la higiene, el traje, el reposo, el trabajo, los placeres. Cambiemos el medio, hagamos que todo esto, el trabajo y el placer, sea pleno, gustoso, espontáneo, y cambiará el hombre. Y si sus pasiones son ahora destructivas—en este medio odioso—, serán entonces creadoras—en otro medio saludable—. No cabe hablar del *problema social:* no lo hay. Existe dolor en los unos y placer en los otros, porque existe un medio que a aquéllos es adverso y a éstos favorable... La fuerza mantiene este medio. Y de la fuerza brota la propiedad, y de la propiedad el Estado, el ejército, el matrimonio, la moral.

Azorín replica:

—Un medio de bienestar para todos supone una igualdad, y esa igualdad...

Yuste interrumpe:

—Sí, sí; se dice que es imposible una igualdad de todos los hombres..., que todos no tienen el mismo grado de cultura..., que todos no tienen las mismas delicadezas estéticas y afectivas...

El maestro calla un momento y después añade firmemente:

—Las tendrán todos..., las tendrán todos... Hace un siglo, Juan Bautista Lamarck ponía el siguiente ejemplo en su *Filosofía zoológica:* un pájaro vese forzado a vagabundear por el agua en sitios de profundidad escasa; sus sucesores hacen lo mismo; los sucesores de sus sucesores hacen lo propio... Y de este modo, poco a poco, a lo largo de múltiples generaciones, este pájaro ha visto crecer entre los dedos de sus patas un ligero tejido... y aumentar la espesura... y llegar a recia membrana que le permite a él, descendiente de los primitivos voladores, nadar cómodamente en las marismas... Pues bien: ahora aplica este caso. Pon al hombre más rudo, más grosero, más intelectual, en una casa higiénica y confortante; aliméntalo bien; vístelo bien; haz que trabaje con comodidad, que goce sanamente... Y yo te digo que al cabo de tres, de ocho, de doce generaciones, de las que sean, el descendiente de ese rudo obrero será un bello ejemplar de hombre culto, artista, cordial, intelectivo.

Azorín observa:

—Eso es el transformismo.

Y Yuste replica:

—Sí, es el transformismo, que nos enseña que hay que lograr un medio idéntico para llegar a una identidad, a una igualdad fisiológica y psicológica... indispensable para la absoluta igualdad ante la Naturaleza... He aquí por qué he dicho antes que el problema no existe... No existe desde que Lamarck, Darwin y demás naturalistas contemporáneos han puesto en evidencia que el hombre es la función y el medio... Y puesto que es imposible producir un nuevo tipo humano sin cambiar la función y el medio, es de toda necesidad destruir radicalmente lo que constituye el medio y la función actuales.

En el silencio de la noche, la voz del maestro vibra apasionada. Esta mañana, Yuste ha recibido una revista. En la revista figura un estudio farfullado por un antiguo compañero suyo, hoy encaramado en una gran posición política. Y en ese estudio, que es una crónica en que desfilan todos los amigos de ambos, los antiguos camaradas, Yuste ha visto omitido su nombre, maliciosamente, envidiosamente...

El maestro prosigue indignado:

—Para esta obra no hay más instrumento que la fuerza. Nuestros antepasados milenarios usaron de la fuerza para crear instituciones que hoy son venero de dolor; nosotros emplearemos la fuerza para crear otro estado social que sea manantial de bienandanzas...

Yuste piensa en su antiguo frívolo amigo y en sus frívolos discursos.

—Y yo no sé cómo se llamará esto que pido en el lenguaje de los politicastros profesionales—añade—. Lo que veo con evidencia es que el procedimiento de la fuerza se impone, y lo que percibo con tristeza es que es irónico, de una ironía tremenda, entretenerse en discutir la solución de este que llaman *problema,* mientras el obrero se extenúa en las minas y en las fábricas.

Yuste tiene en la imaginación el humanitarismo insustancial de su amigo el político. Y agrega:

—Leyes de accidentes del trabajo, de protección de la infancia, de jurados mixtos, de salarios mínimos..., yo las considero todas absurdas y cínicas. El que hace la ley se juzga en posesión de la verdad y de la justicia; ¿y cómo han de ser poseedores de la verdad y de la justicia los tiranos? La ley supone concesión, ¿y cómo vamos a tolerar que se nos conceda graciosamente una mínima parte de lo que se nos ha detentado?... Podrá hablarse cuanto se quiera del *problema social;* podrán invocarse sociólogos, economistas, filósofos... Yo no necesito invocar a nadie para saber que la tierra no tiene dueño, y que un príncipe, o un ministro, o un gran industrial, no tiene más derechos que yo, obrero, para gozar de los placeres del arte y de la naturaleza... El trabajo — dicen los economistas — es la fuente de la propiedad; una casa es mía porque con mi trabajo, o con mi dinero, que representa trabajo, la fabrico... ¿Y quién ha enseñado a ese propietario —pregunto yo—a arrancar la piedra yeso en la cantera? ¿Y quien ha inventado el fuego en que se ha de tostar esa piedra, y las reglas con que se han de levantar los muros, y las artes diversas con que se ha de acabar la casa toda? En estricta justicia distributiva, pensando bien y sintiendo de todo corazón, ese propietario envanecido con su casa tendría que inscribirla en el registro de la propiedad a nombre del primer salvaje que hizo brotar el fuego del roce de unos maderos contra otros... Cuando yo muevo mi pluma para escribir una página, ¿puedo asegurar que esa página es mía y no de las generaciones y generaciones que han inventado el alfabeto, la gramática, la retórica, la dialéctica?

El maestro calla. Ha cerrado la noche. La menuda fauna canta en inmenso coro, persistente, monorrítmico. Y del campo silencioso llega al espíritu una vaga melancolía depresiva, punzante.

Yuste prosigue exaltado:

—¡Admitir la propiedad como *creación* personal!... ¡Eso es poner en la teología universal una fuerza nueva e increada; es admitir una causa primera y absoluta, algo que está fuera de nuestro mundo y que escapa a todas sus leyes!... ¡Eso es tan absurdo como el libre albedrío!... Y como nada se crea y nada se pierde, y como las leyes que rigen el mundo físico son idénticas a las que rigen el mundo moral —puesto que éste y aquél son uno mismo—, he aquí por qué nosotros, fundados en la concausalidad inexorable, en el ciego determinismo de las cosas, queremos destruir la propiedad..., y he aquí cómo los primitivos atomistas—Epicuro, Lucrecio—vienen inocentemente a través de los siglos, desde la antigua Grecia, desde la antigua Roma, a inquietar, en estos prosaicos tiempos, al buen burgués que se regodea con sus tierras, o con sus talleres, o con sus cupones...

Y el maestro, calmado con la apacibilidad de la noche, sonrió, satisfecho de su pintoresca asociación de ideas. Y le pareció que sus paradojas de hombre sincero valían más que las actas de diputado y las carteras ministeriales de su frívolo amigo.

VI

Esta tarde, como hacía un tiempo espléndido, Yuste y Azorín han ido a la Fuente. Para ir a la Fuente se sale del pueblo con dirección a la plaza de toros; luego se tuerce a la izquierda... La Fuente es un extenso llano rojizo, arcilloso, cerrado por el negruzco lomazo de la Magdalena. Aquí, al pie de este cerro, unos buenos frailes tenían su convento, rodeado de umbríos árboles, con extensa huerta regada por un venero de agua cristalina... Luego se marcharon a Yecla, y el antiguo convento es hoy una casa de labranza, donde hay aún una frondosa higuera que plantó San Pascual...

Aquí, debajo de esta higuera mística se han sentado Yuste y Azorín. Y desde aquí han contemplado el panorama espléndido —un poco triste—de la vieja ciudad, gris, negruzca, con la torre de la iglesia Vieja que resalta en el azul intenso; y las manchas verdes de los sembrados; y los olivares adustos, infinitos, que se extienden por la llanura...

Yuste, mientras golpeaba su cajita de plata, ha pensado en las amarguras que afligen a España. Y ha dicho:

—Esto es irremediable, Azorín, si no se cambia *todo*... Y yo no sé qué es más bochornoso, si la iniquidad de los unos o la mansedumbre de los otros... Yo no soy patriota en el sentido estrecho, mezquino, del patriotismo..., en el sentido romano..., en el sentido de engrandecer *mi* patria a costa de las otras patrias... Pero yo que he vivido en nuestra historia, en nuestros héroes, en nuestros clásicos...; yo que siento algo indefinible en las callejuelas de Toledo, o ante un retrato del *Greco*..., u oyendo música de Victoria..., yo me entristezco, me entristezco ante este rebajamiento, ante esta dispersión dolorosa del espíritu de aquella España... Yo no sé si será un espejismo del tiempo..., a veces duro..., pero Cisneros, Teresa de Jesús, Theotocópuli, Berruguete, Hurtado de Mendoza..., ésos no han vuelto, no vuelven... Y las viejas nacionalidades se van disolviendo..., perdiendo todo lo que tienen de pintoresco: trajes, costumbres, literatura, arte..., para formar una gran masa humana, uniforme y monótona... Primero es la nivelación en un mismo país; después vendrá la nivelación internacional... Y es preciso..., y es inevitable..., y es triste. *(Una pausa larga.)* De la antigua Yecla vieja, ¿qué queda? Ya las pintorescas espeteras colgadas en los zaguanes van desapareciendo...; ya el *ramo* antiguo, las azucenas y las rosas de hierro forjado, se han convertido en un soporte sin valor artístico... Y este soporte fabricado mecánicamente, que viene a sustituir una graciosa obra de forja, es el símbolo del industrialismo inexorable, que se extiende, que lo invade todo, que lo unifica todo, y hace la vida igual en todas partes... Sí, sí, es preciso... y es triste.

Yuste calla; después vuelve a su tema inicial:

—Yo veo que todos hablamos de regeneración..., que todos queremos que España sea un pueblo culto y laborioso..., pero no pasamos de estos deseos platónicos... ¡Hay que marchar! Y no se marcha...; los viejos son escépticos..., los jóvenes no quieren ser *románticos*... El romanticismo era, en cierto modo, el odio, el desprecio al dinero..., y ahora es preciso enriquecerse a toda costa..., y para eso no hay como la política...; y la política ha dejado de ser *romanticismo* para ser una industria, una cosa que produce dinero, como la fabricación de tejidos, de chocolates o de cualquier otro producto... Todos clamamos por un renacimiento y todos nos sentimos amarrados en esta urdimbre de agios y falseamientos.

El maestro saca del bolsillo un periódico y lo despliega.

—Hoy he leído aquí—añade—una crónica de un discípulo mío...; se titula «La protesta»...; quiero leértela porque pinta un período de nuestra vida que acaso, andando el tiempo, se llame en la Historia *la época de la regeneración.*

Y Yuste, bajo la higuera que plantó San Pascual, un místico, un hombre austero, inflexible, ha leído este ejemplar de ironía amable:

«Y en aquel tiempo, en la deliciosa tierra de Nirvania todos los habitantes se sintieron tocados de un grande y ferviente deseo de regeneración nacional. ¡Regeneración nacional! La industria y el comercio fundaron un partido adversario de todas las viejas corruptelas; el Ateneo abrió una amplia información en que todos, políticos, artistas, literatos, clamaron contra el caciquismo en formidables Memorias; los oradores trinaban en los *mítines* contra la *inmoralidad administrativa*...

»Y un día tres amigos—Pedro, Juan, Pablo—, que habían leído en un periódico la noticia de unos escándalos estupendos, se dijeron: «Puesto que todo el país protesta de los agios, depredaciones y chanchullos, vamos nosotros, ante este caso, a iniciar una serie de protestas concretas, definidas, prácticas; y vamos a intentar que bajen ya a la realidad, que al fin encarnen, las bellas generalizaciones de monografías y discursos.»

»Y Pedro, Pablo y Juan redactaron una protesta. «Independientemente de toda cuestión política—decían—, manifestamos nuestra adhesión a la campaña que don Antonio Honrado ha emprendido contra la inmoralidad administrativa, y expresamos nuestro deseo de que campañas de tal índole se promuevan en toda Nirvania.» Luego los tres incautos moralizantes imaginaron ir recogiendo firmas de todos los conspicuos, de todos los egregios, de todos los excelsos de este viejo y delicioso país de Nirvania...

*

»Principiaron por un sabio y venerable ex ministro. Este ex ministro era un filósofo: era un filósofo amado de la juventud por su bondad, por sus virtudes, por su inteligencia clara y penetrante. Había vivido mucho; había sufrido los disfavores de las muchedumbres tornadizas; y en su pensar continuo y sabio, estas íntimas amarguras habían puesto cierto sello de escepticismo simpático y dulce...

»—¡Oh, no!—exclamó el maestro—. Yo soy indulgente; yo creo, y siempre lo he repetido, que todos somos sujetos sobre bases objetivas, y que son tan varios, diversos y contradictorios los factores que suscitan el acto humano, que es preferible la indiferencia piadosa a la acusación implacable... Y tengan ustedes entendido que una campaña de moralidad, de regeneración, de renovación eficaz y total, sólo puede tener garantías de éxito, sólo debe tenerlas, en tanto que sea genérica, no específica, comprensora de todos los fenómenos sociales, no determinadora de uno solo de ellos...

»Pedro, Juan y Pablo se miraron convencidos. Indudablemente, su ardimiento juvenil los había impulsado a concreciones y personalidades peligrosas. Había que ser genérico, no específico. Y volvieron a redactar la protesta en la siguiente forma: «Independientemente de toda cuestión política, manifestamos nuestra adhesión a toda campaña que tienda a moralizar la Administración pública, y expresamos nuestro deseo de que campañas de tal índole se promuevan en Nirvania.»

★

»Después, Pedro, Juan y Pablo fueron a ver a un elocuente orador, jefe de un gran partido político.

»—Yo entiendo, señores—les dijo—, que es imposible, y a más de imposible injusto, hacer tabla rasa, en cierto y determinado momento, de todo aquello que, constituyendo el legado de múltiples generaciones, ha ido lentamente elaborándose a través del tiempo por infinitas causas y concausas determinadoras de efectos que, si bien en parte atentatorios a nuestras patrias libertades, son, en cambio, y esto es preciso reconocerlo, respetables en lo que han coadyuvado a la instauración de esas mismas libertades, y a la consolidación de un estado de derecho que permite, en cierto modo, el libre desarrollo de las iniciativas individuales. Así, en resumen, yo he de manifestar que, aunque aplaudo, desde luego, la noble campaña por ustedes emprendida, y a ello les aliento, creo que hay que respetar, como base social indiscutible, aquello que constituye lo fundamental en el engranaje social, o sea *los derechos adquiridos*...

»Otra vez los tres ingenuos regeneradores tornaron a mirarse convencidos. Indudablemente, el ilustre orador tenía razón; había que hacer una enérgica campaña de renovación social, pero respetando profundamente las tradiciones, las instituciones legendarias, los *derechos adquiridos*. Y Pedro, Juan y Pablo, de nuevo redactaron su protesta de este modo: «Independientemente de toda cuestión política, y sin ánimo de atentar a los derechos adquiridos, que juzgamos respetables, ni de subvenir en absoluto un estado de cosas que tiene su razón de ser en la Historia, manifestamos nuestro deseo de que los ciudadanos de Nirvania trabajen en favor de la moralidad administrativa.»

★

»Siguiendo en sus peregrinaciones, los tres jóvenes visitaron luego a un sabio sociólogo. Este sociólogo era un hombre prudente, discreto, un poco escéptico, que había visto la vida en los libros y en los hombres, que sonreía de los libros y de los hombres.

»—Lo que ustedes pretenden—les dijo—me parece paradójico e injusto. ¡Suprimir el caciquismo! La sociedad es un organismo, es un cuerpo vivo; cuando este cuerpo se ve amenazado de muerte, apela a todos los recursos para seguir viviendo y hasta se crea órganos nocivos que le permitan vivir... Así, la sociedad española, amenazada de disolución, ha creado el cacique, que si por una parte detenta el poder para favorecer intereses particulares, no puede negarse que en cambio subordina, reprime, concilia estos mismos intereses. Obsérvese a los caciques de acción, y se les verá conciliar, armonizar los más opuestos intereses particulares. Suprímase el cacique, y esos intereses entrarán en lucha violenta, y las elecciones, por citar un ejemplo, serán verdaderas y sangrientas batallas...

»Por tercera vez Pedro, Juan y Pablo se miraron convencidos y acordaron volver a redactar la protesta en esta forma: «Respetando y admirando profundamente, tanto en su conjunto como en sus detalles, el actual estado de cosas, nos permitimos, sin embargo, hacer votos porque en futuras edades mejore la suerte del pueblo de Nirvania, sin que por eso se atente a las tradiciones ni a los derechos adquiridos.

★

»Y cuando Pedro, Juan y Pablo, cansados de ir y venir con su protesta, se retiraron por la noche a sus casas, entregáronse al sueño tranquilos, satisfechos, plenamente convencidos de que vivían en el más excelente de los mundos, y de que en particular era Nirvania el más admirable de todos los países.»

El maestro calló. Y como declinara la tarde, al levantarse para regresar al pueblo, dijo:

—Esto es irremediable, Azorín, si no se cambia *todo*... Los unos son escépticos, los otros perversos..., y así caminamos, pobres, miserables, sin vislumbres de bonanza..., arruinada la industria, malvendiendo sus tierras los labradores... Yo los veo aquí, en Yecla, morirse de tristeza al separarse de su viña, de su carro..., porque si hay algún amor hondo, intenso, es este amor a la tierra..., al pedazo de tierra sobre el que se ha pasado toda la vida encorvado..., de donde ha salido el dinero para la boda, para criar a los muchachos..., y que al fin hay que abandonar..., definitivamente, cuando se es viejo y no se sabe lo que hacer ni adónde ir... *(Una pausa; Yuste saca la diminuta tabaquera.)* Por eso yo amo a Yecla, a este buen pueblo de labriegos... Los veo sufrir... Los veo amar, amar la tierra... Y son ingenuos y sencillos como mujiks rusos..., y tienen una fe enorme..., la fe de los antiguos místicos... Yo me siento conmovido cuando los oigo cantar su rosario en las madrugadas... Algunos, viejos ya, encorvados, vienen los sábados, a pie, de campos que distan seis u ocho leguas... Luego, cuando han cantado, retornan otra vez a pie a sus casas... Esa es la vieja España..., legendaria, heroica...

Y el maestro Yuste detiene su mirada en la lejana ciudad que se esfuma en la penumbra del crepúsculo, mientras las campanas tocan en campaneo polirrítmico.

VII

Primero hay una sala pequeña; después está otra sala, más pequeña, que es la alcoba. La sala está enlucida de blanco, de brillante blanco, tan estimado por los levantinos; a uno de los lados hay una gran mesa de nogal; junto a ésta otra mesita cargada de libros, papeles, cartapacios, dibujos, mapas. En las paredes lucen fotografías de cuadros del Museo—la marquesa de Leganés, de Van Dick; Goya, Velázquez—, un dibujo de Villette representando una caravana de artistas bohemios que caminan un día de viento por un llano, mientras a lo lejos se ve la cima de la torre Eiffel; dos grandes grabados alemanes del siglo XVIII, con deliquios de santos, y una estampa de nuestro siglo XVII, titulada *Tabula regnum celorum*, y en que aparecen el mundo con sus vicios y pecados, los caminos de la perfección con sus elegidos que se encaminan por ellos, y, en la parte superior, la gloria, cercada de murallones, con sus jerarquías angélicas, y con las tres respetables personas de la Santísima Trinidad rodeadas de su corte y sentadas blandamente en las nubes... Hay también en la estancia sillas negras de rejilla, y una mecedora del mismo juego. El piso es de diminutos mosaicos cuadrados y triangulares, de colores rojos, negros y amarillos.

Aquí es donde Azorín pasa sus hondas y trascendentales cavilaciones, y va leyendo a los clásicos y a los modernos, a los nacionales y a los extranjeros. No lejos de su cuarto está la biblioteca, que es una gran habitación a tejavana, con el techo bajo e inclinado, con las vigas toscas, desiguales, con grandes nudos. Los estantes cubren casi todas las paredes y en ellos reposan sabiamente los sabios y discretos libros, unos viejos, enormes, con sus amarillos pergaminos, con cierto aire de suficiencia paternal, y otros, junto a éstos, en revuelta e irrespetuosa confusión con ellos, pequeños, con cubiertas amarillas y rojas, como jóvenes fuertes y audaces que se ríen un poco de la senilidad omnisciente. Entre estante y estante hay grandes arcas de blanca madera de pino—donde acaso se guardan ropas de la familia—y encima multitud de vasos, potes, jícaras, tazas, platos, con dulces, conservas y mermeladas, que sin duda se ha creído conveniente poner a secar en la biblioteca por seguir la indicación del buen Horacio, que aconseja que se ponga lo *dulce junto a lo útil.*

Azorín va y viene de su cuarto a la biblioteca. Y esta ocupación es plausible. Azorín lee en pintoresco revoltijo novelas, sociología, crítica, viajes, historia, teatro, teología, versos. Y esto es doblemente laudable. El no tiene criterio fijo: lo ama todo, lo busca todo. Es un espíritu ávido y curioso; y en esta soledad de la vida provinciana, su pasión es la lectura y su único trato el trato del maestro. Yuste va insensiblemente moldeando este espíritu sobre el suyo. En el fondo no cabe duda que los dos son espíritus avanzados, progresivos, radicales; pero hay en ellos cierta inquietud, cierto desasosiego, cierta secreta reacción contra la idea fija, que desconcierta a quien los trata, y mueve cierta irritación en el observador frívolo, que se indigna de no poder definir, de no poder *coger* estos matices, estos relampagueos, estas vislumbres rápidas, que él, hombre de una pieza, *hombre serio,* no tiene ni comprende..., irritación que es la del niño que no entiende el mecanismo de un juguete y lo rompe.

Así no es extraño que los honrados vecinos sonrían ligeramente—porque son discretos—cuando un forastero les habla del maestro; ni está fuera de las causas y concausas sociales que las buenas devotas—esas mujeres pálidas, que visten de negro y que nos han visto nacer—suspiren un poco delante de Azorín y muevan la cabeza, mientras sus manos están juntas, con los dedos trabados.

Pero Azorín no hace gran caso de estos suspiros piadosos y continúa hablando con el maestro y leyendo sus libros grandes y pequeños.

Ahora Azorín lee a Montaigne. Este hombre, que era un solitario y un raro, como él, le encanta. Hay cosas en Montaigne que parecen escritas ayer mismo; el ensayo sobre Raimundo Sabunde es un modelo de observación y de amenidad. Y después esta continua ostentación del *yo,* de sus amores, de sus gustos, de su manera de beber el vino—«un gran trago después de las comidas»—, de sus lecturas, de su mal de piedra... Todo esto, que es una personalidad *iliteraria,* viva, gesticuladora, incongruente, ondulosa; todo esto es delicioso.

Azorín, de cuando en cuando, piensa en él mismo. Montaigne era un hombre raro, pero llegó a ser alcalde de Burdeos; hoy, siendo un poco original, es difícil llegar a ser ni aun concejal en Yecla. Y es que la originalidad, que es lo más alto de la vida, la más alta manifestación de la vida, es lo que más difícilmente perdona el vulgo, que recela, desconfía—y con razón—de todo lo que escapa a su previsión, de todo lo que sale de la línea recta, de todo lo que puede suscitar en la vida situaciones nuevas ante las cuales él se verá desarmado, sin saber lo que hacer, humillado. ¿Se concibe a Pío Baroja siendo alcalde de Móstoles? *Silverio Lanza* —que es uno de los más originales temperamentos de esta época—ha intentado ser alcalde de Getafe. ¡Y hubiera sido una locura firmar su nombramiento!

«La vida de los pueblos—piensa Azorín—, es una vida vulgar..., es el vulgarismo de la vida. Es una vida más clara, más larga y más dolorosa que la de las grandes ciudades. El peligro de la vida de pueblo es que se siente uno vivir..., que es el tormento más terrible. Y de ahí el método en todos los actos y en todas las cosas—el feroz método de que abomina Montaigne—; de ahí los prejuicios que aquí cristalizan con una dureza extraordinaria, las pasiones pequeñas... La energía humana necesita un escape, un empleo; no puede estar reprimida, y aquí hace presa en las cosas pequeñas, insignificantes —porque no hay otras—, y las agranda, las deforma, las multiplica... He aquí el secreto de lo que podríamos llamar *hipertrofia de los sucesos,* hipertrofia que se nota en los escritores que viven en provincias—como *Clarín*—cuando juzgan éxitos y fracasos ocurridos en Madrid...»

Este sentirse vivir hace la vida triste. La muerte parece que es la única preocupación en estos pueblos, en especial en estos manchegos, tan austeros... Entierros, anunciadores de entierros que van tocando por las calles una campanilla, misas de Réquiem, doblar de campanas..., hombres envueltos en capas largas..., suspiros, sollozos, actitudes de resignación dolorosa..., mujeres enlutadas, con un rosario, con un pañuelo que se llevan a los ojos, y entran a visitarnos y nos cuentan, gimiendo, la muerte de este amigo, del otro pariente...; todo esto, y las novenas, y los rosarios, y los cánticos plañideros por las madrugadas, y las procesiones...; todo esto es como un ambiente angustioso, anhelante, que nos oprime, que nos hace pensar minuto por minuto—¡esos interminables minutos de los pueblos!—en la inutilidad de todo esfuerzo, en que el dolor es lo único cierto en la vida, y en que no valen afanes ni ansiedades, puesto que todo—¡todo: hombres y mundos!—ha de acabarse, disolviéndose en la nada, como el humo, la gloria, la belleza, el valor, la inteligencia.

Y como Azorín viese que se iba poniendo triste y que el escepticismo amable del amigo Montaigne era, amable y todo, un violento nihilismo, dejó el libro y se dispuso a ir a ver al maestro—que era como salir de un arroyo para caer en una fosa.

VIII

Este buen maestro—¡habrá que confesarlo!—es en el fondo un burgués redomado. El es metódico, amigo del orden, lento en sus cosas: se levanta a la misma hora, come a la misma hora, da a la misma hora sus paseos; tiene sus libros puestos en tal orden, sus papeles catalogados en tales cartapacios... Y sufre, sufre de un modo horrible cuando encuentra algo desordenado, cuando le sacan de su pauta. ¡Es un burgués!

Así, esta tarde, que hace un hermoso sol y los árboles ya verdean con los retoños primaverales, hubiera sido una crueldad privarle al maestro de su paseo... El y Azorín han ido a la Magdalena. Allí, se han sentado bajo la higuera que plantó San Pascual—indudablemente para que ellos se sentaran debajo—y han contemplado a lo lejos la ciudad ilustre—*muy ilustre*—y amada...

Y como en este ambiente confortador, a la vista de este espléndido panorama, en el sosiego de esta tarde de primavera, no hay medio de sentirse sanguinario, ni de desear el fin del mundo para diputados y concejales, el buen Yuste ha tenido la magnanimidad de guardarse sus furibundos anatemas, y ha hablado dulcemente de la más amena y nueva—¡siendo tan vieja!—de las fantasías humanas, quiero decir, que ha hablado de metafísica.

—La metafísica—dice el maestro—es eterna, y pasa a través de los siglos con distintos nombres, con distintos disfraces. Hoy se habla mucho de la sociología... ¡La sociología!... ¡Nadie sabe lo que es la sociología! ¿Existe acaso? Hemos conocido la teología, que hablaba de todo, que lo examinaba todo: la guerra, la simonía, la colonización, la magia, el matrimonio, todo... *Nullum argumentum, nulla disputatio, nullus locus alienus videatur a theologica professione et institu-*

to, decía el padre Vitoria, gran teólogo. Y más tarde, Montaigne, el gran filósofo: *Les sciencies qui règlent les mœurs des hommes, comme la théologie et philosophie, elles se meslent de tout; il n'est action si privée et secrette qui se desrobe de leur cognaissance et iurisdiction*... Pero los años pasan, pasan los siglos, y la investigadora teología envejece, vegeta en los seminarios, muere. Nace la *filosofía*, la filosofía de los enciclopedistas y novadores del siglo XVIII, *l*a combatida por Alvarado, Ceballos, Vélez. ¿Qué es la filosofía? La filosofía habla también de todo: de política, de economía, de arte militar, de literatura...; soluciona todos los conflictos, ocurre a todas las contingencias... Y un día la filosofía muere a su vez. ¿Cuándo? Acaso, en España, llega hasta la Revolución de Septiembre; de la Gloriosa acá impera el positivismo. El positivismo..., ¿qué es el positivismo? El positivismo lo examina también todo, lo tritura todo. Y cansado de tan prolijo examen, aburrido, hastiado, el positivismo perece también... Le sucede la sociología, que es algo así como un nuevo licor de la madre Seigel, como unas nuevas píldoras Holloway... ¿Sabe alguien lo que es la sociología?... Proyectos sobre el bienestar social, sobre las relaciones humanas, sobre todos los problemas de la vida..., hipótesis, generalidades, conjeturas..., ¡metafísica!

Yuste se detiene un momento y golpea en la cajita de plata. El campo está en silencio: hace un tibio y voluptuoso bochorno primaveral. Los pájaros trinan; verdean los árboles; el cielo es de un azul espléndido.

Yuste prosigue:

—Sí, metafísica es la sociología, como el positivismo, como la teología... ¿Por qué metafísica? La metafísica es el andamiaje de la ciencia. Los albañiles montan el andamio y edifican; terminada la construcción, quitan el andamio y queda al descubierto, fuerte y brillante, la verdad... Sin el andamio, el albañil no puede edificar; sin la hipótesis, es decir, sin la metafísica, el pensador no puede construir la ciencia... Hay andamios que sospecho que no han de ser desmontados nunca: todavía no hemos quitado el de *causa primera*. Hay otros provisionales, de primer intento, como esos a los cuales llamamos los *milagros*... Una hostia profanada mana sangre, un místico ve a través de los cuerpor opacos. «¡Milagro, milagro!», gritamos... Y un día se descubre el hongo rojo de la harina, se descubren los rayos X..., y el andamio queda desmontado.

El maestro vuelve a callar y aspira en larga bocanada el aire sano de la campiña.

—¡Ah, lo *incognoscible!*—exclama luego—. Los sistemas filosóficos nacen, envejecen, son reemplazados por otros. Materialismo, espiritualismo, escepticismo..., ¿dónde está la verdad? El hombre juega con las filosofías para distraer la convicción de su ignorancia perdurable. Los niños tienen sus juguetes; los hombres los tienen también. Platón, Aristóteles, Descartes, Spinoza, Hegel, Kant, son los grandes fabricantes de juguetes... La metafísica es, sí, el más inocente y el más útil de todos.

Torna a callar el amado maestro, absorto en alguna melancólica especulación. A lo lejos se oye, en la serenidad del ambiente, el campaneo de una novena. La torre de la iglesia Vieja se destaca en el añil del cielo...

Yuste prosigue:

—Sí, el más útil de todos... Anoche, en una hora de insomnio, imaginé el siguiente cuentecillo... Oyelo... Se titula *Sobre la utilidad de la metafísica*, y dice de este modo: «Una vez caminaban solos en un vagón dos viajeros. Uno era gordo y con la barba rubia; otro era delgado y con la barba negra. Los dos dejaban traslucir cierta resignación plácida, cierta melancolía filosófica... Y como en España todos los que viajamos somos amigos, estos dos hombres se pusieron a platicar familiarmente. «Yo—dijo el gordo, acariciándose suavemente la barba—creo que la vida es triste.» «Yo—dijo el flaco, ocultando con la palma de la mano un ligero bostezo—creo que es aburrida.» «El hombre es un animal monótono», observó el gordo. «El hombre es un animal metódico», replicó el flaco. Llegaron a una estación; uno se tomó una copa de aguardiente, otro una copa de ginebra. Y volvieron a charlar melancólicos y pausados. «No conocemos la realidad», dijo el hombre gordo, mirándose contritamente el abdomen. «No sabemos nada», repuso el hombre flaco, contemplándose tristemente las uñas. «Nadie conoce el *noúmeno*», dijo el gordo. «Efectivamente—contestó un poco humillado el flaco—, yo no conozco el *noúmeno*.» «Sólo los fenómenos son reales», dijo uno. «Sí, sólo los fenómenos son reales», repitió el otro. «Sólo vivimos por los fenómenos», volvió a decir uno. «Sólo vivimos por los fenómenos», volvió a repetir con profunda convicción el otro. Y callaron en un silencio largo y triste... Y como llegaran al término de su viaje, se despidieron gravemente, convencidos de que no conocían el *noúmeno* y de que sólo los fenómenos eran reales. Uno era un filósofo kantiano; otro, un empresario de barracas de feria.»

Cae la tarde. Y al levantarse para regresar al pueblo, el maestro ha observado que aquí, en estas lomas de la Magdalena, vivieron centenares de siglos antes unos buenos hombres que se llamaron los *celtas*, y muchos siglos después otros buenos hombres que se decían *hijos de San Francisco*, y que precisamente en estos parajes unos y otros pasearon su fe ingenua y creadora, mientras ellos, hombres modernos, hombres degenerados, paseaban sus ironías infecundas...

IX

Hoy «Los Lunes de *El Imparcial*» han sumido al maestro Yuste en una ligera tristeza filosófica. El maestro ha leído una hermosa crónica de un joven que se revela como una esperanza de las letras. Y ha pensado: «Así se escribe, así se escribe... Yo siento que soy un pobre hombre... Originalidad..., idealidad..., energía en la frase..., espontaneidad..., no las tengo, no las he tenido nunca. Yo siento que soy un pobre hombre. Mi tiempo pasó; yo pude creerme artista porque tenía cierta audacia, cierta facilidad de pluma...; pero ese silencioso ritmo de las ideas que nos hechiza y nos conmueve, yo no lo he tenido nunca, yo no lo tengo... ¡Así se escribe!» Y el maestro ha mirado tristemente, penosamente, el periódico. «Hay cada ocho, cada diez, cada veinte años —ha seguido pensando—, un nuevo tipo de escritor que representa las aspiraciones y los gustos comunes. No hay más que abrir una colección de periódicos para verlo claramente. La sintaxis, la adjetivación, la analogía, hasta la misma puntuación cambian en breve espacio de tiempo... Un cronista no puede ser *brillante* más allá de diez años..., y es mucho. Después queda anticuado, desorientado. Otros jóvenes vienen con otros adjetivos, con otras metáforas, con otras paradojas..., y el antiguo cronista muere definitivamente, para el presente y para la posteridad... ¿Quién era Selgas? ¿Quién era Castro y Serrano?... Yo veo que hay dos cosas en literatura: la *novedad* y la *originalidad*. La novedad está en la forma, en la facilidad, en el ardimiento, en la elegancia del estilo. La *originalidad* es cosa más honda; está en algo indefinible, en un secreto encanto de la idea, en una idealidad sugestiva y misteriosa... Los escritores nuevos son los más populares; los originales rara vez alcanzan la popularidad en vida..., pero pasan, pasan indefectiblemente a la posteridad. Y es que sólo puede ser popular lo artificioso, lo ingenioso, y los escritores originales son todos sencillos, claros, desaliñados casi..., porque sienten mucho. Cervantes, Teresa de Jesús, Bécquer..., son incorrectos, torpes, desmañados. En tiempo de Cervantes, los Argensolas eran los cronistas *brillantes;* en tiempo de Bécquer..., yo no sé quién sería, tal vez aquel majadero de Lorenzana...» Y el maestro vuelve a mirar tristemente el periódico. «Sí, sí, yo he sido también un escritor brillante... Ahora, solo, olvidado, lo veo..., y me entristezco.»

Azorín llega. Hace una tarde espléndida. El sol tibio, confortador, baña las anchas calles. En las aceras, las mujeres sentadas en sillas terreras, trabajan en sus labores. Se oye, a intervalos, el coro lejano de una escuela.

Yuste y Azorín suben al Castillo. El Castillo es un santuario moderno. Un ancho camino en zigzag conduce hasta la cumbre. Y desde lo alto, aparece la ciudad asentada al pie del cerro, y la huerta con sus infinitos cuadros de verdura, y los montes Colorado y Cuchillo, que cierran con su silueta yerma el horizonte... Al otro lado del Castillo se extiende la llanura inmensa, verdeante a trechos, a trechos amarillenta, limitada por el perfil azul, allá en lo hondo, de la sierra de Salinas. Y en primer término, entre olivares grises, un paralelogramo grande, de tapias blanquecinas, salpicadas de puntitos negros.

Yuste se sienta, y su mirada se posa en los largos muros. Dos cuervos vuelan por encima lentamente, graznando. Por un camino que conduce a las tapias avanza una ristra de hombres enlutados. Y el cielo está radiante, limpio, azul.

Yuste dice:

—Azorín, la gloria literaria es un espejismo, una fantasmagoría momentánea... Yo he tenido *mi tiempo* de escritor conocido; ahora no me conoce nadie. Abre la colección de un periódico—que es una de las cosas más tristes que conozco—; mira las firmas de hace ocho, diez, veinte años...; verás nombres, nombres, nombres de escritores que han vivido un momento y luego han desaparecido... Y ellos eran populares, elogiados, queridos, ensalzados. ¿Quién se acuerda hoy de Roberto Robert, que fué tan popular; de Castro y Serrano, que murió ayer; de Eduardo de Palacio, que aún me parece que veo?... El año sesenta y tantos era crítico de teatros en *Las Novedades* un señor González de la Rosa o Rosa González... No hay duda de que sería temido en los escenarios, lisonjeado en los cuartos de los actores, leído por el público al día siguiente del estreno..., como *Caramanchel,* Laserna, Arimón... Aquel señor debió de creer en la inmortalidad—como creerá sin duda el ingenuo Arimón—; y mira cómo la inmortalidad no se ha acordado del señor Rosa González... Laserna, Arimón, *Caramanchel,* pueden tomar de este caso una lección provechosa.

El maestro sonríe y calla. Luego prosigue:

—Si alguna vez eres escritor, Azorín, toma con flema este divino oficio. Y después... no creas en la crítica ni en la posteridad... En los mismos años precisamente en que Goya pintaba (allá por 1788), la más alta autoridad literaria de España, Jovellanos, dijo, en ocasión solemnísima, que Mengs era, óyelo bien, «el primer pintor de la tierra...» ¿Quién conoce hoy a Antonio Rafael Mengs?... Ya sabes lo que le pasó a Stendhal: escribió para seis u ocho amigos. Y de Cervantes, el pobre, no digamos: en su tiempo todos los literatos cultos, los poetas cortesanos, despreciaban a este hombre que escribía cosas chocarreras en estilo desaliñado... Los Argensolas, cuando fueron nombrados no sé qué cosa diplomática en Italia, desatendieron brutalmente sus pretensiones de un empleo, y finalmente (atiende a esto, que creo que no ha dicho ningún cervantista), finalmente, un jesuíta, también presumido de culto, de brillante, dijo que el *Quijote* era una «necedad»... En *El Criticón* lo dijo...

—¿De modo—replicaba Azorín—que para usted no hay regla crítica infalible, segura?

—No hay nada estable, ni cierto, ni inconmovible—contesta Yuste.

Y haciéndose la ilusión consoladora de que es un inveterado escéptico, prosigue:

—¡Qué sabemos! Mi libro son los *Ensayos* del viejo alcalde de Burdeos, y de él no salgo...

Después piensa en el artículo de *El Imparcial,* y añade:

—Cuando me hablan de gentes que *llegan* y de gentes que *fracasan,* sonrío...

Fíjate en que hoy el público ha cambiado totalmente: no hay público, sino públicos, sucesivos, rápidos, momentáneos... Un público antiguo era un público de veinte, treinta, cuarenta años..., *vitalicio.* La lectura estaba menos propagada, no había grandes periódicos que en un día difundían por toda una nación un hecho; se publicaban menos libros; eran menos densas y continuas las relaciones entre los mismos literatos, y entre los literatos y el público... Así, un escritor que lograba hacer conocido su nombre, era ya un escritor que permanecía en la misma tensión de popularidad durante una generación, durante veinte, treinta años... Imagínate el público de una de las viejas ciudades intelectuales: Salamanca, Alcalá de Henares... Es un público de estudiantes, gente joven, que lee *Los sueños,* de Quevedo, o las décimas de Espinel y con ellas se regodea durante ocho o diez años... Luego, terminados los estudios, se desparraman todos por sus aldeas, pueblos, ciudades, donde ya no tendrán más diversión que su escopeta y sus naipes, cosa no muy intelectual... Pues bien: ¿no es lógico que este licenciado en Derecho, o este clérigo, o este médico, que metido en un rincón ya no tiene relación ninguna literaria, puesto que no lee periódicos ni revistas, ni apenas ve libros nuevos; no es lógico que en él la admiración por Quevedo y Espinel, que se sabe de memoria, dure toda la vida?...

El maestro calla un instante; luego prosigue:

—Registra nuestra historia literaria en busca de lo que hoy llamamos *fracasados:* no los hallarás... En cambio hoy la duración de *un* público se ha reducido, y así como antes la *longitud* del público emparejaba, sin faltar ni sobrar apenas, con la longitud de la vida del escritor, hoy cuatro o seis longitudes de público son precisas para una de escritor... Yo no sé si me explico con todas estas geometrías... Ello es, en síntesis, que hoy durante la vida de un literato se suceden cuatro o seis públicos. Y de ahí lo que llamamos *fracasados,* de ahí que un escritor nuevo y vigoroso el año 1880 sea un anticuado en 1890... No importa que el escritor no suelte la pluma de la mano, es decir, que no deje de comunicarse íntimamente con el público; el fracaso llega de todos modos. Así se explica que X, Y, Z, que escriben todos los días, hace años y años, en grandes periódicos, estén desprestigiados a los ojos de una generación, de la cual sólo los separan escasos años..., generación que si no tiene *el poder* en las Redacciones influyentes, en cambio es la que impera por su juventud—que es fuerza— en el ambiente intelectual de un pueblo...

Aquí Yuste vuelve a callar. El sol declina en el horizonte. Y lentamente el tinte azul de las lejanas sierras va ensombreciéndose.

El maestro prosigue:

—Y ten en cuenta esto, que es esencialísimo: el fracaso lo da el público, y sólo en esta edad, en que lo que vive no es el artista, sino la imagen que el público tiene del artista, es cuando se dan los fracasados... Un artista que no vive *para* el público y *por* el público, ¿cómo ha de fracasar? Los primitivos flamencos: Van Dyck, Memling, Van der Weyden..., el divino Van der Weyden..., ¿cómo iban a fracasar si no firmaban sus cuadros?... Las obras de casi todos nuestros grandes clásicos han sido publicadas por sus herederos o discípulos...

Otro silencio. Yuste y Azorín bajan del Castillo por el ancho camino serpenteante. La ciudad va sumiéndose en la sombra. El humo de las mil chimeneas forma una blanca neblina sobre el fondo negro de los tejados... Y la enorme cúpula de la iglesia Nueva destaca poderosa en el borroso crepúsculo.

El maestro saca su tabaquera de plata y aspira un polvo. Luego dice lentamente:

—Yo y todos mis compañeros fuimos jóvenes que *íbamos a llegar*..., que *llegamos* sin duda...; después vino otro público, vino otra gente...; *fracasamos*..., como fracasaréis vosotros, es decir, como *os fracasarán* los que vengan más nuevos...

Y esto sí que es una lección (*sonriendo*), no de *inmortalidad*, como la de González de la Rosa, sino de piedad, de suprema piedad, de respeto, de supremo respeto, que los jóvenes de hoy, los poderosos de hoy, deben a los jóvenes de ayer, a los que trabajaron como ahora trabajáis vosotros; a los que tuvieron vigor, fe, entusiasmo...

X

Ayer se celebraron las elecciones. Y ha salido diputado, como siempre, un hombre frívolo, mecánico, automático, que sonríe, que estrecha manos, que hace promesas, que pronuncia discursos... El maestro está furioso. El augusto desprecio que por la industria política siente le ha abandonado; y, a pesar suyo, va y viene, en su despacho, irritado, iracundo. Azorín lo contempla en silencio.

—Y yo no sé—exclama Yuste—cómo podremos llamar al siglo XIX, sino *el siglo de la mixtificación*. Se mixtifica todo, se adultera todo, se falsifica todo: dogmas, literatura, arte... Y así León Taxil, el enorme farsante, es la figura más colosal del siglo..., de este siglo que ha inventado la Democracia, el sufragio universal, el jurado, las constituciones... León Taxil principia a vivir a costa de los católicos, publicando contra ellos diatribas y diatribas que se venden a millares... Luego el tema se agota, se agota la credulidad de esos ingenuos librepensadores, y Taxil, que era un hombre de genio, tan grande por lo menos como Napoleón, se convierte al catolicismo, poco después de la publicación de la encíclica *Humanum genus*... Y comienza la explotación de los inocentes católicos... Taxil inventa una historia admirable—mejor que la *Ilíada*... La orden más elevada de los masones —dice—es el Paladium, que tiene su asiento en Charleston, en los Estados Unidos, y fué fundado el 20 de septiembre de 1870, el día en que los soldados de Víctor Manuel penetran en Roma... El fundador del Paladium es Satanás, y uno de los hierofantes, Vaughan. Vaughan tiene una hija, y esta hija, casada nada menos que con el propio Asmodeo, es la gran sacerdotisa del masonismo... Hay que advertir que la abuela de esta Vaughan, que se llama Diana, es la mismísima Venus Astarté... Todo esto es estrambótico, ridículo, estúpido; pero, sin embargo, ha sido creído a cierra ojos por el mundo clerical... Es más: León Taxil anuncia que Diana Vaughan se ha convertido al catolicismo; la misma Diana publica sus *Memorias de una ex paladista*..., y todos los católicos del orbe caen de rodillas admirados de la misericordia del Señor. El cardenal-vicario Parocchi escribe a Diana, felicitándola por su conversión, que el inocente califica de «triunfo magnífico de la Gracia»; monseñor Vicenzo Serdi, secretario apostólico, la felicita también, y lo mismo monseñor Fana, obispo de Grenoble... Y aun la misma *Civiltà Catolica*, el órgano cauto y avisado de los jesuítas en Roma...

Yuste coge nerviosamente un volumen del estante.

—Aquí lo tienes—prosigue—; la misma *Civilità Catolica* dedica en su segundo número de septiembre de 1896 un largo y entusiasta estudio a estas patrañas, tomándolas en serio... Mira: veinte páginas... Aquí se califican de *terribile explosione* las revelaciones de Taxil... Aquí se dice que las de Diana Vaughan son *rivelazione formidabili*...

El maestro sonríe con ironía infinita. Y después añade:

—¡Qué más! En Trento se reunió un formidable congreso de treinta y seis obispos y cincuenta delegados de otros tantos..., y no se habló más que de Diana en ese congreso... ¿Y Taxil? Taxil contemplaba olímpico el espectáculo de estos ingenuos, como Napoleón sus batallas... Y un día, el 19 de abril de 1897, se dignó anunciar al mundo entero que Diana Vaughan iba a hacer su aparición en París, en la sala de la Sociedad de Geografía... Y cuando llegó el momento, el gran León subió a la tribuna y declaró solemnemente que Diana Vaughan no existía, que Diana Vaughan era él mismo, León Taxil...

Yuste calla un momento y saca su cajita de rapé. Luego:

—Decía Renan que nada da idea más perfecta de lo infinito como la credulidad humana. Es cierto, es cierto... Mira a España: la Revolución de Septiembre es la cosa más estúpida que se ha hecho en muchos años; de ella ha salido toda la frivolidad presente y ella ha sido como un beleño que ha hecho creer al pueblo en la eficacia y en la veracidad de todos los bellos discursos progresistas...

Larga pausa. Instintivamente la mirada del maestro se para en una hilera de volúmenes. Y Yuste exclama:

—¡He ahí por qué odio yo a Campoamor! Campoamor me da la idea de un señor asmático que lee una novela de Galdós y habla bien de la Revolución de Septiembre... Porque Campoamor encarna toda una época, todo el ciclo de la Gloriosa con su estupenda mentira de la Democracia, con sus políticos discurseadores y venales, con sus periodistas vacíos y palabreros, con sus dramaturgos tremebundos, con sus poetas detonantes, con sus pintores teatralescos... Y es, con su vulgarismo, con su total ausencia de arranques generosos y de espasmos de idealidad, un símbolo perdurable de toda una época de trivialidad, de chabacanería en la historia de España.

Tornó a callar. Y como la noche llegara, y con la noche la sedante calma de la sombra, el maestro añadió:

—Después de todo, el medio es el hombre. Y ese diputado frívolo y versátil, como todos los diputados, es producto de este ambiente de aplanamiento y de cobardía... Yo veo a diputados, concejales, subsecretarios, gobernadores, ministros, como el entomólogo que contempla una interesante colección... Sólo que esos insectos están clavados en sus correspondientes alfileres. Y éstos no están clavados.

En tanto, Azorín piensa en que este buen maestro, a través de sus cóleras, de sus sonrisas y de sus ironías, es un hombre ingenuo y generoso, merecedor a un mismo tiempo—como Alonso Quijano, el Bueno—de admiración, de risa y de piedad.

XI

Esta mañana Azorín está furioso. Es indudable que con toda su impasibilidad, con toda su indiferencia, Azorín siente por Justina una pasión que podríamos llamar frenética. Y a primera hora de la mañana, después de la misa de ocho, ha llegado Iluminada y por ella ha sabido el galán enamorado desdichadas y lamentables nuevas. Esta Iluminada es amiga íntima y vecina de Justina; es una muchacha inteligente, vivaz, autoritaria, imperativa. Habla resueltamente, y su cuerpo todo, joven y fuerte, vibra de energía, cada vez que pone su empeño en algo. Iluminada es un genial ejemplar de una voluntad espontánea y libre; sus observaciones serán decisivas, y sus gustos, órdenes. Y como esto es bello, como es hermoso este desenvolvimiento incontrastable de una personalidad en tiempos en que no hay personalidades, Azorín experimenta cierto encanto charlando con Iluminada (se puede decir discretamente y sin que llegue a oídos de Justina); y se complace en ver su gesto, su erguirse gallardo, su andar firme y resuelto, y en observar cómo pasan por ella las simpatías extremadas, los caprichos fugitivos, los desprecios, los odios impetuosos y voraces.

¿Quiere realmente Azorín a Justina? Se puede asegurar que sí; pero es algo a manera de un amor intelectual, de un afecto vago y misterioso, de un ansia que llega a temporadas y a temporadas se marcha. Y ahora, en estos días en que la decisión del cura Puche en oponerse a tales amoríos se ha manifestado decidida, Azorín ha sentido ante tal contrariedad —y como es natural, según la conocida psicología del amor—un vehemente reverdecimiento de su pasión.

Así las noticias infaustas de la gentilísima Iluminada le han dejado, primero, anonadado, y después le han hecho enfurecerse—cosa también harto sabida de los psicólogos—. Y lo primero que se le ha ocurrido es que el maestro tenía razón cuando decía la otra tarde que hay que apelar a la fuerza para cambiar este estado social, y que no hay más medio que la fuerza.

Inmediatamente Azorín ha ido a ver al maestro para significarle su incondicional adhesión. Pero hoy da la casualidad de que hace un día espléndido, y de que además una revista extranjera ha dedicado unos párrafos al maestro, y que sobre todo lo dicho, esta misma mañana Yuste ha recibido una carta de uno de los más brillantes escritores de la gente nueva, que principia así: «Maestro...»

De modo que Yuste, que estaba en el mejor de los mundos posibles, sentado en el despacho con su famosa caja de rapé en las manos y recibiendo el sol que entraba por las ventanas abiertas de par en par; Yuste, digo, ha creído prudentemente que las circunstancias imponían cierta reserva ante los acontecimientos, y que una discreta circunspección no era del todo inútil en asuntos cuya resolución entraña gravedad excepcional.

—Además—ha añadido—, yo creo que el empleo de la fuerza es añadir maldad a la maldad ya existente, es decir, es devolver mal por mal..., querer que el bien reine en la Humanidad por el esfuerzo que haga el mal para que así sea. Y yo pregunto...

Yuste da dos golpecitos sobre la tabaquera. Indudablemente el maestro se siente hoy parlamentario.

—Y yo pregunto: ¿es lícito reparar el mal con el mal? Platón contestará por mí. Recuerdo, querido Azorín, que aquel amado maestro dijo en su diálogo titulado *Critón* que en ningún caso debe cometerse la injusticia. Su doctrina es la más pura, la más generosa, la más alta que haya nunca conocido la Humanidad; es el espíritu mismo de Buda, de Jesús, de todos los grandes amadores de multitudes; es el espíritu de esos hombres el que alienta a través de este diálogo incomparable.

Y el maestro coge del estante un libro y lee:

¿Luego en manera alguna debe cometerse ninguna otra injusticia?—pregunta Sócrates.

CRITÓN.—Sin duda que no.

SÓCRATES.—Entonces tampoco debe cometerse injusticia con los que nos las hacen, aunque ese pueblo crea que esto es lícito, puesto que tú convienes que en manera alguna debe tal cosa hacerse.

CRITÓN.—Eso me parece.

SÓCRATES.—¿Es lícito o no lo es hacer mal a alguna persona?

CRITÓN.—No es justo, Sócrates.

SÓCRATES.—¿Es justo, como el vulgo lo cree, volver mal por mal, o es injusto?

CRITÓN.—Es muy injusto.

SÓCRATES.—¿Es cierto que entre hacer el mal y ser injusto no hay diferencia alguna?

CRITÓN.—Lo confieso.

SÓCRATES.—Luego nunca debe cometerse injusticia ni volver mal por mal, sea lo que se quiera lo que se nos haya hecho...

Yuste deja el libro y prosigue:

—En nuestros días, Tolstoi se ha hecho el apóstol de las mismas doctrinas. Y ahora verás una carta, precisamente dirigida a revolucionarios españoles, en que está condensado todo su ideal en breves líneas, y que es interesantísimo comparar con el texto citado de Platón...

Se trata de una carta dirigida a los redactores de la *Revista Blanca;* éstos le pidieron un trabajo para su almanaque anual, y Tolstoi les contesta lo siguiente:

«He recibido vuestra carta invitándome a escribir en el *Almanaque* para el próximo año, en momentos bien críticos para mí, como criatura mortal, a la par que para vosotros, en calidad de españoles.

»Ayer mismo leí una de esas revueltas tan frecuentes en España, ignoro si por culpa de los malos Gobiernos o por la miseria que sufre el trabajador español, aunque bien puede ser por ambas cosas a la vez. Me refiero a Sevilla, donde las pasiones de los hombres, que yo creo malos, han hecho derramar sangre otra vez.

»No es el camino de la violencia el que nos conducirá a la paz deseada; es la misma paz, o mejor, la rebeldía pasiva.

»Conque los esclavos, todos los esclavos víctimas de los modernos fariseos, que envenenan y explotan las almas, se cruzaran de brazos, la hora del humilde habría llegado. De modo tan sencillo rodarían por tierra los dioses personales que han venido a sustituir a los impersonales del verdadero cristianismo.

»Y, sin embargo, la sangre continúa derramándose en todas partes, como en los mejores tiempos de la barbarie. Las clases directoras civilizan y educan a cañonazos; los dirigidos procuran su bienestar armándose de aprestos destructores.

»No es ése el camino.

»Moriré sin ver bien *inclinados* a los hombres. No será por mi culpa, y esto me consuela.

»Dispensad, señores redactores de la *Revista Blanca*, de Madrid, si mi delicada salud no me permite complacerles como hubiese querido, con fe, porque en España hay mucho que hacer; pero no puedo atenderlos, y creo que es tarde para que otro día hable de ese país, que tanta analogía guarda con el que me vió nacer.

»Considerad hermano vuestro a

León Tolstoi.»

Yuste calla un momento. Luego añade:

—Estas son las palabras de un hombre sabio y de un hombre bueno... Así, con la dulzura, con la resignación, con la pasividad, es como ha de venir a la tierra el reinado de la Justicia...

Y Azorín, de pronto, se ha puesto de pie, nervioso, iracundo, y ha exclamado trémulo de indignación:

—¡No, no! ¡Eso es indigno, eso es inhumano, eso es bochornoso!... ¡El reinado de la Justicia!... ¡El reinado de la Justicia no puede venir por una inercia y una pasividad suicidas! Contemplar inertes cómo las iniquidades se cometen, es una inmoralidad enorme. ¿Por qué hemos de sufrir resignados que la violencia se cometa, y no hemos de destruirla con otra violencia que impedirá que la iniquidad siga cometiéndose?... Si yo veo a un bandido que se dirige a usted con un puñal para asesinarlo, ¿he de contemplar indiferente cómo se realiza el asesinato? Entre la muerte del bandido y la muerte de usted, ¿quién duda que la muerte del bandido ha de ser preferida? ¿Quién duda que si yo que veo alzar el puñal y tengo un revólver en el bolsillo he de elegir, tengo el deber imperioso y moral de elegir, entre las dos catástrofes?... ¡No, no! Lo inmoral, lo profundamente inmoral, sería mi pasividad ante la violencia; lo inhumano sería en este caso, como en tantos otros, cruzarme de brazos, como usted quiere, y dejar que el mal se realice... Y después, ¿dónde está la línea que separa la acción pacífica de la acción violenta, la pasividad de la actividad, la propaganda mansa de la violenta?... Tolstoi mismo, ¿puede asegurar que no ha armado con sus libros el brazo de un obrero en rebelión? El libro, la palabra, el discurso..., ¡pero eso es ya acción! Y ese libro, y esa palabra, y ese discurso han de pasar a la realidad, han de encarnar en hechos..., en hechos que estarán en contradicción con otros hechos, con otro estado social, con otro ambiente. ¡Y eso es ya acción, ya es violencia!... ¡La rebeldía pasiva! Eso es un absurdo: habría que ser como la piedra, y aun la piedra cambia, se agrega, se disgrega, evoluciona, vive, lucha... ¡La rebeldía pasiva! ¡Eso es indigno! ¡Eso es monstruoso!... ¡Y yo protesto!

Y Azorín ha salido, dando un violentísimo portazo. Entonces el maestro, un poco humillado, un poco halagado por el ardimiento del discípulo, ha pensado con tristeza: «Decididamente, yo soy un pobre hombre que vive olvidado de todos en un rincón de provincias; un pobre hombre sin fe, sin voluntad, sin entusiasmo.»

Y si tenemos un ángel siempre a nuestro lado—como asegura tanta gente respetable—, no hay duda que este ángel, que leerá los pensamientos más recónditos, habrá sentido hacia el maestro, por ese instante de contrición sincera, una vivísima simpatía.

XII

La verdura impetuosa de los pámpanos repta por las blancas pilastras, se enrosca a las carcomidas vigas de los parrales, cubre las alamedas de tupido toldo cimbreante, desborda en tumultuosas oleadas por los panzudos muros de los huertos, baja hasta arañar las aguas sosegadas de la ancha acequia exornada de ortigas. Desde los huertos, dejando atrás el pueblo, el inmenso llano de la vega se extiende en diminutos cuadros de pintorescos verdes, claros, grises, brillantes, apagados, y llega en desigual mosaico a las suaves laderas de las lejanas pardas lomas. Entre el follaje, los azarbes pletóricos serpentean. El sol inunda de cegadora lumbre la campiña, abate en ardorosos bochornos los pámpanos redondos, se filtra por las copudas nogueras y pinta en tierra fina randa de luz y sombra. De cuando en cuando una ráfaga de aire tibio hace gemir los altos maizales rumorosos. La naturaleza palpita enardecida. Detrás, la mancha gris del pueblo se esfuma en la mancha gris de las laderas yermas. De la negrura incierta emergen el frontón azulado de una casa, la vira blanca de una línea de fachadas terreras, los diminutos rasgos verdes, aquí y allá, en la escarpada peña, de rastreantes higueras. La enorme cúpula de la iglesia Nueva destella en cegadoras fulguraciones. Sobre el Colegio, en el lindero de la huerta, dos álamos enhiestos que cortan los rojos muros en estrecha cinta verde, traspasan el tejado y marcan en el azul su aguda copa. Más cerca, en primer término, dos, tres almendros sombrajosos arrojan sobre el negro fondo del poblado sus claras notas gayas. Y a la derecha, al final del llano de lucidoras hojas largas, sobre espesa cortina de seculares olmos, el negruzco cerro de la Magdalena enarca su lomo gigantesco en el ambiente de oro.

El pueblo duerme. La argentina canción de un gallo rasga los aires. En los olmos las cigarras soñolientas prosiguen con su *ras-ras* infatigable.

★

Lentamente, la hora del bochorno va pasando. Las sombras se alargan; la vegetación se esponja voluptuosa; frescas bocanadas orean los árboles. En la lejanía del horizonte el cielo se enciende gradualmente en imperceptible púrpura, en intensos carmines, en deslumbradora escarlata, que inflama la llanura en vivo incendio y sonrosa en lo hondo, por encima de las espaciadas pinceladas negras de una alameda joven, la silueta de la cordillera de Salinas...

En la sedante calma de la noche propincua, los vecinos pasean por la huerta. A lo largo de una linde, entre los maizales, discurren cuatro o seis personas en un grupo. Luego se sientan. Y hablan. Hablan del inventor Quijano. Hace dos años, en plena guerra, Quijano anunció el descubrimiento de un explosivo. Los grandes periódicos dedicaron informaciones a Quijano; las ilustraciones publicaron su retrato. Y las pruebas deficientes del invento le volvieron a la oscuridad de su taller modesto. En Yecla lo ha perfeccionado. Las pruebas definitivas van a ser realizadas. El éxito será completo; se ha visto repetidas veces funcionar el misterioso aparato. Quijano tiene fe en su obra. Yecla espera.

Yecla espera ansiosa. Se exalta a Quijano; se le denigra. En las sacristías, en las reboticas, en las tiendas, en los cafés, en el campo, en la calle, se habla de pólvora comprimida, de dinamita de carga máxima, de desviaciones, de trayectorias. La ciudad enloquece. De mesa a mesa, en el Casino, los improperios, las interjecciones, las risas burlonas, van y vienen entre el ruido de los dominós traqueteados. Se cruzan apuestas, se hacen halagadoras profecías patrióticas, se lanzan furibundos apóstrofes. Y los puños chocan contra los blancos mármoles, y las tazas trepidan.

... En este rojo anochecer de agosto el cielo parece inflamarse con las pasiones de la ciudad enardecida. Lentamente los resplandores se amortiguan. Oculto el sol, las sombras van cubriendo la anchurosa vega. Las diversas tonalidades de los verdes se funden en una inmensa y uniforme mancha de azul borroso; los términos primeros suéldanse a los lejanos; los claros salientes de las lomas se esfuman misteriosos. Cruza una golondrina, rayando el azul pálido. Y a lo lejos, entre las sombras, un bancal inundado refleja como un enorme espejo las últimas claridades del crepúsculo.

XIII

Han llegado un redactor de *El Imparcial*, otro de *El Liberal*, otro de *La Correspondencia*, otro del *Heraldo*. La comisión técnica la forman un capitán de Artillería, un capitán de Ingenieros, un profesor de la Escuela de Artes y Oficios. La comisión examina por la mañana en casa de Quijano el toxpiro. La comisión opina que no marchará el toxpiro. Componen el toxpiro dos, cuatro, seis tubos repletos de pólvora. Los tubos van colocados paralelamente en una tabla pintada de negro; el fuego sale por la parte delantera y hace andar el toxpiro. Los técnicos exigieron tiempo atrás que el aparato transportase sesenta kilos de dinamita; Quijano no ha construido aparatos proporcionados. Y la comisión decide que los toxpiros fabricados transporten *un* kilo y *seiscientos* gramos de peso representativo de la dinamita. La Prensa protege los trabajos; un ilustre dramaturgo, un ministro, un ex ministro, están interesados en el éxito.

Las pruebas se verifican por la tarde, a lo largo de la vía férrea. La ciudad ansía conocer el invento formidable. Los cafés desbordan de gente; se grita, se discute, se ríe. Y las tartanas discurren en argentino cascabeleo por las anchas calles...

Entre las viñas infinitas de la llanura, bajo tórrido sol de agosto, los curiosos se arremolinan en torno a un caballete de madera. Luego se apartan; Quijano se retira; un muchacho prende el toxpiro. Y el toxpiro parte en violento cabeceo y se abate a cien metros pesadamente... Los periodistas abren asombrados los ojos, el capitán de Artillería se indigna, el público sonríe. Las pruebas continúan: dos, cuatro, seis toxpiros más son disparados. Algunos se arrastran, retroceden, avanzan fatigosos; uno de ellos estalla en tremendo estampido. Y la gente corre desolada, serpenteando entre las cepas; las sombrillas vuelan en sinuoso mariposeo sobre los pámpanos.

De vuelta al pueblo, por la noche, la ironía y la indignación rompen en burlas y dicterios. Días antes, Azorín ha mandado a *La Correspondencia* una calurosa apología de Quijano; *La Correspondencia* la publica en sitio preferente. El artículo arriba el mismo día de las pruebas infaustas. Y en el Casino es leído en alta voz entre un corro de oyentes subidos a las sillas. El autor da por definitivamente resuelto el problema del toxpiro; el toxpiro está pronto a las pruebas triunfadoras; el autor lo ha visto «rasgar gallardamente los aires». «A dos, a cuatro, a seis kilómetros, con velocidades reguladas a voluntad—añade—, enormes cantidades de dinamita podrán ser lanzadas contra un obstáculo cualquiera. ¿Se comprende todo el alcance de la revolución que va a inaugurar la nueva arma? La marina de guerra cambiará por completo; los acorazados serán inútiles. Desde la costa, desde un lanchón, un toxpiro hará estallar la dinamita contra sus recios blindajes y los blindajes volarán en pedazos. España volverá a ser poderosa; Gibraltar será nuestro; las grandes potencias solicitarán nuestra alianza. Y la vieja águila bifronte tornará a revolar majestuosa por Europa...» Los periodistas conferencian, discuten, vuelven a conferenciar, tornan a discutir. Ellos tenían orden de no telegrafiar si fracasaban los ensayos: el artículo de *La Correspondencia* los pone en un compromiso.

En casa de Quijano, en el zaguán, el inventor perora ante un grupo de amigos. Alumbra la escena un quinqué mortecino. En el fondo, recostada en una mecedora, una dama mira con ojos melancólicos. Es la esposa del inventor; está enferma del corazón; se le ha hecho creer que las pruebas han sido satisfactorias... Quijano gesticula sentado en una silla con el respaldo inclinado sobre una mesa. A su lado está Lasso de la Vega. Lasso de la Vega es un hidalgo alto, amojamado, vestido de riguroso negro; su cara es cárdena y alongada; recio el negro bigote; reposada y sonora el habla. Junto a él, un hombrecillo de enmarañada barba, enfundando un blanco traje sucio, da de cuando en cuando profundas cabezadas de asentimiento. Dos lindas muchachas pasan y repasan a intervalos entre el grupo.

Quijano afirma que las pruebas resultaron *brillantes*. La comisión dijo por la mañana que los tubos no marcharían; los tubos han marchado. Se trata de aparatos de ensayo; él no dispone de instrumental adecuado para hacerlos perfectos. La idea es racional; los medios son deficientes.

—Es como si en Yecla un herrero hace una locomotora—añade—; la locomotora no marchará, pero científicamente será buena.

El hombrecillo se inclina convencido; Lasso exclama:

—¡Verdaderamente!

En una estancia próxima preparan la mesa para la cena. Y mientras se percibe el ruido de platos y cubiertos, Lasso lee, con voz sonora y recortada puntuación augusta, una enorme oda inédita que un canónigo de Granada ha endilgado a Quijano. «Covadonga, Lepanto..., quebranto...; Santiago, Cavite..., desquite...» Los platos suenan, los cubiertos tintinean.

A otro día por la mañana, en el despacho de Quijano, uno de los admiradores del inventor le dice gravemente:

—Don Alonso, el pueblo está mal impresionado; la comisión y los periodistas consideran las pruebas de ayer como un fracaso. Es preciso que haga usted lo posible porque los aparatos que se han de disparar esta tarde den mejor resultado.

Se discute. Indudablemente, se trata de una mala inteligencia. Los periodistas han creído venir a ver pruebas definitivas: no hay tal cosa. Quijano invitó a *El Imparcial* a presenciar unos ensayos: los otros periódicos se han creído obligados también a mandar sus redactores.

—Sin embargo—se observa—, los periodistas dicen que hay una carta en que se invita expresamente a *El Imparcial* a ver pruebas terminantes.

Quijano protesta.

—No, no; conservo el borrador de mi carta.

Y nerviosamente abre el cajón de la mesa, saca un legajo de papeles y busca, rebusca, torna a buscar la carta. La encuentra, por fin, y lee a gritos un párrafo.

—Además — añade —, en la memoria digo que lo que yo pretendo que se vea es que mi aparato es científicamente posible, que tiene una base científica, pero no que yo lo haya construído ya perfecto—lee un fragmento de una memoria en folio—. Los periodistas—concluye—han partido de una base falsa.

Y Lasso de la Vega agrega sentenciosamente:

—No tienen espíritu de análisis.

Sin embargo, los periodistas piensan telegrafiar el enorme fracaso; conviene que se vaya a informalos de la verdad exacta. Quijano disputa a Lasso y al hombrecillo del blanco traje. Lasso repite en la puerta:

—No tienen espíritu de análisis.

Los periodistas, gente moza, han pasado la noche en buen jolgorio. A las once van despertando en su cuarto de la fonda. El sol entra violentamente por el balcón sin cortinajes; las maletas yacen abiertas por el suelo. Los periodistas saltan de la cama, se desperezan, se visten. El redactor del *Heraldo* se frota los dientes con un cepillo; el de *La Correspondencia* se chapuza en un rincón; el de *El Liberal* se pone filosóficamente los calcetines. Y Lasso, en pie en medio de la estancia, emprende una patética defensa del toxpiro. Un criado entra y sale, trayendo jarros de agua; la puerta golpea; se comenta la zambra; se ríe. Lasso, impertérrito, prosigue hablando:

—Y no debemos maravillarnos de que ayer algunos tubos retrocedieran, por cuanto sabemos que el torpedo marítimo muchas veces vuelve al punto de partida.

Y con el dedo traza en el aire un círculo.

A las tres, el tren aguarda. Los curiosos lo asaltan. A dos kilómetros se detiene. La gente camina por la vía. Quijano, mientras marcha, entre los raíles, lee su memoria, bajo el sol ardoroso, al redactor de *La Correspondencia*. Los espectadores se diseminan entre las viñas. Reina un momento de silencio. Y la negra tabla parte revolando como un murciélago. Luego se disparan nueve más. Los toxpiros no llevan esta tarde peso representativo de dinamita. Avanzan doscientos, trescientos, cuatrocientos metros, con desviaciones de treinta y cuarenta. Los periodistas se aburren; a lo lejos, el profesor de Artes y Oficios—un señor de traje negro y botas blancas—se da golpecitos en la pierna con un sarmiento.

La comisión y los periodistas suben al tren de regreso a Madrid... El penacho negro de la locomotora pasea en la lejanía sobre la verdura de los pámpanos.

Y por la noche, ante el balcón abierto de par en par, Azorín aperdiga sobre la mesa las cuartillas. Las estrellas hormiguean rutilantes en el pedazo de cielo negro. El cronista traza sobre la primera cuartilla en letras grandes: *Epílogo de un sueño*. Luego escribe: «La vieja águila española—por mí invocada en la crónica *El inventor Quijano*—ha vuelto taciturna a sus blasones palatinos, entre el hacecillo de flechas y la simbólica madeja.»

Se detiene indeciso; arregla las cuartillas; moja la pluma; torna a mojar la pluma...

XIV

Hace una tarde gris, monótona. Cae una lluvia menuda, incesante, interminable.

Las calles están desiertas. De cuando en cuando suenan pasos precipitados sobre la acera, y pasa un labriego envuelto en una manta. Y las horas transcurren lentas, eternas...

Yuste y Azorín no han podido esta tarde dar su paseo acostumbrado. En el despacho del maestro, hablan a intervalos, y en las largas pausas escuchan el regurgitar de las canales y el ruido intercadente de las goteras. Una hora suena a lo lejos en campanadas imperceptibles; se oye el grito largo, modulado, de un vendedor.

Azorín observa:

—Es raro cómo estos gritos parecen lamentos, súplicas..., melopeas extrañas...

Y Yuste replica:

—Observa esto: los gritos de las grandes ciudades, de Madrid, son rápidos, secos, sin relumbres de idealidad... Los de provincias aún son artísticos, largos, plañideros..., tiernos, melancólicos... Y es que en las grandes ciudades no se tiene tiempo, se quiere aprovechar el minuto, se vive febrilmente..., y esta pequeña obra de arte, como toda obra de arte, exige tiempo..., y el tiempo que un vendedor pierda en ella puede emplearlo en otra cosa... Repara en este detalle insignificante, que revela toda una fase de nuestra vida artística... Lo mismo que un vendedor callejero suprime el arte porque trabaja rápidamente, lo suprime un novelista, un crítico. Así, hemos llegado a escribir una novela o un estudio crítico mecánicamente, como una máquina puede construir botones o alfileres... De ahí el que se vaya perdiendo la conciencia, la escrupulosidad, y aumenten los subterfugios, las supercherías, los tranquillos del estilo...

Yuste se para y coge un libro del estante. Después añade:

—Lo que da la medida de un artista es su sentimiento de la naturaleza, del paisaje... Un escritor será tanto más artista cuanto mejor sepa interpretar la *emoción del paisaje*... Es una emoción completamente, casi completamente moderna. En Francia sólo data de Rousseau y Bernardino de Saint-Pierre... En España, fuera de algún poeta primitivo, yo creo que sólo la ha sentido fray Luis de León en sus *Nombres de Cristo*... Pues bien: para mí el paisaje es el grado más alto del arte literario... ¡Y qué pocos llegan a él!...

Mira este libro: lo he escogido porque a su autor se le ha elogiado como un soberbio descripcionista... Y ahora verás, prácticamente, en esta lección de técnica literaria, cuáles son los subterfurgios y tranquillos de que te hablaba antes... Ante todo la comparación es el más grave de ellos. Comparar es evadir la dificultad..., es algo primitivo, infantil..., una supercheria que no debe emplear ningún artista... He aquí la página: «En el inmenso valle, los naranjales *como un oleaje aterciopelado;* las cercas y vallados, de vegetación menos oscura, cortando la tierra carmesí en geométricas formas; los grupos de palmeras agitando sus surtidores de plumas, como *chorros de hojas que quisieran tocar al cielo cayendo después con lánguido desmayo;* villas azules y de color de rosa, entre macizos de jardinería; blancas alquerías casi ocultas tras el verde bullir de un bosquecillo; las altas chimeneas de las máquinas de riego, amarillentas *como cirios con la punta chamuscada;* Alcira, con sus casas apiñadas en la isla y desbordándose en la orilla opuesta, todo ello de un color mate de huevo, acribillado de ventanillas, *como roído por una viruela de negros agujeros.* Más allá, Carcagente, la ciudad rival, envuelta en el cinturón de sus frondosos huertos; por la parte del mar, las montañas angulosas esquinadas, con aristas que de lejos *semejan los fantásticos castillos inmaginados por Doré,* y en el extremo opuesto los pueblos de la Ribera alta, flotando en los lagos de esmeralda de sus huertos, las lejanas montañas de tono violeta, y el sol que comenzaba a descender *como un erizo de oro,* resbalando entre las gasas formadas por la evaporación del incesante fuego.»

El maestro saca su cajita de plata y prosigue:

—Es una página, una página breve, y nada menos que seis veces recurre en ella el autor a la superchería de la comparación...; es decir, seis veces que se trata de producir una sensación desconocida apelando a otra conocida..., que es lo mismo que si yo, no pudiendo contar una cosa, llamase al vecino para que la contase por mí... Y observa—y esto es lo más grave—que en esa página, a pesar del esfuerzo por expresar el color, no hay nada plástico, *tangible*..., además de que un paisaje es movimiento y ruido, tanto como color, y en esta página el autor sólo se ha preocupado de la pintura... No hay nada plástico en esa página, ninguno de esos pequeños detalles sugestivos, suscitadores de todo un estado de conciencia..., ninguno de esos detalles que dan, ellos solos, la sensación total..., y que sólo se hallan instintivamente, por instinto artístico, no con el trabajo, ni con la lectura de los maestros..., con nada.

Yuste se acerca al estante y coge otro libro.

—Ahora verás — prosigue — otra página...; es de un novelista joven, acaso..., y sin acaso, entre toda la gente joven el de más originalidad y el de más honda emoción estética...

Y el maestro recita lentamente:

—«Pocas horas después; en el cuarto de don Lucio. El fuego se va consumiendo en el brasero; una chispa brilla en la oscuridad, sobre la ceniza, como el ojo inyectado de una fiera. Está anocheciendo, y las sombras se han apoderado de los rincones del cuarto. Una candileja, colocada sobre la cómoda, alumbra, de un modo mortecino, la estancia. *Se oye cómo caen y se hunden en el silencio del crepúsculo las campanas del Angelus.* Desde la ventana se perciben, a lo lejos, rumores confusos de dulce y campesina sinfonía, el tañido de las esquilas de los rebaños que vuelven al pueblo, el murmullo del río, que cuenta a la Noche su eterna y monótona queja, *y la nota melancólica que modula un sapo en su flauta, nota cristalina que cruza el aire silencioso y desaparece como una estrella errante.* En el cielo, de un azul negro intenso, brilla Júpiter con su luz blanca.» Ahora —añade el maestro—, he aquí cuatro versos escritos hace cinco siglos... Son del más plástico, jugoso y espontáneo de todos los poetas españoles antiguos y modernos: el Arcipreste de Hita... El Arcipreste tiene como nadie el instinto revelador, sugestivo... Su autorretrato es un fragmento maravilloso... Y aquí en este trozo, que es la estupenda escena en que Trotaconventos seduce a doña Endrina..., escena que no ha superado ni aun igualado Rojas... Aquí Trotaconventos llega a casa de la viuda, le ofrece una sortija, la mima con razones dulces, le dice que es un dolor que permanezca triste y sola, que se obstine en vestir de luto..., cuando no falta quien bien la quiera... Y dice:

Así estades fija, viuda et mancebilla,
sola y sin compannero, como la tortolilla;
deso creo que estades amariella et magrilla...

Y con solos estos dos adjetivos, *amariella et magrilla,* queda retratada de un rasguño la dolorida viuda, ojerosa, pálida, enflaquecida, melancólica...»

Larga pausa. La lluvia continúa persistente. El agua desciende por los chorreadores de cinc en confuso rumor de ebullición. Van palideciendo los tableros de espato de las ventanas.

Azorín dice:

—Observo, maestro, que en la novela contemporánea hay algo más falso que las descripciones, y son los diálogos. El diálogo es artificioso, convencional, *literario,* excesivamente *literario.*

—Lee *La Gitanilla,* de Cervantes—contesta Yuste—; la Gitanilla es... una gitana de quince años, que supongo no ha estado en ninguna Universidad, ni forma parte de ninguna Academia... Pues bien: observa cómo contesta a su amante cuando éste se le declara. Le contesta en un discurso, enorme, pulido, elegante, filosófico... Y este defecto, esta elocuencia y corrección de los diálogos, insoportables, falsos, va desde Cervantes hasta Galdós... Y en la vida no se habla así; se habla con incoherencias, con pausas, con párrafos breves, incorrectos..., naturales... Dista mucho, dista mucho de haber llegado a su perfección la novela. Esta misma coherencia y corrección antiartísticas—porque es cosa fría—que se censura en el diálogo..., se encuentra en la fábula toda... Ante todo, no debe haber fábula..., la vida no tiene fábula; es diversa, multiforme, ondulante, contradictoria..., todo menos simétrica, geométrica, rígida, como aparece en las novelas... Y por eso los Goncourt, que son los que, a mi entender, se han acercado más al *desiderátum,* no dan *una vida,* sino fragmentos, sensaciones separadas... Y así el personaje, entre dos de esos fragmentos, hará su vida habitual, que no importa al artista, y éste no se verá forzado, como en la novela del antiguo régimen, a contarnos tilde por tilde, desde por la mañana hasta por la noche, las obras y milagros de su protagonista..., cosa absurda, puesto que *toda* la vida no se puede encajar en un volumen, y bastante haremos si damos diez, veinte, cuarenta sensaciones... (*Pausa larga.*) Este precisamente es defecto capital del teatro, y por eso el teatro es un arte industrial, ajeno a la literatura... En el teatro verás cuatro, seis, ocho personas que no hacen más que lo que el autor ha marcado en su libro, que son esclavos del nudo dramático, que no se preocupan más que de entrar y salir a tiempo... Y cuando se ha cumplido ya su desenlace, cuando el marido ha matado ya a la mujer, o cuando el amante se ha casado ya con su amada, estos personajes ¿qué hacen?, pregunta Maeterlinck... Yo, cuando voy al teatro y veo a estos hombres que van automáticamente hacia el epílogo, que hablan en un lenguaje que no hablamos nadie, que se mueven en un ambiente de anormalidad —puesto que lo que se nos expone es una *aventura,* una cosa *extraordinaria,* no la normalidad—; cuando veo a estos personajes me figuro que son muñecos de madera y que, pasada la representación, un empleado los va guardando cuidadosamente en un estante... Observa además, y esto es esencial, que en el teatro no se puede hacer psicología..., o si se hace, ha de ser por los mismos personajes...; pero no se pueden expresar estados de conciencia, ni presentar análisis complicados... Haz que salga a escena Federico Amiel... Nos parecería un majadero... Sí, Hamlet..., Hamlet, ya sé; pero ¡cuán poco debe de ser lo que vemos de aquella alma que debió de ser inmensa! Mucho ha hecho Shakespeare, pero a mí se me antoja que su retrato de Hamlet... son vislumbres de una hoguera...

Yuste calló. Y en el silencio del crepúsculo sonaba el ruido monótono de la lluvia.

XV

Noche de Jueves Santo. A las diez, Azorín ha ido con Justina a visitar los monumentos. Hace un tiempo templado de marzo; clarea la luna en las anchas calles; la ciudad está en reposo. Y es una sensación extraña, indefinible, dolorosa casi, esta peregrinación de iglesia en iglesia, en este día solemne, en esta noche tranquila de esta vetusta ciudad sombría. Azorín siente algo como una intensa voluptuosidad estética ante el espectáculo de un catolicismo trágico, practicado por una multitud austera, en un pueblo tétrico... Poco a poco, los labriegos, que han llegado de los campos lejanos, se han retirado, cansados de todo el día de procesiones y prácticas. A primera hora de la noche un negro hormiguero de devotos va de una en otra iglesia; luego, lentamente, la concurrencia disminuye, se disgrega, desaparece. Y sólo, ante los monumentos, donde titilan los cirios de llamas alargadas, ondulantes, alguna devota suspira en largos gemidos angustiosos.

Azorín ha estado con Justina en San Roque. Delante iban Justina y Azorín; detrás, Iluminada y la madre de Justina. San Roque es una iglesia diminuta, acaso la más antigua de Yecla. Se reduce a una nave baja, de dos techos inclinados sostenidos por un ancho arco ligeramente ojival. En la techumbre se ven las vigas patinosas; en el fondo destaca un altar sencillo. Y un Cristo exangüe, amoratado, yace en el suelo, sobre un raído paño negro, entre cuatro blandones. Algo como el espíritu del catolicismo español, tan austero, tan simple, tan sombrío; algo como el alma de nuestros místicos inflexibles; algo como la fe de un pueblo ingenuo y fervoroso, se respira en este ámbito pobre, ante este Cristo que reposa sencillamente en tierra, sin luminarias y sin flores. Y Azorín ha sentido un momento, emocionado, silencioso, toda la tremenda belleza de esta religión de hombres sencillos y duros.

Desde San Roque la comitiva ha ido a la iglesia del Colegio, que está a dos pasos. Aquí, ya la devoción seudoelegante ha emperejilado el monumento de ramos colorinescos, bambalinas, velas rizadas. Azorín piensa en el detestable gusto de estas piadosas tramoyas, en el desmaño lamentable con que clérigos y devotos exornan altares y santos. Vienen a su memoria los enormes ramos hieráticos de mil colores, las capas en forma de embudo, las manos cuajadas de recios anillos, las enormes coronas de plata que se bambolean en la cabeza de las Vírgenes. Y junto a la simplicidad sugestionadora del Cristo de San Roque, todo este aparato estrepitoso y frívolo le parece así como un nuevo martirio que las buenas devotas y los buenos clérigos—buenos, sí, pero un poco impertinentes — imponen a sus amadas Vírgenes, a sus amados santos.

Del Colegio dirígense a las Monjas. Azorín, mientras recorren la ancha calle, habla con Justina. Acaso sea ésta la última vez que hable con ella; acaso va a quedar rota para siempre esta simpatía melancólica—más que amor—de un espíritu por otro espíritu.

El monumento de las Monjas y el de la capilla del Asilo, que está al lado, son también dos monumentos muy adornados con todas las mil cosas encantadoramente inútiles que las mujeres ponen—para dicha de los humanos—en los monumentos y en la vida. Azorín, en tanto que la comitiva reza, piensa en estas señoras que viven encerradas, lejos del mundo, sosegadas, silenciosas. «Todo es la imagen —piensa—, y como el mundo es nuestra representación, la vida apagada de una monja es tan intensa como la vida tumultuosa de un gran industrial norteamericano. Y es, desde luego, más artística..., con sus silencios augustos, con sus movimientos lentos y majestuosos, con sus rituales misteriosos, con sus hábitos blancos con cruces coloradas, o negros con blancas tocas. Y siendo su vida más artística, es más moral, más justa y más humana.

De aquí, van luego a San Cayetano, y luego a la iglesia del Hospital. Esta iglesia es también pobre, pero con esa pobreza vergonzante de un estilo barroco, que es el más hórrido de los estilos cuando no se ejecuta espléndidamente. Marchan luego a la iglesia Vieja, ojival, de una sola nave alta y airosa. La torre es un gallardo ejemplar del Renacimiento; tiene fuera, bajo la balaustrada, una greca de cabezas humanas en expresiones tormentarias; y dentro, las ménsulas que rematan los nervios de las bovedillas son dos cabezas, de hombre y de mujer, tan juntas y de tal gesto, que parecen que están unidas en un eterno beso de voluptuosidad y de dolor... En la ancha nave no hay nadie; reposa en un silencio augusto. Las llamas de las velas chisporrotean, y apenas marcan un diminuto círculo luminoso, ahogado, oprimido por las densas tinieblas en que están sumidas las capillas y las altas bóvedas.

De la iglesia Vieja van a Santa Bárbara — la simpática iglesia —, y de Santa Bárbara al Niño—la reciente, chillona y amazacotada iglesia, obra maestra de un arquitecto rudimentario.

El diálogo entre Azorín y Justina—entrecortado de largos silencios, esos largos y enfermizos silencios del dialogar yeclano—ha cesado. Y llega *lo irreparable,* la ruptura dulce, suave, pero absoluta, definitiva. Y se ha realizado todo sin frases expresas, sin palabras terminantes, sin repeticiones enojosas..., en alusiones lejanas, casi en presentimientos, en ese diálogo instintivo y silencioso de dos almas que se sienten y que apenas necesitan incoar una palabra, esbozar un gesto.

La última estación es la iglesia Nueva. Sus anchas naves clásicas están silenciosas. La comitiva reza un momento y sale. La luna ilumina las anchas calles solitarias. En el cielo pálido se destaca la inmensa mole del templo. Está construído de piedra blanca, tan arenisca, que se va deshaciendo, deshaciendo... Ya los dinteles de las puertas, las cornisas, la parte superior de los muros, la iglesia toda, tiene un desolador aspecto de ruina. Y Azorín piensa en la inmensa cantidad de energía, de fe y de entusiasmo empleada durante un siglo para levantar esta iglesia, esta iglesia que, apenas acabada, ya se está desmoronando, disgregándose en la Nada, perdiéndose en la inexorable y escondida corriente de las cosas.

XVI

El padre Carlos Lasalde es el rector del colegio de Escolapios. Algunas tardes Yuste y Azorín van al colegio a conversar con el padre Lasalde. Y allí pasan revista, en una charla discreta y elegante, a todo lo humano y lo divino.

El padre Lasalde es un sabio arqueólogo: ha publicado una memoria sobre las antigüedades del Cerro de los Santos (que es el primer trabajo que se hizo sobre estos dichosos santos, que tanto han dado que hablar a todos los arqueólogos de Europa); ha escrito también una *Historia literaria y bibliográfica de las Escuelas Pías,* y trabaja muy finos libros de pedagogía infantil para editores de Suiza y Alemania... El padre Lasalde es un hombre delgado, de ojos brilladores, de nariz pronunciada; su cara tiene una rara expresión de inteligencia, de viveza, de candor y malicia—malicia buena—a un mismo tiempo. Es nervioso, excesivamente nervioso; a veces, cuando experimenta una satisfacción o un disgusto, sus manos tiemblan y todo su cuerpo vibra estremecido. Es tolerante, dúctil; habla con dulzura, y pone en la ilación de sus frases largos silencios, mientras sus ojos miran fijamente al suelo, como si su espíritu quedase de pronto absorto en alguna contemplación extrahumana. A los niños, el padre Lasalde los trata con delicadeza, con una delicadeza tan enérgica en el fondo, que les pone respeto y hace inútiles los castigos violentos. El los disuade de sus instintos malos, hablándoles, uno por uno, bajito y como de cosas que sólo a ellos dos les importaran; él los halaga cuando ve en ellos una vislumbre de generosidad y de nobleza. Y no grita, no amenaza, no aterra; anda silenciosamente por los dormitorios durante la noche; se fija cuidadosamente en la sala de estudio en cómo trabaja cada uno; los observa y estudia sus juegos cuando retozan por el patio.

El padre Lasalde es un hombre bueno y un hombre sabio. Aquí, en su cuarto de este colegio, tan espacioso y soleado, él ha puesto cuatro o seis estatuas de las que ha desenterrado en el Cerro de los Santos. Y en los días buenos, mientras el sol entra en tibias oleadas por los balcones abiertos de par en par, Yuste y el padre Lasalde platican como dos sabios helénicos ante estas estatuas rígidas, hieráticas, simples, con la soberana simplicidad que los egipcios ponían en su escultura. Esta tarde están en la rectoral el padre Lasalde, Yuste y Azorín.

Yuste se para ante una estatua y la contempla atentamente. La estatua representa a un hombre de espacioso cráneo calvo, de ancha cara rapada. Sus ojos, en forma de almendra, miran maliciosamente; a los lados de la boca tiene dos gruesas arrugas semicirculares; sus orejas son amplias orejas de perro que bajan hasta cerca del cuello. Y sus labios y la fisonomía toda se contraen en una franca mueca de burla, en un jovial gesto de ironía.

—*Este*—dice Yuste—, yo sé quién es; yo creo conocerlo... Les diré a ustedes... Este era un sabio natural de Elo... Todos sabemos, o creemos saber, que Elo era una espléndida ciudad situada en lo que hoy es solitaria campiña del Cerro de los Santos... Los orígenes se pierden en *la noche de los tiempos,* como también decimos y creemos que decimos bien. Parece ser que en edades remotas, allá por mil quinientos años antes de Cristo, cuando menos, vinieron por acá gentes procedentes del Ganges y del Indo... Luego vinieron fenicios, luego griegos..., y entre todos fueron creando, en pintoresca variedad de civilizaciones y de razas, una soberbia ciudad rodeada de umbríos bosques, en la que había sobre una colina, que es el Cerro de los Santos—única cosa que hoy queda, porque no hemos podido destruir el cerro—, en la que había, digo, un suntuoso templo exornado de estatuas, que son estas estatuas, y habitado por sabios varones, por castas doncellas... Hay quien sospecha que las estatuas encontradas son retratos auténticos de las personas que más se distinguían por su talento y sus virtudes en la ciudad... Yo también lo creo así, y aplaudo sin reservas los sentimientos afectivos y admirativos de estos buenos habitantes de Elo... Pero yo pregunto: este buen señor con orejas de perro, este buen señor que sonríe de tan buena gana y con tan suculenta ironía, ¿quién es?, ¿por qué se le ha entregado a la consideración de la posteridad en tal estado?... Indudablemente, nosotros, que hemos inventado la hermenéutica y otras cosas tan sutiles como ésta, no podemos hacerles a los elotanos la ofensa de creer que no entendemos el sentido emblemático de esta estatua. ¡Esta estatua representa a un escéptico! ¡Representa a un Sócrates preyeclano!... Yo me figuro haberlo conocido. Era un buen señor que no hacía nada, ni odiaba a nadie, ni admiraba a nadie; él iba de casa en casa y se entretenía, como Sócrates, charlando con todo el mundo. El no odiaba a nadie..., pero no creía en muchas cosas en que creían los elotanos e iba lentamente esparciendo la incredulidad —una incredulidad piadosa y fina—de calle en calle y de barrio en barrio. Tanto, que los respetables sacerdotes del templo llegaron a alarmarse y que las vestales, que también habitaban en este templo, se sintieron también molestas... Pero como este hombre era tan dúctil, tan elegante, tan discreto; como su sátira era tan fina, no había medio de tomar una decisión seria que hubiese puesto en ridículo a los honorables magistrados... Y he aquí que un día la providencia, que entonces no era nuestra Providencia, hizo que este hombre se muriera, porque también los ironistas mueren. Era costumbre en Elo perpetuar en estatua la efigie de los grandes varones, y los sacerdotes, como irónico castigo a un hombre irónico, encargaron esta estatua, con estas grandes orejas caninas, con esta eterna mueca de burla. Y yo quiero creer que ésta fue una lección elocuente para la juventud elotana, que ya principiaba a soliviantarse contra las muchas cosas respetables que todo el mundo en Elo respetaba... He aquí explicada la verdadera vida de este buen sujeto. (*Pasándole suavemente la mano por la calva y acariciándole las orejas.*)

LASALDE

En cambio, vea usted este otro varón digno. (*Contemplando la estatua de un hombre anciano: lleva cogido con ambas manos un vaso ligero; va envuelto en una larga túnica de anchos y simétricos pliegues. Y su cara tiene una viva expresión de tristeza, de desconsuelo.*)

YUSTE

Este es un creyente... tan fervoroso, tan ingenuo, tan silencioso como uno de nuestros labriegos actuales... Y estas dos mujeres que están a su lado, estas dos mujeres con estas tocas, que son ni más ni menos que las mantillas de ahora, son dos yeclanas auténticas. ¡Es maravilloso cómo en estas dos estatuas de remotísimas edades, en estas estatuas tan primarias, se encuentran los rasgos, la fisonomía, la mentalidad, me atrevería a decir, de las yeclanas de ahora, de dos labradoras actuales! Fíjense ustedes en el gesto de resignación melancólica de estas dos estatuas, en la expresión de la boca, en la mirada ingenua, un poco vaga, con cierto indefinido matiz de estupor y de angustia... Yo creo que estas dos mujeres, que esculpió un artista egipcio, son dos yeclanas que vienen con sus mantillas de la novena y acaban de pedir a un santo de su predilección que este año haya buena cosecha...

LASALDE

¿Y este caballero? (*Señalando la estatua de otro serio varón.*) A mi parecer, es un hierofante repleto de las misteriosas artes de la cábala..., tiene cierto aire pedagógico.

AZORÍN

Sí, es un pedagogo.

YUSTE

El gesto es de suficiencia; hoy no vacilaríamos en afirmar que este hombre es un sociólogo... Tal vez este señor, en los ratos que la liturgia le dejó libres, compuso un voluminoso y sabio tratado sobre algún Estado ideal..., como Platón y Tomás Moro.

AZORÍN

Y sería, como Platón, un autoritario.

YUSTE

Un autoritario de buena fe. Hoy, Renan y Flaubert, que también querían un Estado regido por intelectuales, hubieran sido unos tiranos adorables.

LASALDE

¡Utopías! ¡Utopías! Platón, que era una excelente persona..., una persona digna de ser cristiana..., llegó en ocasiones a ponerse en ridículo, llevado de su fantasía desenfrenada.

YUSTE

Platón suprime la propiedad, con lo cual se adelanta un poco a Proudhon; e iguala a las mujeres y a los hombres en derechos y deberes, con lo cual merece la gratitud de los feministas contemporáneos. ¿Cómo no han de ser iguales las mujeres a los hombres—dice él—, si sabemos que las perras sirven tan perfectamente como los perros para la caza y para la guarda de las casas?

LASALDE

El argumento no es muy espiritual.

YUSTE

No, el argumento es digno de que lo consideremos interpolado subrepticiamente en las obras del maestro por algún ingenio satírico y misógino..., por Aristófanes, verbigracia, que tanto se chanceó del feminismo platónico.

LASALDE

Sin embargo, Platón, con todas sus fantasías tan minuciosamente expuestas, se queda en idealismo muy a la zaga de Tomás Moro.

YUSTE

Moro ya casi no es un soñador, sino un hombre que ha visto lo que pinta... Tales son los pelos y señales que da de su maravillosa isla de Utopía. Esta isla tiene de ancho doscientos mil pasos; pero por los extremos, dice Moro ingenuamente, es más estrecha, casi puntiaguda, de modo que bien se puede decir, sin faltar a la verdad, que se parece a la luna en menguante... Aquí, como es natural, todos los habitantes son muy felices, lo más felices que se puede ser en una isla. Así como ahora en las naciones modernas hay un servicio que se llama militar, en Utopía hay uno también, pero es agrícola... ¡Servicio agrícola obligatorio! Cada ciudadano trabaja la tierra durante dos años; luego es reemplazado por otro, y se retira a la ciudad... La capital del reino se llama Amauroto; la Constitución del Estado es muy sencilla: todos los años se eligen unos magistrados, que se llaman *philarcas*; éstos son en número de mil doscientos, y a su vez eligen a un príncipe. Y como estas elecciones son anuales, se puede decir que los utopianos pasan la vida santamente entre cultivar la tierra y visitar los colegios electorales... Y si a esto se añade que hablan un idioma extremadamente armonioso, en el cual los candidatos lanzarán discursos estupendos a sus electores, quedará sentado firmemente que Utopía es la mejor de las islas imaginadas... Moro llega a citar algunas frases en el idioma del país. Así, para decir que Utopos—o sea el fundador de la nación y autor de un istmo que hizo que esta tierra fuese isla—, para decir: «Utopos hizo una isla de lo que no era», se emplean nada menos que las siguientes grandilocuentes palabras: *Utopos ha loccas penla Chamapolta chamaan*... ¡Imaginémonos lo que sería en esta lengua un discurso de uno de nuestros parlamentarios!

LASALDE

(*Sonriendo.*) Yo me quedo con Campanella...

YUSTE

¡Ah, Campanella! Campanella ya es el prototipo del hombre ardiente, inflexible, visionario de un ideal que ansía realizar en sus detalles más triviales. Campanella es uno de esos hombres que quieren hacernos felices a la fuerza..., así como a los niños se les hace tragar el aceite de ricino que ha de sanarlos... Campanella no quiere que en su ciudad del Sol tenga nadie nada. Todo es de todos; todos viven como en un cuartel inmenso, y todo se hace uniformemente, geométricamente. La ciudad se compone de siete círculos concéntricos; el supremo magistrado se llama Hoh; los subalternos o ministros, Pon, Sin, Mor... Hasta los nombres son breves, rápidos. ¡Fuera lo inútil, fuera el arte, fuera la voluptuosidad! Hasta hay un médico, llamado *magister generationis*, encargado de velar por el estricto, pero muy estricto, cumplimiento del precepto bíblico...

LASALDE

Todo es ensueño..., vanidad... El hombre se esfuerza vanamente por hacer un paraíso de la tierra... ¡Y la tierra es un breve tránsito!... ¡Siempre habrá dolor entre nosotros!

YUSTE

Pero el hombre es perfectible: Condorcet tiene razón. Y es el primero que lo ha dicho de un modo terminante, sistemático... ¿Usted no lo cree así? ¿Usted cree que un español de ahora es igual a un romano de la decadencia?... Ha evolucionado el matrimonio, la patria potestad, el derecho de propiedad. Si en Roma un patricio compra una estatua de Fidias y anuncia su propósito de hacerla pedazos, todo el mundo hubiera permanecido indiferente: estaba en su derecho..., *jus utendi et abutendi*... Pero hoy un señor millonario compra *La rendición de Breda* y pone un comunicado en los periódicos diciendo que va a quemarlo... ¿Usted cree que lo quema? ¿Usted cree que tiene derecho a quemar esta cosa que es suya legalmente y con la cual, legalmente, puede hacer lo que quiera?

LASALDE

Yo creo... En un viejo libro castellano que se llama *El Criticón*, y que usted conoce y sabe que es del jesuíta Gracián, un hombre un poco estrafalario, pero de viva inteligencia..., en *El Criticón* hay un cuentecillo o fábula que, poco más o menos, es el siguiente: Una vez castigaron a un malhechor metiéndole en una cueva llena de fieras. Las fieras no le hicieron nada a este hombre, y él daba gritos para que algún pasajero acudiese en su auxilio. Pasó efectivamente uno, y al oír los gritos se acercó a la cueva y quitó la piedra que la cerraba. Inmediatamente salió un león y, con gran sorpresa del viajero, en vez de abalanzarse a él y destrozarlo, se le acercó y le lamió las manos. Luego salió un tigre y también hizo lo mismo; después salieron las demás fieras y todas le fueron acariciando... Hasta que por último salió el hombre y se arrojó a él, le robó y le quitó la vida. «Juzga tú ahora —creo que termina Gracián— cuáles son más crueles: los hombres o las fieras...» (*Con tristeza; lentamente.*) Esto quiere decir, amigo Yuste, que como habrá siempre ricos y pobres sobre la tierra, habrá siempre buenos y malos, y que no está aquí nuestro paraíso..., ¡no está aquí!..., sino allá donde mora Quien a todos nos ama y nos perdona... Y vea usted cómo estas dos pobres yeclanas (*Señalando las estatuas de las dos mujeres.*) que aman, que creen y que esperan, que son pobres campesinas que ni aun saben leer..., vea usted cómo a mí me parecen más sabias..., ¡porque tienen fe y amor!..., más sabias que este hombre vano (*Señalando a la estatua del hombre orejudo.*) que de todo se ríe... (*Con dulzura.*) ¿No le parece a usted así, amigo Yuste?

YUSTE

(*Con fervorosa sinceridad.*) Sí, sí, yo lo creo, yo lo creo...

LASALDE

Pues entonces tengamos fe, amigo Yuste, tengamos fe... Y consideremos como un crimen muy grande el quitar la fe..., ¡que es la vida!..., a una pobre mujer, a un labriego, a un niño... Ellos son felices porque creen; ellos soportan el dolor porque esperan... Yo también creo como ellos, y me considero el último de ellos..., porque la ciencia no es nada al lado de la humildad sincera...

El padre Lasalde ha callado. Sus palabras han caído lentas, solemnes, abrumadoras, sobre el maestro. Y el maestro ha pensado que sus lecturas, sus libros, sus ironían eran una cosa despreciable junto a la fe espontánea de una pobre vieja. Y el maestro se ha sentido triste y se ha tenido lástima a sí mismo.

XVII

Justina, la pobre, siente grandes agobios en su espíritu. Puche ha ido poco a poco apartándola de los intereses mundanos. Ya Justina, que es una buena muchacha, duda si querer a Azorín es un tremendo pecado. Y como hay padres de la Iglesia y formidables doctores que afirman gravemente que la carne es una cosa mala, Justina está dispuesta, casi dispuesta, a realizar el gran sacrificio de encerrar sus gentiles formas, su epidermis sedosa, sus turgencias suaves, entre las paredes de un convento. ¡Esto es tremendo! Pero ella lo hará: las mujeres son ya las únicas que sienten el atavismo de esta cosa ridícula que llamamos heroísmo...

Sin embargo, Justina está inquieta. ¿Por qué? Ella, al principio de su vida contemplativa, ha sentido inefables dulzuras; sentía también un enorme entusiasmo, un singular ardimiento. El fenómeno está previsto en los manuales de mística: es cosa ésta que les ocurre a todos los místicos noveles. Y después de este entusiasmo se afirma también que sucede un estado de desasosiego, de angustia, de dureza de corazón, de desaliento, muy desagradables. Este estado se llama *sequedad*. Diego Murillo, Félix de Alamín, Antonio Arbiol, escriben largo y tendido sobre estas sutiles psicologías. Yo no creo que entre los novelistas contemporáneos haya observadores más penetrantes que estos buenos casuístas. Arbiol, sobre todo, es de una fineza y de una sagacidad estupendas, y su libro *La religiosa instruída* en que va examinando menudamente la mentalidad de las novicias y profesas, es un admirable estudio de psicología femenina, tan grato de leer como una novela de Bourget o de Prévost.

Justina pasa poco más o menos por todos los trances que los estadistas expresan en sus tomos respetables. Ahora se halla en este angustioso de la *sequedad*. Ella está dispuesta, desde luego, a abandonar el mundo: Puche la tiene ya segura. Pero este desasosiego que ahora siente, estos bulliciosos pensamientos que a veces se escapan hacia Azorín, le dan pena, la mortifican, la humillan, demostrándole —¡cosa humana!—que, sobre nuestra razón fría, sobre nuestros propósitos de anulación infecunda, está nuestro corazón amoroso, desbordante de sensualidad y de ternura...

Y he aquí, lector, puestos en claro los crueles combates que en el alma de Justina tienen lugar estos días. ¡La pobre sufre mucho! El ángel bueno que llevamos a nuestro lado la empuja suavemente hacia el camino de la perfección; pero el demonio—¡ese eterno enemigo del género humano!—le pone ante los ojos la figura gallarda de un hombre fuerte que la abraza, que pasa sus manos sobre sus cabellos finos, sobre su cuerpo sedoso, que la besa en los labios con un beso largo, muy largo, apasionado, muy apasionado.

Y he aquí que Justina, vencida, anonadada bajo la caricia enervadora, solloza, rompe en un largo gemido, se abandona en voluptuosidad incomparable, mientras el demonio—que habremos de confesar que es una buena persona, puesto que tales cosas logra—, mientras que el demonio la mira con sus ojos fulgurantes y sonríe irónico...

XVIII

—Estos son los sermones de Bourdaloue, el mejor predicador del siglo XVII—y Ortuño señala en el estante una fila de vetustos volúmenes—. Bourdaloue puso verde a Luis XIV y a su corte... Entonces se podían hacer esas cosas; hoy hay menos resignación y más herejías.

Luego, tras una pausa:

—Toda la culpa de las herejías la tienen las mujeres. Y si no, ahí están Lutero, Ardieta, Ferrándiz...

Ortuño es un clérigo joven, fervoroso, verecundo, ingenuo. En el despacho, en el testero del fondo, un estante repleto de eclesiásticos libros: Lárraga y Sala, los moralistas; Liberatore, el filósofo; Nonnotte, el impugnador de Voltaire; el *Sermonario,* de Troncoso; las obras untuosas de San Alfonso María de Ligorio. En las paredes, una oleografía chillona de la Concepción y otra chillona oleografía del Cristo velazqueño. En un rincón, una mesa de ministro; sobre la mesa, arrimados a la pared, dos voluminosos breviarios, y encima un crucifijo. Detrás de la puerta, una percha con el ancho manteo y la teja. Y en el centro de la estancia, una camilla forrada de hule negro, y en la negrura del hule, folletos pajizos del *Apostolado de la Prensa,* los números—rojos, azules, amarillos—de la *Revista Eclesiástica,* de Valladolid.

Ortuño discurre sobre su tema predilecto: el invento de Val. Val es un mecánico habilísimo: ha inventado una bomba para vino y una trituradora de aceituna; intentó construir un automívil, y ahora tiene en las mientes fabricar un torpedo. Ortuño explica el torpedo.

—Se trata de un torpedo eléctrico dirigible a voluntad desde la costa. El que lo dirige conserva en la mano los dos cables, *como unas ramaleras.* Luego, cuando llega al buque, se unen los cables, se enrojece la plancha de platino y estalla el torpedo.

Azorín escucha silencioso; Ríos hace objeciones.

—El torpedo—prosigue Ortuño—lleva una señal que sobresale del agua; todos los torpedos la llevan. Esa señal indicará por dónde marcha el torpedo..., y puede ser una bandera, *una gavilla de broza,* o, de noche, *una luz que refleje hacia atrás.*

Después, tras un breve momento de ideación entusiasta, exclama convencido:

—¡Val hará el torpedo como yo no le deje de la mano!

Son las once. A lo lejos, en el santuario, tintinean campanadas graves, campanadas agudas, campanadas que suenan lentas y se apagan en largas vibraciones. El sol entra violentamente por el ancho ventano y hace brillar los pintorescos tejuelos de los libros.

A Ríos, hombre práctico, no le hechizan las sutilezas de la mecánica. Ríos tiene una fábrica de losetas hidráulicas. Las losetas van poco a poco acreditándose. La empresa marcha bien; pero el pórtland es caro. Ríos ha visto en Cataluña una cantera de pórtland. Ríos ha traído piedras de esa cantera. Y desasosegado, inquieto, soñador en esta ciudad de soñadores, vidente en esta ciudad de videntes, Ríos recorre los montes en busca de la famosa piedra, sube a los picachos, desciende a los barrancos, habla con los pastores, ofrece propinas a los guardas, trae piedras, lleva piedras, las coteja, las tuesta, las muele, las tritura...

*

A la tarde, en el taller, Val habla sencillamente de sus trabajos. En un extremo del cobertizo está la fragua; en el otro una máquina de vapor que mueve, en profusión de correas, engranajes y ruedecillas, las sierras, los tornos, las terrajas, los perforadores. Val, entre el estridular chirriante de los berbiquíes y el resoplido asmático del fuelle, habla de sus inventos. A su trituradora se le hace cruda guerra; los labradores no transigen con el nuevo aparato. Y el nuevo aparato, económico, fuerte, fácilmente manejable, hace inútiles los enormes trujales antiguos y ahorra trabajo en la molienda. La trituradora sería en otro país un negocio excelente; en Yecla, con sus inmensos olivares, con sus mil lóbregas almazaras que funcionan de diciembre a mayo, apenas si se construyen cuatro o seis ejemplares. «Sale la pasta muy cernida», dicen. «Hace el aceite malo.» No, no, lo malo es la rutina del labrador hostil a toda innovación beneficiosa...

Luego el torpedo surge a lo largo de la charla sobre los adelantos de la mecánica.

—Ortuño—dice Val, sonriendo benévolamente al clérigo—exagera el alcance de mi proyecto. Yo no pretendo hacer ningún portento; yo soy sencillamente un mecánico que se esfuerza en realizar con escrupulosidad las obras que le encargan. Ahí está esa máquina—añade señalando a la de vapor—; yo la he fabricado con los escasos medios de mi taller... Construir un torpedo eléctrico no lo tengo por ninguna maravilla; lo importante aquí es darle una dirección determinada. Y eso, el tiempo, si algún día tengo la humorada de emprender los trabajos, dirá si queda o no resuelto...

Mientras, en el hogaril de la fragua, una enorme barra de hierro se caldea al rojo blanco. El fuelle resopla infatigable. La barra pasa al yunque; sobre la roja mácula un muchacho pone la tajadera. Y un fornido mozo va dando sobre la tajadera, espaciados, recios golpazos con el macho.

En el corral, entre herrumbrosas piezas de viejas máquinas, las gallinas escarban, cacarean.

XIX

En el simbolismo de las órdenes religiosas, la rosa es emblema de la orden de San Benito; la granadilla, de la de San Bernardo; el jacinto, de la de San Bruno; el tulipán, de la de San Agustín; el jazmín, de la de la Merced; la perpetua, de la de la Victoria; la peonía, de la de San Elías; el clavel, de la de la Trinidad; la azucena, de la de Santo Domingo; la violeta, de la de San Francisco... Justina ha preferido la violeta entre todas las místicas flores. Ella será humilde franciscana. Ella seguirá la regla que San Francisco dió a su hija Clara.

Clara fundó el monasterio de San Damián. En este monasterio todas eran muy pobres; porque Clara, que amaba a San Francisco, puso especial empeño en imitarle en su vida ejemplarísima. Clara parece ser que fué una buena mujer muy amante de sus hermanas. A su muerte hizo un testamento en que les recomienda que si alguna vez dejan este convento de San Damián, no se aparten de la pobreza. «Y sea proveída y solícita—dice— ansí la que tuviere el oficio como las otras sorores, que acerca del sobredicho lugar adonde fueren llevadas, no adquieran ni reciban más de tierra, salvo aquello que la extrema necesidad demanda para un huerto, en que se plante hortaliza. Y si allende del huerto, de alguna parte del monasterio fuese menester que tenga más campo, por la honestidad y por el apartamiento, no permitan adquirir más ni reciban sino tanto cuanto la extrema necesidad demandare; y aquella tierra no la labren ni la siembren, mas ansí esté siempre entera sin labrar.»

Las franciscanas han seguido siempre el ejemplo de Santa Clara. Han sido pobres, muy pobres, simpáticas, muy simpáticas. En 1687 las de Sevilla decidieron reformar los estatutos de su convento y determinaron, ante todo, no faltar a la antigua observancia en lo de no tener hacienda ni rentas. No las tienen, «ni las quieren tener en adelante—añaden—porque gustosas quieren vivir de la divina Providencia, como las avecillas del cielo».

Una de estas amables avecillas será Justina, una avecilla encerrada en una jaula para siempre...

XX

Esta tarde, que es una calurosa tarde de estío, Yuste y Azorín, mientras llegaba el crepúsculo, se han sentado al borde de una balsa, allá en la huerta.

Junto a la balsa hay unas matas, y en una de estas matas el maestro ha estado mirando atentamente un respetable coleóptero que subía lento y filosófico. Tiene este personaje seis patas; su cabeza es negra, y negro es el caparazón en que están marcados seis puntitos, dos delante, cuatro detrás. El parece un ser grave y meditabundo; él asciende por el tallo despacio, dando grandes manotadas en el aire cuando llega al final. Al llegar a lo último retrocede, desciende, sube a otra rama. A veces parece que va a caer; luego da la vuelta, deja ver su negro abdomen, anillado, pavonado como un arnés, y vuelve a bajar con la misma calma con que ha subido. Otras veces se está inmóvil, meditando profundamente, en el borde de una de las ramitas de esta planta de rabaniza, o mete la cabeza por uno de los redondos agujeros que las orugas han taladrado en las hojas y muestra cómicamente su fino cráneo, con el gesto de un varón grave que hace una gracia discreta...

Yuste siente una profunda admiración por este coleóptero que parece haber leído—¡haber leído y desdeñar!—la *Crítica de la razón pura.*

—¿Qué pensará este insecto?—pregunta el maestro—. ¿Cómo será la representación que tenga de este mundo? Porque no me cabe duda de que es un filósofo perfecto. Habrá salido de debajo de una piedra, ya pasados los ardores del día; ha llegado después a esta planta; ha hecho sus ejercicios gimnásticos; ha meditado; ha tenido un instante de ironía elegante al asomarse por el agujero de una hoja..., y ahora, satisfecho, tranquilo, se retira otra vez a su casa. Si yo pudiera ponerme en comunicación con él, ¡cuántas cosas me diría que no me dicen Platón en sus *Diálogos,* ni Montaigne, ni Schopenhauer!

Y mientras el maestro pensaba así, ha levantado distraídamente una gran piedra. Debajo, recogidos voluptuosamente en la frescura, había una porción de cochinillas. Creo que estos excelentes varones se llaman gloméridos. Y, llámense como quiera, es el caso que este espectáculo de veinte o treinta cochinillas, rojizas, negras, grises, que se contraen, que se apelotonan en una bola, que andan de un lado para otro silenciosamente; este espectáculo, digo, ha hecho en Yuste la misma impresión, exactamente la misma, que si se hubiese asomado al umbrío huerto donde Epicuro discurría con sus discípulos...

—Decididamente, querido Azorín—ha dicho el maestro—, yo creo que los insectos, es decir, los artrópodos en general, son los seres más felices de la tierra. Ellos deben de creer, y con razón, que la tierra se ha fabricado para ellos... Ellos pueden gozar plenamente de la Naturaleza, cosa que no le pasa al hombre. Fíjate en que los insectos tienen vista múltiple, es decir, que no necesitan moverse para estar contemplando el paisaje en todas sus direcciones...; gozan de lo que podríamos llamar el paisaje *integral.* Además, hay insectos, como los díctilos, que nadan, vuelan y andan. ¡Qué placer dominar en estos tres elementos!... Ahí tienes en esa balsa esos seres, o sea los girinos, que están jovialmente patinando, corriendo sobre la superficie, trazando círculos, yendo, viniendo... ¿Puede darse una vida más feliz? ¡El mundo es de ellos! ¿Y cómo no han de creerlo así? Existe sobre un millón de especies de artrópodos, número enorme comparado con el de los vertebrados... ¿Cómo no han de estar convencidos de que la tierra se ha hecho para ellos?... ¡Yo los admiro!... Yo admiro las ambarinas escolopendras, buscadoras de la oscuridad; las arañas tejedoras, tan despiadadas, tan nietzscheanas; las libélulas, aristocráticas y volubles; los dorados cetonios, que semejan voladoras piedras centelleantes; los anobios, que corcan la madera y nos desazonan por las noches, en las solitarias cámaras, con su *cric crac* misterioso; los grillos poemáticos, cantores eternos en las augustas noches del verano... A todos, a todos yo los amo; yo los creo felices, sabios, dueños de la Naturaleza, gozadores de un inefable antropocentrismo... ¡Ellos son más dichosos que el hombre!

Y el maestro ha callado un momento, tristemente, con cierta secreta envidia de ser un girino, un anobio, un melitófilo.

—Los melitófilos, sobre todo, me entusiasman—ha añadido después—; son noctámbulos; viven de noche, como esas buenas gentes que van a la *cuarta de Apolo,* porque ellos han comprendido que todo lo normal es feo, y, al igual que el gran poeta—Baudelaire—, aman lo artificial... Un naturalista cuenta de ellos que «salen de sus escondrijos para divagar a favor de la noche por las flores, las hierbas y otros arbustos aromáticos, y para comer en compañía de las fugaces mariposas, de las moscas vivarachas y de las asiduas abejas». ¿Puede darse una más beata y sublime existencia? Ese naturalista añade que los melitófilos «saben apreciar los delicados goces que ofrecen las hojas verdes, los hongos putrefactos y las sustancias que han pasado ya por el cuerpo de mamíferos que se alimentan de vegetales»... ¡Los delicados goces! ¡Y en las noches sosegadas del estío, junto a una bella mariposa o una simpática abeja! ¡Y yo me creo feliz porque he leído a Renan y he visto los cuadros del *Greco* y he oído la música de Rossini!... No, no, la tierra no es de nosotros, pobres hombres que sólo tenemos dos ojos, cuando los insectos tienen tantos; desdichados hombres que sólo tenemos cinco sentidos, cuando en la Naturaleza hay tantas cosas que ni siquiera sospechamos...

Yuste, decididamente, se ha creído inferior a uno de esos girinos que corren frívolamente sobre el agua. Y en este suave crepúsculo de verano, mientras las estrellas comienzan a parpadear y cantan en inmenso y dulce coro los grillos, el maestro y Azorín han vuelto a la ciudad silenciosos, acaso un poco mohinos, tal vez un poco humillados por la soberbia felicidad de tantos insignificantes seres.

XXI

Las monjas están en la puerta; llevan velas encendidas; tienen los rostros ocultos en sus velos. Y cuando Justina llega a ellas, silenciosa, con la cara baja, un poco triste, las monjas rompen en un largo cántico:

> *O gloriosa Domina;*
> *excelsa super sydera:*
> *qui te creavit provide*
> *lactanti sacro ubere...*

Terminado el himno, las monjas llevan procesionalmente a Justina al coro. Allí la espera un sacerdote. Y colocadas las monjas a lo largo de los bancos, las versicularias salen en medio y dicen: *Ora pro ea sancta Dei Genitrix.* El coro responde: *Ut digne efficiamur promissionibus Christi.* Justina se arrodilla en mitad del coro sobre un paño negro. El sacerdote dice la siguiente oración: *Oremus, Deus, qui excellentisimæ Virginis et matris Mariæ, titulo humilem ordinem tibi electum singulariter decorasti...* Luego, dirigiéndose a Justina, le pregunta dulcemente:

—Hija mía, ¿qué es lo que pides al llegar a esta santa casa?

Justina contesta:

—La misericordia de Dios, la pobreza de la Orden, la compañía de las hermanas.

El sacerdote la exhorta brevemente sobre la estrechez de la regla. Después le dice:

—Hija mía, ¿deseas ser religiosa por tu propia voluntad y llegas a esta casa con propósito de perseverar en la Orden?

Justina responde:

—Sí.

El sacerdote torna a preguntar:

—¿Quieres sólo por amor de Dios guardar la obediencia, castidad y pobreza?

Justina torna a contestar:

—Sí, con la gracia de Dios y las oraciones de las hermanas.

El sacerdote entonces murmura:

—Deus, qui te incipit in nobis, ipse te perficiat. Per Christum Dominum nostrum.

Las monjas responden a coro: *Amén.* Luego Justina se levanta y las monjas la van desnudando mientras rezan: *Exuat te Dominus veterem hominem cum actibus suis.* Y despojada de sus ropas profanas, vístenle el hábito y la toca; cálzanle unas alpargatas; pónenle en la mano una vela encendida. En esta forma, Justina torna a arrodillarse sobre el negro paño. El sacerdote dice:

—Domine Deus virtutum converte nos.

Las monjas contestan:

—Et ostende faciem tuam et salvi erimus.

El sacerdote:

—Dominus vobiscum.

Las monjas:

—*Et cum spiritu tuo.*

El sacerdote:

—*Oremus. Domine Jesu Christe, æterni patris Unigenite...*

Acabada esta oración le pone a Justina la cinta, luego el escapulario, luego la capa. Y reza, mientras la asperja con agua bendita:

—*Adesto supplicationibus nostri omnipotens Deus...*

Y he aquí el momento supremo: Justina se tiende sobre el paño, como si estuviera muerta, inmóvil, rígida. Y el coro canta:

Veni, Creator Spiritus,
mentes tuorum visita...

Acabado el himno, las monjas susurran: *Kyrie eleison, Christe eleison, Kyrie eleison. Pater noster...* Y mientras Justina yace con las finas manos cruzadas sobre el pecho, pálida, con los ojos cerrados, el sacerdote va rociándola con agua bendita.

La ceremonia acaba. Justina se levanta y va entre las monjas a besar el altar; después le besa la mano a la abadesa; luego abraza una por una a las religiosas, diciéndoles: «Ruegue a Dios por mí.» La comunidad entona el salmo *Deus misereatur nostri* y se dirige hacia la puerta.

Y las monjas van desapareciendo, la puerta torna a cerrarse, el coro queda silencioso... Justina es ya novicia: *su Voluntad ha muerto.*

XXII

Esta tarde han ido también Yuste y Azorín—como tantas otras tardes—a ver al padre Lasalde y charlar un rato con él. Hace un sol espléndido; el cielo es azul. Los largos claustros del colegio están solitarios. Se goza de uno de esos sosiegos sedantes, aletargadores, suaves, de los primeros días de primavera. El padre Lasalde está en su cuarto sentado ante una mesa; sus manos finas revuelven unas monedas desgastadas; su cabeza se inclina de cuando en cuando para descifrar una inscripción borrosa, para contemplar con éxtasis una figurilla esbelta. El sol entra por los balcones abiertos de par en par; los canarios, colgados del dintel, cantan en afiligranados trinos. Y de cuando en cuando llegan los gritos de los muchachos que juegan en la plazuela, se oye el leve rechinar de los pasos del portero sobre la arena del jardincillo.

El padre Lasalde pasa y repasa sus monedas. Las estatuas egipcias, rígidas, simétricas, parecen mirarle inexpresivamente con sus ojos vacíos. El hombre de las grandes orejas caninas sonríe, sonríe siempre jocosamente; a su lado las dos pobres mujeres de las mantillas permanecen tristes, compungidas, prontas a estallar en un sollozo. Y esta jocosidad y esta alegría, petrificadas desde hace treinta siglos, antójansele a Yuste—que viene algo desolado—un símbolo, un símbolo doloroso, un símbolo eterno de la tragicomedia humana.

—Todo es igual, todo es monótono, todo cambia en la apariencia y se repite en el fondo a través de las edades—dice el maestro—; la humanidad es un círculo, es una serie de catástrofes que se suceden idénticas, iguales. Esta civilización europea, de que tan orgullosos nos mostramos, desaparecerá como aquella civilización romana que simbolizan esas monedas que usted ahora examinaba, padre Lasalde... Ayer el hombre civilizado vivía en Grecia, en Roma; hoy vive en Francia, en Alemania; mañana vivirá en Asia, mientras Europa, esta Europa tan comprensiva, será un inmenso país de hombres embrutecidos...

LASALDE

(*Lentamente; haciendo grandes pausas.*) La tierra no es la morada del hombre... El hombre no encontrará aquí nunca su felicidad definitiva... Es en vano que vaya de una parte a otra en busca de ella... Los hombres perecen; los pueblos también perecen... Sólo Dios es eterno; sólo Dios es sabio...

YUSTE

Sí, la ciencia, después de todo; la ciencia, que es la mayor gloria del hombre, es también la mayor de las vanidades. El creyente tiene razón: *Sólo Dios es sabio*... Nosotros, hombres planetarios, ¿qué sabemos? Nuestros cinco sentidos apenas nos permiten vislumbrar la inmensidad de la Naturaleza. Otros seres habrá acaso en otros mundos que tengan quince, veinte, treinta sentidos. ¡Nosotros, pobrecitos, no tenemos más que cinco! Ni siquiera tenemos el *sentido de la electricidad*, que tanto nos aprovecharía en estos tiempos; ni siquiera *el de los rayos catódicos*, que tanto provecho nos reportaría también... Hay en el fondo de los mares, allá donde la luz no llega nunca, una especie de animalillos que creo que se llaman galatodos... Estos pobres galatodos son ciegos; tienen ojos, pero carecen de pigmento. Hay también en profundas cavernas otros seres que tienen el pedúnculo que sostiene el ojo, pero no tienen ojos... Pues bien: es creíble que en estos desdichados animales ha existido la vista alguna vez, pero que, a través de millares de siglos, perdida la función se ha perdido el órgano. Y hoy el mundo es para ellos muy distinto de lo que lo era para sus milenarios antecesores... Figurémonos que a nosotros nos falta también un sentido o dos, y tendremos idea de los múltiples aspectos de la Naturaleza que se hallan cerrados a nuestro conocimiento... Montaigne, en su bello ensayo sobre Raimundo Sabunde—donde de todo se habla menos de Sabunde—, ha tratado de este asunto con la amenidad que él acostumbra. Y resulta de lo que dice el honrado alcalde de Burdeos que el hombre es un pobre ser que no sabe nada ni lleva camino de saber nunca nada...

LASALDE

(*Sonriendo.*) Montaigne, amigo Yuste, tengo entendido que era un católico sincero... Y él estaba bien penetrado, a pesar de su escepticismo, de que sólo por la fe vivimos y sólo por ella nos es tolerable esta tierra de amarguras.

YUSTE

Yo convengo en ello: la ciencia, en definitiva, no es más que fe. Nuestro gran Balmes tiene, hablando de esto en su obra sobre el Protestantismo, páginas que son una verdadera maravilla de sagacidad y de lógica... La fe nos hace vivir; sin ella la vida sería insoportable... ¡Y es lo triste que la fe se pierda! ¡Y se pierda con ella el sosiego, la resignación, la perfecta ataraxia del espíritu que se contempla rodeado de dolores irremediables, necesarios!

LASALDE

El dolor será siempre inseparable del hombre. Pero el creyente sabrá soportarlo en todos los instantes... Lo que los estoicos llamaban *ataraxia*, nosotros lo llamamos *resignación*... Ellos podrían llegar a una tranquilidad más o menos sincera; nosotros sabemos alcanzar un sosiego, una beatitud, una conformidad con el dolor que ellos jamás lograron...

YUSTE

(*Tras larga pausa.*) Sí, el dolor es eterno... Y el hombre luchará en vano por destruirlo... El dolor es bello; él da al hombre el más intenso estado de conciencia; él hace meditar; él nos saca de la perdurable frivolidad mundana...

LASALDE

(*Con afabilidad.*) Amigo Yuste, amigo Yuste: es preciso creer... Esta tierra no es nuestra *casa*... Somos pobrecitos peregrinos que pasamos llorando..., llorando como estas buenas mujeres (*Señala a las estatuas.*) que también sentían que el mundo es un lugar de amarguras.

Yuste, un poco triste—este buen maestro, decididamente, es un hombre muy sensible—, Yuste se ha vuelto hacia las estatuas y ha visto riendo jocosamente, como en todos los momentos, al hombre de las orejas descomunales.

Y le ha parecido que este hombre antipático, que este hombre odioso que no conoció a Cristo, se burlaba de él, pobre europeo entristecido por diecinueve siglos de cristianismo.

XXIII

Justina está en su celda. Es una celda diminuta, de blancas paredes, con una ventana al patio. En un ángulo vese una pobre cama, compuesta—según lo manda la regla—de dos banquillos de hierro, tres tablas, un jergón de paja, soleras de estameña frailesca, una blanca frazada, una almohada. A un lado hay un banquillo de madera, con un cajón para las tocas, velos y labor; junto a él, una jofaina, un cántaro y un vidriado jarro blanco. Y en las paredes lucen estampas piadosas, estampas de Vírgenes, estampas de santos.

Justina lee en un libro; su cara está pálida; sus manos son blancas. De cuando en cuando, Justina suspira y deja caer el libro sobre el hábito. Y su mirada, una mirada ansiosa, suplicante, se posa en un gran lienzo colgado en una de las paredes.

Este cuadro tiene un rótulo que dice: *Idea de una religiosa mortificada.* Representa una monja clavada por la mano izquierda en una cruz; la cruz está clavada en la esfera de un mundo. La religiosa sostiene en la mano derecha un cabo de vela; sus labios están cerrados con un candado; sus pies desnudos se posan sobre el mundo como para indicar que lo huella, que lo desprecia. Alrededor de la figura y en ella misma léense varias leyendas que explican el misterioso y pío simbolismo. En la bola del mundo: «Pereció el mundo con su concupiscencia.» En el pecho de la monja: «Mi carne descansará en la Esperanza.» En el pie izquierdo: «Perfecciona mis pasos en tus sendas, porque no declinen mis huellas.» En el derecho: «Corrí por el camino de tus mandamientos cuando dilataste mi corazón.» En el lado izquierdo, donde por una rasgadura de la túnica asoma un diminuto gusano: «No morirá jamás su gusano. Verdaderamente es loable el temor aun donde no hay culpa.» En el derecho: «Ceñid vuestro cuerpo; y entonces verdaderamente le ceñimos cuando refrenamos la carne.» En la mano izquierda: «Traspasa mi carne con tu temor, porque he temido tus juicios.» En la derecha: «Resplandezca vuestra luz delante de los hombres, para que vean vuestras buenas obras y glorifiquen a vuestro Padre que está en los cielos.» En el oído: «Hablad, Señor, que vuestra sierva oye vuestras palabras. Me llamáis y yo responderé, y obedeceré vuestra voz.» En los ojos: «Apartad mis ojos para que no se fijen y me perviertan por la vanidad; porque ellos han cautivado mi alma.» En la boca: «Poned, Señor, guarda a mi boca y un candado sobre mis labios.» En la cabeza: «Mi alma eligió este estado de mortificación. Yo estoy fija con Jesucristo en la Cruz, y su preciosa carga me hace más dichosa cuanto más me mortifica...»

Justina mira esta religiosa clavada en el madero y piensa en sí misma. Ella también mortifica sus ojos, su boca, sus manos, su carne toda; ella también suplica al Esposo que no la abandone; ella tiene fe; ella espera; ella ama... Y, sin embargo, siente una gran tristeza, siente un íntimo desconsuelo. Y su cara está cada vez más blanca y sus manos más transparentes.

XXIV

Yuste y Azorín han ido al Pulpillo. El Pulpillo es una de las grandes llanuras yeclanas. Amplios cuadros de viñas vense entre dilatadas piezas de sembradura, y los olivares se extienden a lo lejos, por las lomas amarillentas, en diminutos manchones grises, simétricos, uniformes. Perdida en el llano infinito aparece de cuando en cuando una casa de labor; las yuntas caminan tardas, en la lejanía, rasgando en paralelas huellas la tierra negruzca. Y un camino blanco, en violentos recodos, culebrea entre la verdura del sembrado, se pierde, ensanchándose, estrechándose, en el confín remoto.

En los días grises del otoño, o en marzo, cuando el invierno finaliza, se siente en esta planada silenciosa el espíritu austero de la España clásica, de los místicos inflexibles, de los capitanes tétricos—como Alba—; de los pintores tormentarios—como Theotocópuli—; de las almas tumultuosas y desasosegadas—como Palafox, Teresa de Jesús, Larra...—. El cielo es ceniciento; la tierra es negruzca; lomas rojizas, lomas grises, remotas siluetas azules cierran el horizonte. El viento ruge a intervalos. El silencio es solemne. Y la llanura solitaria, tétrica, suscita las meditaciones desoladoras, los éxtasis, los raptos, los anonadamientos de la energía, las exaltaciones de la fe ardiente...

Hay en el Pulpillo tres o cuatro casas de labranza juntas; una de ellas es la *del Obispo*. A ésta han venido Yuste y Azorín. Es un vetusto edificio enjalbegado de cal amarillenta; tiene cuatro balcones diminutos; ante la casa se extiende un huerto abandonado, con las tapias ruinosas Y en uno de los ángulos del huerto, dos negruzcos cipreses elevan al cielo sus copas desmochadas.

El maestro ama esta llanura solitaria; aquí se olvida por unos días de los hombres y de las cosas. La casa está rodeada de una vieja alameda; al final surge una fuente que llena una ancha balsa. Y Yuste, en estos días grises, pero templados, de los comienzos de la primavera, pasea entre los árboles desnudos, se sienta junto al manantial cristalino, escucha el susurro del agua que cae en el estanque cubierto de un suave légamo verde. Y en esta soledad, en este sosiego sedante, lee una página de Montaigne, unos versos de Leopardi, mientras el agua canta y la tierra —*la madre tierra*—calla en sus infinitos verdes sembrados, en sus infinitos olivos seculares.

Esta mañana Yuste y Azorín han ido a una de las casas del contorno; una casa de la familia de Iluminada. En la cocina han encontrado al Abuelo; el Abuelo es un viejo, padre del arrendatario, que ha trabajado mucho durante su vida ruda, y ahora que ya no puede hacer las faenas del campo, permanece junto al fuego, haciendo labores de esparto, cuidando de su nieta. Yuste y Azorín se han sentado junto al Abuelo.

—Yo no sé—ha dicho el maestro—cuál será el porvenir de toda esta clase labradora, que es el sostén del Estado, y ha sido, en realidad, la base de la civilización occidental, de veinte siglos de civilización cristiana... Nota, Azorín, que la emigración del campo a la ciudad es cada vez mayor: la ciudad se nos lleva todo lo más sano, lo más fuerte, lo más inteligente del campo. Todos quieren ser artesanos, todos quieren dejarse el urbano bigote, símbolo, al parecer, de un más delicado intelecto... Así, dentro de treinta, cuarenta, cien años, si se quiere, no quedará en el campo más que una masa de hombres ininteligentes, automáticos, incapaces de un trabajo reflexivo, incapaces de aplicar a la tierra nuevos y hábiles cultivos que la hagan producir doblemente, que hagan de la agricultura una industria... Además, observa que la pequeña propiedad va desapareciendo: en Yecla, la usura acaba por momentos con los pequeños labradores que sólo disponen de tierras reducidas. Usureros, negociantes, grandes propietarios, van acaparando las tierras y formando lentamente vastas fortunas... ¿Llegará un día en que la pequeña propiedad acabe, es decir, en que surja el monopolio de la tierra, el *trust* de la tierra? Yo no lo sé; quizá en España está aún lejano el día; pero en otros países, en Francia, por ejemplo, ya se ha dado la voz de alarma... Un día—se ha dicho—el absentismo, la usura, las hipotecas, el exceso de tributos, pondrán la propiedad rústica en manos de los bancos de crédito, de los grandes financieros, de los grandes rentistas; entonces se formará una liga —porque la liga favorecerá el esfuerzo común—, las máquinas harán su entrada triunfal en los campos, y la tierra, hasta aquí mezquinamente labrada, será magnánima y reciamente fecundada. ¡Figúrate lo que estos campos yeclanos, en los que sólo de legua en legua se ve una yunta, serán entonces con legiones de obreros bien trajeados y comidos, con máquinas que rápidamente realicen los expertos trabajos dirigidos por ingenieros agrícolas!...

—Pero para llegar a eso—observó Azorín—habrá que pasar por la lucha terrible que el labriego que se vea desposeído de su tierra entablará.

—No, no—replica el maestro—, la evolución es lenta. Hoy mismo, ¿quién niega que en España la pequeña propiedad se extingue? El labriego se acostumbrará prontamente al nuevo estado de cosas, tanto más cuanto que sus salarios serán más altos... Y los productos de la tierra, desde luego, serán más baratos y de mejor calidad... Yo no digo que se forme un monopolio único, pero es innegable que las compañías financieras y los bancos de crédito, que se hallen en posesión de la tierra y de capitales para explotarla, llevarán al campo las máquinas y los procedimientos industriales, y realizarán una verdadera revolución, es decir, harán que la tierra que hasta ahora ha permanecido poco menos que estéril, sea fecunda, plenamente fecunda.

El Abuelo calla; sus manos se mueven incesantemente tejiendo el esparto. Sus ojuelos brilladores miran de cuando en cuando a Yuste, y una ligera sonrisa asoma a sus labios.

El maestro, tras larga pausa, prosigue:

—Caminamos rápidamente, Azorín, a una gran transformación social. Yo presiento que van a desaparecer muchas cosas que amo profundamente... Fíjate en que esto que llamamos *humanitarismo* es como una nueva religión, como un nuevo dogma. El hombre nuevo es el hombre que espera la justicia social, que vive por ella, para ella, sugestionado, convencido. Todo va convergiendo a este deseo; todos lo esperamos, unos vagamente, otros con vehemencia. El arte, la pedagogía, la literatura, todo se encamina a este fin de mejoramiento social, todo está impregnado de esta ansia... Y de este modo va formándose un dogma tan rígido, tan austero como los antiguos dogmas, un dogma que ha de tener supeditadas y a su servicio todas las manifestaciones del pensamiento... Hoy ya en las *universidades populares* de Francia, por ejemplo, que son escuelas obreras, no se puede practicar una pedagogía libre, amplia, sin prejuicios, *inutilitaria;* sino exclusivamente encaminada al fin de utilidad social. Uno de los profesores, al exponer un plan de estudios, dice que los maestros deberán procurar en sus programas demostrar que «todas las ciencias acaban en el socialismo»... ¿Qué será del arte, dentro de poco, si tal cosa se piensa de la ciencia? El arte debe *servir* para la obra humanitaria, debe ser *útil*..., es decir, es un *medio,* no un *fin*... Y vamos a ver cómo se inaugura una nueva crítica que atropelle las obras de arte puro, que desconozca los místicos, que se ría de la lírica; y veremos cómo la Historia, ese arte tan exquisito y tan moderno, acaba en manos de los nuevos bárbaros... «El período de los estudios imparciales sobre el pasado de la Humanidad—ha dicho Renan—no será quizá muy largo; porque el gusto por la Historia es el más aristocrático de los gustos...» Y he aquí por qué yo me siento triste cuando pienso en estas cosas, que son las más altas de la Humanidad; en estas cosas que van a ser maltratadas en esta terrible palingenesia, que será fecunda en otras cosas, también muy altas, y muy humanas, y muy justas.

Como llegara el crepúsculo, Yuste y Azorín han dejado la casa de Iluminada, y han dado un paseo por la alameda. El cielo está gris; la llanura está silenciosa.

XXV

Las llamas temblotean en la ancha cocina de mármol negro. Ante el hogar, sobre la recia estera, se extiende una banda de cinc brillante. El quinqué destaca sobre la cornisa de la chimenea su redondo caparazón de verde intenso. Y en la pared, sobre el quinqué, esfumada en la penumbra suave, luce una grande tesis encuadrada en marco de n o g u e r a pulida. *D. O. M. Has juris civilis theses, quas pro ejusdem*... rezan a la cabecera gruesos tipos, y abajo, en tres dilatadas columnas, las XLIX conclusiones hormiguean en diminutos caracteres sobre la brilladora seda rosa. Junto a la tesis, aquí y allá, en las blancas paredes, grandes fotografías pálidas de viejas catedrales españolas: la de Toledo, la de Santiago, la de Sigüenza, la de Burgos, que asoma sobre espesa alameda sus germinados ventanales y espadañas floridas; la de León, que enarca los finos arbotantes de su ábside sobre una oleada de vetustas casuchas con ventanas inquietadoras...

Las llamas tiemblan. Sobre el enorme armario fronterizo al hogar, espejan los reflejos. El armario es de roble. Tiene dos puertas superiores, dos cajones, dos puertas inferiores. Está encuadrado en primorosa greca tallada en hojas y botones. En los ángulos sobresalen las caras de gordos angelillos; arriba, en el centro del friso, una sirena sonriente abre sus piernas de retorcidas volutas que se alejan simétricas entre el follaje. Y por una de las portezuelas superiores, abierta, se muestran los innumerables cajoncillos con el frontis labrado.

Algo de la elegante sobriedad castellana se respira en la estancia. A uno y otro lado del noble armario se yerguen los sillones adustos; sus brazos avanzan lucidores; en el respaldo, sobre el cuero negroso, resaltan los clavos de cabeza alongada. Y sobre los anchos barrotes destacan áureos en la penumbra como enormes trastes de guitarras.

Las horas pasan. A lo lejos una voz canta las cuatro. Al lado de la chimenea hay una mesilla de salomónicas columnas. La luz del quinqué hace brillar sobre el negro tablero, entre papeles y volúmenes, una tabaquera de plata, un reloj achatado, una interminable cadena de oro que serpentea entre los libros y cruza rutilante sobre el título grueso de un periódico.

El maestro Yuste reposa enfermo en la ancha cama. La voz canta más lejos. En la acera resuenan pasos precipitados.

Yuste se incorpora. Azorín se acerca. Yuste dice:

—Azorín, hijo mío, mi vida finaliza.

Azorín balbuce algunas palabras de protesta. Yuste prosigue:

—No, no; ni me engaño ni temo... Estoy tranquilo. Acaso en mi juventud me sentí indeciso... Entonces vivía yo en los demás y no en mí mismo... Después he vivido solo y he sido fuerte...

El maestro calla. Luego añade:

—Azorín, hijo mío, en estos momentos supremos, yo declaro que no puedo afirmar nada sobre la realidad del universo... La inmanencia o trascendencia de la causa primera, el movimiento, la forma de los seres, el origen de la vida..., arcanos impenetrables..., eternos...

De pronto canta en la calle la vieja cofradía del Rosario. El coro rompe en una larga melopea monótona y llorosa. Las campanillas repican persistentes; las voces cantan plañideras, ruegan, suplican, imploran fervorosas:

Míranos con compasión;
no nos dejes, Madre mía...

El coro calla. Yuste prosigue:

—Yo he buscado un consuelo en el arte... El arte es triste. El arte sintetiza el desencanto del esfuerzo baldío... o el más terrible desencanto del esfuerzo realizado..., del deseo satisfecho.

La cofradía canta más lejos; sus deprecaciones llegan a través de la distancia opacas, temblorosas, suaves.

El maestro exclama:

—¡Ah, la inteligencia es el mal!... Comprender es entristecerse; observar es sentirse vivir... Y sentirse vivir es sentir la muerte, es sentir la inexorable marcha de todo nuestro ser y de las cosas que nos rodean hacia el océano misterioso de la Nada...

Ya en la lejanía, apenas se percibe, a

retazos, la súplica fervorosa de los labriegos, de los hombres sencillos, de los hombres felices... Una campana toca cerca; en las maderas del balcón clarean dos grandes ángulos de luz tenue

XXVI

A la cabeza, por la ancha calle, un labriego de larga capa parda, tardo, contoneante, lleva la cruz cogida de ambas manos. El manchón del féretro aparece luego. En pos del féretro vienen el negro caparazón rameado en gualdo, los trazos blancos de las sobrepellices, la encendida veste roja del monago... Y detrás el cortejo avanza en pintoresca confusión de mejillas rapadas, barbas revueltas, bigotes lacios que asoman bajo los anchos sombreros caídos, sobre los enhiestos cuellos de las capas, en el hormigueo indistinto de los trajes negros, grises, azulados, pardos. El maestro Yuste ha muerto. Los clérigos salmodian en voces desiguales, temblorosas, cascadas, que ascienden en arpegios agudos, que bajan en murmullo rumoroso. La vibración rasgada de una campana hiende los aires. El fagot, amplio, repercutiente, sonoroso, resalta sobre las voces flébiles... Los cantos cesan. Reina un momento de silencio aflictivo. Percíbese el moscardoneo de los pies rastreantes. El féretro se tambalea suave y rítmico. La mancha escarlata del acólito va y viene en la negrura. Y de pronto el fagot salta en una armoniosa nota larga, las voces retornan a su angustioso clamoreo.

El cortejo avanza por la anchurosa calle de bajas casas y grises tapias de corrales. Luego, doblada la esquina, desemboca en pleno campo... A la derecha, en una parda loma, luce la ventana azul de una diminuta casa blanca; a la izquierda el cerro de las Trancas se yergue pelado, negro, rasgado por largas vetas grises, ahoyado por socaves amarillentos. Y la llanura desolada, yerma, sombría, se aleja, se aleja hasta la pincelada imperceptible de las montañas zarcas... El cortejo avanza. Un largo muro blanquecino cierra el horizonte: en un extremo, sobre un montón de piedras, una tabla alargada, negros jirones...

Enfrente de la puerta, al final del estrecho camino que cruza el cementerio, se abre la capilla. Es una capilla reducida. En el fondo se levanta el ara desnuda de un altar. Sobre el ara colocan el sencillo féretro. Y poco a poco los acompañantes se retiran. Y el féretro, resaltante en el blanco muro, queda solo en la capilla diminuta. Azorín lo contempla un momento; luego, lentamente, sumido en un estupor doloroso, da la vuelta al espacioso recinto del campo santo. El piso, seco, negruzco, sin un árbol, sin un follaje verde, se extiende en hondonadas y alterones. El sol refulge en los cristales empolvados, en las letras doradas, en los azabaches de vetustas coronas. Tras el vidrio de un nicho, apoyada en la losa, una fotografía enrojecida se va destiñendo... Y ya en la mancha indecisa sólo quedan los cuadros de una alfombra, los torneados pilares de una balaustrada, los pasamanos de un ancho vestido de miriñaque.

Azorín siente una angustia abrumadora. A lo lejos, por la senda del centro, avanza un grupo de labriegos. Al andar, entre los negros trajes, aparece de cuando en cuando, rápidamente, una mancha de vívida blancura. El grupo entra en la capilla. Azorín se acerca. En el suelo reposa una caja. La caja está cubierta de cristales. Y dentro, con las finas manos juntas, con las mejillas artificiosamente amapoladas, yace una niña de quince años. Hombres y mujeres hablan tranquilamente sobre el modo de enterrarla; uno de los asistentes la mira y dice sonriendo: «¡El sol la ha puesto coloraíca!» La niña parece que va a despertar de un sueño. Lentamente van dejándola sola.

Azorín sale. Al final de una calle de nichos, un hombre vestido con chaquetón pardo da, arrodillado, fuertes piquetazos en la tapa de una terrera tumba. Todos los que han traído la transparente caja de la *mocica* se agrupan en su torno. Al lado de Azorín, en los brazos de una campesina un niño ronca sonoramente. A cada embate de la piqueta el humano cerco se condensa. El negro agujero se va ensanchando. La débil paredilla cede por fin y la siniestra oquedad queda completamente al descubierto. Todos miran ávidamente; los rostros se inclinan ansiosos; un niño se acerca gateando; una vieja encorvada explica quién fuera allí enterrado años atrás. El sepulturero mete el busto en el nicho y forcejea. Un labriego exclama festivamente: «¡Arrempujarlo pa que se quede dentro!» Y todos ríen.

El sepulturero forcejea. La caja, pegada a tierra con la humedad, se resiste. La mujer del sepulturero trae un capazo. Y entonces el hombre rompe las podridas tablas y va sacando a puñados tierra negruzca, trapos, huesos amarillentos. Entre la concurrencia, una fornida moza observa: «¡Repara cómo lo coge!» El sepulturero levanta la cara estúpidamente inexpresiva, tiende un momento su mirada lúbrica por el rostro colorado de la moza, por sus abombados pechos, por sus anchas caderas incitantes, y exclama, tras de simular un ligero ronquido: «¡Así te cogeré yo cuando te mueras!» Después, inclinándose de nuevo, saca del nicho una hinchada bota y la sacude en la pared con grandes golpes. La tierra negra salta; los circunstantes retroceden, se alejan, desfilan indolentes, aquí, allá, ante los nichos, desaparecen.

Azorín regresa solo por el camino tortuoso. La tarde muere. La llanura se esfuma tétrica. Y en el cielo una enorme nube roja en forma de fantástica nave camina lenta.

XXVII

Yuste ha muerto; el padre Lasalde se ha marchado al colegio de Getafe; Justina ha entrado en un convento. Y Azorín medita tristemente, a solas en su cuarto, mientras deja el libro y toma el libro. El no puede apartar de su espíritu el recuerdo de Justina; la ve a cada momento; ve su cara pálida, sus grandes ojos, su manto negro que flota ligeramente al andar... Y oye su voz insinuante, dulce, casi apagada. Así, en un estupor doloroso, Azorín permanece horas y horas sentado, vaga al azar por la huerta, solo, anonadado, como un descabellado romántico.

De cuando en cuando, alguna mañana, al retorno de misa, entra Iluminada, enhiesta, fuerte, imperativa, sana. Y sus risas resuenan en la casa, va, viene, arregla un mueble, charla con una criada, impone a todos jovialmente su voluntad incontrastable. Azorín se complace viéndola. Iluminada es una fuerza libre de la Naturaleza, como el agua que salta y susurra, como la luz, como el aire. Azorín ante ella se siente sugestionado, y cree que no podría oponerse a sus deseos, que no tendría energía para contener o neutralizar esta energía. «Y después de todo, ¡qué importa!—piensa Azorín—; después de todo, si yo no tengo voluntad, esta voluntad que me llevaría a remolque, me haría con ello el inmenso servicio de vivir la mitad de mi vida, es decir, de ayudarme a vivir... Hay en el mundo personas destinadas a vivir la mitad, la tercera parte, la cuarta parte de la vida; hay otras, en cambio, destinadas a vivir dos, cuatro, ocho vidas... Napoleón debió de vivir cuarenta, cincuenta, ciento... Estas personas claro es que el exceso de vida que viven, o sea lo que pasa de una vida, que es la tasa *legal*, lo toman de lo que no viven los que viven menos de una... Yo soy uno de éstos: vivo media vida, y es probable que sea Iluminada quien vive una y media, es decir, una suya y media que me corresponde a mí... Así, me explico la sugestión que ejerce sobre mí..., y si yo me casara con ella, la unidad psicológica estaría completa: yo continuaría viviendo media vida, como hasta aquí, y ella me continuaría haciendo este favor inmenso, el más alto que puede darse, de ayudarme a vivir, de vivir por mí.»

Azorín sonríe. Y en el zaguán, Iluminada, sana, altiva, imperiosa, pletórica de vida, va, viene, discute, manda, impone a todos jovialmente su voluntad incontrastable.

XXVIII

A las once la refitolera golpea el argentino cimbalillo. Y las monjas aparecen en la lejanía del claustro. Las monjas entran en el refectorio. El refectorio es una espaciosa estancia de paredes blancas. En las largas mesas, cada religiosa tiene dos servilletas, una extendida y otra plegada, una cuchara de palo y un blanco jarro de Talavera. Entre cada dos puestos, hay una alcucilla vidriada con vinagre y un osero de porcelana.

Las monjas rezan arrodilladas un *De profundis*. Después, mientras todas permanecen en pie, con las manos modosamente recogidas en las mangas, la hebdomadaria bendice la mesa. La abadesa se sienta; tras ella, por orden de antigüedad, las demás monjas se van sentando. Es sábado. La abadesa da un golpecito con el cuchillo. Las novicias entran. Llevan todas puestas sus penitencias: unas, garrotes en la boca; otras, esterillas en los ojos; otras, recios ladrillos colgados al cuello. En el refectorio se postran de rodillas, y la más antigua dice: «*Benedicite,* madre abadesa.» La abadesa, después de bendecirlas, replica: «Diga.» Y la novicia añade: «Decimos nuestras culpas a Dios Nuestro Señor y a María Santísima como principal prelada nuestra, y a vuestra reverencia y a esta santa comunidad, de muchos defectos y faltas que tenemos acerca de la Regla y buenas costumbres que nos han sido enseñadas, y en particular de nuestra pereza en levantarnos a maitines, motivo de esta penitencia; por la cual pedimos perdón a Dios Nuestro Señor y a vuestra reverencia.» La abadesa las amonesta dulcemente y las despide: «Vayan con Dios y quítense la penitencia.» Las novicias le besan los pies diciendo: «Sea por amor de Dios», y salen del refectorio. Luego, quitadas las penitencias, vuelven.

La acólita comienza la lectura. Y dada la señal por la abadesa, las monjas hacen la cruz sobre la servilleta y se aprestan a la comida. La cocinera aparece con un ancho tablero; sobre el tablero van puestas las escudillas; la cocinera pone ante cada monja su escudilla. Y las monjas comen. De cuando en cuando resuenan ligeros golpes sobre la mesa, y la refilotera sirve diligentemente lo pedido.

Acabada la comida, cuatro novicias van recogiendo el menaje y vaciando en grandes esportillas los oseros. Después la abadesa hace una señal y cesa la lectura. La acólita canta: *Tu autem Domine miserere nobis*. Las monjas contestan: *Deo gratias*. Y puestas todas en pie, besan la mesa y salen.

Del comedor las monjas van al huerto. El huerto es un viejo jardín salvaje. En el centro, rodeado de gigantescos cipreses, un surtidor susurra en un ancho tazón de mármol. Sobre el fondo de la verdura esplendorosa los sayales blanquecinos van y vienen suavemente como mariposas enormes. El cielo, por encima de la espesura, brilla en su azul intenso.

Los instantes pasan en plácido sosiego. Al pie de un ciprés una religiosa lee en un libro. En el ciprés se para un pájaro y gorjea. La monja levanta los ojos y lo mira absorta. El libro cae de sus manos. En la primera hoja pone con letra grande y delgada: «† En uso de sor Justina de la Purificación, que Dios haga santa y muy perfecta religiosa.»

Justina está pálida; su cuerpo es tenue; sus manos son transparentes; sus ojos miran ávidos...

*

Al anochecer, al toque de Animas, recogidas las monjas en sus celdas, una hermana va cantando por los largos corredores: «Acuérdense, madres y hermanas, por amor de Dios Nuestro Señor, de las benditas Animas del purgatorio y de los que están en pecado mortal.» Las monjas salen a las puertas de sus celdas. En la puerta la monja reza piadosamente un responso; la hermana le ofrece de rodillas el hisopo; después pide una oración por los que están en pecado mortal. La monja la reza en secreto. Y la hermana murmura: «Sea por el amor de Dios», y pasa adelante.

Justina, inmóvil en la puerta, ha susurrado también la oración para el protervo. ¿Por qué pecador, allá en las intimidades de su espíritu, habrá ofrecido su oración Justina?

★

A medianoche la campanilla repica a lo largo de los claustros oscuros. Las monjas van al coro. En la puerta toman agua bendita: *Agua benedicta sit mihi salus*... El coro es grande; a lo largo de las paredes se extienden anchos bancos de nogal; en medio se levanta el facistol con sus enormes libros; en los cuatro ángulos, cuatro bacietas con cal viva sanean el ambiente. Las acólitas comienzan el *Invitatorio*... Y en la callada serenidad de la noche, las notas desgarradas, chillonas, argentinas, vuelan por la anchurosa nave, suben a las rasgadas ojivas, se pierden en las lejanas capillas donde las lucecillas parpadean.

Los oficios acaban. La religiosa sacristana apaga la lámpara; llena el coro un ligero rumor de paños removidos. Y las cimbreantes varas de mimbre golpean las suaves encarnaduras, y hacen correr sobre el marfil palpitante rojas gotas de sangre.

★

Justina ha vuelto a su celda. La luna ilumina tenue la reducida estancia; en el jardín los cipreses se recortan hieráticos en la foscura pálida del cielo.

Justina tiene la cara blanca; sus ojos miran extáticos. Extenuada, ansiosa, jadeante, su mirada se enturbia y su cuerpo cae desplomado.

Y entonces, Justina contempla, iluminado por espléndidos resplandores, el reino de los cielos... En lo alto, la Trinidad preside en beatitud augusta; más bajo muéstrase ingenua y amorosa la Virgen; a la derecha de la Virgen reposa San José; a la izquierda, San Juan Bautista. En círculos jerárquicos, toda la inmensa muchedumbre de serafines, querubines, virtudes, potestades, principados, dominaciones, tronos, arcángeles, ángeles, rodea fervorosamente, juntas las manos y gozosas las caras, a la divina corte. Recias murallas, defendidas por altas torres, cercan la urbe celeste. Ante la puerta—en forma de cavidad sepulcral—convergen nueve angostos caminos: la *via martyrum*, la *via religiosorum*, la *via virginum*, la *via conjugatorum*, la *via pauperum*, la *via divitum*, la *via castitatis et continentiæ*, la *via ecclesiasticorum*, la *via prælatorum*. Jesús, desde la puerta, en la cumbre de un montecillo—*mons perfectionis*—, llama dulcemente a los dolorosos pasajeros de estos caminos.

Justina se ve marchando lentamente por el camino de las vírgenes. Férvida muchedumbre se agita rumorosa en la estrecha vía. Y avanzan en pintoresca confusión las blancas mercenarias, las servitas negras, las trinitarias con sus cruces coloradas, las grises franciscanas, las cistercienses de Valladolid con sus grandes collares de azabache, las hospitalarias del regio monasterio de Sijena, envueltas en sus túnicas de larga cola, resaltante la blanca cruz nillada en la negrura de los mantos... Justina se va acercando a la puerta del reino de los cielos. Jesús la mira sonriendo amorosamente. Justina escala el montecillo suspirado. Jesús la coge de la mano. Justina franquea la puerta de la Gloria. Y en el mismo instante su envoltura terrena gime blandamente y se agita en convulsión postrera.

En la lejanía del horizonte el cielo blanquea con las inciertas claridades del alba: un gallo canta...

XXIX

Desde lo alto de las Atalayas, el campo del Pulpillo se descubre infinito. A lo lejos, en lo hondo, la llanura—amarillenta en los barbechos, verde en los sembrados, negra en las piezas labradas recientemente—se extiende adusta, desolada, sombría. En perfiles negruzcos, los atochares cortan y recortan a cuadros desiguales el alcacel temprano. Los olivares se alejan en minúsculas manchas simétricas hasta esfumarse en las estribaciones de los terreros grises. Y acá y allá, desparramadas en la llanura, resaltantes en la tierra uniforme, lucen blanquecinas las paredes de casas diminutas.

Enfrente, las lomas de las Moratillas corren ondulosas a la derecha, destacando en el cielo sus mellas y picachos, hasta sumirse en suave declive con el llano. Adentro, en la inmensa profundidad del horizonte, la leve pincelada de la cordillera de Salinas azulea por encima de otra larga pincelada blanca de la niebla. Y a través de la niebla, al pie de un cerro, la microscópica silueta de una cúpula destella imperceptible. Luego, cerrado el claro abierto, la montaña recomienza bravía sus corcovos.

En las Moratillas, grandes rasgones rojos descienden de la cumbre hasta los recuestos tapizados de atochas. Sobre el lomo ondulante, a la otra banda, destaca una distante montaña festoneada de pinos. Los puntitos negros se esparcen claros, se apelotonan en densas manchas, resaltan sobre el perfil en pequeñísimo centelleo.

El aire es vivo y transparente. En la lejanía el cielo cobra tonos de verde pálido. El mediodía llega. La mancha gris de los olivos se esclarece; el verde oscuro de los sembrados se torna verde claro; suavemente se disgrega la niebla. Y la cúpula, en la remota hondonada, irradia luminosa como un diamante...

El campo está en silencio. De una casa oculta entre negros olmos surge recta una columna de humo blanco. El minúsculo trazo negro de una yunta se mueve allá en lo hondo lentamente. El sol espejea en las paredes blancas. De cuando en cuando un pájaro trina, aleteando voluptuoso en la atmósfera sosegada; cerca, una abeja revolotea en torno a un romero, zumbando leve, zumbando sonora, zumbando persistente. Luego desaparece...

En el Pulpillo, Azorín contempla la campiña infinita. Ante la casa, un camino amarillento se aleja serpenteando en violentos zigzags. En los días grises, la tierra toma tintes cárdenos, ocres, azulados, rojizos, cenicientos, lívidos; las lomas se ennegrecen; los manchones rojos de las Moratillas emergen como enormes cuajarones de sangre. A ratos, el gemido del viento, el tintinear lejano de una esquila, el silabeo imperceptible de una canción fatigosa, conmueven el espíritu con el ansia perdurable de lo Infinito. Y Azorín contempla a través de los diminutos cristales el cielo gris y la llanura gris.

Al anochecer, bajo la ancha campana de la cocina, ante el fuego de leños tronadores, Azorín permanece absorto en el corro de los labriegos. Fuera, la mancha negra del cielo se funde con la mancha negra de la tierra en las últimas claridades de un crepúsculo negro. Los picachos de las Atalayas se borran; los perfiles de las Moratillas desaparecen. En lo alto un débil claror recorta los contornos de las nubes inmóviles.

Ante el fuego, acabada la cena, el Abuelo relata penosamente, con la tarda coordinación del campesino, amarguras pasadas. Los pedriscos asoladores, las hambres, las sequías, las epidemias, las muertes remotas de remotos amigos, van pasando en desfile tétrico... El Abuelo tiene ochenta años. Menudo, fuerte, seco, sus ojillos aquilinos, escrutadores eternos de la llanura, brillan como dos cuentas de vidrio en su cara rapada. La luz del candil, colgado arriba, refleja sobre su redondo cráneo calvo.

El Abuelo sintetiza al labrador manchego. La fe mana abundosa en el corazón del labrador manchego. Es sencillo como un niño; es sanguinario, exasperado. Habla lentamente; se mueve lentamente. Impasible, inexpresivo, silencioso, camina tras el arado tardo en los llanos inacabables; o permanece, si los días son crudos, inmóvil junto al fuego, mientras sus manos secas tejen automáticamente el fino esparto. El labrador manchego no tiene amor al árbol. Viste de paño prieto; come frugalmente. Es cauto; recela de los halagos oficiosos; malicia de la novedad incomprendida. Así, el Abuelo, sonriente, irónico, va contando su provechosa incredulidad en los remedios de la farmacia. Los únicos remedios de sus males son las hierbas del campo. Temeroso en su última enfermedad de que los alimentos solapasen las medicinas, tres días ha estado sin tomar alimentos. Y el Abuelo concluye sentencioso: «Yo *vus* digo que todo me lo he curado con agua de romero y pedazos de sarmientos verdes machucaícos...» Las llamas del hogar se agitan, lamen las negras paredes, ponen en los rostros pétreos de los labriegos encendidos reflejos tembladores.

Azorín se retira. La habitación es una larga estancia de paredes desmanteladas. Ni un lienzo, ni una chillona oleografía, ni una estampa mancha el monótono enlucido. El piso es de ladrillos blancos... Azorín pasea ensimismado. La luz escasa de una lamparilla ilumina el cuarto. En un extremo, sobre la mesa, los libros, en borrones rojos, azules, amarillos, cortados por vetas blanquecinas, resaltan junto al ancho trazo negro de una botella. Al otro extremo, en lo hondo de la negrura, las cortinillas de la alcoba destacan confusamente en grande mancha roja.

Azorín pasea. Arrebujado en la larga capa, en sus idas y venidas serpenteantes, su sombra, como la silueta de un ave monstruosa, revolotea por las paredes. Azorín se para ante la mesa; llena una copa; la bebe lentamente. Y piensa en las palabras del maestro: «¿Qué importa que la realidad interna no ensamble con la externa?» Luego torna a sus paseos automáticos. En el recogimiento de la noche, sus pasos resuenan misteriosos. La luz titila en ondulosos tembloteos agonizantes. Los amarillentos resplandores fluyen, refluyen en las blancas paredes. La roja mancha del fondo desaparece, aparece, desaparece. Azorín bebe otra copa. «La imagen lo es todo—medita—. La realidad es mi conciencia.» Después pasea; torna a pararse; recomienza el paseo. Y en sus pausas repetidas ante la mesa, el líquido de la botella mengua. La llama de la lamparilla se encoge, formando en torno del encendido pabilo un diminuto nimbo de violeta. Los muebles se sumen turbiamente en la penumbra. De la mesa parte sobre la pared una rígida sombra larga que se ensancha hasta esfumarse cerca del suelo. Azorín se sienta; sus ojos miran hacia la sombra. La luz chisporrotea; una chispa del pabilo salta y se divide crujiendo en diminutas chispas de oro. Azorín cierra los ojos. La luz se apaga; en la oscuridad los purpúreos grumos de la pavesa reflejan sobre la dorada lamparilla... El afanoso tictac de un reloj de bolsillo suena precipitado.

Fuera, el campo reposa. En las cercanas pedrizas de las Moratillas las zorras gañen desesperadamente. Y en el silencio de la noche, sus largos gritos repercuten a través de la llanura solitaria como gemidos angustiosos.

SEGUNDA PARTE

I

Azorín, a raíz de la muerte de Justina, abandonó el pueblo y vino a Madrid. En Madrid su pesimismo instintivo se ha consolidado; su voluntad ha acabado de disgregarse en este espectáculo de vanidades y miserias. Ha sido periodista revolucionario, y ha visto a los revolucionarios en secreta y provechosa concordia con los explotadores. Ha tenido luego la humorada de escribir en periódicos reaccionarios, y ha visto que estos pobres reaccionarios tienen un horror invencible al arte y a la vida.

Azorín, en el fondo, no cree en nada, ni estima acaso más que a tres o cuatro personas entre las innumerables que ha tratado. Lo que le inspira más repugnancia es la frivolidad, la ligereza, la inconsistencia de los hombres de letras. Tal vez éste sea un mal que la política ha creado y fomentado en la literatura. No hay cosa más abyecta que un político: un político es un hombre que se mueve mecánicamente, que pronuncia inconscientemente discursos, que hace promesas sin saber que las hace, que estrecha manos de personas a quienes no conoce, que sonríe, sonríe siempre con una estúpida sonrisa automática... Esta sonrisa Azorín la juzga emblema de la idiotez política. Y esa sonrisa es la que ha encontrado también en el periodismo y en la literatura. El periodismo ha sido el causante de esta contaminación de la literatura. Ya casi no hay literatura. El periodismo ha creado un tipo frívolamente enciclopédico, de estilo brillante, de suficiencia abrumadora. Es el tipo que detestaba Nietzsche: el tipo «que *no es* nada, pero que lo *representa* casi todo». Los especialistas han desaparecido: hoy se escribe *para* el periódico, y el periódico exige que se hable de todo. Dentro de treinta años todos seremos periodistas, es decir, nadie sabrá nada de nada. Nos limitaremos a *sospechar* las cosas, lo cual tiene la ventaja de que ahorra tiempo y no entristece el espíritu con la melancolía de las lecturas largas.

Y véase cómo lo que parece una calamidad, ha de resultar un bien andando el tiempo; porque, evitando la reflexión y el autoanálisis—matadores de la Voluntad—, se conseguirá que la Voluntad resurja poderosa y torne a vivir..., siquiera sea a expensas de la Inteligencia.

Azorín ha llegado demasiado pronto para alcanzar estas bienandanzas. Su espíritu anda ávido y perplejo de una parte a otra; no tiene plan de vida; no es capaz del esfuerzo sostenido; mariposea en torno a todas las ideas; trata de gustar todas las sensaciones. Así en perpetuo tejer y destejer, en perdurables y estériles amagos, la vida corre inexorable sin dejar más que una fugitiva estela de gestos, gritos, indignaciones, paradojas...

II

A la derecha, la rojiza mole de la Plaza de Toros, destacando en el azul luminoso, espléndido; a la izquierda, los diminutos hoteles del Madrid Moderno, en pintarrajeado conjunto de muros chafarrinados en viras rojas y amarillentas, balaustradas con jarrones, cristales azules y verdes, cupulillas, sórdidas ventanas, techumbres encarnadas y negras..., todo chillón, pequeño, presuntuoso, procaz, frágil, de un mal gusto agresivo, de una vanidad cacareante, propia de un pueblo de tenderos y burócratas.

La tarde es tibia y radiante: se sienten los primeros hálitos confortadores de la primavera que llega. El sol baña la ancha vía. Y Azorín camina por ella lentamente, hacia las Ventas... Pasan los enormes tranvías eléctricos, carromatos, recuas, coches fúnebres negros, blancos, *ripers* atestados de gente que van camino del Este, cuesta abajo. En el fondo, cerca del viejo puente, aparecen los tapiales roñosos de una casa terrera: es el *Parador del Espíritu Santo.*

Delante, al sol, juegan en una mesilla redonda cuatro labriegos; unas palomas blancas vuelan pausadas; sobre el césped verde de un descampado resaltan grandes sábanas puestas a secar y sujetas con piedras... Aparece un coche blanco, con una cajita blanca, con los penachos de los caballos blancos. Desde en medio del arroyo, donde picotean sosegadas, alzan el vuelo dos palomas; un perro, con la rosada lengua fuera, anillado el rabo, discurre por la acera; el coche fúnebre da una violenta sacudida, y pasa impetuoso un tranvía eléctrico. Luego, detrás viene otro coche, negro, con una caja negra; unos muchachos retozan frente al parador; pasa otro coche blanco; la sombra de una paloma cruza sobre la acera. Y los cascabeles de los *ripers* tintinean; un perro ladra; los organillos de las Ventas musiquean; los muchachos gritan: «¡Ninguna, ninguna, ño; su cara es más pálida y más buída; aquí!»

Azorín avanza lentamente. Los barracones de las Ventas aparecen pintarrajeados de verde, de amarillo, de rojo, con empalizadas de madera tosca, con sus grandes letreros llamativos: *Restaurant de la Unión..., Villa de Madrid..., La Gloriosa..., Los Andaluces...* La gente va y viene, en abigarrado flujo y reflujo de chulapos con pantalones abombados y un palillo en la oreja, estudiantes, criadas, modistas, horteras, señoritos con sombrero castaño y pañuelo blanco al cuello. Los organillos desgranan ruidosamente marchas toreras y valses lánguidos; el tiovivo gira frenético; suben y bajan los columpios. Y en los barracones suenan los platos, y las parejas voltean cachondas, fatigosas... Pasa un coche fúnebre blanco, pasa un coche fúnebre negro; dos mujeres chillan y se enseñan los puños sentadas en el perfil del puente; un mendigo camina a grandes trancos apoyado en dos palitroques; un chulapón le grita a un carromatero que pasa, sobando a unas mulas: «¡Adiós, Pepito!» Y las notas alegres, precipitadas, resonantes, de los organillos estallan, saltan, rebotan sobre el rumor formidable de gritos, campanillazos de tranvías, traqueteo de coches, pregones de vendedores, ladridos de perros, ruido de organillos, rasgueos de guitarras...

Pasa un coche fúnebre negro, pasa un coche fúnebre blanco. Más allá del puente, en un barracón empinan vasos, devoran chuletas, y los féretros casi pasan rozando las mesas, mientras los organillos prosiguen incansables. Azorín avanza. En una esquina borbolla el aceite en grandes sartenes y chirrían trozos de lomo, que una astrosa mujer, lagrimeante, va revolviendo con una freidera; por delante, al ras de las enormes vacas y cerdos desollados que penden de la pared en garfios, pasan los coches fúnebres. Y un momento las manchas negras de las cajas destacan, entre el humazo de las sartenes, junto a las manchas sanguinolentas de las carnes.

Azorín camina por la carretera del Este. Y en lo alto de la verdosa loma, en medio de un gran recuesto tapizado de césped, se detiene y contempla la lejanía... El telégrafo rezonguea sonoramente; un gallo canta; por la carretera van lentamente coches negros, coches blancos; vuelven precipitados coches negros, coches blancos; detrás los *ripers* repletos de figuras negras cascabelean, los simones en larga hilera espejean al sol de sus barnices. Enfrente, sobre una colina verde, destacan edificios rojizos que marcan su silueta en el azul blanquecino del horizonte, y un enrejado de claros árboles raya el cielo con su ramaje seco. A la derecha, aparecen los grandes cortados y socaves amarillentos de los tejares, y acá y allá, los manchones rojos de las pilas de ladrillos; más lejos, cerrando el panorama, la inmensa mole del Guadarrama, con las cúspides blancas de nieve, con aristas y resaltos de azul negruzco... Dos, tres blancas humaredas se disuelven en la lejanía suavemente; por la carretera pasan coches y coches; los cocheros gritan: «¡Ya!, ¡ya!»; el aire en grandes ráfagas trae las notas de los organillos, cacareos de gallos, ladridos. Cerca, un rebaño pasta en el césped; las ovejas balan; se oye el silbido largo, *ondulante*, de una locomotora; y de cuando en cuando, incesantemente, llega el ruido lejano de cuatro o seis detonaciones.

Y Azorín, cansado de sus diez años de Madrid, hastiado de periódicos y libros, piensa en esta danza frenética e inútil de vivos y de muertos..., y regresa por la carretera lentamente. Van y vienen coches negros, coches blancos; un hombre pasa de prisa con una cajita gris al hombro; en la tapa dice: *San Juan de Dios*. A lo lejos suena roncamente el batir de tambores; el viento trae el *fo-fo* asmático de una locomotora. Y mientras cae la tarde, ante los barracones asordadores, mientras tocan los organillos y se baila frenéticamente, y los mozos van y vienen con platos, y se grita, y se canta, y se remueve en espasmo postrero la turba lujuriosa de chulapos y fregonas, Azorín, emocionado, estremecido, ve pasar un coche blanco, con una caja blanca cubierta de flores, y en torno al coche un círculo de niñas que lleva cada una su cinta y caminan fatigadas, silenciosas, desde la lejana ciudad al cementerio lejano...

*

Y ya en Madrid, rendido, anonadado, postrado de la emoción tremenda de esta pesadilla de la Lujuria, el Dolor y la Muerte, Azorín piensa un momento en la dolorosa, inútil y estúpida evolución de los mundos hacia la Nada...

III

A lo largo del andén van y vienen labriegos con alforjas, mujeres con cestas, mozos con blusas azules, mozos con chaquetas de pana. Se oye un sordo *fo-fo*: una locomotora avanza lentamente y retira un tren de lujo. Después sale otra máquina. Y suenan silbidos ondulantes, silbidos repentinos, bocinas, ruido de engranajes, chirridos, rumor de carretillas. Las portezuelas abiertas muestran una línea de manchas amarillas. Al otro extremo del andén, al final de la nave inmensa, aparece la plancha gris del cielo, y resaltantes en su uniformidad plomiza, las redondas bombas eléctricas, la enorme aspa de las señales con sus cuatro cruces, una garita acristalada, postes, cables, siluetas de vagones. Suenan silbidos breves, silbidos largos, pregones de periódicos, estruendos de cadenas. Y los viajeros van, vienen, entran en los coches, dan fuertes portazos.

Azorín sube a un vagón de tercera. El tren va a partir. Dos labriegos charlan: «...dejé yo el cuartelillo..., hace seis u ocho meses que dejé yo el cuartelillo, y cada mes una...» En la portezuela, una mujer, acompañada de dos niños, discute con otra del andén: «...tómalo, mujer...; que lo tomes...; tómalo...; yo llevo bastante...» Y tira un duro que rebota sobre el andén, tintineando. Se oye un largo campanilleo; luego, portazos. «¡Tenéis que escribir a la tía en las cartas!», les gritan a los niños desde el andén. Y Gedeón entra en el coche. Gedeón es un ciego que va y viene en los trenes y en ellos canta y limosnea...

Suena otro largo campanillazo; la locomotora suelta un formidable alarido; el tren avanza. Y un gran claror ilumina el coche. Atrás van quedando rojizos edificios que emergen reciamente en la tristeza del cielo. Gedeón ensaya: *tiriro, tiriro, tiro*... Luego palmotea, incoa un plañidero *aaa*, y comienza:

Aunque del cielo bajaran
los serafines a hablar contigooo...

En lo hondo del terraplén, a la derecha, aparecen los talleres de la estación. A lo lejos, dentelleando el horizonte, resalta una línea de cipreses negros. Azorín piensa: «Allí está Larra.» El humo denso de una enhiesta chimenea se va desparramando lentamente. Madrid se pierde en lontananza, en una inmensa mancha gris, esmaltada por las manchitas blancas de las fachadas, erizada de torres, cúpulas cenicientas, chimeneas, rasgada por la larga pincelada negra del Retiro. Y detrás, casi imperceptible, el tenue telón, semiazul, semiblanco, del Guadarrama nevado.

Comienza la desolada llanura manchega. Junto a Azorín un labriego corta con una desmesurada navaja un pan. Gedeón pregunta «¿Quién me da un cigarrito sin pedirlo?» Luego exclama en tono de resignación jovial: «¡Ay, qué vida esta!... ¡Esta vida no es *pa* llegar a viejo!» Aparecen lomas amarillentas, cuadros de barbechos, cuadros de clara sembradura. Y el tren para en Villaverde.

Pasa Villaverde. Madrid se esfuma en la remota lejanía. El cielo está ceniciento: una larga grieta de azul verdoso rasga las nubes. Un rebaño pasta en la llanura infinita; al cruzar un paso a nivel, aparece una mujer vestida de negro, con la bandera en una mano, con la otra mano puesta bajo el codo derecho, rígida, hierática como una estatua egipcia; un hombre envuelto en una larga capa negra, montado en un caballo blanco, marcha por un camino... Y el tren vuelve a parar—en Getafe—. Azorín baja. El padre Lasalde es rector del noviciado de escolapios. Azorín, por una añoranza de los lejanos días, viene a visitarle.

De la estación al pueblo va un camino recto; junto a él hay una alameda; la llanura se extiende sombría a un lado y a otro. En el fondo destaca el ábside de una iglesia coronada por una torre puntiaguda. Y ya en el pueblo aparecen calles de casas bajas, anchos portalones con colgadizos, balcones de madera, tejados verdosos con manchas rojizas del retejeo reciente... Es un destartalado pueblo manchego, silencioso, triste. Azorín recorre las calles; de cuando en cuando una cara femenina se asoma tras de los cristales al ruido de los pasos. Unos muchachos juegan, dando gritos, en una plaza solitaria; en una fuente rodeada de evónimos raquíticos charlan dos o tres mujeres. «*Pa* mí *toas* son buenas..., y *toas* somos buenas y malas», dice una. Toca una campana; caen anchas gotas.

Azorín llega al colegio. Un viejo colorado, con blancas patillas marinas y una bufanda azul, recibe su tarjeta. Y poco después el padre Lasalde aparece en el recibimiento. Está más delgado que antaño; su cara es más pálida y más buida; tiene más pronunciadas las arrugas que entrecoman su boca. Y la nervosidad de sus manos se ha acentuado.

—No sé lo que tengo—dice—; estoy así no sé cómo, Azorín... Yo creo que es cansancio... He trabajado, he trabajado...

Calla; sus silencios habituales son más largos ahora que antes; a veces se queda largo rato absorto, como si hubiese perdido la ilación de la frase. Y sus ojos miran extáticos al suelo.

—No sabes el trabajo que tengo..., y sigo, no sé cómo..., por acceder a los deseos de un editor de Alemania y por empeño de la Orden... Ya ves: la *Revista Calasancia* ya no la publicamos; la dirigía yo, y ya no puedo.

Vuelve a callar; después prosigue:

—Todo es vanidad, Azorín... Esto es un tránsito, un momento... Vive bien; sé bueno, humilde..., desprecia las vanidades..., las vanidades...

Y Azorín, cuando ha vuelto a la calle, en este día gris, en este pueblo sombrío de la estepa manchega, se ha sentido triste. Al azar ha recorrido varias calles, una ancha y larga, la de Madrid; después otras retorcidas de tapias de corrales y anchos postigos: la de San Eugenio, la de la Magdalena...

Luego ha entrado en el café-restaurante del Comercio. Es un café diminuto; no hay en él nadie. Reina un gran silencio; un perro de puntiagudo hocico y ojos brillantes, un perro joven, inexperto, se acerca a la mesa; al andar sobre el entarimado sus uñas hacen un ligero ruido seco. Azorín acaricia al perro y pide una copa de ginebra—dos cosas perfectamente compatibles.

Y luego, mientras bebe, piensa:

«Todo es vanidad; la imagen es la realidad única, la única fuente de vida y de sabiduría. Y así, este perro joven e ingenuo, que no ha leído a Troyano; este perro sin noción del tiempo, sin sospechas de la inmanencia o trascendencia de la causa primera, es más sabio que Aristóteles, Spinoza y Kant..., los tres juntos.»

El perro ha enarcado las orejas y le ha lamido las manos: parecía agradecer la alta justicia que se le hacía.

IV

Azorín se siente cansado de la monotonía de la vida madrileña y hace un breve viaje a Toledo. Toledo es una ciudad sombría, desierta, trágica, que le atrae y le sugestiona. Azorín vagabundea a lo largo de sus calles angostas, recorre los pintorescos pasadizos, se detiene en las diminutas plazas solitarias, entra en las iglesias de los conventos y observa, a través de las rejas, las sombras inmóviles de las monjas que oran.

Azorín vive en una posada: la posada Nueva. Visitar una ciudad histórica, posando en una fonda habitada por viajantes de comercio, turistas, militares, empleados, es renunciar a las más sugestivas impresiones que pueden recogerse poniéndose en contacto con la masa incosmopolita en un medio, como paradores y mesones, frecuentado por tipos populares... Azorín observa cómo entran y salen en esta posada Nueva los labradores de la tierra toledana, los ordinarios, los carromateros, las mozas recias, las viejas silenciosas, los alcaldes que llegan a las ocho y esperan hasta la una a que el gobernador, que es un inveterado noctámbulo madrileño, se digne levantarse...

Hoy, después del parco yantar posaderil, en el oscuro comedor que hay entrando a la izquierda, mientras una criada zazosita y remisa alzaba los manteles, Azorín ha oído hablar a un labriego de Sonseca. ¡Era un viejo místico castellano! Con grave y sonora voz, con ademanes sobrios y elegantes, este anciano de complexión robusta, iba discurriendo sencillamente sobre la resignación cristiana, sobre el dolor, sobre lo falaz y transitorio de la vida... «Por primera vez—pensaba Azorín—encuentro un místico en la vida, no en los libros, un místico que habla con la sencillez y elegancia de un fray Luis de León, y que siente hondamente y sin distingos ni prejuicios... En el pueblo castellano debe aún de quedar mucho de nuestro viejo espíritu católico, no bastardeado por las melosidades jesuíticas, ni descolorido por un frívolo y artificioso liberalismo que ahora comienza a apuntar en nuestro episcopado—precisamente aquí en Toledo—y que acaso dentro de algunos años haga estragos. Amplios de espíritu, flexibles, comprensivos, eran fray Luis de Granada, fray Luis de León, Melchor Cano. Fernando de Castro, en su discurso sobre la Iglesia española, tiene hermosas páginas en que pone de relieve este castizo espíritu del catolicismo español... El catolicismo de ahora es cosa muy distinta: está en oposición abierta con esta tradición simpática, que ya se ha perdido por completo entre las clases superiores, que sólo se encuentra aquí y allá, a retazos, entre los tipos populares, como este labriego de Sonseca que habla tan maravillosamente de la resignación cristiana... ¡Las clases superiores! No hay hoy en España ningún obispo inteligente; yo leo desde hace años sus pastorales y puedo asegurar que no he repasado nunca escritos tan vulgares, torpes, desmañados y antipáticos. ¡Son la ausencia total de arte y de fervor! No sale nunca de la pluma de un obispo una página elegante y calurosa. Aun los que entre ciertos elementos seudodemocráticos pasan por cultos e inteligentes—como este cardenal Sancha—, no aciertan ni siquiera a hacer algo fríamente correcto, discretamente anodino. Su vulgarismo es tan enorme, tan lamentable, que hace sonreír de piedad... Los libros del mismo cardenal Sancha pueden servir de ejemplo. Es difícil encontrar nada más chabacano: son mosaicos de trivialidades, de insignificancias, de recortes de periódicos, de citas vulgares. Y yo me figuro a un augusto señor, vestido de púrpura, con una resplandeciente cruz al cuello, sentado en un sillón de talla, metido en una cámara con alfombras y tapices..., que coge unas tijeras largas y va recortando un artículo de *Il Paese,* de Perusa; de *La Vera Roma,* de *El Correo de Bruselas,* o de *Le* (sic) *Times.* Recuerdo que en el libro de Sancha titulado—con título un poco portugués—*Régimen del terror en Italia unitaria,* el autor desciende a nimiedades indignas de la púrpura. Dice, por ejemplo, dirigiéndose a un general que disuelve no sé qué comité: «El general Baca Becaris, comisario de Milán, podrá ser muy competente en asuntos de la milicia; pero sin que tengamos intención de ofenderle, ha de permitirnos decirle que en su mencionado decreto, disolviendo el comité diocesano de aquella ciudad, revélase completo desconocimiento de las ciencias jurídicas y sociales.» En otra ocasión se dirige a un gobernadorcillo de Vicenza y escribe: «Valdría más que el prefecto de Vicenza, antes de dar su decreto disolviendo Círculos de la Juventud católica, hubiera ido a un colegio para recibir educación y nociones de filosofía para saber razonar.» ¡Estupendo!»

Azorín se levanta de la mesa. «El catolicismo en España es pleito perdido: entre obispos cursis y clérigos patanes acabarán por matarlo en pocos años.» Azorín sale a la plaza de Zocodover y da una vuelta por los clásicos soportales. La noche está templada. Los escaparates pintan sobre el suelo vivos cuadros de luz; en el fondo de las tiendas, los viejos mercaderes—como en los cuadros de Marinus—cuentan sus monedas, repasan sus libros. La plaza está desierta; de cuando en cuando pasa una sombra que se detiene un momento ante las vitrinas repletas de mazapanes; luego continúa y desaparece por una callejuela. «Este es un pueblo feliz—piensa Azorín—; tienen muchos clérigos, tienen muchos militares, van a misa, creen en el demonio, pagan sus contribuciones, se acuestan a las ocho... ¿Qué más pueden desear? Tienen la felicidad de la fe, y como son católicos y sienten horror al infierno, encuentran doble voluptuosidad en los pecados que a los demás mortales, escépticos de las chamusquinas eternas, apenas nos enardecen.»

Azorín se detiene en la puerta de una tienda. Dentro, ante el mostrador, examinando unas cajas redondas, hay una vieja con un manto negro y una moza con otro manto negro. La moza es menuda, verdadero tipo de la toledanita aristocrática, con la cara pálida, vivarachos los ojos, prestos y elegantes los ademanes. Decía Isabel la Católica, ponderando la inteligencia de las toledanas, que «sólo se sentía necia en Toledo»; Azorín no se siente precisamente necio—aunque otros lo sientan por él—, pero casi declara que le atrae más una toledana comprando mazapán que los libros del cardenal Sancha.

Por eso Azorín permanece ensimismado en la puerta. La vieja y la niña miran y vuelven a mirar cajas y más cajas. La compra se prolonga con esa pesadez de las mujeres cuando no se deciden a cerrar un trato. Mientras, Azorín piensa en que estas dos mujeres viven sin duda en un viejo caserón, con un enorme escudo sobre la puerta, con un lóbrego zaguán empedrado de menudos cantos, con ventanas diminutas cerradas por celosías, y que él, el propio Azorín, que está cansado de bullangas literarias, sería feliz casándose con esta muchachita del manto negro. «Sí, muy feliz—piensa—viviría en esa casa grande, en una callada vegetabilidad voluptuosa, en medio de este pueblo artístico y silencioso... Llegaría a ser un hombre metódico, que tose con pertinacia, que se levanta temprano, que come a horas fijas, que tiene todas sus cosas arregladas, que sufre de un modo horrible si una silla la colocan un poco más separada de la pared que de ordinario, que se queja arrullando como las palomas cuando tiene una neuralgia, que llega a la estación con una hora de anticipo cuando hace un viaje, que lee los discursos políticos, que se escandaliza de las láminas pornográficas, que sabe el precio de la carne y de los garbanzos, que usa, en fin, un bastón de vuelta con una chapa de plata que hace un ruido sordo al caminar... Esta vida, ¿no puede ser tan intensa como la de Hernán Cortés o Cisneros? «La imagen lo es todo», decía el maestro. La realidad no importa; lo que importa es nuestro ensueño. Y yo viviría feliz siendo aquí, en Toledo, un hombre metódico y catarroso..., con esta niñita apetitosa, de erguidos senos e incitantes pudores...»

La vieja y la niña salen al fin de la tienda. Azorín las sigue. Bajan por las empinadas escaleras del Cristo de la Sangre; luego recorren intrincado laberinto de callejuelas retorcidas; al fin, desaparecen en la penumbra como dos fantasmas. Suena un portazo... Y Azorín permanece inmóvil, extático, viendo desvanecerse su ensueño. Entonces, en la lejanía, ve pasar, bajo la mortecina claridad de un farol, una mancha blanca en que cabrillean vivos reflejos metálicos. La mancha se aproxima en rápidos tambaleos. Azorín ve que es un ataúd blanco que un hombre lleva a cuestas. ¡Honda emoción! A lo largo de las calles desiertas, lóbregas, Azorín sigue, atraído, sugestionado, a este hombre fúnebre, cuyos pasos resuenan sonoros en los estrechos pasadizos. El hombre pasa junto a Santo Tomé, entra luego en la calle del Angel, se detiene, por fin, en una diminuta plazoleta y aldabonea en una puerta. La caja hace un ronco son al ser dejada en tierra. Encima de la puerta aparece un vivo cuadro de luz y una voz pregunta: «¿Quién?» El hombre contesta: «¿Es aquí donde han encargado una cajita para una niña?...» No, no es allí, y el fúnebre portador coge otra vez la cajita y continúa su camino. Unas mujeres que están en una puerta exclaman: «Es para la niña de la casa de los Escalones. ¡Qué bonita era!» El hombre llega a otra reducida plazoleta y golpea ante una puerta que tiene tres peldaños. La abren; hablan; la mancha blanca desaparece; suena un portazo... Y Azorín, en el silencio de las calles desiertas, vaga al azar y entra por fin en un café desierto.

Es el café de Revuelta. Se sienta. Da dos palmadas y produce una honda sensación en los mozos, que le miran absortos. La enorme campana de la catedral suena diez campanadas que se dilatan solemnes por la ciudad dormida. Y Azorín, mientras toma una copa de aguardiente—lo cual no es óbice para entrar en hondas meditaciones—, reflexiona en la tristeza de este pueblo español, en la tristeza de este paisaje. «Se habla—piensa Azorín—de la alegría española, y nada hay más desolador y melancólico que esta española tierra. Es triste el paisaje y es triste el arte. Paisaje de contrastes violentos, de bruscos cambios de luz y sombra, de colores llamativos y reverberaciones saltantes, de tonos cegadores y hórridos grises; conforma los espíritus en modalidades rígidas y los forja con aptitudes rectilíneas, austeras, inflexibles, propias a las decididas afirmaciones de la tradición o del progreso. En los países septentrionales, las perpetuas brumas difuminan el horizonte, crean un ambiente de vaguedad estética, suavizan los contornos, velan las rigideces; en el Mediodía, en cambio, el pleno sol hace resaltar las líneas, acusa reciamente los perfiles de las montañas, ilumina los dilatados horizontes, marca definidas las sombras. La mentalidad, como el paisaje, es clara, rígida, uniforme, de un aspecto único, de un solo tono. Ver el adusto y duro panorama de los cigarrales de Toledo es ver y comprender los retorcidos y angustiados personajes del *Greco;* como ver los maciegales de Avila es comprender el ardoroso desfogue lírico de la gran santa, y ver Castilla entera, con sus llanuras inacabables y sus rapadas lomas, es percibir la inspiración que informara nuestra literatura y nuestro arte. Francisco de Asís, el místico afable, amoroso, jovial, ingenuo, es, interpretado por el cincel de Cano, un asceta espantable, amojamado, escuálido, bárbaro.

No busquemos en nuestro arte un soplo de amplio y dulce humanismo, una vibración íntima por el dolor universal, una ternura, una delicadeza, un consuelo sosegador y confortante. Acaso lo más íntimo y confortador de toda nuestra literatura es la maravillosa epístola de Fernández de Andrada, y su lectura deja en el ánimo la impresión del más amargo pesimismo. El poeta pinta la inanidad de los afanes cortesanos, la inutilidad de las andanzas y aspiraciones de los hombres, la eterna mentira de sus tratos y contratos, la perpetua iniquidad de sus justicias: todo es desorden y maldad, peculio propio de la privanza el que antes fué de Astrea, premio del malo lo que debió ser recompensa del bueno, intachable y elogiada virtud lo que es arte de «infames histriones»... Todo es vanidad y mentira. Nuestra misma vida no es más que «un breve día» comparable al heno, a la mañana verde, seco a la tarde. «¡Oh muerte—dice al final el autor en hermosísima frase—; ven callada como sueles venir en la saeta!»

Y al igual que Andrada, todos cuantos poetas han profundizado en una concepción del hombre y del universo. El mismo dulce cantor de la *Noche serena,* ¿no iguala en sus negruras al más pesimista de los poetas contemporáneos? Leopardi, entre todos y el primero de todos, no produce tal impresión de angustia y desconsuelo. Implacable en la censura de las desdichas y miserias humanas, fray Luis de León va mostrando poco a poco, en admirables versos de una apacible serenidad platónica, cómo el tiempo «hambriento y crudo» lo trasmuda todo y todas esas glorias y pasiones las acaba en muerte y nada. Vanidad de vanidades es la vida: si alguien, acaso, hay en ella dichoso, es aquel que a sí mismo, y no a los hombres y a las cosas que le rodean pide consuelo.

> Dichoso el que se mide,
> Felipe, y de la vida el gozo bueno
> a sí solo le pide;
> y mira como ajeno
> aquello que no está dentro en su seno.

Es una tristeza desoladora la tristeza de nuestro arte. El descubrimiento de América acaba de realizar la obra de la Reconquista: acaba por transformar al español en hombre de acción, irreflexivo, impoético, cerrado a toda sensación de intimidad estética, propio a la declamación aparatosa, a la bambolla retumbante. Y he aquí los dos géneros que marcan nuestra decadencia austríaca: el teatro, la novela picaresca. Lope da fin a la dramaturgia en prosa, sencilla, jugosa, espontánea, de Timoneda y Rueda; su teatro inaugura el período bárbaro de la dramaturgia artificiosa, palabrera, sin observación, sin verdad, sin poesía, de los Calderón, Rojas, Téllez, Moreto. No hay en ninguna literatura un ejemplo de teatro más enfático e insoportable. Es un teatro sin madres y sin niños, de caracteres monofórmicos, de temperamentos abstractos, resueltos en damiselas parladoras, en espadachines grotescos, en graciosos estúpidos, en gentes que hablan de su honor a cada paso, y a cada paso cometen mil villanías...

La novela, en cambio—a excepción del *Lazarillo,* obra juvenil y escrita cuando aún los patrones y resortes retóricos de la novela no estaban formados—, la tan celebrada novela picaresca es multiforme y seco tejido de crueldades pintorescas y horrideces que intentan ser alegres. Nadie hay más seco y más feroz que el gran Quevedo. La *Vida del Buscón don Pablos,* exagerado, dislocado, violento, penoso, lúgubre desfile de hambrones y mujerzuelas, es fiel síntesis de toda la novela. Causan repulsión las artimañas y despiadadas tretas que al autor se le ocurren para atormentar a sus personajes... Aquí, como en los demás libros castellanos, se descubre patente y claro el genio de la raza, hipertrofiado por la decadencia. Entre una página de Quevedo y un lienzo de Zurbarán y una estatua de Alonso Cano, la correspondencia es solidaria. Y entre esas páginas, esos lienzos, esas estatuas y el paisaje castellano de quebradas bruscas y páramos inmensos, la afinidad es lógica y perfecta»...

Azorín bebe otra copa de aguardiente.

«Sí—continúa pensando—; nuestra literatura del siglo XVII es insoportablemente antipática. Hay que remontarse a los primitivos para encontrar algo espontáneo, jovial, plástico, íntimo; hay que subir hasta Berceo, hasta el Romancero—en sus pinturas de la Infantina, del paje Vergilios, del conde Claros, etc.—, hasta el incomparable Arcipreste de Hita, tan admirado por el maestro. El y Rojas son los dos finos pintores de la mujer; pero ¡qué diferencia entre el escolar de Salamanca y el Arcipreste de Hita! Arcipreste y escolar trazan las mismas escenas, mueven los mismos tipos, forjan las mismas situaciones; mas Rojas es descolorido, ingráfico, esquemático, y el Arcipreste es todo sugestión, movimiento, luz, color, asociación de ideas. El *quid* estriba en esto: que Rojas pinta lo subjetivo, y Juan Ruiz lo objetivo; uno el espíritu, otro el mundo; uno la realidad interna, otro la externa; uno, en fin, y para decirlo de una vez y claro, es pintor de *caracteres*, y otro, de *costumbres*. La misma esencialísima diferencia nótase en la novela contemporánea, dividida entre Flaubert, maestro en psicología, y los Goncourt, maestros en plasticidad.

El Arcipreste sólo una frase necesita para trazar el aspecto de una cosa; tiene el sentido del movimiento y del color, la intuición rápida que le hace dar en breve rasgo la sensación entera y limpia.

La figura de Trotaconventos es superior en mucho a la ponderada Celestina. Trotaconventos es una vieja sutil, artera, sigilosa, sabidora de mil artes secretas, formidable dialéctica, habilísima embaucadora. Ella va por las casas, vendiendo joyas, enseñando novedades, contando chismes. A los mancebos afligidos proporciona *juntamientos con fembras placenteras;* a las mozuelas tristes logra consolaciones eficaces. Así a don Melón, perdido por doña Endrina, promete el socorro de sus trazas; y poco a poco va captando con sus embelecos, en gradación maestra, a la cuitada viuda. «¿Por qué—le dice—siempre encerrada en casa? Aquí, en la ciudad, hay muy hermosos mancebos, lozanos, discretos, nobles... Aquí vive don Melón de la Huerta, que por cierto aventaja a todos en gentileza y linaje. ¿Por qué estar sola, triste, encerrada?»

Acontece que, al fin, la bella viudita se ablanda a las argucias de la anciana; y ya espera con impaciencia sus visitas, ya le echa los brazos al cuello cuando llega; ya, cuando Trotaconventos le habla del amante, se le pone el color *bermejo* y *amarillo;* ya, en fin, mientras la vieja va desembuchando sus nuevas, ella, conmovida, ansiosa,

apriétame mis dedos en sus manos quedillo."

Azorín bebe otra copa de aguardiente.

«Sí—continúa pensando—, este espíritu jovial y fuerte, placentero y fecundo, se ha perdido... Estos pueblos tétricos y católicos no pueden producir más que hombres que hacen cada hora del día la misma cosa, y mujeres vestidas de negro y que no se lavan. Yo no podría vivir en un pueblo como éste; mi espíritu inquieto se ahogaría en este ambiente de foscura, de uniformidad, de monotonía eterna... ¡Esto es estúpido! La austeridad castellana y católica agobia a esta pobre raza paralítica. Todo es pobre, todo es opaco, todo es medido. Aun los que se llaman demagogos son en el fondo unos desdichados reaccionarios. No creen en un dogma religioso, pero conservan la misma moral, la misma estética, la misma economía de la religión que rechazan... Hay que romper la vieja *tabla de valores morales*, como decía Nietzsche.»

Y Azorín, de pie, ha gritado: «¡Viva la Imagen! ¡Viva el Error! ¡Viva lo Inmoral!» Los camareros, como es natural, se han quedado estupefactos. Y Azorín ha salido soberbio del café.

No es posible saber a punto fijo las copas que Azorín ha sorbido. Verdaderamente, se necesita beber mucho para pensar de este modo.

V

Toda la Prensa de la mañana da cuenta del banquete con que la juventud celebró anoche la publicación de la flamante novela de Olaiz titulada *Retiro espiritual*...

Azorín lee *El Imparcial*, que refiere minuciosamente el acto. Inició el brindis, leyendo un corto y enérgico discurso, Azorín; luego, dos, tres, cuatro, seis mozos más, hábiles manejadores de la pluma, hablaron también en grave registro o por pintoresca manera. El cronista de *El Imparcial* los enumera a todos, da breves extractos de sus arengas, trátalos con afectuosa deferencia.

Después Azorín coge *El Liberal*. En *El Liberal* ha hecho la reseña un antiguo compañero suyo. Y Azorín ve con sorpresa que se nombra a todos los que en la comida hablaron, a todos sin faltar uno, menos a él, al propio Azorín. El autor—su viejo amigo—ha hecho pasmosos y admirables equilibrios para no mentar su nombre mentando a todos.

«Este rasgo de inquina mujeril—piensa Azorín—, esta insignificancia rastrera, propia de un espíritu sin idealidad, sin altura, sin grandeza, es como el símbolo de esta juventud de la que yo formo parte, entre la que yo vivo; de esta juventud que, como la otra juventud pasada, la vejez de hoy, no tiene alientos para remontarse sobre las miserias de la vida... Es un detalle éste que casi nada vale; pero la existencia diaria está formada de estos microscópicos detalles, y la historia, a la larga, no es sino, de igual manera, un discreto ensamblaje de estas despreciables minucias. Yo recuerdo que hace años, en un periódico en que dominaba un literato tenido por insigne, se copiaban los sumarios de una revista literaria, y al copiarlos suprimían el nombre de un escritor, colaborador de esta revista, que tiempos atrás había molestado con su sátira al literato insigne... ¡Imposible llevar más allá la ruindad de espíritu! Y éste es otro detalle elocuentísimo para la pintura de nuestra sociedad literaria: en Madrid es raro el literato de corazón ancho. Se vive en un ambiente de dimes y diretes, de pequeños odios, de minúsculas adulaciones, de referencias insidiosas, de sonrisas falsas, de saludos equívocos...»

Azorín deja caer al suelo el periódico y prosigue en sus quimeras:

«Sí, esto es ruin, esto es estúpido... Hace dos días salí de un café distraídamente, sin despedirme del ilustre poeta X, que estaba en una mesa próxima; ayer lo encontré por la calle y volvió la cabeza por no saludarme. Anoche en el Ateneo encontré al novelista N y le pedí su libro reciente. «He decidido—me contestó cariñosamente—no regalar ejemplares de mis libros...» Y he aquí que, estando hablando, se acerca un redactor de un gran periódico, amigo de ambos, y le da las gracias por haberle mandado su obra. Caigo en la cuenta de que yo, hace un año, le prometí una crítica de un libro anterior y no se la hice; y caigo también en la cuenta de que este buen señor me regalaba sus libros para que yo le hiciera reclamos más o menos justos... La lista de estos síntomas del tiempo sería interminable... Hay en todos una susceptibilidad, un orgullo y un egoísmo extraordinarios. En Madrid no se puede hacer crítica literaria sincera: no hay ni un solo escritor que sepa remontarse por encima de una censura; no hay ni uno solo que pueda leer con perfecta ataraxia espiritual un adjetivo denigrante para su honra literaria; no hay ni uno solo que pueda hablar indiferente con su censor, sin prejuicios, sin restricciones, sin odios. ¡Todos son débiles! Yo soy, entre todos los escritores jóvenes, el que ha traído sobre sí más enorme cantidad de censuras... No guardo odio a nadie; leo las más acres virulencias con inalterable sosiego; considero a mis censores del mismo modo antes y después de la crítica. Y si viniera a mí alguno de ellos en requerimiento de un favor, yo le atendería con la misma indiferencia que a mis elogiadores... Y es porque yo soy un determinista convencido. Desde luego que esta aptitud intelectiva para sobreponerse a las mezquindades de la vida es innata, instintiva, congénita; pero mucho influye en ella asimismo la concepción filosófica que se tenga del universo. Y véase cómo, aunque parezca extremada paradoja, Lucrecio o Moisés pueden hacer sonreír o desazonar ante la minúscula insidia literaria de un cariñoso amigo, como este que hoy suprime mi nombre en su crónica... ¡Sonriamos! El universo es un infinito encadenamiento de causas y concausas; todo es necesario y fatal; nada es primero y espontáneo. Un hombre que compone un maravilloso poema o pinta un soberbio lienzo, es tan autómata como el labriego que alza y deja caer la azada sobre la tierra, o el obrero que da vueltas a la manivela de una máquina... ¡Los átomos son inexorables! Ellos llevan las cosas en combinaciones incomprensibles hacia la Nada; y ellos hacen que esta fuerza misteriosa que Schopenhauer llamaba *Voluntad* y Forschamer *Fantasía,* se resuelva en la obra artística del genio o en la infecunda del crimen... Hay una famosa litografía de Daumier que representan el *galop* final de un baile en la Opera de París; es un caos pintoresco, delirante, frenético, de cabezas tocadas con inverosímiles caretas, de piernas que corren, de brazos en violentas actitudes, de máscaras, en fin, que se atropellan, saltan, gesticulan, gritan, bailan en un espasmo postrero de la orgía... Pues bien: el mundo es como este dibujo de Daumier, en que el artista—como Gavarni en los suyos, y como más tarde Forain en sus visiones de la Opera—ha sabido hacer revivir el austero y a la vez cómico espíritu de las antiguas Danzas de la Muerte. Desde el punto de vista determinista, todo este tráfago, todo este flujo y reflujo, toda esta movilidad inconsciente de una humanidad inquieta, vienen a ser cómicos en extremo. ¡El mundo es una inmensa litografía de Daumier!»

Azorín queda absorto un momento, acaso satisfecho de su frase: es modesto. Luego, prosigue pensando:

«Lo doloroso es que esta danza durará millares de siglos, millones de siglos, millones de millones de siglos. ¡Será eterna!... Federico Nietzsche, estando allá por 1881 retirado en una aldea, entregado a sus fecundas meditaciones, se quedó un día estupefacto, espantado, aterrorizado. ¡Había encarnado de pronto en su cerebro la hipótesis de la *Vuelta eterna!* La Vuelta eterna no es más que la continuación indefinida, *repetida,* de la danza humana... Los átomos, en sus continuas asociaciones, forman mundos y mundos; sus combinaciones son innumerables, pero como los átomos son unos mismos—puesto que nada se crea ni nada se pierde—y como es una misma, uniforme, constante, la fuerza que los mueve, lógicamente ha de llegar—habrá llegado quizá—el momento en que las combinaciones se repitan. Entonces se dará el caso—como ya el maestro Yuste sospechaba—de que este mismo mundo en que vivimos ahora, por ejemplo, vuelva a surgir de nuevo, y con él todos los seres idénticos que al presente lo habitan. «Todos los estados que este mundo puede alcanzar—dice Nietzsche—los ha alcanzado ya, y no solamente una vez, sino un número infinito de veces. Lo mismo sucede con este momento: *ha sido* ya una vez, muchas veces, y volverá a ser, cada vez que todas las fuerzas estén repartidas exactamente como hoy; y lo mismo acontecerá con el momento que ha engendrado a éste y con el momento al cual ha dado origen. ¡Hombre, toda tu vida, como un reloj de arena, será siempre de nuevo retornada y se deslizará siempre de nuevo, y cada una de estas vidas no estará separada de la otra sino por el gran minuto de tiempo necesario para que todas las condiciones que te han hecho nacer se reproduzcan en el ciclo universal! Y entonces encontrarás otra vez cada dolor y cada alegría, y cada amigo y cada enemigo, y cada esperanza y cada error, y cada brizna y cada rayo de sol, y toda la ordenanza de las cosas todas. Ese ciclo del que tú eres un grano brilla de nuevo. Y en cada ciclo de la existencia humana hay siempre una hora en que en un individuo primero, después en muchos, luego en todos, se eleva el pensamiento más poderoso: el de la Vuelta universal de todas las cosas. Y ese momento es siempre para la Humanidad la hora del mediodía.»

Azorín torna a quedarse ensimismado. Lo mismo que el maestro Yuste, su espíritu padece la obsesión de estas indefinidas combinaciones de los átomos. ¿Serán realmente eternas? ¿Se repetirán los mundos? Su misticismo ateo encuentra en estas metafísicas un gran venero de especulaciones misteriosas. Dice un crítico que cuando Nietzsche halló su hipótesis —fácil de hallar, como la halló Yuste, que no conocía a Nietzsche, después de una lectura de Lucrecio o del moderno Toland—, experimentó un sentimiento de inmenso entusiasmo mezclado de un indecible horror.»

«Yo no siento la angustia que sentía Nietzsche ante la Vuelta eterna—piensa Azorín—; la sentiría si en cada nuevo resurgimiento tuviésemos conciencia del anterior. Entonces, el universo sería algo infinitamente más hórrido que el infierno católico, y el primer deber del hombre, el más imperioso, consistiría en llegar a todos los placeres por todos los medios, es decir, en *ser fuerte*... Nietzsche cree que, aun sin la conciencia, es ésta la necesidad única. Yo también lo siento de este modo; sólo que la energía es algo que no se puede lograr a voluntad, algo que, como la inteligencia, como la belleza, no depende de nosotros el poseerla... Las cosas nos llevan de un lado para otro fatalmente; somos de la manera que el medio conforma nuestro carácter. Acaso, a través del tiempo, las minúsculas reacciones que el individuo puede operar contra el medio lleguen, aunadas, continuadas, a determinar un tipo de hombre fuerte, pletórico de vida, superior. Pero eso nosotros no lo veremos, no lo sentiremos, y lo que a mí me importa es mi propio yo, que es el *Unico*, como decía Max Stirner; mi propia vida, que está antes que todas las vidas presentes y futuras...»

Un largo momento de estupor. Luego, Azorín se levanta decidido. Decidido, ¿a qué?

El maestro Yuste hubiera sonreído irónicamente de Azorín, de este Azorín ingenuo que cree que los literatos madrileños son débiles porque tienen una cenestesia delicada, y que él es fuerte porque sufre impasible el diminuto arañazo de un amigo insidioso.

El maestro hubiera sonreído.

VI

El Anciano está sentado en un amplio sillón. Tiene la barba blanca; sus mejillas están sonrosadas; los recios cristales de unas gafas tamizan el brillo de la mirada. Es menudo de cuerpo; su voz es incisiva y penetrante. Y conforme va hablando, sencillamente, ingenuamente, va frotándose las manos una con otra, todo encogido, todo risueño.

Trabaja ante una mesa cargada de papeles, libros, periódicos, en un despacho sencillo, junto a un balcón por el que entra una amplia oleada de sol. Y así, bañado en luz, sosegado, silencioso, el Anciano va cubriendo con su letrita microscópica cuartillas para la imprenta, alegatos para el Juzgado.

Azorín ha venido a ver al Anciano. El Anciano recibe simplemente a todas sus visitas. Y durante un rato, Azorín ha oído sonar la vocecilla atiplada y ha visto las blancas manos pasar una sobre otra suavemente.

—La literatura española contemporánea no ha encontrado hasta ahora su historiador... Yo allá en mis mocedades intenté hacer algo, pero concretamente sólo a la literatura dramática. Mi idea era publicar un estudio sobre el teatro, acompañado de la mejor producción de cada autor. En París se ha hecho algo parecido, pero con respecto a nuestro teatro antiguo... Hay una colección de doce comedias de los grandes autores, *las doce mejores comedias*... ¿Y a que no sabe usted quién la hizo? Augusto Comte.

El Anciano calla un momento; y luego prosigue:

—Augusto Comte era aficionadísimo a nuestra literatura. Los dos libros que él recomendaba a sus discípulos que leyesen eran el *Quijote* y el *Kempis*. El quería que leyesen todos los días por lo menos una página. Pero—les decía—donde en la *Imitación de Cristo* pone *Dios,* vosotros poned *Humanidad,* y resultará todo conforme a nuestra religión... Comte era más que nada un gran soñador, un sentimental..., y para ver cómo este hombre entendía la palingenesia social, la mutación de un estado social en otro, y cuáles eran las vías para llegar a él, no hay más que leer sus *Circulares*. Así, yo recuerdo que en la que publicó en 1855 dice que «la enfermedad occidental exige un tratamiento *más afectivo que intelectual*», y luego añade que «aunque los positivistas hayan debido ascender primero desde la fe hacia el amor, *deben en adelante preferir la marcha, más rápida y más eficaz, que desciende del amor a la fe*»... Por aquí puede verse que Comte era uno de esos hombre afectivos destinados a abrir una honda huella en la Humanidad. Fué un filósofo, pero por encima de eso fué un apóstol, un hombre de multitudes... Además, ya sabe usted que intentó fundar una religión: el positivismo no es una escuela filosófica, como puede serlo el cartesianismo, el hegelianismo; es algo más trascendental, es una religión... Vea usted qué cosa tan extraña a primera vista, pero justificable cuando se piensa en su sentimentalismo: Comte profesaba un verdadero culto a la Virgen, culto que sus discípulos han continuado fervorosamente. Porque Lagarrigue en sus *Cartas sobre el positivismo* dedica largas páginas a la Virgen-Madre, que siendo, según él, «la mejor representación de la Humanidad y el fin constante y supremo de nuestros esfuerzos, debe ser el resumen natural de nuestra religión, el centro de su culto, de su dogma y de su régimen»... Comte, en el fondo, sobre todo en sus últimos años, era un católico y, sin disputa, un místico. En el *Catecismo positivista* recomienda la oración. «La oración—dice—se convierte para nosotros en el ideal de la vida, porque orar es a la vez amar, pensar y obrar.» El positivismo tenía también sus sacramentos; el sacramento de la *presentación* era una especie de bautismo... Los discípulos, siempre que hablaban de la muerte del maestro, no decían *la muerte,* sino *su gloriosa transformación*... Llegaron tambén a cambiar los nombres de los meses; así, Homero era febrero; abril, César; marzo, Aristóteles; septiembre, Gutenberg; diciembre, Bichat...

El Anciano calla un instante. Y prosigue:

—Yo, cuando estuve en París, seguí dos cursos de positivismo. Entonces conocí a los discípulos de Comte, que luego han continuado escribiéndome y consultándome sobre sus diferencias. Cuando la desavenencia entre Laffitte y Lagarrigue, éste me escribió una larga carta... Pocos discípulos deben de quedar: Laffitte, Lagarrigue, Flores... Laffitte es el sucesor, con gran enojo de Lagarrigue, que ve en él algo como un traidor a la causa santa. Laffitte tiene ahora—si vive—la cátedra en el Colegio de Francia que Comte solicitó de Guizot. Es un hombre austero, un asceta. Vive pobrísimamente, y con todo de pasarse todo el día ajetreado dando lecciones, no hay noche que no vaya a dar también lecciones, pero gratuitas, a la *capilla de Comte*... Esta capilla es la casa donde él vivió; sus discípulos la compraron a costa de grandes sacrificios para consagrarla a su memoria. Y como Laffitte es pobre, le invitaron a que la ocupase. «No—contestó él—, no quiero profanar la casa del maestro.» Y continuó viviendo en un desván donde, cuando yo le visité, no tenía ni unas malas tablas para poner los libros, que andaban tirados por el suelo...

El Anciano calla. Y Azorín piensa en este hombre austero, discípulo y amigo de otros hombres austeros. En el tremendo desconcierto de la última década del siglo XIX, sólo este español se yergue puro entre la turba de negociantes discurseadores y cínicos. Y es tanta su rigidez, tal su inflexibilidad, que ellas mismas le han llevado en ocasiones a negar la vida y hacer obra de reacción infecunda. Así, en 1873, siendo ministro de la Gobernación, pudo haber instaurado la república federal, con ocasión de las insurrecciones de Sevilla, Barcelona y Cartagena. ¡Y este hombre, que desde el 54 venía predicando la Federación y consagrando a ella todas sus energías, permaneció inerte! «¿Hice bien?—preguntaba en su folleto *La República de 1873*—; lo dudo ahora, si atiendo al interés político; lo afirmo sin vacilar, si consulto mi conciencia...» Azorín no se explicaba esta dualidad absurda. ¡Predicar la Verdad, y no hacerla surgir, llegado el momento, por respeto a una ley, por no conculcar una ley! ¡Y todo un pueblo, que creemos nosotros que será feliz con nuestras doctrinas, sufriendo por un exagerado puritanismo nuestro! ¡Lo inmoral, aquí, en este caso, es el respeto a esa ley que se opone al bienestar de una nación!

El Anciano, en la puerta, despide a Azorín, frotándose dulcemente las manos, sonriendo, con su voz atiplada:

—Adiós, señor Azorín... Adiós, señor Azorín.

Y Azorín se entristece pensando en la enorme paradoja de Comte, en la enorme paradoja de su discípulo Pi y Margall —un hombre sabio y bueno que pudo hacer menos grande el dolor de España, y no lo hizo.

VII

«Y es lo cierto—piensa Azorín mientras baja por la calle de Toledo—que yo tengo un cansancio, un hastío indefinible, invencible... Hace diez años, al llegar a Madrid después del fracaso de aquel amor... infausto; al llegar a Madrid con mis cuartillas debajo del brazo, tenía cierto entusiasmo, cierto ardimiento bárbaro, indómito... ¡Qué crónicas aquellas de *La Península!* El director todas las noches, muy grave, con su respirar de foca vieja: «Amigo Azorín, *esto* no puede continuar; los suscriptores se quejan; hoy he recibido ocho cartas...» Y luego cuando salió mi artículo sobre *El amor libre,* ¡un alud de protestas! «El autor—decía en una de ellas un viejo progresista—o es un loco o no debe de tener hijas...» No, no tenía hijas, ni nada... No tenía este tedio de ahora, después de haber hecho mi nombre un poco célebre—que vale más que ser célebre del todo—; después de haber devorado miles de libros y haber emborronado miles de cuartillas...»

Azorín pasa ante la iglesia de San Isidro.

«Y esto es inevitable; mi pensamiento nada en el vacío, en un vacío que es el nihilismo, la disgregación de la voluntad, la dispersión silenciosa, sigilosa, de mi personalidad... Sí, sí, el trato de Yuste ha influído sin duda en mí; su espíritu se posesiona de mí definitivamente, pasados estos años de entusiasmo. Y luego, la figura de Justina, negra, pálida..., y el ambiente tétrico de aquel pueblo..., la herencia, acaso, también, y más poderosamente que nada..., todo, todo rompe y deshace mi voluntad, que desaparece... ¿Qué hacer? ¿Qué hacer?... Yo siento que me falta la fe; no la tengo tampoco ni en la gloria literaria ni en el progreso..., que creo dos solemnes estupideces... ¡El progreso! ¡Qué nos importan las generaciones futuras! Lo importante en nuestra vida, nuestra sensación momentánea actual, nuestro *yo,* que es un relampagueo fugaz. Además, el progreso es inmoral, es una colosal inmoralidad, porque consiste en el bienestar de unas generaciones a costa del trabajo y del sacrificio de las anteriores.»

Azorín entra en la calle de los Estudios.

Pasa por la misma una mujer con dos niños. Y Azorín piensa:

«No sé qué estúpida vanidad, qué monstruoso deseo de inmortalidad, nos lleva a continuar nuestra personalidad más allá de nosotros. Yo tengo por la obra más criminal esta de empeñarnos en que prosiga indefinidamente una humanidad que siempre ha de sentirse estremecida por el dolor, por el dolor del deseo incumplido, por el dolor, más angustioso todavía, del deseo satisfecho... Podrán llegar los hombres al más alto grado de bienestar, ser todos buenos, ser todos inteligentes..., pero no serán felices; porque el tiempo, que se lleva la juventud y la belleza, trae a nosotros la añoranza melancólica por las pasadas agradables sensaciones. Y el recuerdo será siempre fuente de tristeza. Yo de mí sé decir que nada hay que tanto me contriste como volver a ver un lugar—una casa, un paisaje—que frecuenté en mi adolescencia; ni nada que ponga tanta amargura en mi espíritu como observar cómo ha ido envejeciendo..., cómo ha perdido el brillo de los ojos, y la flexibilidad de sus miembros, y la gallardía de sus movimientos..., la mujer que yo amé secreta y fugazmente, siendo muchacho. ¡Todo pasa brutalmente, inexorablemente! Y yo veo junto a esta mujer deforme, lenta, inexpresiva..., un gesto, una mirada, un movimiento de la muchacha de antaño..., su modo peculiar de sonreír entornando los ojos titilantes, su manera de decir *no*, su expresión deliciosamente grave al hacer una confidencia... ¡Y todo este resurgimiento instintivo me llena de una tristeza casi anhelante! Y pienso en una inmensa danza de la Muerte, frenética, ciega, que juega con nosotros y nos lleva a la Nada... Los hombres mueren, las cosas mueren. Y las cosas me recuerdan los hombres, las sensaciones múltiples de esos hombres, los deseos, los caprichos, las angustias, las voluptuosidades de todo un mundo que ya no es.»

Azorín se encuentra frente al Rastro. En la calle de los Estudios comienzan las avanzadas del pintoresco mercado. Van y vienen gentes apresuradas; gritan los vendedores; campanillean los tranvías eléctricos. Al borde de la acera se extienden los puestos de ropas, hules, marcos, cristalería, libros. Junto a la puerta del Instituto, arrimada a la pared, una vendedora de cordones lee en voz alta el folletín de un periódico. «¡Ah, yo evitaré que se esconda!—dijo el duque con voz...» Después grita: «¡Cinco cordones en una perra chica! ¡Cinco cordones en una perra chica!» Una diligencia pasa, cascabeleando, con estruendo de herrumbre y muelles rotos. Resaltan las telas—rojas, azules, verdes, amarillas—de los tenderetes; brillan los vasos, tazas, jarrones, copas, floreros; llena la calle rumor de gritos, toses, rastreo de pies. Y los pregones saltan repentinos, largos, plañideros: «¡Papel de Armenia para perfumar las habitaciones, a perro grande!...» «¡Son de terciopelo y *peluche*!...» «¡La de cuatro y seis reales, a real!...» Un vendedor de dátiles pasea silencioso, envuelto en una amplia capa parda, encasquetada una montera de pieles; sentada en el resalto de una ventana baja, una ciega extiende la mano. La cordonera lee: «... el niño, vencido por el terror...» Y luego: «¡Cinco cordones en una perra chica! ¡Cinco cordones en una perra chica!» Se acerca una mujer con una gran saco a la ciega. Hablan: «... decirte que vaya tu marido a hacer colchones el lunes...» Pasan carromatos, coches, tranvías.

En la calle de los Estudios lucen colgados en las fachadas los blancos muebles de pino; junto a la acera continúan los puestos de cintas, tapetes, jabones, libros. Van y vienen traperos, criadas, señoritos, chulos, mozos de cuerda... Y recorrida la calle del Cuervo, con sus pañerías y zapaterías, se llega a la Cabecera del Rastro. Confusión formidable; revoltijo multiforme de caras barbadas y caras femeninas, de capas negras, toquillas rojas, pañuelos verdes; flujo y reflujo de gentes que tropiezan, de vendedores que gritan, de carros que pasan. En la esquina, un círculo de mujeres se inclina sobre un puesto; suena dinero; se pregona: «¡A quince y a real, peines!» Y un mozo cruza entre la multitud con un enorme espejo que lanza vivísimos destellos.

La gente sube y baja; una vendedora de pitos, con una larga pértiga en que van clavados, silba agudamente; un vendedor de vasos los hace tintinear, golpeándolos; chocan, en las tiendas, con ruido metálico, los pesos contra el mármol. Y a intervalos rasga los aires la voz de un carretero, el grito de un mozo cargado con un mueble: «¡Ahí va, eh!..., ¡aheeeh!»

Se pasa luego frente a la calle de la Ruda, entre los puestos de las verduleras, y aparece la Ribera de Curtidores. Entre las dos líneas blancas de los toldos, resalta una oleada negra de cabezas. Al final, en lo hondo, un conjunto de tejados rojizos, una chimenea que lanza denso humo, la llanura gris, a trechos verde, que se extiende en la lejanía, limitada por una larga y tenue pincelada azul... Gritan los vendedores—de jabones, de tinta, de papel, de agujas, de ratoneras, de cucharas, de corbatas, de fajas, de barajas, de cocos, de toquillas, de naranjas—que van y vienen por el centro. Y ante dos papeles de tabaco extendidos en el suelo, vocea un hombre jovialmente: «¡Aire, señores, aire a la jamaica!»

Las telas colgadas flamean blandamente; reflejan al sol los grandes círculos dorados de los braseros; resaltan las manchas blancas y azules de platos y cazuelas; un baratillero toca una campana; un niño con dos gruesos volúmenes grita: «¡La novela *La esposa mártir,* la vendo!», trinan los canarios de multitud de jaulas apiñadas; se oyen los lejanos gruñidos angustiosos de los cerdos del matadero. Y en el fondo, destacando sobre el llano manchego, la chimenea va silenciosamente difuminando de negro el cielo azul.

A la izquierda de las Grandiosas Américas, baja un callejón lleno de puestos de hórridas baratijas: cafeteras, bragueros, libros, bisagras, pistolas, cinturones, bolsas de viaje, gafas, leznas, tinteros..., todo viejo, todo roto, todo revuelto. Junto a la puerta de la Escuela de Artes y Oficios, un grupo rodea una ruleta. El ruletero es un clásico rufián de cavernosa voz; sus mostachos son gruesos; las mangas cortas de la chaqueta descubren recias muñecas. De cuando en cuando hace girar la pintada rueda de madera y exclama: «¡Hagan juego, señores!... ¡Donde quieran y como quieran!... ¡Pueden jugar de cinco, de diez, de quince, de veinte y de real...» Se oye cómo se va apagando el tictac de la ballena. Y luego: «¡Número trece, blanco!» Y tintinean las monedas.

Se cruza luego la ronda de Toledo y se entra en el más miserable bazar del Rastro. Es a modo de una feria hecha con tablas rotas y lienzos desgarrados, formada en calles estrechas y fangosas, repleta de mil trastos desbaratados.

Aquí, en esta trastienda del Rastro, hay una barraca de libros viejos, y a ella viene los domingos Azorín, a sentarse un rato, mientras curiosea en los sobados volúmenes. Entran y salen clérigos pobres, ancianos con capas largas, labriegos. Revuelven, preguntan, regatean. El librero defiende su mercancía: «... se venden sueltas a dos pesetas, y la *Desesperación,* de Espronceda, está agotada...» Una niña viene a vender una novela; una vieja pregunta por otro vendedor que se ha suicidado; pasa un mozo con unas vidrieras a la espalda; suena la musiquilla asmática de un acordeón.

VIII

Este Enrique Olaiz está ahora paseando por su despacho, en cortos paseos, porque el despacho es corto. Olaiz es calvo —siendo joven—; su barba es rubia y puntiaguda. Y como su mirada es inteligente, escrutadora, y su fisonomía toda tiene cierta vislumbre de misteriosa, de hermética, esta calva y esta barba le dan cierto aspecto inquietante de hombre cauteloso y profundo, algo así como uno de esos mercaderes que se ven en los cuadros de Marinus, o como un orfebre en la Edad Media, o como un judío que practica el cerrado arte de la crisopeya, metido allá en el fondo de una casucha toledana.

Y tiene Olaiz realmente algo de misterioso. El ama lo extraño, lo paradójico; le seducen las psicologías sutiles y complicadas; admira estos pueblos castellanos, tan sombríos, tan austeros, perdidos en la estepa manchega. Yo creo que ha sido él quien ha infundido entre los jóvenes intelectuales castellanos el amor al *Greco*... Y véase la contradicción: este hombre tan complejo, tan multiforme, es sencillo, sencillo en su escritura. Escribe flúidamente, sin preparación, sin esfuerzo; y su estilo es claro, limpio, de una transparencia y de una simplicidad abrumadoras. Acaso por esto sus libros no son admirados, plenamente admirados, por la crítica. Es natural que suceda esto en un medio literario en que sólo alcanza admiraciones lo que se suele llamar el *estilo brillante,* y que es en realidad una moda momentánea de retórica y de sintaxis. Olaiz no es brillante; tiene la simplicidad que no envejece, que es de todos los tiempos; la simplicidad, incorrecta a veces—¡y qué importa!—, de lo que se siente hondamente, de lo que es original, pintoresco, sugestivo.

Aquí, en su despacho, está ahora Olaiz conversando con Azorín. Tiene un pañuelo blanco al cuello; lleva unos zapatos suizos. Y con las manos metidas en los bolsillos y un poco encorvado, esfumada casi su silueta en el turbio claror de este día de invierno, en que sólo resaltan la mancha rosa de la calva y la mancha oro de la barba, parece que va a comunicar misteriosamente que la ansiada transmutación se realizará de un momento a otro, tal vez hoy, acaso mañana.

El despacho es una pieza cuadrada, con una ventana que da a un patio. A un lado hay una mesa y un estante con libros; junto a la ventana, otra mesa con tapete verde, y por la estancia, ligeros sillones de gutapercha y sillas de reps verde. Lucen en las paredes reproducciones de cuadros del *Greco,* una fotografía del *Descendimiento* de Metsys, aguafuertes de Goya, grabados de Daumier y Gavarni. De cuando en cuando, *Yock,* que es un perro kantiano, entra y sale familiarmente. Y un reloj marca, con su tictac sonoro, el correr del tiempo inexorable.

Enrique Olaiz dice:

—Nuestro tiempo es un tiempo de excepción para los intelectuales. En primer lugar, el hecho que se ha mostrado claramente a todos los pensadores es que el principio democrático es un error, que los dogmas de la Revolución, *Libertad, Igualdad* y *Fraternidad,* contienen una contradicción, una blasfemia en contra de la naturaleza eterna... Libertad e Igualdad son incompatibles porque la Naturaleza ha hecho a los individuos desiguales, y por consiguiente, éstos, en la realización de su libertad, volverán siempre a la reconstitución de su desigualdad... Hay también otro motivo: la destrucción de los privilegios de la herencia no ha tenido por consecuencia ni siquiera aquella igualdad relativa que correspondería a la desigualdad natural de los hombres; sino que esta destrucción de los privilegios ha allanado el camino a dos nuevos dueños, o sea, a la burguesía y al pueblo... En contraste con los sueños de la Revolución francesa, la realidad ha demostrado que la mera liberación de una Humanidad todavía ineducada e ignorante, fundada en el principio democrático..., esta liberación no podía producir otra cosa que un nuevo privilegio, el de los declamadores, entre los astutos y entre los interiormente menos delicados...

La libertad llevada a sus últimas consecuencias, repugna. Actualmente un hombre, a no ser un sectario, encuentra lógica y necesaria la libertad de conciencia y la libertad de emisión del pensamiento. La mayoría de los hombres creemos que todos tienen el derecho de buscar la verdad, su verdad; pero esta libertad, que para el pensamiento la aceptamos todos, no la aceptamos respecto, por ejemplo, del comercio. Si alguien tratara de vender en la calle venenos o abortivos, todos creeríamos que la libertad del vendedor debería ser atajada... También nos molesta pensar que un hombre pueda comprar los favores de una mujer por dinero, y, sin embargo, es libre él para comprarlos y ella para prostituirse...

La igualdad no es necesario llevarla al absurdo para comprender que es una idea sin base ninguna... Respecto a la fraternidad es un sueño hermoso, pero irrealizable, al menos por ahora.

Consecuencia de estos tres dogmas es la Democracia, la santa, la intangible Democracia, que es el medio de realizar esos ideales... Hablo, al decir Democracia, del dogma político-social así llamado, no de esa piedad y benevolencia por las clases menesterosas, producto de la cultura de la Humanidad y que no tiene nada que ver con el dogma... Me refiero a la Democracia que tiende al dominio de la masa, al absolutismo del número, y que ya no tiene tantos partidarios como antes entre los hombres libres que piensan sin prejuicios... El número no podrá nunca ser una razón; podría serlo si la masa estuviera educada; pero para educarla, alguno tiene que ser el educador, y ese educador tiene que estar alto, para imponer una enseñanza que quizá la misma masa rehusara... Hoy todos los que no tenemos intereses ni aspiraciones políticas, estamos convencidos de que la Democracia y el sufragio son absurdos, y que un gran número de ineptos no ha de pensar y resolver mejor que un corto número de inteligentes. Estamos viendo la masa agitada siempre por malas pasiones; vemos los clamores de la multitud ahogando la voz de los hombres grandes y heroicos. Desde la que condena a Cristo hasta la que grita a Zola, casi siempre la masa es de instintos protervos... A pesar de la cultura adquirida, con haber triunfado la Democracia no se puede decir que haya abierto el campo a las energías de los fuertes; actualmente al menos no se ve que la Democracia sea comadrona de genios o de hombres virtuosos. Dada la manera de ser comunista de la enseñanza —y esto es bastante para que todos los espíritus libres y algo revoltosos sientan antipatías por ella—; dada esta enseñanza, un hombre de talento o de carácter no tiene más medios que antes de sobresalir; acaso tenga menos que hace doscientos años, porque el afán de lucro arrastra hacia las universidades y escuelas especiales, y un turbión de gente obstruye todos los caminos y ahoga con su masa las personalidades más enérgicas...

Para la realización de la Democracia, medio de conseguir el sagrado lema *Igualdad, Libertad, Fraternidad*, se creyó primero en la república; hoy ya se consideran como formas superiores la del Socialismo y la de la Acracia... El socialismo se ve lo que es. Bernstein, en sus obras, ya célebres, *Hipótesis del socialismo* y *¿Es posible un socialismo científico?*, ha demostrado que las afirmaciones de Marx no tienen el carácter de seguridad y de certeza que se les ha querido asignar. Ha observado Bernstein, y ha observado concienzudamente, en Alemania, en Inglaterra, en Francia; de sus estudios, de la comparación de los hechos, de las estadísticas, se obtiene un resultado diametralmente opuesto a la teoría de Karl Marx. Y este resultado es la diseminación de la propiedad territorial, la multiplicación de las empresas, el fraccionamiento de los capitales. En Inglaterra la propiedad territorial lleva camino de dividirse menudamente; en Francia las propiedades pequeñas forman, según las estadísticas, las tres cuartas partes de la propiedad rústica; en Alemania se observan fenómenos análogos. Esto respecto a la tierra... Con relación a la industria, Bernstein demuestra con datos que la fábrica grande permite vivir a las pequeñas, a las cuales necesita muchas veces como auxiliares... Y en cuanto al dinero, según las observaciones del autor, se fragmenta y se democratiza como las demás riquezas gracias a la multiplicación de las sociedades y al precio siempre pequeño de las acciones... Estas obras de crítica de Bernstein han producido verdadero pánico entre los socialistas científicos. La negación de las premisas del marxismo ha bastado para llevar a todos los afiliados a la doctrina a la desorientación más profunda.

Estamos acercándonos a la *débâcle* del socialismo doctrinario. El obrero, cuanto más instruído, aparece más individualista. Y es lógico. La emancipación de la clase trabajadora podrá ser un gran ideal para el apocado, para el pobre de espíritu, para el que no se reconoce con fuerzas ni cualidades de hombre de presa; pero para el audaz, para el enérgico, la emancipación suya, que le permita desenvolver sus energías, estará siempre y en todos los actos antes que la emancipación de la clase. El hombre podrá tener solidaridad con la Humanidad, pero ¿por qué la va a tener con su clase? El obrero fuerte y ambicioso ha de encontrar absurdo cerrar su porvenir arruinando a la burguesía. ¿Qué fuerza puede tener la famosa lucha de clases cuando no hay diferencia de jerarquía social, ni antagonismo desde el punto de vista económico entre el obrero y el pequeño burgués, cuando el paso de una clase a otra es continuo y sin dificultades? Podrá tener, y esto es todo, el odio que en un ejército, donde los grados se conquistan por méritos de guerra o por intrigas, pueden tener los soldados a los jefes... Esto sin contar con lo repulsivo que es para todo espíritu libre el sentir el peso de la disciplina social en los actos más individuales..., porque la solidaridad humana ha de ser sentimiento de afecto espontáneo, no imposición de disciplina rigurosa.

Olaiz calla un momento. Silenciosamente va y viene en la penumbra. El reloj marca su tictac infatigable. *Yock* reposa tranquilo debajo de la mesa.

Olaiz prosigue:

—El edificio socialista cruje, se derrumbará; el porvenir es individualista. Todo lo que asciende se diversifica... Vamos hacia un tiempo en que cada uno pueda viajar en automóvil, en que por la facilidad de transportar la fuerza motriz a distancia, cada uno pueda convertir su casa en taller... Vamos al máximum de libertad compatible con el orden, al mínimum de intervención del Estado en los intereses del individuo. Y esto se lo debemos a la ciencia, no a la Democracia. La ciencia es más revolucionaria que todas las leyes y decretos inventados e inventables. La máquina que funciona da más ideas que todos los libros de los sociólogos... Después del socialismo, especie de dogma católico de la Humanidad, viene el anarquismo dogmático, que es un misticismo ateo. Sólo pensando que la doctrina anarquista supone como premisa la bondad innata del hombre, la utilización y el aprovechamiento de las pasiones como fuerzas de bien y de vida, y otras cosas muy bellas, se comprende la imposibilidad de este sueño de Arcadia venturosa, de esa Jerusalén Nueva de hombres sin malas pasiones, sin vicios, sordideces ni miserias... Habría que creer que toda la historia antigua, moderna y aun actual es mentira, para figurarse al animal humano como un cordero, más que como una bestia feroz a quien las necesidades de todos han limado los dientes y han cortado las uñas... Y yo creo que, desgraciadamente, hoy el hombre es malo. La evolución, la herencia pueden cambiar o hacer desaparecer los instintos... Sí, sí, será cierto... en lo futuro. Hoy la realidad es dolorosa: la mentira, la explotación, la tiranía, triunfan. Y es preciso destruir el mal, ser sinceros, ser audaces, no contemporizar, no transigir, ¡marchar hacia adelante con toda la brutalidad de quien se siente superior a los otros!

Olaiz calla. Y sus palabras son como el espíritu, como el aliento de un grupo de jóvenes entusiastas que son un anacronismo en el ambiente actual de industrialismo literario e industrialismo político.

IX

Y este grupo de jóvenes entusiastas decidió celebrar el aniversario de Larra. Era el día 13 de febrero.

—Larra, para mí—decía por la mañana Olaiz en su despacho—, representa la generación romántica de 1830... Es algo como un símbolo de toda una época... Yo veo en toda esta gente cierto lirismo, cierto ímpetu hacia un ideal... que ahora no tenemos. Y por eso nosotros, cuatro, o seis, o los que seamos, al ir a celebrar la memoria de Larra damos un espectáculo extraño, discordante del medio en que vivimos.

Y Olaiz paseaba, arriba, abajo, por la estancia, con sus recios pantuflos, con su pañuelo blanco al cuello, reluciente la prematura calva, dorada la barba puntiaguda.

—Sí—observa Azorín—, Larra es acaso el hombre más extraordinario de su siglo, y desde luego el que mejor encarna este espíritu castellano, errabundo, tormentoso, desasosegado, trágico... Fueron en él acordes la vida, la obra y la muerte... Espronceda, que es quien con él comparte esta encarnación de su tiempo, en los últimos años de su vida dejó de ser poeta y romántico. Era diputado; pronunciaba discursos sobre las tarifas arancelarias de los algodones. ¡El, que escribió el *Canto a Teresa*!...

—Larra—replica Olaiz—no llegó a ser diputado. Espronceda era rico.

—Larra vivió de su pluma. Y si viajó por el extranjero—Portugal, Inglaterra, Bélgica, Francia—, fué porque le pagaba sus viajes su íntimo amigo el conde de Campo-Alange... En los últimos años, en 1835, ya logró asegurarse una renta holgada. Le daban diez mil pesetas a cambio de doce artículos todos los meses.

Larga pausa. Olaiz pasea silenciosamente. Azorín mira una fotografía del *Entierro del conde de Orgaz,* en que la ringla de píos hidalgos, escuálidos, espiritualizados, extienden sus manos suplicantes y alzan extáticos sus ojos.

Azorín prosigue:

—En febrero, el mes en que se suicidó, Larra ya no escribía. Pasaba los días solo, retraído en algún café silencioso, vagando por algún apartado paseo... El día 13, por la mañana, recobra su animación, y va a ver a Mesonero Romanos, con quien charla de proyectos literarios... Por la tarde pasea por Recoletos con el marqués de Molíns; al despedirse, le dice: «Usted me conoce; voy a ver si alguien me quiere todavía...» Tenía cita aquella tarde con su querida; fué la última.

—Es un hombre raro—observa Olaiz.

Y tras breve silencio, profundo, denso, doloroso casi , en que parece que el espíritu de *Fígaro* flota en el aire, Azorín exclama:

—¡Sí, es un hombre raro... y legendario!

A la tarde todos han ido al cementerio de San Nicolás, allá pasada la estación del Mediodía. El grupo, enlutado, con sus altos sombreros relucientes, recorría en silencio las calles. Todos llevaban en la mano un ramo de violetas. Y los transeúntes miraban curiosos esta extraña comitiva que iba a realizar un acto de más trascendencia que una crisis ministerial o una sesión ruidosa en el Congreso...

El cementerio de San Nicolás está cerrado hace muchos años. Pasada la estación de Atocha, al final de una mísera barriada, lindando con la desolada llanura manchega, aparecen sobre los tejados negruzcos las puntiagudas cimas de los cipreses, resaltantes en el azul del cielo. Luego, una verja larga de hierro que deja ver el seco ramaje de un jardín abandonado... Una campana suena; una mujer llega y abre la puerta. Y el grupo penetra en el diminuto jardín yermo. Enfrente, un pórtico agrietado, con los cristales de sus ventanas rotos; y una inscripción sobre la puerta:

> Templo de la Verdad es el que miras;
> no desoigas la voz con que te advierte
> que todo es ilusión menos la muerte.

El grupo atraviesa el zaguán, donde un perro amarrado a una cadena gruñe sordamente con la cabeza baja... Y entra en el cementerio, de grandes arcadas, ruinosas, con anchas hendiduras negras que las rayan de arriba abajo, repletas de nichos con lápidas borrosas. La hierba crece rozagante entre las junturas de las piedras; los pájaros saltan y trinan en los panteones; brilla el sol en los cristales de los nichos; un dulce sosiego se percibe en el aire. Y de cuando en cuando, a lo lejos, se oye el silbido de una locomotora, el cacareo persistente de un gallo.

El nicho de Larra está en el primer patio, en la cuarta galería. No lejos está el de Espronceda, al ras del suelo. La mujer que les ha abierto la puerta los acompaña. Todos se descubren ante la tumba. Reina el silencio. La mujer exclama: «¡Ay Señor! ¡Ay Señor!» Y Azorín lee con voz pausada su discurso:

«Amigos: Consideremos la vida de un artista que vivió atormentado por ansias inapagadas de ideal; y consideremos la muerte de un hombre que murió por anhelos no satisfechos de amor. Veintisiete años habitó en la tierra. En tan breve y perecedero término, pasó por el dolor de la pasión intensa y por el placer de la creación artística. Amó y creó. Se dió entero a la vida y a la obra; todas sus vacilaciones, sus amarguras, sus inquietudes están en sus vibradoras páginas y en su trágica muerte.

»Y he aquí por qué nosotros, jóvenes y artistas, atormentados por las mismas ansias y sentidores de los propios anhelos, venimos hoy a honrar, en su aniversario, la memoria de quien queremos como a un amigo y veneramos como a un maestro.

»Maestro de la presente juventud es Mariano José de Larra. Sincero, impetuoso, apasionado, Larra trae antes que nadie al arte la impresión íntima de la vida, y con Larra antes que con nadie llega a la literatura el personalismo conmovedor y artístico. La lengua toda se renueva bajo su pluma: usado y fatigado el viejo idioma castellano por investigadores eruditos en el siglo XVIII, aparece vivaz y esplendoroso, pintoresco y ameno, en las páginas del gran satírico.

»La vida es dolorosa y triste. El desolador pesimismo del pueblo griego, el pueblo que creara la tragedia, resurge en nuestros días. «¡Quién sabe si la vida no es para nosotros una muerte y la muerte no es una vida!», exclama Eurípides. Y Larra, indeciso, irresoluto, escéptico, es la primera encarnación y la primera víctima de estas redivivas y angustiosas perplejidades. El constante e inexpugnable «muro» de que *Fígaro* hablaba es el misterio eterno de las cosas. ¿Dónde está la vida y dónde está la muerte? «Ténme lástima, literato—le dice a Larra, en uno de sus artículos, su criado—. Yo estoy ebrio de vino, es verdad; pero tú lo estás de deseos y de impotencia.» Ansioso e impotente cruza Larra la vida; amargado por el perpetuo *no saber* llega a la muerte. La muerte para él es una liberación: acaso es la vida. Impasible franquea el misterio y muere.

»Su muerte es tan conmovedora como su vida. Su muerte es una tragedia y su vida es una paradoja. No busquemos en Larra el hombre unilateral y rectilíneo amado de las masas; no es liberal ni reaccionario, ni contemporizador ni transigente; no es nada y lo es todo. Su obra es tan varia y tan contradictoria como la vida. Y si ser libre es gustar de todo y renegar de todo—en amena inconsecuencia que horroriza a la consecuente burguesía—, Larra es el más libre, espontáneo y destructor espíritu contemporáneo. Por este ansioso mariposeo intelectual, ilógico como el hombre y como el universo ilógico; por este ansioso mariposeo intelectual, simpática protesta contra la rigidez del canon, honrada disciplina del espíritu, es por lo que nosotros lo amamos. Y porque lo amamos, y porque lo consideramos como a uno de nuestros progenitores literarios, venimos hoy, después de sesenta y cuatro años de olvido, a celebrar su memoria.

»Celebrémosla, honrémosla, exaltémosla en nuestros corazones. Mariano José de Larra fué un hombre y fué un artista; saludemos, amigos, desde este misterio de la vida, a quien partió sereno hacia el misterio de la muerte.»

Cae la tarde. Las postreras claridades del crepúsculo palidecen en los cristales de los nichos; suenan los silbidos lejanos de las locomotoras. Y Azorín, de vuelta a Madrid, se siente estremecido por el recuerdo de este hombre que juzgó inútil la vida...

X

Esta tarde Azorín ha estado en la Biblioteca Nacional. Como está un poco triste, nada más natural que procurar entristecerse otro poco. Parece ser que esto es una ley psicológica. Pero séalo efectivamente o deje de serlo—lo cual después de todo es indiferente—, Azorín ha pedido una colección vieja de un periódico. Una colección *vieja* es una colección del año 1890... Decía el maestro que nada hay más desolador que una colección de periódicos. Y es cierto. En ella parece como que quedan momificados los instantes fugitivos de una emoción, como que cristaliza este breve término de una alegría o de una amargura, ¡este breve término que es toda la vida!... Además, se ve en las viejas páginas cómo son ridículas muchas cosas que juzgábamos sublimes, cómo muchos de nuestros fervorosos entusiasmos son cómicas gesticulaciones, cómo han envejecido en diez o doce años escritores, artistas, hombres de multitudes que creíamos fuertes y eternos. Azorín ha ido pasando hoja tras hoja y ha sentido una vaga sensación de desconsuelo. ¡Las crónicas que le parecieron brillantes hace diez años son frívolas y ampulosas! ¡Los artículos que le parecieron demoledores son ridículamente cándidos! Y después, ¡qué desfile tétrico de hombres que han vivido un minuto, de periodistas que han tenido una semana de gloria! Todos han hecho algo, todos han estrenado un drama, han pronunciado un discurso, han publicado veinte crónicas; todos gesticulan un momento ante este cinematógrafo, agitan los brazos, menean la pluma, mueven los músculos de la cara violentamente...; luego, se esfuman, desaparecen. Y cuando, después, al cabo de los años, los vemos en la calle, estos hombres ilustres se nos antojan fantasmas, aparecidos impertinentes, sombras que tienen el mal gusto de mostrarse ante las nuevas generaciones.

Azorín se ha salido descorazonado de la Biblioteca. Un poco triste es este espectáculo para un espíritu hiperestesiado, no cabe negarlo; pero es preciso convenir también en que no hay que tomar como una gran catástrofe el que hoy no se acuerde nadie de Selgas, por ejemplo, ni que Balart, que ha sido un estupendo crítico, nos parezca anticuado.

Luego, Azorín, para templar estas hórridas impresiones, se ha entretenido en repasar una colección de retratos que Laurent hizo allá por los años del 60 al 70. Observe el lector que continúa esa importantísima ley que hemos formulado antes. Repasar esta serie inacabable de fotografías es más triste que hojear una colección de *El Imparcial*. Figuran en ella diputados, ministros, poetas, periodistas, tiples, tenores, gimnastas, obispos, músicos, pintores. Y todos pasan lamentables, trágicos, ridículos, audaces, anodinos: Rivero, con su colosal sombrero de copa y su levita ribeteada, el bastón en la mano y mirando de perfil con las cejas enarcadas; la *Prusiana*, de los Bufos, con tonelete de gasa, los brazos cruzados sobre el pecho, la cabeza inclinada; Arrazola, presidente del Consejo, con su cara de hombrecito apocado, asustadizo, y la mano derecha puesta sobre el pecho al modo doctrinario, en actitud que se usaba mucho en tiempo de Cousin y de Guizot; Pacheco, con su faz de lobo marino y unos bordados en el enhiesto cuello, y una banda, y una medalla, y una cruz; don Modesto Lafuente, escribiendo atento sobre una mesa torneada sus insoportables cronicones; el actor García Luna, sentado, envuelto en una gran capa y señalando una estatuilla de Shakespeare, mientras mira al objetivo de la máquina; Calatrava, con un libro en la mano; Manterola, con el codo apoyado en dos gruesos infolios y la cabeza, de expresión picaresca, apoyada en la mano;

Dalmáu, vestido de malla, cruzados los brazos, mirando altivo, al pie de una soberbia escalera; el general Rosales, con su cabecita blanca, su blanco bigotito de cepillo, sus ojillos maliciosos; Pedro Madrazo, con sus melenas, su bigote, su perilla, su corbata a cuadros, su espléndido chaleco listado; Vildósola, mirando melancólicamente, con una mano sobre otra; Roberto Robert, con sus patillas prusianas, junto a una velador con libros, con un gabán ribeteado, en flexión la pierna derecha, caído a lo largo del cuerpo el brazo izquierdo; Carlos Rubio, con su cabellera revuelta, su barba hirsuta, trajeado desaliñadamente, puesto el brazo izquierdo sobre el respaldo de la silla y con una colilla de puro entre los dedos; don Antonio María Segovia, de pie, fino, atildado, con los guantes en una mano a estilo velazqueño...

Azorín va repasando la inmensa colección de retratos. Y por un azar que llamaremos misterioso, pero que en realidad, yo lo aseguro, no tiene nada de impenetrable, sus ojos se fijan en cuatro fotografías que son como emblemas de todo lo más intenso que el hombre puede alcanzar en la vida.

La primera fotografía simboliza la Fuerza. Es un hombre recio, enérgico, brutal; tiene el pulgar de la mano derecha metido en uno de los bolsillos del chaleco. La pierna izquierda avanza decidida en actitud de marcha incontrastable. Y hay en su cabeza de ancha frente, de ojos provocadores, de enorme cuello bovino, tal energía, tal imperativa señal de mando, que sugestiona y doma. Este hombre se llamaba Antonio Cánovas del Castillo. Debeló a las muchedumbres, se impuso a los reyes, hizo y deshizo en un Estado que se movía a su antojo... Fue grande porque su voluntad lo anonadaba todo.

La segunda fotografía es la de un gentilísimo caballero que apoya ligeramente la mano izquierda sobre el respaldo de una ligera silla. Está pulcramente afeitado; su cara es bellamente ovalada; sobre la oreja se arrebujan los finos bucles de una corta y graciosa melena. Viste una impecable levita, y su pantalón es inmaculado... Este hombre es la Elegancia; se llamaba Julián Romea. Y fué adorado por los públicos y por las mujeres.

La tercera fotografía representa a un hombre afeitado también correctamente. Tiene asimismo una corta melena, en finos mechones, como mojados, en elegante desaliño. Su boca se pliega desdeñosa y su mirada es soberanamente altiva. Se llamaba este hombre José de Salamanca. Simboliza el Dinero. Por él fué grande, y su grandeza fué mayor porque supo gastarlo y despreciarlo...

Y he aquí el postrer retrato. Ante todo, este retrato tiene fondo; los demás no lo tienen. Y es un paisaje con una lejana montaña, con un remanso de sosegadas aguas, con palmeras cimbreantes, con lianas que ascienden bravías...: un paisaje exuberante, tropical, romántico, de ese romanticismo sensual y flébil, que gustó tanto a nuestras abuelas inolvidables. Ante este fondo permanece erguido un hombre de cerrada barba; tiene en la mano un sombrero de copa; el pantalón es de menudas rayas; los pies se hunden en el felpudo que figura ingenuamente el césped. En los ojos de esta figura, unos ojos que miran a lo lejos, a lo infinito, hay destellos de un ideal sugestionador y misterioso... Este hombre se llamaba Gustavo Adolfo Bécquer. Es el más grande poeta de nuestro siglo XIX. Simboliza la Poesía. Fué adorado por las mujeres, y como los hombres son tan tontos que sonríen de todo lo que apasiona a las mujeres, los contemporáneos del poeta le han guardado cierta secreta conmiseración despreciativa, hasta que han llegado nuevas generaciones que no han encontrado ridículo admirar al mismo hombre a quien admiran nuestras hermanas, nuestras primas y nuestras queridas.

Azorín ha mirado largamente estos cuatro retratos. Y ahora sí que él, que tiene alma de artista, se ha puesto triste, muy triste, al sentirse sin la fuerza, sin la elegancia, sin el dinero y sin la poesía.

Y ha pensado en su fracaso irremediable; porque la vida sin una de estas fuerzas no merece la pena de vivirse.

XI

Al fin, Azorín se decide a marcharse de Madrid. ¿Dónde va? *Geográficamente,* Azorín sabe adónde encamina sus pasos; pero en cuanto a la orientación *intelectual* y *ética,* su desconcierto es mayor cada día. Azorín es casi un símbolo; sus perplejidades, sus ansias, sus desconsuelos, bien pueden representar toda una generación sin voluntad, sin energía, indecisa, irresoluta; una generación que no tiene ni la audacia de la generación romántica, ni la fe de afirmar de la generación naturalista. Tal vez esta disgregación de ideales sea un bien; acaso para una síntesis futura—más o menos próxima—sea preciso este feroz análisis de todo... Pero es lo cierto que entre tanto lo que está por encima de todo—de la Belleza, de la Verdad y del Bien—lo esencial, que es la Vida, sufre una depresión enorme, una extraordinaria disminución..., que es disminución de la Belleza, de la Verdad y del Bien, cuya armonía forma la Vida—la Vida plena.

TERCERA PARTE

Esta parte del libro la constituyen fragmentos sueltos escritos a ratos perdidos por Azorín. El autor decide publicarlos para que se vea mejor la complicada psicología de este espíritu perplejo, del cual un hombre serio, un hombre consecuente, uno de esos hombres que no tienen más que una sola idea en la cabeza, diría que «está completamente extraviado» y que «va por mal camino». Puede ser que el camino que recorre Azorín sea malo, pero al fin y al cabo es un camino. Y vale más andar, aunque en malos pasos, que estar eternamente fijos, eternamente inconmovibles, eternamente idiotizados..., como estos respetables señores que, no pudiendo moverse, condenan el movimiento ajeno.

I

BLANCA

Llego a las cinco de la madrugada. ¡Estoy anonadado por un viaje de cuatrocientos kilómetros! Me acuesto; duermo; despierto. En el balcón clarean grandes rayos de luz tenue. Y un gran silencio, un silencio enorme, un silencio abrumador, un silencio aplastante pesa sobre mi cerebro. Abro el balcón. El sol refleja vivamente en las aceras; arriba, el cielo se extiende en un manchón de añil intenso. La calle está solitaria; de tarde en tarde pasa un labriego; luego, tras una hora, un niño; luego, tras otra hora, una vieja vestida de negro apoyada en un palo... Enfrente aparece el perfil negruzco de un monte; los frutales, blancos de flores, resaltan en las laderas grises; una paloma vuela, aleteando voluptuosa en el azul; el humo de las chimeneas asciende suave. Y de pronto resuena el grito largo, angustioso, plañidero, de un vendedor...

Decididamente, estoy en provincias,

bien lejos de la Puerta del Sol, bien distante del salón de actos del Ateneo. Y como en provincias se puede salir a la calle cuando el cacique no lo veda, yo salgo a la calle con beneplácito de la autoridad municipal. ¿Dónde ir? No sé; no puedo tomar el tranvía del Retiro, no puedo comprar *Le Figaro*, no puedo curiosear en los anaqueles de Fe, no puedo hablar mal con nadie del último artículo de un amigo... ¿Qué hacer? Entro en el Casino; un viejo lee *El Imparcial;* otros dos viejos hablan de política.

—Fulano — dice uno — será presidente del Consejo.

—Yo creo—contesta el otro—que Mengano se impone.

—Dispense usted — observa el primero—, pero Fulano tiene más trastienda que Mengano.

—Perdone usted—replica el segundo—, pero Mengano cuenta con el Ejército.

¿Qué he de hacer yo en un Casino donde se habla de tal ex ministro o de cuál jefe de partido? Voy a una barbería. Las barberías, en los pueblos, suelen ser democráticas. ¡La Democracia seduce a los barbaros españoles! Y en esta barbería el maestro, que es un antiguo admirador de Roque Barcia, habla del sufragio universal mientras enjabona a un parroquiano.

—El sufragio—dice el maestro—es la base de la libertad... El pueblo no tendrá libertad mientras los Gobiernos falseen las elecciones... Y las falsearán mientras no haya hombres... ¡Ya no los hay!... Roque Barcia, ¡ése sí que era un tío!

Yo no sé si Roque Barcia era efectivamente un tío; pero sospecho que en una barbería donde se admira al autor de un *Diccionario etimológico* debe de andar mal el servicio. Y me traslado a la calle.

Doy un paseo y entro en una carpintería. Los carpinteros tienen algo de evangélicos. Recuerde el lector que San José era carpintero. Ver trabajar es siempre una cosa edificante, y ver trabajar a un carpintero es casi un idilio conmovedor. Lo malo es que este carpintero es un antiguo republicano.

—¡Qué tiempos—exclama, dando golpes con el mazo sobre el escoplo—, qué tiempos *aquellos!*... Ahora ya no vamos a ninguna parte... Yo, desde que Llano y Persi se retiró, que ya no creo en nadie...

Un carpintero devoto de Llano y Persi me parece más peligroso que un barbero entusiasta de Roque Barcia. Y salgo de la carpintería. Y como tengo ganas de hablar con alguien, me siento al lado de un viejo que toma el sol en una puerta.

—Todo está mal, todo está muy mal —me dice el viejo—; el vino no se vende, los jornaleros están sin trabajo, no pueden comer ni aun pan de cebada... Dentro de cuatro años este pueblo será un cementerio...

El buen viejo prosigue despiadadamente, contando la ruina de esta hermosa tierra. Y yo pienso:

—Pues, señor, es admirable el espectáculo de este pueblo (que es lo mismo que todos los pueblos españoles). Unos hablan del último discurso de Fulano; otros, de las últimas declaraciones de Zutano; aquéllos, de la actitud de Mengano; todos, de lo que hacen, de lo que dicen, de lo que piensan los políticos. Ellos no comen, ellos van vestidos con harapos, ellos pasan mil estrecheces, pero ellos admiran profundamente a todos los elocuentísimos oradores que los han traído a la miseria.

II

BLANCA

Noto en mí un sosiego, una serenidad, una clarividencia intelectual que antes no tenía. ¿Es la experiencia? ¿Es la decepción de los hombres y de las cosas? No sé, no sé; lo cierto es que no siento aquella furibunda agresividad de antes por todo y contra todo, que no noto en mí la fiera energía que me hacía estremecer en violentas indignaciones. Ahora lo veo todo paternalmente, con indulgencia, con ironía... En el fondo me es indiferente todo. Y la primera consecuencia de esta indiferencia es mi descuido del estilo y mi desdén por los libros. Yo creo que he sido alguna vez un escritor *brillante;* ahora, por fortuna, ya no lo soy; ahora, en cambio, con la sencillez en la forma he llegado a poder decir todo cuanto quiero, que es el mayor triunfo que puede alcanzar un escritor sobre el idioma. El estilo brillante hace imposible esto; con él, el escritor es esclavo de la frase, del adjetivo, de los *finales,* y no hay medio muchas veces de encajar la idea entera. Además, y esto es lo más grave, se tiene prevención contra las palabras humildes, bajas, *prosaicas,* y de este modo el léxico resulta enormemente limitado. Yo recuerdo que Gómez Hermosilla, en su librejo *Juicio crítico,* censura a Jovellanos por emplear vocablos tan plebeyos como *campanillas, mula, mayoral.* Entonces, la primera vez que yo me enteré de tal purismo, sonreí de Hermosilla; mas luego he visto que la ley de castas perdura entre la prosa moderna y que los escritores *brillantes* la mantienen aún inexorable...

Otra de mis preocupaciones eran los libros. Yo he sido también un formidable erudito: lo leía todo, en pintoresca confusión, en revoltijo ameno: novela, filosofía, teatro, versos, crítica... Tenía fe en los libros; los compraba a montones..., y poco a poco he ido viendo que en el fondo todos dicen lo mismo, y que con leer cincuenta—y creo que es mucho—se han leído todos. En filosofía, desde Aristóteles hasta Kant, ¿quién ha dicho nada nuevo? Aparte de esto, tenemos el prejuicio de que los libros extranjeros han de decir cosas originales porque están en lenguas extrañas. Algo influye el leer una vulgaridad en francés, en inglés o en alemán, porque parece menos vulgaridad, puesto que las frases hechas, los tópicos, los recursos sintácticos manoseados, pasan inadvertidos para el extranjero. Mas en el fondo la vulgaridad subsiste, y Sanz Escartín puesto en francés y publicado por Alcan es tan vulgar como escrito en castellano. ¡Y cuántos Escartines hay en esa Biblioteca de Filosofía Contemporánea que a tantos ha rematado el juicio!

Al presente yo no leo ningún libro; es decir, aún me quedan rezagos de la vieja manía y compro alguno, leo alguno que me manda tal o cual amigo; pero el ardor ha pasado y ahora domino yo a los libros y no ellos a mí. Cuando se ha vivido algo, ¿para qué leer? ¿Qué nos pueden enseñar los libros que no esté en la vida?

De este modo, en mi escepticismo de los libros y del estilo he llegado a una especie de *ataraxia* que me parece muy agradable. Entre la indignación y la ironía, me quedo con la ironía... Hoy he cogido la pluma y he continuado planeando *mi obra,* una obra de humor, en que procuro sonreír de todos los sistemas filosóficos y de todas las bellas cosas que apasionan a los hombres. *El bastón de Manuel Kant* será una síntesis de la locura humana, algo como el resumen de esta farsa estúpida que llamamos Humanidad.

He trabajado dos horas. ¿Qué iba a hacer en este pueblo, yo solo, sin saber adónde ir? Mañana saldré para el convento de Santa Ana. Tengo necesidad de reposo. Temo que mi tranquilidad no sea más que fatiga, pero yo necesito descansar. Hace dos días estaba en Madrid; de pronto lo he abandonado todo y me he marchado. La *vida literaria* se me hacía insoportable; hay en ella algo de ficticio, de violento, de monótono que me repugna. No, no; no quiero más *retórica*...

III

SANTA ANA

Hace dos días que estoy en este convento de Santa Ana. Está rodeado de extensos pinares; los frailes son buenos; se respira un dulce sosiego. Yo no hago nada; apenas escribo de cuando en cuando seis u ocho cuartillas...

Hoy el padre Fulgencio...: el padre Fulgencio es un hombre joven, alto, de larga barba, de ojos inteligentes, de ademanes afables. Hoy ha venido a mi celda y me ha alargado un libro pequeño, que me ha dicho que era *La Pasión*. Yo lo he tomado sonriendo ligeramente (con una sonrisa de quien ha leído a Strauss y a Renan). Luego he principiado a leerlo y poco a poco he ido experimentando una de las más intensas, de las más enormes sensaciones estéticas de mi vida de lector. Se trata del libro de Catalina Emmerich, y es un libro de una extraordinaria fuerza emotiva, de una sugestión avasalladora. Aparte de *La educación sentimental*, de Flaubert, y de las *Poesías* de Leopardi, que son los que encajan más en mi temperamento, yo no recuerdo otro que me haya producido esta impresión. La autora cuenta simplemente el drama del Calvario como si lo hubiese presenciado, como si fuese una de las Marías. A cada paso se encuentran frases en que atestigua su presencia, frases de una ingenuidad deliciosa: «Yo vi los dos apóstoles subir a Jerusalén, siguiendo un barranco, al mediodía del Templo», «yo vi al Señor hablar solo con su Madre», «mientras que Jesús decía estas palabras yo le vi resplandeciente...». Y luego, ¡qué dolor, qué intensa pasión, qué minuciosidad en los detalles cuando relata la escena culminante! Hay en ella una frase que me ha producido escalofrío, que me ha hecho sonreír y sollozar a un mismo tiempo. Dice la autora, hablando de la crucifixión:

«En seguida lo extendieron sobre la cruz, y habiendo estirado su brazo derecho sobre el brazo de la cruz, lo ataron fuertemente; uno de ellos puso la rodilla sobre su pecho sagrado, otro le abrió la mano, y el tercero apoyó sobre la carne un clavo grueso y largo, y lo clavó con un martillo de hierro. Un gemido dulce y claro salió del pecho de Jesús: su sangre saltó sobre los brazos de los verdugos. *He contado los martillazos, pero se me han olvidado...*»

¡Pero se me han olvidado! ¡Esa es una ingenuidad épica, ése es el más soberbio retrato de mujer que he visto jamás!... La frase ha sido mi obsesión durante toda la mañana, y este libro de esta pobre mujer paralítica, esta *Pasión* de Catalina de Emmerich ha sido para mí una emoción grande y fuerte. Sólo Flaubert había logrado antes tal efecto.

Cuando fray Fulgencio ha vuelto, le he estrechado la mano calurosamente, como se estrecha la mano de un hombre capaz de comprender desde los himnos de Prudencio hasta las elegancias de Baudelaire.

IV

SANTA ANA

Creo que mi ironía es una estupidez. A ratos—y son los más—, toda mi impasibilidad se desvanece al soplo de alguna indignación tremenda. Decididamente, no me conozco. Y todos los esfuerzos por llegar a un estado de espíritu tranquilo resultan estériles ante estos impensados raptos de fiereza.

Yo soy un rebelde de mí mismo; en mí hay dos hombres. Hay el *hombre-voluntad,* casi muerto, casi deshecho por una larga educación en un colegio clerical: seis, ocho, diez años de encierro, de compresión de la espontaneidad, de contrariación de todo lo natural y fecundo. Hay, aparte de éste, el segundo hombre, el *hombre-reflexión,* nacido, alentado en copiosas lecturas, en largas soledades, en minuciosos autoanálisis. El que domina en mí, por desgracia, es el *hombre-reflexión;* yo casi soy un autómata, un muñeco sin iniciativas; el medio me aplasta, las circunstancias me dirigen al azar a un lado y a otro. Muchas veces yo me complazco en observar este dominio del ambiente sobre mí, y así veo que soy místico, anarquista, irónico, dogmático, admirador de Schopenhauer, partidario de Nietzsche. Y esto es tratándose de cosas literarias; en la vida de diarias relaciones un apretón de manos, un saludo afectuoso, un adjetivo afable, o, por el contrario, un ligero desdén, una preterición acaso inocente, tienen sobre mi emotividad una influencia extraordinaria. Así yo soy, sucesivamente, un hombre afable, un hombre huraño, un luchador enérgico, un desesperanzado, un creyente, un escéptico..., todo en cambios rápidos, en pocas horas, casi en el mismo día. La Voluntad en mí está disgregada; soy un imaginativo. Tengo una intuición rapidísima de la obra, pero inmediatamente la reflexión paraliza mi energía. En política, yo tal vez fuera el hombre de las soluciones instantáneas, de los golpes mágicos, de las audacias pintorescas..., pero hay algo en mí que me anonada, que me aplasta, que me hace desistir de todo en un hastío abrumador. ¡Soy un hombre de mi tiempo! La inteligencia se ha desarrollado a expensas de la voluntad; no hay héroes; no hay actos lengendarios; no hay extraordinarios desarrollos de una personalidad. Todo es igual, uniforme, monótono, gris. ¡Día llegará en el que el dar un grito en la calle se considere tan enorme cosa como el desafío de García de Paredes!

(Al llegar aquí oigo tocar la campana que llama a coro. Voy un rato a oír las tristes salmodias de estos buenos frailes.)

Y después de todo, ¿para qué la Voluntad? ¿Para qué este afán incesante que nos hace febril la vida? ¿Por qué ha de estar la felicidad precisamente en la Acción y no en el Reposo? Desde el punto de vista estético, una estatua egipcia, una de esas estatuas rígidas, simétricas, de inflexible paralelismo en todos sus miembros, es tan bella como la estatua griega, toda movimiento, toda fuerza, del lanzador de discos.

En cuanto al aspecto ético, es secundario. La belleza es la moral suprema. Uno de estos religiosos para mí es más moral que el dueño de una fábrica de jabón o de peines; es decir, que su vida, esta vida ignorada y silenciosa, deja más honda huella en la Humanidad que el fabricante de tal o cual artículo. *¿Que no hace nada?* Es el insoportable tópico del vulgo. ¡Hace belleza! Una mujer hermosa no hace nada tampoco; no ha hecho nunca nada; su hermosura es un azar venturoso de los átomos. ¡Y, sin embargo, Ninón de Lenclos es más grande que el que inventó la contera de los bastones!

Yo simpatizo con estos frailes porque en cada uno de ellos me contemplo retratado; en ellos veo hombres que desprecian la voluntad, esa voluntad que yo no puedo despreciar... porque no la tengo. No deseo tenerla tampoco. ¿Qué haré? No lo sé; me dejaré vivir al azar. No tengo ya ambiciones literarias. Hoy he intentado continuar trabajando en *El bastón de Manuel Kant,* y me ha parecido el tal libraco una cosa ridícula, presuntuosa, insoportable. ¡La ironía! Dejemos que cada cual siga en paz su camino. Yo voy al mío. Y el mío es el de ese pueblo donde he nacido, donde me he educado, donde he conocido a un hombre, grande en sus debilidades; donde he querido a una mujer, buena en su fanatismo; donde acabaré de vivir de cualquier modo, como un vecino de tantos, yendo al casino, viniendo del casino, poniéndome los domingos un traje nuevo, dejando que el juez me venza en una discusión sobre el derecho de acrecer, soportando la vergüenza de no saber disparar una escopeta, ni de jugar al dominó, ni de decir cosas tontas a las muchachas tontas...

Y he aquí el viejo bohemio que se levanta a las nueve, y se pone su traje usado, y se lava un poco su cara sin afeitar de una semana... Las criadas han puesto los muebles en desorden y dan en ellos grandes porrazos con los zorros (porque en los pueblos no se puede limpiar si no es armando formidable trapatiesta. El ruido vive en provincias: se habla a gritos, se anda taconeando, se estornuda en tremendos estampidos, se tose en pavorosas detonaciones, se cambian los muebles en zarabanda atronadora). Toda la casa está por la mañana en conmoción; una nube de polvo flota en el aire como una densa gasa. Salgo para dar una vuelta. Voy, ¿al casino? Sí, voy al casino. Allí hablo, o me hablan, de política, se discuten cosas triviales, se dan gritos furibundos por insignificancias ridículas. Y un señor—el eterno señor del pueblo—pondrá empeño en convencerme a mí, hablando pausadamente y en estilo de alegato abogadesco, de tal o cual futesa, que él explicará pertinazmente a fin de quedar por encima de una persona de la cual se han ocupado los periódicos de Madrid... Pasa una hora, luego otra, luego otra; el sol de estío inunda ardorosamente las calles, o el viento huracanado del invierno las barre. Yo no sé dónde ir. Vuelvo a casa. Las criadas me han revuelto los papeles de mi mesa; un niño de la vecindad llora tozudamente; una mujer da voces; en la calle parten gruesos troncos de olivo, dando enormes porrazos... Como. Luego, ¿vuelvo al casino? Sí, vuelvo al casino. Comienza otra vez la charla sobre política; me preguntan si *soy* de Gómez, o de Sánchez, o de Pérez, que son los caciques locales. Yo digo que todos me parecen bien. ¡Esto indigna! Porque Pérez tiene más talento que Sánchez, y si yo digo lo contrario doy pruebas de que no estoy enterado de que el año 1897 Pérez les ganó una elección a Sánchez y a Gómez, no contando más que con dos concejales en el Ayuntamiento. Además, el ex ministro Fulánez estima mucho a Pérez. «¿Usted cree que Fulánez no vale?», me preguntan. Yo no sé si Fulánez vale, pero he de decir resueltamente que sí, que vale mucho, por no molestar a sus admiradores. Y entonces un partidario de Gómez, el cual Gómez es correligionario del ex ministro Zutánez, me dice muy serio si es que creo que Fulánez vale más que Zutánez, porque Zutánez es un gran orador y porque cuenta con muchos senadores y diputados de gran empuje. Yo tampoco sé a punto fijo, porque no he tenido el gusto de tratarlo, si Zutánez es realmente un hombre de genio, pero digo que me parece un político de prestigio y que no tengo intención de ofenderle. Entonces su admirador me pregunta si leí el discurso que pronunció el año 1890 en el Congreso sobre no sé qué cosa. Yo digo que no; él me mira con desprecio y toma nota de la negativa para hablar luego mal de «estos escritores que dicen que lo saben todo, que lo han leído todo, y no conocen un discurso que Z u t á n e z pronunció el año 90...».

¡Ah, estoy rendido! Vuelvo a casa mohino, fatigado, con un profundo desprecio de mí mismo. En casa, ¿qué hago? He leído por tres veces mis libros; además, la lectura me fatiga. Si no lo sé todo, lo presiento todo. No leo. Salgo otra vez. Voy a casa de un amigo. Es abogado. Está escribiendo un informe. Me lo leo todo, ¡veinte páginas en folio! Luego me pregunta sobre la *enfiteusis*, sobre la *anticresis*, sobre las *legítimas*, sobre otras cosas tan amenas como éstas. Yo no sé nada de tales misterios. El me mira con cierta lástima. Luego, para demostrarme que es un abogado a la moderna, me saca un libro de D'Aguanno. Y me pregunta si me gusta D'Aguanno. Yo le contesto modestamente que no le conozco. Entonces él me dice muy grave si es que yo creo que los literatos no han de tener una base científica. Yo digo que sí, que sí que deben tener esa base. Y él replica que D'Aguanno es un hombre de ciencia, y que debe ser conocido de los literatos, y que no se debe ser crítico si no se conocen sus trabajos y los de otros tratadistas que valen tanto como él.

Decididamente soy un pobre hombre, soy el último de los pobres de Yecla. Y para consolarme un poco a mis solas, salgo a dar un paseo por la huerta. Luego, al anochecer, vuelvo a casa. La casa está a oscuras. Doy voces—¡ya me he contagiado!—, sale la criada; le digo que traiga un quinqué. Intento encenderlo; no tiene petróleo. La criada dice que lo ha traído, pero que se lo ha dado a otra criada. La otra criada dice que sí que es verdad, pero que lo ha gastado frotando los mosaicos del despacho. Van a traer más petróleo. Yo permanezco un cuarto de hora en las tinieblas. Por fin, le ponen petróleo al quinqué; mas la torcida está mal cortada, la llama da toda sobre un lado, estalla el tubo... ¡Otra media hora! Gritos, disputas, tinieblas... Y así hasta que ceno, de mal modo, tarde, con los platos mojados, con las copas resquebrajadas, con las viandas ahumadas, con un gato que maya a mi lado y un perro que me pone el hocico sobre el muslo...

Después de cenar, ¿voy al casino? No, no, esta noche no voy al casino; me marcho a casa de unas amigas. Estas amigas quieren ser elegantes, pero llevan los dientes amarillos; quieren ser inteligentes, pero se asustan de cualquier fruslería. Hay en esta reunión un señorito que está preparándose para unas oposiciones a registradores; otro señorito que está preparándose para otras a notarios, y otro señorito que está también preparándose para otras al Cuerpo jurídico militar. ¡Todos se preparan! Ellas y ellos hablan de la última obra estrenada en Apolo. Un señorito cuenta el argumento; las niñas hacen observaciones. Luego, una de ellas me pregunta si conozco a Ramos Carrión. Yo digo que no he tenido el honor de tratar a Ramos Carrión. Entonces ella, que tiene alguna confianza conmigo, o por lo menos se la toma, me dice qué es lo que he hecho yo en Madrid y cómo digo que trato a la gente literaria, cuando no conozco a Ramos Carrión, que es autor de preciosas comedias. Yo me excuso de buena manera y ella entonces me pregunta por Arniches, a quien con toda seguridad conoceré. Tampoco conozco a Arniches, y esto provoca cierta extrañeza entre los señoritos. Si yo no conozco a Arniches, que tan popular es en Madrid, entonces ¿dónde está mi prestigio literario? ¿Es que creo yo que Arniches no tiene chispa? ¿Es que no ha estrenado más de veinte obras con gran éxito?

Yo no sé qué contestar a todo esto. Y paso entre estos señoritos y estas señoritas por un hombre que no conoce a nadie ni, por consiguiente, escribe nada de provecho.

Y de vuelta a casa, caigo en la cama fatigado, anonadado, oprimido el cerebro por un penoso círculo de hierro que me sume en un estupor idiota.

...He aquí la nueva vida del viejo bohemio, admirador de Baudelaire, devotísimo de Verlaine, entusiasta de Mallarmé; del viejo bohemio amante de la sensación intensa y refinada, apasionado de todo lo elegante, de todo lo original, de todo lo delicado, de todo lo que es Espíritu y Belleza...

V

SANTA ANA

Hoy me siento triste, deprimido, mansamente desesperado. No encuentro aquí el sosiego que apetecía: mi cerebro está vacío de fe. Me engaño a veces a mí mismo; lo que pretendo creer es puro sentimentalismo; es la sensación de la liturgia, del canto, del silencio de los claustros, de estas sombras que van y vienen calladamente... Ahora, en estos momentos, apenas si tengo fuerzas para escribir; la abulia paraliza mi voluntad. *¿Para qué?* ¿Para qué hacer nada? Yo creo que la vida es el mal, y que todo lo que hagamos para acrecentar la vida es fomentar esta perdurable agonía sobre un átomo perdido en lo infinito... Lo humano, lo justo, sería acabar el dolor acabando la especie. Entonces, si la Humanidad se decidiera a renunciar a este estúpido deseo de continuación, viviría siquiera un día plenamente, enormemente; gozaría siquiera un instante con toda la intensidad que nuestro organismo consiente. Y ya, después, el hombre acabaría en dulce senectud y ante sus ojos no se ofrecería el hórrido espectáculo de unas generaciones que entran dolorosamente en la vida —de unas generaciones que él ha creado inútilmente—. Yo no sé si este ideal llegará a realizarse: exige, desde luego, un grado supremo de conciencia. Y el hombre no podrá llegar a él hasta que no disocie en absoluto y por modo definitivo las ideas de generación y de placer sensual... Sólo entonces, esto que llamaba Schopenhauer la *Voluntad* cesará de ser, cesará por lo menos en su estado consciente, que es el hombre. ¿Y quién sabe si lo demás es en realidad? ¿Dónde está, después de todo, la seguridad de que lo objetivo existe? Berkeley no creía en lo objetivo. El mundo son nuestros sentidos; nuestros sentidos pueden ser una ilusión. Además, ¿cómo es el universo de grande? ¿Cómo saberlo sin término de comparación? Recuerdo haber leído en un libro de *Lógica*, del médico Andrés Piquer, que si el mundo fuera como una naranja y de repente se achicase hasta el tamaño de una cabeza de alfiler, continuaríamos sus habitantes viendo todas las cosas en la misma proporción. Y ésta sí que es una broma lamentable: acaso *la inmensidad del universo*, que los poetas cantan, sea un miserable puñado de lentejas, o cosa parecida, que un monstruo agita un momento en su mano... *¡Un momento!* Porque el tiempo está en relación con nuestra receptividad de sensaciones; un insecto que vive un mes vive tanto, *a su juicio*, como nosotros, que vivimos cincuenta años. Y estos cincuenta años pudieran ser un segundo para un ser superior o distinto del hombre... He leído en alguna parte que si fuésemos capaces de observar distintamente diez mil acontecimientos en un segundo en vez de diez, como lo hacemos ahora por término medio, y nuestra vida contuviera el mismo número de impresiones, entonces ésta sería mil veces más corta... Viviríamos menos de un mes; no conoceríamos personalmente nada del cambio de las estaciones; si hubiésemos nacido en el invierno, creeríamos en el verano como ahora creemos en los calores de la época carbonífera; los movimientos de los seres organizados serían tan lentos para nuestros sentidos, que más bien los inferiríamos que los percibiríamos; el sol se mantendrá inmóvil en el cielo; la luna apenas cambiará... ¿Quién puede afirmar que los cincuenta años de nuestra vida no son un mes tan sólo y que esa época carbonífera será para otros seres distintos de nosotros que no existen, pero que pueden existir, lo que para nosotros el verano?

¡Esta vida es una cosa absurda! ¿Cuál es la causa final de la vida? No lo sabemos: unos hombres vienen después de otros hombres sobre un pedazo de materia que se llama mundo. Luego, el mundo se hace inhabitable y los hombres perecen; más tarde los átomos se combinan de otra manera y dan nacimiento a un mundo flamante. ¿Y así hasta lo infinito? Parece ser que no; un físico alemán —porque los alemanes son los que saben estas cosas—opina que la materia perderá al fin su energía potencial y quedará inservible para nuevas transmutaciones. ¡Digno remate! ¡Espectáculo sorprendente! La materia gastada de tanta muchedumbre de mundos permanecerá —*¿dónde?*—eternamente como un inmenso montón de escombros... Y esta hipótesis—digna de ser axioma—que se llama la *entropía del universo,* al fin es un consuelo; es la promesa un poco larga, ¡ay!, del reposo de todo, de la muerte de todo.

En días como éste, yo siento ansia de esta inercia. Mi pensamiento parece abismado en alguna cueva tenebrosa. Me levanto, doy un par de vueltas por la habitación, como un autómata; me siento luego; cojo un libro; leo cuatro líneas; lo dejo; tomo la pluma; pienso estúpidamente ante las cuartillas; escribo seis u ocho frases; me canso; dejo la pluma; torno a mis reflexiones... Siento pesadez en el cráneo; las asociaciones de las ideas son lentas, torpes, opacas; apenas puedo coordinar una frase pintoresca... Y hay momentos en que quiero rebelarme, en que quiero salir de este estupor, en que cojo la pluma e intento hacer una página enérgica, algo fuerte, algo que viva... ¡Y no puedo, no puedo! Dejo la pluma; no tengo fuerzas. ¡Y me dan ganas de llorar, de no ser nada, de disgregarme en la materia, de ser el agua que corre, el viento que pasa, el humo que se pierde en el azul!

VI

EL PULPILLO

Desde Jumilla he venido en carro hasta la casa de don Antonio Ibáñez, que es la primera de las que hay en el Pulpillo. Aquí he bajado: deseaba volver a pisar la tierra de esta inmensa llanura, respirar el aire a plenos pulmones, bañarme en el sol tibio, de primavera, que inunda la campiña. Y he sentido, al tocar tierra y extender la mirada a lo lejos, una sensación como de voluptuosidad triste, de angustia y de bienestar... La llanura verdea en su extensión remota; los sembrados están altos y se mueven de cuando en cuando, como oleadas, mecidos por ráfagas suaves de aire templado. Veo las rojizas lomas de las Moratillas, las Atalayas con sus laderas amarillentas salpicadas con los puntitos simétricos de los olivos, la imperceptible silueta azul, allá en el fondo, de la sierra de Salinas. La *casa del Obispo,* donde yo estuve con el maestro la última vez, aparece en medio del llano; su techo negruzco asoma entre la cortina verde de los olmos; la chimenea deja escapar una blanca columna de humo que asciende lentamente. Y las negras copas romas de los cipreses emergen inmóviles en el azul del cielo. No se oye nada; no se ve a nadie. Y yo pienso, mientras recorro este camino pedregoso, que rompe en culebreos violentos la planicie, en la ruina tremenda de este país desdichado.

—Estos pobres labradores—decía yo—han sido ricos un momento y luego volvieron a sumirse en la miseria. Duró el contento lo que duró el tratado con Francia relativo a los vinos, o sea de 1882 a 1892... Entonces, como los vinos alcanzaban grandes precios, los labradores dedicaron sus tierras a la vid. ¡No más olivos, ni cereales, ni almendros, ni frutales! Una hectárea de cereales producía 200 pesetas; una hectárea de viñedo, 1.000. ¡Y todo fueron viñas! Los pequeños rentistas se convirtieron en grandes rentistas; se ensancharon rápidamente los pueblos; se construyeron casas cómodas y elegantes; iban y venían por las calles carruajes y caballos; desbordaban los casinos de gente jovial y gastadora. ¡Todos estaban alegres y sanos! ¡Todos eran fuertes y ricos!... Luego, el tratado con Francia acaba; llega la depreciación de los vinos; poco a poco la alegría se apaga; los ensanches de los pueblos se paralizan. ¡Se alza formidable la usura! Y los pequeños propietarios malvenden sus cosechas, hipotecan sus fincas, cierran sus bodegas. En Yecla cae una nube de prestamistas valencianos; el valenciano tiene algo de judío; es sigiloso, hábil, flexible, astuto en trueques y contratos. Y en Yecla extienden sus finas redes y van mañosamente recogiendo la pecunia de los labriegos angustiados. Se presta al 12, al 15, al 20 por 100; se prestan otras veces *mil reales,* se consignan dos mil en el documento, y se le perdonan al préstamo generosamente los réditos... Yo he visto cómo este buen pueblo, antes alegre con el bienestar, se ha ido entristeciendo con la miseria. Y la miseria aumenta... en Yecla, en Jumilla, en la región alicantina. En Jumilla, la cosecha, este año, ha sido de 200.000 hectolitros; los buenos vinos claros se pagan a 8 ó 10 reales la arroba de quince litros y sesenta centilitros; los tintos comunes—que son casi toda la cosecha—se venden a 3 ó 4 reales la arroba... Este año apenas se han vendido 100.000 hectolitros; queda media cosecha en las bodegas. ¿Qué hacer de ella? ¿Qué hacer con los inmensos terrenos plantados de viña? ¡Dónde está el dinero necesario para cambiar el cultivo?... El labrador mira tristemente el porvenir: cada año la situación se agrava, el malestar se aumenta, la angustia crece. Y este ambiente de tristeza que se nota en la casa, en la calle, en la iglesia, en las fiestas, va densificándose, cristalizando en caras pálidas y de larga barba inculta, en trajes raídos, en gestos lentos, en silencios huraños, en suspiros, en reproches, en amenazas... La generación futura será una generación ferozmente melancólica. Engendrada en medio de esta angustia, la herencia pesará brutalmente sobre ella; y estos pueblos, ya tristes, de peculiar idiosincrasia, serán doblemente tétricos. Dentro de quince, de veinte años, todo el odio acumulado durante cuarenta años, acaso estalle en una insurrección instintiva, irresistible, tan fatal como la rotación de un astro. Y entonces, de Murcia, de Alicante, como de las Castillas y de Andalucía, el labrador se alzará con sus hoces y sus legones y comenzará la más fecunda de las revoluciones españolas... Estos labriegos son sencillos, ingenuos, confiados; pero yo no he visto hombres más brutales, más grandiosamente brutales, cuando se los llega a exasperar; son como un muelle que va cediendo, cediendo, cediendo suavemente, hasta que de pronto se distiende en un violento arranque incontrastable. Hoy, el labriego está ya muy cansado: la fe le contiene aún en la resignación. Dentro de algunos años—los que sean—, cuando la propaganda irreligiosa haya matado en él la fe, el labriego afilará su hoz y entrará en las ciudades. Y las ciudades, debilitadas por el alcoholismo, por la sífilis y por la ociosidad, sucumbirán ante la formidable irrupción de los nuevos bárbaros...

Pensando en estas cosas, he llegado a la *casa del Obispo.* He recorrido la alameda de viejos álamos, ya vestidos de menudas hojas; he llegado luego hasta la fuente y he contemplado el ancho espejo de la balsa, cubierta a trechos por el sedoso légamo verdinegro. El manantial susurra y corre burbujeando por la limpia canal; el cielo está azul; la llanura calla. Y una bandada de palomas traza un inmenso círculo y se abate con aleteo nervioso sobre un tejado.

He ido luego a la casa de Iluminada. No he visto entrar ni salir a nadie. Probablemente estarán trabajando lejos, en los sembrados—he dicho—. Y como estaba cansado, me he quitado el gabán y el sombrero y los he puesto sobre el pozo que está junto a la puerta. Después, me siento y permanezco absorto un instante... Oigo ruido en el piso alto; suena un portazo; una canción rasga los aires... Y yo me estremezco de pies a cabeza. ¡Es Iluminada!... Me levanto: Iluminada aparece en la puerta. Ella se pone roja y yo me pongo pálido. Ella avanza erguida e imperiosa; yo permanezco inmóvil y silencioso. Al aparecer en la puerta la he visto cómo vacilaba, sorprendida, temerosa, durante un segundo; pero ahora ya es la de siempre y la veo ante mí fuerte y jovial.

Iluminada me mira fijamente a los ojos y me pregunta un poco irónica:

—¿Ya has venido, Antonio?

—Sí, sí—contesto yo como un perfecto idiota—; ya estoy aquí.

Iluminada observa mi traje negro, la ancha cinta negra del monóculo, mi negra corbata 1830, que da vueltas y vueltas al alto cuello y en la que una esmeralda reluce vivamente. Luego, me pone sosegadamente la mano en la cabeza y dice:

—Tienes el pelo muy largo.

—Sí, sí—contesto yo—; tengo el pelo muy largo.

Y callamos un instante. Un instante durante el cual ella continúa repasando mi indumentaria genial, mientras en sus labios se dibuja una sonrisa irónica.

—No me has escrito, Antonio—dice ella, frotando con la yema del dedo índice la esmeralda de mi corbata.

—Es verdad—digo yo tontamente—, no te he escrito.

Entonces ella me pone las manos sobre los hombros y me hace sentar en el banco con un vigoroso impulso, mientras grita:

—¡Eres un majadero, Antonio!

Y ríe jovialmente en una estrepitosa carcajada.

VII

EL PULPILLO

Iluminada y su madre están aquí, en el Pulpillo, hace unos días. Han venido a pasar una temporada. Hoy es domingo. Esta mañana hemos salido a primera hora. Delante íbamos Iluminada y yo; detrás, la madre de Iluminada y Ramón, el hijo del Abuelo. A lo lejos, en el grupo próximo de casas, tocaba un esquilón. Claro está que tocaba para que los campesinos acudieran a oír decir la misa a don Rafael Ortuño. Ortuño es un cura propietario; vive en Yecla; tiene aquí sus predios; va y viene a caballo del pueblo al campo. Y en el pueblo y en el campo y en todas partes, Ortuño charla, corre, salta, cuenta chascarrillos, torea un becerro, saca instantáneas, hace hablar a un fonógrafo. Porque este hombre es un activo y gesticulante clérigo prendado de todos los adelantos del siglo. Así, apenas la ciencia inventa una cosa nueva y entretenida, ya Ortuño, que está al tanto de todos los catálogos, la ha pedido a París. Su casa está llena de placas, cámaras oscuras, cilindros fonográficos, timbres eléctricos, maquinillas inútiles para hacer mil cosas chismes, artefactos, ¡resortes... Y véase cómo la armonía entre la ciencia y la fe, que tanto ha dado que hablar, la ha resuelto por fin Ortuño de un modo definitivo, satisfactorio y práctico.

De estas cosas y de otras muchas vamos hablando Iluminada y yo. Ella está jovial, como siempre; yo, en estos campos anchos, con este ambiente primaveral, me siento un poco redivivo... Entramos en la ermita; Iluminada se pone a mi lado y me hace arrodillar, levantarme, sentarme. Casi a la fuerza, como si se tratara de un muñeco. En el fondo, yo siento cierta complacencia de este automatismo, y me dejo llevar y traer a su antojo.

Acaba la misa. Salimos de la ermita y nos ponemos a hablar un rato con los campesinos.

—Este año—dice Ramón, rascándose la cabeza—la cosecha parece que va adelante.

—Este año la cosecha ha de ser buena —afirma rotundamente Iluminada.

—Claro—digo yo—, este año ha de ser magnífica la cosecha.

Sale Ortuño, que ha acabado de quitarse las vestimentas sacras, y le dice a la madre de Iluminada, en tono de cómica ferocidad, señalándome:

—¡Aquí tiene usted a este gran impío!... ¡Hereje!... *Vade retro!*

Los aldeanos ríen; yo tengo que reír también. Iluminada guarda en el bolsillo de mi americana su libro de oraciones con la mayor naturalidad, sin decirme nada. Y Ortuño, viéndonos juntos a Iluminada y a mí, guiña maliciosamente el ojo y grita repetidas veces, dando zapatetas en el aire:

—*Qui prior tempore potior jure!*... ¡Quien llega antes tiene mejor derecho!... *Qui prior tempore potior jure!*

EPILOGO

I

Sr. D. Pío Baroja.

EN MADRID

Querido Baroja: Tenía que ir a Murcia, y me he acordado de que en Yecla vive nuestro antiguo compañero Antonio Azorín. He hecho en su obsequio y el mío un pequeño alto en mi itinerario.

Y vea usted el resultado:

Llego a las cinco de la madrugada, después de tres horas de trajín en una infame tartana. Me acuesto; a las nueve me levanto. Y pregunto por don Antonio Azorín a un mozo de la posada. Este mozo me mira en silencio, se quita la gorra, se rasca y me devuelve la pregunta:

—¿Don Antonio Azorín? ¿Dice usted don Antonio Azorín?

—Sí, sí—contesto yo—, don Antonio Azorín.

Entonces el mozo torna a rascarse la cabeza, se acerca a la escalera y grita:

—¡Bernardina! ¡Bernardina!

Transcurre un momento; se oyen recios pasos en la escalera y baja una mujer gorda. Y el mozo le dice:

—Aquí pregunta este señor por don Antonio Azorín... ¿Sabe usted quién es?... ¿No es el que vive en la placeta del colegio?

La mujer gorda se limpia los labios con el reverso de la mano; luego me mira en silencio; luego contesta:

—Don Antonio Azorín..., don Antonio Azorín... ¿Dice usted que se llama don Antonio Azorín?

—Sí, sí, don Antonio Azorín...: un señor joven..., que vive aquí...

—¿Dice usted que es joven?—torna a preguntar la enorme posadera.

—Sí, joven, debe de ser aún joven—afirmo yo.

—¿Don Patricio no será? — dice la mujer.

—No, no—replico yo—, si se llama Antonio...

—Antonio..., Antonio—murmura la mujer—. Don Antonio Azorín... Don Antonio Azorín—y de pronto—: ¡Ah, vamos! ¡Antoñico! ¡Antoñico, el que está casado con doña Iluminada!... ¡Como decía usted don Antonio!

Yo me quedo estupefacto. ¡Antonio Azorín, casado! ¡Casado en Yecla el sempiterno bohemio!

—¡Anda, y con dos chicos!—me dice la mujer.

Y vuelvo a quedarme doblemente estupefacto. Después, repuesto convenientemente, para no inquietar a los vecinos, salgo a la calle y me dirijo a la casa de Azorín.

La puerta está entornada. Veo en ella un gran llamador dorado, que supongo que será para llamar. Y llamo. Luego me parece lógico empujar la puerta y entro en la casa. No hay nadie en el zaguán. Las paredes son blancas, deslustradas; el menaje: sillas de paja, un canapé, una camilla y las dos indispensables mecedoras de lona... Como no parece nadie, grito: «¿No hay nadie aquí?», pregunta que se me antoja un poco axiomática. No sale nadie, a pesar de lo evidente de la frase, y la repito en voz más alta. Desde dentro me gritan:

—¿Quién es?

—¡Servidor!—contesto yo.

Y veo salir a una criada vestida de negro, con un pañuelo también negro en la cabeza.

—¿Don Antonio Azorín vive aquí? —pregunto.

—Sí, señor; aquí vive... ¿Qué quería usted?

—Deseaba verle.

—¿Verle? ¿Dice usted verle?

—Sí, sí, eso es: verle.

Entonces la criada, ante mi estupenda energía, ha gritado:

—¡María Jesusa! ¡María Jesusa!

Transcurre un momento; María Jesusa no parece; la criada torna a gritar. Y un perro sale, ladrando desaforadamente, de la puerta del fondo, y se oye lloriquear a un niño. Y como la criada continúa gritando, veo aparecer por la escalera a una señora gruesa que baja exclamando:

—¡Señor! ¡Señor! Pero ¿qué es esto? ¿Qué sucede? ¿Qué escándalo es éste?

El perro prosigue ladrando; aparece, por fin, María Jesusa; acaba también de bajar la señora gruesa.

—Este señor—dice la criada—, que pregunta por don Antonio.

—¿Antoñico?... ¿Quiere usted ver a Antoñico?—me dice la señora.

—Sí, sí, desearía hablarle, si pudiera ser—contesto yo.

—Anda, María Jesusa—le dice la señora—, anda y dile a don Mariano si está Antoñico en casa.

María Jesusa desaparece; silencio general. La señora me examina de pies a cabeza. Y en lo alto de la escalera aparece un señor de larga barba blanca.

—Mariano—le dice la señora—, aquí quieren ver a Antoñico.

—¿A Antoñico?

—Sí, este señor.

—Sí—afirmo yo—, quisiera hablarle.

—Pues debe de estar en el despacho; voy a ver.

Otra pausa. La señora anciana, al fin, determina conducirme al despacho y me hace subir la escalera. Luego nos paramos ante una puerta.

—Aquí es—dice—; entre usted.

Entro. Es una pieza pequeña; hay en ella una mesa-ministro y una máquina de coser. Junto a la máquina veo a una mujer joven, pero ya de formas abultadas con el cabello en desorden, vestida desaliñadamente. A un lado hay una nodriza que está envolviendo a un chico. El chico llora, y otro chico, que la madre tiene en brazos, también llora. En las sillas, en el suelo, en un gran cesto, sobre la máquina, en todas partes se descubren pañales.

Sentado ante la mesa está un hombre joven; tiene el bigote lacio, la barba sin afeitar de una semana; el traje, sucio. ¡Es Azorín!

Yo no sé al llegar aquí, querido Baroja, cómo expresar la emoción que he sentido, la honda tristeza que he experimentado al hallarme frente a frente de este hombre, a quien tanto y tan de corazón todos hemos estimado. El ha debido también de sentir una fuerte impresión. Nos hemos abrazado en silencio. Al pronto yo no sabía lo que decirle. El me ha presentado a su mujer. Hemos hablado del tiempo. La señora ha llamado, gritando, a María Jesusa, y le ha entregado un chiquillo; después se ha puesto a coser. Azorín vive en compañía de la madre de su mujer, de un hermano de la madre y de una cuñada. La mujer tiene algunos bienes; creo que veinte o veinticinco mil duros en tierras, que apenas producen—con la crisis agrícola actual—para comer y vestir con relativo desahogo. El no hace nada; no escribe ni una línea; no lee apenas; en su casa sólo he visto un periódico de la capital de la provincia, que les manda un pariente que borrajea en él algunos versos. De cuando en cuando, Azorín va al campo y se está allá seis u ocho días; pero no puede disponer nada tocante a las labores agrícolas, ni puede dar órdenes a los arrendatarios, porque esto es de la exclusiva competencia de la mujer. La mujer es la que dispone todo, y da cuentas, toma cuentas, hace, en fin, lo que le viene en mientes. Azorín deja hacer, y vive, vive como una cosa...

Durante nuestra primera entrevista se me ha ocurrido decirle, como era natural:

—¿Iremos a dar un paseo esta tarde? ¿Me enseñarás el pueblo?

—Sí, iremos esta tarde—ha contestado él.

Y entonces la mujer ha dejado de coser, ha mirado a Azorín y ha dicho:

—¿Esta tarde? Pero, Antonio, ¡si has de arreglar el estandarte del Santísimo!...

—Es verdad—ha contestado Azorín—; he de arreglar el estandarte del Santísimo.

Este estandarte trascendental es un estandarte vinculado a la familia desde hace muchos años; lo compró el abuelo de Iluminada, y todos los años lo saca un individuo de la familia en no sé qué procesión. Ahora bien: esta procesión se celebra dentro de unos días y hay que limpiar y armar en su asta el dicho estandarte.

—¡Ah! Pero ¿usted no ha visto nunca el estandarte?—me ha preguntado la señora.

Yo, lo confieso, no he visto nunca *el estandarte*. Y como parece ser que es digno de verse, Iluminada ha indicado a Azorín que me lo enseñase. Hemos salido; hemos recorrido un laberinto de habitaciones, con pisos desiguales, con techos altos y bajos, con muebles viejos, con puertas inverosímiles, uno de esos enredijos tan pintorescos de las casas de pueblo. Por fin hemos llegado a un cuarto de techo inclinado; las paredes están rebozadas de cal; penden en ellas litografías del Corazón de Jesús, del Corazón de María, de San Miguel Arcángel, de la Virgen del Carmen..., todas en furibundos rojos, en estallantes verdes, en agresivos azules. En un ángulo vese una gran arca de pino; encima hay una gran caja achatada. Azorín se ha parado delante de la caja; yo le he mirado tristemente; él se ha encogido de hombros y ha dicho con voz apagada:

—¡Qué le vamos a hacer!

Luego ha abierto la caja y ha sacado el estandarte, envuelto en mil papeles, preservado de la polilla con alcanfor y granos de pimienta. No voy a hacer la descripción del estandarte; éste y el de Las Navas me parecen dos estandartes igualmente apreciables... o despreciables. Azorín me lo ha enseñado con mucho cuidado.

Y yo pensaba mientras tanto, no en el estandarte—aunque es un estandarte del Santísimo Sacramento—, sino en Azorín, en este antiguo amigo nuestro, de tan bella inteligencia, de tan independiente juicio, hoy sumido en un pueblo manchego, con el traje usado, con la barba sin afeitar, con pañales encima de su mesa, con una mujer desgreñada que cree que es preferible arreglar un estandarte a dar un paseo con un compañero querido.

J. MARTÍNEZ RUIZ.

En Yecla, a tantos.

II

Sr. D. Pío Baroja.

EN MADRID

Querido Baroja: Si tiene usted un rato libre, haga usted el favor de pasar por el Instituto de Sociología y contar a aquellos respetables señores lo que voy a decirle a usted en esta carta.

Hace cincuenta años se estableció en Yecla un colegio de escolapios; la instrucción—que no es precisamente la felicidad—es posible que se haya propagado, pero el colegio ha traído la ruina al pueblo. Antes del año 1860 todos los pequeños labradores dedicaban sus hijos a la agricultura; después de ese año todos los hacen bachilleres. ¡Como cuesta tan poco! Es decir, no cuesta nada. Los buenos escolapios se encargan gratuitamente de que los hijos de los agricultores tengan una profesión *más noble* que la de sus padres...

Cincuenta años han bastado para formar en esta ciudad un ambiente de inercia, de paralización, de ausencia total de iniciativa y de energía. El cultivo de la tierra ha quedado en manos de los más ineptos, de aquellos que de ningún modo han podido apechugar con el trivio y el cuatrivio. Y como la agricultura es aquí la única riqueza, en el momento en que ha sobrevenido una crisis, esta juventud, ajena por completo al beneficio de la tierra, se ha encontrado perpleja, irresoluta, desconcertada, sin orientación para resolverla, sin iniciativas para afrontarla. La crisis a que me refiero es la del vino; en 1892 terminó el tratado con Francia. Han corrido diez años desde entonces, diez años de absoluto aplanamiento. Y verá usted lo que ha sucedido en este lapso. El caso es curioso, porque es el eterno caso de los pueblos viejos y los pueblos jóvenes... Hay cerca de Yecla un pueblo que se llama Pinoso: es reciente, tiene la audacia de la juventud, tiene la desenvoltura de quien carece de tradición; es decidido, es fuerte. Allí, hasta ahora, apenas hay señoritos universitarios; son todos agricultores, industriales, negociantes. Y toda esta gente ha maniobrado de tal modo, que en los diez años que los yeclanos han permanecido sumidos en el estupor de la crisis, ellos, en hábiles y audaces tratos y contratos, se han apoderado de una tercera parte de la propiedad rústica de Yecla. ¡Dentro de treinta años toda Yecla, toda la vieja ciudad histórica y vetusta, será de ellos, de este pueblo exultante y enérgico! Y esto es un fenómeno naturalísimo: junto a un pueblo viejo y cansado hay otro joven y audaz. ¡La lógica indica que el joven vencerá al viejo! La juventud de Yecla, educada con miras hacia las profesiones administrativas, palidece sobre los códigos y se encuentra perpleja para la libre lucha por la vida; en cambio, la del Pinoso no se preocupa de lo que es aquí preocupación constante: las Notarías, los Registros, los Juzgados; pero a la larga serán de ellos las haciendas, las casas, las tierras de todos estos atormentados jurisperitos.

Lo que sucede en Yecla es el caso de España y el de otras naciones que no son España; es ni más ni menos el problema de la educación nacional.

Los dos extremos son Francia e Inglaterra. Francia, política, oficinesca, educando a sus jóvenes *para el examen.* Inglaterra, práctica, realista, educando a sus hijos *para la vida.* Francia, con su sistema pedagógico, ha creado legiones de autómatas burocráticos o de mohinos fracasados; Inglaterra, en cambio, ha colonizado medio planeta y ha logrado que el sajón sea un tipo seguro de sí mismo, en consonancia perfecta con la realidad, inalterable ante lo inesperado, audaz, fuerte...

Esta tarde, en el Casino, donde he ido con Azorín (porque en los pueblos no se puede ir a otra parte más que al Casino); esta tarde yo pensaba en que el porvenir de Yecla es el porvenir de España entera. Hay además otro dato importantísimo y que hace la similitud más peregrina. En el espacio de cuarenta años—en movimiento perfectamente sincrónico con la anulación de la juventud—las clases superiores de Yecla, lo que aquí se llama *nobleza,* se han arruinado de la manera más desatentada.

«¡Si el abuelo de Fulano levantara la cabeza, se quedaría pasmado de ver a su nieto en la miseria!—me decía esta mañana un labrador viejo—. La hacienda del abuelo cogía desde el término del Pinoso hasta el de Jumilla, sin quebrar hilo; el nieto no tiene cuasimente nada...»

Hoy las seis u ocho familias de la aristocracia están realmente en áspera pobreza. Han gastado su patrimonio en Madrid, en Valencia, en Murcia, haciendo toda clase de despilfarros locos, descuidados del porvenir, sin preocuparse de sus tierras. La burguesía, por su parte, ha apartado a sus hijos de la agricultura, haciéndolos aspirantes eternos a los destinos burocráticos. Y de este modo la vieja ciudad entra en disolución rápida: de un lado, anuladas las clases superiores, que pudieran dar la dirección y el impulso; de otro, paralizada la clase media en su alejamiento de la agricultura y de la industria. ¿Cómo ha de ser extraño que sólo basten treinta años para que toda la propiedad de Yecla pase a manos de sus vecinos del Pinoso?

He querido dar todos estos datos de sociología práctica y pintoresca para que se vea en qué medio ha nacido y se ha educado nuestro amigo Azorín, y cómo merced a estas causas y concausas se ha disgregado la voluntad naciente. Su caso, poco más o menos, es el de toda la juventud española...

He de insistir sobre esto. Mañana estoy invitado a comer en casa de Azorín. Escribiré a usted.

J. MARTÍNEZ RUIZ.

Yecla, a tantos.

III

Sr. D. Pío Baroja.

EN MADRID

Querido Baroja: Hoy he comido en casa de Azorín; no es posible formarse idea de la falta de conforte, de gusto, de limpieza, que hay en los pueblos españoles. Esta mañana me preguntaban en la posada *si quería agua para lavarme;* ahora, aquí, me encuentro con un comedor oscuro, de paredes sucias, ante una mesa con pegajoso mantel de hule. ¡El eterno mantel de hule de nuestra desaseada burguesía! Hemos yantado un cocido anodino, una tortilla y unos pedazos de lomo con patatas. Yo tenía a mi lado a la cuñada de Azorín; don Mariano, el tío de la mujer, hablaba de lo *malos que están los tiempos.* Es uno de los tópicos más acreditados de los pueblos: estamos mal, muy mal, pero no hacemos nada para mejorar nuestra situación. ¡Dejaríamos de ser españoles!

En cambio, un cura joven, que también comía con nosotros, parece que se preocupa de la suerte de España. Y al efecto, él protege a un herrero de este pueblo que ha inventado nada menos—¡pásmese usted!—que un torpedo eléctrico. Esto sí que es archiespañol clásico; nada de estudio, ni de trabajo, ni de mejorar la agricultura, ni de fomentar el comercio; no. ¡Un torpedo eléctrico que nos haga dueños en cuatro días de todos los mares del globo!

El caso, según tengo entendido, no es aislado en este pueblo; ya hace años un señor Quijano, que promovió un alboroto formidable, intentó construir un tremendo cohete de dinamita, un cohete que transportase a tres o cuatro kilómetros de distancia cajas de cuarenta o cincuenta kilos de dicho explosivo... Considerando detenidamente todas estas cosas, yo sospecho que este Yecla es un pueblo de una rara mentalidad, de una arcaica psicología, propia de los siglos XVI o XVII. Note usted que será acaso el único pueblo donde se ha construído una catedral en pleno siglo XIX; es decir, que se ha construído como se construían en la Edad Media: por el pueblo en masa, que ha trabajado gratuitamente, impulsado por su fe ardorosa. Bien es verdad que la dejaron sin acabar. Y éste es ya un dato importantísimo para la psicología colectiva. Porque todas las grandes obras de este pueblo están sin terminar: así el Colegio de Escolapios, el casino, la estación, etc. Esto indica que en el pueblo yeclano hay un comienzo de voluntad, una iniciación de energía, que se agota rápidamente, que acaba en cansancio invencible. El ejemplo que están dando en la tremenda crisis vinícola por que ahora pasan corrobora la observación. Ven llegar la ruina, están ya en ella, pero no se mueven, no hacen nada, no idean nada. ¡Todo lo esperan del Estado! Como el místico lo espera del Cielo. Y eso es Yecla: un pueblo místico, un pueblo de visionarios, donde la intuición de las cosas, la visión rápida, no falta; pero falta, en cambio, la coordinación reflexiva, el laboreo paciente, la Voluntad.

No es extraño, pues, que nuestro amigo Azorín, que ha nacido aquí y aquí se ha educado, sea un lamentable caso de abulia; es un hombre *sin acabar*, cosa nada rara en este pueblo, según queda consignado. En otro medio, en Oxford, en Nueva York, en Barcelona siquiera, Azorín hubiese sido un hermoso ejemplar humano, en que la inteligencia estaría de perfecto acuerdo con la voluntad; aquí, en cambio, la falta de voluntad ha acabado por arruinar la inteligencia. Además, a estos poderosos factores de la educación de Azorín hay que añadir otro esencialísimo: la constante influencia de Antonio Yuste, el maestro a quien tanto hemos querido y que pasó aquí los últimos años de su vida. Yuste era también un hombre frustrado: tenía una gran inteligencia, una pintoresca originalidad, pero le faltaba la continuidad en el esfuerzo, y por eso no pudo nunca hacer ningún trabajo largo, ninguna obra duradera...

Ello es que, entre unas cosas y otras, Azorín se halla casado en Yecla con una mujer desaliñada, y que yo hoy me hallaba frente a él, en su casa, comiendo sobre un mantel de hule, al lado de un cura que protege a un herrero que ha inventado un torpedo eléctrico. Yo, como es natural, he convenido en que la felicidad de los pueblos está en los torpedos eléctricos. El cura me lo ha agradecido mucho y me ha explicado largamente el mecanismo. Yo no he entendido ni una palabra; pero, en cambio, me ha parecido un poco indigesto el lomo con patatas.

Después de comer, y como no hay ya que arreglar el estandarte, hemos ido al casino. En el casino he visto a una porción de señoritos que, según me han dicho ellos mismos, se están preparando para una porción de oposiciones: a Notarías, a Registros, a escribanos, a abogados del Estado, al Cuerpo Jurídico Militar, etc., etcétera. Este es otro aspecto pintoresco de Yecla: aquí todos son abogados, todos van y vienen con cartapacios de papel oficinesco, todos entran y salen en el Juzgado, todos hablan de Manresa, de *Mucius Scévola*, de Freixa y Rabassó. ¡A mí me da una gran vergüenza no tener idea aproximada de lo que es la ley de Enjuiciamiento Civil! Entre tanto, las tierras de este pueblo, esencialmente agrícola, permanecen casi estériles, se labra como en los tiempos primitivos, se hacen las mismas labores por procedimientos arcaicos; pero todos estos jóvenes aseguran que lo importante es *sacar* una Notaría, y yo, que los estimo mucho, he de creerlo.

En el casino hemos discutido si Silvela vale más que Maura; un casino de pueblo donde no se discuta no es casino, y si además no se habla de política, resulta ya un caso estupendo, casi bochornoso. He de advertir que las palabras no tienen el mismo valor en Madrid que en provincias. Un madrileño algo fino, algo culto, que llega a un casino de pueblo y se pone a hablar, notará con sorpresa que la mitad de las cosas que dice pasan completamente inadvertidas para sus oyentes.

Y si este madrileño tiene la manía de ser irónico, entonces será como si hablase en un desierto. Así, en provincias, los adjetivos, las indignaciones, los gestos, las negativas, las paradojas, son tomadas en distinto sentido que en Madrid. La paradoja —ese juguete de los espíritus delicados— no ha llegado a los pueblos. Yo he dejado caer esta tarde dos o tres—¡lo confieso!—, y todos estos jóvenes abogados me han mirado con indignación y se han puesto a contradecirme muy seriamente. ¡Ellos creían que yo creía en lo que iba diciendo! Y es seguro que si mañana voy a pedir un favor a alguno de estos señores que admiran a tal o cual político no me lo concederán o me lo concederán de mala gana, porque yo he dicho, hablando de esos políticos, que no me interesa ninguno. Es más: no tendría inconveniente en asegurar que alguno de ellos debe de tener talento...

Después de estar un rato entre estos jóvenes jurisperitos, hemos ido a dar un paseo por la huerta. Al regresar, ya anochecido, hemos encontrado en conmoción a los deudos de Azorín. En la entrada, una mujer lloraba, daba gritos, suplicaba; don Mariano iba de una parte para otra, lanzando furibundas amenazas; berreaban los chiquillos, ladraba el perro, chillaban Iluminada, su madre, las criadas.

El hecho es el siguiente. Un pobre hombre, que es ordinario de Murcia, le debía quinientas pesetas a la familia de Azorín. El plazo del préstamo ha vencido hace algunos meses; el ordinario no pagaba por más instancias que se le hacían. No tenía dinero, cosa bastante frecuente. Y hoy se le ha embargado el carro y la mula con que hacía su tráfico. Creo que el pobre hombre lloraba de dolor cuando los alguaciles se han llevado su mula, y ha amenazado con *darle un recado* a don Mariano, que es quien, con la mujer de Azorín, ha llevado a este extremo las cosas. Luego, la mujer del ordinario ha venido a implorar a Iluminada, y ella es la que hemos encontrado en el zaguán. ¡El escándalo era formidable!

He sentido una gran tristeza. La vida en estos pueblos es feroz; el egoísmo toma aquí un aspecto bárbaro. En las grandes capitales, como se vive al día y como las angustias de uno son las angustias de todos, hay cierta humanitaria comunicación, cierto desprendimiento altruísta, que en el fondo es un avance para obligar a una reciprocidad futura. Pero aquí, en un pueblo, cada uno se encierra en su casa, liado en su capa, junto a la lumbre, y deja morirse de inanición al vecino. Y si es un forastero, no digamos. Muchas veces he pensado en la enorme tragedia de un ruso, de un alemán, de un inglés, que llega a un pueblo manchego, que no tiene dinero y que se pone enfermo... El carácter duro, feroz, inflexible, sin ternura, sin superior comprensión de la vida, del pueblo castellano se palpa viviendo un mes en un pueblo. Esas caras pálidas que se asoman tras de los cristales, en los viejos poblachones manchegos, espiando al forastero que pasa solo; esas sonrisas piadosas y meneos de cabeza compasivos ante la desgracia; esas eternas y estúpidas frases: «debió haber hecho esto», «ya dije yo que haciendo tal cosa», «no era posible que de ese modo»..., todas estas mil formas pequeñas y miserables de la crueldad humana, ¡qué castellanas son! ¡Cuántas veces las he visto poner en práctica en los pueblos!

Ahora, la mujer de Azorín arruina por quinientas pesetas a un hombre desdichado; mañana, un señor cualquiera que tiene en el cajón mil duros le niega cincuenta a un amigo íntimo; al otro, un antiguo compañero manda el alguacil a cobrar setenta pesetas. ¡Oh, el céntimo, la lucha brutal y rastrera de estos pueblos mezquinos! Yo no podría vivir en este ambiente, y cada vez que estoy dos días en mi pueblo, tengo la sensación de encontrarme en una alcantarilla infecta por la que he de caminar encorvado. ¿Cómo Azorín vive aquí? Esta noche, durante la escena, le he visto un momento, le he vuelto a ver en sus raptos de energía. Se ha erguido; sus ojos fulguraban, y ha gritado: «¡Esto es miserable! ¡Esto es estúpido!»

¿Vivirá *siempre* Azorín aquí? Yo me resisto a creerlo; él es un ser complejo; todos conocemos sus rachas de energía, sus audacias imprevistas; es una paradoja viviente. Por eso este reposo, esta sumisión, me sorprenden. Lo creo incapaz, desde luego, de un largo esfuerzo; pero esta pasividad no es en él natural. Azorín es lo que podríamos llamar un rebelde de sí mismo. Instintivamente tiene horror a todo lo normal, a todo lo geométrico, a la línea recta. De su vida pasada se podría escribir un interesante volumen, y yo espero que acaso se pueda escribir también otro que se titule *La segunda vida de Antonio Azorín*. Esta segunda vida será como la primera: toda esfuerzos sueltos, iniciaciones paralizadas, audacias frustradas, paradojas, gestos, gritos... Pero ¡qué importa! La idea está lanzada, el movimiento está incoado. ¡Y nada se pierde en la fecunda, en la eterna, en la inexorable evolución de las cosas!

J. Martínez Ruiz.

Yecla, a tantos.

DESDE LA COLINA EN 1913

En 1913, al corregir las pruebas de este libro, publicado en 1902, experimento una sensación extraña: la sensación de repasar un libro ajeno y desconocido. Parece que, encaminándome a un pueblo apartado de toda vía férrea, llego a una elevada colina, y desde allí, reposando un momento, atalayo la lejana ciudad. Mis ojos contemplan entonces, al cabo del tiempo, como espectáculo nuevo, con profunda y secreta avidez, mientras el corazón tal vez palpita, el campanario y la cúpula de la Catedral, las manchitas blancas de las fachadas, los caserones en que han vivido hidalgos taciturnos o inquietos y ardorosos místicos, los trazos largos y oscuros de las alamedas por donde acaso ha paseado—solitario y pensativo—un muchacho que más tarde había de sentir el arte.

Era otra la sensibilidad del autor cuando escribió estas páginas; hoy tendría que modificar bastante, tanto de la técnica como de la ideología, en este libro. Pero siendo ya otro el autor, habiendo cambiado en la corriente eterna de las cosas su personalidad, consideraría como una indelicadeza el retocar la menor de las frases que en estas páginas escribiera un escritor de antaño. No; respetemos lo realizado en el tiempo; no nos creamos con facultad para dar por no efectuado lo que ha tenido su realización. Respetemos estrictamente nuestra obra pretérita. Y cuando por acaso la necesidad—como en la presente ocasión—nos obligue a releerla, asistamos al desfile de las páginas como el viajero—un poco cansado, un poco entristecido—que desde la lejana colina contempla, tras los años, la vieja ciudad en que tantas horas de esperanzas y de tristezas pasaron para él.

J. Martínez Ruiz.

Madrid, 3 marzo 1913.

DEDICATORIA

Quiero dedicarle este pequeño libro a Ricardo Baroja, como prueba de amistad. Ricardo Baroja es, a mi entender, un original y ameno artista; en sus charlas he encontrado muchas sutiles paradojas y un recio espíritu de independencia. Yo siento que mi ofrenda no sea más consistente; pero la vida de mi amigo Antonio Azorín no se presta a más complicaciones y lirismos. Porque, en verdad, Azorín es un hombre vulgar, aunque La Correspondencia *haya dicho que «tiene no poco de filósofo». No le sucede nada de extraordinario, tal como un adulterio, o un simple desafío; ni piensa tampoco cosas hondas, de esas que conmueven a los sociólogos. Y si él y no yo, que soy su cronista, tuviera que llevar la cuenta de su vida, bien pudiera repetir la frase de nuestro común maestro Montaigne:* Je ne puis tenir registre de ma vie par mes actions; fortune les met trop bas: je le tiens par mes fantasies.

J. M. R.

PRIMERA PARTE

I

lo lejos, una torrentera rojiza rasga los montes; la torrentera se ensancha y forma un barranco; el barranco se abre y forma una amena cañada. Refulge en la campiña el sol de agosto. Resalta al frente, en el azul intenso, el perfil hosco de las Lometas; los altozanos hinchan sus lomos; bajan las laderas en suave enarcadura hasta las viñas. Y apelotonados, dispersos, recogidos en los barrancos, resaltantes en las cumbres, los pinos asientan sobre la tierra negruzca la verdosa mancha de sus copas rotundas. La luz pone vivo claror en los resaltos; las hondonadas quedan en la penumbra; un haz de rayos, que resbala por una cima, hiende los aires en franja luminosa, corre en diagonal por un terrero, llega a esclarecer un bosquecillo. Una senda blanca serpentea entre las peñas, se pierde tras los pinos, surge, se esconde, desaparece en las alturas. Aparecen acá y allá, solitarios, cenicientos, los olivos; las manchas amarillentas de los rastrojos contrastan con la verdura de los pámpanos. Y las viñas extienden su sedoso tapiz de verde claro en anchos cuadros, en agudos cornijales, en estrechas bandas que presidían blancos ribazos por los que desborda la impetuosa verdura de los pámpanos.

La cañada se abre en amplio collado. Entre el follaje, allá, en el fondo, surge la casa con sus paredes blancas y sus techos negruzcos. Comienzan las plantaciones de almendros; sus troncos se retuercen tormentosos; sus copas matizan con notas claras la tierra jalde. El collado se dilata en ancho valle. A los almendros suceden los viñedos, que cierran con orla de esmeralda el manchón azul de una laguna. Grandes juncales rompen el cerco de los pámpanos; un grupo de álamos desmedrados se espejea en sus aguas inmóviles.

A la otra parte de la laguna recomienza la verde sábana. Entre los viñedos destacan las manchas amarillentas de las tierras paniegas y las manchas rojizas de las tierras protoxidadas con la labranza nueva. Ejércitos de olivos, puestos en liños cuidadosos, descienden por los declives; solapadas entre los olmos, asoman las casas de la Umbría; un tenue telón zarco cierra el horizonte. A la izquierda se yergue el cabezo árido de Cabreras; a la derecha, el monte de Castalla avanza decidido; se detiene de pronto en una mella enorme; en el centro, sobre el azul del fondo, resalta el ingente peñón de Sax, coronado de un torreón moruno.

El sol blanquea las quebradas de las montañas y hácelas resaltar en aristas luminosas; el cielo es diáfano; los pinos cantan con un manso rumor; los lentiscos refulgen en sus diminutas hojas charoladas; las abejas zumban; dos cuervos cruzan, aleteando blandamente.

*

Cae la tarde; la sombra enorme de las Lometas se ensancha, cubre el collado, acaba en recia punta sobre los lejanos almendros; se entenebrecen los pinos; resaltan las bermejas hazas labradas; el débil sol rasero ilumina el borde de los ribazos y guarnece con una cinta de verde claro el verde oscuro de los viñedos bañados en la sombra.

Cambia la coloración de las montañas. El pico de Cabreras se tinta en rosa; la cordillera del fondo toma una suave entonación violeta; el castillo de Sax refulge áureo; blanquea la laguna; las viñas, en el claror difuso, se tiñen de un morado tenue.

Lentamente, la sombra gana el valle. Una a una, las blancas casitas lejanas se van apagando. La tierra se recoge en un profundo silencio; murmuran los pinos; flota en el aire grato olor de resina. El cascabeleo de un verderol suena precipitado; calla, suena de nuevo. Y en la lejanía, el dorado castillo refulge con un postrer destello y desaparece.

*

Anochece. Se oye el traqueteo persistente de un carro; tintinea a intervalos una esquila. El cielo está pálido; la negrura ha ascendido de los barrancos a las cumbres; los bancales, las viñas, los almendros, se confunden en una mancha informe. Destacan indecisos los bosquecillos de pinos en las laderas. La laguna desaparece borrosa. Y vibra una canción lejana, que sube, baja, ondula, plañe, ríe, calla...

El campo está en silencio. Pasan grandes insectos que zumban un instante; suena de cuando en cuando la flauta de un cuclillo; un murciélago gira calladamente entre los pinos. Y los grillos abren su coro rítmico: los comunes, en notas rápidas y afanosas; los reales, en una larga, amplia y sostenida nota sonora.

Ya el campo reposa en las tinieblas. De pronto, parpadea a lo lejos una fogata. Y de los confines remotos llega y retumba en todo el valle el formidable y sordo rumor de un tren que pasa...

II

La casa se levanta en lo hondo del collado sobre una ancha explanada. Tiene la casa cuatro cuerpos en pintorescos altibajos. El primero es un solo piso terrero; el segundo, de tres; el tercero, de dos; el cuarto, de otros dos.

El primero lo compone el horno. El ancho tejado negruzco baja en pendiente rápida; el alero sombrea el dintel de la puerta. Dentro, el piso está empedrado de menudos guijarros. En un ángulo hay un montón de leña; apoyadas en la pared, yacen la horquilla, la escoba y la pala de rabera desmesurada. Una tapa de hierro cierra la boca del hogar; sobre la bóveda, secan hacecillos de plantas olorosas y rótenes descortezados. La puerta del amasador aparece a un lado. La luz entra en el amasador por una pequeña ventana finamente alambrada. La artesa, ancha, larga, con sus dos replanos en los extremos, reposa junto a la pared, colocada en recias estacas horizontales. Sobre la artesa están los tableros, la raedera, los pintorescos mandiles de lana: unos, de anchas viras amarillas y azules, bordeadas de pequeñas rayas bermejas; otros, de anchas viras pardas divididas por una rayita azul, y anchas viras azules divididas por una rayita parda. En un rincón está la olla de la levadura; del techo penden grandes horones repletos de panes; en las paredes cuelgan tres cernederas y cuatro cedazos de espesa urdimbre a diminutos cuadros blancos, rojos y pardos, con blancas cintas entrecruzadas que refuerzan la malla.

El segundo cuerpo de la casa tiene las paredes doradas por los años. En la fachada se abren: dos balcones en el piso primero, tres ventanales en el piso segundo. Los huecos están bordeados de ancha cenefa de yeso gris. Y entre los dos balcones hay un gran cuadro de azulejos resguardado con un estrecho colgadizo. Representa, en vivos colores—rojos, amarillos, verdes, azules—, a la Trinidad santa. El tiempo ha ido echando abajo las losetas, y entre anchos claros aparecen el remate de una cruz, una alada cabeza de ángel, el busto del Padre con su barba blanca y el brazo extendido.

El tercer cuerpo tiene una diminuta ventana y un balconcillo rebozado con el follaje de una parra que deja caer su alegría verde sobre la puerta de la casa. Esta casa la habitan los labriegos. La entrada es ancha y empedrada, jaharradas de yeso las paredes, con pequeñas vigas el techo. A la izquierda está la cocina; a la derecha, el cantarero; junto a él, una pequeña puerta. Esta puerta cierra un pequeño cuarto sombrío donde se guardan los apechusques de la limpieza.

El cuarto cuerpo tiene cuatro ventanas que dan luz a una espaciosa cámara, con vigas borneadas en el techo, colgada de ristras de pimientos y de horcas de cebollas y ajos, llena de simples mantenimientos para la comida cotidiana.

Enfrente de la casa, formando plazoleta, hay una cochera y una ermita.

La ermita es pequeña; es de orden clásico. Tiene cuatro altares laterales con lienzos; tiene uno central con cuatro columnas jónicas; tiene una imagen; tiene ramos enhiestos; tiene velas blancas; tiene velas verdes. En la sacristía cuelga un diminuto espejo con marco de talladas hojas de roble, y un aguamanil blanco rameado de azul pone en la pared su nota gaya. En los muros, entre viejas estampas, hay un cartel amarillento que dice en gruesas letras: *Sumario de dos mil quinientos y ochenta días de indulgencia concedidos a los que devotamente pronuncien estas palabras: «Ave María Purísima»*; y abajo, a dos columnas, una nutrida lista de obispos y arzobispos. En un armario reposan antiguas casullas, bernegales con coronas de oro abiertas sobre el cristal, un cáliz con un blasón en el pie y una leyenda que dice: *Se izo en 24 de Agosto de 1714. Del Dr. Pedro Rviz y Miralles.*

Junto a la cochera está el aljibe, ancho, cuadrado, con una bóveda que se hincha a flor de tierra. Las pilas son de piedra arenisca; el pozal es de madera; sobre la puertecilla destaca un cuadro de azulejos: San Antonio, vestido de azul, mira extático, cruzados los brazos, a un Niño que desciende entre una nube amarillenta y le ofrece un ramo de blancas azucenas.

Detrás del aljibe hay una balsa pequeña y profunda. La cubre una parra. Es una parra joven. «Este año—según la bella frase de uno de estos labriegos tan panteístas en el fondo—, este año es el primero que trabaja.» Y es laboriosa, y es aplicada, y es vehemente. Sus sarmientos se enroscan y agarran con los zarcillos al encañado, cuelgan profusos los racimos, y los redondos pámpanos anchos forman un toldo de suave color presado sobre las aguas quietas.

En el borde de la balsa hay una pila de fondo verdinegro. Las abejas se abrevan en su agua limpia. El agua nace en un montecillo propincuo, corre por subterráneos atanores de barro, surte de un limpio caño, cae transparente con un placentero murmurio en la ancha pila.

La casa es grande, de pisos desiguales, de estancias laberínticas. Hay espaciosas salas con toscas cornucopias, con viejos grabados alemanes, con pequeñas litografías, en las que se explica cómo «Matilde, hermana de Ricardo de Inglaterra, antes de pronunciar su voto», etcétera. Hay una biblioteca con cuatro mil volúmenes, en varias lenguas y de todos los tiempos. Hay una pequeña alacena, que hace veces de archivo, con papeles antiguos, con títulos de las Universidades de Orihuela y Gandía, con cartas de desposorio, con ejecutorias de hidalguía, con nombramientos de inquisidores. Hay viejas cámaras con puertas cuadradas, con cerraduras chirriantes, con techos inclinados, de retorcidas vigas, con lejas anchas, con armarios telarañosos que encierran un espejo roto, un velón, una careta de colmenero; con largas cañas colgadas del techo, de las que en otoño penden colgajos de uvas, melones reverendos, gualdos membrillos, manojos de hierbas olorosas. Hay graneros oscuros, sosegados, silenciosos, con largas filas de alhorines hechos de delgadas citaras. Hay un tinajero para el aceite con veinte panzudas tinajas, cubiertas con tapaderas de pino, enjalbegadas de ceniza. Hay una gran bodega, con sus cubos, sus prensas, sus conos, sus largas ringleras de toneles. Hay una almazara, con su alfarje de molón cónico, y su ancha zafra, y su tolva. Hay dos cocinas con humero de ancha campana. Hay palomares eminentes. Hay una cuadra con mulas y otra con bueyes. Hay un corral con pavos, gallos, gallinas, patos, y otro con cerdos, negros, blancos, jaros. Hay dos pajares repletos de blanda y cálida paja...

Ante la casa se abre una alameda de almendros. Cuatro, seis olmos gayan la plazoleta con su follaje. En lo hondo, sobre la pincelada verde del ramaje, resalta la pincelada azul de las montañas; más bajo, por entre los troncos, a pedazos, espejea la laguna. El cielo está diáfano. Las palomas giran con su aleteo sonoro. Y un acridio misterioso chirría con una nota larga, hace una pausa, chirría de nuevo, hace otra pausa...

*

La entrada de la casa principal es ancha. Está enladrillada de losetas amarillentas. Hay una puerta a la derecha y otra a la izquierda; una y otra están ceñidas por resaltantes cenefas lisas. Recia viga, jaharrada de yeso blanco, sostiene las maderas del techo. A los lados, dos ménsulas entesadas adornan la jacena. Sobre la pared, bajo las ménsulas, resaltan los emblemas de Jesús y María.

Al piso principal se asciende por una escalera oscura. La escalera tiene una barandilla de hierros sencillos; el pasamanos es de madera; en los ángulos lucen grandes bolas pulimentadas.

La primera puerta del piso principal da paso a dos claras habitaciones: una es un cuarto de estudio; la otra sirve de alcoba.

El estudio tiene el techo alto y las paredes limpias. Lo amueblan dos sillones, una mecedora, seis sillas, un velador, una mesa y una consola. Los sillones son de tapicería, a grandes ramos de adelfas blancas y rojas sobre fondo gris. La mecedora es de madera curvada. Las sillas son ligeras, frágiles, con el asiento de rejilla, con la armadura negra y pulimentada, con el respaldo en arco trilobulado. El velador es redondo; está cargado de infolios en pergamino y pequeños volúmenes amarillos. La mesa es de trabajo; la consola, colocada junto a la mesa, sirve para tener a mano libros y papeles.

La mesa es ancha y fuerte; tiene un pupitre; sobre el pupitre hay un tintero cuadrado de cristal y tres plumas. Reposan en la mesa una gran botella de tinta, un enorme fajo de inmensas cuartillas jaldes, un diccionario general de la lengua, otro latino, otro de términos de arte, otro de agricultura, otro geográfico, otro bibliográfico. Hay también un vocabulario de filosofía y otro de economía política; hay, además, en su edición lionesa de 1675, el curiosísimo *Tesoro de las dos lenguas, francesa y española*, que compuso César Oudin, «intérprete del rey».

La consola es de nogal. Los pies delanteros son ligeras columnillas negras, con capiteles clásicos de hueso, con sencillas bases toscanas. Los tiradores del cajón son de cristal límpido; un gran tablero de madera se extiende a ras del suelo, entre las bases de las columnas y los pies de la mesa. Sobre esta mesa yacen libros grandes y libros pequeños, un cuaderno de dibujos de Gavarni, cartapacios repletos de papeles, números de *La Revue Blanche* y de la *Revue Philosophique*, fascículos de un censo electoral, mapas locales y mapas generales. El cajón está repleto de fotografías de monumentos y paisajes españoles, fotografías de cuadros del Museo del Prado, fotografías de periodistas y actores, fotografías pequeñas—hechas por Laurent—de las notabilidades de 1860, daguerrotipos—en sus estuches lindos—de interesantes mujeres de 1850.

Las paredes del estudio están adornadas diversamente. En la primera pared, a los lados de la puerta hay dos grandes fotografías en sus marcos de noguera pulida: una es de la divina marquesa de Leganés, de Van Dyck; otra, cuidadosamente iluminada, es de *Las Meninas*, de Velázquez.

En la segunda pared, correspondiente al balcón, cuelga una fotografía de *Doña Mariana de Austria*, de Velázquez, con su enorme guardainfante y su pañuelo de batista. Sobre esta fotografía se eleva, surgiendo del marco e inclinándose sobre el retrato, una fina y dorada pluma de pavo real, y esta pluma es como un símbolo de esta mujer altiva, desdeñosa, con su eterno gesto de displicencia que perpetuó Velázquez, que perpetuó Carreño, que perpetuó Del Mazo.

El segundo cuadro es una litografía francesa. Se titula *La Música;* representa una mujer que toca un arpa. Lleva los cabellos en dos lucientes cocas; sus mejillas están amapoladas; sus pechos palpitan descubiertos; un gran brial de seda blanca cae sobre el césped y forma a sus pies un remolino airoso. Esta litografía está encerrada en un óvalo, bordeado de un estrecho filete de oro; el óvalo destaca en una amplia y cuadrada margen blanca, y el cuadro todo está ceñido por un ancho y plano marco negro.

Junto a él está el retrato, en busto, de Felipe IV, por Velázquez. Tiene el rey austríaco ancha la cara, de mentón saledizo; sus bigotes ascienden engomados por las mejillas fofas; pone la luz un tenue reflejo sobre la abundosa melena que cae sobre la gola enhiesta. Y sus ojos, distraídos, vagarosos, parecen mirar estúpidamente toda la irremediable decadencia de un pueblo.

En la tercera pared—en la que se abre la puerta de la alcoba—hay tres cuadros. El primero es una fotografía que lleva por título: *Guadalajara. Vista de la carretera por las entrepeñas del Tajo*. El río se desliza, ahocinado por su hondo cauce; resbala el sol por los altos peñascos y besa las aguas en viva luminaria; y la carretera, a la izquierda, se pierde a lo lejos, en rápido culebreo blanco, por la estrecha garganta.

El segundo cuadro es un paisaje al óleo de un pintor desconocido y meritísimo: Adelardo Parrilla. Es una tabla pequeña. En el fondo cierra el horizonte una fronda verde y bravía; cuatro, seis álamos esbeltos se han separado del boscaje, y se adelantan a mirarse en un ancho y claro arroyo; sus hojas tiemblan de placer; el cielo es de un violeta pálido, tenue. Y el agua —a través del cristal en que sabiamente está puesto el cuadro—parece que corre, irisa, palpita bajo la luz suave.

Al lado de este paisaje hay una fotografía titulada: *Salamanca. Vista del Seminario desde los Irlandeses.* En el primer término, una baja techumbre, con sus simétricas ringlas de tejas, corre de punta a punta. A la otra banda, en los cuadros de un huertecillo, y a lo largo de las paredes blancas de la cerca, se desgreña el claro boscaje de una parra, y se esponjan las copas de los frutales floridos. Más allá, entre el follaje, asoma el remate de un enorme letrero blanco: ... *SAL;* más lejos aparece otra huerta, con sus bancales y su noria. Y por todas partes, sobre las albardillas, en los rincones de los patios, cabe a misteriosas ventanas, surgiendo de la oleada de casuchas que se alza, se deprime, ondula entre el ábside de los Irlandeses y el Seminario lejano, destaca la apacible copa de un árbol. Sobre los tejados negruzcos, las chimeneas ponen su trazo blanco, las lumbreras se abren inquietadoras. Y en el fondo, el Seminario, con sus dos cuerpos formidables, trepados por infinitas ventanas, cierra hoscamente la perspectiva. Es primavera; la verdura de los huertos no está aún tupida; resaltan alegres las paredes a la luz viva, y las torres y las cúpulas de las dos catedrales se yerguen serenas en el ambiente diáfano.

En la tercera pared—sobre la cual está adosada la mesa de trabajo—lucen otras tres litografías de la misma colección que la pasada; se titulan: *La Escultura, La Poesía* y *La Pintura.* Entre la primera y la segunda hay colgado un zapatito auténtico de una dama del siglo XVIII. Es de tafilete rosa, con la punta agudísima y con el tacón altísimo de madera, aforrado en piel; tiene la cara bordada al realce con seda blanca.

Entre la segunda y tercera litografía penden, de rojas cintas de seda, dos lucientes braserillos de cobre, en los que antaño se ponía la lumbre para encender pajuelas y cigarros. Debajo, encerrado en un patinoso marco dorado, pendiente de un viejo listón descolorido, hay un dibujo de Ramón Casas. Es una de esas cabezas de mujeres meditativas y perversas en que el artista ha sabido poner toda el alma femenina contemporánea.

Frente al pupitre, en sencillo marco de caoba, está una fotografía del autorretrato del *Greco.* Destacan en la negrura la mancha blanca de la calva y los trazos de la blanda gorguera; sus mejillas están secas, arrugadas, y sus ojos, puestos en anchos y redondos cajos, miran con melancolía a quien frente por frente a él va embujando palabras en las cuartillas.

Las paredes del estudio son de brillante estucado blanco; las puertas están pintadas de blanco; las placas de las cerraduras son niqueladas; el piso, en diminutos mosaicos a losanges azules, blancos y grises, forma una pintoresca tracería, encerrada en una ancha cenefa de color lila. Tamiza la luz una persiana verde, y una tenue cortina blanca de hilo vuelve a tamizarla y la difluye con claridad suave. Reina un profundo silencio; de rato en rato suena el grito agudo de un pavo real. Las palomas, que en el palomar de arriba saltan y corren, hacen sobre el techo, con sus menudas patas, un presto y entrecortado ruido seco.

★

La alcoba es amplia y clara. Recibe la luz por un balcón. Están entornadas las maderas; en la suave penumbra, la luz que se cuela por la persiana marca en el techo unas vivas listas de claror blanco.

Adornan las paredes cuatro fotografías de los tapices de Goya. Las esbeltas figuras juegan, bailan, retozan, platican sentadas en un pretil de sillares blancos; el cielo es azul; a lo lejos la crestería del Guadarrama palidece.

Amueblan la alcoba: una cama de hierro, un lavabo de mármol, con su espejo; una cómoda, con ramos y ángeles en blanca taracea; una percha, tres sillas, un sillón de reps verde.

En este sillón verde está sentado Azorín. Tiene ante sí una maleta abierta. Y de ella va sacando unas camisas, unos pañuelos, unos calzoncillos, cuatro tomitos encuadernados en piel, y en cuyos tejuelos rojos pone: *Montaigne*.

III

Azorín pasa toda la mañana leyendo, tomando notas. A las doce, cuando tocan el caracol—a modo de bocina—para que los labriegos acudan, baja al comedor. El comedor es una pequeña pieza blanca; en las paredes cuelgan apaisados cuadros antiguos—que, como están completamente negros, es de suponer que no son malos—; frente a la puerta destaca un armario, en que están colocados cuidadosamente los platos, las tazas, las jícaras, guarnecidos por las copas, puestas en simetría de tamaños, dominado todo por un diminuto toro de cristal verdoso, como los que Azorín ha visto en el Museo Arqueológico.

Sirve a la mesa Remedios. Remedios es una moza fina, rubia, limpia, compuestita, callada, que pasa y repasa suavemente la mano por encima de las viandas, oxeando las moscas, cuando las pone sobre la mesa; que coloca el vaso del agua en un plato; que permanece a un lado silenciosa, apoyada la cara en la mano izquierda y la derecha puesta debajo del codo izquierdo; que algunas veces, cuando por incidencia habla, mueve la pierna, con la punta del pie apoyada en tierra.

«Esta moza tan meticulosa y apañada —piensa Azorín— me recuerda esas mujeres que se ven en los cuadros flamencos, metidas en una cocina limpia, con un banco, con un armario coronado de relucientes cacharros, con una ventana que deja ver a lo lejos un verde prado por el que serpentea un camino blanco...»

★

Después de comer, Azorín se tumba un rato. A esta siesta la llama Azorín *la siesta de las cigarras*. No porque las cigarras duerman, no; antes bien, porque Azorín se duerme a sus roncos sones.

La habitación está en la penumbra; fuera, en los olmos, comienza la sinfonía estrepitosa... Las cigarras caen sobre los troncos de los olmos lentas, torpes, pesadas, como seres que no conceden importancia al esfuerzo extraestético. Son cenicientas y se solapan en la corteza cenicienta. Tienen la cabeza ancha, las antenas breves, los ojos saltones, las alas diáfanas. Son graves, sacerdotales, dogmáticas, hieráticas. Se reposan un momento; saludan un poco desdeñosas a los árades agazapados en las grietas; miran indiferentes a las hormigas diminutas, que suben rápidas en procesión interminable. Y de pronto, suena un chirrido largo, igual, uniforme, que se quiebra a poco en un *ris-ras,* ligero y cadencioso. Luego, otra cigarra comienza; luego, otra; luego, otra... Y todas cantan con una algarabía de ritmos sonoros.

IV

Azorín gusta de observar las plantas. En sus paseos por el monte y por los campos, este estudio es uno de sus recreos predilectos. Porque en las plantas, lo mismo que en los insectos, se puede estudiar el hombre. Quizá parezca tal aserto una paradoja; pero los que no creen que sólo en el hombre se manifiesta la voluntad y la inteligencia, es decir, los que son un poco paganos y lo ven todo animado, desde un cristal de cloruro de sodio hasta el *homo sapiens,* no encontrarán lo dicho paradójico.

Las plantas, como todos los seres vivos, se adaptan al medio, varían a lo largo del tiempo en sus especies, triunfan en la concurrencia vital. Los que se adaptan y los que triunfan son los más fuertes y los más inteligentes. Y este triunfo y esta adaptación, ¿no constituyen una finalidad? ¿Y puede nunca ser obra del azar ciego una finalidad, cualquiera que sea? No, la selección no es una obra casual; hay una energía, una voluntad, una inteligencia, o como queramos llamarlo, que mueve las plantas como el mineral y como el hombre, y hace esplender en ellos la vida, y los lleva al acabamiento, de que han de resurgir de nuevo, en una u otra forma, perdurablemente.

Así nadie se extrañe de que digamos que existen plantas buenas y plantas malas; unas poseen salutíferos jugos; otras, ponzoñas violentísimas. Pero como no hay nada bueno ni malo en sí—como ya notó Hobbes—, y la ética es una pura fantasía, podría resultar, en último caso, que las plantas no son buenas ni malas. Sin embargo, esto sería destruir una de las bases más firmes de la sociedad; la moral desaparecería. Por lo tanto, hemos de mantener el criterio tradicional: las plantas, unas son buenas y otras son malas.

Las hay también que, como muchos hombres, viven a costa del prójimo; es decir, son explotadoras; lo cual sucede, por ejemplo, con las mata-legumbres que crecen sobre ajenas raíces. Otras, en cambio, vienen a ser lo que las clases productoras en las sociedades humanas. Linneo llamó a las gramíneas *los proletarios del reino vegetal*. No le faltaba razón a Linneo, porque no hay entre todas las plantas otras más humildes, más laboriosas y, sobre todo, más resignadas.

Las plantas aman unas la vida libre y sacudida; otras, el trato político y medido; aquéllas viven en las montañas; éstas crecen a gusto recoletas en los jardines y en los huertos. Sin embargo, así como de las familias campesinas salen a veces sutiles cortesanos, así también las plantas campestres se truecan en urbanas. Ello debe de ser, en parte, al menos, obra de los hortelanos. Los hortelanos son arteros y maliciosos; ya lo dicen los viejos sainetes y los cuentecillos de las *florestas*. Con sus mañas, los hortelanos persuaden a las plantas silvestres a que dejen sus parajes bravíos; les dicen que en los cuadros de los huertos lucirán más su belleza; que tendrán lindas compañeras; que, en fin, estarán mejor cuidadas. Las plantas se dejan seducir: ¿quién se resiste a los halagos de la vanidad? De las montañas pasan a los huertos, como, por ejemplo, el tomillo, que de *silvestre* se convierte en *salsero;* o lo que es lo mismo, de hosco y solitario se cambia en sociable, y, como tal, da gusto con su presencia a las salsas y asaborea gratamente las conservas. Hay quien dice que son distintos.

Sucede, sin embargo, que, del mismo modo que los campesinos no logran hacerse nunca por completo a la vida de las ciudades, en las cuales parece que les falta sol y aire, y en las que se encuentran molestos por sus mil triquiñuelas, hasta el punto de que enflaquecen y se opilan, del mismo modo estas plantas selváticas que vienen a los huertos crecen en ellos desmedradas, y acaban por perecer si no se las acorre oportunamente. Estos auxilios a que aludo los conocen los hortelanos: consisten en plantar entre ellas, «para ayudarlas», otras plantas alegres y animosas que les quiten las tristes añoranzas; por ejemplo: las orucas, que confortan y animan a la manzanilla; el orégano, la mejorana, la toronjina y otras tales. La higuera es también muy amiga de la ruda; el ciprés, de la avena, y así por este estilo podrían irse nombrando, si hiciera falta, muchas amistades y predilecciones de las plantas, que, como es natural, también tienen sus odios y sus desavenencias.

¿Quién contará, por otra parte, sus buenas y malas cualidades? Crea el lector que es empresa ardua; pero, con todo, intentaremos decir algo. La borraja es alegre; quien la coma puede estar seguro de tener ánimo divertido. En cambio, la berenjena trae cogitaciones malignas a quien la gusta. Dicen los autores que «es una planta de mala complexión». Sí, lo es; los hortelanos, para quitarle algo de sus intenciones aviesas, plantan junto a ellas albahacas y tomillos; estas hierbas, como son bondadosas e inocentes, acaban por amansar un poco a las berenjenas

Las espinacas y el perejil son metódicos, amigos del orden, muy apegados a la casa donde siempre han vivido y donde, por decirlo así, están vinculadas las tradiciones de sus mayores. Lo cual significa que tanto la espinaca como el perejil «*no quieren* ser trasplantados». Esta frase es de un viejo tratadista de horticultura; yo creo que hubiese encantado al autor de La *voluntad de la Naturaleza,* o sea, Schopenhauer.

También acompaña a estas plantas en sus ideas conservadoras la hierbabuena. Ya el nombre lo dice: es una buena hierba. Pero si no estuviera ya honrada suficientemente por su mismo nombre, habría que declarar a la hierbabuena emblema del patriotismo. No existe ninguna hierba que se aferre más a la tierra donde ha crecido; se la puede arrancar, perseguir con el arado y la azada...; es inútil: la hierbabuena vuelve a retoñar indómita.

La cebolla es recia, valerosa, ardiente. Su linaje pica en ilustre; algunos pueblos remotos se dice que la adoraban, y los soldados romanos la comían para ganar fortaleza con que vencer a los pueblos extraños. De modo que se puede decir que la cebolla ha dado a los Césares el imperio del mundo. No olvidemos otro dato importante. El Rey Sabio, que recomienda en sus *Partidas* que los barcos de las escuadras lleven yeso para cegar a los adversarios y jabón para hacerlos resbalar, no se olvida tampoco de encarecerles que se provean también de cebollas, porque las cebollas—dice él—los librarán del «corrompimiento del yacer de la mar».

La calabaza tiene de dúctil lo que la cebolla tiene de fuerte; pudiera decirse, sin intención malévola, que la calabaza simboliza la diplomacia. La calabaza se pliega a todo, contemporiza, transige, posee un alto sentido mimetista. Si se la pone cuando es pequeña dentro de una caña hueca, corre por dentro y toma su forma; y si se la deposita en jarros y pucheros de formas extrañas, o aun en los más humildes recipientes, también se adapta a ellos y crece según el molde.

La albahaca es caprichosa; todas las plantas han de ser regadas, según la buena horticultura, por la mañana o por la tarde; la albahaca pide el riego a mediodía. Esta planta, tan ufana con su agradable aroma, parece una mujer bonita. Los viejos dicen que el olerla produce jaquecas; también las producen las mujeres bonitas.

El cilantro es apasionado: ama el anís. Dicen los labradores que es el macho del anís; así lo parece. El ama el anís con locura, junta sus tallos a sus tallos, acaricia sus hojas, besa sus olorosos frutos pubescentes. El cilantro también es oloroso, pero su olor es hediondo. Vais a cogerlo, lo apañuscáis entre los dedos y lo soltáis aína. Esta es una supercheria del cilantro; es que no quiere ser cogido entonces, cuando está verde, cuando es joven, cuando puede gozar aún de la alegría y del amor. Dejad que envejezca, es decir, que se seque, y entonces cogedlo y veréis cómo sus frutos despiden una fragancia exquisita, que es como un recuerdo delicado de sus pasadas ilusiones.

La malva es humilde; no requiere cultivo, ni necesita ninguna clase de cuidado. Crece en cualquier sitio, y es tan modesta y tan xorable, que aun las mismas durezas y tumefacciones de los hombres ablanda. Pero con ser tan humilde, guarda esta hierba una ambición secreta y de tal magnitud, que casi se puede afirmar que es una monstruosidad. ¡Esta planta está enamorada del sol! Cuando el sol sale, ella abre hus hojas; cuando se pone, las cierra, en señal de tristeza; no vive, en resolución, sino para su amado. Es el eterno caso del villano que se enamora de la princesa.

En cambio, la arrebolera tiene por el sol un profundo desprecio; cierra sus flores de día y las abre de noche. ¿Hace bien la arrebolera? Azorín cree que sí. Francisco de Rioja le dedicó una silva, y en ella aprueba su conducta en versos que parecen hechos para censurar la insana pasión de la malva. Véase lo que dice Rioja:

> ¡Oh, cómo es error vano
> fatigarse por ver los resplandores
> de un ardiente tirano,
> que impío roba a las flores
> el lustre, el aliento y los colores.

Todas las plantas tienen, en suma, sus veleidades, sus odios, sus amores. Las pasiones que nosotros creemos que sólo en el hombre alientan, alientan también en toda la Naturaleza. Todo vive, ama, goza, sufre, perece. El ácido y la base se estrechan en la sal; el cilantro ama el anís; el hombre ansía las bellas criaturas que palpitan de amor entre sus brazos.

V

Las sociedades animales son tan interesantes como las sociedades humanas. Los sociólogos las estudian con gran cuidado. Las hormigas y las abejas se agrupan en urbes regimentadas sabiamente; son metódicas unas y otras, son laboriosas, son sagaces, son perseverantes, son humildes, son industriosas. Las arañas, en cambio, no se agrupan en sociedad jerarquizada; son los más fuertes de todos los arácnidos. Los naturalistas se plañen de su insociabilidad. Y no hay animal más difundido sobre el planeta. Mas los arácnidos *opiliones* se asocian a centenas en las grutas.

Viven bajo las aguas, como la araña buzo; corren sobre la superficie de los lagos, como el dolomelo orlado; fabrican su morada sobre las piedras, como la segestria; se agazapan en un pozo guateado de blanca seda, como la teniza minera; se columpian en aéreas redes, como la tejenaria. Corren, nadan, saltan, vuelan, minan, trepan, tejen, patinan. Y en su insociabilidad hosca tienen como mira capital, como sentido esencialísimo, el amor a la raza. El amor a la raza está en las arañas sobrepuesto a todo interés peculiarísimo. La raza ha de ser fuerte, recia, audaz, incontrastable. La hembra, a este fin, devora despiadadamente al macho débil que se le acerca a cortejarla. Y de este modo sólo los machos fuertes triunfan y legan a las nuevas generaciones sus audacia y fortaleza.

¿Es un animal nietzscheano la araña? Yo creo que sí. Y entre todas las arañas hay un orden que más que ningún otro profesa en el reino animal esta novísima filosofía que ahora nos obsesiona a los hombres. Tres de estos arácnidos—*Ron, King* y *Pic*—ha estudiado Azorín pacientemente. A continuación doy, en forma amena, algunas de sus observaciones. Excúseme el lector si las encuentra deficientes, y vea sólo en estas líneas un modesto intento de contribuir al estudio de la sociología comparada.

*

Ron es un varón fuerte, a quien los naturalistas llaman *saltador escénico,* y dicen que es de la clase de los *araneidos* y aseguran que pertenece al orden de los *atidos.* Los saltadores son los más intelectuales y elegantes de los arácnidos. No son metódicos, no son estáticos. Corren, brincan, se mueve prestamente. No fabrican urdimbres donde permanecer hastiados; no lograban agujeros donde esperar aburridos. Son mundanos, son errabundos. Vagan ligeros por las puertas y por las paredes soleadas. Persiguen las moscas, las atrapan saltando. Y de este modo han sabido unir a la utilidad la belleza, puesto que su caza es un deporte airoso.

Ron vive en una confortable casa; tiene catorce centímetros de larga y seis de ancha. Son de cartón sus muros, es de cristal su techumbre. El interior es blanco. Y en la blancura, *Ron* va y viene gallardo y se destaca intenso.

Ron es grande: mide más de un centímetro; tiene henchido el abdomen; su cuerpo parece afelpado de fina seda; sobre el fondo blanquecino resaltan caprichosos dibujos negros. *Ron* es ligero: tiene ocho patas cortas. *Ron* es polividente: tiene en la frente dos ojuelos negros, fúlgidos; y junto a éstos, a cada lado, otros dos más pequeños; y encima de éstos, sobre la testa, otros dos diminutos. *Ron* es nervioso: tiene dos palpos, como minúsculos abanicos de plumas blancas, que él mueve a intervalos con el movimiento rítmico de un nadador. *Ron* es voluble: corre por pequeños avances de dos o tres segundos; se detiene un momento; yergue la cabeza; da media vuelta; se pasa los palpos por la cara, torna a correr un poco...

Azorín cree que a *Ron* le ha parecido bien la nueva casa. El ha entrado tranquilo, indiferente, impasible; luego, ha dado una vuelta con el discreto desdén de un hombre de mundo. Azorín lo observaba; esta frivolidad le ha molestado un poco. Y, sin embargo, esta frivolidad no era ficticia. He aquí la prueba: *Ron, sin pensarlo,* ha dado un topetazo con una mosca que se hallaba muy tranquila en medio de la caja. La mosca se ha sobresaltado un tanto. Entonces *Ron,* ya vuelto a la realidad, ha advertido su presencia.

«He hecho una tontería—debe de haber pensado—; tenía aquí a mi lado una mosca y yo estaba completamente distraído.» Inmediatamente ha retrocedido con cautela hasta separarse de la mosca cinco centímetros. Ha transcurrido un instante de espera. *Ron* se contrae, se repliega como un felino. Luego, lentamente, con suavidad, avanza un centímetro; luego, más lentamente, otro centrímetro; luego se para, aplanado, encogido. La mosca está inmóvil; *Ron* no se mueve tampoco. Transcurren treinta segundos, solemnes, angustiosos, trágicos. La mosca hace un ligero movimiento. *Ron* salta de pronto sobre ella y la coge por la cabeza. Esta pobre mosca se mueve violentamente, patalea estremecida de terror. No, no se marchará; *Ron* la tiene bien cogida. «Las moscas—debe de pensar él, que, como hombre de grueso abdomen, será conservador, y como conservador, creerá en las causas finales—, las moscas se han hecho para los saltadores; yo soy saltador, luego esta mosca ha nacido y se ha criado para que yo me la coma.»

Y se la come, en efecto; pero como es un saltador afectuoso, le da de cuando en cuando golpecitos con los palpos sobre la espalda, como queriendo convencerla de su teleología. Azorín no sabe si la mosca quedará convencida; ello es que sus patas han cesado de moverse y que *Ron* se la lleva a un ángulo, donde permanece quieto con ella un gran rato.

Después de comer, *Ron* se pasa los palpos por la cara, como limpiándosela, con el mismo gesto que los gatos; a veces se lleva también su segunda pata izquierda a la boca, como si se estuviese hurgando los dientes. Una mosca cogida por *Ron* tarda en morir poco más de un minuto. En la succión del tórax emplea *Ron* veintiocho, treinta, treinta y tres minutos; en la del abdomen, uno o dos. Cuando el hambre no aprieta, suele desdeñar el abdomen; esto es plausible.

Ron pasea por la caja, camina boca arriba por el cristal, se deja caer y cae de pie con suave movimiento elástico. De cuando en cuando se frota los ojos con los palpos, con gesto inteligentísimo. A las moscas las percibe a doce centímetros de distancia. Entonces se yergue gallardo como un león: alza la cabeza; pone las dos patas delanteras en el aire; las observa atento; se vuelve rápido cuando ellas se vuelven... La Naturaleza es maravillosa; estos saltadores diríase que son felinos diminutos.

Ron es audaz y feroz. Azorín ha soltado en la caja un moscardón fuerte y voluminoso. Es grisáceo; tiene cerca de dos centímetros; salta e intenta volar, y cuando cae de espaldas hace sobre el cartón un ruido sonoro de tambor. *Ron,* al principio, se ha azarado un poco de este estrépito. Corría velozmente; no me atrevo a decir que huía. «Este bicho—pensaría él—es demasiado grande para mí.» Luego, cuando el moscardón se ha amansado, *Ron,* que estaba a su derecha, ha descrito un perfecto medio círculo y se ha colocado frente a frente de su adversario. Entonces el moscardón se ha movido, y *Ron* ha desandado el camino recorrido. Después ha tornado a describir el medio círculo, y como el moscardón se estuviese quedo, se ha lanzado contra él audazmente.

He dicho que *Ron* es feroz; añadiré que no tiene ni un átomo de piedad. Esto de la piedad es cosa para él totalmente desconocida. Azorín ha metido en la caja un saltador joven, casi un niño, a juzgar por su aspecto, puesto que camina lentamente y apenas sabía hacer nada. Pues bien: a la mañana siguiente, Azorín ha visto que los despojos de este saltador pendían de una de las paredes; lo cual indica que *Ron* lo había devorado durante la noche.

Ha soltado también Azorín en la caja una tejenaria, o sea una de esas arañas domésticas de largas patas. ¿Qué ha sucedido con esa tejenaria? Lo primero que ha hecho esta araña es fabricar una tela en medio de la caja, seguramente con la esperanza de que en ella caiga una mosca, cosa asaz absurda, porque las moscas son para *Ron,* según su filosofía teleológica. En su tela permaneció inmóvil la tejenaria; cuando se daba un golpecito sobre el cristal, se agitaba en un baile frenético. Así ha permanecido dos días, y al final ha sucedido lo que había de suceder, es decir, que *Ron* ha devorado también a la tejenaria.

He de declarar que *Ron* tiene una cama. Esta cama es como una especie de hamaca, que él ha colgado en un rincón; en ella dormita algunos ratos después de haber comido.

Cuando se despierta vuelve a sus paseos. El suelo está sembrado de cadáveres. Al principio, *Ron* veía uno de estos cadáveres y los creía cuerpos vivos; esto era una desagradable sorpresa. Azorín ha observado que en una ocasión, para evitar decepciones, *Ron* se ha aproximado con discreción a un cadáver y ha alargado una pata y lo ha tocado ligeramente para averiguar si estaba muerto o vivo.

*

King es más chico que *Ron.* Es delgado y negro; los palpos los tiene también negros y sin plumas, con una rayita blanca en la base. Vive en una casa más pequeña.

King ha probado a correr por el cristal y no podía. Luego se ha comido dos moscas y se deslizaba por él perfectamente. Sin duda, este saltador hacía tiempo que no encontraba moscas en su camino y estaba, por consiguiente, bastante débil.

King tarda en matar una mosca un minuto y cuarenta y cinco segundos. En sorber el tórax emplea treinta y un minutos; desdeña el abdomen; *King,* como todas las arañas, ama la noche. Aplacado su apetito, mira indiferente a las moscas que corren por la caja; pero a la mañana siguiente, todas, sean las que fueren, aparecerán muertas.

*

Pic es el más pequeño de todos y el que más ancha casa habita. *Pic* mide medio centímetro; tiene también negros los palpos, y el cuerpo es a rayas pardas y blancas, que le cogen de arriba abajo, como esos bellos trajes del Renacimiento italiano.

Es, indudablemente, *Pic* un niño de estirpe principesca. Es gallardo, vivo: se yergue hasta poner en el aire las cuatro patas anteriores; sube por las paredes, y corre, seguro, por el cristal; da, de cuando en cuando, rápidos saltitos; se deja caer del techo, y permanece cogido a un hilo tenue.

Cuatro moscas le han sido puestas en la caja; cuando se encuentra con alguna, huye azarado. «Decididamente—ha pensado Azorín—, es muy niño aún este saltador para atreverse con una mosca.» Toda la tarde ha estado *Pic* sin tocarlas; a la mañana siguiente, cuando Azorín ha ido a ver qué tal había pasado *Pic* la noche, ha encontrado las cuatro moscas difuntas.

Porque *Pic* será pequeño, pero tiene arrestos. Una mosca yace patas arriba en medio de la caja; *Pic* se acerca, creyéndola, sin duda, muerta; la mosca suelta una patada; *Pic* se queda atónito. Después se vuelve a acercar y la torna a tocar en el ala; la mosca rebulle y se pone de pie. He aquí un terrible compromiso; pero *Pic* no se arredra. Al contrario, salta sobre ella tratando de cogerla; la mosca, como es natural, se esquiva. Al fin, *Pic* la coge por la cabeza, y entonces, como *Pic* es pequeñito y la mosca tiene mucha fuerza, arrastra la mosca a *Pic* y lo lleva un momento revolando por el aire. Pero *Pic* no la suelta y logra afianzarla en un rincón, donde la mosca permanece cuatro minutos pataleando, y al cabo sucumbe.

VI

Azorín, cansado de los insectos y de las plantas, se ha venido a Monóvar.

La casa que Azorín habita en Monóvar está en la calle del Bohuero, esquina a la de Masianet, en lo alto de la pendiente sobre que el pueblo se asienta, en limpia hilera de viviendas bajas, en un barrio silencioso, blanco, soleado. La casa de Azorín tiene una fachada pequeña, jaharrada de albo yeso, con dos ventanas diminutas. Desde la esquina se divisa bajo, al final de la calleja, el boscaje de un huerto, una palmera que arquea blanda sus ramas, una colina que se perfila sobre el azul luminoso del cielo.

La entrada de la casa está pavimentada con grandes losas cuadradas; la amueblan seis sillas de esparto y una mesita de pino. En un ángulo está el cantarero, que es una gran losa, finamente escodada, empotrada en la pared y sostenida por otras dos losas verticales. Encima del cantarero se yerguen cuatro cántaros, y encima de cada cántaro, acomodadas en su ancha boca, cuatro alcarrazas que rezuman en brilladoras gotas. Y hay también una tinaja con una tapadera de palo, y un pequeño lebrillo puesto en un soporte que está clavado en el centro de un pintoresco cuadro de azulejos, y una toalla limpia que cuelga de la pared y flamea al viento que se cuela del patio.

El cual patio está también enlosado y tiene una cisterna en un ángulo, que recibe sus aguas de un canal de latón que recorre el borde del tejado, que desciende por la pared, que llega a una pila repleta de menuda grava por donde las aguas se filtran y bajan en un claro raudal a lo profundo. Una parra se enrosca a un varillaje de hierro, extiende su toldo verde, festonea un balconcillo de madera. A este balcón es al que se asoma Azorín de cuando en cuando, porque es el de su cuarto, y aquí en este cuarto es donde él pasa sus graves meditaciones y sus tremebundas tormentas espirituales.

Azorín se sienta, lee un momento, baja, sale, también de cuando en cuando, a la puerta. Salir a la puerta es una cosa que no se puede hacer en Madrid; es una de las pequeñas voluptuosidades de provincias. Salir a la puerta es asomarse, un poco indeciso, un poco hastiado, mirar al cielo, escupir, saludar a un transeúnte, auparse el pantalón... y volverse adentro, hasta otra media hora, en que volver a salir, también cansado, también indeciso, a escudriñar la monotonía del cielo y la soledad de la calle.

Otras veces, Azorín permanece largos ratos en una modorra plácida, vagamente, traído, llevado, mecido por ideas sin forma y sensaciones esfumadas. Cerca, en la casa de al lado, hay un taller de modistas, y a ratos estas simples mujeres cantan largas tonadas melancólicas, tal vez acompañadas por la guitarra de un visitador galante. Y las voces frescas y traviesas vuelan junto a las voces serias y graves, que las persiguen, que las amonestan, que reclaman de ellas cordura, mientras las notas de la guitarra, prestas, armoniosas, volubles, se mezclan agudas en los retozos de las unas, se adhieren profundas a los consejos de las otras.

Y Azorín escucha a través de su letargo este concierto de centenarias melodías, este concierto de melodías tan dulces, tan voluptuosas, que traen a su espíritu consoladoras olvidanzas.

VII

Entonces, cuando una débil claridad penetra por las rendijas de la ventana, se oye sobre la canal de latón, que pasa sobre ella, un traqueteo sonoro, ruido de saltos, carreras precipitadas, idas y venidas afanosas. Y los trinos alegres se mezclan a este estrépito y sacan a Azorín de su sueño. Todo está aún en silencio. La calle reposa. Y de pronto suena una campana dulce y aguda; en el umbral de una puerta aparece una vieja vestida de negro, con una sillita en la mano. El cielo está azul; en lo hondo, las palmeras del huerto destacan sus ramas péndulas; detrás aparecen los senos redondos de la colina yerma.

Ya los pardillos han descendido del tejado hasta el patio. Desde la parra caen rápidos sobre las losas del piso, y corren a saltitos, comiendo las migajas que Azorín ha esparcido por la noche. Cacarea a lo lejos un gallo; suena el grito largo de un vendedor; se oye sobre la acera al rasear de una escoba. Y la campana vuelve a llamar con golpes menuditos.

La ciudad ha despertado. Tintinea a lo lejos una herrería, y unos muchachos se han sentado en una esquina y tiran contra la pared, jugando, unas monedas. El sol reverbera en las blancas fachadas; se abre un balcón con estrépito de cristales. Y luego una moza se asoma y sacude contra la pared una escoba metida en un pequeño saco. Cuatro o seis palomas blancas cruzan, volando lentamente; al final de la calleja, bañada por el sol, resalta la nota roja de un refajo. Y en el horno cercano comienza el rumor de comadres, que entran y salen con sus tableros en la cabeza. Se percibe un grato olor a sabina y romero quemados; una blanca columna de humo surte del tejado terrero; parlan a gritos la hornera y las vecinas. Y una campana tañe, a lo lejos, con lentas, solemnes vibraciones.

La ciudad ya está en plena vida cotidiana. Se han abierto todas las puertas; los carpinteros trabajan en sus amplios zaguanes alfombrados de virutas; van las mozas con sus cántaros a coger el agua en las fuentes de rojo mármol, donde los caños caen rumorosos. Y de cuando en cuando, al pasar junto a un portal, se oye el traqueteo ligero de los bolillos con que las niñas urden la fina randa.

VIII

Hoy Azorín ha causado un pequeño desorden en una casa. Lo ha hecho sin querer. El iba tranquilamente por una calle, cuando ha levantado la cabeza y ha visto en un balcón a un amigo. Este amigo suyo, a quien hacía mucho tiempo que no veía, le ha llamado. ¿Cómo negarse a los requerimientos de la amistad? No era discreto negarse; tanto más, cuanto que este amigo es un excelente pianista, y Azorín se ha regodeado ya por adelantado con unos cuantos fragmentos de buena música.

Tenía razón en sus augurios. Después de saludarse los dos antiguos amigos y hablar de algo, aunque no tenían que decirse nada (cosa que ocurre casi siempre que se encuentran dos amigos al cabo de largos años); después, digo, de cambiar cuatro frivolidades, Azorín ha rogado a su amigo que tocase. Este amigo ha titubeado algo antes de sentarse al piano. ¿Por qué dudaba? No sería porque Azorín le infundiese respeto; Azorín es un hombre vulgar, aunque escriba todo lo que quiera en los periódicos (o por eso mismo de que escribe); las perplejidades de su amigo obedecían a otra causa; ya se dirá después.

Sin embargo, el amigo ha abierto el piano; luego se ha atrevido a preludiar unas notas. Digo que se ha atrevido, porque también antes de poner los dedos en el teclado parecía irresoluto, bien así como si fuese a cometer una enormidad. Pero si era una enormidad, al fin ha sido cometida. Y bien cometida. Porque el pianista ha tocado un concierto de Humel (ópera 83, hay que ser preciso); luego, la sinfonía de *El barbero de Sevilla* (que al maestro Yuste gustaba tanto, y que Azorín ha oído profundamente conmovido); y, por último, los dedos seguros y expertos del pianista han hecho brotar las notas enérgicas, altivas, con que comienza el conocido concierto de Chopin en *mi menor*...

Yo no voy a expresar ahora lo que Azorín ha sentido mientras llegaba a los senos de su espíritu esta música delicada, inefable. El mismo epíteto que yo acabo de dar a esta música me excusa de esta tarea: *inefable*, es decir, que no se puede explicar, hacer patente, exteriorizar lo que sugiere.

Cuando ha terminado de tocar el pianista, él y Azorín han hablado de otras pocas cosas indiferentes, y luego Azorín se ha retirado.

«¿Dónde está el escándalo?», preguntará el lector. El escándalo está en que en esta casa se haya tocado el piano. Es muy difícil explicar a un lector cortesano, o sea a un hombre que vive en una gran ciudad, donde los dolores son fugitivos, el ambiente de dolor, de tristeza, de resignación casi agresiva—y pase la antítesis—, que se forma en ciertas casas del pueblo cuando se conlleva un duelo por la muerte de un deudo. El deudo que ha muerto aquí es lejano, y hace muchos meses que ha muerto. Durante todos estos meses, el piano ha permanecido cerrado.

Esta tarde ha sido la primera vez que se ha abierto; no podía negarse el amigo a la recuesta del amigo. ¿Hubiera sido ridículo? Hubiera sido ridículo; pero, en cambio, lo que ha sucedido ha sido trágico. Estas notas de los grandes maestros han resonado audazmente en toda la casa; desde el fondo de las habitaciones lejanas, las mujeres enlutadas—esas mujeres tristes de los pueblos—oirían llenas de espanto y de indignación las melodías de Chopin y Rossini. Una ráfaga de frescura y sanidad ha pasado por el aire; algo parecía conmoverse y desgajarse...

Y yo siento, al llegar aquí, el tener que dolerme de que las palabras a veces sean demasiado grandes para expresar cosas pequeñas; hay ya en la vida sensaciones delicadas que no pueden ser expresadas con los vocablos corrientes. Es casi imposible poner en las cuartillas uno de estos interiores de pueblo en que la tristeza se va condensando poco a poco y llega a determinar una modalidad enfermiza, malsana, abrumadora.

He aquí dos o tres seres humanos que viven en un caserón oscuro, que van enlutados, que tienen las puertas y las ventanas cerradas, que mantienen vivas continuamente unas candelicas ante unos santos, que rezan a cada campanada que da el reloj, que se acuerdan a cada momento de sus difuntos. Ya en esta pendiente se desciende fácilmente hasta lo último. Lo último es la muerte. Y la muerte está continuamente ante la vista de estos seres. Un día, una de estas mujeres se siente un poco enferma; suspira, implora al Señor; todos los que la rodean suspiran e imploran también. Ya ha huído para siempre la alegría. ¿Es grave la dolencia? No, la dolencia está en el medio, en la autosugestión; pero esta autosugestión acabará por hacer enfermar de veras a esta doliente y a todos los de la casa.

Así pasan dos o tres meses, y se va viendo que la enferma va empeorando. Las pequeñas contrariedades parecen obstáculos insuperables: un grito ocasiona un espasmo; la caída de un mueble produce una conmoción dolorosa... No se sale ya de casa; las puertas están cerradas día y noche; se anda sigilosamente por los pasillos. De cuando en cuando un suspiro rasga los aires. Y parece que todo el mundo se viene encima cuando hay que ponerse en contacto con la multitud y salir a evacuar un negocio en que es preciso hablar, insistir, volver, porfiar.

La autosugestión hace entre tanto su camino; la enferma, que ya andaba un poco, acaba por no moverse de su asiento. ¿Para qué pintar las diversas gradaciones de este proceso doloroso? En todos los pueblos, en todos estos pueblos españoles, tan opacos, tan sedentarios, tan melancólicos, ocurre lo mismo. Se habla de la tristeza española y se habla con razón. Es preciso vivir en provincias, observar el caso concreto de estas casas, para capacitarse de lo hondo que está en nuestra raza esta melancolía.

Bastaría abrir las puertas y dejar entrar el sol, salir, viajar, gritar, chapuzarse en agua fresca, correr, saltar, comer grandes trozos de carne, para que esta tristeza se acabase. Pero esto no lo haremos los españoles, y mientras no lo hagamos, las notas de un piano pueden causar una indignación terrible.

Esto es lo que ha ocurrido en la casa del amigo de Azorín. Azorín lo siente y se explica ahora por qué el piano estaba lleno de polvo y por qué la lámpara eléctrica del gabinete no tenía bombillas.

IX

Esta pieza, donde la buena vieja está siempre sentada, es el comedor. Este comedor tiene las paredes cubiertas con papeles que representan un bosque, una catarata cruzada por un puentecillo rústico, una playa de doradas arenas, en las que aparece encallada una barquichuela. En un ángulo hay una rinconera con un loro disecado; en el otro ángulo hay otra rinconera con un despertador que siempre marcha con su tictac monótono. Yo creo que este tictac y el loro, que se inclina inmóvil sobre su alcándara, son los únicos compañeros de la pobre vieja.

¿Qué hace esta vieja? La casa es pequeña y oscura; la puerta siempre está cerrada; no entra ni sale nadie. Por la mañana la vieja se levanta y suspira: «¡Ay Señor!» Luego se sienta en el comedor, junto a la ventana que da al solitario y diminuto patio. Allí coge una media que está haciendo y se pone a trabajar.. Suenan campanadas lejanas; la vieja vuelve a suspirar. ¿Por qué suspira? Hace diez años que vive así; no se sabe para qué vive. Ella no hace más que pensar en que se ha de morir; lo piensa todos los días y en todos los momentos desde hace diez años, que fue cuando «faltó» su marido. Si oye unas campanadas, se acuerda de la muerte; si ve una carta de luto, se sobresalta un poco; si dicen en su presencia: «¡Caramba!, yo creía que se había usted muerto», entonces se pone pálida y cierra los ojos... Por eso lo mejor que ha hecho es no salir de casa para no ver a nadie ni oír nada; sólo sale de tarde en tarde a alguna novena. Aquí, dentro de casa, está completamente sola; ya sus antiguas amigas se han muerto; no tiene tampoco hijos. Y, sin embargo, a pesar de que no ve a nadie, ni oye nada, ella se acuerda siempre de la deuda terrible. Esta es la causa de que esté suspirando desde por la mañana hasta por la noche.

Cuando llega la noche, la vieja enciende una capuchina y la pone sobre la mesa. En el recazo de esta capuchina hay unos fósforos usados; de estos fósforos coge uno la vieja, lo enciende en la capuchina, y luego enciende un poco de fuego, en el que hace su cena. No es mucho lo que cena: cena lo bastante para pasar la vida—esta vida que al fin, tarde o temprano, se ha de acabar—. Esto es lo que piensa también la vieja; y entonces suspira otra vez: «¡Ay Señor!»

Luego que ha cenado, reza unas oraciones. Terminadas las oraciones, coge la campanilla y se dirige a *la sala*, y entra en la alcoba. En la alcoba hay una cama grande de madera, pintada; hay también un cuadro que representa a la Divina Pastora. La vieja reza un poco ante este cuadro. Y luego se acuesta, y se duerme pensando que esta noche acaso sea la última de su vida.

*

Esta tarde la vieja ha ido a la novena. Es una novena que le hacen a San Francisco. Delante de la iglesia se abre una plazoleta plantada de acacias; en el fondo luce un huerto con frutales y palmeras.

San Francisco cae por octubre. Los pámpanos comienzan a amarillear; sopla el viento por las noches y hace gemir una ventana que se ha quedado abierta; el cielo se cubre de nubes plomizas, y llueve de cuando en cuando en largas cortinas de agua.

La vieja, sin embargo de que hace mal tiempo, ha salido a la novena. Mejor hubiera sido que no lo hubiera hecho, porque en la puerta de la iglesia le han dado una mala noticia:

—¿Sabe usted? Don Pedro Antonio se ha muerto...

La vieja se ha puesto pálida. Don Pedro Antonio estaba muy viejo; ella también está muy vieja; luego puede morirse lo mismo que él cualquier día. Sin embargo, recapacita y dice que don Pedro Antonio padecía de muchos achaques y era natural que se muriera.

Después pregunta de qué se ha muerto, y le contestan que se quedó de pronto frío porque le faltó el aire; es decir, que se ahogó. Entonces la vieja piensa que ella padece también de asma y que bien puede suceder que un día le falte el aire como a don Pedro Antonio.

Ya no le hace provecho la novena. La vieja está muy triste; no somos nada; en un momento podemos vernos privados de la vida. «Señor, Señor—dice la vieja—, ¿por qué pones ante mí la muerte a todas horas? Ya que me he de morir, llévame de este mundo sin angustias y sin sobresaltos.»

Pero el Señor no oye a la pobre vieja. A la mitad de la novena sale de la sacristía un monaguillo que lleva un farol y va tocando una campanilla; detrás viene un clérigo con el Viático. Es que van a llevárselo a un enfermo que agoniza... La vieja al verlo sufre una gran conmoción. Y vuelve a suspirar y a invocar al Señor, mientras entre sus dedos secos van pasando los granos del rosario.

De que se ha terminado la novena, vuelve a su casa la vieja. Algunas veces se detiene en la puerta charlando un momento; pero esta tarde está tan triste por las emociones recibidas, que no tiene gusto de hablar con nadie.

*

Este año ha apedreado. El aparcero que lleva las tierras de la vieja ha venido y se lo ha dicho. Ella ya había visto caer los granizos en su patio, a través de la ventana del comedor. Las tierras son muy pocas; ella, verdad es que necesitaba muy poco para vivir. Pero este año, ¿qué va a hacer? ¿Quién la socorrerá? El tictac del reloj suena monótono; el loro la mira con sus ojos de vidrio. La vieja piensa en su soledad y en su tristeza. Todas las pequeñas contrariedades que ha ido sufriendo durante diez años vienen ahora a condensarse en una catástrofe grande.

Hace un día nublado; la vieja deja la media en el pequeño tabaque de mimbre y se pone a mirar al cielo—a este cielo que le ha apedreado sus viñas—. Pero es muy breve el tiempo que permanece mirándolo, porque de pronto suenan en la calle unos cantos terribles. ¿Qué son estos cantos? Son sencillamente los responsos que van echándole a un muerto que llevan a enterrar. Al oírlos, la vieja siente que un gran terror se apodera de todo su cuerpo. No, no; esos cantos no son para el muerto que pasa por la calle, sino para ella. Y entonces se recoge en su asiento, toda arrugadita, toda temblorosa, y llora como una niña.

Cuando se ha hecho de noche, la vieja se ha levantado y ha encendido la capuchina. Sonaban, unas largas, otras breves, las campanadas del *Angelus*, y ella ha rezado sus habituales oraciones a la Virgen. Después de estos rezos, ella tiene por costumbre hacer la cena; pero esta noche no la ha hecho. No tenía apetito; era tan grande su dolor, que no tenía ganas ni siquiera de abrir la boca. De modo que después de rezar otra vez se ha dirigido a la sala. En la sala ha tenido una tentación. ¿Por qué no decirlo? Sí, ha tenido una tentación; es decir, ha querido mirarse al espejo. ¿Estará ella tan vieja como piensa? ¿Se podrá colegir por el aspecto de su cara si ha de vivir aún algunos años? Ello es que ha ido a mirarse al espejo; pero valiera más que no hubiese ido. Cuando ha acercado la luz al cristal ha visto una araña que corría por él. La araña era pequeñita; pero tal susto se ha llevado, que por poco si deja caer la lamparilla. Y ahora sí que ha sentido que este presagio le anunciaba que todo iba a acabar para ella. ¿Cuándo? Acaso esta noche.

Con estas ideas se ha quedado dormida.

Cuando a la mañana siguiente han llamado para llevarle el pan, viendo que no abría, han tenido que forzar la puerta.

La vieja estaba muerta en su cama. Tal vez había tenido alguna espantosa pesadilla.

X

Este viejo está llorando. Este viejo tiene un bigote blanco, recortado, como un pequeño cepillo; viste un pantalón a cuadritos negros y blancos; lleva unos lentes colgados de una cinta negra; se apoya en un bastón de color de avellana, con el puño de cuerno, en forma de pata de cabra. Este viejo llora de alegría. Se ha pasado toda su vida en el teatro; cuando vió toda su fortuna deshecha se vino al pueblo. Aquí ha organizado una compañía de aficionados; no podía estarse quieto. Esta noche es la primera que trabajan.

El viejo va y viene con pasito ligero y menudo por el escenario, entra en los cuartos de los cómicos, sube al telar, desciende al foso. Lleva en la mano un libro delgado; de cuando en cuando se para bajo una luz y lee un poco; otras veces se dirige a un carpintero que da fuertes martillazos, y le dice:

—No, ese árbol no debe ir aquí. ¿No comprende usted que colocar un árbol aquí es un absurdo?

El carpintero no comprende que colocar un árbol allí es un absurdo, pero lo coloca en otra parte; lo mismo le da a él.

Después el viejo da con el libro en una mano fuertes golpes y llama:

—¡Pedro! ¡Pedro!... A ver, que suban una verja para el fondo del jardín.

Pedro dice que no hay ninguna verja.

Entonces él replica que sí, que acaba de verla. ¿Cómo puede haberla visto si no la hay? Así lo afirma Pedro; pero, sin duda, Pedro está trascordado, porque el viejo insiste en que él la ha visto. Y se va corriendo hacia el foso y baja las escaleras a saltitos.

Llega al foso, y, efectivamente, no hay verja. Lo que hay es una empalizada de un huerto. Esto le contraría un poco al viejo; pero, en fin, acuerdan poner la empalizada. La realidad escénica padecerá con este detalle; pero después de todo, si se piensa bien, puede haber jardines que tengan empalizadas.

El viejo deja el bastón y se pone a arreglar la escena. Cuando está subido en una escalera vienen a llamarlo porque un actor necesita saber si se ha de poner bigote o ha de salir todo afeitado. Entonces el viejo, que ha visto a Azorín allí cerca, le llama y le dice:

—Azorín, haga usted el favor de sostener *esto* mientras yo voy un momento a ver lo que quieren.

Luego vuelve rápidamente, con su paso menudo.

—¡Parece mentira!—exclama—. ¡No saber que en el siglo XVIII iba todo el mundo afeitado!

Como la empalizada ha quedado ya en su sitio y está lista la escena, el viejo sacude las manos una contra otra, toma el bastón y se retira hacia el fondo.

—Azorín—dice respirando holgadamente—, ¡qué gratos recuerdos guardo yo del teatro! ¡Qué cosas podría yo contarle a usted! ¿Usted no ha conocido a Pepe Ortiz? No; usted no ha conocido a Pepe Ortiz. Era un actor excelente. Esta cadena la llevó él una semana. Mírela usted; tóquela usted.

El viejo, con un gesto rápido, se quita la cadena. Es una cadena de oro, compuesta de dos finos ramales; tiene pendiente del sujetador un medallón cuadrado. Azorín examina la cadena. Luego, el viejo se la vuelve a poner y dice:

—Una tarde fuimos los dos a una joyería de la calle de la Montera a comprar cada uno una cadena; nos sacaron varias, pero entre todas nos gustaron dos de ellas.

A los dos nos gustaban las dos, y no sabíamos por cuál decidirnos. Al fin, Pepe Ortiz tomó una y yo tomé otra. Pero al cabo de una semana encontré a Ortiz y me dijo que mi cadena le gustaba más que la suya; entonces yo le di la mía y él me dió la suya, que es ésta...

Vienen a decirle al viejo que todos los actores están dispuestos para comenzar la función. El da orden de que principie a tocar la orquesta. Y como desea echar una última ojeada a la escena, inclina la cabeza y se pone los lentes con un movimiento rápido. A lo lejos columbra a un cómico que espera reclinado en un bastidor, y se dirige a él dando saltitos automáticos.

—Cuidado—le advierte—; cuando recite usted aquello de

Feliz tú, que en lo profundo
de aquel bendito rincón...,

dígalo usted con brío, con cierto énfasis.

Luego vuelve al lado de Azorín. El telón se ha levantado. El viejo dice:

—¿Usted no conoce esta obra? Es preciosa; yo se la vi estrenar a Caltañazor, a Becerra, a la Ramírez, a la Di Franco, que entonces era una niña... Camprodón tenía mucho talento. Yo conocía también a su mujer, doña Concha... El y yo tomábamos muchas tardes café juntos en el de Levante. ¿Sigue aún ese cafe, querido Azorín?

Azorín contesta que aún dura ese café. De pronto estalla en la sala una larga salva de aplausos. Y el viejo tiende los brazos hacia Azorín, lo abraza y llora en silencio.

XI

Estos son unos viejos muy viejos. Llevan un pantalón negro, un chaleco negro, una chaqueta negra de terciopelo. Esta chaqueta es muy corta. Ya casi no quedan en el pueblo más chaquetas cortas que las de estos viejos labriegos. Van encorvados un poco y se apoyan en cayados amarillos. ¿En qué piensan estos viejos? ¿Qué hacen estos viejos? Al anochecer salen a la huerta y se sientan sobre unas piedras blancas. Cuando se han sentado en las piedras permanecen un rato en silencio; luego tal vez uno tose; otro levanta la mano y golpea con ella abierta la vuelta del cayado; otro apoya los brazos cruzados sobre el bastón e inclina la cabeza pensativo... Estos viejos han visto sucederse las generaciones; las casas que ellos vieron construir están ya viejas, como ellos. Y ellos salen a la huerta y se sientan en sus piedras blancas.

Va anocheciendo. El pueblo luce intensamente dorado por los resplandores del ocaso; las palmeras y los cipreses de los huertos se recortan sobre el azul pálido; la luna resalta blanca.

Y un viejo levanta la cabeza y dice:

—La luna está en creciente.

—El día diecisiete—observa otro—será la luna llena.

—A ver si llueve antes de la vendimia —replica un tercero—y la uva reverdece.

Y todos vuelven a callar.

Cierra la noche; un viento ligero mece las palmeras, que destacan en el cielo fuliginoso. Un viejo mira hacia Poniente. Este viejo está completamente afeitado, como todos; sus ojuelos son grises, blandos; en su cara afilada, los labios aparecen sumidos y le prestan un gesto de bondad picaresca. Este viejo es el más viejo de todos; cuando camina agachado sobre su palo lleva la mano izquierda puesta sobre la espalda. Mira hacia Poniente y dice:

—El año sesenta hizo un viento grande que derribó una palmera.

—Yo la vi—contesta otro—; cayó sobre la pared del huerto y abrió un boquete.

—Era una palmera muy alta.

—Sí, era una palmera muy alta.

Se hace otra larga pausa. Los murciélagos revuelan calladamente; brillan las luces en el pueblo. Entonces el viejo más viejo da dos golpes en el suelo con el cayado, y se levanta.

—¿Se marcha usted?

—Sí; ya es tarde.

—Entonces nos marcharemos todos.

Y todos se levantan de sus piedras blancas y se van al pueblo, un poco encorvados, silenciosos.

XII

—Yo le daré a usted un libro—dice el clérigo—que le dejará convencido.

Azorín ya está casi convencido de todo lo que quieran convencerle; pero, sin embargo, acepta el libro.

Este libro se titula *El destino refutado por sí mismo.* El clérigo lo ha cogido del estante, lo ha sacudido, golpeándolo contra la palma de la mano, y se lo ha dado a Azorín. El cual lo ha tomado como quien toma algo importantísimo, y se ha quedado examinándolo por fuera gravemente. Después le ha parecido bien mirar quién era el autor de este libro, y ha visto que se llama Bergier. ¿Quién es Bergier? Azorín no lo sabe, y, sin embargo, debería saber que los diccionarios biográficos dicen, entre otras cosas, de este autor que «era un lógico hábil en deducir sus ideas rigurosamente unas de las otras».

—Aquí verá usted—dice el clérigo—cómo Voltaire era un sofista y cómo Rousseau, «el tristemente célebre autor del *Emilio*», como le ha llamado el señor obispo de Madrid, era un corruptor de las buenas costumbres.

Después de dicho esto, el clérigo da un paseo por la estancia con las manos metidas en los bolsillos del pantalón y se asoma distraídamente a una ventana tarareando una copla. ¿He de decir la verdad? Azorín no tiene interés en defender a Voltaire y Rousseau; casi estima más a este clérigo ingenuo y jovial que a los dos famosos escritores. Por eso, mientras por una parte no lee el *Diccionario filosófico* ni el *Emilio,* por otra no deja de venir todas las tardes a charlar un rato con este clérigo. Charlan casi siempre de cosas indiferentes. Pero esta tarde, por una casualidad, ha recaído la conversación sobre cosas teológicas, y el clérigo ha echado mano a su Bergier. He de confesar que el libro estaba lleno de polvo. ¿Es que el clérigo no lee tampoco?

Luego que han platicado un rato, el clérigo coge un bastón, se pone el sombrero, y él y Azorín se marchan. Antes de marcharse, el clérigo llena la petaca de tabaco, tomándolo de una caja que hay sobre la camilla, y se mete también en el bolsillo un libro pequeño. El tabaco, como es natural, le sirve para proporcionarse una honesta distracción, y el libro pequeño es un diminuto breviario en que ora de cuando en cuando.

Los dos, Azorín y clérigo, salen del pueblo y van caminando por un tortuoso camino plantado de moreras. A un lado queda el pueblo, que asoma sobre la verdura de los huertos; la blanca torre de la iglesia resalta junto a un ciprés enorme; las palmeras se recortan con sus ramas péndulas en el azul luminoso.

Al final de este camino sesgo se encuentra una alameda. Es una alameda compuesta de cuatro liños de olmos y acacias. La tierra es intensamente roja; el cielo aparece diáfano entre el boscaje de las copas. Azorín y el clérigo pasean despacio. Casi no hablan. Todo está en silencio. A ratos llega el traqueteo de un carro o se perciben los gritos de los muchachos que juegan a lo lejos.

Y así en este paseo va llegando el crepúsculo. El cielo se enrojece; brillan en el pueblo los puntos de las luces eléctricas; las sombras van borrando las casas y el campo.

—¿Le parece a usted que nos marchemos?—pregunta el clérigo.

—Sí, vámonos; es ya tarde—contesta Azorín.

En los pueblos sobran las horas, que son más largas que en ninguna otra parte, y, sin embargo, siempre es tarde. ¿Por qué? La vida se desliza monótona, lenta, siempre igual. Todos los días vemos las mismas caras y el mismo paisaje; las palabras que vamos a oír son siempre idénticas. Y ved la extraña paradoja: aquí la vida será más gris, más uniforme, más difluída, *menos vida* que en las grandes ciudades; pero se la ama más, se la ama fervorosamente, se la ama con pasión intensa. Y por eso el egoísmo es tan terrible en los pueblos, y por eso la idea de la muerte maltrata y atosiga tantos espíritus.

★

Cuando han vuelto al pueblo, ya las campanas estaban tocando a la novena; es decir, no es novena: son los pasos que se rezan todos los viernes y domingos de Cuaresma. La sacristía estaba casi a oscuras; dos monaguillos, vestidos con sus cotas rojas, han tomado sendos faroles opacos, sucios, goteados de cera; el clérigo se ha puesto una estola, y los tres, con el sacristán, han salido a la iglesia.

Azorín se ha quedado en la sacristía. Estaba sentado en un amplio sillón, junto a la larga cajonería de nogal. ¿En qué pensaba Azorín? En nada, seguramente; lo mejor es no pensar en nada. Junto a él hablaban, en voz baja, dos clérigos; uno de ellos es joven, casi recién salido del Seminario. Azorín lo conoce. Ha podido hacer la carrera gracias a la munificencia de un protector; su inteligencia no es muy amplia, pero posee ingenuidad y resignación. Resignación, sobre todo. A veces, Azorín se figura que éste es uno de aquellos místicos españoles que tan tremendas privaciones conllevaban con la cara risueña. «La tristeza—decían—corrompe los espíritus; el Señor no quiere la tristeza.» Y si no le pegaban un bofetón al mozo cacoquímico, como hizo San Felipe de Neri con un novicio para que estuviera alegre (bien que el procedimiento me parezca contraproducente); si no llevaban las cosas tan al cabo procuraban, al menos, por otros medios, desterrar de los monasterios la odiosa acidia.

Este clérigo gana una peseta, que es a lo que monta su misa diaria. «Y muchos días—ha oído decir Azorín—le falta la celebración.» Con esta escasa renta ha de mantener a su madre y a una hermana. «Y gracias—ha oído decir también Azorín—que un hermano que tenía, y que se había pegado también a la sotana, se ha casado ya.»

Yo creo que este clérigo, comó otros muchos, merece nuestro respeto y hasta nuestra admiración. Es discreto; su sotana podrá estar raída y verdosa, pero luce de limpia. ¿Cómo es posible que él pueda costearse otra? Hace un momento, y mientras el señor con quien hablaba sacaba la petaca, yo he visto que él también se llevaba la mano al bolsillo. Pero ¿para qué se la llevaba? Yo sé que era completamente inútil. Hace cuatro, seis, diez días, acaso más, que su petaca está vacía.

Azorín ha sentido no tener costumbre de fumar, porque de buena gana le hubiera alargado un cigarro a este clérigo. Y como éste era un pequeño sentimiento que, pensando y repensándolo, podía hacerse mayor—como ocurre con todos—, ha decidido dejar el sillón y salir a la iglesia.

En la iglesia, los monaguillos y el clérigo estaban delante de una pilastra; los devotos los rodeaban de rodillas. El sacristán, también arrodillado, invita a los fieles, con voz plañidera, a que consideren el lugar «donde unas piadosas mujeres, viendo al Señor que le llevaban a crucificar, lloraron amargamente de verle tan injuriado». Luego rezan todos un padrenuestro y un avemaría, y después, sacristán y fieles, a coro, dicen:

—«Bendita y alabada sea la Pasión y Muerte de Nuestro Señor Jesucristo y los Dolores de su afligida Madre. Amén.»

El clérigo lleva en las manos un enorme crucifijo; su sombra se extiende, deformada, por las anchas paredes blancas; arriba, en los altos ventanales, se apagan, imperceptibles, los últimos clarores del crepúsculo.

Azorín ha salido de la iglesia. Creo que ha obrado prudentemente, dado que era ya un poco tarde. Y vea el lector cómo en los pueblos siempre es tarde.

Las calles están solitarias; de algunas tiendas, acá y allá, se escapan resplandores mortecinos. Las puertas aparecen cerradas. Se oyen de cuando en cuando los golpes de los aldabones. Una puerta se abre, torna a cerrarse.

XIII

Este es un Casino amplio, nuevo, cómodo. Está rodeado de un jardín; el edificio consta de dos pisos, con balcones de piedra torneada. Primero aparece un vestíbulo enladrillado de menuditos mosaicos pintorescos; los montantes de las puertas cierran con vidrieras de colores. Después se pasa a un salón octógono; enfrente está el gabinete de lectura, con una agradable sillería gris y estantes llenos de esos libros grandes que se imprimen para ornamentación de las bibliotecas en que no lee nadie. A la derecha hay un gran salón vacío (porque no hace falta tanto local), y a la izquierda otro gran salón igual al anterior, donde los socios se reúnen con preferencia. Mesas cuadradas y redondas, de mármol, se hallan esparcidas acá y allá, alternando con otras de tapete verde; junto a la pared corre un ancho diván de *peluche* rojo; en un ángulo destaca un piano de cola, y verdes jazmineros, cuajados de florecillas blancas, festonean las ventanas.

Son los primeros días de otoño; los balcones están cerrados; el viento mueve un leve murmullo en el jardín; poco a poco van llegando los socios a su recreo de la noche; brillan las lámparas eléctricas.

Estos socios, unos juegan a los naipes; otros, al dominó—juego muy en predicamento en provincias—; otros charlan, sin jugar a nada. Entre los que charlan se cuentan los señores provectos y respetables. Son seis u ocho, que constantemente se reúnen en el mismo sitio: un ángulo del salón de la izquierda. Allí pasan revista, en una conversación discreta y apacible, a las cosas del día, unas veces, y otras, evocan recuerdos de la juventud pasada.

—Aquéllos—dice uno de los contertulios—, aquéllos eran otros tiempos. Yo no diré que eran mejores que éstos, pero eran otros. No sólo había notabilidades de primera fila, sino hombres modestos que valían mucho. Yo recuerdo, por ejemplo, que don Juan Pedro Muchada era un gran hacendista.

—Sí—dice otro señor—; yo lo recuerdo también. Cuando estábamos los dos estudiando en Madrid fuimos un día a verle con una carta de recomendación.

—Era entonces diputado por Cádiz. A mí me regaló su libro *La Hacienda de España y modo de reorganizarla.*

—Yo lo recuerdo como si fuera ahora. Era un señor grueso, alto, con la cara llena, todo afeitado.

Pausa ligera. Suenan las fichas sobre los mármoles; el pianista preludia una melodía.

—Yo, a quien conocí y traté, porque era gran amigo de mi padre—observa otro contertulio—, fué a don Juan Manuel Montalbán y Herranz... Ahí tiene usted otro hombre de los que no hicieron mucho ruido y que, sin embargo, tenía un mérito positivo. Cuando yo estudiaba era rector de la Universidad Central; fué también senador el año setenta y dos... La mejor edición que se ha hecho del *Febrero* se debe a él... Sabía mucho y era muy modesto.

—Eran otros hombres aquéllos. Ante todo, había menos palabrería que ahora. Ya predijeron algunos lo que iba a suceder luego; muchas de las cosas que aquellos hombres recomendaban, luego se han tenido que realizar, porque todo el mundo ha reconocido que eran convenientes y se podían atajar con ellas muchos males. Don Juan Pedro Muchada recomendaba en su libro la formación de sociedades cooperativas para obreros; entonces (esto era el año mil ochocientos cuarenta y seis), entonces no había ni rastro de ellas. Vean ustedes ahora si hay pocas.

Hace un momento ha llegado un viejo que tiene un bigotito blanco en forma de cepillo, que viste un pantalón a cuadritos negros y blancos y se apoya en un bastón de color de avellana. Este viejo oye en silencio estas añoranzas del tiempo luengo, y dice después, dando golpes con el bastón, poniéndose los lentes con un gesto rápido:

—Yo les puedo asegurar a ustedes que en lo que toca a lo que yo he conocido algo, que es el teatro, no hay ahora actores como aquéllos... Será una ilusión mía, muy natural, dado que aquél fué el tiempo de mi juventud...; pero a mí se me antoja que realmente eran mejores. Sin contar los de primera fila: Romea, Latorre, Matilde Díez, Arjona, Catalina, Valero..., había muchos de segunda fila, que yo hoy, relativamente, no los encuentro; por ejemplo: Pizarro, Oltra y Vega, que trabajaban en la compañía de Romea; el mismo hermano de Romea, Florencio; Luján, a quien yo vi debutar, el año mil ochocientos setenta y cinco, en el teatro del Recreo... Y como cantantes de zarzuela, no digamos. ¿Quién no se acuerda de Escríu? ¡Qué bien hacia *¿Quién es el loco?*... Y ahora que hablo de locos, me acuerdo del pobre Tirso Obregón, que murió loco en su pueblo, Molina de Aragón. Creo que no he conocido un barítono de más bríos que el pobre Tirso; tenía también una arrogante presencia... El fué, puede decirse, el último intérprete de la zarzuela clásica de Barbieri, de Oudrid—¡cuánto me acuerdo yo de Oudrid!—, de Gaztambide... Después de él, ya aquello se fué...

El viejo calla en un silencio triste; todo un pasado rebulle en su cerebro; toda una época de actores aclamados y actrices adorables que poco a poco se esfuman en el olvido.

La sala se ha ido quedando vacía; en un rincón se inclinan los jugadores sobre una mesilla verde; de cuando en cuando profieren una exclamación, levantan el brazo y lo dejan caer pesadamente sobre el tapete. El vaho y el humo borran las líneas y hacen que destaquen en mancha, sin contorno, las notas verdes y blancas de las mesas y la larga pincelada roja del diván. Un reloj suena con diez metálicas vibraciones.

—¿Está usted vendimiando ya en la Umbría?—pregunta uno de los contertulios a otro.

—Sí; ayer di orden de que principiaran.

—Yo mañana me marcho a la Fontana; quiero principiar pasado mañana.

—La uva ya está en su punto—dice un tercero.

—Y es necesario—añade otro—cogerla antes de que una nube se nos adelante.

Y todos, durante estas últimas palabras, han ido levantándose y se despiden hasta otro día.

XIV

Hoy han tocado a la puerta: *tan, tan.* Azorín ha creído que era el viento. La idea de que llamen a su puerta le parece absurda. Pero sí que llamaban; han vuelto a tocar: *tan, tan, tarán.* Azorín ha comprendido la realidad y ha bajado a abrir. Era un viejo que le ha saludado cortésmente, esforzándose por sonreír; pero era un esfuerzo penoso. ¿No habéis visto cuando estáis tristes y un niño o una mujer os miran, cómo en su cara ingenua se refleja instintivamente vuestro gesto triste? Pues Azorín, mirando a este viejo, ha puesto también cara triste.

¿Qué quiere este viejo? Hay hombres que parecen cerrados como armarios; un extraño no sabe lo que hay dentro. Este viejo es de esos hombres. ¿Por qué ha llamado? ¿Qué quiere? ¿Qué va a decir? Es un viejo menudito, con una barba blanca que termina en una punta un poco doblada hacia arriba, envuelto en una capa parda; es uno de esos viejos que llevan el pañuelo del bolsillo siempre doblado cuidadosamente, y de cuando en cuando lo sacan y lo pasan con suavidad por la nariz. Como lleva la capa cerrada y él va tan encogido, mirando casi asustado a un lado y a otro, parece que va a realizar algo importante.

Es, efectivamente, algo importante.

—Perdone usted—ha dicho el viejo—; usted es crítico...

Azorín ha sonreído con benevolencia; se sentía halagado por las palabras de este desconocido.

El viejo ha sacado de debajo de la capa

un grueso cartapacio, y mientras lo ponía sobre la mesa, ha repetido:

—Sí, sí; usted es crítico...

Azorín, al ver el cartapacio, ha sentido un ligero escalofrío; toda su anterior complacencia se ha trocado en temor.

—No, no—ha replicado—; yo se lo aseguro a usted; yo no soy crítico.

Pero el viejo movía la cabeza en señal de incertidumbre y se ha puesto a relatar el objeto de su visita.

Este viejo ha dicho que él es autor cómico. Azorín se ha quedado estupefacto. Autor dramático, acaso; pero cómico le parecía una enormidad. Luego ha añadido que a él le han dicho que Azorín tiene en Madrid muchas relaciones y que podrá ayudarle, porque es muy benévolo. Azorín se ha ruborizado, pero ha convenido interiormente en que algo benévolo debe de ser en cuanto empieza a oír la lectura que el viejo va a hacerle de tres zarzuelas suyas, cada una en un acto.

—Yo—dice el viejo—vivo solo; esto constituye mi única alegría. Hace dos años estuve en Madrid y llevé una obra a la Zarzuela y otra a Apolo... Me hicieron ir y venir muchas veces; me daban mil excusas inverosímiles; yo estaba ya cansado. Y al fin me dijeron que habían leído las obras y que les parecían anticuadas. Anticuadas, ¿por qué? El arte, ¿puede nunca ser anticuado? Sin embargo, he escrito otras y con ellas volveré a Madrid; son estas que aquí traigo...

El viejo comienza la lectura. A ratos se detiene un momento; saca su pañuelo doblado, lo pasa por la nariz y pregunta:

—¿Usted cree que esta escena está bien preparada?

Azorín tiene, como no podía ser menos, su estética teatral, que algunos críticos han encontrado exagerada. Pero sería terrible que la sacase en esta ocasión. Mejor es que le parezcan bien todas las escenas y hasta las tres obras enteras. Sí; a Azorín le parecen excelentes las tres zarzuelas.

—¿Usted—pregunta el viejo—no conoce a Sinesio Delgado?

—No, no conozco al señor Delgado.

—¿Conocerá usted, *por lo menos,* a López Silva?

Azorín, horrorizado a la sola idea de conocer a López Silva, se ha apresurado a protestar:

—¡Oh, no, no, tampoco!

Entonces el viejo ha movido la cabeza, como conformándose con su desgracia, y ha exclamado tristemente:

—¡Todo sea por Dios!

Este viejo ha venido esta mañana en el tren; esta noche regresará a su casa. Cuando entre en ella y cierre tras sí la puerta y se vea otra vez solo, lanzará un suspiro y pensará que hoy se le ha disipado una esperanza.

XV

Azorín ha recibido hoy una carta; la fecha decía: *Petrel;* la firma rezaba: *Tu infortunado tío, Pascual Verdú.*

¡Pascual Verdú! Azorín, de lo hondo de su memoria, ha visto surgir la figura de su tío Verdú. Ha columbrado, confusamente, entre sus recuerdos de niño, como una visión única, una sala ancha, un poco oscura, empapelada de papeles grises a grandes flores rojas, con una sillería de reps verde, con una consola sobre la que hay dos hermosos ramos bajo fanales, y entre los ramos, también bajo otro fanal, una muñeca que figura una dama, a la moda de 1850, con la larga cadena de oro y el relojito en la cadera.

Esta sala es húmeda. Azorín cree percibir aún la sensación de humedad. En el sofá está sentada una señora que se abanica lentamente; en uno de los sillones laterales está un señor vestido con un traje blanquecino, con un cuello a listitas azules, con un sombrero de jipijapa que tiene una estrecha cinta negra. Este señor—recuerda Azorín — se yergue, entorna los ojos, extiende los brazos y comienza a declamar unos versos con modulación rítmica, con inflexiones dulces que ondulan en arpegios extraños, mezcla de imprecación y de plegaria. Después saca un fino pañuelo de batista, se limpia la frente y sonríe, mientras mi madre mueve suavemente la cabeza y dice: «¡Qué hermoso, Pascual! ¡Qué hermoso!»

Se hace un ligero silencio, durante el cual se oye el ruido del abanico al chocar contra el imperdible del pecho. Y de pronto suena otra vez la voz de este señor del traje claro. Ya no es dulce la voz, ni los gestos son blandos; ahora la palabra parece un rumor lejano que crece, se ensancha, estalla en una explosión formidable. Y yo veo a este señor en pie, con los ojos alzados, con los brazos extendidos, con la cabeza enhiesta. En este momento el sombrero de jipijapa rueda por el suelo; yo me acerco pasito, lo cojo y lo tengo con las dos manos en tanto que oigo los versos con la boca abierta.

Luego que acaba de recitar este señor, charla ligero con mi madre; luego se pone en pie, me coge, me levanta en vilo y grita: «¡Antoñito, Antoñito, yo quiero que seas un gran artista!» Y se marcha rápido, voluble, ondulante, hablando sin volver la cabeza, poniéndose al revés el sombrero, que después torna a ponerse a derechas, volviendo por el bastón que se había dejado olvidado en la sala...

Y de idea en idea, de imagen en imagen, Azorín ha recordado haber visto en el *Boletín del Ateneo de Madrid,* del año 1877, algo referente a su tío Verdú. Sí, sí; lo recuerda bien. Se discutió aquel año sobre la poesía religiosa: fué una discusión memorable. Revilla, Simarro, Reus, Montoro, dijeron cosas estupendas en contra del espiritualismo; en cambio, los espiritualistas dijeron cosas atroces contra el materialismo. Estos espiritualistas eran tres, tres nada más, al menos, puros de toda mácula: Moreno Nieto, que murió sobre el trabajo; Hinojosa, que luego ha sabido encontrar el espíritu en los presupuestos, y Pascual Verdú, que ahora vive solo, desconocido, enfermo, torturado, en ese pueblecillo levantino. Don Francisco de Paula Canalejas hizo el resumen de los debates, y en su discurso, al hablar de los diversos contendientes, puede verse (página 536 del *Boletín)* cómo trata a Verdú. Le llama «el fácil y apasionado señor Verdú».

¡El fácil y apasionado señor Verdú! Sí; indudablemente, éste es el señor ardoroso que recitaba versos *aquel día,* allá en mi niñez, en una sala húmeda con una sillería de reps verde.

XVI

La carta que Azorín ha recibido de Pascual Verdú dice así:

«Petrel...

»Querido Antonio: He leído en *La Voz de Monóvar* que acabas de llegar a ésa. ¡Qué malo que estoy, hijo mío, y cuánto me alegraría poder abrazarte!

»Te espero mañana en el correo.

»El mal del cerebro ha apretado, y *todo se pierde*. No tengo ilusión de nada. ¿Qué han hecho de mí?

»Tu infortunado tío,

Pascual Verdú.»

XVII

A las once, en el correo, Azorín ha recibido otra carta de Verdú. (La anterior ha llegado en las primeras horas de la mañana, por el tren mixto.)

«Petrel...

»Querido Antonio: No sé si continuar instándote para que no dejes de venir. Creo que me dará mucho sentimiento verte, pero te quiero tanto y tanto...

»Si vienes, ven pronto.

»Lo que me sucede, querido Antonio, es muy extraordinario. Ni tomo más alimento que jícaras de caldo y leche y alguna pequeña galleta, ni duermo más que algunos minutos, y estoy tan débil, que hace veintiséis días que no he puesto los pies en la calle, porque no puedo andar.

»Te abraza tu tío,

Pascual.»

XVIII

En la tarde del mismo día en que Azorín ha recibido estas cartas, poco después de comer, ha llegado un criado y le ha puesto en sus manos otra voluminosa.

Azorín, después de leerla, ha decidido salir la misma tarde para Petrel, a pie, dando un paseo.

La carta de Verdú es como sigue:

«Querido Azorín: Después de acostarme y levantarme veinte veces, da la una de la madrugada y no puedo estar en la cama ni fuera de ella; y no tengo más remedio, para luchar con el mal, que escribir; pero ¡ah!, que no puedo ya.

»Mi situación, Antonio, es horrible. No puedo tomar caldo ni leche, y, sin embargo, mi estómago está bueno; pero no funciona porque no le puedo dar alimento. La tirantez, sequedad, dolor y debilidad de la cabeza son insufribles.

»Como mi debilidad es tan grande, apenas puedo tenerme en pie, y, sin embargo, el delirio, el desasosiego, me obligan a andar..., a pasear por la sala y a escribir, para ver si puedo apartar de mí los tristes pensamientos que me devoran. Un mar de moscas no me deja tener las manos sobre el papel. Me quejo al Creador de mis grandes sufrimientos y de su impasibilidad y de la tristísima suerte que me espera, sin hijos, sin amigos, sin médico, sin sacerdote, sin nadie. Mi profecía de hace doce años acerca de mi triste fin se cumple. Hace ocho días repetí mis vaticinios en la poesía *Lágrimas* que he compuesto.

»En confianza te diré que mis ideas religioso-filosóficas son un caos... Sin embargo, en *Lágrimas* hice un esfuerzo y acudí a Dios demandándole que no permita acabe en tal estado.»

(*Hasta aquí la carta es de letra de Verdú, fina, enrevesada, desigual, ininteligible; lo que sigue va escrito en caracteres firmes y regulares.*)

«Tú, querido Antonio, apenas me has conocido. ¿Por qué no contarte algo de mi vida? Acaso sea para mí como un alivio.

»Estudié en Valencia la carrera de Derecho; me gradué de abogado en julio de 1859.

»De allí a cuatro meses, en noviembre del mismo año, recibí, en el mismo sitio donde me había licenciado, es decir, en el Paraninfo de la Universidad, una flor de oro y plata, como premio a mi oda a la *Conquista de Valencia* en los Juegos florales celebrados en dicha ciudad bajo el patrocinio del excelentísimo Ayuntamiento; y con tal motivo, en nombre de mis compañeros igualmente premiados (don Víctor Balaguer, don Teodoro Llorente, don Wenceslao Querol y don Fernando León y de Vera) y en nombre propio, pronuncié un discurso que me valió calurosos plácemes.

»En esos mismos Juegos florales se ofreció una pluma de oro a la mejor Memoria histórico-filosófica acerca de la expulsión de los moriscos y sus consecuencias en el reino de Valencia, a cuyo premio también opté, presentando una Memoria con el lema *El tiempo es la mejor prueba de la justicia.* Mi trabajo suscitó en el seno del jurado una discusión importantísima, de la cual se ocupó mi hermano Julio en la carta que con tal motivo dirigió al barón de Mayals. Yo atacaba valientemente la medida de la expulsión, demostrando hasta la evidencia que fué injusta y cruel, aparte de antieconómica y antisocial. Con la venida de la Casa de Austria a España —decía yo— se inauguró un sistema de intolerancias contrario a las doctrinas de paz y caridad y verdadera libertad proclamadas por Jesucristo. Se debía haber empleado la persuasión, la dulzura, la caridad, y se empleó el rigor y la dureza por casi todos los encargados de la expulsión de los moriscos. Se debía haber continuado el sistema de conciliación inaugurado por don Jaime el *Conquistador,* y se tomaron medidas humillantes y vejatorias, que dieron por resultado la exasperación de los ánimos, las situaciones violentas y, por fin, la expulsión, que se realizó de la manera más cruel, pues muchos murieron de hambre y de sufrimientos en los desiertos de Africa, si es que no eran robados y muertos en el camino.

»Sin duda, la exposición de estas verdades, tan dolorosamente amargas, perjudicó algún tanto a mi trabajo, y el premio no se me concedió, habiéndose entregado la pluma de oro, faltando a las condiciones del certamen, a una composición poética.

»En aquel mismo año de 1859 fuí nombrado secretario general de la Academia de Legislación y Jurisprudencia de Valencia; y en el siguiente de 1860 gané las asignaturas del Doctorado en la Universidad de Madrid, habiendo estudiado privadamente en Valencia, por conceder la ley en aquellos tiempos este privilegio a los que hubiesen obtenido todas o casi todas las notas de sobresaliente durante la carrera de Leyes, en cuyo caso me encontraba yo. También hice oposiciones (aunque no tenía la edad reglamentaria, y sólo por complacer a la familia, pues no era ésa mi vocación) a una relatoría vacante en la Audiencia de Valencia. Me colocaron en segundo lugar; pero como, según he dicho, no eran ésas mis inclinaciones, no hice gestión ninguna en Madrid para que se me eligiese, dispensándome de la edad.

»Esta era mi situación a principios de 1860, cuando apenas había cumplido veintidós años. Se me presentaba un porvenir brillante; me querían mis amigos y compañeros; gozaba de una naturaleza privilegiada y de unas facultades mentales superiores; amaba a mi patria hasta el sacrificio, y me sentía poeta y dueño de una palabra fácil y atractiva.

»Pero el cólera morbo, que ya en 1834 atacó a mi madre y la dejó enfermiza para toda su vida, volvió a herir a mi familia en 1860, arrebatándonos a mi hermano Julio, letrado notabilísimo, y atacándome también a mí, que, habiendo quedado sumamente débil, tuve que trasladarme a la provincia de Alicante, donde tenían mis padres unas tierras. Al poco tiempo, murieron también mis padres. Estando en Valencia, algún tiempo después, me casé con una joven distinguidísima. No habían transcurrido muchos meses de nuestro matrimonio cuando mi mujer murió, tras una larga y penosísima enfermedad. Todo esto me anonadó y fué causa de que saliera de Valencia por segunda vez.

»De 1860 a 1870 me dediqué en Petrel al ejercicio de la abogacía y a mejorar las pocas tierras que había heredado de mis padres. Al mismo tiempo, remitía a mi compañero y amigo Teodoro Llorente, director de *Las Provincias,* correspondencias y artículos sobre el fomento de la agricultura en general y el arbolado en particular, tan notables, que la Sociedad de Amigos del País, y la de Agricultura, y los periódicos de la capital me felicitaron por mis trabajos de tanta utilidad social, y aquellas Sociedades, además, me honraron nombrándome socio corresponsal.

»Entre mis escritos apareció uno titulado: *Causas de la despoblación de los montes de España; sus fatales consecuencias para la agricultura, salubridad y seguridad públicas. Sus remedios.* Y entre los que yo proponía para evitar la destrucción de los montes públicos y conseguir su repoblación fué la completa y absoluta desamortización de la propiedad forestal.

»Mis artículos llamaron la atención; muchos periódicos de Madrid y provincias, pero en particular *La Gaceta Económica,* que era el órgano más autorizado de la escuela economista, reprodujeron dichos trabajos, elogiándolos calurosamente. El Cuerpo de Ingenieros de Montes comprendió que tenía delante un enemigo, y, aparte de fundar *La Revista Forestal,* sin duda (aunque otra cosa quisiera dar a entender) con el principal objeto de contrarrestar las doctrinas desamortizadoras sostenidas por mí y toda la escuela economista, delegó en el ilustrado y elocuente escritor y orador don Juan Navarro Reverter la tarea de contestar a mis artículos. Lanzóse Navarro Reverter al combate, remitiendo a *Las Provincias* una serie de artículos en que intentaba demostrar que la medida desamortizadora que yo había propuesto bastaba por sí sola para, si se realizaba, acabar con lo poco que quedaba en España de arbolado en los montes públicos. Contesté yo, replicó Navarro Reverter; pero mis argumentos quedaban en pie a pesar de todo. Y la prueba es clara: *La Revista Forestal* publicó todos los artículos de Navarro Reverter; de los míos, *ni uno solo*. Si mi argumentación hubiera sido frívola, ya los hubieran reproducido.

»No llevaba mucho tiempo en Petrel cuando fuí elegido diputado provincial, y al poco tiempo individuo de la Comisión, y, por fin, vicepresidente de la Diputación. ¿Qué te diré de mi gestión en la Casa de la provincia? Defendí siempre los derechos e intereses provinciales de una manera que no está bien que yo lo diga. Cuando estuvieron los reyes Amadeo y Victoria en Alicante, en 1871, Bossio, el famoso fondista, presentó una cuenta de 17.000 duros. Mis compañeros todos estaban pagados. Yo me opuse, y cuando el presidente dijo: «¡A votar!», dije: «Ustedes votarán lo que quieran, pero yo me marcho a casa, tomo mi pluma y digo al público lo que he de decir.» Resultado, que la cuenta quedó reducida a poco más de la mitad.

»Maissonnave quería que la Diputación le subvencionase un ferrocarril de Alicante a Alcoy con varios millones. Todos estaban pagados. A mí nadie se me acercó; pero el expediente nunca se despachaba. Maissonnave lo tomó como una ofensa personal y me desafió, ¡a mí, que, como el Don Diego de *Flor de un día*, mataba las golondrinas con bala y era digno rival en esgrima de mi maestro valenciano don Juan Rives! Pero mis creencias religiosas no me permitían batirme. Así se lo dije a Maissonnave en una carta; pero añadiéndole que aquellas creencias no me impedían defenderme. La subvención no se concedió; pero en Alicante le han levantado ahora una estatua a Maissonnave.

»En Orihuela querían un hospital provincial. Toda la Diputación estaba conforme, y los que se oponían lo hacían fríamente. Mi conciencia como presidente de la Comisión me obligaba a oponerme: en primer lugar, porque la Diputación debía muchos miles de duros por obligaciones de beneficencia, carreteras, etc., y en segundo, porque con el hospital de Elda bastaba. Sabía también lo que sucedía en los hospitales de distrito. Me llamó el gobernador, diciéndome que el ministro deseaba complacer a sus amigos de Orihuela. Me hablaron Santonja y don Tomás Capdepón, diputado por Orihuela. Me escribió Rebagliatto, gran cacique de aquella ciudad, y a más, íntimo amigo de mi padre, pues se querían como hermanos. A todos contesté que mi conciencia me lo impedía. Vino la discusión en la Diputación. Hablé, y hubo empate en la primera votación. Volví a hablar, volvió a votarse, y tuve mayoría. Y no se concedió el hospital a Orihuela.

»Permanecí en la Diputación de Alicante desde el año 1871 hasta 1876, en que me trasladé a Madrid. Durante estos cinco años me encontraba en lo mejor de la vida, de los treinta a los treinta y cuatro años; atendía a muchos y variados trabajos: por una parte, a la Diputación, cuyo peso llevaba casi yo solo; por otra, continuaba al frente de mi despacho de abogado, que tenía abierto en Petrel, primero, y en Alicante, después, el cual despacho llegó a adquirir tal prestigio que me fué preciso tener en él dos compañeros que me ayudasen, uno de ellos don José Maestre y Vera, presidente que ha sido de la Diputación y gobernador de Vizcaya. Puedo decir que he tenido tanto éxito en los asuntos por mí tratados, que no he perdido ni un solo pleito. A pesar de tanto trabajo, aún me quedaba tiempo para asistir a las veladas literarias del excelente literato y cronista de la provincia don Juan Vila, y del inspirado poeta Alejandro Harssem, barón de Mayals. En este período de cinco años escribí la mayor parte de mis poesías. De esta época es mi composición *A la Purísima,* que leí por primera vez en una sesión celebrada el 8 de diciembre de 1872, en el altar mayor de Santa María, de Alicante, presidida por el señor obispo de Orihuela, don Pedro María Cubero, la cual poesía despertó un entusiasmo extraordinario. Entonces tomé todos los años la costumbre, el día 8 de diciembre, de corregir o adicionar la dicha oda a la Inmaculada, y en tal estado la dejé, que más que oda es un canto épico.

»También escribí en Alicante, con motivo de la restauración de la iglesia de San Roque, mi poesía *La erección de un templo.* Y también, en distintas ocasiones, la égloga *A la primavera,* la elegía *A la muerte de una niña,* y otras. Pero el principal trabajo literario que hice en Alicante fué el romance histórico *Don Jaime el Conquistador,* que obtuvo el primer premio, consistente en una pluma de oro y plata, en el certamen poético celebrado en mayo de 1876.

»Como siempre sucedía en casos semejantes, yo pronuncié, en el acto de la distribución de premios, un breve discurso que produjo en Alicante un inmenso entusiasmo. Al poco tiempo de celebrado este certamen, trasladé mi domicilio a Madrid, renunciando a mi cargo de vicepresidente de la Diputación, con el objeto de dedicarme exclusivamente a la práctica del foro. Esto ocurría por el mes de julio de 1876, y al reunirse la Diputación en noviembre de dicho año, me dedicó en su Memoria el siguiente párrafo: «No cumpliría con un deber que a la vez imponen los fueros de la cortesía y el homenaje que las rectas conciencias rinden a la verdad, si al comenzar este trabajo, la Comisión no hiciese público el sentimiento de consideración que debe al que fué su dignísimo vicepresidente, don Pascual Verdú, el cual renunció su cargo en julio último, no por disentimiento con sus compañeros, sino por tener que trasladar su residencia a Madrid. Al consignar estas breves frases en honor al celoso funcionario que ha prestado el concurso de su palabra, siempre elocuente, y de su voluntad, siempre inquebrantable, en pro de los intereses de la provincia, la Comisión cree que se hace intérprete de los sentimientos de la Diputación al dejar estampado en este documento el tributo de respetuosa consideración que le merece el inteligente diputado y vicepresidente que fué de la Comisión.»

»En Madrid permanecí de julio de 1876 a diciembre de 1882. El tiempo que estuve en la corte lo dediqué exclusivamente a mis trabajos de abogado y a la práctica de la caridad, como socio de San Vicente de Paúl y Asociación de Católicos. Fuí también socio del Ateneo y de la Juventud Católica. Esta última sociedad me honró con el cargo de presidente de la Sección de Derecho. Cuando yo leía en la Juventud Católica, Selgas (1876) dijo una vez a Monasterio (el violinista): «¿Usted no ha oído recitar versos a Verdú?» «No», contestó Monasterio. «Pues imagínese usted a Calvo y Vico fundidos en uno, y no llegará en cien leguas al encanto que produce oír leer a este hombre.»

»Cuando hablaba en el Tribunal Supremo y en el Consejo de Estado, a las primeras palabras quedaban como en suspenso los magistrados, y don Carlos Bonet, fiscal del Supremo, me decía: «¿Qué demonios tienes, que esa gente, que ya está empachada de informes, cuando tú hablas parecen unos memos oyéndote?»

»De labios de varios prelados, que de paso en Madrid asistían a las veladas de la Juventud Católica, he oído lo que nadie ha oído, y lo mismo de los nuncios y demás sacerdotes ilustrados. El padre Ceferino González me dijo: «Sevilla tiene la gloria de ser la patria del mejor pintor de la Virgen; Valencia, la de serlo del mejor poeta de la Purísima.» Rampolla quiso que fuera a Roma. «Es necesario que venga usted a Roma — me dijo —. Quiero que su santidad le oiga leer a usted sus poesías... ¿Por qué no funda usted un periódico?»

»Manterola se entusiasmaba también oyéndome.

»En el Ateneo hablé tres noches, tomando parte en las discusiones sobre *La poesía religiosa y el arte por el arte*. Mis discursos fueron elogiados y aplaudidos...

»La Juventud Católica me designó como su representante para asistir al certamen que se celebró en Sevilla en honor de Murillo; pero no pude asistir porque me lo impidieron mis asuntos profesionales. En cambio, asistí al centenario de Santa Teresa y en su honor publiqué en *La Unión Católica* una poesía.»

(*Al llegar aquí acaba la letra gruesa y comienza otra vez la fina y enredijada de Verdú.*)

«Todo marchaba para mí en dirección al éxito. ¿Cómo me veo otra vez en este pueblo, enfermo, solo, olvidado?

»En el verano de 1883 tuve una ligera indisposición; no parecía nada, pero se fué agravando hasta tal punto, que estuve largo tiempo enfermo. No tenía a nadie; estaba mal cuidado y, para colmo de infortunio, caí en manos de médicos desaprensivos. Cuando pude levantarme me fuí a Valencia: allí me recibieron en palmas; fuí socio del Rat Penat, de la Sociedad de Agricultura, de la Academia de la Juventud Católica... De pronto, un verano no volví a aparecer más por Valencia, porque había vuelto a caer enfermo en Petrel, y aquí comenzó mi calvario.

»¡Cuánto he sufrido y cuánto sufro, querido Antonio! Mi vida ha fracasado; podía haber sido algo y no he sido nada. ¿Por qué? ¿Por qué?

»Ven pronto.

»Te abraza tu tío,

Pascual.»

*

Y ésta es la carta que ha recibido Azorín; una página de nuestra historia contemporánea, un fragmento vivo, auténtico, con detalles vulgares, con rasgos épicos—¡en la realidad todo va junto!—de nuestra vida de provincias literaria y política.

XIX

Hoy Azorín se ha marchado a Petrel. Petrel se asienta en el declive de una colina, solapado en la fronda, a la otra banda del valle de Elda, dominando con sus casas blancas y su castillo bermejo el oleaje—verde, gris, azul—de la campiña. Monóvar está a la parte de acá, frente a frente, sobre una ancha meseta. El camino desciende en empinados recuestos, culebrea entre rapadas lomas, toca en un huertecillo de granados, se acuesta a un plantel de oliveras, empareja con un azarbe de aguas tranquilas, pasa rozando el cubo de un molino, entra, por fin, en las huertas frescas y amenas de Elda.

Y he aquí la misma Elda, que los iberos, grandes poetas, llamaron *Idaella*, de *Daellos*, que en nuestra lengua es *casa de regalo*. El palacio vetusto de los Coloma, virreyes de Cerdeña, muestra en lo alto sus dorados muros ruinosos; abajo, el pueblo se extiende en tortuosas callejas apretadas. El Vinalopó corre en lo hondo. Y dos fuentes, la de Alfaguar y la Encantada, parten y reparten sus aguas en una red de plata que se esparce y refulge por la llanura. Espaciosos cuadros de hortalizas ensamblan con plantaciones de viñedos; junto a los granados se enhiestan los almendros. Y los anchos y redondos nogales ponen con su penumbra, sobre el verde claro de la alfalfa, grandes círculos de azulado verdoso.

Elda es un pueblo activo. La agricultura no basta para su vida: ha nacido la industria. Y es una sola industria, que hace trabajar a todos los obreros en lo mismo, que los conforma con iguales aptitudes, que mueve toda la actividad del pueblo en una orientación idéntica. Cuatro, seis fábricas alientan rumorosas. Y en todas las calles, en todas las casas, en todos los rincones suena el afanoso y sonoro *tac-tac* del martillo sobre la horma.

Los domingos, todos estos hombres, un poco encorvados, un poco pálidos, dejan sus mesillas terreras y se disgregan en grupos numerosos y alegres por los pueblos circunvecinos. Los labriegos miran absortos y envidiosos a sus antiguos compañeros. Y ellos gritan, bravuconean, cantan la eterna romanza de *Marina*, hacen sonar con garbo sus monedas sobre los mármoles.

Hoy es domingo. Los cafés de Elda están repletos. Azorín ha entrado en uno de ellos. A su lado un grupo de obreros leía el periódico. Y Azorín estaba tomando tranquilamente un refresco, cuando ha visto que estos obreros se le acercaban y decían:

—Señor Azorín, nosotros le conocemos a usted..., y desearíamos que nos dijese cuatro palabras.

¿Estos hombres quieren que Azorín les diga cuatro palabras? ¡Azorín, orador! Esto es enorme. Azorín ha protestado cortésmente; los obreros han insistido con no menos cortesía. Y entonces, Azorín, ya puesto en tan terrible trance, se ha levantado. Después de levantarse, ha sonreído con discreción. Y después de sonreír, mientras todos los concurrentes esperaban en un profundo silencio, se ha puesto, por fin, a hablar y ha dicho:

—Amigos: Una vez era un pobre hombre que estaba muy enfermo. Y como era pobre, no tenía dinero para comprarse ni alimentos ni medicinas. Pero tenía un amigo periodista. Los periodistas son buenos, son sencillos, son amables. Y este periodista—que, como es natural, tampoco tenía dinero—publicó en su periódico un suelto en que demandaba la caridad para su amigo. Cuando salió el periódico, mucha gente leyó el suelto y no hizo caso; pero hubo tres hombres que sacaron un cuadernito pequeño y apuntaron las señas. De estos tres hombres, uno era grueso y con la barba negra; otro era delgado y con la barba rubia, y el tercero, que no era grueso ni delgado, no tenía barba. Pero los tres pensaron seriamente en que había que socorrer al pobre enfermo, y los tres se encaminaron a su casa, cada uno por distinto camino. Todos llegaron al mismo tiempo a ella, y como se saludaron familiarmente, se puede decir que se conocían de antiguo. Ya ante el enfermo, el que no tenía barba bajó los ojos, cruzó las manos sobre el pecho y dijo: «El mal es grave; pero, en mi humilde juicio, puede curarse con resignación de una parte y caridad de otra...» Al oír esto, el de la barba rubia se estiró los puños, arqueó los brazos y le atajó diciendo: «Perdone usted; el pueblo es soberano. Lo que importa es que conozca sus derechos y que los conquiste...» Al llegar aquí, el de la barba negra levantó la cabeza, los miró con desprecio y arguyó de esta forma: «Están ustedes en un error; el mal tiene hondas causas. Ante todo, hay que nacionalizar la tierra...» Apenas hubo dicho estas palabras, cuando los otros dos le interrumpieron dando voces; replicó en el mismo tono el de la barba negra, y tal escándalo promovieron entre los tres, que las gentes de la vecindad, que eran todas muy pobres, acudieron a la casa del enfermo y los arrojaron de ella. Y estas pobres gentes decían: «No, no queremos a nuestro lado falsos doctores; no queremos palabras seductoras; no queremos bellos proyectos. Nosotros somos pobres y nos bastamos a nosotros mismos. En nosotros está la salud, y nosotros curaremos a este hombre.» Y entonces este hombre sonrió con una sonrisa divina, y los miró con una mirada dulce, y cogió sus manos y las estrechaba blandamente contra su pecho. Porque había visto que estos hombres eran sus hermanos y que la verdadera salud estaba en ellos.»

*

Azorín ha continuado su viaje hacia Petrel. De Elda a Petrel hay media hora; el camino corre entre grata y fresca verdura.

Petrel es un pueblecillo tranquilo y limpio. Hay en él calles que se llaman de Cantararias, del Horno de la Virgen, de la Abadía, de la Boquera; hay gentes que llevan por apellidos Broqués, Boyé, Bellot,

Férriz, Guill, Meri, Mollá; hay casas viejas con balcones de maderas toscas, y casas modernas con aéreos balcones, que descansan en tableros de rojo mármol; hay huertos de limoneros y parrales, lamidos por un arroyo de limpias aguas; hay una plaza grande, callada, con una fuente en medio y en el fondo una iglesia. La fuente es redonda; tiene en el centro del pilón una columna que sostiene una taza; de la taza chorrea por cuatro caños, perennemente, el agua. La iglesia es de piedra blanca; la flanquean dos torres achatadas; se asciende a ella por dos espaciosas y divergentes escaleras. Es una bella fuente que susurra armoniosa; es una bella iglesia, que se destaca serena en el azul diáfano. Las golondrinas giran y pían en torno de las torres; el agua de la fuente murmura placentera. Y un viejo reloj lanza de hora en hora sus campanadas graves, monótonas.

SEGUNDA PARTE

I

La casa de Verdú es ancha, clara, limpia. Tiene un zaguán solado de grandes losas; a la derecha, la escalera asciende con su barandilla de forjados hierros; en el fondo se abre la recia puerta de nogal que franquea el despacho. El despacho es de paredes blancas, con dos armarios llenos de libros, con una mesa de columnillas salomónicas, con anchos fraileros acá y allá adornados de chatones lucientes. En las paredes, los estantes, lucen dos grandes litografías lyonesas; en la una pone: *Comme l'amour vient aux garçons*, y representa un mozuelo ensimismado, compuestito, que se aleja con una muchacha hacia un baile; en la otra dice: *Comme l'amour vient aux filles*, y figuran dos niñas que oyen embelesadas la dulce música de un garzón lindo.

Cuidadosamente colocados en una vitrina, todo limpio, todo de plata, relucen una imagen de la Virgen aragonesa, un servicio de afeitar—con su palangana de gollete, su jarro, su bola para jabón—, seis macerinas y una bandeja cuadrada. «Todo esto—declara una cartela—le tocó a doña Eulalia Verdú y Brotóns en la rifa que se ejecutó en Zaragoza a beneficio del Santo Hospital Real y General de Nuestra Señora de Gracia el día 7 de noviembre de 1830.»

A la derecha, en el fondo del despacho, se abre una espaciosa alcoba, y, frente a la puerta de entrada, una gran reja movediza que da paso a un patio. El patio está enladrillado de cuadrilongos ladrillos rojos; una parra lo anubla con fresco toldo; al final, una cancela deja ver por entre sus varillajes, festoneados de encendidos geranios, una asombrosa huerta de naranjos, de higueras con sus brevas adustas, de ciruelos con sus doradas prunas, de manzanos con sus grandes pomas rosadas... En otoño, los racimos de granos alongados cuelgan entre los pámpanos en vistosas estalactitas de oro; las abejas zumban; van y vienen en vuelo sinuoso las mariposas, que se despiden de la vida. Y un sosiego armonioso se exhala de los crepúsculos vespertinos en el callado patio, bajo la parra umbría, mientras el huerto se sume en la penumbra y suenan lentas, una a una, las campanadas del *Angelus*.

★

Verdú pasea por la estancia. Es alto; su cabellera es larga; la barba la tiene intonsa; su cara pálida está ligeramente abotagada. Camina despacio, deteniéndose, apoyándose en los muebles. A veces hace una larga inspiración, echa la cabeza hacia atrás y la mueve a un lado y a otro. No puede dormir; casi no come.

Sobre la mesa hay un vaso con leche y unos bizcochos; de tarde en tarde, Verdú se detiene ante la mesa, coge un bizcocho y lo sume en el vaso; luego se lo lleva a la boca, poniendo la muñeca casi a la altura de la frente, con el metacarpo diagonal y los dedos caídos, en un gesto de supremo cansancio. Verdú viste con traje oscuro, holgado; la camisa es de batista, blanda, sin corbata; calza unos zapatos suizos; lleva los tres últimos botones del chaleco sin abrochar.

—¡Ay Antonio!—exclama Verdú—. Yo no puedo soportar más este dolor que me abruma y no me deja reposar un momento.

Azorín mira pensativo a Verdú, como antaño miraba a Yuste. Un mundo de ideas le separa de Verdú; pero ¿qué importan las ideas rojas o blancas? Lo que importan son los bellos movimientos del alma; lo que importa es la espontaneidad, la largueza, la tolerancia, el ímpetu generoso, el arrebato lírico. Y Verdú es un bello ejemplar de esos hombres-fuerza que cantan, ríen, se apasionan, luchan, caen en desesperaciones hondas, se exaltan en alegrías súbitas; de uno de esos hombres que accionan fáciles, que caminan rápidos, que hablan tumultuosos, que dicen jovialmente a los necesitados: «¡Ah!, sí, sí; desde luego», que tienden los brazos para abrazar desde la segunda entrevista, que piensan sinceramente al recibir la ofensa: «Soy yo, soy yo el que tiene la culpa», que suben sesenta escalones, y otros sesenta, y otros cincuenta para hacer un favor al amigo del amigo de un amigo, que contestan las cartas a correo vuelto, que lanzan largos telegramas entusiastas por nimias felicitaciones, que son buenos, que son sencillos, que son grandes.

*

A ratos, fragmentariamente, charlan Verdú y Azorín. Largos silencios entrecortan los coloquios. Un jilguero, colgado en el patio, canta en arpegios cristalinos. Y en un rincón, ensimismado, encogido, triste, muy triste, callado siempre, un viejo, que viene invariablemente todas las tardes, se acaricia con un gesto automático sus claras patillas blancas.

Este viejo se llama don Víctor, y tiene dos o tres apellidos como todos los mortales; pero ¿para qué consignarlos? Ya don Víctor no es casi nada; es un resto de personalidad; es un rezago lejano de ente humano. Y ni aun don Víctor cabe llamarle, sino un *viejo*—uno de esos viejos tan viejos que si dicen alguna vez: «Cuando yo era joven...», parece que abren un cuarto oscuro del que sale una bocanada de aire húmedo.

*

—Yo no quiero creer, Azorín—dice Verdú—, que esto sea todo perecedero, que esto sea todo mortal y deleznable, que esto sea todo materia. Yo oigo decir..., yo leo..., yo observo..., por todas partes, todos los días, que las ideas consoladoras se disgregan, se pierden, huyen de las Universidades y las Academias, desertan de los libros y de los periódicos, se refugian —¡único refugio!—en las almas de los labriegos y de las mujeres sencillas... ¡Ah, qué tristeza, querido Azorín, qué tristeza tan honda!... Yo siento cómo desaparece de una sociedad nueva todo lo que yo más amo, todo lo que ha sido mi vida, mis ilusiones, mi fe, mis esperanzas... Y no puedo creer que aquí remate todo, que la sustancia sea única, que la causa primera sea inmanente... Y, sin embargo, todo lo dice ya en el mundo..., por todas partes, a pesar de todo, contra todo, estas ideas se van infiltrando..., estas ideas inspiran el arte, impulsan las ciencias, rigen los Estados, informan los tratos y contratos de los hombres...

Ligera pausa. Verdú mueve su cabeza suavemente para sacudir el dolor. Don

Víctor se acaricia sus patillas blancas. Azorín mira a lo lejos, en el huerto, cómo giran y tornan las mariposas, sobre el follaje, bajo el cielo diáfano.

Y Verdú añade:

—No, no, Azorín; todo no es perecedero, todo no muere... ¡El espíritu es inmortal! ¡El espíritu es indestructible!

Y luego, exaltado, abriendo mucho los ojos tristes, golpeándose la frente:

—¡Ah, mi espíritu, mi espíritu!... ¡Mi vida perdida, mis energías muertas!... ¡Ah, el desconsuelo de sentirse inerte en medio de la vibración universal de las almas!

Y se ha hecho un gran silencio. Y en el aire parece que había sollozos y lágrimas. Y han sonado lentas, una a una, las campanadas del *Angelus*.

II

Sarrió es gordo y bajo; tiene los ojos chiquitos y bailadores, llena la cara, tintadas las mejillas de vivos rojos. Y su boca se contrae en un gesto picaresco y tímido, apocado y audaz; un gesto como el de los niños cuando persiguen una mariposa y van a echarle la mano encima. Sarrió lleva, a veces, un sombrero hongo un poco en punta; otras, una antigua gorra con dos cintitas detrás colgando. Su chaleco aparece siempre con los cuatro botones superiores desabrochados; la cadena es de plata, gorda y con muletilla.

Sarrió es un epicúreo; pero un epicúreo en rama y sin distingos. Ama las buenas yántigas; es bebedor fino, y, cuando alza la copa, entorna los ojos y luego contrae los labios y chasca la lengua. Sarrió no se apasiona por nada, no discute, no grita; todo le es indiferente. Todo, menos esos gordos capones que traen del campo y a los cuales él les pasa con amor y veneración la mano por el buche; todo, menos esos sólidos jamones que chorrean bermejo adobo, o penden colgados del humero; todo, menos esos largos salchichones aforrados en plata que él sopesa en la mano y vuelve a sopesar, como diciendo: «Sí, éste tiene tres libras»; todo, menos esas opulentas empanadas de repulgos preciosos, atiborradas de mil cosas pintorescas; todo menos esas chacinas extremeñas; todo, menos esos morteruelos gustosos; todo, menos esos retesados alfajores, menos esos equillos, esos turrones, esos mazapanes, esos pestiños, esas hojuelas, esos almendrados, esos piñonates, esas sopaipas, esos diacitrones, esos arropes, esos mostillos, esas compotas...

Sarrió vive en una casa vieja, espaciosa, soleada, con un huerto, con una ancha acequia que pasa por el patio en un raudal de agua transparente. Sarrió tiene una mujer gruesa y tres hijas esbeltas, pálidas, de cabellera espléndida: Pepita, Lola, Carmen. Tres muchachas vestidas de negro que pajarean por la casa ligeras y alegres. Llevan unos zapatitos de charol, fina obra de los zapateros de Elda, y sobre el traje negro resaltan los delantales blancos, que se extienden ampliamente por la falda y suben por el seno abombado, guarnecidos de sutiles encajes rojos.

Por la mañana, Pepita, Carmen, Lola, se peinan en la entrada, luciente en sus mosaicos pintorescos. El sol entra fúlgido y cálido por los cuarterones de la puerta; los muebles destacan limpios; gorjea un canario. Y la peinadora va esparciendo sobre la espalda las blondas y ondulantes matas. Y un momento estas tres niñas blancas, gallardas, con sus cabelleras de oro sueltas, con la cabeza caída, semejan esas bellas mujeres desmelenadas de Rafael, en su *Pasmo;* de Ghirlandajo, en su *San Zenobio*.

Luego, Pepita, Carmen, Lola, trabajan en esta misma entrada, durante el día, con sus bolillos, urdiendo fina randa. Las tres tienen las manos pequeñas, suaves, carnositas, con hoyuelos en los artejos, con las uñas combadas. Y estas manos van, vienen, saltan, vuelan sobre el encaje, cogen los bolillos, mudan los alfileres, mientras el dedo meñique, enarcado, vibra nerviosamente y los macitos de nogal hacen un leve traqueteo. De rato en rato, Pepita, o

Lola, o Carmen, se detienen un momento, se llevan la mano suavemente al pelo, sacan la rosada punta de la lengua y se mojan los labios...

Y así hora tras hora. Al anochecer, ellas y sus amigas pasean por esta bella plaza solitaria, de dos en dos, de tres en tres, cogidas de la cintura, con la cabeza inclinada a un lado, mientras cuchichean, mientras ríen, mientras cantan alguna vieja tonada melancólica. En el fondo, la iglesia se perfila en el azul negruzco; el aire es dulce; las estrellas fulguran. Y el agua de la fuente cae en un manso susurro interminable...

III

El cielo se nubla; relampaguea; caen sonoros goterones sobre la parra. Y un chubasco se deshace en hilos brilladores entre los pámpanos.

Verdú mira el sol que de nuevo ha vuelto a surgir tras la borrasca. Don Víctor, en un rincón, siempre inmóvil, siempre triste, muy triste, se acaricia en silencio sus blancas patillas ralas.

—Yo amo la Naturaleza, Antonio—dice Verdú—. Yo amo, sobre todas las cosas, el agua. El cardenal Belarmino dice que el agua es una de las escalas para subir al conocimiento de Dios.

El agua—describe él—«lava y quita las manchas, apaga el fuego, refrigera y templa el ardor de la sed, une muchas cosas y las hace un cuerpo, y últimamente, cuando baja, tanto sube y se levanta después...» Pero Belarmino no sabía que el agua tiene sus amores; los santos no saben estas cosas. Y yo te diré los amores del agua.

El agua ama la sal; es un amor apasionado y eterno. Cuando se encuentran, se abrazan estrechamente; el agua llama hacia sí la sal, y la sal, toda llena de ternura, se deshace en los brazos del agua... ¿No has visto nunca en el verano cómo desciende la lluvia en esos turbiones rápidos que refrescan y esponjan la verdura? El agua cae sobre las anchas y porosas hojas y busca a su amiga la sal; pero la sal está aprisionada en el menudo tejido de la planta. Entonces el agua se lamenta de los desdenes de la sal, le reprocha su inconstancia, la amenaza con olvidarla. Y la sal, enternecida, hace un esfuerzo por salir de su prisión y se une en un abrazo con su amada. Sin embargo, ocurre que el sol, que tiene celos del agua, a la que también adora, sorprende a los dos amantes y se pone furioso. «¡Ah!—exclama en ese tono con que se dicen estas cosas en las comedias—, ¡ah! ¿Conque estás hablando de amores con la sal? ¿Conque la has hecho salir de su cárcel, donde estaba encerrada por orden mía? ¡Pues yo voy a castigarte!»

Y entonces el sol, que es un hombre terrible, manda un rayo feroz contra el agua; la cual, como es tan inocente, tan medrosica, abandona a la sal y huye toda asustada.

Y ésta es la causa, Antonio, por qué en el verano, cuando ha pasado el chubasco y el sol luce de nuevo, vemos sobre las hojas de algunas plantas, las cucurbitáceas por ejemplo, unas pequeñas y brilladoras eflorescencias salinas...

IV

Hoy ha llegado un músico errabundo. El se hace llamar Orsi, pero yo sé que se llama sencillamente Ríos. Ríos toca el violoncelo; es alto, gordo; su cráneo está casi glabro; sobre las sienes asoman unos aladares húmedos y estirados; una melenita blanquinosa baja hasta el cuello.

A Orsi acompaña una muchacha esbelta. Esta muchacha tiene la cara ovalada, largas las pestañas, los ojos dulcemente atristados; viste un traje nuevo con remembranzas viejas, y hay en toda ella, en sus gestos, en su andar, en sus arreos, un aire de esas figuras que dibujaba Gavarni, tan simples, tan elegantes, tan simpáticas, con la cabeza inclinada, con el pelo en tirabuzones, con las manos finas y agudas cruzadas sobre la falda, que cae en tres grandes alforzas sobre los pies buídos.

Orsi tiene un monóculo. Este monóculo ha sido el origen de su amistad con Azorín. Un hombre que gasta monóculo es, desde luego, digno de la consideración más profunda. Esta tarde Orsi recorría indolentemente las calles. De rato en rato, Orsi se ponía su monóculo y se dignaba mirar a estos pobres hombres que viven en un pueblo. De pronto un joven ha aparecido en un portal. ¿Necesitaré describir este joven? Es alto; va vestido de negro; lleva una cadenita de oro, en alongados eslabones, que refulge en la negrura, como otra idéntica que lleva el consejero Corral pintado por Velázquez. Es posible que Orsi no conozca este cuadro de Velázquez, y, por tanto, no haya advertido dicho detalle. Por eso, sin duda, ha dirigido al citado joven una mirada piadosa a través de su cristal. Entonces el joven, lentamente, se ha llevado la mano al pecho, ha cogido otro monóculo, se lo ha puesto y ha mirado a Orsi con cierta conmiseración altiva.

Orsi, claro está, se ha quedado inmóvil, estupefacto, asombrado. En Petrel, en este pueblo oscuro, en este pueblo diminuto, ¿hay un hombre que gasta monóculo? ¿Y este monóculo tiene una cinta ancha y una gruesa armadura de concha? ¿Y es más grande, más recio, más formidable, más agresivo que el suyo? Todas estas ideas han pasado rápidamente por el cerebro un poco hueco de Orsi. «Indudablemente—ha concluído—, yo puedo ser un genio, pero he de reconocer que aquí, en este pueblo, *no estoy solo.*»

Y ante el burgués innoble, entre este vulgo ignaro, Orsi y Azorín—¡no podía ser de otro modo!—se han reconocido como dos almas superiores, y han ido en compañía de Sarrió—que también, a su manera, es un alma superior—a tomar unas olorosas copas de ajenjo.

*

El concierto se ha celebrado en el Casino. Había poca gente; era una noche plácida de estío. La niña simple se sienta al piano; Orsi coge el violoncelo y lo limpia, y lo acaricia, y arranca de él agudos y graves arpegios.

Luego se hace un gran silencio. El piano preludia unas notas cristalinas, lentas, lánguidas. Y el violoncelo comienza su canto grave, sonoro, melancólico, misterioso; un canto que poco a poco se apaga como un eco formidable, mientras una voz fina surge, imperceptible, y plañe dolores inefables, y muere tenue. Es el *Spirto gentil*, de *La Favorita*. Orsi inclina la cabeza con unción; su mano izquierda asciende, baja, salta a lo largo del asta...

Cuando acaba la pieza, Orsi se levanta sudoroso y Azorín le ofrece un refresco.

—No, no, Azorín—contesta Orsi—; tengo miedo...; un poquito de coñac...

El concierto vuelve a empezar. El arco pasa y repasa; el violencelo canta y gime. Un mozo discurre con una bandeja; la concurrencia se va retirando calladamente. Y el violoncelo se queja discreto, sonríe irónicamente, parte en una furibunda nota larga.

—¡Qué calor, qué calor!—exclama Orsi cuando acaba—. Azorín, a ver, un poquito de coñac...

Son las doce. El salón está casi vacío. Diminutas mariposas giran en torno a las lámparas; por los grandes balcones abiertos entra como una calma densa y profunda que se exhala del pueblo dormido, de la oscuridad que en la calle silenciosa ahoga los anchos cuadros de luz de las ventanas.

Y entonces, en ese profundo silencio, Azorín ha dicho:

—Orsi, toque usted algo de Beethoven..., la última sinfonía..., estamos solos...

Y Orsi ha contestado:

—Beethoven... Beethoven... Azorín, un poquito de coñac por Beethoven.

Y el violoncelo, por última vez, ha cantado en notas hondas y misteriosas, en notas que plañían dolores y semejaban como una despedida trágica de la vida.

Orsi levanta la cabeza; sus ojos brillan; su mano izquierda se abate con un gesto instintivo; todo vuelve al silencio.

*

Luego, en casa de Sarrió, los tres, en el misterio de la noche, ante las copas, bajo la lámpara, evocan viejos recuerdos.

—Azorín—dice Orsi—, ¿usted no conoció a Bottesini? Bottesini logró hacer con el violón lo que Sarasate con el violín. ¡Qué admirable! Yo le oí en Madrid; cuando yo le conocí llevaba un pantalón blanco a rayitas negras.

Callan un largo rato. Y después Sarrió pregunta:

—¿A que no saben ustedes lo que me sucedió a mí en Madrid una noche?

Azorín y Orsi miran a Sarrió con visibles muestras de ansiedad. Sarrió prosigue:

—Una noche estaba yo en los Bufos; no recuerdo qué función representaban. Era una en que salían unas mujeres que llevaban grandes carteras de ministro, y había otra que era reina... Yo estaba viendo la función muy tranquilo, cuando de pronto me vuelvo y veo a mi lado..., ¿a quién dirán ustedes? A don Luis María Pastor. ¡Don Luis María Pastor en los Bufos!

Azorín pregunta quién era don Luis María Pastor. Y Sarrió contesta:

—No lo sé a punto fijo; pero era un gran personaje de entonces. Lo que sí recuerdo es que iba todo afeitado.

Vuelven a callar. Y Azorín se acerca la copa a los labios y piensa que en la vida no hay nada grande ni pequeño, puesto que un grano de arena puede ser para un hombre sencillo una montaña.

V

Verdú está cada vez más débil y achacoso. Esta tarde, en el despacho, ante el huerto florido, Verdú iba y venía como siempre, con su paso indeciso. En un rincón, inconmovible, eterno, don Víctor calla y se acaricia sus barbas blancas. Y Azorín contempla extático al maestro. Y el maestro dice:

—Azorín, todo es perecedero acá en la tierra, y la belleza es tan contingente y deleznable como todo... Cuando las generaciones nuevas tratan de destruir los nombres antiguos, *consagrados,* se estremecen de horror los viejos. Y no hay nada definitivo. Los viejos hicieron sus consagraciones: ¿qué razón hay para que las acepten los jóvenes? Su criterio vale, por lo menos, tanto como el de sus antecesores. Yo me siento viejo, enfermo y olvidado; pero mi espíritu ansía la juventud perenne.

No hay nadie *consagrado.* La vida es movimiento, cambio, transformación. Y esa inmovilidad que los viejos pretenden poner en sus consagraciones va contra todo el orden de las cosas. La sensibilidad del hombre se afina a través de los tiempos. El sentido estético no es el mismo. La belleza cambia. Tenemos otra sintaxis, otra analogía, otra dialéctica, hasta otra ortología, ¿cómo hemos de encontrar el mismo placer en las obras viejas que en las nuevas?

Los jóvenes que admiten sin regateos las innovaciones de la estética son más humanos que los viejos. La innovación es al fin admitida por todos; pero los jóvenes la acogen desde el primer momento con entusiasmo, y los viejos cuando la fuerza del uso general los pone en el trance de admitirla, es decir, cuando ya está sancionada por dos o tres generaciones. De modo que los jóvenes tienen más espíritu de justicia que los viejos, y además se dan el placer—¡el más intenso de los placeres!—de gozar de una sensación estética todavía no desflorada por las muchedumbres.

He dicho que los viejos admiten, al fin y al cabo, las innovaciones del modernismo (o como se quieran llamar tales audacias), y es muy cierto. Vicente Espinel era un modernista; hizo lo que hoy están haciendo los poetas jóvenes: innovó en la métrica. Y hoy, los mismos viejos que denigran a los poetas innovadores encuentran muy lógico y natural componer una décima. El Arcipreste de Hita se complace en haber *mostrado a los simples fablas et versos extrannos.* Fué un innovador estupendo, y esos *versos extrannos* causarían, de seguro, el horror de los viejos de su tiempo. De Boscán y Garcilaso no hablemos; hoy se reprocha a los jóvenes poetas americanos de lengua castellana que vayan a buscar a Francia su inspiración. ¿Dónde fué a buscarlas Boscán, que nos trajo aquí todo el modernismo italiano? Lope de Vega, el más furibundo, el más brutal, el más enorme de todos los modernistas, puesto que rompe con una abrumadora tradición clásica, será, sin duda, aplaudido por los viejos cuando se representa una obra suya, ¡una obra que es un insulto a Aristóteles, a Vida, a López Pinciano y a la multitud de gentes que creían en ellos, es decir, a los viejos de aquel entonces!

«Imitad a los clásicos—se dice a los jóvenes—; no intentéis innovar.» ¡Y esto es contradictorio! La buena imitación de los clásicos consiste en apartar los ojos de sus obras y ponerlos en lo por venir; ellos lo hicieron así. No imitaban a sus antecesores; innovaban. De los que fueron fieles a la tradición, ¿quién se acuerda? Su obra es vulgar y anodina; es una repetición del arquetipo ya creado...

Verdú ha callado un momento y Azorín ha dicho:

—Lo que los viejos reprochan, sobre todo, a los jóvenes, maestro, son los medios violentos que emplean para echar abajo sus consagraciones, esas palabras gruesas, esos ataques furibundos...

Y Verdú ha contestado:

—Eso vale tanto como reprocharles su juventud. ¿Qué hicieron ellos en su tiempo? La vida es acción y reacción. Todo no puede ser uniforme, igual, gris. Los ataques de los jóvenes de ahora son la reacción natural de los elogios excesivos que los viejos se han fabricado durante veinte años. Luego, dentro de otros veinte años, los críticos y los historiadores pondrán en su punto las cosas, es decir, en un nivel que ni sea los ditirambos de los viejos ni las diatribas de los jóvenes... Pero ese trabajo podrán hacerlo porque ya recibirán, hecha por los jóvenes, la mitad de la labor; es decir, que ya se encontrará destruída esa obra de frívolas consagraciones que los viejos han construído.

—Otro de los cargos, querido maestro, que los viejos hacen a las nuevas generaciones es su volubilidad, su mariposeo a través de todas las ideas.

—Cabalmente, en el fondo de esa volubilidad veo yo un instintivo espíritu de justicia. Los viejos, hombres de una sola idea, no pueden comprender que se vivan todas las ideas. ¿Que los jóvenes no tienen ideas fijas? ¡Si precisamente no tener una idea fija es tenerlas todas, es gustarlas todas, es amarlas todas! Y como la vida no es una sola cosa, sino que son varias, y a veces muy contradictorias, sólo éste es el eficaz medio de percibirlas en todos sus matices y cambiantes, y sólo ésta es la regla crítica infalible para juzgar y estimar a los hombres... Pero los viejos no pueden comprender este mariposeo. y se aferran a una sola idea, que representa su vida, su espíritu, su pasado. Y esto es fatal: es el mismo instinto que nos hace cobrar amor a un objeto que hemos usado durante años, un reloj, una petaca, una cartera, un bastón...

El maestro calla. Y, de pronto, don Víctor—¡oh pasmo!—cesa de acariciarse sus patillas, abre la boca y exclama:

—¡Yo tenía un bastón!

Azorín y el maestro se quedan asombrados. ¿Don Victor habla? ¿Don Víctor tenía un bastón? ¡Esto es insólito! ¡Esto es estupendo!

Y don Víctor prosigue:

—Yo tenía un bastón, ¿eh?..., un bastón con el puño de vuelta, con una chapa de plata, ¿eh?..., con una chapa de plata que hacía un ruido sordo al caminar...

Don Víctor se detiene en una breve

pausa; se siente fatigado de su enorme esfuerzo. Después añade:

—Una vez tuve yo que hacer un viaje..., un viaje largo, ¿eh?...; era el día veinte y tenía que embarcarme en Barcelona el veintiuno..., el veintiuno, ¿eh?..., y yo estaba en Madrid.

Don Víctor hace otra pausa. Indudablemente, su relato va adquiriendo aspecto trágico; don Víctor continúa:

—Llego a la estación y tomo el billete...; luego, entro en el andén y cojo el coche, ¿eh?..., cojo el coche y voy colocando la sombrerera... Después, la maleta...; después, el portamantas...; el portamantas, ¿eh?..., el portamantas que no tenía el bastón..., ¡que no tenía el bastón!... Entonces yo cojo mi equipaje, salgo de la estación y me voy a casa, ¿eh?..., me voy a casa, porque yo no podía acostumbrarme a la idea de estar sin mi bastón, ¿eh?..., de estar sin mi bastón y de no oír el ruido de la chapa de plata...

Don Víctor calla, anonadado por la emoción; luego, haciendo un último esfuerzo, añade:

—Después me lo quitaron..., me quitaron mi bastón, ¿eh?..., mi bastón con el puño de vuelta..., y desde entonces..., desde entonces...

Su voz tiembla y se apaga en un silencio de tristeza infinita. Y Verdú y Azorín permanecen silenciosos también, conmovidos ante esta fruslería que es una tragedia para este pobre viejo.

VI

Esta noche el pobre Sarrió está muy ocupado; se encuentra metido en su despacho, bajo la lámpara que pone en su cabeza vivos reflejos, ante un libro que lee y relee con visibles muestras de un interés profundo.

Este libro que lee Sarrió es un libro trascendental y filosófico; se titula *Diccionario general de Cocina*. Sarrió tiene fija la vista en una de sus páginas; su cuerpo se remueve en la silla; diríase que le desasosiega alguno de los pasajes del libro. Sí, sí, le inquieta a Sarrió uno de los pasajes de este libro. Y he aquí lo que dice este pasaje:

«Tiempo que un conejo debe estar al fuego, suponiendo que esté recién muerto.»

Esto es admirable; esto es como el anuncio de que un sabio va a pronunciar su mágica sentencia.

Luego, el pasaje continúa:

«Un conejo grande, casero, hora y media. Uno de monte, una hora.»

¡Y esto es lo que le inquieta a Sarrió! ¿Un conejo casero, hora y media? ¿Uno de monte, una hora? Pero ¡esto es absurdo! ¡Esto es desconocer la realidad! Y Sarrió se remueve en su asiento, torna a leer el pasaje, lo lee de nuevo. Sí, esto es negar la evidencia; esto es trastornar el orden natural de los fenómenos. Porque un conejo de monte, siempre, desde el origen de las cosas, ha tardado en cocerse más que uno casero.

Y Sarrió siente que su fe en este libro, único para él, vacila. Y por primera vez en su vida experimenta una tenue y vaga tristeza. Decididamente, la sabiduría humana es cosa deleznable. ¿Para qué sirven los sabios? ¿Para qué sirven estos libros que leemos, creyendo encontrar en ellos la verdad infalible?

Y Sarrió ha confesado a Azorín su amargura. Y Azorín le ha dicho:

—Sí, querido Sarrió, los libros son falaces; los libros entristecen nuestra vida. Porque gastamos en leerlos y escribirlos aquellas fuerzas de la juventud que pudieran emplearse en la alegría y el amor. Y cuando llega la vejez y vemos que los libros no nos han enseñado nada, entonces clamamos por la alegría y el amor, ¡que ya no pueden venir a nuestros cuerpos tristes y cansados!

VII

Esta tarde hemos cumplido un deber triste: hemos acompañado hasta la santa tierra al que en vida fué nuestro amigo don Víctor.

Una rambla abre su ancho cauce entre el campo santo y el pueblo. La verdura se extiende en lo hondo, bordeando el cauce, repta por el empinado tajo, se junta a la otra verdura de los huertos que respaldan las casas y aparecen colgados como pensiles.

Sarrió y Azorín, ya de regreso, han cruzado la rambla. Y Sarrió ha dicho:

—¿A que no sabe usted, Azorín, en lo que pensaba don Víctor cuando se estaba muriendo? Pensaba en un bastón, en su bastón. Y decía: «Que me devuelvan mi bastón..., mi bastón de vuelta, ¿eh?..., un bastón que tiene una chapa de plata..., una chapa de plata que hace un ruido al caminar, ¿eh?...» Y luego, en la agonía ha gritado: «¡Mi bastón, mi bastón!», y ha muerto. ¿No le parece a usted raro, Azorín?

Y Azorín ha contestado:

—No, querido Sarrió, no me parece raro. Unos piden *luz, más luz*, cuando se mueren; otros piden *sus ideas;* este pobre hombre pedía *su bastón.* ¡Qué importa bastón, ideas o luz! En el fondo, todo es un ideal. Y la vida, que es triste, que es monótona, necesita, querido Sarrió, un ideal que la haga llevadera: justicia, amor, belleza, o sencillamente un bastón con una chapa de plata.

Llegaba el crepúsculo. Y el cielo se encendía con violentos resplandores de incendio.

VII

Verdú reposa en la ancha cama. Sus brazos están extendidos sobre la sábana. Y sus manos son transparentes. Y sus ojos están entornados. Y en su rostro se muestra un sosiego dulce. Verdú respira penosamente. De rato en rato, un gemido se escapa de sus labios. Ya se remueve un poco; una ancha inspiración hincha su pecho; sus ojos se abren intranquilos. Y luego dice con voz larga y suave: «¡Ay Antonio! ¡Ay Antonio!»

Ha llegado la unción hace un momento y han ido poniendo sobre sus ojos, sobre sus oídos, sobre sus labios, sobre sus manos, sobre sus pies, los santos óleos.

Al lado de la cama un clérigo lee con voz queda en un libro:

—...*Commendo te omnipotenti Deo, carissime frater, et ei cujus es creatura, committo*...

Lentamente se ha ido sosegando el maestro; sus párpados descienden pesados y se cierran; su cuerpo yace inmóvil...; todo está quieto; los rayos del sol se filtran por la parra y caen en vivas manchas sobre los ladrillos del patio; el jilguero desenvuelve sus trinos; una mariposa blanca va, viene, torna, gira, repasa entre los verdes pámpanos. Y, de pronto, el maestro se agita nervioso, abre mucho los ojos y grita con angustia: «¡Mi espíritu!... ¡Mi espíritu!...» Sus manos se contraen; su mirada se pierde a lo lejos, extática, espantada. Y poco a poco, sosegado de nuevo, su rostro se distiende como en un sueño; la respiración se debilita; algo a modo de una espiración sollozante flota en el ambiente silencioso.

Entonces Azorín, que sabe que los músculos son los primeros en morir, y que cuando ha muerto el corazón y han muerto los pulmones todavía los sentidos perciben en aterradora inmovilidad; entonces Azorín se ha inclinado sobre Verdú y ha pronunciado con voz lenta y sonora:

—¡Maestro, maestro; si me oyes aún, yo te deseo la paz!

Y el clérigo ha levantado los ojos al cielo y ha dicho:

—¡Dios lo habrá acogido en su santo seno! *Suscipe Domine, servum tuum in locum sperandœ sibi salvationis a misericordia tua.*

Y Azorín añade:

—¡Ha vuelto al alma eterna de las cosas!

Todo ha tornado a quedar en silencio; el aire es luminoso y ardiente; en el fondo del patio, allá en el huerto, sobre el follaje verde, brillan las manzanas rosadas, las ciruelas de oro, los encendidos albérchigos.

La mariposa blanca ha desaparecido. Y suena una campanada larga, y después suena otra campanada breve, y después suena otra campanada larga...

IX

Sarrió y Azorín han ido a Villena.

Esta es una ciudad vetusta, pero clara, limpia, riente. Tiene callejuelas tortuosas que reptan monte arriba; tiene vías anchas sombreadas por plátanos; tiene viejas casas de piedra con escudos y balcones voladizos; tiene una iglesia con filigranas del Renacimiento, con una soberbia reja dorada, con una torre puntiaguda; tiene una plaza donde hay un hondo estanque de aguas diáfanas que las mujeres bajan por una ancha gradería a coger en sus cántaros; tiene un castillo que aún conserva la torre del homenaje, y en cuyos salones don Diego Pacheco, gran protector de los moriscos, vería ondular el cuerpo serpentino de las troteras.

Hay en la vida de estas ciudades viejas algo de plácido y arcaico. Lo hay en esas fondas silenciosas, con comedores que se abren de tarde en tarde, solemnemente, cuando por acaso llega un huésped; en esos cafés solitarios donde los mozos miran perplejos y espantados cuando se pide un pistaje exótico; en esos obradores de sastrería que, al pasar, se ven por los balcones bajos, y en que un viejo maestro, con su calva, se inclina sobre la mesa, y cuatro o seis mozuelas canturrean; en esas herrerías que repiquetean sonoras; en esos conventos con las celosías de madera ennegrecidas por los años; en esas persianas que se mueven discretamente cuando se oyen resonar pasos en la calleja desierta; en esas comadres que van a los hornos con sus mandiles rojos o verdes, o en esos anacalos que van a recoger el pan a las casas; en esas viejas que os detienen para quitaros un hilo blanco que lleváis a la espalda; en esos pregones de una enjalma que se ha perdido o de un vino que se vende barato; en esos niños que se dirigen con sus carteras a la escuela y se entretienen un momento, jugando en una esquina; en esas devotas con sus negras mantillas, que sacan una enorme llave y desaparecen por los zaguanes oscuros...

Azorín y Sarrió han pasado unas horas en la ciudad sosegada. Y a otro día han regresado a Petrel.

En la estación han visto cuatro monjas. Estas monjas eran pobres y sencillas. Una era alta y morena; tenía los ojos grandes y los dientes muy blancos; otra era jovencita, carnosa, vivaracha, rubia, menuda. Las otras dos tocaban en la vejez: cenceña y rugosa, la una; gordal y rebajeta, la otra. Esta última hablaba animadamente con el encargado de los billetes; después, el encargado, que leía un papel blanco, se lo ha devuelto a la monja y le ha dado dos billetes azules. Entonces se han separado de la taquilla, y las cuatro, con las cabezas juntas, cuchicheaban. Azorín ha visto que la monja gruesa le enseñaba el papel a la morena, y que ésta sonreía con una sonrisa suave, con una sonrisa divina, enseñando sus blancos dientes, poniendo en éxtasis los ojos. ¿De qué sonreía esta monja?

Han subido al tren las dos jóvenes y se han quedado en tierra las dos viejas. La locomotora silba. Unas y otras se han despedido y se hacían recomendaciones mutuas. La morena ha dicho: «... y en particular a sor Elisa, para que se le vayan ciertas ilusiones».

«Esta sor Elisa, que tiene *ciertas ilusiones*—piensa Azorín—, ¿quién será? ¿Qué ilusiones serán las que tiene esta pobre sor Elisa, a quien él ya se imagina blanca, lenta, suave, un poco melancólica, a lo largo de los claustros callados?»

Las monjas han rezado una salve. La menudita se llevaba el pañuelo a los ojos y apretaba los labios para reprimir un sollozo. El tren avanza. Se abre a la vista una espaciosa llanura; se yerguen acá y allá grupos de álamos; las notas blancas de las casas resaltan en la verdura; un bosquecillo de granados se espejea en las claras aguas de un arroyo; revuelan grandes mariposas oscuras.

Han pasado dos o tres estaciones. Las monjas han descendido del tren. Y se han perdido a lo lejos con una maleta raída, con dos saquitos de lienzo blanco, con un paraguas viejo...

X

PETREL

Este viejo, por la mañana, había venido a traer un sobre grande en que decía: *Señor don Lorenzo Sarrió*. Sarrió, puesto que era para él, ha abierto el sobre, después que se ha marchado el viejo, y ha visto que dentro había una cartela con un escudo. Este escudo resulta que es el de Sarrió, o, por lo menos, el de su apellido. Pero mejor será que digamos que es del propio Sarrió, toda vez que la tarjeta pone en el centro, con letras doradas, su nombre y apellidos. No cabe duda; son las armas de él. A un lado se dice que estas armas consisten—según van dibujadas—en un león y un lobo que sostienen una filactería, en que se lee: *Nunc et semper;* y al otro se explica que el apellido Sarrió lo llevó por primera vez un guerrero que le prestó su caballo a Fernando III en la toma de Baeza. Esto ha conmovido a toda la familia; por eso, cuando el viejo ha vuelto esta tarde, todos han salido a conocerle.

Este viejo tiene la cara pálida, sin afeitar desde hace muchos días; su bigote cae lacio por las comisuras de la boca, y cuando sonríe muestra por los lados, en sus encías lisas, dos dientes puntiagudos que asoman por la pelambre del mostacho. Lleva unas botas blancas de verano, pero están muy estropeadas; el traje es de verano también, y la chaqueta, abrochada y subida, oculta el cuello juntamente con un pañuelo de seda. Estamos ya a principios de invierno, y este viejo debería llevar un traje de abrigo; pero no lo lleva. Y por eso, sin duda, tose pertinazmente, inclinando su cuerpo flaco, poniéndose la mano delante de la boca.

Pepita le ha dicho si estaba constipado, y él ha contestado que sí, que había cogido un enfriamiento en el tren. Porque este viejo va de una parte a otra, por los pueblos, repartiendo sus cartelas con las armas de los apellidos. En algunas casas no le dan nada y se quedan con la tarjeta, que ya a él ni le puede servir, puesto que ha estampado en ella el nombre del agraciado; pero en otras sí que le dan algo, en reconocimiento, sin duda, a su atención... Pasan por los pueblos, o viven en ellos, muchos personajes interesantes, de los cuales los novelistas no se preocupan; hacen mal, evidentemente.

Este viejo es uno de esos personajes. Otros podrán no ser simpáticos, pero éste lo es. Esta es la causa de que haya enternecido a todos contando sus andanzas. Y he aquí que Pepita le saca una taza de caldo, y Sarrió va a buscar una botella de buen vino, y Lola y Carmen aprestan otras cosas para que coma. El está encantado.

—Yo tenía en Madrid un escritorio —dice él—; pero este escritorio era muy oscuro. Cuando venían a que yo escribiera una carta, yo tenía que encender una luz. Esto era un gasto terrible; además, en el escritorio había mucha humedad. Así es que resolví mudarme... Quince años había estado allí en aquel zaguán, y me entristecía el tener que marcharme a otro lado; pero era preciso, porque yo estaba ya un poco enfermo con la humedad... Sin embargo, estuve buscando unos días algún sitio a propósito y no lo encontré. Entonces decidí dar una vuelta por provincias, haciendo tarjetas heráldicas... Y ahora, cuando vuelva a Madrid, trataré de establecerme en otra parte.

El viejo tose y vuelve a toser, encorvándose, poniéndose la mano delante de la boca. Después, cuando ha acabado de comer lo que le han traído, saca una petaca y trata de hacer un cigarro. Pero Sarrió no le deja. No hubiera estado bien no proporcionarle tabaco después de haberle dado de comer. Le da, pues, un cigarro, que el viejo ha encendido y fuma, mientras todos, con esta curiosidad tan provinciana, van mirando atentamente hasta sus menores gestos.

XI

ALICANTE

Azorín y Sarrió han ido a Alicante. Esta es una capital de provincia alegre y sana. Hay cafés casi cómodos, periódicos casi legibles, tiendas casi buenas, restaurantes casi aceptables. Esto último le interesa a Sarrió vivamente. A Azorín debe también de interesarle.

Los dos recorren las calles llevados de una curiosidad natural. Azorín, alto, inquieto, nervioso, vestido de negro, con un bastón que lleva diagonal, cogido cerca del puño a modo de tizona; Sarrió, bajo, gordo, pacífico, calmoso, con su chaleco abierto y su gran hongo de copa puntiaguda. Yo no sé si en Alicante habrán reparado en estas dos figuras magnas; acaso no. Los grandes hombres suelen pasar inadvertidos. Y así, Azorín y Sarrió, sin admiradores molestos, dan unas vueltas por una plaza, husmean las tiendas, compran unos periódicos y acaban por sentarse en la terraza de un restaurante, bajo el cielo azul, frente al mar ancho.

El mar se aleja en una inmensa mancha verde; se mueven, suavemente balanceados, los barcos; las grúas suenan con ruido de cadenas; chirrían las poleas; se desliza rápido, en la lejanía, un laúd con su vela latina y sus dos foques. Y rasga los aires una bocina ronca con tres silbidos largos y luego con tres silbidos breves. Sale un vapor. La chimenea, listada de rojo, despide un denso humacho negro; el chorro de desagüe surte espumeante y rumoroso; a proa se escapan ligeras nubecillas de la máquina de levar anclas. Lentamente va virando y enfila la boca del puerto; la hélice deja una larga espuma blanca; en la popa resaltan grandes letras doradas: *C. H. R. Broberg-Cjobenhum;* una bandera roja, partida por una cruz azul, llamea...

Ya ha salido del puerto. Poco a poco se aleja en la inmensidad; el humo difumina con un trazo fuliginoso el cielo diáfano; el barco es un puntito imperceptible. Y el mar, impasible, inquieto, eterno, va y viene en su oleaje, verde a ratos, a ratos azul; tal vez, cuando soplen vientos de sur, rojo profundo.

El mar—decía Guyau, que escribió sus más bellas páginas al borde de este mismo Mediterráneo—, el mar vive, se agita, se atormenta perdurablemente sin objeto. «Nosotros también—piensa Azorín—vivimos, nos movemos, nos angustiamos, y tampoco tenemos finalidad alguna. Un poco de espuma deshecha por el viento es el resultado del batir y rebatir del oleaje—dice Guyau—. Y una idea, un gesto, un acto que se esfuman y pierden a través de las generaciones es el corolario de nuestros afanes y locuras...»

Azorín ha sentido que una suave congoja llegaba de la inmensa mancha azul y envolvía su espíritu. Y Sarrió, que sudaba y trasudaba tratando de cortar inútilmente un enorme rosbif, ha levantado los ojos. Y en ellos también había un poco de tristeza.

XII

ALICANTE

Hoy, en Alicante, cuando Azorín y Sarrió paseaban bajo las palmeras, frente al mar, se ha parado ante ellos un señor moreno y enjuto, de ancha perilla cana. Luego se ha dirigido a Azorín y le ha estrechado la mano con un apretón seco y nervioso.

—Yo sé quién es usted—le decía—, y quiero tener el gusto de saludarle. Es usted uno de los hombres del porvenir...

Azorín ha querido saber su nombre. El desconocido ha dicho que se llamaba Bellver y que vivía en tal parte. Después, rápido, nervioso, ha levantado su sombrero y se ha ido.

Y Azorín se ha vuelto hacia Sarrió y le ha dicho:

—Paréceme, Sarrió amigo, que acabo de ganar una gran batalla. Este hombre que se ha acercado a mí es un admirador mío. Yo no le conozco; pero él ha querido expresarme sus simpatías. Estos sencillos homenajes son la recompensa de los que ejercemos la noble profesión de la pluma. Escribe uno un libro, publica uno treinta artículos, y la crítica habla, los compañeros hacen sus comentarios. Todo esto, ¿qué importa? Todo esto está previsto. Pero ese pedazo de conversación que oímos al paso y en que suena nuestro nombre, esa carta anónima que nos felicita, ese lector entusiasta—como este Bellver—que estrecha rápidamente nuestra mano con efusión, con sinceridad, y luego se marcha..., todo esto, ¡qué grato es y cómo compensa del trabajo rudo y las tristezas!

Nosotros, como el Hidalgo Manchego, tenemos algo de soñadores; aun ilusión nos vivifica. Vivimos pobres; gastamos año tras año nuestras fuerzas sobre los libros; la muerte sorprende nuestros cuerpos fatigados en plena vida; si transponemos la juventud, nuestra vejez es mísera y achacosa; vemos aupados por las multitudes a hombres fatuos, mientras nosotros, que damos a la Humanidad lo más preciado, la belleza, permanecemos desamparados... Y un día en nuestra soledad y en nuestra pobreza, un desconocido se acerca a nosotros y nos estrecha con entusiasmo la mano. Y entonces nos creemos felices y consideramos compensados con este minuto de satisfacción nuestros largos trabajos.

Esto me sucede a mí ahora, querido Sarrió; y por eso este apretón de manos ha puesto en mí tanta ufanía como en Alonso Quijano la liberación de los galeotes o la conquista del yelmo.

XIII

ORIHUELA

Van y vienen por las calles clérigos con el manteo recogido en la espalda, frailes, monjas, mandaderos de conventos con pequeños cajones y cestas, mozos vestidos de negro y afeitados, niños con el traje galoneado de oro, niñas, de dos en dos, con uniformes vestidos azules. Hay una diminuta catedral, una microscópica obispalía, vetustos caserones con la portalada redonda y zaguanes sombríos, conventos de monjas, conventos de frailes. A la entrada de la ciudad, lindando con la huerta, los jesuítas anidan en un palacio plateresco; arriba, en lo alto del monte, dominando el poblado, el Seminario muestra su inmensa mole. El río corre rumoroso, de escalón en escalón, entre dos ringlas de viejas casas; las calles son estrechas, sórdidas; un olor de humedad y cocina se exhala de los porches oscuros; tocan las campanas a las novenas; entran y salen en las iglesias mujeres con mantillas negras, hombres que remueven en el bolsillo los rosarios.

Azorín y Sarrió han recorrido la ciudad; luego, de pechos sobre el puente, han contemplado el río, que se desliza turbio. A lo lejos, entre unos cañaverales, al pie del palacio episcopal, unos patos se zambullen y nadan.

Y Sarrió, viendo estos patos, ha dicho:

—Esos patos que nadan en el río, ¡qué gordos que están, querido Azorín!

Y Azorín ha contestado:

—Yo imagino, Sarrió, que usted ya se regodea con las pechugas de esos patos. Y esos patos son de un buen hombre, que es obispo. Este hombre, además de ser obispo, es un poco sabio y un poco artista, y en los ratos que le dejan libre sus cuidados, se asoma al río y va echando migajas a los patos. San Bernardo era también amigo de los animalillos que Dios cría. Cuentan que cuando encontraba en su camino a algunos cazadores, él se afligía un poco y rogaba por las perdices y las liebres, y les decía a estos fieros hombres: «No os canséis en perseguir a esos seres inocentes, que yo he rogado al Señor por ellos y el Señor les conservará la vida.»

Y he aquí, querido Sarrió, que usted se regocija, allá en las intimidades de su espíritu, con una hecatombe de esos patos, que son la alegría de un hombre sencillo, que, como San Bernardo, ama todo lo que Dios ha creado.

XIV

ORIHUELA

Este buen hombre, que es obispo, ha convidado a almorzar a Sarrió y Azorín. Los dos han encontrado natural el convite; pero yo no sé quién lo ha encontrado más natural, si Sarrió o Azorín.

El obispo es un señor simpático; es nervioso, impresionable, vivo; no sabe hablar; se azara cuando ha de decir en público cuatro palabras; pero tiene una excelente biblioteca de libros viejos y novísimos; lee mucho; entiende lo que lee, y escribe atinadamente, y con cierta mesura, de las cosas que opugna.

La mesa está lindamente aparejada; la cristalería es luciente y fina; el mantel es blanquísimo, y sobre su blancura resaltan los anchos ramos de flores bienolientes y la loba morada del obispo.

Todos se sientan. El obispo es uno de esos hombres espirituales que cuando comen lo hacen como a pesar de ellos, con discreción, dando a las elegantes razones que se cruzan entre los comensales más importancia que a las viandas.

—Nietzsche, Schopenhauer, Stirner—dice el obispo—, son los bellos libros de caballería de hogaño. Los caballeros andantes no se han acabado; los hay aún en esta tierra clásica de las andanzas. Y yo veo a muchos jóvenes, señor Azorín, echar por las veredas de sus pensamientos descarriados. ¿Tienen talento? Sí, sí, talento tienen, indudablemente; pero les falta esa simplicidad, esa visión humilde de las cosas, esa compenetración con la realidad que Alonso Quijano encontró sólo en su lecho de muerte, ya curado de sus fantasías.

El obispo come un poco separado de la mesa, con ademanes distraídos, como olvidándose a veces de que ha de continuar en la tarea de engullir las viandas.

—Yo creo—continúa diciendo—que debemos mirar la realidad. Luis Vives, que era un buen sujeto, que, como él mismo dice, se paseaba canturreando por los paseos de Brujas, aunque tenía una voz detestable, como él también añade; Luis Vives escribe que los jóvenes deben, ante todo, procurar cautela y recelo en resolver y juzgar las cosas, por pequeñas que sean. Todo tiene su razón de ser en la vida. No podemos hacer tabla rasa del pasado. Lo que a veces creemos absurdo, señor Azorín, ¡qué natural es en el hondo proceso de las cosas!

«Sí—piensa Azorín—, en el mundo todo es digno de estudio y de respeto; porque no hay nada, ni aun lo más pequeño, ni aun lo que juzgamos más inútil, que no encarne una misteriosa floración de vida y tenga sus causas y concausas. Todo es respetable; pero si lo respetásemos todo, nuestra vida quedaría petrificada, mejor dicho, desaparecería la vida. La vida nace de la muerte; no hay nada estable en el universo; las formas se engendran de las formas anteriores. La destrucción es necesaria. ¿Cómo evitarla, y cómo evitar el dolor que lleva aparejado esta inexorable sucesión de las cosas? Habría que hacer de nuevo el universo...»

Azorín piensa en cómo sería ese otro universo; naturalmente, no da con ello. Y, para ver si se le ocurre algo, se come una aceituna; el obispo también se come otra, y luego dice:

—Estas aceitunas son de Mallorca. Vives, a quien he citado antes y por quien tengo especial predilección, habla de las aceitunas de Andalucía y de las de Mallorca; pero dice textualmente que las de Mallorca «saben mejor»: *magis sunt saporis sciti Balearice*... Este es uno de los motivos—añade sonriendo—por lo que yo, que soy tan amante de mi patria, estimo al gran filósofo.

Han llegado los postres. Sarrió prefiere los dulces; entre ellos hay unos riquísimos limoncillos en almíbar. Sarrió se sirve de este dulce; luego, se cree en el deber de elogiarlo; luego, juzga preciso comprobar si su elogio se ajusta en todas sus partes a la realidad, y torna a servirse.

El obispo le dice:

—Estos limoncillos son exquisitos; me los mandan de Segorbe unas buenas religiosas, que son peritísimas en confitarlos. Y yo, siempre que los como, veo en ellos algo así como un símbolo. Esto quiere decir, señor Sarrió, que debemos esforzarnos para que nuestras palabras acedas, nuestras intenciones aviesas, se tornen propósitos de concordia y de paz que unan a todos los hombres en cánticos de alabanza al Señor, que los ha creado; del mismo modo que estos limoncillos, que eran antes agrios, son ahora dulces y nos mueven en elogios hacia esas monjas que los han adobado con sus manos piadosas.

Sarrió calla y come. Yo barrunto que a Sarrió no le interesa mucho el símbolo de las cosas. El, al menos, puedo afirmar que no piensa en nada cuando saborea estos limoncillos.

XV

PETREL

Hoy se han celebrado las elecciones. Han andado por el pueblo excitados unos y otros hombres. Azorín no comprende estas ansias; Sarrió permanece inerte. Los dos son algo sabios: uno por indiferencia reflexiva; otro, por impasibilidad congénita.

—«Los hombres, querido Sarrió—ha dicho Azorín—, se afanan vanamente en sus pensamientos y en sus luchas. Yo creo que lo más cuerdo es remontarse sobre todas estas miserables cosas que exasperan a la Humanidad. Sonriamos a todo; el error y la verdad son indiferentes. ¿Qué importa el error? ¿Qué importa la verdad? Lo que importa es la vida. El bien y el mal son creaciones nuestras; no existen en sí mismos. El pesimismo y el optimismo son igualmente verdaderos o igualmente falsos. En el fondo, lo innegable es que la Naturaleza es ciega e indiferente al dolor y al placer...

Azorín calla; todo reposa en el limpio zaguán. El sol entra por uno de los cuarterones de la puerta en ancha cinta refulgente. Pepita mira a Azorín con sus bellos ojos azules.

Y Azorín prosigue:

—Hace un momento, yo ojeaba este libro que Pepita tiene aquí sobre una silla. Es un libro de urbanidad para uso de las jóvenes. Y bien: yo he encontrado, en la primera página precisamente, una profunda lección de vida. Dice así el pasaje a que aludo:

«Todo cambia, todo se renueva, y hay mil pequeñeces, una expresión, una prenda de vestir, una moda de tocado, que denotan al punto la edad de la persona que las usa; y por más que el abate Delille la recomiende, me parece, por ejemplo, de mal gusto la costumbre de aplastar en el plato la cáscara de un huevo pasado por agua, costumbre calificada ya por el vizconde de Marenne, en su libro sobre la *Elegancia,* publicado hace años, de *absurda y ridícula.*»

He aquí los hombres divididos sobre una cuestión tan nimia como esta de aplastar una cáscara de huevo. Unos la recomiendan; otros la creen absurda. Hagamos un esfuerzo, querido Sarrió, y sobrepongámonos a estas luchas; no tomemos partido ni por el abate Delille ni por el vizconde de Marenne. Y pensemos que cuando a estas cosas llega la pasión de los hombres, ¿qué no será en aquellas otras que atañen muy de cerca a los grandes intereses y a los ideales perdurables?

XVI

Azorín está sentado junto al balcón, abierto de par en par. El aire es tibio; viene la primavera. El sol baña la plaza y pone gratos resplandores en las torres chatas de la iglesia. Todo calla. A las diez, Pepita toca el piano, cuyas notas resuenan sonoras en la plaza. Primero se oyen unas lecciones lentas, monótonas, con una monotonía sedante, melancólica; luego, parte de una sinfonía de alguna vieja ópera, y, por fin, todos los días, la *Prière des bardes,* de Godefroid. Azorín se sabe ya de memoria esta melodía pausada y triste, y conforme va oyéndola va recordando cosas pasadas, esfumadas, perdidas en los rincones de la memoria.

Vuelve luego otra vez el silencio, y a las doce, allá enfrente, se abre una ventana, y un instante después comienzan a sonar las notas sonoras y claras de un bombardino. Es un artesano que vive del trabajo y aprovecha unos momentos antes de comer para ensayar. Unas veces las notas discurren seguras y llenas; de pronto, flaquean y se apagan..., y la tonada recomienza con el mismo brío, para volver a apagarse y comenzar de nuevo.

El sol es templado y entra en una confortante oleada hasta la mesa en que Azorín lee y escribe. De cuando en cuando cruza la plaza una mujer con un tablero en la cabeza, cubierto con un mandil a rayas rojas y azules; otras veces se llega a la fuente una moza, una de estas mozas blancas, con grandes ojeras, y llena un cántaro de agua. Y el viejo reloj da sus lentas campanadas. Y un vendedor lanza a intervalos un grito agudo.

Este es un vendedor de almanaques. Cuando aparece, ya la primavera y el verano son pasados. Entonces una dulce tristeza entra en el espíritu, porque un año de nuestra vida se ha disuelto... Los racimos han desaparecido de las vides; los pámpanos, secos, rojos, corren en remolinos por los bancales; el cielo está de color de plomo; llueve, llueve con un agua menudita durante días enteros. Y Azorín, ya recogido tras los cristales, oye a lo lejos la melodía lenta y triste del piano.

XVII

Hace dos días ha llegado a Petrel un señor que representa a unos miles de hombres, que viven aquí, ante otros pocos hombres que se reúnen en Madrid. Estos hombres se juntan en un ameno sitio llamado Congreso. En este sitio hablan, pero de pie, inmóviles. No son peripatéticos. A pesar de esto, a Azorín le son simpáticos todos estos hombres que hablan siempre.

—Sarrió—ha dicho Azorín—, este hombre a quien llamamos *diputado* es un excelente señor. El estrecha todas las manos, acoge todas las demandas, contesta con una sonrisa todos los enfados. Es un hombre simple y bueno. Y como a mí me encanta la simpleza, anoche, en un rato de ocio, compuse en su honor una liviana fabulilla. Hela aquí:

EL ORIGEN DE LOS POLITICOS

Cuando la especie humana hubo acabado de salir de las manos de Dios, vivió durante unos cuantos años contenta y satisfecha. Dios también estaba contento. Decididamente—pensaba—, he hecho una gran obra. Mis criaturas son felices; les he dado la belleza, el amor y la audacia, y por encima de todo, como don supremo, he puesto en sus cerebros la inteligencia.

Estas criaturas, sin embargo, gozaron breve tiempo de la dicha. Poco a poco se fueron tornando tristes. La tierra se convirtió en un lugar de amargura. Unos se desesperaban, otros se volvían locos, otros llegaban hasta quitarse la vida. Y todos convenían en que el origen de sus males era la inteligencia, que por medio de la observación y el autoanálisis les mostraba su insignificancia en el universo y les hacía sentir la inutilidad de la existencia en esta ciega y perdurable corriente de las cosas.

Entonces estas desdichadas criaturas se presentaron a Dios, para pedirle que les quitase la inteligencia.

Dios, como es natural, se quedó estupefacto ante tal embajada, y estuvo a punto de hacer un escarmiento severísimo; pero, como es tan misericordioso, acabó por rendirse a las súplicas de los hombres.

—Yo, hijos míos—les djo—, no quiero que padezcáis sinsabores por mi causa; pero, por otra parte, no quiero quitaros tampoco la inteligencia, porque sé que no tardaríais en pedírmela otra vez. Además, entre vosotros no todos opinan de la misma manera; hay algunos a quienes les parece bien la inteligencia; hay otros a quienes no les ha alcanzado ni una chispita en el reparto y quisieran tenerla. En fin, es tal la confusión, que para evitar injusticias vamos a hacer las cosas de modo que todos quedéis contentos. Hasta ahora la inteligencia la llevabais forzosamente en la cabeza, sin poder separaros de ella. Pues bien: de aquí en adelante, el que quiera podrá dejarla guardada en casa para volverla a sacar cuando le plazca.

Dicho esto, el buen Dios sonrió en su bella barba blanca y despidió a sus hijos, que partieron contentos.

Cuando volvieron a sus casas se apresuraron a guardar cuidadosamente la inteligencia en los armarios y en los cajones. Sin embargo, había algunos hombres que la llevaban siempre en la cabeza; éstos eran unos hombres soberbios y ridículos que querían saberlo todo.

Había otros que la sacaban de cuando en cuando, por capricho o para que no se enmoheciese.

Y había, finalmente, otros que no la sacaban nunca. Estos pobres hombres no la sacaban porque jamás la tuvieron; pero ellos se aprovecharon de la ordenanza divina para fingir que la tenían. Así cuando les preguntaban en la calle por ella, respondían ingenuos y sonrientes: «¡Ah! La tengo muy bien guardada en casa.»

Esta sencillez y esta modestia encantaron a las gentes. Y las gentes llamaron a estos hombres los *políticos*, que es lo mismo que hombres urbanos y corteses. Y poco a poco estos hombres fueron ganando la simpatía y la confianza de todos, y en sus manos se confiaron los más arduos negocios humanos; es decir, la dirección y gobierno de las naciones.

Así transcurrieron muchos siglos. Y como al fin todo se descubre, las gentes cayeron en la cuenta de que estos buenos hombres no llevaban la inteligencia en la cabeza ni la tenían guardada en casa.

Y entonces pidieron que se restableciese el uso antiguo.

Pero era ya tarde; la tradición estaba creada; el perjuicio se había consolidado.

Y los políticos llenaban los parlamentos y los ministerios.

XVIII

«Esta Pepita, cuando mira, tiene en sus ojos algo así como unas vislumbres que fascinan. Yo no sé—piensa Azorín—lo que es esto; pero yo puedo asegurar que es algo extraordinario.»

—Pepita—le pregunta Azorín—, ¿qué quisiera usted en el mundo?

Pepita levanta los ojos al cielo; después saca la lengua y se moja los labios; después dice:

—Yo quisiera... Yo quisiera...

Y de pronto rompe en una larga risa cristalina; su cuerpo vibra; sus hombros suben y bajan nerviosamente.

—Yo no sé, Azorín; yo no sé lo que yo quisiera.

Pepita no desea nada. Tiene un bello pelo rubio, abundante y sedoso; sus ojos son azules; su tez es blanca y fina; sus manos, estas bellas manos que urden los encajes, son blancas, carnosas. transparentes, suaves.

Pepita sabe que hay por esos mundos grandes modistos y grandes joyeros; pero ella no desea nada.

Y Azorín, mirándola un poco extático —¿por qué negarlo?—, le dice:

—La elegancia, Pepita, es la sencillez. Hay muy pocas mujeres elegantes, porque son muy pocas las que se resignan a ser sencillas. Pasa con esto lo que con nosotros, los que tenemos la manía de escribir: escribimos mejor cuanto más sencillamente escribimos; pero somos muy contados los que nos avenimos a ser naturales y claros. Y, sin embargo, esta naturalidad es lo más bello de todo. Las mujeres que han llegado a ser duchas en elegancias acaban por ser sencillas; los escritores que han leído y escrito mucho, acaban también por ser naturales. Usted, Pepita, es sencilla y natural espontáneamente. No lo ha aprendido usted en ninguna parte: el pájaro tampoco ha aprendido a cantar. Y yo, que he escrito ya algo, quisiera tener esa simplicidad encantadora que usted tiene, esa fuerza, esa gracia, ese atractivo misterioso—que es el atractivo de la armonía eterna.

XIX

Pepita se halla en la entrada, tramando sus encajes con sus dedos sutiles. Está sentada; tiene sobre la falda la almohadilla; a sus pies hay un periódico de modas.

Este periódico lo coge Azorín; luego lo ojea; Azorín lo lee todo. Y pasando y repasando las grandes páginas, sus ojos caen sobre algo interesante. Es una consulta que el periódico ha hecho a sus suscriptoras sobre ciertas cuestiones; una de las preguntas es la siguiente: «¿Qué cree usted preferible: ser amada sin amar o amar sin ser amada?» Las respuestas varían, pero todas son curiosas. He aquí lo que dice una de ellas, que Azorín ha leído en voz alta:

«Ninguna de las dos cosas. Para una mujer de corazón, tan malo es lo uno como lo otro. He amado sin ser amada, y ahora soy amada sin corresponder, bien a pesar mío. Cuando tenía quince años me enamoré de un hombre que pasaba de los treinta, y él, como es natural, me consideraba una chiquilla. Yo me desesperaba, pero él maldito el caso que hacía de mí. ¡Qué pena la mía cuando un día me preguntó con cara burlona si me gustaban las muñecas, porque pensaba comprarme una! Me puse roja de indignación y, a pesar del cariño que le profesaba, confieso que de buena gana le habría dado un cachete.»

Azorín no ha leído más y ha dicho:

—Pepita, este hombre a quien esta muchacha quiso despreció frívolamente un gran tesoro. Era ya un poco viejo; acaso estaría ya también un poco cansado de la tristeza de la vida. Pudo ser feliz un momento y no quiso serlo.

Azorín ha añadido, tras breve pausa en que contempla los ojos de Pepita:

—Sí, éste era un hombre loco. Despreció un consuelo, una ilusión postrera que otros, ya también un poco viejos, ya también un poco tristes, van buscando afanosamente por el mundo y no los encuentran...

Y Pepita ha bajado sus hermosos ojos limpios y azules.

XX

Azorín se marcha. Azorín, decididamente, no puede estar sosegado en ninguna parte, ni tiene perseverancia para llevar nada a término. Yo he leído en los diccionarios que *autotelia* significa «cualidad de un ser que puede trazarse a sí mismo el fin de sus acciones». Pues bien: no es aventurado afirmar, aunque sea en redondo, que Azorín no tiene *autotelia*. Por eso se marcha repentinamente de este pueblo, sin motivo ninguno, como se marchará luego de otro cualquiera. El aquí era casi feliz: vivía tranquilo; no se acordaba de periódicos ni de libros. Y lo que es el colmo de la tranquilidad, hasta no tenía nombre. Aquí nadie le conocía como borrajeador de papel, ni siquiera como un simple Antonio Azorín. Y ésta es una profunda lección de vida, porque esto significa que el pueblo, o sea el público grande, sano, bien intencionado, no estima el artificio y la melancolía torturada del artista, sino la jovialidad, la limpieza, la simplicidad de alma. De este modo aquí Sarrió lo era todo—y lo sigue siendo—, mientras Azorín no era nada; o mejor dicho, si algo figuraba era como amigo de él, como acompañante del hombre bueno, como un sujeto cuyo único mérito consiste en ir constantemente con otro meritísimo. Por eso en este pueblo, para designar a Azorín, decían: «El que va con Sarrió...»

*

Azorín ha dicho:

—Pepita, me marcho.

—Pepita se ha vuelto sobresaltada y ha exclamado:

—¡Ay Azorín! ¿Usted se marcha?

Y le ha mirado fijamente con sus anchos ojos azules. Parecía que con su mirada le acariciaba y le decía mil cosas sutiles que Azorín no podría explicar aunque quisiera. Cuando oímos una música deliciosa, ¿podemos expresar lo que nos dice? No; pues del mismo modo Azorín no acertaría a explicar lo que dice Pepita con sus miradas suaves.

Pepita ha querido saber dónde se iba Azorín. Pero es el caso que Azorín no lo sabe tampoco. ¿Dónde se irá él? ¿Qué país elegirá para pasear sus inquietudes? Ha estado un momento pensándolo, y como Pepita continuaba mirándole ansiosa, ha dicho al fin:

—Yo creo... que me marcho... a París.

Pepita ha proferido una ligera exclamación de terror.

—¡Ay Azorín, a París, y qué lejos que está eso!

Tiene razón Pepita en asustarse. París está muy lejos; además, allí no hablan como nosotros. ¿Qué va a hacer Azorín en París? París es una ciudad donde se vive febrilmente, donde las mujeres son pérfidas, donde las multitudes corren por las calles con formidable estruendo. Azorín querrá encontrar allí la paz, y no encontrará la paz que ha sentido en esta plaza solitaria y bajo estos árboles sombríos; y querrá encontrar allí hombres sabios y no los encontrará tan sabios como este que se llama Sarrió.

Y al despedirse, mientras Azorín estrecha la mano de Pepita, esta mano tan blanca, tan carnosita, tan suave, con sus hoyuelos, con sus uñas combadas, Pepita ha dicho:

—¿Me escribirá usted, Azorín?

Y Azorín ha contestado que sí, que sí que le escribirá a Pepita una carta muy larga desde París, contándole las andanzas de su cuerpo y las terribles perplejidades de su espíritu.

XXI

Efectivamente, Azorín se va a París. ¿Por qué a París y no a Brujas, a Florencia, a Constantinopla, a Praga, a Petersburgo? El no lo sabe, ni tampoco lo quiere razonar. ¿Para qué razonar nada? Lo espontáneo es la más bella de las razones; la conciencia dicen los psicólogos que es un *epifenómeno*, es decir, una cosa que no es esencial para el proceso de la actividad psicológica, como no es esencial que un reloj se dé o no se dé cuenta de que anda...

Todo esto lo piensa Azorín mientras arregla la maleta; se pueden pulir vidrios o arreglar una maleta y estar filosofando. Sólo que Azorín no es Spinoza; aunque también es verdad—y ésta es la compensación—que tiene mejor ropa. Y aquí en la maleta va colocando unas camisas de finísimo hilo, unos calzoncillos, unos calcetines, unos pañuelos, cuatro tomitos impresos por Didot, limpiamente, en el año 1802. Azorín los pasa, los repasa, los acaricia, los abre al azar. Y en uno de ellos lee:

«Il y a plusieurs années que ie n'ay que moi pour visée à mes pensées, que ie ne contreroolle et n'estudie que moi; et si i'estudie aultre chose, c'est pour soubdain le coucher sur moi, ou en moi, pour mieulx dire.»

«A mí también—piensa Azorín—me sucede lo que a este hombre de Burdeos; pero esto es triste, monótono, y en la soledad de los pueblos esta tristeza y esta monotonía llegan a estado doloroso. No, yo no quiero sentirme vivir. Y voy a hacer un viaje largo: me marcho a una ciudad febril y turbulenta, donde el ruido de las muchedumbres y el hervor de las ideas apaguen mi soliloquio interno. Y esta ciudad es París.»

He aquí cómo este desdichado Azorín, que no quería razonar su viaje, ha acabado al fin por razonar. ¡Tan añejado está en él este morbo feroz que llamamos inteligencia!

XXII

En el camino de Petrel a Elda, al comedio, entre la verdura de nogueras y almendros, se alza un humilladero. Es una cupulilla sostenida por cuatro columnas dóricas de piedra; en el centro, sobre una pequeña gradería, se levanta otra columna que sostiene una cruz de hierro forjado. Azorín y Sarrió se han sentado en este humilladero. Van a Elda. Y van a Elda porque Azorín ha de tomar el tren que por allí pasa.

Azorín está triste. Sarrió también lo está un poco. Y los dos callan, sin saber lo que decirse en estos momentos supremos en que van a separarse acaso para siempre.

—Azorín—dice Sarrió—, ¿usted no vendrá más por aquí?

—No sé, Sarrió—contesta Azorín—; es muy posible que no vuelva.

—Entonces, ¿no nos veremos más?

—Sí, acaso no nos volvamos a ver más.

Han callado un instante. Y se ponen otra vez en marcha. Delante de ellos va una tartana con el equipaje de Azorín.

Cuando han arribado a la estación, Azorín, como es natural, ha sacado el billete y ha facturado sus bártulos. De allí a un rato ha aparecido el tren.

Sarrió le alarga a Azorín, subido al coche, la maleta; luego, con tiento, una cesta. En esta cesta ha puesto él, Sarrió, una suculenta merienda para que Azorín se la coma en el camino. ¡Es la última muestra de simpatía!

—Azorín—le dice Sarrió—, tenga usted cuidado de que no se estruje la uva que va en la cesta... Cuando se coma usted esa uva que yo he cogido en el huerto, acuérdese, Azorín, de que aquí deja un amigo sincero.

—Sí, Sarrió—ha contestado Azorín—; yo me acordaré de usted cuando me coma estas uvas y siempre. Su recuerdo será en mi vida algo grato, algo imperecedero.

Se han abrazado estrechamente.

—Adiós, Azorín.

—Adiós, Sarrió.

Ha silbado la locomotora; el tren se ha puesto en marcha.

A lo lejos, Sarrió agitaba en alto su sombrero de copa.

TERCERA PARTE

I

A Pepita Sarrió.

EN PETREL

«Querida Pepita: Quedé en escribirte desde París, pero no puede ser porque no he ido aún a París. Te escribo desde Madrid. Y quiero contarte muchas cosas. Aquí yo hago una vida terrible. Sabrás que emborrono todos los días un fajo de cuartillas. No me levanto muy temprano; me acuesto tarde. Y cuando me despierto, mientras me desperezo un poco y recapitulo sobre lo que he de hacer durante el día, oigo un reloj que suena las diez en el piso de al lado, y después otro en el piso de abajo, y luego otro en el piso de arriba. Y mi reloj, este reloj pequeñito que tú conoces, va marchando sobre la mesilla en un tictac suave. Como ya es tarde—¡las diez!—, me echo de la cama y abro el balcón. La calle está mojada; el cielo está de color de plomo.

»Yo, cuando veo este cielo gris, oscuro, triste, me acuerdo de ese cielo tan limpio y tan azul. Y cuando me acuerdo de ese cielo azul, me acuerdo también de unos ojos anchos y azules...

»Pero es preciso estar aquí, Pepita; es preciso vivir en este Madrid terrible; en provincias no se puede conquistar la fama. La fama no estamos muy acordes los que vamos tras ella en lo que consiste; pero yo puedo asegurar que el fajo de cuartillas que emborrono todos los días, lo emborrono por conquistarla.

»Cuando me siento ante la mesa, después de levantarme, me esperan sobre ella una porción de libros. Los que han escrito estos libros quieren que yo los lea. ¿Por qué quieren que yo los lea? Yo no puedo leerlos todos; esto es un compromiso tremendo. Y digo que sí, que los he leído. Sin embargo, no es bastante decir que los he leído; he de añadir lo que pienso de ellos. Yo, en realidad, Pepita, no pienso nada de la mayor parte de los libros que se publican. Pero a un hombre que escribe en los periódicos, ¿le es lícito no pensar nada de una cosa? ¡No, no! Un hombre que borrajea en los periódicos ha de tener siempre lista su opinión sobre todas las cosas. Y yo también doy mi opinión sobre estos libros: unas veces es benévola, y son las más; y otras, muy pocas, me pongo serio y escribo cosas atroces. Cuando ocurre esto, es que estoy de mal humor, Pepita. Entonces todo me parece malo, y un libro también ha de parecérmelo.

»Luego me arrepiento, pensando que acaso el que escribió ese libro es un buen hombre que tiene seis hijos y que trabaja todo el día en una oficina. Y resulta que al mal humor que tenía antes se añade este otro. Y, por eso, yo rehuyo cuanto puedo el escribir acerca de los libros que tengo sobre la mesa y digo que todos son admirables, aunque no los haya leído.

»A las doce, después que he gastado una poca tinta, almuerzo. Creo que es malsano trabajar después de comer. Y ésta es la causa de que yo dé un pequeño paseo. Algunos días voy al Retiro, que es un gran jardín con muchos árboles; otros, si el tiempo es desapacible, me meto en el Museo de Pinturas. A la hora en que yo voy al Retiro no hay nadie. Todo está silencioso; los troncos se yerguen desnudos, negruzcos, con manchas de líquenes verdosos; las violetas crecen, moradas y olorosas, entre el césped. No es mucho lo que ando yo por estos paseos; inmediatamente regreso y me cuelo en el Ateneo o en la Biblioteca. Y después que he leído un largo rato, cojo unos papeles blancos y voy escribiendo en ellos cosas verdaderamente tremendas. Esto que yo escribo se llama una crónica.

»Y al día siguiente, cuando al levantarme la veo en el periódico, aparto los ojos de ella, avergonzado, y meto el periódico en el cajón de la cómoda.

»Y otra vez principia otro día igual al de ayer e idéntico al de mañana: leo, paseo un poco, vuelvo a leer, torno a escribir las cosas horribles sobre los pequeños papeles.

»Y por la noche, cuando me acuesto, pongo el relojito sobre la mesilla; su andar suave resuena en la alcoba. *¡Mar-cha! ¡Mar-cha!*, parece que me dice. Y yo marcho, Pepita; yo leo una muchedumbre de libros, yo emborrono una atrocidad de cuartillas; pero esa gloria tan casquivana no llega, no llega...

»Adiós; escríbeme.

Antonio.»

II

«Pepita: Ya soy un periodista político terrible. Para ser periodista político no se necesita más que tener mala intención. «¡Pero tú, Antonio—me dirás—, no tienes mala intención!» Es verdad: yo no la tengo; pero a veces hago un esfuerzo y consigo tenerla. Claro está que no tengo inquina hacia nadie ni hacia nada; no me interesan tampoco estas o las otras ideas; por eso, Pepita, mi tarea es más fácil, porque hago mis artículos con entera tranquilidad, sin apresurarme, sin aturdirme, poniendo esas pequeñas gotas de hiel donde quiero ponerlas. Ayer hice un artículo. Ha ocurrido aquí una cosa muy gorda que llaman crisis ministerial: consiste en que los que mandan se quitan para que manden otros. Pues bien: yo quise hacer la historia de esta cosa; he de confesar que yo no sabía nada de ella. Sin embargo, las historias de las cosas que no sabemos son las mejores historias. Hice la historia: revelé detalles atroces: todos los políticos y los periodistas se quedaron estupefactos. Estos políticos y estos periodistas he de advertirte que son una gente muy inocente: con un adarme de ingenio y otro de audacia se los asombra a todos. Por eso no es extraño que ante mi artículo abrieran espantados los ojos. Mira lo que decía el *Heraldo* (¿lees tú este periódico?):

«Esa interpretación de lo sucedido en el regio alcázar no creemos que se haya insertado jamás en ningún periódico, y por añadidura ministerial, desde que la Prensa existe. Para encontrar algo parecido, no igualado, sería preciso remontarse a la época en que González Bravo ejercía de revolucionario en el famoso *Guirigay.*» Te confieso que yo me reí anoche un poco cuando leí el *Heraldo;* pero luego me puse serio. Indudablemente —dije—, yo soy un hombre terrible.

»¡Desde que la Prensa existe, que no se había hecho cosa parecida!... ¿Comprendes la trascendencia de mi obra? ¿Podía yo dormir tranquilamente después de haberla realizado? No; de ninguna manera. Y cuando vine a casa me sentía desasosegado, nervioso, obsesionado por mi tremendo artículo. Y tuve que pensar en ti un poquito para sentirme tranquilo y poder dormir como un hombre vulgar.

»*Antonio.*

»*P. S.*—Ahora acaban de echarme *El Imparcial* por debajo de la puerta, y veo que reproduce mi artículo, y añade que «no ha podido menos de motivar comentarios muy vivos».

»¡Qué terrible es esto, Pepita!»

III

«Pepita: Todas las noches le doy cuerda a mi relojito antes de acostarme. Cuando estaba ahí le daba cuerda a las diez; ahora se la doy a las dos de la madrugada. No te asustes. Yo procuraré que esto no dure mucho. Ahora vengo de la redacción. Quiero ponerte dos letras antes de acostarme para que no digas que no te escribo. Estoy cansado. Esta vida precipitada me fatiga. No estoy en mí mismo. He de escribir muchas cosas que no tengo ganas de escribir. He de hablar mucho con gentes a quienes apenas estimo. Tú ya sabes que yo hablo poco. Soy un hombre de recogimiento y de soledad; de meditación, no de parladurías y bullicios. Y cuando, después de haber estado todo el día hablando y escribiendo, me retiro a casa a estas horas, yo trato de buscarme a mí mismo, y no me encuentro. ¡Mi personalidad ha desaparecido, se ha disgregado en diálogos insustanciales y artículos ligeros!

»Y yo no creo, Pepita, que haya un tormento mayor que éste. Nos pueden robar nuestra hacienda, nos pueden robar la capa y el gabán; ¡pero robarnos nuestro espíritu! ¿Comprendes tú, Pepita, que haya una cosa más terrible que ésta?

»Ahora son las dos; todo está en silencio. De cuando en cuando oigo a lo lejos el sordo rumor de un coche; suenan las campanadas lentas del reloj de la Puerta del Sol; una voz turba de pronto el sosiego profundo.

»Y yo me siento ante la mesa y arreglo las cuartillas. Pero no se me ocurre nada. Aquella espontaneidad que yo sentía afluir en mí ya no la siento. Quiero reflexionar, me esfuerzo en hacer una cosa bien hecha, y me desespero y me aburro. Las cosas bien hechas salen ellas solas, sin que nosotros queramos; la ingenuidad, la sencillez, no pueden ser queridas. Cuando queramos ser ingenuos, ya no lo somos.

»Tú eres ingenua, Pepita. Si yo me acuerdo mucho de ti, ¿por qué es sino por esto? Tu recuerdo es para mí algo muy grato en medio de esta aridez de Madrid. Y por eso, yo cada día te escribo más, aunque sea poquito, y deseo que tú me escribas. Escríbeme; dime si paseáis por la plaza al anochecer, mientras suena la fuente y el cielo se va poniendo fosco; dime si salís a las huertas y os sentáis bajo esas nogueras anchas, espesas, redondas, y veis correr el agua limpia y mansa por los azarbes; dime si las campanadas del *Angelus* son las mismas campanadas graves y dulces que yo he oído; dime si los azahares de los naranjos se han abierto ya y perfuman el aire; dime si las palmeras mueven mansamente sus ramas péndulas en el azul intenso...

»Pepita, Pepita: yo me siento conmovido y estoy a punto de sollozar cuando pienso en todas estas cosas... Yo me veo solo, yo me veo triste; yo veo que mi juventud va pasando estérilmente, sin una ternura, sin una caricia, sin un consuelo...

»Adiós. No quiero que te pongas tú también triste.

Antonio.»

IV

Este es un viejo que va todas las tardes al Congreso. En el sombrero de copa yo he visto escrito en el forro blanco, con lápiz: *Redón.* Yo no sé quién es Redón. Tiene una barba larga y blanca; lleva en el dedo índice de la mano izquierda un anillo con un sello de oro; sus ojos son pequeñuelos y azules; cuando sonríe se le marcan sobre las sienes unos hacecillos de arrugas que le dan un aire picaresco. Entra en la tribuna de la Prensa y se sienta con mucho cuidado, levantándose el gabán, sosteniendo en alto el sombrero. Y luego se pone a mirar hacia allá abajo y tose de rato en rato.

Yo creo que este viejo oye atentamente todo lo que dicen; pero no lo oye. ¿Cómo lo ha de oír si es sordo? Entonces, ¿para qué viene? Hace veinte años que viene todas las tardes, con el mismo sombrero, en que pone: *Redón;* con el mismo gabán, que se levanta escrupulosamente al sentarse. A veces sonríe y se pasa la mano por la barba.

—¡Aquellos oradores sí que hablaban bien!—exclama este viejo.

Yo quiero saber quiénes eran *aquellos oradores.* Y entonces él me dice:

—Yo he oído a Martínez de la Rosa; ¿usted ha oído hablar de Martínez de la Rosa?

¿Quién no ha oído hablar de Martínez de la Rosa?

—Sí, sí que le he oído nombrar mucho.

Y el viejo me mira satisfecho y prosigue:

—Era un orador...

Otra vez vuelve a toser durante un breve rato, y otra vez vuelve a pasarse la mano por su blanca barba.

—Era un orador notable... Yo no he oído a nadie que tuviera la dulzura que tenía Martínez de la Rosa. Aquéllos eran otros hombres, ¿no le parece a usted?

Evidentemente, me parece que aquellos hombres eran distintos que éstos. Yo tengo la franqueza de decirlo, y mis aclaraciones le producen una gran satisfacción a este viejo. Por eso sonríe con su aire bondadoso y clava su mirada en el fondo de su sombrero. Este sombrero él se lo ha puesto durante una porción de años para venir al Congreso. ¡No se comprará otro! Y como este sombrero, que tiene un forro blanco con un letrero que dice: *Redón,* le recuerda tantas cosas, él le pasa la manga con amor por la copa. Y luego se lo pone con las dos manos y se aleja un poco inclinado, tosiendo, pasándose suavemente la mano por su barba blanca.

V

«Pepita: Yo tengo unas amigas. No te pongas pálida. Yo tengo unas amigas que cantan en golpes graves y metálicos por la mañana; que sollozan por la tarde en un canto largo y plañidero de despedida. Vivo al lado de una iglesia. Y estas amigas son las campanas. La iglesia es vieja, con las paredes amarillas y desconchadas, con una torre puntiaguda. Está cerca de la Puerta del Sol; y en medio de este estrépito frívolo de Madrid, mientras suenan los campanillazos de los tranvías, mientras pasan los coches, mientras tocan los organillos, esta iglesia parece quejarse de muchas amarguras. Las cosas son como los hombres. Sí, Pepita, ésta es una iglesia a quien no dejan vivir en su soledad. Se parece a mí: yo creo que por esto me he venido a morar junto a ella. Ya te he dicho que es un estruendo grande de cosas mundanas el que la rodea; ahora añadiré que bajo sus portales, casi en su mismo recinto, hay unas tiendas de máquinas de coser y de paraguas. Además, junto a ella hay un gran salón donde gritan y corren jugando a la pelota. Y por si esto no fuera bastante, un librero ha puesto sus estantes de libros profanos a lo largo de una de sus paredes, y unos hombres rápidos, que llevan una escalera al hombro, vienen todos los días y pegan en sus muros tristes grandes carteles blancos, azules, rojos. ¡No la dejan tranquila! Y estos muros se hinchan en redondas tumefacciones, se desconchan en grandes claros, dejan caer sobre los colgadizos de las puertas una costra de tierra donde crece el musgo... Yo vivo muy alto; aparto los visillos y veo abajo, sobre la piedra gris de la portada, la mancha húmeda y verdosa. El cielo está gris; poco a poco va apagándose la fosca claridad del día; Pasan en formidable estrépito carromatos, coches, tranvías; se oyen voces, golpes violentos, rechinar de ruedas; un organillo lanza sus notas cristalinas. Y de pronto suenan lentas las campanas, en unas vibraciones largas y pausadas...

»Es la voz de esta iglesia, que suplica a los hombres un poco de piedad.

»Yo creo que los hombres no la oyen, Pepita; pero las oigo yo. Y cada vez que por la mañana o por la noche ellas ríen o lloran, vienen a mí espíritu recuerdos de otros días, un poco más felices que estos en que me veo tan solo.

»Adiós. Esa sorpresa de que me hablas, ¿qué es? Claro está que si me lo dijeras, ya no sería sorpresa. No me lo digas. Y ya te contaré yo la impresión que me produzca.

Antonio.»

VI

«Pepita: Esta mañana estaba yo acostado cuando he oído llamar a mi puerta. Eran las ocho. A estas horas no podía ser ningún madrileño: un madrileño no puede ir a visitar a las ocho de la mañana a nadie. ¡Sería una aberración! Luego este hombre debía de ser un hombre de provincias. Pocos momentos antes oí yo entre sueños las campanas de enfrente: «Estas buenas amigas, las campanas—decía yo—, no me van a dejar dormir.» Pero quien no me dejaba dormir era este hombre que llamaba a mi puerta dando grandes porrazos.

»Me he levantado y he abierto. ¿Y sabes a quién me he encontrado? ¡A nuestro excelente amigo don Juan Férriz! Tú te ríes, pero tú ya lo sabías... Don Juan traía una cesta enorme, que ha puesto encima de la mesa; luego me ha abrazado y me ha señalado en silencio la cesta. Yo la he mirado también en silencio. Esto era solemne; esto era trágico. ¿Qué contenía esta cesta? ¿Para quién era esta cesta? Era para mí; ya veo que te vuelves a reír. Ríete: yo he pasado un susto tremendo, pero ha sido sólo un momento, claro está; después, don Juan me ha dicho: «Don Lorenzo Sarrió me ha encargado que le entregue a usted esta cesta, y Pepita, Lola y Carmen me han dado para usted muchos recuerdos.»

»Estos recuerdos, Pepita, yo los he encontrado más dulces y más buenos que las tortadas que había dentro de la cesta. No eran sólo tortadas; había mantecadas, sequillos, almendrados; había también naranjas, naranjas de vuestro huerto, en el que yo tantos ratos he pasado. He descubierto entre ellas dos que estaban juntas en un mismo tallo. Y en el tallo tenían prendido con un alfiler un papelito con un letrero que decía: «Estas las he cogido yo en el huerto para ti.»

»Yo, Pepita, no podía decirte lo que he sentido cuando he tocado estas naranjas; son cosas tan etéreas que no hay palabras humanas con qué expresarlas; lo cierto es que la sorpresa ha sido buena. A todos os doy las gracias por vuestra atención. Don Juan me ha estado hablando de lo que por ahí ocurre, que es lo mismo de siempre; todo el día he estado con él. Hacía quince años que no había venido a Madrid; está aturdido. Dice que Petrel es mejor que esto. Creo que tiene mucha razón. Yo pienso continuamente en Petrel. Y de lo que más me acuerdo, ¿sabes de lo que es?

»No te lo digo. Adiós, hasta hañana.

Antonio.»

VII

EN EL TREN

...En el balcón luce, imperceptible, opaca, tenue, una ancha faja del claror del alba. Y en la puerta, de pronto, oigo un persistente tarantaneo. Me levanto: me he retirado de la redacción a las dos de la madrugada; es preciso salir... Las calles están desiertas; pasa de cuando en cuando un obrero, con blusa azul, cabizbajo, presuroso, las manos en los bolsillos, liada la cara en bufanda recia; pasa una moza con el mantón subido, pálida, ornados los ojos de anchas ojeras lívidas; pasa un muchacho con un enorme fajo de carteles bajo el brazo. Comienzan a chirriar las puertas metálicas de las tiendas; suenan lentas, graves, una a una, las campanadas de una iglesia. Y un coche se desliza ligero, con alegre tintineo, sobre el asfalto.

Lo tomo. Descendemos por la carrera de San Jerónimo; luego, avanzamos a lo largo del paseo de las Delicias, entre el ramaje seco del arbolado; cruzamos frente a la ronda de Valencia; bajamos por una vía ancha, solitaria, pendiente. A lo lejos, la enhiesta chimenea de una fábrica difumina, con denso humacho negro, el cielo radiante, de azul pálido; una tenue neblina cierra y engasa el horizonte, y entre las ramas desnudas de los árboles, casi a flor de tierra, en la lejanía, asciende lento y solemne un enorme disco de oro encendido...

He tomado el billete, y paso al andén. En la puerta dos mujeres pleitean con el mozo. Son dos viejas cenceñas, enjutas, acartonadas; visten los oscuros trajes de la gente castellana—azul oscuro, pardo negruzco, intenso flavo—. Una de ellas tiene la nariz arremangada y la boca saliente; otra, tiene la boca hundida y la nariz bajeta. Y las dos miran al mozo, mientras hablan, con sus ojuelos grises, diminutos, un poco ingenuos, un tilde picarescos. El mozo no las quiere dejar pasar; dice que sus billetes de ida y vuelta están caducos. Y ellas chillan, claman al Señor, se llevan las manos a la cabeza, y me miran a mí, como pidiendo mi intervención definitiva.

—¡El tío jefe—dice una de ellas—nos *vido* montar en el tren el lunes!

—Sí—corrobora la otra—, el tío jefe nos *vido*.

Yo intervengo: indudablemente, el jefe de la estación de Bargas puso una fecha atrasada al troquelarles sus billetes. Porque estas dos viejas vienen de Bargas. Y luego, cuando al fin han pasado y hemos subido al coche, me han contado su historia.

Ellas vienen a Madrid todos los sábados por la tarde; regresan los lunes por la mañana. De Bargas a Madrid, ida y vuelta, les cuesta el billete catorce reales. Y en Madrid venden por las calles bollos de yema.

—Bargas—les pregunto yo—, ¿es mejor pueblo que Torrijos?...

Entonces, una de ellas se me queda mirando y exclama:

—¡Sí, mucho mejor!

Y luego, pensando, sin duda, que ha ofendido mi patriotismo si por acaso soy yo de Torrijos, agrega benévolamente:

—¡Pero Torrijos también es *fueno!*

Va a partir el tren. Ha tintineado un largo campanillazo; suenan los recios y secos golpes de las portezuelas. Las dos viejas han acomodado sus cuatro cestas y sus dos sacos sobre y bajo los bancos. Lo más delicado va encima; y son dos cestas llenas de jarrones y figurillas de escayola sobredorada. Se trata de encargos que ellas portean de retorno para los vecinos del pueblo.

—¿Has puesto *eso* con gobierno para que no se manchen los monos?—pregunta una.

Y la otra inspecciona las cestas, remueve los papeles en que van liadas las hórridas figuras, torna a colocar sobre los bancos los encargos... Y silba la locomotora con un silbido largo y bronco; se remueve el tren con chirridos de herrumbres y atalajes mohosos; una gran claridad se hace en el coche...

Estamos en campo abierto. La llanura se extiende inmensa en la lejanía, verdeoscura, verde-presada, grisácea, roja, negra en las hazas labradas recientemente. Las piezas del alcacel temprano ensamblan, en mosaico infinito, con los cuadros de los barbechos hoscos. Ni una casa, ni un árbol. Un camino, a intervalos, se pierde sesgo en el llano uniforme. Junto a la caseta de un guardabarrera, al socaire de las paredes, cuatro o seis gallinas negras picotean y escarban nerviosamente. Y el tren silba y corre, con formidable estrépito de trastos viejos, por la campiña solitaria.

Las dos viejas permanecen silenciosas e inmóviles. Las dos tienen los brazos cruzados sobre el delantal; una cierra los ojos y echa la cabeza sobre el pecho; otra, las puntas del pañuelo cogidas en la boca, echa hacia atrás la testa y mira de cuando en cuando con los ojillos entornados... Pasan dos, tres estaciones; cruza el convoy sobre una redoblante plataforma giratoria. Las viejas se remueven sobresaltadas. Y luego, ya despiertas, hablan y sacan por la abertura del brial sendas faltriqueras de pana. De estos bolsillos, una de las viejas extrae una enorme y reluciente llave; y la otra, otra llave disforme y un peine amarillento. Luego, vueltos llave y peine a los senos profundos de las bolsas, las dos viejas charlan de sus tráfagos y negocios.

—En Bargas—les pregunto yo—, ¿no hay más que ustedes que se dediquen a la venta en Madrid de las rosquillas?

Y ellas me contestan que hay más; están la *Daniela* y la *Plantá;* pero estas dos negociantes no marchan a Madrid en ferrocarril: van por la carretera. Emplean en ir dos días y otros dos en volver. Llevan un borriquillo. Y, como es natural, han de hacer en Madrid gastos de alojamiento y pienso.

—Entonces—observo yo filosóficamente—, ¿no les tendrá casi cuenta ir a Madrid?

—Claro—replica una de las viejas—, como que en la posada y el borrico se lo dejan todo.

Y la otra, bajando la voz e inclinándose hacia mí, añade confidencialmente:

—Pero hacen muy mal género: ponen en los bollos poco aceite y mucha clara, y al respective del azúcar, lo merman todo lo que pueden...

Continúa la campiña paniega, verde a trechos, a trechos negruzca. La tierra se dilata en ondulaciones suaves de alcores y recuestos. En Villaluenga asalta el coche un tropel de fornidos mozos rasurados, mofletudos, en mangas de camisa.

—¡Una perrilla para los quintos de Villaluenga!—gritan, y alargan una gorra ante los viajeros. Les piden también a las viejas; pero éstas se niegan a dar nada.

—Yo también—dice una de ellas—tengo un hijo quinto.

—¡Pues que tenga buena mano!—exclama uno de los mozos.

Y cuando se ha puesto otra vez el tren en marcha, la vieja requerida ha añadido hoscamente, mientras se pasaba el reverso de la mano por las narices y se apretaba el pañuelo:

—Quintos más sinvergüenzas que los de este pueblo, no los he visto. Yo no digo que no pidan los de Bargas; pero no van a otros pueblos a pedir.

Ha pasado otra estación y las viejas han descendido con sus cestas y sus sacos. Y yo me quedo solo en el coche. A lo lejos, sobre la línea del horizonte, destacando en el azul límpido, aparece el enorme castillo de Barciense, y al pie resaltan los puntitos blancos de las casas enjalbegadas.

Llego a Torrijos. El cielo está radiante, limpio, diáfano: brilla el sol en vívidas y confortadoras ondas; un gallo canta lejano con un cacareo fino y metálico; se desgranan en el silencio, una a una, las campanadas de una hora...

Son las once. Avanzo por una calle de terreras viviendas, rebozadas de cal; llego a una espaciosa plaza; me detengo ante una casucha inquietadora. Tiene dos pisos; en lo alto lucen dos balconcillos desfondados, con los vidrios de las maderas rotos y sucios; en el bajo se abre una ancha puerta achaparrada. En la fachada angosta, entre los dos huecos, leo en gruesas letras sanguinosas: *Posada del Norte.* Y un momento permanezco ante este rótulo, en la plaza desierta, perplejo, mohino, temeroso, con la maleta en vilo.

VIII

EN TORRIJOS

...Entro resueltamente en la Posada del Norte. El zaguán es largo, estrecho y bajo; los carros, en su entrar y salir continuo, han abierto en el empedrado, de agudas guijas, hondos relejes. Al fondo se abre una puertecilla diminuta; dos, tres, cuatro más a la derecha, cerradas por menguadas cortinas; y a la izquierda, una ancha franquea la entrada a un patio. Hay junto a la pared un grande y blanco arcaz con la cebada—igual que en las novelas picarescas—; penden de largas estacas, ringladas en los muros, enjalmas y ataharres.

Doy voces; en uno de los cuartos, tras la cortina, oigo un ronroneo tenue, y, a intervalos, un suspiro y el traqueteo rítmico de una silla. Avanzo; me cuelo por la puertecilla del fondo. Estoy en una cocina solitaria. Cuelga de las paredes la espetera, con sus sartenes y sus cazos; en la chimenea, de ancho humero, puestos en el hogar ante el montón de brasas, cuatro o seis diminutos pucheros borbollean con imperceptible rezongueo y dejan escapar ligeras nubecillas blancas... Retrocedo al zaguán, vuelvo a gritar, espero un momento, y entro luego en el patio.

El piso se extiende en baches y altibajos; en el centro destaca el brocal desgastado de un pozo; un labriego, al sol, sobre un poyo de adobes rojos, duerme con la cabeza sobre el pecho y los brazos caídos; junto a él reposa un perro largo, enjuto, negro, luciente. Yo me siento un instante; este sosiego se me entra en el espíritu y aplaca mis ardores. Todo reposa; en la techumbre pían los pájaros; el sol vívido marca sobre una de las paredes blancas el dentelleo de un tejado; suena una campana lejana...

Es preciso comer. Retorno al zaguán. Y entonces grito más fuerte que antes, doy grandes golpazos, levanto la cortina de un cuarto. En la oscuridad, una mozuela duerme con un niño en los brazos; la luz la desendormisca, e instintivamente chasca la lengua y vuelve a balancear rítmicamente la silla, cunando al niño.

La llamo insistentemente. Despierta, y me dice que el ama ha salido a la plaza. No sabe cuándo volverá; acaso al mediodía. Yo encargo de comer y salgo. El sol baña de lleno la inmensa plaza; en el fondo, cogiendo un lado, se yergue un caserón disforme, a medias destruído, con saledizos balcones, recios, firmes los anchos sillares de los muros, afiligranado el blasón que campea sobre la puerta. A los otros costados de la plaza se muestran los bajos porches, con columnas de piedra unas, de madera otras, gastadas, carcomidas, con capiteles dóricos, con capiteles jónicos, combadas las zapatas. Pasa un perro rojo, con las gruesas orejas cercenadas, y luego otro perro blanco, y luego otro perro a planchas blancas y negras, y luego otro perro negro—el que he visto en el patio de la posada—, esbelto y fino. Flamean las mantas rojas, amarillas, azules, colgadas al aire en una tienda; un mendigo, con redondo y ancho sombrero tieso, vestido de buriel pardo, discurre al sol, agachado sobre su palo; atraviesan la plaza dos borricos cargados de ramaje de oliva; pasa ligero, con menudo paso afirmado de viejo hidalgo, la capa al aire, un señor de largos bigotes grises y hongo apuntado.

Salgo de la plaza. Las calles son estrechas, empedradas, sin aceras, de casas bajas y blancas. Un arroyuelo infecto corre por el centro, formado por las aguas sucias que surten de los corrales. Al paso, tras las vidrieras, se inclinan las manchas pálidas de los rostros curiosos; se oyen gritos lejanos de unos muchachos que juegan en otra plaza. En esta plaza se levanta una iglesia gótica. La fachada luce hojarascas y filigranas del Renacimiento; la torre, cuadrilátera, se perfila con su chapitel puntiagudo y gris en la diafanidad del cielo azul...

La maraña de las callejuelas blancas continúa. Un cerdo, de rato en rato, pasa gruñendo; calla, se detiene y hociquea en las aguas sucias un momento; gruñe de nuevo y avanza otra vez con un corto trotecillo nervioso... Desemboco en una anchurosa plaza formada por viviendas terreras y tapias de corrales, cerrada por la enorme masa rojiza de un convento. Me siento en una piedra y contemplo un instante el vetusto monasterio. Viven en él diecisiete monjas; pudieran vivir ciento. Es de sólida e irregular mampostería, trepado por numerosos agujeros, con arcos y ventanas cegados, con altas celosías de madera negruzca.

La plaza está desierta; picotean al sol unas gallinas; triscan sobre el tejado del convento los pájaros; en la lejanía, a la derecha, se pierde un camino ancho, bordeado por largos liños de olmos desnudos. Suena lenta una campanada larga, y después otra campanada larga y después otra campanada larga, y después tres campanadas finas y breves...

Es mediodía. Regreso a la posada. Recorro las mismas callejuelas de un piso áspero; cruzo la misma plaza en que la iglesia se alza. Y luego, por variar, tuerzo a la derecha y entro en una calle silenciosa, de casas chatas, a una banda; de una larga pared ruinosa, a la otra. Leo un tejuelo azul: es la calle de Gerindote. Unas tablas viejas cierran un portal ancho; por las rendijas se columbra un patio lleno de escombros, y entre el cascote, ante paredes desmoronadas, se yergue una arquería de medio punto, sostenida por elegante columnata dórica.

Estoy a espaldas del palacio que muestra su fachada a la plaza principal. Resuenan los piquetazos de los albañiles; traquetea un carro... Camino dos pasos más y salgo al campo. La campiña se aleja con sus bancales de sembradura; una línea gris, de olivos cenicientos, cierra el horizonte...

★

La mesonera me ha llevado a un diminuto cuarto, cerrado por una cortina, sin ventanas, con la sola luz de la puerta. Me encuentro sentado ante una mesa cubierta con un mantel pequeño. ¡Voy a comer!

Espero un poco; un perro con un cascabel al cuello entra y retoza por la estancia. Espero otro poco; otro perro fino, negro, luciente—el de esta mañana y de todas las horas—, asoma su agudo hocico por la puerta y luego se cuela con pasito mesurado. La mesonera trae un cuenco de recia porcelana con diminutos pedazos de carne frita; después pone sobre la mesa una botella de misteriosa mixtura amarilla. Dice que es vino.

Yo como filosóficamente de la carne frita e intento sorber el acedo brebaje. El perro pequeño ladra y salta; el galgo negro se acerca mansamente y pone su hocico sobre mi muslo. ¿Me voy a comer toda la vianda? No, no; ya estoy harto de pedacitos de carne frita. Espero un poco; uno de los perros continúa ladrando; el otro restriega discretamente su trompa sobre mis pantalones. Espero otro poco. Y luego me levanto y examino en la pared una estampa piadosa. Entre tanto el galgo ha puesto los pies sobre la mesa y va devorando el resto de la carne... Me canso de esperar y llamo a la huéspeda.

—¿No me da usted nada más?—le pregunto.

Y ella se me queda mirando, extrañada, sonriendo por mi exigencia estupenda, y exclama:

—¿Qué más quiere usted?

—Es verdad; me olvido de que estoy en la Meseta y soy un hombre del litoral; yo no debo, en Torrijos, querer comer más cosas.

La digestión no resultará pesada; pero hay que ir al Casino a tomar un confortable digestivo. En la plaza hay una casa vieja sobre un alterón del piso; esta casa tiene un gran pasadizo; dentro de este pasadizo hay una diminuta puerta de cuarterones. Cuando yo llego ante esta puerta llega también un hombre vestido de pana gris y ceñido el cuerpo por ancha faja negra. Yo me detengo un momento ante la puerta cerrada, y él saca una llave de la faja y abre. Subimos un escalón; luego nos encontramos en un diminuto receptáculo; luego, a la derecha, reptamos por una escalera pendiente; ya en lo alto, llegamos a un angosto pasillo, torcemos a la izquierda, y nos hallamos en un cuarto reducido, con tres mesas de mármol y un ventanillo microscópico.

Los gallos cantan a lo lejos; una cinta de sol fulgente cruza el blanco mármol y marca sobre el piso un vivo cuadro. Los minutos transcurren lentos, interminables. Suena a lo lejos una tos seca y persistente; se oye el chisporroteo de un hornillo.

—¿No viene nadie?—pregunto al mozo.

—Le diré a usted—me contesta—; es que anoche hubo en el pueblo baile de máscaras...

Quedo profundamente convencido. Se hace un largo silencio. Llegan cacareos de gallos y ladridos de perros. Yo siento como si hubieran pasado tres o cuatro horas en este ambiente de soledad, de aburrimiento, de inercia, de ausencia total de vida y de alegría. Miro el reloj; son las dos; ha transcurrido media hora.

★

A lo lejos destaca el pueblo con sus techumbres negras y las manchas blancas de las fachadas. Resaltan en el cielo azul diáfano el caserón rojizo del convento y la aguda torre de la iglesia. Una larga pincelada azul de las montañas, sobre otra larga pincelana negra de los olivos, limita el horizonte. De pronto rasga los aires la nota sostenida y metálica de la corneta del pregonero; ladran los perros, cacarean los gallos; llega el silbido ondulante, apagado, de un tren que pasa...

En un habar, entre las matas, un labriego va entrecavando la tierra dura. Sobre una manta, echado en el lindero, cabe a un cantarillo de agua, un perro gruñe sordamente cuando me acerco.

—Buenas tardes—grito al labriego.

—Buenas tardes, señor—contesta.

Luego se allega, y hablamos sentados mientras él fuma.

—¿No tiene usted agua para regar sus tierras?—le pregunto.

—¡Agua!—contesta—. Si hiciera un poco y pusiera *artes,* sí que la tendría.

Torrijos es el prototipo de los pueblos castellanos muertos. Entre estos hombres del centro, ininteligentes y tardos, y los del litoral, vivos y comprensores, hay una distancia enorme. Torrijos cuenta con dos mil novecientos veintitrés habitantes; tiene cuatrocientas noventa y cuatro casas de un piso; ciento cincuenta y dos, de dos; siete, de tres. La agricultura se divide entre el cultivo de los cereales y el del olivo. No hay población rural; nadie vive en el campo. No existen manantiales ni arroyos.

Las escasas tierras de huerta son regadas con aguas sacadas de los pozos. Hay en todo el término doce pozos. Los *artes* con que se extrae de ellos el agua son norias primitivas; algunas tienen arcaduces de barro; los arcaduces se rompen y no son repuestos, y las norias giran horas y horas en la llanura gris, ante el labriego estático, sin vaciar apenas agua en la alberca. «El agua—me dice—se come mucho las tierras.»

El riego pide abono; el abono cuesta dinero; cuanto menos se riega, menos se gasta...

Jovellanos ya notó esta opinión de los labradores meseteños de que «el riego esteriliza las tierras».

He visitado una pequeña huerta; el arrendatario de las tierras posee dos caballerías para mover la noria; pero ahora, en la época de la molienda de la aceituna, este labriego, a tener sus tierras limpias y sazonadas, prefiere alquilar sus bestias por tres reales diarios a las almazaras. El agricultor español es de una mentalidad arcaica; pierde lo más, lejano y trabajoso, por obtener lo menos, presente y volandero...

*

Cae el crepúsculo. Los olivares se ensombrecen; cobran un tinte oscuro los cuadros de alcacel luciente; resaltan hoscas las tierras de barbechos. Y por la carretera, recta y solitaria, entre las ringlas de olmos desnudos, me encuentro al galgo negro y enjuto, que camina ligero, resignado, con cierto aire de jovialidad melancólica, hacia el poblado triste.

«Antes que la noche viniese—dice el Lazarillo de Tormes—di conmigo en Torrijos.» Cuando yo llego, las blancas fachadas de las casas se sumen en la penumbra; brillan sobre el arroyo débiles franjas de luces que arrojan los portales, y por las callejuelas tortuosas, en todo el pueblo, con clamorosa greguería de gruñidos graves, agudos, suplicadores, iracundos, corren los cerdos...

IX

EN TORRIJOS

La hermosa iglesia de Torrijos la ha fundado una mujer.

Esta buena mujer no quiere ponerse sus trajes suntuosos, pero se los pone por complacer a su marido. Y cuando se los pone se dirige al Señor y le dice: «Tú, Señor, sabes que nunca estos arreos y vestidos me pluguieron.» Y se queda un poco satisfecha, pensando que lo hace por obligación. ¿Qué va a hacer una señora bonita, rica, y que además tiene que presentarse todos los días ante los reyes? Porque su marido es comendador mayor y contador mayor de los Reyes Católicos. Ella se llama doña Teresa Enríquez; y él, don Gutierre de Cárdenas. Viven con gran atuendo; pero ella hace muchas limosnas, es piadosa, recuerda siempre a su marido que sea escrupuloso en el despacho de los negocios, y sobre todo que los despache pronto. Y don Gutierre la atiende, como es natural, tratándose de quien se trata, pero le choca un poco esta oficiosidad de su mujer. Y muchas veces le dice, «muerto de risa» (según cuentan los historiadores), a la reina doña Isabel: «Señora, suplico a vuestra alteza que me firme este negocio, que traigo quebrada la cabeza de las persuasiones que doña Teresa me ha hecho, diciéndome que despache los negocios y que haga limosnas; que en verdad, más me predica ella que los predicadores de vuestra alteza.»

¿Hace bien doña Teresa? Sí; indudablemente, hace bien. Y por eso la reina le contesta a don Gutierre, no muerta de risa como él, pero sí sonriendo benévolamente: «Todo es menester, comendador.» Y además de esto, para que cunda el ejemplo, manda que sus damas principales acompañen a doña Teresa en las visitas que todos los viernes y durante la Cuaresma hace a los hospitales. ¿Quién podrá decir, aparte de esto, lo que ella hizo en la guerra de Granada? Esta misma pregunta se hacen los historiadores y no aciertan a contestarla: tantas y tantas son las cosas excelentes que habría que contar. Además, de su matrimonio ha tenido dos hijos y una hija, y a todos los ha educado cristianamente. De los hijos, uno fué duque de Maqueda; el otro, que se llamaba Alonso, murió de una caída de caballo. La hija fué condesa de Miranda. No ha tenido más hijos porque se ha quedado viuda.

Y ahora que no tiene obligación de ponerse vistosa y elegante, sí que ha soltado la rienda a su modestia. Lo primero que ha hecho es vestirse con un hábito de viuda, es decir, con un manto de paño negro común y unas tocas blancas gruesas. Luego se ha venido a Torrijos y aquí ha vivido recogida durante treinta años. Los años son malos; se han echado encima hambres, crueles carestías, guerras, y doña Teresa ha tenido materia en que ejercitar su virtud. Las tierras que posee son inmensas; dispone de diez cuentos de renta. Pero muchas de las tierras que posee están yermas. ¿Cómo va ella a cultivarlas todas? ¿Qué sabe ella de esas tracamundanas? Por este motivo ha mandado pregonar que los labradores que quieran venir a romper y beneficiar sus dehesas pueden venir tranquilamente. Y han venido, en efecto, muchos, porque como son tierras nuevas, rinden copia de frutos. Ni en su tiempo ni siglos ainde, yo creo que no serán muchos los que imiten a doña Teresa.

Y no para aquí su magnanimidad, sino que rescata cautivos, proporciona médicos y camas a los pobres, convierte a buen vivir a las mujerzuelas baldías. En Almería y en Maqueda ha fundado algunos conventos; en Torrijos también ha fundado uno; y además, un hospital, y además ha mandado construir una iglesia. Sus coetáneos dicen que esta iglesia es un «maravilloso edificio», y las guías modernas confiesan que es «grandioso». Ni unos ni otros se equivocan.

Ya parece que doña Teresa está medio sosegada; ha gastado casi toda su fortuna en buenas obras, y esto da tranquilidad de ánimo. Sin embargo, un día la enteran de que allá lejos, muy lejos, en Roma, «cuando llevan el Sacramento a los enfermos no lo llevan con la reverencia que es razón». ¿Podré pintar su desconsuelo? Doña Teresa cavila y se desazona; ella estaba ya un poco tranquila, y ahora vuelve a sentirse angustiada. ¡No; eso no puede continuar de ese modo! Y decide construir en un templo de Roma una suntuosa capilla, a la cual dota de espléndidos ornamentos para que el Señor sea llevado con decoro.

Y así ha vuelto a sosegarse su espíritu, y ha continuado viviendo silenciosa, pobre, caritativa.

Cuando ha muerto no tenía más que una mísera cama y cincuenta reales. Y ella ha dispuesto en su testamento que todo esto sea para los pobres.

X

EN TORRIJOS

...Delante de mí, sentado a esta mesa con pegajoso mantel de hule, en el diminuto comedor de paredes rebozadas con cal azul, hay un señor silencioso y grave. Yo lo observo. Su cabeza es enérgica, redonda, fuerte, trasquilada al rape; muestra en su gesto y en sus ademanes como un desdén altivo, como un enojo reprimido hacia esta comida sórdida e indigesta que, poco a poco, con lentitud desesperante, nos van sirviendo. Yo sé que es el presidente del Círculo Industrial de Madrid; yo le reputo por uno de los hombres más enérgicos y emprendedores de la España laboriosa.

Y su figura, en este ambiente de inercia, de renunciamiento, de ininteligencia, marca un contraste inevitable entre las dos Españas.

La comida transcurre lenta; son viandas exiguas, mal guisadas, servidas en vajilla desconchada y sucia, sobre el hórrido mantel de hule. Mi compañero suspira, levanta los ojos al cielo, se pasa la mano por la ancha frente como para disipar una pesadilla terrible, cruza los brazos—en las largas esperas de plato a plato—como pidiendo a sí mismo serenidad y calma... Yo intento comer en silencio. ¿Lo consigo? Creo que no.

Por la estrecha ventana veo un patio con el brocal de un pozo desgastado, y en las paredes, empotradas, cuatro o seis columnas con capiteles dóricos.

Llegan los postres. Este silencio tétrico en este casón vetusto—antiguo convento—, después de esta comida intragable, me apesadumbra y enerva.

—¡Qué diferencia—exclamo—entre estos pueblos inactivos de la Meseta y los pueblos rientes y vivos de Levante!

Entonces, mi compañero, que ha callado, como yo, durante toda la comida, me mira fijamente, como asombrado de que haya quien hable así en Torrijos, y replica con voz lenta y enérgica:

—¡Como que son dos nacionalidades distintas y antagónicas! Levante es una región que se ha desenvuelto y ha progresado por su propia vitalidad interna, mientras que el Centro permanece inmóvil, rutinario, cerrado al progreso, lo mismo ahora que hace cuatro siglos... Observe usted los detalles de la vida doméstica; vea usted los procedimientos agrícolas; estudie usted las costumbres del pueblo... En todas partes, en todos los momentos, en lo grande y en lo pequeño, las diferencias entre los españoles del Centro y los de las costas saltan a la vista. Yo soy del Centro, y, sin embargo, lo reconozco sinceramente. El problema catalanista, en el fondo, no es más que la lucha de un pueblo fuerte y animoso con otro pueblo débil y pobre, al cual se encuentra unido por vínculos acaso transitorios...

Hemos callado. Y yo pensaba que todos los esfuerzos por la generación de un pueblo próspero serán inútiles mientras estos campos no tengan agua, mientras estas tierras paniegas no sean abonadas, mientras no desaparezca el sistema de eriazos y barbechos, mientras las máquinas no realicen pronta y esmeradamente el trabajo de las industrias anexas.

⋆

Y luego, cuando durante toda la tarde he visitado las almazaras, me he afirmado en mi idea. Nada más interesante que esta sorda y tenaz lucha de las máquinas nuevas para vencer la obstinación del labriego y reemplazar a los viejos y lentos artesanos. En Torrijos hay once molinos aceiteros; en ellos existen siete vigas y cuatro prensas.

Las vigas son unas enormes palancas que, con un peso a uno de sus extremos, oprimen la pasta de aceituna molida, colocada en los cofines cerca del otro extremo, casi en el punto de apoyo. Las vigas están aún en Torrijos en mayoría; el aceite se extrae como hace trescientos años.

Observad ahora el litoral: en la región alicantina más olivarera—Onil, Castalla, Ibi—, las prensas de madera y las vigas hace tiempo que han desaparecido por completo; todas las prensas son de hierro. Y si nos internamos en España, veremos cómo a medida que nos acercamos al Centro, los viejos artefactos reaparecen, y cómo van aumentando hasta dominar en absoluto. En algunos puntos la lucha es empeñada, y los vetustos aparatos están a punto de ser derrotados por los nuevos. Todo un curso de civilización y de historia nacional se puede estudiar en estos detalles, al parecer insignificantes.

Una excelente región olivarera es la que se extiende desde Logroño hasta Alfaro, y que comprende los pueblos enclavados a la derecha del Ebro, en una distancia de diez a quince kilómetros. Puen bien: en Alfaro, por ejemplo, en sus almazaras existen catorce vigas y diez prensas de husillo; en Arnedo, treinta y quince, respectivamente; en Nájera, tres y dos. Los procedimientos viejos dominan a los nuevos; en cambio, Logroño, la capital de la región, cuenta con veinticuatro vigas y treinta y cinco prensas de husillo, a más de tres hidráulicas.

Torrijos es del pasado; los procedimientos modernos se han iniciado ya, pero están sojuzgados aún por la rutina. Diez kilómetros más adentro, en Maqueda—que también he visitado—, la rutina es señora absoluta.

Maqueda cuenta con doscientas cincuenta hectáreas de olivares; todas las cosechas del pueblo se muelen en una almazara de una sola viga. Y el aceite extraído es tan ínfimo, que sólo puede ser vendido a las fábricas de jabones.

Cuando se les reprocha discretamente su incuria a estos labriegos, se encogen de hombros y contestan «que así se ha hecho toda la vida».

Poco más o menos es lo que contestan en Torrijos. Los olivares suman novecientas sesenta hectáreas en todo el término. ¿Cómo es posible que en transformar la cosecha se entretengan desde diciembre hasta últimos de abril? Las vigas trabajan lentamente; una sola viga comprime doce fanegas diarias de pasta—que aquí llaman *pezón*—; una prensa de hierro, de treinta a cuarenta.

Usando vigas, la extracción del aceite se prolonga doble tiempo que se tardaría con la prensa. Consecuencia de esta dilatación es el fermento que la aceituna sufre en sus trojes, desde febrero, en que se termina de recolectar, hasta mayo, en que se tritura la última. Y no es esto sólo: la pasta que comprimen las prensas queda completamente exhausta; la que se retira de las vigas, en cambio, queda con una parte considerable de aceite que no es utilizado.

Las prensas de hierro—me dicen—se rompen y es preciso gastar dinero en componerlas. Ayer hablaba de un labrador que descuida sus tierras por alquilar sus mulas por *tres* reales diarios; hoy veo a estas gentes que huyen de la compostura de una prensa, y en cambio dejan fermentar la aceituna y pierden en la pasta comprimida una parte del jugo.

*

Así viven, pobres y miserables, los labradores de la Meseta. El medio hace al hombre. El contraste es irreducible, entre unos y otros moradores de España, mientras el medio no se unifique. Porque no podrán pensar y sentir del mismo modo unos hombres alegres que disponen de aguas para regar sus campos y cultivan intensamente sus tierras, y tienen comunicaciones fáciles y casas limpias y cómodas, y otros hombres melancólicos que viven en llanuras áridas, sin caminos, sin árboles, sin casas confortables, sin alimentación sana y copiosa...

XI

Vuelvo a Madrid. Yo quisiera decir algo de ese clérigo que he visto en Maqueda, sucesor, a través de los siglos, del buen clérigo del *Lazarillo*. He hecho el viaje por saturarme de estos recuerdos de nuestros clásicos. No basta leerlos; *hay que vivirlos:* contemplar el mismo paisaje que columbraron Cervantes o Lope, posar en los mismos mesones, charlar con los mismos tipos castizos—arrieros e hidalgos—, peregrinar por los mismos llanos polvorientos y por las mismas anfractuosas serranías.

Maqueda es un pueblecillo caduco, con un formidable castillo gualdo, con los restos de una alcazaba y la osamenta de una iglesia arruinada. Desde lo alto del castillo he contemplado el llano inmenso, gris, negruzco, cerrado en la lejanía por una línea azul, surcado, en fulgente meandro, por un riachuelo que corre entre dos estrechas bandas de verdura.

Ya pintaré, cuando esté más descansado, este pueblecillo y este campo. Ahora no tengo tiempo. Voy al periódico; he de ir luego a la Biblioteca... Esto de hacer artículos es terrible: otra vez, después de este breve descanso, he de volver a ser *hombre de todas horas,* como decía Gracián.

Sobre la mesa tengo un montón de periódicos. Siento un leve terror. Los despojo de sus fajas y voy repasándolos lentamente... Y de pronto me pongo un poco pálido y dejo caer de las manos uno de los periódicos. Se trata de *El Pueblo*, de Valencia. ¿Qué dice? Habla de un artículo mío. Y este artículo «es lo más atrevido, rebelde y verdaderamente revolucionario que ha publicado la Prensa española, tan tímida y parapoco, hace muchos años».

—¡Caramba! —exclamo—. He hecho una atrocidad sin querer. El otro día se conmovió el *Heraldo* por un artículo mío, y ahora este Castrovido dice esas cosas tremendas hablando de otro... ¡Caramba! Yo no me atrevo a salir a la calle, a ir tímidamente al Ateneo, a pedir un libro en la Biblioteca, a entrar en la librería de Fe... ¿Tomaré el tren otra vez? Sí, sí; es preciso que yo coja el tren otra vez.

XII

HACIA INFANTES

...Otra vez me veo entre cristal y cristal, liado en mi capa, el sombrero gacho, sobre las rodillas la manta, la inevitable maleta de cartón al lado. El coche resbala sobre el asfalto; pasamos entre el vaivén mundano, al anochecer, de la carrera de San Jerónimo. A lo largo del paseo de las Delicias brillan, en la foscura, acá y allá, vacilantes, trémulas, entre el ramaje seco, las luces del gas. Sobre la fábrica de electricidad, a la derecha, se eleva un nimbo blanco del humo en que el resplandor refleja. Y los grandes focos, orlando las líneas de los desnudos árboles, arrojan un pálido claror, difuso, matizado, turbio.

El tren va a partir. Chirrían las carretillas y diablas; suena un campanilleo persistente, largo, apremiante; vocea con voz plañidera un vendedor de periódicos. Y las portezuelas se cierran con estrépito, a intervalos... Es el expreso de Andalucía. Subo a un vagón. Un viejo de larga barba blanca arregla en las redecillas una maleta; un señor embozado en amplia capa parda mira con fúlgidos ojuelos sobre el embozo; en un ángulo, frente al viejo, una joven, trajeada con hábito franciscano, permanece inmóvil.

El tren parte. Cruzan los verdes y rojos faros; a lo lejos, en las tinieblas de la noche, una muchedumbre de lucecillas imperceptibles brilla, parpadea, desaparece, surge de nuevo, torna a ocultarse. Y en el cielo hosco, sobre la gran ciudad, aparece —emanación de los focos eléctricos—como una tenue, difuminada claridad de aurora. En el coche, la mortecina luz de la lamparilla cae sobre los cuadros—rojos, azules, negros—de una manta, resbala sobre la uniformidad parda de la pañosa castellana, se desliza, medrosa, entre las largas y argentadas hebras de la barba del anciano.

Cruzamos vertiginosos ante una estación, y se oye un largo campanilleo, que se pierde rápidamente; luego aparece, desaparece un faro verde. Y las tinieblas tornan impenetrables. La ventanilla está elevada hasta el comedio; por el espacio abierto, en la negrura intensa del cielo, una estrella fulgura, ya blanca, ya azul, ya violeta, ya anaranjada, en rápidos, en vivos, en misteriosos cambiantes.

El tren corre frenético por la llanura infinita de la estepa. El anciano junta su calva, en misterioso cuchicheo, a la cabeza sonriente de la niña.

—San Francisco el Grande—oigo decir al viejo—se parece al panteón que vimos en Roma..., al panteón de Humberto.

—Sí, sí—dice la niña—; se parece al panteón de Humberto; pero aquél tiene luz cenital.

El viejo calla un momento; está reflexionando... Y luego corrobora gravemente:

—Sí, sí; es verdad: tiene luz cenital.

Yo intento dormir; no puedo. En el centro del coche, sobre una maleta en pie, que no cabe en las rejillas ocupadas, a modo de velador, he colocado unos periódicos. Tomo uno ilustrado; leo al azar un párrafo:

«El acto realizado por el joven ex ministro de Agricultura ha tenido gran resonancia y debe tener trascendencia.»

Dejo el periódico; trato de dormir otra vez; abro de nuevo los ojos, exasperado.

En la negrura, la estrella titila, blanca, violeta, azul, anaranjada; una luz pasa vertiginosa y marca sobre los cristales una encendida estela fugitiva.

Y cuando el tren se detiene de pronto ante una estación solitaria, oigo, en el profundo reposo de la llanura, el *tric-trac* del telégrafo, sonoro y presuroso.

*

A las dos de la madrugada el destartalado carricoche va rodando, hundiéndose en los hondos relejes, saltando sobre los agudos riscos, por las anchas calles blancas de la ciudad manchega. Corre un viento sutil y helado. Las luces eléctricas difunden una claridad opaca. A un lado y a otro se extienden las fachadas en anchas pinceladas de blanco sucio. La tartana se desliza interminable, a lo largo de las calles interminables, con un ruidoso traqueteo que repercute en los ámbitos oscuros. Un instante creo que se detiene. Sí, sí; se ha detenido. El zagal aporrea bárbaramente una puerta.

Transcurre un largo rato; vuelven a sonar los recios golpes; se hace otra larga pausa; es de nuevo la puerta aporreada. Y entonces se percibe en lo hondo una voz que grita: «No, no hay habitación en esta casa.»

—¿Sabe usted?—me dice el zagal—. Es que ha llegado una estudiantina, y están todas las fondas ocupadas.

Vuelve a rodar la tartana por las calles desiertas. Se oyen, a lo lejos, dos campanadas largas. Son las dos y media. Otra puerta torna a ser aporreada formidablemente. Tampoco hay habitación en esta casa. Y hay que volver al siniestro paseo por la enorme ciudad solitaria... Las luces brillan mortecinas; un perro aúlla en la lejanía. Y cuando, golpeada la tercera puerta, nos han abierto, yo he bajado de la tartana perplejo y asombrado. Sí, sí que hay habitación. Y esta habitación está allí cerca, a la derecha de la puerta, recayente al patio, al final del zaguanillo de cuadrilongos ladrillos rojizos.

La casa es de dos pisos, enjalbegada de yeso blanco, con rejas coronadas por elegantes cruces de Santiago. El patio está formado por una anchurosa y cuadrada galería, sostenida por ocho columnas dóricas, bordeada por una vetusta barandilla, sombreada por saledizos aleros negros.

Dos de los lados han sido tapiados para formar habitaciones; los otros dos permanecen al descubierto.

Mi cuarto es hondo, lóbrego, estrecho, bajo; las paredes están rebozadas de cal blanca; la puerta, ancha y acharrapada, está compuesta por cuadrados y cuadrilongos cuarterones; en el centro, abierto en talla, entre dos flores de lis, campea un escudo; sobre el dintel, una ventanilla aparece cerrada por diminuta reja, formada con una redonda cruz santiaguesa... Dentro hay una silla, un espejo, una microscópica palangana. Y sobre dos banquillos, que sostienen cuatro tablas, un colchón angosto y retesado.

Me acuesto sobre el duro alfamar, apago la luz. Y oigo en la lejanía tres campanas, que caen lentas, solemnes, y una voz, casi imperceptible por la distancia, que grita en un plañido largo: «Ave María Purísima...»

*

Las casas de Valdepeñas son blancas y bajas.

De rato en rato, al paso, se columbra por las puertas entreabiertas el patio clásico con las columnas dóricas y el zócalo azul, con el evónimus raquítico y el canapé de enea. Una ancha faja de añil intenso encuadra las portadas; sobresalen adustos los viejos blasones; se destacan las afiligranadas rejas con la blancura de los muros. Y en la calle, empedrada de punzantes guijarros, entre el ángulo de la pared y el piso, al pie de los zócalos rosas o azules, corre una cinta de espesa y alegre hierba verde.

El cielo está radiante, limpio, de un azul pálido. Llegan lejanos sonoros repiqueteos de fragua. El sol refulge en las fachadas. Cantan los gallos. Y de pronto, la enorme diligencia parte, con formidable estrépito de herrumbres, en dirección a Infantes, donde expiró Quevedo, hacia «el antiguo y conocido campo de Montiel», por donde Cervantes hizo caminar a Alonso Quijano la vez primera...

XIII

EN INFANTES

Cuando me despierto oigo en la calle, a través de las maderas cerradas, voces, ruido continuo de sonoros pasos, campanadas, trinos de canarios, ladridos de perros. Me levanto; por los cristales veo, enfrente, una ringla de casas bajas enjalbegadas, con las ventanas diminutas, con unos soportales vetustos formados por pilastras de piedra. En una tabla, colocada en un balconcillo a manera de banderola, leo escrito en gruesos letras:

Parador Nuevo de la plaza
de Juan el Botero.
Paja suelta, agua dulce.

«Cervantes—pienso—dice que la posada del Sevillano, en Toledo, se veía muy concurrida por la abundancia de agua que se hallaba siempre en ella. El agua, en estos pueblos secos, es un señuelo hoy como en los tiempos de Cervantes.»

El cielo está límpido, radiante. Salgo. Camino por las blancas calles de altibajos solados con guijarros. De cuando en cuando aparece un caserón enorme, dorado, negruzco, rojizo, con la portalada monumental de sillería. Dos columnas dóricas a cada lado de la puerta sostienen el largo balconaje de ancho saliente; otras dos columnas a una y otra banda del hueco rematan en un clásico frontón triangular con las cornisas de enroscadas volutas. Y a una y otra parte de la fachada, en los grandes paramentos de los muros blancos, resaltan sendos y afiligranados blasones pétreos.

Recorro la maraña de engarabitadas callejas. Las puertas y ventanas de los viejos palacios están cerradas; las maderas se hienden, corcovan y alabean; se deshacen en laminillas los herrajes de los balcones; descónchanse los capiteles de las columnas y se aportillan y desnivelan los espaciosos aleros que ensombrecen los muros... Desemboco en una plaza; el sol la baña vívido y confortable; me siento en el roto fuste de una columna. Enfrente se levanta un paredón ruinoso, resto de un antiguo palacio; a la derecha veo las ruinas de una iglesia, con la portada clásica casi intacta, con un arco ojival fino y fuerte, que se destaca en el cielo radiante y deja ver, en la lejanía, entre su delicada membratura, el ramaje seco de un álamo erguido en la llanura inmensa... A la derecha, otra iglesia ruinosa permanece cerrada, silenciosa, y se desmorona lenta e inexorablemente.

Vuelvo a mi peregrinación a través de las calles. Pasan labriegos con sus largas cabazas amarillentas, de cogulla, a la espalda; luego, de tarde en tarde, una vieja, vestida de negro, arrugada, seca, pajiza, abre una puerta claveteada con amplios chatones enmohecidos, cruza el umbral, desaparece; una mendiga, con las sayas amarillentas sobre los hombros, exangüe la cara, ribeteados de rojo los ojuelos, se acerca y tiende su mano suplicante. Y a todas horas, por todas las calles, van y vienen viejos, con sus caperuzas y zahones, montados en asnos con cántaros; viejos encorvados, viejos temblorosos, viejos cenceños, viejos que gritan paternalmente a cada sobresalto del borrico:

—¡Jo, buche!... ¡Jo, buche!

La plaza es ancha. A un lado se extiende una hilada de soportales; al otro se destaca, recia, la iglesia de sillares rojizos, con su fornida y cuadrilátera torre achatada, y enfrente, en la ringla de casas de dos pisos, corta la blanca fachada, de punta a punta, todo a lo largo, un balcón de madera negruzca, sostenido por gruesas ménsulas talladas, y encima, en el piso segundo, se destaca, salediza, una vetusta galería.

Salgo de la plaza. La calle es recta. A uno y otro lado se alzan los negros caserones con sus rejas gruesas y balcones volados. Y otra iglesia, también ruinosa, también cerrada para siempre, muestra su fachada con medallones y capiteles clásicos... Andando, andando, doy con el campo. La tierra uniforme, desnuda, intensamente roja, se aleja en inmensos cuadros labrados, en manchones verdes de sembradura; un suave altozano cierra el horizonte; una fachada blanca refulge al sol en la remota lejanía.

Camino por las afueras, bordeando los interminables tapiales de tierra apisonada. Un viejo camina con su borrico, cargado con los cántaros, hacia la fuente.

—Buenos días—le grito.

—Dios guarde a usted—me contesta.

Y hablamos:

—¿Hay muchas fuentes en el pueblo?

El mueve la cabeza, como anunciando que va a hacer una confesión dolorosa. Y luego dice lentamente:

—No hay más que una.

Yo finjo que me asombro.

—¡Cómo! ¿No hay más que una fuente en Infantes?

Y él me mira, como reprendiéndome el que haya dudado de su palabra de castellano viejo.

—Una nada más—insiste firmemente.

Y después añade con tristeza:

—Una y mala, ¡que si fuera buena...!

Llegamos a la fuente. No es fuente. Es decir, la fuente está un poco más allá, en la plaza de las dos iglesias ruinosas y del palacio desplomado; pero como apenas surte agua por sus caños, porque los atanores están embrozados, se ha hecho una sangría en ellos más cerca al nacimiento, y a ella vienen a llenar sus vasijas los buenos viejos. El agua cae en una fosa cavada en tierra; luego desborda y se aleja por las calles abajo, formando charcos y remansos de légamo verdoso... En el siglo XVI había en Infantes tres fuentes: la de la Moraleja, la de la Muela y esta otra de la ancha plaza. Los caserones solariegos están abandonados; las iglesias se han venido a tierra, y las fuentes, en esta decadencia abrumadora, se han cegado y han desaparecido...

El viejo llena sus cántaros en el menguado caño.

—¿A cómo venden ustedes el agua? —pregunto.

—A *patacón* la carga—me contesta.

—A diez céntimos—dice otro viejo.

Y entonces el viejo a quien yo he preguntado mueve la cabeza con su gesto característico y replica filosóficamente:

—Lo mismo da *patacón* que diez céntimos.

Cantan a lo lejos los gallos. De pronto vibra en los aires una campanada, larga, grave, sonora, melodiosa; y luego, al cabo de un momento, espaciada, otra, y después otra, otra, otra...

—Esto es a agonía—dice una vieja.

Y el anciano torna a mover la cabeza y exclama:

—La agonía de la muerte...

Y sus palabras, lentas, tristes, en este pueblo sin agua, sin árboles, con las puertas y las ventanas cerradas, ruinoso, vetusto, parecen una sentencia irremediable.

*

He visitado la casa en que, viejo, perseguido, amargado, expiró Quevedo. Hoy, ésta y la casa contigua forman una sola; pero aún se ven claras las trazas de la antigua vivienda y aún perdura íntegro el cuarto donde se despidió del mundo el autor de los *Sueños*... La casa era pequeña, de dos pisos, sencilla, casi mezquina, sin requilorios arquitectónicos. T e n í a una puertecilla angosta, todavía marcada en el muro; por esta puerta se entraba en un zaguán, que más bien era pasadizo estrecho, de apenas dos metros de anchura y ocho o diez de largo, por el que discurre, soterrado, un arbollón que conduce las aguas llovedizas desde el patio a la calle.

El patio—aún subsistente—es pequeñuelo, empedrado de guijos, con cuatro columnas dóricas, con una galería guarnecida con barandado de madera.

A la izquierda, conforme se entra en la casa, cerca de la puerta de la calle, se abre otra puerta chica. Y esta puerta franquea una reducida estancia, cuadrada, de paredes lisas, húmeda, de techo bajo, con una diminuta ventana.

Y una vieja, una de esas viejas de pueblo, vestida de negro, recogida, apañada, limpia, la cara rugosa y amarilla, me ha dicho:

—Aquí, aquí en este cuartico es donde dicen que murió Quevedo...

*

¿Cómo este pueblo rico, próspero, fuerte en otros tiempos, ha llegado en los modernos al aniquilamiento y la ruina? Yo lo diré. Su historia es la historia de España entera a través de la decadencia austríaca.

Infantes, en 1575, lo componían mil casas; hoy lo componen ochocientas setenta. «Yo no recuerdo haber visto en treinta años—me dice un viejo—labrar una casa en Infantes.» Contaba el pueblo en 1575 con mil trescientos vecinos; mil eran cristianos viejos; los otros trescientos eran moriscos. Era un pueblo nuevo, aristócrata, enérgico, poderoso, espléndido. «Nunca fué menor—dicen las *Relaciones topográficas,* inéditas, ordenadas por Felipe II—; nunca fué menor; siempre ha ido en aumento y va creciendo.» En sus casas flamantes, de espaciosos salones, de claros y elegantes patios acolumnados, habitaban cuarenta hidalgos. Y este pueblo era como la capital del «antiguo y conocido campo de Montiel», que abarcaba veintidós pueblos, desde Montiel hasta Alcubillas, desde Villamanrique hasta Castellar.

Y en esta centralización aristocrática y administrativa ha encontrado Infantes su ruina. Los hidalgos no se ocupan en los viles menesteres prosaicos. Tienen sus tierras lejos; hoy Infantes carece de población rural; entonces tampoco la tenía. Las clases directoras poseían sus haciendas en términos de la Alhambra. Contaba entonces la Alhambra con una población densa de caseríos y granjas. Todavía en el siglo XVIII, según el censo de 1785, ordenado por Floridablanca, eran *veinticuatro* las granjas situadas dentro de los aledaños de la Alhambra. Y en 1575 existían en sus dominios las aldeas de Laserna, con quince o dieciséis casas; la Nava, con quince; el Cellizo, con diez; Pozo de la Cabra, con quince; La Moraleja, con doce; Santa María de las Flores, con doce; Chozas del Aguila, con ocho...

¿Cómo era posible que teniendo los señores lejos sus tierras las cultivasen con el amor y la atención con que, en el caso de verse libres de sus prejuicios antieconómicos, las hubiesen cultivado bajo su inmediata dependencia?

Tenían el eterno mayordomo, que aún perdura en las Castillas, y en Albacete, y en Murcia; pasaban por alto las trabacuentas y gatuperios del delegado; necesitaban dinero para su vida fastuosa, y lo pedían a todo evento. Y la ruina llegaba inexorable.

Infantes, como tantos otros pueblos del Centro, se arruinó rápidamente en dos siglos.

Ya este sistema de explotar la tierra sin contribuir a fortalecerla, canalizando ríos, regalándole abonos, conduce derechamente al agotamiento, sin remedio. Juntad ahora a esta decadencia de la agricultura la decadencia de la ganadería. Siempre—y éste es un mal gravísimo—han andado en España dispares y antagónicas la agricultura y la ganadería. Esta separación ha contribuido a concentrar en pocas manos la riqueza pecuaria; ha impedido su difusión y crecimiento; ha dificultado la cultura, en cada región, de las especies más convenientes; ha privado, en fin, de los aprovechamientos de los ganados al beneficio de los campos.

Una y otra cultura, la de la tierra y la de la ganadería, se han hostilizado durante siglos; una y otra se han arruinado y han traído aparejada en su ruina la ruina de España. La de la tierra por falta de aguas (Infantes, entre catorce mil hectáreas, tiene seis de regadío constante) y por la estatificación de los procedimientos de cultivo; la de la ganadería, por el cambio radicalísimo de la propiedad adehesada, producido por la desvinculación y desamortización, por la roturación de los pastos, por el cegamiento de veredas, cordeles y cañadas, y por la baja del Arancel en lo referente a importación de lanas extranjeras.

Hemos de sumar aún a estas causas y concausas de abatimiento las continuas y formidables plagas de langosta que, desde hace siglos, caen sobre estas campiñas, como las de 1754, 55, 56 y 57, de que habla Bowles en su *Introducción a la geografía física de España.* Hoy la langosta es la obsesión abrumadora de los labradores manchegos. «Más que de los tiempos de llover o no llover—he oído decir a un labriego esta mañana en la plaza—, me acuerdo de la langosta.»

Añadamos también las poderosas trabas de la amortización, tanto civil como eclesiástica. La amortización acumula en escasas manos la propiedad territorial; se paraliza el comercio de las tierras fragmentadas—que no existen—; la dificultad de adquirir la tierra encarece su precio; las inmensas extensiones conglomeradas imposibilitan el cultivo intensivo, matan la población rural y ponen rémora incontrastable a las obras de irrigación y de labranza.

Y cuando hayamos ensamblado y considerado todos estos motivos de ruina que han convergido sobre este pueblo, como sobre infinidad de tantos otros, todavía habremos de juntar a ellos, como calamidad suprema, otra poderosísima que inaugura la Casa de Austria, con Felipe II, y persevera con intensidad hasta estos tiempos. Hablo de la burocracia y del expediente.

En Infantes viven y brujulean, al finalizar el siglo XVI, los siguientes funcionarios políticos y judiciales: el vicario mayor de Montiel, otro vicario, un notario, un alguacil fiscal, un gobernador, un alguacil mayor, un escribano de gobernación, un alcaide de la cárcel, diecisiete regidores, un fiel ejecutor, un depositario general, un mayordomo y procurador del Concejo, un escribano del Concejo... El vicario no tiene sueldo fijo, pero cobra el aprovechamiento de los derechos de su judicatura, y para que sean crecidos y suculentos, sabrá ingeniarse sagazmente; el gobernador percibe doscientos mil maravedís, y de ellos da veinte mil a su teniente; además, el gobernador «tiene, de los maravedís que en nombre de su majestad se ejecutan, ciento y cincuenta maravedís cuando la cantidad llega a cinco mil maravedís, y no más, aunque pase, y de allí abajo, a real de plata»; y es preciso reconocer que el señor gobernador—ni más ni menos que los gobernadores de ahora en otros órdenes—hallará trazas para que los maravedís ejecutados lleguen siempre, caiga el que caiga, a los cinco mil codiciados.

Falta, para dejar completa la plantilla, consignar que el alcaide de cárcel cobra doce mil maravedís; que el fiel ejecutor disfruta de un sueldo de seis mil, y que cada regidor—y no olvidemos que son diecisiete—percibe por sus respectivas barbas seiscientos.

Infantes y los pueblos comarcanos son pobres: no tienen agua; no hay en ellos rastro de huerta; no cultivan frutales; la cultura del grano se hace a dos y tres hojas. ¿Cómo con esta pobreza pudiera mantenerse tan complicada y costosa máquina administrativa? No es posible; apenas si durante un siglo alienta. El creciente desarrollo que los vecinos notan en su contestación al cuestionario de Felipe II se detiene al promediar el siglo XVII; y luego, cuando, al final, la miseria cunde por toda España, Infantes se doblega; las nobles familias se arruinan; se cierran los grandes caserones; desaparecen hidalgos y burócratas. Y en este ambiente de abatimiento, de abstinencia, de ruina, el espíritu castellano, siempre propenso a la tristura, acaba de recogerse sobre sí mismo en hosquedad terrible.

«No hay arboleda ninguna en estas huertas ni en la villa—declaran en 1575 los vecinos—, porque no se dan a ello; *antes cortan los árboles que hay, porque son poco inclinados a ello.*» «Las casas—dicen en otra parte—son bajas, sin luceros ni ventanas a la calle.»

*

El odio al árbol y el odio a la luz... Aquí, en la ancha cocina de la posada, esta noche, al cabo de tres siglos, un viejo me dice:

—En este pueblo las casas tienen las ventanas y las puertas cerradas siempre. Yo no recuerdo haber visto algunas nunca abiertas; los señores salen y entran por las puertas de servicio, a cencerros tapados. Es un carácter huraño el de las clases pudientes; una honda división las separa del pueblo. Y los señores, cuando dan las ocho de la noche, si quieren salir de casa, han de hacerse acompañar de dependientes y criados...

Suena una larga campanada grave, melódica, sonorosa, pausada. Luego rasga los aires otra, después otra, después otra... Yo pienso en las palabras del viejo, esta mañana, junto al caño del agua:

—Esta es la agonía; es la agonía de la muerte...

Y cuando he salido a la calle y he peregrinado entre las tinieblas, en la noche silenciosa, a lo largo de los vetustos palacios, al ras de las enormes rejas saledizas, que tantos suspiros recogieron, he sentido una grande, una profunda, una abrumadora ternura hacia este pueblo muerto.

XIV

EN INFANTES

Salgo, después de comer, a las afueras del pueblo; me recuesto al pie de un largo bardal. Delante tengo la inmensa llanura de roja arena que se pierde en el infinito con suaves ondulaciones. El cielo es azul; un vaho tibio asciende de la tierra.

Leo un periódico: habla del clericalismo de España. Parece ser que una simple decisión del Gobierno acabará con él... Los políticos y los periodistas—y ésta es la raíz de nuestras desventuras—ven bárbaramente las cosas en abstracto. Y hay que considerarlas vivas, palpitantes, latentes, indivisas de la realidad inexorable.

*

...Durante todo el mes—consagrado cada uno a un santo—, durante todo el año, las novenas suceden a las novenas: la de Animas, la de la Purísima, la del Niño Jesús, la de San Antonio, la de San José, la de los Dolores. Se celebran trisagios; se cantan rogativas; pasan por las calles largas procesiones de penitentes, Cristos lacios y sanguinosos, Vírgenes con espadas de plata; las campanas plañen por la mañana, a mediodía, por la noche; brillan misteriosas las luces en las naves sombrías; entran, salen, discurren por las calles devotas con mantillas negras, hombres con capas amplias, que se quejan, que sollozan, que hablan de angustias, que piensan en la muerte. Y la idea de la muerte, eterna, inexorable, domina en estos pueblos españoles, con sus novenas y sus tañidos fúnebres, con sus caserones destartalados y su ir y venir de devotas enlutadas.

España es un país católico. El catolicismo ha conformado nuestro espíritu. Es pobre nuestro suelo (yermos están los campos por falta de cultivo); el pueblo apenas come; se vive en una ansiedad perdurable; se ve en esta angustia cómo van partiendo uno a uno de la vida los seres queridos; se piensa en un mañana tan doloroso como hoy y como ayer. Y todos estos dolores, todos estos anhelos, estos suspiros, estos sollozos, estos gestos de resignación, van formando en los sombríos pueblos, sin agua, sin árboles, sin fácil acceso, un ambiente de postración, de fatiga ingénita, de renunciamiento heredado, a la vida fuerte, batalladora y fecunda.

Así nacen y se van perpetuando en un catolicismo hosco, agresivo, intolerante, generaciones y generaciones de españoles. En un pueblo así, ¿cómo es posible realizar desde la *Gaceta* un cambio tan radical como el que supone el asunto, hoy estudiado por el Gobierno, de las Congregaciones? No lo ocultamos, porque somos liberales sinceros: la entraña de un país no puede renovarse de un día para otro con un simple real decreto. En 1823 existían en España dieciséis mil trescientos diez religiosos. ¿Qué se había hecho de la enorme copia de ellos que existía en el siglo XVIII? ¿Es que habían desaparecido por los naturales progresos del país? No; las represiones políticas consiguieron extirparlos momentáneamente.

Era un resultado violento; España no había cambiado; seguía siendo tan católica y tan clerical como antes. Y así, de 1823 a 1830, en que una reacción lógica volvió a dejar libre el alma nacional, los conventos se multiplicaron de un modo estupendo. En 1823 los religiosos son dieciséis mil trescientos diez; en 1830, ascienden a sesenta y un mil setecientos veintisiete.

¿Hemos cambiado algo de entonces a la fecha? Hemos cambiado en frágiles apariencias; la entraña de nuestro pueblo es la misma. No basta disponer que se reduzca el número de las Ordenes y Congregaciones; ya se pensó en esto (con más valentía que ahora) en el siglo XVII. No basta que lo dispongan o finjan disponerlo los políticos—que son casi todos los políticos españoles—a quienes conocemos por católicos (vehementes o discretos), y en cuyas familias arreglan los negocios y las conciencias diligentísimos y avisados diplomáticos del catolicismo.

Es preciso algo más hondo y más eficaz; es preciso llevar al pueblo la seguridad de una vida sana y placentera. Un pueblo pobre es un pueblo de esclavos. No puede haber independencia ni fortaleza de espíritu en quien se siente agobiado por la miseria del medio. En regiones como Castilla, como la Mancha, sin agua, sin caminos, sin árboles, sin libros, sin periódicos, sin casas confortables, ¿cómo va a entrar el espíritu moderno? ¿Somos tan ingenuos que creamos que lo va a llevar un día u otro la *Gaceta Oficial*?

El labriego, el artesano, el pequeño propietario, que pierden sus cosechas o las perciben escasas tras largas penalidades, que viven en casas pobres y visten astrosamente, sienten sus espíritus doloridos y se entregan—por instinto, por herencia—a estos consuelos de la resignación, de los rezos, de los sollozos, de las novenas, que durante todo el mes, durante todo el año, se suceden en las iglesias sombrías, mientras las campanas plañen abrumadoras.

Y habría que decirles que la vida no es resignación, no es tristeza, no es dolor, sino que es goce fuerte y fecundo; goce espontáneo de la Naturaleza, del arte, del agua, de los árboles, del cielo azul, de las casas limpias, de los trajes elegantes, de los muebles cómodos... Y para demostrárselo habría que darles estas cosas.

XV

Cuando llego a Madrid está cayendo un agua menudita, cernida, persistente. Son las ocho. El cielo está sombrío. Entro en mi cuarto, sin aliento, fatigado. Dejo la capa y el sombrero. Voy a acostarme un rato. Y al ir a entornar las maderas del balcón veo sobre la mesa un papel azul. Un papel azul doblado y cerrado no puede ser más que un telegrama. Yo alargo la mano. A veces, cuando me traen un papel azul, a pesar de haber abierto tantos en las redacciones, siento que resurge en mí la superstición del provinciano. En los pueblos no se reciben telegramas sino para anunciar una desgracia: se conmociona toda la familia; el que lo abre calla y se pone un poco pálido; sus manos tiemblan; todos miran ansiosos... Yo he sentido un tilde de esta ansia cuando he visto, en esta mañana gris, cansado, soñoliento, un telegrama. ¿Qué voy a leer en él? ¿Qué nueva vía desconocida va a abrir en mi vida? Y he alargado la mano perplejo, temeroso. ¡Y no era nada! Es decir, sí que era algo; pero era algo grato, era algo jovial y sano. He aquí lo que decía el telegrama: «Llego mañana en el correo.»

Verdaderamente, esto no traspasa los límites de una frase vulgar; pudiéramos decir que no sugiere nada agradable. ¡Pero es que este telegrama lo firma Sarrió! ¿Sarrió va a llegar mañana en el correo? Este mañana, ¿cuándo es? Examino la fecha. ¡Este telegrama está puesto hace dos días! ¡Sarrió está en Madrid! Aquí no tendría que poner un solo signo admirativo, sino seis u ocho. ¡Sarrió ha llegado a Madrid sin que yo bajase a la estación a recibirle! Y se pasea por estas calles sin que yo le acompañe. Y tal vez haya comido en Lhardy, sólo, triste, sin que hayamos podido tener un rato de amena plática ante las viandas exquisitas... Esto es, en realidad, tremendo; ya no tengo sueño. ¿Cómo voy a dormir, estando Sarrió en Madrid? Me voy a la calle; creo que mi deber me impone el visitarlo. Pero ¿dónde vive Sarrió? ¿Cómo encontrarlo? He preguntado en seis u ocho fondas; he entrado en los restaurantes; me he asomado a los cafés; paso y repaso por casa de Botín; permanezco largos ratos parado en el escaparate de Tournié. Y no lo encuentro. Una vez he creído reconocerlo. Era un señor grueso que salía cargado con unos paquetes de un ultramarinos; yo lo he visto por la espalda; llevaba un sombrero puntiagudo y el cuello del gabán levantado. Este es Sarrió—he dicho—; ese sombrero no lo tiene nadie más que Sarrió; y el llevar el cuello levantado significa que, como viene del Mediodía, tiene frío. Todo esto lo he pensado rápidamente; al mismo tiempo que lo pensaba le ponía la mano en el hombro al señor grueso, y gritaba:

—¡Sarrió!

Y entonces el hombre gordo ha vuelto la cara, una cara con ojos pequeños y ribeteados de rojo, y he visto tristemente que no era Sarrió. ¿Dónde vivirá? ¿Dónde comerá? Vuelvo a pasar por casa de Botín; vuelvo a pararme frente a la vitrina de Lhardy. ¡Y no lo veo!

Y como ya es de noche y me siento fatigado por el precipitado trajín, por el viaje, por el cansancio, me retiro a casa con ánimo de acostarme.

XVI

Sin embargo, no parece bien que estando Sarrió en Madrid yo me acueste tranquilamente sin haberle visto.

Por tanto, no me acuesto. Es posible —me digo—que vaya al teatro esta noche. ¿A qué teatro?

¿A un teatro honesto o a un teatro levantisco? Esto último no lo debiera haber pensado: es casi un insulto al buen Sarrió. Si él va al teatro, seguramente será al Español, a la Comedia, tal vez al Real. Entre estos tres, ¿por cuál me decido? Yo creo recordar que a Sarrió le gustaban los versos; yo a veces le declamaba algunos, y él me decía que eran muy bonitos. Estos gustos estéticos le habrán inclinado a ir al Español; además, en los pueblos hay una marcada preferencia por los dramas en verso. Las compañías de cómicos que llegan se dividen en *compañías de verso y compañías de canto*. Claro está que los hombres graves prefieren las de verso, y como Sarrió es un hombre grave, habrá, indudablemente, ido al Español. Yo también voy. Y mientras voy pienso todas estas cosas y me dedico un aplauso por mis dotes de lógico y filósofo.

Llego al Español cuando están a mitad de un acto. No sé si entrar en la sala o permanecer en el vestíbulo hasta que acaben.

Me decido por entrar; procuro no molestar con el ruido de mis pasos. Al sentarme suena una larga salva de aplausos. Yo miro al escenario y también aplaudo.

No sé por qué se aplaude; pero, en fin, aplaudo. ¿Cómo negarme a ello, cuando a mi derecha y a mi izquierda veo las manos batir entusiasmadas? Sobre todo a mi izquierda. ¿Quién será este que aplaude con tal saña? Me vuelvo, le miro a la cara. ¡Y es Sarrió! Sarrió que mira también y me reconoce. Y entonces se levanta; yo también me levanto. Y me da un fuerte abrazo, mientras grita:

—¡Lo mismo que don Luis María Pastor!

—¡Sí, sí—exclamo yo—, lo mismo que don Luis María Pastor!

Y en la sala del Español se ha producido un escándalo enorme. En los palcos, en las butacas, en el paraíso, protestaban ruidosamente de nuestra expansión; la representación se ha interrumpido, y hemos tenido que marcharnos avergonzados, mohinos, cabizbajos.

XVII

¿Cómo había yo de reconocer a Sarrió, si se ha comprado otro sombrero? Este sombrero es perfectamente semiesférico. Pero Sarrió está disgustado con este sombrero. Creo que acabará por retirarlo y volver a ponerse el otro; ésta es mi impresión.

Esta tarde hemos estado paseando por la Castellana; al anochecer, para descansar un poco, hemos entrado en La Mallorquina. Sarrió y yo opinamos que en Madrid no hay un sitio más ameno que La Mallorquina. Aquí estábamos tomando un pequeño refrigerio, cuando a mí se me ha ocurrido repasar un periódico; mis malas costumbres no pueden abandonarme. Y como lo más entretenido—y lo más instructivo—de un periódico son los *sucesos,* yo, naturalmente, he echado la vista sobre ellos. Mejor hubiera sido que no la hubiese echado. He aquí lo que mis ojos han leído:

«Un chusco:

»Anoche, en el teatro Español, un chusco trató de dar una broma a nuestro distinguido compañero en la Prensa don Antonio Azorín. Representábase el segundo acto de *Reinar después de morir,* cuando de una de las butacas situadas junto a la que ocupaba el señor Azorín se levantó un sujeto y lo abrazó, lanzando fuertes exclamaciones. Excusamos decir la algazara que con tal motivo se promovió en la elegante sala del Español. El señor Azorín y el individuo bromista tuvieron que abandonar el teatro entre las protestas de los espectadores.»

Y Azorín, que le ha leído a Sarrió este suelto, ha dicho tristemente:

—Esta es, querido Sarrió, la manera que tienen los hombres de escribir sus historias. Creemos saberlo todo, y no sabemos nada. Nuestras imaginaciones caprichosas es lo que nosotros reputamos por axiomas infalibles. Y así la mentira pasa por verdad, y la iniquidad es justicia. El tiempo y la distancia lo borran y trastruecan todo. No sabemos lo que pasa a nuestro lado. ¿Cómo saber lo que ha pasado en tiempos remotos y lo que ocurre en luengas tierras?

Seamos sencillos: declaremos modestamente nuestra incompetencia. Y más valdrá, entre juzgar a los hombres y echar el peso de nuestro voto a una u otra banda, no echarlo a ninguna, y no juzgar a nadie ni ser juzgado.

XVIII

Vuelvo de la estación de Atocha de despedir a Sarrió. Si alguna vez yo tuviera tiempo, escribiría un libro titulado *Sarrió en Madrid.* Pero no lo tendré; un mazo de cuartillas me espera sobre la mesa; he de leer una porción de libros, he de hojear mil periódicos...

Me siento ante la mesa. El recuerdo de

Sarrió acude a mi cerebro: nos hemos abrazado estrechamente.

—Sarrió, ¿ya no nos volveremos a ver más?

—Sí, Azorín; ya no nos volveremos a ver más.

Ha silbado la locomotora, y a lo lejos, cuando se perdía el tren en la penumbra de los grandes focos eléctricos, Sarrió, asomado a la ventanilla, agitaba su antiguo sombrero cónico.

Me paso la mano por la frente, como para disipar estos recuerdos. Es preciso volver a urdir estos artículos terribles todos los días, inexorablemente; es preciso ser el eterno *hombre de todas horas,* en perpetua renovación, siempre nuevo, siempre culto, siempre ameno.

Arreglo las cuartillas: mojo la pluma. Y comienzo...

2 mayo 1909.

A DON ANTONIO MAURA, a quien debe el autor de este libro el haberse sentado en el Congreso: deseo de la mocedad.—AZORÍN.

(Dedicatoria de la segunda edición y siguientes.)

DONDE ESCRIBI ESTE LIBRO

QUIERO escribir algunas líneas para esta nueva edición de mi libro. Lo mejor será que yo cuente dónde lo he escrito. Lo he escrito en una casa del campo alicantino castizo. El verdadero Alicante, el castizo, no es el de la parte que linda con Murcia, ni el que está cabe los aledaños de Valencia; es la parte alta, la montañosa, la que abarca los términos y jurisdicciones de Villena, Biar, Petrel, Monóvar, Pinoso. En uno de estos términos está la casa en que yo escribí este libro. Su situación es al pie de una montaña; el monte está poblado de pinos olorosos y de hierbajos ratizos, tales como romero, espliego, eneldo, hinojo; entre estas matas aceradas y oscuras aparecen a trechos las corolas azules o rosadas de las campanillas silvestres, o la corola nívea, con su botón de oro, que nos muestra la matricaria; peñas abruptas, lisas, se destacan sobre un cielo límpido, de añil intenso, y en los hondos y silenciosos barrancos, escondiendo sus raíces en la humedad, extienden su follaje tupido, redondo, las buenas higueras o los fuertes nogales. Y luego, en la tierra llana, aparece una sucesión, un ensamblaje de viñedos y de tierras paniegas, en piezas cuadradas o alongadas, en agudos cornijales o en paratas represadas por un ribazo. Los almendros mezclan su fronda verde a la fronda adusta y cenicienta de los olivos. Entre unos y otros se esconde la casa. Cuando penetramos en ella vemos que su zaguán es espacioso, claro; está empedrado de pequeños guijarros; a la izquierda se divisa la cocina y a la derecha el cantarero o zafariche.

Vayamos por partes. El cantarero en una casa levantina es algo importantísimo, esencial. Lo constituye una ancha losa arenisca, finamente pulida y escodada; encima de ella, puestos en pie, simétricamente, reposan cuatro o seis cántaros de blanco amarillento barro; colocadas en la boca de los cántaros hay otras tantas jarras o alcarrazas; más arriba, en una leja de madera empotrada en la pared, aparece una colección de picheles vidriados, de vasos de cristal y de bernegales; junto a la losa constitutiva, fundamental, del zafariche, se ve una tinaja con su tapadera de madera y con su acetre de cobre para sacar el agua, y al otro lado de la dicha losa está la almofia o palangana, colocada en aro de hierro que surte del centro de un cuadro de azulejos. En el verano, las alcarrazas y los cántaros, llenos de fresca agua, van rezumando gotas cristalinas, y en la penumbra y el silencio en que está sumida la casa, en tanto que fuera abrasa el sol, es éste un espectáculo que nos trae al espíritu una sensación de alegría y reposo.

Las paredes del zaguán que describimos son blancas, cubiertas con cal; en ellas se ven pegadas con engrudo algunas estampas piadosas, que representan toscamente alguna imagen de algún santuario o pueblo cercano; no lejos de estas estampas, unas perdices metidas en sus estrechas jaulas picotean en sus cajoncitos llenos de trigo. Observémoslas un momento y después pasemos a la cocina. Nada más sencillo que esta dependencia de la casa. La cocina es grande, de campana; tiene una ancha losa sobre la que se asientan las trébedes y los anafes, y luego, sobre la pared, se levanta otra, renegrida por las llamas, y que es la que se llama trashoguera; el reborde de la campana lo forma una cornisita, y en ella aparecerán colocados los peroles, cazuelas y cuencos que han de ser habitualmente usados. La despensa y el amasador están anejos a la cocina; juzgamos inútil ponderar la importancia capitalísima de estas piezas; si la casa es rica, en la despensa veremos muchas y pintorescas cosas que causarán nuestra admiración: allí habrá, colgados del techo, perniles, embutidos y redondas bolas de manteca; allí, en orcitas blancas vidriadas, tendremos mil arropes, mixturas, pistajes y confecciones que no podemos enumerar y describir ahora. En cuanto al amasador, en uno de los ángulos se ve la masera o artesa con sus mandiles rojos, azules y verdes; los cedazos penden de sus clavos, lo mismo que la cernedera o artefacto en que se apoyan los cedazos cuando se cierne; y en una rinconera, al pie de la tinajita en que se guarda la levadura, están las pintaderas. Las pintaderas requieren dos palabras de explicación: han hecho tanto ruido por el mundo, que bien merecen esta digresión breve. Las pintaderas, o pintaderos, son unas pinzas con los rebordes obrados en caprichoso dibujo; con ellas las buenas mujeres caseras adornan y hacen mil labores fantásticas en las pastas domésticas y en los panes que se destinan a las fiestas solemnes; estos panes así trabajados con las pintaderas se llaman *pintados;* y he dicho que las pintaderas son muy traídas y llevadas por el mundo, porque, si no ellas, al menos el *pan pintado* que con ellas se hace lo estamos nombrando a cada paso, en compañía de las *tortas.*

No tendría que extenderme en las demás estancias y departamentos de la casa. Tendría que nombrar las anchas cámaras donde se guardan, colgadas, las frutas navideñas: melones, uvas y membrillos.

Hablaríamos también de la almazara, con sus prensas y su molón con la tolva y la zafa de dura piedra. Entraríamos en la bodega y en ella veríamos el jaraíz donde se estrujan los racimos, los toneles en que se guarda el mosto y la alquitara en que se destila el alcohol. Daríamos una vuelta por los corrales y saludaríamos a los valientes gallos, a sus compañeras las gallinas y a los soberbios e inflados pavos. Subiríamos al palomar y les diríamos a las palomas: «Salud, palomas; vosotras sois felices, puesto que voláis por el azul.» En el almijar, donde se secan los higos, si era por otoño, cogeríamos uno o dos y paladearíamos sus mieles. En los alhorines del granero meteríamos las manos en el oro fresco del trigo...

Todo esto tendríamos que recorrer y examinar. No quiero fatigar al lector; yo ahora voy a poner la firma a estas cuartillas y me marcho bajo los pinos, que una brisa ligera hace cantar con un rumor sonoro.

AZORÍN.

(En la edición definitiva de *Obras Completas,* por Caro Raggio, 1920.)

ORIGEN DE ESTE LIBRO

Azorín pensaba presentarse en las primeras elecciones de diputados: sus amigos hemos logrado disuadirle de esta idea extraña. «Si has de escribir un programa —le hemos dicho—, preferible es que escribas un libro; podrás decir en forma artística en el libro lo que tendrías que exponer en tono dogmático y abstracto en el programa. Además, has de considerar que en el Parlamento se respira una atmósfera artificiosa; desde allí no se ven las cosas como las ve el hombre que vive apoyado en la mancera, o mueve las premideras del telar, o golpea el hierro sobre el yunque... Nosotros no queremos despojarte de una ilusión; pero tendríamos más gusto en leer unas páginas libres salidas de tu mano, que en verte andar estérilmente por los pasillos o voceando como un hombre vulgar en el hemiciclo. No tienes tampoco dotes oratorias: tu palabra es sencilla y tranquila. La cultura que posees no es la de los tratados generales y libros fácilmente accesibles a las medianías ilustradas. Cuando razonas, te gusta seguir el propio impulso, y no sacrificarás, en aras de las conveniencias políticas o de los prejuicios de la muchedumbre, ni un átomo de las deducciones que tú creas justas... Haz lo que quieras: nosotros te estimamos sinceramente. Y bien que prefiramos verte echar por un camino en vez de otro, nuestra amistad te seguirá por todas partes.»

Azorín se ha quedado un momento en silencio; meditaba con la cabeza baja; parecía que le costaba renunciar a un ideal querido; nosotros asistíamos emocionados a este terrible y pequeño drama íntimo.

Y, luego, ha roto el silencio y ha dicho: «Está bien, escribiré un libro.»

Y éste es el libro, lector, que ha escrito Antonio Azorín, en lugar de un programa político.

J. M. R.

I

YO NO SE SI ESCRIBIR...

Lector: Yo soy un pequeño filósofo; yo tengo una cajita de plata llena de fino y oloroso polvo de tabaco, un sombrero grande de copa y un paraguas de seda roja con recia armadura de ballenas. Lector: Yo emborrono estas páginas en la pequeña biblioteca del Collado de Salinas. Quiero evocar mi vida. Es medianoche; el campo reposa en un silencio augusto; cantan los grillos en un coro suave y melódico; las estrellas fulgen en el cielo fuliginoso; de la inmensa llanura de las viñas sube un frescor grato y fragante.

Yo estoy sentado ante la mesa; sobre ella hay puesto un velón con una redonda pantalla verde que hace un círculo luminoso sobre el tablero y deja en una suave penumbra el resto de la sala. Los volúmenes reposan en sus armarios; apenas si en la oscuridad destacan los blancos rótulos que cada estante lleva—*Cervantes, Garcilaso, Gracián, Montaigne, Leopardi, Mariana, Vives, Taine, La Fontaine*—, a fin de que me sea más fácil recordarlos y pedir, estando ausente, un libro.

Yo quiero evocar mi vida; en esta soledad, entre estos volúmenes que tantas cosas me han revelado, en estas noches plácidas, solemnes, del verano parece que resurge en mí, viva y angustiosa, toda mi vida de niño y de adolescente. Y si dejo la mesa y salgo un momento al balcón, siento como un aguzamiento doloroso de la sensibilidad, cuando oigo en la lejanía el aullido plañidero y persistente de un perro, cuando contemplo el titileo misterioso de una estrella en la inmensidad infinita.

Y entonces, estremecido, enervado, retorno a la mesa y dudo ante las cuartillas de si un pobre hombre como yo, es decir, de si un pequeño filósofo, que vive en un grano de arena perdido en lo infinito, debe estampar en el papel los minúsculos acontecimientos de su vida prosaica...

II

ESCRIBIRE

No voy a contar mi vida de muchacho y mi adolescencia punto por punto, tilde por tilde. ¿Qué importan y qué podrían decir los títulos de mis libros primeros, la relación de mis artículos agraces, los pasos que di en tales redacciones o mis andanzas primitivas a caza de editores? Yo no quiero ser dogmático y hierático; y para lograr que caiga sobre el papel, y el lector la reciba, una sensación ondulante, flexible, ingenua, de mi vida pasada, yo tomaré entre mis recuerdos algunas notas vivaces e inconexas—como lo es la realidad—, y con ellas saldré del grave aprieto en que me han colocado mis amigos, y pintaré mejor mi carácter, que no con una seca y odiosa ringla de fechas y de títulos.

Y sea el lector bondadoso, que a la postre hemos sido muchachos, y estas liviandades de la mocedad no son sino prólogo ineludible de otras hazañas más fructuosas y trascendentales que realizamos —¡si las realizamos!—en el apogeo de nuestra vida.

III

LA ESCUELA

Estos primeros tiempos de mi infancia aparecen entre mis recuerdos un poco confusos, caóticos, como cosas vividas en otra existencia, en un lejano planeta. ¿Cómo iba yo a la escuela? ¿Por dónde iba? ¿Qué emociones experimentaba al entrar? ¿Qué emociones sentía al verme fuera de las cuatro paredes hórridas? No miento si digo que aquellas emociones debían de ser de pena, y que éstas debían de serlo de alegría. Porque este maestro que me inculcó las primeras luces era un hombre seco, alto, huesudo, áspero de condición, brusco de palabras, con unos bigotes cerdosos y lacios, que yo sentía raspear en mis mejillas cuando se inclinaba sobre el catón para adoctrinarme con más ahinco. Y digo ahinco, porque yo—como hijo del alcalde—recibía del maestro todos los días una lección especial. Y esto es lo que aún ahora trae a mi espíritu un sabor de amargura y de enojo.

Cuando todos los chicos se habían marchado, yo me quedaba solo en la escuela... La escuela se levantaba a un lado del pueblo, a vista de la huerta y de las redondas colinas que destacan suaves en el azul luminoso; tenía delante un pequeño jardín con acacias amarillentas y ringleras de evónimos. El edificio había sido convento de franciscanos; el salón de la escuela era largo, de altísimo techo, con largos bancos, con un macilento cristo bajo dosel morado, con un inmenso mapa cuajado de líneas misteriosas, con litografías en las paredes. Estas litografías, que luego he vuelto a encontrar en el colegio, han sido la pesadilla de mi vida. Todas eran de colores chillones y representaban pasajes bíblicos; yo no los recuerdo todos, pero tengo, allá en los senos recónditos de la memoria, la imagen de un anciano de barbas blancas que asoma, encima de un monte, por entre nubes, y le entrega a otro anciano dos tablas formidables, llenas de garabatos, largas y con las puntas superiores redondas.

Yo me quedaba solo en la escuela; entonces el maestro me llevaba, pasando por los claustros y por el patio, a sus habitaciones. Ya aquí, entrábamos en el comedor. Y ya en el comedor, abría yo la cartilla, y durante una hora este maestro feroz me hacía deletrear con una insistencia bárbara.

Yo siento aún su aliento de tabaco y percibo el rascar, a intervalos, de su bigote cerdoso. Deletreaba una página, me hacía volver atrás, volvíamos a avanzar, volvíamos a retroceder, se indignaba de mi estulticia, exclamaba a grandes voces: «¡Que no! ¡Que no!» Y al fin yo, rendido, anonadado, oprimido, rompía en un largo y amargo llanto...

Y entonces él cesaba de hacerme deletrear y decía, moviendo la cabeza: «Yo no sé lo que tiene este chico...»

IV

LA ALEGRIA

¿Cuándo jugaba yo? ¿Qué juegos eran los míos? Os diré uno: no conozco otro. Era por la noche, después de cenar; todo el día había estado yo trafagando en la escuela a vueltas con las cartillas, o bien metido en casa, junto al balcón, repasando los grabados de un libro. Cuando llegaba la noche, se hacía como un oasis en mi vida; la luna bañaba suavemente la estrecha allejuela; una frescor vivificante venía de los huertos cercanos. Entonces mi vecino y yo jugábamos a la *lunita.* Este juego consiste en ponerse en un cuadro de luz y en gritarle al compañero que uno «está en su *luna*», es decir, en la del adversario; entonces el otro viene corriendo a desalojarle ferozmente de su posesión, y el perseguido se traslada a otro sitio iluminado por la luna..., hasta que es alcanzado.

Mi vecino era un muchacho recogido y taciturno, que luego se hizo clérigo; yo creo que éste ha sido nuestro único juego. Pero a veces tenía un corolario verdaderamente terrible. Y consistía en que la criada de mi amigo, que era la mujer más estupenda que he conocido, salía vestida bizarramente con una larga levita, con un viejo sombrero de copa y con una escoba al hombro. Esto era para nosotros algo así como una hazaña mitológica; nosotros admirábamos profundamente a esta criada. Y luego, cuando en esta guisa nos llevaba a una de las eras próximas y nos revolcábamos, bañados por la luz de la luna, en estas noches serenas de Levante, sobre la blanda y cálida paja, a nuestra admiración se juntaba una intensa ternura hacia esta mujer única, extrordinaria, que nos regalaba la alegría...

V

EL SOLITARIO

Y vais a ver un contraste terrible: esta mujer extraordinaria servía a un amo que era su polo opuesto. Vivía enfrente de casa; era un señor silencioso y limpio; se acompañaba siempre de dos grandes perros; le gustaba plantar muchos árboles... Todos los días, a una hora fija, se sentaba en el jardín del Casino, un poco triste, un poco cansado; luego tocaba un pequeño silbo. Y entonces ocurría una cosa insólita: del boscaje del jardín acudían piando alegremente todos los pájaros; él les iba echando las migajas que sacaba de sus bolsillos. Los conocía a todos: los pájaros, los dos lebreles silenciosos y los árboles eran sus únicos amigos. Los conocía a todos: los nombraba por sus nombres particulares, mientras ellos triscaban sobre la fina arena; reprendía a éste cariñosamente porque no había venido el día anterior; saludaba al otro que acudía por vez primera. Y cuando ya habían comido todos, se levantaba y se alejaba lentamente, seguido de sus dos perros enormes, silenciosos.

Había hecho mucho bien en el pueblo; pero las multitudes son inconstantes y crueles. Y este hombre un día, hastiado, amargado por las ingratitudes, se marchó al campo. Ya no volvió jamás a pisar el pueblo ni a entrar en comunión con los hombres; llevaba una vida de solitario entre las florestas que él había hecho arraigar y crecer. Y como si este apartamiento le pareciese tenue, hizo construir una pequeña casa en la cima de una montaña, y allí esperó sus últimos instantes.

Y vosotros diréis: «Este hombre abominaba de la vida con todas sus fuerzas.» No, no; este hombre no había perdido la esperanza. Todos los días le llevaban del pueblo unos periódicos; yo lo recuerdo. Y estas hojas diarias eran como una lucecita, como un débil lazo de amor que aun los hombres que más abominan de los hombres conservan, y a los cuales les deben el perdurar sobre la tierra.

VI

«ES YA TARDE»

Muchas veces, cuando yo volvía a casa —una hora, media hora después de haber cenado todos—, se me amonestaba porque *volvía tarde*. Ya creo haber dicho en otra parte que en los pueblos sobran las horas, que hay en ellos ratos interminables en que no se sabe qué hacer, y que, sin embargo, *siempre es tarde*.

¿Por qué es tarde? ¿Para qué es tarde? ¿Qué empresa vamos a realizar que exige de nosotros esta rigurosa contabilidad de los minutos? ¿Qué destino secreto pesa sobre nosotros que nos hace desgranar uno a uno los instantes en estos pueblos estáticos y grises? Yo no lo sé; pero yo os digo que esta idea de que siempre es tarde es la idea fundamental de mi vida; no sonriáis. Y que si miro hacia atrás, veo que a ella le debo esta ansia inexplicable, este apresuramiento por algo que no conozco, esta febrilidad, este desasosiego, esta preocupación tremenda y abrumadora por el interminable sucederse de las cosas a través de los tiempos.

He de decirlo, aunque no he pasado por este mal: ¿sabéis lo que es maltratar a un niño? Yo quiero que huyáis de estos actos como de una tentación ominosa. Cuando hacéis con la violencia derramar las primeras lágrimas a un niño, ya habéis puesto en su espíritu la ira, la tristeza, la envidia, la venganza, la hipocresía... Y entonces, con estos llantos, con estas explosiones dolorosas de sollozos y de gemidos, desaparece para siempre la visión riente e ingenua de la vida, y se disuelve, poco a poco, inexorablemente, aquella secreta e inefable comunidad espiritual que debe haber entre los que nos han puesto en el mundo y nosotros, los que venimos a continuar, amorosamente, sus personas y sus ideas.

VII

CAMINO DEL COLEGIO

Cuando los pámpanos se iban haciendo amarillos y llegaban los crepúsculos grises del otoño, entonces yo me ponía más triste que nunca: porque sabía que era llegada la hora de ir al colegio. La primera vez que hice este viaje fué a los ocho años. De Monóvar a Yecla íbamos en carro, caminando por barrancos y alcores; llevábamos como viático una tortilla y chuletas y longanizas fritas.

Y cuando se acercaba este día luctuoso, yo veía que repasaban y planchaban la ropa blanca: las sábanas, las almohadas, las toallas, las servilletas... Y luego, la víspera de la partida, bajaban de las falsas un cofre forrado de piel cerdosa, y mi madre iba colocando en él la ropa con mucho apaño. Yo quiero consignar que ponía también un cubierto de plata; ahora, cuando a veces revuelvo el aparador, veo, desgastado, este cubierto que me ha servido durante ocho años, y siento por él una profunda simpatía.

De Monóvar a Yecla hay seis u ocho horas: salíamos al romper el alba; llegábamos a primera tarde. El carro iba dando tumbos por los hondos relejes; a veces parábamos para almorzar bajo un olivo. Y yo tengo muy presente que, ya al promediar la caminata, se columbraban desde lo alto de un puerto pedregoso, allá en los confines de la inmensa llanura negruzca, los puntitos blancos del poblado y la gigantesca cúpula de la iglesia Nueva, que refulgía.

Y entonces se apoderaba de mí una angustia indecible; sentía como si me hubieran arrancado de pronto de un paraíso delicioso y me sepultaran en una caverna lóbrega. Recuerdo que una de las veces quise escaparme; aún me lo cuenta riendo un criado viejo, que es el que me llevaba. Yo me arrojé del carro y corría por el campo; entonces él me cogió, y decía, dando grandes carcajadas: «¡No, no, Antoñito, si no vamos a Yecla!»

Pero sí que íbamos: el carro continuó su marcha, y yo entré otra vez en esta ciudad hórrida, y me vi otra vez, irremediablemente, discurriendo, puesto en fila, por los largos claustros, o sentado, silencioso e inmóvil, en los bancos de la sala de estudio.

VIII

EL COLEGIO

En Yecla había un viejo convento de franciscanos; a este convento adosaron tres anchas navadas y quedó formado un gran edificio cuadrilongo, con un patio en medio, con una larga fachada, sin enlucir, rojiza, áspera, trepada por balcones numerosos. Hay también en el colegio, en el recinto del convento, un patizuelo silencioso que surte de luz a los claustros de bovedillas, a través de pequeñas ventanas, cerradas con tablas amarillentas de espato. Yo siempre he mirado con una secreta curiosidad este patio lleno de misterio; en el centro aparece el brocal de una cisterna, trabajado con toscas labores blanquinegras, roto; grandes plantas silvestres crecen por todo el piso.

Los claustros del colegio son largos y anchos. Los dormitorios estaban en el piso segundo; destacaban sobre la blancura de las paredes largas filas de camas blancas. En cada sala—eran dos o tres—había un gran lavabo con diez o doce espitas. Los balcones daban al pequeño jardín que está delante del colegio; a lo lejos, por encima de las casas de la ciudad, se ve el pelado cerro del Castillo, resaltando en el cielo azul.

Abajo, en el piso principal, estaban la sala de estudio, la capilla, los gabinetes de Historia Natural y de Física y dos o tres grandes salones, vacíos, con pavimento de madera, por donde, al andar, las pisadas hacen un ruido sonoro, sobre todo de noche, en la soledad, cuando sólo un quinqué, colgado a lo lejos, ilumina débilmente el ancho ámbito...

Las escuelas de párvulos y las aulas de la segunda enseñanza se hallan en el piso bajo. Y he de decir, para que no parezca con sólo lo enunciado que es reducido el edificio, que esto se refiere sólo al flanco derecho; en el izquierdo están situadas las celdas y dependencias de la comunidad. Nosotros rara vez traspasábamos los aledaños de nuestros dominios. Y cuando esto sucedía, yo discurría con una emoción intensa por las escalerillas del viejo convento; por una ancha sala, destartalada, con las maderas de los balcones rotas y abiertas, en que aparecen trofeos desvencijados: banderas, arcos y farolillos; por un largo corredor, semioscuro, silencioso, en que se ve, junto a una ventana, un cántaro que, al tresmanar, ha formado a su alrededor un gran círculo de humedad; por unas falsas situadas sobre la iglesia, en que hay capazos de libros viejos, con los pergaminos abarquillados por el ardiente calor de la techumbre...

La iglesia está contigua al colegio; se entra en ella por la portezuela del coro y por otra pequeña puerta que comunica con un claustro del piso bajo. Nosotros hacíamos nuestras oraciones en la capilla particular que a este fin teníamos en el piso principal; pocas veces nos llegábamos a la iglesia. Y eran los días en que había sermón—que oíamos sentados en los bancos del coro—o las fiestas de Semana Santa, en que permanecíamos mortalmente de pie, en el centro de la nave, durante las horas interminables de los Oficios, bien apoyados sobre una pierna, bien sobre otra, para engañar nuestro cansancio.

El comedor estaba en el piso bajo; las ventanas dan a la huerta. A esta huerta yo no he entrado sino en rarísimas ocasiones; para mí era la suprema delicia caminar bajo la bóveda del emparrado, entre los pilares de piedra blanca, y discurrir por los cuadros de las hortalizas lujuriantes.

IX

LA VIDA EN EL COLEGIO

Nos levantábamos a las cinco; aún era de noche. Yo, que dormía pared por medio de uno de los padres semaneros, le oía, entre sueños, toser violentamente minutos antes de la hora. Al poco se abría la puerta; una franja de luz se desparramaba sobre el pavimento semioscuro. Y luego sonaban unas recias palmadas que nos ponían en conmoción a todos. Estas palmadas eran verdaderamente odiosas; pero nos levantábamos (porque de retardarnos hubiéramos perdido el chocolate) y nos dirigíamos, con la toalla liada al cuello, hacia los lavabos. Aquí poníamos la cabeza bajo la espita y nos corría la helada agua por la tibia epidermis con una agridulce sensación de bienestar y desagrado.

Yo recuerdo que muchas mañanas abría una de las ventanas que daban a la plaza; el cristal estaba empañado por la escarcha; una foscura recia borraba el jardín y la plaza. De pronto, a lo lejos, se oía un ligero cascabeleo. Y yo veía pasar, emocionado, nostálgico, la diligencia, con su farol terrible, que todas las madrugadas a esta hora entraba en la ciudad, de vuelta de la estación lejana.

Cuando nos habíamos acabado de vestir, nos poníamos de rodillas en una de las salas; en esta postura rezábamos unas breves oraciones. Luego bajábamos a la capilla a oír misa. Esta misa diaria, al romper el alba, ha dejado en mí un imborrable sedimento de ansiedad, de preocupación por el misterio, de obsesión del porqué y del fin de las cosas... Yo me contemplo, durante ocho años, todas las madrugadas, en la capilla oscura. En el fondo, dos cirios chisporrotean; sus llamas tiemblan a intervalos, con esas ondulaciones que parecen el lenguaje mudo de un dolor misterioso; el celebrante rezonga con un murmullo bajo y sonoro; en los cristales de las ventanas, el pálido claror del alba pone sus luces mortecinas.

Después de la misa pasábamos al salón de estudio, y cuando había transcurrido media hora, sonaba en el claustro una campana y descendíamos al comedor.

Otra vez subíamos a estudiar después del desayuno, y tras otra media hora (que nosotros aprovechábamos afanosamente para dar el último vistazo a los libros) bajábamos a las clases. Duraban las clases tres horas: una hora cada una. Y cuando las habíamos rematado, sin intervalo de una a otra, subíamos otra vez a esta horrible sala de estudio. Estudiábamos media hora antes de comer; sonaba de nuevo la campana; descendíamos (siempre de dos en dos) al comedor. La comida transcurría en silencio; un lector—cada día le tocaba a un colegial—leía unas páginas de Julio Verne o del *Quijote*. Luego, idos al patio, teníamos una hora de asueto. Y otra vez subíamos al nefasto salón; permanecíamos hora y media inmóviles sobre los libros, y al cabo de este tiempo tornaba a tocar la campana y bajábamos a las aulas. Por la tarde teníamos dos horas de clase; después merendábamos, nos expansionábamos una hora en el patio y volvíamos a colocarnos en nuestros pupitres, atentos sobre los textos.

Ahora estábamos en esta forma hora y media: el tiempo nos parecía interminable. Nada pesaba más sobre nuestros cerebros vírgenes que este lapso eterno que pasábamos a la luz opaca de quinqués sórdidos, en esta sala fría y destartalada, con los codos apoyados sobre la tabla y la cabeza entre las manos, fija la vista en las páginas antipáticas, mientras rumiábamos mentalmente frases abstractas y áridas...

Volvía a sonsonear el esquilón; descendíamos por los claustros oscuros al comedor. Y cuando habíamos despachado la cena, tiritando, en la larga sala con mesas de mármol, subíamos al segundo piso. Entonces nos arrodillábamos, rezábamos unas oraciones y cada uno se dirigía a su cama.

X

LA VEGA

Y, sin embargo, en este fiero salón he encontrado yo algo que ha influído gratamente en mi vida de artista... El estudio está situado en la parte posterior del edificio, en el piso principal; desde sus ventanas se domina la pequeña vega yeclana. Es un paisaje verde y suave; la fresca y clara alfombra se extiende hasta las ligeras colinas de los cerros rojizos que cierran el horizonte; cuadros negruzcos de hortalizas y herrenes ensamblan con verdes hazas de sembradura; los azarbes se deslizan culebreando, pletóricos de agua clara y murmuradora, entre las lindes; acá y allá, un almendro de tronco retorcido, una noguera secular y rotunda, destacan su nota alegre. A la izquierda se ve el boscaje de la alameda, tupido, negro; a la derecha, la carretera, blanca y recta, sube un largo declive y desaparece en lo alto de un terreno.

Y hay aquí, en esta llanura grata, frente por frente de las ventanas del estudio, una casa pequeña, cuyas paredes blancas asoman por lo alto de una floresta cerrada por una verja de madera. Desde mi pupitre, con la cabeza apoyada en la palma de la mano, ocho años he estado empapándome de esta verdura fresca y suavísima, y contemplando esta casa misteriosa, siempre cerrada, siempre en silencio, escondida entre el boscaje. Y esta visión continua ha sido como una especie de triaca de mis dolores infantiles; y esta visión continua ha puesto en mí el amor a la Naturaleza, el amor a los árboles, a los prados mullidos, a las montañas silenciosas, al agua que salta por las aceñas y surte hilo a hilo en los hontanares.

XI

EL PADRE CARLOS

El primer escolapio que vi, cuando entré por primera vez en el colegio, fué el padre Carlos Lasalde, el sabio arqueólogo. Guardo del padre Lasalde un recuerdo dulce y suave. Era un viejo cenceño, con la cabeza fina, con los ojos inteligentes y parladores; andaba pasito, silencioso, por los largos claustros: tenía gestos y ademanes de una delicadeza inexplicable. Y había en sus miradas y en las inflexiones de su voz—y después, más tarde, cuando lo he tratado, lo he visto claro—un tinte de melancolía que hacía callar a su lado, sumisos, sobrecogidos dulcemente, aun a los niños más traviesos. Parece que el Destino se ha complacido en poner ante mí, a mi entrada en la vida, estos hombres entristecidos, mansamente resignados...

El padre Carlos Lasalde, cuando me vió en la Rectoral, me cogió de la mano y me atrajo hacia sí; luego me pasó la mano por la cabeza, y yo no sé lo que me diría, pero yo le veo inclinarse sobre mí sonriendo y mirarme con sus ojos claros y melancólicos.

Después, yo le contemplaba de lejos,

con cierta secreta veneración, cuando transcurría por las largas salas, callado, con sus zapatos de suela de cáñamo, con la cabeza inclinada sobre un libro.

Pero el padre Lasalde duró poco en el colegio. Cuando se fué, quedaron solas estas estatuas egipcias, rígidas, simétricas, hieráticas, que él había desenterrado en el Cerro de los Santos. Tal vez su espíritu nostálgico se explayaba en la reconstrucción de esas lejanas edades y veía en estos tristes hombres de piedra, sacerdotes y sabios, unos remotos hermanos en ironías y en esperanzas.

XII

LA LECCION

—¡Caramba!—decía yo—. Ha pasado ya media hora y no he aprendido aún la lección.

Y abro precipitadamente un libro terrible que se titula *Tabla de los logaritmos vulgares*. Esto de vulgares me chocaba extraordinariamente: ¿por qué son vulgares estos pobres logaritmos? ¿Cuáles son los selectos, y por qué no los tengo yo para verlos? En seguida echaba la vista sobre este libro y me ponía a leerlo fervorosamente; pero tenía que cerrarlo al cabo de un instante, porque estas columnas largas de guarismos me producían un gran espanto. Además, ¿qué quiere decir que «los lados de un triángulo esférico unirrectángulo, o son todos menores que un cuadrante, o bien uno solo es menor y los otros dos mayores»? ¿Por qué en este libro unas páginas son blancas y las otras azules? Todo esto es verdaderamente absurdo; por cuyo motivo yo abro mi pupitre y saco ocultamente un cuaderno en que he ido pegando recortes de periódicos. Y leo las cosas extraordinarias que pasan en el mundo:

«*Un elefante célebre.*—La muerte violenta de *Jumbo*, el gigantesco elefante de Barnum...»

«*Ferrocarriles eléctricos.*—Recientemente se ha inaugurado en Cleveland (Ohio) el primer ferrocarril eléctrico construído hasta ahora...»

«*Los velocipedistas.*—Un hombre montado en un biciclo, es decir, en un velocípedo de dos ruedas, ha aparecido en Talriz, en los confines de Persia...»

De pronto, cuando más embebido estoy en mi lectura, oigo una campanita que toca: *din-dan, din-dan*...

—¡Caramba!—vuelvo yo a exclamar—. Ha pasado otra media hora y aún no me sé la lección.

Y ahora sí que abro decidido otro libro y me voy enterando de que «el género silicatos es el segundo de los que componen la familia de los silícidos». Algo rara me parece a mí esta familia de los silícidos; pero, sin embargo, repito mentalmente estas frases punto por punto. Lo malo es que el fervor no me dura mucho tiempo; en seguida me siento cansado y ladeo un poco la cabeza, apoyada en la palma de la mano, y miro en la huerta, a través de los cristales, la lejana casita oculta entre los árboles.

Y entonces suena la hora de la clase y me lleno de espanto.

—A ver, Azorín—me dice el profesor cuando hemos bajado al aula—, salga usted.

Yo salgo en medio de la clase y me dispongo a decir el cuadro de la sílice:

—La sílice se divide en dos: primera, cuarzo; segunda, ópalo. El cuarzo se divide en hialino y en litoideo...

Al llegar aquí ya no sé lo qué decir, y repito dos o tres veces que el cuarzo se divide en hialino y litoideo; el profesor conviene en que, efectivamente, es así. Yo vuelvo a callar. Estos momentos de silencio son tremendos, abrumadores; parecen siglos. Por fin, el profesor pregunta:

—¿No sabe usted más?

Yo le miro con ojos atontados. Y entonces él dice terriblemente:

—Está bien, señor Azorín; esta tarde me dejará usted la merienda.

Y yo ya sé que cuando descendamos al comedor he de llevar humildemente mi platillo con la naranja o las manzanas a la mesa presidencial.

XIII

LA LUNA

Cuando yo pasaba por este largo salón con piso de madera, en que resonaban huecamente los pasos, levantaba la vista y miraba a través de las ventanas. Y entonces veía allá, a lo lejos, al otro lado del patio, en lo alto de la torrecilla que surgía sobre el tejado, los cazos ligeros, pequeños, del anemómetro que giraba, giraba incesantemente.

Unas veces marchaban lentos, suaves; otras corrían desesperados, vertiginosos. Y yo siempre los miraba, sintiendo una profunda admiración, un poco inexplicable, por estos locos cacillos que daban vueltas sin parar, rápidos, lentos, indiferentes a las inquietudes humanas, allá en lo alto, sobre la ciudad en que los hombres hacían tantas cosas terribles...

Esta torrecilla que he nombrado era el observatorio; tenía en el centro de la azotea un diminuto quiosco con la cúpula de latón pintado de negro; y en esta cúpula había una hendidura que se abría y se cerraba, y por la que asomaba, en las noches claras, de estrellado radiante, un tubo misterioso y terrorífico. Nosotros sabíamos que este tubo era un telescopio; pero no acertábamos a comprender por qué este escolapio miraba todas las noches por él, cuando con una sola bastaba para hacerse cargo de todo el cielo y sus aledaños... Una noche subí yo también; era una noche de primavera; el ambiente estaba tibio y tranquilo; lucían pálidamente las estrellas; se destacaba, redonda y silenciosa, en el cielo claro, la luna. Hacia ella dirigimos el tubo misterioso; yo vi un gran claror suave, con puntos negros, que son los cráteres extintos, con manchas blancas, que son los mares congelados.

Y entonces, en esta noche tranquila, sobre el reposo de la huerta y de la ciudad dormida, yo sentí que por primera vez entraba en mi alma una ráfaga de honda poesía y de anhelo inefable.

XIV

YECLA

«Yecla—ha dicho un novelista—es un pueblo terrible.» Sí que lo es; en este pueblo se ha formado mi espíritu. Las calles son anchas, de casas sórdidas o viejos caserones destartalados; parte del poblado se asienta en la falda de un monte yermo, parte se explaya en una pequeña vega verde, que hace más hórrida la inmensa mancha gris, esmaltada con grises olivos, de la llanura sembradiza...

En la ciudad hay diez o doce iglesias; las campanas tocan a todas horas; pasan labriegos con capas pardas; van y vienen devotas con mantillas negras. Y de cuando en cuando discurre por las calles un hombre triste que hace tintinear una campanilla, y nos anuncia que un convecino nuestro acaba de morirse.

En Semana Santa toda esta melancolía congénita llega a su estado agudo: forman las procesiones largas filas de encapuchados—negros, morados, amarillos—que llevan Cristos sanguinosos y Vírgenes doloridas; suenan a lo lejos unas bocinas roncas con sones plañideros; tañen las campanas; en las iglesias, sobre las losas, entre cuatro blandones, en la penumbra de la nave, un crucifijo abre sus brazos, y las devotas suspiran, lloran y besan sus pies claveteados.

Y esta tristeza, a través de siglos y siglos, en un pueblo pobre, en que los inviernos son crueles, en que apenas se come, en que las casas son desabrigadas, ha ido formando como un sedimento milenario, como un recio ambiente de dolor, de resignación, de mudo e impasible renunciamiento a las luchas vibrantes de la vida.

XV

LA MISTERIOSA ELO

Y yo me pregunto: ¿Cómo explicar el carácter de este pueblo, único en España? ¿De dónde proviene este sedimento de tristeza, de amargura y de resignación? ¿Por qué tocan las campanas a todas horas llamando a misas, a sufragios, a novenas, a rosarios, a procesiones, de tal modo que los viajantes de comercio llaman a Yecla «la ciudad de las campanas»? ¿Por qué son tan taciturnos estos labriegos, con sus cabazas pardas, y por qué suspiran estas buenas viejas que van de casa en casa, malagorando?

Y yo quiero imaginar una cosa notable; no os estremezcáis. Yo imagino que estos labriegos y estas viejas llevan en sus venas un átomo de sangre asiática... Desde la ciudad, si vais a ella, veréis en la lejanía la cima puntiaguda y azul del monte Arabí; a sus pies se extiende una inmensa llanura solitaria y negruzca. Y en esta llanura, sobre las mismas faldas del Arabí, se alzaba una ciudad espléndida y misteriosa, dominada por un templo de vírgenes y hierofantes, construído en un cerro. No se sabe a punto fijo, a pesar de las minuciosas investigaciones de los eruditos, qué pueblos y qué razas vinieron en la sucesión de los tiempos—ocho, diez o quince siglos antes de la Era cristiana—a fundirse en esta ciudad soberbia y extraña. Venían acaso de las riberas del Ganges y del Indo; eran orientales meditativos y soñadores; eran fenicios que labraban estas estatuas rígidas y simétricas, de sabios y de vírgenes, que hoy contemplamos con emoción en los museos.

Yo las he mirado y remirado largos ratos en las salas grandes y frías. Y al ver estas mujeres con sus ojos de almendra, con su boca suplicante y llorosa, con sus mantillas, con los pequeños vasos en que ofrecen esencias y ungüentos al Señor, he creído ver las pobres yeclanas del presente y he imaginado que corría por sus venas, a través de los siglos, una gota de sangre de aquellos orientales meditativos y soñadores.

XVI

MI PRIMERA OBRA LITERARIA

Esto no lo recuerdo bien: yo hice un discurso. Tengo una idea confusa: no quiero arreglar nada. Me place dejar estas sensaciones que bullen en mi memoria tal como yo las siento, caóticas, indefinidas, como a través de una gasa, allá en la lejanía...

Yo hice un pequeño discurso; es decir, lo escribí en un cuadernito, con mucho cuidado, con esa meticulosidad forzuda que ponen los niños—inclinándose violentamente, apretando los labios—en sus empeños.

Y este discurso, recuerdo que cuando llegó la ocasión—no sé qué ocasión—yo me levanté y lo leí ante la concurrencia silenciosa. Sí recuerdo que fué en el largo comedor, con mesas de mármol corridas, con sus ventanas que daban a la huerta ornada de parrales, y por la que se veía cerca una redonda higuera verdeja. Y ya no puedo recordar, por más esfuerzos que hago, lo que decía en mi pequeña alocución; cuando la acabo de leer, los buenos escolapios que presiden la mesa callan gravemente y—cosa rara; es decir, no, no, cosa muy natural—sí que tengo muy vivo, muy presente, muy entero el gesto benévolo y las frases lisonjeras de uno de ellos...

Este escolapio tan afable, ¿presentía mi vocación? Yo no sé; tal vez me veía en el Congreso, pronunciando discursos terribles; tal vez me consideraba en una cátedra, diciendo cosas estupendas. Pero sus presentimientos no se han cumplido. Y yo, cuando paso por delante del Congreso, bajo la cabeza tristemente y pienso en esta horrible paradoja de mi vida: en haber comenzado haciendo un discurso a los ocho años, para acabar siendo un pobre hombre que no ha podido lograr un acta de diputado.

XVII

MIS AFICIONES BIBLIOGRAFICAS

Hace un momento ha salido el maestro; no hay nada comparable en la vida a estos breves y deliciosos respiros que los muchachos tenemos cuando se aleja de nosotros, momentáneamente, este hombre horrible que nos tiene quietos y silenciosos en los bancos. A las posturas violentas de sumisión, a los gestos modosos, suceden repentinamente los movimientos libres, los saltos locos, las caras expansivas. A la inacción letal sucede la vida plena e inconsciente. Y esta vida, aquí entre nosotros, en esta clase soleada, en este minuto en que está ausente el maestro, consiste en subirnos a los bancos, en golpear los pupitres, en correr desaforadamente de una parte a otra.

Sin embargo, yo no corro, ni grito, ni golpeo; yo tengo una preocupación terrible. Esta preocupación consiste en ver lo que dice un pequeño libro que guardo en el bolsillo. No puedo ya hacer memoria de quién me lo dió ni cuándo comencé a leerlo; pero sí afirmo que este libro me interesaba profundamente porque trataba de brujas, de encantamientos, de misteriosas artes mágicas. ¿Tenía la cubierta amarilla? Sí, sí, la tenía; este detalle no se ha desaferrado de mi cerebro.

Y es el caso que yo comienzo a leer este pequeño libro en medio de la formidable batahola de los muchachos enardecidos; nunca he experimentado una delicia tan grande, tan honda, tan intensa, como esta lectura... Y de pronto, en este embebecimiento mío, siento que una mano cae sobre el libro brutalmente; entonces levanto la vista y veo que el bullicio ha cesado y que el maestro me ha arrebatado mi tesoro.

No os diré mi angustia y mi tristeza, ni trataré de encareceros la honda huella que dejan en los espíritus infantiles, para toda la vida, estas transiciones súbitas y brutales del placer al dolor. Desde la fecha de este caso he andado mucho por el mundo, he leído infinitos libros; pero nunca, nunca se va de mi cerebro el ansia de esta lectura deliciosa y el amargor cruel de esta interrupción bárbara.

XVIII

EL PADRE PEÑA

—Azorín, ¿sabe usted el tema de hoy?

Yo no sé qué contestar; además, no sé el tema de hoy. El padre Peña ha entrado en clase diez minutos después que los demás profesores en las suyas; viene jadeando por el largo claustro, con el balandrán sobre los hombros, con un periódico en la mano, dando grandes trancos, encorvado.

Cuando llega, cierra la puerta y se sienta.

—Azorín, ¿sabe usted el tema de hoy?

Yo no sé qué contestar; además, no sé el tema de hoy. El padre Peña me lo pregunta dos o tres veces; yo vacilo. Luego abro este libro sobado y resobado, con las puntas redondeadas, y comienzo a leer:

—*Le lit de fiancée.*

Esto me parece que significa *la cama de la desposada,* y así lo hago constar con voz clara... Mientras yo he hecho esta extraordinaria revelación, los demás sonreían; sonreían viendo al padre Peña. Este padre Peña tiene el pelo aplastado con una recia costra de cosmético; por su cara morena descienden chorreaduras negras que le dan un aspecto tétrico y cómico; él, de cuando en cuando, se soba las mejillas y difumina la negrura. ¿Por qué usa tanto cosmético el padre Peña? Ahora, mientras los alumnos sonríen, él ha desplegado *El Siglo Futuro* y lo va leyendo. Yo avanzo en mi traducción:

Où vas-tu de ce pas, jeune charpentier?
Ne sens-tu pas, du poids de ce lourd madrier,
Ton épaule affassee?

Hoy esto me parece fácil de descifrar; entonces era para mí un enigma. Esta tarde en que *me ha preguntado* el padre Peña, no sé lo que traduzco; pero algo excepcional será cuando él suelta el periódico y me mira con ojos espantados.

—¡Muchachico! ¡Muchachico!—exclama, llevándose las manos al cosmético de la cabeza.

Pero yo no me inmuto por este asombro del padre Peña; todos sabemos que él, en el fondo, no siente ninguna sorpresa porque demos tal o cual significado absurdo. Por eso continúa en la lectura de *El Siglo Futuro,* en tanto que yo vuelvo a mi tema:

... Repose. —Je ne peux; laisse moi, mon ami;
It me faut au plus tôt faire de ce bois-ci
Un lit de fiancée.

Otra vez vuelvo a decir algo estupendo; el padre Peña alza la vista y torna a exclamar:

—¡Muchachico! ¡Muchachico!

Luego proseguimos ambos nuestra faena: él, en el periódico; yo, en la traducción.

Y cuando suena la hora, el padre Peña se levanta precipitadamente y se va por el claustro adelante, dando grandes trancos, respirando fuerte, con el balandrán suelto sobre los hombros, con el periódico en la mano.

XIX

EL PADRE MIRANDA

El padre Miranda tenía la clase de Historia Universal; pero cuando se presentaba en lontananza un sermón, ya no teníamos clase. Entonces él nos dejaba en el aula charlando, y se salía a pasear por el claustro, mientras repetía en voz baja, carraspeando ruidosamente de cuando en cuando, los períodos de su próximo discurso.

El padre Miranda era un hombre bajo y excesivamente grueso; era bueno. Cuando estaba en su silla, repantigado, explicando las cosas terribles de los héroes que pueblan la Historia, ocurría que, con frecuencia, su voz se iba apagando, apagando, hasta que su cabeza se inclinaba un poco sobre el pecho y se quedaba dormido. Esto nos era extraordinariamente agradable; nosotros olvidábamos los héroes de la Historia y nos poníamos a charlar alegres. Y como el ruido fuera creciendo, el padre Miranda volvía a abrir los ojos y continuaba tranquilamente explicando las hazañas terribles.

Fué rector del colegio un año o dos; durante este tiempo, el padre Miranda iba diezmando las palomas del palomar del colegio; nosotros las veíamos pasar frente a las ventanas del estudio en una bandada rauda. Poco a poco, la bandada iba siendo más diminuta... «Es el padre Miranda, que se las come», nos decían, sonriendo, los fámulos. Y esta ferocidad de este hombre afable levantaba en nuestro espíritu—lo que no lograban ni César ni Aníbal con sus hazañas—un profundo movimiento de admiración.

Luego, el padre Miranda dejó de ser rector; de la ancha celda directorial pasó a otra celda más modesta; no pudo ya ejercer su tiranía sobre las nuevas palomas. Y véase lo que es la vida: ahora que era ya completamente bueno y manso, nosotros le mirábamos con cierto desdén, como a un ser débil, cuando pasaba y repasaba por los largos claustro, resignado con su desgracia.

Algunos años después, siendo yo estudiante de facultad mayor, me encontré en Yecla un día de Todos los Santos. Por la tarde fuí al cementerio, y vagando ante las largas filas de nichos, pararon mis ojos en un epitafio que comenzaba así: «*Hic jacet Franciscus Miranda, sacerdos Scholarum Piarum*...»

XX

LA PROPIEDAD ES SAGRADA E INVIOLABLE

Casi todos los colegiales teníamos nuestras *arquillas*. ¿Qué encerraba yo en la mía? Ya no lo recuerdo; acaso un álbum de calcomanías, un lápiz rojo, un espejico de bolsillo, un membrillo, que yo voy partiendo poco a poco y comiéndomelo; un libro pequeño con las tapas pajizas, que yo leo a escondidas con avidez... Las arquillas eran unas cajas pequeñas de madera, cerradas, con un asidero en la tapa. Cuando nos sentábamos ante nuestros pupitres, en seguida abríamos, en los ratos de asueto en que por causa de lluvia no podíamos ir al patio, en seguida abríamos nuestra arquilla. Yo recuerdo el olor a membrillo —el mismo de las grandes arcas de casa— que se exhalaba de la mía cuando levantaba la tapa. Y luego sentía una viva satisfacción en ir revolviendo las cosas que había dentro: el lápiz, el espejo, las calcomanías—rojas y verdes—que pegaba en los libros.

Esta era una de nuestras grandes satisfacciones; pero un día, a un escolapio, no recuerdo cuál, le pareció que estas arquillas eran una cosa abominable; decidió suprimirlas. Y aquel día, en que yo veo a mis compañeros cada uno con su caja, yendo a depositarla a los pies del tirano, yo lo tengo por uno de los más ominosos de mi niñez; y todavía hoy me siento indignado ante aquel despojo de mi propiedad, sagrada e inviolable.

XXI

CANOVAS NO TRAIA CHALECO

Vivía cerca del colegio una mujercita que nos traía sugestionados a todos: era el espíritu del pecado. Habitaba frente a un patio exterior; su casa era pequeñita; estaba enjalbegada de cal, con grandes desconchaduras; no tenía piso bajo habitable; se subía al principal, único de la casa, por una angosta y pendiente escalerilla; arriba, en la fachada, bajo el alero del tejado, se abría una pequeña ventana. Y a esta ventana se asomaba la mujercita; nosotros, cuando salíamos a jugar al patio, no hacíamos más que mirar a esta ventana. «¿Qué estará haciendo ahora ella?», pensábamos. Ella, entonces, al oír nuestros bullicios, hacía su aparición misteriosa en la ventana, y nosotros la contemplábamos desde lejos con ojos grandes y ávidos.

Nos atraía esta mujercita; ya he dicho que era el espíritu del pecado. Nosotros teníamos vagas noticias de que en la ciudad había un conventículo de mujeres execrables; pero esta pecadora que vivía sola, independiente, a orillas de la carretera, allí, bajo nuestras ventanas; esta mujercita era algo portentoso e inquietante.

Y como nos atraía tanto, al fin caímos; es decir, yo no fuí; yo era entonces uno de los *pequeños*, y quien fué figuraba entre los *mayores*. Se llamaba Cánovas; su nombre quiero que pase a la posteridad.

Se llamaba Cánovas. ¿Qué se ha hecho de este Cánovas? Cánovas fué el que se arriesgó a ir a la casa de la mujercita. Aconteció esto una tarde que estábamos en el patio y se había ausentado el escolapio hebdomadario. Cánovas saltó las tapias; yo no me hallaba presente cuando partió; pero le vi regresar por lo alto de una pared pálido, emocionado y sin chaleco.

¿Por qué no traía chaleco Cánovas? Este detalle es conmovedor; me dijeron al oído que Cánovas no tenía dinero cuando fué a ver a la mujercita, y que apeló al recurso de dejarse allí esta sencilla y casi inútil prenda de indumentaria... Desde aquel día, tanto entre los pequeños como entre los mayores, Cánovas fué un héroe querido y respetado.

XXII

EL PADRE JOAQUIN

Del padre Joaquín lo más notable que recuerdo es que tenía dos raposas disecadas en su cuarto; ya murió también. Todos los días leía *El Imparcial;* es el primer periódico que yo he visto; yo le profesaba por esto una profunda veneración a este escolapio. «¿Cómo es—me preguntaba—que el padre Joaquín lee un periódico liberal?» Y entonces, desde lo más íntimo de mi ser, no me cansaba de admirar este rasgo de audacia.

El padre Joaquín tenía en su cuarto tres o cuatro botellas y una licorera, en que aparecían colgadas seis copitas azules; todo esto estaba guardado en un armario. Sobre la mesa había una gran caja repleta de tabaco suave y oloroso. La habitación se hallaba situada en el segundo piso, al final de uno de los dormitorios; tenía dos balcones, y en pleno invierno, en los días claros, entraba por ellos una oleada de luz y de calor, mientras los canarios, colgados de las jambas, trinaban con gorjeos rientes...

«¡Cuando Azorín vaya por Madrid hecho un *silbantillo!...*» Yo, al evocar la figura del padre Joaquín, oigo siempre esta frase que él decía con voz sonora y dando una gran palmada: «¡Cuando Azorín vaya por Madrid hecho un *silbantillo!...*» Se había estrenado por entonces una zarzuela popularísima, y este vocablo de la efímera jerga madrileña era muy repetido; no sé a punto fijo lo que significa; no sé tampoco, cuando recuerdo mi doloroso aprendizaje literario, si he ido por Madrid hecho tal cosa; pero yo creo que el padre Joaquín lo decía en un sentido cariñoso y picaresco...

En clase, muchas veces, nos entreteníamos en charlar gustosamente; la disección de las dos zorras famosas nos ocupó cerca de un mes. Otras veces el padre Joaquín, que era el ecónomo, tenía que hacer sus complicadas cuentas y no bajaba; entonces gritábamos, jugábamos a la pelota, acaso dábamos unas pipadas a un cigarro.

Sin embargo, al finalizar el curso, todos estos desahogos los pagábamos por junto; teníamos que aprender de memoria, palabra tras palabra, quince o veinte hórridos cuadros esquemáticos de clasificaciones botánicas y zoológicas. Yo no recuerdo tormento semejante a éste; pero yo no le guardo rencor al padre Joaquín, en gracia del amable vaticinio que él repetía a cada paso, dando una gran palmada: «¡Cuando Azorín vaya por Madrid hecho un *silbantillo!...*»

XXIII

LOS BUENOS MODOS

—Señor Azorín, ¿cree usted que esa postura es académica?

Yo no creo nada; pero quito una pierna de sobre otra y me quedo inmóvil mirando al escolapio.

Entonces él me explica cómo deben estar los jóvenes sentados y cómo deben estar de pie. Yo ya tenía algunas noticias de esto; en mi pupitre hay un pequeño libro que se titula *Tratado de urbanidad;*

por mis manos han pasado cuatro o seis ejemplares de esta obra. ¿Qué hacía yo de ellos? Ya no lo recuerdo.

Pero sí que tengo presentes algunas de las cosas que allí se decían; luego he encontrado el libro entre mis papeles, y lo he vuelto a hojear.

«¿Cuándo doblará usted los brazos?», preguntaba el tratadista. Y contestaba a renglón seguido: «Doblaré los brazos en todo acto de religión, sea en el templo, sea en otra parte, y en los ejercicios literarios cuando el maestro me lo diga.»

Yo he de confesar que no tuve ocasión de doblar los brazos en ningún ejercicio literario. ¿A qué ejercicios se refería el autor? ¿Qué es lo que en ellos se hacía? Todas estas cosas me las preguntaba yo entonces; después, andando el tiempo, creo que he hecho algunos ejercicios literarios; pero no recuerdo haber guardado la prescripción del tratadista.

Tampoco la guardaba entonces respecto a tener las manos metidas en los bolsillos del pantalón; esto era un crimen horrible a los ojos del autor del libro.

«Tener las manos metidas en las faltriqueras del pantalón, sobre todo estando sentado—decía—, es postura indigna y algo más.» Y luego de formular este anatema, añadía indulgentemente: «Otra cosa fuera meterlas en la faltriquera del gabán...»

Yo guardo este libro como una reliquia preciosa de mi niñez.

XXIV

LAS TENERIAS

Cerca del colegio, a un lado, estaba situada una tenería... ¿No os inspiran un secreto interés estas viejas tenerías españolas, estas tenerías de Ocaña, estas tenerías de Valencia, estas tenerías de Salamanca que están al lado del río, no lejos de la casilla ruinosa en que vive la Celestina? Yo siempre he mirado con una viva emoción estos oficios de los pueblos: los curtidores, los tundidores, los correcheros, los fragüeros, los aperadores, los tejedores que en los viejos telares arcan la lana y hacen andar las premideras. Y recuerdo que cabe a estas tenerías, que yo veía siempre curioso y ávido, había una callejuela que se llamaba de las *Fábricas*. ¿Qué fábricas eran éstas? Eran esas pequeñas fábricas que hay en los pueblos vetustos y opacos; tal vez una almona; luego, al lado, una almazara; después, más lejos, acaso uno de esos viejos alambiques de cobre que van destilando lentamente, asentados en grandes anafes negruzcos...

La calle era corta, de casas bajas, sin revocar; no vivía nadie en ellas; durante el invierno, los cofines del piñuelo, puestos al sol en las puertas, indicaban que estaban trabajando las almazaras; de cuando en cuando se asomaba un hombre con el traje grasiento, y los arroyuelos de alpechín corrían serpenteando por medio de la calle.

En tanto, en la tenería, se oía de rato en rato el bullicio de los zurradores; el viento arremolinaba ante la puerta los montoncillos de cerdas y lana; y sobre los tejados pardos y bajos, a lo lejos, se escapaba de una pequeña chimenea el humo tenue de las almonas o del sosegado alambique.

XXV

LA SEQUIA

Hay entre nuestros recuerdos, en este sedimento que el tiempo ha ido depositando en el cerebro, visiones únicas, rápidas, inconexas, que constituyen un solo momento, pero que tenemos presentes con una vivacidad y una lucidez extraordinarias.

Yo veo en este instante una calle ancha, larga, de Yecla; el sol reverbera en las blancas fachadas, y contemplo cómo marca en las paredes esas fajas diagonales de luz del alborear o del atardecer. El arroyo está cubierto de una espesa capa de polvo que se levanta por el aire ardiente y forma nubes abrasadoras. Y entre estas nubes aparecen las capas negras de los clérigos, con rameados gualdos, las cotas rojas de los monagos, una alta cruz de plata que irradia lumbre, dos largas ringlas de labriegos que caminan despacio y cantan, en coro fervoroso, una salmodia plañidera...

No veo más; pero ahora puedo reconstruir el ambiente de esos días de sequía asoladora, con las mieses y los herrenes que se agostan, con los frutales que se secan, con los árboles que abaten sus hojas encogidas, con los caminos polvorientos, con las viejas enlutadas que suspiran y miran al cielo, abriendo los brazos, con una sorda ira que envenena a los labriegos acurrucados en sus sillas de esparto, en los zaguanes semioscuros, y que estalla de cuando en cuando en golpes y gritos que hacen llorar a los niños.

XXVI

MI TIO ANTONIO

Mi tío Antonio era un hombre escéptico y afable; llevaba una larga y fina cadena de oro que le pasaba y repasaba por el cuello; se ponía, unas veces, una gorra antigua con dos cintitas detrás, y otras, un sombrero hongo, bajo de copa y espaciado de alas. Y cuando por las mañanas salía a la compra—sin faltar una—, llevaba un carrick viejo y la pequeña cesta metida debajo de las vueltas.

Era un hombre dulce; cuando se sentaba en la *sala*, se balanceaba en la mecedora suavemente, tarareando por lo bajo, al par que en el piano tocaban la sinfonía de una vieja ópera... Tenía la cabeza redonda y abultada, con un mostacho romo que le ocultaba la comisura de los labios, con una abundosa papada que caía sobre el cuello bajo y cerrado de la camisa. Yo no sé si mi tío Antonio había pisado alguna vez las universidades; tengo vagos barruntos de que fracasaron unos estudios comenzados. Pero tenía—lo que vale más que todos los títulos—una perspicacia natural, un talento práctico y, sobre todo, una bondad inquebrantable que ha dejado en mis recuerdos una suave estela de ternura.

El era feliz en su modesta posición; no tenía mucha hacienda; poseía unos viñalicos y unas tierras paniegas. Y estos viñalicos, que amaba con un intenso amor, él se esforzaba todas las tardes en limpiarlos de pedrezuelas, agachado penosamente, sufriendo con su gordura.

Digo todas las tardes, y he de confesar

que no es del todo exacto, porque muchas tardes no iba a sus viñas. Y era porque él tenía una gran afición a echar una mano de tute en el casino, o bien de dominó, o bien de otra cosa—todas lícitas—; y así pasaba agradablemente las horas después de la comida hasta bien cerrada la noche.

Yo creo que mi tío Antonio había estado en Madrid; no sé cuándo, no sé con qué motivos, no sé cuánto tiempo. El, cuando estábamos en la *sala*, y me tenía sobre sus rodillas, siendo yo muy niño, me contaba cosas estupendas que había visto en la corte. Yo soñaba con mi fantasía de muchacho. En una rinconera había un loro disecado, inmóvil sobre su alcándara; en las paredes se veían cuadros con perritos bordados en cañamazo; sobre la mesa había cajas pequeñas cubiertas de conchas y caracoles. Y cuando mi tío callaba para oír el piano que tocaba la sinfonía de *El barbero de Sevilla*, yo veía a lo lejos la maravillosa ciudad; es decir, Madrid, con teatros, con jardines, con muchos coches que corrían, haciendo un ruido enorme.

XXVII

MI TIA BARBARA

Respecto a mi tía Bárbara, yo he de declarar que, aunque la llamo así, tía, como si lo fuese carnal, no sé a punto fijo qué clase de parentesco me unía con ella. Creo que era tía lejana de mi padre. Ello es que era una vieja menudita, encorvada, con la cara arrugada y pajiza, vestida de negro, siempre con una mantilla de tela negra. Yo no sé por qué suspiran tanto estas viejas vestidas de negro. Mi tía Bárbara llevaba continuamente un rosario en la mano; iba a todas las misas y a todas las novenas. Y cuando entraba en casa de mi tío Antonio, de vuelta de la iglesia, y me encontraba a mí en ella, me abrazaba, me apretujaba entre sus brazos, sollozando y gimiendo.

Si yo la hiciera hablar en estas páginas cometería una indiscreción suprema; yo no recuerdo haberle oído decir nada, aparte de sus breves y dolorosas imprecaciones al cielo: «¡Ay Señor!» Pero tengo idea de que ella había contado algunas veces la entrada de los franceses en la ciudad, en 1808.

Sí; era una pequeña vieja silenciosa, encorvadita; vivía en una casa diminuta; la tarde que no había función de iglesia, o bien después de la función, si la había (y claro está que en Yecla la hay todos los días, perdurablemente), recorría las casas de los parientes, pasito a pasito, enterándose de todas las calamidades; sentándose, muy arrebujada, en un cabo del sofá; suspirando con las manos juntas: «¡Ay Señor!»

XXVIII

EL ABUELO AZORIN

Una vez, allá en la primera mitad del siglo XIX, pasó por Yecla un pintor y retrató a mi bisabuelo paterno. No hemos podido averiguar quién era este pintor; pero su obra es un lienzo extraño que ha cautivado a Baroja, el gran admirador del *Greco*. Se trata de un lienzo simple, sobrio, de coloración adusta; mi bisabuelo es un viejecito con la cara afeitada, encogido, ensimismado; tiene el pelo gris claro, largo, peinado hacia atrás; sus ojos son pequeños, a medio abrir, como si mirara algo lejano y brillante (y ya veremos luego que, en efecto, lo que él estaba mirando siempre era algo brillante y lejano); su boca es grande, y la nariz hace un pico sobre la larga comisura.

Este pequeño viejo está con la cabeza suavemente inclinada; se ve en su indumentaria una corbata negra, de lazo; por encima de ella, tocando las mandíbulas, aparecen dos pequeños triángulos blancos del cuello, y por debajo, sobre el pecho, otro triángulo, que es la pechera. El traje de mi bisabuelo es negro; lleva también una capa negra, de cuello enhiesto, y por entre sus pliegues, a la altura del pecho, aparece la mano amarilla y huesosa del pequeño viejo, medio extendida, como señalando, pero sin afectación, cuatro o seis infolios que se destacan a la derecha con sus tejuelos rojos y verdes.

El artista misterioso que pintó este lienzo quiso hacer una obra maestra retratando a este viejo, lleno de cultura, filósofo terrible, que inopinadamente encontró en esta ciudad gris un día que pasó por ella. Mi bisabuelo trabajaba reciamente con el cerebro; lo *lejano* y *brillante* a que he aludido más arriba, y que él contemplaba a todas horas, era la esencia divina, Dios y su gloria, el Creador de todas las cosas con sus atributos de amor y de sapiencia. Lo diré en dos palabras: mi bisabuelo, ante todo, era un teólogo.

Mi tío Antonio solía decirme que le ganaba por la mano a Balmes; yo no llego a tanto; pero es lo cierto que sus obras han quedado inéditas y nadie le conoce. Yo conservo los manuscritos; hay, entre ellos, un libro fundamental que se titula *Filosofía del Símbolo o mis ideas religiosas y políticas;* y hay, además, otros pequeños tratados sobre materias místicas o dogmáticas.

Mi bisabuelo tenía una modestia sencilla y afable; no se atrevió a dar sus obras a la estampa, y fueron precisas circunstancias excepcionales para que publicase los dos únicos libros que tiene publicados: uno, cierta novena a San Isidro Labrador, porque amigos y vecinos (estas viejas que entran en nuestra casa con el rosario, estos vecinos que vienen a calentarse a nuestra cocina) se lo rogaron insistentemente; otro, un pequeño libro formidable, que él creyó un deber de conciencia el publicar.

Yo no sé cómo ocurrió el lance; ello es que allá en Francia, Talleyrand, que ya no se acordaba de que había sido obispo, profirió algunas tremendas impiedades. Entonces, en una ciudad lejana de España, que era Yecla, hubo un pequeño viejo, mi bisabuelo, que se afligió profundamente. El tenía una pluma y un pensamiento recto y profundo. ¿Cómo, católico fervoroso, iba a dejar pasar estas enormidades sin protesta? No, no podía ser. «*In communi causa*—decía él—*omnis homo miles.*» Y escribió una obra llena de erudición, que se imprimió en Alcoy, sobre recio papel de barba, con esos tipos cuadrados y gordos que usó en Valencia el editor Cabrerizo. Yo he leído el libro; lleva por lema la frase latina que he citado; se titula *El Contestador a una carta que se quiere suponer escrita por el príncipe Talleyrand al Sumo Pontífice Pío VII.* Yo lo he leído; es una refutación que hoy, dados los progresos de la apologética cristiana, resulta un poco anticuada; pero hay en este pequeño libro una página en que el viejecito de la capa se yergue como un filósofo profundo; una página soberbia, inquietadora, sobre la idea de tiempo y la eternidad perdurable.

XXIX

MI TIO ANTONIO EN EL COMEDOR

El comedor de casa de mi tío Antonio era pequeño; tenía una ventana que daba a un patizuelo, con alhelíes y geranios plantados en latas de conservas y cacharros rotos. En una rinconera, un despertador marchaba siempre con su *tic-tac* monótono; en un ángulo, un tosco bargueño estaba cargado de platos, y las paredes se veían cubiertas con un papel colorinesco —verde, rojo, azul—en que había pintados mares y riachuelos...

Cuando, ya sentados a la mesa, llegaba el momento en que sacaban el cocido, yo veía que ésta era la más íntima e intensa satisfacción de mi tío Antonio. Estos hombres buenos y escépticos son terriblemente sensuales; mi tío había comprado por la mañana en la plaza los aprestos de la comida, escogiéndolos con cariño, regateando el precio, sopesándolos, remirándolos, acariciándolos. Y luego, su sensualidad consistía (además de oír la música de Rossini) en devorar beatamente los garbanzos, la carne grasa, las patatas redonduelas y nuevas. Y yo lo veo, con su cara redonda y su papada, cómo rosiga y sorbe los huesos, cómo los golpea contra el plato para que suelten la blanda medula.

Y si es día solemne—que eran los días que yo, interno en el colegio, comía con él—, si es día solemne y hay al final una fuente de natillas, entonces su satisfacción es completa. No hay para él otro goce supremo. Rossini puede perdonarle esta infidelidad. Yo, que amo apasionadamente al gran maestro, también se la perdono.

Y si cierro un momento los ojos en el cambio de cuartilla a cuartilla, se me aparece el buen anciano orondo después de la comida, repantigado en su sillón, dando con el acero sobre el pedernal unos golpecitos menudos y rítmicos que hacen temblar su sotabarba.

XXX

LOS DESPERTADORES

Cuando yo dormía alguna vez en casa de mi tío Antonio, si era víspera de fiesta, yo oía por la madrugada, en esas madrugadas largas de invierno, el canto de los *despertadores*, es decir, de los labriegos que forman la cofradía del Rosario, y que son llamados así por el vulgo. Yo no sé quién ha compuesto esta melopea plañidera, monótona, suplicante; me han dicho que es la obra de un músico que estaba un poco loco...

Yo la oía arrebujado en la cama, entre estas sábanas rasposas de lino con pequeños burujones; dormía en la sala; encima de la consola había un gran lienzo con un cristo entre sayones hoscos; la cama era grande, de madera, pintada de verde y amarillo; recuerdo que la jofaina del agua, puesta en un rincón, siempre estaba vacía.

Primero se percibía a lo lejos un murmullo, como un moscardoneo, acompañado por el tintinear de la campanilla; luego, las voces se oían más claras; después, cerca, bajo los balcones, estallaba el coro suplicante, lloroso, trémulo...

No nos dejes, Madre mía;
míranos con compasión...,

cantaban enardecidos. Y yo oía emocionado esta música torturante, de una tristeza bárbara, obra de un místico loco.

La oía un momento allí bajo, y luego, poco a poco, se alejaba hasta apagarse tenue con un lamento imperceptible.

Después principiaba el tintineo de los martillos sobre el yunque en la herrería contigua; trabajaban en aguzar las rejas que se habían de llevar los aldeanos llegados el sábado. Y más tarde, en el cuarterón de la ventana dejada abierta, comenzaba a mostrarse un claror vago, indeciso.

XXXI

EL MONSTRUO Y LA VIEJA

Yo estoy en la entrada de la casa de mi tío Antonio; los cazos y pucheros de la espetera lucen sobre la pared blanca. Yo estoy en la entrada de la casa de mi tío Antonio; tengo entre las manos un libro en que voy viendo toscos grabados abiertos en madera; representan una cigüeña que mete el pico por una ampolla, ante los ojos estupefactos de una vulpeja; un cuervo que está posado en una rama y tiene cogido un queso redondo; una serpiente que se empeña en rosigar una lima...

Yo estoy sentado en un amplio sillón de cuero; al lado, en la herrería paredaña, suenan los golpes joviales y claros de los machos que caen sobre el yunque; de cuando en cuando se oye tintinear en la cocina el almirez. El aparcero ha entrado hace un momento y ha dicho que en la tormenta del otro día se le han apedreado los majuelos de la Herrada; este año apenas podrá coger doscientos cántaros de vino; las mieses también se han agostado por falta de lluvias oportunas; él está atribulado; no sabe cómo va a salir de sus apuros. Se hace un gran silencio en la entrada; los martillos marchan con su *tic-tac* ruidoso y alegre; el labriego mira tristemente al suelo y se soba la barba intonsa con la mano; luego ha dicho: «¡Ea, Dios dirá!» Y se ha marchado, lentamente, suspirando.

Ha transcurrido otro rato en silencio; por la calle se ha oído sonsonear una campanilla y una voz que gritaba: «¡Esta tarde, a las cuatro, el entierro de don Juan Antonio!»

Cuando el tintineo de la campanilla se alejaba, se ha abierto un poco la puerta de la calle y ha asomado una vieja, vestida de negro, con la cara arrugada y pajiza. Esta vieja lleva una cesta debajo del brazo, y se ha puesto a rezar, en un tono de habla lento y agudo, por todos los difuntos de la casa; luego, cuando ha concluído, ha gritado: «¡Señora, una limosnica, por el amor de Dios!» Y como se hiciese una gran pausa y no saliese nadie, la vieja ha exclamado: «¡Ay Señor!»

Entonces, en el viejo reloj se ha hecho un sordo ruido, y se ha abierto una portezuela por la que se ha asomado un pequeño monstruo que ha gritado: *Cu-cu, cu-cu...*

La vieja, después, ha tornado a preguntar: «Señora, ¿una limosnica, por el amor de Dios?» Otra vez ha transcurrido un largo rato; la vieja ha vuelto a suspirar: «¡Ay Señor!» Y en el viejo reloj, que repite sus horas, este pequeño monstruo, que es como el símbolo de lo inexorable y de lo eterno, ha vuelto a aparecer y ha tornado a gritar: *Cu-cu, cu-cu, cu-cu...*

XXXII

MI TIA AGUEDA

A mi tía Agueda yo no la conocí sino un año antes de morir, cuando vino a Yecla, su pueblo natal, a acabar su bella y noble vida... Tenía toda la penetración, todo el despejo natural, toda la bondad ingénita de esas almas que Montaigne ha llamado «universales, abiertas y prestas a todo». Yo la veo en una inmensa sala de uno de estos caserones yeclanos, sentada en un ancho sillón, con la cabeza pensativamente apoyada en la blanca y suave mano. Estaba muy enferma; ya casi no podía andar de un lado para otro. Y en esta sala grande, con lienzos religiosos, con los retratos de la familia, yo la oía suspirar de cuando en cuando, presintiendo su acabamiento próximo.

Yo iba sólo a su casa de tarde en tarde: los *días de salida* en el colegio. Entonces, cuando me veía entrar, cuando me acercaba a su sillón, me atraía hacia sí con dulzura y me daba un beso en la frente. «Antoñito, Antoñito—decía suspirando—, yo quiero que seas muy bueno.» Y este suspiro y estas palabras, henchidas de una suave melancolía, impregnaban mi alma de un dejo de tristeza. Y permanecía silencioso, embargado, sin saber qué decir, mirando a las paredes con esos ojos atontados de los niños cuando pasa a su lado algo que ellos presienten que es muy grave, pero que no se explican...

XXXIII

ENCUBRID VUESTROS DOLORES, HACED BELLA Y FUERTE LA VIDA

Ya creo que he dicho que mi tío Antonio padecía la misma enfermedad—el mal de piedra—que otro célebre y amable escéptico: Montaigne. Mi tío murió como un hombre bueno y sencillo; hizo todo lo que pudo por ahorrar a los que le rodeaban el espectáculo de su dolor. «Cosa imperfectísima me parece—decía Santa Teresa—este aullar y quejar siempre, y enflaquecer la habla, haciéndola de enfermo; aunque lo estéis, si podéis más, no lo hagáis, por amor de Dios.» Hay almas superiores que saben tener este gesto supremo en sus angustias; mi tío fué de estas almas. Padeció atrozmente en sus últimos días; él decía que era como si tuviera cerca «unos perricos que venían a morderle». Y cuando, de rato en rato, sentía los crueles y abrumadores aguijonazos en la vejiga, él intentaba sonreír, y exclama: «¡Ya están aquí, ya están aquí los perricos!»

Pocas horas antes de expirar, los perricos le dejaron quieto; él recobró toda su bella serenidad, y dijo que ya «estaba en la taquilla tomando billete para el viaje»... Luego, por la tarde, tuvo unas palabras consoladoras para todos, y cesó de vivir...

Si hay un mundo mejor para los hombres que han paseado sobre la tierra una sonrisa de bondad, allí estará mi tío Antonio, con su larga cadena de oro al cuello, con su eslabón y su pedernal, oyendo eternamente música de Rossini.

XXXIV

LA IRONIA

Vamos a partir; la diligencia está presta. ¿Adónde vamos? No lo sé; éste es el mayor encanto de los viajes...

Yo no he podido ver una diligencia a punto de partida sin sentir vivos deseos de montar en ella; no he podido ver un barco enfilando la boca del puerto sin experimentar el ansia de hallarme en él, colocado en la proa, frente a la inmensidad desconocida.

Vamos a partir. ¿Adónde vamos? No lo sé; éste es el mayor encanto de los viajes... Yo tengo vivo entre mis recuerdos de niño el haber visto un barquito, lo que se llama un *modelo*, metido en un desván, revuelto entre trastos viejos; luego visité el mar en Alicante, y vi sobre la mancha azul—grandes, enormes—muchos barcos como este pequeñito del desván.

Y entre todos estos barcos yo sentí—y siento—una viva simpatía por las goletas, por los bergantines, por las polacras, por todos esos barcazos pintados de blanco —viejos, lentos—, con una pequeña cocina, con las planchas de cobre verdosas. ¿Qué hacen estos barcos? ¿Adónde van? Yo tengo presente la imagen de uno de ellos: era una polacra vieja de las que transportan petróleo en sus bodegas; hacía dos meses que permanecía inactiva en el puerto; la pequeña cocina estaba apagada y llena de polvo; en la litera del capitán no había colchones. Nos acompañaba un marinero de la tierra, un hombre moreno, con una barba canosa y corta, con unos ojuelos hundidos y brillantes. Recorrimos todo el barco—solitario, silencioso—; como pasáramos por una camarilla en que había un armario lleno de tarros de ginebra, yo dije señalándolos: «Esto es ginebra.» Y entonces el viejo marino los miró un momento en silencio con sus ojillos brillantes, y luego contestó con una ironía maravillosa, soberbia, que yo no he encontrado después en los grandes maestros: «¡Ha sido!»

XXXV

¡MENCHIRON!

La casa tiene un pequeño huerto detrás; es grande; enormes salas suceden a salas enormes; hay pasillos largos, escaleras con grandes bolas lucientes en los ángulos de la barandilla, cocinas de campana, caballerizas... Y en esta casa vive Menchirón. Al escribir este nombre, que debe ser pronunciado enfáticamente—¡Menchirón!—, parece que escribo el de un viejo hidalgo que ha peleado en Flandes. Y es un hidalgo, en efecto, Menchirón; pero un hidalgo viejo, cansado, triste, empobrecido, encerrado en este poblachón sombrío. Yo no puedo olvidar su figura: era alto y corpulento, llevaba siempre unas zapatillas viejas bordadas en colores; no usaba nunca sombrero, sino una gorra, e iba envuelto en una manta que le arrastraba indolentemente... Este contraste entre su indumentaria astrosa y su alta alcurnia causaba un efecto prodigioso en mi imaginación de muchacho. Luego supe que un gran dolor pesaba sobre su vida: en su enorme casa solariega había una habitación cerrada herméticamente; en ella aparecía una cama deshecha; sobre la mesa se veían frascos de medicamentos viejos, y sobre los muebles destacaban acá y allá ropas finas y suaves de una mujer. Nadie había puesto los pies en esta estancia desde hacía mucho tiempo; en ella murió años atrás una muchacha delicada, la más bonita de la ciudad, hija del viejo hidalgo. Y el viejo hidalgo había dejado, en supremo culto hacia la niña, la cama, las ropas y los muebles, tal como estaban cuando ella se fué del mundo.

¡Menchirón! Helo aquí por las calles de Yecla, contemplado por mis ojos ansiosos, hastiado, cansado, con su manta que arrastra, con sus zapatillas, con su gorra sobre la frente. Yo vi, años después, su epitafio en el cementerio: decía que el muerto era excelentísimo e ilustrísimo; rezaba una porción de títulos y sinecuras modernísimos. Pero yo hubiera puesto este otro:

«Aquí yace don Joaquín Menchirón. Nació en 1590; murió en 1650. Peleó en Flandes, en Italia y en Francia; asistió con Spínola a la toma de Ostende; se halló en la rendición de Breda. Cuando se sintió viejo se retiró a su casa de Madrid; con los años adoleció de la gota. Un día, estando dormitando en el sillón, de donde no podía moverse, oyó los clarines de una tropa que se marchaba a la guerra; quiso levantarse súbitamente, cayó al suelo y murió.»

XXXVI

«AZORIN ES UN HOMBRE RARO»

Cuando la dueña de la casa me ha dicho: «Deje usted el sombrero», yo he sentido una impresión tremenda. ¿Dónde lo dejo? ¿Cómo lo dejo? Yo estoy sentado en una butaca, violentamente, en el borde; tengo el bastón entre las piernas, y sobre las rodillas el sombrero. ¿Cómo lo dejo? ¿Dónde? En las paredes de la sala veo cuadros con flores, que ha pintado la hija de la casa; en el techo están figuradas unas nubes azules, y entre ellas revolotean cuatro o seis golondrinas. Yo me muevo un poco en la butaca y contesto a una observación de la señora, diciendo que, efectivamente, «este año hace mucho calor». Luego, durante una breve pausa, examino los muebles. Y ahora sí que experimento una emoción terrible; estos muebles nuevos, llamativos, puestos simétricamente (o, lo que es más enorme, en una desimetría estudiada); a estos muebles de los bazares y de las tiendas frívolas, yo no quisiera tener que echarles encima el peso de mi crítica. ¿Qué voy a decir de estas abrumadoras sillitas dobles, de respaldo invertido, pintadas de blanco perla y que no pueden faltar en las casas elegantes? ¿Qué voy a pensar de los jarrones que hay sobre la consola y de las figuritas de porcelana? El señor de la casa rompe el breve silencio, y me pregunta qué me parece de la última crisis; yo me agarro a sus palabras como un náufrago para salir de este conflicto interior que me atosiga; pero veo que no sé qué opinión dar sobre la última crisis.

Entonces se hace otro largo silencio; repaso mientras tanto el puño de mi bastón... Al fin la señora dice una frivolidad, y yo contesto con otro monosílabo.

¿Para qué haré yo visitas? No, no; yo tengo muy presentes estas sensaciones de muchacho, y por este motivo no he querido nunca hacer visitas; a mí no se me ocurre nada en estas salas en que hay golondrinas pintadas en el techo, ni sé qué contestarles a estos señores. Por eso ellos, cuando les dicen que yo tengo mucho talento—cosa que yo no creo—, asienten discretamente, pero mueven la cabeza y añaden: «Sí, sí; pero Azorín es un hombre raro.»

XXXVII

LOS TRES COFRECILLOS

Si yo tuviera que hacer el resumen de mis sensaciones de niño en estos pueblos opacos y sórdidos, no me vería muy apretado. Escribiría sencillamente los siguientes corolarios:

«¡Es ya tarde!»

«¡Qué le vamos a hacer!»; y

«¡Ahora se tenía que morir!»

Tal vez estas tres sentencias le parezcan extrañas al lector; no lo son de ningún modo; ellas resumen brevemente la psicología de la raza española; ellas indican la resignación, el dolor, la sumisión, la inercia ante los hechos, la idea abrumadora de la muerte. Yo no quiero hacer vagas filosofías; me repugnan las teorías y las leyes generales, porque sé que circunstancias desconocidas para mí pueden cambiar la faz de las cosas, o que un ingenio más profundo que el mío puede deducir, de los pequeños hechos que yo ensamblo, leyes y corolarios distintos a los que yo deduzco. Yo no quiero hacer filosofías nebulosas; que vea cada cual en los hechos sus propios pensamientos. Pero creo que nuestra melancolía es un producto—como notaba Baltasar Gracián—de la sequedad de nuestras tierras, y que la idea de la muerte es un corolario inmediato, riguroso, de la melancolía. Y esta idea, la de la muerte, es la que domina con imperio avasallador en los pueblos españoles. Yo, siendo niño, oía contar muchas veces que un vecino o un amigo estaba enfermo; luego, inmediatamente, la persona que contaba o la que oía se quedaba un momento pensativa, y agregaba: «¡Ahora se tenía que morir!»

Y éste es uno de los tres apotegmas, uno de los tres cofrecillos misteriosos e irrompibles en que se encierra toda la mentalidad de nuestra raza.

XXXVIII

LAS VIDAS OPACAS

Yo no he ambicionado nunca, como otros muchachos, ser general u obispo; mi tormento ha sido—y es—no tener un alma multiforme y ubicua para poder vivir muchas vidas vulgares e ignoradas; es decir, no poder meterme en el espíritu de este pequeño regatón que está en su tiendecilla oscura; de este oficinista que copia todo el día expedientes y por la noche van él y su mujer a casa de un compañero, y allí hablan de cosas insignificantes, de este saltimbanqui que corre por los pueblos; de este hombre anodino que no sabemos lo que es ni de qué vive y que nos ha hablado una vez en una estación o en un café…

Las pequeñas tiendas tienen un atractivo poderoso. ¿Cómo viven estos regatones, estos percoceros con sus bujerías de plata, estos sombrereros con sus sombreros humildes, estos cereros con sus velas rizadas? Hay en las viejas ciudades españolas calles estrechas (tal vez con el ábside de una vetusta iglesia en el fondo), donde todos estos mercaderes tienen sus tiendecillas, y hay una hora profunda, una hora única, en que todas estas tiendas irradian su alma verdadera.

Esta hora es por la noche, después de cenar; ya los canónigos se han retirado de sus tertulias; las calles están desiertas; la campana de la catedral lanza nueve graves y largas vibraciones. Entonces os paseáis bajo los soportales; las tiendas tienen ya sus escaparates apagados; acaso algunas estén ya también entornadas; pero sentís que un reposo profundo ha invadido los reducidos ámbitos; un hálito de vida monótona y vulgar se escapa de la anaquelería y del pequeño mostrador; tal vez un niño, que se ha levantado con la aurora, duerme de bruces sobre la tabla; en la trastienda, allá en el fondo, se ve el resplandor de una lámpara... Y la campana de la catedral vuelve a sonar con sus vibraciones graves y largas.

XXXIX

LAS VENTANAS

¿Vosotros no habéis visto una pequeña ventana desde lo alto de un monte? Yo lo explicaré: cuando va ya de vencida la tarde subís a una montaña alta en que hay barrancos rojizos con verdes higueras en el fondo, y en que tal vez un allozo hace surgir entre las peñas su tronco atormentado. La tarde cae tranquila y silenciosa; vosotros os sentáis en un terrero; al lado vuestro, en una mata de lentisco, una araña os mira con sus ojos crueles y luminosos desde el fondo de su embudo de seda; a lo lejos tintinea dulcemente la esquila de un ganado. Entonces vosotros sacáis de un cilindro de recio y viejo cuero un catalejo enmohecido, en uno de cuyos tubos pone con letra inglesa *London,* y miráis el panorama verde y suave... Las montañas cierran en la lejanía con una pincelada azul el horizonte; las viñas cubren con su alfombra de verde claro el llano; una manchita blanca se divisa imperceptible allá en la inmensidad, en el repliegue de una ladera.

Vosotros dirigís hacia allí el catalejo, y veis, en lo alto de un cerro, un castillejo moruno con su torreón desmochado, y abajo, en el declive, un tropel de casas con fachadas blancas. Mirad bien estas casas; todas tienen ventanas; pero entre todas habrá una con una ventana pequeña, misteriosa, que hará que vuestro corazón se oprima un momento con inquietud indefinible... Yo no sé lo que tiene esta pequeña ventana; si habla de dolores, de sollozos y de lágrimas; tal vez, al concretarla, no expresaría mi emoción con exactitud; porque el misterio de estas ventanas está en algo vago, algo latente, algo como un presentimiento o como un recuerdo de no sabemos qué cosas...

Yo he visto en mi niñez muchas fotografías, con pequeñas ventanas, de pueblos que jamás he visitado, y al verlas he sentido esta extraña inquietud de que el poeta Baudelaire también hablaba.

XL

ESAS MUJERES...

¿No habéis encontrado nunca en vuestra vida una mujer que os ha hechizado durante un momento y que luego ha desaparecido? Estas mujeres son como estrellas que pasan rápidas en las noches sosegadas del estío. Habréis encontrado una vez, en un balneario, en una estación, en una tienda, en un tranvía, una de esas mujeres cuya vista es como una revelación, como una floración repentina y potente que surge desde el fondo de vuestra alma. Tal vez esta mujer no es hermosa; las que dejan más honda huella en nuestro espíritu no son las que nos deslumbran desde el primer momento...

Vosotros entráis en un vagón del ferrocarril u os sentáis junto al mar en un balneario; después vais mirando a las personas que están junto a vosotros. He aquí una mujer rubia, vestida de negro, en quien vosotros no habéis reparado al sentaros. Examinadla bien; los minutos van pasando; las olas van y vienen mansamente; el tren cruza los campos. Examinadla bien; posad los ojos en su pelo, en su busto, en su boca, en su barbilla redondeada y fina. Y ved cómo vais descubriendo en ella secretas perfecciones, y cómo va brotando en vosotros una simpatía recia e indestructible hacia esta desconocida que se ha aparecido momentáneamente en vuestra vida.

Y será sólo un minuto; esta mujer se marchará; quedará en vuestra alma como un tenue reguero de luz y de bondad; sentiréis como una indefinible angustia cuando la veáis alejarse para siempre. ¿Por qué? ¿Qué afinidad había entre esta mujer y vosotros? ¿Cómo vais a razonar vuestra tristeza? No lo sabemos; pero presentimos vagamente, como si bordeáramos un mundo desconocido, que esta mujer tiene algo que no acertamos a explicar, y que al marcharse se ha llevado algo que nos pertenece y que no volveremos a encontrar jamás.

Yo he sentido muchas veces estas tristezas indefinibles; era muchacho; en los veranos iba frecuentemente a la capital de la provincia y me sentaba largas horas en los balnearios, junto al mar. Y yo veía entonces, y he visto luego, alguna de estas mujeres misteriosas, sugestionadoras, que, como el mar azul que se ensanchaba ante mi vista, me hacían pensar en lo Infinito.

XLI

LAS PUERTAS

Ya os he hablado de las ventanas; ahora quiero que sepáis la emoción que en mí suscitan las puertas. Yo amo las cosas; esta inquietud por la esencia de las cosas que nos rodean ha dominado en mi vida. ¿Tienen alma las cosas? ¿Tienen alma los viejos muebles, los muros, los jardines, las ventanas, las puertas? Hoy mismo, sentado ante la mesa, con la pluma en la mano, he advertido que entraba en la pequeña biblioteca el mayoral de la labranza, y me decía:

—Esta noche las puertas han trabajado mucho...

Yo oigo estas palabras y pienso que, en efecto, esta noche pasada las puertas han trabajado reciamente. ¿Tienen alma las puertas? Un viento formidable hacía estremecer la casa; todas las puertas de las grandes salas vacías, las de las cámaras, las de los graneros, las de los corredores, las de los pequeños cuartos perdurablemente oscuros, todas, todas las puertas han lanzado sus voces en el misterio de la noche. Una puerta no es igual a otra nunca; fijaos bien. Cada una tiene su vida propia. Hablan con sus chirridos suaves o broncos; tienen sus cóleras que estallan en recios golpes; gimen y se expresan, en las largas noches del invierno, en las casas grandes y viejas, con sacudidas y pequeñas detonaciones, cuyo sentido no comprendemos.

¿No os dice nada una de estas puertas

llamadas *surtidores*, que dan paso de una alcoba ancha y sombría a un corredor sin muebles, con las paredes blancas? ¿Y esta otra dividida en pequeños cuarterones, que da paso a una vieja cámara campesina, con una pequeña ventana alambrada y con una leja en que hay un espejo roto y un cantarillo con miera? ¿Y esta otra con las maderas alabeadas, hinchadas por la humedad, carcomidas, que cierra un huertecillo abandonado, con parrales sombríos y hierbajos que crecen en las junturas de las losas, con un viejo árbol por cuyo seno verde tuerce el paso una yedra, como en los versos de Garcilaso?

No hay dos puertas iguales; respetadlas todos. Yo siento una profunda veneración por ellas; porque sabed que hay un instante en nuestra vida, un instante único, supremo, en que detrás de una puerta que vamos a abrir está nuestra felicidad o nuestro infortunio...

XLII

MARIA ROSARIO

María Rosario, tú tenías entonces quince años; llevabas un traje negro y un delantal blanco; tus zapatos eran pequeñitos y nuevos. María Rosario, tú te ponías a coser en el patio, en un patio con un toldo y grandes evónimos en cubas pintadas de verde; el piso era de ladrillos rojos muy limpios. Y aquí, en este patio, tú te sentabas delante de la máquina; a tu lado estaba tu tía, con su traje negro y su cara pálida; más lejos, en un ángulo, estaba Teresica. Y había un ancho fayanco atestado de ropa blanca y de telas a medio cortar, y tú revolvías con tus manos delicadas estas telas blancas y ponías una sobre la máquina. Tus pies pequeñitos movían los pedales de hierro, y entonces la máquina marchaba, marchaba en el sosiego del patio con un ruido ligero y rítmico.

María Rosario, yo pienso a ratos, después de tanto tiempo, en tus manos blancas, en tus pies pequeños, en tu busto suavemente henchido; yo quisiera volver a aquellos años y oír el ruido de la máquina en ese patio, y ver tus ojos claros, y tocar con las dos manos, muy blandamente, tus cabellos largos.

Y esto no puede ser, María Rosario; tú vivirás en una casa oscura; te habrás casado con un hombre que redacte terribles escritos para el Juzgado; acaso te hayas puesto gruesa, como todas las muchachas de pueblo cuando se casan; tal vez encima de la mesa del comedor haya unos pañales... Y yo siento una secreta angustia cuando evoco este momento único de nuestra vida, que ya no volverá, María Rosario, en que estábamos los dos frente a frente, mirándonos de hito en hito sin decir nada.

XLIII

MI MADRE

Yo me veo en casa, metido en un ancho cuarto, sentado sobre un arcaz de pino, calladito, con los pies colgando, mirando cómo mi madre va arreglando la ropa blanca. De trecho en trecho, en la ancha estantería, penden unos cartelitos que indican lo que en aquella parte de la tabla está colocado; uno dice: «Almohadas sueltas y sábanas de la cama pequeñita.» Otro reza: «Sábanas de cama mediana, bordadas.» Otro: «Cubiertas.» Otro: «Ropa de campo.» Mi madre va removiendo los rimeros y espantando las terribles polillas; luego abre las grandes arcas y va sacando de ellas trajes antiguos de seda que crujen dulcemente, manguitos en pequeños cilindros verdes, un miriñaque, una caja vieja, de la que extrae una mantilla negra.

Cuando mi madre ha tomado en sus manos blancas esta mantilla, yo he visto que se quedaba un momento pensativa; esta mantilla es la de su boda. Y yo he sentido que una vaga tristeza—la tristeza de lo pasado—velaba sus hermosos ojos, anchos y azules.

(Capítulo nuevo en la edición de *Obras completas* de 1920.)

XLIV

CURIOSIDAD Y CANDOR

Mi madre llevaba en varios cuadernitos la apuntación de todo lo notable que pasaba en la familia. Alegrías, tristezas, viajes, compras, comidas extraordinarias; todo lo iba escribiendo mi madre con su letra grande y fina. Le gustaba la vida del campo; y ella, que amaba la sencillez, era curiosa porque le contaran los detalles de la vida fastuosa y principesca. Cuando estuvo en el campo la última vez—ya enferma—se despidió diciendo que «no volvería más». No volvió más a recorrer aquel caminito bordeado de pinos y de viñedos. Murió tres meses después; su muerte fué larga y terrible...

Yo no quiero ver a mi madre en su angustioso acabamiento, sino en su lozanía. Aquí tengo ante mi vista un retrato suyo de joven, antes de casarse. Está de pie, viste un ancho miriñaque de seda con dos anchos volantes. Tiene un brazo caído —el derecho—, y la mano izquierda, que sale de entre encajes, la apoya en el pie de un jarrón colocado en una balaustrada. Ilumina su cara una sonrisa de curiosidad y de candor.

(Capítulo nuevo en la misma edición.)

XLV

MI PADRE

Mi padre murió a los setenta y cuatro años. Era un hombre de una perfecta salud. Comía sobriamente. Fumaba todo el día, sin parar, cigarrillos que él mismo liaba. Tenía su vida arreglada según un plan invariable. Se levantaba temprano; leía; paseaba, charlaba con los convecinos; tornaba a pasear; tornaba a leer. A la caída de la tarde, después de haber caminado por el campo, era cuando él hacía las más largas lecturas. Gustaba preferentemente de libros de historia y de viajes. Había leído y releído a Robertson, Forneron, Thiers, Lafuente. Su memoria era prodigiosa; narraba hechos y períodos históricos con los menores detalles.

Había en mi padre un grado de escepticismo natural. Figuró toda su vida en el partido conservador; pero su conservadurismo—instintivo—era deseo de que la regularidad de la vida—como lo deseaba Goethe—no se alterase. No había estado nunca enfermo. Todos percibíamos su aversión—su temor—a verse en la necesidad de tener que acostarse y llamar al médico. Siempre mi padre rehuía cuanto se relacionase con el trance supremo. No quería ir a los entierros, ni hablaba de muertos y cosas lúgubres. Un día cogió un ligero enfriamiento; no se cuidó; poco a poco, su vida se fué desequilibrando. Llegó el momento de que no pudo ya salir de casa. Más tarde, sólo unos momentos podía estar levantado. Poco a poco se fué apagando su vida como se apaga una luz. Dos días antes de morir pronunció estas palabras: «El mundo se ha acabado ya para mí.» El mismo dispuso su entierro. Cuando moría, sin un quejido, sin un estertor, no se daba cuenta de que moría; su inteligencia había ya desaparecido.

Garcilaso: *Egloga I.*

I

EPILOGO

"No me podrán quitar el dolorido sentir..."

Garcilaso, *Egloga I.*

Yo, pequeño filósofo, he cogido mi paraguas de seda roja y he montado en el carro, para hacer, tras largos años de ausencia, el mismo viaje a Yecla que tantas veces hice en mi infancia. Y he puesto también como viático una tortilla y unas chuletas fritas. Y he visto también desde lo alto del puerto pedregoso los puntitos imperceptibles del poblado, allá en los confines de la inmensa llanura, con la cúpula de la iglesia Nueva que irradia luminosa. Y he entrado después en la ciudad sombría... Todo está lo mismo: las calles anchas, las iglesias, los caserones, las puertas grandes de los corrales con elevadas tapias.

Y por la tarde he recorrido las calles anchas y he paseado por la huerta. Y al anochecer, cuando he vuelto a la casa en que vivió mi tío Antonio, he dejado mi paraguas en un rincón y me he puesto a escribir estas páginas. Son los últimos días del otoño; ha caído la tarde en un crepúsculo gris y frío. La fragua que había paredaña, ya no repiquetea; al pasar ya no he podido ver el ojo vivo y rojo del hogar que brillaba en el fondo oscuro. Las calles están silenciosas, desiertas; un viento furioso hace golpetear, a intervalos, una ventana del desván; a lo lejos brillan ante las hornacinas, en las fachadas, los farolillos de aceite. He oído las lechuzas, en la alta torre de la iglesia, lanzar sus resoplidos misteriosos. Y he sentido, en este ambiente de inercia y de resignación, una tristeza íntima, indefinible.

Esta tarde, mientras paseaba por la huerta con algunos antiguos camaradas, veía a lo lejos la enorme ciudad, agazapada en la falda del cerro gris bajo el cielo gris. Discurríamos silenciosos. Cuando llegaba la noche, uno de los acompañantes ha dado unos golpes en el suelo con el bastón, y ha pronunciado estas palabras terribles:

—Volvamos, que ya es tarde.

Yo, al oírlas, he experimentado una ligera conmoción. *Es ya tarde.* Toda mi infancia, toda mi juventud, toda mi vida, han surgido en un instante. Y he sentido —no sonriáis—esa sensación vaga, que a veces me obsesiona, del tiempo y de las cosas que pasan en una corriente vertiginosa y formidable.

II

No he podido resistir al deseo de visitar el colegio en que transcurrió mi niñez. «No entres en esos claustros—me decía una voz interior—; vas a destruirte una ilusión consoladora. Los sitios en que se deslizaron nuestros primeros años no se deben volver a ver; así conservamos engrandecidos los recuerdos de cosas que en la realidad son insignificantes.» Pero yo no he atendido esta instigación interna; insensiblemente me he encontrado en la puerta del colegio; luego he subido lentamente las viejas escaleras. Todo está en silencio; en la lejanía se oye el coro monótono, plañidero, de la escuela de niños.

Siento una opresión vaga; cuando entro en el largo salón con piso de madera, en que mis pasos hacen un sordo ruido, como en mi infancia, me detengo emocionado. Levanto los ojos; a lo lejos, al otro lado del patio, en el observatorio, el anemómetro, con su cacitos, sigue girando. No ha parado desde entonces; corre siempre, siempre, sobre la ciudad, sobre los hombres, indiferente a sus alegrías y a sus pesares.

He subido las mismas escaleras, ya desgastadas, que tantas veces he pisado para subir al dormitorio. Aquí, en un rellano, había una ventana por la que se columbraba el verde paisaje de la huerta; yo echaba siempre por ella una mirada hacia los herrenes y los árboles. Ahora han cubierto sus cristales con papel de colores. Ya no se ve nada; yo he sentido una indignación sorda. Luego, cuando he querido penetrar en el salón de estudio, he visto que ya no está donde se hallaba; lo han trasladado a una sala interior. Desde sus ventanas ya tampoco se apacentarán las infantiles y ávidas imaginaciones con el suave y confortante panorama de la vega; los ojos, cansados de las páginas áridas, no podrán ya volverse hacia este paisaje sosegado y recibir el efluvio amoroso y supremamente educador de la Naturaleza...

¿Tenía yo razón para volverme a indignar? Sí; yo me he vuelto a indignar en la medida discreta que me permite mi pequeña filosofía. Y después, cuando ha tocado una campana y he visto cruzar a lo lejos una larga fila de colegiales con sus largas blusas, yo, aunque pequeño filósofo, me he estremecido, porque he tenido un instante, al ver estos niños, la percepción aguda y terrible de que «todo es uno y lo mismo», como decía otro filósofo, no tan pequeño; es decir, de que era yo en persona que tornaba a vivir en estos claustros, de que eran mis afanes, mis inquietudes y mis anhelos que volvían a comenzar en un ritornelo doloroso y perdurable. Y entonces me he alejado un poco triste, cabizbajo, apoyado en mi indefectible paraguas rojo.

1904.

APENDICE A LA VIDA INTIMA DE AZORIN

Mi hermano Pepito, por Amparo Martínez Ruiz.

Mi hermano Pepito es el primogénito. Entre su nacimiento y el mío mediaron doce años. No he vivido su infancia y no lo recuerdo adolescente. Me internaron en un colegio; sus estudios en la Universidad de Valencia, primero, y su carrera literaria, después, en Madrid, nos tenían separados. Mas el *pequeño filósofo* no se desdeñaba en contestar las cartas infantiles que su hermana le dirigía desde el Pensionado. Quería yo a mis hermanos, y Pepito era mi padrino de bautismo. Uno de mis recuerdos más lejanos se refiere a una de sus hazañas juveniles. Colgado en una sala veía yo un oscuro lienzo ennegrecido por la pátina del tiempo, en el que apenas se distinguían un rostro serio y los ropajes cardenalicios. Este príncipe de la Iglesia pertenecía a la ascendencia de mi madre; y yo, siempre amante de las glorias familiares, placíame contemplarlo, como me dolió después su ausencia. Pero un día el cardenal desapareció de la pared y... Pepito contaba con unos libros más en su biblioteca.

De época posterior recuerdo el amplio patio de la casona donde solazábase Pepito en el juego de pelota con sus hermanos. Y también se ejercitaba en el manejo del florete.

Veníase de Madrid a la casa paterna buscando descanso; y, en aquella época en que él usaba una melena de filósofo enciclopedista y descuidado atuendo, lo recuerdo cuando al regreso de un paseo a la Cañada, a boca de noche, se sentaba a la puerta de la calle—costumbre en el pueblo—, silencioso y observador.

Pasaba el día en su gabinete de trabajo, entregado a sus libros, dejando correr la pluma sobre las cuartillas, o quizá laborando su cerebro la gestación de alguna obra. El, siempre hermético, solía hablar algo en el rato de sobremesa. Manifestaba de manera tajante y resuelta sus opiniones, que ningún hermano osaba contradecir; sólo mamá oponíale alguna objeción. Otras veces salía Pepito de su ensimismamiento con alguna agudeza que causaba nuestra hilaridad. Eran éstas como el descanso de un incesante trabajo.

Mi hermana Consuelo, que tocaba el piano, recibía alguna vez un billetito, por medio de una criada, que decía: «Toca la oración de los bardos» o «Toca una serenata de Beethoven». ¿Acaso esta música era para él un sedante, una fuente de inspiración o sencillamente un deleite?

Retirábase de cuando en cuando a la soledad campestre. Allí se entregaba a sus estudios naturalistas y observaba, paciente, minuciosamente, plantas e insectos. Y aquí ofrécenseme a la memoria unas cajitas con la tapa de cristal, donde él encerraba los arácnidos *Ron, King* y *Pic,* para estudiar su *psicología* (Estos simpáticos arácnidos los sacó literariamente en las páginas de su libro *Antonio Azorín.*). Dichas cajitas, con la linterna del Cerro del Castillo, de Yecla, con la que alumbró sus apuntes sobre su famoso *amanecer* de *La Voluntad*), me muestra un modalidad de su espíritu, de herencia materna.

Era mamá celosa de la perfección en todo cuanto hacía y mandaba hacer. Lo quería todo bien hecho y acabado. Y, para este fin, valíase de todos los medios y preocupaciones.

Mamá tenía predilección por su primogénito, por Pepito; así le nombraba siempre, aunque su figura se hubiera acrecido aureolada por sus triunfos literarios y Pepito se hubiera transformado en *Azorín.* Cuando el hijo anunciaba su llegada, la madre, con su cariño previsor, pensaba gozosa en lo que pudiera complacerle en la mesa, y daba órdenes para que en todo hallara la mayor comodidad y descanso.

Aquí, en el salón donde escribo, veo el retrato de un anciano decrépito. Sobre su negro indumento destacan la mancha blanca de su pechera y la de una mano momificada. Una expresión plácida anima su rostro. Sus cansados ojos de mirada viva nos miran, mientras su largo y huesudo dedo señala unos libros que tiene junto a sí. Paréceme que este sabio anciano (don José Soriano, del que ha hablado literariamente *Azorín*), escritor y profundo filósofo, horadando con su mirada penetrante la barrera del tiempo, mira y le señala sus libros a este biznieto suyo que ha tenido la humorada de velar su nombre con extraño ropaje.

(Este bello trabajo fué publicado en *Sigüenza,* revista literaria del Sureste: 2.ª época, año I, núm. 2, Alicante, diciembre de 1952. Su autora es el octavo de los nueve hermanos: ancianita fina, amable, reside en la casa solariega de Monóvar y cuida de la biblioteca que allá formó Azorín. Aficionada a la literatura doña Amparo, la revista *Medina,* de Madrid, le premió un cuento entre más de medio millar de originales. Y hemos considerado que el lector gustará con delectación la sincera, familiar página que hemos transcrito de pluma tan limpia.)

Yo dedico este libro a Lolita, a doña Isabel, a don Pedro, a Rosarito, a Conchita, a don Joaquín, a doña María, a don Juan, a doña Asunción, a Carmencita, a don Luis, a doña Teresa, a Enriqueta, a don Fernando, a Clarita, a doña Magdalena, a don Francisco, a Pepita.

Todos ellos viven en la pequeña y clara ciudad en que hay palmeras, almendros, granados y laureles; a flourishing town built on a slope—*dice la vieja Guía Murray*—: *un pueblo floreciente construído en una ladera...*

AZORÍN.

LA FIESTA

He aquí cómo el poeta vuelve viejo a su patria.

ON Joaquín se detiene un momento en el umbral; le acompaña un criado.

—¿Cómo está usted, don Joaquín?—le dice doña Juana.

—¿Qué tal le va a usted, don Joaquín? —le dice don Antonio—. Sabíamos que había llegado usted esta mañana; pero ¡cómo habíamos de sospechar que viniese usted por aquí esta tarde!

—¿Y ustedes?... ¿Y ustedes?... ¿Cómo se encuentran? ¡Caramba! La verdad es que hace tiempo que no nos veíamos. Y ahora tampoco nos vemos... Digo, yo soy el que no puedo ver a ustedes.

Doña Juana ha acercado un sillón.

—Siéntese usted aquí, don Joaquín.

Don Antonio coge de la mano a don Joaquín y lo lleva hasta el sillón. Don Joaquín se sienta con cuidado, lentamente. La puerta está abierta de par en par; aparece el ancho zaguán limpio, embaldosado con losetas blancas y negras; por la calle discurre un hormiguero rumoroso de gente.

—¿Está usted parando en su casa, don Joaquín?—pregunta doña Juana.

—Estoy en casa de mi hermana—dice don Joaquín—. Mi casa estará hecha un corral; todos los muebles estarán llenos de cucarachas, de arañas y de polvo. Hace veinte años que no se ha abierto... Desde que yo me fuí. Virginia me escribe en las cartas que la limpia dos o tres veces al año; pero yo no lo creo... Además, no quiero entrar en ella; yo no puedo ver nada, y me daría tristeza el tocar, para reconocerlos, aquellos muebles que vieron mi juventud...

—De modo—dice don Antonio—que usted se ha acordado este año del pueblo y ha querido venir a ver la fiesta.

—Sí—contesta don Joaquín—, sí, he querido venir este año. Me he dicho: «Puesto que ya quizá no pueda tener otra ocasión, aprovecharemos ésta, que tal vez será la última.» Y he venido a ver, es decir, a sentir el pueblo, a saludar a los buenos amigos, como ustedes...

Se oye un lejano campaneo estrepitoso, jovial; estallan cohetes en el aire; el cielo se va poniendo de un azul pálido.

Doña Juana se levanta de pronto.

—Pero usted, don Joaquín, ¿no conocerá a Lola, ni a Clara, ni a Conchita, la que apadrinó usted en Madrid?

Doña Juana se acerca al hueco de la escalera y grita:

—¡Clara, Lola, Concha!... ¡Bajad, que está aquí don Joaquín!

—Estarán en el balcón—dice don Antonio.

Y se asoma a la calle y exclama, mirando hacia arriba:

—Bajad, que está don Joaquín.

Se oye en el techo ruido precipitado de tacones finos y menuditos; luego, en la escalera, un rumor de faldas, de voces, de risas alocadas. Y, de repente, como una aparición mágica, las tres se hallan en la entrada, serias, derechas, mirando a don Joaquín con sus grandes ojos azules, grises, negros.

—¿Vosotras no conocéis a don Joaquín?—les dice don Antonio.

Las tres callan.

—Clara, ¿tú no te acuerdas que cuando eras pequeñita él te llevaba al jardín?

—No, no—dice don Joaquín, sonriendo—; ella no se acordará. ¡Hace ya tantos años!

—Tú, Lola, sí que no te acuerdas—le dice don Antonio a Lola—; tú tenías dos años cuando él se marchó.

—Yo sí que me acuerdo de ella—dice don Joaquín—; Lola tenía los ojos azules. ¿Es verdad que los tiene azules?

Lola se pone un poco roja.

—Sí, don Joaquín, los tiene azules—afirma doña Juana.

—¿Y Conchita?—pregunta don Joaquín—. ¿Está aquí?

—Aquí está, delante de usted—contesta don Antonio.

—Conchita—dice don Joaquín—, yo soy el que te tuvo en la pila del bautismo hace quince años.

—Sí, don Joaquín—dice Conchita—; ya sé que es usted mi padrino.

—Ella me pregunta muchas veces por usted—dice doña Juana.

—Yo no puedo verte, Conchita—dice don Joaquín—. ¿Cómo eres? ¿Cómo es Conchita?

—Es alta y delgada—contesta doña Juana.

—¿Cómo tiene el pelo?

—El pelo es rubio y largo.

Las mejillas de Conchita se encienden con vivos carmines.

—¿Y los ojos? ¿De qué color son los ojos?

—Los ojos son entre grises y verdes; unas veces parecen grises y otras verdes.

—¿Y la boca?

—La boca es pequeña y con los labios rojos.

—Conchita—exclama don Joaquín—, eres una linda muchacha, y yo estoy contento por haberte tenido en mis brazos cuando contabas ocho días... Y vosotras también lo sois, Lola y Clara; pero yo no puedo veros a ninguna...

Una criada entra, llevando en las manos una ancha bandeja llena de flores.

—Ya están aquí las flores—dice Lola.

—¿Han traído flores?—pregunta don Joaquín.

—Son las flores que hemos de tirar cuando pase la Virgen—contesta Clara.

—¿Qué flores son?—torna a preguntar don Joaquín.

—Son rosas, claveles y jazmines—contesta Lola.

—Toque usted, don Joaquín, toque usted—dice Conchita, poniéndole la bandeja delante.

—Conchita—dice don Joaquín extendiendo sus manos blancas, sutiles, y pasándolas con cuidado sobre las rosas, los claveles y los jazmines—. Conchita, has hecho cuanto puede apetecer para su consuelo un viejo poeta que ha amado las flores y que ya no puede verlas...

Prosigue a lo lejos el volteo loco y jovial de las campanas; estallan cohetes; se oye una música; el cielo diáfano se ha tornado oscuro y parpadean las primeras estrellas.

Don Antonio se levanta de pronto y grita:

—¡Rafael! ¡Rafael!

Rafael se acerca y entra en el zaguán. Es un labriego; es el mayoral que don Antonio tiene en la Umbría.

—Rafael—le pregunta don Antonio—, ¿os vais esta noche, después de la procesión, a la Umbría, o mañana por la mañana?

—Esta noche queremos ver los fuegos —contesta Rafael—; nos iremos mañana.

—Oye—observa don Antonio—: esta semana tendréis que labrar todas las piezas de la Herrada... Meted bien las rejas en los cornijales. Y tendréis también que acabar de recoger toda la almendra que queda.

—Este Rafael—pregunta don Joaquín—, ¿será el hijo del tío Rafael, el mayoral que usted tenía antes?

—Sí, es el hijo—contesta don Antonio.

—Rafael—le dice don Joaquín—, ¿tú no te acordarás de mí? No te acuerdas de don Joaquín, ¿verdad?

—No, señor, no—contesta Rafael con aire confuso, rascándose la cabeza.

—Eras tú un mozuelo cuando yo iba a la Umbría... Dime: ¿hay aún delante de la casa aquellos olmos grandes? ¿Están hermosos? ¿Están verdes?

—Sí, aún están—contesta don Antonio.

—¿Y hay en ellos muchas cigarras? ¿Unas cigarras que cantan mucho? ¿No es cierto?

—¡Ya lo creo que cantan!—exclama Rafael—. Todo el día se lo pasan cantando. Los chicos les tiran piedras para que callen; pero yo les digo que las dejen, que ya vendrá el invierno y se morirán...

—Es verdad—replica don Joaquín—. Ya vendrá el invierno y se morirán...

Y para sí piensa: «Nosotros los poetas somos como las cigarras: si las calamidades y desgracias de la vida nos dejan, cantamos, cantamos sin parar; luego viene el invierno, es decir, la vejez, y morimos olvidados, desvalidos.»

Resuenan los estallidos de los cohetes; la procesión se acerca. Pasan bailando unos enanos; la dulzaina hace: *ti, tirí, ti;* el tambor hace: *tan, tarán, tan*...

SARRIO

Los amigos y admiradores del hombre ilustre quedarán consternados cuando pasen la vista por estas líneas. Sarrió está enfermo; Sarrió desaparece... Yo he llegado a media mañana a este pueblecillo sosegado y claro; el sol iluminaba la ancha plaza; unas sombras azules, frescas, caían en un ángulo de los aleros de las casas y bañaban las puertas; la iglesia, con sus dos achatadas torres de piedra, torres viejas, torres doradas, se levantaba en el fondo, destacando sobre el cielo limpio, luminoso. Y en el medio, la fuente deja caer sus cuatro caños, con un son rumoroso, en la taza labrada. Yo me he detenido un instante, gozando de las sombras azules, de las ventanas cerradas, del silencio profundo, del ruido manso del agua, de las torres, del revolar de una golondrina, de las campanadas rítmicas y largas del vetusto reloj. Y luego he llamado en la casa del grande hombre: *tan, tan.* La puerta estaba entreabierta; no era indiscreción el entrar. El zaguán se hallaba desierto; sobre una mesa he visto una palmatoria con la vela a medio consumir, un vaso vacío—tal vez de algún medicamento—y un rimero de periódicos de la provincia con las fajas intactas. Un profundo silencio reina en toda la casa; los muebles están llenos de polvo; una o dos sillas tienen el asiento desfondado. Y flota en el aire y se ve en todos los detalles algo como un profundo abandono, como una honda laxitud, como una irremediable desesperanza. «Es extraño», pienso yo, y me siento un momento junto a la mesa, ya un poco triste, ya embargado por esa melancolía indefinible que nos hace presumir las grandes catástrofes. «Es extraño», torno a pensar. Y me levanto; en el fondo aparece la ancha puerta del huerto, y columbro por ella el verde claro de los naranjos y el verde oscuro de los granados. Pero nadie aparece, ni se percibe el más ligero ruido en la casa. Yo entonces hago sonar unas fuertes palmadas y pregunto, gritando, a uso de pueblo:

—¿Quién está aquí?

Y nadie sale. Yo ya conozco estas casas extrañas, que parecen abandonadas, en que vive uno de estos misántropos de pueblo; estas casas con los muebles rotos, viejos, con las salas cerradas y polvorientas, con la cocina apagada siempre, con el pequeño huerto lleno de plantas silvestres; estas casas en que no hay nadie jamás, y en que de tarde en tarde se oye el chirrido de una puerta y se ve la silueta negra, sigilosa, de su único morador, que pasa. Yo conozco estas casas; pero la casa de Sarrió no era de estas casas. Un presentimiento doloroso comienza a entrar en mi espíritu. Yo doy otras recias y sonoras palmadas. Y entonces, al cabo de un breve rato, veo salir un criado por la puerta del huerto. ¿No habéis reparado en el aire especial que tienen los criados de estas casas extrañas? Son como hombres que esperan y que temen algo al mismo tiempo; llevan en su cara los signos de una preocupación, de una displicencia, de un recelo misterioso; diríase que husmean por todos los escondrijos tesoros ocultos, que piensan en mandas, en legados, y que se sienten secretamente exasperados por algo que no llega.

Yo le pregunto a este criado:

—¿Y don Lorenzo?

El me contesta:

—Está durmiendo.

Son las once de la mañana; estas sencillas palabras producen en mí una estupefacción profunda.

—Pero ¿está enfermo?—torno yo a preguntar.

El no contesta directamente a mi pregunta.

—Se levanta a las tres de la madrugada —me dice—y después se vuelve a acostar.

Yo estoy asombrado. ¿Sarrió se levanta a las tres y después se vuelve a acostar? Esto es inaudito, absurdo. Y entonces, cuando mi admiración ha pasado un tanto, me acuerdo de las tres lindas hijas de mi ilustre amigo: de Carmen, de Lola y de Pepita. Carmen era menuda y tenía el pelo castaño y los ojos azules.

—¿Y la señorita Carmen?—pregunto.

—Se casó—me contesta el criado.

Yo siento una tenue desilusión. Y pregunto por Lola. Lola era alta y tenía el cabello rubio y los dientes menuditos y blancos.

—¿Y la señorita Lola?

—Se casó también.

Yo vuelvo a experimentar otra decepción vaga. Y deseo saber qué se ha hecho de Pepita. Pepita era la más linda de las tres. Pepita era mi amiga predilecta. Pepita tocaba en el piano, con gesto lento y melancólico, *La prière des bardes.* Pepita tenía hermosas dos cosas que prestan a la mujer un encanto irresistible, avasallador: Pepita tenía hermosas las manos y la voz. De la voz ha dicho un filósofo griego—Zenón—«que es la flor de la belleza»; de las manos no recuerdo ahora sentencia ninguna de ningún filósofo; pero no es necesario acudir a filosofías antiguas o modernas para sentirse subyugado por unos dedos largos, finos, blancos, sedosos, puntiagudos, guarnecidos de simétricas uñas combadas y rosadas.

—¿Y la señorita Pepita?—vuelvo yo a preguntar un poco indeciso, temeroso.

—Se murió—contesta el criado.

Y yo oigo estas palabras lleno de una intensa e indescriptible emoción. Ya todo el misterio de este ambiente que flota en la casa abandonada aparece claro ante mí. ¿Cómo los seres que hemos amado tanto pueden desaparecer de este modo tan rápido y brutal? ¿No habrá nada fijo, inconmovible, en el mundo de nuestros amores y de nuestras predilecciones? Yo miro inconscientemente, anonadado por la tristeza, la bujía a medio consumir, el vaso vacío, el rimero de los periódicos intactos. Y de pronto oigo unos pasos sordos en el piso de arriba y percibo una voz ronca, una voz apagada, una voz doliente que llama al criado. Es la voz de Sarrió. Transcurren unos minutos; el grande hombre aparece en el rellano de la escalera. ¿Es él? ¿No es él? Sarrió camina con los pies arrastrando. Antes iba pulcramente afeitado; ahora lleva una larga barba intonsa, descuidada... Antes llevaba una estupenda cadena de plata con una gruesa muletilla; ahora ya no la usa. Antes llevaba siempre, indefectiblemente, una refulgente camisa planchada, que hacía sobre el pecho un bombeo gallardo; ahora trae una camisa blanda. Yo he dicho ya en otra ocasión que un hombre que no lleva camisa nítida y acerada no puede tener talento ni energía; cuando esta proposición se publicó, algunas estimadas amigas mías se escandalizaron. Una mujer no puede persuadirse de que un hombre desprovisto de esta indispensable prenda deje de tener energía y talento. Algunas, sin embargo, llegan a convencerse; pero es ya un poco tarde...

Sarrió, siempre tan atildado, no usa camisa. ¿Queréis un detalle que revele mejor toda su lamentable decadencia? Yo he sentido ante él una honda tristeza que ha venido a juntarse a la tristeza ya sentida. Sarrió va bajando, lentamente, apoyado en la barandilla, los peldaños de la escalera. Yo le miro absorto. Hay en los pueblos hombres y mujeres vulgares, anodinos, insignificantes, que os han encantado con su afabilidad, con sus palabras sencillas, y cuya desaparición os causa tanto pesar como la de un héroe o la de un gran artista. ¿Dónde están don Pedro, don Antonio, don Luis, don Rafael, don Alberto, don Leandro, a quienes conocimos en nuestra niñez o en nuestra adolescencia? Tal vez todos han muerto mientras vosotros estabais ausentes, olvidados de sus figuras amables; tal vez alguno de ellos—como este Sarrió—sobrevive a la ruina de su casa, a la muerte de sus amigos, a la desaparición de todo lo que constituía el ambiente de su época. Y entonces veis estas existencias trágicas, dolorosas, solitarias, que en los caserones de los pueblos van oscilando durante dos, tres, seis años, entre la vida y la muerte. Ya la ponderación y el equilibrio se han perdido; acaso esta dolencia ha comenzado por una ligera indisposición; luego, las catástrofes morales, los disgustos, las calamidades, han venido a abrumar el espíritu. Y poco a poco, como acontece en las pesadillas, sentimos que vamos deslizándonos por un precipicio del que queremos salir y del que, con todo, no podemos librarnos. Así, un día es la indumentaria lo que descuidamos; otro, es la limpieza de la casa; otro, es el orden de las comidas; otro, nuestras diversiones favoritas—la caza, la música—, que vamos olvidando... Y la neurastenia va creciendo, creciendo, formidable, en el desorden de la casa, en el abandono de nuestra persona, y nosotros, ya perdidos, nos dejamos llevar, anonadados, de la corriente fatal que nos conduce a la anulación definitiva. Acaso los amigos, los parientes, intentan un supremo esfuerzo; se hace un viaje para consultar a un médico famoso; se ponen en práctica tales o cuales medios curativos... Pero todo es inútil; los años han ido pasando; las energías de la juventud se han perdido; el ambiente que nos ha de tragar está ya formado, y son vanos y estériles cuantos esfuerzos hacemos por apartarnos de él.

¿Comprenderéis ahora la tragedia de Sarrió? Cuando ha acabado de bajar la escalera, ha pasado junto a mí sin conocerme. Yo me he puesto ante él.

—¡Sarrió! ¡Sarrió!—le he gritado.

Entonces él ha permanecido un momento absorto, mirándome con sus ojos apagados, blandos; después ha abierto la boca como para decir algo que no acertaba a decir, y al fin ha exclamado con voz opaca, fría:

—¡Ah, sí! Azorín...

Y de nuevo ha caído, terrible, un silencio denso en el zaguán. No podíamos decirnos nada. ¿Qué íbamos a decirnos? No había necesidad de que habláramos nada. Hay instantes en la vida—cuando os halláis, por ejemplo, al cabo de muchos años, ante una persona que habéis querido—; hay instante en la vida en que creéis que vais a decir muchas cosas, que vais a expresar multitud de sentimientos tumultuosos y en que, sin embargo, os encontráis con que no se os ocurre ni aun la más vulgar de las palabras...

Yo he guardado silencio, triste y anonadado, ante el gran hombre. Y cuando he salido de la casa he vuelto a ver en la plaza sosegada las sombras gratas y azules, las torres achatadas, los balcones cerrados; y he vuelto a oír el susurro del agua, los gritos de las golondrinas que cruzan raudas por el cielo, las campanadas del viejo reloj que marca sus horas, rítmico, eterno, indiferente a los dolores de los hombres...

LA MUERTE DE SARRIO

"19, 6,15 tarde. Sarrió ha muerto esta tarde, después de una larga y dolorosa agonía."

Cuando yo he abierto y he leído este pequeño telegrama, he sentido una de las más hondas, de las más grandes emociones de mi vida. No sé cómo empezar este artículo, ni lo que decir. Yo cierro los ojos y veo una casa vetusta en una ancha plaza silenciosa, solitaria; en medio hay una fuente que murmura día y noche; a un lado, una iglesia hace destacar en el cielo azul sus dos achatadas torres. Y las golondrinas pasan raudas, trinando. Y el viejo reloj lanza de cuando en cuando unas vibraciones largas, sonoras.

Todo pasa; los seres queridos desaparecen de nuestro lado; una estela de amor y de melancolía queda en nuestro espíritu. En este pueblo y en esta casa vivía Sarrió. El era alto y recio; él tenía un bigote pequeño y una mosca; él llevaba un chaleco de ancho escote, con los tres primeros botones siempre desabrochados; él usaba—y éste era su más típico distintivo—una gruesa cadena de plata con una enorme muletilla atravesada en uno de los ojales altos del chaleco.

—Azorín, ¿quiere usted que demos un paseo?

—Vamos a dar un paseo, Sarrió.

Y los dos nos marchábamos a la huerta. Habréis de saber que éste es un pueblecillo morisco: las calles son estrechas y limpias; tienen casi todas las casas balconcillos de madera; en los zaguanes hay mesitas bajas de pino; y fuera del poblado, una huerta fresca, sombrosa, se extiende hasta lo hondo del valle. Sarrió y yo caminábamos durante el crepúsculo vespertino, en los veranos, entre los verdes tablares de hortalizas; corría el agua por las acequias; bajo los anchos nogales, bajo las tupidas higueras, había ya unas sombras densas, azules; comenzaban a palidecer por Oriente los últimos resplandores del día: rojos, nacarados, dorados. Y un reposo profundo, sedante, misterioso, algo como el alma amorosa de la Naturaleza, se escapaba del campo.

—Azorín, ¿quiere usted que volvamos al pueblo?

—Volvamos al pueblo, Sarrió.

Y cuando recorríamos, ya dentro del pueblo, las callejuelas; cuando entrábamos en la ancha plaza, oíamos unas canciones a media voz, melodiosas, dulces, cortadas de cuando en cuando por unas risas alocadas, argentinas. Pepita, Carmen, Lola —las hijas de Sarrió—, se paseaban por la plaza; con ellas estaban sus amigas; caminaban a menudos pasos, lentas, de dos en dos, de tres en tres, cogidas por la cintura, con la cabeza suavemente echada hacia atrás. El cielo se había ya puesto negro; titilaban con destellos misteriosos las estrellas; el agua de la fuente, que durante el día había susurrado quedita, comenzaba ya el murmullo ruidoso, sonoro, que había de llenar el espacioso ámbito de la plaza durante la noche. Y estas lindas muchachas, rubias, morenas, con sus ojos anchos, ensoñadores, con sus manos sedosas, blancas, con sus rizos sobre la nuca; estas lindas muchachas cantaban, cantaban con sus voces melodiosas, en la noche mansa, bajo el rebrilleo perdurable de las estrellas.

Y pasaba el verano; en la huerta, los nogales, las higueras, los almendros, dejaban caer sus hojas amarillas, que arrastraba el viento por los caminos; la campiña perdía el tapiz brillante de los pámpanos; a veces, durante un día, durante dos, una lluvia menuda, persistente, monótona, ponía una cortina gris en el horizonte. Entonces las vidrieras de los balcones permanecían cerradas; por la plaza, sólo de tarde en tarde, de hora en hora, atravesaba un transeúnte. Y en este silencio, en esta monotonía abrumadora, unas notas lentas, lejanas, suaves, amorosas, de un piano venían a acariciar nuestro espíritu y lo llevaban y traían por las regiones del ensueño. Este piano lo tocaba Pepita; Pepita era la mayor de las hijas de Sarrió. Ya os he hablado de ellas este verano. Cuando yo estuve en casa de Sarrió, yo supe que Carmen se había casado, que Lola se había casado también y que Pepita había muerto. Pepita, en los días de otoño, cuando las hojas caen, cuando el cielo está ceniciento, tocaba en el piano *La prière des bardes,* o *La marcha fúnebre de una muñeca,* o la sinfonía del *Barbero.* ¿Qué afinidad profunda, secreta, había entre esta muchacha blanca, rubia, de ojos azules, pensativos, y estas notas tristes del piano, y estos días melancólicos de otoño? Yo ya no veré más a Pepita. Todo pasa; los seres queridos desaparecen de nuestro lado; una estela de amor y de melancolía quedaba en nuestro espíritu.

Y transcurrieron los años. Yo salí un día del limpio y silencioso pueblecillo morisco; fué esto una tarde serena de fines de verano; fué en uno de estos crepúsculos dorados durante los cuales paseábamos nosotros por la huerta; Sarrió me acompañó a la lejana estación, puesta en lo hondo del valle; vi por última vez los nogales, las higueras—estas higueras pródigas, cariñosas—, los almendros, los cañares que susurraban leves en el fondo de un barranco, el agua que se deslizaba con espejeos brillantes por los azarbes... Cuando llegó el tren yo abracé a Sarrió.

—¡Adiós, Sarrió!

—¡Adiós, Azorín!

Y la locomotora silba furiosa; el tren se pone en marcha. Y yo veo a Sarrió a lo lejos, en el andén, que agita en el aire su histórico, su legendario, su épico sombrego hongo, marcadamente cónico.

Este sombrero, un año más tarde, cuando Sarrió vino a Madrid, fué causa de uno de los más grandes disgustos de su vida. ¿Os contaré punto por punto la estancia de Sarrió en Madrid? ¿Os diré cómo una mañana, a las ocho, lo vi entrar en mi cuarto gritando: «Pero, Azorín, ¿qué escándalo es éste? ¡Son ya las ocho!» Todo esto ha de ser materia de un volumen, ya hace tiempo anunciado, y que los admiradores del grande hombre esperan con impaciencia. Las peripecias de Sarrió en Madrid fueron innumerables: aquí fué donde habiéndosele caído la contera de su bastón, y habiéndosele colocado una nueva, quedó dentro de la caña del bastón una piedrecita, cuyo ruido imperceptible trajo desasosegado a Sarrió durante muchos días; aquí fué donde Sarrió pasó una hora fatal al descubrir, después de haber transcurrido un mes del sorteo de una lotería, que un décimo que él jugaba en esta extracción era falso; aquí fué donde Sarrió comprobó la locura y el desenfreno de los hombres al ver que en unos bombones que había comprado, los rótulos de *menta, limón, vainilla,* no correspondían a las cremas que estos letreros indicaban.

Todas estas pequeñas cosas—que en Sarrió no se sabía si eran veras o si eran suaves ironías—hacían de mi amigo un hombre único, admirable, uno de estos hombres, de estos artistas maravillosos que viven y se extinguen sin que el mundo se percate de su existencia. Así, ignorado de todos, ha muerto Sarrió. Ya he contado en estas columnas, no hace mucho, cómo transcurrieron los últimos dos meses de su vida. Yo estuve en su casa el estío pasado. La casa estaba silenciosa, abierta, desierta; los muebles aparecían rotos, llenos de polvo; sobre una mesa se veía un rimero de periódicos con las fajas intactas. Tuve ante este espectáculo un doloroso presentimiento. Di unas fuertes palmadas, llamé a gritos. Y vi, al cabo de largo rato, aparecer a Sarrió con los pies arrastrando, titubeante; con los ojos hundidos, blandos; con la cara fláccida, pálida.

—¡Sarrió, Sarrió!—exclamé yo, lleno de angustiosa emoción.

El me contemplaba sin conocerme; su mirada era vaga, de estupefacción infantil.

—¡Ah, sí, Azorín!—dijo con voz opaca, al cabo.

Y nos miramos sin decirnos nada. Ahora acabo de recibir este breve y terrible telegrama. Todo pasa; los seres queridos desaparecen de nuestro lado; una estela de amor y de melancolía queda en nuestro espíritu...

(Del periódico *España,* 20 de enero de 1905; artículo no coleccionado hasta ahora.)

LA NOVIA DE CERVANTES

I

...Suena precipitadamente un timbre, lejos, con un tintineo vibrante, persistente; luego otro, más cerca, responde con un repiqueteo sonoro, clamoroso. Los grandes y redondos focos eléctricos parpadean de tarde en tarde; un momento parece que van a apagarse; después recobran de pronto su luminosidad blancuzca. Retumban, bajo la ancha cubierta de cristales, los resoplidos formidables de las máquinas; se oyen sones apagados de bocinas lejanas; las carretillas pasan con estruendo de chirridos y golpes; la voz de un vendedor de periódicos canta una dolorida melopea; vuelven a sonar los silbidos largos o breves de las locomotoras; en la lejanía, sobre el cielo negro, resaltan inmóviles los puntos rojos de los faros. Y de cuando en cuando los grandes focos blancos, redondos, tornan a parpadear en silencio, con su luz fría...

Va a partir el tren; en mi coche sube una señora enlutada; suben también con ella dos chicos, tres chicos, cuatro chicos, seis chicos. Todos son menuditos, rubios o morenos, con sus melenas cortas y sedosas, con sus mejillas encendidas. Va a partir el tren. A mi derecha, sentado, muy grave, muy modoso, está un pequeño señor de cuatro años; a mi izquierda, una pequeña dama de tres; sobre mis rodillas tengo a otro diminuto caballero de dos. Va a partir el tren; el vagón rebosa de gente. Todos charlamos, todos reímos. De pronto rasga los aires un estridente silbato; la locomotora resopla; el convoy se pone en movimiento... Atrás quedan los millares de salpicaduras áureas que iluminan la gran ciudad; una bocanada de aire tibio entra por las ventanillas. El campo está negro, silencioso; brillan en el infinito las estrellas con titileos misteriosos.

Yo soy un pequeño burgués, grueso, jovial, paternal; el chico que llevo sobre mis rodillas me da palmadas en la cara con sus menudas manos carnositas. Los que van a mi derecha y a mi izquierda me preguntan cosas a gritos. Yo les cuento a todos historias extraordinarias, y río; me siento satisfecho y alegre. El aire es puro y templado; las estrellas fulguran.

Yo soy un pequeño burgués que vive en un pueblo de la costa, que tiene una gran casa con salas desniveladas y una solana ancha, que cultiva un huerto umbrío con parrales y pilares blancos, que posee unos pocos libros llenos de polvo, que viaja rodeado de dos, de cuatro, de seis chicos—menuditos, rubios o morenos, reidores, curiosos, con melenitas sedosas, con manos diminutas—, que todo lo piden y todo lo destrozan. La vida es fácil y dulce. Yo chillo también como estos chicos; todos gritamos. Y de pronto, entre la barahunda, surge una voz que entona una vieja canción infantil, y todos, en coro disonante y estrepitoso, cantamos:

> La viudita, la viudita,
> la viudita se quiere casar
> con el conde, conde de Cabra,
> conde de Cabra se le dará...

El estrépito del convoy acompaña nuestra tonada. El coche, sobre la línea desnivelada, cabecea marcadamente a un lado y a otro; viajamos en un barco. Nuestras voces se enardecen por momentos; las estaciones cruzan rápidas. Yo paso y repaso la mano por la melena suave del minúsculo señor posado en mis rodillas. Una vaga ternura satura mi espíritu ante este hombre diminuto que puede ser un héroe de la patria; por el bolsillo de mi gabán asoma, formidable, una botella. La vida es fácil; las estrellas fulguran en la inmensidad negra...

Y cuando más estruendoso es el bullicio, el tren para; una voz grita furiosa: «¡Yeles, un minuto!», y un profundo y doloroso estupor se apodera de mí. He de bajar. Ya no sé ni adónde voy, ni lo que quiero. ¿Por qué he bajado? ¿Por qué no he seguido? ¿Cuáles son mis propósitos? ¿Qué voy a hacer yo en esta estación solitaria? El tren se ha puesto otra vez en marcha, y se aleja con un sordo fragor por la campiña tenebrosa; un momento me quedo inmóvil, absorto, y contemplo en la lejanía cómo va perdiéndose, perdiéndose, el ojo rojo encendido del furgón de cola. Y entonces, algo como una vocecilla irónica, insidiosa, dice dentro de mí: «Pequeño burgués, ¿tú has dicho que la vida es fácil? Pues ahora vas a verlo.» El andén está solitario; un mozo acaba de apagar los faroles con un gesto hosco y despiadado.

Y en este momento yo resuelvo interiormente proseguir mi peregrinación a Esquivias. Pero yo lo he resuelto muy pronto; un hombre sencillo me comunica que Esquivias dista de aquí una hora. «Pero ¿habrá carruaje para ir?», pregunto. No, no hay carruaje a estas horas. «Pero, entonces—torno a preguntar—, ¿podré quedarme en Yeles?» No, no puedo quedarme en Yeles. ¿Cómo se me ha ocurrido a mí este absurdo enorme de pernoctar en Yeles? Son las nueve; todos los vecinos están durmiendo; no sería posible tampoco, aunque estuvieran despiertos, encontrar posada entre ellos... Las estrellas refulgen; a lo lejos, en los confines del horizonte, aparece una claridad pálida y difusa. La luna va a surgir. Yo hago que me señalen el camino de Esquivias. Y lentamente me dirijo por él. Ya no soy el pequeño burgués que tiene un huerto con parrales y viaja con dos, con cuatro, con seis chicos, rubios o morenos; ahora soy el pequeño filósofo que acepta resignado los designios ocultos e inexorables de las cosas. El camino es estrecho y de hondos relejes; serpentea a través de campos llanos, rasgados por largos surcos paralelos. A trechos aparecen los manchones hoscos de los olivos. Todo está en silencio. La luna asoma, tras un terreno, su faz ancha y amarillenta. Yo ando y ando. Un cuclillo canta lejano: *cu-cu.* Otro cuclillo canta más cerca: *cu-cu.* Estas aves irónicas y terribles, ¿se mofan acaso de mi pequeña filosofía? Yo ando y ando. A los sembrados suceden las viñas; a las viñas suceden los olivares. Los cuclillos tocan sus flautas melancólicas; la luna va ascendiendo en el cielo sereno. Yo ando y ando a través de viñedos, sembrados y olivares.

Y de pronto, en el silencio de la noche, oigo aullar perros. Ante mí tengo una gradería de piedra en la que se asienta una columna; es un antiguo rollo. Más lejos aparece la masa enorme de un edificio anchuroso. Estoy en Esquivias. Las calles están desiertas; las tapias de los corrales se alejan formando callejuelas angostas; los anchos colgadizos ensombrecen las puertas. Llega la canción lejana de una ronda de mozos. ¿Dónde está la posada? ¿Cómo encontrarla? Unos sencillos labriegos trasnochadores—son las diez—hacen la buena obra de guiar a un filósofo. Yo llamo a la puerta: *tan, tan.* Y heme aquí, tras breves explicaciones, en un blanco zaguán, sentado en un estrecho banco de pino, charlando sencillamente—con la sencillez con que lo haría Cervantes en su tiempo—con este mesonero. Sobre un mostrador lucen cacharros y botellas; en un alto vasar aparecen alineadas jarrillas, en cuyas panzas vidriadas pone: *Encarnación, Consuelo, Petra, Carmen, Emilia, Rosalía...* La posada es a la vez taberna; ¿y de qué se ha de hablar en Esquivias, y con un tabernero, sino de vinos? Yo ya no soy un pequeño burgués con dos, con cuatro, con seis chicos, rubios o morenos; ni soy un pequeño filósofo que sabe mostrar resignación ante el hado fatal; ahora soy un pequeño comisionista en vinos. ¿De qué queréis que se hable en Esquivias, y con un tabernero, sino de vinos? «Don Hilario los tiene buenos; pero acaso no quiera venderlos—me dice el posadero—. Don Andrés, el mayorazgo, los tiene mejores; pero tal vez los quiera caros.» Lo indudable es que no debo ir yo en persona a hacer los tratos; don Andrés, el mayorazgo, «que es un poco logrero», vería, desde luego—claro está—, mi afán de compra y subiría los precios; lo mejor es que él, el posadero, entre en arreglos como quien no hace la cosa... Once campanadas suenan cercanas con graves vibraciones. Yo cojo un velón y el mesonero me guía a mi cuarto; está en el piso principal; se llega a él después de pasar por una ancha galería llena de montones de rubia. Dejo el velón sobre la mesa; la estancia es de paredes blancas, enjalbegadas; la puerta es ancha, de cuarterones cuadrados y cuadrilongos; una mesita de pino está junto a la cama. Abro la ventana; la luna ilumina suavemente los tejados próximos y la campiña lejana; aúllan los perros, cerca, lejos, plañideros, furiosos; una lechuza, a intervalos, resopla...

II

...Unas campanas me despiertan; son tres campanas: dos hacen un *tan, tan* sonoro y ruidoso, y la tercera, como sobrecogida, temerosa, canta, por bajo de este acompañamiento, una melodía larga, suave, melancólica. Cervantes oiría entre sueños, todas las madrugadas, como yo ahora, estas campanas melodiosas. Aún es de noche; todavía la luz del alba no clarea en las rendijas de la puerta y de la ventana. Y me torno a dormir. Y luego las mismas campanas, el mismo acompañamiento clamoroso y la misma melopea suave me tornan a despertar. Ya la luz del nuevo día pinta rayas y puntos vivos en las maderas de las puertas. Unas palomas ronronean en el piso de arriba y andan con golpes menuditos sobre el techo; los gorriones pían furiosos; silba un mirlo a lo lejos... El campo está verde; en la lejanía, cuando he abierto la ventana, veo una casa blanca, nítida, perdida en la llanura; cerca, a la izquierda, un vetusto caserón, uno de estos típicos caserones manchegos, cerrados siempre, que muestra sus tres balcones viejos, con las maderas despintadas, misteriosas, inquietadoras.

He salido de la estancia a la galería, he bajado luego la angosta escalerilla y me he detenido en el patio un momento; la posada es una antigua casa de ladrillo, ruinosa; se levanta en la calle del Rosario, esquina a la del Ave María; dos calles netamente españolas. Tal vez en esta mansión habitaba un hidalgo terrible; los balcones están también cerrados, y las maderas están también alabeadas y ennegrecidas. Un elevado palomar sobresale en la parte del edificio que forma esquina, y de ahí el nombre que esta posada lleva: *La Torrecilla.* Tal vez en esta mansión habitaba un hidalgo terrible. Esquivias es un pueblo de tradición señoril y guerrera. Consultad las *Relaciones topográficas,* todavía inéditas, ordenadas por Felipe II. Esquivias—dice el Cabildo contestando al monarca en 1576, ocho años antes del casamiento de Cervantes—, Esquivias cuenta con doscientos cincuenta vecinos, y entre éstos, treinta y siete son hijosdalgo de rancia cepa. Y estos hijosdalgo se llaman Bivares, Salazares, como el padre de la novia de Cervantes; Avalos, Mejías, Ordóñez, Barrosos, Palacios, como la madre de la novia de Cervantes; Carriazos, como uno de los héroes de *La Ilustre Fregona;* Argandoñas, Guevaras, Vozmedianos, Quijadas, como el buen don Alonso. «En letras—añaden los del Concejo—no tienen noticia de que haya habido en Esquivias personas señaladas; pero en armas ha habido muchos capitanes y alféreces y gente de valor.» De aquí eran, vosotros conoceréis sus nombres, el capitán Pedro Arnalte, «que murió en Alcalá de Benaraz, y le mataron los moros»; el capitán Barrientos, el capitán Hernán Mejía, el capitán Juan de Salazar, el alférez Diego de Sobarzo, el alférez Alonso Mejía, el alférez Pero de Mendoza, que, como sabéis, «fué el primero que puso la bandera cuando se ganó la Goleta, y el emperador Carlos V le dió doscientos y cincuenta ducados por ello». «Y asimismo—concluyen en su relación los vecinos—ha habido mucha gente de armas en años pasados en servicio de los reyes, y al presente los hay en Flandes y con el señor don Juan.»

Esquivias es un viejo plantel de aventureros y soldados; su suelo es pobre y seco; de sus dos mil quinientas cinco hectáreas de tierra laborable, no cuenta ni una sola de regadío; la gente vegeta mísera en estos caserones destartalados, o huye en busca de la vida libre, pletórica y errante, lejos de estas calles que yo recorro ahora, lejos de estas campiñas monótonas y sedientas por las que yo tiendo la vista... El día está espléndido; el cielo es de un azul intenso; una vaga somnolencia, una pesadez sedante y abrumadora se exhala de las cosas. Entro en una ancha plaza; el Ayuntamiento, con su pórtico bajo de columnas dóricas, se destaca a una banda, cerrado, silencioso. Todo calla; todo reposa. Pasa de tarde en tarde, cruzando el ancho ámbito, con esa indolencia privativa de los perros de pueblo, un alto mastín, que se detiene un momento sin saber por qué, y luego se pierde a lo lejos por una empinada calleja; una bandada de gorriones se abate rápida sobre el suelo, picotea, salta, brinca, se levanta veloz y se aleja piando, moviendo voluptuosamente las alas sobre el azul límpido. A lo lejos, como una nota metálica, incisiva, que rasga de pronto la diafanidad del ambiente, vibra el cacareo sostenido de un gallo.

Recorro las callejas y las plazas; voy de un lado para otro, aletargado por el hálito caluroso de la primavera naciente. Las puertas están abiertas y dejan ver los patizuelos empedrados de guijos, con una parra retorcida, con un evónimo pomposo. De la calle de la Fe paso a la de San

Sebastián; de la de San Sebastián, a la de la Palma; de la de la Palma, a la de Caballeros; hay algo en los nombres de estas calles de los pueblos castizos que os atrae y os interesa sin que sepáis por qué. Un momento me detengo en la callejuela de la Daga. ¿Hay nada más ensoñador y sugestivo en una vieja casa que estos anchos corredores desmantelados, sin muebles, silenciosos, con una puerta pequeña? ¿Hay nada más sugestivo en una vieja ciudad que una de estas callejas cortas—como la de la Daga—, en que no habita nadie, formada de tapias de corrales, acaso con el ancho portalón—siempre cerrado—de un patio, y que tiene por fondo el campo, tal vez una loma cubierta de sembrado?

Mi contemplación dura un instante; otra vez camino por las callejuelas angostas. «La suerte de las casas que hay en este lugar—dicen los vecinos en 1576—son con sus patios y con alto alguna, y son de tierra tapiada y de yeso.» Las grandes rejas sobresalen adustas; los colgadizos enormes de las viejas portaladas de los patios avanzan rendidos y desnivelados por los años. Yo voy leyendo los diminutos tejuelos en que con letras chiquitas y azules se indica el nombre de las calles. Y uno de ellos, de pronto, me sobresalta. Fijaos bien; acabo de leer: *Calle de Doña Catalina*... Y luego doy la vuelta a la esquina y leo en otro azulejo: *Plazuela de Cervantes*. Esto es verdaderamente estupendo y terrible; indudablemente, estoy ante la casa del novelista. Y entonces me paro ante el portal y trato de examinar esta casa extraordinaria, portentosa. Pero una anciana—una de estas ancianas de pueblo, vestidas de negro, silenciosas—surge de lo hondo y se dirige hacia mí. Acaso—pienso—yo, un forastero, un desconocido, estoy cometiendo una indiscreción enorme al meterme en una casa extraña; yo me quito el sombrero y digo, inclinándome: «Perdón; yo estaba examinando esta casa.» Y entonces la señora vestida de negro me invita a entrar. Y en este punto—por uno de esos fenómenos psicológicos que vosotros conocéis muy bien—, si antes me pareció absurdo entrarme en una casa ajena, ahora me parece lógico, naturalísimo, el que esta dama me haya invitado a transponer los umbrales. Todo, desde la nebulosa, estaba dispuesto para que una dama silenciosa invitara a entrar en su casa a un filósofo no menos silencioso. Y entro tranquilamente. Y luego, cuando aparecen dos mozos que me parecen cultos y discretos, los saludo y departo con ellos con la misma simplicidad y la misma lógica. La casa está avanguardada de un patio con elevadas tapias; hay en él una parra y un pozo; el piso está empedrado de menudos cantos. En el fondo se levanta la casa; tiene dos anchas puertas que dan paso a un vestíbulo que corre de parte a parte de la fachada. El sol entra en fúlgidas oleadas; un canario canta. Y yo examino dos grandes y negruzcos lienzos, con escenas bíblicas, que penden de las paredes. Y luego, por una ancha escalera que a mano derecha se halla, con barandilla de madera labrada, subimos al piso principal. Y hétenos en un salón de la misma traza y anchura del vestíbulo de abajo; los dos espaciosos balcones están de par en par; en el suelo, en los recuadros de viva luz que forma el sol, están colocadas simétricamente unas macetas. Adivino unas manos femeninas suaves y diligentes. Todo está limpio; todo está colocado con esa simetría ingenua, candorosa—pero tiránica, es preciso decirlo—de las casas de los pueblos. Pasamos por puertas pequeñas y grandes puertas de cuarterones; es un laberinto de salas, cuartos, pasillos, alcobas, que se suceden, irregulares y pintorescas. Este es un salón cuadrilongo que tiene una sillería roja, y en que un señor de 1830 os mira, encuadrado en su marco encima del sofá. Esta es una salita angosta con un corto pasillo que va a dar a una reja, a la cual Cervantes se asomaba y veía desde ella la campiña desmesurada y solitaria, silenciosa, monótona, sombría. Esta es una alcoba con una puertecilla baja y una mampara de cristales; aquí dormían Cervantes y su esposa. Yo contemplo estas paredes rebozadas de cal, blancas, que vieron transcurrir las horas felices del ironista...

Y luego otra vez me veo abajo, en el zaguán, sentado al sol, entre el follaje de las macetas. El canario canta; el cielo está azul. Ya lo he dicho: todo desde la nebulosa estaba dispuesto para que un filósofo pudiera gozar de este minuto de satisfacción íntima en el vestíbulo de la casa en que vivió la novia de un gran hombre. Pero he aquí que un acontecimiento terrible—tal vez también dispuesto desde hace millones y millones de años—va a sobrevenir en mi vida. La cortesía de los moradores de esta casa es exquisita; unas palabras han sido pronunciadas en una estancia próxima, y yo, de pronto, veo aparecer, en dirección hacia mí, una linda y gentil muchacha; yo me levanto, un poco emocionado; es la hija de la casa. Y yo creo ver por un momento en esta joven esbelta y discreta—¿quién puede refrenar su fantasía?—a la propia hija de don Hernando Salazar, a la mismísima novia de Miguel de Cervantes. ¿Comprendéis mi emoción? Pero hay algo apremiante y tremendo que no da lugar a que mi imaginación trafague. La joven gentilísima que ha aparecido ante mí trae en una mano una bandejita con pastas, y en la otra, otra bandejita con una copa llena de dorado vino esquivieño. Y aquí entra el tremendo y pequeño conflicto; lances de éstos ocurren todos los días en las casas de pueblo; mi experiencia de la vida provinciana—ya lo sabéis—me ha hecho salvar fácilmente el escollo. Si yo cojo—decía—una de estas pastas grandes que se hacen en provincias, mientras yo me la como, para sorber después el vino, ha de esperar esta joven lindísima, es decir, la novia de Cervantes, ante mí; es decir, un desconocido insignificante. ¿No era todo esto un poco violento? ¿No he columbrado yo acaso su rubor cuando ha aparecido por la puerta? He cogido lo menos que podía coger de una de estas anchas pastas domésticas y he trasegado precipitadamente el vino. La niña permanecía inmóvil, encendida en vivos carmines y con los ojos bajos. Y yo pensaba luego, durante los breves minutos de charla con esta familia discreta y cortesana, en Catalina Salazar Palacios—la moradora de la casa en 1584, año del casamiento de Cervantes—y en Rosita Santos Aguado—la moradora en 1904—, una de las figuras más simpáticas del próximo centenario. Mi imaginación identificaba a una y otra. Y cuando ha llegado el momento de despedirme he contemplado por última vez, en la puerta, bajo el cielo azul, entre las flores, a la linda muchacha—la novia de Cervantes.

Y he querido ir por la tarde a la fuente de Ombídales, cerca del pueblo, donde tenía sus viñas la amada del novelista. Predicho estaba que yo había de pasear en compañía del señor cura—digno sucesor del presbítero Pérez, que casó a Cervantes—y de don Andrés, el mayorazgo. Ya no existen los viñedos que la familia Salazar poseía en estos parajes; los majuelos del Herrador, de Albillo y del Espino han sido descepados; la fuente nace en una hondonada; una delgada hebra de agua surte de un largo caño de hierro, clavado en una losa, y va a rebalsarse en dos hondos charcazos. Anchas laderas, arañadas por el arado, se alejan en suaves ondulaciones a un lado y a otro. La lejanía está cerrada por una pincelada azul de las montañas. Llegaba el crepúsculo. «Este es—ha dicho el señor cura—el paseo de los enamorados en Esquivias.» «Por aquí—ha añadido el mayorazgo con énfasis irónico—he visto yo, cuando los trigos están altos, muchas y grandes cosas.»

La noche va llegando; por Poniente, el cielo se ilumina con suavidades nacaradas. La llanura inmensa, monótona, gris, sombría, está silenciosa; aparecen tras una loma las techumbres negruzcas del poblado. Las estrellas fulguran como anoche y como en toda la eternidad de las noches. Y yo pienso en las palabras que durante estos crepúsculos, en estas llanuras melancólicas, diría el ironista a su amada; palabras simples, palabras vulgares, palabras más grandes que todas las palabras de sus libros.

LOS TOROS

Al pintor Zuloaga.

Cuando yo entro en la casa, un perro se pone a ladrar.

—¡Calla, *Carlín*!—dice doña Isabel.

—Buenas tardes, doña Isabel—le digo yo a doña Isabel—. ¿Y don Tomás? ¿Ha salido ya?

El perro se llega hasta mí, con la cabeza baja, gruñendo sordamente. Una voz grita desde el despacho:

—¿Es usted, Azorín? Pase usted.

Yo entro en el despacho. Don Tomás está subido en una silla, con las manos tendidas hacia la parte superior de un armario en que aparecen colocadas ocho o diez sombrereras. Don Tomás coge una y la baja; luego va bajando las otras.

—Estoy aquí buscando un sombrero —me dice.

—Pero éstos son sombreros de copa—le digo yo, examinando las sombrereras.

—Sí, éstos son de copa; pero yo estaba buscando uno ancho que debe de estar por aquí.

—¿Y todos estos sombreros son de usted?—le pregunto yo.

—Todos son míos; aquí tengo yo la historia de mi vida—dice él.

—Ya sé que ha sido usted un elegante —torno a decirle yo.

—Entonces se podía vestir—vuelve a decirme él—; pero ahora no hay ningún sastre que corte una levita como aquéllas.

Don Tomás saca de una sombrerera un sombrero de copa.

—¿Ve usted este sombrero?—me dice—. Este lo llevé yo a la reunión que celebraron los romeristas en el teatro de la Comedia el año...

Don Tomás permanece un momento pensando; después pregunta:

—Azorín, ¿usted no sabe en qué año se celebró la reunión de los romeristas en el teatro de la Comedia?

—Yo no sé, don Tomás—le contesto yo—; pero tengo idea de que debió de ser allá por mil ochocientos noventa y ocho.

—¿Está usted seguro? ¿No fué antes de la otra reunión que tuvimos en la Exposición de Barcelona?

Don Tomás, mientras pronuncia estas palabras, saca otro sombrero de otra sombrerera.

—Este es — dice, enseñándomelo — el sombrero que yo me puse para asistir a esa reunión de Barcelona.

—Y teniendo sombreros en casa, ¿por qué se compraba usted cada vez un sombrero?—le pregunto yo.

—Le diré a usted—contesta él—; yo iba a Madrid de tarde en tarde. Llegaba a Madrid, compraba un sombrero, luego lo traía aquí, y cuando tenía que volver al cabo de algunos años, ya había pasado de moda y era preciso comprar otro.

Don Tomás ha sacado otro sombrero de otra sombrerera.

—Aquí tiene usted éste—dice, levantándolo a la luz—; éste casi está bien aún. Este lo compré para asistir a la última reunión que celebramos en el frontón de Jai-Alai el año...

Don Tomás torna a quedarse pensativo.

—¿Recuerda usted, Azorín, cuándo fué la reunión de Jai-Alai?

—No sé, don Tomás—le contesto—; me parece que fué en mil novecientos o en mil ochocientos noventa y nueve.

—No, no—dice don Tomás—; yo creo que fué antes. Yo estrené entonces una levita que debo de tener por aquí.

Y, rápidamente, don Tomás abre un ropero y comienza a revolver americanas, pantalones, gabanes, chaqués.

Doña Isabel aparece en la puerta.

—Pero, Tomás—exclama doña Isabel—, mira que ya va siendo tarde...

Don Tomás se vuelve con una levita colocada en el hombro.

—¡Voy, voy!—grita don Tomás—. ¿Os habéis arreglado ya? Lo malo será que el temporal siga esta tarde...

Don Tomás se pone precipitadamente un sombrero blanco. Todos salimos a la entrada. Y se oye un rumor de sedas, un taconeo ligero, rítmico, una tos fina; Juanita aparece, viva, nerviosa, tocada con una mantilla blanca y con unos claveles en la mano.

—Mamá—ha dicho Juanita, dirigiéndose a doña Isabel; pero, de repente, se ha detenido, como sintiendo reparo en decir lo que iba a decir. Juanita tiene un rostro ovalado, suavemente moreno, con trasparencias e irisaciones de bronce, de un bronce delicado, pálido, que sólo se ve de tarde en tarde, por azar maravilloso, en las mujeres morenas.

Los ojos de Juanita son grandes, negros; una luz misteriosa, que parece que se enciende vivamente de pronto y de pronto se apaga, los ilumina. Los labios son carnosuelos, rojos. Los pies son pequeños, agudos, arqueados, con una curva suave sobre los altos y sutiles tacones; los puntos y calados de una media negra de seda dejan transparentar la piel, blanca, sonrosada. Y como rasgo final, que completa nuestro retrato, en las sienes de Juanita aparecen unos aladares finos, sedosos, rizados, que ponen sobre la tez ambarina un trozo de negrura. Un pintor de las cosas de España juraría que Juanita no podía ser de otro modo.

—Mamá—dice Juanita por segunda vez, enseñándole los claveles a doña Isabel. Pero un trueno acaba de retumbar, lejano, apagado.

—¿Está tronando?—pregunta doña Isabel.

—Sospecho que esta tarde hay también lluvia—dice don Tomás.

—Mamá—dice por tercera vez Juanita, ya impaciente, nerviosa—; mamá, ¿cómo me pongo los claveles?

—La secretaria—dice doña Isabel, sonriendo—; la secretaria ha dicho que se pueden llevar en la cabeza y en el pecho.

—¡Sí, sí!—exclama Juanita, riendo vivamente, en tanto que la línea de su pecho se mueve con ligeras ondulaciones.

—¿Qué secretaria es ésa?—preguntó yo.

—Es la secretaria de *La Ultima Moda*, a quien consultan las suscriptoras, y ella contesta a lo que le preguntan.

—Verá usted—dice Juanita. Y rápida, con un rumor de seda y de taconeos rítmicos, desaparece y torna a aparecer con un periódico en la mano.

—Nosotros le hemos preguntado cómo se llevaban los claveles para ir a los toros —dice doña Isabel.

—Y ella—continúa Juanita—contesta lo siguiente: «Los claveles se llevan en la cabeza; pero también pueden prenderse en el pecho. Estos claveles generalmente son rojos; sin embargo, se pueden usar también blancos, haciendo con los dos colores una linda combinación.»

—¡Estamos enterados!—dice don Tomás, dando en el suelo con su bastón.

La luz comienza a disminuir; retumba otro trueno pavoroso, tremendo.

—Ya tenemos encima el chaparrón—observa don Tomás.

Todos callamos consternados y nos asomamos a la puerta para mirar las nubes plomizas que cubren el cielo. Un faetón, uno de esos faetones pesados, venerables, simpáticos, de los pueblos, acaba de detenerse ante el portal.

—Ramón—le dice don Tomás al criado que le conduce—; Ramón, ¿qué le parece a usted? ¿Nos mojaremos esta tarde?

—Me parece que sí, señor.

Brilla un relámpago vivísimo; un trueno estalla con un ruido seco y formidable. Y comienza a caer una lluvia densa, cerrada. Allá abajo, en la feria, la gente corre despavorida y abre precipitadamente los paraguas.

EL BUEN JUEZ

Azorín, ¿quiere usted decir algo de las *Sentencias del presidente Magnaud?*

MARQUINA.

I

Diré con mucho gusto algo; pero no sé si voy a escribir una página subversiva. Ello es que la casa editorial Carbonell y Esteva, de Barcelona, cuya dirección literaria tiene el poeta Marquina, ha publicado la traducción española de los fallos y veredictos del juez Magnaud. Un ejemplar de este volumen, desde la librería barcelonesa, ha pasado a la capital de una provincia manchega; aquí ha estado seis, ocho, diez días, puesto en el escaparate de una tienda, entre una escribanía de termómetro y una agenda con las tapas rojas. El polvo había puesto ya una sutil capa sobre la cubierta de este pequeño volumen; el sol ardiente de la estepa comenzaba ya a hacer palidecer los caracteres de su título. ¿No había nadie en la ciudad que comprase este diminuto libro? ¿Tendría que volver este diminuto libro a Barcelona, después de haber visto desde el escaparate polvoriento, entre la agenda y la escribanía, el desfile lento, silencioso, de las devotas, de los clérigos, de las lindas mozas, de los viejos que tosen y hacen sonar sus bastones sobre la acera? No, no; un alto, un extraordinario destino le está reservado a este volumen. Ante el escaparate acaba de pararse un señor gueso, bajo, con ojuelos chiquitos y una recia cadena de plata que luce en la negrura del chaleco. Este señor mira los cachivaches expuestos en la vitrina y lee los títulos de los libros; estos títulos él los ha leído cien veces; pero el título de este diminuto libro es la primera vez que entra en su espíritu.

«¡Caramba!—piensa el señor desconocido—. ¡Caramba, las *Sentencias del presidente Magnaud;* ese juez tan raro de que hablaba el otro día el periódico!»

Después que ha pensado tal cosa el señor grueso, sonríe con una sonrisa especial, única, y luego transpone los umbrales de la librería. Tenga en cuenta el lector que en la vida no hay nada que no revista una trascendencia incalculable, y que estos pasos que acaba de dar el señor grueso para penetrar en la tienda son pasos históricos, pasos de una importancia extraordinaria, terrible. Porque este señor va a comprar el libro y porque este libro ha de ir a parar al despacho de don Alonso, y porque don Alonso, leyendo las páginas de este libro, ha de sentir abrirse ante él un mundo desconocido. Pero no anticipemos los acontecimientos. Cuando el señor grueso e irónico ha salido de la librería aún llevaba en su cabeza el mismo pensamiento que llevaba al entrar. «Se lo regalaré a don Alonso», pensaba él, metiéndose en el bolsillo el libro. Después, llegado a la fonda, ha puesto el volumen en la maleta—admirar los destinos de los libros—entre un queso de bola y un señuelo para las codornices. Y luego, a la tarde, él y la maleta se han marchado en la diligencia hacia un pueblo de la provincia.

En todos los pueblos, bien sean de esta provincia manchega, o bien de otra cualquiera, por las noches (y también por las mañanas y por las tardes) hay que ir al Casino. El señor grueso ha cumplido la misma noche de su llegada con este requisito; en el Casino le esperaban los señores que forman la tertulia cotidiana; él los ha saludado a todos; todos han charlado de varias y amenas cosas, y, al fin, el señor grueso ha sacado su libro y le ha dicho a don Alonso:

—Don Alonso, he comprado esto esta mañana en Ciudad Real para regalárselo a usted.

Don Alonso ha dicho:

—¡Hombre, muchas gracias!

Y ha tomado en sus manos el diminuto volumen. Otra vez vuelvo a recordar al lector que considere con detención el gesto de don Alonso al coger el libro, puesto que es de suma trascendencia para la historia contemporánea de nuestra patria. El gesto de don Alfonso ha sido de una vaga curiosidad; acaso en el fondo no sentía curiosidad ninguna, y este tenue gesto era sólo una deferencia por el presente que se le hacía. Después, don Alonso ha leído el título: *Novísimas sentencias del presidente Magnaud,* y este título tampoco le ha dicho nada a don Alonso. Pero el señor grueso que ha traído el libro ha dicho:

—Este Magnaud es un juez muy raro que ha hecho en Francia algunas cosas extrañas...

—Sí, sí—ha replicado don Alonso, que no conocía a Magnaud—; sí, sí, he oído hablar mucho de este juez.

Y después que han hablado otro poco, se han separado. Don Alonso, cuando ha llegado a su casa, ha puesto el libro en la mesa de su despacho. Un vidente del alma de las cosas hubiera podido observar que entre este libro y los demás que había sobre la mesa se ha establecido súbitamente una corriente sorda y formidable de hostilidad. Los demás libros eran—tendré que decirlo—el Código Civil, el Código Penal, los Procedimientos judiciales, la Ley Hipotecaria, comentarios a los Códigos, volúmenes de revistas jurídicas, colecciones de sentencias del Tribunal Supremo. Pero si una antipatía mutua ha nacido entre estos libros terribles, inexorables, y este diminuto libro, en cambio, en el estante de enfrente hay otros volúmenes que le han enviado un saludo cariñoso, efusivo, al pequeño volumen. Son todos historias locas, fantásticas, poesías sentimentales, novelas, ensueños de arbitristas, planes y proyectos de gentes que ansían renovar la haz del planeta. Y entre todos estos volúmenes aparece uno que es el que más contento y satisfacción ha experimentado con la llegada del nuevo compañero; se titula: *El ingenioso hidalgo Don Quijote de la Mancha,* y diríase que durante el breve momento que el diminuto volumen ha estado sobre la mesa, un coloquio entusiasta, cordialísimo, se ha entablado entre él y el libro de Cervantes, y que el espíritu de Sancho Panza, nuestro juzgador insigne, daba sus parabienes al espíritu de su ilustre sucedáneo el juez Magnaud.

Pero no divaguemos. Don Alonso, que había salido del despacho con un periódico en una mano y una bujía en la otra, ha tornado a entrar. Y ya en él, se ha parado ante la mesa y ha cogido de ella un gran cuaderno de pliegos timbrados—que es un pleito que ha de fallar al día siguiente—y el pequeño volumen. Luego ha subido unas escaleras; ha gritado al pasar por delante de una alcoba: «¡María, mañana a las ocho!», y se ha metido en su cuarto. Y don Alonso ha comenzado a desnudarse. Nuestro amigo es alto, cenceño, enjuto de carnes; su edad frisa en los cincuenta años...

Ya está acostado don Alonso; entonces coge un momento los anchos folios del pleito y los va hojeando; pero debe de ser un pleito fácil de decidir, porque el buen caballero deja al punto, de nuevo sobre la mesilla, los papelotes. El diminuto volumen está aguardando; don Alonso alarga la mano, lo atrapa y comienza su lectura. De las varias emociones que se han ido reflejando en el rostro avellanado del caballero mientras iba leyendo el libro no hablará el cronista por miedo de dar excesivas proporciones a este relato. Pero sí ha de quedar consignado, para que llegue a conocimiento de los siglos venideros, que ya quebraba el alba cuando don Alonso ha terminado la lectura de este libro maravilloso, y que, luego de cerrado y colocado con tiento en la adjunta mesilla, el buen caballero—caso extraordinario—ha vuelto a coger el pleito repasado antes ligeramente y con descuido, y lo ha estado estudiando de nuevo, con suma detención, hasta que una voz se ha oído en la puerta, que gritaba: «¡Alonso, son las ocho!»

Y aquí, lector amigo, pondremos punto a la primera parte de esta nunca oída y pasmosa historia.

II

Apenas los matinales y ambulantes vendedores de la ciudad manchega comenzaban a lanzar al aire con sus lenguas incansables sus pintorescos gritos, tales como «¡Carbón!», «¡El panadero!», cuando don Alonso, ya vestido y compuesto, bajó al comedor en busca del cotidiano chocolate. Pero don Alonso no baja hoy como otros días. Doña María observa en él algo indefinible, extraño, y le pregunta:

—Alonso, ¿has dormido mal?

Lola, la cuñada, le mira también, y dice:

—Parece que has dormido mal, Alonso.

Y Carmencita observa, asimismo, el rostro cenceño del buen caballero, y afirma en redondo:

—Papá, tú has dormido mal.

Don Alonso, que va mojando pausadamente los dorados picatostes en la aromática mixtura, se detiene un momento, mira cariñosamente a las tres mujeres y sonríe. Esta sonrisa de don Alonso es maravillosa: es una sonrisa henchida de una luz desconocida, magnética; es una de esas sonrisas históricas que sólo le es dable contemplar a la Humanidad cada dos o tres siglos. Y cuando don Alonso ha acabado de sonreír, se ha metido en la boca la suculenta torrija que durante un momento ha estado suspensa en el aire. Mas ni doña María, ni Lola, ni Carmencita quedan satisfechas con la sonrisa de don Alonso; ellas no han visto la trascendencia incalculable de esta sonrisa; ellas son sencillas, ingenuas, amorosas, y no pueden sospechar que este chocolate que esta mañana están ellas tomando en familia figurará en los fastos de la Humanidad. Pero don Alonso baja la cabeza sobre la jícara con un gesto de profunda meditación. Doña María comienza a consternarse; Lola se pone triste; Carmencita mueve su rubia y linda cabeza y no sabe qué pensar.

—Alonso—dice doña María—, a ti te pasa algo.

—Sé franco con nosotras, Alonso—añade Lola.

—Papá—grita Carmencita—, dinos lo que te sucede.

Don Alonso levanta la cabeza y las envuelve a las tres en una de esas miradas largas, sedosas, con las que, en los trances difíciles de la vida, parece que acariciamos a las personas que queremos.

—No os preocupéis—les dice, sonriendo de nuevo—, no os preocupéis; no me sucede nada...

Y el buen caballero se levanta y coge el bastón. Doña María, Lola y Carmencita permanecen sentadas, calladas, como anonadadas, como desconcertadas por una fuerza misteriosa, por un efluvio que ellas no aciertan a explicar; en tanto que don Alonso, erguido, gallardo, sale del comedor y aparece luego en la calle.

Don Juan está en su puerta con las manos cruzadas sobre el chaleco.

—Buenos días, don Juan—le dice don Alonso.

—Buenos nos los dé Dios—grita don Juan.

Don Antonio está más allá, en su portal, columbrando una nubecilla que asoma por el horizonte.

—Buenos días, don Antonio—le dice también don Alonso.

—A la noche lo diremos—contesta don Antonio, que es algo observador de los fenómenos naturales y, por tanto, un poco escéptico.

Don Pedro aparece inmóvil en su acera, observando una moza que pasa con su cesta.

—Buenos días, don Pedro—dice por tercera vez don Alonso.

—No sería malo, no sería malo—contesta don Pedro, mirando a la mozuela y dando a entender con esto que con ella no pasaría él mal el día.

Y ya está don Alonso—después de haber saludado también a don Rafael, a don Luis, a don Leandro, a don Crisanto y a don Mateo, de los cuales no hablaremos por no fatigar al lector—; ya está don Alonso sentado ante una mesa en que hay una escribanía de plata y varios rimeros de folios blancos. Detrás de don Alonso, bajo un dosel, destaca un cristo. Todo esto quiere decir—ya se habrá comprendido—que don Alonso se halla ya en funciones, o sea que ha llegado el momento en que el buen caballero va a administrar esta cosa sutilísima, invisible, casi fantástica, que se llama Justicia y que los hombres aseguran que no existe sobre la tierra. Mas por esta vez yo afirmo que esta cosa delicada y formidable va a hacer su aparición en esta sala. Don Alonso está decidido a ello, y éste es el motivo de aquella sonrisa estupenda que ni doña María, ni Lola, ni Carmencita han comprendido. ¿Añadiré que don Alonso ha dictado ya sentencia en el pleito que examinaba anoche? ¿Podré pintar la estupefacción, el asombro inaudito que se ha apoderado de todo el pequeño mundo judicial al conocer esta sentencia? ¿Cómo haré yo para que os figuréis la cara que ha puesto don Fructuoso, el abogado más listo de la ciudad manchega, y el ruido peculiar que ha hecho al contraer los labios don Joaquín, el procurador más antiguo?

Por la tarde, después de comer, en el Casino, un breve silencio se ha hecho a la llegada de don Alonso. Ya conocéis estos silencios que se producen cuando se acerca a un grupo un hombre de quien a la sazón se ocupan todas las lenguas; estos silencios, o son un homenaje involuntario, o son una reprobación discreta. Pero, de todos modos, el silencio es prontamente roto y la charla torna a surgir entusiasta u opaca, según se trate de uno o del otro caso citado. ¿De cuál se trata ahora? En realidad no hay motivo para abominar de don Alonso por la sentencia dictada esta mañana. Don Fructuoso y don Joaquín, que han perdido el pleito, afirman que es un disparate mayúsculo; pero en el Casino nadie llega hasta sentirse tan tremendamente indignado.

—Es una sentencia rara—dice don Luis.

—No existe precedente ninguno que la justifique—añade don Rodolfo, un viejo que estudió el año 54 Derecho civil en la Central con don Juan Manuel Montalbán y Herranz.

—Sin embargo—se atreve a decir Paco, un abogado joven que es un poco orador y que ha leído dos o tres discursos de Santamaría de Paredes—; sin embargo, si atendemos a un interés social, colectivo; un interés superior que se remonte sobre las personalidades, sobre el derecho individual, para...

Pero los señores graves no le dejan seguir.

—¡Hombre, Paco, hombre!—grita don Leopoldo, un poco indignado—. Usted saca de quicio la cuestión...

—¡Caramba, Paco!—dice don Pedro—. Está usted hoy verdaderamente terrible.

—¡Pero, por Dios, Paco!—observa con voz meliflua don Juan—. Usted pretende destruir los fundamentos del orden social...

Sin embargo, Paco no pretende destruir nada; Paco es una excelente persona. Y después de discutir un rato, Paco, que va a casarse dentro de un mes con la hija de don Luis, conviene con éste en que es una sentencia rara la dictada por don Alonso, y aun llega a afirmar con don Rodolfo que no es posible encontrarle precedentes.

¿Necesitaré decir después de esto qué género de silencio se ha producido en la tertulia a la llegada de don Alonso? ¿Diré que era algo así como un silencio entre irónico y compasivo?

¿Tendré que añadir que luego, en el curso de la conversación, han abundado las alusiones discretas, veladas, a la famosa sentencia? Pero don Alonso no ha perdido su bella y noble tranquilidad. «El verdadero hombre honrado—dice La Rochefoucauld en una de sus máximas—es aquel que no se pica por nada.» El buen caballero ha dejado que hablasen todos; él sonríe afable y satisfecho; después, a media tarde, ha dado un paseo por la huerta.

Mas entre tanto que discurría por los escondidos senderos, apartado de la ciudad, la ciudad se iba llenando del asombro y de la extrañeza que la sentencia de por la mañana produjera primeramente entre los leguleyos. Y al anochecer, el buen caballero ha regresado a su hogar. Ya las criadas habían traído a la casa los ruidos y hablillas de la calle. Durante la cena, doña María, Lola y Carmencita han guardado silencio; pero al final, doña María no ha podido contenerse y ha dicho:

—Alonso, ¿qué es eso que dicen por ahí que has hecho?

Lola ha insinuado:

—Las muchachas nos han contado...

Y Carmencita, poniendo unos ojos tristes, ha suplicado:

—Papá, cuéntanos lo que ha sucedido.

Don Alonso ha contestado:

—No ha sucedido nada.

Pero doña María ha insistido:

—Alonso, algo será cuando murmura la gente.

—No nos ocultes nada, Alonso—ha tornado a decir Lola.

—Papá—ha exclamado Carmencita—, papá, no nos tengas así.

Y don Alonso ha sonreído y ha dicho:

—No ha sucedido nada. Esta mañana, cuando me habéis preguntado, yo me he hecho un poco el interesante, y vosotras os habéis llenado de preocupaciones; y no había más sino que yo, en vez de pasar la noche durmiendo, la había pasado trabajando. Ahora os veo también alarmadas, y no sucede otra cosa sino que yo he dictado hoy una sentencia apartándome de la ley, pero con arreglo a mi conciencia, a lo que yo creía justo en este caso. Yo no sé si vosotras entenderéis esto; pero el espíritu de la Justicia es tan sutil, tan ondulante, que al cabo de cierto tiempo los moldes que los hombres han fabricado para encerrarlo, es decir, las leyes, resultan estrechos, anticuados, y entonces, mientras otros moldes no son fabricados por los legisladores, un buen juez debe fabricar para su uso particular, provisionalmente, unos moldes chiquitos y modestos en la fábrica de su conciencia.

Doña María, Lola y Carmencita han tratado de sonreír; pero algo les quedaba allá dentro.

—Ya sé—ha continuado don Alonso—, ya sé que a vosotras os preocupa lo que las gentes van diciendo. No se me oculta que la ciudad está alborotada; pero esto no es extraño. Sobre la tierra hay dos cosas grandes: la Justicia y la Belleza. La Belleza nos la ofrece espontáneamente la Naturaleza y la vemos también en el ser humano; mas la Justicia, si observamos todos los seres grandes y pequeños que pueblan la tierra, la veremos perpetuamente negada por la lucha formidable que todas las criaturas, aves, peces y mamíferos mantienen entre sí. Por esto la Justicia, la Justicia pura, limpia de egoísmos, es una cosa tan rara, tan espléndida, tan divina, que cuando un átomo de ella desciende sobre el mundo, los hombres se llenan de asombro y se alborotan. Este es el motivo por lo que yo encuentro natural que si hoy ha bajado acaso sobre esta ciudad manchega una partícula de esa Justicia, anden sus habitantes escandalizados y trastornados.

Y don Alonso ha sonreído, por última vez, con esa sonrisa extraordinaria, inmensa, que sólo le es dable contemplar a la Humanidad cada dos o tres siglos. .

UNA ELEGIA

—Señor Azorín, ¿esto es una elegía?

—Amigo lector, esto es una elegía.

Se llama Julín. ¿Cómo os imagináis vosotros a Julín? ¿Creéis que este nombre varonil es el de algún niño rubio, vivaracho, revoltoso? No; os engañáis. Julín era Julia. Y Julia era una muchacha delgada, esbelta, con unos grandes ojos melancólicos, azules... Yo la he recordado cuando, tras largo tiempo de ausencia, he vuelto a poner los pies en esta monótona ciudad, donde ha transcurrido mi infancia. Ya bien de mañana, yo me he encaminado por las calles anchas, de casas bajas; con las puertas, a esta hora, entornadas; con los zaguanes silenciosos. El sol va bañando lentamente las blancas fachadas; de cuando en cuando se oyen las campanadas rítmicas y cristalinas de la iglesia, y las herrerías, todas las herrerías de la ciudad —las herrerías negras, las herrerías calladas durante la noche—comienzan a cantar. Os diré que éstos son los instantes supremos en que despiertan todos estos oficios seculares, venerables, de los pueblos. Y si vosotros los amáis, si vosotros sentís por ellos una profunda simpatía, podéis ver a esta hora—fresca, clara y enérgica—cómo se abren los talleres de los aperadores, de los talabarteros, de los peltreros; y de qué manera comienzan a marchar los pocos y vetustos telares que aún perduran, como sobrecogidos, como atemorizados, como ocultos en un lóbrego zaguán, allá en una calleja empinada y silenciosa; y con qué joviales, fuertes y rítmicos tintineos entonan sus canciones las herrerías. Yo tengo predilección por estos hombres que forjan y retuercen el hierro. Que mis amigos los carpinteros me dispensen esta confidencia, hasta ahora secreta; en estas palabras no hay para ellos ni el más ligero agravio; otro día dedicaré unas líneas cordiales a estos hombres, también excelentes y afables, que labran la madera. Ahora voy a sentarme en una herrería. La llama de la fragua surge briosa en el hogar; el fuelle va resoplando sonoramente; en medio del taller, el viejo yunque patriarcal, venerable, alma de la herrería, espera el rojo hierro que ha de ser martilleado. Y el hierro es sacado de entre las brasas. Y los martillos, recios, caen y tornan a caer sobre él, y van cantando alegres su canción milenaria, en tanto que el grueso yunque parece que se ensancha de satisfacción—tal vez de vanidad—, pensando que sin él no se podría hacer nada en la herrería.

Y de rato en rato, el martilleo cesa; entonces el maestro y yo hablamos de las cosas del pueblo, es decir, del mucho o poco trabajo que hay, de las casas que se están construyendo, de lo deleznables que son—no os quepa duda de esto—los trabajos de hierro que vienen de las fábricas. Yo pienso que todas estas cerraduras, estos pasadores, estas fallebas, fabricadas en grande, mecánicamente, en los enormes talleres cosmopolitas, entre la multitud rápida y atronadora de los obreros, no tienen alma, no tienen este algo misterioso e indefinible de las piezas forjadas en las viejas edades, que todavía en los pueblos se forjan, y en que parece que el espíritu humano ha creado una polarización indestructible, perdurable...

Los martillos van cantando, cantando con sus sones claros y fuertes; el fuelle sopla y resopla ronco. Y ahora el maestro y yo no hablamos ya de las cosechas, ni de las fábricas, ni de las casas; hablamos de los amigos que han desaparecido para siempre. Si vais a vuestro pueblo después de haber estado lejos de él, pocos o muchos años, estos recuerdos serán inevitables. Ya otro día apuntaba yo en otra parte algo de esto. ¿Qué se ha hecho de don Ramón, de don Luis, de don Juan, de don

Rafael, de don Antonio? ¿Cómo acabó don Pedro? ¿Es verdad que don Jenaro hizo una casa nueva, una casa soberbia, en que él había puesto todas sus ilusiones, y murió a los ocho días de mudarse a ella? ¿Le dejó don Rafael la labor de los Tomillares a su sobrina Juanita, la hija de don Bartolomé el médico?

Y cuando yo pronuncio el nombre de Juanita, el maestro se queda un momento en suspenso, con el martillo en una mano y las tenazas en la otra, y me dice:

—¡Hombre! ¿No sabe usted que se murió Julín? ¿Se acuerda usted? Julia, la chica de don Alberto...

Yo sí me acuerdo; yo siento al oír al maestro una tristeza honda. ¿No os encanta este contraste entre un nombre varonil y una muchacha fina, blanca, suave, con los ojos azules, soñadores, pensativos, tristes? Vosotros acaso no sabréis que en los pueblos es quizá donde las muchachas son aún románticas, es decir, donde hay niñas tristes que tocan en el piano cosas tristes, que pasan horas enteras inmóviles, que leen novelas, que saben versos de memoria, y, sobre todo, que tienen sonrisas inefables, sonrisas de una ingenuidad adorable, divina. ¿No habéis visto a estas muchachas en las ferias de los pueblos, o en los bailes, o paseando por el andén de la estación un día que habéis pasado en el tren y os habéis asomado soñolientos, cansados de leer un rimero de periódicos que dicen todos lo mismo?

Los martillos prosiguen con su canción alegre y fuerte; el fuelle hace *fa-fa-fa-fa*... Yo ya no puedo estar sosegado en esta herrería; una irreprimible tristeza invade mi espíritu. Cuando salgo, don Baltasar está en su puerta.

Yo le digo:

—Buenos días, don Baltasar.

El me dice:

—¡Caramba, Azorín! ¿Tanto bueno por aquí?

Don Baltasar es el fotógrafo. ¿Afirmaréis vosotros que en los pueblos hay un hombre más interesante que el fotógrafo? Que no pase jamás por vuestra imaginación tal disparate. Yo estimo también cordialmente a los fotógrafos; otro día les dedicaré también unas líneas. Ahora voy a entrar un momento en casa de mi amigo don Baltasar. Yo quiero charlar con este hombre sencillo y ver de paso las fotografías que él tiene colocadas en anchos cuadros. Os confesaré que siempre que yo llego a una ciudad desconocida, mi primer cuidado es contemplar los escaparates de los fotógrafos. Yo veo en ellos los retratos de los buenos señores que viven en el pueblo y a quienes no conozco—y esto acaso me los hace simpáticos—, y las caras, tan diversas, tan enigmáticas, de estas muchachas de que antes hablaba. ¿Qué dicen estos rostros? ¿Qué ideas, qué ambiciones, qué esperanzas, qué desconsuelos hay detrás de todas estas frentes femeninas, juveniles? ¿Se podrá adivinar todo esto por los ojos, por los pliegues y contracturas de la boca, por la forma y la actitud de las manos?

Yo me acerco al escaparate de mi amigo don Baltasar. Yo voy viendo estos señores, estas damas, estas muchachas. Y de pronto mis miradas caen sobre una fotografía que me causa viva y honda emoción. ¿Lo habéis sospechado ya? Es Julín. Yo la miro absorto, olvidado de todo, emocionado.

Don Baltasar me dice:

—¿Qué mira usted, Azorín?

Yo le digo:

—Miro a Julín, la hija de don Alberto.

Don Baltasar exclama:

—¡Ah, sí! Cuando yo la retraté estaba ya muy enferma...

Julín aparece sentada en un banquillo rústico; su cara es más ovalada y más fina que cuando yo la vi por última vez; su cuerpo es más delgado; sus ojos parecen más pensativos y más grandes; sus brazos caen a lo largo de la falda con un ademán supremo de cansancio y de melancolía. Y un abanico a medio abrir yace entre los dedos largos y transparentes... En el zaguán de la casa reina un profundo silencio; un moscardón revuela en idas y venidas incongruentes, con un zumbido sonoro.

Yo me despido de mi amigo don Baltasar. Los martillos cantan sobre los yunques con sus sones alegres; unas campanas lejanas llaman a las últimas misas de la mañana. Yo camino despacio; yo digo: «Las cosas bellas debían ser eternas...»

UN TRASNOCHADOR

—Adiós, don Juan.

—Yo creí que no vendría usted esta noche.

—He cenado un poco tarde.

—¿Quiere usted que demos un paseo?

—Como usted quiera.

Don Juan se detiene un instante en el portal del Casino, apoyado en su bastón, con la cabeza baja. Parece meditar profundamente. Después levanta su mirada y dice:

—¿Ha estado usted esta tarde en la Fontana?

—Sí—le contesto yo.

—Le he visto a usted pasar desde lejos; no tenía seguridad de que fuese usted, porque llevaba usted sombrilla, y no la lleva ninguna tarde...

La luz de la luna, suave, plateada, baña las fachadas de las casas; de los aleros, de los balcones, caen unas sombras largas, puntiagudas, sobre los blancos muros. Las lechuzas, en la torre de la iglesia, lanzan, a intervalos, misteriosos resoplidos. Don Juan y yo caminamos despacio. Ya hemos marchado a lo largo de una calle, después hemos torcido a la derecha y hemos pasado por dos, por tres, por cuatro calles más; al fin, nos hemos encontrado otra vez en la puerta del Casino. Esto es fatal. Don Juan se detiene otra vez en la puerta, con la cabeza baja, apoyado en su bastón. Luego sale de sus meditaciones, levanta la vista y dice:

—¿Usted se aburrirá aquí soberanamente?

—No, don Juan—le contesto—; yo estoy aquí muy bien.

En el Casino, la concurrencia de prima noche se ha ido disgregando; en un ángulo, medio sumidos en la penumbra, cuatro jugadores mueven ruidosamente las fichas del dominó sobre el mármol. Las lamparillas eléctricas lucen mortecinas. Hay algo en la atmósfera que es cansancio, tedio, monotonía indefinible...

—¿Subimos, Azorín? — pregunta don Juan.

—Subamos, don Juan—contesto yo.

Subimos lentamente por las escaleras que llevan al piso principal. De nuevo, don Juan se para un momento en la puerta del salón. Yo comienzo a sospechar que hay una secreta afinidad entre las puertas y don Juan. Pero otra vez sale don Juan de sus profundas cavilaciones.

—Déme usted dos pesetas, Azorín.

Yo le doy dos pesetas a don Juan. Y entramos. Los reflejos verdes de una lámpara caen sobre un grupo de cráneos que se inclinan absortos; una voz grita: «¡Juego!»

—Hemos jugado al caballo—me dice don Juan—. Yo tengo fe en ese caballo...

Transcurre un minuto de ansiedad. Luego, súbitamente, se hace un enorme respiro; las monedas tintinean.

—Hemos ganado, Azorín. ¿Le gusta a usted el siete de copas o el dos de espadas?

—Como usted quiera; a mí me da lo mismo.

—Entonces pondremos al dos de espadas. Yo tengo simpatías por ese dos de espadas, por más que ese siete de copas...

Don Juan apunta al dos de espadas. El banquero comienza a echar, lenta, suavemente, las cartas; todos los ojos miran ansiosos, ávidos; la lámpara deja caer sus reflejos verdes.

—¡Juego!—grita de pronto don Juan—. Antoñico, esa postura del dos de espadas pasa al siete de copas.

Sale el siete de copas.

—¿Ve usted, Azorín?—me dice don Juan—. He tenido una inspiración. Ese siete de copas era seguro...

Don Juan sigue apuntando a estas o a las otras cartas; yo observo las miradas, los gestos, el ir y venir febril de las manos sobre el tapete. ¿Cuánto tiempo transcurre así? ¿Una hora, dos horas, tres horas?

—Azorín — oigo que me dice don Juan—, tenemos ya seis duros.

—Hay que jugarlos todos—le digo yo.

El se queda un poco asombrado.

—¿Cree usted...?

—Como usted quiera, pero yo creo que debemos intentar el último golpe y marcharnos.

—Muy bien—dice resuelto don Juan—; pues lo intentaremos... ¿En qué tiene usted más fe: en la sota de bastos o en el cuatro de oros?

—A mí lo mismo me da—le digo yo.

—Yo creo que esa sota de bastos es de confianza; sin embargo, ese cuatro de oros...

Don Juan juega a la sota. El banquero comienza a echar lentamente las cartas.

—¡Juego! — exclama de pronto don Juan—. Antoñico, esos seis duros de la sota pasan al cuatro de oros...

Sale la sota.

—¡Caramba!—grita estupefacto, desolado, don Juan.

—Don Juan—le digo yo, riendo—, no hay que hacer caso...

—Hombre, Azorín, le diré a usted: yo tenía fe en la sota; es más: tenía casi la seguridad de que iba a salir; pero ese cuatro de oros..., ese cuatro...

Y comienza una larga disertación sobre las probabilidades de la sota y las del cuatro de oros...

—¿Vamos a dar un paseo?—me dice, al fin.

—Vamos donde usted quiera—le digo yo.

La luz de la luna baña, suave, plateada, las anchas calles; de los aleros, de los balcones, caen unas sombras largas, puntiagudas; reina un profundo silencio en la ciudad dormida; las lechuzas resoplan formidables, y una voz lejana canta con una melopea plañidera: «¡Sereno, la una!»

Don Juan y yo caminamos despacio.

—Don Juan—le digo—, ¿usted se acuesta tarde todas las noches?

—Yo, Azorín—me dice él—, no puedo acostarme nunca sin ver la luz del día.

Yo me quedo mirando a don Juan. ¿Puede darse un ser más extraño y más interesante que un trasnochador de pueblo? ¿Qué hacen estos trasnochadores fantásticos durante toda la noche interminable de las ciudades muertas? ¿En qué emplean las horas monótonas, eternas, de las madrugadas invernales?

—¿Y qué hace usted, don Juan, toda la noche?—le pregunto—. Aquí, en el pueblo, será difícil encontrar algo en que entretenerse...

—Le diré a u s t e d — contesta don Juan—; a primera hora de la noche, hasta las doce o la una, estoy en el Casino; luego nos vamos tres o cuatro amigos a alguna casa y hacemos una cena y, al final, yo me marcho a casa y me entretengo en algo. El mes pasado hice un globo de periódicos; cuando trataron de empapelar la biblioteca del casino, yo me ofrecí a hacer el trabajo y la empapelaba de noche, así que se marchaban todos los socios...

Pasamos por dos, por tres, por cuatro calles; cruzamos una plaza. Una ventana aparece iluminada en una casa.

—¿Qué estará haciendo Alfredo?—pregunta don Juan. Y luego grita—: ¡Alfredo! ¡Alfredo!

Un joven surge en el balcón.

—Buenas noches, don Juan, y la compañía—dice.

—Pero ¿tan temprano en casa?—le pregunta don Juan.

—Me he de marchar mañana a las ocho a los Calderones, a ver cómo marcha la uva—dice Alfredo—; quiero principiar a pisar el jueves...

Nos despedimos...

—¿Quiere usted que vayamos a casa a tomar algo?—dice don Juan.

—Como usted guste, don Juan—le digo yo.

En la puerta, don Juan se detiene otra vez un momento, meditando profundamente. Después me dice:

—¡Caramba, Azorín! Si yo no hubiera tenido la mala idea de mudar la postura...

Cuando entramos en la casa, don Juan va encendiendo las lamparillas eléctricas, y pasamos al comedor. De una alacena saca don Juan vasos, una botella, un salchichón, un queso...

—Aquí hay unas chuletas, Azorín—me dice enseñándome un plato—. ¿Quiere usted que las asemos?

La cocina está cerca. Hacemos fuego y asamos las chuletas; pero no encontramos la sal. Don Juan sale y abre una puerta allá en lo hondo de la entrada.

—¡Lola! ¡Lola!—grita—. ¿Dónde habéis puesto la sal?

Luego vuelve, registra un cajón del aparador y saca el salero.

¿Cuántas horas pasan mientras comemos y charlamos? ¿Una, dos, tres, cuatro? Un reloj, uno de esos relojes terribles de las casas de los pueblos, suena cuatro metálicas campanadas; cantan los gallos a lo lejos. En los vidrios de la ventana aparece una claridad vaga, opaca...

—Don Juan, me marcho—digo yo.

—Pues vaya usted con Dios, Azorín, y hasta la tarde.

La puerta hace un ruido sordo al ser cerrada. Yo miro al Oriente, que aparece encuadrado entre las dos ringlas de las casas, y lo veo teñirse de carmín, de nácar y de oro.

UNA CIUDAD

Yo quisiera expresar con palabras sencillas todo el encanto que las cosas—un palacio vetusto, una callejuela, un jardín—tienen a ciertas horas. Esta vieja ciudad cantábrica ofrece también, como las ciudades del interior, como las ciudades levantinas, momentos especiales, momentos profundos, momentos fugaces, en que muestra, espontáneo y poderoso, su espíritu... Son las ocho de la mañana; si sois artistas, si sois negociantes, si queréis hacer una labor intensa, levantaos con el sol. A esta hora, la Naturaleza es otra distinta a la del resto del día; la luz refleja en las paredes con claridades desconocidas; los árboles poseen tonalidades de color y de líneas que no vemos en otras horas; el horizonte se descubre con resplandores inusitados, y el aire que respiramos es más fino, más puro, más diáfano, más vivificador, más tónico. Esta es la hora de recorrer las callejas y las plazas de las ciudades para nosotros ignoradas. Estamos en Santander. ¿Hacia dónde dirigiremos nuestros pasos? Dejad los planos; dejad las guías; no preguntéis a nadie. Tal vez el vagar a la ventura por el laberinto de las calles es el mayor placer del viaje. Y ocurre que si visitáis Toledo, o Sevilla, o Burgos, o León, insensiblemente, sin daros cuenta, llegará un momento en que os hallaréis frente a la catedral, ante una puerta gótica en que habrá mendigos sentados que gimotean, viejas dobladas y tullidas, hombres con redondos sombreros y capas parduscas, tal como Gustavo Doré los ha trasladado a sus dibujos. En Santander también os encontráis, tras breve caminata, en los umbrales de la vetusta portalada.

Y entráis en la catedral. La catedral de Santander es sencilla y pequeña; mas en su misma austeridad tiene un poderoso atractivo que no poseen aquellas otras suntuosas y anchas. Las tres naves están en estos instantes desiertas; un reloj, sobre el coro, lanza nueve agudas campanadas. Y lentamente van asomando los canónigos... ¿No os interesan los canónigos? Yo os aseguro que son interesantes; hay entre ellos una variedad grande. ¿Quién es este de la cabeza fina, pelada, y de los ojos grandes, luminosos, que anda raudo, callado, con las manos sobre el pecho? ¿En qué viejo caserón vive? ¿Qué hace? ¿Cuáles son sus ideas? ¿Qué libros tiene en su estante? En una de las grandes catástrofes morales de la vida, ¿cuál sería su primera actitud, su primer ímpetu, su primer gesto? Tal vez vosotros, viéndole andar majestuoso, sigiloso, os figuráis tener delante uno de aquellos grandes psicólogos españoles—dominicos, agustinos, simples clérigos—que, como fray Diego Murillo o fray Antonio Arbiol, escribieron tan sutiles tratados de cosas de la conciencia, que aún hoy, entre los grandes analíticos contemporáneos, no encuentran superiores... Mas ya esta misteriosa figura se ha perdido en el coro; otra solicita vuestra atención. Y es un hombre recio, corpulento, que marcha con un tantico de movimiento a un lado y a otro, y que, como el Arcipreste de Hita, tiene encendido el color, el pescuezo recio y las cejas pobladas. ¿Quién es este canónigo?—os tornáis a preguntar—. ¿En qué estancia hará resonar sus joviales carcajadas? ¿Amará, con franco y sano amor, como Juan Ruiz, a las troteras y danzaderas? ¿Le placerá, como a Juan Ruiz, correr por las ferias de los viejos pueblos en compañía de ruidosos estudiantones nocherniegos? Y si lee, por acaso, alguna vez, en los ratos de aburrimiento, ¿qué es lo que leerá? Y esta figura, como la anterior, se pierde por la puertecilla del coro. Otra aparece. Es un mozo joven, acaso un poco desgarbado, pero vivo, pronto, ligero, nervioso. ¿De qué pueblo ha salido este mozo? ¿Qué paisajes han visto sus ojos en la infancia? ¿Qué mujeres enlutadas, sollozantes, le han besuqueado y le han apretujado en sus brazos, siendo niño, y le han llevado luego a los largos claustros sombríos, monótonos, del seminario? Y van saliendo, saliendo, todos los canónigos y refluyendo hacia el coro. De pronto, una larga y sonora melopea resuena bajo las bóvedas; los altos ventanales dejan caer suaves resplandores azules, amarillos, rojos... Y vosotros, absortos, sumidos en la penumbra, dejáis vagar libremente el espíritu. Y pensáis que esta catedral de Santander, junto al muelle, frente a la implacable legión de los barcos que van y vienen, despreocupados, por el planeta, es, en medio de tales tráfagos mundanos, como un oasis de la fe, del recogimiento, de la meditación y del dolor. Y ésta es la nota que a esta hora y en este lugar encontraréis aquí vosotros...

Cuando volvéis a transponer la puerta, bajáis las escaleras abovedadas y os encontráis en plena calle. Ha llegado otro momento supremo. Paraos un momento; volved la vista. Esta calle se llama del Puente; es corta, pero hay a esta hora en ella una sugestión profunda. Apenas si transcurre alguien de cuando en cuando; las ventanas están abiertas de par en par, como para recibir la frescura matinal; los muros son negruzcos; oís los trinos de un canario; en los miradores de cristales veis las mecedoras en reposo, y en el fondo de la vía, cerrando la vista, como una decoración de teatro, destaca airoso, sobre la escalinata, el torreón de la catedral—ancho, fornido, negro—, con la redonda y blanca esfera del reloj en lo alto. Una grata sensación de íntima y profunda armonía—la armonía de las cosas—os hace permanecer inmóviles un momento. Pero todavía una nota final, suprema, ha de acabar de completar vuestra visión. A la derecha, frente a vosotros, hay una farmacia. No pone *Farmacia* el rótulo áureo de su dintel; esto, quizá, desentonaría un poco. Las letras rezan castizamente: *Botica.* Y dentro veis que todo está limpio, simétrico, que el piso es de azulejos diminutos y que los botes son blancos, con sencillos dibujos pintorescos. Y observáis que no hay nadie en la botica. Y a vuestro espíritu vienen, evocadas por el recuerdo, sensaciones de niño; figuras de señores ya muertos, que habéis visto en otras boticas; cosas que habéis oído leer allí, en voz alta, en periódicos; discusiones sobre temas que entonces no comprendíais, horas plácidas, sedantes, pasadas en la trastienda sombría, húmeda, mientras en el morterico de mármol va majando un mancebo y remezclando mixturas que esparcen por el aire aromas extraños...

¿Dónde ir, después de haber gozado de esta sensación íntima? El día va avanzando. Yo no quiero fatigar vuestra atención con un examen minucioso del horario diurno; por fuerza hemos de condensar y sintetizar las cosas. Saltemos al crepúsculo vespertino. ¿Habéis paseado a esta hora, en Santander, por la calle Blanca? La calle Blanca y la de San Francisco son una misma calle Blanca; vosotros, en Granada —donde se llama el Zacatín—, y en Murcia—donde lleva por nombre las Platerías—, y en otras tantas ciudades, habéis visto una calle como esta calle. En nuestras viejas urbes españolas no hay nada más típico, más original, más consustancial con la raza y con el medio. La calle Blanca es una calle estrecha, torcida, embaldosada, formada por dos líneas de casas altas y viejas, llenas de tiendas y bazares en sus pisos bajos. No envidiéis las anchas, simétricas y mundanas vías de las grandes capitales universales; no oigáis a los modernos y terribles arquitectos que miran con ojos furibundos las pintorescas sinuosidades, desniveles y altibajos de las calles vetustas. Si sois artistas, venid aquí; paseaos por la calle Blanca o por el Zacatín, o por las Platerías, a la hora del crepúsculo, cuando la estrecha cinta que se ve en lo alto va palideciendo y cuando comienzan a encenderse las luces de las tiendas. A esta hora toda la intimidad, toda la sonoridad de estas calles parece que se intensifica y que redobla. No es una calle; es el corredor de una casa. Los edificios todos diríase que se han fundido momentáneamente en un mismo pensamiento; las tiendas, ya encendidas todas, dejan escapar hacia la angosta vía su espíritu, contenido durante el día, y algo jovial, algo expansivo, algo que os hace andar como en una atmósfera de bienestar y de novedad, se difunde en el aire.

Pasead, pasead cuanto queráis por la calle Blanca. Y cuando ya este instante en que los comercios muestran su alma vaya pasando, volved a casa. Si vivís en el Sardinero, otro espectáculo se os va a ofrecer, a las nueve, a las diez, cuando la noche vaya avanzando. Esta es la hora que podríamos llamar de las *ventanas iluminadas*, y que podría dar tema para un hermoso libro a un poeta que fuese a la vez analizador y fantasista. Es la hora en que las ventanas cobran la plenitud de su vida, en que de la inercia, del apagamiento, de la opacidad en que han estado durante el día, pasan a la acción y a la elocuencia. En el Sardinero, en el grupo formado por los chalés y los hoteles, todas las ventanas irradian en estos instantes sus claridades, destacándose en vivos cuadros de luz, formando en el cielo fosco, con los múltiples y joviales resplandores, un nimbo de tenue claridad, que se va gradualmente perdiendo en las alturas. En el horizonte tenebroso, el faro del cabo Mayor se enciende con un vivo reflejo, decrece, torna a encenderse; y el otro faro diminuto de la Magdalena, inmóvil, uniforme, aparece como un microscópico diamante en la negrura... Mas bajad a la playa; no podréis gozar de todo el misterio de este espectáculo si no contempláis las ventanas desde la fosca lejanía.

La playa está desierta; durante las primeras horas de la noche, el mar se ha ido retirando lentamente. A lo lejos, en la noche negra, aparece acá y allá, casi apagada, la nota blanca de la espuma que el oleaje levanta. Se oye el rumor sonoro, incesante, ronco, pavoroso, de las ondas que llegan. Alejaos más, caminad hacia adentro; corred... Ya la claridad pálida, verde, de las luces del gas surge radiante por las ventanas henchidas de vitalidad, allá a lo lejos; delante de vosotros, la negrura se abre inmensa; a intervalos, en el confín remoto, fulgura tenuemente un relámparo; el estrépito formidable de las olas eternas atruena el aire. Y de pronto oís un grito largo, largo, desgarrador, que os sobrecoge. Y en la ancha zona de arena encharcada veis inmóvil el vivo reflejo luminoso de las distintas ventanas verdes...

Y vosotros recogéis absortos toda esta síntesis profunda de ruidos, de claridades y de sombras. El faro del cabo Mayor prosigue con su parpadeo lento. ¿Qué dice con su luz en este momento este faro? ¿A qué espíritus perdidos en la inmensidad habla? ¿Qué ojos le miran desde la noche infinita, y qué ansiedades y conturbaciones aplaca? Acaso en las tinieblas inmensurables que se abren delante de vosotros divisáis una microscópica lucecilla. Vuestro corazón se oprime. La lucecilla imperceptible aparece, desaparece, va corriéndose poco a poco hacia la derecha. En el fondo surge la claridad leve de un relámpago; el ronco zumbido de las olas prosigue...

Y las horas han ido pasando; ha disminuído el nimbo resplandeciente de las ventanas; una tras otra van desapareciendo, apagándose. Hay durante todas estas horas de prima noche algo como una lucha, como una porfía, entre las ventanas, el faro y el oleaje. Pero las ventanas son más débiles; son inconstantes; son delicadas; son volubles. Y así van cediendo, como con cierta ironía, elegante y plácida, ante la constancia inquebrantable del faro y ante la tozudez indómita de las olas. Y ya todos los cuadros luminosos han desaparecido. Un profundo silencio, una densa oscuridad, reina en el mar y en la costa. Y entonces, ya solos, frente a frente, en el misterio de la noche, comienza el coloquio —símbolo eterno—entre el faro—que es la fuerza del hombre—y el oleaje inquieto y perdurable—que es la fuerza de la Naturaleza.

EL GRANDE HOMBRE EN EL PUEBLO

¿Cuándo lo conocí? ¿Dónde lo vi por vez primera? Lo he contado otra vez. Fué, por estos mismos días estivales, en un pueblecillo levantino. «Un carácter—ha dicho Emerson—tiene necesidad de espacio; no conviene juzgarlo cuando está rodeado de muchas personas, ni entre el apremio de los negocios, ni por pasajeras vislumbres entrevistas en raras ocasiones.» El grande hombre vivió allí durante seis u ocho meses. A las seis, todos los días, ya estaba en pie. El pueblo comienza a despertar a esta hora. Aún las fuentes tienen el mismo rumor sonoro de la noche; las golondrinas cruzan, raudas, sobre el cielo de intenso azul, piando voluptuosamente; acaso, por una retorcida calleja moruna se columbran los manchones negros de dos o tres devotas con sus sillitas en las manos. Y una campana va tocando lenta, en el sosiego matinal, con golpes cristalinos, espaciados...

Todas las cosas tienen durante el día un breve instante en que irradian su verdadero espíritu, y será inútil visitarlas y contemplarlas a otra distinta hora; así los jardines, los museos, los viejos palacios, las iglesias, las tiendas, las calles, las fábricas, los obradores. En estos momentos precisos, todos los detalles, todos los elementos de la belleza—la luz, el color, el aire, los ruidos, las líneas—forman una síntesis suprema, algo como una armonía inefable, desconocida, que adquiere su máximum en un punto y que poco a poco va disipándose, fundiéndose en el ambiente vulgar del resto del tiempo, que hace que desaparezca el color propio del muro vetusto, y la penumbra de la estancia abandonada, y la claridad crepuscular que bañó una sauceda junto a un estanque, y los sones extraños de un piano que parten, a medianoche, de una ventana iluminada... La hora viva, exultante, del pueblecillo en que el insigne hombre habitaba, era esta de los primeros albores matutinos. La edificación se asienta en las laderas de un montecillo que remata en un peñón ingente, agudo, enrojecido por los siglos, coronado por un castillejo morisco; un riachuelo contornea la montaña; ancha zona de umbríos huertos destaca en sus orillas. Y las casas, agazapadas entre el peñasco y la arboleda, vueltas de espaldas a los huertos, abren sobre la verdura sus largas solanas con toscas barandillas de madera, o muestran, a través del boscaje, los negros cuadros de sus ventanas misteriosas.

Y a una de estas solanas daba el despacho del hombre ilustre. El se asomaba un momento todas las mañanas, a las seis, y contemplaba el panorama verde, suave, de las cuencas del río. Acaso a esta hora, frente a él, al otro lado de los puertos, bordeando el hondo cauce, allá en lo alto, un agudo silbido rasgaba de pronto los aires, y una negra masa pasaba vertiginosa, con un sordo estrépito, perdiéndose a lo lejos, mientras difuminaba con un trazo fuliginoso el añil radiante. Y luego todo volvía a quedar en silencio; una golondrina trina, rauda; croan las ranas en el estanque; la campana sigue tocando, tocando cristalina. Y entonces el grande hombre, desde su ventana, solo ante la Naturaleza, acaso sentía esa repentina e inexplicable opresión de angustia que sentimos nosotros, ciudadanos, cuando en plena campiña contemplamos un tren que pasa.

Y el hombre ilustre tornaba a entrar en su despacho y se sentaba ante la mesa, cargada de libros, pruebas, cuartillas, cartas y telegramas. La estancia era pequeña; era una salita de estas casas levantinas, construídas de maciza piedra, que parecen cajas sonoras. Las paredes son blancas, estucadas, brillantes; el pavimento de diminutos mosaicos, frotado y refrotado por la aljofifa, tiene claridades e irisaciones de espejo; el pasamanos de la escalera, de caoba pulimentada, refulge bajo la luz que cae de la alta claraboya y forma en torno a los peldaños un culebreo luminoso. A media mañana, cuando ya la limpieza se ha terminado, las puertas y las ventanas se entornan; una suave penumbra se extiende por toda la casa, y en el silencio y la semioscuridad, mientras fuera el sol desciende cegador y ardoroso, las estancias—salas, alcobas, corredores—se ponen a tono, y un grito, un golpazo, una carcajada, resuenan con estruendo, y los arpegios de un pájaro repercuten con matices desconocidos, y las melodías inesperadas de un piano cantan poderosas, vibrantes, y os arrebatan con desvaríos románticos. ¿Comprendéis cómo, llevados por el secreto destino de nuestra vida, un egregio panteísta no podía pasar los últimos días sosegados de su vivir sino en esta tierra levantina—Grecia moderna—donde las cosas hallan su síntesis?

Pero el grande hombre está ya sentado ante su mesa. En las paredes del despacho cuelgan oleografías de Gisbert y Pradilla, un cuadro en que aparece bordado en cañamazo un perrico de lanas, un enorme calendario que hace lucir sus negros guarismos en la blancura. En un rincón, sobre una mesa, aparecen amontonados, revueltos, desencuadernados, los libros que han sido traídos para el trabajo; libros todos sobre la Revolución francesa o sobre la época prerrevolucionaria: los *Orígenes de la Francia contemporánea,* de Taine; los estudios de los Goncourt; las obras de Blanc, de Lamartine y de Michelet; *El antiguo régimen,* de Tocqueville; las crónicas de Touchard-Lafosse... El grande hombre trabaja desde las seis hasta las doce; ante él, un secretario va escribiendo rápidamente sus palabras. Yo veo un abultado rimero de cuartillas con la escritura flamante, y junto a ellas—tengo vivo el recuerdo—un volumen de la colección de *Mujeres célebres,* el de la Virgen, manoseado, doblado y con tales a cuales párrafos cruzados con gruesas rayas de tinta. Y el grande hombre, viejo, cansado, enfermo, ofrece escaso trabajo original, y sus crónicas y sus correspondencias para Europa y América son una misma correspondencia o una misma crónica, trastrocadas en su fraseología, o simples glosas e injertos de antiguas páginas...

A mediodía, cuando cae la primera grave campanada de las doce, el hombre ilustre levanta la mano con gesto de cansancio, y el trabajo queda suspendido en redondo. Y ya la hora de la comida es llegada. Pero el grande hombre apenas come. Ante él desfilan estos manjares primarios y suculentos de la cocina provinciana, que él ama tanto, y él los contempla con ese aire, mezcla de displicencia y de ansiedad, con que los enfermos miran lo que les ha proporcionado el placer y les ha aparejado el dolor. Y ya también ha venido la hora de la siesta; pero el grande hombre tampoco duerme. Estas horas largas, abrasadoras, él las pasa anonadado en un dulce sopor, allá, en el huerto, o bien escuchando la lectura monótona de los periódicos. Hay entre la fronda del arbolado, en lo más recóndito y umbrío del jardín, un cenador tapizado de enredaderas y pasionarias. Aquí se sienta el hombre ilustre. La bravía luminaria solar inunda la campiña; los matices y gradaciones del verde han desaparecido; la vega es un manchón de azul negruzco. Todo calla; el surtidor de una fuente susurra y las cigarras cantan con sus chirridos clamorosos.

Y a medida que van pasando las horas, las sombras se alargan; vienen a intervalos ráfagas de aire fresco, y los verdes, oscuros o presados, de los herrenes, del arbolado, de los maizales y de las viñas van surgiendo y ensamblándose en un inmenso y grato mosaico. Entonces el grande hombre aparece vestido sencillamente; va enfundado en una ligera levita negra de alpaca; su cabeza está cubierta por un sencillo hongo, y la nitidez del cuello y de la pechera resalta en la nota fosca del traje. El grande hombre camina despacio, con una leve inseguridad en sus movimientos, apoyado en un alto paraguas. Su cara, antes redonda, llena, es ahora alargada, fláccida; sus ojos, grandes, pasan por las cosas y atisban las lejanías con miradas en que hay dolor y espanto, y sus manos, finas, blancas, tenues, acarician con ademán inconsciente, de cuando en cuando, el largo bigote de plata que cae lacio por la comisura de los labios. El grande hombre y sus amigos salen del huerto, y una vez recorrido un angosto camino que serpentea entre la verdura pomposa y húmeda de los bancales, entran bajo un anchuroso emparrado que entolda la portalada de una casa vetusta. Cerca, se oye el estruendo de un salto de agua; dentro, una tarabilla marcha, marcha con su eterno *tic-tac, tic-tac*... Y las gallinas revuelan y cacarean en un cercado de cañas, y una bandada de palomas se abate y picotea entre la tierra, y luego torna a remontarse y a perderse a lo lejos.

Este es el momento en que el hombre insigne, sentado bajo el ancho parral, oreado por la brisa fresca del crepúsculo propincuo; este es el momento en que vive enteramente esta vida que se le escapa. Su alma se funde con el alma de la Naturaleza entera; una sonrisa asoma a sus labios, y de sus ojos grandes, claros, desaparece el espanto infantil que los velaba. ¿Diré que la Naturaleza no puede ser sentida en todas las épocas de nuestra vida, ni, aun teniendo el ánimo propicio a ello, siempre que nosotros queramos? Un poeta o un pintor noveles pueden darnos una sensación intensa de las cosas; pero no llegaréis a sentir la completa e inexpresable efusión con la energía universal sino sólo cuando hayáis trabajado mucho por el mundo y os hayáis saciado de sus satisfacciones, o cuando una abrumadora catástrofe moral haya caído sobre vuestro espíritu y lo haya limpiado de deseos, vanidades o concupiscencias, o acaso al salir de una larga e incierta enfermedad que os ha mostrado abierto ante vuestras miradas el eterno vacío... El grande hombre ha pasado por todos estos trances; y he aquí cómo sus ojos contemplan ávidos los árboles verdes, y las lejanas montañas zarcas, y el agua que discurre con gorgoteos sonoros por ancho azarbe, y los pájaros que cruzan aleteando presurosos. Un grupo de amigos del pueblo y de admiradores, venidos para verle un instante, le rodea. Y él habla, y habla, y habla, mientras la tarabilla del molino tecletea con sus golpes inacabables, y en el cielo comienzan a parpadear las primeras estrellas. Y ya las campanadas del *Angelus* han sonado; la comitiva regresa al pueblo...

Y después de la cena, el gran hombre pasa al diminuto salón en que destaca el piano. Un tropel de lindas muchachas acaba de entrar: Amparito, Lola, Aurelia, Carmen, Asunción, Remedios, Angustias, Clarita..., todas estas muchachas que os dicen sonriendo que ellas no valen nada, puesto que viven en un pueblo, y os ruegan luego, palmoteando, que les contéis cómo son las conocidas y amigas que tenéis en Madrid. El grande hombre no les cuenta estas cosas; su fantasía exuberante les habla de las gracias y atavíos de las remotas y gráciles egipcias, de las helenas, de las romanas, o bien les pinta el paisaje de Suiza, o bien las noches de «la oriental y orgiástica Venecia», o los faustos pródigos de París bajo el imperio del tercer Napoleón. De rato en rato, el piano sonsonea una sonata de Beethoven, un nocturno de Chopin, una sinfonía de Rossini, o una de estas muchachas canta, después de sonrojarse un poco, una melodía de Tosti. Y a las once el salón queda desierto, y el gran hombre, con su paso inseguro, tardo, se retira a su alcoba.

Era esto en el ocaso de su vida. Pocos meses después moría. Yo tengo vivo el recuerdo de estos días agradables que el hombre ilustre—Emilio Castelar—, que lo había sido todo, pasó en un pueblecito levantino, entre estos provincianos afables —don Juan, don Fernando, Pepita, doña María, Lolita, doña Isabel, don Francisco—, que no eran nada.

EN LOYOLA

LA PIEDRA GRIS

La tarde está limpia, plácida, fresca. La carretera serpentea, con suaves curvas, en lo hondo de las verdes gargantas; el río, inmóvil, callado, espejea, junto al camino, la silueta de los esbeltos y finos álamos. Una rana hace *croá-croá;* resuena a lo lejos el grito de un boyero: «¡Aidá!, ¡Aidá!» Las montañas, de un verde oscuro, cierran el horizonte, y se levantan, en empinados recuestos, a una y otra banda. Arriba en las cumbres, un pedazo de peña azulina, grisácea, brillante, aparece; más bajo, entre el verdor oscuro de los castañares, se extiende un ancho cuadro de pradería, claro, suave, con redondas manchas oscuras que en su tapiz colocan los manzanos; más bajo destaca una ringla de nogueras que corre a lo largo de una senda; más bajo, un festón de espesos matorrales araña el cristal sosegado del río. Una rana hace *croá-croá;* se oye, a intervalos, el grito de un boyero: «¡Aidá!, ¡Aidá!» Y de la techumbre roja de una casita, colgada allá en lo alto, se escapa un humo tenue, azul, que se difluye poco a poco en el aire, mezclándose con la blanca neblina que avanza, avanza hasta cubrir las aristas y los picachos de las montañas...

Y cruzamos Azpeitia. Las calles son estrechas, formadas de casas con enormes aleros, con balcones de anchurosa repisa, con zaguanes oscuros, negros, en cuyo fondo aparece una escalerilla lóbrega. En las puertas, las comadres trabajan en sus labores, y los alpargateros, sobre sus lustrosas mesillas, enarcan, a intervalos, los brazos y dan sordos golpeteos. Y nos detenemos un instante en la *Bustinzuriko plazachoa;* y luego, por una estrecha calleja, salimos otra vez al campo. Allá en el fondo, sobre el verdor de las montañas, aparece una enorme masa grisácea, trepada por diminutos cuadros de sombra. Es el monasterio de Loyola. En los días del invierno vasco, cuando el horizonte se enfosque y la lluvia caiga perenne, toda esta mole de sillares grises se tornará negra, tenebrosa, y en todas estas espaciosas estancias y claustros largos, de paredes desnudas, ahora en estío en penumbra, se hará un lóbrego ambiente, cruzado y recruzado por sombras calladas, ligeras, cuyos pasos resonarán sonoramente en las anchas tablas de roble del pavimento.

Entremos en el monasterio. Ante la puerta principal se alza una escalinata que conduce a un pórtico de columnas jónicas; pero hay otra puertecilla lateral, que es la que nosotros hemos transpuesto. Un patizuelo silencioso y limpio se ha ofrecido a nuestra vista; en el fondo, sobre una puerta, rezan las letras doradas de una lápida negra: «Casa solar de Loyola.» Estamos frente a la casa en que nació el esforzado guerreador místico. Nos acercamos a la puerta, claveteada con agudos y amplios chatones; en una de las hojas pende un blanco cartel con una larga lista manuscrita. «J. H. S.», dice, ante todo, a la cabeza. Y luego sigue: «DISTRIBUCIÓN DEL TIEMPO DURANTE LOS SANTOS EJERCICIOS. *Mañana:* cinco y media, levantarse; seis, meditación; siete, misa; siete y media, desayuno, tiempo libre; ocho y media, lectura espiritual; nueve y cuarto, puntos de la meditación; nueve y media, meditación; diez y media, examen, tiempo libre; once y tres cuartos, examen; doce, comida. *Tarde:* dos y cuarto, rosario o Vía Crucis; tres, lectura espiritual; tres y tres cuartos, puntos; cinco, examen, paseo en silencio; seis, preparación para la confesión; seis y tres cuartos, puntos; siete y cuarto, tiempo libre.» Y al final, en letras grandes, enérgicas, resaltantes: «A. M. D. G.»

La casa de San Ignacio ha sido conservada, en su interior, intacta; más dentro, las estancias, los pasillos, las alcobas, la cocina; todas, todas las piezas se han convertido en oratorios, capillas, altares, sacristías. Grandes lienzos de una pintura infantil cubren las paredes; en los techos resalta el vigamento barroco, tallado, dorado, repleto de rostros, figuras, santos, vírgenes, soles eucarísticos, ángeles, nubes.

De trecho en trecho, un retablo destaca con su pesadez enorme y recargada; las lámparas titilan mortecinas; veis la figura de un jesuíta callado, recogido en la penumbra de un rincón, que ora con la cabeza inmóvil sobre el breviario; oís el crujido de una falda o el tintineo de un rosario, y seguís pasando, pasando de una estancia a otra, de uno a otro altar. Y penetráis en la diminuta alcoba en que el místico torturado sintió el primer ímpetu de su sino; otro altar, igualmente pesado, igualmente recargado, cubre el paño del fondo. Ya en esta estancia no queda ni un hálito, ni un rezago lejano del hombre aquí nacido. Serán inútiles vuestros esfuerzos imaginativos; no intentéis evocar su figura. Los retablos, las columnas, las pinturas, las lamparillas, los cortinajes, las hórridas vidrieras de colores, han traído un ambiente de piedad y de religiosidad femenina, blanduzca y anodina a este paraje donde habitara un temperamento férreo, indomable, audaz, incontrastable.

Salid de estas capillas y oratorios; entrad en el convento. La piedra gris vuelve a saltaros a los ojos en la grande escalera, chata y maciza; en los largos claustros de bóvedas rechonchas, en los anchos patios de eminentes muros desnudos, en los salones vastos, pavimentados con recias tablas. Un jesuíta pasa, a intervalos, a lo largo de las paredes, encorvado, juntas las manos. Os asomáis a una ventana y contempláis el vasto panorama de la huerta conventual. Por sus rectos caminos van, vienen, las manchas negras de los ejercitantes que en estos días limpian y sahuman sus conciencias en el retiro... Y volvéis, después de esta visión rápida, a recorrer los claustros interminables y oscuros, las salas anchas, las escaleras lóbregas. Deteneos un minuto en este patio adornado de un jardincillo; allá enfrente, una puerta de cristales acaba de abrirse, y por ella van surgiendo dos largas filas de novicios, delgados, finos, un poco pálidos, un poco inclinados, con los brazos en cruz, con la vista en el suelo. Un pedazo de cielo gris, plomizo, se columbra en lo alto, encuadrado por los muros altísimos de piedra gris...

La tarde ha ido enfoscándose. Cuando salís veis que una densa neblina vela las cercanas montañas. Los grises sillares de la inmensa edificación se han tornado negruzcos y resaltan formidables sobre el verde oscuro del monte. Va llegando el crepúsculo. El campo está en silencio. Densos y anchos vellones se van partiendo y desgarrando en los castañares. Las aguas del río forman, bajo el ramaje corvo, anchos remansos negros. Una rana hace *croá-croá*, y el grito de un boyero resuena en el valle callado: «¡Aidá!, ¡Aidá!»

EN URBERUAGA

LOS OJOS DE AURELIA

Cestona es un hotel elegante, mundano, confortable; Urberuaga es una casa de enfermos. Tal vez Cestona os produzca la impresión, con sus anchos corredores simétricos que parecen salones, de un modernísimo colegio de jesuítas; acaso Urberuaga, con sus estrechos pasillos tortuosos, encalados y de baja techumbre, os dé la idea de un convento modesto de franciscanos. La misma posición tienen uno y otro balneario en el fondo de un valle; pero en Urberuaga las vertientes se estrechan más; el riachuelo es más ramblizo; los castañares son menos amplios, y algo como un ahogo, como una leve opresión —ya iniciada por un prejuicio—os sobrecoge cuando llegáis ante su puerta. Mas esforzaos en ocultarla y dominarla; traspasad los umbrales del balneario. La construcción total del edificio es un ensamblaje de navadas y pabellones construídos, sucesivamente, al correr de los años. El cuerpo principal se levanta en una tenue hondonada; descendemos cuatro peldaños... Ya estamos ante la puerta; penetramos en un zaguán estrecho; en el fondo se abre un pasillo, desnudo, largo, que acaba en una espaciosidad dividida por tres columnas. Aquí hay una puertecilla que da ingreso a la gruta de donde surte un blanco y cristalino hilo de agua vivificante. Avancemos un poco más; un diminuto salón con divanes y cajones con plantas aparece ante nuestra vista. Y luego cruzamos por un patizuelo a otro corredor, y después encontramos otra espaciosidad, donde se hallan el corredor, el gabinete médico, y largos mostradores con baratijas y chucherías. Caminemos un poco; otro salón y otro largo pasillo nos llevan a las salas de pulverizaciones y baños de vapor... Y luego tornamos a descorrer lo andado; de nuevo volvemos a ver la gruta, el gabinete médico, la administración de correos; de nuevo avanzamos por el pasillo primordial en busca de la escalera que nos conduzca al piso alto. Y ya en él, nos vemos en un estrecho corredor lleno de puertas diminutas; el piso es de recias tablas, enceradas, brillantes; un angosto reflejo se pierde allá en la lejanía; se percibe un olor penetrante de frescas y silvestres hierbas aromáticas, de cloruro, de éter. ¿Por qué no avanzar por el pasillo? ¿Hay nada más grato que la inspección de una casa desconocida para nosotros? ¿Existe sensación más agradable que la de ir sorprendiendo poco a poco las cosas y los hechos insólitos que ante nuestros ojos surgen de pronto?

Este pasillo conduce a otro pasillo. Torced a la derecha; atravesad un corto salón con un cierre acristalado; ascended por unas escaleras, y os hallaréis, al cabo de un ancho rellano, ante otras escaleras, por las que será preciso bajar para entrar en un salón anchuroso, bordeado de divanes, con espejos apaisados y un piano vertical, que hace, en el fondo, destacar la mancha roja de su reverso. ¿Estáis satisfechos?

¿Habéis llevado ya a vuestro espíritu ávido una sensación sintética del nuevo medio en que acabáis de hacer irrupción? Todos estos corredores, todos estos rellanos, todas estas salas, están desiertos, silenciosos; el pavimento brilla; las paredes aparecen enjalbegadas. Y de cuando en cuando, en el silencio, oís una tos breve, seca, o una larga, pertinaz. Y sentís que hay algo en este ambiente de íntima y profundamente provinciano; por el enredijo de salas y pasillos con pisos desnivelados, por la simplicidad del mueblaje, por los alterones y honduras de las camas, por la llaneza e ingenuidad de la servidumbre, por el prosaísmo castizo de la cocina... Mas vosotros, como yo, estáis en un momento en que gustáis de todas estas cosas tan españolas. Dentro de un poco, cuando llevéis una hora más en el hotel, vuestro gusto va a ser plenamente satisfecho. Porque os percataréis de que el ambiente que respiráis no sólo es hondamente provinciano, sino que, por una concatenación lógica y necesaria, está también saturado de un romanticismo ensoñador y melancólico. ¿Desconoceréis acaso la virtualidad de estas aguas? ¿No sabéis que a estos manantiales acuden los enfermos *estéticos*, en la verdadera y primitiva acepción de esta palabra? ¿Y cómo podréis negar la íntima relación que existe entre el romanticismo y la tez pálida, las ojeras, la delgadez y la infinita desesperanza trágica? Si vosotros amáis a esas muchachas románticas de pueblo, tan suaves, tan tristes, tan delicadas, tan fantaseadoras; que gimen, que lagrimean, que pasan súbitamente de una alegría a un desconsuelo, que guardan en el fondo de un cajoncito un retrato desteñido y unas cartas con timbres de un café o de una fonda, que tienen una enredadera, que tocan en el piano *La marcha fúnebre de una muñeca*, que leen a Campoamor y a Bécquer en un libro forrado con un periódico, que se miran al espejo de pronto para ver si se han puesto feas, que aguardan tras los visillos, en los días foscos del invierno, el paso de un transeúnte desconocido, que tal vez es un galán que puede revolucionar su vida...; si vosotros amáis a estas muchachas, venid a Urberuaga. Yo he conocido estos días a Eulalia, a Juanita, a Lola, a Carmen, a María, a Enriqueta. Y he visto, sobre todo, los ojos anchos, vagos y tristes de Aurelia.

—¿Qué hace usted, Aurelia?—le dice un joven con quien la he visto bailando anoche.

—Nada—contesta ella—; miro el agua del río...

Aurelia está inclinada sobre el antepecho del puente, en una de esas actitudes de absorción, de elegancia y de abandono en que Gavarni colocaba, en la terraza de un jardín o sobre los brazos de un diván, a las finas y pálidas mujeres de 1850. Aurelia mira las aguas mansas del río; pero sus ojos, finos, absortos, no ven las aguas mansas del río. Su silueta se recorta sobre el cielo pálido del crepúsculo.

Esta es la hora en que la carretera ejerce su tiranía sobre el bañista; pero vosotros no cumplís con esta práctica ineludible. Hay detrás del balneario, junto al riachuelo, una extensa avenida de álamos. Hacia ella dirigís vuestros pasos. La tierra está tapizada de fino césped; a un lado se levantan las laderas cubiertas de castañares; a otro, se extiende una línea de manzanos bajos, achaparrados, que arquean sus ramas sobre las aguas. Tres, cuatro ringlas de álamos parten esta alameda en anchos caminos. Los troncos de los árboles son finos, rectos, gráciles; el follaje no comienza en ellos sino muy alto, de suerte que vosotros paseáis por esta fronda como por entre una sutilísima columnata que sostiene una bóveda verde. Y cuando os habéis cansado de devanear a un lado y a otro, os sentáis en la orilla del río, junto a un ancho remanso. Una multitud de gírinos patina, con sus carreras intermitentes, sobre las aguas, extendidas las cuatro patas, ligeros, volubles. Ya avanzan rápidos, ya se detienen, ya dan repentinas y violentas revueltas. Y cada uno de sus movimientos forma un círculo sobre las aguas, que va a mezclarse y trabarse con infinitos otros círculos en un momentáneo y caprichoso arabesco.

Pero la noche va llegando. Es preciso que retornéis al balneario. Una campanada acaba de tocar con un son persistente. Vosotros volvéis a recorrer los pasillos de la planta baja y ascendéis a los del piso principal. Las luces han sido encendidas, y el largo reflejo de la madera encerada, como una estrecha cinta de azogue, se pierde allá a lo lejos. Un rumor sonoro de voces, algo como un coro susurrante y melódico, llega a vuestros oídos; es que en la capilla próxima los bañistas rezan, como todas las tardes, el rosario. Entonces dais un paseo por el corredor, mientras escucháis esta mística salmodia, y vuestros ojos observan por primera vez las viejas y simpáticas campanillas colocadas encima de las puertas, antecesoras venerables de los locos timbres eléctricos. Y ya este nimio detalle acaba de sumiros en un ensueño de lejanías románticas. ¿Qué más os hace falta? Aún os queda algo principalísimo. Después de la cena es preciso bajar un momento al salón. Aquí volvéis a encontrar a Juanita, a Lola, a Carmen, a Enriqueta, a Eulalia, y volvéis a ver los ojos anchos, vagos y tristes de Aurelia, que miran absortos, sin verlo, el paisaje de un abanico. El piano lanza una notas lentas y sonoras; todas estas muchachas lindas y pálidas se levantan, salen hasta el medio de la sala, avanzan, retroceden lentamente, se traban de las manos un instante, se alejan de nuevo haciéndose reverentes cortesías; bailan, en fin, uno de estos sosegados *lanceros* que nuestras madres o nuestras abuelas bailaban con sus anchos trajes llenos de pliegues. Y ya parece que os halláis intensamente saturados de idealidad sentimental; pero la concurrencia pide que cante María, y María protesta riendo alegremente, y luego se pone seria, y después tose un poco, y, al fin, entona una canción lánguida, melancólica, plañidera...

Y os retiráis llevando en vuestro espíritu algo que no acertáis a definir. Los pasillos están silenciosos. Acaso escucháis una tos lejana, repentina, seca, o larga, pertinaz. Y cuando os acostáis, os dormís pensando en los ojos anchos y soñadores de Aurelia, y creyendo sentir el mayor de los absurdos y la mayor de las ingenuidades: creyendo sentir una vaga sensación de amor.

UN HIDALGO

LAS RAICES DE ESPAÑA

Es en 1518, en 1519, en 1520, en 1521 o en 1522. Este hidalgo vive en Toledo; el autor desconocido de *El Lazarillo de Tormes* ha contado su vida. La casa es grande, ancha; tiene un zaguán un poco oscuro, empedrado de guijos menuditos; sobre la puerta de la calle hay un enorme escudo de piedra; el balcón es espacioso, con barrotes trabajados a forja; y allá, dentro del edificio, a mano izquierda, después de pasar por una vasta sala que tiene una puertecilla en el fondo, se ve un patizuelo claro, limpio, embaldosado con grandes losas, entre cuyas junturas crece la hierba. Y no hay en toda la casa ni tapices, ni sillas, ni bancos, ni arcas, ni cornucopias, ni cuadros, ni mesas, ni cortinajes. Y no hay tampoco—y esto es lo grave—ni pucheros, ni cazuelas, ni sartenes, ni platos, ni vasos, ni jarros, ni cuchillos, ni tenedores. Pero ese hidalgo vive feliz; en realidad, la vida no es más que la representación que tenemos de ella. En la sala grande que encontramos a la derecha, conforme entramos, aparece un cañizo con una manta; ésta es la cama. En el patio, colocado en uno de sus ángulos, vemos un cántaro lleno de agua; éstas son las provisiones.

En la casa reina un profundo silencio; la calle es estrecha, tortuosa. Se percibe el rumor rítmico, imperceptible, tenue, que hacen con sus tornos unas hilanderas de algodón que viven al lado—estos tornos simpáticos que vosotros habréis visto en el cuadro de Velázquez—; de cuando en cuando se oye una canción, tal vez un romance vetusto—como estos que cantan los pelaires de Segovia en la novela *El donado hablador*—, o bien, de tarde en tarde, rasga el aire el son cristalino de una campana—estas campanas que en Toledo tocan los franciscanos, o los dominicos, o los mercenarios, o los agustinos, o los capuchinos—; si estas campanadas es por la mañana cuando suenan, entonces nuestro hidalgo se levanta de su alfamar. Son las seis, las seis y media, las siete. En un cabo de la mísera cama están las calzas y el jubón del hidalgo, que a él le han servido de cabecera; él los toma y se los va poniendo; luego coge el sayo, que él zarandea y limpia; después coge la espada. Y ya, a punto de ceñirse el talabarte, la tiene un momento en sus manos, mirándola con amor, contemplándola como se contempla a un ser amado. Esta espada es toda España; esta espada es toda el alma de la raza; esta espada nos enseña la entereza, el valor, la dignidad, el desdén por lo pequeño, la audacia, el sufrimiento silencioso, altanero.

Si este hidalgo no tuviera esta espada, ¿comprendéis que pudiera vivir tranquilo, feliz, contento, en una casa sin sillas, sin mesa, sin cacharros y sin pucheros? Y él la mira, la remira, pasa su mano con cariño por la ancha taza, la blande un momento en el aire, y le dice a este mozuelo que le sirve de criado y que le está observando atento: «¡Oh, si supieses, mozo, qué pieza es ésta! No hay marco de oro en el mundo por que yo la diese.» Y a seguida la coloca a su lado siniestro. Y a seguida toma la capa de sobre el poyo donde él la puso con mucho cuidado la noche antes, después de soplar bien, y se envuelve arrogantemente en ella. «Lázaro —le dice a su criado—, cuida bien de la casa; yo me voy a oír misa.» Y sale por la calle adelante; sus pasos son lentos; su cabeza está erguida altivamente, pero sin insolencia; un cabo de la capa cruza por encima del hombro y su mano izquierda ha buscado el pomo de la espada y se ha posado en él con voluptuosidad, con satisfacción íntima. Un sordo portazo ha resonado en la calle; estas vecinas hilanderas han dejado sus tornos un instante y se han asomado al balcón. «¡Miren qué gentil va!», dice una. «¡Trazas tiene de ser galán!», exclama otra. «¡Buen caballero es!», añade una tercera. Y todas estas toledanitas menudas, traviesas —estas toledanitas que por estos mismos días precisamente elogiaban, por su viveza, Brantômonte en sus *Vies des dames galantes*—; todas estas toledanitas ríen, acaso un poco locas, un poco despiadadas, con sus risas cristalinas, del buen hidalgo, digno y fiero, que se aleja paso a paso, lentamente, majestuosamente, por la calle arriba. ¿No veis en estas risas joviales acaso un símbolo? ¿No lo veis en estas hilanderas que trabajan en sus tornos durante todo el día y que se chancean de este hidalgo vecino suyo, íntegro, soñador, valiente, pero que no puede comer? ¿No veis el eterno y doloroso contraste, tan duradero como el mundo, entre la realidad y el espíritu, entre los trabajos prosaicos, sin los cuales no hay vida, y el ideal, sin el cual tampoco es posible la vida?

Pero las campanas de los franciscanos, de los agustinos, de los dominicos, de los mercenarios, de los capuchinos, de los trinitarios, están llamando a misa. Nuestro hidalgo penetra en una de esas diminutas iglesias toledanas, blancas, silenciosas; tal vez en el fondo se abre una ancha reja, y a través de los claros del enrejado se columbran las siluetas blancas o negras de las monjas que van y vienen. Y acabada la misa, nada más conveniente que dar un paseo por las afueras. Hace un tiempo claro, tibio, risueño; son los días del promedio del otoño; los árboles van amarilleando; comienzan a caer las hojas y son movidas, traídas, llevadas, con un rumor sonoro, por el viento, a lo largo de los caminos; sobre el cielo azul, radiante, destacan las cúpulas, campanarios, muros dorados, muros negruzcos, miradores altos, chapiteles, de la ciudad; a lo lejos, frente a nosotros, a la otra banda del hondo Tajo, se despliega el panorama adusto, sobrio, intenso, azul oscuro, ocre apagado, verde sombrío—los colores del *Greco*—de los extensos cigarrales. Acaso a esta hora plácida de la mañana salen de la ciudad y pasean por las frondosas huertas estos viejos nobles—don Rodrigo, don Lope, don Gonzalo—que son llevados en sus literas, y caminan luego un momento encorvados, titubeantes, cargados con el peso de sus campañas gloriosas al lado de doña Isabel y don Fernando; o estos galanes con sus anchas golas rizadas, que sueñan con ir a Flandes, a Italia, y escriben billetes amorosos con citas de Catulo y Ovidio; o estas lindas doncellas ocultas en sus mantos anchos y que sólo dejan ver, en toda su negrura, una mano blanca, suave, sedosa, larga, puntiaguda, tal vez ornada de una afiligranada sortija de oro, trabajada por Alonso Núñez, Juan de Medina, Pedro Díez, finos aurífices toledanos; o estas dueñas setentonas, ochentonas, que llevan unos grandes pantuflos, unas anchas tocas, que acaso tienen un rudimento de bigote, que van de casa en casa llevando encajes y bujerías, que conocen las virtudes curativas de las hierbas, y que es posible que puedan proporcionaros un diente de un ahorcado o un pedazo de soga... Y nuestro hidalgo va paseando entre toda esta multitud de amadas y amadores. ¿No habéis visto en cierto lienzo de Velázquez—*La fuente de los tritones*—la manera con que un galán se inclina ante una dama? Este gesto supremo, renditivo y altivo al mismo tiempo, sobrio, sin extremosidad molesta, sin la puntita de afectación francesa, discreto, elegante, ligero; este gesto, único, maravilloso, sólo lo ha tenido España; este gesto, esta leve inclinación, es toda la vieja y legendaria cortesía española; este gesto es Girón, Infantado, Lerma, Uceda, Alba, Villamediana; este gesto es el que hace nuestro hidalgo ante unas tapadas que pasean ante la fronda; luego habla con ellas, discretea, ríe, sonríe, cuenta sus aventuras.

Tal vez estas damas, en el decurso de esta charla, insinúan—ya conocéis la treta—el deseo de una merienda o tal cual refrigerio; entonces, nuestro amigo siente un momento de vaga angustia, alega una urgencia inaplazable y se despide; ellas sonríen bajo sus mantos; él se aleja, lento, gallardo, apretando con leve crispación el puño de su espada. Y va pasando la mañana; doce graves, largas campanadas han sonado en la catedral; es preciso ir a casa; ya en todos los comedores de la ciudad se tienden los blancos manteles, de lino o de damasco, sobre las mesas; nuestro hidalgo regresa hacia su caserón. Y aquí, en este punto, comienza una hora dolorosa. Vosotros, ¿no os habéis paseado por una sala de vuestra casa, silenciosos, abstraídos de todo, en esos momentos en que honda contrariedad abruma vuestro espíritu? No sentís ira; no sentís indignación; no sale de vuestros labios ni un reproche, ni un lamento; es una angustia íntima, mansa, una conformidad noble con el destino, lo que os embarga. Así camina este hidalgo por las estancias y corredores de su casa. Estando en estos paseos llaman a la puerta; es Lázaro. Si antes acaso había en el ceño de nuestro amigo un dejo de fruncimiento, ahora, de pronto, su semblante se ha serenado.

—Lázaro, ¿cómo no has venido a comer?—le dice, sonriendo, a su criado—. Yo te he estado esperando y, viendo que no venías, he comido.

Lázaro no ha comido; pero ha traído unos mendrugos y una uña de vaca que ha limosneado por la ciudad; él lo cuenta así.

—Lázaro—torna a decirle, afablemente, el caballero—, no quiero que demandes limosna; podrían creer que pides para mí...

Pero Lázaro se sienta en el poyo y se pone a comer; el caballero pasea y le mira.

—¡Buenas trazas tienes para comer, Lázaro!—le dice por tercera vez—. ¿Es eso uña de vaca?

—Uña de vaca es, señor—replica Lázaro.

—Yo te digo—vuelve a decir el buen hidalgo—que no hay mejor bocado en el mundo, para mi gusto.

Entonces Lázaro—que sabe que su señor está en ayunas—le ofrece un pedazo de la vianda; él titubea un poco; al fin—perdonémosle esta abdicación magna—, al fin come. En este instante de perplejidad, ¿qué cosas habrán pasado por el cerebro de este hombre heroico?

Por la tarde torna de nuevo a pasear el caballero por las callejas toledanas; acaso platica con unos amigos—aunque él dice que no los tiene; recoged este otro rasgo de simpatía—, o acaso, desde el acantilado, mira correr en lo profundo las ondas mansas y rojizas del río. Otra vez tocan luego las campanitas de los conventos. ¿Va a una novena, a un trisagio, a un sermón, nuestro amigo? Cuando entra en su casa, de regreso, le dice a Lázaro:

—Lázaro, esta noche ya es tarde para salir a comprar mantenimientos; mañana será de día y proveeremos nuestra despensa.

Y después pone su capa con cuidado sobre el poyo—luego de soplar bien—, se desnuda y se acuesta.

Esto era en 1518, en 1519, en 1520, en 1521 o en 1522. En este mismo siglo, una mujer, gran penetradora de almas —Teresa de Jesús—, escribía lo siguiente en el libro de *Las Fundaciones:* «Hay unas personas muy honradas, que aunque mueran de hambre lo quieren más que no que lo sientan los de fuera.»

Esta es la grandeza española: la simplicidad, la fortaleza, el sufrimiento largo y silencioso bajo serenas apariencias; ésta es una de las raíces de la patria que ya se van secando.

EL IDEAL DE MONTAIGNE

—¿Dice usted que era un hombre jovial?

—Completamente jovial; cuando yo le serré el cráneo...

—¿Le serró usted el cráneo?

—Lo hice como médico forense; Alejandro era uno de mis mejores amigos; éste es uno de los trances más dolorosos que me han ocurrido en la vida.

—¿Cómo murió ese hombre?

—Murió como había vivido: sin tristezas ni dolores; sin causar pesadumbre a nadie.

—Ese era el ideal de otro hombre a quien yo estimo también mucho y que vivió hace tres o cuatro siglos: el filósofo Montaigne. Este filósofo quería morir en una posada. «Vivamos y riamos entre nuestras gentes, y vayamos a lamentarnos y morir entre las desconocidas», decía él.

—Alejandro era uno de esos hombres que llevan una alegría absurda por donde van.

—Entre todas las alegrías, la absurda es la más alegre; es la alegría de los niños, de los labriegos y de los salvajes; es decir, de todos aquellos seres que están más cerca de la Naturaleza que nosotros. ¿Cómo era Alejandro?

—Era alto, grueso, con el cuello recio y la cabeza pequeña.

—¿Era rico?

—Estaba bastante bien; pero se gastó toda su fortuna divirtiéndose y viajando. Cuando murió ya le quedaba muy poco; la muerte vino a tiempo.

—¿No tenía hijos?

—Era soltero; él decía que no sentía ansia porque su nombre se perpetuase en el mundo.

—Ese es otro punto de semejanza con

el filósofo que antes he citado. Este Montaigne tampoco deseaba ver perpetuada su estirpe. «Yo me consuelo fácilmente de lo que sucederá en el mundo después que yo me marche», escribía él. ¿Dice usted que Alejandro viajaba?

—Iba con frecuencia a Madrid; allí llegó a ser muy conocido. Un día entró en un café y mandó decir que todo lo que estaban tomando los concurrentes lo pagaba él. «¿Quién paga? ¿Quién paga?», iban preguntando los parroquianos. Y entonces, él, cuando todos estaban mirándole, se subió a una mesa y comenzó a pronunciar un discurso con palabras incongruentes.

—Estaría alcoholizado.

—No, no se emborrachaba jamás; lo que le gustaba era comer bien y mucho. Esta fué la causa de su muerte.

—¿Murió de apoplejía?

—Sí, señor. Estábamos una noche de broma en el Casino viejo... ¿Usted no ha conocido el Casino viejo?

—No, señor.

—Desapareció hace ya muchos años. Estábamos allí una noche cenando, y Alejandro no estaba con nosotros. Todos lo echábamos de menos. Pero Alejandro no podía faltar; pronto lo vimos asomar por la puerta. Entonces comenzó la alegría... Yo recuerdo que después de la cena, cuando trajeron el café, yo cogí una copa, la llené de ron y se la ofrecí a Alejandro. El la tomó y la tuvo un momento en la mano; luego se la bebió. Pero cuando apartó la copa de los labios hizo una mueca de disgusto y me dijo estas palabras, que parece que aún estoy oyendo: «Esta copa me ha sabido a veneno.»

—¿Por qué dijo eso?

—No sé; tal vez era un presentimiento. El ron no tenía nada; todos bebimos de él... Cuando ocurría esto era la una de la noche. Yo me marché porque me gusta madrugar. «Hasta mañana», le dije a Alejandro. «¿Vendrás por aquí?», me dijo él. «Sí, después de comer», contesté yo. Conmigo se vinieron tres o cuatro amigos, pero Alejandro se quedó allí con dos o tres más, que eran los más bullangueros.

—¿Qué hacían allí?

—Charlaban y bebían. Lo que pasó después yo lo sé porque me lo ha contado muchas veces el conserje. Alejandro, cuando asistía a estas francachelas, tenía por costumbre bailar al final una danza de su invención.

—¿La había inventado él?

—Podía muy bien haberla inventado; era una serie de saltos y de piruetas estrafalarias. Esa noche bailó también. Los demás tocaban las palmas y cantaban, y él saltaba en medio del corro con su corpachón gordo. Pero, de repente, así que había ya bailado un gran rato, se apartó del grupo y fué a sentarse a una mesa. Ya en la mesa, puso el codo sobre el mármol, apoyó la cabeza en la palma de la mano y cerró los ojos.

—¿No les extrañó esto a los demás?

—No, de ningún modo; los demás estaban un poco bebidos; aparte de que esto de que Alejandro se pusiera a dormir después de una comilona era cosa corriente.

—¿Y qué hicieron cuando Alejandro comenzó a dormir?

—Se marcharon. Alejandro, cuando cerró los ojos, dió unos ronquidos. «Ya está durmiendo Alejandro», dijeron todos, y se fueron. Entonces el conserje hizo que su mujer trajera una manta y una almohada, las pusieron en el suelo y, entre los dos, cogieron a Alejandro para acostarlo. Tenga usted presente que cuando Alejandro acabó de dar los ronquidos de que he hablado antes, ya estaba muerto. El conserje me ha referido muchas veces que cuando él y su mujer cogieron a Alejandro para acostarlo, él dijo: «¡Demonio, lo que pesa esta noche don Alejandro!»... Así pasó la noche Alejandro. Al día siguiente, el conserje entró en el salón y vió que aún estaba tal como él lo dejara. «¡Don Alejandro! ¡Don Alejandro!», le gritó. Pero Alejandro no se movía; entonces le tiró de un brazo, le tiró de una pierna y vió, horrorizado, que la pierna y el brazo estaban rígidos... Yo le hice la autopsia el mismo día; le serré el cráneo y creí que no llegaba nunca a la masa encefálica. ¡No he visto nunca unos huesos tan recios! Dentro no había más que una chispita de cerebro.

—¿De modo que será preciso no tener sesos para ver alegre la vida?

—Es posible...

LA VELADA

Don Juan, doña María, Pepita, están sentados ante la chimenea; las llamas bailan, ondulan, lamen la negra losa del hogar. Han llamado allá fuera, en la puerta.

—¿Quién será?—dice doña María.

—No sé—dice don Juan—. Serán Perico y Lola...

—Hombre — replica doña María—, ¿crees que con este tiempo que hace se habrán atrevido a salir de casa?

Ha caído durante todo el día una espesa nevada; la inmensa llanura sembradiza que rodea la vieja ciudad está blanca; los olivos son penachos blancos; las cepas de las viñas, sepultadas en la nieve, son montoncillos blancos; tal vez por los caminos se ven las hondas huellas de las ruedas de un carro y las pisadas—que cruzan a una parte, que tornan luego a la otra—de un viandante...

—Son ellos—dice doña María, oyendo hablar en el zaguán.

Y de pronto, en la puerta de la sala, se oye una voz clara, fina, de mujer, que dice:

—¡Buenas noches!

Y otra voz sonora, recia, de hombre, que también dice:

—¡Buenas noches!

¿No habéis reparado nunca en la jovialidad, en la fuerza, en la expansión íntima y profunda de esta pequeña frase? En los pueblos esta frase tiene un significado que no tiene en ningún otro paraje. Hemos estado todo el día en nuestros bancales, en nuestras viñas; hemos hablado del riego, de la poda, de la siembra; tal vez hemos leído un rato en uno de estos libros llenos de polvo que hay en un estante que nunca se abre; acaso nos hemos aburrido dos horas en el casino; si es el tiempo de moler aceituna, nos hemos pasado por la almazara y hemos visto cómo chorrea el aceite en los cofines, que las prensas aprietan, y por la noche, tras la cena, nos sentamos ante la lumbre. Entonces es cuando oímos este breve grito de *buenas noches;* en las manos tenemos las tenazas con que estamos tizoneando; nosotros suspendemos nuestra tarea y volvemos la cabeza.

—¡Caramba!—exclama don Juan—. Yo creí que no vendrías esta noche.

—¿Y qué íbamos a hacer solos en casa?—observa doña Lola.

—Yo no tengo miedo al frío—dice jovialmente don Pedro, recogiéndose la capa y sentándose en una silla.

Y después, haciendo una transición en tono grave:

—Oye, ¿ha venido hoy a hablarte Luis?

—No; ¿por qué lo preguntas?—replica don Juan.

—Le he visto—dice don Pedro—esta mañana en La Herrada...

—¿Has estado esta mañana en La Herrada?—le ataja don Juan.

—Sí, he ido a ver qué tal marcha la aceituna; creo que el martes comenzaré a cogerla. He encontrado a Luis cuando volvía; hemos hablado sobre un cambio que quiere hacer contigo, del majuelo que tiene en la Fontana por el bancal tuyo de los Calderones; él me ha preguntado si a ti te parecería esto aceptable. «Hombre, no sé—le he dicho yo—; lo más que puedo yo hacer es indicárselo a Juan cuando le vea esta noche.»

Don Juan, que tiene las tenazas en la

mano, se inclina sobre el fuego y remueve ligeramente los leños en silencio; acerca una brasa que se había distanciado un poco; da la vuelta, para que se queme bien, a un grueso tronco de olivera.

Y tras breve silencio pregunta lentamente:

—¿Dices que el majuelo de la Fontana por el bancal de los Calderones?

—Eso me ha dicho—replica don Pedro.

Don Juan torna a hurgar el fuego. Doña María, doña Lola y Pepita, que cuchicheaban, han callado. El viento ruge, a intervalos, fuera; se oye de tarde en tarde, allá, a lo lejos, el golpeteo de una ventana, de una de estas ventanas locas, inquietas, misteriosas, que golpean en las noches de viento en un sobrado, en una trastera, en una cámara, en uno de esos cuartos en los que no se entra casi nunca, y que en nuestra niñez nos han causado un vago espanto. Las llamas bailan, ondulan. Se oyen unas largas, graves campanadas.

—Hombre, te diré—exclama al cabo don Juan; después se detiene un poco.

—¿Es el bancal de los Calderones? —pregunta doña María, que ha estado esperando a ver lo que decía don Juan, y que ya no puede contenerse.

—Eso quiere Luis—dice don Pedro—; él tiene solo, separado de sus labores, el majuelo de la Fontana; mientras a vosotros puede conveniros el cambio, porque al lado de él tenéis las tierras de la Solana...

—Sí—dice don Juan—; pero yo creo que el bancal de los Calderones es mucho mayor que el majuelo de la Fontana.

—No te lo niego—replica don Pedro—; pero ten en cuenta que el majuelo tiene muy buenas cepas, que ya podrán producir bastante este año.

Se hace otro largo silencio. En las paredes hay dos, tres lienzos viejos—patinosos, negruzcos—; las perdices están inmóviles, metidas en sus jaulas; de cuando en cuando, alguna abre sus ojuelos redondos, ribeteados de rojo, se remueve un poco y da unos sonoros picotazos en los recios barrotes de mimbre. Otra vez suenan a lo lejos, en el viejo reloj de la ciudad, unas campanadas largas, graves. Las llamas corren tenues, azules, sobre los recios troncos. Don Pedro, que ha acabado de liar un cigarro, da unas ligeras palmadas y hace otra transición—del tono grave al tono jovial.

—¡Caramba, Pepita!—exclama—. Tú, ¿qué dices? ¿Te gusta más el bancal de los Calderones o el majuelo de la Fontana?

Pepita es una muchacha delgada, blanca, rubia; su cara es finamente, suavemente, ovalada; en sus ojos, anchos, grises, hay unas tenues ojeras azules. Pepita tiene sus manos, blancas, largas, cruzadas sobre las rodillas. Pepita enarca las cejas sonriendo, separa sus manos y dice:

—Yo no sé, don Pedro; las dos cosas serán buenas...

—¡Nada, nada!—replica don Pedro con un aire de importancia cómica—; aquí no podemos dar un paso sin que tú nos digas lo que hemos de hacer...

Luego, viendo cómo asciende y se disipa el humo del cigarro, exclama de pronto en un tono más familiar, más íntimo:

—Oye, ¿a que no sabes a quién he visto esta tarde en la calle de la Abadía?

Pepita se sobresalta un poco; tal vez aparecen unos vivos carmines en sus mejillas, unos carmines que hacen que resalte el tono de oro de estos rizados, sedosos, deliciosos, aladares rubios que Pepita tiene sobre las sienes. Don Pedro guarda un momento de silencio; acaso se complace viendo esta leve y callada angustia de Pepita. Después dice:

—He visto a Rosario con Antonio; dicen que han hecho ya las paces, y por lo que yo he visto, no cabe duda de que las han hecho muy bien.

La suave y armoniosa curva del pecho de Pepita ondula un poco; por fin, lo que ha dicho este malicioso y enredador don Pedro no era lo que ella temía.

—Sí, sí—exclama Pepita con esa precipitación y jovialidad con que hablamos cuando vemos pasado un peligro que se cernía sobre nosotros—. Sí, sí. ¡Anda!, pues si Rosario estaba enferma desde que la dejó Antonio, y era ella la que quería volver a tener relaciones...

—Yo—dice doña Lola—los he visto esta tarde, a las dos, en la novena de la iglesia Vieja.

Se hace otro largo silencio. Fuera, en la calle, retumban de rato en rato los pasos precipitados, sonoros, de un transeúnte. Estos pasos que oímos de noche, en la soledad, en el silencio, tienen un ruido extraño. Los calles están oscuras, desiertas; acaso allá en la remota lejanía se oye la voz plañidera, larga, de un sereno; tal vez—si estas viejas ciudades tienen ferrocarril—se percibe también el silbato apagado, imperceptible, de una locomotora. Y entonces, de todos estos ruidos—los pasos, la voz, el silbido, el golpecito de la ventana, el crujir de los troncos en la chimenea, los picotazos rítmicos de las perdices—, entonces, de todo esto se forma como una síntesis suprema, como un coro profundo, misterioso, que es la voz eterna, incomprendida, de las cosas.

Don Pedro tizonea con las tenazas; doña María, doña Lola y Pepita charlan. ¿Será ya tarde? El viejo reloj torna a sonar. Ha llegado la hora de recogerse. Cuando todos salen a la puerta para despedirse, en la negrura de la noche destaca el blanco vago, indeciso, de la nieve, que tapiza la calle; en los retablos brillan los farolillos, que el viento hace oscilar.

Y las dos siluetas de don Pedro y de doña Lola se alejan con un ruido de pasos sonoros, se pierden a lo lejos...

EL PEZ Y EL RELOJ

He aquí una pequeña paradoja que dedico al querido humorista Luis Gabaldón... Yo estoy profundamente triste. Yo me siento en una silla liviana del balneario, frente al mar ancho; tal vez mis pensamientos divagan, frente a esta inmensidad, sobre la otra inmensidad del tiempo y del sucederse inacabable, eterno, de los hombres y de las cosas. Pero un mozuelo irrespetuoso se me apropincua y me pide diez céntimos; éste es el precio de la silla. Yo doy los diez céntimos. Y otra vez, ya libre de esta momentánea impureza de la realidad, mi espíritu vuela férvido, raudo, por los espacios infinitos. Yo me levanto. Un filósofo peripatético no puede estar sentado. Entre los grupos de gráciles muchachas yo marcho sinuoso, aspirando la fresca brisa, viendo cómo sobre el fondo esmeralda del mar se perfilan, en bella concordancia, los bustos femeninos, henchidos, ondulosos. De cuando en cuando un tranvía llega; tropeles de bañistas hacen irrupción en el balneario. Se ríe, se charla, se forman corros con las sillas. Allá abajo, en la arena, sobre el tapiz dorado, otras figuras negras se remueven, marchan, y entre ellas pasan y pasan los bañistas con sus trajes menguados. Tal vez sale de las ondas una bella dama, chorreante, encogida, pegado al cuerpo el traje, y entonces un grupo se detiene, la mira ansioso, silencioso, y ella cruza sobre la fina arena despacio, con ese gesto—que ya conocéis—de quien, importándole mucho una cosa, quiere dar a entender que no le importa. Acaso el bañista que surge del piélago terrible es un varón, y entonces las gentiles muchachas de la plaza le miran, sonríen y cuchichean, en tanto que él, un poco avergonzado, con su malla corta, desteñida, emprende una ligera carrera hasta atrapar la choza.

Yo observo todo esto y torno a sentarme. ¿Por qué, siendo yo un devoto de Aristóteles, estoy siempre sentado? Otra vez este muchacho inevitable se me acerca; me pide diez céntimos. Son los diez céntimos de la silla. Yo le doy los diez céntimos. Y vuelgo a divagar sobre la eternidad, sobre el tiempo, sobre el origen de la vida, sobre las causas finales y sobre el problema del conocimiento. Cuando he estado un rato inmóvil, fija la vista en las aguas glaucas, torno a levantarme. La variedad es uno de los encantos de la vida; procurad tener siempre variedad en vuestras cosas. Esta es la causa de que yo deje el salón del balneario y baje a la playa. En la playa se ven los lindos pies de las señoras, recostadas en los cestos. Los pies chiquitos, arqueados, calzados con nuevos y elegantes zapatos, son uno de los mayores atractivos de la mujer; procurad que la mujer que améis tenga los pies chiquitos. Yo los voy contemplando todos con la discreción con que un modesto observador de la vida ha de hacer estas cosas. Quizá esta espléndida señora por cuyo lado paso se halla muy cerca de mí para que yo pueda realizar mi observación; entonces yo—estad atentos—dejo caer mi pequeño bastón ante ella y me inclino, como es natural, a recogerlo...

Y cuando he ido de un lado para otro, yo experimento vehementes deseos de sentarme en una cesta. Estas cestas constituyen para un filósofo de mis dimensiones una novedad sorprendente; el lector ya las conoce; son a modo de diminutas hornacinas de mimbre. Pero yo declaro que no las había visto nunca sino en las fotografías, y que claro está que jamás me había aposentado en ellas. Hay deseos fútiles en la vida que tienen, sin embargo, para nosotros una excepcional importancia. ¿Os confesaré que yo, desde la infancia, cuando viajaba hacia el colegio, he sentido la secreta ansia de comer en la fonda de una estación, entre el bullicio de los viajeros, mientras suenan los timbres y los silbatos de las locomotoras? Después, siendo ya hombre, he satisfecho muchas veces mis ilusiones de muchacho, y he visto, con profundo dolor, que el comer en las estaciones es una triste cosa...

¿Iré a experimentar también en este momento otra cruel decepción? Ante mí tengo una de estas misteriosas cestas; yo me siento, emocionado; los mimbres crujen un poco; una tenue y grata satisfacción hace vibrar mis nervios. Yo me digo a mí mismo que esto es admirable, y considero al mismo tiempo que con las piernas extendidas, con el puño del bastón en la boca, con el sombrero un poco echado hacia la frente, debo de tener cierto aspecto de hombre mundano y distinguido. Yo miro con discreción a un lado y a otro para ver si soy observado por estas damas elegantes. Pero yo compruebo que estas damas no miran y que, en cambio, un hombre vestido de blanco se adelanta hacia mí con un diminuto papel verde en la mano. Yo experimento cierto asombro. ¿Quién es este hombre? ¿Qué quiere? ¿Qué significa este papelillo que me presenta? Este hombre me reclama diez céntimos: son los diez céntimos de la cesta. El sentarse en una cesta cuesta diez céntimos. Yo los entrego. Acaso una vaga desilusión comienza a asomar en mi espíritu. ¿La vida será una cadena de decepciones inacabables, perdurables, como estas olas que llegan presurosas a morir en la arena? Y esta consideración frívola, prosaica, me lleva a otros más hondos y desconsoladores pensamientos. Pero ¿por qué entregarse a la melancolía en un balneario rumoroso, ameno, donde las muchachas ríen y sonríen? No; decididamente, esto es absurdo. Y para desvanecer estos funestos desvaríos vuelvo al salón y luego subo a la terraza. Las terrazas tienen una utilidad innegable; desde ellas se pueden dominar panoramas extensos y pintorescos. Una inmensa llanura azul se abre ante mi vista. La contemplo un momento en pie; ante mí hay una silla. ¿Por qué no he de sentarme en esta silla? Yo me siento. Y cuando mis ideas vuelan de nuevo por las esferas filosóficas, veo que un desconocido se va acercando a mí. De nuevo torno a sentir una extraña emoción. Este desconocido me pide diez céntimos: es lo que cuesta en la terraza para ver el ancho mar. Yo le doy diez céntimos. Y mi espíritu, ya contristado, ya puesto en la pendiente de la desesperanza, comienza a caer en un abatimiento hondo...

Será preciso marcharse de la playa, pasear por la costa, tomar el tranvía. Tomar el tranvía me parece una idea excelente. Yo lo tomo; yo llego a Santander y voy caminando por los muelles. Aquí veo unos pescadores. Los pescadores son seres estimables; los pescadores nos enseñan la paciencia; procurad también, si estáis un poco fatigados de vuestras mujeres, el dar un pequeño paseo junto a los pescadores. Yo veo que a intervalos—no, por desgracia, muy breves—este excelente pescador que observo tira del implacable hilillo y saca un pescado blanco, de plata. Primero, allá, en lo hondo, entre las aguas glaucas, se ve una mancha rápida, informe; rápidamente esta mancha se va agrandando y perfilando, al mismo tiempo que traza una línea sinuosa; luego, el pez es arrancado de su elemento y vuela por el aire; por fin llega a las manos feroces del pescador. Y éste es el momento terrible: el pescador lo desentraba del anzuelo y lo echa en un lóbrego cesto... Pero esto lo hacen así, prosaicamente, los pescadores vulgares. Este pescador que yo observo, cuando tiene en la mano uno de estos gruesos *panchos* vivos, brillantes, con escamas de plata, con irisaciones áureas en las aletas; cuando tiene en la mano uno de estos pescados que él ha cogido tras larga y pacienzuda espera, se lo lleva al oído, finge que escucha un momento en silencio, y luego exclama, volviéndose hacia los espectadores, sonriente: «Dice que quiere volverse abajo, pero yo le he dicho que se esté aquí un rato con nosotros.» Los espectadores ríen también, en tanto que el pez brinca en la cesta. Y yo digo a mi vez y para mí mismo: «Este pescador es el mayor ironista de Santander...»

El descubrimiento me regocija, y ya voy a retirarme alegre y satisfecho cuando en este punto ocurre el acontecimiento más considerable y emocionante de mi veraneo sentimental. Las grandes cosas han de ser relatadas con palabras sencillas. Yo tengo mi reloj en la mano; es un pequeño reloj Waltham, plano como este pez. Yo lo he sacado, naturalmente, para mirar la hora. Pero en el mismo instante en que yo estoy contemplando su blanca esfera, este pescador, que ha acabado de cebar el anzuelo, lo echa de pronto hacia atrás, con objeto de lanzarlo con más fuerza hacia adelante. Yo, para evitar que este anzuelo haga presa en mi pequeño sombrero, doy un violento salto, y en el mismo instante mi pequeño reloj salta también al agua. ¿Comprendéis mi estupefacción? Yo lo miro absorto; él, ligero, desenvuelto, desciende entre las ondas tenebrosas como un pez libre, jovial, y desaparece al fin en lo profundo. Y yo, después de permanecer un rato inmóvil, me alejo de este triste paraje. Y yo torno a decirme: «Este pez, que salta y vuelve a saltar en la cesta, debería hallarse en las aguas, suelto y alegre, en vez de estar en tierra firme; y este reloj, que se ha perdido entre las ondas, debería reposar en mi bolsillo, en lugar de marcharse a convivir con salmonetes, lenguados, rodaballos, panchos y merluzas. ¿Por qué este trastrueque del orden natural de las cosas? ¿En virtud de qué misteriosas, impenetrables causas, se ha producido este fenómeno? ¿No es esto algo así como cuando ponemos nuestras ilusiones en un ideal y luego la realidad triste nos lleva por distintos caminos? ¿No es esto una imagen de nuestros destinos, de nuestras vidas, de nuestros amores, de nuestras ambiciones desarregladas, trastrocadas por el azar y por el infortunio?»

He aquí una pequeña paradoja que dedico al querido humorista Luis Gabaldón. Yo estoy profundamente triste.

SILUETAS DE ZALDIVAR

CANDUELA

¿Dónde he conocido yo a Canduela? ¿En alguna novela de Galdós? ¿En *El amigo Manso,* en *Lo prohibido,* en *El doctor Centeno,* en *Angel Guerra*? Canduela se halla sentado a la mesa, frente a vosotros; tiene la cabeza redonda, fina, y en ella, a los lados, sobre las sienes, dos largas y angulosas entradas; Canduela lleva un bigote que parece recortado, un bigote que os recuerda los bigotes de los oficinistas de 1850, un bigote grueso, negro, que de pronto se estrecha y acaba en dos puntas agudas; Canduela viste un traje sencillo, gris, de alpaca; Canduela luce una corbata indefinible, que creéis haber visto mil veces sobre el pecho de un oficial quinto, de un violinista que toca en un café, de un viajante de comercio, de un estudiante de Medicina; Canduela come en silencio, como todos, lo mismo que el vecino de la derecha, y el vecino de la izquierda, y el vecino de enfrente. Y vosotros lo miráis un momento y decís: «He aquí un hombre perfectamente vulgar; he aquí un pobre hombre; tal vez un empleado de ministerio; acaso un pequeño industrial.»

Pero os engañáis. De pronto Canduela, que está hablando con don Bernardo, dice: «Yendo yo una vez en el rápido de Bruselas a París...» Entonces vosotros suspendéis en el aire el tenedor que os llevabais a la boca y miráis asombrados a Canduela. Y Canduela sigue comiendo, correcto y sencillo. Y vosotros tornáis a decir: «Sin duda, este pobre señor ha viajado alguna vez, por casualidad, en un expreso extranjero.» Pero Canduela se ha puesto a charlar otra vez con don Emilio. Y oís que dice, hablando de un conocido: «Sí, lo conocí porque tiene su abono en el Real al lado del mío...» Y otra vez volvéis a levantar la vista y a mirar con más sorpresa, con más asombro, a Canduela. Y así, poco a poco, os vais enterando de que Canduela—sucesor de un famoso banquero—tiene una fortuna considerable, y ha viajado por países extranjeros, y vive en una casa soberbia, y se pasea en coche cuando le place. Y entonces os recogéis sobre vosotros mismos, aunáis todas vuestras impresiones y volvéis a decir: «He aquí un hombre sencillo, llano, natural; he aquí uno de estos hombres raros, excepcionales, que lo son todo y tienen el arte exquisito de no parecer nada.»

Y cuando van pasando los días, cuando habéis hablado ya largamente con Canduela, veis que este pobre hombre es un madrileño de casta, ejemplar y resumen del verdadero madrileño; es decir, un hombre fino, flexible, irónico, un poco desencantado, cortés, diligente, intuitivo, ingenioso. Sin Canduela, la vida en Zaldívar no se concibe. Canduela viene todos los años; de aquí pasa a San Sebastián; de San Sebastián pasa a Biarritz. Canduela es amigo de todos; os entera en dos palabras sobre la vida de tal o cual bañista; os regala de cuando en cuando una frase ingeniosa. Canduela encanta a todas las señoras con su afabilidad sobria y oportuna. El les pregunta el primero qué tal lo han pasado en la excursión que acaban de realizar; él les tiende la mano en el estribo del coche; él finge con ellas un ligero enfado cómico por tales o cuales fruslerías.

—Marquesa, estoy muy incomodado con usted.

La marquesa de Peña-Fuente, esta dama discreta, un poco ingenua, que todos conocéis, lo mira estupefacta.

—¿Por qué, Canduela?

—Ha pasado usted esta mañana por el parque y no me ha saludado.

—¡Por Dios, Canduela!—exclama la marquesa con esa voz un tanto llorosa que vosotros todos también recordaréis.

Y Canduela baja la cabeza sobre el plato y simula un mutismo hosco, terrible...

DON BERNARDO

Este es el reverso de la medalla, es decir, un hombre que os inspira tales o cuales fantasías, pero que en realidad no tiene nada de extraordinario... Cuando estáis más tranquilos en la mesa oís una gran voz que grita enfurecida:

—Pero ¿qué escándalo es éste? Pero ¿es que vais a estar así toda la vida?

Se trata de don Bernardo, que apostrofa a una criada porque el intervalo de plato a plato se le antoja muy largo. ¿Os extrañarán estos furores de don Bernardo? ¿Creeréis que el gritar de este modo en la mesa redonda es acaso abusivo? No lo extrañéis: don Bernardo, según confesión propia, viene a Zaldívar desde hace treinta y nueve años. ¿Cómo no tener derecho a chillar? ¿Cómo no tener derecho a indignarse si transcurren cuatro minutos en inacción forzosa de las mandíbulas? Imaginad un manchón ovalado, rojo, encendido; poned en él dos diminutos granos de mostaza; trazad en la parte inferior una pincelada blanca, y luego, perpendicular a ésta, otra ancha pincelada blanca..., y tendréis el retrato de don Bernardo.

—Don Bernardo — dice Canduela —, ¿sabe usted a quién vi el otro día en Solares? A Benito.

—¡Hombre!—exclama, con una voz recia, don Bernardo.

Y se hace un largo silencio; y cuando creéis que ya el tema de este rápido diálogo ha sido olvidado, exclama don Bernardo:

—¡Ya hace tiempo que no lo he visto!

—Está muy grueso—replica Canduela.

—No—observa don Bernardo—; digo que no he visto Solares hace tiempo.

—Debe de ser un edificio nuevo—dice Canduela.

—Es antiguo—contesta don Bernardo—, pero habrán hecho reformas.

No me preguntéis más sobre la vida y dichos de don Bernardo. Yo no sé más; nadie sabe más; sería absurdo saber más. Cuando os retiráis de la mesa y vais a coger vuestro sombrero en la percha, veis un tremendo roten, que más bien semeja el tronco gigantesco de un árbol. Este es el bastón de don Bernardo; él lo ha cortado en el bosque y ha ido haciendo en su corteza, con la navaja, mil pintorescos círculos y arabescos. Y después de comer, don Bernardo se aleja por la fronda apoyado en esta pértiga colosal, con sus ojuelos microscópicos, con su cara encendida, con su barbilla blanca como un fauno, solitario, feroz...

MARIA

Hablo de María Esteban-Collantes.

—María, ¿por qué tiene usted ese gestecillo de tristeza?

Y María calla, porque no sabe qué contestar.

—María, sonría usted.

Y María sonríe. Y vosotros no podéis imaginaros la luz misteriosa, sugestionadora, que estas sonrisas de mujeres, instintivamente melancólicas, tienen.

De las dos hermanas—Manolita y María—, Manolita es la vivaracha y María es la grave. A simple vista os percataréis de sus temperamentos respectivos. Manolita es fina, flexible, de líneas rectas; María está más llena y sus ademanes son más lentos. Cuando Manolita se sienta a tocar el piano y da una nota falsa, ella no se para, sino que sigue, sigue, saltando por encima de todo, loquilla, reidora; cuando María comete un *lapsus,* por ligero que sea, ella se detiene y torna hacia atrás, y no prosigue hasta que el error ha sido perfectamente subsanado.

María no charla a gritos, ni ríe en estrepitosas carcajadas, ni ama los atavíos llamativos. A las diez, cuando el salón está más animado, María da un beso al conde —su padre—y sube a acostarse. Pero

María no duerme. Su cuarto está junto al mío. Una hora después, cuando yo subo, veo una rayita de luz bajo la puerta. ¿Qué hace María? ¿Escribe? ¿Lee? ¿Qué libro lee María? ¿A quién escribe María? No, no imaginéis que María lee un libro de versos sentimentales ni que escribe una larga carta patética. María no es romántica. Hay mujeres que nacen para amantes, otras que nacen para monjas, otras que nacen para solteras impenitentes, otras que nacen para esposas. María Esteban-Collantes ha nacido para esposa.

Vosotros os casáis con María (no tendréis tanta dicha; es un supuesto); un día, a la semana de vuestra boda, o a las dos semanas, o al mes, decís, parándoos ante ella, un poco perplejos, rascándoos mientras tanto la cabeza:

—María, esta noche no vendré a casa...

Y María, sin mostrar pesadumbre, sin sonreír, con naturalidad, contesta:

—Bien.

Otro día, al cabo de poco, volvéis a decir, también confusos, también temerosos:

—María, mañana tendré que estar fuera durante todo el día.

Y María torna a decir, con la misma naturalidad encantadora:

—Bien.

Y pasa el tiempo; vosotros tenéis vuestros agobios domésticos; hay deudas que no se pueden pagar por el momento; existen atenciones, en cambio, cuya satisfacción es imposible demorar. Vosotros estáis mohinos, apesadumbrados. María nota vuestras angustias.

—María—le decís vosotros—, nos hace falta comprar tal cosa y no tenemos ahora dinero...

Y entonces María se levanta en silencio, abre un armario y os presenta una cajita repleta de billetes y de monedas, que ella, poco a poco, día tras día, ha ido ahorrando.

Esta es María Esteban-Collantes.

MERCEDITAS

¿Podré yo olvidar a Merceditas Arechavala? ¿Podía yo hablar de las condesitas lozanas y olvidar a Merceditas Arechavala? Merceditas no es condesa; Merceditas no tiene, acaso, un tenue y lindo mohín de desdén para con vosotros, pobres burgueses, que no poséis un fragmento de pergamino. Merceditas es una cubana dulce, suave, inteligente, afectuosa... Merceditas es alta, llena, airosa, un poco pálida, con el pelo negro; y cuando se pone uno de esos trajes—que aman tanto las americanas—un poco fastuosos, azules, con adornos blancos, rosados, con estrechas rayas blancas, vosotros creéis tener ante los ojos una de esas antiguas fotografías desteñidas, claras, de mujeres que no conocéis, que no sabéis dónde han vivido ni cómo se han llamado, pero que os inspiran una súbita y profunda simpatía.

—Merceditas, cante usted *La Tosca,* aquello del acto segundo...

Y Merceditas, en pie ante el piano, esbelta, majestuosa, va cantando, cantando la melodía admirable, con voz bajita, dulce, suave, acariciadora, insinuante, mientras en un ángulo del diván las condesitas lozanas permanecen encogidas, silenciosas, como sugestionadas por esta otra aristocracia imperecedera del corazón y de la inteligencia.

SILUETAS DE URBERUAGA

LA MASA

Don Juan, don Andrés, don Rafael, don Julián, don Félix, don Alejandro, don Pascasio, don Tomás, don Ramón, don José, don Ignacio, están sentados a la mesa. Don Juan, don Andrés, don Rafael, don Julián, don Félix, don Alejandro, don Pascasio, don Tomás, don Ramón, don José, don Ignacio, son como todos los hombres que vosotros tratáis en la calle, en el tranvía, en el teatro, en la oficina, en la redacción, en el Congreso, en el Ateneo. Tal vez don Ignacio lleva en sus labios una vaga sonrisa melancólica; acaso don Ramón tiene una ligera palidez en su rostro; quizá don Rafael os mira vagamente con ojos apagados; es posible que don Pascasio haga un tenue visaje de tristeza ante ciertos manjares, con los que no se atreve. Pero todos ríen, charlan, fuman, beben, marchan por los pasillos, pasean por la carretera y se aventuran a salir a los montes. Don Juan, don Andrés, don Rafael, don Julián, don Félix, don Alejandro, don Pascasio, don José, don Ignacio, toman las aguas de Cestona; mas el dolor en los hepáticos es un dolor discreto, opaco, que no parece localizado en agudos y torturadores aguijonazos en una víscera tan sólo, sino extendido, diluído, por todo el cuerpo en una sensación vaga de desasosiego y malestar. ¿Comprendéis por qué se puede vivir en el hotel de Cestona como en otro cualquiera confortable y mundano hotel? Mas la decoración cambia bruscamente desde Cestona a Urberuaga. Ya en Urberuaga no veis ni un solo niño. En Cestona atruenan, con sus trapatiestas y correrías, los pasillos desde la mañana hasta la noche. En Urberuaga no columbraréis ni uno tan sólo. En Cestona, el veraneante toma rápidamente su baño en un cuarto elegante, claro, limpio, inodoro, y el resto del día tiénelo libre para sus tráfagos y devaneos; puede decirse que en Cestona el bañista es un señor que por casualidad, por capricho, se mete en el agua diez minutos. En Urberuaga, un ambiente de ansiedad, de preocupación, de recelo, de sospecha trágica, de desesperanza honda y latente, pesa sobre vosotros. El bañista no es un veraneante; es un enfermo. Y ya no son los diez minutos frívolos y joviales de Cestona; son horas y horas de marcha febril por los pasillos con la toalla liada al cuello. Y es la larga complicación de operaciones enojosas que es preciso realizar y sufrir todos los días: el baño, las pulverizaciones, las inhalaciones, las vaporizaciones, la toma de aguas en bebidas, las consultas ansiosas y desesperadoras al médico. ¿Cómo ha de quedar tiempo en Urberuaga para otras cosas? ¿Cómo ha de haber en vuestro espíritu lugar para otra preocupación que no sea esta de la eficacia de las aguas? Y, enardecidos, enervados, recogidos sobre sí mismos, puesto el pensamiento en el proceso imperceptible de un hondo mal, caminan de sala en sala en un ambiente de éter, de cloruro, de vapor escapado de las pulverizaciones, todas estas figuras pálidas, cóncavas, que tosen en largos y profundos carraspeos, o en breves, bruscas, interminables toses...

LOS DOS

Yo veo a los dos a todas horas: él está intensamente pálido; ella está intensamente pálida. El camina lento; lleva un traje claro. Ella camina despacio; viste una blusa blanca y una falda azul. Los dos son delgados, altos; los dos callan, uno junto a otro; los dos se sientan bajo un árbol en la explanada de la puerta; los dos leen un libro en que sus miradas hondas se clavan durante horas. ¿Son hermanos? ¿Son marido y mujer? Yo no lo sé; yo los veo en todos los momentos juntos, caminando a lo largo de la carretera o sentados bajo los árboles. Y adivino en ellos un convivir monótono, doloroso. Y siento en mi espíritu sus largos silencios, sus actitudes de ansiedad, sus gestos de cansancio. A veces un diálogo rápido es entablado entre los dos. ¿Qué dicen? ¿Qué palabras misteriosas son las que salen de sus labios? El, recostado en la mecedora, ha erguido su busto y habla vivamente con ella; ella replica con la misma viveza. El guarda un momento de silencio y torna a dirigirle la palabra a ella... Y entonces ella se levanta y marcha, fina, esbelta, elegante, hacia la casa, de donde torna al cabo de un momento; mientras él, abatido, con el sombrero echado atrás, con un mechón negro sobre la frente, pone los codos sobre los muslos y apoya la cabeza entre las manos...

MARIA

María es la nota jovial del balneario.

—María, ¿me da usted un clavel?

María arranca un clavel y lo arroja a la calle. El bañista pasa: es un joven con un ancho jipijapa y rojas botas lucientes.

—María, ¿me da usted un clavel?

María arranca un clavel y lo arroja a la calle. El bañista pasa: es un señor de barba ancha con una gorra de visera caída.

—María, ¿me da usted un clavel?

Y María ríe, grita, protesta jovial y ruidosa, y se retira del balcón. Porque María no tiene más claveles o—y esto es lo más seguro—no quiere desprenderse de aquellos que le quedan.

¿Habéis ojeado los *Caprichos*, del maestro Goya? ¿Recordáis aquellas figuras femeninas esbeltas, flexibles, ondulantes, serpenteantes? Yo tengo ante los ojos uno de estos *Caprichos:* es una maja de pie, al desgaire, con el peinado bajo, con la mantilla que llega hasta los ojos, con el abanico apoyado en la boca. Detrás de ella una mendiga se ha acercado a requerir su caridad; ella, desenvuelta, ligera, vuelve hacia ella su cara con un gesto de desdén, y la leyenda dice: «Perdone por Dios...», y era su madre.

Y bien: esta maja es María; no quiero decir yo que María sea despiadada, implacable, feroz. No, no; he citado este *capricho* porque es acaso aquel en que el maestro ha puesto un tipo de mujer más esbelta, más grácil, más desenfadado, más elegante. Y María es un tipo parejo a éste; mas si la observáis de cerca, si examináis sus ademanes, su gesto, su manera de andar, de sentarse, de levantarse, de atravesar un salón, veréis—y éste es su encanto originalísimo—que en ella el tipo de la maja castiza se entremezcla y confunde con el tipo novísimo de la mujer bilbaína.

Y vosotros, al llegar aquí, preguntaréis: Pero ¿existe en realidad un tipo de mujer bilbaína? ¿No es esto una ficción? ¿No es esto tal vez una galantería? No, no, lector. Hace pocas tardes yo contemplaba, desde el pórtico de un café, allá, en Bilbao, frente al puente, a prima tarde, el desfile ligero e incesante de las lindas mujeres.

El cielo estaba gris; el ambiente era fresco. Pasaban, corrían, cruzaban, se entrecruzaban coches, camiones, automóviles, tranvías; a la izquierda, un denso humacho negro se elevaba ante la arcada —hierro y cristal—de la estación de La Robla; a la derecha, la fronda de los árboles del paseo ponían su telón claro. Se oían silbatos agudos, resoplidos de locomotoras, gritos de conductores, trotes de caballo, chirridos de troles... Y por el centro de la ancha vía, encaminadas hacia el puente o de regreso del puente, iban y venían, entre el estrépito, las bilbaínas con sus tocados estivales—blancos, rosa, azules—, un poco inclinadas hacia adelante, un poco rígidas, nudosas, fuertes, tal vez con los pies un tantico grandes, pero calzadas todas, todas—y éste es un detalle indefectible—, con botas irreprochables, con botas negras, con botas brilladoras, con botas elegantes...

Y he aquí, ya expuestas a la ligera, en dos palabras, las características de la mujer bilbaína; acaso, si pertenece a las clases altas, notaréis en ella—crecida y educada en una época de enriquecimiento precipitado—un tenue matiz de ostentación y de ingenuidad en su atavío. Mas bien pronto todo lo olvidaréis ante su belleza fuerte y severa, ante sus ademanes decididos, ante el ímpetu y el imperio de su persona...

María es también fuerte, nudosa, y tiene una barbilla suave que se repliega, con un encanto extraordinario, sobre el enhiesto cuello planchado. María marcha también con el busto un poco inclinado, y sus brazos caen sueltos a lo largo del cuerpo. María anda, asimismo—característica acaso la más notoria de la mujer bilbaína—, no rauda, no seguida, no con un paso uniforme y simétrico, sino con una serie armónica de rápidos e interminables avances, que concuerdan en maravillosa sincronía con el ademán y con el tipo. Por la mañana, María se pone sobre la blusa blanca una mantilla, y así, medio arrebozada la cara, al regreso de misa, se asoma al balcón de los claveles. Entonces creéis ver esta maja de Goya de que os he hablado, o bien esas otras manolas de la ermita de San Antonio que el maestro ha pintado sobre un barandal recostadas.

Por la noche, tras la cena, María canta un zorcico al piano, o baila valses y rigodones... El joven marqués de Pestagua, derecho, juntos los pies, se inclina ante ella con rígido movimiento de *gentleman:* «María, ¿me hace usted el honor de este vals?» Y María se levanta, y los dos giran y giran rápidos por el salón, sobre las tablas lustrosas, resbaladizas. Y como María es viuda, veis en ella, mientras baila, mientras camina, mientras se sienta, mientras se levanta, cierta placidez, cierta majestad, cierto sosiego, en que se trasluce tal vez desencanto infinito...

LA ANDALUCIA TRAGICA

I

EN SEVILLA

¿No os habéis despertado una mañana, al romper el día, después de una noche de tren, cansados, enervados, llenos aún los ojos del austero paisaje de la Mancha, frente a este pueblo que un mozo de estación, con voz lenta, plañidera, melódica, acaba de llamar Lora del Río? Asomaos a la ventanilla del coche; tended vuestras miradas por la campiña: el paisaje es suave, claro, plácido, confortador, de una dulzura imponderable. Ya no estamos en las estepas yermas, grises, bermejas, gualdas, del interior de España; ya el cielo no se extiende sobre nosotros uniforme, de un añil intenso, desesperante; ya las lejanías no irradian inaccesibles, abrumadoras. Son las primeras horas del día; una luz sutil, opaca, cae sobre el campo; el horizonte es de un color violeta nacarado; cierra la vista una neblina tenue. Y sobre este fondo difuso, dulce, sedante, destacan las casas blancas del poblado y se perfila pina, gallarda, aérea, la torre de una iglesia, y emergen, acá y allá, solitarias, unas ramas curvadas, unas palmeras. ¿Qué hay en este paisaje que os invita a soñar un momento y trae a vuestro espíritu un encanto y una sugestión honda? ¿Es el pueblo que se columbra a lo lejos bañado por esta luz difusa de la mañana? ¿Son las paredes blancas, que irradian iluminadas por el sol que ahora nace? ¿Es este hálito profundo de sosiego que en este punto respiramos? Pero la voz plañidera de antes ha vuelto a resonar en los andenes; el tren torna a ponerse en marcha; poco a poco va perdiéndose, esfumándose, a lo lejos, el pueblo; apenas si las fachadas diminutas refulgen blanquecinas. Y vemos extensas praderías verdes, caminos que se alejan serpenteando en amplios recodos, cuadros de olivos cenicientos, tableros de habas, piezas de sembradura amarillenta. Y en el fondo, limitando el paisaje, haciendo resaltar toda la gama de los verdes, desde el oscuro hasta el presado, un amplio telón de un azul sombrío, grisáceo, plomizo, negruzco, se levanta. Y ante él van pasando y perfilándose durante unos momentos los cortijos blancos, los pueblecillos con sus torres sutiles, las ringleras de álamos apartados, los anchurosos rodales de alcacel tierno. El tren corre vertiginoso. Ahora aparece un pedazo de río que hace un corvo y hondo meandro, bordeado de arbustos que se inclinan sobre sus aguas;

ahora surge un huertecillo con una vieja añora rodeado de frutales en flor; ahora unos inmensos trigos aparecen y desaparecen rápidos, cuajados de florecillas rojas, de florecillas gualdas, de florecillas azules. El tren corre, corre veloz. Nuestras miradas descubren otro pueblo: es Cantillana. Abajo, en primer término, paralela a la vía, corre una línea de piteras grisáceas; más arriba se extiende un inmenso ámbito de un verde claro; más arriba destaca una línea de álamos; por entre los claros del ramaje asoman las casas blancas del poblado; y más lejos aún, por lo alto del caserío, la serranía adusta, hosca, pone su fondo zarco. Y en sus laderas, rompiendo a trechos la austeridad del azul negro, aparecen cuadrilongos manchones de un verde claro.

Ya la mañana ha ido avanzando. El cielo, pálido, suave, se muestra rasgado en la lejanía por largas y paralelas fajas blancas. Ya nos acercamos al término del viaje; torna a aparecer en lontananza otro pueblo por entre los espacios de ramaje: es Brenes. Luego vemos de nuevo el río en otra sinuosidad callada, con sus aguas terrosas; después volvemos a contemplar otro camino que se pierde allá en los montes; más tarde viene, por centésima vez, otro ancho prado, llano, aterciopelado, por el que los toros caminan lentos y levantan un instante sus cabezas al paso del convoy...

El tren sigue corriendo. Allá en la línea del horizonte, imperceptible, velada ante la bruma, aparece la silueta de una torre. Nos detenemos de pronto ante una estación rumorosa. ¿No veis aquí ya, en los andenes, yendo y viniendo, los tipos castizos, pintorescos, de la tierra sevillana? ¿No observáis ya estos gestos, estos ademanes tan peculiares, tan privativos, de estos hombres? ¿No archiváis para vuestros recuerdos esta manera de comenzar a andar, lentamente, mirando de cuando en cuando las puntas de los pies? ¿Y este modo, cuando se camina de prisa, de zarandear los brazos, tendidos a lo largo del cuerpo, rítmicamente, sin chabacanismo, con elegancia? ¿Y esta suerte de permanecer arrimados a una pared o a un árbol, con cierto aire de resignación suprema y mundana? ¿Y el desgaire y gallardía con que un labriego o un obrero llevan la chaquetilla al hombro? ¿Y esta mirada, mirada de una profunda y súbita comprensión, que se os lanza y que os coge desde los pies a la cabeza? ¿Y este encorvamiento de espaldas y de hombros que se hace después de haber apurado una copa? La gente va, viene, grita, gesticula a lo largo de los andenes: «¡Manué!», «¡Rafaé!», «¡Migué!», dicen las voces; retumban los golpazos de las portezuelas; silba la locomotora; el tren se pone en marcha. Y entonces la distante silueta de la torre gallarda va rápidamente destacándose con más fuerza, creciendo, surgiendo limpia, esbelta, por encima de una espesa arboleda, entre unos cipreses negros, sobre el fondo de un delicado, maravilloso cielo violeta. Y ya comienzan a desfilar los almacenes, las fábricas, los talleres, que rodean a las grandes ciudades. Estamos en Sevilla. El tren acaba de detenerse. Cuando salís de la estación, un tropel de mozos, de intérpretes, de maleteros, os coge el equipaje; un turbión de nombres de hoteles entra en vuestros oídos. Mas vosotros sabéis que estos hoteles son iguales en todas las latitudes; vosotros tenéis ansia de conocer cuanto antes, en tal o cual viejo mesón, en este o en el otro castizo parador, a todas estas netas sevillanas, a las cuales el poeta Musset quería dar unas terribles serenatas «que hiciesen rabiar a todos los alcaldes, desde Tolosa al Guadalete».

A faire damner les alcaldes
De Tolose au Guadeleté...

Y estos empecatados mozos y caleseros no os entienden; tal vez se han acabado ya los mesones y paradores clásicos en Sevilla. Y así os conducen rápidos, frívolos, a una fonda que tiene un blanco y limpio patio en el centro y en que hay unas mecedoras y un piano. Esto os place, sin duda; mas vosotros no tardáis en dejar este patio, estas mecedoras y este piano y en saltar sobre el primer tranvía que pasa por la puerta. Las calles son estrechas, empedradas, limpias, sonoras; parece que hay en ellas una ráfaga de alegría, de voluptuosidad, de vida desenvuelta e intensa. Veis los patios nítidos y callados de las casas a través de candelas y vidrieras; en las fachadas de vetustos caserones destaca la simbólica madeja; pasan raudas, rítmicas, las sevillanas, con flores rojas o amarillas en la cabeza; leéis en los esquinazos de torcidas callejas estos nombres tan nobles, tan sonoros, de Mañara, de Andueza, de Rodríguez Zapata; en los balcones cuelgan ringlas de macetas, por las que desborda un raudal de verduras. El tranvía corta vías angostas, cruza plazas, corre a lo largo de anchas avenidas con árboles.

—¿Y *Salú?*—le grita al cobrador una mujer desde la acera.

El cobrador es un sevillano menudito, airoso, que lleva colgada sobre el hombro la bolsa con una elegancia principesca.

—¡Hoy *tá mehó!*—contesta a la pregunta con una voz sonora.

Hemos pasado junto a la catedral; atrás queda la cuadrada y gentil Giralda; cruzamos frente a la Puerta de San Bernardo; a dos pasos de aquí se columbra el matadero. ¿No son estos mozos que platican en estos corros los célebres y terribles jiferos sevillanos de que nos habla Cervantes en *Los perros de Maudes?*

Y después, por las afueras de la ciudad, bordeamos las viejas dentelleadas murallas y tornamos a internarnos en las callejas serpenteantes; los vendedores lanzan sus salmodias interminables y melancólicas; en un mercado, un viejo hace subir y subir por largas cañas una figurilla de cartón. ¿No veis en este hombre un filósofo auténtico? ¿No os agradaría tener una amena conversación con este sevillano?

Mas todavía existen otros seres más filosóficos en Sevilla; pensad en estos barberos enciclopédicos que vemos al pasar frente a sus barberías; pensad también en estos increíbles pajareros que hacen maravillas estupendas con sus pájaros, de todos tamaños y colores. ¿No hay en el ambiente de esta ciudad algo como un sentido de la vida absurdo, loco, jovial, irónico y ligero? ¿No es esta misma ligereza, rítmica y enérgica a la par, una modalidad de una elegancia insuperable? Las ideas se suceden rápidamente; la vida se desliza en pleno sol; todas las casas están abiertas; todos los balcones se hallan de par en par; gorjean los canarios; tocan los organillos; los mozos marcan sobre las aceras cadenciosos pases de vals; se camina arriba y abajo por las callejas; se grita con largas voces melodiosas; los músculos juegan libremente en un aire sutil y templado; livianos trajes ceñidos cubren los cuerpos. Y así, en este medio de enervación, de voluptuosidad, nacen las actitudes gallardas, señoriles, y un descuido y una despreocupación aristocrática nos hace pasar agradablemente entre las cosas, lejos de las quimeras y los ensueños hórridos de los pueblos del Norte... (1).

Mas nuestro paseo ha terminado; se va acercando la hora de dejar Sevilla. Hay otros moradores en tierras andaluzas para quienes la vida es angustiosa. Esa es la Andalucía trágica que ha venido por lo pronto a buscar el cronista. Aquí queda nuestra ilusión de un momento por todas estas sevillanas que caminan airosas por las callejas con la flor escarlata en sus cabellos de ébano.

II

EN LEBRIJA

Ya estoy en Lebrija. Yo no quiero engañar al lector; yo no soy un sociólogo, ni un periodista ilustre, ni un diligente reportero; yo soy un hombre vulgar a quien no le acontece nada. «Lo que a mí me ocurre —decía Montaigne—es toda mi física y toda mi metafísica.» Yo ni aun estas palabras del maestro puedo hacer mías.

Ya me encuentro en Lebrija.

---

(1) ¡Eh, cuidado, señor Azorín, con esto, escrito en 1905! Fíjese usted. (*Nota de Azorín,* en 1914.)

—¿Cómo se llama usted?—le he preguntado yo a este mozuelo.

—Benito López Cano—ha contestado él. Y yo he replicado:

—Pues bien, Benito López Cano: yo le doy a usted las gracias y, además, dos reales.

Este lebrijanito, descalzo, tostado por el sol, con unos ojos vivarachos, ha traído desde la estación sobre los hombros mi vieja y raída capa de hidalgo. A las once, el tren ha llegado a Lebrija; desde la estación se veía el pueblo a lo lejos; una torre fina, grácil, resaltaba por encima de las blancas fachadas y de los tejados negruzcos. El cielo era de un azul pálido mate, suave; caía el sol ardoroso, cegador, sobre la campiña. Y los sembrados, que ondulan sobre las lomas y se extienden por la llanada entre cuadros grises de olivos, amarillean acá y allá, mustios, casi agostados, casi secos. Y vamos caminando por un ancho camino polvoriento bordeado por dos ringlas de áloes.

—¿Hay muchas fondas en Lebrija, Benito?—le pregunto yo a mi flamante amigo.

El se detiene un poco, vuelve la cabeza, abre ancho los ojos y contesta:

—¡Ca, no *zeñó;* no hay *má* que una!

Y es preciso ir a esta única fonda. Ya comenzamos a caminar por las calles de Lebrija. Las casas son blancas, anchas, de dos pisos; las puertas y los balcones aparecen cerrados. Surge a trechos, entre las viviendas modernas, un viejo caserón con su escudo enjalbegado de cal nítida. Y las rejas, estas vetustas rejas de Lebrija, estas rejas anchas, estas rejas nobles, estas rejas soberbias, sobresalen todas sobre la acera un gran espacio y forman como diminutas estancias cerradas con cristales interiormente. Y no se oye en todo el pueblo ni un grito, ni un ruido, ni una canción; de cuando en cuando, por las calles espaciosas, cruza un labriego con su ancho sombrero blanco, grasiento, que se para un instante, nos mira con su mirada atenta y torna a proseguir en su marcha indolente, melancólica, resignada, tal vez sin rumbo.

Y así llegamos a la plaza; unas palmeras doblan en ella sus ramas inmóviles, brillantes; entre sus troncos surge el follaje oscuro de los naranjos. Y en el centro, sobre un pedestal de granito, un busto en bronce de Nebrija destaca con su cara rapada y sus guedejas. El sol reverbera fulgurante en las blancas paredes; el aire es caliginoso; hay en un costado de la plaza unas sombras anchas y gratas, y en ellas, sentados con gestos de tedio, de estupor, reposan quince, treinta labriegos con los sombreros caídos sobre las frentes. En lo alto, por el cielo pálido, implacablemente diáfano, pasan lentas, con sonoros aleteos, unas palomas; una campana deja caer unas vibraciones cristalinas, largas.

—Benito—le digo yo a mi guía—, ¿dónde para esa fonda?

—¡Ya *etamo!*—dice él, señalando una casa.

La fonda está en un recodo de la ancha plaza.

—¡A la paz de Dios!—grito yo cuando pongo los pies en el zaguán.

Nadie contesta. Yo repito con voz más recia:

—¿No hay nadie aquí?

—¡Consolación, Consolación!—se oye gritar allá en una pieza remota.

Yo he pasado por un zaguán largo y estrecho; luego he visto una puerta recia y me he aventurado a atravesarla; por fin he llegado a un patizuelo blanco, claro, limpio, sosegado, donde un gato ceniciento duerme al sol y un canario trina voluptuoso. En las paredes penden unos paisajes rudimentarios, chillones, ingenuos; hay también un retrato de Castelar encuadrado en uno de sus discursos de las Cortes Constituyentes; hay asimismo una *Lámina de las que se reparten a los suscriptores de «La Educación Política»*, con efigies de Serrano, de Prim, de Méndez Núñez, de Espartero y de López Domínguez. En los ángulos del patio aparecen macetas de evónimos y aligustres; el pavimento es de losetas rojas; una barandilla pintada de verde corre por lo alto, en el piso de arriba...

Y Consolación no parece. Yo vuelvo a llamar dando unas recias palmadas. Todo está en silencio; oigo de pronto un taconeo rítmico, ligero, y veo luego ante mí, en el umbral de una puerta, una moza alta, gallarda, con unos ojos anchos, negros, y una flor roja, encendida, puesta sobre la frente. Esta moza es, sin duda, Consolación.

—Perdone usted, Consolación—le digo yo—; he venido a ver si había cuarto en esta fonda.

Es muy bonita Consolación. ¿Por qué no he de contar yo estas cosas pequeñas? En la fonda hay, en efecto, un cuarto.

—¿Ha almorzado usted ya?—me pregunta la moza.

—No, Consolación—le digo yo sonriendo—; no he almorzado todavía.

Y Consolación me hace pasar al comedor; si no temiera yo ser impertinente, volvería a decir que Consolación anda con una gallardía, con una gracia extraordinaria, y, sobre todo, que cuando sirve a la mesa, cuando os quita un plato de delante para llevárselo, da una vuelta rápida y elegante que hace que su vestido revuele un poco y aparezca un pie breve, agudo, enarcado sobre un tacón enhiesto. Yo voy comiendo y, mientras tanto, miro a Consolación; así la comida transcurre rápidamente, como en un soplo. Y de que he despachado las viandas, pienso que es necesario hacer lo que mil veces he hecho en los pueblos y haré otras tantas. Ya sospecháis que aludo a la ida al casino. El casino está en la plaza; la plaza permanece desierta, silenciosa; allá en la sombra ancha y grata, los labriegos siguen sentados, inmóviles, cabizbajos, con sus sombreros sobre la frente.

—¿No se llama usted Antonio?—le pregunto yo al mozo del casino.

—No—dice él—; me llamo Juan.

—Juan—torno yo a decirle—, ¿cómo marcha este pueblo?

Juan da un hondo suspiro, enarca la ceja, aprieta los labios y, al cabo, dice:

—*Má, mú má;* no hay *d'aquí*...

Y al decir esto hace ante la boca con su mano derecha un movimiento con que quiere indicar el acto de comer. Yo estoy solo en el casino; no he visto nunca un casino de pueblo con un mayor ambiente de familiaridad, de sosiego, de intimidad. Es un salón espacioso y cuadrado de una vieja casa solariega; la luz entra a raudales por cuatro anchos balcones; cuando se cierran las persianas, un claror verde y suave se difluye por la vetusta estancia y deja en una vaga penumbra las dos camillas—tan agradables—y los dos viejos sofás negros de gutapercha—tan simpáticos—. Una columna de piedra sostiene el techo; una estera limpia se extiende por el piso...

Y no hay nadie en este casino; son las dos de la tarde.

—Juan, ¿no viene nadie a este casino? —pregunto yo.

—No, *señó;* no viene nadie—contesta Juan, tristemente.

—Pero ¿y los socios? ¿Y los señores del pueblo?—digo yo.

—Los señores, no viene ninguno—dice él con el mismo aire melancólico.

Los señores no salen de sus casas; no ponen sus plantas en la calle. «Hace pocos días—me decía en Sevilla un prestigioso periodista—, hace pocos días tuve que ir a un pueblo de la provincia a ver a un amigo, y me aseguró que hacía dos meses que no salía a la calle.» La muchedumbre campesina no es mala; tiene, sencillamente, hambre. La sequía asoladora que reina ha destruído los sembrados; las viñas están devastadas por la filoxera. ¿Cómo van a salir del tremendo conflicto que se avecina propietarios y labriegos? Lebrija es una población de catorce mil almas; hay en ella unos tres mil jornaleros. De estos tres mil, unos mil quinientos son pequeños terratenientes; tienen su pegujal, tienen su borrica. Los otros no cuentan más que con el producto de su trabajo; mas todos, unos y otros, están ya en igual situación angustiosa. Existía antes para estos braceros un recurso: casi todos ellos encontraban trabajo en los viñedos cercanos de Jerez. Pero Jerez atraviesa por honda crisis; no puede dar trabajo; los jornaleros de Lebrija no salen ya de este término. Todos están parados, inactivos. «Es un dolor—me dicen los propietarios—ver cómo estos buenos trabajadores entran en nuestras casas y nos dicen que no pueden comer, que sus mujeres y sus hijos tienen hambre.» Desde el 18 de febrero los propietarios están facilitando medios de vida a los labriegos; el Ayuntamiento reparte entre ellos lo que se recauda en consumos. Pero estos recursos van agotándose; lo que a cada labriego toca apenas si puede hacerle tolerable la vida; la crisis se va acentuando de día en día; la paciencia se va acabando; hace pocas noches la muchedumbre, exasperada, entró a saco en una tienda de comestibles. ¿Qué sucederá dentro de ocho, de diez, de veinte días? ¿No hay acaso ninguna solución por el momento?

Hay, lector, un medio de conjurar por lo pronto el conflicto; pero es preciso no olvidar que estamos en España.

Todos estos obreros de Lebrija, el año pasado, en circunstancias análogas a éstas —pero menos apremiantes—, encontraron trabajo en las obras del camino vecinal a Montellano; hoy se lograría aplacar la crisis con la construcción de la carretera a Trebujena. La carretera está ya concedida; mas la orden para que comiencen las obras no acaba de llegar. ¿Por qué oficinas será preciso andar para lograr tal orden? ¿Qué cúmulo de firmas habrá que conseguir? ¿Qué gruesos y terribles cartapacios será necesario abrir y cerrar? ¿Cuántos y cuántos ordenanzas galoneados tendrán que ir arriba y abajo por los sombríos pasillos de los Ministerios? ¿Qué conferencias tendrán que celebrar el jefe de este negociado, el director de tal ramo, el oficial tercero de esta oficina y el oficial segundo de la otra?

En tanto, estos buenos labriegos caminan lentos, entristecidos, hoscos, por las calles de Trebujena; se sientan en la plaza anonadados; tornan a levantarse; entran en su casa; oyen los lamentos de sus mujeres y de sus hijos; vuelven a salir; tornan a recorrer, exasperados, enardecidos, por centésima vez las calles...

He aquí las dos Españas. No hagáis, vosotros, los que llenáis las Cámaras y los Ministerios, que los que viven en las fábricas y en los campos vean en vosotros la causa de sus dolores...

III

LOS OBREROS DE LEBRIJA

En el capítulo anterior hemos tratado de bosquejar el fondo; ahora vamos a apuntar las figuras. Estamos todos reunidos en torno de una mesa anchurosa, en el casino, metidos en un cuarto cerrado, frente a frente, mano a mano, dispuestos a charlar con espacio.

—Vamos a ver—digo yo, dirigiéndome a Pedro, que se encuentra a mi izquierda—. Vamos a ver: yo deseo que ustedes me digan con franqueza lo que piensan sobre esta situación.

Pedro considera con rápida mirada a los demás; los demás son Juan, Pepe Luis, Manuel, Ginés y Antonio. Todos van vestidos con sus chaquetillas ceñidas, livianas, sutiles, de blanco lienzo; todos tienen las caras tostadas, escuálidas, fláccidas, con los ojos hundidos; todos se hallan sentados con posturas un poco rígidas, con los sombreros puestos sobre los muslos. Y Pedro —un viejo de ojos claros, vivos, elocuentes—se ha vuelto hacia mí, ha dado una vuelta entre sus manos a su chapeo, y ha dicho:

—Esto, ya lo ve usted, no puede estar peor...

—Lo he visto—replico yo—; lo estoy viendo; pero yo quiero que me digan cómo viven en la presente situación; ustedes tienen mujer; tienen hijos. ¿De qué manera se gobiernan en sus casas en este trance?

Pedro ha callado otro breve momento.

—Hoy—ha replicado—no tenemos jornal; los trabajadores de Lebrija estamos repartidos entre los propietarios; estos propietarios dan diariamente a cada jornalero sesenta céntimos. Con estos sesenta céntimos ya supondrá usted que no podemos pasar; con estos sesenta céntimos compramos pan, lo cocemos en agua, y eso es lo que comemos.

—Sí—observo yo—; de ese modo es imposible continuar. Ustedes necesitan un jornal. ¿Qué jornal ganan ustedes en tiempos normales en Lebrija?

—En tiempos normales—replica Pepe Luis—ganamos tres reales y una telera de pan.

—¿Una telera de pan?—pregunto yo—. ¿Qué es una telera?

—Una telera—dice Manuel—son tres libras.

—Además—añade Pedro—nos dan media panilla de aceite y un poco de vinagre.

—¿Cuánto es una panilla?—torno a preguntar yo.

—Una panilla—dice Pedro—es la centésima parte de una arroba.

—¿Cuántas libras tiene la arroba de aquí?

—La arroba de aquí tiene veinticinco libras.

—Perfectamente—digo yo—, perfectamente; pero con tres reales, una telera de pan, media panilla de aceite y un poco de vinagre creo que no se puede vivir.

—Y tenga usted en cuenta—añade Pedro—que no tenemos este jornal durante todo el año; muy afortunado puede considerarse el que de los doce meses trabaja seis.

—Entonces—digo—, ¿cuánto creen ustedes que debe ser el jornal mínimo diario? Pedro, Juan, Pepe Luis, Manuel, Ginés, Antonio, ¿quieren ustedes que hagamos la cuenta por la menuda de lo que ustedes necesitan para comer?

Todos sonríen un poco.

—¡Vamos allá!—exclama Pedro.

—¡Ea, lo va *usté* a *ve!*—gritan Juan, Pepe Luis, Ginés, Manuel y Antonio.

—Ante todo—digo yo—, supongamos que la familia de usted, Pedro, se compone de usted, de su mujer y de tres chicos.

—¡Esa es la familia que tengo precisamente!—exclama Pedro.

—En ese caso—replico yo—, no tenemos que imaginar nada. Usted, Pedro, necesita pan. ¿Cuánto pan necesita usted todos los días?

—Necesitaré tres kilos. ¿Le parece a usted mucho?

Yo me apresuro a protestar:

—No, no, Pedro; de ningún modo; me parecen muy bien tres kilos.

—Tres kilos los contaremos a treinta y seis céntimos el kilo.

—¡Y ha de ser morenito, morenito *pa* no exagerarlo!—observa Pepe Luis.

—Aceite, ¿cuánto?

—Dos panillas, o sea un real.

—Habichuelas, ¿cuántas?

—Un kilo, que cuesta treinta y seis céntimos.

—¿Patatas?

—Patatas le pondremos diez céntimos.

—¿Carne?

Pedro se detuvo un momento; Juan, Pepe Luis, Manuel, Ginés y Antonio sonríen.

—Carne—dice al fin lentamente Pedro—, carne, no la probamos.

—¿Vino?

Se hace un nuevo silencio y surgen nuevas sonrisas.

—Vino—dice Pepe Luis—, de *cá tré mese,* un vasillo.

—Pues pasemos al alquiler de la casa—digo yo.

—Los alquileres suben a catorce, dieciséis y dieciocho reales mensuales—prosigue Pedro—. Pongamos por la casa quince céntimos diarios.

—Veamos ahora la ropa. ¿Qué gastan ustedes en ropa?

—Ya lo está usté viendo.

Yo veo las chaquetillas ligeras, astrosas. Los pantalones raídos, las botas despedazadas, los sombreros grasientos, agujereados.

—¿Cuánto quiere usted que pongamos para la ropa?—vuelvo yo a preguntar.

—Pongamos—dice Pedro—treinta céntimos diarios.

—¿Y tabaco?

—De tabaco, diez céntimos.

—¿Está ya todo? ¿No queda el gasto de la barbería y el de la limpieza de la ropa?

—Por la barbería no pondremos nada; nos afeitamos nosotros mismos. En cuanto al lavado de la ropa, ¿le parece a *usté* que destinemos cinco céntimos para jabón y que añadamos otros diez para leña con que guisar?

—Está bien—agrego yo—; vamos ahora a sumar.

Y la suma arroja un total de dos pesetas cuarenta y nueve céntimos.

—Pedro, Juan, Pepe Luis, Manuel, Ginés, Antonio—les digo a mis amigos—: las cuentas que acabamos de echar no pueden ser tachadas de escandalosas; están calculados todos los gastos con bastante modestia. Y bien: si usted gana tres reales de jornal, y necesita, tirando por lo bajo, nueve reales y veinticuatro céntimos, ¿qué hemos de hacer? ¿Cómo vamos a resolver este conflicto? ¿Qué ideas son las de ustedes? Yo agradecería que ustedes me hablaran con entera confianza, como a un compañero. Las obras de la carretera que todos esperamos no harán sino aplacar esta angustia presente; el problema tornará a resurgir. Ustedes han pensado muchas veces sobre él. ¿Qué creen ustedes que debemos hacer?

Pedro, Juan, Antonio, Ginés, Manuel y Pepe Luis se han mirado en silencio. ¿Tenían reparo en exponer su escondido criterio ante un desconocido? Y de pronto este Antonio, que ha permanecido callado durante toda la conferencia, ha levantado la cabeza y ha comenzado a hablar. Antonio es uno de estos hombres tímidos, apocados, encogidos, que callan, que conllevan todo resignados, pacientes, y que de pronto, cuando menos lo esperamos, se yerguen en actitudes bravías y tienen en sus palabras y en sus obras una audacia y un ímpetu estupendos. Yo quiero que temáis y respetéis a estos hombres que a vosotros os parecen insignificantes y opacos, a estos hombres que pasan inadvertidos por la vida; ellos son tremendos, ellos guían e inspiran a las muchedumbres en las revoluciones.

—En Lebrija—ha dicho Antonio—existen grandes extensiones de terrenos incultos; esos terrenos son los que creemos nosotros que el Estado debe expropiar a sus propietarios y vendérnoslos a nosotros a largos plazos. Hoy hay en el pueblo pequeñas parcelas de tierra arrendadas a los labriegos; pero estos arrendamientos no sirven sino para enriquecer a los intermediarios. Yo, por ejemplo, llevo una fanega de tierra arrendada; yo pago por ella treinta y una pesetas y veinticinco céntimos. La persona a quien yo entrego esta cantidad no es el dueño de la tierra; esta persona, a su vez, tiene arrendado este pedazo, y entrega por él al verdadero propietario tan sólo once pesetas. Y así, lo que va de diferencia entre lo que yo entrego y lo que él entrega es lo que yo creo que se me cobra a mí injustamente. Y éste no es un caso extraordinario; he de advertir a usted que ya en Lebrija se va generalizando este sistema, y que los propietarios van arrendando sus tierras a unos pocos acaparadores, que, a su vez, las subarriendan a los pequeños terratenientes. Y no es esto lo más grave de todo; lo más grave—y fíjese usted bien en ello—es que cuando se rotura una dehesa y es arrendada a un jornalero una parcela, este jornalero la cultiva con todo esmero, la limpia con cuidado, la hace producir lo más posible, y entonces, cuando se halla en este estado, el dueño se la quita al jornalero para arrendarla en un precio mayor a otro solicitante; es decir, que el labriego ha trabajado durante unos años para mejorar unas tierras, y que cuando esta mejora se ha realizado resulta que sólo sirve para que el dueño de la tierra se enriquezca...

Antonio ha callado un instante.

—Pero, Antonio—le digo yo—, aun cuando esos terrenos incultos se expropiaran y repartieran, ¿qué iban ustedes a hacer con ellos? ¿No necesitarían ustedes medios para comenzar a cultivarlos?

—No se nos oculta—contesta Antonio—; nosotros sabemos que el Estado no puede acometer esta reforma sin fomentar a la par el crédito agrícola. Faltan Cajas y Bancos que suministren a bajo precio dinero al labrador. Hoy en Lebrija, por ejemplo, no hay ni un propietario que facilite un duro a un jornalero, fiado en sólo la persona de éste; el crédito directo no existe; el trabajador necesita que le abone una persona de capital; para tomar veinticinco pesetas es preciso que tenga por lo menos bienes por valor de quinientas el que ha firmado. Y después hay que contar con que la tasa del préstamo asciende, como regla general, a un veinticinco por ciento, y que hay que pagar al corredor y convidarlo, y que es preciso gastar también los veinticinco céntimos del documento.

Yo oigo atentamente cuanto me dice Antonio; sus compañeros asienten a sus palabras.

—Y esto que ustedes me dicen a mí ahora—resumo yo—, ¿lo han pedido ustedes alguna vez en público?

—¡Mil veces, mil veces!—gritan todos.

Y Antonio, más vehemente, más exaltado:

—Cuando nosotros pedimos esto, cuando nosotros solicitamos un permiso para celebrar una reunión, se nos mandan cuarenta o cincuenta guardias civiles. El Gobierno no conoce otro medio de solucionar la cuestión social. No se escuchan nuestros razonamientos; no se contesta a ellos; se nos enseñan los cañones de los fusiles, y con eso creen haber cumplido su misión ante la sociedad los ministros.

Y luego, con voz más queda, más tranquila:

—Nosotros estamos ya cansados.

Ya están cansados los buenos labriegos de Lebrija; ya están cansados los labriegos de toda Andalucía; ya están cansados los labriegos, los obreros, los comerciantes, los industriales de toda España. Ya estamos cansados los que movemos la pluma para pedir un poco de sinceridad, de buena fe, de amor, de reflexión, a los hombres que nos gobiernan. ¿Qué va a venir después de este cansancio?

¿No es ésta una interrogación formidable?

IV

LOS SOSTENES DE LA PATRIA

Esta mañana, a las ocho, don Luis ha venido a buscarme. ¿No conocéis a don Luis? ¿No conocéis a este hombre tan inteligente, tan discreto, tan bueno, tan abnegado, tan afable? Don Luis es alto, cenceño, delgado; está un poco pálido; anda un poco encorvado; tose, de rato en rato, un poco. Y cuando se detiene en un corro de convecinos, en su marcha rápida, afanosa, febril, a través de las calles del pueblo, don Luis da unos fuertes resoplidos, se pasa la mano por la frente, atusa ligeramente su tupé y comienza a hablar con voz recia, imperativa, pintoresca, que poco a poco va apagándose, hasta que don Luis calla de pronto, se lleva la mano al pecho y suspira con un leve suspiro.

—Señor Azorín, ¿estamos ya?

—Estamos ya, señor don Luis.

Y entonces comenzamos a andar por las calles anchas del pueblo; las saledizas, espaciosas rejas verdes, sobresalen en las aceras.

Luego nos internamos en las calles de los barrios obreros. Y hemos entrado en un patizuelo blanco, empedrado, en que resonaban nuestros pasos.

—¡Gente!—ha gritado don Luis—. ¡El médico!

Seis u ocho puertas se abren en torno de todo el patio; levantamos la cortina que pende ante una de ellas. Y en este punto por todas las demás puertas han ido saliendo los moradores de la casa. Y yo he visto estos rostros fláccidos, exangües, distendidos, negrosos, de los labriegos. Y estas mozas escuálidas, encogidas en un rincón, como acobardadas, tal vez con una flor mustia entre el cabello crespo. Y estas viejecitas acartonadas, avellanadas; estas viejecitas andaluzas que no comen nada jamás, jamás, jamás; estas viejecitas que juntan sus manos sarmentosas y suspiran: «*¡Vigen de Came! ¡Vigen de Came!*» Don Luis, rápido, afectuoso, va viéndolos, examinándolos a todos. Entra en un cuchitril; sale de otro; da a un mozo una palmada sobre el hombro; pasa la mano por la barbilla a un niño. Y después, cuando hemos salido de esta casa, ya en la calle, el buen doctor se quita su sombrero, se pasa la mano por la frente, se la lleva después al pecho y da un hondo suspiro.

—Señor doctor—le digo yo—, esto es verdaderamente terrible.

—Amigo Azorín—me dice él mirándome con sus anchos ojos entristecidos—, esto no puede ser.

Y ya hemos puesto nuestras plantas en otro patio blanco y empedrado.

—¡Gente!—grita don Luis—. ¡El médico!

Y otra vez vemos las caras angustiadas, trágicas, y percibimos las respiraciones fatigosas, y oímos los plañidos sordos del dolor, y contemplamos las viejecitas acurrucadas en un rincón que exclaman: «*¡Vigen de Came! ¡Vigen de Came!*» Don Luis parece que entre esta gente, durante un breve momento, hace un esfuerzo supremo, enorme; diríase que trata de iluminarse a sí mismo; su charla es ligera, amable; va presto de una parte a otra; sonríe, da esperanzas. Mas, a poco, otra vez fuera, toda su energía cae súbitamente; sus ojos se apagan; su palabra se torna lenta y opaca. ¿Qué hay en este excelente, en este discretísimo don Luis que os hace pensar en un esfuerzo que fracasa, que no llega a su máximum? ¿Qué hay en este hombre que os recuerda esas vidas que han debido tener otros más anchos y luminosos destinos y que viven, sin embargo, oscurecidos, decaídos, en un ambiente que no es el suyo?

—Don Luis—grito yo—, esto es terrible.

—Señor Azorín—me dice don Luis—, yo ya no puedo más; yo estoy enfermo. Yo no puedo continuar haciendo por más tiempo este esfuerzo que hago cada vez que entro en una de estas casas.

Y después, tras una breve pausa:

—Todos estos hombres, todos estos enfermos que hemos visto son pobres. Necesitan carne, caldo, leche. ¿Ve usted la ironía aterradora que hay en recomendar estas cosas a quien no dispone ni aun para comprar pan del más negro? Y esto ha de repetirse todos los días, en todas las casas, forzosamente, fatalmente... Y la miseria va creciendo, extendiéndose, invadiéndolo todo: las ciudades, los campos, las aldeas. Casi todos los enfermos que acabamos de ver, señor Azorín, son tuberculosos; éste es el mal de Andalucía. No se come; la falta de nutrición trae la anemia: la anemia acarrea la tisis. En Madrid, la mortalidad es del treinta y cuatro por ciento; en Sevilla rebasa esta cifra; en este pueblo donde yo ejerzo, en Lebrija, pasa del cuarenta por ciento.

Hemos salido en nuestro paseo a las afueras de la ciudad; ante nosotros se extiende una llanura sembradiza de un color verde mustio, apagado, amarillento a trechos; en la línea del horizonte, un vapor que recorre el Guadalquivir pone sus sutiles manchones negros sobre el cielo radiante.

—Yo no sé—prosigue el buen doctor—qué solución tendrá a la larga este problema; lo cierto, lo innegable, es que de este modo es imposible vivir. No vivimos; morimos. Le he dado a usted el promedio de la mortalidad en este pueblo; ahora quiero especificar un poco más.

En 1899 ocurrieron aquí 461 fallecimientos. ¿Sabe usted, de éstos, cuántos corresponden a la tuberculosis? Cuarenta y seis, a más de 161 causados por enfermedades del aparato digestivo, es decir, por escasa o malsana alimentación... En 1900, entre 450 muertos, 44 son tuberculosos y 164 de las demás enfermedades citadas.

En 1901 las cifras son de 355, 38 y 82. En 1902 el horror sube de punto, puesto que de 341 fallecimientos, 60 son tísicos y 219 de miseria fisiológica. Y en 1903 mueren 384, entre los que se cuentan 55 tuberculosos y 133 de las demás enfermedades dichas...

—Señor doctor—le digo yo a don Luis—, esto es un verdadero espanto.

—Señor Azorín—me dice el doctor—, ésta es la realidad que yo me veo obligado a contemplar todos los días. Y sobre este dolor, en un medio tal de muerte y de ruina, ponga usted este antagonismo, este odio, cada día más poderoso, más terrible, entre el obrero y el patrono. Una honda diferencia separa a unos y a otros: el patrono rebaja y escatima en el jornal cuanto puede; el obrero dilata cuanto puede los descansos en el trabajo y hace éste con la mayor desgana. Los tierras son cultivadas someramente. Enormes extensiones permanecen incultas, en tanto que los brazos están parados. Los señores viven hoscamente metidos en sus casas; no quieren saber nada de los trabajadores; no tienen trato ni comunicación con ellos. Y el odio de estos labriegos acorralados, exasperados, va creciendo, creciendo. En mil novecientos tres, cuando la huelga famosa de Lebrija, todos los sirvientes de la ciudad se pusieron de parte de los huelguistas. Las mozas, instigadas y amenazadas por los novios, abandonaron las casas; las abandonaron también estas criadas viejas que llevan a nuestro lado quince o veinte años; las abandonaron, asimismo, las amas que amamantaban a los niños de los señores...

—Es increíble lo que usted me cuenta, señor doctor.

—Es la verdad escueta, señor Azorín. No hay tregua ni piedad en esta lucha, de momento en momento más enconada. Este obrero andaluz es bueno, es sencillo, es sumiso; pero en su cerebro se han metido dos ideas únicas, fundamentales, que constituyen a la hora presente toda su psicología; estas dos ideas son las siguientes: primera, «el amo es el enemigo»; segunda, «las leyes se hacen para los ricos». No busque usted más; será completamente inútil. Esta no es una demagogia razonada, libresca, literaria; es un nihilismo instintivo, natural, espontáneo. Y es un nihilismo que fomentan el desvío de los señores, el desamparo del Estado, la inanición, la muerte lenta y angustiosa que la tuberculosis trae a estos cuerpos exangües...

—Doctor, cuando se tocan de cerca estas realidades, todas las esperanzas que pudiéramos alimentar sobre una reconstrucción próxima de España desaparecen. Yo no he nacido en esta tierra; yo conozco detalle por detalle sus claros y rientes pueblos de Levante. Y en estos pueblos yo oigo lamentarse también todos los días a los compañeros de usted de los estragos que la tuberculosis hace entre los labriegos.

El doctor ha tornado a mirarme un momento fijamente con sus ojos ensoñadores, melancólicos. Después ha dicho, tendiéndome la mano:

—Y éste es el corolario desconsolador de nuestra charla: España es una nación agrícola; la poca o mucha consistencia de nuestro pueblo está en los campos; consideramos, entre todas las regiones españolas, como las más florecientes, las del Mediodía y las de Levante. Y los labriegos de estas regiones, sostenes de la patria, hambrientos, consumidos, son diezmados por la tuberculosis.

Yo no he contestado nada al buen doctor, que, alto, cenceño, un poco echado hacia adelante, se ha alejado rápidamente, afanoso, tosiendo, dando grandes zancadas, como huyendo de un espanto, de una angustia invisibles.

V

ARCOS Y SU FILOSOFO

¿Qué es lo que más cautiva vuestra sensibilidad de artistas: los llamados uniformes o los montes abruptos? ¿Cuáles son los pueblos que más os placen: los extendidos en la llanada clara o los alzados en los picachos de las montañas? Arcos de la Frontera es uno de estos postreros pueblos; imaginad la meseta plana, angosta, larga, que sube, que baja, que ondula, de una montaña; poned sobre ella casitas blancas y vetustos caserones negruzcos; haced que uno y otro flanco del monte se hallen rectamente cortados a pico, como un murallón eminente; colocad al pie de esta muralla un río callado, lento, de aguas terrosas, que lame la piedra amarillenta, que la va socavando poco a poco, insidiosamente, y que se aleja, hecha su obra destructora, por la campiña adelante en pronunciados serpenteos, entre terreros y lomas verdes, ornado de gavanzos en flor y de mantos de matricarias gualdas... Y cuando hayáis imaginado todo esto, entonces tendréis una pálida imagen de lo que es Arcos.

No hay en esta serranía pueblo más pintoresco. Sobre la cumbre de la montaña, la muchedumbre de casitas moriscas se apretuja y hacina en una larga línea de cuatro o más kilómetros. El poblado comienza ya en la ladera suave de una colina; después baja a lo hondo; luego comienza a subir en pendiente escarpada por la alta montaña; más tarde baja otra vez, se extiende en breve trecho por el llano y llega hasta morir en la falda de otro altozano. Y hay en lo alto, en el centro, en lo más viejo y castizo de la ciudad, unas callejuelas angostas que se retuercen, que se quiebran súbitamente en ángulos rectos, pavimentadas de guijos relucientes, resbaladizos; al pasar, allá en lo hondo, bajo vuestros pies, veis un rodal de prado verde o un pedazo de río que espejea al sol. El ruido de los pasos de un transeúnte resuena de tarde en tarde suavemente. Pasáis ante el oscuro zaguán de una casa solariega; por la puerta entreabierta, dentro, en el estrecho patio sombrío, penumbroso, un naranjo destaca su follaje esmaltado de doradas esferas.

Flota en el aire un vago olor a azahar; el cielo azul se muestra, como una estrecha cinta, en lo alto, entre las dos filas de casas de la vía. Y vosotros proseguís en vuestro paseo; las callejuelas se enredan en una maraña inextricable, ya suben a lo alto, ya bajan a lo hondo en cuestas por las que podéis rodar rápidamente a cada paso. Ahora, a vuestra mano izquierda, ha aparecido un largo muro; en él, a largos intervalos, vense abiertos anchos portillos. Asomaos a uno de ellos; dejad reposar sobre el pretil vuestro cuerpo cansado; un panorama como no lo habréis visto jamás se descubre ante vuestros ojos. Nos hallamos sobre un elevado tajo de doscientos, de trescientos metros de altura; la campiña verde se pierde en lontananza en suaves ondulaciones; millares y millares de olivos cenicientos marcan en el gayo tapiz sus copas rotundas, hoscas; limita el horizonte una línea azul de montañas, dominadas por un picacho soberbio, casi esfumado en el cielo, de un violeta suave. Y abajo, al pie de la muralla, en primer término, el Guadalete trágico, infausto, se acerca hasta lamer la roca, forma una ancha herradura, vuelve a alejarse, tranquilo y cauteloso. En las quiebras y salientes de las rocas, las ortigas y las higueras silvestres extienden su follaje; van dando vueltas y más vueltas en el aire, bajo vuestras miradas, los gavilanes y los buitres con sus plumajes pardos; desde un remanso de la corriente, un molino nos envía el rumor incesante de su presa, por la que el agua se desparrama en borbotones de blanca espuma.

Y pasan los minutos rápidos, insensibles; pasan tal vez las horas. Un sosiego, una nobleza, una majestad extraordinarias se exhalan del vasto panorama. A nuestra espalda, en las altas callejas, tal vez tintinea una herrería, con sus sones joviales, o acaso un gallo vigilante lanza al aire su canto. Y es preciso continuar en nuestra marcha para escudriñar la ciudad toda. ¿No os encantan a vosotros—como al cronista—los viejos y venerables oficios de los pueblos? ¿No he hablado mil veces, y he de hablar otras tantas, de estos herreros, de estos carpinteros, de estos peltreros, de estos alfayates morunos, de estos talabarteros? En Arcos vosotros, al par que camináis por calles y por plazas, vais registrando con vuestra vista los interiores de tiendas y talleres. Tal vez vuestros pasos os conduzcan allá al final de una callejuela serpenteante, solitaria; a la izquierda está el pretil que corre sobre el tajo; a la derecha recomienza otra vez la peña, manchada por las plantas bravías, coronada por blancas casas. Al cabo de la calle, en un recodo, os detenéis ante una puertecilla. Estáis ante la casa del hombre más eminente de Arcos; no os estremezcáis; no busquéis entre vuestros recuerdos ninguna remembranza; vosotros no conocéis a este hombre. Y, sin embargo, él, que os ha visto contemplar un momento las enjalmas, las jáquimas, los ataharres, los preteles que prenden en su chiquita tienda, os invita a pasar. Y él—¿cómo podéis dudarlo de un andaluz?—os va contando toda su vida, año por año, día por día, hora por hora. ¿Sospecháis acaso que este hombre ilustre se llama sencilla y afectuosamente el tío Joaquinito?

El tío Joaquinito es bajo, gordo, con una boca ancha y expresiva, irónica, y una nariz redonda. El no sale de su taller; él es un filósofo; él ve pasar arriba, pasar abajo, a todos los vecinos; él tiene en su tiendecilla hierros viejos, relojes descompuestos, pistolones mohosos, llaves sin cerraduras, cerraduras sin llaves, trébedes, trampas para los pájaros; él no pule vidrios como Spinoza, mas posee una larga y sutil aguja con la que va cosiendo los albardones, lentamente, dando suspiros, levantándose de rato en rato para ir a una camareja contigua, de donde torna exhalando un hálito de vino...

—Tío Joaquinito—le decís vosotros, encantados con su charla, con el afecto con que hablaríais a un viejo conocido—. Tío Joaquinito, malos están los tiempos.

El tío Joaquinito da unos golpes sobre la albarda y dice:

—Pésimo, pésimo, pésimo...

Y luego, tras de pasarse el pulgar y el índice por la comisura de los labios:

—*Usté* es un hombre de *rasón;* yo he *nasío* en *er jeriná* de un molino, y por eso tengo la *cabesa branca.* Yo he *corrío* mucho, mucho. ¿Sabe *usté* en qué nos *paresemos* nosotros a Nuestro *Zeñó* Jesucristo?

Vosotros os quedáis mirando un poco atónitos al gran filósofo. El continúa:

—*Nosotro, lo españole, etamos* pasando la *Pasió* como Nuestro *Zeñó* Jesucristo. *Lo tré clavo* son *lo tré trimestre* de la *contribusión; er lansaso e er* cuarto trimestre; la corona de *epinas e* la *sédula personá,* y lo *asotaso* que *no* están dando son *lo consumo.*

Y después el tío Joaquinillo da otros ligeros golpes sobre la albarda, suspira y resume:

—Pero Nuestro *Zeñó* Jesucristo tomó pronto la angariya y se fué *ar sielo;* y *nosotro etamo* aquí sufriendo a *lo gobierno* que *no asotan...*

He aquí—decís para vosotros—el pensamiento de toda España, que palpita en el editorial de un gran periódico, en el discurso pronunciado en el mitin y en las palabras de un talabartero filósofo perdido en una serranía abrupta. Y os disponéis a desandar la maraña de callejuelas enredadas. Un momento tornáis a asomaros por el boquete de la muralla: el río, infausto, trágico (1), se desliza callado allá en lo hondo; los gavilanes pardos giran y giran en el aire, lentos, con sus aleteos blandos.

(1) Señor Azorín: otra vez en este capítulo lo de *trágico* e *infausto* aplicado al Guadalete. Advierto a usted que... (*Nota de Azorín,* en 1914.)

EPILOGO EN 1960

—T'is for high-treason—quoth a very little man, whispering as low as he could to a wery tall man that stood next him.
—Or else for murder—; quoth the man.
—Well thrown, Sice-ace!—quoth I.

—Es algún reo de alta traición—dijo lo más bajo que pudo un hombrecillo al oído de un hombre recio.
—O acaso—replicó éste—algún asesino.
—¡Bien acertado, señores!—exclamé yo.

(STERNE: *Tristram Shandy,* capítulo CCVIII.)

—¿Qué quiere decir esto de *Azorín?*

Rafael ha cogido un libro del estante, ha leído en el tejuelo: «La Bruyère. *Les caractères*», y luego, abajo: «Azorín», y se ha vuelto hacia don Pascual para preguntarle qué significa esta palabra.

—Es—dice don Pascual—un escritor que hubo aquí hace cincuenta o sesenta años. Yo no le conocí; pero se lo he oído contar a los viejos.

—¿Era de aquí ese escritor?—pregunta Rafael.

—No sé—contesta don Pascual—; creo que sí; este libro debió de ser de él.

—¿Y cómo lo tiene usted?

—Probablemente él tendría alguna biblioteca que, con el tiempo, se desharía, y este libro vino a parar aquí.

—¿Y dice usted que se llamaba Azorín?

—No; el nombre era otro; esto era un seudónimo. Se llamaba...

Don Pascual permanece silencioso, absorto un momento, tratando de sacar de los escondrijos de su cerebro el nombre de este escritor; pero no lo consigue.

—No recuerdo—dice al fin, cansado de pensar—; pero este nombre es el que usaba siempre en sus escritos.

Rafael, que es un poco aficionado a la literatura, se queda pensativo.

—Es extraño—dice—. ¿De modo que en este pueblo hemos tenido un escritor?

—Yo creo que tenía antes por aquí uno de los libros que publicó—dice don Pascual.

—¡Hombre!—exclama Rafael—. ¿Conque publicaba libros? Entonces era un escritor de consideración...

Don Pascual se sube a una silla y va registrando los volúmenes del estante. Rafael también se sube a otra silla y revuelve libros grandes y chicos. De pronto entra don Andrés, se para un momento en el centro del despacho, mira a don Pascual, mira a Rafael, sonríe, da unos golpecitos con el bastón en el suelo, y dice:

—¡Bravo! ¡Bravo! Hoy están ustedes entregados a la literatura...

—¡Hola, don Andrés!—dice Rafael.

—Estábamos buscando un libro de aquel escritor que hubo aquí que se llamaba Azorín—añade don Pascual.

—¿Azorín? ¿Azorín? —pregunta don Andrés, que no había oído hablar sino muy vagamente de este personaje—. Sí, sí, un escritor que vivió aquí hace muchos años. Sí, señor; sí, sí...

Y da tres o cuatro golpecitos más en el suelo con el bastón.

—¿Usted recuerda, don Andrés, qué libros son los que publicó este escritor? —pregunta don Pascual.

—¿Dice usted libros?—replica don Andrés—. Pero ese Azorín, ¿no fué autor dramático?

—No—contesta don Pascual—; yo aseguraría que fué novelista. Años atrás andaba por aquí un libro de él, que yo lo vi leer algunas veces a mi padre; pero debe de haberse perdido.

—Sí, sí—afirma don Andrés—; yo recuerdo haber visto aquí algunas veces ese libro. Su padre de usted decía que él había conocido a Azorín...

—Mi padre era de su misma edad—dice don Pascual—; él me decía que había hablado con él muchas veces en el jardín del Casino viejo.

—Pero ¿vivía aquí siempre?—pregunta Rafael.

—No—contesta don Pascual—; su familia sí vivía aquí; pero él pasaba largas temporadas en Madrid y solía venir al pueblo los veranos.

—Yo tengo idea—observa don Andrés—de que vivía en la calle de la Fuente, en la casa que hace esquina a la del Espejo.

—No, no—contesta don Pascual—; no, él vivía en la calle de los Huertos, en la casa que hoy es de don Leandro.

—No es eso lo que yo le oí a don Frutos, que le trató también mucho—replica don Andrés—. Don Frutos decía que él vivió en la calle de la Fuente, donde hoy vive don Bartolomé, el médico...

Don Fulgencio entra.

—¡Caramba! — exclama don Fulgencio—. Los veo a ustedes discutiendo terriblemente.

—¿Usted sabe, don Fulgencio, dónde vivió Azorín?—le pregunta don Pascual.

—¡Orden, orden!—exclama don Fulgencio, asegurándose las gafas sobre la nariz—. Ante todo, ¿se refieren ustedes a un escritor que hubo en este pueblo que se llamaba así?

—Sí, señor—contesta don Pascual—; estábamos aquí diciendo si este Azorín era novelista o autor dramático...

—¡Orden, orden!—torna a repetir don Fulgencio—. Conviene no confundir a este escritor que se firmaba así con otro que hubo años después y que escribió algunas obras para el teatro. Yo tengo entendido que Azorín estuvo en algunos periódicos de Madrid y que, además, publicó un libro de versos.

—¿Dice usted de versos?—pregunta Rafael, que ha escrito algunas poesías en un semanario de la provincia.

—Sí, señor, de versos—afirma con una profunda convicción don Fulgencio.

—Entonces, ¿ese libro de versos será el que andamos buscando aquí?

—Perdón — dice sonriendo don Pascual—. Yo respeto las opiniones de ustedes, pero creo que el libro que yo he visto años atrás era de prosa.

—No, señor, no—afirma con la misma convicción de antes don Fulgencio—. Ese libro es de versos; yo lo he tenido muchas veces en mis manos.

—Mire usted, don Fulgencio, que yo me acuerdo muy bien de lo que he visto—se atreve a decir don Pascual.

—¡Caramba!—exclama don Fulgencio, dolido de que se pongan en duda sus palabras—. ¡Si estaré yo seguro de que eran versos, cuando llegué a aprenderme algunos de memoria!

Si le aprietan un poco a don Fulgencio, este señor es capaz de hacer un esfuerzo y recitar una poesía de Azorín; pero don Pascual, que le respeta, no llega a ponerle en este trance. Don Pascual se contenta con volverse hacia don Andrés y preguntarle:

—¿Y usted qué opina? ¿Recuerda usted si era de versos o de prosa el libro de Azorín?

—¡Hombre! — exclama don Andrés, que no quiere disgustar a don Pascual ni ponerse mal con don Fulgencio, y que, en definitiva, no ha visto nunca la obra de Azorín—. ¡Hombre! Yo tengo un cierto recuerdo de que era prosa; pero al mismo tiempo recuerdo también haber oído recitar algo de Azorín, así como versos...

Rafael, durante esta breve discusión, ha continuado buscando el libro en los estantes.

—¿No lo encuentra usted?—le pregunta don Pascual.

—No—contesta Rafael—; pero me voy a llevar éste.

Y se guarda un libro en el bolsillo, para desquitarse de este modo de sus pesquisas infructuosas.

Un reloj suena las cuatro.

—¿Dónde vamos esta tarde?—dice don Fulgencio—. ¿A la Solana o al huerto del Herrador?

—Iremos al huerto y veremos cómo marchan los membrillos—contesta don Andrés.

Y todos salen.

1905.

CONFESION DE UN AUTOR

«LOS PUEBLOS»

¿Por qué un autor no ha de hablar de su libro? A mí—decía Montaigne—me gusta la vida de familia; a mí me place el comercio de los amigos; a mí me deleita el tráfago diario de la ciudad y de la casa; pero yo sería infeliz si no pudiera sustraerme a todo esto cuando yo quiero; es decir, si no tuviese «un lugar donde esconderme». Yo estoy sentado ante una mesa ancha, blanca, de pino; esta mesa está colocada junto a la pared, en una anchurosa estancia; la estancia se halla en el último piso de la casa y es tan grande como todo el edificio; las paredes son ásperas, grises, sin estucar; el piso es de yeso; el techo, en dos marcadas pendientes, aparece con sus vigas retorcidas, rojizas, llenas de nudos. Y hay junto a las paredes, en los rincones de esta espaciosa estancia, cajones vacíos, arcaces grandes, toscos; palmas secas de Ramos, un torno vetusto, una tablilla de contar la ropa, sacos de lana, maletas viejas—que en sus días caminaron por el mundo—, sillones desfondados, cojos; madejas de cuerda, cajas de cartón, braseros manchados de verde cardenillo, velones arcaicos—que fueron vencidos por el petróleo—, quinqués polvorientos—que han sido derrotados por la luz eléctrica—, marcos negruzcos de cuadros, vidrieras rotas... Yo estoy en las falsas de una vieja casa solariega; en la pequeña y clara ciudad levantina, ésta es la única casa que tiene un aire de vetustez, de nobleza; ésta es la única casa que muestra en su fachada unos balcones sencillos y elegantes de forja, con pomos de dorado cobre en sus esquinas. La mesa en que yo trabajo está junto a una ventana baja, apaisada, sin cristales; abajo, a derecha e izquierda, se extiende una calle recta, blanca, estrecha, de limpias casas bajas; enfrente se abre una callejuela corta, en pendiente; un carpintero golpea, en esta calle, con su mazo de cuando en cuando; una extensión parda, negruzca, de tejados de mil formas y alturas, se ofrece ante mi vista.

Yo tengo una profunda simpatía por los tejados. Yo amo los tejados viejos, los tejados silenciosos, los tejados impasibles, los tejados de las vetustas ciudades, los tejados que se muestran planos, anchos, soberbios, en los palacios y en las catedrales, o los tejados pequeñitos que parecen esconderse en un rincón, en la sombra, en la profundidad de dos esquinazos, o los tejados locos, audaces, que adoran las ventanas y que sobresalen para mirarlas en un anchuroso alero sostenido por ménsulas carcomidas, alabeadas. Yo tengo sobre la mesa, ante mí, las blancas cuartillas, y contemplo un instante, antes de ponerme a escribir, el panorama de las techumbres. A lo lejos, al final de los negros tejados, aparecen las cimas gráciles, ondulantes, cimbreantes, de dos, cuatro eucaliptos, que me atalayan atentas, curiosas, femeninas, por encima de las casas de la ciudad: son los eucaliptos de un jardín sombroso y fértil; después de ellos, más allá, en el fondo, ya aparecen las anchas y suaves laderas de una montaña; a trechos, por entre la verdura de los sembrados—si es en invierno—o de las viñas—si es en verano—, destacan, serpenteando, reptando hacia la altura, perdiéndose, reapareciendo, los senderos blancos; dos, tres casas refulgen nítidas; una línea de almendros retorcidos surge acá y allá, exornando los dorados ribazos. Y en lo alto, la roca ya pelada, limpia, de la montaña, se recorta con una silueta de altibajos suaves en un cielo diáfano, brillante, de añil intenso, luminoso.

Yo aparto mi vista, al fin, de estas

laderas, de estas cumbres radiantes, de esta bóveda azul, y me apresto a escribir. Son las ocho de la mañana; ésta es la hora en que la pequeña ciudad comienza a vivir. Ya han sonado allá abajo, en la iglesia, las primeras campanadas graves, profundas, de misa mayor; las herrerías ya están cantando; un gallo cacarea a lo lejos con un grito fino, metálico; el carpintero golpea de tarde en tarde con su mazo sonoro. Este es el momento en que todos los ruidos, en que todas las luces, todas las sombras, todos los matices, todas las cosas de la ciudad tornan a entrar, tras la tregua de la noche, en su armoniosa síntesis diaria. ¿No sentís vosotros esta concordancia secreta y poderosa de las cosas que nos rodean? ¿No veis en esta pequeña ciudad una vida tan intensa, tan bella, como la de las más grandes y tumultuosas urbes del mundo? Todo merece ser vivido en la vida; no hay nada que sea inexpresivo, que sea opaco, que sea vulgar a los ojos de un observador. Si vosotros afirmáis que este pueblo es gris y paseáis por él con aire de superioridad abrumadora, yo os diré que la vulgaridad y la monotonía no están en el pueblo, sino en vosotros. «La vida merece siempre ser vivida, y todo consiste en tener la sensibilidad correspondiente—dice William James en su maravilloso libro *Los ideales de la vida*—; muchos de nosotros, pertenecientes a las clases que a sí mismas se llaman cultas, nos hemos alejado demasiado de la Naturaleza. Nos hemos dedicado a buscar exclusivamente lo raro, lo escogido, lo exquisito, y desdeñar lo ordinario. Estamos llenos de concepciones abstractas y nos perdemos entre las frases y la palabrería; y así es que mientras cultivamos esas funciones más elevadas, la peculiar fuente de la alegría, que se halla en nuestras funciones más simples, muy a menudo se seca, de modo que quedamos ciegos e insensibles en presencia de los bienes más elementales y de las venturas más generales de la vida.» ¿Por qué tratáis vosotros, hombres superiores, con un desvío benévolo, compasivo, a don Pedro, a don Juan, a don Fernando, a don Rafael, a todos los que viven en estos pequeños pueblos? ¿Por qué escucháis sonriendo, con una sonrisa interior, mayestática, lo que os dicen doña Isabel, doña Juana, doña Margarita, doña Asunción y doña Amalia? Todo tiene su valor estético y psicológico; los conciertos diminutos de las cosas son tan interesantes para el psicólogo y para el artista como las grandes síntesis universales. Hay ya una nueva belleza, un nuevo arte en lo pequeño, en los detalles insignificantes, en lo ordinario, en lo prosaico; los tópicos abstractos y épicos que hasta ahora los poetas han llevado y traído ya no nos dicen nada; ya no se puede hablar con enfáticas generalidades del campo, de la Naturaleza, del amor, de los hombres; necesitamos hechos microscópicos que sean reveladores de la vida y que, ensamblados armónicamente, con simplicidad, con claridad, nos muestren la fuerza misteriosa del Universo, esta fuerza eterna, profunda, que se halla lo mismo en las populosas ciudades y en las asambleas donde se deciden los destinos de los pueblos, que en las ciudades oscuras y en las tertulias de un casino modesto, donde don Joaquín nos cuenta su prosaico paseo de esta tarde...

Pero las horas van pasando; el sol llena ya las calles del claro pueblo levantino; en la lejanía, los matices del campo van perdiendo, borrándose, bajo la cegadora luminaria. Ya los gallos han terminado, por hoy, sus canciones. Yo también, acaso, he terminado, como estos gallos amigos nuestros, mi tarea; las cuartillas están llenas de negros signos. Yo me levanto y voy paseando por el ancho sobrado, entre los muebles decrépitos, inútiles; estos muebles queridos que han visto nuestra infancia, nuestra adolescencia. Muchas páginas de las que yo he escrito en esta estancia, el lector las conoce; son las que yo más quiero; se titulan *La fiesta, El buen juez, Sarrió, Los toros, Epílogo en 1960*... Yo he tratado de que sean claras, sencillas y, sobre todo, que, lejos de dar toda la medida de una voluntad libre, desenfrenada, desconocedora de sí misma, *romántica*, muestren un poder contenido, reprimido, *clásico*. Yo he querido también poner en ellas—y con esto termino—un poco de simpatía, un poco de emoción, algo como un afecto en que hubiera a la vez sensualidad e idealidad hacia estas lindas muchachas—Lolita, Juana o Carmen—, hacia estas muchachas de las cuales el amado maestro Montaigne, ya viejo, decía dolorosamente, hablando de sí mismo, que sólo ellas podrían dar la alegría «a este pobre hombre que marcha rápidamente hacia su ruina: *à ce pauvre homme qui s'en va le grand train vers sa ruyne*...».

(Esta confesión se recoge en libro por primera vez. Fué publicada en el periódico *España* el 6 de febrero de 1905.)

Al gran hidalgo don Silverio, residente en la noble, vieja, desmoronada y muy gloriosa villa del Toboso; poeta; autor de un soneto a Dulcinea; autor también de una sátira terrible contra los frailes; propietario de una colmena con una ventanita por la que se ve trabajar a las abejas.

AZORÍN.

I

LA PARTIDA

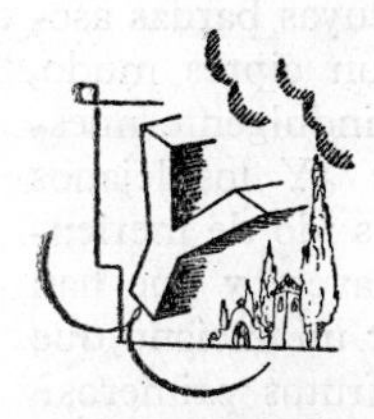

Yo me acerco a la puerta y grito:

—¡Doña Isabel! ¡Doña Isabel!

Luego vuelvo a entrar en la estancia y me siento con un gesto de cansancio, de tristeza y de resignación. La vida ¿es una repetición monótona, inexorable, de las mismas cosas con distintas apariencias? Yo estoy en mi cuarto; el cuarto es diminuto; tiene tres o cuatro pasos en cuadro; hay en él una mesa pequeña, un lavabo, una cómoda, una cama. Yo estoy sentado junto a un ancho balcón que da a un patio; el patio es blanco, limpio, silencioso. Y una luz suave, sedante, cae a través de unos tenues visillos y baña las blancas cuartillas que destacan sobre la mesa.

Yo vuelvo a acercarme a la puerta y torno a gritar:

—¡Doña Isabel! ¡Doña Isabel!

Y después me siento otra vez con el mismo gesto de cansancio, de tristeza y de resignación. Las cuartillas esperan inmaculadas los trazos de la pluma; en medio de la estancia, abierta, destaca una maleta. ¿Dónde iré yo, una vez más, como siempre, sin remedio ninguno, con mi maleta y mis cuartillas? Y oigo en el largo corredor unos pasos lentos, suaves. Y en la puerta aparece una anciana vestida de negro, limpia, pálida.

—Buenos días, Azorín.

—Buenos días, doña Isabel.

Y nos quedamos un momento en silencio. Yo no pienso en nada; yo tengo una profunda melancolía. La anciana mira inmóvil, desde la puerta, la maleta que aparece en el centro del cuarto.

—¿Se marcha usted, Azorín?

Yo le contesto:

—Me marcho, doña Isabel.

Ella replica:

—¿Dónde se va usted, Azorín?

Yo le contesto:

—No lo sé, doña Isabel.

Y transcurre otro breve momento de un silencio denso, profundo. Y la anciana, que ha permanecido con la cabeza un poco baja, la mueve con un ligero movimiento, como quien acaba de comprender, y dice:

—¿Se irá usted a los *pueblos*, Azorín?

—Sí, sí, doña Isabel—le digo yo—; no tengo más remedio que marcharme a los *pueblos*.

Los *pueblos* son las ciudades y las pequeñas villas de la Mancha y de las estepas castellanas que yo amo; doña Isabel ya me conoce; sus miradas han ido a posarse en los libros y cuartillas que están sobre la mesa. Luego me ha dicho:

—Yo creo, Azorín, que esos libros y esos papeles que usted escribe le están a usted matando. Muchas veces—añade sonriendo—he tenido la tentación de quemarlos todos durante alguno de sus viajes.

Yo he sonreído también.

—¡Jesús, doña Isabel!—he exclamado, fingiendo un espanto cómico—. ¡Usted no quiere creer que yo tengo que realizar una misión sobre la tierra!

—¡Todo sea por Dios!—ha replicado ella, que no comprende nada de esta misión.

Y yo, entristecido, resignado con esta inquieta pluma que he de mover perdurablemente y con estas cuartillas que he de llenar hasta el fin de mis días, he contestado:

—Sí, todo sea por Dios, doña Isabel.

Después, ella junta sus manos con un ademán doloroso, arquea las cejas y suspira:

—¡Ay Señor!

Y ya este suspiro, que yo he oído tantas veces, tantas veces en los viejos pueblos, en los caserones vetustos, a estas buenas ancianas vestidas de negro; ya este suspiro me trae una visión neta y profunda de la España castiza. ¿Qué recuerda doña Isabel con este suspiro? ¿Recuerda los días de su infancia y de su adolescencia, pasados en alguno de estos pueblos muertos, sombríos? ¿Recuerda las callejuelas estrechas, serpenteantes, desiertas, silenciosas? ¿Y las plazas anchas, con soportales ruinosos, por las que de tarde en tarde discurre un perro o un vendedor se para y lanza un grito en el silencio? ¿Y las fuentes viejas, las fuentes de granito, las fuentes con un blasón enorme, con grandes letras, en que se lee el nombre de Carlos V o Carlos III? ¿Y las iglesias góticas, doradas, rojizas, con estas capillas de las Angustias, de los Dolores o del Santo Entierro, en que tanto nuestras madres han rezado y han suspirado? ¿Y las tiendecillas hondas, lóbregas, de merceros, de cereros, de talabarteros, de pañeros, con las mantas de vivos colores que flamean al aire? ¿Y los carpinteros—estos buenos amigos nuestros—, con sus mazos, que golpean sonoros? ¿Y las herrerías—las queridas herrerías—, que llenan desde el alba al ocaso la pequeña y silenciosa ciudad con sus sones joviales y claros? ¿Y los huertos y cortinales que se extienden a la salida del pueblo, y por cuyas bardas asoma un oscuro laurel o un ciprés mudo, centenario, que ha visto indulgente nuestras travesuras de niño? ¿Y los lejanos majuelos, a los que hemos ido de merienda en las tardes de primavera y que han sido plantados, acaso, por un anciano que tal vez no ha visto sus frutos primeros? ¿Y las vetustas alamedas de olmos, de álamos, de plátanos, por las que hemos paseado en nuestra adolescencia en compañía de Lolita, de Juana, de Carmencita o de Rosarito? ¿Y los cacareos de los gallos que cantaban en las mañanas radiantes y templadas del otoño? ¿Y las campanadas lentas, sonoras, largas, del vetusto reloj que oíamos desde las anchas chimeneas en las noches de invierno?

Yo le digo al cabo a doña Isabel:

—Doña Isabel, es preciso partir.

Ella contesta:

—Sí, sí, Azorín; si es necesario, vaya usted.

Después, yo me quedo solo con mis cuartillas, sentado ante la mesa, junto al ancho balcón por el que veo el patio silencioso, blanco. ¿Es displicencia? ¿Es tedio? ¿Es deseo de algo mejor que no sé lo que es, lo que yo siento? ¿No acabará nunca para nosotros, modestos periodistas, este sucederse perdurable de cosas y de cosas? ¿No volveremos a oír nosotros, con la misma sencillez de los primeros años, con la misma alegría, con el mismo sosiego, sin que el ansia enturbie nuestras emociones, sin que el recuerdo de la lucha nos amargue, estos cacareos de los gallos amigos, estos sones de las herrerías alegres, estas campanadas del reloj venerable que entonces escuchábamos? ¿Nuestra vida no es como la del buen caballero errante que nació en uno de estos pueblos manchegos? Tal vez nuestro vivir, como el de don Alonso Quijano el Bueno, es un combate inacabable, sin premio, por ideales que no veremos realizados... Yo amo esa gran figura dolorosa que es nuestro símbolo y nuestro espejo. Yo voy—con mi maleta de cartón y mi capa—a recorrer brevemente los lugares que él recorriera.

Lector: Perdóname; mi voluntad es serte grato; he escrito ya mucho en mi vida; veo con tristeza que todavía he de escribir otro tanto. Lector: Perdóname; yo soy un pobre hombre que, en los ratos de vanidad, quiere aparentar que sabe algo, pero que en realidad no sabe nada.

II

EN MARCHA

Estoy sentado en una vieja y amable casa, que se llama fonda de la Xantipa; acabo de llegar—¡descubríos!—al pueblo ilustre de Argamasilla de Alba. En la puerta de mi modesto mechinal, allá en Madrid, han resonado esta mañana unos discretos golpecitos; me he levantado súbitamente; he abierto el balcón; aún el cielo estaba negro y las estrellas titilaban sobre la ciudad dormida. Yo me he vestido. Yo he bajado a la calle; un coche pasaba con un ruido lento, rítmico, sonoro. Esta es la hora en que las grandes urbes modernas nos muestran todo lo que tienen de extrañas, de anormales, tal vez de antihumanas. Las calles aparecen desiertas, mudas; parece que durante un momento, después de la agitación del trasnocheo, después de los afanes del día, las casas recogen su espíritu sobre sí mismas, y nos muestran en esta fugaz pausa, antes de que llegue otra vez el inminente tráfago diario, toda la frialdad, la impasibilidad de sus fachadas altas, simétricas, de sus hileras de balcones cerrados, de sus esquinazos y sus ángulos que destacan en un cielo que comienza, poco a poco, imperceptiblemente, a clarear en la alto...

El coche que me lleva corre rápidamente hacia la lejana estación. Ya en el horizonte comienza a surgir un resplandor mate, opaco; las torrecillas metálicas de los cables surgen rígidas; la chimenea de una fábrica deja escapar un humo denso, negro, que va poniendo una tupida gasa ante la claridad que nace por Oriente. Yo llego a la estación. ¿No sentís vosotros una simpatía profunda por las estaciones? Las estaciones, en las grandes ciudades, son lo que primero despierta, todas las mañanas, a la vida inexorable y cotidiana. Y son primero los faroles de los mozos que pasan, cruzan, giran, tornan, marchan, de un lado para otro, a ras del suelo, misteriosos, diligentes, sigilosos. Y son luego las carretillas y diablas que comienzan a chirriar y gritar. Y después el estrépito sordo, lejano, de los coches que avanzan. Y luego la ola humana que va entrando por las anchas puertas, y se desparrama, acá y allá, por la inmensa nave. Los redondos focos eléctricos, que han parpadeado toda la noche, acaban de ser apagados; suenan los silbatos agudos de las locomotoras; en el horizonte surgen los resplandores rojizos, nacarados, violetas, áureos, de la aurora. Yo he contemplado este ir y venir, este trajín ruidoso, este despertar de la energía humana. El momento de sacar nuestro billete correspondiente es llegado ya. ¿Cómo he hecho yo una sólida, una sincera amistad—podéis creerlo—con este hombre sencillo, discreto y afable, que está a par de mí, junto a la ventanilla?

—¿Va usted—le he preguntado yo—a Argamasilla de Alba?

—Sí—me ha contestado—; yo voy a Cinco Casas.

Yo me he quedado un poco estupefacto. Si este hombre sencillo e ingenuo—he pensado—va a Cinco Casas, ¿cómo puede ir a Argamasilla? Y luego, en voz alta, he dicho cortésmente:

—Permítame usted: ¿cómo es posible ir a Argamasilla y a Cinco Casas?

El se ha quedado mirándome un momento en silencio; indudablemente yo era un hombre colocado fuera de la realidad. Y al fin ha dicho:

—Argamasilla es Cinco Casas; pero todos le llamamos Cinco Casas...

Todos, ha dicho mi nuevo amigo. ¿Habéis oído bien? ¿Quiénes son *todos*? Vosotros sois ministros; ocupáis los Gobiernos civiles de las provincias; estáis al frente de los grandes organismos burocráticos; redactáis los periódicos; escribís libros; pronunciáis discursos; pintáis cuadros; hacéis estatuas..., y un día os metéis en el tren, os sentáis en los duros bancos de un coche de tercera y descubrís—profundamente sorprendidos—que *todos* no sois vosotros (que no sabéis que Cinco Casas da lo mismo que Argamasilla), sino que *todos* es Juan, Ricardo, Pedro, Roque, Alberto, Luis, Antonio, Rafael, Tomás; es decir, el pequeño labriego, el carpintero, el herrero, el comerciante, el industrial, el artesano. Y ese día—no lo olvidéis—habéis aprendido una enorme, una eterna verdad.

Pero el tren va a partir ya en este momento; el coche está atestado. Yo veo una mujer que solloza y unos niños que lloran (porque van a embarcarse en un puerto mediterráneo para América); veo unos estudiantes que, en el departamento de al lado, cantan y gritan; veo en un rincón, acurrucado, junto a mí, un hombre diminuto y misterioso, embozado en una capita raída, con unos ojos que brillan—como en ciertas figuras de Goya—por debajo de las anchas y sombrosas alas de su chapeo. Mi nuevo amigo es más comunicativo que yo; pronto entre él y el pequeño viajero enigmático se entabla un vivo diálogo. Y lo primero que yo descubro es que este hombre hermético tiene frío; en cambio, mi compañero no lo tiene. ¿Comprendéis los antagonismos de la vida? El viajero embozado es andaluz; mi flamante amigo es castizo manchego.

—Yo—dice el andaluz—no he encontrado en Madrid el calor.

—Yo—replica el manchego—no he sentido el frío.

He aquí—pensáis vosotros, si sois un poco dados a las especulaciones filosóficas—; he aquí explicadas la diversidad y la oposición de todas las éticas, de todos los derechos, de todas las estéticas que hay sobre el planeta. Y luego os ponéis a mirar el paisaje; ya es día claro; ya una luz clara, limpia, diáfana, llena la inmensa llanura amarillenta; la campiña se extiende a lo lejos en suaves ondulaciones de terreros y oteros. De cuando en cuando se divisan las paredes blancas, refulgentes, de una casa; se ven perderse a lo lejos, rectos, inacabables, los caminos. Y una cruz tosca de piedra tal vez nos recuerda, en esta llanura solitaria, monótona, yerma, desesperante, el sitio de una muerte, de una tragedia. Y lentamente el tren arranca con un estrépito de hierros viejos. Y las estaciones van pasando, pasando; todo el paisaje que ahora vemos es igual que el paisaje pasado; todo el paisaje pasado es el mismo que el que contemplaremos dentro de un par de horas. Se perfilan en la lejanía radiante las lomas azules; acaso se columbra el chapitel negro de un campanario; una picaza revuela sobre los surcos rojizos o amarillentos; van lentas, lentas, lentas, por el llano inmenso, las yuntas que arrastran el arado. Y de pronto surge en la línea del horizonte un molino que mueve locamente sus cuatro aspas. Y luego pasamos por Alcázar; otros molinos vetustos, épicos, giran y giran. Ya va entrando la tarde; el cansancio ha ganado ya vuestros miembros. Pero una voz acaba de gritar:

—¡Argamasilla, dos minutos!

Una sacudida nerviosa nos conmueve. Hemos llegado al término de nuestro viaje. Yo contemplo en la estación una enorme diligencia—una de estas diligencias que encantan a los viajeros franceses—; junto a ella hay un coche, un coche venerable, un coche simpático, uno de estos coches de pueblo en que todos—indudablemente—hemos paseado siendo niños. Yo pregunto a un mozuelo que a quién pertenece este coche.

—Este coche—me dice él—es de la Pacheca.

Una dama fina, elegante, majestuosa, enlutada, sale de la estación y sube en este coche. Ya estamos en pleno ensueño. ¿No os ha desatado la fantasía la figura esbelta y silenciosa de esta dama, tan española, tan castiza, a quien tan española y castizamente se le acaba de llamar la Pacheca?

Ya vuestra imaginación corre desvariada. Y cuando tras largo caminar en la diligencia por la llanura entráis en la villa ilustre; cuando os habéis aposentado en esta vieja y amable fonda de la Xantipa; cuando, ya cerca de la noche, habéis trazado rápidamente unas cuartillas, os levantáis de ante la mesa sintiendo un feroz apetito, y decís a estas buenas mujeres que andan por estancias y pasillos:

—Señoras mías, escuchadme un momento. Yo les agradecería a vuesas mercedes un poco de salpicón, un poco de duelos y quebrantos, algo acaso de alguna olla modesta en que haya «más vaca que carnero».

III

PSICOLOGIA DE ARGAMASILLA

Penetremos en la sencilla estancia; acércate, lector; que la emoción no sacuda tus nervios; que tus pies no tropiecen con el astrágalo del umbral; que tus manos no dejen caer el bastón en que se apoyan; que tus ojos, bien abiertos, bien vigilantes, bien escudriñadores, recojan y envíen al cerebro todos los detalles, todos los matices, todos los más insignificantes gestos y los movimientos más ligeros. Don Alonso Quijano el Bueno está sentado ante una recia y oscura mesa de nogal; sus codos puntiagudos, huesudos, se apoyan con energía sobre el duro tablero; sus miradas ávidas se clavan en los blancos folios, llenos de letras pequeñitas, de un inmenso volumen. Y de cuando en cuando el busto amojamado de don Alonso se yergue; suspira hondamente el caballero; se remueve nervioso y afanoso en el ancho asiento. Y sus miradas, de las blancas hojas del libro pasan súbitas y llameantes a la vieja y mohosa espada que pende en la pared. Estamos, lector, en Argamasilla de Alba y en 1570, en 1572 ó en 1575. ¿Cómo es esta ciudad hoy ilustre en la historia literaria española? ¿Quién habita en sus casas? ¿Cómo se llaman estos nobles hidalgos que arrastran sus tizonas por sus calles claras y largas? ¿Y por qué este buen don Alonso, que ahora hemos visto suspirando de anhelos inefables sobre sus libros malhadados, ha venido a este trance? ¿Qué hay en el ambiente de este pueblo que haya hecho posible el nacimiento y desarrollo, precisamente aquí, de esta extraña, amada y dolorosa figura? ¿De qué suerte Argamasilla de Alba, y no otra cualquier villa manchega, ha podido ser la cuna del más ilustre, del más grande de los caballeros andantes?

Todas las cosas son fatales, lógicas, necesarias; todas las cosas tienen su razón poderosa y profunda. Don Quijote de la Mancha había de ser forzosamente de Argamasilla de Alba. Oídlo bien; no lo olvidéis jamás: el pueblo entero de Argamasilla es lo que se llama un pueblo andante. Y yo os lo voy a explicar. ¿Cuándo vivió don Alonso? ¿No fué por estos mismos años que hemos expresado anteriormente? Cervantes escribía con lentitud; su imaginación era tarda en elaborar; salió a luz la obra en 1605; mas ya entonces el buen caballero retratado en sus páginas había fenecido, y ya, desde luego, hemos de suponer que el autor debió de comenzar a planear su libro después de acontecer esta muerte deplorable; es decir, que podemos sin temor afirmar que don Alonso vivió a mediados del siglo XVI, acaso en 1560, tal vez en 1570, es posible que en 1575. Y bien: precisamente en este mismo año nuestro rey don Felipe II requería de los vecinos de Argamasilla una información puntual, minuciosa, exacta, de la villa y sus aledaños. ¿Cómo desobedecer a este monarca? No era posible. «Yo—dice el escribano público del pueblo, Juan Martínez de Patiño—he notificado el deseo del rey a los alcaldes ordinarios y a los señores regidores.» Los alcaldes se llaman: Cristóbal de Mercadillo y Francisco García de Tembleque; los regidores llevan por nombre Andrés de Peroalonso y Alonso de la Osa. Y todos estos señores, alcaldes y regidores, se reúnen, conferencian, tornan a conferenciar, y a la postre nombran a personas calificadas de la villa para que redacten el informe pedido. Estas personas son Francisco López de Toledo, Luis de Córdoba el Viejo, Andrés de Anaya. Yo quiero que os vayáis ya fijando en todas estas idas y venidas, en todos estos cabildeos, en toda esta inquietud administrativa que ya comienza a mostrarnos la psicología de Argamasilla. La comisión que ha de redactar el suspirado dictamen está nombrada ya; falta, sin embargo, el que a sus individuos se les notifique el nombramiento. El escribano señor Martínez de Patiño se pone su sombrero, coge sus papeles y se marcha a visitar a los señores nombrados; el señor López de Toledo y el señor Anaya dan su conformidad, tal vez después de algunas tenues excusas; mas el don Luis de Córdoba el Viejo, hombre un poco escéptico, hombre que ha visto muchas cosas, «persona antigua»—dicen los informantes—, recibe con suma cortesía al escribano, sonríe, hace una leve pausa, y después, mirando al señor de Patiño con una ligera mirada irónica, declara que él no puede aceptar el nombramiento, puesto que él, don Luis de Córdoba el Viejo, goza de una salud escasa, padece de ciertos lamentables achaques, y, además, a causa de ellos y como razón suprema, «no puede estar sentado un cuarto de hora». ¿Cómo un hombre así podía pertenecer al seno de una comisión? ¿Cómo podía permanecer don Luis de Córdoba el Viejo una hora, dos horas, tres horas, pegado a su asiento, oyendo informar o discutiendo datos y cifras? No es posible; el escribano Martínez de Patiño se retira un poco mohino; don Luis de Córdoba el Viejo torna a sonreír al despedirle; los alcaldes nombran, en su lugar, a Diego de Oropesa...

Y la comisión, ya sin más trámites, ya sin más dilaciones, comienza a funcionar. Y por su informe—todavía inédito entre las *Relaciones topográficas*, ordenadas por Felipe II—conocemos Argamasilla de Alba en tiempos de Don Quijote. Y, ante todo, ¿quién la ha fundado? La fundó don Diego de Toledo, prior de San Juan; el paraje en que se estableciera el pueblo se llamaba Argamasilla; el fundador era de la casa de Alba. Y de ahí el nombre de Argamasilla de Alba.

Pero el pueblo—y aquí entramos en otra etapa de su psicología—, el pueblo primitivamente se hallaba establecido en el lugar llamado la Moraleja; ocurría esto en 1555. Mas una epidemia sobreviene; la población se dispersa; reina un momento de pavor y de incertidumbre, y, como en un tropel, los moradores corren hacia el cerro llamado de Boñigal, y allí van formando nuevamente el poblado. Otra vez, al cabo de pocos años, cae sobre el flamante caserío otra epidemia, y de nuevo, atemorizados, enardecidos, exasperados, los habitantes huyen, corren, se dispersan y se van reuniendo, al fin, en el paraje que lleva el nombre de Argamasilla, y aquí fundan otra ciudad, que es la que ha llegado hasta nuestros días y es en la que ha nacido el gran manchego. ¿Veis ya cómo se ha creado en pocos años, desde 1555 a 1575, la mentalidad de una nueva generación, entre la que estará don Alonso Quijano? Veis cómo el pánico, la inquietud nerviosa, la exasperación, las angustias que han padecido las madres de estos nuevos hombres, se han comunicado a ellos y han formado en la nueva ciudad un ambiente de hiperestesia sensitiva, de desasosiego, de anhelo perdurable por algo desconocido y lejano? ¿Acabáis de aprender cómo Argamasilla entero es un pueblo andante, y cómo aquí había de nacer el mayor de los caballeros andantes? Añadid ahora que, además de esta epidemia de que hemos hablado, caen también sobre el pueblo plagas de langostas que arrasan las cosechas y suman nuevas incertidumbres y nuevos dolores a los que ya se experimentan. Y como si todo esto fuera poco para determinar y crear una psicología especialísima, tened en cuenta que el nuevo pueblo, por su situación, por su topografía, ha de favorecer este estado extraordinario, único, de morbosidad y exasperación. «Este—dicen los vecinos informantes—es pueblo enfermo, porque cerca de esta villa se suele derramar la madre del río de Guadiana, y porque pasa por esta villa y hace remanso el agua, y de causa del dicho remanso y detenimiento del agua salen muchos vapores que acuden al pueblo con el aire.» Y ya no necesitamos más para que nuestra visión quede completa; mas si aún continuamos escudriñando en el informe, aún recogeremos en él pormenores, detalles, hechos, al parecer insignificantes, que vendrán a ser la contraprueba de lo que acabamos de exponer.

Argamasilla es un pueblo enfermizo, fundado por una generación presa de una hiperestesia nerviosa. ¿Quiénes son los sucesores de esta generación? ¿Qué es lo que hacen? Los informes citados nos dan una relación de las personas más notables que viven en la villa; son éstos: don Rodrigo Pacheco, dos hijos de don Pedro Prieto de Bárcena, el señor Rubián, los sobrinos de Pacheco, los hermanos Baldolivias, el señor Cepeda y don Gonzalo Patiño. Y de todos éstos, los informantes nos advierten, al pasar, que los hijos de don Pedro Prieto de Bárcena han pleiteado a favor de su ejecutoria de hidalguía; que el señor Cepeda también pleitea; que el señor Rubián litiga asimismo con la villa; que los hermanos Baldolivias no se escapan tampoco de mantener sus contiendas, y que, finalmente, los sobrinos de Pacheco se hallan puestos en el libro de los pecheros, sin duda, porque, a pesar de todas las sutilezas y supercherías, «no han podido probar su filiación...»

Esta es la villa de Argamasilla de Alba, hoy insigne entre todas las de la Mancha. ¿No es natural que todas estas causas y concausas de locura, de exasperación, que flotan en el ambiente, hayan convergido en un momento supremo de la Historia y hayan creado la figura de este sin par hidalgo, que ahora en este punto nosotros, acercándonos con cautela, vemos leyendo de rato en rato y lanzando súbitas y relampagueantes miradas hacia la vieja espada llena de herrumbre?

IV

EL AMBIENTE DE ARGAMASILLA

¿Cuánto tiempo hace que estoy en Argamasilla de Alba? ¿Dos, tres, cuatro, seis años? He perdido la noción del tiempo y la del espacio; ya no se me ocurre nada ni sé escribir. Por la mañana, apenas comienza a clarear, una bandada de gorriones salta, corre, va, viene, trina, chillando furiosamente en el ancho corral; un gallo, junto a la ventanita de mi estancia, canta con metálicos cacareos. Yo he de levantarme. Ya fuera, en la cocina, se oye el ruido de las tenazas que caen sobre la losa, y el rastrear de las trébedes, y la crepitación de los sarmientos que principian a arder. La casa comienza su vida cotidiana: la Xantipa marcha de un lado para otro apoyada en su pequeño bastón; Mercedes sacude los muebles; Gabriel va a coger sus tijeras pesadas de alfayate, y con ellas se dispone a cortar los recios paños. Yo abro la ventana; la ventanita no tiene cristales, sino un bastidor de lienzo blanco; a través de este lienzo entra una claridad mate en el cuarto. El cuarto es grande, alargado; hay en él una cama, cuatro sillas y una mesa de pino; las paredes aparecen blanqueadas con cal, y tienen un ancho zócalo ceniciento; el piso está cubierto por una recia estera de esparto blanco. Yo salgo a la cocina; la cocina está enfrente de mi cuarto, y es de ancha campana; en una de las paredes laterales cuelgan los cazos, las sartenes, las cazuelas; las llamas de la fogata ascienden en el hogar y lamen la piedra trashoguera.

—Buenos días, señora Xantipa; buenos días, Mercedes.

Y me siento a la lumbre; el gallo—mi amigo—continúa cantando; un gato—amigo mío también—se acaricia en mis pantalones. Ya las campanas de la iglesia suenan a la misa mayor; el día está claro, radiante; es preciso salir a hacer lo que todo buen español hace desde siglos y siglos: tomar el sol. Desde la cocina de esta casa se pasa a un patizuelo empedrado con pequeños cantos; la mitad de este patio está cubierto por una galería; la otra mitad se encuentra libre. Y de aquí, continuando en nuestra marcha, encontramos un zaguán diminuto; luego, una puerta; después, otro zaguán; al fin, la salida a la calle. El piso está en altos y bajos, desnivelado, sin pavimentar; las paredes todas son blancas, con zócalos grises o azules. Y hay en toda la casa—en las puertas, en los techos, en los rincones—este aire de vetustez, de inmovilidad, de reposo profundo, de resignación secular—tan castizos, tan españoles—, que se perciben en todas las casas manchegas, y que tanto contrasta con la veleidad, la movilidad y el estruendo de las mansiones levantinas.

Y luego, cuando salimos a la calle, vemos que las anchas y luminosas vías están en perfecta concordancia con los interiores. No son éstos los pueblecillos moriscos de Levante, todo recogidos, todo íntimos; son los poblados anchurosos, libres, espaciados, de la vieja gente castellana. Aquí cada imaginación parece que ha de marchar por su camino, independiente, opuesta a toda traba y ligamen; no hay un ambiente que una a todos los espíritus como en un haz invisible; las calles son de una espaciosidad extraordinaria; las casas son bajas y largas; de trecho en trecho, un inconmensurable portalón de un patio rompe, de pronto, lo que pudiéramos llamar la solidaridad espiritual de las casas; allá, al final de la calle, la llanura se columbra inmensa, infinita, y encima de nosotros, a toda hora limpia, como atrayendo todos nuestros anhelos, se abre también inmensa, infinita, la bóveda radiante. ¿No es éste el medio en que han nacido y se han desarrollado las grandes voluntades, fuertes, poderosas, tremendas, pero solitarias, anárquicas, de aventureros, navegantes, conquistadores? ¿Cabrá aquí, en estos pueblos, el concierto íntimo, tácito, de voluntades y de inteligencias, que hace la prosperidad sólida y duradera de una nación? Yo voy recorriendo las calles de este pueblo. Yo contemplo las casas bajas, anchas y blancas. De tarde en tarde, por las anchas vías cruza un labriego. No hay ni ajetreos, ni movimientos, ni estrépitos. Argamasilla, en 1575, contaba con 700 vecinos; en 1905 cuenta con 850. Argamasilla, en 1575, tenía 600 casas; en 1905 tiene 711. En tres siglos es bien poco lo que se ha adelantado. «Desde 1900 hasta la fecha—me dicen—no se han construído más allá de ocho casas.» Todo está en profundo reposo. El sol reverbera en las blancas paredes; las puertas están cerradas; las ventanas están cerradas. Pasa de rato en rato, ligero, indolente, un galgo negro, o un galgo gris, o un galgo rojo. Y la llanura, en la lejanía, allá dentro, en la línea remota del horizonte, se confunde imperceptible con la inmensa planicie azul del cielo. Y el viejo reloj lanza despacio, grave, de hora en hora, sus campanadas. ¿Qué hacen en estos momentos don Juan, don Pedro, don Francisco, don Luis, don Antonio, don Alejandro?

Estas campanadas que el reloj acaba de lanzar marcan el mediodía. Yo regreso a la casa.

—¿Qué tal? ¿Cómo van esos duelos y quebrantos, señora Xantipa?—pregunto yo.

La mesa está ya puesta; Gabriel ha dejado por un instante en reposo sus pesadas tijeras; Mercedes coloca sobre el blanco mantel una fuente humeante. Y yo yanto prosaicamente—como todos hacen—de esta sopa rojiza, azafranada. Y luego de otros varios manjares, todos sencillos, todos modernos. Y después de comer hay que ir un momento al casino. El casino está en la misma plaza; traspasáis los umbrales de un vetusto caserón; ascendéis por una escalerilla empinada; torcéis después a la derecha y entráis al cabo en un salón ancho, con las paredes pintadas de azul claro y el piso de madera. En este ancho salón hay cuatro o seis personas, silenciosas, inmóviles, sentadas en torno de una estufa.

—¿No le habían hecho a usted ofrecimientos de comprarle el vino a seis reales? —pregunta don Juan tras una larga pausa.

—No—dice don Antonio—; hasta ahora a mí no me han dicho palabra.

Pasan seis, ocho, diez minutos en silencio.

—¿Se marcha usted esta tarde al campo?—le dice don Tomás a don Luis.

—Sí—contesta don Luis—, quiero estar allí hasta el sábado próximo.

Fuera, la plaza está solitaria, desierta; se oye un grito lejano; un viento ligero lleva unas nubes blancas por el cielo. Y salimos de este casino; otra vez nos encaminamos por las anchas calles; en los aledaños del pueblo, sobre las techumbres bajas y pardas, destaca el ramaje negro, desnudo, de los olmos que bordean el río. Los minutos transcurren lentos; pasa ligero, indolente, el galgo gris, o el galgo negro, o el galgo rojo. ¿Qué vamos a hacer durante todas las horas eternas de esta tarde? Las puertas están cerradas; las ventanas están cerradas. Y de nuevo el llano se ofrece a nuestros ojos, inmenso, desmantelado, infinito, en la lejanía.

Cuando llega el crepúsculo suenan las campanadas graves y las agudas del Ave María; el cielo se ensombrece; brillan de trecho en trecho unas mortecinas lamparillas eléctricas. Esta es la hora en que se oyen en la plaza unos gritos de muchachos que juegan; yuntas de mulas salen de los anchos corrales y son llevadas junto al río; se esparce por el aire un vago olor de sarmientos quemados. Y de nuevo, después de esta rápida tregua, comienza el silencio más profundo, más denso, que ha de pesar durante la noche sobre el pueblo.

Yo vuelvo a casa.

—¿Qué tal, señora Xantipa? ¿Cómo

van esos duelos y quebrantos? ¿Cómo está el salpicón?

Yo ceno junto al fuego en una mesilla baja de pino; mi amigo el gallo está ya reposando; el gato—mi otro amigo—se acaricia ronroneando en mis pantalones.

—¡Ay Jesús!—exclama la Xantipa.

Gabriel calla; Mercedes calla; las llamas de la fogata se agitan y bailan en silencio. He acabado ya de cenar; será necesario el volver al casino. Cuatro, seis, ocho personas están sentadas en torno de la estufa.

—¿Cree usted que el vino este año se venderá mejor que el año pasado?—pregunta don Luis.

—Yo no sé—contesta don Rafael—; es posible que no.

Transcurren seis, ocho, diez minutos en silencio.

—Si continúa este tiempo frío—dice don Tomás—, se van a helar las viñas.

—Eso es lo que yo temo—replica don Francisco.

El reloj lanza nueve campanadas sonoras. ¿Son realmente las nueve? ¿No son las once, las doce? ¿No marcha en una lentitud estupenda este reloj? Las lamparillas del salón alumbran débilmente el ancho ámbito; las figuras permanecen inmóviles, silenciosas, en la penumbra. Hay algo en estos ambientes de los casinos de pueblo, a estas horas primeras de la noche, que os produce como una sensación de sopor y de irrealidad. En el pueblo está todo en reposo; las calles se hallan oscuras, desiertas; las casas han cesado de irradiar su tenue vitalidad diurna. Y parece que todo este silencio, que todo este reposo, que toda esta estaticidad formidable, se concentra, en estos momentos, en el salón del casino y pesa sobre las figuras fantásticas, quiméricas, que vienen y se tornan a marchar lentas y mudas.

Yo salgo a la calle; las estrellas parpadean, en lo alto, misteriosas; se oye el aullido largo de un perro; un mozo canta una canción que semeja un alarido y una súplica... Decidme: ¿no es éste el medio en que florecen las voluntades solitarias, libres, llenas de ideal—como la de Alonso Quijano el Bueno—, pero ensimismadas, soñadoras, incapaces, en definitiva, de concentrarse en los prosaicos, vulgares, pacientes pactos que la marcha de los pueblos exige?

V

LOS ACADEMICOS DE ARGAMASILLA

"... Con tutta quella gente che si lava in Guadiana..."

ARIOSTO: *Orlando Furioso,* canto XIV.

Yo no he conocido jamás hombres más discretos, más amables, más sencillos, que estos buenos hidalgos don Cándido, don Luis, don Francisco, don Juan Alfonso y don Carlos. Cervantes, al final de la primera parte de su libro, habla de los académicos de Argamasilla; don Cándido, don Luis, don Francisco, don Juan Alfonso y don Carlos pueden ser considerados como los actuales académicos de Argamasilla. Son las diez de la mañana; yo me voy a casa de don Cándido. Don Cándido es clérigo; don Cándido tiene una casa amplia, clara, nueva y limpia; en el centro hay un patio con un zócalo de relucientes azulejos; todo en torno corre una galería. Y cuando he subido por unas escaleras fregadas y refregadas por la aljofifa, yo entro en el comedor.

—Buenos días, don Cándido.

—Buenos los dé Dios, señor Azorín.

Cuatro balcones dejan entrar raudales de sol tibio, esplendente, confortador; en las paredes cuelgan copias de cuadros de

Velázquez y soberbios platos antiguos; un fornido aparador de roble destaca en un testero; enfrente aparece una chimenea de mármol negro, en que las llamas se mueven rojas; encima de ella se ve un claro espejo encuadrado en rico marco de patinosa talla; ante el espejo, esbelta, primorosa, se yergue una estatuilla de la Virgen. Y en el suelo, extendida por todo el pavimento, se muestra una antigua y maravillosa alfombra gualda, de un gualdo intenso, con intensas flores bermejas, con intensos ramajes verdes.

—Señor Azorín—me dice el discretísimo don Cándido—, acérquese usted al fuego.

Yo me acerco al fuego.

—Señor Azorín, ¿ha visto usted ya las antigüedades de nuestro pueblo?

Yo he visto ya las antigüedades de Argamasilla de Alba.

—Don Cándido—me atrevo yo a decir—, he estado esta mañana en la casa que sirvió de prisión a Cervantes; pero...

Al llegar aquí me detengo un momento; don Cándido—este clérigo tan limpio, tan afable—me mira con una vaga ansia. Yo continúo:

—Pero respecto de esta prisión, dicen ahora los eruditos que...

Otra vez me vuelvo a detener en una breve pausa; las miradas de don Cándido son más ansiosas, más angustiadas. Yo prosigo:

—Dicen ahora los eruditos que no estuvo encerrado en ella Cervantes.

Yo no sé con entera certeza si dicen tal cosa los eruditos; mas el rostro de don Cándido se llena de sorpresa, de asombro, de estupefacción.

—¡Jesús! ¡Jesús!—exclama don Cándido, llevándose las manos a la cabeza, escandalizado—. ¡No diga usted tales cosas, señor Azorín! ¡Señor, Señor, que tenga uno que oír unas cosas tan enormes! Pero ¿qué más, señor Azorín? ¡Si se ha dicho que Cervantes era gallego! ¿Ha oído usted nunca algo más estupendo?

Yo no he oído, en efecto, nada más estupendo; así se lo confieso lealmente a don Cándido. Pero si estoy dispuesto a creer firmemente que Cervantes era manchego y estuvo encerrado en Argamasilla, en cambio—perdonadme mi incredulidad—me resisto a secundar la idea de que Don Quijote vivió en este lugar manchego. Y entonces, cuando he acabado de exponer tímidamente, con toda cortesía, esta proposición, don Cándido me mira con ojos de un mayor espanto, de una más profunda estupefacción, y grita extendiendo hacia mí los brazos:

—¡No, no, por Dios! ¡No, no, señor Azorín! ¡Llévese usted a Cervantes; lléveselo usted en buena hora, pero déjenos usted a Don Quijote!

Don Cándido se ha levantado a impulsos de su emoción; yo pienso que he cometido una indiscreción enorme.

—Ya sé, señor Azorín, de dónde viene todo esto—dice don Cándido—; ya sé que hay ahora una corriente en contra de Argamasilla; pero no se me oculta que estas ideas arrancan de cuando Cánovas iba al Tomelloso y allí le llenaban la cabeza de cosas en perjuicio de nosotros. ¿Usted no conoce la enemiga que los del Tomelloso tienen a Argamasilla? Pues yo digo que Don Quijote era de aquí. Don Quijote era el propio don Rodrigo de Pacheco, el que está retratado en nuestra iglesia. Y no podrá nadie, nadie, por mucha que sea su ciencia, destruir esta tradición en que todos han creído y que se ha mantenido siempre tan fuerte y tan constante...

¿Qué voy a decirle yo a don Cándido, a este buen clérigo, modelo de afabilidad y de discreción, que vive en esta casa tan confortable, que viste estos hábitos tan limpios? Ya creo yo también a pies juntillas que don Alonso Quijano el Bueno era de este insigne pueblo manchego.

—Señor Azorín—me dice don Cándido sonriendo—: ¿quiere usted que vayamos un momento a nuestra Academia?

—Vamos, don Cándido—contesto yo—, a esa Academia.

La Academia es la rebotica del señor licenciado don Carlos Gómez; ya en el camino hemos encontrado a don Luis. Vosotros es posible que no conozcáis a don Luis de Montalbán. Don Luis es el tipo castizo, inconfundible, del viejo hidalgo castellano. Don Luis es menudo, nervioso, movible, flexible, acerado, aristocrático; hay en él una suprema, una instintiva distinción de gestos y de maneras; sus ojos llamean, relampaguean, y puesta en su cuello una ancha y tiesa gola, don Luis sería uno de estos finos, espirituales caballeros que el *Greco* ha retratado en su cuadro famoso del *Entierro*.

—Luis—le dice su hermano don Cándido—, ¿sabes lo que dice el señor Azorín? Que Don Quijote no ha vivido nunca en Argamasilla.

Don Luis me mira un brevísimo momento en silencio; luego se inclina un poco y dice, tratando de reprimir, con una exquisita cortesía, su sorpresa:

—Señor Azorín, yo respeto todas las opiniones; pero sentiría en el alma, sentiría profundamente, que a Argamasilla se le quisiera arrebatar esta gloria. Eso—añade sonriendo con una sonrisa afable—creo que es una broma de usted.

—Efectivamente—confieso yo con entera sinceridad—, efectivamente; esto no pasa de ser una broma mía sin importancia.

Y ponemos nuestras plantas en la botica; después pasamos a una pequeña estancia que detrás de ella se abre. Aquí, sentados, están don Carlos, don Francisco, don Juan Alfonso. Los tarros blancos aparecen en las estanterías; entra un sol vivo y confortador por la ancha reja; un olor de éter, de alcohol, de cloroformo, flota en el ambiente. Cerca, a través de los cristales, se divisa el río—el río verde, el río claro, el río tranquilo—, que se detiene en un ancho remanso junto a un puente.

—Señores—dice don Luis cuando ya hemos entrado en una charla amistosa, sosegada, llena de una honesta ironía—, señores: ¿a que no adivinan ustedes lo que ha dicho el señor Azorín?

Yo miro a don Luis sonriendo; todas las miradas se clavan, llenas de interés, en mi persona.

—El señor Azorín—prosigue don Luis, al mismo tiempo que me mira como pidiéndome perdón por su discreta chanza—, el señor Azorín decía que Don Quijote no ha existido nunca en Argamasilla; es decir, que Cervantes no ha tomado su tipo de Don Quijote de nuestro convecino don Rodrigo de Pacheco.

—¡Caramba!—exclama don Juan Alfonso.

—¡Hombre, hombre!—dice don Francisco.

—¡Demonio! — grita vivamente don Carlos, echándose hacia atrás su gorra de visera.

Y yo permanezco un instante silencioso, sin saber qué decir ni cómo justificar mi audacia; mas don Luis añade al momento que yo estoy ya convencido de que Don Quijote vivió en Argamasilla, y todos entonces me miran con una profunda gratitud, con un intenso reconocimiento. Y todos charlamos como viejos amigos. ¿No os agradaría esto a vosotros? Don Carlos lee y relee a todas horas el *Quijote;* don Juan Alfonso—tan parco, tan mesurado, de tan sólido juicio—ha escudriñado, en busca de datos sobre Cervantes, los más diminutos papeles del archivo; don Luis cita, con menudos detalles, los más insignificantes parajes que recorriera el caballero insigne. Y don Cándido y don Francisco traen a cada momento a colación largos párrafos del gran libro. Un hálito de arte, de patriotismo, se cierne en esta clara estancia en esta hora, entre estas viejas figuras de hidalgos castellanos. Fuera, allí cerca, a dos pasos de la ventana, a flor de tierra, el noble Guadiana se desliza manso, callado, transparente...

VI

SILUETAS DE ARGAMASILLA

LA XANTIPA

La Xantipa tiene unos ojos grandes, unos labios abultados y una barbilla aguda, puntiaguda; la Xantipa va vestida de negro y se apoya, toda encorvada, en un diminuto bastón blanco con una enorme vuelta. La casa es de techos bajitos, de puertas chiquitas y de estancias hondas. La Xantipa camina de una en otra estancia, de uno en otro patizuelo, lentamente, arrastrando los pies, agachada sobre su palo. La Xantipa, de cuando en cuando, se detiene un momento en el zaguán, en la cocina o en una sala; entonces ella pone su pequeño bastón arrimado a la pared, junta sus manos pálidas, levanta los ojos al cielo y dice, dando un profundo suspiro:

—¡Ay Jesús!

Y entonces, si vosotros os halláis allí cerca, si vosotros habéis hablado con ella dos o tres veces, ella os cuenta que tiene muchas penas.

—Señora Xantipa—le decís vosotros afectuosamente—, ¿qué penas son esas que usted tiene?

Y en este punto, ella—después de suspirar otra vez—comienza a relataros su historia. Se trata de una vieja escritura: de un huerto, de una bodega, de un testamento. Vosotros no veis muy claro en este dédalo terrible.

—Yo fuí un día—dice la Xantipa—a casa del notario, ¿comprende usted? Y el notario me dijo: «Usted ese huerto que tenía, ya no lo tiene.» Yo no quería creerlo, pero él me enseñó la escritura de venta que yo había hecho; pero yo no había hecho ninguna escritura. ¿Comprende usted?

Yo, a pesar de que en realidad no comprendo nada, digo que lo comprendo todo. La Xantipa vuelve a levantar los ojos al cielo y suspira otra vez. Ella quería vender este huerto para pagar los gastos del entierro de su marido y los derechos de la testamentaría. Estamos ante la lumbre del hogar; Gabriel extiende sus manos hacia el fuego en silencio; Mercedes mira el ondular de las llamas con un vago estupor.

—Y entonces—dice la Xantipa—, como no pude vender este huerto, tuve que vender la casa de la esquina, que era mía y que estaba tasada...

Se hace una ligera pausa.

—¿En cuánto estaba tasada, Gabriel? —pregunta la Xantina.

—En ocho mil pesetas—contesta Gabriel.

—Sí, sí, en ocho mil pesetas—dice la Xantipa—. Y después tuve que vender también un molino que estaba tasado...

Se hace otra ligera pausa.

—¿En cuánto estaba tasado, Gabriel? —torna a preguntar la Xantipa.

—En seis mil pesetas—replica Gabriel.

—Sí, sí, en seis mil pesetas—dice la Xantipa.

Y luego, cuando ha hablado durante un largo rato contándome otra vez todo el intrincado enredijo de la escritura, de los testigos, del notario, se levanta; se apoya en su palo; se marcha pasito a pasito, encorvada, rastreante; abre una puerta; revuelve en un cajón; saca de él un recio cuaderno de papel timbrado; torna a salir del cuarto; mira si la puerta de la calle está bien cerrada; entra otra vez en la cocina y pone, al fin, en mis manos, con una profunda solemnidad, con un profundo misterio, el abultado cartapacio. Yo lo cojo en silencio sin saber lo que hacer;

ella me mira emocionada; Gabriel me mira también; Mercedes me mira también.

—Yo quiero—me dice la Xantipa—que usted lea la escritura.

Yo doblo la primera hoja; mis ojos pasan sobre los negros trazos. Y yo no leo, no me doy cuenta de lo que esta prosa curialesca expresa; pero siento que pasa por el aire, vagamente, en este momento, en esta casa, entre estas figuras vestidas de negro que miran ansiosamente a un desconocido que puede traerles la esperanza; siento que pasa un soplo de lo Trágico.

JUANA MARIA

Juana María ha venido y se ha sentado un momento en la cocina; Juana María es delgada, esbelta; sus ojos son azules; su cara es ovalada, sus labios son rojos. ¿Es manchega Juana María? ¿Es de Argamasilla? ¿Es del Tomelloso? ¿Es de Puerto Lápiche? ¿Es de Herencia? Juana María es manchega castiza. Y cuando una mujer es manchega castiza, como Juana María, tiene el espíritu más fino, más sutil, más discreto, más delicado, que una mujer puede tener. Vosotros entráis en un salón; dais la mano a estas o a las otras damas; habláis con ellas; observáis sus gestos, examináis sus movimientos; veis cómo se sientan, cómo se levantan, cómo abren una puerta, cómo tocan un mueble. Y cuando os despedís de todas estas damas, cuando dejáis este salón, os percatáis de que tal vez, a pesar de toda la afabilidad, de toda la discreción, de toda la elegancia, no queda en vuestros espíritus, como recuerdo, nada definitivo, de fuerte y de castizo. Y pasa el tiempo; otro día os halláis en una posada, en un cortijo, en una callejuela de una vieja ciudad. Entonces—si estáis en la posada—observáis que en un rincón, casi sumida en la penumbra, se encuentra sentada una muchacha. Vosotros cogéis las tenazas y vais tizoneando; junto al fuego hay asimismo dos o cuatro o seis comadres. Todas hablan; todas cuentan—ya lo sabéis—desdichas, muertes, asolamientos, ruinas; la muchacha del rincón calla; vosotros no le dais gran importancia a la muchacha. Pero, durante un momento, las voces de las comadres enmudecen; entonces, en el breve silencio, tal vez como resumen o corolario a lo que se iba diciendo, suena una voz que dice:

—¡Ea, todas las cosas vienen por sus cabales!

Vosotros, que estabais inclinados sobre la lumbre, levantáis rápidamente la cabeza sorprendidos. ¿Qué voz es ésta?—pensáis vosotros—. ¿Quién tiene esta entonación tan dulce, tan suave, tan acariciadora? ¿Cómo una breve frase puede ser dicha con tan natural y tan supremo arte? Y ya vuestras miradas no se apartan de esta moza de los ojos azules y de los labios rojos. Ella está inmóvil; sus brazos los tiene cruzados sobre el pecho; de cuando en cuando se encorva un poco, asiente a lo que oye con un ligero movimiento de cabeza, o pronuncia unas pocas palabras mesuradas, corteses, acaso subrayadas por una dulce sonrisa de ironía...

¿Cómo, por qué misterio encontráis este espíritu aristocrático bajo las ropas y atavíos del campesino? ¿Cómo, por qué misterio desde un palacio del Renacimiento, donde este espíritu se formaría hace tres siglos, ha llegado, en estos tiempos, a encontrarse en la modesta casilla de un labriego? Lector: Yo oigo sugestionado las palabras dulces, melódicas, insinuantes, graves, sentenciosas, suavemente socarronas a ratos, de Juana María. Esta es la mujer española.

DON RAFAEL

No he nombrado antes a don Rafael porque, en realidad, don Rafael vive en un mundo aparte.

—Don Rafael, ¿cómo está usted?—le digo yo.

Don Rafael medita un momento en silencio, baja la cabeza, se mira las puntas de los pies, sube los hombros, contrae los labios y me dice por fin:

—Señor Azorín, ¿cómo quiere usted que esté yo? Yo estoy un poco echado a perder.

Don Rafael, pues, está un poco echado a perder. El habita en un caserón vetusto; él vive solo; él se acuesta temprano; él se levanta tarde. ¿Qué hace don Rafael? ¿En qué se ocupa? ¿Qué piensa? No me lo preguntéis; yo no lo sé. Detrás de su vieja mansión se extiende una huerta; esta huerta está algo abandonada; todas las huertas de Argamasilla están algo abandonadas. Hay en ellas altos y blancos álamos, membrilleros achaparrados, parrales largos, retorcidos. Y el río, por un extremo, pasa callado y transparente entre arbustos que arañan sus cristales. Por esta huerta pasea un momento cuando se levanta, en las mañanas claras, don Rafael. Luego marcha al casino, tosiendo, alzándose el ancho cuello de su pelliza. Yo no sé si sabréis que en todos los casinos de pueblo existe un cuarto misterioso, pequeño, casi oscuro, donde el conserje arregla sus mixturas; a este cuarto acuden, y en él penetran, como de soslayo, como a cencerros tapados, como hierofantes que van a celebrar un rito oculto, tales o cuales caballeros, que sólo parecen con este objeto, presurosos, enigmáticos, por el casino. Don Rafael entra también en este cuarto. Cuando sale, él da unas vueltas al sol por la ancha plaza. Ya es media mañana; las horas van pasando lentas; nada ocurre en el pueblo; nada ha ocurrido ayer; nada ocurrirá mañana. ¿Por qué don Rafael vive hace veinte años en este pueblo, dando vueltas por las aceras de la plaza, caminando por la huerta abandonada, viviendo solo en el caserón cerrado, pasando las interminables horas de los días crudos del invierno junto al fuego, oyendo crepitar los sarmientos, viendo bailar las llamas?

—Yo, señor Azorín—me dice don Rafael—, he tenido mucha actividad antes...

Y después añade con un gesto de indiferencia altiva:

—Ahora... ya no soy nada.

Ya no es nada, en efecto, don Rafael; tuvo antaño una brillante posición política; rodó por Gobiernos civiles y por centros burocráticos; luego, de pronto, se metió en un caserón de Argamasilla. ¿No sentís una profunda atracción hacia estas voluntades que se han roto súbitamente, hacia estas vidas que se han parado, hacia estos espíritus que—como quería el filósofo Nietzsche—no han podido *sobrepujarse a sí mismos*? Hace tres siglos en Argamasilla comenzó a edificarse una iglesia; un día la energía de los moradores del pueblo cesó de pronto; la iglesia, ancha, magnífica, permaneció sin terminar; media iglesia quedó cubierta; la otra media quedó en ruinas. Otro día, en el siglo XVIII, en tierras de este término, intentóse construir un canal; las fuerzas faltaron asimismo, la gran obra no pasó de proyecto. Otro día, en el siglo XIX, pensóse en que la vía férrea atravesase por estos llanos; se hicieron desmontes; abrióse un ancho cauce para desviar el río; se labraron los cimientos de la estación; pero la locomotora no apareció por estos campos. Otro día, más tarde, en el correr de los años, la fantasía manchega ideó otro canal; todos los espíritus vibraron de entusiasmo; vinieron extranjeros; tocaron las músicas en el pueblo; tronaron los cohetes; celebróse un ágape magnífico; se inauguraron soberbiamente las obras, mas los entusiasmos, paulatinamente, se apagaron, se disgregaron, desaparecieron en la inacción y en el olvido... ¿Qué hay en esta patria del buen Caballero de la Triste Figura que así rompe en un punto, a lo mejor de la carrera, las voluntades más enhiestas?

Don Rafael pasea por la huerta, solo y callado; pasea por la plaza, entra en el pequeño cuarto del casino, no lee, tal vez no piensa.

—Yo—dice él—estoy un poco echado a perder.

Y no hay melancolía en sus palabras; hay una indiferencia, una resignación, un abandono...

MARTIN

Martín está sentado en el patizuelo de su casa; Martín es un labriego. Las casas de los labradores manchegos son chiquitas, con un corralillo delante, blanqueadas con cal, con una parra que en el verano pone el verde presado de su hojarasca sobre la nitidez de las paredes.

—Martín—le dicen—, este señor es periodista.

Martín, que ha estado haciendo pleita sentado en una sillita terrera, me mira, puesto en pie, con sus ojuelos maliciosos, bailadores, y dice sonriendo:

—Ya, ya; este señor es de los que ponen las cosas en leyenda.

—Este señor—tornan a decirle—puede hacer que tú salgas en los papeles.

—Ya, ya—torna a replicar él con una expresión de socarronería y de bondad—. ¿Conque este señor puede hacer que Martín, sin salir de su casa, vaya muy largo?

Y sonríe con una sonrisa imperceptible; mas esta sonrisa se agranda, se trueca en un gesto de sensualidad, de voluptuosidad, cuando al correr de nuestra charla tocamos en cosas atañaderas a los yantares. ¿Tenéis idea vosotros de lo que significa esta palabra mágica: *galianos*? Los *galianos* son pedacitos diminutos de torta que se cuecen en un espeso caldo, salteados con trozos de liebre o de pollo. Este manjar es el amor supremo de Martín; no puede concebirse que sobre el planeta haya quien los aderece mejor que él; pensar tal cosa sería un absurdo enorme.

—Los *galianos*—dice sentenciosamente Martín—se han de hacer en caldero; los que se hacen en sartén no valen nada.

Y luego, cuando se le ha hablado largo rato de las diferentes ocasiones memorables en que él ha sido llamado para confeccionar este manjar, él afirma que de todas cuantas veces come de ellos, siempre encuentra mejores los que se halla comiendo cuando los come.

—Lo que se come en el acto—dice él—es siempre lo mejor.

Y ésta es una grande, una suprema filosofía; no hay pasado ni existe porvenir; sólo el presente es lo real y es lo trascendental. ¿Qué importan nuestros recuerdos del pasado, ni qué valen nuestras esperanzas en lo futuro? Sólo estos suculentos *galianos* que tenemos delante, humeadores en su caldero, son la realidad única; a par de ellos, el pasado y el porvenir son fantasías. Y Martín, gordezuelo, afeitado, tranquilo, jovial, con doce hijos, con treinta nietos, continúa en su patizuelo blanco bajo la parra, haciendo pleita, todos los días, un año y otro.

VII

LA PRIMERA SALIDA

Yo creo que le debo contar al lector, punto por punto, sin omisiones, sin efectos, sin lirismos, todo cuanto hago y cuanto veo. A las seis, esta mañana, allá en Argamasilla, ha llegado a la puerta de mi posada Miguel con su carrillo. Era ésta una hora en que la insigne ciudad manchega aún estaba medio dormida; pero yo amo esta hora—fuerte, clara, fresca, fecunda—en que el cielo está transparente, en que el aire es diáfano, en que parece que hay en la atmósfera una alegría, una voluptuosidad, una fortaleza, que no existe en las restantes horas diurnas.

—Miguel—le he dicho yo—, ¿vamos a marchar?

—Vamos a marchar cuando usted quiera—me ha dicho Miguel.

Y yo he subido en el diminuto y destartalado carro; la jaca—una jaquita microscópica—ha comenzado a trotar vivaracha y nerviosa. Y, ya fuera del pueblo, la llanura ancha, la llanura inmensa, la llanura infinita, la llanura desesperante, se ha extendido ante nuestra vista. En el fondo, allá en la línea remota del horizonte, aparecía una pincelada larga, azul, de un azul claro, tenue, suave; acá y allá, refulgiendo al sol, destacaban las paredes blancas, nítidas, de las casas, diseminadas en la campiña; el camino, estrecho, amarillento, se perdía ante nosotros, y de una banda y de otra, a derecha e izquierda, partían centenares y centenares de surcos, rectos, interminables, simétricos.

—Miguel—he dicho yo—, ¿qué montes son esos que se ven en el fondo?

—Esos montes—me contesta Miguel—son los montes de Villarrubia.

La jaca corre desesperada, impetuosa; las anchurosas piezas se suceden iguales, monótonas; todo el campo es un llano uniforme, gris, sin un altozano, sin la más suave ondulación. Ya han quedado atrás, durante un momento, las hazas sembradas, en que el trigo temprano o el alcacel comienzan a verdear sobre los surcos; ahora todo el campo que abarca nuestra vista es una extensión gris, negruzca, desolada.

—Esto—me dice Miguel—es *liego;* un año se hace la barbechera y otro se siembra.

Liego vale tanto como eriazo; un año las tierras son sembradas; otro año se dejan sin labrar; otro año se labran—y es lo que lleva el nombre de barbecho—; otro año se vuelven a sembrar. Así, sólo una tercera parte de la tierra, en esta extensión inmensa de la Mancha, es utilizada. Yo extiendo la vista por esta llanura monótona; no hay ni un árbol en toda ella; no hay en toda ella ni una sombra; a trechos, cercanos unas veces, distantes otras, aparecen, en medio de los anchurosos bancales sembradizos, diminutos pináculos de piedra; son los *majanos;* de lejos, cuando la vista los columbra allá en la línea remota del horizonte, el ánimo desesperanzado, hastiado, exasperado, cree divisar un pueblo. Mas el tiempo va pasando: unos bancales se suceden a otros; y lo que juzgábamos poblado se va cambiando, cambiando, en estos pináculos de cantos grises, desde los cuales, inmóvil, misterioso, irónico, tal vez un cuclillo—uno de estos innumerables cuclillos de la Mancha—nos mira con sus anchos y gualdos ojos...

Ya llevamos caminando cuatro horas; son las once; hemos salido a las siete de la mañana. Atrás, casi invisible, ha quedado el pueblo de Argamasilla; sólo nuestros ojos, al ras de la llanura, columbran el ramaje negro, fino, sutil, áureo, de la arboleda que exorna el río; delante destaca siempre, inevitable, en lo hondo, el azul, ya más intenso, ya más sombrío, de la cordillera lejana. Por este camino, a través de estos llanos, a estas horas precisamente, caminaba una mañana ardorosa de julio el gran Caballero de la Triste Figura; sólo recorriendo estas llanuras, empapándose de este silencio, gozando de la austeridad de este paisaje, es como se acaba de amar del todo, íntimamente, profundamente, esta figura dolorosa. ¿En qué pensaba don Alonso Quijano el Bueno cuando iba por estos campos a horcajadas en Rocinante, dejadas las riendas de la mano, caída la noble, la pensativa, la ensoñadora cabeza sobre el pecho? ¿Qué planes, qué ideales imaginaba? ¿Qué inmortales y generosas empresas iba fraguando?

Mas ya, mientras nuestra fantasía—como la del hidalgo manchego—ha ido corriendo, el paisaje ha sufrido una mutación considerable. No os esperancéis; no hagáis que vuestro ánimo se regocije: la llanura es la misma; el horizonte es idéntico; el cielo es el propio cielo radiante; el horizonte es el horizonte de siempre, con su montaña zarca; pero en el llano han aparecido unas carrascas bajas, achaparradas, negruzcas, que ponen intensas manchas rotundas sobre la tierra hosca. Son las doce de la mañana; el campo es pedregoso; flota en el ambiente cálido de la primavera naciente un grato olor de romero, de tomillo y de salvia; un camino cruza hacia Manzanares. ¿No sería acaso en este paraje, junto a este camino, donde

Don Quijote encontró a Juan Haldudo, el vecino de Quintanar? ¿No fué ésta una de las más altas empresas del caballero? ¿No fué atado Andresillo a una de estas carrascas y azotado bárbaramente por su amo? Ya Don Quijote había sido armado caballero; ya podía meter el brazo hasta el codo en las aventuras; estaba contento; estaba satisfecho; se sentía fuerte, se sentía animoso. Y entonces, de vuelta a Argamasilla, fué cuando enderezó este estupendo entuerto. «He hecho al fin—pensaba él—una gran obra.» Y en tanto, Juan Haldudo amarraba otra vez al mozuelo a la encina y proseguía en el despiadado vapuleo. Esta ironía honda y desconsoladora tienen todas las cosas de la vida...

Pero, lector, prosigamos nuestro viaje; no nos entristezcamos. Las quiebras de la montaña lejana ya se ven más distintas; el color de las faldas y de las cumbres, de azul claro ha pasado a azul gris. Una avutarda cruza lentamente, pausadamente, sobre nosotros; una bandada de grajos, posada en un bancal, levanta el vuelo y se aleja graznando; la transparencia del aire, extraordinaria, maravillosa, nos deja ver las casitas blancas, remotas; el llano continúa monótono, yermo. Y nosotros, tras horas y horas de caminata por este campo, nos sentimos abrumados, anonadados, por la llanura inmutable, por el cielo infinito, transparente, por la lejanía inaccesible. Y ahora es cuando comprendemos cómo Alonso Quijano había de nacer en estas tierras, y cómo su espíritu, sin trabas, libre, había de volar frenético por las regiones del ensueño y de la quimera. ¿De qué manera no sentirnos aquí desligados de todo? ¿De qué manera no sentir que un algo misterioso, que un anhelo que no podemos explicar, que un ansia indefinida, inefable, surge de nuestro espíritu? Esta ansiedad, este anhelo, es la llanura gualda, bermeja, sin una altura, que se extiende bajo un cielo sin nubes hasta tocar, en la inmensidad remota, con el telón azul de la montaña. Y esta ansia y este anhelo es el silencio profundo, solemne, del campo desierto, solitario. Y es la avutarda que ha cruzado sobre nosotros con aleteos pausados. Y son los montecillos de piedra, perdidos en la estepa, y desde los cuales, irónicos, misteriosos, nos miran los cuclillos...

Pero el tiempo ha ido transcurriendo: son las dos de la tarde; ya hemos atravesado rápidamente el pueblecillo de Villarta; es un pueblo blanco, de un blanco intenso, de un blanco mate, con las puertas azules. El llano pierde su uniformidad desesperante; comienza a levantarse el terreno en suaves ondulaciones; la tierra es de un rojo sombrío; la montaña aparece cercana; en sus laderas se asientan cenicientos olivos. Ya casi estamos en el famoso Puerto Lápiche. El puerto es un anchuroso paso que forma una depresión de la montaña; nuestro carro sube corriendo por el suave declive; muere la tarde; las casas blancas del lugar aparecen de pronto. Entramos en él; son las cinco de la tarde; mañana hemos de ir a la venta famosa donde Don Quijote fué armado caballero.

Ahora, aquí, en la posada del buen Higinio Mascaraque, yo he entrado en un cuartito pequeño, sin ventanas, y me he puesto a escribir, a la luz de una bujía, estas cuartillas.

VIII

LA VENTA DE PUERTO LAPICHE

Cuando yo salgo de mi cuchitril, en el mesón de Higinio Mascaraque, situado en Puerto Lápiche, son las seis de la mañana. Andrea—una vieja criada—está barriendo en la cocina con una escobita sin mango.

—Andrea, ¿qué tal?—le digo yo, que ya me considero como un antiguo vecino de Puerto Lápiche—. ¿Cómo se presenta el día? ¿Qué se hace?

—Ya lo ve usted—contesta ella—; *trajinandillo*.

Yo le pregunto después si conoce a don José Antonio; ella me mira como extrañando que yo pueda creer que no conoce a don José Antonio.

—¡Don José Antonio!—exclama ella al fin—. ¡Pues si es más bueno este hombre!

Yo decido ir a ver a don José Antonio. Ya los trajineros y carreros de la posada están en movimiento; del patio los carros van partiendo. Pascual ha salido para Villarrubia con una carga de cebollas y un tablar de acelgas; Cesáreo lleva una bomba para vino a la quintería del Brochero; Ramón va con un carro de vidriado con dirección a Manzanares. El pueblo comienza a despertar; hay en el cielo unos tenues nubarrones que poco a poco van desapareciendo; se oye el tintinear de los cencerros de unas cabras; pasa un porquero lanzando grandes y tremebundos gritos. Puerto Lápiche está formado sólo por una calle ancha, de casas altas, bajas, que entran, que salen, que forman recodos, esquinazos, rincones. La carretera, espaciosa, blanca, cruza por el medio. Y por la situación del pueblo, colocado en lo alto de la montaña, en la amplia depresión de la serranía abrupta, se echa de ver que este lugar se ha ido formando lentamente, al amparo del tráfico continuo, alimentado por el ir y venir sin cesar de viandantes.

Ya son las siete. Don José Antonio tiene de par en par su puerta. Yo entro y digo, dando una gran voz:

—¿Quién está aquí?

Un señor aparece en el fondo, allá en un extremo de un largo y oscuro pasillo. Este señor es don José Antonio; es decir, es el médico único de Puerto Lápiche. Yo veo que, cuando se descubre, muestra una calva rosada, reluciente; yo veo también que tiene unos ojos anchos, expresivos; que lleva un bigotito gris sin guías, romo, y que sonríe, sonríe, con una de esas sonrisas inconfundibles, llenas de bondad, llenas de luz, llenas de una vida interna, intensa, tal vez de resignación, tal vez de hondo dolor.

—Don José Antonio—le digo yo, cuando hemos cambiado las imprescindibles frases primeras—, don José Antonio, ¿es verdad que existe en Puerto Lápiche aquella venta famosa en que fué armado caballero Don Quijote?

Don José Antonio sonríe un poco.

—Esa es mi debilidad—me dice—; esa venta existe; es decir, existía; yo he preguntado a todos los más viejos del pueblo sobre ella; yo he recogido todos los datos que me ha sido posible... y—añade con una mirada con que parece pedirme excusas—he escrito algunas cosillas de ella, que ya verá usted luego.

Don José Antonio se halla en una salita blanca, desnuda; en un rincón hay una estufa; un poco más lejos destaca un aparador; en otro ángulo se ve una máquina de coser. Y encima de esa máquina reposan unos papeles grandes, revueltos. La señora de don José Antonio está sentada junto a la ventana.

—María—le dice don José Antonio—, dame esos papeles que están sobre la máquina.

Doña María se levanta y coge los papeles. Yo tengo una grande, una profunda simpatía por estas señoras de pueblo; un deseo de parecer bien las hace ser un poco tímidas; acaso visten trajes un poco usados; quizá cuando se presenta un huésped, de pronto, en sus casas modestas, ellas se azoran levemente y enrojecen ante su vajilla de loza recia o sus muebles sencillos; pero hay en ellas una bondad, una ingenuidad, una sencillez, un ansia de agradar, que os hacen olvidar en un minuto, encantados, el mantel de hule, los desportillos de los platos, las inadvertencias de la criada, los besuqueos a vuestros pantalones de este perro terrible a quien no habíais visto jamás y que ahora no puede apartarse de vuestro lado. Doña María le ha entregado los papeles a don José Antonio.

—Señor Azorín—me dice el buen doctor, alargándome un ancho cartapacio—, señor Azorín, mire usted en lo que yo me entretengo.

Yo cojo en mis manos el ancho cuaderno.

—Esto—añade don José Antonio—es un periódico que yo hago; durante la semana lo escribo de mi puño y letra; luego, el domingo, lo llevo al casino; allí lo leen los socios, y después me lo vuelvo a traer a casa para que la colección no quede descabalada.

En este periódico don José Antonio escribe artículos sobre higiene, sobre educación, y da las noticias de la localidad.

—En este periódico—dice don José Antonio—es donde yo he escrito los artículos que antes he mencionado. Pero más luz que estos artículos, señor Azorín, le dará a usted el contemplar el sitio mismo de la célebre venta. ¿Quiere usted que vayamos?

—Vamos allá—contesto yo.

Y salimos. La venta está situada a la salida del pueblo; casi las postreras casas tocan con ella. Mas yo estoy hablando como si realmente la tal venta existiese, y la tal venta, amigo lector, no existe. Hay, sí, un gran rellano en que crecen plantas silvestres. Cuando nosotros llegamos, ya el sol llena con sus luces doradas la campiña. Yo examino el solar donde estaba la venta; todavía se conserva, a trechos, el menudo empedrado del patio; un hoyo angosto indica lo que perdura del pozo; otro hoyo más amplio marca la entrada de la cueva o bodega. Y permanecen en pie, en el fondo, agrietadas, cuarteadas, cuatro paredes rojizas, que forman un espacio cuadrilongo, sin techo, restos del antiguo pajar. Esta venta era anchurosa, inmensa; hoy el solar mide más de ciento sesenta metros cuadrados. Colocada en lo alto del puerto, besando la ancha vía, sus patios, sus cuartos, su zaguán, su cocina, estarían a todas horas rebosantes de pasajeros de todas clases y condiciones: a una banda del Puerto se abre la tierra de Toledo; a otra, la región de la Mancha. El ancho camino iba recto desde Argamasilla hasta la venta. El mismo pueblo de Argamasilla era frecuentado de día y de noche por los viandantes que marchaban a una parte y a otra. «Es pueblo pasajero—dicen en 1575 los vecinos en su informe a Felipe II—; es pueblo pasajero y que está en el camino real que va de Valencia y Murcia y Almansa y Yecla.» ¿Se comprende cómo Don Quijote, retirado en un pueblecillo modesto, pudo allegar, sin salir de él, todo el caudal de sus libros de caballería? ¿No proporcionarían tales libros al buen hidalgo gentes de humor que pasaban de Madrid o de Valencia y que acaso se desahogarían de la fatiga del viaje charlando un rato amenamente con este caballero fantaseador? ¿Y no le dejarían gustosos, como recuerdo, a cambio de sus razones bizarras, un libro de *Amadís* o *de Tirante el Blanco*? ¡Y cuánta casta de pintorescos tipos, de gentes varias, de sujetos miserables y altos, no debió de encontrar Cervantes en esta venta de Puerto Lápiche en las veces innumerables que en ella se detuvo! ¿No iba, a cada momento, de su amada tierra manchega a las regiones de Toledo? ¿No tenía en el pueblo toledano de Esquivias sus amores? ¿No descansaría en esta venta, veces y veces, entre pícaros, mozas del partido, cuadrilleros, gitanos, oidores, soldados, clérigos, mercaderes, titiriteros, trashumantes, actores?

Yo pienso en todo esto mientras camino, abstraído, por el ancho ámbito que fué patio de la posada; aquí veló Don Quijote sus armas una noche de luna.

—Señor Azorín, ¿qué le parece a usted?—me pregunta don José Antonio.

—Está muy bien, don José Antonio—contesto yo.

Ya la neblina que velaba la lejana llanura se ha disipado. Enfrente de la venta destaca, a dos pasos, negruzca, con hileras de olivos en sus faldas, una montaña; detrás aparece otro monte. Son las dos murallas del Puerto. Ha llegado la hora de partir. Don José Antonio me acompaña un momento por la carretera adelante; él está enfermo; él tiene un cruelísimo y pertinaz achaque; él sabe que no se ha de curar; los dolores atroces han ido poco a poco purificando su carácter; toda su vida está hoy en sus ojos y en su sonrisa. Nos hemos despedido; acaso yo no ponga de nuevo mis pies en estos sitios. Y yo he columbrado a lo lejos, en la blancura de la carretera, cómo desaparecía este buen amigo de una hora, a quien no veré más...

IX

CAMINO DE RUIDERA

Las andanzas, desventuras, calamidades y adversidades de este cronista es posible que lleguen algún día a ser famosas en la historia. Después de las veinte horas de carro que la ida y vuelta a Puerto Lápiche suponen, hétenos aquí ya en la aldea de Ruidera—célebre por las lagunas próximas—, aposentados en el mesón de Juan, escribiendo estas cuartillas, apenas echado pie a tierra, tras ocho horas de traqueteo furioso y de tumbos y saltos en los hondos relejes del camino, sobre los pétreos alterones. Hemos salido a las ocho de Argamasilla; la llanura es la misma llanura yerma, parda, desolada, que se atraviesa para ir a los altos de Puerto Lápiche; mas hay por este extremo de la campiña, como alegrándola a trechos, acá y allá, macizos de esbeltos álamos, grandes chopos, que destacan confusamente, como velados, en el ambiente turbio de la mañana. Por esta misma parte por donde yo acabo de partir de la villa, hacía sus salidas el Caballero de la Triste Figura; su casa—hoy extensa bodega—lindaba con la huerta; una amena y sombría arboleda entoldaba gratamente el camino; cantaban en ella los pájaros; unas urracas ligeras y elegantes saltarían—como ahora—de rama en rama y desplegarían a trasluz sus alas de nítido blanco e intenso negro. Y el buen caballero, tal vez cansado de leer y releer en su estancia, iría caminando lentamente, bajo las frondas, con un libro en la mano; perdido en sus quimeras, ensimismado en sus ensueños. Ya sabéis que don Alonso Quijano el Bueno dicen que era el hidalgo don Rodrigo Pacheco. ¿Qué vida misteriosa, tremenda, fué la de este Pacheco? ¿Qué tormentas y desvaríos conmoverían su ánimo? Hoy, en la iglesia de Argamasilla, puede verse un lienzo patinoso, desconchado; en él, a la luz de un cirio que ilumina la sombría capilla, se distinguen unos ojos hundidos, espirituales, dolorosos, y una frente ancha, pensativa, y unos labios finos, sensuales, y una barba rubia, espesa, acabada en una punta aguda. Y debajo, en el lienzo, leemos que esta pintura es un voto que el caballero hizo a la Virgen por haberle librado de una «gran frialdad que se le cuajó dentro del cerebro» y que le hacía lanzar grandes clamores «de día y de noche...»

Pero ya la llanura va poco a poco limitándose; el lejano telón azul, grisáseo, violeta, de la montaña, está más cerca; unas alamedas se divisan entre los recodos de las lomas bajas, redondeadas, henchidas suavemente. A nuestro lado, las picazas se levantan de los sembrados, revuelan un momento, mueven en el aire, nerviosas, su fina cola; se precipitan raudas, tornan a caer blandamente en los surcos... Y a las piezas paniegas suceden los viñedos; dentro de un momento nos habremos ya internado en los senos y rincones de la montaña. El cielo está limpio, diáfano; no aparece ni la más tenue nubecilla en la infinita y elevada bóveda de azul pálido. En una viña podan las cepas unos labriegos; entre ellos trabaja una moza, con la falda arrezagada, cubriendo sus piernas con unos pantalones hombrunos.

—Están sarmenteando—me dice Miguel, el viejo carretero—; la moza tiene dieciocho años y es vecina mía.

Y luego, echando el busto fuera del carro, vocea, dirigiéndose a los labriegos:

—¡A ver cuándo rematáis y os marcháis a mis viñas!

El carro camina por un caminejo hondo y pedregoso; hemos dejado atrás el llano; desfilamos bordeando terrenos, descendiendo a hondonadas, subiendo de nuevo a oteros y lomazos. Ya hemos entrado en lo que los moradores de estos contornos llaman *la Vega;* esta vega es una angosta y honda cañada yerma por cuyo centro corre encauzado el Guadiana. Son las diez y media; ante nosotros aparece, vetusto y formidable, el castillo de Peñarroya. Subimos hasta él. Se halla asentado en un eminente terraplén de la montaña; aún perduran de la fortaleza antigua un torreón cuadrado, sólido, fornido, indestructible, y las recias murallas—con sus barbacanas, con sus saeteras—que la cercaban. Y hay también un ancho salón que ahora sirve de ermita. Y una viejecita menuda, fuerte como estos muros, rojiza como estos muros, es la que guarda el secular castillo y pone aceite en la lámpara de la iglesia. Yo he subido con ella a la recia torre; la escalerilla es estrecha, resbaladiza, lóbrega; dos anchas estancias constituyen los dos pisos. Y desde lo alto, desde encima de la techumbre, la vista descubre un panorama adusto, luminoso. La cañada se pierde a lo lejos en amplios culebreos; son negras las sierras bajas que la forman; los lentiscos—de un verde cobrizo—la tapizan; a rodales, las carrascas ponen su nota hosca y cenicienta. Y en lo hondo del ancho cauce, entre estos paredones sombríos, austeros, se despliega la nota amarilla, dorada, de los extensos carrizales. Y en lo alto se extiende infinito el cielo azul, sin nubes.

—Los ingleses—me dice la guardadora del castillo—, cuando vienen por aquí, lo corren todo; parecen cabras; se suben a todas las murallas.

—Los ingleses—me decía don José Antonio en la venta de Puerto Lápiche—se llevan los bolsillos llenos de piedras.

—Los ingleses—me contaba en Argamasilla un morador de la prisión de Cervantes—entran aquí y se están mucho tiempo pensando; uno hubo que se arrodilló y besó la tierra, dando gritos.

¿No veis en esto el culto que el pueblo más idealista de la tierra profesa al más famoso y alto de todos los idealistas?

El castillo de Peñarroya no encierra ningún recuerdo quijotesco; pero ¡cuántos días no debió de venir hasta él, traído por sus imaginaciones, el grande don Alonso Quijano! Mas es preciso que continuemos nuestro viaje; demos de lado a nuestros sueños. El día ha promediado; el camino no se aparta ni un instante del hondo cauce del Guadiana. Vemos ahora las mismas laderas negras, los mismos carrizos áureos; acaso un águila, en la lejanía, se mece majestuosa en los aires; más allá, otra águila se cierne con iguales movimientos rítmicos, pausados; una humareda azul, en la lontananza, asciende en el aire transparente, se disgrega, desaparece. Y en este punto, en nuestro andar incesante, descubrimos lo más estupendo, lo más extraordinario, lo más memorable y grandioso de este viaje. Una casilla baja, larga, con pardo tejadillo de tejas rotas, muéstrase oculta, arrebozada entre las gráciles enramadas de olmos y chopos; es un batán, mudo envejecido, arruinado. Dos pasos más allá, otras paredes terreras y negruzcas destacan entre una sombría arboleda. Y delante, cuatro, seis, ocho robustos, enormes, mazos de madera, descansan inmóviles en espaciosas y recias cajas. Y un raudal espumeante de agua cae, rumoroso, estrepitoso, en la honda fosa donde la enorme rueda que hace andar los batanes permanece callada. Hay en el aire una diafanidad, una transparencia extraordinarias; el cielo es azul; el carrizal que lleva al río ondula con mecimientos suaves; las ramas finas y desnudas de los olmos se perfilan graciosas en el ambiente; giran y giran las águilas pausadas; las urracas saltan y levantan sus colas negras. Y el sordo estrépito del agua, incesante, fragoso, repercute en la angosta cañada...

Estos, lector, son los famosos batanes que, en noche memorable, tanta turbación, tan profundo pavor, llevaron a los ánimos de Don Quijote y Sancho Panza. Las tinieblas habían cerrado sobre el campo; habían caminado a tientas las dos grandes figuras por entre una arboleda; un son de agua apacible alegróles de pronto; poco después un formidable estrépito de hierros, de cadenas, de chirridos y de golpazos los dejó atemorizados, suspensos. Sancho temblaba; Don Quijote, transcurrido el primer instante, sintió surgir en él su intrepidez de siempre; rápidamente montó sobre el buen Rocinante; luego hizo saber a su escudero su propósito incontrastable de acometer esta aventura. Lloraba Sancho; porfiaba Don Quijote; el estruendo proseguía atronador. Y en tanto, tras largos dimes y réplicas, tras angustiosos tártagos, fué quebrando lentamente la aurora. Y entonces, amo y criado, vieron los seis batanes incansables, humildes, prosaicos, majando en sus recios cajones. Don Quijote quedóse un momento pensativo. «Miróle Sancho—dice Cervantes—y vió que tenía la cabeza inclinada sobre el pecho, con muestras de estar corrido...»

Y aquí acaeció, ante estos batanes que aún perduran, esta íntima y dolorosa humillación del buen manchego; a la otra parte del río, vese aún una espesa arboleda; desde ella, sin duda, es desde donde Don Quijote y su escudero oirían sobrecogidos el ruido temeroso de los mazos. Hoy los batanes permanecen callados los más días del año; hasta hace poco trabajaban catorce o dieciséis en la vega.

—Ahora—me dice el dueño de los únicos que aún trabajan—con dos tan sólo basta.

Y vienen a ellos los paños de Daimiel, de Villarrobledo, de la Solana, de la Alhambra, de Infantes, de Argamasilla; su mayor actividad tiénenla cuando el trasquileo se efectúa en los rebaños; luego, el resto del año, permanecen en reposo profundo, en tanto que el agua cae inactiva en lo hondo y las picazas y las águilas se ciernen, sobre ellos, en las alturas...

Y yo prosigo en mi viaje; pronto va a tocar a su término. Las lagunas de Ruidera comienzan a descubrir, entre las vertientes negras, sus claros, azules, sosegados, limpios espejos. El camino da una revuelta; allozos en flor—flores rojas, flores pálidas—bordean sus márgenes. Allá en lo alto aparecen las viviendas blancas de la aldea; dominándolas, protegiéndolas, surge sobre el añil del cielo un caserón vetusto...

Paz de la aldea, paz amiga, paz que consuelas al caminante fatigado, ¡ven a mi espíritu!

X

LA CUEVA DE MONTESINOS

Ya el cronista se siente abrumado, anonadado, exasperado, enervado, desesperado, alucinado por la visión continua, intensa, monótona, de los llanos de barbecho, de los llanos de eriazo, de los llanos cubiertos de un verdor imperceptible, tenue. En Ruidera, después de veintiocho horas de carro, he descansado un momento; luego, venida la mañana, aún velado el cielo por los celajes de la aurora, hemos salido para la cueva de Montesinos. Cervantes dice que de la aldea hasta la cueva median dos leguas; ésta es la cifra exacta. Y cuando se sale del poblado, por una callejuela empinada, tortuosa, de casas bajas, cubiertas de carrizo; cuando ya en lo alto de los lomazos hemos dejado atrás la aldea, ante nosotros se ofrece un panorama nuevo, insólito, desconocido en esta tierra clásica de las llanadas; pero no menos abrumador, no menos monótono, no menos uniforme que la campiña rasa. No es ya la llanura pelada; no son los surcos paralelos, interminables, simétricos; no son las lejanías inmensas que acaban con la pincelada azul de una montaña. Es, sí, un paisaje de lomas, de ondulaciones amplias, de oteros, de recuestos, de barrancos hondos, rojizos, y de cañadas que se alejan entre vertientes con amplios culebreos. El cielo es luminoso, radiante; el aire es transparente, diáfano; la tierra es de un color grisáceo, negruzco. Y sobre las colinas sombrías, hoscas, los romeros, los tomillos, los lentiscos, extienden su vegetación acerada, enhiesta; los chaparrales se dilatan en difusas manchas; y las carrascas, con sus troncos duros, rígidos, elevan sus copas cenicientas que destacan rotundas, enérgicas, en el añil intenso...

Llevamos ya una hora caminando a lomos de rocines infames; las colinas, los oteros y los recuestos se suceden unos a otros, siempre iguales, siempre los mismos, en un suave oleaje infinito; reina un denso silencio; allá a lo lejos, entre la fronda terrera y negra, brillan, refulgen, irradian, las paredes nítidas de una casa; un águila se mece sobre nosotros blandamente; se oye, de tarde en tarde, el abaniqueo súbito y ruidoso de una perdiz que salta. Y la senda, la borrosa senda que nosotros seguimos, desaparece, aparece, torna a esfumarse. Y nosotros marchamos lentamente, parándonos, tornando a caminar, buscando el escondido caminejo perdido entre lentiscos, chaparros y atochares.

—Estas sendas—me dice el guía—son sendas perdiceras, y hay que sacarlas por conjetura.

Otro largo rato ha transcurrido. El paisaje se hace más amplio, se dilata, se pierde en una sucesión inacabable de altibajos plomizos. Hay en esta campiña bravía, salvaje, nunca rota, una fuerza, una hosquedad, una dureza, una autoridad indómita que nos hace pensar en los conquistadores, en los guerreros, en los místicos, en las almas, en fin, solitarias y alucinadas, tremendas, de los tiempos lejanos. Ya a nuestra derecha, la tierra, la tierra cede de pronto y desciende una rápida vertiente; nos encontramos en el fondo de una cañada. Y yo os digo que estas cañadas silenciosas, desiertas, que encontramos tras largo caminar, tienen un encanto inefable. Tal vez su fondo es arenoso; las laderas que las forman aparecen rojizas, rasgadas por las lluvias; un allozo solitario crece en una ladera; se respira en toda ella un silencio sedante, profundo. Y si mana en un recodo, entre juncales, una fuentecica, sus aguas tienen un son dulce, susurrante, cariñoso, y en sus cristales transparentes se espejea acaso durante un momento una nube blanca que cruza lenta por el espacio inmenso. Nosotros hemos encontrado en lo hondo de este barranco un nacimiento tal como éstos; largo rato hemos contemplado sus aguas; después, con un vago pesar, hemos escalado la vertiente de la cañada y hemos vuelto a empapar nuestros ojos con la austeridad ancha del paisaje ya visto. Y caminábamos, caminábamos, caminábamos. Nuestras cabalgaduras tuercen, tornan a torcer, a la derecha, a la izquierda, entre encinas, entre chaparros, sobre las lomas negras. Suenan las esquilas de un ganado; aparecen diseminadas acá y allá las cabras negras, rojas, blancas, que nos miran un instante atónitas, curiosas, con sus ojos brillantes.

—Ya estamos—grita el guía de pronto.

En la Mancha, «una tirada» son seis u ocho kilómetros; «estar cerca» equivale a estar a distancia de dos kilómetros; «estar muy cerca» vale tanto como expresar que aún nos queda por recorrer un kilómetro largo. Ya estamos cerca de la cueva famosa; hemos de doblar un eminente cerro que se yergue ante nuestra vista; luego hemos de descender por un recuesto; después hemos de atravesar una hondonada. Y, al fin, ya realizadas todas estas operaciones, descubrimos en un declive una excavación somera, abierta en tierra roja.

—¡Oh señora de mis acciones y movimientos, clarísima y sin par Dulcinea del Tobollo!—gritaba el incomparable caballero, de hinojos ante esta oquedad roja, en día memorable, en tanto que levantaba al cielo sus ojos soñadores.

La empresa que iba a llevar a cabo era tremenda; tal vez pueda ser ésta reputada como la más alta de sus hazañas. Don Alonso Quijano el Bueno está inmóvil, arrogante, ante la cueva; si en su espíritu hay un leve temor en esta hora, no lo vemos nosotros.

Don Alonso Quijano el Bueno va a deslizarse por la honda sima. ¿Por qué no entrar donde él entrara? ¿Por qué no poner en estos tiempos, después que pasaron tres siglos, nuestros pies donde sus plantas firmes, audaces, se asentaron? Reparad en que ya el acceso a la cueva ha cambiado; antaño—cuando hablaba Cervantes—crecían en la ancha entrada tupidas zarzas, cambroneras y cabrahigos; ahora, en la peña lisa, se enrosca una parra desnuda. Las paredes recias, altas, de la espaciosa bóveda, son grises, bermejas, con manchones, con chorreaduras de líquenes verdes y de líquenes gualdos. Y a punta de navaja y en trozos desiguales, inciertos, los visitantes de la cueva, en diversos tiempos, han dejado esculpidos sus nombres para recuerdo eterno. «Miguel Yáñez, 1854»; «Enrique Alcázar, 1861», podemos leer en una parte. «Domingo Carranza, 1870»; «Mariano Merlo, 1883», vemos más lejos. Unos peñascales caídos del techo cierran el fondo; es preciso sortear por entre ellos para bajar a lo profundo.

—¡Oh señora de mis acciones y movimientos—repite Don Quijote—, clarísima y sin par Dulcinea del Toboso! Si es posible que lleguen a tus oídos las plegarias y rogaciones de este tu venturoso amante, por tu inaudita belleza te ruego las escuches, que no son otras que rogarte no me niegues tu favor y amparo ahora que tanto lo he menester.

Los hachones están ya llameando; avanzamos por la lóbrega quiebra; no es preciso que nuestros cuerpos vayan atados con recias sogas; no sentimos contrariedad—como el buen don Alonso—por no haber traído con nosotros un esquilón para hacer llamadas y señales desde lo hondo; no saltan a nuestro paso ni siniestros grajos y cuervos, ni alevosos y elásticos murciélagos. La luz se va perdiendo en un débil resplandor allá arriba; el piso desciende en un declive suave, resbaladizo, bombeado; sobre nuestras cabezas se extiende, anchurosa, elevada, cóncava, rezumante, la bóveda de piedra. Y como vamos bajando lentamente y encendiendo a la par hacecillos de hornija y hojarasca, un reguero de luces escalonadas se muestra en lontananza, disipando sus resplandores rojos las sombras, dejando ver la densa y blanca neblina de humo que ya llena la cueva. La atmósfera es densa, pesada; se oye de rato en rato en el silencio un gotear pausado, lento, de aguas que caen del techo. Y en el fondo, abajo, en los límites del anchuroso ámbito, entre unas quiebras rasgadas, aparece un agua callada, un agua negra, un agua profunda, un agua inmóvil, un agua misteriosa, un agua milenaria, un agua ciega, que hace un sordo ruido indefinible—de amenaza y lamento—cuando arrojamos sobre ella unos pedruscos. Y aquí, en estas aguas que reposan eternamente, en las tinieblas, lejos de los cielos azules, lejos de las nubes amigas de los estanques, lejos de los menudos lechos de piedras blancas, lejos de los juncales, lejos de los álamos vanidosos que se miran en las corrientes; aquí, en estas aguas torvas, condenadas, está toda la sugestión, toda la poesía inquietadora de esta cueva de Montesinos...

Cuando nosotros hemos salido a la luz del día, hemos respirado ampliamente. El cielo se había entoldado con nubajos plomizos; corría un viento furioso que hacía gemir en la montaña las carrascas; una lluvia fría, pertinaz, caía a intervalos. Y hemos vuelto a caminar, a caminar a través de oteros negros, de lomas negras, de vertientes negras. Bandadas de cuervos pasan sobre nosotros; el horizonte, antes luminoso, está velado por una cortina de nieblas grises; invade el espíritu una sensación de estupor, de anonadamiento, de no *ser.*

—Dios os lo perdone, amigos, que me habéis quitado de la más sabrosa y agradable vida y vista que ningún humano ha visto ni pasado—decía Don Quijote cuando fué sacado de la caverna.

El buen caballero había visto dentro de ella prados amenos y palacios maravillosos. Hoy Don Quijote redivivo no bajaría a esta cueva; bajaría a otras mansiones subterráneas más hondas y temibles. Y en ellas, ante lo que allí viera, tal vez sentiría la sorpresa, el espanto y la indignación que sintió en la noche de los batanes, o en la aventura de los molinos, o ante los felones mercaderes que ponían en tela de jucio la realidad de su princesa. Porque el gran idealista no vería negada a Dulcinea; pero vería negada la eterna justicia y el eterno amor de los hombres.

Y estas dolorosas remembranzas son la lección que sacamos de la cueva de Montesinos.

XI

LOS MOLINOS DE VIENTO

Los molinitos de Criptana andan y andan.

—¡Sacramento! ¡Tránsito! ¡María Jesús!

Yo llamo, dando grandes voces, a Sacramento, a Tránsito y a María Jesús. Hasta hace un momento he estado leyendo en el *Quijote;* ahora la vela que está en la palmatoria se acaba, me deja en las tinieblas. Y yo quiero escribir unas cuartillas.

—¡Sacramento! ¡Tránsito! ¡María Jesús!

¿Dónde estarán estas muchachas? He llegado a Criptana hace dos horas; a lo lejos, desde la ventanilla del tren, yo miraba la ciudad blanca, enorme, asentada en una ladera, iluminada por los resplandores rojos, sangrientos, del crepúsculo. Los molinos, en lo alto de la colina, movían lentamente sus aspas; la llanura bermeja, monótona, rasa, se extendía abajo. Y en la estación, a la llegada, tras una valla, he visto unos coches vetustos; unos de estos coches de pueblo, unos de estos coches en que pasean los hidalgos, unos de estos coches desteñidos, polvorientos, ruidosos, que caminan todas las tardes por una carretera exornada con dos filas de arbolillos menguados, secos. Dentro, las caras de estas damas—a quienes yo tanto estimo—se pegaban a los cristales, escudriñando los gestos, los movimientos, los pasos de este viajero único, extraordinario, misterioso, que venía en primera con unas botas rotas y un sombrero grasiento. Caía la tarde; los coches han partido con estrépito de tablas y de herrajes; yo he emprendido la caminata por la carretera adelante, hacia el lejano pueblo. Los coches han dado la vuelta; las caras de estas buenas señoras —doña Juana, doña Angustias o doña Consuelo—no se apartaban de los cristales. Yo iba embozado en mi capa, lentamente, como un viandante cargado con el peso de mis desdichas. Los anchurosos corrales manchegos han comenzado a aparecer a un lado y a otro del camino; después han venido las casas blanqueadas, con las puertas azules; más lejos se han mostrado los caserones con anchas y saledizas rejas rematadas en cruces. El cielo se iba entenebreciendo; a lo lejos, por la carretera, esfumados en la penumbra del crepúsculo, marchan los coches viejos, los coches venerables, los coches fatigados. Cruzan por las calles viejas enlutadas; suena una campana con largas vibraciones.

—¿Está muy lejos de aquí la fonda? —pregunto yo.

—Esa es—me dicen, señalando una casa.

La casa es vetusta; tiene un escudo; tiene de piedra las jambas y el dintel de la puerta; tiene rejas pequeñas; tiene un zaguán hondo, empedrado con menuditos cantos. Y cuando se pasa por la puerta del fondo se entra en un patio, a cuyo alrededor corre una galería sostenida por dóricas columnas. El comedor se abre a la mano diestra. He subido sus escalones; he entrado en una estancia oscura.

—¿Quién es?—ha preguntado una voz desde el fondo de las tinieblas.

—Yo soy—he dicho con voz recia. Y después, inmediatamente—: un viajero.

He oído en el silencio un reloj que marchaba: *tic-tac, tic-tac;* luego se ha hecho un ligero ruido como de ropas movidas, y, al fin, una voz ha gritado:

—¡Sacramento! ¡Tránsito! ¡María Jesús!

Y luego ha añadido:

—Siéntese usted.

¿Dónde iba yo a sentarme? ¿Quién me hablaba? ¿En qué encantada mansión me hallaba yo?

He preguntado tímidamente:

—¿No hay luz?

La voz misteriosa ha contestado:

—No; ahora la echan muy tarde.

Pero una moza ha venido con una vela en la mano. ¿Es Sacramento? ¿Es Tránsito? ¿Es María Jesús? Yo he visto que los resplandores de la luz—como en una figura de Rembrandt—iluminaban vivamente una carita ovalada, con una barbilla suave, fina, con unos ojos rasgados y unos labios menudos.

—Este señor—dice una anciana sentada en un ángulo—quiere una habitación; llévale a la de dentro.

La de dentro está bien adentro; atravesamos el patizuelo; penetramos por una puertecilla enigmática; torcemos a la derecha; torcemos a la izquierda; recorremos un pasillito angosto; subimos por unos escalones; bajamos por otros. Y al fin ponemos nuestras plantas en una estancia pequeñita, con una cama. Y después en otro cuartito angosto, con el techo que puede tocarse con las manos, con una puerta vidriera colocada en un muro de un metro de espesor y una ventana diminuta abierta en otro paredón del mismo ancho.

—Este es el cuarto—dice una moza, poniendo la palmatoria sobre la mesa.

Y yo le digo:

—¿Se llama usted Sacramento?

Ella se ruboriza un poco:

—No—contesta—, soy Tránsito.

Yo debía haber añadido:

—¡Qué bonita es usted, Tránsito!

Pero no lo he dicho, sino que he abierto el *Quijote* y me he puesto a leer en sus páginas. «En esto—leía yo a la luz de la vela—descubrieron treinta o cuarenta molinos de viento que hay en aquel campo...» La luz se ha ido acabando; llamo a gritos. Tránsito viene con una nueva vela, y dice:

—Señor: cuando usted quiera, a cenar.

Cuando he cenado he salido un rato por las calles; una luna suave bañaba las fachadas blancas y ponía sombras dentelleadas de los aleros en medio del arroyo; destacaban confusos, misteriosos, los anchos balcones viejos, los escudos, las rejas coronadas de ramajes y filigranas, las recias puertas con clavos y llamadores formidables. Hay un placer íntimo, profundo, en ir recorriendo un pueblo desconocido entre las sombras; las puertas, los balcones, los esquinazos, los ábsides de las iglesias, las torres, las ventanas iluminadas, los ruidos de los pasos lejanos, los ladridos plañideros de los perros, las lamparillas de los retablos..., todo nos va sugestionando poco a poco, enervándonos, desatando nuestra fantasía, haciéndonos correr por las regiones del ensueño...

Los molinitos de Criptana andan y andan.

—Sacramento, ¿qué es lo que he de hacer hoy?

Yo he preguntado esto a Sacramento cuando he acabado de tomar el desayuno; Sacramento es tan bonita como Tránsito. Ya ha pasado la noche. ¿No será menester ir a ver los molinos de viento? Yo recorro las calles. De la noche al día va una gran diferencia. ¿Dónde está el misterio, el encanto, la sugestión de la noche pasada? Subo con don Jacinto por las callejas empinadas, torcidas; en lo alto, dominando el pueblo, asentados sobre la loma, los molinos surgen vetustos; abajo, la extensión gris, negruzca, de los tejados, se aleja, entreverada con las manchas blancas de las fachadas, hasta tocar en el mar bermejo de la llanura.

Y ante la puerta de uno de esos molinos nos hemos detenido.

—Javier—le ha dicho don Jacinto al molinero—. ¿Va a marchar esto pronto?

—Al instante—ha contestado Javier.

¿Os extrañará que don Alonso Quijano el Bueno tomara por gigantes los molinos? Los molinos de viento eran, precisamente cuando vivía Don Quijote, una novedad estupenda; se implantaron en la Mancha en 1575, dice Richard Ford en su *Handbook for travellers in Spain.* «No puedo yo pasar en silencio—escribía Jerónimo Cardano en su libro *De rerum varietate,* en 1580, hablando de estos molinos—, no puedo yo pasar en silencio que esto es tan maravilloso, que yo antes de verlo no lo hubiera podido creer sin ser tachado de hombre cándido.» ¿Cómo extrañar que la fantasía del buen manchego se exaltara ante estas máquinas inauditas, maravillosas?

Pero Javier ha trepado ya por los travesaños de las aspas de su molino y ha ido extendiendo las velas; sopla un viento furioso, desatado; las cuatro velas han quedado tendidas. Ya marchan lentamente las aspas; ya marchan rápidas. Dentro, la torrecilla consta de tres reducidos pisos: en el bajo se hallan los sacos de trigo; en el principal es donde cae la harina por una canal ancha; en el último es donde rueda la piedra sobre la piedra y se deshace el grano. Y hay aquí, en este piso, unas ventanitas minúsculas, por las que se atalaya el paisaje. El vetusto aparato marcha con un sordo rumor. Yo columbro por una de estas ventanas la llanura inmensa, infinita, roja, a trechos verdeante; los caminos se pierden amarillentos en culebreos largos; refulgen paredes blancas en la lejanía; el cielo se ha cubierto de nubes grises; ruge el huracán. Y por una senda que cruza la ladera avanza un hormiguero de mujeres enlutadas, con las faldas a la cabeza, que han salido esta madrugada —como viernes de Cuaresma—a besarle los pies al Cristo de Villajos, en un distante santuario, y que tornan ahora, lentas, negras, pensativas, entristecidas, a través de la llanura yerma, roja...

—María Jesús—digo yo cuando llega el crepúsculo—, ¿tardará mucho en venir la luz?

—Aún tardará un momento—dice ella.

Yo me siento en la estancia entenebrecida; oigo el *tic-tac* del reloj; unas campanas tocan el *Angelus.*

Los molinitos de Criptana andan y andan.

XII

LOS SANCHOS DE CRIPTANA

¿Cómo se llaman estos buenos, estos queridos, estos afables, estos discretísimos amigos de Criptana? ¿No son don Pedro, don Victoriano, don Bernardo, don Antonio, don Jerónimo, don Francisco, don León, don Luis, don Domingo, don Santiago, don Felipe, don Angel, don Enrique, don Miguel, don Gregorio y don José? A las cuatro de la madrugada, entre sueños suaves, yo he oído un vago rumor, algo como el eco lejano de un huracán, como la caída de un formidable salto de agua. Yo me despierto sobresaltado; suenan roncas bocinas, golpazos en las puertas, pasos precipitados. ¿Qué es esto? ¿Qué sucede?—me pregunto aterrorizado—. El estrépito crece; me visto a tientas, confuso, espantado. Y suenan en la puerta unos recios porrazos. Y una voz grita:

—¡Señor Azorín! ¡Señor Azorín!

Entonces yo abro la puerta; a la luz de candiles, velas, hachones, distingo un numeroso tropel de hidalgos que grita, ríe, salta, gesticula y toca unos enormes caracoles que atruenan con estentóreos alaridos toda la casa.

—¡Señores!—exclamo yo cada vez más perplejo, más atemorizado.

Y uno de estos afectuosos, de estos discretos señores, se adelanta y va a hablar; de pronto todos callan; se hace un silencio profundo.

—Señor Azorín—dice este hidalgo—, nosotros somos los Sancho Panzas de Criptana; nosotros venimos a incautarnos de su persona...

Yo continúo sin saber qué pensar. ¿Qué significa esto de que estos excelentes señores son los Sancho Panzas de Criptana? ¿Dónde quieren llevarme? Mas pronto se aclara este misterio tremebundo: en Criptana no hay Don Quijotes; Argamasilla se enorgullece con ser la patria del Caballero de la Triste Figura; Criptana quiere representar y compendiar el espíritu práctico, bondadoso y agudo del sin par Sancho Panza. El señor que acaba de hablar es don Bernardo; los otros son don Pedro, don Victoriano, don Antonio, don Jerónimo, don Francisco, don León, don Luis, don Domingo, don Santiago, don Felipe, don Angel, don Enrique, don Miguel, don Gregorio y don José.

—Nosotros somos los Sanchos de Criptana—repite don Bernardo.

—Sí—dice don Victoriano—; en los demás pueblos de la Mancha, que se crean Quijotes si les place; aquí nos sentimos todos compañeros y hermanos espirituales de Sancho Panza.

—Ya verá usted, apenas lleve viviendo aquí dos o tres días—añade don León—cómo esto se distingue de todo.

—Y para que usted lo compruebe más pronto—concluye don Miguel—, nosotros hemos decidido secuestrarle a usted desde este instante.

—Señores—exclamo yo, deseando hacer un breve discurso; mas mis dotes oratorias son bien escasas. Y yo me contento con estrechar en silencio las manos de don Bernardo, don Pedro, don Victoriano, don Antonio, don Jerónimo, don Francisco, don León, don Luis, don Domingo, don Santiago, don Felipe, don Angel, don Enrique, don Miguel, don Gregorio y don José. Y nos ponemos en marcha todos; las caracolas tornan a sonar; retumban los pasos sonoros sobre el empedrado del patizuelo. Ya va quebrando el alba. En la calle hay una larga ringlera de tartanas, galeras, carros, asnos cargados con hacecillos de hornija, con sartenes y cuernos enormes llenos de aceite. Y en este punto, al subir a los carruajes, con la algazara, con el ir y venir precipitado, comienza a romperse la frialdad, la rigidez, el matiz de compostura y de ceremonia de los primeros momentos. Yo ya soy un antiguo Sancho Panza de esta noble Criptana. Yo voy metido en una galera entre don Bernardo y don León.

—¿Qué le parece a usted, señor Azorín, de todo esto?—me dice don Bernardo.

—Me parece perfectamente, don Bernardo—le digo yo.

Ya conocéis a don Bernardo: tiene una barba gris, blanca, amarillenta; lleva unas gafas grandes, y de la cadena de su reloj pende un diminuto diapasón de acero. Este diapasón quiere decir que don Bernardo es músico; añadiré—aunque lo sepáis—que don Bernardo es también farmacéutico. A la hora de caminar en esta galera, por un camino hondo, ya don Bernardo me ha hecho una interesante revelación.

—Señor Azorín—me dice—, yo he compuesto un himno a Cervantes para que sea cantado en el Centenario.

—Perfectamente, don Bernardo—contesto yo.

—¿Quiere usted oírlo, señor Azorín?—torna él a decirme.

—Con mucho gusto, don Bernardo —vuelvo yo a contestarle.

Y don Bernardo tose un poco, vuelve a toser y comienza a cantar en voz baja, mientras el coche da unos zarandeos terribles:

> Gloria, gloria, cantad a Cervantes,
> creador del *Quijote* inmortal...

La luz clara del día ilumina la dilatada y llana campiña; se columbra el horizonte limpio, sin árboles; una pincelada de azul intenso cierra la lejanía.

La galera camina y camina por el angosto caminejo. ¿Cuánto tiempo ha pasado desde nuestra salida? ¿Cuánto tiempo ha de transcurrir aún? ¿Dos, tres, cuatro, cinco horas? Yo no sé; la idea del tiempo en mis andanzas por la Mancha ha desaparecido de mi cerebro.

—Señor Azorín—me dice don León—, ya vamos a llegar; falta una legua.

Y pasa un breve minuto en silencio. Don Bernardo inclina la cabeza hacia mí y susurra en voz queda:

—Este himno lo he compuesto para que se cante en el Centenario del *Quijote*. ¿Ha reparado usted en la letra? Señor Azorín, ¿no podía usted decir de él dos palabras?

—¡Hombre, don Bernardo!—exclamo yo—. No necesita usted hacerme esa recomendación; para mí es un deber de patriotismo el hablar de ese himno.

—Muy bien, muy bien, señor Azorín —contesta don Bernardo satisfecho.

¿Pasa media hora, una hora, dos horas, tres horas? El coche da tumbos y retumbos; la llanura es la misma llanura gris, amarillenta, rojiza.

—Ya vamos a llegar—repite don León.

—Ahora, cuando lleguemos—añade don Bernardo—, tocaremos el himno en el armónium de la ermita...

—Ya vamos a llegar—torna a repetir don León.

Y transcurre una hora, acaso hora y media, tal vez dos horas. Yo os torno a asegurar que ya no tengo, ante estos llanos, ni la más remota idea del tiempo. Pero, al fin, allá sobre un montículo pelado, se divisa una casa. Esto es el Cristo de Villajos. Ya nos acercamos. Ya echamos pie a tierra. Ya damos pataditas en tierra para desentumecernos. Ya don Bernardo—este hombre terrible y amable—nos lleva a todos a la ermita, abre el armónium, arranca de él unos arpegios plañideros y comienza a gritar:

> Gloria, gloria, cantad a Cervantes,
> creador del *Quijote* inmortal...

Yo tengo la absurda y loca idea de que todos los himnos se parecen un poco; es decir, de que todos son lo mismo en el fondo. Pero este himno de don Bernardo no carece de cierta originalidad; así se lo confieso yo a don Bernardo.

—¡Ah, ya lo creo, señor Azorín, ya lo creo!—dice él, levantándose del armónium rápidamente.

Y luego, tendiéndome la mano, añade:

—Usted, señor Azorín, es mi mejor amigo.

Y yo pienso en lo más íntimo de mi ser: «Pero este don Bernardo, tan cariñoso, tan bueno, ¿será realmente un Sancho Panza, como él asegura a cada momento, o tendrá más bien algo del espíritu de Don Quijote?» Mas por lo pronto dejo sin resolver este problema; es preciso salir al campo, pasear, correr, tomar el sol, atalayar el paisaje—ya cien veces atalayado—desde lo alto de los repechos; y en estas gratas ocupaciones nos llega la hora del mediodía. ¿Os contaré punto por punto este sabroso, sólido, suculento y sanchopancesco yantar? Una bota magnífica —que el buen escudero hubiera codiciado—corría de mano en mano, dejando caer en los gaznates sutil néctar manchego; los ojos se iluminan, las lenguas se desatan. Estamos ya en los postres: ésta es precisamente la hora de las confidencias. Don Bernardo ladea su cabeza hacia mí; va a decirme sin duda algo importante. No sé por qué tengo un vago barrunto de lo que don Bernardo va a decirme; pero yo estoy dispuesto siempre a oír con gusto lo que tenga a bien decirme don Bernardo.

—Señor Azorín—me dice don Bernardo—, ¿cree usted que este himno puede tener algún éxito?

—¡Qué duda cabe, don Bernardo! —exclamo yo con una convicción honda—. Este himno ha de tener un éxito seguro.

—¿Usted lo ha oído bien?—torna a preguntarme don Bernardo.

—Sí, señor—digo yo—; lo he oído perfectamente.

—No, no—dice él con aire de incredulidad—. No, no, señor Azorín; usted no lo ha oído bien. Ahora cuando acabemos de comer lo tocaremos otra vez.

Don Miguel, don Enrique, don León, don Gregorio y don José, que están cercanos a nosotros y han oído estas palabras a don Bernardo, sonríen ligeramente. Yo tengo verdadera satisfacción en escuchar otra vez el himno de este excelente amigo.

Cuando acabamos de comer, de nuevo entramos en la ermita; don Bernardo se sienta ante el armónium y arranca de él unos arpegios; después vocea:

Gloria, gloria, cantad a Cervantes,
creador del *Quijote* inmortal...

—¡Muy bien, muy bien!—exclamo yo.

—¡Bravo, bravo!—gritan todos a coro.

Y hemos vuelto a subir por los cerros, a tomar el sol, a contemplar el llano monótono, mil veces contemplado. La tarde iba doblando; era la hora del regreso. Las caracolas han sonado; los coches se han puesto en movimiento; hemos tornado a recorrer el caminejo largo, interminable, sinuoso. ¿Cuántas horas han transcurrido? ¿Dos, tres, cuatro, seis, ocho, diez?

—¡Señores!—he exclamado yo en Criptana, a la puerta de la fonda, ante el tropel de los nobles hidalgos. Pero mis dotes oratorias son bien escasas, y yo me he contentado con estrechar efusivamente, con verdadera cordialidad, por última vez, las manos de estos buenos, de estos afables, de estos discretísimos amigos don Bernardo, don Pedro, don Victoriano, don Antonio, don Jerónimo, don Francisco, don León, don Luis, don Domingo, don Santiago, don Felipe, don Angel, don Enrique, don Miguel, don Gregorio y don José.

XIII

EN EL TOBOSO

El Toboso es un pueblo único, estupendo. Ya habéis salido de Criptana; la llanura ondula suavemente, roja, amarillenta, gris, en los trechos de eriazo, de verde imperceptible en las piezas sembradas. Andáis una hora, hora y media; no veis ni un árbol, ni una charca, ni un rodal de verdura jugosa. Las urracas saltan un momento en medio del camino, mueven nerviosas y petulantes sus largas colas, vuelan de nuevo; montoncillos y montoncillos de piedras grises se extienden sobre los anchurosos bancales. Y de tarde en tarde, por un extenso espacio de sembradura, en que el alcacel apenas asoma, camina un par de mulas, y un gañán guía el arado a lo largo de los surcos interminables.

—¿Qué están haciendo aquí?—preguntáis un poco extrañados de que se destroce de esta suerte la siembra.

—Están rejacando—se os contesta naturalmente.

Rejacar vale tanto como meter el arado por el espacio abierto entre surco y surco, con el fin de desarraigar las hierbezuelas.

—Pero ¿no estropean la siembra?—tornáis a preguntar—. ¿No patean y estrujan con sus pies los aradores y las mulas los tallos tiernos?

El carretero con quien vais sonríe ligeramente de vuestra ingenuidad; tal vez vosotros sois unos pobres hombres—como el cronista—que no habéis salido jamás de vuestros libros.

—¡Ca!—exclama este labriego—. ¡La siembra en este tiempo, contra más se pise es mejor!

Los terrenos grisáceos, rojizos, amarillentos, se descubren, iguales todos, con una monotonía desesperante. Hace una hora que habéis salido de Criptana; ahora, por primera vez, al doblar una loma distinguís en la lejanía remotísima, allá en los confines del horizonte, una torre diminuta y una mancha negruzca, apenas visible, en la uniformidad plomiza del paisaje. Esto es el pueblo del Toboso. Todavía han de transcurrir un par de horas antes de que penetremos en sus calles. El panorama no varía; veis los mismos barbechos, los mismos liegos hoscos, los mismos alcaceles tenues. Acaso en una distante ladera alcanzáis a descubrir un cuadro de olivos, cenicientos, solitarios, simétricos. Y no tornáis a ver ya en toda la campiña infinita ni un rastro de arboledas. Las encinas que estaban propincuas al Toboso y entre las que Don Quijote aguardara el regreso de Sancho, han desaparecido. El cielo, conforme la tarde va avanzando, se cubre de un espeso toldo plomizo. El carro camina, dando tumbos, levantándose en los pedruscos, cayendo en los hondos baches. Ya estamos cerca del poblado. Ya podéis ver la torre cuadrada, recia, amarillenta, de la iglesia y las techumbres negras de las casas. Un silencio profundo reina en el llano; comienzan a aparecer a los lados del camino paredones derruídos. En lo hondo, a la derecha, se distingue una ermita ruinosa, negra, entre árboles escuálidos, negros, que salen por encima de largos tapiales caídos. Sentís que una intensa sensación de soledad y de abandono os va sobrecogiendo. Hay algo en las proximidades de este pueblo que parece como una condensación, como una síntesis de toda la tristeza de la Mancha. Y el carro va avanzando. El Toboso es ya nuestro. Las ruinas de paredillas, de casas, de corrales, han ido aumentando; veis una ancha extensión de campo llano cubierta de piedras grises, de muros rotos, de vestigios de cimientos. El silencio es profundo; no descubrís ni un ser viviente; el reposo parece que se ha solidificado. Y en el fondo, más allá de todas estas ruinas, destacando sobre un cielo ceniciento, lívido, tenebroso, hosco, trágico, se divisa un montón de casuchas pardas, terrosas, negras, con paredes agrietadas, con esquinazos desmoronados, con techos hundidos, con chimeneas desplomadas, con solanas que se bombean y doblan para caer, con tapiales de patios anchamente desportillados...

Y no percibís ni el más leve rumor: ni el retumbar de un carro, ni el ladrido de un perro, ni el cacareo lejano y metálico de un gallo. Y comenzáis a internaros por las calles del pueblo. Y veis los mismos muros agrietados, ruinosos; la sensación de abandono y de muerte que antes os sobrecogiera acentúase ahora por modo doloroso a medida que vais recorriendo estas calles y aspirando este ambiente.

Casas grandes, anchas, nobles, se han derrumbado y han cubierto los restos de sus paredes con bajos y pardos tejadillos; aparecen vetustas y redondas portaladas rellenas de toscas piedras; destaca acá y allá, entre las paredillas terrosas, un pedazo de recio y venerable muro de sillería; una fachada con su escudo macizo perdura, entre casillas bajas, entre un montón de escombros... Y vais marchando lentamente por las callejas; nadie pasa por ellas; nada rompe el silencio. Llegáis de este modo a la plaza. La plaza es un anchuroso espacio solitario; a una banda destaca la iglesia, fuerte, inconmovible, sobre las ruinas del poblado; a su izquierda se ven los muros en pedazos de un caserón solariego; a la derecha aparecen una ermita agrietada, caduca, y un largo tapial desportillado. Ha ido cayendo la tarde. Os detenéis un momento en la plaza. En el cielo plomizo se ha abierto una ancha grieta; surgen por ella las claridades del crepúsculo. Y durante este minuto que permanecéis inmóviles, absortos, contempláis las ruinas de este pueblo vetusto, muerto, iluminadas por un resplandor rojizo, siniestro. Y divisáis—y esto acaba de completar vuestra impresión—, divisáis, rodeados de este profundo silencio, sobre el muro ruinoso adosado a la ermita, la cima aguda de un ciprés negro, rígido, y ante su oscura mancha el ramaje fino, plateado, de un olivo silvestre, que ondula y se mece en silencio, con suavidad, a intervalos...

¿Cómo el pueblo del Toboso ha podido llegar a este grado de decadencia?—pensáis vosotros, mientras dejáis la plaza—. «El Toboso—os dicen—era antes una población caudalosa; ahora no es ya ni sombra de lo que fué en aquellos tiempos. Las casas que se hunden no tornan a ser edificadas; los moradores emigran a los pueblos cercanos; las viejas familias de los hidalgos—enlazadas con uniones consanguíneas desde hace dos o tres generaciones—acaban ahora sin descendencia.» Y vais recorriendo calles y calles. Y tornáis a ver muros ruinosos, puertas tapiadas, arcos despedazados. ¿Dónde estaba la casa de Dulcinea? ¿Era realmente Dulcinea esta Aldonza Zarco de Morales, de que hablan los cronistas? En El Toboso abundan los apellidos de Zarco; la casa de la sin par princesa se levanta en un extremo del poblado, tocando con el campo; aún perduran sus restos. Bajad por una callejuela que se abre en un rincón de la plaza desierta; reparad en unos murallones desnudos de sillería que se alzan en el fondo; torced después a la derecha; caminad luego cuatro o seis pasos; deteneos al fin. Os encontráis ante un ancho edificio, viejo, agrietado; antaño esta casa debió de constar de dos pisos, mas toda la parte superior se vino a tierra, y hoy, casi al ras de la puerta, se ha cubierto el viejo caserón con un tejadillo modesto, y los desniveles y rajaduras de los muros de noble piedra se han tabicado con paredes de barro.

Esta es la mansión de la más admirable de todas las princesas manchegas. Al presente es una almazara prosaica. Y para colmo de humillación y vencimiento, en el patio, en un rincón, bajo gavillas de ramaje de olivo, destrozados, escarnecidos, reposan los dos magníficos blasones que antes figuraban en la fachada. Una larga tapia parte del caserón y se aleja hacia el campo, cerrando la callejuela...

«—Sancho, hijo, guía al palacio de Dulcinea, que quizás podrá ser que la hallemos despierta—decía a su escudero don Alonso, entrando en El Toboso a medianoche.

»—¿A qué palacio tengo de guiar, cuerpo del sol—respondía Sancho—, que en el que yo vi a su grandeza no era sino casa muy pequeña?»

La casa de la supuesta Dulcinea, la señora doña Aldonza Zarco de Morales, era bien grande y señoril. Echemos sobre sus restos una última mirada; ya las sombras de la noche se allegan; las campanas de la alta y recia torre dejan caer sobre el poblado muerto sus vibraciones; en la calle del Diablo—la principal de la villa—, cuatro o seis yuntas de mulas que regresan del campo arrastran sus arados con su sordo rumor. Y es un espectáculo de una sugestión honda ver a estas horas, en este reposo inquebrantable, en este ambiente de abandono y de decadencia, cómo se desliza de tarde en tarde, entre las penumbras del crepúsculo, la figura lenta de un viejo hidalgo con su capa, sobre el fondo de una redonda puerta cegada, de un esquinazo de sillares tronchado o de un muro ruinoso por el que asoman los allozos en flor o los cipreses...

XIV

LOS MIGUELISTAS DEL TOBOSO

¿Por qué no he de daros la extraña, la inaudita noticia? En todas las partes del planeta el autor del *Quijote* es Miguel de Cervantes Saavedra; en El Toboso es sencillamente *Miguel*. Todos le tratan con suma cordialidad; todos se hacen la ilusión de que han conocido a la familia.

—Yo, señor Azorín—me dice don Silverio—, llego a creer que he conocido al padre de Miguel, al abuelo, a los hermanos y a los tíos.

¿Os imagináis a don Silverio? ¿Y a don Vicente? ¿Y a don Emilio? ¿Y a don Jesús? ¿Y a don Diego? Todos estamos en torno de una mesa cubierta de un mantel de damasco—con elegantes pliegues marcados—; hay sobre ella tazas de porcelana, finas tazas que os maravilla encontrar en el pueblo. Y doña Pilar—esta dama tan manchega, tan española, discretísima, afable—va sirviendo con suma cortesía el brebaje aromoso. Y don Silverio dice, cuando trascuela el primer sorbo, como excitado por la mixtura, como dentro ya del campo de las confesiones cordiales:

—Señor Azorín: que Miguel sea de Alcázar, está perfectamente; que Blas sea de Alcázar, también; yo tampoco lo tomo a mal; pero el abuelo, ¡el abuelo de Miguel!, no le quepa a usted duda, señor Azorín; el abuelo de Miguel era de aquí...

Y los ojos de don Silverio llamean un instante. Os lo vuelvo a decir: ¿os imagináis a don Silverio? Don Silverio es el tipo más clasico de hidalgo que he encontrado en tierras manchegas; existe una secreta afinidad, una honda correlación inevitable, entre la figura de don Silverio y los muros en ruinas del Toboso, las anchas puertas de medio punto cegadas, los tejadillos rotos, los largos tapiales desmoronados. Don Silverio tiene una cara pajiza, cetrina, olivácea, cárdena; la frente sobresale un poco; luego, al llegar a la boca, se marca un suave hundimiento, y la barbilla plana, aguda, vuelve a sobresalir, y en ella se muestra una mosca gris, recia, que hace un perfecto juego con un bigote ceniciento, que cae descuidado, lacio, largo, por las comisuras de los labios. Y tiene don Silverio unos ojos de una expresión única, ojos que refulgen y lo dicen todo. Y tiene unas manos largas, huesudas, sarmentosas, que suben y bajan rápidamente en el aire, elocuentes, prontas, cuando las palabras surten de la boca del viejo hidalgo, atropelladas, vivarachas, impetuosas, pintorescas. Yo siento una gran simpatía por don Silverio: lleva treinta y tres años adoctrinando niños en El Toboso. El charla con vosotros, cortés y amable. Y cuando ya ha ganado una poca de vuestra confianza, entonces el rancio caballero saca del bolsillo interior de su chaqueta un recio y grasiento manojo de papeles y os lee un alambicado soneto a Dulcinea. Y si la confianza es mucho mayor, entonces os lee también, sonriendo con ironía, una sátira terriblemente antifrailesca, tal como Torres Naharro la deseara para su *Propaladia*. Y si la confianza logra aún más grados, entonces os lleva a que veáis una colmena que él posee con una ventanita de cristal por la que puede verse trabajar las abejas.

Todos estamos sentados en torno de una mesa; es esto como un círculo pintoresco y castizo de viejos rostros castellanos.

Don Diego tiene unos ojos hundidos, una frente ancha y una larga barba cobriza; es meditativo; es soñador; es silencioso; sonríe de tarde en tarde, sin decir nada, con una vaga sonrisa de espiritualidad y de comprensión honda. Don Vicente lleva—como pintan a Garcilaso—la cabeza pelada al rape y una barba tupida.

Don Jesús es bajito, gordo y nervioso. Y don Emilio tiene una faz huesuda, angulosa, un bigotillo imperceptible y una barbita que remata en una punta aguda.

—Señor Azorín, quédese usted, yo se lo ruego; yo quiero que usted se convenza; yo quiero que se lleve buenas impresiones del Toboso—dice vivamente don Silverio, gesticulando, moviendo en el aire sus manos secas, en tanto que sus ojos llamean.

—Señor Azorín—repite don Silverio—; Miguel no era de aquí; Blas, tampoco. Pero ¿cómo dudar de que el abuelo lo era?

—No lo dude usted—añade doña Pilar, sonriendo afablemente—; don Silverio tiene razón.

—Sí, sí—dice don Silverio—; yo he visto el árbol de la familia. ¡Yo he visto el árbol, señor Azorín! ¿Y sabe usted de dónde arranca el árbol?

Yo no sé, en realidad, de dónde arranca el árbol de la familia de Cervantes.

—Yo no lo sé, don Silverio—confieso yo un poco confuso.

—El árbol—proclama don Silverio—arranca de Madridejos. Además, señor Azorín, en todos los pueblos estos inmediatos hay Cervantes; los tiene usted, o los ha tenido, en Argamasilla, en Alcázar, en Criptana, en El Toboso. ¿Cómo vamos a dudar que Miguel era de Alcázar? ¿Y no están diciendo que era manchego todos los nombres de los lugares y tierras que él cita en el *Quijote* y que no es posible conocer sin haber vivido aquí largo tiempo, sin ser de aquí?

—¡Sí; Miguel era manchego!—añade don Vicente, pasando la mano por su barba.

—¡Sí; era manchego!—dice don Jesús.

—Era manchego—añade don Emilio.

—¡Ya lo creo que lo era!—exclama don Diego, levantando la cabeza y saliendo de sus remotas soñaciones.

Y don Silverio agrega, dando una recia voz:

—¡Pero váyales usted con esto a los académicos!

Y ya la gran palabra ha sido pronunciada. ¡Los académicos! ¿Habéis oído? ¿Os percatáis de toda la trascendencia de esta frase? En toda la Mancha, en todos los lugares, pueblos, aldeas, que he recorrido, he escuchado esta frase, dicha siempre con una intencionada entonación. Los académicos, hace años, no sé cuándo, decidieron que Cervantes fuese de Alcalá y no de Alcázar; desde entonces, poco a poco, entre los viejos hidalgos manchegos, ha ido formándose un enojo, una ojeriza, una ira, contra los académicos. Y hoy en Argamasilla, en Alcázar, en El Toboso, en Criptana, se siente un odio terrible, formidable, contra los académicos. Y los académicos no se sabe a punto fijo lo que son; los académicos son, para los hombres, para las mujeres, para los niños, para todos, algo como un poder oculto, poderoso y tremendo; algo como una espantable deidad maligna que ha hecho caer sobre la Mancha la más grande de todas las desdichas, puesto que ha decidido con sus fallos inapelables y enormes que Miguel de Cervantes Saavedra no ha nacido en Alcázar.

—Los académicos—dice don Emilio con profunda desesperanza—no volverán de su acuerdo por no verse obligados a confesar su error.

—Los académicos lo han dicho—añade don Vicente con ironía—, y ésa es la verdad infalible.

—¡Cómo vamos a rebatir nosotros—agrega don Jesús—lo que han dicho los académicos!

Y don Diego, apoyado el codo sobre la mesa, levanta la cabeza pensativa, soñadora, y murmura en voz leve:

—¡Pchs, los académicos!

Y don Silverio, de pronto, da una gran voz, en tanto que hace chocar con energía sus manos huesudas, y dice:

—Pero ¡no será lo que dicen los académicos, señor Azorín! ¡No lo será! Miguel era de Alcázar, aunque diga lo contrario todo el mundo. Blas también era de allí, y el abuelo era del Toboso.

Y luego:

—Aquí, en casa de don Cayetano, hay una porción de documentos de aquella época; yo los estoy examinando ahora, y yo puedo asegurarle a usted que no sólo el abuelo, sino también algunos tíos de Miguel, nacieron y vivieron en El Toboso.

¿Qué voy a oponer yo a lo que me dice don Silverio? ¿Habrá alguien que encuentre inconveniente alguno en creer que el abuelo de Cervates era del pueblo del Toboso?

—Y no es esto sólo—prosigue el buen hidalgo—; en El Toboso existe una tradición no interrumpida de que en el pueblo han vivido parientes de Miguel; aún hay aquí una casa a la que todos llamamos la *casa de Cervantes.* Y don Antonio Cano, convecino nuestro, ¿no se llama de segundo apellido Cervantes?

Don Silverio se ha detenido un breve momento; todos estábamos pendientes de sus palabras. Después ha dicho:

—Señor Azorín, puede usted creerme; estos ojos que usted ve han visto el propio escudo de la familia de Miguel.

Yo he mostrado una ligera sorpresa:

—¡Cómo! —he exclamado—. Usted, don Silverio, ¿ha visto el escudo?

Y don Silverio, con energía, con énfasis:

—¡Sí, sí; yo lo he visto! En el escudo figuraban dos ciervas; la divisa decía de este modo:

> Dos ciervas en campo verde;
> la una pace; la otra duerme;
> la que pace, paz augura;
> la que duerme, la asegura.

Y don Silverio, que ha dicho estos versos con una voz solemne y recia, ha permanecido un momento en silencio, con la mano diestra en el aire, contemplándome de hito en hito, paseando luego su mirada triunfal sobre los demás concurrentes.

Yo tengo un gran afecto por don Silverio; este afecto se extiende a don Vicente, a don Diego—el ensoñador caballero—, a don Jesús, a don Emilio—el de la barba aguda y la color cetrina—. Cuando nos hemos separado era medianoche por filo; no ladraban los perros, no gruñían los cerdos, no rebuznaban los jumentos, no mayaban los gatos, como en la noche memorable en que Don Quijote y Sancho entraron en El Toboso; reinaba un silencio profundo; una luna suave, amorosa, bañaba las callejas, llenaba las grietas de los muros ruinosos, besaba el ciprés y el olivo silvestre que crecen en la plaza...

XV

LA EXALTACION ESPAÑOLA

EN ALCAZAR DE SAN JUAN

Quiero echar la llave, en la capital geográfica de la Mancha, a mis correrías. ¿Habrá otro pueblo, aparte de éste, más castizo, más manchego, más típico, donde más íntimamente se comprenda y se sienta la alucinación de estas campiñas rasas, el vivir doloroso y resignado de estos buenos labriegos, la monotonía y la desesperación de las horas que pasan y pasan lentas, eternas, en un ambiente de tristeza, de soledad y de inacción? Las calles son anchas, espaciosas, desmesuradas; las casas son bajas, de un color grisáseo, terroso, cárdeno; mientras escribo estas líneas, el cielo está anubarrado, plomizo; sopla, ruge, brama, un vendaval furioso, helado; por las anchas vías desiertas vuelan impetuosas polvaredas; oigo que unas campanas tocan con toques desgarrados, plañideros, a lo lejos; apenas si de tarde en tarde transcurre por las calles un labriego enfundado en su traje pardo o una mujer vestida de negro, con las ropas a la cabeza, asomando entre los pliegues su cara lívida; los chapiteles plomizos y los muros rojos de una iglesia vetusta cierran el fondo de una plaza ancha, desierta... Y marcháis, marcháis, contra el viento, azotados por las nubes de polvo, por la ancha vía interminable, hasta llegar a un casino anchuroso. Entonces, si es por la mañana, penetráis en unos salones solitarios, con piso de madera, en que vuestros pasos retumban. No encontráis a nadie; tocáis y volvéis a tocar en vano todos los timbres; las estufas reposan apagadas; el frío va ganando vuestros miembros. Y entonces volvéis a salir; volvéis a caminar por la inmensa vía desierta, azotados por el viento, cegados por el polvo; volvéis a entrar en la fonda —donde tampoco hay lumbre—; tornáis a entrar en vuestro cuarto, os sentáis, os entristecéis; sentís sobre vuestros cráneos, pesando formidables, todo el tedio, toda la soledad, todo el silencio, toda la angustia de la campiña y del poblado.

Decidme: ¿no comprendéis en estas tierras los ensueños, los desvaríos, las imaginaciones desatadas del grande loco? La fantasía se echa a volar frenética por estos llanos; surgen en los cerebros visiones, quimeras, fantasías torturadoras y locas. En Manzanares—a cinco leguas de Argamasilla—se cuentan mil casos de sortilegios, de encantamientos, de filtros, bebedizos y manjares dañados que novias abandonadas, despechadas, han hecho tragar a sus amantes; en Ruidera—cerca también de Argamasilla—, hace seis días, ha muerto un mozo que dos meses atrás, en plena robustez, viera en el alinde de un espejo una figura mostrándole una guadaña, y que desde ese día fué adoleciendo y ahilándose poco a poco hasta morir. Pero éstos son casos individuales, aislados, y es en el propio Argamasilla, la patria de Don Quijote, donde la alucinación toma un carácter colectivo, épico, popular. Yo quiero contaros este caso; apenas si hace seis meses que ha ocurrido. Un día, en una casa del pueblo, la criada sale dando voces de una sala y diciendo que hay fuego; todos acuden; las llamas son apagadas; el hecho en realidad carece de importancia. Mas dos días han transcurrido; la criada comienza a manifestar que ante sus ojos, de noche, aparece la figura de un viejo. La noticia, al principio, hace sonreír; poco tiempo después estalla otro fuego en la casa. Tampoco este accidente tiene importancia; mas tal vez despierta más vagas sospechas. Y al otro día otro fuego, el tercero, surge en la casa. ¿Cómo puede ser esto? ¿Qué misterio puede haber en tan repetidos siniestros? Ya el interés y la curiosidad están despiertos. Ya el recelo sucede a la indiferencia. Ya el temor va apuntando en los ánimos. La criada jura que los fuegos los prende este anciano que a ella se le aparece; los moradores de la casa andan atónitos, espantados; los vecinos se ponen sobre aviso; por todo el pueblo comienza a esparcirse la extraña nueva. Y otra vez el fuego torna a surgir. Y en este punto todos, sobrecogidos, perplejos, gritan que lo que pide esta sombra incendiaria son unas misas; el cura, consultado, aprueba la resolución; las misas se celebran; las llamas no tornan a surgir, y el pueblo, satisfecho, tranquilo, puede ya respirar libre de pesadillas...

Pero bien poco es lo que dura esta tranquilidad. Cuatro o seis días después, mientras los vecinos pasean, mientras toman el sol, mientras las mujeres cosen sentadas en las cocinas, las campanas comienzan a tocar a rebato. ¿Qué es esto? ¿Qué sucede? ¿Dónde es el fuego? Los vecinos saltan de sus asientos, despiertan de su estupor súbitamente, corren, gritan. El fuego es en la escuela del pueblo; no es tampoco—como los anteriores—gran cosa; mas ya los moradores de Argamasilla, recelosos, excitados, tornan a pensar en el encantador malandrín de los anteriores desastres. La escuela se halla frontera a la casa donde ocurrieron las pasadas quemas; el encantador no ha hecho sino dar un gran salto y cambiar de vivienda. Y el fuego es apagado; los vecinos se retiran satisfechos a casa. La paz es, sin embargo, efímera; al día siguiente las campanas vuelven a tocar a rebato; los vecinos tornan a salir escapados; se grita; se hacen mil cábalas; los nervios saltan; los cerebros se llenan de quimeras. Y durante cuatro, seis, ocho, diez días—por mañana, por tarde—, la alarma se repite y la población toda, conmovida, exasperada, enervada, frenética, corre, gesticula, vocea, se agita, pensando en estragos, en encantamientos, en poderes ocultos y terribles. ¿Qué hacer en este trance? «¡Basta, basta!—grita al fin el alcalde—. ¡Que no toquen más las campanas, aunque arda el pueblo entero!» Y estas palabras son como una fórmula cabalística que deshace el encanto; las campanas no vuelven a sonar; las llamas no tornan a surgir.

¿Qué me decís de esta exaltada fantasía manchega? El pueblo duerme en reposo denso; nadie hace nada; las tierras son apenas rasgadas por el arado celta; los huertos están abandonados; el Tomelloso, sin agua, sin más riegos que el caudal de los pozos, abastecen de verduras a Argamasilla, donde el Guadiana, sosegado, a flor de tierra, cruza el pueblo y atraviesa las huertas; los jornaleros de este pueblo ganan dos reales menos que los de los pueblos cercanos. Perdonadme, buenos y nobles amigos míos de Argamasilla: vosotros mismos me habéis dado estos datos. El tiempo transcurre lento en este marasmo; las inteligencias dormitan. Y un día, de pronto, una vieja habla de apariciones, un chusco simula unos incendios, y todas las fantasías, hasta allí en el reposo, vibran enloquecidas y se lanzan hacia el ensueño. ¿No es ésta la patria del gran ensoñador don Alonso Quijano? ¿No está en este pueblo compendiada la historia eterna de la tierra española? ¿No es esto la fantasía loca, irrazonada e impetuosa que rompe de pronto la inacción para caer otra vez estérilmente en el marasmo?

Y ésta es—y con esto termino—la exaltación loca y baldía que Cervantes condenó en el *Quijote;* no aquel amor al ideal, no aquella ilusión, no aquella ingenuidad, no aquella audacia, no aquella confianza en nosotros mismos, no aquella vena ensoñadora, que tanto admira el pueblo inglés en nuestro Hidalgo, que tan indispensables son para la realización de todas las grandes y generosas empresas humanas, y sin las cuales los pueblos y los individuos fatalmente van a la decadencia...

PEQUEÑA GUIA

PARA LOS EXTRANJEROS QUE NOS VISITEN CON MOTIVO DEL CENTENARIO

THE TIME THEY LOSE IN SPAIN

El doctor Dekker se encuentra entre nosotros. El doctor Dekker es, ante todo, F. R. C. S.; es decir, *Fellow of the Royal College of Surgeons;* después el doctor Dekker es filólogo, filósofo, geógrafo, psicólogo, botánico, numismático, arqueólogo. Una sencilla carta del doctor Pablo Smith, conocido de la juventud literaria española—por haber amigado años atrás con ella—, me ha puesto en relaciones con el ilustre miembro del Real Colegio de Cirujanos de Londres. El doctor Dekker no habita en ningún célebre hotel de la capital; ni el señor Capdevielle, ni el señor Baena, ni el señor Ibarra, tienen el honor de llevarle apuntado en sus libros. ¿Podría escribir el doctor Dekker su magna obra si viviera en el hotel de la Paz, o en el de París, o en el Inglés? No; el doctor Dekker tiene su asiento en una modestísima casa particular de nuestra clase media: en la mesa del comedor hay un mantel de hule—un poco blanco—; la sillería del recibimiento muestra manchas grasientas en su respaldo. «*The best in the world!*», ha exclamado con entusiasmo el doctor Dekker al contemplar este espectáculo, puesto el pensamiento en el país de España, que es el *mejor del mundo.*

Y en seguida el doctor Dekker ha sacado su lápiz. Con este lápiz, caminando avizor de una parte a otra, como un *rifle-man* con su escopeta, el doctor Dekker ha comenzado ya a amontonar los materiales de su libro terrible. ¿Y qué libro es éste? Ya lo he dicho: *The time they lose in Spain.* El ilustre doctor me ha explicado en dos palabras el plan, método y concepto de la materia; yo lo he entendido al punto. El doctor Dekker está encantado de España; el doctor Dekker delira por Madrid. «*The best in the world!*», grita entusiasmado a cada momento.

¿Y por qué se entusiasma de este modo el respetable doctor Dekker? «¡Ah!—dice él—. España es el país donde se espera más.» Por la mañana, el doctor Dekker se levanta y se dirige confiado a su lavabo; sin embargo, el ilustre miembro del Real Colegio de Cirujanos de Londres sufre un ligero desencanto: en el lavabo no hay ni una gota de agua. El doctor Dekker llama a la criada; la criada ha salido precisamente en este instante; sin embargo, va a servirle la dueña de la casa; pero la dueña de la casa se está peinando en este momento, y hay que esperar de todos modos siete minutos. El doctor Dekker saca su pequeño cuaderno y su lápiz, y escribe: *Siete minutos.* ¿Saben en esta casa cuándo ha de desayunarse un extranjero? Seguramente que un extranjero no se desayuna a la misma hora que un indígena; cuando el doctor Dekker demanda el chocolate le advierten que es preciso confeccionarlo. Otra pequeña observación: en España todas las cosas hay que hacerlas cuando deben estar hechas. El ilustre doctor torna a esperar quince minutos, y escribe en su diminuto cuaderno: *Quince minutos.*

El ilustre doctor sale de casa.

Claro está que todos los tranvías no pasan cuando nuestra voluntad quiere que pasen; hay un destino secreto e inexorable que lleva las cosas y los tranvías en formas y direcciones que nosotros no comprendemos. Pero el doctor Dekker es filósofo y sabe que cuando queremos ir a la derecha pasan siete tranvías en dirección a la izquierda, y que cuando es nuestro ánimo dirigirnos por la izquierda, los siete tranvías que corren van hacia la derecha. Pero esta filosofía del doctor Dekker no es óbice para que él saque un pequeño cuaderno y escriba: *Dieciocho minutos.*

¿Qué extranjero será tan afortunado que no tenga algo que dirimir en nuestras oficinas, ministerios o centros políticos? El doctor Dekker se dirige a un ministerio; los empleados de los ministerios—ya es tradicional, leed a Larra—no saben nunca nada de nada. Si supieran alguna cosa, ¿estarían empleados en un ministerio? El doctor Dekker camina por pasillos largos, da vueltas, cruza patios, abre y cierra puertas, hace preguntas a los porteros, se quita el sombrero ante oficiales primeros, segundos, terceros, cuartos y quintos, que se quedan mirándole, estupefactos, mientras dejan *El Imparcial* o *El Liberal* sobre la mesa. En una parte le dicen que allí no es donde ha de enterarse; en otra, que desconocen el asunto; en una tercera, que acaso lo sabrán en el negociado tal; es una cuarta que «hoy precisamente, así al pronto, no pueden decir nada». Todas estas idas y venidas, saludos, preguntas, asombros, exclamaciones, dilaciones, subterfugios, cabildeos, evasivas, son como una senda escondida que conduce al doctor Dekker al descubrimiento de la suprema verdad, de la síntesis nacional, esto es, de que hay que *volver mañana.* Y entonces el ilustre doctor grita con más entusiasmo que nunca: «*The best in the world!*»; y luego echa manos de su cuaderno y apunta: *Dos horas.*

¿Podrá un extranjero que es filósofo, filólogo, numismático, arqueólogo, pasar por Madrid sin visitar nuestra Biblioteca Nacional?

El doctor Dekker recibe de manos de un portero unas misteriosas y extrañas pinzas; luego apunta en una papeleta la obra que pide, el idioma en que la quiere, el tomo que desea, el número y apellidos, las señas de su casa; después espera un largo rato delante de una pequeña barandilla. ¿Está seguro el ilustre doctor de que la obra que ha pedido se titula como él lo ha escrito? ¿No se tratará, acaso, de esta otra, cuyo título le lee un bibliotecario en una papeleta que trae en la mano? ¿O es que tal vez el libro que él desea están encuadernándolo y no se ha puesto aún en el índice? ¿O quizá no sucederá que las papeletas estén cambiadas o que hay que mirar por el nombre del traductor en vez de empeñarse en buscar por el del autor? El bibliotecario que busca y rebusca las señas de este libro tiene una vaga idea... El doctor Dekker también tiene otra vaga idea, y escribe: *Treinta minutos.*

Pero es imposible detenerse en más averiguaciones; un amigo ha citado para tal hora al doctor Dekker, y el ilustre doctor sale precipitadamente para el punto de la cita. El insigne miembro del Real Colegio de Cirujanos de Londres ignora otra verdad fundamental de nuestra vida, otra pequeña síntesis nacional: y es que en Madrid un hombre discreto no debe acudir nunca a ninguna cita, y sobre no acudir, debe reprochar, además, su no asistencia a la persona que le ha citado, seguro de que esta persona le dará sus corteses excusas, puesto que ella no ha acudido tampoco. El doctor Dekker, al enterarse de este detalle trascendental, ha gritado de nuevo, henchido de emoción: «*The best in the world!*» Y al momento ha consignado en su cuaderno: *Cuarenta minutos.* ¿Habrá que decir también que el egregio doctor ha tenido que esperar a que pusieran la sopa, cuando ha regresado a su casa en demanda de su yantar, y que también ha escrito en su librito: *Quince minutos?*

Nada más natural después de comer que ir a un café. Atravesar la Puerta del Sol es una grave empresa. Es preciso hendir grupos compactos en que se habla de la revolución social, sortear paseantes lentos que van de un lado para otro con paso sinuoso, echar a la izquierda, ladearse a la derecha, evitar un encontronazo, hacer largas esperas para poderse colar al fin por un resquicio... «Un hombre que viene detrás de mí—decía Montesquieu hablando de estos modernos tráfagos—me hace dar una media vuelta, y otro que cruza luego por delante me coloca de repente en el mismo sitio de donde el primero me había sacado. Yo no he caminado cien pasos, y ya estoy más rendido que si hubiera hecho un viaje de seis leguas.»

Montesquieu no conoció nuestra Puerta del Sol; pero el ilustre doctor Dekker la ha cruzado y recruzado múltiples veces. Desde la esquina de Preciados hasta la entrada de la calle de Alcalá, estando libre el tránsito, podría tardarse, con andar sosegado, dos minutos; ahora se tarda seis. El doctor Dekker hiende penosamente la turba de cesantes, arbitristas, randas, demagogos, curas, chulos, policías, vendedores, y escribe en sus apuntes: *Cuatro minutos.* Y luego en el café, ya sentado ante la blanca mesa, un mozo tarda unos minutos en llegar a inquirir sus deseos; otros minutos pasan antes de que el mismo mozo aporte los apechusques del brebaje, y muchos otros minutos transcurren, también, antes de que el echador se percate de que ha de cumplir con la digna representación que ostenta. El doctor Dekker se siente conmovido. *Doce minutos,* consigna en su cartera, y sale a la calle.

¿Relataremos, punto por punto, todos los lances que le acontecen? En una tienda donde ha dado un billete de cinco duros para que cobrasen lo comprado, tardan en entregarle la vuelta diez minutos, porque el chico—cosa corriente—ha tenido que salir con el billete a cambiarlo.

En un teatro, para ver la función anunciada a las ocho y media en punto, ha de esperar hasta las nueve y cuarto; si mientras tanto coge un periódico, con objeto de enterarse de determinado asunto, la incongruencia, el desorden y la falta absoluta de proporciones con que nuestras hojas diarias están urdidas, le hacen perder un largo rato. El doctor Dekker desborda de satisfacción íntima. ¿Os percatáis de la alegría del astrónomo que ve confirmadas sus intuiciones remotas, o del paleontólogo que acaba de reconstruir con un solo hueso el armazón de un monstruo milenario, o del epigrafista que ha dado con un terrible enigma grabado en una piedra medio desgastada por los siglos? El doctor Dekker ha comprobado, al fin, radiante de placer, los cálculos que él hiciera, por puras presunciones, en su despacho de Fishstreet-Hill.

Y cuando de regreso a su modesto alojamiento madrileño, ya de madrugada, el sereno le hace aguardar media hora antes de franquear la puerta, el eximio socio del Real Colegio de Cirujanos de Londres llega al colmo de su entusiasmo y grita por última vez, estentórea y jovialmente, pensando en este país, sin par en el planeta: «*The best in the world!*»

El famoso economista Novicow ha estudiado, en su libro *Los despilfarros de las sociedades modernas*, los infinitos lapsos de tiempo que en la época presente malgastamos en fórmulas gramaticales, en letras inútiles, impresas y escritas (195 millones de francos al año dice el autor que cuestan estas letras a los ingleses y franceses), en cortesías, en complicaciones engorrosas de pesos, medidas y monedas. El doctor Dekker, original humorista y, a la vez, penetrante sociólogo, va a inaugurar, aplicando este método a los casos concretos de la vida diaria, una serie de interesantísimos estudios. Con este objeto ha llegado a España, y marcha de una parte a otra todo el día con el lápiz en ristre. Pronto podremos leer el primero de sus libros en proyecto. Se titula *The time they lose in Spain;* es decir: el tiempo que se pierde en España.

1905.

APENDICE GAZPACHERO

No podremos hacer el viaje de la Mancha—en ruta con Don Quijote—sin saborearnos unos gazpachos. Cuando Sancho, gobernador, ex gobernador, sale maltrecho de Barataria, amoscado con el doctor Recio, piensa en los gazpachos (parte II, capítulo LIII). Sus palabras son éstas: «Más quiero hartarme de gazpachos que estar sujeto a la miseria de un médico impertinente.» «Unos mueren de atafea y otros del deseo della.» Sancho, en Barataria, perecía del deseo. Los gazpachos se guisan también en tierras de Levante, con especialidad en Yecla. No lo olvidemos; hay gazpacho, plato andaluz, y hay gazpachos, plato manchego. El gazpacho andaluz es frío, nutritivo; los gazpachos manchegos son calientes, sustanciosos. No tiene plural el gazpacho andaluz; no tienen singular los gazpachos manchegos. En realidad, los gazpachos de la Mancha—y ésa es la razón de su plural—son los innúmeros trocitos de torta que los constituyen. Los gazpachos son consustanciales de la Mancha, de España. No nos imaginamos unos gazpachos en París, en los restaurantes lujosos de los alrededores de la Magdalena; se vería y se desearía un maestro cocinero para guisarlos; podrían ser, en el arte, un plato de prueba. No sabríamos con qué acompañarlos: si con borgoña, si con Saint-Emilion, si con el popular Beaujolais. No divaguemos; volvamos, en la Mancha, a los añicos, las menuzas, las trizas, los ápices de la no leudada torta. Podemos comer los gazpachos en su modo primitivo, elemental: en una mesita de pino, baja, con patas divergentes, despatarrada, cubierta con mantel de crudo esparto; comeremos con cuchara de palo, de duro y blanco boj; no será cosa de que llevemos la elementalidad al extremo: comer con cuchara formada con la misma torta. Podríamos ver en esa cuchara un símbolo, según el pueblo, cuando dice que una cosa dura «lo que cuchara de pan». Creo que en esta guisa, comidos en su secularidad, estaremos, con los gazpachos, más cerca del concepto «Europa» que en mesa procazmente fastuosa. En el supuesto de que exista Europa y de que sea, entre otras cosas, sencillez, pristinidad.

Guardan relación los gazpachos con el lugar donde se comen; puede ser en la falda de un monte, entre carrascas, en un atochar. Hemos dejado la vecina Mancha y nos encontramos en Levante; todavía conservamos vestigios manchegos; en éste el antiguo—e indeterminado—«campo espartario». Estas mismas atochas han sido, hace siglos, muchos siglos, esquilmadas por los romanos para sogas de sus barcos, para crezneja de sus atadijos. No faltarán el enebro, ni la sabina, ni el romero con sus florecitas azuladas. Del enebro sale la miera con que curamos las ovejas, la ginebra con que nos confortamos. Los gazpachos agradecen también el enjalbegue blanco, nítido, de la Mancha y de Levante.

No desentonan tampoco los gazpachos —antes convienen—en una vieja y lóbrega almazara de ciudad histórica; almazara donde nos alumbramos con candiles y donde la prensa es todavía de viga (la vetustez en las almazaras ha desaparecido ya, según creo; yo, en mi puericia, he comido gazpachos con aceite nuevo, en el campo espartario, en almazara clásica, en ciudad milenaria; era de rigor probar en los gazpachos el aceite que se estaba elaborando: un aceite espeso, dorado, verdoso a veces, que «se crecía» en la sartén). Esto mismo que nosotros estamos ahora haciendo—mascar y moler—lo hicieron igualmente los romanos, y después los godos, y después los árabes, y, antes que todos, los fenicios. Advertimos, en un momento, condensada en la almazara toda la historia, viva y dramática, de España.

AZORÍN.

Madrid, 1951.

GAZPACHOS

Cher ami:

No he visto nunca publicada la receta auténtica de los gazpachos; vivo hace tiempo en mi retiro de Hinojar. Con masa, sin levadura, bien heñida, se modelan las tortas del grosor de medio dedo escaso, y del tamaño de dos o tres palmos de grandes. En pleno campo se amasan sobre la cara curtida de una piel de cabra. Se doblan en dos dobleces para llevarlas al fuego más cómodamente y extenderlas; se cuecen en la pala, sobre fuego vivo, o se caldea la losa con hornijo y, barrida, se pone la torta sobre la losa y se cubre con las brasas—que es el clásico procedimiento—, sacudiéndolas al sacarlas para que se desprendan la ceniza y las cortecillas tostadas. También se cuecen al horno. La cochura debe ser rápida, para que la torta quede tierna y algo tostada por fuera. Según se saca del fuego, se abriga entre mandiles de lana, para que *sude* y quede tierna. Está bien hecha la torta cuando, después de cocida, permite que se doble sin quebrantarse.

En una sartén se fríen con aceite abundante, que se reservará para los gazpachos, palominos y aves de corral o caza de pelo o pluma, y, seguidamente, se cuece la carne sin el aceite. Con el aceite reservado se fríen trozos de jamón o tocino y también ñoras verdes y tomate como condimento. Todo esto último se cuece un rato en la misma sartén con el caldo en que se ha cocido la carne, agregando algo de agua, si no hay caldo suficiente, y la sal adecuada, y un pellizquito de pimienta molida.

Se desmenuzan las tortas, estrujando los cachos con los dedos para que se abran y quede más esponjoso el gazpacho. Se echan en la sartén, y también la carne; y para que el gazpacho no se escalde se le añade antes un poco de agua fría. Conviene que tengan mucho caldo para que cuezan bien. Para evitar que se peguen, se va moviendo la sartén con volteos de vaivén, porque es preferible a mecerlos con la freidera. Se sirven caldositos inmediatamente, volcando la sartén encima de una o varias tortas puestas a trozos sobre una fuente ancha y plana, o sobre un baleo de esparto. Se comen con esta misma torta impregnada, en vez de pan.

Los gazpachos llamados *viudos* se aderezan igual que los anteriores, pero fritos, sustituyendo la carne con hierbas (espinacas, acelgas, collejas, etc.), sin cocerlas previamente. Estos gazpachos, aliñados en las almazaras con aceite nuevo, resultan también muy gustosos. (No crea usted que Hinojar se escribe con ele.) ¡Ay, cómo pasa el tiempo! Ya no volveré a la calle de Rívoli. No estoy, sin embargo, tan atropellada...

Adiós, y hasta siempre.

María de los Llanos.

Albacete, 1951.

Abro la carta, cerrada hace un momento, para hacer a usted una advertencia que me hace a mí Antonio, el manijero de Hinojar: los gazpachos requieren—«piden», dice Antonio—una ensalada de amargón, diente de león *(llitsó,* en Cataluña).

El amargón se da en toda España, en todo el planeta; creo que lo he visto, con sus florecillas amarillas, en algún jardín de París, en algún *square.* No se da en parte alguna amargón como en el Hinojar. En cambio, no tenemos berros en la heredad. El amargón es Levante y los berros son Castilla. Alguna vez he pensado en escribir un *Recetario de las ensaladas de España.* Soñaba el ciego que veía; ya no puedo hacer nada.

Adiós, y veámonos.

María.

No me decido a cerrar la carta; se va usted a figurar que soy, como la heroína de cierta novela moderna, una retraída por fuerza. No hay tal cosa; con todos los bienes apetecibles, en pleno bienestar, siento cómo se me escapa el tiempo. Desde que los leí, no se apartan de mi memoria estos versos de Calderón, en su comedia *Hombre pobre, todo es trazas:*

En desengaño forzoso,
ofendido y despreciado,
no siento el ser desdichado:
siento haber sido dichoso.

Y ahora sí que me despido definitiva y cordialísimamente.

M.

Azorín consideró inadecuada ya la *Pequeña guía* con que terminan las ediciones primera y siguientes de *La ruta de Don Quijote* (1905), y escribió para la de Aguilar, S. A. de Ediciones, México-Madrid-Buenos Aires (1951), los *Apéndice gazpachero* y *Gazpachos* con que realzamos estas páginas selectas.

Quan'io mi volgo in dietro a mirare gli
[anni
C'hanno, juggendo, i miei penseri sparsi...

PETRARCA, Sonetto CCLVII.

E escrito estas páginas, unas en pueblecillos de Levante, a la vista de reducidas vegas con herreñales verdes, y de huertos silenciosos plantados de granados, cipreses y laureles; otras, las más, en viejas ciudades castellanas, donde todo es paz y sosiego; donde hay vetustos caserones y fonditas sórdidas y destartaladas; donde al desembocar de una callejuela desierta en que vuestros pasos hacen un ruido sonoro, se ve en la lejanía un paisaje de tierras ocres, con un camino que serpentea por los oteros y recuestos y llega hasta una ermita.

Algunos de estos breves ensayos han sido pensados y trasladados al papel recientemente. Son los últimos del libro. En ellos verá el lector algo como una preocupación, como una manera de ver la vida, como una tendencia. Domina esta tendencia a todo el libro. Las ilusiones primeras van pasando. Traen los años una visión de las cosas que no es la juvenil. Nos preocupan menos el color y la forma. Un ritmo eterno, escondido, de las cosas se impone a nuestro espíritu. Si somos discretos, si la experiencia no ha pasado en balde sobre nosotros, una sola actitud mental adoptaremos para el resto de nuestros días. Nos recogeremos sobre nosotros mismos; confiaremos en los demás menos que en nosotros; bajo apariencias de afabilidad, desdeñaremos a muchas gentes; miraremos con un profundo respeto el misterio de la vida; comprenderemos los extravíos ajenos, y tendremos conformidad y nos resignaremos, en suma, dulcemente, sin tensión de espíritu, sin gesto trágico, ante lo irremediable.

AZORÍN.

EL MAL LABRADOR

(1237)

Este es un labrador por el que debemos sentir todos la mayor abominación; el maestro Gonzalo de Berceo, que nos ha contado su vida, está con él verdaderamente furioso. Este labrador tal vez vive en las sutiles tierras de la Rioja, o acaso en algún ameno rincón de Castilla, o quizá —¿quién podrá asegurarlo?—en alguna campiña andaluza. Ello es que este labrador tiene una casa amplia, cómoda; no sabemos si esta casa se halla en pleno campo o bien en alguna pequeña ciudad. Nosotros nos inclinamos a creer que, puesto que el maestro Berceo dice que este labriego «más amaba la tierra que non al Creador», él procurará estar de estos terruños tan amasados lo más cerca, todo lo más cerca posible. Y estábamos diciendo que la casa es ancha y cómoda; las paredes se hallan blanqueadas con cal; en la fachada—y ya veremos esto después para qué sirve—, en la fachada, formado con azulejos de Segovia o de Valencia, se ve un cuadro de la Virgen María. Y hay muchos árboles frondosos alrededor del edificio; y hay en la casa una ancha cocina con una leja en el humero (en la cual leja se ven peroles, ollas y cuencos vidriados); y hay cámaras anchas con puertas que crujen misteriosamente por las noches; y hay una camarilla gratísima, toda llena de orcitas con mieles y arropes, de perniles, de tornizuelos y orejas de puerco puestas en sal, de embutidos, de nueces colocadas en grandes arneros, de colgajos de uvas y membrillos que penden de largas cañas; y hay un corral ancho, lleno de cerdos—negros, blancos o jarros—; y hay un tosco jaraíz para estrujar los racimos en el otoño; y hay unos alhorines hondos repletos de grano, y unas abombadas tinajas, llenas de aceite unas, y otras de vino, y hay, en fin, allá en lo alto, un palomar de donde las palomas salen por unos pequeños agujeros y se extienden, raudas, por todo el campo...

Todos quieren a este mal labrador; sucede que muy a menudo los hombres malos suelen ser queridos de todos; los mozos de la labranza están encantados con este labrador; él lo ve todo y provee prestamente a cualquier desarreglo. Las mozas que trajinan por la casa (estas mozas recias, sanas, fuertes, que tanta impresión nos hacen a los que llegamos de la ciudad); las mozas adoran también a este labrador; acaso él les dice de cuando en cuando alguna terrible, enorme cuchufleta (en el campo no se paran en barras), y es casi seguro que el día de su santo les regale alguna tumbaga o algunas arracadas. Todo está bien, al parecer; pero si examinamos atentamente las cosas, veremos que este hombre es un hombre malo, abominable. Este hombre, tan llano y corriente aquí en casa, hace todo lo posible por acrecentar su caudal a costa de sus vecinos y colindantes; él les pone mil pleitos y los enreda en las mil sutiles mallas de la ley; él les arma un caramillo formidable en menos que canta un gallo; y él—asombraos todos—, no sabiendo ya qué hacer para que sus campos sean mayores, se levanta por las noches, cuando todo el mundo duerme, y cambia los mojones de las lindes. «Cambiaba los mojones por ganar eredat», dice el buen Berceo lleno de indignación...

Y por este y otros desafueros este labrador es cogido a su muerte por los diablos; éstos lo arrastran, lo zarandean, y ya están a punto de llevárselo a los infiernos, cuando interviene Nuestra Señora. Nuestra Señora lo salva. El mal labrador no había dejado en su vida ni un solo día de adorar a la Virgen: por las mañanas al levantarse, y cada vez que entraba y salía en la casa y veía en la fachada este cuadro de que hemos hablado al principio, él ponía su pensamiento en la Madre de Dios. Y la Madre de Dios lo salvó en el trance supremo. Adorémosla siempre, dice el querido, el muy amado poeta. «Non nos debe doler nin lengua nin garganta—que non digamos todos: «Salve Regina sancta.»

UNAS SOMBRERERAS

(1520)

¿Conocéis a Gerarda? ¿Y a Fenisa? ¿Y a Isabel? ¿Y a Raquel? ¿Y a Guiomar? Todas éstas son unas lindas toledanitas, menudas, blancas, picarescas. Gerarda tiene unas manos maravillosas, con unas uñas combaditas y rosadas; Fenisa posee unos cabellos de oro, sedosos; los labios de Isabel son coloraditos, delgados; Raquel es esbelta, cimbreante, y los ojos de Guiomar —como los de su paisana Melibea—son verdes, anchos. Y todas están trabajando en esta estancia de un grande caserón toledano; corren los primeros años del siglo XVI; en la sala hay uno o dos tornos de hilar que hacen un leve ruido cuando funcionan; hay también unos moldes extraños, unos grandes pedazos de castor y otros grandes trozos de joyantes sedas. Y estas lindas mozas toledanas van hilando unas, y van otras fabricando sombreros y bonetes.

Y ya está descubierto el enigma: nos hallamos en una vieja sombrerería de Toledo. ¿No os atraen a vosotros estas históricas, legendarias, nobles, industrias españolas? En Murcia, en Valencia y en Sevilla traman sedas maravillosas; en Ocaña hacen unos famosos guantes, que después se ponen estos señores a quienes retratan Pantoja y Velázquez; en Ajofrín construyen unas delicadas y sutiles espuelas (no las hay mejores en ninguna parte: no os canséis en buscarlas); en Talavera fabrican unos platos, unos aguamaniles y unos cacharros portentosos, y aquí, en la imperial ciudad, labran los armeros peritísimos unas espadas que no tienen rival en el mundo; pero también existen unos talleres de sombrerería de donde salen los más elegantes, los más airosos sombreros, gorras y bonetes que puede ponerse sobre la testa un caballero. Don Quijote, cuando estaba sentado en su cama, dice Cervantes que tenía puesto «un bonete colorado toledano». Añadiremos que, por lo que respecta a este capítulo de los sombreros, los españoles son un tanto caprichosos, tornadizos y amigos de las más extrañas y estrambóticas modas; Baltasar Gracián, en su *Criticón,* dedica unos párrafos a la infinita variedad de sombreros—altos, bajos, chiquitos, anchurosos—que se usan en España. Y si penetramos en este pequeño obrador toledano, comprobaremos por nosotros mismos, sin que nos lo diga Gracián, esta heterogeneidad estupenda, increída, de los chapeos españoles. Es por la mañana; acaban de venir al taller las operarias; un aire de alegría corre por la sala; va a comenzar el trabajo. Gerarda prepara uno de los tornos; Fenisa pone en orden el lino o la lana; Isabel se apresta a cortar grandes trozos de paño; Raquel da forma conveniente a los fragmentos de seda con que han de ser forradas las copas y las alas de los sombreros (ya los habréis visto en esta guisa en los cuadros de Velázquez y de José Leonardo); y, finalmente, Guiomar, la de los ojos verdes, tal vez se asoma un momento a la ventana para ver si atisba a cierto enigmático transeúnte. Y todas van trabajando alegres y satisfechas; de rato en rato la estancia resuena con algún canto popular; acaso lo que estas lindas muchachas entonan es el viejo romance del paje Verguilios o aquel otro del conde Claros. Y si ocurre que entra en el taller algún comprador (un estirado hidalgo que va a hacer un encargo, o un reverendo abad o presentado de algún monasterio o de tal parroquia), veréis cómo estas traviesas mozas cuchichean entre sí, cómo lanzan miradas maliciosas al intruso, y cómo alguna sonrisa, alguna carcajada argentina revuela de pronto por la sala. No nos expongamos a estas livianas burlas; estas toledanitas son terribles; la reina Isabel la Católica decía que «sólo se sentía necia en Toledo», es decir, entre estas mozas repentinas y agudas. Abandonemos el taller; al lado de esta casa vive un respetable caballero a quien hemos de ir aún a visitar esta mañana; el autor desconocido de *La vida del Lazarillo de Tormes* habla de él en el capítulo III de su maravilloso libro; este mismo autor alude también en el mismo pasaje a estas sombrereritas a quienes acabamos nosotros de dedicar estas líneas.

UN SABIO

(1525)

Este es un sabio que nos presenta Juan Luis Vives en sus *Diálogos latinos*. Envidiamos nosotros profundamente a este buen hombre, que tiene dos o tres criados, que posee una casa confortable, que dispone de todas las comodidades, y que, por las noches, estudia un rato, tomando para ello toda clase de precauciones, abrigándose bien, haciendo que uno de sus criados vaya trayéndole los libros que necesita y que otro ayuda de cámara o cubiculario se halle a su lado por si le ocurriera algo. Nosotros, modestos periodistas que escribimos en un modesto mechinal a salga lo que saliere, sentimos una envidia sincera por todo esto, y convenimos desde luego en que sólo en estas condiciones es posible escribir páginas profundas, indelebles...

Y vamos a decir, muy a la ligera, lo que hace este erudito. A las cinco de la tarde—según nos cuenta Vives—, este respetable sabio hace que cierren las ventanas de su despacho. Esta hora—añade Vives—es «cuando todas las cosas reposan y callan». No queremos detenernos en hacer constar que tal fenómeno de reposo a las cinco de la tarde no es posible que se ofrezca en España; sin duda el autor se refiere a Brujas, que es donde él vivía. Y ello es que, haya o no ruido en Brujas a las cinco de la tarde, este sabio manda cerrar, como hemos dicho, las maderas de sus balcones. Ya cerradas las maderas—o antes de cerrarlas—, el erudito hace que le preparen las luces. ¿Y qué luz empleará? ¿La luz de aceite o la luz de vela? La elección inquieta un poco a nuestro hombre: «el olor de sebo no es deleitable», dice él; la luz de aceite es más suave, más dulce. Usaremos, pues, la luz de aceite; el problema queda resuelto. Y ahora es preciso que el criado traiga «la capa de velar», es decir, una capa amplia, recia, en que el erudito se arrebuja cuando ha de trabajar; y es menester asimismo que el criado ponga sobre la mesa el atril en que han de reposar con toda comodidad los libros...

Y después que el tal cubiculario ha hecho todas estas operaciones, el erudito manda llamar a otro criado, a Didymo, «que es el que me sirve cuando estudio», y no tan sólo juzga que Didymo debe estar junto a él, sino que cree conveniente que venga también su secretario, «porque—dice él—yo quiero dictar algo». Nuestros literatos y nuestros sociólogos estarán maravillados al contemplar esta manera admirable de trabajar. Pero no es esto sólo: las plumas están sobre la mesa; nuestro hombre no puede alargar la mano para cogerlas; él da orden a uno de los criados para que se las acerque; otro criado le trae los libros que necesita para el estudio: Demóstenes, Gregorio Nacianceno, Jenofonte, Cicerón...

Claro está que, colocado el volumen en el atril, uno de los criados es el que ha de ir pasando las hojas; otra cosa sería molesto. Nuestro sabio lee unos párrafos de Cicerón o de Demóstenes, y va haciendo ligeros y discretos comentarios en voz alta. No sabemos cuánto tiempo permanece estudiando; pero cuando se acerca la hora de dar por terminada la tarea, este erudito manda que le preparen bien la cama y que pongan en ella bastante abrigo. «Descálzame—le dice luego a uno de los criados—; pon aquí la silla de goznes para sentarme; esté prevenido el vaso de noche en el escaño junto a la cama; quema un poco de incienso o de enebro y haz sahumerio. Cántame alguna cosa con la vihuela al uso de Pitágoras, para que duerma más presto y con más dulzura.»

Y el criado canta:

¡Oh sueño, quietud de todo!
¡Oh amado aun de los dioses!

Repetimos que sentimos una envidia profunda por este sabio, y que quisiéramos escribir de este modo todos nuestros artículos.

DELICADO

(1530)

Delicado es un cura de pueblo; este pueblo es uno claro, pintoresco, suavemente melancólico, de Andalucía. Delicado es un señor un poco gordo, con recias cejas, con los labios bermejos, con unas manos gordezuelas que acarician bondadosamente a los niños de las vecinas. Delicado se pasa el día andando de casa en casa—como Sócrates en Atenas—; habla con todos: con Pedro el carpintero; con José Luis el herrero; con Alvaro el tejedor; con Romualdo el alfayate. En la fuente, cuando atraviesa la plaza, se detiene un momento, sonríe con una mezcla de malicia, y dice unas cosas a Rosa, a Carmen, a Mari-Pepa o a Juana María. Si una vecina ha de hacer una tarea de mostachones, a Delicado consulta; si otra comadre ha de comprar lana para mudar la del colchón viejo, a Delicado va también; una niña está enferma, pálida, ahilada, y Delicado da a la madre unas hierbas que la sanan en cuatro días...

Y Delicado, como todos estos hombres bondadosos, afables, que hemos conocido en nuestra niñez, es un poco epicúreo; os digo que a él le place, sobre todas las cosas, una comida limpia y bien aliñada. El tiene una erudición portentosa en estos asuntos; él gusta de «las albondiguillas redondas y apretadas con culantro verde», de la «col murciana con alcaravea», de la «cazuela de berenjena moxies», de la «cazuela de pescado cecial con oruga»; él enumera complacido estos dulces, tan andaluces, tan sabrosos, que sólo podemos comer en Osuna, en Cabra, en Lucena, en Jerez o en Utrera: los pestiños, las rosquillas de alfajor, los tostones de cañamones y de ajonjolí; los nuégados y las xopaipas; él se acuerda, lleno de íntima ternura, de unos «grañones con tocino que comió en Jaén», siendo niño, y que ya no ha vuelto a comer tan buenos; él advierte que las viandas cocidas en vasija de barro y a fuego lento saben mejor que las guisadas en cobre; él sabe torcer a maravilla, bien sea con agua o bien con aceite, estos exquisitos hormigos, de los cuales él se comería «una almofía llena»; él, en fin, reputa como una de las mayores satisfacciones de su vida el haber comido y aprendido a hacer, allá en Roma, unas maravillosas chambelas italianas que se confeccionan con «harina, agua caliente, sal, matalahuva y un poco de azúcar».

Todos quieren a Delicado; todos le buscan. El buen cura ya no tiene más ilusiones que esta vida sedante, sosegada, del bello pueblo andaluz. En su mocedad, Delicado ha estado en Roma; allí ha vivido unos años en medio de la sociedad más heteróclita y pintoresca, y ha conocido los tipos y las vidas más encontrados y diversos. ¿No trabó él amistad allí con «Mira, la judía que fué de Murcia»? ¿No conoció también a «una abacera que vino a llevarse una bula para una ermita»? ¿No trató, asimismo, a «unas camiseras castellanas»? ¿No nos habla del mismo modo de una «mujer de Jumilla que majaba en un morterico de azófar atauja y pepitas de pepino»?

Pero los años han ido pasando; aquella batahola formidable de Roma no era para nuestro autor; su ideal estribaba en la vida de pueblo. Y por eso dió vuelta al cabo a su gentil ciudad de Andalucía. Y aquí mora feliz y satisfecho. El día él lo pasa de casa en casa. Y tal vez durante estas siestas andaluzas tan ardientes, o bien a prima noche en las del invierno, él coge la pluma y va escribiendo estas páginas soberbias, únicas en nuestra literatura picaresca; estas páginas—un tanto libres—en que nos ofrece las más hondas sensaciones de la vida diaria, de las cosas pequeñas, triviales, ignoradas, y que se titulan *La lozana andaluza*.

ANA

(1558)

«Paz sea en esta casa, paz sea en esta casa. Dios te guarde, señora honrada. Dios te guarde. Una limosnica, cara de oro, cara de siempre novia.» Esto y otras cosas es lo que dice en una comedia de Lope de Rueda—la *Eufemia*—una cierta mujer llamada Ana que entra a limosnear en una casa. No hemos hallado en ningún libro, en ninguna literatura, una expresión más cariñosa, más halagadora, más profundamente amable que esta de *cara de siempre novia;* es decir, que esta mujer le desea a la joven, a la cual pide una limosna, que tenga en todos los momentos de su vida la faz que se tiene cuando se es amada, cuando se es contemplada largas horas, largos días, por el amante, que nunca se cansa de mirar y que siempre acaba por encontrar en esta cara queridísima una nueva perfección, un nuevo y desconocido motivo de amor. No es posible, repetimos, una loanza más agradable y más profunda. Quien la ha empleado es una mujer astuta, diestrísima; es una maestra de psicología humana, que nosotros desde este momento admiramos fervientemente.

Y esto nos induce a imaginar cómo será esta dichosa Ana y qué es lo que hará por el mundo. Si consideramos que poco después de pronunciar las maravillosas palabras citadas intenta Ana decirle la buena ventura a la joven requerida, no será aventurado afirmar que Ana pertenece a la estirpe de los gitanos y que es posible que conozca mil secretos, artes, trazas y recursos más o menos enigmáticos y útiles. Ante todo, Ana sabrá rezar oraciones que tengan la virtud de causar tales y tales efectos: conocerá la oración del Justo Juez; la de San Gregorio—que no recordamos ahora para qué sirve—; la del Apartamiento del cuerpo y el alma. Cuando después de rezada una de estas oraciones reciba una limosna, sabrá también seguramente decir Ana: «Loado sea Dios, y su santo nombre bendigan todas las criaturas, y El encamine a vuestra merced en su santo servicio y le libre de pecado mortal, de falso testimonio, de poder de traidores y malas lenguas.» Ana tendrá, si vive en Toledo (como dicen que es aquí donde vivía su colega Celestina), una casilla miserable y medio caída allá en la cuesta del río, junto a las tenerías; aquí en esta casilla habrá un camaranchón o pequeño antro donde Ana tendrá mil hierbas, confecciones y sutilísimas mixturas. No faltará aquí el diente del ahorcado (arrancado para mayor mérito en una noche de tormenta), ni el pedazo de soga, también de dicho ahorcado; ni faltará tampoco la piedra traída del nido del águila, ni el mantillo de niño, ni los ojos de la loba, ni la barba del cabrón. En hierbas y raíces Ana tendrá una colección estupenda; cien redomillas de todos tamaños y llenas de aguas y de ungüentos se verán colocadas en una leja, y en un rincón, como cosa importantísima, una cajuela bien cerrada, con agujas finísimas y delicado sirgo rojo. Y no digamos las cosas que sabrá hacer esta querida Ana: sabrá hacer que desaparezca de la cara una arruga inoportuna (bellas amigas, todas las arrugas son inoportunas); sabrá quitar de un labio adorable un vello indiscreto; sabrá pelar cejas con unas tenacicas de plata, muy ligeras (cosa que se hacía antes y que no se hace ahora); sabrá el modo de que no vuelvan a verse las pecas de unas manos incomparables. A otras muchas operaciones alcanzará también el arte supremo de nuestra amiga; pero no es éste el momento oportuno de tratar de ellas, aparte de que su exposición y crítica detallada nos llevaría muy lejos; recuérdense las agujas y el hilo de que hemos hablado antes. Ahora sólo queremos consignar que Ana posee un secreto maravilloso que Celestina no conoció; es decir, que Ana vale mucho más y es más sabia en su arte que su colega. Pásmese el lector: nuestra amiga conoce la hierba misteriosa, la hierba estupenda, la hierba única, sin par, que tiene la virtud de abrir las cerraduras. No os asombréis; esta hierba se llama *pico,* y de ella habla el padre Francisco Vitoria —maestro de Melchor Cano— en sus *Relectiones teologicæ* (página 453, edición de 1586), cuando escribe: «*herba pici, Hispané,* el pico, *seras etiam ferreas aperit*». No existe cerradura, por complicada, por difícil que sea, que resista a la aplicación de esta hierba tremenda. Hemos dicho que Ana la conoce muy bien y tiene un pequeño depósito de ella.

Encomiéndense a nuestra amiga los nobles seres cuya misión consiste en abrir, durante nuestra ausencia, nuestras puertas, armarios y escritorios.

HORAS EN LEON

León es una ciudad vetusta y gloriosa. Otras ciudades seculares—como Toledo, como Villanueva de los Infantes—ofrecen la impresión de un museo frío, desierto; las callejuelas han dejado de vivir hace siglos; los nobles e inmensos caserones están cerrados; acaso sólo de tarde en tarde un recio portón gira sobre sus goznes enmohecidos y una vieja silenciosa aparece en la monumental portalada; no cruza nadie por las plazas; quizá un estrepitoso palacio de ladrillos rojos—la Diputación Provincial o un Banco—rompe la armonía del conjunto y pone hálitos de frivolidad moderna entre las viejas piedras; no alienta, en fin, la ciudad: su espíritu ha pasado hace ya muchos años; sólo los palacios, las torres, los tejadillos, las veletas, los escudos, los anchos aleros, las rejas y los balcones saledizos, los ábsides, perduran en un ambiente que no es el suyo...

Pero en León no sucede nada de esto: no os encantan en la vieja ciudad sus monumentos; los palacios son raros, las calles están formadas por casas sencillas, pobres; si se exceptúa la catedral, nada hay aquí que no encontremos en cualquier diminuto y arcaico pueblo de las Castillas. Mas el espíritu de la antigua España—y esto es el todo—se respira en estas callejas, en estos zaguanes sórdidos, en estas tiendecillas de abaceros y regatones, en estos obradores de alfayates y boneteros, en este ir y venir durante toda la mañana de nobles y varoniles rostros castellanos, llenos, serenos, y de caras femeninas pálidas, con anchos y luminosos ojos que traducen ensueños. Yo he caminado absorto por estas calles.

Las calles tienen su alma en sus títulos, y las de León poseen el privilegio, rancio y aristocrático, de los rótulos castizos. ¿No os dice nada la calle de las Barillas? ¿Y la de la Revilla? ¿Y la de la Cazalería? ¿Y la de los Cardiles? ¿Y la de la Plegaria? ¿Y la del Conde de Luna? Sobre las tiendecillas y los portales campean rótulos en que leéis apellidos que no os dicen nada y que os sugieren un mundo de cosas imprecisas y remotas. *Obrador de sombrerería de Isidoro Pirla,* dice en esta parte. *Confitería de Tomás Rodríguez,* dice en la otra; y más lejos, en grandes letras negras sobre un grisáceo fondo: *J. Pernia, procurador.* ¿Qué ideales, qué dolores, qué fugitivas alegrías, qué horas lentas, monótonas, representaron todas estas vidas opacas que nos indican estos letreros? ¿Qué mundo de sensaciones tan hondas, tan grandes como las de un héroe o de un poeta simbolizarán estos nombres desconocidos, oscuros, metidos en sus tiendas pequeñas y en sus estudios?

Nuestro paseo continúa. De cuando en cuando, al volver de una esquina, aparecen, en el fondo, por encima de los tejados negruzcos, sobre el cielo azul y diáfano, las dos torres agudas, esbeltas, de la catedral. Acaso en un balcón, una muchacha que cose silenciosa levanta la cabeza y fija los ojos en nosotros. ¿Se llamará Constanza, Blanca, Lucinda o Leonor? Nos detenemos un momento, atraídos por una fuerza desconocida; luego proseguimos nuestra marcha un poco entristecidos no sabemos por qué. Y ya nos hallamos en una ancha plazuela solitaria. Yo no he experimentado jamás una sensación tan intensa de soledad y de sosiego como ahora. Entre los guijos menudos que forman el piso de la plaza, crece la hierba clara; unas acacias pálidas cercan el ancho ámbito y destacan su follaje sobre los viejos muros; las ventanas aparecen cerradas, y de rato en rato unas palomas vienen lentas, caminan un instante sobre las piedras y tornan a marcharse pausadas. Y hay por la plaza solitaria, esparcidos, papeles rotos, esos papeles que el viento lleva de una parte a otra, que son como el símbolo del abandono y de la desolación, y en que encontramos frases truncadas que tienen la elocuencia de lo incomprendido y de lo absurdo. Yo he recogido de estos papeles en la plazuela del Conde de la vieja ciudad; entre ellos ha venido a mis manos—traída por el sabio azar que concierta las cosas—una tarjeta extraña. No podía ir a otras manos sino a las de un observador que se desentiende de los grandes fenómenos y se aplica a los pormenores triviales. Esta blanca cartulina es de una monja: «La Abadesa y Comunidad de Religiosas Concepcionistas Franciscas de León», rezan los caracteres impresos, y a continuación, con letrita sutil y clara de mujer: «Mi amadísimo don Paco: Le mando el libro, enmendadas las erratas; lo que reste hasta igualar, puede quitarlo usted de los alcoholes y comercio, sobre todo del de don Cipriano Puente; y puede quitar usted también algo de vino.—Sabe le ama en Cristo su afectísima y s. s., *Sor Gabriela de la Purificación...*»

El ensueño está en marcha. ¿Quién no hubiera echado a volar su fantasía ante esta tarjeta, encontrada en la desierta y vieja plazuela leonesa del Conde? Sor Gabriela es la abadesa de un convento; sor Gabriela tendrá las manos blancas, de color de cera, transparentes; sus ojos mirarán con una serenidad dulce; en sus labios vagará una sonrisa de melancolía y resignación. Sor Gabriela andará despacio, en silencio. El claustro que conduzca a su celda estará enjalbegado con cal blanca; se verán limpios, fregados, los ladrillos rojos del piso, y la luz, una luz viva, fúlgida, reverberará con la misma intensidad desde la mañana hasta la noche. Sor Gabriela tendrá sobre una mesa un cristo de marfil, acaso también un libro místico de Granada o de Nieremberg, y con toda seguridad un jarrito de tosca porcelana en que habrá puesta una vara de nardos. Sor Gabriela, a lo largo del día, leerá un breve rato en estos libros, y otros ratos abrirá otro gran libro blanco e irá escribiendo en él con letrita alargada y etérea. Lo que sor Gabriela escribe en estas páginas son las cuentas prosaicas del monasterio. Santa Teresa quería, en su *Modo de visitar las conventos de religiosas,* que se llevaran escrupulosamente estas cuentas. «Lo que quise comenzar a decir es —escribe— que se miren con mucho cuidado y advertencia los libros del gasto.»

Y este libro de que habla la mística doctora es precisamente el libro que sor Gabriela—como se lee en su tarjeta—le mandó para su examen a don Paco.

¿Dónde vivirá sor Gabriela? ¿Qué patio sosegado, con laureles y rígidos cipreses, se verá desde las ventanas de su celda?

UNA CRIADA

(1590)

Las criadas forman en nuestra vida una de las más queridas ilusiones. ¿Quién no recuerda a María, a Isabel o a Remedios, aquella linda muchacha de ojos azules, traviesa, ligera, que cuando éramos niños traveseaba con nosotros? ¿No vemos al surgir su figura en nosotros un jardín, una glorieta de pueblo, con evónimos llenos de polvo, con unos faroles puestos en postes de madera, un poco inclinados por los furiosos vendavales del invierno? ¿No vemos nuestro cuarto, nuestra cama, nuestro lavabo, nuestro pupitre, donde teníamos un cuaderno de calcomanías, unos grabados recortados de los periódicos y unos libros con las puntas redondas, gastadas? ¿Y no sentimos risas alegres, alocadas, que salen a borbotones de unos labios rojos, en tanto que la cabeza, aureolada de revueltos cabellos dorados, se echa hacia atrás? ¿Y no volvemos a experimentar, a tantos años de distancia, la sensación de una mano que aprieta nuestra mano de adolescente y de un cutis tibio y sedoso?

No hablemos de esto: la tristeza—una suave tristeza—viene a nuestro espíritu. Más tarde, en la vida, hemos caminado por el mundo; otras figuras de otras muchachas ligeras y agradables han venido a unirse a esta que hizo nacer en nuestra niñez las primeras ilusiones; tal vez llegamos un día, cansados de la vida cortesana, a una pequeña y vieja ciudad de provincia; es por la noche; nos hemos acostado en la paz profunda del pueblo; a la mañana siguiente abrimos el balcón; hemos dormido con un sueño no interrumpido; comenzamos a sentir en este reposo provinciano una dulce y profunda alegría del espíritu; el sol ilumina la calle; el cielo está radiante de azul. Y en el balcón de enfrente (mientras un vendedor lanza su grito o un viejo velonero hace resonar la calle con su tintineo sonoro) vemos una linda muchacha con los brazos medio desnudos, encendida, que canta y que tal vez limpia unos cristales. Sentimos en un instante la armonía entre la hora matinal, la luz, el silencio de la vieja ciudad, el azul del cielo y la alegría instintiva de esta muchacha, y ya este minuto grato no se borrará de nuestro espíritu.

Y luego, a través de los años, otras y otras muchachas que encontramos en los paradores de los pueblos, en las fondas, en las casas provincianas, en los campos, van poniendo en nuestra vida momentos fugitivos de alegría y de satisfacción. Y esta condición de momentaneidad, de cosa pasajera, de cosa imprevista y que no buscábamos, es precisamente lo que hace que en nuestra alma quede de estos minutos un recuerdo más dulce, más enternecedor que el de aquellas otras horas más preparadas, más largas, más buscadas y más ansiadas.

Un inmortal español, Miguel de Cervantes, tenía una gran simpatía por estas muchachas; él había caminado mucho, había frecuentado mucho los mesones, hostales y ventas, y sabía lo que vale la alegría fugaz. ¿Cómo no recordar que a una de sus más interesantes figuras femeninas la hizo criada en un mesón? Aludimos a *La Ilustre Fregona.* Y hay en esta misma novela otra criada, que no aparece en el curso del relato, que el autor nombra por incidencia, pero que despierta en nosotros un vivo interés. Esta criada se llama Marinilla; vive en la venta Tejada; dos arrieros que van a Toledo hablan de la *Ilustre Fregona,* y para ponderar su hermosura, uno de ellos le dice al otro que es tan linda, que en comparación suya, Marinilla, la de la venta Tejada, «es un asco». Y no sabemos más. ¿Cómo era esta Marinilla? ¿Qué hacía en esta venta solitaria, perdida en la triste llanura manchega? ¿Cantaba mucho? ¿Cantaba estas tonadillas breves, ya alegres, ya tristes, que ahora, cuando algún erudito nos las canta, no nos entusiasman? ¿Subía triscando las escaleras? ¿Reía súbita y misteriosamente? No sabemos nada. Todo se pierde; todo decae; la tradición de las lindas criadas se acaba en la vieja tierra española. Cuando el gran poeta Garcilaso fué a Francia, le escribió una epístola a su amigo Boscán, y en ella le decía que sólo había encontrado allí «vinos acedos, camareras feas». Garcilaso era también un entusiasta de las criadas bonitas, y al ir a un país extranjero, lo primero que hizo fué reparar en ellas. Todo lo cambia el tiempo; entonces las de España valían más que las de Francia; hoy—que no se vea en esto antipatriotismo—están más en alza las francesas...

UN POBRE HOMBRE

(1600)

Este pobre hombre estaba paseando en su huerto. Esta es la verdad pura; tres cosas pueden hacer feliz a un humano: un libro, un buen amigo y un huerto umbrío. Nuestro hombre posee su huerto; tiene en él manzanos, milgranos con sus flores rojas primero, y luego con sus pesadas granadas; azufaifos, perales, membrilleros, albaricoqueros con sus albaricoques mantecosos y aromáticos, cerezos, acaso naranjos. Y entre toda esta copia de frutales diversos, él ha puesto sus amores y sus solicitudes de agricultor y de propietario en un bello, en un maravilloso peral que produce las más exquisitas peras y del cual todos los labriegos de la comarca hablan con pasmo. Este peral estaba él contemplando precisamente cuando ha visto venir coriendo hacia él a un muchachito de la casa; el mocito se ha detenido al verle y ha comenzado a hablar. Nuestro amigo no le entendía; el mocito parecía turbado por la emoción, y al mismo tiempo la larga carrera dada desde la casa al huerto le hacía acezar y entrecortaba sus palabras. Pero al cabo, el pobre hombre ha entendido algo de «inquisidor» y de que «le esperaban en la casa». No pintaremos el pasmo que se ha apoderado de nuestro amigo. ¿Qué significaba esto de inquisidor? ¿Le esperaba a él acaso la Inquisición en su casa? Perplejo, turbado, se ha salido del huerto; un sudor frío comenzaba a empañar su frente. De que ha llegado a la casa, ya nuestro amigo casi no podía tenerse en pie; estaba profundamente pálido; tembloteaban sus manos. Y entonces, al entrar en la sala, ha visto que un escudero se inclinaba ante él y le decía gravemente—como deben hablar los escuderos—: «Mi señor el inquisidor ruega a vuestra merced...» Y no ha podido oír más este pobre hombre; súbitamente su vista se ha ofuscado, han flaqueado sus piernas y nuestro amigo ha caído a tierra abrumado, inerte. Le han llevado a la cama; el pobre hombre, en su alucinación, veía ya delante de sí los ladrillos, las garruchas, los cordeles y las verjicas llenas de clavos con que dan tormento los señores inquisidores. Tal vez lo que él temía más eran las dichas y curiosas verjicas; ellas sirven para producir el tormento del sueño, y de ellas habla en su *Praxis ecclesiastica et sæcularis* el ilustre catedrático de Salamanca don Gonzalo Suárez de Paz. Claro está que para proporcionar el tormento del sueño hay varios sistemas, entre otros el español y el italiano; pero hemos de confesar (aunque sufra con ello nuestro patriotismo) que el sistema italiano, como dice el señor Suárez, «es muy mejor y por muy mejor estilo que el español». Y el mismo Suárez de Paz, en la página 242 de su libro (edición de 1790; la primera es de 1583), lo describe de esta suerte: «Tiene hecho la justicia cierto ingenio a manera de un reloj de arena, de estatura de un hombre poco más, que tiene nueve o diez verjicas, todo redondo, y por todo él sembrados muchos clavos, las puntas para adentro, del largo de un geme, y las puntas muy agudas; y al que han de atormentar lo desnudan en carnes, salvo unos paños menores, y le meten dentro del dicho tormento, el cual es tan angosto, que no cabe más de solo el atormentado; y viene tan justo con las puntas de los clavos, que tocan con las carnes algún tanto, y tiene atadas las manos atrás; y son tantos los clavos que el artificio tiene, que puede haber de uno a otro cuatro o cinco dedos; y de esta manera le tienen allí metido el tiempo que al juez le parece; y como está en pie, que no puede sentar ni arrimar de una parte a otra sin meterse los clavos por el cuerpo, el juez le está preguntando de rato en rato: «Si quiere decir verdad», y en ninguna manera no puede dormir, si no antes da voces y gritos, porque es tormento bravo y más cruel.»

En este sutil artificio se veía ya metido nuestro amigo. Y por esta causa su estupefacción ha sido profunda cuando, al volver en sí, se ha visto acostado en su cama. Ha preguntado lleno de asombro a los deudos y amigos que le rodeaban, y éstos le han contestado que lo que el inquisidor, su vecino, requería de él era que le hiciese la merced de mandarle unas peras del soberbio y maravilloso peral que él tenía en su huerto. Entonces nuestro amigo, lleno de una inmensa alegría, entre la sorpresa de todos, se ha levantado corriendo de la cama, ha ido al huerto, ha hecho arrancar el peral y se lo ha enviado entero y verdadero al inquisidor.

El señor H. de Luna cuenta esta anécdota en el prólogo de su continuación a la *Vida de Lazarillo de Tormes;* y ella puede instruirnos sobre el grande temor, sobre el profundo respeto que la Santa Inquisición, estatuída para perseguir la herética pravedad, inspiraba a nuestros abuelos.

DON JOSE NIETO

(1656)

Todos conocéis a don José Nieto. «No, no», diréis vagamente vosotros, tratando de recordar tal nombre, y, conviniendo al fin en que no acude esta figura a vuestro cerebro: «No, no», repetiréis vosotros. «Sí, sí—afirmo yo—; todos conocéis a don José Nieto.» El pintor don Diego ha colocado las figuras y ha comenzado a pintar el cuadro: delante, enfrente de él, en un testero del salón, están nuestro amado monarca don Felipe y nuestra reina doña Mariana. Después, al lado del pintor, una niña con la cara sonrosada y el pelo de oro, se arrodilla ante la linda infantita Margarita María y le ofrece un búcaro bermejo; otra niña gentil permanece en pie, un poco inclinada, a la otra vera de la infanta; a par suyo Mari-Bárbola, la enana, tiene la mano puesta en el pecho y se yergue silenciosa con una gravedad digna; un enanito, Nicolás Pertusato, vivaracho y nervioso, pone uno de sus pies diminutos sobre un noble y paciente can que dormita epicúreo con los ojos a medio abrir. Serios y atentos, una dueña, un servidor de palacio y don José Nieto, detrás del grupo de los niños, esperan que el pintor dé principio a la obra. En la cámara hay una grata y fresca penumbra; cae fuera un sol abrasador de estío. Don Diego ha cogido ya los pinceles y se apresta a pintar. Entonces, antes de comenzar su obra, se detiene un momento ante el lienzo, echa la vista en derredor suyo, mira la luz de las ventanas, observa la puertecilla del fondo..., y lentamente se dirige a don José Nieto. Don Diego le dice a don José que él debe colocarse allá en el corredor, subiendo por unos breves escalones de piedra, junto a una cortina. Don José hace una reverencia y se encamina lentamente hacia la escalinata. Y aquí lo habéis visto todos con su chapeo forrado de joyante seda en una mano, con su capita veraniega de tafetán, con su cráneo fino y medio acalvado, con sus ojos sutiles que, desde lejos, no quitan ni un punto la mirada del señor don Felipe y de la señora doña Mariana.

¿Y quién es este don José? ¿Qué hace? ¿Dónde vive? Acaso don José ha estado en Flandes o en Italia; allí habrá hecho algunas cosas enormes, terribles; después, un poco cansado, se habrá vuelto a Madrid, parándose en las posadas, caminando en un enorme coche; en Madrid, don José tendrá un grande y pétreo caserón; un extenso huerto se espaciará detrás de él; en los muros del huerto habrá una puertecilla a través de la cual una sombra sigilosa se deslizará por las noches. Tal vez en un viejo estante de la casa reposará un volumen con los *Sonetos* de Petrarca, o un ejemplar—esto es seguro—de la *Consolación filosófica,* de Boecio. Don José, quizá, tiene un carácter tremendo, irascible; todos los días, al volver a su casa, armará un escándalo formidable porque el lacayo ha tardado un segundo en abrirle la puerta, o porque una dueña no se ha retirado a tiempo para que él cruzara erguido por el pasillo.

> Si no le van a la mano,
> ayer, con cólera insana,
> echa por una ventana
> a una dueña y un enano.

Es posible que don José esté a punto de echar también todos los días por el balcón a una dueña y a un enano, como este personaje de *La Sirena de Tanacria,* de Córdoba Figueroa. Y como él, a pesar de todo, es bueno, es dulce, luego, pasado este arrechucho, comprenderá que ha hecho mal, sentirá un profundo arrepentimiento y cogerá, para confortarse, el libro de *Consolación,* de Boecio, o los *Sonetos,* de Petrarca. Y después, este hombre terrible se irá, ya consolado, lentamente a Palacio, y allí se pondrá en la escalera, junto a la cortina, para que don Diego lo pinte y nos lo muestre como un hombre muy plácido, muy sosegado, muy suave, que no es capaz de tirar por una ventana, ardiendo en cólera, a una dueña y a un enano.

EN LA ALHAMBRA

(1829)

En la primavera de 1829 vino a España Washington Irving; es esta época del año la más a propósito para viajar por Andalucía. Entonces aún no había ferrocarril; el escritor americano iba en compañía de un amigo; les asistía, llevando los yantares para el camino, un medio escudero que les contaba mil historias fantásticas de ladrones, de moriscos, de guerras pasadas y de hazañas remotas. No se puede desear un mejor viaje que el que hizo Washington Irving: iban caminando lentamente; observaban las tierras por donde pasaban; admiraban los bellos paisajes; se detenían en las alquerías y cortijos; preguntaban a los caminantes que se cruzaban con ellos en el camino; cuando era hora, se detenían bajo los olivos, ponían sus mantas o capas en el suelo y comían con toda calma, en la serenidad de un ambiente tibio y sutil, teniendo a lo lejos la perspectiva de una montaña azul.

Cuando llegaron a Granada, el amigo de Irving se despidió y el escritor americano se quedó solo. Entonces él, puesto que había venido a España para visitar la Alhambra, creyó que lo mejor que podía hacer era irse a vivir a ella. Así lo hizo; de la Alhambra tenían entonces cuenta las siguientes personas, que formaban una familia: doña Antonia, Dolores y Manuel. Dolores y Manuel no eran hijos de doña Antonia, sino sobrinos suyos, hijos de diferentes hermanos. Doña Antonia, o la *tía Antonia*, era una mujer grave, sencilla, afable; tenía por principal misión el cuidar de los jardines interiores de la Alhambra. De Manuel sabemos que era un joven de verdadero mérito—*a young man of sterling worth*—; estudiaba Medicina; había servido al rey en América, y estaba enamorado de su prima. Respecto a Dolores o Lolita, habremos de decir que era gordezuela, que tenía los ojos negros —*blackeyed andalusian*—, que todas sus ilusiones las cifraba en unas palomitas que tenía en un palomar, y que, en resolución, era tan jovial, tan sociable, tan comunicativa, que merecía llevar—dice el autor—un nombre más alegre que el que llevaba.

Esta era la familia con quien vivió Irving en Granada; los días pasaban dulcemente para él; su habitación era una ancha y vieja sala del palacio árabe que él mismo se arregló; él daba paseos largos y solitarios por los boscajes; alguna vez, en las noches de luna, paseaba por el patio de los Leones, por las estancias abandonadas del palacio. Y así, en esta dulce, inefable calma, fué escribiendo las páginas de este libro tan bello, tan delicado, que se llama *The Alhambra*, uno de los pocos libros sutiles y generosos que se han escrito sobre España.

ARRAZOLA

(1860)

Don Lorenzo Arrazola es presidente del Consejo de Ministros; en España no es muy difícil llegar a ser presidente del Consejo de Ministros. Cuando don Lorenzo se levanta por la mañana a las nueve y sale de su alcoba, comienza ya a gobernar; esto es una cosa terrible. Don Lorenzo sale con un gorrito en la cabeza; anda despacito; su cara está cuidadosamente afeitada; sólo unas patillitas cortas, estrechas, claras, descienden desde sus sienes por el lado de las orejas. Don Lorenzo entra en su despacho, caminando lentamente, un poco encorvadito; en él ya le espera Remigio; éste es su secretario particular, el hombre de su confianza.

—Buenos días, don Lorenzo—dice Remigio.

Don Lorenzo se detiene ante la mesa, tose un poco, acaricia instintivamente un libro, y dice:

—¿Qué hay, Remigio? ¿Qué tenemos hoy?

Remigio se pone serio, grave, como quien va a dar una noticia sensacional, desagradable; él la trae, en efecto, y es preciso que se la comunique a don Lorenzo.

—Don Lorenzo—dice Remigio—, ocurre algo grave; esta noche pasada, en Córdoba...

Pero antes de que Remigio acabe de decir las cosas estupendas que han ocurrido en Córdoba, don Lorenzo, que ha estado tirando del cordón de la campanilla sin que la campanilla sonara, exclama un tanto indignado:

—¡Caramba, hombre! ¡Yo no sé cómo no arreglan esto!

Lo que quiere don Lorenzo es que le traigan el desayuno, y como la campanilla no funciona, Remigio sale y va a avisar. Al cabo de un momento torna éste y viene también una criada con un ancho tazón de café con leche y unos bizcochos. Don Lorenzo principia a desayunarse y Remigio comienza otra vez a contar los sucesos tremendos de Córdoba.

—Decía a usted, don Lorenzo—prosigue Remigio—, que en Córdoba han ocurrido en la noche pasada graves sucesos. Dicen las noticias que se acaban de recibir que...

Y al llegar aquí Remigio, don Lorenzo lanza un pequeño grito: «¡Caramba!» Es que uno de los bizcochos que había mojado en el café con leche y que ya se llevaba bien empapado a la boca, se ha roto casi al llegar a ella, ha caído pesadamente y ha manchado un libro de la mesa y salpicado la levita de don Lorenzo.

—¡Caramba! —repite apesadumbrado don Lorenzo—. ¡Yo no sé—añade—de qué hacen ahora los bizcochos!

Y entre él y Remigio comienzan a limpiar el libro manchado y luego las salpicaduras de la levita. Esta es una de esas ligeras contrariedades que no representan nada, que no son nada, pero que nos llenan de mal humor y que durante un largo rato, a pesar nuestro, hacen que no pensemos más que en ellas. Las manchas de la levita de don Lorenzo no desaparecen del todo; es preciso que Remigio vaya a buscar a la alcoba un poco de agua. ¿Por qué habrán caído estas manchas en la levita de don Lorenzo? ¿No es esto verdaderamente desagradable? Cuando Remigio ha acabado de frotar y refrotar las manchas, se dispone, como es natural, a continuar su relato.

—Decía, don Lorenzo, que anoche en Córdoba...

Pero la criada que ha traído el tazón de café aparece en este momento para retirar el servicio.

—Mira, mira, Isabel—le dice don Lorenzo, señalando las manchas de su levita—. Mira estas manchas que han caído ahora; me voy a quitar la levita y la lleváis al tinte, para que esté aquí esta tarde misma.

Don Lorenzo entra en su alcoba, permanece en ella un momento y luego sale vistiendo otra levita y con la manchada en la mano; un reloj suena con diez sonoras campanadas; un cuquito se asoma y dice: *Cu, cu, cu, cu, cu, cu...*

—¡Hombre—dice este viejecito don Lorenzo—, las diez!

Las diez es la hora en que don Lorenzo tiene una cita trascendental con un personaje importante; comienzan él y Remigio a andar hacia la calle; el coche espera en la puerta para llevarlos a la Presidencia del Consejo. Cuando don Lorenzo ha subido y se ha sentado en él, Remigio, que está subiendo y que va a sentarse también, se dispone una vez más a hacer el relato de los terribles sucesos ocurridos en Córdoba.

—Lo que ha ocurrido en Córdoba esta noche pasada—dice—ha sido que...

Pero Remigio no puede continuar.

—¡Diablo!—exclama don Lorenzo.

Es que don Lorenzo se ha acordado, al tentarse los bolsillos, de que la cajita de pastillas para la tos que él usa se ha quedado en la otra levita; no puede don Lorenzo pasar sin estas pastillas, y Remigio baja del coche y sube corriendo las escaleras para traerlas...

CARLOS RUBIO

(1865)

Si penetramos en el cuarto de nuestro amigo Carlos Rubio, nos quedamos un poco sorprendidos. Ante todo hemos tenido que recorrer unas callejuelas apartadas; luego hemos penetrado en un zaguanillo, donde, como en todos los zaguanes de esta época, hay un pequeño apartijo para que los transeúntes puedan recurrir a él en determinado momento y no sientan estas o las otras molestias. El ambiente del zaguán no es muy grato, pero ascendemos rápidamente por unas escaleras oscuras, estrechas, y nos hallamos ante una puerta chiquita en que vemos un cordón mugriento; tal vez, si nos fijamos, observaremos también en la pared el sitio donde debe ser puesto un quinqué—que ya no se pone hace tiempo—, y arriba, en el techo, un redondel de humo. Y penetramos en el cuarto de nuestro amigo, después de haber llamado seis u ocho veces. El mismo Carlos ha venido a abrirnos la puerta. Carlos lleva una americana rota, sobada; sus pantalones, sin forma, mal ceñidos, parece que a cada momento van a deslizarse hacia el suelo y muestran en sus extremidades unos flecos llenos de barro; las botas de Carlos están deslustradas, polvorientas, medio rotas; y en torno del cuello de nuestro amigo, tapando a medias una camisa negruzca y ajada, se anuda un pañuelo de seda que hace tiempo fué blanco.

Hemos saludado a nuestro amigo. Carlos, al vernos, nos ha tendido el brazo sobre el hombro; su barba y su cabello eran largos, revueltos, y en su mirada brillaba una luz de inteligencia viva, de intuición, de bondad, de efusión. Y esta luz de inteligencia y de bondad es la que envuelve a nuestro amigo y hace olvidar el desaliño tremendo de su traje y de su persona. ¿Qué misterio hay en estos hombres efusivos, todo corazón, que opera el milagro de que en presencia de ellos y en un momento desaparezcan todas las cosas que nos rodean, todas las miserias humanas, y nos encontremos como en una región superior, como en una esfera espiritual que nosotros desconocíamos? ¿Cómo y de qué suerte estos hombres humildes y extraordinarios ennoblecen lo que en otros hombres sería motivo de desdoro y hacen que aun los parajes más prosaicos que ellos habitan se transformen y dignifiquen súbitamente? Carlos es de estos hombres; diríase que para él no existe la realidad exterior; es poeta, es orador; una fuerza intensa mental lo lleva como en suspenso, como en volandas, por la vida; en los tiempos antiguos hubiera sido un místico de los que apasionan a las muchedumbres, que los acosan, los apretujan y les cortan en pedazos los hábitos. Y ahora, en estos tiempos, Carlos vive en este cuchitril, en que contamos una camita de hierro desnivelada, crujidora, dos o tres sillas de enea desfondadas, una mesa atestada de libros rotos y periódicos atrasados, y una percha con un sombrero ancho manchado de mugre. ¿Por qué vive así Carlos? ¿Y qué le importa a Carlos todo esto? ¿Qué le importa el llevar un pantalón roto y un sombrero grasiento? El tiene una amplia sonrisa de bondad; él, cuando se encuentra a un amigo, tiene este gesto peculiar, rápido, instintivo, de echarle el brazo sobre el hombro; él, cuando vienen a pedirle una cosa y comienza a hablar el pretensor, ya está diciendo instintivamente: «Sí, sí», antes de saber de qué se trata; él subirá en una hora treinta escaleras, y después veinte, y luego cuarenta, y hablará con diez o doce personas, por hacer un favor a un desconocido que se ha presentado inopinadamente en su casa; él, en fin, el día que vaya a recibir una merced o cargo que tienen empeño en conferirle, no se presentará a recibir tal don, y dejará descuidado que marche sola la vida con sus altos y bajos.

Este es el queridísimo amigo Carlos. No lo hemos conocido; pero sentimos por estas grandes figuras que la Historia ha olvidado, y que serán las primeras algún día, una profunda simpatía. ¿Qué valen al lado de estos «puros espíritus» los que han llenado la *Gaceta* y el Parlamento con sus voces y con sus prosas? El día 17 de junio de 1871, el periódico *La Nación* publicaba en el más lejano rincón de su tercera plana esta noticia: «El distinguido escritor don Carlos Rubio ha fallecido a las doce del día de hoy. Es una gran pérdida para las letras y la patria española.» Debajo viene el pie de imprenta, que dice: «Madrid, 1871. Imprenta a cargo de J. M. Faraldo, Sordo, 4 dup.»

OUDRID

(1865)

Nuestro querido amigo don Cristóbal Oudrid se pone sus botitas de charol reluciente, coge su sombrero y se marcha al teatro. El teatro está medio a oscuras; es por la tarde; en el techo se ven unas lucernas que arrojan a la sala un pálido resplandor de sol. Cuando llega don Cristóbal al teatro, todos los músicos de la orquesta están haciendo probanzas con los instrumentos; los violines hacen: *ti, tiiií, ti;* la flauta hace: *ta, tará, tará;* el violonchelo gime: *tu, tuuú, tu;* el grave y solemne violón zumba: *to, toooó, to.* En el escenario hay varios señores sentados en sillas de paja; uno de ellos, algo gordo, tiene colocado el sombrero de medio lado, y con el dedo índice de la mano izquierda—lleno de gruesos anillos—sacude de cuando en cuando la ceniza del cigarro.

Don Cristóbal ha llegado con su paso menudito, saluda a todos y se quita el gabán.

—Bueno—dice después—; vamos a ver si hoy adelantamos algo.

Se sienta don Cristóbal en un asiento elevado que se ve en el centro de la orquesta, y todos los instrumentos—los violines, los clarinetes, los violonchelos, el grave violón—van apaciguando sus voces, callando.

—A ver, Pepita—añade don Cristóbal, dando un golpecito con la batuta en el atril—; a ver, Pepita, si queda bien, ante todo, la escena segunda.

Pepita se ha adelantado hacia las candilejas; vemos una muchacha esbelta, fina, que se cimbrea al andar; es morena, tiene la tez de ese tenue, suave color bronceado, que tan raro es encontrar y que da a algunas partes de la cara un maravilloso matiz de ámbar; unos rizos sedosos, que parece que son movidos ligeramente por un viento invisible, se adelantan sobre las sienes de Pepita, y en sus pies, sobre la delicada arcatura, en el escote del zapatito de charol, una media sutil de seda deja transparentar la carne nacarada...

—¡Vamos, Pepita!—repite don Cristóbal, dando un golpecito en el atril.

La orquesta comienza a tocar y Pepita tose un poco, hace revolar su mano como una mariposa sobre los rizos de su frente y canta con una vocecita cristalina, de pájaro:

Salta Aquiles los muros de Troya
y gana el lauro del vencedor;
si hasta el cielo llegara esta tapia,
la escalaría también mi amor.

Al llegar a este punto, don Cristóbal grita, dando unos fuertes golpes sobre el atril:

—¡No, no; no es eso!

Y luego, cuando ha callado la orquesta, don Cristóbal canta dando grandes voces y moviendo los brazos violentamente:

Salta Aquiles los muros de Troya
y gana el lauro del vencedor...

—Tenga usted en cuenta, Pepita—añade don Cristóbal—, que usted representa un papel de hombre, que acaba usted de saltar las tapias del jardín para ver a su amada, y que esto ha de ser dicho con más vivacidad, con más picardía.

Y don Cristóbal añade, dando otro golpecito:

—¡Vamos otra vez!

Comienza a tocar de nuevo la orquesta y Pepita canta:

Salta Aquiles los muros de Troya
y gana el lauro del vencedor;
si hasta el cielo llegara esta tapia,
la escalaría también mi amor.

—¡Bien, bien!—grita don Cristóbal sin dejar de dirigir la orquesta—. ¡Adelante!

Pero unos recios, unos formidables martillazos suenan de pronto en el fondo del escenario; es imposible entender nada; Pepita se detiene; calla la orquesta de pronto y don Cristóbal grita un poco enfurecido:

—¡Antonio, Antonio! ¿Qué escándalo es este de todos los días? ¿Es que no vamos a poder ensayar en paz?

Aparece en el fondo, casi sumido en la sombra, un maquinista con un grueso martillo en la mano.

—Perdone usted, don Cristóbal—dice—, pero es que hay que poner la decoración para el segundo acto.

—¡Hombre, no, caramba! — exclama don Cristóbal—. Entonces, ¿cuándo vamos a ensayar nosotros?

Y luego comienza otra vez la orquesta a tocar y don Cristóbal hace una seña a Pepita. Y Pepita canta con su voz adorable, melodiosa, de pajarito:

Salta Aquiles los muros de Troya
y gana el lauro del vencedor...

Y cuando el ensayo ha terminado, don Cristóbal se despide afectuosamente de todos y se marcha con su pasito corto. Es ya casi de noche. Don Cristóbal compra un número de *La Nación*, que acaba de salir con el extracto de un discurso maravilloso de Ayala, y se marcha un rato al café de Pombo.

UN MADRILEÑO

(1890)

—Y usted, don Fulgencio, ¿no se aburre?

—¡Ca, hombre! ¡Quite usted de ahí! ¡Caramba!

Don Fulgencio es un hombre de unos sesenta años. Va todo afeitado; lleva una sencilla cadena de oro y un traje negro.

—¿Y por qué no se aburre usted?

—¡Toma! Porque yo paso el día distraído.

Don Fulgencio, que estaba limpiando las gafas con su blanco pañuelo, se las pone, se las afirma bien, mira a su interlocutor y exclama sonriendo:

—¡Eso es!

Todos los contertulios aprueban lo dicho por don Fulgencio. Uno dice:

—¡Claro!

Otro:

—¡Tiene razón!

Un tercero:

—Cada uno pasa el tiempo como quiere.

—¡Alto allá!—exclama don Fulgencio al oír esta última observación—. No se pasa el tiempo como uno quiere, sino como se puede.

Los interlocutores se hallan en una pequeña librería de la calle de Carretas. No hay en ella sino unos pocos libros nuevos y sin importancia. Todos los estantes están llenos de viejos libros, de esos libros viejos de quien nadie se acuerda, que nadie cita nunca, y que, sin embargo, cuando los encontramos alguna vez en una casa de campo (en un armario, entre legajos y recuerdos de familia), nos proporcionan un momento de solaz. Son libros encuadernados en pasta, con los cantos rojos o verdes; unos pequeñitos, traducciones impresas en La Haya o en Amsterdam, con el título bermejo y los tipos toscos; otros, grandes, en folio, bellamente impresos por Ibarra o Benito Cano, con anchas láminas, libros cuyas hojas hacen un ruido sonoro al ser pasadas, libros de los que se desprende un olor de humedad.

Don Fulgencio, con su cara rapada, con su traje negro y sus gafas, está sentado junto a un estante; su cabeza reposa de cuando en cuando en el *Viaje de Anacarsis*. Hay en la tertulia un cura; un viejo periodista—colaborador de algunos periódicos de provincias—que lleva siempre los bolsillos llenos de papeles, autor de un libro sobre las regalías; un jovencito que siempre acompaña a este periodista, que no dice nunca nada y que publica unos artículos tremendos en periódicos republicanos; el librero y los dependientes de la librería. En el fondo, oscuro, lóbrego, se ven montones de libros, más estantes llenos de libros.

—Bueno; pero vamos a ver, don Fulgencio: si usted pudiera vivir en una ciudad más divertida que Madrid, en París, por ejemplo, ¿viviría?

—¡Déjeme usted de París! ¡Caramba! Yo en Madrid estoy bien y no deseo otra cosa; cada uno tiene su plan de vida y sabe sus cosas. ¡Déjeme usted de París!

El jovencito que se hallaba examinando un libro se detiene un momento y mira a don Fulgencio.

—La mitad de los hombres infelices que existen—prosigue don Fulgencio—es porque no quieren resignarse a vivir como viven. Hay que seguir por el camino que tenemos delante, sin pensar en otro..., sobre todo cuando no podemos seguir otro. Yo soy un madrileño y he vivido en Madrid toda mi vida. Tengo aquí mis amigos y mis parientes; me he formado mis costumbres, mis hábitos; dedico unas horas a una cosa, otras horas a otras. Encuentro aquí lo que a mí me gusta; vivo modestamente y sin sobresaltos... ¿Para qué voy yo a desear otra cosa? ¿Ni qué falta me hace a mí?

Entra en la librería un comprador.

—¿Tienen ustedes la *Población rural*, de don Fermín Caballero?—pregunta.

—Un buen libro—dice don Fulgencio, levantándose.

El librero y los dependientes se ponen a buscar el libro.

—Ea, señores, adiós—dice don Fulgencio.

—Adiós, don Fulgencio, hasta mañana —contestan todos.

Hace un claro y tibio día de invierno; un día madrileño, en que el aire es sutil y transparente. Son las diez de la mañana. Don Fulgencio, envuelto en su capa negra, con negras vueltas de velludillo, baja lentamente por la calle de Carretas y se encamina, por la de Alcalá, a la Castellana. Después de dar su paseo al sol, se dirige a su casa. La casa se halla en sitio no muy apartado del centro, y, sin embargo, la calle es silenciosa y tranquila. Es una de esas calles que no son paso para ninguna gran arteria, y desde las cuales, en cuatro pasos, se está en el centro de la ciudad.

El cuarto que habita don Fulgencio es amplio, limpio y silencioso; se ven en él unos muebles anticuados: sillas de alto respaldo, largo y estrecho; mesas con labores de taracea, consolas con columnitas retorcidas, ventrudas, cómodas. Una criada vieja hace el servicio. Las maderas de los balcones están siempre entornadas, casi cerradas, en invierno y en verano; un gato, replegado sobre una silla, mira vagamente con sus ojos de oro. En un estante, al lado de las comedias de Bretón de los Herreros, se ve una Colección legislativa.

Don Fulgencio come a la una. Después se sienta en una butaca y dormita un poco; a la tarde, coge su capa y se marcha a un café, donde charla con varios amigos. En 1868, don Fulgencio estuvo en Londres comisionado por el Gobierno; iba con él un criado; al cruzar el estrecho de Calais se vieron en peligro de naufragar. Luego, en Londres, a él y a su criado les ocurrieron una porción de lances y peripecias. Algunas tardes, don Fulgencio va a visitar a su antiguo criado y recuerdan juntos las aventuras de Londres; otras tardes, cuando hace mal tiempo, se encierra en su despacho y va trabajando en su libro sobre la *Historia parlamentaria de la Revolución.* Al anochecer vienen a verle un sobrino y un senador pariente lejano suyo—con el que discute sobre la oratoria de Alcalá Galiano, de Olózaga y de Cánovas—; viene también una señora vieja, que llega hasta la puerta en un landó grande con unos caballos escuálidos. Todos charlan debajo de la lámpara, en el comedor; el gato permanece inmóvil, con los ojos medio abiertos, o baja de su silla para acariciarse en los pantalones del senador. Un reloj suena unas horas lentamente, con una gran pausa de campanada a campanada, no sin antes haber hecho un ruido sordo de resortes, como si le costara mucho trabajo el decidirse a marcar la hora. Sale de la cocina un vago olor a aceite frito y a estofado.

El primer plato que come don Fulgencio para cenar es una ensalada de lechuga; la cena es frugalísima. Si no llueve ni nieva, después de la cena don Fulgencio se emboza en su capa y se marcha a casa de la señora vieja del enorme landó. A las diez regresa y se acuesta. En el silencio profundo en que queda la casa, resuena el ruido de resortes y hierros del reloj y luego las campanadas sonoras, lentas, muy lentas, que dejan tras de sí una vibración que suavemente se va apagando.

NICOLAS SERRANO

(1892)

¿Quién es este Nicolás Serrano, en qué se ocupa y cuáles sus ideas y planes? Nicolás Serrano es un filósofo. Y bien: ¿qué sistema filosófico ha construído este señor, o de qué forma y manera son sus especulaciones filosóficas? Nicolás Serrano—contestaremos—ha sido sacado a luz por el maestro *Clarín* en su libro *Superchería;* cada vez amamos nosotros más las novelas de este queridísimo maestro, y cada vez creemos más firmemente que esta novela citada (con las dos que la acompañan) y la que lleva por título *Su único hijo,* es lo más intenso, lo más refinado, lo más intelectual y sensual a la vez que se ha producido en nuestro siglo XIX. Pero no se trata de esto en esta ocasión: el señor Serrano nos espera. El señor Serrano se encuentra ahora en el medio del camino de la vida; cuenta treinta años. Serrano acaso está un poco cansado; tiene ese cansancio especial de los que han leído mucho y tratado mucho con la mujer; ese cansancio que es, ante todo, indulgencia, condescendencia, comprensión de todos los desatinos y absurdos humanos, y después reposo en las maneras, sencillez, sobriedad y una cierta elegancia que nace del gesto exacto y apenas esbozado. Serrano vive en Madrid; suponemos que su cuarto es pequeño, claro y confortable; no habrá en él ruidos inoportunos, ni para cerrar o abrir las puertas se tendrá que forcejear o hacer movimientos violentos: todas encajarán bien, y los cerrojos y armellas serán silenciosos. La biblioteca de Serrano no será grande; hay a lo largo de la Humanidad un reguero de unos pocos espíritus que han visto todo lo que es la naturaleza humana, que han resumido en claras páginas toda la psicología humana—lucha y egoísmo—, y leyendo a los cuales poco a poco, de rato en rato, se sabe todo. Serrano los ha leído, los tiene en su anaquel, y como estudia en vivo las cosas del mundo, sólo necesita hojear de cuando en cuando algún volumen nuevo para estar al corriente de todo...

Esta es la vida de nuestro amigo: desdén imperceptible e ironía indulgente. Y ahora Serrano, que mora habitualmente en esta corte, ha tenido necesidad de abandonarla y se ha metido en el tren. Va a una vieja ciudad de provincias; cuando el tren llega a ella es media noche. Acaso, un momento antes de llegar, Serrano ha visto a lo lejos, entre las tinieblas profundas, brillar las luces de la ciudad, y ha sentido —como muchas veces lo hemos sentido nosotros—que este parpadeo misterioso de los puntitos brillantes, allá en la invisible urbe vetusta, secular, producía en nuestro espíritu una inquietud indefinible. Tal vez Nicolás Serrano ha sentido esto; y luego, al apearse en la estación silenciosa, desierta, y meterse en el viejo y destartalado ómnibus que le lleva a la fonda, su angustia habrá aumentado. Acaso los vidrios de este coche están rotos y hacen un traqueteo sonoro; quizá un diminuto farol humeante alumbra el interior. El coche corre ruidosamente por las calles, dando vaivenes. ¿Por delante de qué casas, de qué vetustos y ruinosos palacios, de qué conventos, pasamos? ¿No oímos en la lejanía la campana cristalina de uno de estos conventos que toca a *maitines?* ¿No atisbamos un instante la sombra de un viejo hidalgo trasnochador que pasa taconeando fuerte, embozado en su capa? Al llegar a la fonda, nos encontramos en un vestíbulo semioscuro; vemos en las paredes un mapa de España, un cartel de toros; un mozo que esperaba dormitando se levanta precipitadamente de la silla. Y entonces en esta fonda triste, envejecida, pobre, situada en el corazón de esta vetusta y muerta ciudad, nos damos cuenta—como se la habrá dado Nicolás Serrano—de que nuestra sensación de inquietud llega, en esta hora de la noche y sin saber nosotros por qué, a los límites de una angustia íntima, honda y desgarradora.

LA POESIA DE CASTILLA

¿En qué nos hace pensar este florecimiento de la lírica que hay ahora en Castilla? Yo pienso en el paisaje castellano y en las viejas ciudades. La poesía lírica es la esencia de las cosas. La lírica de ahora—bajo someras influencias extrañas— nos da la esencia de este viejo pueblo de Castilla.

Yo veo las llanuras dilatadas, inmensas, con una lejanía de cielo radiante y una línea azul, tenuemente azul, de una cordillera de montañas. Nada turba el silencio de la llamada; tal vez en el horizonte aparece un pueblecillo, con su campanario, con sus techumbres pardas. Una columna de humo sube lentamente. En el campo se extienden, en un anchuroso mosaico, los cuadros de trigales, de barbechos, de eriazo. En la calma profunda del aire revolotea una picaza, que luego se abate sobre un montoncillo de piedras, un majano, y salta de él para revolotear luego otro poco. Un camino, tortuoso y estrecho, se aleja serpenteando; tal vez las matricarias inclinan en los bordes sus botones de oro. ¿No está aquí la paz profunda del espíritu? Cuando en estas llanuras, por las noches, se contemplen las estrellas con su parpadear infinito, ¿no estará aquí el alma ardorosa y dúctil de nuestros místicos?

Yo veo los pueblos vetustos, las vetustas ciudades. En ellas hay un parador o mesón de las Animas y otro de las Angustias; hay calles estrechas en que los regatones y los talabarteros y los percoceros tienen sus tiendecillas; hay una fuente de piedra granulenta, grisácea, con las armas de un rey; hay canónigos que pasan bajo los soportales; hay un esquilón que en la hora muerta de la siesta toca cristalinamente y llama a la catedral; hay un viejo paseo desde el que se descubre en un mirador, por encima de las murallas—como en Avila, como en Pamplona—, un panorama noble, severo, austero, de sembrados, huertecillos y alamedas; hay en la estación un andén adonde los domingos, los días de fiesta, van las muchachas y ven pasar el tren, soñadoramente, con una sensación de nostalgia.

Yo veo en las viejas, venerables catedrales, estos patios que rodea un claustro de columnas. Estos patios—como en León, como en la misma Avila—están llenos de maleza y de hierbajos bravíos; nadie cuida estas plantas; ni la hoz ni el rastrillo han entrado aquí desde hace largos años. Los pájaros trinan y saltan entre el matorral. Nuestros pasos resuenan sonoramente en las losas del claustro; respiramos a plenos pulmones este sosiego confortable. En las tumbas que están adosadas a las paredes duermen guerreros de la Edad Media, obispos y teólogos de hace siglos. A mediodía, en el estío, cuando un sol ardiente cae de plano sobre la ciudad e inunda el patio, donde los gorriones pían enardecidos, aquí, en el claustro sonoro y silencioso, podemos pasar una larga hora, con un libro en la mano, rodeado de frescura y silencio.

Yo veo los viejos y grandes caserones solariegos. Un ancho patio de columnas tienen en medio; una ancha galería en arcadas rodea el patio. Por esta galería, ¿no pasarían las damas con sus guardainfantes y sus pañuelos de batista en la mano, como en los retratos de Velázquez? Por estas puertecillas de cuarterones de las estancias, de los corredores, ¿no entrarían y saldrían los viejos y terribles hidalgos, cuyas bravatas épicas recogió Brantôme? Hay en estos palacios vastas salas desmanteladas; una ancha escalera de mármol; un jardín salvaje; unas falsas o sobrado donde, entre trastos viejos, va cubriéndose de polvo—¡el polvo de los siglos!—un retrato de un conquistador, de un capitán de Flandes.

Yo veo las añosas, seculares alamedas que hay en las afueras de las antiguas ciudades; en ellas pasean lentamente los clérigos, los abogados, los procuradores, los viejos militares.

Yo veo las ventas, mesones y paradores de los caminos. Tienen un ancho patio delante; dentro se ve una espaciosa cocina de campana. ¿No se detuvieron aquí una noche aquellos estudiantes de *El Buscón* que iban a Salamanca? ¿No pasó aquí unas horas aquel grave, docto, sentencioso y prudente Marcos de Obregón? ¿No hay aquí alguna moza fresca y sanota que llene el ámbito de las cámaras con sus canciones?

Yo veo las vidas opacas, grises y monótonas de los señores de los pueblos en sus casinos y en sus boticas.

Yo veo estos señoritos, cuyos padres poseen tierras y bancales, y ellos tienen la mesa de su cuarto llena de libros de Derecho: el Marañón, Manresa, Mucio Scévola; libros que estudian afanosos para hacer unas oposiciones.

Yo veo estos charladores del pueblo que no hacen nunca nada, estos señores afables, ingeniosos, que tienen una profunda intuición de las cosas, que os encantan con su conversación y con su escepticismo.

Yo veo esta fuerza, esta energía íntima de la raza, esta despreocupación, esta indiferencia, este altivo desdén, este rapto súbito por lo heroico, esta amalgama, en fin, de lo más prosaico y lo más etéreo.

Todo esto me sugieren a mí algunos de estos poetas novísimos, que ponen en sus rimas el espíritu castellano bajo el afeite francés.

EL ANACALO

En la pequeña y vieja ciudad hay dos, tres o cuatro hornos; la hornera tiene un marido o un hermano; este marido o este hermano es el anacalo. Se levanta el anacalo por la mañana, se desayuna, y entre él y su mujer comienzan a llenar el horno de leña y de hierbajos secos; luego la encienden; un humillo azul surte por la chimenea y asciende ligeramente por el aire. El aire se llena de un grato olor de romero y de sabina quemados; es la hora matinal en que las palomas de un palomar cruzan, se ciernen sobre la ciudad, y en que unas campanitas lanzan sus campanadas. Entonces, cuando el horno está ya encendido, sale el anacalo de casa; éste es el momento crítico en que comienza su oficio trascendental. El anacalo recorre todas las casas del barrio; se asoma a la de don Pedro y grita: «¿Amasan?» En la casa de don Pedro no amasan hoy; una voz grita desde dentro: «¡No!», y el anacalo se marcha a otra parte. Aquí está ahora el viejo caserón de don Juan; entreabre la puerta nuestro amigo y torna a dar una gran voz: «¿Amasan?» Se hace una pausa; la casa de don Juan es muy grande; es posible que Isabel, la antigua criada, o Leonorcica, la linda moza nueva que don Juan acaba de tomar para su servicio (no sabemos para qué, puesto que en realidad no hace falta para las escasas faenas de la casa); es posible, repetimos, que Isabel o Leonorcica estén trasteando por alguna estancia lejana; el anacalo repite su pregunta: «¿Amasan?» Al cabo de un momento una voz responde: «¡Mañana!», y el anacalo se va a otra parte...

Nuestro amigo se halla ante la casa de doña Asunción, la viuda de don Anselmo, el que fué gobernador de Teruel el año 1877 (todos le conocimos); la casa tiene una gran portalada con su puerta de roble; pero esta puerta está siempre cerrada y a la casa se penetra por una estrecha puertecilla que existe en otra de las fachadas. El anacalo abre esta puertecilla y da su grito: «¿Amasan?» Una voz replica: «¡Sí!», y nuestro amigo penetra en la casa. Recorre el anacalo varias dependencias, y al fin se encuentra en el amasador; ésta es una estancia un poco sombría; se ven unas lejas llenas de perolitos, cazuelas, vasos; unos cedazos están colgados en la pared; en un ángulo, en una rinconera, reposa una orcita destinada a guardar la levadura; la artesa, grande y de pino, se halla colocada sobre dos travesaños empotrados en la pared, y encima de la artesa está el tablero lleno de panes blancos, recién amasados, un mandil rojo, verde, amarillo y azul los cubre, los abriga.

—Tenga usted cuidado de que no se quemen como el otro día—dice Juana, dirigiéndose al anacalo.

—Sí, sí; usted descuide; el otro día es que estaba muy cargado el horno—replica el anacalo.

Y a seguida se pone una almohadillita redonda en la cabeza, coge el tablero, se lo coloca sobre el cráneo y se marcha.

Este es el oficio trascendental del anacalo: llevar el pan que va a ser cocido desde las casas al horno.

En el horno, cuando llega el anacalo, hay ya una pintoresca algarabía de comadres y vecinas; allí están Pepa, Remedios, Vicentita, Petra, Tomasa. Todas hablan a la vez y cuentan mil cosas; los haces de romero, amontonados en un rincón, mezclan su aroma al olor del pan recién cocido. El anacalo deja el tablero sobre un poyo de piedra y comienza a bromear con las comadres; todas ríen. Pepa, enardecida por una cuchufleta, se lanza sobre el anacalo y hace como que le va a pegar un coscorrón; se vuelve el anacalo, finge también que va a propinarle a Pepa un sopapo, y Pepa corre desalada chillando, y deja ver, entre el revuelo de las faldas, el comienzo de una fina y maravillosa pierna, cubierta de una media roja, azul y amarilla.

HORAS EN CORDOBA

Cuando me he levantado, he salido un momento al balcón y he estado contemplando el cielo y la calle. Eran las primeras horas de la mañana; se respiraba un aire fresco y sutil; estaba el firmamento despejado, radiante, de un azul intenso. He dejado la casa. He comenzado a recorrer callejuelas retorcidas y angostas. Córdoba es una ciudad de silencio y de melancolía. Ninguna ciudad española tiene como ésta un encanto tan profundo en sus calles. A esta hora de la mañana eran rarísimos los transeúntes. Las calles se enmarañan, tuercen y retuercen en un laberinto inextricable. Son callejuelas estrechas, angostas; a uno y otro lado se extienden unas anchas losas; el centro de la calle lo constituye un pasito empedrado de pelados y agudos guijarros. Nada turba el silencio; de tarde en tarde pasa un transeúnte que hace un ruido sonoro con sus pasos. Las casas están jaharradas con blanco yeso o enjalbegadas con cal nítida.

He paseado durante un largo rato por la maraña de callejas; me detenía a veces ante un portal para contemplar un hondo patio. Todas estas casas cordobesas tienen un patio, que es como su espíritu, su esencia. Es un patio pequeño; unos tienen fuentes, albercas, surtidores; otros tienen columnas que sostienen una galería; otros son más modestos, más pobres. Yo prefiero estos de las casas humildes, de las casas ignoradas. Al pasear y recorrer las callejas silenciosas y blancas, he columbrado muchos patios de éstos. Todo era silencio, reposo y blancura en ellos; acaso una planta de evónimos o un laurel destacaban sobre la nitidez de las paredes o sobre el azul del cielo. Existen algunos de estos patios con lejanías y segundos términos que recuerdan los fondos de los primitivos italianos. He visto uno cuyo pavimento se alejaba en una rampa suave; luego, allá en el fondo, se abría otro reducido patio, al cual se entraba por un arco sencillo y blanco; debajo del arco esperaba inmóvil, rígido, impasible, un asno enjaezado con rojos y amarillos arreos; por encima del arco asomaba, negruzco y simétrico, un ciprés que resaltaba en el azul del cielo. No se oía el más ligero rumor ni en la casa ni en la calle; todo parecía reposar en un profundo, denso, silencio. Una armonía perfecta, maravillosa, se establecía entre este reposo, la blancura de las paredes, el ciprés, el asno inmóvil, rígido, y el azul intenso y radiante del cielo. ¿Dónde está el artista que recoja esta sensación auténtica, profunda, de Andalucía, en esta ciudad, en este sitio y a esta hora? ¿Es esta Andalucía de los conciertos armónicos y hondos de las cosas, de la profunda y serena tristeza, la Andalucía ligera, frívola y ruidosa que nos enseñan en los cuadros y en los teatros?

He continuado mi paseo. El laberinto de callejuelas que se extiende en los aledaños de la catedral ofrece uno de los aspectos más interesantes de la ciudad. Es aquí donde el silencio, la serenidad y la melancolía son más grandes. De tarde en tarde pasa un asno cargado con una sera de carbón; una viejecita marcha lentamente, se detiene, torna a caminar; se levantan tímidamente unos visillos, tras unos cristales, al ruido sonoro de los pasos. Suenan lentas, sonoras, rítmicas, las campanadas de una hora; campanadas que, en el silencio, se difunden sobre la ciudad y se pierden y se apagan dulces.

He llegado a la catedral. He transpuesto la puerta y he entrado en el Patio de los Naranjos. Cuatro o seis mendigos toman el sol. El patio es ancho, empedrado de guijarros; se extienden los naranjos en filas; la alta y recia torre se yergue a un lado. Sólo algunos viajeros cruzan a esta hora el patio y se dirigen hacia la catedral. El mismo silencio de la ciudad se goza aquí en este recinto. Una fuente deja caer un hilo de agua. Cada media hora una moza con un cántaro aparece y lo llena en la fuente; el agua hace un son ronco y precipitado al caer en el cántaro. La moza espera inmóvil junto a la fuente. Pían y saltan unos gorriones en los naranjos. Se remueve lentamente un mendigo en su capa. Las campanadas de las horas vuelven a descender sobre la ciudad lentas, acompasadas, sonoras.

Gana el espíritu en esta ciudad y en esta hora una sensación de serenidad y de olvido. Se escucha el alma de las cosas. Sentimos añoranzas por cosas que no hemos conocido nunca; anhelamos algo que no podemos precisar y cuya falta no llega a producirnos amargura. Si salimos de la catedral y avanzamos un poco hacia el río, vemos allá a lo lejos, en la ribera opuesta, dilatarse una campiña de tierras sembradizas. No se columbran arboledas ni fragosidades por esta parte de la ciudad. La tierra es llana, ligeramente ondulada; los bancales de fino verde alternan con los cuadros oscuros de barbecho. La compenetración de este paisaje austero, noble, *místico,* con las callejuelas y con los patios blancos y callados, es también perfecta. Un último detalle nos falta: por la mañana, a mediodía, un fuerte y grato olor a leña, a ramaje de olivo quemado, se respira en las callejas y en las casas. Es el aroma castizo de las ciudades españolas meridionales y levantinas.

¿Dónde estará el artista—tornamos a preguntar—que recoja el alma de esta ciudad? Al hacerlo tendría que expresar este concierto profundo de las cosas, esta compenetración íntima de los matices, esta serenidad, este reposo, este silencio, esta melancolía.

EL APAÑADOR

El apañador va gritando por las callejas:

—¡Componer sombrillas y paraguas!

Hay un silencio profundo en la ciudad vetusta; toca de tarde en tarde una campanita lejana de alguna iglesia; los recios portones de las casas están cerrados; sobre los umbrales reposan los anchos escudos.

—¡Componer paraguas y sombrillas! —torna a gritar el apañador.

Un perro pasa junto a él y le husmea un momento; luego prosigue su marcha indefinida, sin rumbo. El apañador continúa marchando también lentamente, un poco triste. Esta ciudad parece muerta.

—¡Componer sombrillas y paraguas! —grita de nuevo nuestro amigo.

Suenan a lo lejos los martillos de una herrería; bajo el ancho alero de un caserón se abre una ventanita, se asoma a ella una vieja y chilla:

—¡Eh, eh, apañador!

El apañador entonces se detiene y mira a todos lados; no ve a nadie ni en las puertas ni en las ventanas.

—¡Eh, eh, apañador!—torna a chillar la viejecita.

El apañador levanta la cabeza, la ve y dice:

—¿Qué quiere usted?

La viejecita le dice que espere en la puerta, que ella bajará a abrirle, y nuestro amigo se acerca a la ancha y noble portada y espera un momento.

Cuando la viejecita ha abierto la puerta, el apañador y ella sostienen un breve diálogo; lo que esta buena dueña quiere es que el apañador componga un paraguas; el apañador, por su parte, está dispuesto a componerlo. El paraguas es un viejo paraguas. ¿Cuántas generaciones habrá cobijado este paraguas?

La viejecita y el apañador entran en una vasta estancia; ya casi no hay muebles en esta sala. Se ve en ella una vieja cómoda, un poco inclinada, lamentablemente inclinada, porque le falta un pie; hay también unas sillas desfondadas, rotas; se ve también un fanal de vidrio resquebrajado con un Niñito Jesús, al que le han quitado las lentejuelas de su traje; están colgados asimismo en las paredes algunos cuadros negruzcos sin marco. El apañador se sienta en una silla y comienza a ejercitar su oficio; la viejecita, sentada también en una silla baja, le mira hacer en silencio. Un rato llevan los dos en esta guisa, cuando se oyé allá en lo interior de la casa una voz que grita:

—¡Leonor, Leonor!

Leonor, que es esta dueña, va a levantarse para acudir al llamamiento, pero en el mismo instante aparece en la puerta de la sala un caballero.

—¡Ah!—exclama este caballero—. ¿Están componiendo el paraguas?

La viejecita no dice nada; el caballero se pasa la mano por su barba canosa y larga; está pálido y su traje se ve lleno de manchas y descuidado.

—¿Se quedará bien el paraguas?—pregunta el caballero al apañador.

—Muy bien—contesta éste—; como si fuera nuevo.

—¿Como si fuera nuevo?—repite el caballero con un gesto de duda.

—Lo que usted oye—replica con firmeza el apañador.

Este apañador es hombre de convicciones firmes. ¿Cuánto tiempo hace que él va por el mundo? ¿Cuántas cosas ha sido? ¿Cuántas vueltas y revueltas ha dado por caminos y por posadas, y cuántos altos y bajos ha tenido su vida? El viejo hidalgo le contempla en silencio; él no ha salido de su vetusto caserón; ya sus tierras han desaparecido; han desaparecido hasta los muebles de su casa; el no hace nada; él tiene una mirada triste y larga; él dice cuando cae sobre él una desgracia: «¡Qué le vamos a hacer!» El paraguas que acaba de componer el apañador, ¿es que ha de guarecer a los descendientes de este hidalgo? No; la estirpe que fué gloriosa un día, se acaba en este pobre hombre. El apañador ha cumplido su misión y sale a la calle; acaso la viejecita le dice al caballero que la compostura del paraguas ha costado tanto y que en casa apenas queda dinero para la comida de la noche. «¡Qué le vamos a hacer!», dirá tristemente el caballero. Y en la calle, al mismo tiempo, se oirá la voz del hombre errante que grita:

—¡Componer sombrillas y paraguas!

LA CALLE DE LA MONTERA

Lector: Existe un axioma en Madrid, cuyo descubrimiento se debe al autor de estas líneas, y que dice de este modo: *Si quieres encontrarte con alguien de tu pueblo, pasa por la calle de la Montera.* La calle de la Montera es, en efecto, una calle donde están a todas las horas del día todos los forasteros que llegan a Madrid; no podemos dudar de esto, y nosotros, que nos hemos comprado cuellos y puños, cuando éramos estudiantes, en esta calle tan simpática, tan pintoresca, le tenemos un vago, un íntimo cariño...

Por ella vamos marchando lentamente en esos días de invierno en que el sol baña el alto declive. ¿En qué pensamos nosotros? Tal vez en nada; tal vez en esos días lejanos, que ya no volverán, en que nosotros entrábamos en una de estas camiserías, llevando en la mano el *Derecho político,* del señor Santamaría de Paredes, o los *Procedimientos judiciales*—no sé si se dice así—, del señor Torres Aguilar, del cual ya sólo tenemos una remota idea. De pronto oímos a nuestras espaldas una voz recia que grita:

—¡Azorín!

Nos volvemos rápidamente. ¡Es nuestro paisano don Antonio, o don Fernando, o don Pascual, o don Francisco, o don Diego!

—¡Don Antonio! — exclamamos nosotros también.

Y nos quedamos un momento en silencio, frente a frente, con las manos trabadas. Y un mundo de ideas y de cosas queridas surge en nuestro cerebro. Hace seis, ocho, diez años que no habíamos visto a este amado amigo nuestro. Don Antonio está más pálido que cuando estrechamos su mano la última vez; en su cabeza platean más copiosas las canas, y en su vestir—tan atildado antes, con ese atildamiento peculiar que sólo se ve en provincias—, en su vestir hay una dejadez, un abandono, un descuido que nos llena de una íntima tristeza. ¿Qué dolores, qué angustias, qué adversidades han pasado por el espíritu de nuestro amigo? ¿A qué viene a Madrid? ¿Qué cambios no supondrá esta dejadez del indumento en aquella casa provinciana, tan limpia antaño, tan ordenada, tan abundosa?

—Don Antonio—nos atrevemos a preguntar nosotros—, ¿vive usted aún en la plaza, frente a la fuente?

—Sí, sí—contesta don Antonio con un leve matiz de tristeza.

—¿Y el huerto?—tornamos a preguntar tímidamente—. ¿El huerto de la casa, aquel huerto con parrales, con limoneros y con cipreses? ¿Está lo mismo que antes?

Don Antonio tarda un breve momento en contestar a nuestra pregunta.

—Ya ha desaparecido—dice al cabo—; abrieron una calle detrás de la casa, y en el huerto edificaron más casas.

Sentimos una angustia indefinible, íntima; en este huerto han pasado las horas más felices de nuestra adolescencia; allí, entre los limoneros, entre los cipreses, entre los laureles—siempre verdes—, bajo los toldos de los pámpanos, paseábamos nosotros con Pepita. Y la imagen de esta muchacha delicada, con su delantal blanco—orlado de una cenefita roja—y con sus manos blancas y finas, brota también de pronto entre nuestros recuerdos. Permanecemos silenciosos; quisiéramos preguntar por Pepita y presentimos, sin saber por qué, que algo doloroso y terrible va a salir de los labios de nuestro amigo. Durante un instante, en nuestro interior se hace una tragedia mil veces más angustiosa que las de sangre y asolamientos. Nuestro amigo nos contempla un poco indeciso. Y al fin pronunciamos unas palabras frívolas, nos despedimos de don Antonio, de don Fernando o de don Luis, y nos alejamos entristecidos, obsesionados, por esta calle en donde, cuando éramos muchachos, entrábamos a comprar cuellos y puños con el *Derecho administrativo* o con los *Procedimientos judiciales*.

VIDA DE UN LABRANTIN

Voy a escribir la historia de un pobre hombre en pocas líneas. La primera particularidad de este hombre pobre es que no tiene nombre. Unos, para nombrarle, dicen «un hombre»; otros dicen «aquél»; unos terceros le llaman familiarmente «tío». Este pobre hombre, sin embargo, no es tío de nadie; en cuanto a «un hombre», hombres hay muchos sobre la tierra, y respecto a «aquél», todos los hombres de la tierra pueden ser «aquél». Todo esto demostrará al lector que este pobre hombre no es nada; no se distingue por nada; nadie le echará de menos cuando se muera; no tiene ni siquiera nombre.

Vamos ahora con su habitación o morada. Este hombre vive en el campo. Su casa está lejos de la ciudad. Su casa es pequeña, modestísima. La componen unos muros de argamasa, una cama, unas sillas, una mesa y algunos trebejos de cocina. Detrás de la casa hay un corralillo de cuatro paredes de albarrada. Esto parecerá duro, molesto, cruel, a los lectores acostumbrados al atuendo; al pobre hombre no le parece ni bien ni mal; él vive indiferente, sin desear otra cosa.

La vida del pobre hombre es muy sencilla: se levanta antes de que el sol salga; se acuesta dos o tres horas después de su puesta. En el entretanto, él sale al campo, labra, cava, poda los árboles, escarba, bina, estercola, cohecha, sacha, siega, trilla, rodriga los majuelos y las hortalizas, escarza tres o cuatro colmenas que posee. No muele la aceituna porque no tiene trujal, ni pisa la uva porque no cuenta con jaraíz. Vende la aceituna y la uva a algunos especuladores «a como quieran pagársela». La comida de este pobre hombre es muy sobria: come legumbres, patatas, pan prieto, cebollas, ajos, y alguna vez, dos o tres al año, carne; una almuercada de nueces o de almendras es su más exquisito regalo. Los ratos en que el trabajo le deja libre, el pobre hombre echa una mano de conversación con algún otro hombre tan pobre como él, y va mientras tanto labrando unas brazadas de pleita o de tomiza. Las cosas de que habla son bastante vulgares: habla del tiempo, de la lluvia, de los vientos, de las heladas, de los pedriscos. Algunas veces recuerda también alguna cosa insignificante que le pasó en su juventud. Los conocimientos del pobre hombre se reducen a bien poco: barrunta por las nubes si va a llover; sabe, poco más o menos, los cahices de grano que dará esta o la otra haza, y la porción de tierra que entra en la huebra que un par de mulas puede labrar en un día; conoce si una oveja está enferma o no lo está; tiene noticias de todas las hierbas y matujas del campo y de los montes: el cantueso, el mastranzo, la escabiosa, el espliego, la mejorana, el romero, la manzanilla, la salvia, el beleño, la piorda; distingue por su plumaje, píos y trinos a todos los pájaros de las campiñas: la cardelina, la coalla o codorniz, el carabo, la totovía, el herreruelo, la picaza, el pardillo, los zorzales, la corneja, el verderón. Sus nociones políticas son harto vagas, imprecisas; ha oído decir alguna vez algo de los señores que gobiernan, pero él no sabe ni quiénes son ni qué es lo que hacen. Su moral está reducida a no hacer daño a nadie y a trabajar todo lo que pueda.

Algunas veces viene una mala cosecha, se muere una mula, cae enferma una persona de la familia o no hay dinero para pagar la contribución. El pobre hombre no se derrama en lamentos ni maldiciones; él dice:

—¡Ea! ¿Qué le vamos a hacer? Dios dirá; Dios nos sacará del apuro.

El pobre hombre sonríe resignado, saca su petaca mugrienta, lía un cigarrillo, sacude las manos y se pone a fumar.

El pobre hombre es ya viejecito. Su mujer es también viejecita. Han tenido tres hijos; uno de ellos murió en la guerra de Cuba; otro, que era mozo de estación, pereció también, aplastado entre dos topes. El tercero era una moza garrida; un día se fué con su novio a la capital y no volvió más. El pobre hombre, alguna vez, cuando se acuerda de todo esto, da un suspiro; pero pronto se anima, sonríe y exclama lo que siempre:

—¡Ea! ¿Cómo ha de ser? Dios lo ha dispuesto así.

El pobre hombre no tiene idea ninguna sobre el porvenir. El porvenir es la pesadilla y el tormento de mucha gente. El pobre hombre no se preocupa del mañana.

—«Cada día trae su cuidado», dice el Evangelio. ¿No tenemos bastante con el cuidado de hoy? Si nos preocupamos del de mañana, ¿no tendremos dos en vez de uno?

El pobre hombre vive sin esperanzas y sin deseos. Su espectáculo son las montañas, el campo, el cielo.

Andando el tiempo morirá el pobre hombre, o morirá antes su mujer. Si muere él antes, su mujer se quedará sola. Su mujer rezará y suspirará; se irá acaso al pueblo; será pobrecita y pedirá con sus manos pajizas a los transeúntes. Si muere su mujer la primera, él se quedará también solo; su bella resignación, su bella serenidad, no se apartarán de él. Un suspiro vendrá de tarde en tarde a sus labios, y luego él exclamará:

—¡Ea! ¿Qué le vamos a hacer? Todo sea por Dios.

HORAS EN SEVILLA

Me he levantado muy de mañana; me ha despertado un estrépito de golpazos, gritos, son de cencerros, campanillazos de tranvías, pregones de vendedores. Las primeras horas de la mañana son las horas de la frescura, de la fuerza, de la espontaneidad, del optimismo. He tomado mi sombrero y he salido de mi cuarto. Estoy en una fondita modesta; se respira en ella un penetrante olor a aceite frito; el mozo que me sirve en el pequeño comedor lleva la barba sin afeitar de una semana.

A estas horas de la mañana unas mujeres estaban lavoteando el patizuelo y dando en los muebles furiosos golpes. ¿Para qué golpean así estos pobres muebles? He salido a la calle. El cielo estaba azul. El aire era ligeramente fresco. El sol brillaba en la parte alta de las blancas fachadas. Pasaban despacio algunos transeúntes. Cantaba a lo lejos un gallo. He recorrido varias callejuelas estrechas y torcidas. Resonaban mis pasos en las piedras sonoramente. Un can rojizo que ha pasado y al cual he llamado ha mirado un momento y luego ha seguido andando, filosófico, despreocupado. ¿Adónde irá este can matinal? ¿Qué hará y cuál será el plan de su vida?

Las callejuelas se perdían en un dédalo de vueltas y revueltas; aparecía de cuando en cuando un viejo y noble caserón; el sol entraba en las ventanas altas de los sobrados y las falsas. Veía yo los patizuelos hondos y silenciosos, pavimentados con rojos ladrillos cuadrilongos. Asomaba a veces la cara exangüe de una vieja, o la cabeza de un hombre con un sombrero ancho, grasiento, con las alas caídas.

He llegado a la catedral y he entrado al Patio de los Naranjos. En el centro hay una fuente. Su piedra es negruzca y gastada; hay en la alberca un agua verdinegra y muerta; cae de la taza de arriba un hilillo imperceptible de agua, que se desgrana en gotas y no hace ruido al caer sobre las aguas muertas. A un lado se yergue la Giralda; tocan unas campanas; unos avechuchos de elásticas y rojizas alas giran en vuelos automáticos, se posan entre los intersticios de las piedras, reaparecen, dan vueltas, se esconden otra vez, vuelan lentos, silenciosos, caprichosos, de nuevo. Hay una profunda calma en este patio y en esta hora de la mañana. Se desprende una sensación de olvido y de serenidad de esta fuente silenciosa, de estas piedras seculares y negras, de este cielo azul y limpio, del vuelo elástico y callado de estas aves, del son lento y cristalino de esta campana.

He entrado en la catedral y he recorrido las vastas naves. La catedral de Sevilla es un mundo; existe en ella multitud de capillas, de sacristías, de patios. Yo diría ahora la atracción profunda de estas capillas apartadas, casi ignoradas, que el público de forasteros mundanos apenas frecuenta. Hay en las catedrales españolas unas capillas sin riquezas artísticas, pobres, casi desnudas, que parece que tienen un atractivo mayor que las opulentas y fastuosas. No se puede ver nada en ellas; en sus paredes no cuelga sino algún cuadro insignificante; las cierra una verja vulgar. Y, sin embargo, ¡qué misterio, qué encanto, qué atracción poderosa hay en estas capillas pobres, ignoradas, apartadas, sólo frecuentadas por alguna viejecita que ora en un rincón, solitaria, inmóvil!

He salido de la catedral y he vuelto a recorrer el dédalo de las callejuelas angostas. La ciudad había despertado. Veía hombres con chaquetillas mugrientas, con las caras escuálidas. En los bancos de las plazas estaban muchos sentados, dormitando, y tomaban el sol. He pasado por la calle de las Sierpes, llena de barberías, limpiabotas y pequeños casinos. Detrás de unos anchos y altos cristales había sentados muchos señoritos. La calle rebullía de gentes que van y vienen, que charlan, que gritan; no pasan coches por ella; es estrechita y con baldosas en el piso. He salido de esta calle y he entrado, al azar, en varias iglesias: en la del Cristo del Gran Poder, en la del Cristo del Perdón, en la de la Virgen del Mayor Dolor. Las plazuelas que atravesaba estaban desiertas; a lo lejos veía muchos tejados llenos de hierba, llenos de una vegetación verde y tupida. He leído por todas las callejuelas, en las paredes blancas, escritos con carbón, en letras desiguales, letreros como éstos: «Torea *Tabernerito*», «Torea *Sapaterito*», «Torea el *Inmediato*». Toda la ciudad está llena de estos rótulos. Tales toreadores ¿son los que ahora están en cierne y mañana serán en todas las plazas del reino una esplendorosa realidad?

Tenía en el espíritu una sensación de placidez y de optimismo. No me sucedía nada ni pensaba en nada. He vuelto a mi fondita, me he sentado en el patio en una mecedora y he comenzado a leer un periódico.

EL MELCOCHERO

—¡Melcochas finas, melcochas!—el melcochero va paseando por la feria y lanzando su grito.

Son los primeros días de enero; la vieja ciudad tiene un aspecto triste, sombrío; ha desaparecido el tapiz verde claro de los maizales; en los campos de eriazo se destacan, plomizos, los olivos; no está ya el cielo azul, y a ratos el vendaval sopla y hace gemir en los sobrados las viejas ventanitas.

—¡Melcochas finas, melcochas! — repite el melcochero.

Una lluvia menuda, intermitente, ha hecho alejarse a la gente de la feria; los feriantes, en sus casillas, pasean arriba y abajo por el angosto pasillo; algunos las han cerrado y cubierto la delantera con los blancos toldos; pasan, de tarde en tarde, dos o tres labriegos con su paso tardo, indeciso; ha llegado el crepúsculo vespertino, y entre el frío prematuro, que hace cerrar las puertas y las ventanas, en un ambiente opaco, bajo un cielo plomizo, las campanas de la Colegiata lanzan las campanadas lentas, lentas, del *Angelus;* allá, por el extremo de la calleja, pasa un clérigo con el balandrán hinchado por el viento.

—¡Melcochas finas, melcochas!—torna a gritar el melcochero.

¿Para qué lanza su grito este melcochero? El va tristemente paseando por la feria; lleva un ancho fayanco lleno de estas menudas gollerías; pero nadie, nadie, nadie compra sus melcochas. Las luces de la ciudad se van encendiendo; de una tienda sale, sobre la negra calle, como una súbita explosión de luz; en una farmacia brilla el rojo globo del escaparate, y en la vetusta torre la esfera del reloj destaca con un suave resplandor blanco. Ya las campanas han callado y no tocan el *Angelus;* hay un momento de profundo reposo en las tinieblas, y de pronto una campanita chica y otra grande comienzan a entremezclar sus sones tristemente y anuncian una misa de réquiem para mañana.

—¡Melcochas finas, melcochas!—grita el melcochero en la feria.

Un *clown,* un pobre *clown* de los caminos y de las posadas, le mira desde la puerta de su barraca.

—Melcochero—le dice—, no habrá sido mucha la venta de hoy.

—Ninguna — replica el melcochero —. ¿Y ustedes, entrada?

—Ninguna—contesta el pobre *clown.*

Las campanas prosiguen con sus sones largos, desgarradores; en el viejo casino del pueblo cuatro o seis hidalgos, sentados en un rincón, cambian de rato en rato una frase anodina.

—¿Cree usted—pregunta uno—que esta lluvia durará mucho?

—No sé—contesta otro—; el tiempo parece metido en agua.

—No ha llovido en todo el otoño—observa un tercero.

Las bombillas eléctricas apenas lanzan una luz débil, mortecina; se oye una puerta que golpea a intervalos, furiosa. Todas las casas de la ciudad están cerradas; las calles aparecen solitarias, desiertas; en la feria han sido echados todos los toldos; el *clown* ha apagado las luces de su barraca; por una callejuela, silencioso, lento, se ha marchado con su ancho cesto el melcochero. Cuando llegue a su casa, una mujer le preguntará:

¿Has vendido mucho, Tomás?

El dejará el fayanco de las melcochas sobre la mesa y dirá:

—Nada.

UNA CIUDAD LEVANTINA

La pequeña ciudad es clara y alegre; para ir a ella desde Madrid se toma el tren por la noche; a la mañana siguiente, a las siete, comienzan a verse extensos viñedos, huertos frondosos, macizos de árboles, almendros, algún barranco, en cuyo fondo crecen las cañas y los carrizos. El aire es fino y transparente; se ven en toda la pureza de sus líneas los más distantes objetos. No tienen vegetación las montañas; aparecen grisáceas, terrosas, azules, las más lejanas. Los hombres van y vienen rápidos y ágiles.

Una hora después, a las ocho, el tren se detiene en la estación de la diminuta ciudad. Desde la estación al pueblo hay dos kilómetros. La carretera es estrecha y polvorienta; en primavera y en verano destaca, blanca, entre las manchas verdes de los viñedos. El pueblo está situado en una alta meseta; para llegar hasta él es preciso ascender una empinada y larga cuesta. Se llega a la puerta de la ciudad y el carruaje se detiene; un portazguero o consumero se acerca a él y hace su pregunta acostumbrada. Las primeras casas del pueblo son pequeñas, de dos pisos; el piso superior está a tejavana. Son casas de jornaleros o de artesanos; en algunos porches o zaguanes de estas casas se ve colgado del techo el bres; el bres es un capacho o serón en forma de cuna; está fabricado de esparto; se cuelga del techo, se pone el niño en él y la madre lo va meciendo suavemente, al mismo tiempo que acaso canta una dulce canción popular. El mecer al niño en el bres se llama bresar o brezar.

Unas calles del pueblo son estrechitas; otras son más anchas; se ve también algún callejón sin salida. En una de las plazas se levanta el Ayuntamiento; hay otra plaza también ancha; en su centro se yergue una fuente de mármol bermejo, que arroja el agua por cuatro gruesos caños.

Hay en la ciudad una iglesia grande, construída en el siglo XVIII, de gusto clásico; a estas iglesias construídas en los pueblos recientemente suele faltarles una torre; hicieron una de las dos que habían de flanquear la fachada, y la otra, un poco cansados, la dejaron sin hacer. Aparte de la iglesia Mayor, en el pueblo existe otra de un convento de franciscanos; ya no viven los franciscanos en el convento; el convento ha sido convertido en escuelas y cárcel; pero queda en la iglesia, ancha, silenciosa y clara, algo como un hálito, como un dejo, como un rastro de la paz y de la sencillez de estos humildes monjes.

Parte del pueblo está edificada en la ladera de un montecillo, y parte en el llano; en lo alto del montecillo hay una ermita dedicada a Santa Bárbara; la ermita tiene una campanita que toca todos los días, con su voz de cristal, a las doce del día y al anochecer; cuando esta campanita toca, todos los herreros, los carpinteros, los albañiles, los peltreros, los talabarteros de la ciudad, dejan de trabajar.

Los señores de la ciudad se reúnen en un Casino rodeado de un diminuto y ameno jardín; los trabajadores de la tierra disponen de algunos cafetines, botillerías o alojerías.

Esta pequeña ciudad es tranquila, pacífica; moran en ella artesanos, jornaleros y propietarios de tierras. Los propietarios, unos gozan de mucha hacienda, otros lo son en pequeño.

Los jornaleros suelen poseer también un pedazo de tierra que ellos han roto en las veredas o en las faldas de los montes y que benefician los días de fiesta, cuando están libres del trabajo. Del pedazo de tierra que poseen reciben el nombre de *pedaceros.*

No pasa nada en la ciudad; llueve poco en ella; el ambiente es seco, diáfano; el cielo está siempre azul; las calles aparecen limpias; se ve desde algunas esquinas cómo destacan a lo lejos, sobre el cielo radiante, suaves altozanos y crestas azules de montañas; por la mañana, en la hora clara y profunda del trabajo, se oye el tintineo de las herrerías, los golpazos de los carpinteros, el canto largo y metálico de un gallo. En las tierras aledañas al pueblo se extienden tablares de alfalfa, herreñales, cuadros y encañizadas de hortalizas. Sobre las tapias de algún repajo o cortinal asoman una palmera, unos cipreses o los milgranos con sus flores bermejas.

EN LA MONTAÑA

¿No amáis las montañas? ¿No son vuestras amigas las montañas? ¿No produce su vista en vuestro espíritu una sensación de reposo, de quietud, de aplacamiento, de paz, de bienestar? Una montaña se ve en el horizonte, sobre el cielo límpido; es una imagen que se graba en nuestra alma y que en ella reposa durante tiempo y tiempo. Las montañas de Levante y del Mediodía de España no son como las del Norte. Estas montañas finas de Levante, ligeras, cubiertas apenas de matujas, de líneas definidas, radiantes; estas montañas que parecen de porcelana y de cristal, ¿en qué se parecen a las montañas llenas de bosques tupidos y negros del Norte? ¿En qué se parecen a las montañas húmedas, hoscas e indefinidas del Norte?

Montañas finas, claras, olorosas y radiantes de Castilla, de Alicante y de Cataluña: vosotras tenéis todo mi afecto, todas mis simpatías. Hoy he subido a una montaña levantina. Me he levantado antes de que rayara el alba. Esta montaña tiene acá y allá grupos de pinos que exhalan un penetrante aroma de resina. No son pinos adiestrados y amaestrados por industriales; no son pinos plantados y cultivados en vista de un futuro aprovechamiento de sus troncos. Estos pinos no conocen la mano del resinero. Crecen libres, rebeldes, felices. Su tronco toma mil formas caprichosas; se tuerce a un lado, luego a otro; se inclina hacia el suelo, después enmienda la torcedura y se levanta airoso. Al aroma de los pinos se mezcla el aroma de las sabinas, del espliego, del romero, del enebro. En este aire sutil y fuerte de los paisajes levantinos y castellanos los aromas se expanden con toda su libertad; todo el paisaje es aroma; todas las cosas que pasan por el monte, nuestras ropas, nuestros pies, se impregnan de un sentido olor.

A la mitad de mi ascensión a la montaña ha salido el sol. Los haces de luz han bañado los picachos y han corrido por los oteros, acariciándolos. Trinaban los pajaricos. Se oía una lejana canción indecisa. Todo era un profundo silencio. La montaña ha comenzado a vivir en esta hora. La montaña tiene sus hondos barrancos, sus salientes de roca erizada y pelada, sus laderas suaves, sus torrenteras, sus paratas o rellanos que el hombre ha formado y cultivado; entre la verdura, los bermejales y calveros ponen su nota roja o amarilla.

Cuando he estado en lo alto me he sentado y me he dispuesto a contemplar largamente el panorama. Se descubría una porción inmensa de terreno. Desde aquí veo las piezas de labranza y los viñedos. Los caminos, los viejos caminos hacen revueltas y eses entre los bancales. Viejos caminos, caminos angostos y amarillentos, ¿cuántas veces nos han llevado de niños por vosotros? ¿Cuántas veces, ya hombres, hemos ido por vosotros, y por vosotros hemos llevado nuestra tristeza, nuestras ansias y nuestros desengaños? Las carreteras son modernas y ruidosas; las carreteras son todas iguales: no tienen fisonomía, no tienen carácter. Vosotros, caminos estrechos, tortuosos y amarillos; vosotros, que lleváis en España—en la España castiza—la denominación de *caminos viejos* («el camino viejo de tal parte», «el camino viejo de tal pueblo»), vosotros sois un complemento de las viejas y nobles ciudades, de los viejos caserones, de las catedrales, de las colegiatas, de las alamedas umbrías y seculares, de los huertos cercados y abandonados.

En esta mañana límpida, los caminos se destacaban claramente en sus vueltas y revueltas. En la campiña hay muchas casas diseminadas; sus paredes resaltan blancas al sol naciente. Se ve humear las chimeneas de algunas. Yo veo todos los lugares y pasajes que he frecuentado tanto durante mi infancia y mi adolescencia. En aquella pieza ancha de sembradura está labrando un par de mulas; va y viene lentamente; abre largos y paralelos surcos. De buena mañana, todos los labriegos han salido de la casa y se han desparramado por las tierras. Allá a la derecha, al pie de una loma, veo seis u ocho hombres en hilera cavando un bancal; cuando los legones están en alto, brillan, relucen como si fueran de plata. ¿Quién viene ahora por la carretera? Es el criado, que vuelve con su carro del pueblo, adonde ha ido por los periódicos y cartas que llegaron anoche. Y aquel mozuelo que camina por un azagador ¿quién es? Un guadapero que va a llevarles el almuerzo a los trabajadores. Todos los nombres de las cañadas, lomas, picos, cabezos y barrancos acudían a mi memoria.

Aquella cañadita que se ve allá es la *cañadita de Fernando*. ¿Quién era este Fernando? ¿Qué hizo y dónde vivió? Esta cañadita, dedicada a un hombre desconocido, ignorado, ¿no durará más que el formidable monumento? En la lejanía columbro también la *loma de los calderones*. Los calderones son unos hoyos formados en las peñas y en donde el agua llovediza se recoge. Muchas veces, en horas de bochorno, he bebido yo esta agua limpia y quieta de los calderones.

El sol va remontándose en los horizontes. En la ciudad comenzaría ahora a amanecer. Aquí parece ya la hora meridiana. Todo lo llena el sol; todo irradia, esplende luz. La luz hace resaltar de un modo maravilloso las líneas.

El ambiente es de una limpidez soberbia. Allá en la inmensidad remota, ¿no se ve pura, limpia, destacándose en el cielo, la ermita puesta sobre un cerrillo? No hay ningún estrépito que turbe el silencio. Este sosiego, o mejor esta *seguridad en el sosiego*, esta certidumbre de que nuestra paz y la paz del paisaje no será turbada, ¿no vale más que todos los placeres que pueden ofrecernos las ciudades? Oigo a lo lejos el tintineo de una esquila. Ya ha cesado; no se oye nada. Una abeja zumba sobre unas florecillas de romero; una araña que tiene su tela entre un lentisco sale lenta, muy lentamente, de su agujero.

JUAN EL DE JUAN PEDRO

Juan el de Juan Pedro nació en Los Prietos, un caserío de La Roda. Fueron sus padres Juan Pedro y Antonia María. Juan Pedro era el manijero de Los Prietos. Los Prietos pertenecían a un señor muy rico que vivía en Madrid. Donde nació Juan, la llanura se extiende inmensa y monótona; la tierra tiene un color de ocre. Al lado de la casa se ven unos olmos viejos; no pían en ellos los pájaros. No hay pájaros en toda la llanura. Unas palomas revuelan lentamente, muy lentamente, sobre el cielo azul, siempre limpio; a ratos se abaten sobre los sembrados; al anochecer tornan al palomar.

Cuando Juanico tenía cuatro ó seis meses, un día, que lo habían acostado en un poyo y que su madre estaba fuera, entró un cerdo en la casa, se llegó al niño y comenzó a mordiscarle y roerle un brazo. A los gritos acudió la madre. Juan quedó para toda la vida con una gran descarnadura en el brazo. Dos años más tarde murió Antonia María. Juan Pedro se volvió a casar con una viuda que tenía dos hijos.

La madrastra quería poco a Juanico. Apenas le alimentaba; le daba grandes golpes; le encerraba largas horas en las falsas de la casa. Entonces fué cuando Juan Pedro comenzó a beber. Todas las faenas de la casa andaban descuidadas. El amo, que vivía en Madrid, se arruinó; Los Prietos pasaron a otro dueño. El nuevo propietario despidió a Juan Pedro. Juan Pedro se fué a vivir al pueblo; trabajaba muy poco; un año después murió y Juanico quedó con la madrastra en compañía de sus dos hermanastros. A los ocho años Juanico no daba señal de ninguna inteligencia; no lo llevaban a la escuela; no aprendía a leer ni escribir. «Es muy bruto este chico», decían. «¡Jesús, qué zagal más porro!», exclamaban. Juanico recibía más golpes que antes y apenas comía nada. Era alto, escuálido, moreno, feúcho, pero tenía unos ojos anchos, unos ojos melancólicos, unos ojos luminosos. A los doce años, Juanico entró a servir en una casa de labranza; era el guadapero que llevaba la comida a los jornaleros que estaban labrando lejos; hacía las faenas más rudas; soportaba las bromas más brutales y feroces de los mozos de la casa. Una noche de San Juan, por divertirse, los labriegos comenzaron a mantearlo; una de las veces que lo lanzaron por el aire cayó al suelo y se rompió una pierna. Estuvo dos meses en una cuadra, acostado sobre un montón de paja, curándose la fractura. Cuando estuvo un poco bien, cuando ya podía andar y moverse de un lado para otro, ocupándose en las faenas de la casa, se cometió un robo en la labor: del cajón del mayoral o encargado quitaron unas monedas. Juanico no sabía nada del robo, pero lo llevaron al pueblo y lo tuvieron tres meses en la cárcel.

La mujer del carcelero se compadeció de Juanico; el preso no daba nada que hacer, no decía nada, no se quejaba nunca. Dos hijos del carcelero cayeron enfermos de viruela. Como Juanico inspiraba confianza a todos, andaba por la casa del alcaide de la prisión y hacía todos los menesteres de ella; durante la enfermedad de los dos chicos, él no se separó de su cama. Los atendía, les daba las medicinas; velaba todas las noches, sin dormir una hora, junto a ellos.

Al ponerle en libertad, Juanico no sabía lo que hacer. Buscó trabajo, entró a servir en una casa de Villarrobledo y allí estuvo ocupado en labrar seis años la tierra.

Como las cosechas iban mal, el propietario de la finca hizo reducción en el personal; Juanico no tenía mujer ni hijos; él fué el que se quedó sin trabajo. Anduvo durante algunos meses por los caminos, durmiendo en las afueras de los pueblos, comiendo los mendrugos que le daban de limosna. Un día encontró en una carretera a un grupo de labriegos que se marchaban a un puerto de mar. Le dijeron que se fuera con ellos y él comenzó a caminar en su compañía. Doce años estuvo fuera de España, en América.

Cuando volvió a la Mancha todo estaba lo mismo. Juanico era también el mismo de antes. No tenía a nadie en el mundo, ni tenía nada. Pidió trabajo en algunas labores y labró las tierras. Un matrimonio de jornaleros le daba albergue en su casa; Juanico les retribuía con lo que ganaba. En 1885 se extendió el cólera por España. Juanico estaba entonces en Criptana; las familias pudientes del pueblo se ausentaron. Se suspendieron o redujeron a lo indispensable los trabajos del campo. Juanico se quedó desocupado. En Criptana, él entraba en las casas de los coléricos, ayudaba a los médicos, se acostaba en la misma cama de los enfermos, para hacerlos reaccionar. Uno de los médicos se compadeció de él y le dió trabajo en una finca suya.

Tenía Juan el de Juan Pedro entonces cerca de cuarenta años; era tan delgado y estaba tan pálido como cuando adolescente. Se levantaba a las cuatro de la mañana; sacaba de la cuadra la yunta; aparejaba las mulas y se marchaba con ellas a las tierras que tenía que labrar. Todo el día, de la mañana a la noche, lo pasaba en la inmensa llanura abriendo surcos simétricos, larguísimos, paralelos. Unas picazas revolaban en el cielo azul; otras yuntas caminaban lentas, muy lentas, allá a lo lejos. Al anochecer, cuando el sol hacía rato que se había puesto, Juanico volvía a la labor. Cenaba entonces con los demás jornaleros y se acostaba.

Al cabo de estar siete años en la hacienda del médico, cuando murió el propietario y la finca fué dividida entre los herederos, Juanico volvió a quedar sin trabajo. Ya entonces estaba más pálido y más delgado que nunca. Apenas tenía fuerzas; le daban de cuando en cuando unos profundos desmayos. Se encontró sin trabajo y no supo qué hacer ni dónde ir. Comenzó a andar por los caminos; eran sus compañeros las avecicas del cielo y los canes perdidos. Llevaba un zurrón a la espalda y en él metía los mendrugos que le daban. Un perro vagabundo y extenuado, con unos ojos brillantes, se incorporó a él y no le dejaba en sus caminatas.

Juanico le cobró cariño y juntos comían el pan que recogían de puerta en puerta. Como hacía mucho tiempo—desde niño—que no había estado en Los Prietos, y como no tenía que hacer nada, un día se le ocurrió ir allá a ver si la casa estaba lo mismo que antes. Era en invierno; llegó a Los Prietos al anochecer de un día crudísimo, en que había estado nevando. Juanico conversó un rato con el encargado de la casa y le pidió albergue. Le indicaron un cobertizo lleno de estiércol. Juanico se acostó en el muladar. A la mañana siguiente lo encontraron muerto; junto a él, sentado en dos patas, con la cabeza levantada al cielo, estaba aullando el perrito.

UNA CIUDAD CASTELLANA

La ciudad está edificada en una ladera; al pie corre un riachuelo. El término es extenso; se compone de tierras paniegas y de olivares; el trigo lo muelen en las aceñas del río y el aceite lo fabrican en vetustas y toscas prensas de viga. Las calles de la ciudad son estrechas y tortuosas; algunas tienen soportales sostenidos por pilastras y antiguas y rotas columnas de piedra. Hay calles que se llaman: de las Dueñas, las Angustias, Boteros, Tenerías, Colegio Viejo, la Encomienda, la Puerta Rota, Bachilleres, Pan y Carbón, Tahonas Viejas, Bermejeros, Donados, Labrador Chico. Dan albergue en la ciudad a trajinantes, cosarios y almocrebes tres viejas posadas: la de Antón Gallardo, la de las Animas y la de la Luna; la primera es la más surtida; en el balcón único hay un poste con una tabla en que se lee: «Hay paja, cebada y agua.» Cuatro iglesias se levantan en la ciudad: la Vieja, la Nueva, la de San Felipe y la de Santiago el Verde. La de San Felipe está cerrada por ruinosa; de la Vieja sólo quedan los muros exteriores; la techumbre se halla desfondada; crecen unos jaramagos en lo alto de las paredes. La de Santiago el Verde es una bella edificación gótica del siglo XVI; tiene un pequeño patio, silencioso, embaldosado con grandes losas, con un pozo de labrado brocal. La iglesia Nueva es clásica, herreriana, severa, desnuda y fría. Aparte de estos templos existen en la ciudad tres ermitas: la del Cristo del Candilico, la de Nuestra Señora de la Paz y la de San Roque. En lo alto de la colina, que domina el pueblo, se destaca el Calvario; se va a él por un caminejo plantado de cipreses; las capillitas que sirven de estaciones aparecen medio desmoronadas, en ruinas. Se cuentan también en la ciudad dos conventos de monjas: el de las Bernardas y el de las Carmelitas.

Hay poca industria en el pueblo: junto al río se ven dos viejas tenerías; hay también tres almonas o jabonerías. Antaño se fabricaban aquí abundantes paños; de aquellas pobladas pañerías sólo quedan dos telares de mano; uno de ellos lo tiene un tejedor que es muy viejecito y apenas trabaja; el alhaquín que maneja el otro sólo trabaja dos o tres días a la semana, por temporada. En 1860 había en la ciudad tres casas poderosas: la de don Juan Mendoza, la de Carrillo y la de los Esquiveles. Don Juan Mendoza se fué a Madrid y allí murió en la miseria al cabo de los años; a Carrillo le dió por emborracharse y romperlo todo en las tiendas de la capital de la provincia, pagando después espléndidamente los destrozos; los Esquiveles eran dos hermanos que se arruinaron jugando. Las fincas y propiedades de estas casas pasaron en su mayor parte a unos vendedores de mulos, forasteros, que se enriquecieron vendiendo caballerías al fiado a los labradores y cobrándoles un rédito de cincuenta o sesenta por ciento.

Los señores del pueblo se reúnen en un desmantelado casino; hay en él una estufa, unos quinqués de petróleo con los tubos ahumados y unas mesas de mármol. Allí se habla de política y de las cosechas; a las nueve y media o las diez de la noche el conserje apaga los quinqués y se va a su casa. En la ciudad existen catorce bachilleres que no han concluído la carrera, cuatro médicos y doce abogados. De los abogados, sólo pueden trabajar seis; en los escritos que presentan al Juzgado se difaman acremente unos a otros; en ocasiones mueven pleitos a pobres hombres, resucitando historias antiguas, para que estos pobres hombres se acoquinen y suelten algún dinero. En mayo se celebra la fiesta de Santiago el Verde. Hay en la ciudad una Cofradía del Cristo de los Agonizantes; cuando muere algún hermano, el muñidor o andador va por las calles tocando una campanilla y gritando: «¡A tal hora el entierro de don Fulano de Tal!»

Los veranos son ardorosos en esta tierra, y los inviernos muy largos y crueles. Los señores no se visitan unos a otros; las puertas y ventanas de los caserones siempre están cerradas; por las calles transita muy poca gente; en la plaza, los días claros, en el invierno, se ve un grupo compacto de vecinos que toman el sol liados en sus capas pardas y en sus mantas. El cielo está siempre azul. No pasa nada en el pueblo. Se oyen en el silencio profundo el ruido de las herrerías y el canto de algún gallo. De tarde en tarde se comete en la ciudad o en los campos cercanos un crimen horrendo, inaudito. En todas las casas se comenta durante largo tiempo.

Las personas más notables del pueblo son: don Joaquín el *Mayorazgo,* Perico Antonio y *Cacho*. Don Joaquín el *Mayorazgo* es discreto, afable; ha leído la *Historia de la Humanidad,* de Laurent, y fué muy amigo de Rivero; dice él que tiene un plan completo para regenerar a España en cinco años. Perico Antonio está desconcertado con las doctrinas del espiritismo y del magnetismo; lleva siempre libros y papeles en los bolsillos y se empeña en leerles fragmentos a los amigos.

Cacho es un tipo popular: un gracioso o albardán; su gloria está en las comilonas y meriendas; sabe cuentecillos y dichos; acude a todos los sitios donde hay jolgorio, y lo llevan a las cacerías que organizan los señores.

En Carnaval van algunas máscaras por la calle vestidas de esteras y con escobas viejas al hombro. Los labriegos son muy pobres; en el pueblo sólo se matan tres o cuatro carneros en toda la semana. El hecho más memorable, capital, en la historia de la ciudad, fué una conmoción popular ocurrida en 1870, con motivo de los consumos; se quemaron los papeles del Juzgado y de la Casa Ayuntamiento. Los labriegos iban por las calles amenazadores, iracundos, con sus hoces y sus legones.

DON JOAQUIN EL «MAYORAZGO»

Don Joaquín Castillo Muñoz nació en Nebreda en 1846; tiene sesenta y un años. Sus padres fueron don Jerónimo Castillo Cantero y doña Catalina Muñoz Ossorio. El matrimonio tuvo cuatro hijos: Joaquín, Jerónimo, Francisco y Paula. A Joaquín le llamaron sus convecinos el *Mayorazgo*, sin serlo, porque su padre, don Jerónimo, lo era. Jerónimo, el segundo de los hijos del matrimonio, estudió el trivio y cuatrivio en la capital de la provincia; allí se enamoró de la hija del intendente y se fugó con ella; se celebró la boda más tarde, y al cabo de pocos años la mujer de Jerónimo le abandonó y se marchó a América; Jerónimo se dió a la bebida, gastó lo que tenía y murió en Madrid.

Francisco, el otro hermano de don Joaquín, no terminó tampoco la carrera; se casó en Nebreda; le dió por hacer combinaciones a la lotería; jugaba también mucho en el pueblo; malvendió sus fincas; ya arruinado, se marchó a Barcelona; allí le vieron algunos vecinos de Nebreda paralítico e implorando la caridad pública.

Paula, la hermana menor, tuvo unos amores con un muchacho de la ciudad; era bonita, distinguida y afable; la querían con delirio en todas partes por la bondad de su corazón. Una noche su novio, que era un perdulario, se emborrachó y pasó por delante de la casa de Paula cogido del brazo de una tunanta y gritando y alborotando en compañía de otros mozuelos. Paula lo vió; estuvo dos meses enferma; no salió más de casa; a los dos años ingresó en un convento de la capital de la provincia.

La familia de don Joaquín era de las más distinguidas de la ciudad; a la muerte de sus padres le tocaron a don Joaquín las haciendas llamadas Hoya de Salvador, Pajonares y Casa de los Cipreses. Don Joaquín estuvo en Madrid estudiando cuando muchacho; era el más despierto e inteligente de todos los hermanos. Don Joaquín no estudió nada; al cabo de seis años de estudio, don Jerónimo, su padre, vió que los certificados o papeletas que traía todos los años su hijo eran falsos. Don Joaquín vino al pueblo sin haber terminado ni aun comenzado sus estudios. Aquí figuró mucho en una compañía de aficionados que trabajaba en un teatrillo construído en un convento abandonado. Consecuencia de estas funciones fué su matrimonio: se casó con una de las actrices de la compañía; no era una muchacha distinguida; su padre trabajaba de herrero en la ciudad, y ella tenía una bonita voz y gran maestría para cantar las zarzuelas de moda.

Don Joaquín no fué muy feliz en su matrimonio; su mujer, que hasta entonces había vivido humildemente, comenzó a ataviarse y a gastar. A los dos años de matrimonio, don Joaquín tuvo que vender la finca de los Pajonares. El matrimonio tuvo dos hijos: Jerónimo y María. Jerónimo fué a estudiar a la capital de la provincia y pronto se hizo notar por sus inclinaciones. Afectó ser un bravo y un calavera; conoció y trató a todos los tahúres, donilleros y valentones. Gastó mucho dinero a su padre; al cabo se retiró al pueblo sin resultado positivo ninguno. María es tan dulce, tan buena y tan bonita como su tía Paula; su tía le escribe mucho desde el convento, y esta correspondencia es todo el encanto de María en la vieja y hosca ciudad de Nebreda.

Después de vender la finca de los Pajonares, don Joaquín tuvo que vender la casa de los Cipreses.

La familia hizo esfuerzos por pasar algunas temporadas en la capital de la provincia; estos viajes eran la obra de la mujer de don Joaquín. Desde hace algunos años la familia no sale de Nebreda.

Don Joaquín el *Mayorazgo* vive en la calle de Bermejos, número 53. La casa es antigua y espaciosa; tiene en el centro un patio con una galería sostenida por pilastras de piedra. La sala en que se recibe a los amigos está embaldosada con grandes losas; sobre el piso hay una gruesa estera de esparto; en el fondo de la estancia destaca una ancha cocina. Don Joaquín tiene sus habitaciones en la planta alta; en su despacho se ve un pequeño armario de libros; figuran entre ellos: la *Historia de la Humanidad,* de Laurent; *El genio del Cristianismo;* comedias de Camprodón, Luis de Larra y Rubí; el *Diccionario administrativo,* de Escriche, y una porción de volúmenes en pergamino procedentes del antiguo convento.

Sobre la mesa del despacho hay una escribanía rota que representa un buque de vela. La vida de don Joaquín es muy sencilla. Se levanta a las nueve; hasta la hora de comer, que es a las doce, lee un periódico, da un paseo por las afueras, entra en el casino un rato o se entretiene en hacer cigarros. Por la tarde juega en el casino al tresillo; cena a las ocho; hasta las once, que es la hora de acostarse, va a la farmacia, donde se reúne una tertulia. Don Joaquín es afable, discreto; ha sido alcalde de Nebreda; tiene don de gentes; en otra esfera él hubiera podido ser algo en la política; él habla a menudo de su *plan completo para regenerar a España en cinco años.*

JUANA Y JUANITA

¿Cómo es Juanita? ¿Dónde vive? ¿Qué hace? ¿En qué vieja y noble ciudad andaluza tiene su casa? Yo creo que la he visto en todas partes a lo largo de mis viajes. Juanita es hija de Juana; a esta Juana nos ha contado el querido maestro Valera que sus convecinos, por sobrenombre, la llamaban la *Larga.* A Juanita le han adjudicado por herencia también este adjetivo. Juana tiene cuarenta años; Juanita cuenta tan sólo dieciséis. Juana está en esa edad admirable en que las mujeres hacen enloquecer a los muchachos que se inclinan sobre los bancos de los colegios; Juanita atraviesa esos años en que las mujeres nos hacen sentir, a los que comenzamos a caminar hacia la senectud, las dolorosas añoranzas del pasado. Juana exhala de sí un aire de reposo, de sosiego, de nobleza, de majestad, de quien ha vivido mucho y ha visto lo que había que ver en la vida; Juanita es vivaracha, nerviosa, inquieta, audaz, espontánea, ingenua. Lector: ¿qué te gusta a ti más de las dos cosas? Yo dudo entre esta sabiduría de Juana y esta ingenuidad de Juanita. Juana es maestra en todas las deleitosas artes de la gula: hace maravillosos hojaldres, empanadas estupendas con boquerones y picadillo de tomate y cebolla; polvorones, roscos de huevo y vino, pestiños, gajorros, hojuelas, arropes, gachas de mosto. El maestro Valera enumera con una delectación secreta todas las dulces cosas que sabe aliñar Juana. ¿No era el amado maestro conterráneo de este otro gran maestro—tan pariente espiritual suyo—el cura Francisco Delicado, autor de este soberbio libro *La lozana andaluza,* en cuyas páginas también se habla voluptuosamente de estas castizas y suculentas golosinas? Juanita, en cambio, si no sabe esta ciencia, no tiene par en trazar y coser trajes y galas femeninas. El maestro Valera habla de esta habilidad de Juanita con profunda estupefacción. «Yo he estado en Villalegre—escribe—; he visto algunos trajes hechos por Juanita y me he quedado estupefacto.» Y a renglón seguido añade estas palabras épicas: «Y cuenta que yo tengo buen gusto. Todo el mundo lo sabe...»

Y ya ha sido nombrado el pueblo donde Juana y Juanita viven: es Villalegre. Villalegre tiene las casas blancas, cuidadosamente enjalbegadas de cal viva; las calles son anchas; anchas y pintadas de verde son las rejas saledizas que destacan en las fachadas; en las afueras del pueblo hay una amena y jugosa huerta; más lejos se extienden los olivos grises, tétricos, y cerca, a la terminación de una de las principales vías de la ciudad, surte una fuente de agua fresca, transparente, sutilísima. Unos sombrosos álamos ponen su grata sombra sobre la alberca en que cae murmurador el caño; entre sus troncos aparece un ancho banco de granito, donde vienen a reposar todas las tardes lentamente, apoyados en sus bastones, los hombres graves, sesudos, importantes, trascendentales, meditativos, cautos, prudentes, de la ciudad. En esta ciudad tienen su casa Juana y Juanita. ¿Qué queréis que os diga de ellas, de cómo viven, de lo que hacen, de lo que piensan? Es posible que no piensen en nada; éste será, quizá, su más profundo encanto; no piensan nada; viven la vida sin entristecerla, sin deprimirla, sin llenarla de las preocupaciones, de los terrores, de las angustias con que nosotros, los hombres que queremos ser filósofos, la llenamos. La casa es espaciosa y limpia; tiene, como todas las andaluzas, un claro y alegre patio en el centro. Y Juanita ha llenado todo este patio de macetas grandes y chicas. Juanita ama las flores. «Yo odio las manos inactivas—decía el poeta Horacio—: sembrad las rosas.» Las manos de Juanita, estas manos blancas y finas, siembran las rosas por todas partes. Y hay rosas sobre la cómoda, sobre las sillas, sobre la mesa del comedor. Juana, entre tanto, va batiendo en una blanca y vidriada almofía claras de huevo para confeccionar alguna exquisita golosina...

Así pasan la vida Juana y Juanita. Cuando cae la tarde, el añil radiante del cielo se va apagando en uno de esos crepúsculos andaluces de una melancolía suave, larga, inefable. Cruzan raudas sobre las casas, chillando, las golondrinas; la campana de la vieja iglesia toca pausada el *Angelus.* A esta hora es cuando Juanita toma un cantarillo y va a la fuente. «Gustaba ir por agua a la fuente del ejido», dice el maestro. Y en este momento es cuando los hombres graves y venerables que están sentados bajo los álamos, junto a la alberca, contemplan la fuerte, enhiesta y juvenil figura de Juanita, y sienten, apoyados en sus bastones, esta vaga, esta íntima, esta irreprimible tristeza de que os hablaba antes y que experimentamos los que ya vamos saliendo de la mocedad y nos encaminamos a la edad fría.

TOSCANO O LA CONFORMIDAD

El señor Toscano vive en una callejuela apartada. Su cuarto es una buhardilla con un tragaluz. En la buhardilla hay una mesa, una cama, un armario, un lavabo, dos o tres sillas y un estante de libros. En las paredes se ven cuatro o seis grabados antiguos.

El señor Toscano lleva unas gafas; usa

una barba larga; su traje es pobre, pero se muestra siempre limpio. La camisa, de burda tela, destaca todos los días, invariablemente, inmaculada.

—Señor Toscano—le preguntan alguna vez algunos espíritus simples—, ¿es verdad que usted ha sido muy rico?

El señor Toscano sonríe.

—¡Ya lo creo!—contesta, haciendo un aspaviento cómico—. Más rico, más rico que muchos que van por ahí en automóvil haciendo ruido...

En el año 1870, Toscano tenía catorce mil duros de renta. Su mujer era bonita e inteligente. El matrimonio contaba con dos hijos: un niño y una niña. Toscano gustaba del Arte y de la Naturaleza. La casa era sosegada. La vida transcurría para esta familia plácidamente. Con la regular renta que tenían moraban en Madrid sin que nadie sospechara que podían gastar más, mucho más de lo que gastaban. No arrastraban coche, ni recibían más que a algunos amigos viejos de la familia. Las piezas de la casa estaban siempre limpias. Los muebles eran sencillos y cómodos. Un silencio admirable—paz para el espíritu—reinaba siempre en aquel hogar. Había en las paredes, no cuadros llamativos y medianos, sino grandes y hermosas fotografías y pinturas célebres de paisajes y de antiguas catedrales. No sonaban timbres ruidosos. Los criados iban en silencio de una parte a otra. A las ocho de la mañana, antes de levantarse la familia, como por encanto, sin que se hubiera percibido ni el más leve barullo, ya estaba todo limpio y en orden. Las comidas eran sencillas y bien aliñadas. Blanqueaba nítido el mantel y brillante era la frágil cristalería. Unas flores ponían su nota alegre sobre la blancura del mantel.

El señor Toscano y su familia pasaban unos meses en Madrid; luego desaparecían sin que nadie supiera nada. Iban modestamente a viajar por Europa.

Un día, en 1890, el 24 de febrero, un banquero de París hizo bancarrota. Casi toda la fortuna de Toscano se perdió en la quiebra. La mujer de Toscano comenzó a enfermar. Años después, el hijo de Toscano, oficial de Artillería, pereció en la guerra de Cuba. Dos años más tarde, el otro hijo, una linda muchacha, delicada e inteligente, se sintió un día enferma y murió cuatro días después de una pulmonía rápida y violenta. La mujer de Toscano, abrumada, enloquecida por las calamidades que sobre la familia llovían, tuvo que ser llevada a una casa de salud. Dos años vivió en un perpetuo martirio. Al cabo de ellos dejó este mundo.

En 1902 la antigua y considerable fortuna de Toscano había desaparecido casi por completo. De los catorce mil duros de renta, sólo le quedaban a Toscano veinte mensuales. Toscano se fué a vivir a la modesta buhardilla donde vive ahora.

El señor Toscano se levanta por la mañana a las ocho; no tienen ningún criado o asistenta; él mismo se arregla su habitación; él mismo se confecciona su pobre comida en una hornilla o anafe.

—No me importa ser pobre—dice Toscano—, no me importa llevar un traje usado y malo; me paso también sin otros muchos regalos y comodidades (yo, que he dispuesto de todas); lo que defiendo con todas mis fuerzas es mi camisa limpia. No puedo pasar sin mi camisa limpia diaria; no puedo acostumbrarme a llevar una camisa tres días, a llevarla sucia o un poco ajada.

De los veinte duros mensuales de Toscano, ocho son destinados a la manutención; cuatro, al alquiler del cuarto; los restantes, a la renovación de la ropa, al lavado, a algunos gastillos extraordinarios. Siento por este viejecito pobre, y con su camisa limpia, una verdadera veneración. Nunca he oído brotar de sus labios una queja. Muchas veces le encuentro en la Biblioteca Nacional o en el Museo del Prado.

—¿Qué tal, señor Toscano?—le pregunto—. ¿Cómo va?

—Vamos pasando — dice él—. ¿Quién se puede comparar conmigo? Ya ve usted: la Biblioteca y el Museo son míos; tengo los mejores cuadros del mundo y dispongo de todos los libros que quiero.

Además, poseo un magnífico parque para pasear: el Retiro.

Aunque lo encuentro algunos días en la Biblioteca Nacional, Toscano no lee mucho. Dice él que todos los libros dicen, poco más o menos, lo mismo, y que sólo hay unos pocos en que se ha hecho el resumen del espíritu humano y a los cuales hay que volver de cuando en cuando para refrescar y festejar el entendimiento.

En los días claros y buenos, el señor Toscano da grandes paseos, visita todos los parajes de Madrid, sale al campo, camina lentamente, observando las cosas durante horas y horas.

—Yo he viajado mucho — suele decirme—. Mi gusto sería ahora tener un sitio donde poder comunicar a unos pocos cerebros juveniles la experiencia que he recogido en el mundo. Pero para esto se necesitan títulos y diplomas que yo no tengo.

Todos los días del año son iguales para Toscano; todos los meses pasan del mismo modo. Arregla su cuartito, hace sus visitas al Museo y a la Biblioteca, da sus paseos. Siempre va pobre y limpio; siempre con su camisa blanca, inmaculada. Un día la portera de su casa no le verá bajar; después se sabrá que está enfermo. Días más tarde saldrá por el portal una caja sencilla y negra.

—No tengo remordimiento por nada, ni echo de menos nada—dice Toscano—. Moriré con la tranquilidad con que ahora vivo.

¿Dónde está el secreto de la paz espiritual, de la ecuanimidad, de la dicha? En la conformidad, en dejar que las cosas que no podemos remediar sigan su curso lento, inexorable y eterno.

EPILOGO EN LOS PIRINEOS

—Pues, dime, ¿qué concepto has hecho de España?
—No malo.
¿Luego bueno?
—Tampoco.
—Según eso, ¿ni bueno ni malo?
—No digo eso.
—Pues ¿qué? ¿Agridulce?
—¿No te parece muy seca y que de ahí les viene a los españoles aquella su sequedad de condición y melancólica gravedad?

BALTASAR GRACIÁN: *El Criticón,* segunda parte, crisi III. Huesca, 1653.

Estos días he asistido a una romería en los Bajos Pirineos franceses. He visto muchas viejecitas vestidas de negro, con los cirios pálidos en las pálidas manos, que me han recordado a las viejecitas de los pueblos de España. Hacía una mañana gris, dulce, y caía una llovizna suave. En el fondo de un paisaje de anchos y mullidos prados se esfumaba la silueta negruzca de una montaña. Había una paz profunda en el ambiente; un río se deslizaba manso, claro, entre un follaje tupido.

En medio del veraneo frívolo, de casinos y playas elegantes, lejos por un momento de todo este mundo ligero, vano e inconsciente de señores y damas que veranean, esta hora era para mi espíritu como un oasis. Me sentía en una atmósfera de sinceridad y de fe. Todas estas viejecitas y todos estos aldeanos sentían profundamente; no eran literatos, no eran artistas, no leían fondos «brillantes» de periódicos. De cuando en cuando entonaban una plegaria larga, melodiosa, que iba a perderse en las lomas y los oteros de verde suave.

Yo pensaba en España. Veía nuestros santuarios, nuestras ermitas; veía los calvarios, plantados de cipreses rígidos; veía nuestros humilladeros puestos a la entrada de los viejos pueblos. En esta hora plácida y de expansión espiritual pasada en las montañas del Pirineo, el recuerdo de paisajes y escenas de España se hacía en mí más vivo. Yo veía una vieja ciudad con anchos y vetustos caserones casi en ruinas; en ella hay dos, tres o cuatro iglesias; en una de ellas, en una sacristía un poco lóbrega, con una alta y chiquitita ventana alambrada, dos o tres clérigos charlaban, poniendo grandes espacios de silencio en su conversación.

En la iglesia hay un patizuelo con una cisterna honda y negra. Las campanas van tañendo sonoramente de cuando en cuando. Van llegando a la iglesia viejecitos de cara rapada, que tosen encorvándose, y viejecitas con un rosario entre sus secas manos. Salen de la sacristía los dos clérigos y un chicuelo medio vestido de rojo. Cae el crepúsculo. Las luces de los cirios reflejan en las altas paredes. Comienza uno de los clérigos a rezar el rosario desde el púlpito; los asistentes al templo le contestan en voz alta. Ya la campana ha callado. Arriba, en las ventanas de la cúpula, palidecen imperceptiblemente los últimos resplandores de la tarde. En la ciudad han cesado en su afán cotidiano los oficiales y artesanos; están mudos los primitivos telares, las carpinterías, las locas y rientes herrerías. A largos trechos una lucecita pone un resplandor rojizo, ahogado por las sombras, en un muro. Sólo vive, en esta hora de reposo, de tregua en la fatiga, esta iglesia en que los fieles van rezando con voz lenta y sonora. Cuando este rosario termina, todos estos viejecitos encorvados se marchan arrastrando los pies lentamente, y todas estas viejecitas que exclaman a cada momento: «¡Ay Señor!», desaparecen con sus tocas negras por las callejuelas retorcidas de la vieja ciudad. En la iglesia, silenciosa y negra, parpadean, débiles y eternas, dos o tres lamparitas ante un Cristo o ante una Virgen.

Yo veía también en una vieja ciudad un otero o una colina con un caminejo estrecho y ondulante. De trecho en trecho se levanta en él una capillita desmoronada; a sus lados se destacan dos cipreses finos y negros. En la mañana del Viernes Santo por este caminito sube una multitud fervorosa de hombres, de mujeres y de niños. Son las primeras horas del día. Todos van entonando una clamorosa oración. Delante de cada capillita se detienen y se prosternan. Durante un momento callan. En estos silencios parece, más que en las voces, que hay como un hálito profundamente trágico, desgarrador. El campo—el viejo campo de Castilla—está raso, pelado, yermo. En la desnudez desoladora, los cipreses yerguen, hieráticos, sus cimas. ¿Cuántas vidas, cuántos dolores, cuántas angustias oscuras, ignoradas, humildes, habrán visto estos cipreses? ¿Ellos no son como la encarnación secular de todo un pueblo anónimo, insignificante, de generaciones que nacen y mueren oscuramente? Cipreses centenarios, cipreses inmóviles, cipreses que os levantáis en la desolación castellana, cipreses que habéis escuchado tantas voces y lamentos, tantas súplicas salidas de humildes corazones; cipreses que habéis oído las plegarias de nuestros abuelos y de nuestros padres, yo tengo para vosotros, para vuestro tronco desnudo y seco, para vuestro follaje rígido, inmóvil, un recuerdo de simpatía y de amor.

Yo veía también esos humilladeros, esas cruces de piedra puestas en los aledaños de una vieja ciudad. En las gradas sobre que la cruz se levanta, o en el basamento que la sostiene, ¡cuántas veces nos hemos sentado un momento para reposar de un largo paseo! De lejos, al volver a esta vieja ciudad, ¡cuántas veces hemos columbrado, llenos de emoción, los brazos de esta cruz!

Yo veía los conventos silenciosos y retirados, con sus huertos amenos, las pequeñas y claras celdas con su estante de libros, los claustros largos y sonoros. Yo veía las ermitas que se levantan en las fragosidades de una montaña o en la monotonía de un llano. Yo veía, en fin, todos los parajes y lugares que en nuestra España frecuentan la devoción y la piedad. ¿No está en estas iglesias, en estos calvarios, en estas ermitas, en estos conventos, en este cielo seco, en este campo duro y raso, toda nuestra alma, todo el espíritu intenso y enérgico de nuestra raza?

Gavarnie, agosto de 1909.

A
LA MEMORIA
DE
AURELIO DE BERUETE,
pintor maravilloso de Castilla.
Silencioso en su arte.
Férvido.

Se ha pretendido en este libro aprisionar una partícula del espíritu de Castilla. Las formas y modalidades someras y aparatosas han sido descartadas; más valor y eficiencia concedemos, por ejemplo, a los ferrocarriles—obra capital en el mundo moderno—que a los hechos de la Historia concebida en su sentido tradicional y ya en decadencia.

Una preocupación por el poder del tiempo compone el fondo espiritual de estos cuadros. La sensación de la corriente perdurable—e inexorable—de las cosas, cree el autor haberla experimentado al escribir algunas de las presentes páginas.

LOS FERROCARRILES

ÓMO han visto los españoles los primeros ferrocarriles europeos? En España, los primeros ferrocarriles construídos fueron: el de Barcelona a Mataró, en 1848; el de Madrid a Aranjuez, en 1851. Años antes de inaugurarse esos nuevos y sorprendentes caminos habían viajado por Francia, Bélgica e Inglaterra algunos escritores españoles; en los relatos de sus viajes nos contaron sus impresiones respecto de los ferrocarriles. Publicó Mesonero Romanos sus *Recuerdos de viaje por Francia y Bélgica* en 1841; al año siguiente aparecía el segundo volumen de los *Viajes de fray Gerundio*. Más detenida y sistemáticamente habla Lafuente que Mesonero de los ferrocarriles.

Don Modesto Lafuente fué periodista humorístico e historiador; nació en 1806 y murió en 1866. Compuso la *Historia de España* que todos conocemos; hizo largas y ruidosas campañas como escritor satírico. Acarreóle una de sus sátiras, en 1841, una violenta agresión de don Juan Prim—entonces coronel—; vemos un caluroso aplauso a esa agresión en el número VI de la revista *El Pensamiento*. Don

Miguel de los Santos Alvarez dirigía esa publicación; colaboraban en ella Espronceda, Enrique Gil, García y Tassara, Ros de Olano. Rehusó Lafuente batirse con Prim; negóse a responder al sentimiento tradicional del honor. «Las injurias personales—decía *El Pensamiento*—en todos los países personalmente se ventilan. España, esta tierra clásica del valor y de la hidalguía, ¿desmentiría con su fallo su noble carácter?» «¿Se asociaría—añade el anónimo articulista—al cobarde que acude a los Tribunales en lugar de acudir a donde le llama su honor?»

Un escritor que de tal modo rompía con uno de los más hondos y trascendentes aspectos de la tradición había de ser el primero que más por extenso y entusiásticamente nos hablase de los ferrocarriles, es decir, de un medio de transporte que venía a revolucionar las relaciones humanas. Fray Gerundio viaja, brujulea, corretea por Francia, por Bélgica, por Holanda, por las orillas del Rin; lo ve todo; quiere escudriñarlo y revolverlo todo. Observa las ciudades, los caminos, las viejas y pesadas diligencias, los Parlamentos, las tiendas, las calles, los yantares privativos de cada país. Su charla es ligera, aturdida, amena, aguda y exacta a trechos. Lafuente se reservó su llegada a Bélgica para tratar de los caminos de hierro, por «ser Bélgica el país en que los caminos de hierro están más generalizados y acondicionados». Minuciosamente va haciendo nuestro autor una descripción de los ferrocarriles.

«No todos los españoles—dice Lafuente—, por lo que en muchas conversaciones he oído y observado, tienen una idea exacta de la forma material de los caminos de hierro.» De la construcción de la línea, de los túneles, de los viaductos, de las estaciones, de los coches, nos habla fray Gerundio con toda clase de detalles. No nos detengamos en ellos; el tren va a partir; subamos a nuestro vagón. «El humo del carbón de piedra que, saliendo del cañón de la máquina locomotiva de bronce, oscurece y se esparce por la atmósfera, anuncia la proximidad de la partida del convoy.» Han unido ya a la máquina diez, quince, veinte coches. Se clasifican los carruajes en tres categorías: las diligencias o berlinas, los coches o *char-à-bancs* y los vagones. Las berlinas constan de veintiséis o veintiocho asientos, cómodos, mullidos; divídense en tres departamentos que se comunican por puertecillas. Los *char-à-bancs* constan de una sola división y son de cabida de treinta personas. Los vagones van abiertos y sirven «para las gentes de menos fortuna y para las mercancías». Han sonado unos persistentes toques de campana. Suben los viajeros a sus respectivos coches. Un dependiente, que va en el último vagón del tren, toca una trompeta; contesta con otro trompetazo otro empleado situado a la cabeza del convoy. Y el tren se pone en marcha. Poco a poco el movimiento se va acelerando. «Los objetos desaparecen como por ensalmo.» Conviene que el viajero no mire el paisaje que se desliza junto al vagón, sino a lo lejos. Si se mira a los lados, no se verá «más que una cinta que forma, y se irá la cabeza fácilmente». Mesonero habla también de la rapidez con que desaparecen de la vista los objetos cercanos, y dice que por esto «es conveniente fijarla en la lontananza, o, por mejor decir, no fijarla en ninguna parte.» La celeridad con que se marcha es de ocho a diez leguas por hora. «Recuerdo—escribe Mesonero—haber hecho en una hora y dos minutos la travesía de Brujas a Gante, que son doce leguas.» En 1840, cuando Lafuente y Mesonero observaban los ferrocarriles extranjeros, ya corría un tren en Cuba, entre la Habana y Güines. Nos habla de ese ferrocarril el desbaratado romántico don Jacinto de Salas y Quiroga, el amigo de Larra y Espronceda, en el primer tomo de sus *Viajes*—dedicado a la isla de Cuba—, publicado en el citado año. Un solo viaje hacía diariamente ese tren de la Habana a Güines; cuarenta y cuatro millas era el recorrido. «Desde luego—dice Salas—noté menor velocidad que la que otras veces había experimentado en Inglaterra.» «Apenas andábamos—añade—cuatro leguas españolas por hora.» Al llegar Salas y Quiroga a Cuba, y al contemplar el destartalamiento de las fondas y la incomodidad de las ciudades, junto con el camino de hierro, en extraño y clamador contraste, recordó una frase de un famoso amigo suyo. Vino, naturalmente, a la memoria—escribe—aquel célebre dicho de mi amigo Larra: «En esta casa se sirve el café antes que la sopa.»

★

Pero continuemos nuestro viaje en el ferrocarril belga, acompañados de fray Gerundio. Nada más cómodo que viajar en el tren. No hay temor, como algunos aseguran, de dificultad o ahogo en la respiración. El movimiento es suave: «una especie de movimiento trémulo y vibratorio». Se puede ir hablando, jugando o leyendo; algunas veces los empleados van escribiendo en un coche destinado a oficina. Una muchedumbre de viajeros llena los trenes y circula por todos los caminos. Las gentes se encuentran en los caminos con la misma frecuencia que en las calles de París, de Londres «y aun de Madrid». Toda Bélgica es una gran ciudad. Todo el mundo viaja con una facilidad extraordinaria. Frecuentemente se ve a una linda joven, «elegantemente vestida», penetrar en un coche del tren. Aun estando el carruaje lleno de hombres, no hay miedo de que nadie se desmande ni haga ni diga nada que pueda ofender o ruborizar a la viajera. «Lo que en un caso igual—escribe Lafuente—sucedería en España lo puede suponer el curioso lector.» De pronto el tren entra en un largo y elevado viaducto. «Espectáculo raro» es entonces el ver el rápido convoy marchar por encima de los carruajes que allá abajo pasan por los arcos del puente. Otras veces el tren penetra en un túnel. «Imponente» es el momento. El ruido de la máquina, junto con el estrépito de los coches, resuena hórridamente bajo la bóveda; sólo acá y allá una lucecita rompe la densa oscuridad; pasan veloces en las tinieblas, rasgándolas, las chispas y carbones desprendidos de la máquina... Y bruscamente aparecen de nuevo la luz, el paisaje, el campo ancho y libre. ¿Qué sensaciones más gratas, más artísticas que éstas? Mesonero Romanos protestaba contra los «señores poetas» que, existiendo el «asombroso espectáculo» de los caminos de hierro, afirman que «el siglo actual carece de poesía». Describe Mesonero la poesía de los caminos de hierro en sus diversas fases, ya de día, ya durante la noche. Encantaba ese espectáculo también a Lafuente. «Magnífico y sorprendente cuadro—escribe—; mil veces aún más interesante y más poético cuando se presencia en horas avanzadas de una noche oscura.» Sí; tienen una poesía profunda los caminos de hierro. La tienen las anchas, inmensas estaciones de las grandes urbes, con su ir y venir incesante—vaivén eterno de la vida—de multitud de trenes; los silbatos agudos de las locomotoras, que repercuten bajo las vastas bóvedas de cristales; el barbotar clamoroso del vapor en las calderas; el zurrir estridente de las carretillas; el tráfago de la muchedumbre; el llegar raudo, impetuoso, de los veloces expresos; el formar pausado de los largos y brillantes vagones de los trenes de lujo que han de partir un momento después; el adiós de una despedida inquebrantable, que no sabemos qué misterio doloroso ha de llevar en sí; el alejarse de un tren hacia las campiñas lejanas y calladas, hacia los mares azules. Tienen poesía las pequeñas estaciones en que un tren, lento, se detiene largamente, en una mañana abrasadora de verano; el sol lo llena todo y ciega las lejanías; todo es silencio; unos pájaros pían en las acacias que hay frente a la estación; por la carretera polvorienta, solitaria, se aleja un carricoche hacia el poblado, que destaca con su campanario agudo, techado de negruzca pizarra. Tienen poesía esas otras estaciones cercanas a viejas ciudades, a las que en la tarde del domingo, durante el crepúsculo, salen a pasear las muchachas y van devaneando lentamente, a lo largo del andén, cogidas de los brazos, escudriñando curiosamente la gente de los coches. Tienen, en fin, poesía la llegada del tren, allá de madrugada, a una estación de capital de provincia; pasado el primer momento de arribo, acomodados los viajeros que esperaban, el silencio, un profundo silencio, ha tornado a hacerse en la estación; se escucha el resoplar de la locomotora; suena una larga voz; el tren se pone otra vez en marcha, y allá a lo lejos, en la oscuridad de la noche, en estas horas densas, profundas, de la madrugada, se columbra el parpadeo tenue, misterioso, de las lucecitas que brillan en la ciudad dormida: una ciudad vieja, con callejuelas estrechas, con una ancha catedral, con una fonda destartalada, en la que ahora, sacando de su modorra al mozo, va a entrar un viajero recién llegado, mientras nosotros nos alejamos en el tren por la campiña negra, contemplando el titileo de esas lucecitas que se pierden y surgen de nuevo, que acaban por desaparecer definitivamente.

*

En 1846 se publicó en Londres un libro titulado *Railways; their rise, progress and construction; with remarks on railway accidents and proposals for their prevention.* Su autor es el ingeniero Robert Ritchie. No podría encontrarse, para su época, un tratado más completo sobre ferrocarriles. «Los ferrocarriles — escribe Ritchie—removerán los prejuicios y harán que unos a otros se conozcan mejor los miembros de la gran familia humana; tenderán así a promover la civilización y a mantener la paz del mundo.» Cinco años después, en 1851, el mismo año en que se inauguraba el ferrocarril de Madrid a Aranjuez, se publicaba una *Guía* de esta última ciudad; la publicaba Francisco Nard. Lleva como apéndice esta *Guía*—dedicada a los viajeros del ferrocarril—un apéndice en que se hace la historia de los caminos de hierro, y especialmente la del novísimo de Madrid a Aranjuez. El autor canta entusiasmado las ventajas de los nuevos caminos. Sus resultados serán incalculables para las relaciones internacionales y para el bienestar de los pueblos. «A los caminos de hierro—dice el autor—deberemos lo que hasta aquí no han podido conseguir ni los más profundos filósofos ni los diplomáticos más hábiles.» Cuando en una semana se pueda recorrer toda Europa, conoceránse mejor los nacionales de todos los países, podrán unirse todos con otros vínculos distintos de los de una falaz diplomacia. Se establecerá entre todos una mancomunidad indisoluble de intereses, ideas y simpatías. «En fin—termina el autor—, será tan difícil hacer la guerra como es hoy mantenerse en la paz; y los pueblos, tendiéndose las manos, serán felices merced a los caminos de hierro.»

No podían sospechar el ingeniero inglés y el escritor español—así como todos los que hablaban en el mismo sentido allá en el alborear de los caminos de hierro—, no podían sospechar, al hacer a los ferrocarriles propagadores de la paz universal, el alcance de sus palabras: alcance en sentido opuesto, negativo. Cuando ante el amago de una guerra—dice hoy el proletario internacional—podamos hacer que cesen de marchar los trenes, la paz del mundo será un hecho. Los ferrocarriles serán la paz.

EL PRIMER FERROCARRIL CASTELLANO

En 1837, Guillermo Lobé realizó un viaje de Cuba a los Estados unidos; de los Estados Unidos pasó a Europa. En 1839, Lobé publicó en Nueva York su libro *Cartas a mis hijos durante un viaje a los Estados Unidos, Francia e Inglaterra.* Lobé estudió los ferrocarriles en los Estados Unidos; luego en Europa.

En otra ocasión hablaremos de esta interesantísima personalidad: antecesor tienen en ella los fervorosos europeizadores de hogaño. El 4 de noviembre de 1837, Guillermo Lobé fecha una de sus cartas —la XVI—en Manchester. Habla en ella de los caminos de hierro; su pensamiento va hacia España; a España desea verla «atravesada en todas direcciones por ferrocarriles; en paz, como hermanos, los habitantes de sus provincias». Los deseos de Lobé no han de verse realizados sino bastantes años después. En 1844, el célebre matemático don Mariano Vallejo publica un libro titulado *Nueva construcción de caminos de hierro.* No se refiere Vallejo a las nuevas máquinas locomotrices; a los trenes de vapor se alude en un apéndice que pone a su libro; pero a esta novísima tracción prefiere nuestro autor la animal, modificada y facilitada por ingeniosos artificios.

*

Ya la idea de los trenes de vapor se había lanzado en España en 1830. En ese mismo año apareció, impreso en Londres, un «Proyecto de don Marcelino Calero y Portocarrero para construir un camino de hierro desde Jerez de la Frontera al Puerto de Santa María». A esta Memoria acompañan un mapa y un curioso dibujo. Llevan dibujo y mapa esta leyenda: «Hízolo con la pluma don Ramón César de Conti. Londres, 20 de octubre de 1829.» Por primera vez, acaso, debía aparecer ante la generalidad de los españoles, que contemplaran el dibujo aludido, la imagen de un ferrocarril. Imagen casi microscópica por cierto. El dibujante ha representado un pedazo de mar y un alto terreno en la costa. En el mar se ve un vapor con una alta y delgada chimenea; allá arriba, en la costa, se divisa, en el fondo, una fábrica que lanza negros penachos por sus humeros, y luego, acercándose al borde del acantilado, aparece una extraña serie de carruajes. Delante de todos está un diminuto y cuadrado cajón con una chimenea que arroja humo; luego vienen detrás otros cajoncitos separados por anchos claros—un metro o dos tal vez—y unidos por cadenas. Debajo de tan raro tren se divisa una raya, sobre la que están puestas las ruedas de los vagones.

No tuvo realización el proyecto de don Marcelino Calero; recuerde el lector que ese mismo año de 1830 se construía el primer ferrocarril inglés: el de Liverpool a Manchester. En Londres imaginaba su empresa el intrépido Calero. Han de transcurrir bastantes años antes de que se vuelva a hablar en España de ferrocarriles. El 30 de mayo de 1845, el *Heraldo*—diario de Madrid—publicaba la siguiente noticia en su sección «Gacetillas de la capital»: «Ha llegado a esta corte, procedente de Inglaterra, sir J. Walmsley, uno de los directores de la empresa del camino de hierro de Avila a León y Madrid, con objeto de dar impulso a los trabajos. Parece que, a causa de haber vendido el promovedor de la empresa, Kelby, el privilegio de concesión a una casa inglesa por la suma de cuatro millones, que habían de figurar en el presupuesto de gastos, han mediado desavenencias entre las juntas de Madrid y Londres, desavenencias que han terminado por medio de una transacción.» El mismo día, la *Gaceta* publicaba—basándose en noticias de un periódico francés—un artículo titulado «Caminos de hierro». Se dice en él que es preciso animar y dar facilidades a los extranjeros para que vengan a construirlos. «Los caminos de hierro—se añade—no son un lujo. Algunos espíritus timoratos pueden considerar los ferrocarriles como caminos de lujo.» No lo son, pero debemos acomodar la obra a nuestras fuerzas. «No se pretenda construirlos con el lujo de perfección que han alcanzado en el norte de Europa.» Cuatro grandes líneas españolas pide el articulista: cuatro líneas que crucen como una inmensa aspa la Península. Una de estas líneas habrá de ir de Bayona a Madrid; luego, otra de Madrid a Cádiz. La tercera sección comprenderá de Barcelona a Madrid; la cuarta, de Madrid a Portugal. Enlazadas con estas cuatro líneas habrán de construirse numerosas ramificaciones.

La misma *Gaceta* publicaba, el 22 de junio de 1845, esta nota en las «Noticias nacionales»: «Valladolid, 15 de junio. Han pasado por esta ciudad, con dirección a esa corte, cinco ingenieros ingleses, encargados de trazar el ferrocarril de Bilbao a Madrid, y aunque la rapidez del viaje no les ha permitido explorar detenidamente el terreno, aseguran, sin embargo, que no han encontrado dificultades insuperables y que es muy posible la construcción de obra tan importante; el ferrocarril de Avilés está también trazado por esta ciudad; de modo que, si tan vastos proyectos llegan a realizarse, mejorará muy en breve el estado de este país, que sólo necesita para enriquecerse medios fáciles y económicos de exportar sus abundantes y excelentes producciones.»

En 1845 apareció en Madrid una interesante revista literaria: *El Siglo Pintoresco*. Dirigía esa revista Navarro Villoslada; dibujaba en ella don Vicente Castelló, que tan lindas ilustraciones ha puesto a ediciones populares de Quevedo y Cervantes. En la viñeta que adorna el primer número de *El Siglo Pintoresco*—correspondiente al mes de junio—vemos otra primitiva y extraña imagen, muy chiquita, de un ferrocarril. Figuran en la viñeta, como representaciones del trabajo y de los deportes, una imprenta, un jardín, una plaza de toros y ese microscópico tren. El tren lo componen un cajón alargado, con una chimenea humeante, puesta casi en la parte posterior, y detrás, seis vagoncitos que marchan por la tierra, sin que se vea señal ninguna de rieles. Saludemos esta remembranza absurda y remota de los viejos ferrocarriles. En el mismo número de *El Siglo Pintoresco* se leía en el balance mensual: «El mes que acaba de expirar ha visto nacer más empresas en España que todos los que han transcurrido desde la conclusión de nuestra guerra civil. Muchísimos capitalistas y mayor número de ingenieros extranjeros han visitado la capital; por todas partes se veían fisonomías desconocidas y talantes británicos, y toda la Península se ha cubierto (en el papel, por supuesto) de una red complicadísima de ferrocarriles.»

Al mes siguiente, en julio, el *Heraldo* del 3 publicaba en primera plana un artículo dedicado al camino de hierro de Francia a Madrid; a las «corporaciones de Vizcaya» débese el proyecto de ese camino. Esas corporaciones han trazado el plan, han explorado la opinión, han recabado el auxilio de los capitales; finalmente, cuentan con el concurso del señor Mackenzie, «que él sólo es una palanca poderosa, y su nombre una garantía de valor para la ejecución de la obra». Los capitalistas de Bilbao ayudan a los de Guipúzcoa. Una comisión de ingenieros ingleses, presidida por Mackenzie, ha trazado el proyecto de la línea y ha hecho los estudios preparatorios para su construcción. «El Gobierno aún vacilaba en la construcción de esta línea, que ha sido igualmente solicitada por respetables casas extranjeras.» ¿Fué alguna de estas casas la que mandó a Madrid sus ingenieros en otoño de 1845? El 18 de septiembre la *Gaceta* publicaba una noticia en que se decía: «Ha llegado a esta corte el señor don Carlos Brumell, C. E., con una parte de los señores ingenieros pertenecientes a la Compañía del Camino Real del Hierro del Norte de España, dirigida por el señor don Jaime M. Kendel, F. R. S., vicepresidente del Instituto de los Ingenieros de Inglaterra, etc. Este señor ha dado principio a sus trabajos con la mayor actividad, estudiando las mejores líneas para el camino desde Madrid al Norte.» La noticia añade que dichos ingenieros han estudiado el terreno en el Norte durante el pasado verano, y ahora se disponen a estudiarlo en las inmediaciones de Madrid. «Nos alegramos — termina el suelto — de poder felicitar a esta Compañía por la excelente posición en que se halla, como también por el resultado de los enérgicos esfuerzos en esta obra grandiosa y nacional.» Al día siguiente reprodujo el *Heraldo* la gacetilla; la reprodujo también

El Tiempo. No dijeron nada los demás periódicos.

★

Quedó en proyecto el ferrocarril de Francia a Madrid. ¿Estaba aún demasiado vivo el recuerdo de las dos invasiones, la de 1808 y la de 1823? Tres años antes —en la sesión del 14 de marzo de 1842— se discutió en el Senado la construcción de un camino ordinario de Pamplona, por el valle del Baztán, a Francia. Se opuso a ello un senador: el general Seoane; lo impugnó también el senador navarro González Castejón. «Imprevisión, imprevisión muy grande—decía el general Seoane—, fué la apertura del camino de Irún. España lo llora y Dios quiera que no lo llore en adelante.» «Mi opinión constante—exponía González Castejón — ha sido que nunca, por ningún estilo, debían allanarse los Pirineos; antes, por el contrario, otros Pirineos encima son los que conviene poner.» El señor Seoane, al rectificar, hablando del camino internacional que pudiera abrirse en Canfranc, decía rotundamente: «Yo, antes que dar mi voto para que se abriese, renunciaría al carácter de senador y a la faja que tengo también.» (Cuarenta años más tarde, en 1881, al tratar de unos ferrocarriles a través de los Altos Pirineos, en un libro—de carácter militar—titulado *Perjuicios que a la defensa del territorio español pueden producir las comunicaciones a través del Pirineo central*, se había de estampar todavía que «es ventajoso todo lo que tienda a aislarnos» de Francia y que, respecto a las puertas que en el Pirineo se han abierto, conviene cerrar algunas.)

No se construyó entonces el camino de hierro que había de unir a España con el resto de Europa. Hasta 1860 no estuvo terminada la línea de Francia a Madrid. En 1859 escribía don Arturo Marcoartú un estudio sobre el estado de la línea. Destinado estaba ese trabajo al *Almanaque político literario de «La Iberia» para el año bisiesto de 1860*. Olózaga, Calvo Asensio, Sagasta, Núñez de Arce, García Gutiérrez, colaboraron en ese *Almanaque*. A fines de 1859 tenía la Compañía del Norte 650 kilómetros en construcción; 73 sin construir. El articulista augura la próxima terminación de la línea. «Cuando el solsticio estival—escribe—dore las agujas de la catedral de Burgos, altas nubes del vapor de las locomotoras rodearán sus afiligranados contornos y el rojo resplandor de las calderas señalará las ignominiosas almenas de Santa María, que las ciudades comuneras alzaran al paso del tirano Carlos V.»

★

Samuel Smiles nos cuenta en su *Story of the Life of George Stephenson* que el gran inglés estuvo en el norte de España en el otoño de 1845. Estudió allí en el terreno para la construcción del ferrocarril de Francia a España. Trasladóse luego a Madrid y fué observando por el camino la topografía del trayecto. Venía Stephenson a España por encargo de sir Joshua Walmsley; proyectaba Walmsley construir la línea. En Madrid, Stephenson y los ingenieros que le acompañaban estuvieron unos días. El Gobierno iba dando largas al asunto; un día y otro aplazaba el dar respuesta a lo que los comisionados demandaban. Se cansaban y aburrían Stephenson y sus compañeros. Fueron invitados a una corrida de toros, la eterna corrida. «Pero como ése no había sido precisamente el objeto del viaje—escribe con ironía Smiles—, rehusaron cortésmente aquel honor.» Stephenson y sus compatriotas se marcharon de España. No se construyó el ferrocarril.

Hemos visto que, según el *Heraldo* del 30 de marzo de 1845, en ese mes llegó a Madrid sir J. Walmsley. En septiembre, la *Gaceta, El Tiempo* y el mismo *Heraldo* anunciaron la llegada de una comisión de ingenieros ingleses. Entre esos ingenieros debió de venir Jorge Stephenson, es decir, uno de los hombres más grandes del mundo moderno. No dicen más los periódicos de aquel otoño.

VENTAS, POSADAS Y FONDAS

El duque de Rivas ha descrito en su cuadro *El ventero* una de las clásicas ventas españolas. Estas v e n t a s—escribe el poeta—son «ya grandes y espaciosas, ya pequeñas y redondas, pero siempre de aspecto siniestro; colocadas por lo general en hondas cañadas, revueltas y bosques». Se hallan puestas también en los altos puertos o pasos de las sierras. Hay en España unos lugares desde donde la vista del viandante fatigado descubre, después de una penosa subida, un amplio, vasto, claro, luminoso panorama. Son los pasos de las montañas. Las viejas guías los señalan con sus pintorescos nombres y dan también la indicación de las ventas colocadas en ellos. Ahí están, en la carretera de Castilla a Galicia, el de Guadarrama, el de Manzanal y el de Fuencebada; en Extremadura, el de Miravete y el de Arrebatacapas; en Andalucía, el de Lápice y el de Despeñaperros; en Murcia y Albacete, el de Sumacárcel, el de la Losilla, el de la Mala Mujer y el de la Cadena; en Avila, el del Pico. Las ventas se llaman del Judío, del Moro, de las Quebradas, de los Ladrones. Tienen esas ventas—como las manchegas—un vasto patio delante; una ancha puerta, con un tejaroz, da entrada al patio; hay en él un pozo, con sus pilas de suelo verdinegro, de piedra arenisca, rezumante. En el fondo se destaca el portalón de la casa; en la vasta cocina, bajo la ancha campana de la chimenea, borbollan unos pucheros, dejando escapar un humillo tenue a intervalos, produciendo un leve ronroneo.

En los días del verano—el ardiente verano de Castilla—, el sol ciega con sus vivas reverberaciones el paisaje; en el patio de la venta suena de tarde en tarde la estridencia de la roldana del pozo; unas abejas se acercan a las pilas y beben ávidas, mientras su cuerpecillo vibra voluptuosamente.

*

Seguimos nuestro viaje a través de España y encontramos por andurriales y cotarros, ásperos y solitarios, otras ventas y paradores. Si unas están construídas en la altura luminosa de los puertos, otras se agrupan en angosturas, gollizos y cañadas hoscas y fuera del camino. Muchas de estas ventas han sido ha largo tiempo abandonadas; están cercanas a caminos y travesías que han sido hechos inútiles por carreteras nuevas y ferrocarriles. De estas ventas sólo quedan unas paredes tostadas por el sol, calcinadas; los techos se han hundido y se muestra roto el vigamen y podridos y carcomidos los cañizos. A algunas de estas ventas va unida una leyenda trágica: se habla de un crimen terrible, espantoso; uno de esos crímenes que se comentan largo tiempo, años y años, en un pueblo; crímenes cometidos con un hacha que hiende el cráneo, con una piedra que machaca el cerebro. El tiempo va pasando; se va esfumando, perdiendo en el olvido el horrible drama, y ahora, al pasar junto a estas ruinas de la venta, aquel recuerdo vago y sangriento se une a estos techos desprendidos, a estas vigas rotas y carcomidas, a estas ventanas vacías, sin maderas. No nos detengamos aquí; pasemos adelante; caminemos por un ancho, seco y arenoso ramblizo; a un lado y a otro descubrimos bajas laderas yermas y amarillentas; nuestros pies marchan sobre la arena de la rambla y los guijos redondeados y blancos. A lo lejos, cuando subimos a una altura, descubrimos la lejana ciudad; refulge el sol en la cúpula de su iglesia. La llanada que rodea el pueblo está verde a trechos con los trigales; negruzca, hosca, en otros en que la tierra de barbecho ha sido labrada. En los aledaños de las ciudades están los paradores para los trajineros que desean continuar su viaje, después del descanso, sin detenerse en el pueblo.

*

Las ventas tienen su significación en la literatura española y son inseparables del paisaje de España. Al hablar de las ventas debemos hablar también de las posadas. Don Benito Pérez Galdós, en su novela *Angel Guerra,* ha pintado un mesón toledano. Nada más castizo y de hondo sabor castellano. Un ancho zaguán, a manera de patio, es lo primero que se encuentra al penetrar en esa posada; a él abocan varias puertas. «Una de las puertas del fondo—dice Galdós—debía de ser de la cocina, pues allí brillaba lumbre y de ella salían humo y vapor de condimentos castellanos, la nacional olla, compañera de la raza en todo el curso de la Historia, y el patriótico aceite frito, que rechaza las invasiones extranjeras.» A la izquierda se ve una desvencijada escalera, entre tabiques deslucidos, que conduce a las habitaciones altas; por todo el piso del patio están esparcidos granzones, que picotean las gallinas, y carros, con los varales en alto, se hallan posados junto a las paredes, acá y allá. Las posadas llevan nombres tan castizos como los de las ventas. Repasemos el *Manual* de Ford, publicado en 1845. En Toledo tenemos la posada del Mirador; en Aranjuez, la de la Parra; en Cuenca, la del Sol; en Mérida, la de las Animas; en Salamanca, la de los Toros; en Zamora, la del Peto; en Ciudad Rodrigo, la de la Colada; en Segovia, el Mesón grande. De este mesón dice el autor, en la edición de 1847, que es *one of the worst in all Spain;* del mismo modo que Laborde, al hablar en su *Itinerario*—1809—de la venta Román, situada en tierra murciana, entre Jumilla y Pinoso, asegura que *est le plus facheux gite qu'on quisse trouver.*

La variedad de las posadas se muestra pintoresca y múltiple. Unas están en estrechas callejuelas, las mismas callejuelas en que flamean las mantas multicolores en las puertas de los pañeros y en que resuenan los golpes de los percoceros y orives. Otras se levantan en las anchas plazas de soportales con arcos disformes, irregulares, desiguales: unos, anchos; otros, angostos; unos, altos y con columnas de piedra; otros, derrengados, con postes viejos de madera. Tal posada tiene un balconcillo con los cristales rotos, sobre la puerta; tal otra tiene un zaguán largo y estrecho, empedrado de puntiagudos guijarros. En los cuartos de las posadas hay unas camas chiquititas y abultadas; las cubre un alfamar rameado; en las maderas de las puertas se ven agujeros tapados con papel, y las fallebas y armellas se mueven a una parte y a otra, y cierran y encajan mal. Se percibe un olor de moho penetrante; allí, en un alto corredor, canta una moza, y de una calleja vecina llega el repiqueteo de una herrería...

*

No podemos cerrar este capítulo sobre las ventas y las posadas sin hablar de las fondas. Leopoldo Alas ha dedicado—en su novela *Superchería*—unas páginas a pintar una de estas fondas pequeñas y destartaladas de viejas ciudades. Destaca *Clarín* entre sus coetáneos por su idealidad, su delicadeza, su emoción honda ante las cosas. El personaje retratado por Alas en su novela llega a la fonda de la ciudad en un ómnibus desvencijado, de noche. «Un ómnibus con los cristales de las ventanillas rotos le llevó a trompicones por una cuesta arriba, a la puerta de un mesón que había que tomar por fonda. En el ancho y destartalado portal de la fonda no le recibió más personaje que un enorme mastín que le enseñaba los dientes, gruñendo. El ómnibus le dejó allí solo y se fué a llevar otros viajeros a otra casa. La luz de petróleo de un farol colgado del techo dibujaba en la pared desnuda la sombra del perro.» Son clásicas estas llegadas a una fonda de noche por las callejas sinuosas y oscuras, dando tumbos en un coche cuyos cristales hacen un traqueteo redoblante. Si es a la madrugada, la ciudad reposa en un profundo silencio; atrás—conforme caminamos hacia la ciudad—queda el resplandor de la estación, y el tren se aleja silbando agudamente. Todo está en silencio; en la fondita destartalada, un criado, con la blanca pechera ajada, dormita en una butaca. Hay en la pared un cartel de toros. Allá arriba se abre un pasillo al cual dan las puertas de los cuartos. Se oye a lo lejos, en la serenidad de la noche, el campaneo—a menudas campanaditas—de un convento. Nos acostamos pensando: «¿Hacia dónde caerá la catedral de esta ciudad que desconocemos? ¿Habrá aquí un paseo con viejos y copudos olmos? ¿Habrá una vieja ermita junto al río, como la de San Segundo, en Avila? ¿Habrá en una callejuela solitaria y silenciosa una tiendecilla de hierros viejos y cachivaches, donde nos sentaremos un momento para descansar de nuestras caminatas?»

A la mañana siguiente examinamos la fondita destartalada, al levantarnos. El pasillo largo—embaldosado de ladrillos rojizos, algunos sueltos—da a una galería en la que se halla la camarilla excusada. En ella, lo mismo que en las habitaciones, los viajantes de comercio han ido pegando pequeños anuncios engomados: anuncios de coñacs, de jabones, de velas de cera, de quincallería, de vinos. Las puertas de las habitaciones tienen también, como en las posadas, agujeros y resquicios. Pende de la pared un cromo de colorines que representa el retrato de Isaac Peral o la torre Eiffel. Durante la noche, por el montante de la puerta, entra la luz del pasillo. A toda hora, de día y de noche, se perciben golpazos, gritos, canciones, arrastrar de muebles. Una charla monótona, persistente, uniforme, allá en el corredor, nos impide conciliar el sueño durante horas enteras. Muchas veces hemos pensado que el grado de sensibilidad de un pueblo —consiguientemente, de civilización—se puede calcular, entre otras cosas, por la mayor o menor intolerabilidad al ruido. ¿Cómo tienen sus nervios de duros y remisos estos buenos españoles que en sus casas de las ciudades y en los hoteles toleran las más estrepitosas barahundas, los más agrios y molestos ruidos: gritos de vendedores, estrépito de carros cargados de hierro, charloteo de porteros, pianos, campanas, martillos, fonógrafos? A medida que la civilización se va afinando, sutilizando, deseamos en la vivienda permanente y en la vivienda transitoria—en las fondas—más silencio, blandura y confortación. ¡Oh fonditas destartaladas, ruidosas, de mi vieja España! En 1851 escribía don Antonio María Segovia en su *Manual del viajero:* «Nuestra rudeza menosprecia aquel refinamiento de comodidad doméstica que los ingleses, especialmente, han llevado a tan alto grado y llaman *confort*. Entre nosotros se tiene por delicadeza excesiva y ridícula el deseo de que no entre aire por las rendijas de las puertas; de que no estén los muebles empolvados; de que las sillas y sofás sean *para sentarse* y no como adorno de la sala; de que en todas las estaciones se mantenga la habitación a una temperatura conveniente; de que las chinches no inunden nuestra cama; de que la cocinera no esté cantando seguidillas a voz en grito, mientras el huésped duerme o trabaja; de que el criado no entre a servir suciamente vestido, con el cigarro en la boca ni apestando a sudor.» ¡Oh ventas, posadas y fonditas, estruendosas y sórdidas, de mi vieja España!

LOS TOROS

El poeta Arriaza ha pintado las capeas en los pueblos. Nació Juan Bautista Arriaza en 1770; murió en 1837. Fué un entusiasta absolutista; amaba fervorosamente a Fernando VII. Compuso multitud de himnos, cantatas, epitalamios, brindis, inscripciones para arcos triunfales, cartelas para ramilletes que eran presentados a los reyes. Sus poesías fueron lindamente impresas en Londres; han pasado tan fugazmente los versos como las circunstancias que los inspiraron. Sobre ese montón de versos frágiles, carcomidos, ajados—al igual que la percalina y los farolillos de papel—destaca el lienzo en que el poeta pintaba la corrida en el pueblo.

¿Qué pueblo es? Vaciamadrid, Jadraque, Getafe, Pinto, Córcoles. La llanura se extiende alrededor, seca, ardorosa, calcinada, polvorienta.

En los meses de marzo y agosto súbitas tolvaneras se levantan en la llanada y corren vertiginosas a lo largo de los caminos. No hay ni árboles ni fontanas. La siega ha sido hecha; todo el campo está de un color amarillento ocre. Llega la fiesta del Patrón. En la plaza Mayor han cercado las bocacalles con recias talanqueras y carromatos; llamean los cubrecamas rojos, encendidos, en los balcones. Se va a celebrar la corrida. Todos los mozos del pueblo se hallan congregados aquí; tienen los carrillos tostados y bermejos. En las ventanas asoman las beldades aldeanas: algunas, redondas de faz, con las dos crenchas de pelo lucientes, achatadas; otras, de cara fina, aguileña, y ojos verdes, de un transparente maravilloso verde; mozas que, en medio de esta rudeza, de esta tosquedad ambiente, tienen—acaso rezago secular—una delicadeza y señorío de ademanes, una melancolía e idealidad en la mirada que nos hacen soñar un momento profundamente.

La corrida va a comenzar; el poeta da principio a su descripción. Hay un «gran de alboroto»; se oyen voces de «vaya y venga el boletín». Todos muestran ansias por sentarse precipitadamente en los tablones. Aparecen algunos soldados montados en rocines. Suena, de pronto, un clarín. Simón, el pregonero, se pone en medio de la plaza y principia a vocear: «¡Manda el rey... !» De pronto surge un torazo tremendo, iracundo, con los cuernos en alto. Se produce en la multitud de mozancones un movimiento de pánico; se retiran todos, corriendo, hacia las talanqueras; escalan los carromatos. Se levanta un ensordecedor clamoreo. El buey está en medio de la plaza, parado, inmóvil. Nadie se atreve a dejar las vallas; transcurren unos instantes. Vese luego adelantarse «un jaque presumido de ligero»; «zafio, torpe, soez, más traza tiene que de torero, de mozo de cordel». Poco a poco, pausadamente, con precauciones, se va acercando al toro. Súbitamente, antes de que el toreador se le aproxime, el toro parte furioso contra él. Corre despavorido el truhán; en la multitud estallan aplausos irónicos, voces, carcajadas, silbidos. «¡Corre, que te pilla!», le grita uno. «¡Detente, bárbaro!», vocifera otro. El mozo, perseguido por el toro, no vuelve a salir a la plaza. Otra vez se encuentra solo el toro. Se llega luego hacia los carros y las vallas. «Desde allí, la tímida canalla, que se llena de valor estando a salvo», se ensaña bestialmente con el toro: le descargan tremendos garrotazos sobre la cabeza, le pinchan con moharras y navajas, le detienen, cogiéndole por la cola. Los anchos y tristes ojos del animal miran despavoridos a todas partes.

Cuando logra desasirse de la muchedumbre, torna al centro de la plaza. Entonces sale a su encuentro «un malcarado pillo». Tiene «la vista atravesada»; «se pone en jarras», «escupe por el colmillo» y exclama: «Echenme acá ese animal.» Corre el buey hacia él; muéstrale el bergante la capa; rápidamente el toro corre por un lado con el trapo rojo entre los cuernos, y el galopín, haciendo corcovos y piruetas, por otro... Resuena otra vez el clarín: el toro va a ser muerto o va a ser encerrado de nuevo. En este último caso, salen «el manso y el pastor de la vacada» y se llevan al mísero animal al toril..., «quedando otros más bueyes en la plaza».

Así termina el poeta. Lo que Arriaza no nos ha pintado son esas cogidas enormes en que un mozo queda destrozado, agujereado, hecho un ovillo, exangüe, con las manos en el vientre, encogido; esas cogidas al anochecer, acaso con un cielo lívido, ceniciento, tormentoso, que pone sobre la llanura castellana, sobre el caserío mísero de tobas y pedruscos, una luz siniestra, desgarradoramente trágica. Lo que no nos ha dicho son las reyertas, los encuentros sangrientos entre los mozos; las largas, clamorosas borracheras de vinazo espeso, morado; el sedimento inextinguible que en este poblado de Castilla dejarán estas horas de brutalidad humana...

*

Don Eugenio de Tapia ha hecho que su musa arriscada y mordicante describa las corridas de toros. Nació Tapia en 1785; murió en 1866. Escribió una historia de la civilización española; compuso numerosas poesías satíricas. Figuran entre ellas las tiuladas *La posada* y *El duende, la bruja y la Inquisición*. En el breve volumen en que se publicó esta última va incluída la dedicada a los toros. Tenía Tapia un espíritu moderno, progresivo y liberal.

La corrida va a comenzar. No nos habléis de Londres, de Roma y de París; en ninguna de estas ciudades lidian toros. «¡Dichoso el que en Madrid puede gozar de función tan gloriosa!» No hay cosa más grata que uno de estos días de toros: «se come, se monta en un calesín y se va uno volando a la plaza». El redondel está lleno de gente. Empieza el despejo. «La plebe, famélica y ruin», corre hacia las barreras. Sale la cuadrilla, «vistosa, dispuesta a morir». Aparece el alguacil para recoger la llave; se la echan y se marcha, entre los silbidos, el vocerío y las carcajadas del público. Suena el clarín; un toro sale impetuoso. Le espera *Sevilla*, el valiente —un picador—, y le da un lanzazo en la cerviz. «¡Qué aplausos!» No se ha visto nunca frenesí mayor. Al lado de este hecho, «¿qué valen las antiguas glorias del Cid?» Otro picador se adelanta hacia el toro; acomete el bruto; marca la lanza; caen caballo y picador por tierra.

«El útil caballo, infeliz, inerme, expira en trágico fin.» Montes se acerca al toro y se lo lleva tras su capa carmesí. El picador, «matón baladí», se mueve entonces «como una tortuga» y monta en otro caballo.

Salen los banderilleros y clavan sus palitroques en el pobre toro. Toca a muerte el ronco clarín. «Al triunfo glorioso va el jaque» con su estoque y su muleta. «¡Oh buen matachín!» «¡Pedid que el cielo le ampare!» Pero la suerte le es adversa; la primera estocada ha sido pésima. Se levanta en el público una tempestad de chiflidos. Todos le gritan «¡servil!» al torero; la «voz de la plebe es ladrar de mastín»; ayer le aplaudían todos; hoy le denostan y maltratan. No siempre el toro es un animal bravo; algunas veces se muestra reacio a los engaños de capas y muletas. En este caso, se le condena a fuego; los cohetes estallan; el toro va «bramando, brincando de acá para allá». Salta la valla; «la turba de chulos y guapos, que está gozando de cerca la lid nacional», se aturde, se atropella, huye despavorida. El toro, jadeante, extenuado, chorreando sangre, vuelve al redondel. Torna a pincharle de nuevo. «¡Encono bestial!», exclama el poeta. Otras veces son los perros los que se encargan de excitar al mísero animal. Al fin, el toro expira. Aparecen las mulillas y se lo llevan. «La plebe» descansa y bebe a largos tragos.

«Dejadme—añade el poeta—, dejadme escapar. Ya basta.» «No quiero más toros; me dan angustia.» «¿Cómo podré yo gozar viendo al caballo, leal y sumiso, pisarse sus propias entrañas?» «Españoles, compatriotas—termina el poeta—, adiós; me marcho a Tetuán; quiero ver mejor monas que no matar toros.»

★

A principios del siglo XIX hizo dos viajes a España Roberto Semple; era Roberto Semple un viajero inglés, curioso y sencillo. Sus libros están escritos con agudeza y discreción. La primera vez que vino a nuestra patria—1807—no pudo ver una función de toros. Tampoco pudo verla en la primavera de 1809, cuando por segunda vez vino a España. Pero visitó en Granada la plaza de toros. En el volumen *A second journey in Spain in the sprin of 1809* nos ha relatado sus impresiones. Acompañaba al viajero en su visita el guardador del edificio. Mostraba la tal persona, conforme iba enseñando la plaza al inglés, un ardoroso entusiasmo. En el palco regio estaba colocado un retrato de Fernando VII. Al pasar el conserje frente a él se quitó respetuosamente el sombrero y hasta se arriesgó a besarle la mano a la pintura: *and even ventured to kiss the hand with great demostration of loyalty and submission.* El viajero inglés examinó la plaza, y ante las repetidas muestras de caluroso entusiasmo que el conserje hacía a la vista, no del espectáculo, sino simplemente del sitio donde el espectáculo se celebraba, reconoció que no se explicaba él tal fervorosa efusión. Si Roberto Semple hubiera presenciado una corrida de toros, es posible que tampoco hubiera podido explicarse el entusiasmo desbordante de millares y millares de españoles.

UNA CIUDAD Y UN BALCON

No me podrán quitar el dolorido sentir...

GARCILASO.

Entremos en la catedral; flamante, blanca, acabada de hacer está. En un ángulo, junto a la capilla en que se venera la Virgen de la Quinta Angustia, se halla la puertecilla del campanario. Subamos a la torre; desde lo alto se divisa la ciudad toda y la campiña. Tenemos un maravilloso, mágico catalejo; descubriremos con él hasta los detalles más diminutos. Dirijámoslo hacia la lejanía; allá, por los confines del horizonte, sobre unos lomazos redondos, ha aparecido una manchita negra; se remueve, levanta una tenue polvareda, avanza. Un tropel de escuderos, lacayos y pajes, que acompaña a un noble señor. El caballero marcha en el centro de su servidumbre; ondean al viento las plumas multicolores de su sombrero; brilla el puño de la espada; fulge sobre su pecho una firmeza de oro. Vienen todos a la ciudad; bajan ahora de las colinas y entran en la vega. Cruza la vega un río: sus aguas son rojizas y lentas; ya sesga en suaves meandros, ya se embarranca en hondas hoces. Crecen los árboles tupidos en el llano. La arboleda se ensancha y asciende por las alturas inmediatas. Una ancha vereda —parda entre la verdura—parte de la ciudad y sube por la empinada montaña de allá lejos. Esa vereda lleva los rebaños del pueblo, cuando declina el otoño, hacia las cálidas tierras de Extremadura. Ahora las mesetas vecinas, la llanada de la vega, los alcores que bordean el río, están llenos de blancos carneros, que sobre las pedrerías forman como grandes copos de nieve.

De la lana y el cuero vive la diminuta ciudad. En las márgenes del río hay un obraje de paños y unas tenerías. A la salida del pueblo—por la Puerta Vieja—se desciende hasta el río; en esa cuesta están las tenerías. Entre las tenerías se ve una casita medio caída, medio arruinada; vive en ese chamizo una buena vieja—llamada Celestina—, que todas las mañanas sale con un jarrillo desbocado y lo trae lleno de vino para la comida, y que luego va de casa en casa, en la ciudad, llevando agujas, gorgueras, garvines, ceñideros y otras bujerías para las mozas. En el pueblo, los oficiales de mano se agrupan en distintas callejuelas; aquí están los tundidores, perchadores, cardadores, arcadores, pelaires; allá, en la otra, los correcheros, guarnicioneros, boteros, chicarreros. Desde que quiebra el alba, la ciudad entra en animación; cantan los pelaires los viejos romances de Blancaflor y del Cid—como cantan los cardadores de Segovia en la novela *El donado hablador*—; tunden los paños los tundidores; córtanle con sus sutiles tijeras el pelo los perchadores; cardan la blanca lana los cardadores; los chicarreros trazan y cosen zapatillas y chapines; embrean y trabajan las botas y cueros en que se han de encerrar el vino y el aceite, los boteros. Ya se han despertado las monjas de la pequeña monjía que hay en el pueblo; ya tocan las campanitas cristalinas. Luego, cuando avance el día, estas monjas saldrán de su convento, devanearán por la ciudad, entrarán y saldrán en las casas de los hidalgos, pasarán y tornarán a pasar por las calles. Todos los oficiales trabajan en las puertas y en los zaguanes. Cuelga de la puerta de esta tiendecilla la imagen de un cordero; de la otra, una olla; de la de más allá, una estrella. Cada mercader tiene su distintivo. Las tiendas son pequeñas, angostas, lóbregas.

A los cantos de los pelaires se mezclan en estas horas de la mañana las salmodias de un ciego rezador. Conocido es en la ciudad; la oración del Justo Juez, la de San Gregorio y otras muchas va diciendo por las casas con voz sonora y lastimera; secretos sabe para toda clase de dolores y trances mortales; un muchachuelo le conduce; la malicia y la inteligencia brillan en los ojos del mozuelo. En las tiendecillas se ven las caras finas de los judíos. Pasan por las callejas los frailes con sus estameñas blancas o pardas. La campana de la catedral lanza sus largas campanadas. Allá, en la orilla del río, unas mujeres lavan y carmenan la lana.

(Se ha descubierto un nuevo mundo; sus tierras son inmensas; hay en él bosques formidables, ríos anchurosos, montañas de oro, hombres extraños, desnudos y adornados con plumas. Se multiplican en las ciudades de Europa las imprentas; corren y se difunden millares de libros. La antigüedad clásica ha renacido; Platón y Virgilio han vuelto al mundo. Florece el tronco de la vieja Humanidad.)

En la plaza de la ciudad se levanta un caserón de piedra; cuatro grandes balcones se abren en la fachada. Sobre la puerta resalta un recio blasón. En el primer balcón de la izquierda se ve sentado en un sillón un hombre; su cara está pálida, exangüe y remata en una barbita afilada y gris. Los ojos de este caballero están velados por una profunda tristeza; el codo lo tiene el caballero puesto en el brazo del sillón y su cabeza descansa en la palma de la mano...

⋆

Le sucede algo al catalejo con que estábamos observando la ciudad y la campiña.

No se divisa nada; indudablemente se ha empañado el cristal. Limpiémoslo. Ya está claro; tornemos a mirar. Los bosques que rodeaban la ciudad han desaparecido. Allá, por aquellas lomas redondas que se recortan en el cielo azul, en los confines del horizonte, ha aparecido una manchita negra; se remueve, avanza, levanta una nubecilla de polvo. Un coche enorme, pesado, ruidoso, es; todos los días, a esta hora, surge en aquellas colinas, desciende por las suaves laderas, cruza la vega y entra en la ciudad. Donde había un tupido boscaje, aquí en la llana vega, hay ahora trigales de regadío, herreñales, cuadros y emparrados de hortalizas; en las caceras, azarbes y landronas que cruzan la llanada, brilla el agua, que se reparte por toda la vega desde las represas del río. El río sigue su curso manso como antaño. Ha desaparecido el obraje de paños que había en sus orillas; quedan las aceñas que van moliendo las maquilas como en los días pasados. En la cuesta que asciende hasta la ciudad no restan más que una o dos tenerías; la mayor parte del año están cerradas. No encontramos ni rastro de aquella casilla, medio derrumbada, en que vivía una vieja, que todas las mañanas salía por vino con un jarrico y que iba de casa en casa llevando chucherías para vender.

En la ciudad no cantan los pelaires. De los oficios viejos del cuero y de la lana, casi todos han desaparecido; es que ya, por la ancha y parda vereda que cruza la vega, no se ve ya la muchedumbre de ganados que antaño, al declinar el otoño, pasaban a Extremadura. No quedan más que algunos boteros en sus zaguanes lóbregos; en las callejas altas, algún viejo telar va marchando todavía con su son rítmico. La ciudad está silenciosa; de tarde en tarde pasa un viejo rezador que salmodia la oración del Justo Juez. Los caserones están cerrados. Sobre las tapias de un jardín surgen las cimas agudas, rígidas, de dos cipreses. Las campanas de la catedral lanzan—como hace tres siglos—sus campanadas lentas, solemnes, clamorosas.

(Una tremenda revolución ha llenado de espanto al mundo; millares de hombres han sido guillotinados; han subido al cadalso un rey y una reina. Los ciudadanos se reúnen en Parlamento. Han sido votados y promulgados unos códigos en que se proclama que todos los humanos son libres e iguales. Vuela por todo el planeta muchedumbre de libros, folletos y periódicos.)

En el primero de los balcones de la izquierda, en la casa que hay en la plaza, se divisa un hombre. Viste una casaca sencillamente bordada. Su cara es redonda y está afeitada pulcramente. El caballero se halla sentado en un sillón; tiene el codo puesto en uno de los brazos del asiento y su cabeza reposa en la palma de la mano. Los ojos del caballero están velados por una profunda, indefinible tristeza...

★

Otra vez se ha empañado el cristal de nuestro catalejo; nada se ve. Limpiémoslo. Ya está; enfoquémoslo de nuevo hacia la ciudad y el campo. Allá, en los confines del horizonte, aquellas lomas que destacan sobre el cielo diáfano han sido como cortadas con un cuchillo. Las rasga una honda y recta hendidura; por esa hendidura, sobre el suelo, se ven dos largas y brillantes barras de hierro, que cruzan una junto a otra, paralelas, toda la campiña. De pronto aparece en el costado de las lomas una manchita negra; se mueve, adelanta rápidamente, va dejando en el cielo un largo manchón de humo. Ya avanza por la vega. Ahora vemos un extraño carro de hierro con una chimenea que arroja una espesa humareda, y detrás de él, una hilera de cajones negros con ventanitas; por las ventanitas se divisan muchas caras de hombres y mujeres. Todas las mañanas surge en la lejanía este negro carro con sus negros cajones; despide penachos de humo, lanza agudos silbidos, corre vertiginosamente y se mete en uno de los arrabales de la ciudad.

El río se desliza manso, con sus aguas rojizas; junto a él—donde antaño estaban los molinos y el obraje de paños—se levantan dos grandes edificios; tienen una elevadísima y sutil chimenea; continuamente están llenando de humo denso el cielo de la vega. Muchas de las callejas del pueblo han sido ensanchadas; muchas de aquellas callejitas que serpenteaban en entrantes y salientes—con sus tiendecillas—son ahora amplias y rectas calles, donde el sol calcina las viviendas en verano y el vendaval frío levanta cegadoras tolvaneras en invierno. En las afueras del pueblo, cerca de la Puerta Vieja, se ve un edificio redondo, con extensas graderías llenas de asientos y un círculo rodeado de un vallar de madera en medio. A la otra parte de la ciudad se divisa otra enorme edificación, con innumerables ventanitas; por la mañana, a mediodía, por la noche, parten de ese edificio agudos, largos, ondulantes sones de cornetas. Centenares de lucecitas iluminan la ciudad durante la noche; se encienden y se apagan ellas solas.

(Todo el planeta está cubierto de una red de vías férreas; caminan veloces por ellas los trenes; otros vehículos—también movidos por sí mismos—corren vertiginosos por campos, ciudades y montañas. De nación a nación se puede transmitir la voz humana. Por los aires, etéreamente, de continente en continente, van los pensamientos del hombre. En extraños aparatos se remonta el hombre por los cielos; a los senos de los mares desciende en unas raras naves y por allí marcha; de las procelas marinas, antes espantables, se ríe ahora subido en gigantescos barcos. Los obreros de todo el mundo se tienden las manos por encima de las fronteras.)

En el primer balcón de la izquierda, allá en la casa de piedra que está en la plaza, hay un hombre sentado. Parece abstraído en una profunda meditación. Tiene un fino bigote de puntas levantadas. Está el caballero sentado, con el codo puesto en uno de los brazos del sillón y la cara apoyada en la mano. Una honda tristeza empaña sus ojos...

*

¡Eternidad, insondable eternidad del dolor! Progresará maravillosamente la especie humana; se realizarán las más fecundas transformaciones. Junto a un balcón, en una ciudad, en una casa, siempre habrá un hombre con la cabeza, meditadora y triste, reclinada en la mano. «No le podrán quitar el dolorido sentir.»

LA CATEDRAL

Durante la dominación romana—ochenta años antes de la era de Cristo—se levantaba en la pequeña ciudad un vasto y sólido edificio de tres naves; era un gimnasio público y una casa de baños. En las aguas, frías o templadas, de las piscinas, sumergían sus cuerpos recios mozos y bellas jóvenes; acaso en aquellas estancias algún romano, ya pasada la juventud, cansado, fatigado, expatriado de Roma, amigo de la poesía y de las estatuas, recitaría un fragmento de Virgilio:

Hos ego digrediens lacrimis adfabar obortis;
Vivite felices, quibus est Fortuna peracta
Jam sua: nos alia ex aliis in fata vocamur.

El maestro fray Luis de León, en su traducción de *La Eneida,* ha puesto así en castellano este pasaje: «Yo, desviándome, les hablaba sin poder detener las lágrimas que se me venían a los ojos. Vivid dichosas, que ya vuestra fortuna se acabó; mas a nosotros, unos hados malos nos traspasan a otros peores...»

El edificio de los baños era recio, sólido; un rey godo lo hizo su palacio dos siglos después; otro rey, en 915, dedicó a iglesia este palacio suyo y de sus antecesores. En la nave central puso el altar de Nuestra Señora; en las laterales, el de los Apóstoles y el de San Juan Bautista. El año 996, Almanzor entró en la ciudad; hizo estragos su bárbara gente. Destruyeron el caserío, arrasaron las murallas, demolieron el templo. A Córdoba regresó el caudillo cargado con las lámparas de la iglesia. Reedificó la iglesia en el año 1002 el obispo Fruminio; a la piadosa obra consagró sus riquezas; en torno del viejo edificio—ahora restaurado—edificó viviendas para los canónigos, que entonces hacían vida regular. Hasta fines del siglo XII duró la nueva edificación. Florecía ya en Europa en este tiempo el airoso arte gótico; otro obispo, Ordoño, quiso levantar un templo de traza gótica en el propio emplazamiento del antiguo. Reinaban entonces don Alfonso IX y doña Berenguela. Trazó el proyecto de la catedral el maestro Diego de Prado; cien años duraron las obras.

La catedral era fina y elegante. Se perfilaban sus torres en el cielo limpio y azul; en los días de lluvia, los canes, dragones, lobos y hombrecillos corcovados de las gárgolas arrojaban por sus fauces un raudal de agua, que bajaba formando un arco hasta chocar ruidosamente en el suelo. A mediados del siglo XIV ya hubo que reformar las fachadas de Mediodía y Poniente; al levantar un sillar se encontró debajo un rodillo de madera, olvidado allí cien años antes. La fachada del Norte era la más segura; no la azotaban los ventarrones huracanados; se extendía más por este lado la población; arrancaba de aquí una callejuela poblada de correcheros, guarnicioneros, boteros, chicarreros. En 1564 se construyó en la fachada principal—la del Mediodía—el ático, en el cual se representa la Anunciación de Nuestra Señora. Cuarenta años más tarde se echó de ver que la bóveda crucera se hallaba grandemente resentida; los cuatro gruesos pilares centrales se habían ido separando y torciendo. Achacábase por las gentes su curvatura a intrépido artificio de alarifes; vióse después que se debía a flaqueza de los cimientos.

La catedral no tenía cúpula; la tenían otras catedrales. Quisieron, el Cabildo y la ciudad, que no faltase este primor a su iglesia; comenzóse en 1608 a construir una cúpula. Las obras se suspendieron en 1612. Acabadas las vísperas, una tarde de 1752—el 25 de julio, día de Santiago—se derrumbó de pronto la capilla del Niño Perdido; hacía tiempo que la pared exterior tenía un desplome hacia afuera de seis pulgadas. Ocurrió en 1775 el formidable terremoto de Lisboa; el estremecimiento de la tierra se extendió a larguísima distancia. Se quebró el rosetón de luces de la fachada, abriéndose en la fábrica de la catedral numerosas hendiduras; datan de entonces multitud de pequeñas reparaciones. En 1780, el obispo don Juan García Echano rehizo la antigua puerta de los Monos; desaparecieron unas esculturas de esos animales—en actitudes algo procaces—; echóse abajo todo lo antiguo, se colocó en su lugar una puerta de la más amplia traza grecorromana, en pugna con la catedral entera. Fué el obispo Echano varón piadosísimo de una inagotable y angélica caridad; no reparaba, encendido por las divinas llamas, en las materialidades del arte. En 1830, un rayo destrozó una vidriera; quitáronse entonces otras y se tapiaron varios ventanales.

*

La catedral es fina, frágil y sensitiva. Tiene en su fachada principal dos torres, mejor diremos una; la otra está sin terminar; un tejadillo cubre el ancho cubo de piedra. Tres son sus puertas: la de Chicarreros, la del Perdón y la del Obispo Echano. Sus capillas llevan denominaciones varias: la del Niño Perdido, la de los Esquiveles, la de Monterón, la de la Quinta Angustia, la del Consuelo, la de la Sagrada Mortaja. En la capilla del Consuelo está enterrado Mateo Fajardo, eminente jurisconsulto, autor de las *Flores de las leyes*. La capilla del Monterón es del Renacimiento; la mandó labrar don Gil González Monterón; costó la obra 32.000 maravedís. En la pared hay una inscripción que dice: «Esta obra la mandó hacer don Gil González Monterón, adelantado de Castilla, señor de Nebreda; acabóla su hijo don Luis Ossorio, marqués de los Cerros, año 1530, a 15 de marzo.» En el suelo, en medio del recinto, se lee sobre una losa de mármol, que cierra un sepulcro, debajo de una calavera y dos tibias cruzadas: «Aquí viene a parar la vida.» En la capilla de los Esquiveles están enterrados don Cristóbal de Esquivel y varios descendientes suyos. Se halló don Cristóbal de Esquivel en la conquista de Arauco, allá por 1553; su mujer fué de las que, entre todos los moradores atemorizados, abandonaron la ciudad de la Concepción, amenazada por las tropas salvajes. Ercilla cuenta—en versos admirables—cómo las mujeres huían por los cerros y vericuetos, aterrorizadas, «sin chapines, por el lodo, arrastrando a gran priesa las faldas». Vueltos a España don Cristóbal y su mujer, hicieron la fundación de esta capilla.

La sacristía es alargada, angosta. El techo, de bóveda, está artesonado con centenares, millares de mascarones de piedras; no hay dos caras iguales entre tanta muchedumbre de rostros; tiene cada uno su pergeño particular; son unos jóvenes y otros viejos; unos de mujer y otros de hombre; unos angustiados y otros ledos. Se guardan en la sacristía casullas antiguas, capas pluviales, sacras, bandejas, custodias. Una de las casullas es del siglo XIII y está bordada de hilillos de oro—en elegante y caprichosa tracería—sobre fondo encarnado. Causóle tal admiración a Castelar en una visita que éste hizo a la catedral, y tales grandilocuentes encomios hizo de esta pieza el gran orador, que desde entonces se llama a esta casulla «la de Castelar». Se guarda también en la sacristía el pectoral de latón y tosco vidrio del virtuoso obispo Echano.

El archivo está allá arriba; hay que ascender por una angosta escalera para llegar a él; después se recorren varios pasillos angostos y oscuros; se entra, al fin, en una estancia ancha con una gran cajonería de caoba. Allí, en aquellos estantes, duermen infolios y cuadernos de música. Las ventanas se abren junto al techo. Una gruesa mesa destaca en el centro. La estera es de esparto crudo. Se goza allí de un profundo silencio; nada turba el reposo de la ancha cámara.

En la catedral hay falsas, sobrados y desvanes llenos de trastos viejos, pedazos de tablas pintadas, bambalinas, bastidores de un túmulo que se levantó en los funerales de un obispo. Crece un alto ciprés y varios laureles y rosales en el huertecillo del claustro. En el claustro se halla la capilla de la Blanca; se dice que en una tabla del altar, ahora abandonado, roto, polvoriento, estaban retratados, a los lados de la Virgen, los Reyes Católicos. Los hierbajos han invadido el jardín del claustro; los gorriones pían estridentes durante el día; cuando llega la noche y comienzan a brillar las primeras estrellas, salen de los mechinales los murciélagos y van revolando con sus vuelos callados y tortuosos.

*

La catedral es fina, frágil y sensitiva. La dañan los vendavales, las sequedades ardorosas, las lluvias, las nieves. Las piedras areniscas van deshaciéndose poco a poco; los recios pilares se van desviando; las goteras aran en los muros huellas hondas y comen la argamasa que une los sillares. La catedral es una y varia a través de los siglos; aparece distinta en las diversas horas del día; se nos muestra con distintos aspectos en las varias estaciones. En los días de espesas nevadas, los nítidos copos cubren los pináculos, arbotantes, gárgolas, cresterías, florones; se levanta la catedral, entonces, blanca sobre la ciudad blanca. En los días de lluvia, cuando las canales de las casas hacen un ruido continuado en las callejas, vemos vagamente la catedral a través de una cortina de agua. En las noches de luna, desde las lejanas lomas que rodean la ciudad, divisamos la torre de la catedral destacándose en cielo diáfano y claro. Muchos días del verano, en las horas abrasadoras del mediodía, hemos venido con un libro a los claustros silenciosos que rodean el patio: el patio con su ciprés y sus rosales.

*

¿No habéis visto esas fotografías de ciudades españolas que en 1870 tomó Laurent? Ya estas fotografías están casi desteñidas, amarillentas; pero esa vetustez les presta un encanto indefinible. Una de esas vistas panorámicas es la de nuestra ciudad; se ve una extensión de tejadillos, esquinas, calles, torrecillas, solanas, cúpulas; sobre la multitud de edificaciones heteróclitas descuella, airosa, la catedral. De entre algunos muros, en ese paisaje urbano, sobresalen copas de árboles plantados en algunos patios. Fijándonos bien, veremos en esa fotografía la fachada de una alta casa. La parte posterior de esa edificación tiene una galería ancha, con una barandilla de madera. Una recia puerta, con ventanas chiquitas de cristales, da a la galería. Desde ella se columbran una porción de tejados, de ventanas lejanas, y en el fondo, la torre de la catedral. En las salas vastas de la casa, en los pasillos baldosados con ladrillos rojos, resuena una tosecita seca, cansada, de cuando en cuando, y todas las mañanas, al abrir la ventana de la galería, unos ojos contemplaban la torre de la catedral. Allí donde está la catedral, donde se hallan sepultados guerreros y teólogos, dos mil años antes un romano acaso recitara unos versos de Virgilio:

Hos ego digrediens lacrimis adfabar obortis...

(Yo, desviándome, les hablaba sin poder detener las lágrimas que se me venían a los ojos: "Vivid dichosos, que ya vuestra fortuna se acabó; mas a nosotros unos hados malos nos traspasan a otros peores...")

EL MAR

Un poeta que vivía junto al Mediterráneo ha plañido a Castilla, porque «no puede ver el mar». Hace siete siglos, otro poeta—el autor del *Poema del Cid*—llevaba a la mujer y a las hijas de Rodrigo Díaz desde el corazón de Castilla a Valencia; allí, desde una torre, les hacía contemplar —seguramente por primera vez—el mar.

Miran Valençia / cómmo yace la çibdad.
E del otra parte / a ojo han el mar.

No puede ver el mar la solitaria y melancólica Castilla. Está muy lejos el mar de estas campiñas llanas, rasas, yermas, polvorientas; de estos barrancales pedregosos; de estos terrazgos rojizos, en que los aluviones torrenciales han abierto hondas mellas; de estas quiebras aceradas y abruptas de las montañas; de estos mansos alcores y terrenos, desde donde se divisa un caminito que va en zigzag hasta un riachuelo. Las auras marinas no llegan hasta estos poblados pardos, de casuchas deleznables, que tienen un bosquecillo de chopos junto al ejido. Desde la ventanita de este sobrado, en lo alto de la casa, no se ve la extensión azul y vagarosa; se columbra, allá en una colina, una ermita, con los cipreses rígidos, negros, a los lados, que destacan sobre el cielo límpido. A esta olmeda, que se abre a la salida de la vieja ciudad, no llega el rumor rítmico y ronco del oleaje; llega en el silencio de la mañana, en la paz azul del mediodía, el cacareo metálico, largo, de un gallo, el golpear sobre el yunque de una herrería. Estos labriegos secos, de faces polvorientas, cetrinas, no contemplan el mar: ven la llanada de las mieses; miran, sin verla, la largura monótona de los surcos en los bancales. Estas viejecitas de luto, con sus manos pajizas, sarmentosas, no encienden, cuando llega el crepúsculo, una luz ante la imagen de una Virgen que vela por los que salen en las barcas: van por las callejas pinas y tortuosas a las novenas, miran al cielo en los días borrascosos y piden, juntando sus manos, no que se aplaquen las olas, sino que las nubes no despidan granizos asoladores.

No puede ver el mar la vieja Castilla; Castilla, con sus vetustas ciudades, sus catedrales, sus conventos, sus callejuelas llenas de mercaderes, sus jardines encerrados en los palacios, sus torres con chapiteles de pizarra, sus caminos amarillentos y sinuosos, sus fonditas destartaladas, sus hidalgos que no hacen nada, sus muchachas que van a pasear a las estaciones, sus clérigos con los balandranes verdosos, sus abogados—muchos abogados, infinitos abogados—, que todo lo sutilizan, enredan y confunden. Puesto que desde esta ventanita del sobrado no se puede ver el mar, dejad que aquí, en la vieja ciudad castellana, evoquemos el mar. Todo está en silencio; allá, en una era del pueblo, se levanta una tenue polvareda; luego, más lejos, aparece la sierra, baja, hosca, sin árboles, sin viviendas. ¿Cómo es el mar? ¿Qué dice el mar? ¿Qué se hace en el mar? Recordamos, como primera visión, las playas largas, doradas y solitarias. Una faja de verdura se extiende, dentro, en la tierra, paralela al mar; el mar se aleja, inmenso, azul, verdoso, pardo, hacia la inmensidad; una bandada de nubecillas redondeadas parece posarse sobre el agua en la línea remotísima del horizonte. Nada turba el panorama. La suave arena se aleja a un lado y a otro hasta tocar en dos brazos de tierra que se internan en el agua; las olas vienen blandamente a deshacerse en la arena; pasa en lo alto, sobre el cielo azul, una gaviota.

*

Cambiamos de evocación. No estamos ya de día junto al mar. Ahora es de noche; el poblado está remoto; apenas si se percibe una lucecita en la lejanía. El mar se halla frente a nosotros; no lo vemos apenas; sabemos que aquí, a nuestros pies, en lo hondo de este acantilado, comienza la extensión infinita. Pero percibimos el rumor ronco, incesante, de las olas que se estrellan contra las peñas. En la negrura del firmamento brillan luceros. Pasarán siglos, pasarán centenares de siglos, y estas estrellas enviarán sus parpadeos de luz a la tierra; estas aguas mugidoras chocarán espumeantes en las rocas; la noche pondrá su oscuridad en el mar, en el cielo, en la tierra. Y otro hombre, en la sucesión perenne del tiempo, escuchará, absorto, como nosotros ahora, el rumor de las olas y contemplará las luminarias eternas de los cielos. En la noche, junto al mar, es también visión profunda, henchida de emoción, la de los faros: faros que se levantan en la costa sobre una colina; faros construídos sobre un acantilado; faros que surgen, mar adentro, por encima de las aguas, asentados en un arrecife batido por las olas. En la noche, los faros nos muestran su ojo luminoso, ya permanente, ya con intermitencias de luz y oscuración. ¿Qué ojos verán desde la inmensidad negra esos parpadeos? ¿Qué sensación despertarán en quienes caminan de la tierra nativa hacia lejanos países?

*

De la noche tornemos otra vez al mediodía radiante. Ya no paseamos sobre la arena de una suave playa. Nos hallamos en lo alto de una montaña; sus laderas son suaves y gayas de verdura. Lejos está el tráfago y la febrilidad de la urbe; hemos escapado a nuestras inquietudes diarias. Gozamos de este mundo de paz y de mar ancho. Inmenso se despliega ante nuestra mirada: no es el claro Mediterráneo, es el turbulento y misterioso Atlántico. Las laderas del monte acaban en unos peñascales; una aguda restinga se destaca de la costa y entra en el mar; las olas corren sobre su lomo, van, vienen, hierven, se deshacen en nítidos espumarajos. Ese movimiento tumultuoso se presenta a nuestros ojos contrastando con la quietud, la inmovilidad del mar allá en la lejanía. Su color es vario a trechos: azulado, terroso, verde, pardo, glauco; una banda de color de acero divide un vasto manchón azul. Allá, en los confines del horizonte, aparece un puntito que va dejando detrás de sí, en el cielo, un rastro negro. Al cabo de un minuto ha desaparecido; las olas, al pie de la montaña, se encrespan, chocan con las rocas, se deshacen en blanca espuma.

*

Y traídas por estas evaporaciones, surgen otras. Vemos los puertos populosos cuajados de barcos de todos los tamaños y de todas las naciones, con el boscaje de sus velámenes, con las proas tajantes, con las recias chimeneas; en el ambiente se respira un grato olor a brea; van y vienen por los muelles hileras de carros; rechinan las grúas y las gruesas cadenas de hierro. Un vapor se mueve lentamente hacia el mar libre; resuenan tres espaciados toques de sirena; un rato después el barco se pierde a lo lejos, entre el cielo y el mar. Vemos las calas plácidas y los surgideros tranquilos de los pequeños pueblos; los freos o canales angostos que penetran entre dos montañas tierra adentro; los médanos o bancos de arena, que se dilatan en suaves veriles hasta perderse bajo el agua límpida, transparente; las mañanas turbias en que todo es gris: el cielo, las aguas, la tierra, y en que nuestro espíritu se hincha de grises añoranzas; los días de furibundas tormentas — tan soberbiamente pintadas por Ercilla—en que el vendaval dobla los árboles de las colinas, salta el agua sobre los acantilados, se abren profundos senos, súbitamente, en la mar, se levantan las aguas a increíbles alturas, baten las olas, bajo un cielo negro, los arrecifes de la costa:

> ...las hinchadas olas rebramaban
> en las vecinas rocas quebrantadas.

★

Pero nuestras evocaciones han terminado; desde las lejanas costas volvemos a la vieja ciudad castellana. Por la ventanita de este sobrado columbramos la llanura árida, polvorienta; el aire es seco, caliginoso. Suenan las campanadas lentas de un convento. Castilla no puede ver el mar.

LAS NUBES

Calixto y Melibea se casaron—como sabrá el lector si ha leído *La Celestina*—a pocos días de ser descubiertas las rebozadas entrevistas que tenían en el jardín. Se enamoró Calixto de la que después había de ser su mujer un día que entró en la huerta de Melibea, persiguiendo un halcón. Hace de esto dieciocho años. Veintitrés tenía entonces Calixto. Viven ahora, marido y mujer, en la casa solariega de Melibea; una hija les nació, que lleva, como su abuela, el nombre de Alisa. Desde la ancha solana que está a la parte trasera de la casa se abarca toda la huerta en que Melibea y Calixto pasaban sus dulces coloquios de amor. La casa es ancha y rica; labrada escalera de piedra arranca de lo hondo del zaguán. Luego, arriba, hay salones vastos, apartadas y silenciosas camarillas, corredores penumbrosos, con una puertecilla de cuarterones en el fondo que, como en *Las Meninas*, de Velázquez, deja ver un pedazo de luminoso patio. Un tapiz de verdes ramas y piñas gualdas, sobre fondo bermejo, cubre el piso del salón principal: el salón donde, en cojines de seda puestos en tierra, se sientan las damas. Acá y allá destacan silloncitos de cadera, guarnecidos de cuero rojo, o sillas de tijera con embutidos mudéjares; un contador con cajonería de pintada y estofada talla, guarda papeles y joyas; en el centro de la estancia, sobre la mesa de nogal, con las patas y las chambranas talladas, con fiadores de forjado hierro, reposa un lindo juego de ajedrez con embutidos de marfil, nácar y plata; en el alinde de un ancho espejo refléjanse las figuras aguileñas, sobre fondo de oro, de una tabla colgada en la pared frontera.

Todo es paz y silencio en la casa. Melibea anda pasito por cámaras y corredores. Lo observa todo, ocurre a todo. Los armarios están repletos de nítida y bienoliente ropa, aromada por gruesos membrillos. En la cocina son espejos los artefactos y cacharros de azófar que en la espetera cuelgan, y los cántaros y alcarrazas obrados por la mano de curioso alcaller en los alfares vecinos muestran, bien ordenados, su vientre redondo, limpio y rezumante. Todo lo previene y a todo ocurre la diligente Melibea; en todo pone sus dulces ojos verdes. De tarde en tarde, en el silencio de la casa, se escucha el lánguido y melodioso son de un clavicordio: es Alisa, que tañe. Otras veces, por los viales de la huerta, se ve escabullirse calladamente la figura alta y esbelta de una moza: es Alisa, que pasea entre los árboles.

La huerta es amena y frondosa. Crecen las adelfas a par de los jazmineros; al pie de los cipreses inmutablas ponen los rosales la ofrenda fugaz—como la vida—de sus rosas amarillas, blancas y bermejas. Tres colores llenan los ojos en el jardín: el azul intenso del cielo, el blanco de las paredes encaladas y el verde del boscaje. En el silencio se oye—al igual de un diamante sobre un cristal—el chiar de las golondrinas, que cruzan raudas sobre el añil del firmamento. De la taza de mármol de una fuente cae deshilachada, en una franja, el agua. En el aire se respira un penetrante aroma de jazmines, rosas y magnolias. «Ven por las paredes de mi huerto», le dijo dulcemente Melibea a Calixto hace dieciocho años.

*

Calixto está en el solejar, sentado junto a uno de los balcones. Tiene el codo puesto en el brazo del sillón y la mejilla reclinada en la mano. Hay en su casa bellos cuadros; cuando siente apetencia de música, su hija Alisa le regala con dulces melodías; si de poesía siente ganas, en su librería puede coger los más delicados poetas de España e Italia. Le adoran en la ciudad; le cuidan las manos solícitas de Melibea; ve continuada su estirpe, si no en un varón, al menos, por ahora, en una linda moza de viva inteligencia y bondadoso corazón. Y, sin embargo, Calixto se halla absorto, con la cabeza reclinada en la mano. Juan Ruiz, el arcipreste de Hita, ha escrito en su libro:

> *...et crei la fabrilla*
> *Que dis:* Por lo pasado no estés mano en mejilla.

No tiene Calixto nada que sentir del pasado; pasado y presente están para él al mismo rasero de bienandanza. Nada puede conturbarle ni entristecerle. Y, sin embargo, Calixto, puesta la mano en la mejilla, mira pasar a lo lejos, sobre el cielo azul, las nubes.

Las nubes nos dan una sensación de inestabilidad y de eternidad. Las nubes son—como el mar—siempre varias y siempre las mismas. Sentimos, mirándolas, cómo nuestro ser y todas las cosas corren hacia la nada, en tanto que ellas—tan fugitivas—permanecen eternas. A estas nubes que ahora miramos las miraron hace doscientos, quinientos, mil, tres mil años, otros hombres con las mismas pasiones y las mismas ansias que nosotros. Cuando queremos tener aprisionado el tiempo—en un momento de ventura—, vemos que han pasado ya semanas, meses, años. Las nubes, sin embargo, que son siempre distintas en todo momento, todos los días van caminando por el cielo. Hay nubes redondas, henchidas de un blanco brillante, que destacan en las mañanas de primavera sobre los cielos traslúcidos. Las hay como cendales tenues, que se perfilan en un fondo lechoso. Las hay grises, sobre una lejanía gris. Las hay de carmín y de oro, en los ocasos inacabables, profundamente melancólicos, de las llanuras. Las hay como velloncitos iguales e innumerables, que dejan ver por entre algún claro un pedazo de cielo azul. Unas marchan lentas, pausadas; otras pasan rápidamente. Algunas, de color de ceniza, cuando cubren todo el firmamento, dejan caer sobre la tierra una luz opaca, tamizada, gris, que presta su encanto a los paisajes otoñales.

Siglos después de este día en que Calixto está con la mano en la mejilla, un gran poeta—Campoamor—habrá de dedicar a las nubes un canto en uno de sus poemas, titulado *Colón.* «Las nubes—dice el poeta—nos ofrecen el espectáculo de la vida. La existencia, ¿qué es sino un juego de nubes? Diríase que las nubes son «ideas que el viento ha condensado»; ellas se nos representan como un «traslado del insondable porvenir». «Vivir—escribe el poeta—es *ver pasar.*» Sí; vivir es ver pasar; ver pasar, allá en lo alto, las nubes. Mejor diríamos: vivir es *ver volver*. Es ver volver todo en un retorno perdurable, eterno; ver volver todo—angustias, alegrías, esperanzas—, como esas nubes que son siempre distintas y siempre las mismas, como esas nubes fugaces e inmutables.

Las nubes son la imagen del Tiempo. ¿Habrá sensación más trágica que aquella de quien sienta el Tiempo, la de quien vea ya en el presente el pasado y en el pasado lo por venir?

★

En el jardín, lleno de silencio, se escucha el chiar de las rápidas golondrinas. El agua de la fuente cae deshilachada por el tazón de mármol. Al pie de los cipreses se abren las rosas fugaces, amarillas, bermejas. Un denso aroma de jazmines y magnolias embalsama el aire. Sobre las paredes de nítida cal resalta el verde de la fronda; por encima del verde y del blanco se extiende el añil del cielo. Alisa se halla en el jardín, sentada, con un libro en la mano. Sus menudos pies asoman por debajo de la falda de fino contray; están calzados con chapines de terciopelo negro, adornados con rapacejos y clavetes de bruñida plata. Los ojos de Alisa son verdes, como los de su madre; el rostro, más bien alargado que redondo. ¿Quién podría contar la nitidez y sedosidad de sus manos? Pues de la dulzura de su habla, ¿cuántos loores no podríamos decir?

En el jardín todo es silencio y paz. En lo alto de la solana, recostado sobre la barandilla, Calixto contempla extático a su hija. De pronto, un halcón aparece, revolando rápida y violentamente por entre los árboles. Tras él, persiguiéndole, todo agitado y descompuesto, surge un mancebo. Al llegar frente a Alisa, se detiene absorto, sonríe y comienza a hablarle.

Calixto lo ve desde el carasol y adivina sus palabras. Unas nubes redondas, blancas, pasan lentamente, sobre el cielo azul, en la lejanía.

LO FATAL

Lo primero que se encuentra al entrar en la casa—lo ha contado el autor desconocido del *Lazarillo*—es un patizuelo empedrado de menudos y blancos guijos. Las paredes son blancas, encaladas. Al fondo hay una puertecilla. Franqueadla: veréis una ancha pieza con las paredes también blancas y desnudas. Ni tapices, ni armarios, ni mesas, ni sillas. Nada; todo está desnudo, blanco y desierto. Allá arriba, en las anchas cámaras, no se ven tampoco muebles; las ventanas están siempre cerradas; nadie pone los pies en aquellas estancias; por las hendiduras y rendijas de las maderas—ya carcomidas y alabeadas—entran sutilísimos hilillos de claridad vivísima, que marcan, en las horas de sol, unas franjas luminosas sobre el pavimento de ladrillos rojizos. Cerradas están asimismo, en lo más alto de la casa, las ventanas del sobrado. Un patinillo, en que crecen hierbajos verdes entre las junturas de las losas, se abre en el centro de la casa.

Por la mañana, a mediodía y al ocaso resuenan leves pisadas en las estancias del piso bajo. Hablan un hidalgo y un mozuelo. El hidalgo se halla sentado en un poyo del patio; el mozuelo, frente a él, va comiendo unos mendrugos de pan que ha sacado del seno. Tanta es la avidez con que el rapaz yanta, que el hidalgo sonríe y le pregunta si tan sabroso, tan exquisito es el pan que come. Asegura el muchacho que de veras tales mendrugos son excelentes, y entonces el hidalgo, sonriendo como por broma—mientras hay una inenarrable amargura allá en lo más íntimo de su ser—, le toma un mendrugo al muchachito y comienza a comer.

Ya las campanas de la catedral han dejado caer, sobre la vieja y noble ciudad, las sonoras, lentas campanadas del mediodía. Todo es silencio y paz; en el patio, allá en lo alto, entre las cuatro nítidas paredes, fulge un pedazo de intenso cielo azul. Viene de las callejas el grito lejano de un vendedor; torna luego más denso, más profundo, el reposo. El hidalgo, a media tarde, se ciñe el talabarte, se coloca sobre los hombros la capa y abre la puerta. Antes ha sacado la espada—una fina, centelleante, ondulante espada toledana—y la ha hecho vibrar en el aire, ante los ojos asombrados, admirativos, del mozuelo. Cuando nuestro hidalgo se pone en el umbral, se planta la mano derecha en la cadera y, con la siniestra puesta en el puño de la espada, comienza a andar, reposada y airosamente, calle arriba. Los ojos del mozuelo le siguen hasta que desaparece por la esquina; este rapaz siente por su señor un profundo cariño. Sí; él sabe que es pobre, pero sabe también que es bueno, noble, leal, y que si las casas y palomares que tiene allá en Valladolid, en lugar de estar caídos estuvieran en buen estado, su amo podría pasearse a estas horas en carroza y su casa podría estar colgada de ricos tapices y alhajada con soberbios muebles.

*

Hace de esto diez años. El rico caballero, que ahora vive aquí, en Valladolid, aposentado en ancho y noble caserón, habitaba una mezquina casa en Toledo. No había en ella ni tapices ni muebles; un cantarillo desbocado y un cañizo con una manta componían todo el menaje. El hidalgo no podía pagar el modesto alquiler; un día, entristecido, abandonó la ciudad a sombra de tejados. Paso tras paso vino a Valladolid. Le favoreció la fortuna; un pariente lejano dejóle por heredero de una modesta hacienda. Ya con caudal bastante, el hidalgo pudo restaurar las casas caídas y poner en cultivo las tierras abandonadas. En poco tiempo su caudal aumentó considerablemente; era activo, perseverante. Su afabilidad y discreción encantaban a todos. Mostrábase llano y bondadoso con los humildes, pero no transigía con los grandes y soberbios. «Un hidalgo—decía él frecuentemente—no debe a otro que a Dios y al rey nada.» Por encontrarse en la calle un día con otro hidalgo y no querer quitarse el sombrero antes que él, tuvo un disgusto, años atrás, que le obligó a ausentarse de la ciudad.

La casa en que ahora habita el caballero es ancha y recia. Tiene un zaguán con un farolón en el centro, anchas cámaras y un patio. La despensa se halla provista de cuantas mantenencias y golosinas pueda apetecer el más delicado lamiznero, y en las paredes del salón, en panoplias, se ven las más finas y bellas espadas que hayan salido de las forjas toledanas. Pero ni de la mesa puede gozar el buen hidalgo ni para el ejercicio de las armas están ya sus brazos y sus piernas. Diríase que la fortuna ha querido mofarse extraña y cruelmente de este hombre. Desde hace algunos años, conforme la hacienda aumentaba prósperamente, la salud del hidalgo se iba tornando más inconsistente y precaria. Poco a poco el caballero adelgazaba y quedábase amarillo y exangüe; llovían sobre él dolamas y alifafes. Una tristeza profunda velaba sus ojos. Años enteros había pasado allá en el patizuelo toledano conllevando—con algún mozuelo que le servía de criado—la rigurosa estrechez; su dignidad, su sentido del honor, el puntillo imperecedero de la honra, le sostenían y alentaban. Ahora, al verse ya rico, morador de una casa ricamente abastada, no podía gozar de estas riquezas entre las que él paseaba, que estaban al alcance de su mano. ¡Para qué estas espadas? ¿Para qué el alazán que abajo, en la caballeriza, piafaba reciamente de impaciencia? ¿Para qué esta plata labrada—bernegales, bandejas y tembladeras—puesta en los aparadores de tallado nogal? ¿Para qué la carroza pintada en que él pudiera ir a los sotos del río, en las mañanas de mayo, cuando las tapadas van en recuesta de algún galán dadivoso y convidador?

Ni los más experimentados físicos aciertan a decir lo que el hidalgo tiene. Muchos le han visitado; por estas salas han desfilado graves doctores con sus gruesos anillos y sus redondos anteojos guarnecidos de concha. Multitud de mixturas, jarabes lenitivos, aceites y pistajes han entrado en su cuerpo o han embadurnado sus miembros. Nada ha contrastado el misterioso mal. El caballero, cada vez más pálido, más ojeroso y más débil. No duerme; a veces en la noche, a las altas horas, en esas horas densas de la madrugada, el ladrido de un perro—un ladrido lejano, casi imperceptible—le produce una angustia inexpresable.

*

Tiene don Luis de Góngora un extraño soneto en que lo irreal se mezcla a lo misterioso; uno de esos sonetos del gran poeta en que parece que se entreabre un mundo de fantasmagoría, de ensueño y de dolor. El poeta habla de un ser a quien no nombra ni de quien nos da señas ningunas. Ese hombre de quien habla Góngora anda por el mundo, descaminado, peregrino, enfermo; no sale de las tinieblas; por ellas va pisando con pie incierto. Todo es confusión, inseguridad, para ese peregrino. De cuando en cuando da voces en vano. Otras veces, a lo largo de su misteriosa peregrinación, oye a lo lejos el latir de un can:

> Repetido latir, si no vecino,
> Distinto oyó de can, siempre despierto...

¿Quién es ese hombre que el poeta ha pintado en sus versos? ¿Qué simbolismo angustioso, trágico, ha querido expresar Góngora al pintar a ese peregrino, lanzando voces en vano y escuchando el ladrido de ese perro lejano, siempre despierto? Una honda tristeza hay en el latir de esos perros, lejanos, muy lejanos, que en las horas de la noche, en las horas densas y herméticas de la madrugada, atraviesan por nuestro insomnio calenturiento, desasosegado, de enfermos; en esos ladridos casi imperceptibles, tenues, que los seres queridos que nos rodean en esos momentos de angustia escuchan inquietos, íntimamente consternados, sin explicarse por qué.

Nuestro hidalgo escucha en la noche ese latir lejano del can, siempre despierto. Cuando la aurora comienza a blanquear, un momentáneo reposo sosiega sus nervios.

*

Después de ocho años de este continuo sufrir, un día quiso nuestro caballero ir a Toledo; le llevaba el deseo de visitar a su antiguo criado—el buen Lázaro—, ahora ya casado, holgadamente establecido. Entonces fué cuando un pintor hizo su retrato. Se cree generalmente que no fué otro ese pintor sino Domenico Theotocópuli, llamado el *Greco*. Puede serlo; dignos son del gran maestro el retrato con la cara buída, alargada; una barbilla rala le corre sobre la nítida gorguera; en lo alto de la frente tiene unos mechoncitos cenicientos. Sus ojos están hundidos, cavernosos, y en ellos hay—como en quien ve la muerte cercana—un fulgor de eternidad.

LA FRAGANCIA DEL VASO

En el mesón que en Toledo tenían el *Sevillano* y su mujer había una linda moza llamada Costanza. No era hija de los mesoneros; teníanla, sin embargo, los mesoneros por hija. Un día se descubrió que los padres de la muchacha eran unos nobles señores. Salióse Costanza del mesón; casóse con un rico mancebo; fuése a vivir a Burgos.

Ningún aposentamiento para viandantes había en Toledo más apacible que el mesón del *Sevillano*. Lo que siglos más tarde habían de ser unos mesones fastuosos llamados grandes hoteles, eso era entonces —relativamente— la posada del *Sevillano* y su mujer. La plata labrada que se guardaba en la casa «era mucha». Si en otros paradores los arrieros y almocrebes veíanse precisados a ir al río para dar de beber a las bestias, aquí podían abrevarlas en anchos barreños puestos en el patio. Numerosa y diligente era la servidumbre; mozos de cebada, mozos de agua, criadas, fregonas, iban y venían por el patio y los altos corredores. El tráfago del mesón era continuo y bullicioso. Venían aquí a aposentarse caballeros, clérigos, soldados, estudiantes. Veíase una sotana de seda junto a la ropilla pintoresca de un capitán; las plumas bermejas, verdes y gualdas de un airón rozaban las negras tocas de una dueña. Un grave oidor que había descendido de una litera, entraba apoyándose en un bastón de muletilla; poco después surgía un militar, que hacía sonar en el empedrado el hierro de sus espuelas. Rezaba silencioso en su breviario un clérigo, y de un cuarto, allá arriba, se escapaban las carcajadas de unos soldados que departían sobre los lances de amor, o sonaban en el tablero los dados con que unos estudiantes jugaban. Ni hora del día ni de la noche había quieta; ni un momento estaba cerrada la puerta de la casa. Sonaban sobre los cantos del patio, lo mismo a la madrugada que al ocaso, las pisadas recias y acompasadas de los caballos; igual al mediodía que a prima noche, se escuchaban en toda la casa los gritos e improperios de un hidalgo que denostaba a un criado—estos criados socarrones de Tirso y de Lope—por su haronía y beodez. La vida, varia y ancha, pasaba incesantemente por el mesón del *Sevillano*. Allí estaba lo que más ávidamente amamos: lo pintoresco y lo imprevisto.

Admirada por todos era la hacendosa Costancica. Desde muy lejos acudían a verla. No daba la moza aires a nadie; corrían a la par su honestidad y su hermosura. La admiración y el respeto que los huéspedes sentían por ella era motivo de la envidia de las demás criadas. Al frente de la servidumbre femenil se ponía, en esta común ojeriza, la Argüello, una moza recia y cuarentona. Era la Argüello «superintendente de las camas», y en retozos con los huéspedes, trapisondas y rebullicios, se metía ella y metía a las demás criadas del mesón.

*

Han pasado veinticinco años. La historia la cuenta Cervantes en *La ilustre fregona.* Quince años tenía Costanza cuando salió del mesón; cuarenta tiene ahora. Dos hijos le han nacido del matrimonio: uno tiene veinticuatro años; otro, veinte; uno de ellos está en Nápoles, sirviendo en la casa del virrey; el otro se halla en Madrid, gestionando un cargo para América.

Costanza ha embarnecido algo con la edad. Es alta, de cara aguileña y morena. Los años han puesto en su rostro una ligera y suave sotabarba. Ninguna ama de casa la supera en diligencia y escrupulosidad. Con el alba se levanta, antes de que sus criados estén en pie. No deja rincón que no escudriñe ni pieza de ropa que no repase. Cuando no está labrando unas camisas, devana unas madejas de lana en el argadillo; si no se halla bruñendo algún trebejo en la cocina, se ocupa seguramente en confeccionar alguna delicada golosina. En el arte coquinario es maestra; hace guisados y pringotes de sabrosos mojes; salpresa exquisitamente los tocinos y lomos; no tienen rival los pestiños, hormigos y morcones que ella amasa. Una actividad incesante y febril la lleva de un lado para otro; ni un momento está quieta. A las labranderas que vienen a coser la ropa blanca no les quita ojo; se entiende con los ropavejeros que se llevan las estrazas y trastos viejos de la casa; llama al lañador que lanza su grito en la calle y le recomienda la soldadura de un barreño o un tinajón; hace observaciones al arcador que en el patio de la casa sacude con su corvada vara la lana de unos colchones.

La vida de una pequeña ciudad tiene su ritmo acompasado y monótono. Todos los días, a las mismas horas, ocurre lo mismo. Si habéis pasado vuestra niñez y vuestra adolescencia en el tráfago y el bullicio, mal os acomodaréis a la existencia uniforme, gris, de una vieja casa en una vieja ciudad. Hagáis lo que hagáis, no podréis engañaros; sea cualquiera lo que arbitréis para ilusionaros a vosotros mismos, siempre se os vendrá al espíritu el recuerdo de aquellos pintorescos y bulliciosos días pasados. Por la mañana, en la ciudad vetusta, las campanas de la catedral dejan caer sus graves campanadas; a las campanadas de la catedral se mezclan las campanaditas cristalinas, argentinas, de los distintos y lejanos conventos. Un mostranquero echa su pregón en la calle desierta. Luego, un ermitaño pide limosna: «¡Den, por Dios, para la lámpara de la señora Santa Lucía, que les conserve la vista!» Más tarde un buhonero lanza desde la puerta su grito: «¿Compran trenzaderas, randas de Flandes, Holanda, Cambray, hilo portugués?» Un mes sucede a otro; los años van pasando; en invierno las montañas vecinas se tornan blancas; en verano el vivo resplandor del sol llena las plazas y callejas; las rosas de los rosales se abren fragantes en la primavera; caen lentas, amarillas, las hojas en el otoño... De tarde en tarde Costanza recuerda los años pasados, allá en su mocedad, en el mesón del *Sevillano*.

Hace algunos años, una carta venida de Toledo la hizo saber que el dueño del mesón había muerto; algún tiempo más tarde murió también su mujer.

*

De los dos hijos de Costanza, el que está en Madrid pretendiendo un cargo para pasar a América ha logrado su deseo. El marido de Costanza ha marchado a la corte; un mes después se pone también Costanza en camino para despedir a su hijo. Antes de llegar a Madrid ha querido Costanza pasar por Toledo para visitar el mesón. El mesón del *Sevillano* ha perdido ya su antiguo nombre; otras posadas de Toledo le disputan su antigua clientela. Todo está igual que antes: en el centro, el patio, empedrado de menudos y blancos guijarros; una techumbre sostenida por viejas columnas sin plinto lo rodea; luego, arriba, se abre la galería, repechada por unas barandillas de madera. Costanza ha penetrado en el patio; su primera impresión ha sido profundamente extraña: todo es más reducido y más mezquino de lo que ella veía con los ojos del espíritu. Nadie la conoce en la casa ni nadie la recuerda. Ninguna criada ni mozo alguno de los que en su tiempo servían permanecen en el mesón.

—¿Qué se hizo de la Argüello?—pregunta Costanza.

Es ésta la única persona, entre la antigua servidumbre, de quien los dueños pueden dar razón. Cuando Costanza vivía en la posada tenía la Argüello cuarenta y cinco años; ahora tiene setenta. Todos los días viene a pedir limosna; se halla ciega y sorda. Solórzano, el cosario de Illescas, murió; también murió el licenciado Román Quiñones, cura de Escalona, tan afable y decidor, que todos los meses venía a Toledo y paraba en el mesón.

Platicando estaba Costanza con el mesonero y su mujer cuando ha penetrado lentamente por el zaguán una vieja encorvada, apoyada en un palo, vestida con unas tocas negras. Camina esta viejecita a tientas, dando con el cayado en el suelo, extendiendo de cuando en cuando la mano izquierda.

—Venid acá, madre—le ha dicho la mesonera, cogiéndola de la mano—. ¿Acordáisos de Costancica, la que servía en el mesón hace veinticinco años?

La viejecita no entendía nada. Ha repetido a gritos su pregunta la mesonera.

—¿Eh, eh? ¿Costancica dice vuestra merced?

—Cierto, cierto, Costancica. Agora ha llegado...

La vieja no comprendía nada; al cabo de un rato de vanos esfuerzos se ha marchado tan lentamente como ha venido, apoyada en su palo.

*

Dos meses después, Costanza está otra vez en Burgos. Todas las horas de todos los días son lo mismo; todos los días, a las mismas horas, pasan las mismas cosas. Las campanas dejan caer sus campanadas; el mostrenquero echa su pregón; un buhonero se acerca a la puerta y ofrece su mercadería. Si hemos pasado en nuestra mocedad unos días venturosos, en que lo imprevisto y lo pintoresco nos encantaban, será inútil que queramos tornarlos a vivir. Del pasado dichoso sólo podemos conservar el recuerdo; es decir, la fragancia del vaso.

CERRERA, CERRERA...

Espléndidamente florecía la Universidad de Salamanca en el siglo XVI. Diez o doce mil estudiantes cursaban en sus aulas durante la segunda mitad de esa centuria. Hervían las calles, en la noble ciudad, de mozos castellanos, vascos, andaluces, extremeños. A las parlas y dialectos de todas las regiones españolas mezclábanse los sonidos guturales del inglés o la áspera ortología de los tudescos. Resonaban por la mañana, a la tarde, los patios y corredores con las contestaciones acaloradas de los ergotizantes, las carcajadas, los gritos, el ir y venir continuo, trafagoso, sobre las anchas losas. Reposterías y alojerías rebosaban de gente; abundaban donilleros que cazaban incautos jóvenes para los solapados garitos; iban de un lado a otro, pasito y cautas, las viejas cobejeras, con su rosario largo y sus alfileres, randas y lanas para hilar. Los mozos ricos tenían larga asistencia de criados, mayordomos y bucelarios, que revelaban el atuendo y riqueza de sus casas—tales como nos lo ha pintado Vives en sus *Diálogos latinos*—. Vivían estrechamente los pobres: con tártagos mortales esperaban la llegada, siempre remisa, del cosario con los dineros; arbitrios y trazas peregrinas ideaban para socorrerse en los apuros; las cajas de los confiteros escamoteaban; las espadas empeñaban o malvendían; pedazos llegaban a hacer los muebles y con ellos se calentaban; en mil mohatras y empeños usurarios se metían, hartos ya de apelar a toda clase de recursos. Ricos y pobres se juntaban como buenos camaradas, en los holgorios y rebullicios. No pasaba día sin que alguna tremenda travesura no se comentara en la ciudad; cosa corriente eran las matracas y cantaletas dadas a algún hidalgo pedantón y espetado; choques violentos había cada noche con las justicias que trataban de impedir una música; en las pruebas por que se hacía pasar a los estudiantes novicios, agotábase el más cruel ingenio.

Cursaba en la Universidad, allá por la época de que hablamos, un mozo de una ciudad manchega. No gustaba del bullicio. Su casa la tenía en una callejuela desierta, a la salida de la ciudad, cerca del campo. Vivía con una familia de su propia tierra nativa. Aposentábase en lo alto de la casa; su cuarto daba a una galería con barandal de hierro. Desde ella se divisaba, en la lontananza, por encima de la muchedumbre de tejados, torrecillas y lucernas, la torre de la catedral, que se destacaba en el cielo. De entre las paredes de un patio lejano sobresalían las cimas agudas, cimbreantes, de unos cipreses. Muchas veces, nuestro estudiante pasábase horas enteras de pechos sobre la barandilla, contemplando la torre azul, o viendo pasar, lentas o rápidas, las blancas nubes. Y allí, más cerca, resaltando en lo pardo las techumbres, aquellas afiladas copas de los cipreses, que desde la prisión de un patio se elevaban hacia el firmamento ancho y libre, eran como una concreción de sus anhelos y sus aspiraciones.

Rara vez aportaba por las aulas de la Universidad nuestro escolar. Sobre su mesa reposaban cubiertos de polvo, siempre quietos, las *Sumas* y *Digestos;* iban y venían de una a otra mano, en cambio, los ligeros volúmenes de Petrarca, de Camoens y de Garcilaso. Largas horas pasaba el mancebo en la lectura de los poetas y en la contemplación del cielo. De cuando en cuando, un amigo y conterráneo suyo venía a verle, y juntos devaneaban por la ciudad y sus aledaños. Les placía en esas correrías a los dos amigos escudriñar todos los rincones y saber de todas las beldades de la ciudad; entusiastas de la poesía en los libros, uno y otro, amaban también, férvidamente, la poesía viva de la hermosura femenina o la del espectáculo del campo. Luego, cuando ya habían apacentado sus ojos de tal manera, volvía cada cual a sus meditaciones, y nuestro amigo, solo otra vez, se ponía de pechos largos ratos sobre la barandilla o iba gustando—lejos de las áridas aulas—la regalada música de Garcilaso o de Petrarca.

Un día nuestro amigo, en una de sus peregrinaciones, vió una linda muchacha. Nadie, entre sus camaradas, la conocía. Era una moza alta, esbelta, con la cara aguileña. Su tez era morena, y sus ojos negros tenían fulgores de inteligencia y de malicia. Como quien entra súbitamente en un mundo desconocido, quedóse el estudiante a la vista de tal muchacha. Fué su pasión violenta y reconcentrada: pasión de solitario y de poeta. Vivía la moza con una tía anciana y dos criados. Súpose luego a luego que sus lances y quiebras habían sido varios en distintas ciudades castellanas. No reparó el estudiante en nada; no retrocedió ante la pasada y aventurera historia de la moza. A poco casóse con ella y se la llevó al pueblo. Al llegar díjole a su padre—ya muy viejo—que la muchacha era hija de una casa principal, de donde él la había sacado.

El suceso se comentó en toda Salamanca. Relatado se halla menudamente en *La tía fingida.* Cuando el casamiento del estudiante se supo, no faltaron quienes escribieron al padre del muchacho, informándole de la bajeza de la nuera. «Mas ella—dice el autor de la novela—se había dado con sus astucias y discreción tan buena maña en contentar y servir al viejo suegro, que aunque mayores males le dijeran de ella no quisiera haber dejado de alcanzarla por hija.» Sí; eso es verdad; encantó a todos en los primeros tiempos la moza. Pero...

⋆

(En el *Quijote*—capítulo L de la primera parte—, el Cura, el Barbero y el Canónigo llevan hacia el pueblo, metido en una jaula, al buen hidalgo. Han llegado todos a un ameno y fresco valle; se disponen a comer; sobre el verde y suave césped han puesto las viandas. Ya están comiendo; ya departen amigablemente durante el grato yantar. De pronto, por un claro de un boscaje, surge una hermosa cabra, que corre y salta. Detrás viene persiguiéndola un pastor. El pastor le grita así, cuando la tiene presa, cogida por los cuernos:

«—¡Ah, cerrera, cerrera, Manchada, Manchada, y cómo andáis estos días vos de pie cojo! ¿Qué lobos os espantan, hija?

¿No me diréis qué es esto, hermosa? Mas ¡qué puede ser sino que sois hembra y no podéis estar sosegada; que mal haya vuestra condición, y la de todas aquellas a quien imitáis...!»

Los circunstantes, al ver al cabrero y escuchar sus razones, han suspendido durante un momento la comida. Les intrigan las extrañas palabras del pastor.

«—Por vuestra vida, hermano—le dice el Canónigo—, que os soseguéis un poco, y no os acuciéis en volver tan presto esa cabra a su rebaño; que pues ella es hembra, como vos decís, ha de seguir su natural instinto, por más que os pongáis a estorbarlo...»

Ha de seguir su natural instinto. El pasaje referido del *Quijote* ha sido señalado por comentaristas que ven en tal episodio algo de simbolismo y de misterio. ¿Qué perdurable emblema hay en esta cabra cerrera y triscadora, que va por el valle, o de peña en peña, llevada de su impulso, siguiendo su instinto?)

⋆

El hidalgo—antiguo alumno de la Universidad salmantina—está solo en su casa. Hace dos años que no vive en ella más que él. Todas las tardes, en invierno y en verano, el caballero se encamina hacia el río. Hay allí un molino a la orilla del agua; junto a la puerta se extiende un poyo de piedra; en él se sienta el caballero. Dentro, la cítola canta su eterna y monótona canción. No lejos de la aceña, allí, a dos pasos, desemboca un viejo puente. Generaciones y generaciones han desfilado por este estrecho paso sobre las aguas, sobre las aguas que ahora—como hace mil años—corren mansamente hasta desaparecer allá abajo entre un boscaje de álamos, en un meandro suave. El hidalgo se sienta y permanece absorto largos ratos. Por el puente pasa la vida, pintoresca y varia: el carro de unos cómicos, la carreta cubierta de paramentos negros en que traen el cuerpo muerto de un señor, unos leñadores con sus borricos cargados de hornija, un hato de ganado merchaniego que viene al mercado, un ciego con su lazarillo, una romería que va al lejano santuario, un tropel de soldados. Y las aguas del río corren mansas, impasibles, en tanto que, en el molino, la taravilla canta su rítmica, inacable canción.

Un día, al regresar al anochecer el hidalgo a su casa, encontróse con una carta. Conoció la letra del sobre; durante un instante permaneció absorto, inmóvil. Aquella misma noche se ponía en camino. A la tarde siguiente llegaba a una ciudad lejana y se detenía en una sórdida callejuela, ante una mísera casita. En la puerta estaba un criado que guardaba la mula de un médico.

⋆

El caballero, en su ciudad natal, ha vuelto a encaminarse todas las tardes a la misma hora al molino que se halla junto al río. Ahora viste todo él de luto. Horas enteras permanece absorto, sentado en el poyo de la puerta. Desfila por el puente la vida, varia y pintoresca—como hace cien años, como dentro de otros doscientos—. Las aguas corren mansas a perderse en una lejanía en que los finos y plateados álamos se perfilan sobre el cielo azul. La cítola del molino sigue entonando su canción. Todo en la gran corriente de las cosas es impasible y eterno, y todo, siendo distinto, volverá perdurablemente a renovarse.

Allá en la casa del caballero, entre los volúmenes que hay sobre la mesa, está el libro que el poeta Ovidio tituló *Los tristes;* una señal se ve en la elegía XII, de la primera parte, que comienza:

Ecce supervacuus (quid enim fuit utile nasci...?)

«Ha llegado el día—dice el poeta—en que conmemoro mi nacimiento: día superfluo. Porque ¿de qué me ha aprovechado a mí el haber nacido?» Una mañana no se abrió más la casa del hidalgo, ni nadie le volvió a ver. Diez años más tarde un soldado, que regresó de Italia al pueblo, dijo que le parecía haberle visto de lejos; no pudo añadir otra cosa.

UNA FLAUTA EN LA NOCHE

¡Ah, Tiempo ingrato! ¿Qué has hecho?

(Diego Laínez, en *Las mocedades del Cid*, de Guillén de Castro.)

1820. Una flauta suena en la noche: suena grácil, ondulante, melancólica. Si penetramos en la vetusta ciudad por la Puerta Vieja, habremos de ascender por una empinada cuesta; en lo hondo está el río; junto al río, en elevado y llano terreno, se ven dos filas de copudos y viejos olmos; de trecho en trecho aparecen unos anchos y alongados sillares que sirven de asiento. La oscuridad de la noche no nos permite ver sino vagamente las manchas blancas de las piedras. Allá a la entrada del pueblo, al cabo de la alameda, una viva faja de luz corta el camino. Sale la luz de una casa. Acerquémonos. La casa tiene un ancho zaguán; a un lado hay un viejo telar; a otro, delante de una mesa en que se ve un atril con música, hay un viejecito de pelo blanco y un niño. Este niño tiene ante su boca una flauta. La melodía va saliendo de la flauta larga, triste, fluctuante; la noche está serena y silenciosa. Allá arriba se apretuja el caserío de la vetusta ciudad; hay en ella una fina catedral, con una cisterna de aguas delgadas y límpidas en un patio; callejuelas de regatones, percoceros y guarnicioneros; caserones con sus escudos berroqueños; algún jardín oculto en el interior de un palacio. Los viajeros que llegan—muy pocos viajeros—se hospedan en una posada que se llama de la Estrella. Todas las noches, a las nueve, por la alameda de cabe el río, pasa corriendo la diligencia; durante un momento, al cruzar frente a la casa iluminada, los sones gráciles de la flauta se ahogan en el estrépito de hierros y tablas del destartalado coche; luego, otra vez la flauta suena y suena en el silencio profundo, denso, de la noche. Y por el día, este viejo telar marcha y marcha con su son rítmico.

★

1870. Han pasado cincuenta años. Si queremos penetrar en la vieja ciudad hagámoslo por la Puerta Vieja. Dejemos la diligencia al entrar en el puente para cruzar el río. La diligencia llega a la ciudad todas las noches a las nueve. Todo está en silencio; allá arriba, en el caserío, se divisan algunas lucecitas; comenzamos a ascender por la empinada cuesta; hemos dejado abajo las tenerías—esas tenerías vetustas que encontramos en *La Celestina*—. Ahora caminamos por la alameda de copudos y centenarios olmos. Apenas si en la oscuridad se destacan las manchas blancas de los asientos de piedra. Una viva franja de luz irrumpe sobre el camino. ¿Saldrá de aquella casa esta melodía de una flauta que escuchamos; esta melodía larga, melancólica, que parece un hilito de cristal que por momentos va a romperse? En el zaguán de esa casa hay un viejo y dos niños; uno de los niños va tocando la flauta; el otro le contempla silencioso, absorto, con sus ojos azules, anchos y redondos. El viejo, de cuando en cuando, hace una advertencia al niño que toca. Hace mucho, mucho tiempo, este viejo era un niño; aquí mismo, por las noches, hacía salir de la flauta esta misma melodía que ahora toca otro niño. La diligencia pasaba con una barahunda atronadora de hierros y tablas; durante un instante dejaba de oírse el son delicado de la flauta; luego volvía otra vez a resonar en la noche. Dormían allá arriba los viejos caserones; dormían los olmos del paseo, dormía el río y las campiñas. Ahora, cuando al cabo de una hora estos sones de la flauta cesan, este niño que está silencioso y absorto se marcha hacia la ciudad, y allá, en un viejo caserón que hay en la plaza, se pone a leer en unos libros de renglones cortos hasta que el sueño le rinde. Poca gente viene a este pueblo; si llegáis hasta él, os aposentaréis en la posada de la Estrella. No hay otra; está en la calle de Narváez, antes del Peso de la Harina, cerca del almudín, conforme se sale al campo por el camino del cortinal de don Angel.

*

(¿Cuántos años han transcurrido? Los que le plazca al lector. En Madrid hay ahora en un cuartito, allá en lo alto de una casa, un hombre que tiene una barba blanca y los mismos ojos anchos y azules de aquel niño que en la vetusta ciudad contemplaba extasiado, absorto, por las noches, cómo otro niño tocaba en una flauta largas y melancólicas melodías. Este hombre lleva un traje modesto, ajado; sus botas están deslustradas. Hay en la casa una mesa llena de libros; en una grande estantería yacen también los libros. Muchos de estos libros van desapareciendo poco a poco, dejando en los plúteos anchos claros. En la pared, colgadas, se ven dos hermosas fotografías: una, la de una dama de bellos y pensativos ojos, con unos rizos sedosos, tenues, sobre la frente; otra, la de una niña, tan pensativa y bonita como la anterior dama. Pero en la casa no se oyen voces femeninas. Este hombre de la barba blanca a veces escribe durante largos ratos en unas cuartillas; luego sale, marcha por las calles, entra en unas casas y en otras llevando sus papelitos; habla con unos y con otros. A veces, estos mismos papeles que él ha escrito tornan con él a casa, y él los va poniendo en un cajón, donde yacen otros, llenos de polvo, olvidados.)

*

1900. La diligencia que subía todas las noches a la vieja ciudad por la cuesta del río, allá por donde están las tenerías, a lo largo de la alameda, ya hace años que ha dejado de correr. Ahora han hecho una estación; el tren se detiene ante la ciudad, también por la noche, pero lejos de la alameda y del puente viejo, al otro lado de la población. Pocos viajeros son los que llegan diariamente; esta noche ha llegado uno: es un viejo con la barba blanca y los ojos azules. Ha bajado del tren envuelto en un pobre gabán y con una maleta de cartón en la mano. Cuando ha salido de la estación y ha llegado ante el ómnibus destartalado, ya el tren se alejaba, en la noche oscura, por la campiña adelante. El ómnibus lleva a los viajeros al hotel de la Estrella. Es el mejor de la ciudad; su antigüedad es su más segura garantía. Lo han mejorado mucho; antes estaba en la calle de Narváez, pero lo trasladaron a un gran caserón de la plaza. El viajero de la barba blanca ha subido en el carricoche y se ha dejado llevar. No sabía por dónde le llevaban. Cuando ha parado el coche en la plaza, frente al hotel, ha visto que esta casa es la misma en que él vivió hace muchos, muchos años, siendo muchacho. Luego le han designado una habitación: es el mismo cuartito en que él leía tanto en aquellos mismos años de adolescencia. Al verse entre estos muros, el hombre de la barba blanca se ha sentado en una silla y se ha puesto la mano—bien apretada—sobre el pecho. Necesitaba respirar aire libre; ha salido de la fonda y ha comenzado a recorrer las callejas. Andando, andando, ha llegado hasta la vieja alameda. La noche estaba serena, silenciosa; en el silencio profundo de la noche, sonaba una flauta. Sus sones se percibían como un hilito de cristal; era una melodía antigua, larga y melancólica. Un haz de luz salía de una casa; se ha acercado nuestro viajero y ha visto en el zaguán un viejo y un niño; el niño tocaba en la flauta la larga melodía. Entonces el hombre de la barba blanca se ha sentado en una de las piedras del paseo y ha tornado a ponerse sobre su pecho la mano, bien apretada.

UNA LUCECITA ROJA

De los sos ojos tan fuertemientre llorando.

(Poema del Cid.)

Si queréis ir allá, a la casa del Henar, salid del pueblo por la calle de Pellejeros, tomad el camino de los Molinos de Ibangrande, pasad junto a las casas de Marañuela y luego comenzad a ascender por la cuesta de Navalosa. En lo alto, asentada en una ancha meseta, está la casa. La rodean viejos olmos; dos cipreses elevan sobre la fronda sus cimas rígidas, puntiagudas. Hay largos y pomposos arriates en el jardín. Hay en la verdura de los rosales rosas bermejas, rosas blancas, rosas amarillas. Desde lo alto se descubre un vasto panorama: ahí tenéis a la derecha, sobre aquella lomita redonda, la ermita de Nuestra Señora del Pozo Viejo; más lejos, cierra el horizonte una pincelada zarca de la sierra; a la izquierda, un azagador hace serpenteos sobre los recuestos y baja hasta el río, a cuya margen, entre una olmeda, aparecen las techumbres rojizas de los molinos. Mirad al cielo: está limpio, radiante, azul; unas nubecillas blancas y redondas caminan ahora lentamente por su inmensa bóveda. Aquí en la casa las puertas están cerradas; las ventanas están cerradas también. Tienen las ventanas los cristales rotos y polvorientos. Junto a un balcón hay una alcarraza colgada. En el jardín, por los viales de viejos árboles, avanzan las hierbas viciosas de los arriates. Crecen los jazmines sobre los frutales; se empina una pasionaria hasta las primeras ramas de los cipreses y desde allí deja caer, flotando, unos floridos festones.

Cuando la noche llega, la casa se va sumiendo poco a poco en la penumbra. Ni una luz, ni un ruido. Los muros desaparecen, esfumados en la negrura. A esta hora, allá abajo, se escucha un sordo, formidable estruendo que dura un breve momento. Entonces, casi inmediatamente, se ve una lucecita roja que aparece en la negrura de la noche y desaparece en seguida. Ya sabréis lo que es: es un tren que todas las noches, a esta hora, en este momento, cruza el puente de hierro tendido sobre el río y luego se esconde tras una loma.

★

La casa ha abierto sus puertas y sus ventanas. Vayamos desde el pueblo hasta las alturas del Henar. Salgamos por la calle de Pellejeros; luego tomemos el camino de los molinos de Ibangrande; después pasemos junto a las casas de Marañuela; por último ascendamos por la cuesta de Navalosa. El espectáculo que descubramos desde arriba nos compensará de las fatigas del camino. Desde arriba se ven los bancales y las bazas como mantos diminutos formados de distintos retazos, —retazos verdes de los sembrados, retazos amarillos de los barbechos—. Se ven las chimeneas de los caseríos humear. El río luce como una cintita de plata. Las sendas de los montes suben y bajan, surgen y se esconden como si estuvieran vivas. Si marcha un carro por un camino, diríase que no avanza, que está parado: lo miramos y lo miramos, y siempre está en el mismo sitio.

La casa está animada. Viven en ella. La habitan un señor pálido, delgado, con una barba gris, una señora y una niña. Tiene el pelo flotante y de oro la niña. Las hierbas que salían de los arriates sobre los caminejos han sido cortadas. Sobre las mesas de la casa se ven redondos y esponjados ramos de rosas: rosas blancas, rosas bermejas, rosas amarillas. Cuando sopla el aire, se ve en los balcones abiertos cómo unas blancas, nítidas cortinas, salen hacia afuera, formando como la vela abombada de un barco. Todo es sencillo y bello en la casa. Ahora, en las paredes, desnudas antes, se ven unas anchas fotografías que representan catedrales, ciudades, bosques, jardines. Sobre la mesa de este hombre delgado y pálido destacan gruesas rimas de cuartillas y libros con cubiertas amarillas, rojas y azules. Este hombre, todas las mañanas se encorva hacia la mesa y va llenando con su letra chiquita las cuartillas. Cuando pasa así dos o tres horas, entran la dama y la niña. La niña pone suavemente su mano sobre la cabeza de este hombre; él se yergue un poco y entonces ve una dulce, ligeramente melancólica, sonrisa en la cara de la señora.

A la noche, todos salen al jardín. Mirad qué diafanidad tiene el cielo. En el cielo diáfano se perfilan las dos copas agudas de los cipreses. Entre las dos copas fulge —verde y rojo—un lucero. Los rosales envían su fragancia suave a la noche. Prestad atentos el oído; a esta hora se va a escuchar el ronco rumor del paso del tren —allá lejos, muy lejos—por el puente de hierro. Luego brillará la lucecita roja del furgón y desaparecerá en la noche oscura y silenciosa.

*

(En el jardín. De noche. Se percibe el aroma suave de las rosas. Los dos cipreses destacan sus copas alargadas en el cielo diáfano. Brilla un lucero entre las dos alongadas manchas negras.

—Ya no tardará en aparecer la lucecita.

—Pronto escucharemos el ruido del tren al pasar por el puente.

—Todas las noches pasa a la misma hora. Alguna vez se retrasa dos o tres minutos.

—Me atrae la lucecita roja del tren.

—Es cosa siempre la misma y siempre nueva.

—Para mí tiene un atractivo que casi no sabré definir. Es esa lucecita como algo fatal, perdurable. Haga el tiempo que haga (invierno, verano, llueva o nieve), la lucecita aparece todas las noches a su hora, brilla un momento y luego se oculta. Lo mismo da que los que la contemplen desde alguna parte estén alegres o tristes. Lo mismo da que sean los seres más felices de la tierra o los más desgraciados: la lucecita roja aparece a su hora y después desaparece.

La voz de la niña.—Ya está ahí la lucecita.)

*

La estación del pueblo está a media hora del caserío. Rara vez desciende algún viajero del tren o sube en él. Allá arriba queda la casa del Henar. Ya está cerrada, muda. Si quisiéramos ir hasta ella tendríamos que tomar el camino de los molinos de Ibangrande, pasar junto a las casas de Marañuela, ascender por la pendiente de Navalosa. Aquí abajo, a poca distancia de la estación, hay un puente de hierro que cruza un río; luego se mete por el costado de una loma.

Esta noche, a la estación han llegado dos viajeros: son una señora y una niña. La señora lleva un ancho manto de luto; la niña viste un traje también de luto. Casi no se ve, a través del tupido velo, la cara de esta dama. Pero si la pudiéramos examinar, veríamos que sus ojos están enrojecidos y que en torno de ellos hay un círculo de sombra. También tiene los ojos enrojecidos la niña. Las dos permanecen silenciosas, esperando el tren. Algunas personas del pueblo las acompañan.

El tren silba y se detiene un momento. Suben a un coche las viajeras. Desde allá arriba, desde la casa ahora cerrada, muda, si esperáramos el paso del tren, veríamos cómo la lucecita roja aparece y luego, al igual que todas las noches, todos los meses, todos los años, brilla un momento y luego se oculta.

LA CASA CERRADA

Dulcemente, etéreamente...

El carruaje ha comenzado a ascender, despacio, por un empinado alcor. Cuando se hallaba en lo alto, ha preguntado uno de los viajeros que ocupaban el vehículo:

—¿Estamos ya en lo alto del puerto?

—Ya hemos llegado—ha contestado el otro—; ahora vamos a comenzar a descender.

—Ya desde aquí se divisará toda la vega; allá, en la lejanía, brillarán las tejas doradas de la cúpula de la catedral. El campo estará todo verde; reflejará el sol en el agua de alguna de las acequias de los huertos. ¿No es verdad? Esta es la época en que a mí me gusta más el campo. ¡Cuántas veces desde esta altura he contemplado yo el panorama de la vega y de la ciudad lejana! Dime: ¿se ve a la derecha, allá junto a un camino—un camino que serpentea, el camino viejo de Novales—, una casa blanca que apenas asoma entre los árboles?

—Sí; ahora parece que refulge al sol un cristal de una ventanita que está en lo alto.

El carruaje ha descendido al llano y camina entre frescos herreñales y huertas de hortalizas; anchos frutales muestran los redondos y gualdos membrillos, las doradas pomas, las peras aguanosas, suaves.

—Siento que estamos ya en plena vega —ha dicho uno de los viajeros—; aspiro el olor del heno, de la alfalfa cortada y de los frutales. ¿Habrá muchos manzanos como antes? Ahí en las huertas hay viejecitos encorvados y tostados por el sol, como momificados, como curtidos por el tiempo, que están inclinados sobre la tierra, cavando, arreglando los partidores de las acequias, quitando las hierbas viciosas, ¿verdad? Ya oigo las campanas de la ciudad; esa que ahora ha tocado es la de la catedral; antes tocaba la campanita del convento de las Bernardas. ¿Se ven edificios nuevos en las afueras del pueblo?

—Hay algunos edificios nuevos, pero pocos; a la izquierda, cerca de la ermita de la Virgen del Henar, han levantado una fábrica con una chimenea.

—¿Una fábrica? Manchará con su humo el cielo azul. ¿No es verdad que ese azul está tan limpio, tan radiante, tan traslúcido como siempre?

Comienza a penetrar el carruaje por las callejas del pueblo.

—Ya estamos en la ciudad; ya oigo los gritos de los chicos. Aquí, por donde ahora vamos, había muchos talabarteros y guarnicioneros. Deben de seguir aún; viene olor de cueros.

—Sí; están trabajando en sus talleres; pero ahora hay menos que antes; lo traen todo hecho de fuera, de las fábricas.

—¿Pasamos por la plaza ahora? ¡Cómo me hartaría yo de ver esta plaza ancha, con sus soportales de columnas de piedra! Allí, en un rincón, estaba el comercio de La Dalia Azul...

—Allí está todavía; han abierto algunas tiendas nuevas. En el centro de la plaza han hecho un jardincillo.

—Un jardincillo que tendrá algunas acacias amarillentas y unos faroles con los cristales polvorientos y rotos...

*

—¿Hace mucho tiempo que no han limpiado la casa?

—Todos los años la limpian dos o tres veces, pero no tocan nada; yo lo tengo bien encargado. Todo está lo mismo que hace quince años.

—Siempre que recibo este olor de moho y de humedad, me acuerdo de las pequeñas iglesias del Norte, con su piso de madera encerada. Las veo en aquellos paisajes tan verdes, tan suaves, tan sedantes.

—Aquí, en el comedor, están hasta las bandejas colocadas por orden sobre el aparador; cualquiera diría que anoche se ha estado comiendo en esta mesa.

—Por esas ventanas de la galería contemplaba yo, cuando era muchacho, el panorama de la vega; ese panorama que tanto ha influído sobre mi espíritu. Entremos en el despacho; déjame que abra yo.

Los dos visitantes entran en una vasta pieza con estantes de libros; en una de las paredes hay colgado un retrato que representa un caballero; en el muro de enfrente se ve otro retrato: el de una dama. La dama tiene los ojos negros y unos ricitos sobre la frente.

—¿Se han estropeado los retratos? ¿Cómo están?

—Están bien; no los ha atacado la humedad; esta sala está bien acondicionada.

—Descuélgalos para que yo los toque.

Los cuadros son descolgados, y el caballero que desaba posar sus manos sobre ellos va palpándolos dulcemente.

—Conozco a los dos, los diferencio por sus marcos... ¿Estarán todos los libros en la biblioteca? Estos volúmenes grandes que toco ahora deben de ser unos libros de viajes que yo leía siendo niño. Aún parece que veo unos grabados que había en ellos y que yo miraba ávidamente: una pagoda india, la Alhambra, Constantinopla, las cataratas del Niágara...

El caballero abre un cajón y revuelve unos papeles que hay en él.

—¿Eso será un paquetito de cartas? Aquí debe de haber también un retrato mío a los ocho años.

—Sí; éste es; está casi descolorido.

—También la tinta de estas cartas se habrá tornado ya amarilla. Léeme ésta. ¿Cómo principia?

—«Querido Juan: No sabes cuántas ganas tenemos de verte; estás tan lejos que...»

—No leas más. Pon todas las cartas aquí, como estaban antes... Yo no trabajé nunca en este despacho. Mi cuarto estaba en lo alto, en un apartijo que yo me hice en el sobrado. Quería tener siempre ante mí el panorama de la ciudad y la lontananza de la vega. Vamos arriba.

*

—Aquí, junto a la ventana, que yo tenía casi siempre abierta, está la mesa en que tanto he trabajado. ¡Cómo contemplaba yo, en los momentos de descanso, con la cara puesta en la mano, los huertos de la vega! Con unos gemelos iba viendo los granados, con sus florecitas rojas; los laureles—siempre verdes, nobles—; los almendros, tan sensitivos; los cipreses, inmortales. Y en lo alto el cielo azul, como de brillante porcelana, que ya tampoco puedo ver. Las golondrinas pasaban y repasaban rápidas, en vuelos henchidos de voluptuosidad; muchas veces cruzaban rozando la ventana, al alcance de mi mano. Allá abajo, en torno de la torre de la catedral, giraban los vencejos... Aquí, colgada en la pared, frente a la mesa, está una gran fotografía de *Las Meninas,* de Velázquez. ¿Se ha descolorido?

—No; está intacta; se ven en ella los más pequeños detalles...

—¿Ves ese señor que está en el fondo, junto a una puertecita de cuarterones, levantando una cortina, con un pie en un escalón y otro pie en otro? Es don José Nieto; muchas veces hemos platicado en estas soledades. Ese hombre lejano—lejano en ese fondo del cuadro... y en el tiempo—siempre ha ejercido sobre mí una profunda sugestión. No sé quién es, pero su figura es para mí tan real, tan viva, tan eterna, como la de un héroe o la de un genio... ¿Está el cielo hoy despejado?

—Sí; sólo hay unos ligeros celajes en la lejanía.

—La última vez que estuve aquí era un día de otoño. El cielo estaba gris; caía sobre el paisaje una luz dulce y opaca. Se oían las campanas lejanas como si fueran de cristal. Estuve leyendo a fray Luis de León; sobre la mesa dejé el libro. Aquí está todavía; éste es. ¿Ves esta señal que tiene? Léeme un poco, a ver lo que es.

El acompañante del caballero lee:

> En el profundo del abismo estaba.
> Del no ser, encerrado y detenido...

—Sí, sí; recuerdo: eso es lo último que leí en esta mesa, en que tanto he trabajado, frente al panorama de la vega, en un día gris y dulce de otoño.

1912.

PROLOGO

E reimprime, con título más concreto, este ensayo novelesco mío sobre El Licenciado Vidriera, *de Cervantes. El nombre de* T o m á s *Rueda abre siempre, para mí, perspectivas ilimitadas de ideal. De la realidad pasamos, en esta novela de Cervantes, al pleno ensueño. Y tal vez ese ensueño es la más auténtica realidad.*

¿Cuándo era más auténtico Tomás Rueda, más de sí, más humano: siendo loco o siendo cuerdo, estando enajenado o estando en su propia posesión? La novela de Cervantes es una bella síntesis de su gran obra, el Quijote. *Tomás Rueda equivale a Alonso Quijano. Los dos personajes viven en lo irreal. Los dos acaban, melancólicamente, por volver a lo cotidiano. Pero en la síntesis—novela chica—la esencia, por lo reducido, es acaso más penetrante que en la creación grande—el* Quijote*—. Lo que aquí se explaya en el tiempo, en el espacio y en los accidentes, allí se concentra y nos da más sensación de añoranza, por lo desconocido. Lo desconocido es el misterio de la vida. ¿Lo sabe Don Quijote? ¿Lo sabe Tomás Rueda? ¿Lo sabemos nosotros, con toda nuestra ciencia? He dicho en otra parte que el más elevado de nuestros líricos, genuino manchego, paisano del soñador de la Mancha, fray Luis de León, en una de sus poesías, la oda a Felipe Ruiz, nos dice que desea partirse de la tierra y ascender al cielo para conocer, al fin, secretos que, siendo mísero mortal, no puede penetrar: cómo se sostiene la tierra en el éter infinito; el porqué de los espantables terremotos; cómo se hacen los incesables flujo y reflujo; de dónde manan las fuentes y cómo se ceban los ríos; de qué modo se encierra el agua en las preñadas nubes y por qué fulmina el rayo y retumba el trueno... Y he hecho observar que todo eso, que era arcano para el poeta, nos lo aclara hoy la ciencia. No; el misterio cala más hondo y es más hermético. El gran misterio está ínsito en la realidad misma que nos circuye y que no sabemos, ni sabe, en fin de cuentas, un Kant, lo que es, ni sabrá nunca, con su inteligencia limitada, el hombre.*

Por no saberlo, para escapar a la angustia de no saberlo, se crea Don Quijote una realidad suya, y se la crea Tomás Rueda. Sí, dentro de esa realidad ficticia están ellos seguros. Sí, con esa realidad pueden alentar esperanzas, al cabo. En la novela grande, en el Quijote, *el héroe torna a la realidad auténtica. Muere desengañado—o verdaderamente ahora engañado—. El lector ve finar definitivamente a Alonso Quijano. Ya no hay más: se acabó la tragicomedia. Pero en la novela chica, en el breve*

Quijote, *es decir, en* El Licenciado Vidriera, *la congoja del lector perdura. Tomás Rueda no muere. Hay algo en el arte de Cervantes que nos conmueve: las despedidas. En la vida, en cualquier vida, el despedirse, despedirse para un viaje, despedirse para acaso no verse más, es algo que puede ir de la suave melancolía a la franca desesperación. En el* Quijote *existen despedidas inolvidables. Don Alvaro Tarfe y Don Quijote, por ejemplo, se despiden. Echa uno por un camino y echa otro por camino distinto. Se habían unido momentáneamente los dos hombres en un afecto sincero y ya no se verán acaso otra vez. ¿Qué hubiéramos querido nosotros? ¿Cuál hubiera sido nuestro manejo en el destino de estas dos vidas? No lo acertamos a decir. Consideramos absortos el cruce de los caminos y callamos. No sabemos cuál será el destino, recobrado ya el juicio, allá lejos de España, de Tomás Rueda. Y cerramos el libro, sintiendo viva punzada en el corazón.*

AZORÍN.

Madrid, 1941.

I

EN ZAMORA O EN MEDINA

LA CASA

Pues, señor, una vez era un rey... No; no era un rey. Una vez era un gran caballero... Tampoco; no era un gran caballero. Era un valiente capitán...Tampoco; no, no era un valiente capitán. ¿Qué era entonces? ¡Ah, sí! Una vez era un niño. Un niño que vivía en una ciudad de Castilla—Valladolid, Zamora, Medina del Campo—. En esa ciudad este niño moraba en un hermoso caserón de piedra. Los muros son de piedra; herreros han golpeado con sus martillos los hierros de los balcones y han hecho de ellos lindos barandales; encima de la puerta hay un escudo de piedra. Entremos en la casa: se ve primero en ella un ancho zaguán; luego, por la espaciosa escalera, se sube a unas amplias habitaciones. Antes, en esta casa, se veían ramos de flores encima de las mesas y de los escritorios; ahora, hace ya tiempo que nadie corta flores en el huerto. El huerto está detrás de la casa; crecen, en sus viales y arriates, rosales, jazmineros, adelfos. Cortaban las flores unas manos blancas y finas. Con mucho cuidado unían en un haz las rosas y los jazmines. De cuando en cuando, una rosa, un jazmín, eran olidos suavemente. Después, hecho ya el ramo, era subido a las estancias de lo alto y era puesto en un lindo búcaro de cristal. ¡Qué bien olía toda la sala con estas flores! Amad las flores, amad las rosas, los claveles, los jazmines, los nardos. Andando el tiempo, en vuestras alegrías y en vuestras tristezas, las flores, las flores pondrán un matiz de consuelo o de exaltación. Unas flores reirán con vosotros—en día feliz—, o unas flores llorarán con vosotros — en día infausto —. Pero sigamos con nuestro cuento.

Las bellas manos que cortaban las flores del huerto han desaparecido ya hace tiempo. Hoy sólo viven en la casa un señor y un niño. El niño es chiquito, pero ya anda solo por la casa, por el jardín, por la calle. No se sabe lo que tiene el caballero que habita en esta casa. No cuida del niño; desde que murió la madre, este chico parece abandonado de todos. ¿Quién se acordará de él? El caballero—su padre—va y viene a largas cacerías; pasa temporadas fuera de casa; luego vienen otros señores y se encierran con él en una estancia; se oyen discusiones furiosas, gritos. El caballero, muchos días, en la mesa regaña violentamente a los criados, da fuertes puñetazos, se exalta. El niño, en un extremo, lejos de él, le mira fijamente, sin hablar.

¡Qué extraña es esta casa! Un día ha desaparecido del salón un magnífico escritorio con labores de plata y nácar. ¿Adónde se lo habrán llevado? ¿No era aquí donde la madre guardaba sus papeles, sus joyas? Otro día han descolgado los tapices y se los han llevado también. Ya el niño no verá un anciano de barbas blancas, tan bondadoso, que él veía siempre en uno de estos tapices. Otra vez han formado en la biblioteca grandes montones en el suelo, con libros, y después los han colocado en espuertas y los han bajado a la calle, donde esperaban unos carros. El niño, en esta estancia, pasaba largas horas; olvidado de todos, desdeñado por todos, el venía aquí, y con su ancho libro sobre la mesa, iba pasando las hojas con cuidadito y viendo las estampas. Ya no verá el niño ni el escritorio—que abría y cerraba mamá—, ni el anciano con la barba blanca del tapiz, ni el libro de las estampas. Otras muchas cosas se han llevado de casa. Los señores que se encierran con el padre, en una de las piezas de la casa, gritan cada vez más furiosos. El caballero, cada vez, también está en la mesa, a las horas de comer, más mohino y más violento...

MARI-JUANA

Alguien había, sin embargo, hasta hace poco, en la casa, que tenía para el niño momentos de ternura. Era Mari-Juana. Mari-Juana reía como loca, a carcajadas presurosas y argentinas. Mari-Juana tenía unos brazos fuertes y unos carrillos encendidos. Cuando se movía violentamente Mari-Juana, le retemblaba un poquito la gruesa barbilla, que acababa de redondear su rostro. Al hablar Mari-Juana, se hacía una luz de jovialidad y de salud en toda la estancia. A veces cogía al niño en sus brazos, lo levantaba en vilo y lo besaba ruidosamente: «¡Jesús, qué niño tan bonico!», solía exclamar a voces. Al niño le gustaba extremadamente este momento en que, desprendido de tierra por un impulso tremendo, subía por el aire hasta la cara de Mari-Juana; él no decía nada; pero se dejaba traer y llevar sumisamente por Mari-Juana. «¡Pero este niño no dice nunca nada!», exclamaba también a menudo la moza. El niño no decía nada; mas sentía un mudo cariño por Mari-Juana. Desde el alba hasta medianoche, la moza andaba y venía por la casa. Lo recorría todo y lo escudriñaba todo. No podían los demás criados hurtar ni desaguisar nada. Todo lo llevaba en orden Mari-Juana. Limpiaba y arreglaba los muebles; tenía limpio y reluciente el comedor; no faltaba nada en la despensa; no desaparecía el aceite de las tinajas ni disminuían insólitamente los bastimentos... Y, de cuando en cuando, resonaban en la casa las carcajadas presurosas y sonoras de Mari-Juana. Y otras veces, cuando el niño estaba en la biblioteca abstraído sobre una estampa, de pronto sentía unas manos sobre sus ojos.

El no se asustaba; ya sabía que era Mari-Juana; porque, desde el primer día, la conoció por las recias tumbagas de oro que estas manos llevaban en los dedos. ¿No lo hemos dicho? Sí, sí; Mari-Juana no tenía más que un defecto: era aficionada a las joyas, a los trajes vistosos. En sus manos llevaba unos anillos de oro, y los colores de su traje eran los más llamativos. Una noche, al acostarlo, Mari-Juana dió al niño más besos que de costumbre; los ojos de Mari-Juana estaban enrojecidos. Besaba al niño y no reía. Al día siguiente no estaba Mari-Juana en la casa. Nunca más vió el niño a Mari-Juana.

II

LAS VENTANITAS

EN EL SOBRADO

¿Qué impresión os producen los tejados, los tejados de una vieja ciudad, de una populosa ciudad? Cuando niños, hemos subido—acaso—a las falsas de la casa. Hemos subido, no acaso, sino seguramente. Conocemos todas las piezas de la casa: la sala, los reducidos gabinetes, los corredores que tienen una puertecita, la cocina, la despensa, los patios. Por todas estas dependencias circulan la vida y la animación; en todas hay más o menos ruido; por todas se pasa y se repasa durante el día. Pero allá arriba, en lo alto de la casa, existen unas vastas estancias, a las que sólo se sube de raro en raro. Las paredes no están enlucidas, como las cámaras y gabinetes de abajo; se las ha dejado toscas, con burujones y entrantes y salientes de yeso; de alguno de sus mechinales o agujeros, cuando llega el crepúsculo de la tarde, sale silencioso un murciélago. No es mucha la luz del sobrado. El techo muestra sus vigamentos. Trastos de toda clase reposan aquí, amontonados y revueltos. (Aquí están esos baúles velludos, repletos de papeles y libros, que algún día revolvemos.) Los ruidos de la casa apenas si se perciben desde estos parajes. No entra aquí la vida rumorosa e incesante. Todo está en silencio. Cuando revolvemos un poco los muebles, el polvo que flota en el aire forma una cuadrada y brillante columna en el rayo de sol que entra por la ventana.

Por la ventanita se ven los tejados de la ciudad. En nuestros años de muchacho los hemos contemplado muchas veces. Entre la multitud de las techumbres surgen las torres, las cúpulas, los altos paredones de los recios edificios. Aquí unos cipreses asoman sus cimas agudas; surgen del patio de un convento. Allá se ve un pedazo de galería con arcos, y paseando por ella, lentamente, una figurita humana. Más lejos, en una azotea, extienden unas ropas blancas. Los tejados se acaban, llegan hasta el límite de la ciudad. Luego se ve la franja verde de la huerta, y más lejos, cerrando el horizonte, una larga montaña azul, que casi se confunde con el azul del cielo.

El niño de nuestro cuento ha subido —como nosotros—al sobrado. El guardará, durante toda su vida, este recuerdo de los ratos pasados en lo alto de la casa, asomado a la ventanita. Una honda emoción le sobrecogerá luego al pensar en estos momentos. Ahora su espíritu—sin darse cuenta—recoge ávidamente el espectáculo de los tejados, de la ciudad, del campo lejano, de la montaña remota. Y luego este silencio, sólo roto de tarde en tarde por el cacareo de un gallo, por el aullido de un perro; esta quietud de las cosas que aquí reposan y que ya han cumplido su misión en la vida; este indefinible misterio, que contribuye a formar el silencio, la soledad y la lejanía...

Nuestro corretear por la ciudad se mezcla, algunas veces, a los juegos ruidosos de los demás muchachos; acaso ha trepado también a los árboles y ha tirado piedras; pero...

EL MOHÍN

Pero algo hay en él que no hay en los demás muchachos. Cuando vivía mamá, un día le sentaron en un sillón y le dijeron que se estuviera quietecito. Un señor, delante de él, comenzó a poner colores diversos encima de un pedazo de cobre.

A los tres o cuatro días el retrato estaba hecho. El niño tenía los ojos negros, y negro y brillante el pelo. Su cara era de un ligero color moreno. No había nada en ella de extraordinario. No había nada para un observador vulgar. Mas ¿y este mohín ligero que, si nos fijamos bien, notamos en esta faz infantil? ¿Y esta breve mueca que, al pronto, una vez observada, no sabemos de qué es? Los labios están un poco salientes y, a la vez, como apretados, y en la frente, entre las dos cejas, se ve una suave contracción. Sí, decididamente, en este mohín hay algo de meditación y de melancolía. Este niño lleva en la cara escrito su destino. Retratos de niños, retratos desconocidos, retratos en que vemos esta mueca instintiva y congénita: sois más elocuentes vosotros que todos los libros; vosotros reveláis el arcano de una existencia futura; en vosotros está en germen el porvenir de incertidumbre, de angustia y de melancolía.

El mohín de nuestro niño nos explica sus instantes de silencio y de contemplación en la ventanita del sobrado, sus días de olvido en el ancho caserón, su ensimismamiento sobre las estampas de los libros, el recuerdo de Mari-Juana, la ternura de la mamá, que cortaba flores en el huerto, sus llantos inexplicables, su sensibilidad fina y morbosa.

EL HOMBRE QUE RÍE Y SUFRE

Hay emociones en la niñez que duran toda la vida. Continuamente, a lo largo de los años, sentiremos, en lo más hondo del espíritu, la pasada, la remota visión. ¿Cómo ha de olvidar nuestro niño lo que vió un día por una ventanita? Las ventanas han jugado un papel importante en la vida de nuestro niño. Primero, la ventanita del sobrado; luego, una ventana que un criado de la casa le enseñaba algunas noches. Era una ventana lejana; a cierta hora de prima noche, en la oscuridad, de pronto, bruscamente, se destacaba un cuadro brillante de luz; más tarde desaparecía; después, la luz de la ventana volvía a aparecer. (Ya siendo hombre, nuestro niño se preguntó muchas veces cuál sería el misterio de aquella ventana, y no acertaba a comprender el miedo que de él se apoderaba cuando la contemplaba. ¿Miedo, por qué? El criado que le sacaba al patio para que viera la ventana reía a carcajadas.) Ahora, lo que nuestro niño ha visto por una ventanita no lo olvidará tampoco durante toda su vida: *se ha visto a él mismo;* él pensará esto cuando a lo largo de su vida—no ahora—piense en esta visión.

Veréis cuál ha sido. Ha llegado al pueblo una tropa de cómicos. Han sonado una trompeta y un tambor: anunciaban la función de la tarde. La comedia la representaban los actores en el patio de un caserón. La muchedumbre ha invadido el corral. Todos los cómicos han trabajado a maravilla. El público reía a carcajadas con las ingeniosidades del gracioso. Los aplausos han sido principalmente para él. Era ya de noche cuando ha acabado la función. La multitud se ha dispersado. Entonces, nuestro niño, vagando al azar por los alrededores del caserón en que se ha representado la farsa, se ha detenido en una callejuela desierta, ante una ventanita. Se veía reducida estancia, iluminada débilmente. Un hombre estaba sentado en una silla y junto a él había una mujer llorando. Dos niños se hallaban también en la estancia, al lado del hombre y de la mujer. El hombre era el gracioso de la comedia. Se hallaba intensamente pálido; se ponía la mano sobre el pecho, como queriendo contener algo, y daba, de cuando en cuando, un hondo suspiro. La mujer lloraba, lloraba en silencio, y le pasaba la mano suavemente al hombre por la frente y por la cabeza. Alguna vez apoyó su cara sobre la frente del hombre y estuvo así un momento. ¡Ah, este hombre pálido, este hombre que ríe y sufre! Este hombre ve ya a esta mujer sola, y a estos niños, solos; a esta mujer, tan buena, desamparada, y a estos niños, sus hijos, desamparados. No puede reír, y tiene que reír. Dentro de poco, ¿qué será de esta mujer y de estos niños? Estas manos que ahora a él le acarician con tanto amor, ¿qué harán?

Nuestro niño no ha comprendido nada ahora. Lo comprenderá más tarde. Ahora ha mirado un momento por esta ventanita, y luego se ha marchado.

III

EN LA OLMEDA

LORENZO

¿En qué habíamos quedado? ¿Dónde estábamos? Esperad un poquito... ¡Ah, sí! Quedábamos en que el niño, nuestro niño, se aburre en el vasto caserón o divagando por las callejuelas de la ciudad. Hacía mucho tiempo que no veía a papá; se había marchado a Madrid. (Allí todos los días iba a los patios de Palacio y pretendía ver al rey..., pero no lo veía). Un día, al cabo de algún tiempo, Lorenzo... Pero ¿quién es Lorenzo? Detengámonos otro poquito. Lorenzo es el cachicán de La Olmeda. La Olmeda es una casa de campo que la familia tiene—es decir, tenía—a tres o cuatro leguas de la ciudad. La Olmeda ha sido de los tatarabuelos y de los padres de este niño. Hace un año que la compró Lorenzo. Lorenzo es hijo de Lorenzo y nieto de Lorenzo. Todos han sido cachicanes en La Olmeda. Este Lorenzo de ahora es un hombre ya viejecito; casi tiemblan sus manos. Cuando murió mamá, estuvo mucho tiempo enfermo; él la había tenido chiquitina en sus rodillas; él le llevaba todos los años un panal de miel dorada, de romero. ¿Un panal? No había primor en el campo que Lorenzo no se apresurara en llevar a mamá. Cuando La Olmeda iba a pasar a otras manos, cuando iba a salir de la familia, Lorenzo hizo un esfuerzo y se quedó con ella. De cuando en cuando iba el cachicán a la ciudad; allí cogía al niño y creía ver en sus ojos los ojos de mamá. No podía ya llorar Lorenzo; sus ojos estaban secos; pero ¡cómo temblaban sus manos cuando acariciaban las mejillas del niño!

Ha venido Lorenzo y le han dicho a nuestro niño que papá ya no volvía. Después, le han vestido un traje negro. No se podía estar ya más en la casa. (La casa estaba ya casi vacía de muebles.) Había que ir a La Olmeda. Lorenzo y el niño han montado en un carro y han salido de la ciudad. Algunas veces ha hecho el niño este viaje; pero ahora no lo hace lo mismo que otras veces. La mañana está clara, radiante. El camino está solitario. Las montañas remotas parecen de porcelana azul. Las hojas de los álamos tembletean ligeramente como con alegría. Allá a lo lejos, al pie de aquel recuesto pardo, ¿no asoma la techumbre de una casa entre la verdura de los árboles? Pues aquello es La Olmeda.

LA OLMEDA

La Olmeda tiene delante de la puerta, derechitos, rectos, dos liños de gruesos olmos. El zaguán de la casa es ancho; las habitaciones son claras y espaciosas. ¿Qué diréis que ha visto el niño cuando ha entrado en el cuarto que para él estaba destinado? Pues... el escritorio de mamá. Allí, junto a una ventana, tan pulido y primoroso, estaba este escritorio en que mamá guardaba sus papeles; estos cajoncitos tan lindos, las manos blancas y puras de mamá los abrían y cerraban. Cuando los muebles de la casa de la ciudad comenzaron a ser sacados, Lorenzo no quiso que este escritorio fuera a parar a gentes extrañas. Lorenzo lo trajo a La Olmeda; es decir, lo hizo comprar por tercera persona, y, sin que lo supiera nadie, un día se lo trajo en su carro a esta casa. (¿Qué será de este mueble, andando el tiempo? Cuando nuestro niño haya corrido mucho por la vida y hayan pasado años y años, ¿podrá algún día abrir y cerrar los cajoncitos de este mueble como los abrían y cerraban las manos blancas, las queridísimas manos blancas de antaño?)

No habíamos dicho que el niño no sabe leer. ¿Quién se ocupaba de él en la ciudad? Pero es necesario saber leer; Lorenzo quiere que el niño sepa leer. Ahora que el cachicán tiene aquí al niño, él hará que aprenda esta cosa tan necesaria. En La Olmeda hay tiempo para todo. Las horas pasan lentamente. ¡Qué grato es recorrer todas las dependencias de la casa! El lagar, donde se hace el vino; la almazara, donde muelen la aceituna; los alhorines, llenos de grano; el tinajero, con sus panzudas tinajas; el corral, habitado por la población pintoresca y simpática de los gallos, gallinas, ánades, pavos y pavones... ¡Los pavones! Se suben a los tejados, lanzan agudos gritos; son solitarios, soberbios y caprichosos. De cuando en cuando se ve en el suelo una larga pluma con un rondel matizado maravillosamente de oro y de azul... El pavón ha dejado desdeñosamente su tarjeta. Todo esto es distraído; la vida es grata en La Olmeda. Pero..., pero..., es preciso aprender a leer. ¿Quién le enseñará al niño a leer? ¡Atención! Va a venir el maestro.

EL MAESTRO

¡Atención! Ya está aquí el maestro. El maestro no vive en La Olmeda: vive en una casa cercana. Todos los días, a media mañana, aparece por el fondo de la alameda que hay frente a la puerta de la casa. Viene montado en un borriquillo, lentamente. (Después, cuando le conozcáis, habréis de perdonar lo del borriquito; él quisiera un caballo; pero...) Cuando llega a la puerta de la casa, para el borriquito y se apea el maestro; entonces vemos que una de sus piernas es de palo. El maestro saluda a los que están esperándole, sonriendo con una mueca de malicia y de bondad. En su faz resaltan dos colores: el rojo, muy rojo, de las mejillas, y el blanco, blanco de nieve, de la barba. La barba acaba en una puntita aguda; él, de cuando en cuando, se pasa la mano por la cara, y al llegar a la punta de la barba hace un ligero gesto, como retorciéndola. Y al mismo tiempo, al igual que un autómata, lanza una ligera y discreta exclamación. En la cara, nieve y púrpura, parece que distinguimos, en lo alto, dos granitos de pimienta: son los ojos. Los ojos que se abren y se cierran rápidamente y que brillan de un modo singular. Brillan cuando se percibe un grato olor de cocina, o cuando pasa una linda moza, o cuando el maestro cuenta las cosas de Flandes y de Italia.

Al comenzar estas charlas de las cosas de Flandes y de Italia, ya todo desaparece para el niño. No hay silabario, ni Olmeda, ni pavones, ni Lorenzo, ni mundo. No sabemos quién goza más, si el viejo o el niño. ¡Cuantas cosas le han pasado al maestro en Flandes y en Italia! ¡Qué ciudades aquellas y qué vida tan regalada y espléndida! En una batalla perdió el maestro la pierna, y en una hostería de Luca pasó el mes más agradable de toda su existencia...

¡Flandes, Italia! Lejos, muy lejos, está ya la vida militar, la vida libre, expansiva, de los años nuevos. Ahora, el maestro, ¿qué es? ¿Qué es en estos campos, metido entre labriegos, correteando por las lomas y los boscajes? En una vieja traducción de *La Eneida* (hecha «en Alcalá, en casa de Juan Iñiguez Lequerica, año 1586»), en la declaración de los términos esparcidos por esta traducción, se lee lo siguiente: «*Faunos.*—Dioses de las selvas y de los campos; dícense, por otro nombre, sátiros. De los cuales escribe sant

Hieronymo haber visto uno sant Antonio en el yermo.» San Antonio vió uno en el yermo y aquí hay otro.

Hay otro que fué un antiguo soldado y que ahora enseña a leer a un niño. Los ojuelos del fauno fulgen en la nieve y el bermellón de la cara, cuando sale de la cocina un grato olor o cuando pasa una zagala. Y la imaginación del niño se echa a volar, y vuela, vuela cuando el maestro cuenta las cosas pasadas de Flandes y de Italia.

IV

LA MONTAÑA Y LOS LIBROS

PASTORES

¿Qué ha pasado desde la última vez que hemos visto a nuestro muchachito castellano? Pues ha pasado... el tiempo. Han pasado los días, los meses, los años. Han venido muchas veces las golondrinas y se han marchado. Han caído muchas veces las hojas de los olmos y han salido otras. (¡Qué bello es este paseo de olmos, en otoño, con la alfombra de hojas amarillas, bajo el cielo de plata!) El niño tiene once años. Andando el tiempo, él recordará muy pocas cosas de estos días. Da paseos por el campo y está muchos ratos leyendo. Lee los libros que ha encontrado en una alacena. Todos estos volúmenes tienen en la guarda blanca un renglón manuscrito que dice: «Soy de María.» La letra es grande, fina, sutil; parece que la pluma, al trazarla, ha rozado a malas penas el papel. «Soy de María.» Este volumen era de María; María lo ha tenido entre sus manos; lo ha leído; ha meditado sobre sus páginas. María ya no existe; sus manos blancas y delicadas ya no pueden coger estos volúmenes. Pero otras manos —las de un niño—toman ahora estos libros y continúan, sí, continúan sobre sus páginas los ensueños, las dulces quimeras, las imaginaciones de María... Andando el tiempo, este niño se ha de acordar mucho de estas lecturas. Lecturas de poetas y de noveladores fantásticos; lecturas llenas de atención profunda, de abstracciones de todo; lecturas—¡oh María!, ¡oh delicada María!—que hacen abrir los ojos a este niño ante el espectáculo del mundo y ponen en su alma—que es la tuya, María—un fermento de ideal, de nerviosidad, de desasosiego, de pasión.

Y cuando el niño se cansa de leer o de corretear por la casa, sale al campo y sube a las montañas. Las montañas están detrás de la casa; es preciso atravesar hazas labradas y pradecillos para llegar a sus faldas. Luego, allá arriba, está la cumbre, pelada, enhiesta. En la montaña se hallan los pastores. Con el pastor está el fiel mastín, que, cuando ve llegar al niño, se adelanta corriendo y le pone las patas en el pecho. Tan fuerte, tan impetuoso es el empellón al echarse *Leal* sobre el niño—así se llama el can—, que casi le derriba al suelo. Luego, el niño ríe y el mastín hace mil zalamerías, retozando y gambeando en su torno. Los pastores son amigos de las nubes. Allá arriba no hay más que nubes y piedras. (¿Y ese árbol solitario que a veces sale obstinadamente de entre las junturas de las piedras y que se inclina hacia el abismo? ¡Ah! Ese árbol solitario y obstinado, ese árbol abocado al barranco, es el más bello de todos los árboles.) Los pastores viven una vida solitaria. El silencio de estas alturas es maravilloso. El aire tiene aquí una transparencia que no tiene en ninguna parte. El agua de los hontanares, y la que queda en las quiebras de las peñas de cuando llueve, parece que no existe. Tan límpida es, que se diría que estas quiebras y estos remansos están vacíos. Pero los pastores...

LA ARAÑITA EN SU LENTISCO

... Pero los pastores no hacen caso de las arañas. Hacen mal los pastores. Se tiene cierta preocupación respecto de las arañas. Hay arañas—lo confesamos—que son malas; su aspecto no inspira confianza. (Mas lo mismo ocurre con muchos hombres.) Sin embargo, existen muchas arañas simpáticas y agradables. Es preciso que nos desprendamos de esta aversión a las arañas. Las arañas nos dan una lección perpetua de la vida. Mucho hemos visto nosotros en loanza de las arañas. Las arañas son los verdaderos gozadores del planeta. Caminan por la tierra, tienen viviendas subterráneas, pueden habitar debajo del agua, nadan maravillosamente, vuelan con suavidad colgadas de un hilito. Existen arañas tan originales e imaginativas como las llamadas *saltadores escénicos,* que las habréis visto tomando el sol en las paredes y en las maderas de las puertas, y que son a manera de leoncitos que dan rápidos saltos, como los felinos. ¿Y las buenas e inofensivas tejenarias, con sus largas zancas; las buenas tejenarias que pasan, resignadas, meses enteros sin probar un bocado, replegadas en la tela de su rincón, en la cual—como en casa de escritor pobre—no cae nada? Buenas, sufridas, silenciosas tejenarias...

En las montañas, las arañas—algunas de las arañas—tejen su tela entre las ramas de un lentisco, de un romero, de un espliego. No puede darse mayor limpieza, aliño y simetría que los de esta linda urdimbre. Puede sentirse ufana la arañita que ha tejido, poquito a poco, su red en el lentisco. Por las mañanas caen unas gotas de rocío en la tela y el sol las hace brillar luego, como si fueran diamantes en el garbín de una dama. El aire está embalsamado con el aroma de las plantas silvestres. Se oye un trinar de pájaros. Y en este ambiente exquisito, único, en esta paz del campo, la arañita pasa horas y horas—toda la vida—acurrucada en la tela de su lentisco. Nuestro niño, tendido en el suelo, mientras el pastor le cuenta una historia, no pierde de vista la arañita del lentisco.

«ALTO, AUNQUE AGRADABLE»

Todas las montañas tienen sus encantos: las altas, las bajas, las peladas, las cubiertas de bosque, las suaves, las anfractuosas, las cenicientas y negruzcas, las claras y manchadas de rodales azulados, verdosos o rojizos. Todas las montañas tienen sus encantos. Cuanto más elevadas, cuanto más subidas a los cielos, nos parecen ahora más bellas. Pero en el tiempo en que vivía nuestro niño, los hombres aún no sabían amar del todo a las montañas. Había entonces en la naturaleza muchos espectáculos que les parecían tenebrosos. Hoy las montañas han acabado de perder para nosotros su aspecto hórrido. (¿Estamos seguros de ello? ¿No hay todavía en la montaña algo que nos sobrecoge y nos es desagradable?) En tiempos de nuestro niño, un gran ingenio español, describiendo la ciudad de Toledo, decía que estaba colocada en «un alto, aunque agradable monte». *Alto, aunque agradable*... Este «aunque» ya no lo comprendemos hoy. Este «aunque» es de Lope de Vega, en *El peregrino en su patria.* ¡Que sean altas, empinadas, elevadísimas las montañas! Nosotros subiremos a ellas, como sube nuestro niño al monte alto, «aunque» agradable, que se halla detrás de la casa de La Olmeda, y en él pasa ratos felices, escuchando las consejas de los pastores.

V

ACABA LA AURORA

«YO, CRONOS, ORDENO Y MANDO»

No para de marchar el tiempo. Entra la vida de nuestro mocito en una nueva época. ¡Adiós, querida Olmeda! ¡Adiós, correteos por los montes, charlas con los pastores! ¡Queda con Dios, arañita, en tu lentisco! Ya todo esto no lo volveremos a ver. No lo volveremos a ver con la luz con que ahora lo veíamos: la luz brillante, iluminadora, de la infancia y de la adolescencia. Si lo volvemos a ver, si venimos por estos parajes en otro período de nuestra existencia, ya no será lo mismo. ¡Adiós, Olmeda querida! Hay una deidad, invisible y terrible, que se llama Cronos. Es un dios que nadie ve y que todo el mundo siente. Debe de tener un laboratorio donde él hace sus manipulaciones; será algo como un taller repleto de instrumentos sutiles. Cronos ahora ha decidido que la vida de nuestro niño entre en una fase nueva. «Yo, Cronos, ordeno y mando.» Nada indica este cambio; no se ha producido en los árboles de La Olmeda ninguna violenta agitación de sus troncos y de sus ramas; no han temblado ni ligeramente las paredes de la casa; las avecicas del campo han comenzado a cantar como todos los días; el pavón ha saludado al nuevo sol con largos gritos agudos. Y, sin embargo...

LA ROMERÍA

... Sin embargo, este niño que ahora traspasa los umbrales de la casa ya no volverá a repasarlos. Día de exaltaciones es hoy. Se celebra la romería de la Virgen de los Verdes. La Virgen de los Verdes se encuentra allá arriba, en la montaña, en lo más empinado y áspero de ella. ¡Qué soberbio panorama se divisa desde la cumbre! La ermita se halla rodeada de un bosquecillo de acebuches. Los árboles silvestres tienen un encanto de que carecen los domesticados y urbanos. Los allozos, los acebuches, los cabrahigos, el maguillo, la vid labrusca (es decir, almendros, olivos, higueras, manzanos, vides silvestres), todos estos árboles crecen y se expanden libre, espontáneamente, gozando del cielo y del aire delgado y nutritivo. Un bosquecillo de plateados acebuches rodea la ermita. Entre la fronda de los olivos se columbran las paredes blancas del santuario con un zócalo azul. Todos los años, en septiembre, se celebra la romería de la Virgen de los Verdes. De las aldeas, de los cortijos, de los pueblos, acude una copiosa muchedumbre que puebla la montaña. Hasta la noche, durante todo el día, duran las cánticas y plegarias en la ermita y los bailes y retozos al aire libre.

De La Olmeda ha salido esta mañana —como todos los años—una caravana de romeros. No va en ellos Lorenzo, el cachicán, porque es muy viejecito y apenas puede caminar. Va, sí, nuestro mocito. Gran jornada los espera a todos. El tiempo es espléndido; apunta el otoño y ya los frutales de esta estación están cargados de las frutas que han de ser guardadas para las Navidades. El camino es largo. Han pasado por los Pedreñales; se han detenido a tomar un bocadillo en la casa de Serón; han vadeado el río por el paso del Prior; en el alto de las Cornejas, ya en la montaña, han arrojado unos pedruscos, en la sima que allí hay, y han escuchado cómo las piedras, de tumbo en tumbo, bajaban a lo hondo y se iba apagando poco a poco, sordamente, su ruido... Cuando han arribado a la cumbre, ya la ermita estaba rodeada de una compacta muchedumbre. No se podía entrar en el santuario.

Resonaban dentro fervorosas deprecaciones y plegarias. De cuando en cuando se producía un profundo silencio. Y el sol claro de septiembre alumbra el panorama. Allá en lo hondo se ven las paredes blancas de las casitas, los cuadros sombríos de los barbechos, las hazas ya labradas, los verdes claros de los herrenes, los bosquecillos de álamos que se apelotonan junto al río.

EL CARRO DE LA FARSA

Cuando, ya hombre, después de muchos años, ha pensado nuestro personaje en este día de su vida—día memorable, decisivo—, no ha podido acordarse sino de que, en la comida, a mediodía, le hicieron beber mucho entre aplausos y carcajadas. Quiso nuestro amigo ser hombrecito; todos hemos tenido una hora (¿nada más que una hora?) en nuestra niñez, en nuestra adolescencia, en que hemos querido serlo. Le ponían entonces una bota panzuda entre las manos; le invitaban alegremente a empinarla, y nuestro personaje bebía y bebía sin tasa... Ya al segundo copioso trago no se daba cuenta de lo que se hacía. (Si hubiera estado allí Lorenzo, no hubiera ocurrido nada de esto. Pero estos mozos de labranza, tan bruscos, con sus bromas tan toscas...) Al despertar de su profundo sueño, nuestro amigo sintió una profunda estupefacción: iba en un carro, entre dos hombres y una mujer. La mujer iba vestida de colores chillones, con una corona dorada en la cabeza, y uno de los hombres tenía en la mano una larga y blanca barba, que se ponía y se quitaba prestamente. Todos reían y gritaban, y, de cuando en cuando, el hombre de la barba, en tanto que los tres callaban, pronunciaba con voz sonora una larga tirada de versos...

DICE CERVANTES

Cervantes comienza así su novela: «Paseándose dos caballeros estudiantes por las riberas del Tormes, hallaron en ellas, debajo de un árbol, durmiendo, a un muchacho de hasta edad de once años, vestido como labrador; mandaron a un criado que le despertase; despertó y preguntáronle de adónde era y qué hacía durmiendo en aquella soledad. A lo cual el muchacho respondió que el nombre de su tierra se le había olvidado y que iba a la ciudad de Salamanca a buscar un amo a quien servir, por sólo que le diere estudio. Preguntáronle si sabía leer; respondió que sí, y escribir también.»

VI

EN SALAMANCA

EL MURO BLANCO

Ha ido pasando el tiempo. Poco a poco hila la vieja el copo. Ha ido pasando el tiempo, sin sentir, sin notarse, como el agua de un manso río que parece que no se mueve y no cesa de correr. Tomás Rueda, amigo nuestro, niño que saliste una mañana de La Olmeda, sin saber que no ibas a volver nunca; Tomás Rueda, ¿qué es lo que quedará en tu espíritu de estos ocho años pasados en Salamanca, la ciudad poblada de estudiantes? En esta ciudad hay bellas iglesias, espléndidos palacios, muchas plazas, callejuelas silenciosas. Nuestro amigo vive con unos escolares; ellos le mantienen y le proporcionan los medios de estudio. Nuestro amigo encuentra gratísimas estas horas de Salamanca. No se acuerda ya de nada. El pasado no existe. Ante él se abre el porvenir. Moran los escolares que sustentan a Rueda en una casa algo apartada del centro. Tiene la casa un ancho zaguán, y luego, arriba, los escolares se alojan en diversas cámaras y habitaciones. La vida que llevan en Salamanca es algo desigual y estrepitosa. Conocidas son sus alegrías y sus devaneos. La casa donde moran resuena frecuentemente de su bulliciosa algarada. Nuestro amigo no toma mucha parte en estos lances y holgorios. Su habitación se halla en lo más alto de la casa; una mesita hay en ella con varios libros, y de un clavo penden unas modestas ropas. La mesita está enfrente de la ventana; por la ventana se ven unos tejados pardos y un alto muro blanco.

Este muro blanco, esta pared lisa y encalada, será una de las cosas que queden en el espíritu de nuestro Rueda. Imaginad una vida sencilla, solitaria y reflexiva; en esta vida, cosas, detalles y matices, inadvertidos e indiferentes para los demás hombres, adquirirán una significación profunda. ¡La pared blanca de los años estudiantiles! ¡El muro alto y liso de Salamanca! A las mismas horas, Tomás, todos los días, se sienta ante su mesita, frente a la ventana. Es a media tarde; la mañana la ha pasado trajinando al servicio de sus amos y en las aulas de la Universidad. Es a media tarde; sus amos se han marchado por las riberas del Tormes; hay una profunda paz en la casa. El cielo está luminoso. En los días de cielo claro—la mayor parte del año—, esta luminosidad de Castilla es maravillosa. Ya tiene Tomás toda la tarde por suya. Sentado ante la mesita, frente a la ventana, se sume en la lección de sus amados libros. El tiempo va discurriendo suavemente. El sol, que al principio bañaba vivamente el alto muro, se ha ido debilitando; poco a poco, la ancha faja de sol ha ido disminuyendo... Ya, al final de la tarde, cuando la estancia va siendo ganada por la penumbra, sólo se ve, allá, en lo alto de la pared, una mancha tenue, delicadísima, de un sol dorado, purpúreo, violeta. Y luego viene la noche y comienzan a brillar las estrellas.

Durante ocho años, Tomás ha contemplado los cambios del sol en el alto muro blanco. Ha visto sus mudanzas — imperceptibles —, según las estaciones y según alargaban o acortaban los días. El muro blanco ha entrado en su espíritu. Andando por la vida, pasados los años y los años, Salamanca será para él una pared alta y lisa en que, por la tarde, da el sol. Y será también otra cosa.

DON LOPE DE ALMENDARES

Será don Lope de Almendares. ¡Adelante, don Lope! Todos queremos y respetamos a vuesa merced... ¿Hemos dicho *vuesa merced?* Perdón; lo hemos hecho impensadamente. A don Lope no hemos de tratarle de *merced,* sino de *señoría.* Don Lope se incomoda si no le tratamos de *señoría.* Démosle este gusto; nada nos cuesta. Además, tiene derecho a ello. A don Lope le queremos todos en Salamanca. Si sois forasteros en la ciudad, os causará cierta sorpresa el ver por primera vez el siguiente espectáculo. Por una calle marcha un grupo compacto de transeúntes. Son estudiantes, muchachos jóvenes y simpáticos. Pero en el centro del grupo destaca un caballero un poco provecto. Todos los estudiantes van acompañando al caballero con extremadas muestras de respeto. Cuando, de trecho en trecho, se detiene este señor para decir algo importante, todos los escolares tienden el oído hacia él y abren los ojos y hacen visajes de honda admiración. Luego, ostensiblemente, comentan entre sí, con elogio, las palabras dichas por el caballero. Y, detrás del grupo, un escolar ha levantado la capa del caballero sin que él lo advierta, y la lleva en alto. Y otro compañero, al par que los demás marchan gravemente, con la mano extendida ante la nariz va tecleando con los dedos en el aire...

¡Ah, buen don Lope de Almendares, sólo nuestro amigo Tomás no se mofa de vuestra señoría! Sólo nuestro amigo Tomás ha visto que, por debajo de vuestra eterna quimera, hay un corazón bueno y un juicio discreto. Don Lope ha estado en Flandes y en Italia. Pero su majestad el rey le tiene olvidado y postergado. Sin embargo, si se tomó en tal ocasión tal plaza, fué por él; si en tal otro trance no sufrió el Ejército una derrota lamentable, a él se debía también; él buscó un medio seguro de ir siempre a la victoria; es absurdo, terriblemente absurdo, el que no le quieran escuchar en Madrid. Don Lope sigue contando sus hazañas y sus proezas. Y cuando no las cuenta, cuando no se trata de cosas de Flandes y de Italia, ¡qué discreción, qué claridad, qué agudeza y tino en su juicio! No hay caballero más bondadoso y cortés en toda la ciudad. Lo saben los mismos escolares, que se chancean de él. Continuamente va a los claustros de la Universidad y conversa afablemente con ellos; pasea con ellos por las afueras; muchas veces, cuando alguno de estos escolares está enfermo, acude a su casa y le entretiene, consuela o esparce su ánimo largos ratos. Esta es su vida en Salamanca. Ahora, si su majestad el rey quisiera... Hace años que pretende un empleo en la corte y no acaba de llegar el despacho real.

Tomás escucha siempre con respeto a don Lope. Nunca se ha permitido con él la más ligera irreverencia. Le atrae este hombre bondadoso, que lleva por la vida una quimera. Quimera, ensueño, idealidad, generosidad...

VII

HACIA EL MAR

LA EMOCIÓN DE PARTIR

Ya *se van los escolares caminito de Madrid*... Ya se van y ya no volverán. Tal vez no vuelvan en su vida a Salamanca. Viven muy lejos. ¿Dónde viven? ¿Hacia dónde van? Quince días antes de la marcha han comenzado sus preparativos estos estudiantes que ahora se disponen a emprender la marcha. Estos estudiantes son los amos de nuestro Tomás; con ellos ha vivido durante ocho años; durante ocho años, día tras día, Tomás se ha sentado a su mesita y ha visto cómo acrecía, cómo amenguaba, cómo se encendía, cómo se debilitaba el claror solar que iluminaba el muro blanco. No contemplará esta nítida pared; otro estudiante se sentará, acaso, en la mesita; otro estudiante verá subir y desaparecer el sol en el muro. Pero este sol claro y vívido, o tenue y dorado, ¿le dirá a este nuevo escolar las cosas que a él le ha dicho?

¡Ea, fuera sentimentalismos! ¡En marcha! Cuando hemos arreglado ya todos nuestros bártulos, cuando está todo recogido y encerrado en los cofres y maletas, echamos una mirada por la estancia. ¿Es para cerciorarnos de que no nos dejamos nada, o es para llevarnos en la retina, en el espíritu, en el fondo de nuestro espíritu, bien dentro, bien sumida, una visión última de estas paredes y de estos muebles, que nos han acompañado en momentos de alegría y en horas de angustia? Desde hace quince días está preparándose el viaje. Ha llegado el momento; van a llegar los arrieros con sus recuas; ya asoman por el extremo de la calle. Por última vez contemplamos el cuartito en que hemos vivido; los amigos nos esperan abajo, en la calle; esta buena mujer que ha cuidado de la casa durante los ocho años, suspira y llora; los vecinos se asoman a las puertas y balcones; en una ventanita, bajo el alero de un tejado, aparece, atraída por el estrépito, la cabeza de una viejecita. Luego, al advertir de qué se trata, se retira prestamente y cierra la ventana. No es nada; muchas de estas partidas de estudiantes ha visto ella; otros vendrán, otros se marcharán...

La caravana se ha puesto en marcha. Han ido recorriendo las callejuelas y han salido al campo. El día estaba claro, y al subir a un terrero, desde lo alto, han contemplado, allá atrás, en la lejanía, la silueta de la ciudad con las torres de sus catedrales.

EL HOMBRE JUNTO AL RÍO

En la lejanía, enfrente—al cabo de muchos días de caminar—, otra ciudad. Cúpulas y torres en el azul. La caravana se aproxima. Una calle en cuesta. Tráfago de gentes, agitación, carros, coches. Madrid. Madrid con su plaza Mayor, con el Palacio, con los grandes caserones de la nobleza. Madrid: estrépito, idas y venidas. Madrid: una posada, un cuarto chiquito y sucio, y un ruido de pasos y un clamor de voces que vienen a buscar a estos escolares y se van con ellos por la ciudad, y luego vuelven, y después se tornan a marchar. Madrid: tres días de descanso en el viaje, que luego se alargan a seis, y luego a quince. En los pasillos de la posada y en las habitaciones de arriba sigue el estrépito de voces y de pasos durante toda la noche. Entran y salen en la posada amigos y conocidos de estos estudiantes; van y vienen papeles, recados; tornan y giran mandaderos que buscan a los escolares, y preguntan por ellos en lugares en los que les dicen que están, y no los hallan... Nuestro Tomás vaga solo y a la ventura por las calles. ¿Qué es lo que en su espíritu quedará de toda esta barahunda, de toda esta mezcolanza de tipos y personajes?

Una mañana, paseando por las orillas del Manzanares, vió un hombre sentado junto al río. No hacía nada; permanecía profundamente absorto, contemplando el agua. La intensa abstracción de este hombre, apartado del bullicio de la ciudad, fijos los ojos en la corriente de las aguas, hizo detenerse a nuestro mozo. Cosas extrañas pasan en las grandes ciudades; pero ésta, en su simplicidad, era de las más extrañas de todas. ¿Quién era este hombre? ¿Un filósofo o un loco? ¿Qué hacía, mirando con tan profunda atención correr el río?

(«De noche, leo alguna historia o algún poeta; acuéstome con miedo de que no tengo de dormir, y sáleme tan cierto que, como a cualquier reloj, me pueden preguntar las horas, y si descanso de la batalla de mis pensamientos—como el Petrarca dijo—, me duermo un poco, sueño tan prodigiosas invenciones de sombras, que me valiera más estar despierto... Al alba salgo al Prado o me voy al río, donde, sentado en su orilla, estoy mirando el agua, dándole imaginaciones que lleve para que nunca vuelvan.» [Fernando, en *La Dorotea,* de Lope de Vega.])

LA MUJER EN LA LLANURA

Otra vez en marcha, la caravana va hacia abajo, hacia el mar. Cervantes dice que la patria de estos estudiantes era «una de las mejores ciudades de Andalucía». Después nos hace saber que tal ciudad era Málaga. Atrás van quedando pueblecitos y aldeas. No ocurre nada de notable en el viaje. Lo más notable que ha ocurrido, lo único digno de mención, es lo que vamos a referir. Caminaban por una extensa llanura; habían salido, hacía horas, de una ciudad; la campiña estaba solitaria. Conforme iban caminando, se encontraron con una mujer que sola, sin compañía ninguna, llevaba el mismo camino. No era una mujer del pueblo, ni semejaba una dama. Su talle aparecía esbelto, grácil; de una tez de un moreno ambarino, fulgían unos ojos negros, centelleantes, con centellas de pasión y de melancolía. Toda su persona revelaba una elegante desenvoltura y un hábito de fastuosidad y de señorío. ¿Dónde iba esta mujer, sola, por los caminos? Había salido de una ciudad y se dirigía a otra, indudablemente. Pero ¿por qué iba desacompañada y a pie? Su traje rico y su persona delicada contrastaban con esta soledad. No dijo nada la mujer a los caminantes; un breve trecho anduvo con ellos. Llegaron todos a un cruce de caminos; la misteriosa desconocida siguió por otro.

Si nuestro Tomás hubiera consignado en un libro los sucesos que le han acaecido durante la vida, este libro debería titularse *Diario... de nada. De nada,* y, sin embargo, ¡de tanto! De nada ruidoso y excepcional, y, sin embargo, ¡de tantos matices e incidentes que le han llegado a lo hondo del espíritu! La visión de esta mujer en la llanura le ha hecho ahora experimentar una honda emoción. ¿Por qué? No lo sabríamos explicar. Pero estos ojos negros y relampagueantes, esta tez morena, este señorío en el gesto y en los ademanes, y luego, por otra parte, el hecho incomprensible de caminar sola y aun a la ventura, todo esto, en suma, era algo que le atraía profundamente y que le hará soñar durante mucho tiempo a lo largo de su vida.

LO YA VISTO

Se va achicando el término del viaje. El mar está ya próximo. Nuestro Tomás no ha visto nunca el mar y por primera vez va a verlo. Todos los estudiantes le hacen grandes encarecimientos del espectáculo. No hay nada como la vista del ancho, inmenso mar. La vegetación—desde la España central hasta aquí—ha ido cambiando. Hay en el ambiente y en el paisaje un matiz de voluptuosidad y de dulzura. Atrás han quedado la nobleza, la serenidad, la grandiosidad castellanas. Se ven bosquecillos de naranjos. Un rosal crece junto a una adelfa. Y de pronto, desde lo alto de un otero plantado de olivos, allá abajo, el mar. La caravana se detiene. ¡Oh mar latino! ¡Oh mar límpido y azul! Desde lo empinado de la loma aparecías centelleante al sol, reverberando en clara lumbre, como un inmenso espejo... El azul contrastaba con el gris de este bosquecillo de olivos y todo se fundía—con armonía suprema—en un ambiente de dulzura y de paz. Y en este minuto tan ansiado, instante único en la vida, viendo el mar por primera vez, Tomás se ha sentido presa de una sensación extraña: «esto ya lo había visto él otra vez». Este minuto ya lo había vivido él otra vez. La emoción de este misterioso fenómeno le oprimía la garganta. ¿Cómo era posible tal cosa? El mar estaba allí, nuevo ante sus ojos, y, sin embargo, el mar lo había él visto ya.

¡Oh mar latino! ¡Oh mar claro y sereno! Los relumbres de sus aguas se perdían en la inmensidad.

VIII

TIERRAS DE ESPAÑA

LA VIDA

Banderitas que ondean al viento en los mástiles. Arriba, el cielo; abajo, el mar... Tomás—nos dice Cervantes—ha estado en Málaga con sus amos unos días; luego se ha despedido de ellos. Al salir de la ciudad ha encontrado a un militar con sus asistentes. Juntos han comenzado a caminar. El militar ha hablado a Tomás de la vida de Italia. ¿Por qué no se irá Tomás con él? La vida militar ¡qué grata es! Italia, ¡qué bella y qué libre! Después de pasar por Antequera ha encontrado el capitán a sus tropas, y todos se han dirigido a Cartagena. Allí embarcarán. La vida que hasta llegar a este puerto han llevado todos no podía ser más agradable. «La vida de los alojamientos—dice Cervantes—es ancha y varia, y cada día se topan cosas nuevas y gustosas.» Para Tomás se abría un mundo nuevo ante su vista; parecía que sus sentidos despertaban. Se entregaba a todas las sensaciones: reía, cantaba, gozaba del aire, del cielo, del paisaje, de todo lo que le rodeaba. No quería ya los libros; no pasaba sobre ellos las horas. Ahora él tenía la preocupación de ser fuerte y libre. ¿Serán eternas, siempre las mismas, las cosas de este mundo? Lo que un mozo ha experimentado en el siglo XVII, ¿lo habrá experimentado otro en el XIX, y lo experimentará un tercero en el XXI?

Aquí tenemos a nuestro Tomás creyendo que el gran problema estriba en vivir la vida; no dice él estas cosas como las decimos ahora, pero las siente. La sabiduría está en la vida y no en los libros. Nada nos enseña tanto como este ajetreo por aldeas y ciudades, como este tumultuoso tráfago militar, como este ir y venir incansable y afanoso. Tomás, querido Tomás: no desaprobamos enteramente lo que haces; vives de la ilusión y no queremos quitarte la ilusión. Además, y sobre todo, es necesario que los sentidos se llenen ahora de sensaciones. Si no hicieras esto, cuando llegara tu edad provecta, una gran amargura llenaría tu espíritu. «¡Ah!—exclamarás tú—. He perdido mi mocedad. No sé lo que es la vida; podía haber gustado de una porción de sensaciones, cuando mis sentidos estaban nuevos, de que ahora, estando viejos, no puedo gustar.» (No sabes tú, Tomás, dicho sea en secreto, y sin que tú te enteres ahora; no sabes tú que, cuando seas viejo, tanto dolor como el no haber gustado las satisfacciones del mundo te causará el haberlas gustado. Uno de los maestros más ilustres que ha habido en Salamanca, antes de que tú estuvieras en ella, el maestro Hernán Pérez de Oliva, ha puesto en castellano una de las comedias de Plauto, la llamada *Amphitrion,* y mira lo que en ella dice uno de los personajes: «Todos los placeres de esta vida no son sino aparejo que se hace para el dolor de ser pasados.» [*El dolor de ser pasados*...])

TIERRAS DE ESPAÑA

Banderitas que ondean al viento en los mástiles. Arriba, el cielo; abajo, el mar... Están ya en Cartagena los soldados; Tomás va a embarcarse con ellos hacia Italia. Nuestro amigo—nos lo dice Cervantes—ha vendido todos sus libros y sólo se ha quedado con las *Horas* de la Virgen y con Garcilaso. Por primera vez va a salir nuestro amigo fuera de España. Dentro de unos días, dentro de unas horas, el barco levará sus anclas; poco a poco irá saliendo del puerto; luego, desde allá lejos, Tomás columbrará la tierra de España, que se desvanece en el agua y en el cielo. ¡La tierra de España! ¡Las naciones de España! Hablando Baltasar Gracián, en su opúsculo *El político don Fernando,* de las diferencias que hay para el Gobierno entre Francia y España, dice que en Francia todo concurre para que la gobernación sea fácil, en tanto que en España muchas cosas la hacen difícil. «Los mismos mares, los montes y los ríos le son a Francia término connatural y muralla para su conservación.» Y el autor añade: «Pero en la monarquía de España, donde las provincias son muchas; las naciones, diferentes; las lenguas, varias; las inclinaciones, opuestas; los climas, encontrados; así como es menester gran capacidad para conservar, así mucha para unir.»

NUESTRO AMOR PARA TODAS

Banderitas que ondean al viento en los mástiles. Arriba, el cielo; abajo, el mar... El barco comienza a caminar. Dentro de un momento, allá quedará España, con sus varias y pintorescas tierras. De estas tierras, Tomás ha visto ya algunas; más tarde verá las otras. Las tierras de España: Castilla, Cataluña, Andalucía, Galicia, Vasconia. Todas tienen nuestro profundo amor. Todas: Cataluña, Castilla, Vasconia, Galicia, Andalucía. De todas guardamos en el alma un paisaje, una visión. De Castilla vemos, en una vieja ciudad—rodeada de llanura ocre—, un patio con columnas, y un laurel, y un ciprés. De Cataluña, un almendro en flor junto al mar de intenso azul y una montaña altísima con una casita. Galicia es la mancha roja del pañuelo que lleva a la cabeza una aldeana — ¡tan amorosa! — sobre el verde del prado. Una callejuela sonora y encalada, con una cinta de añil en lo alto, y olor grato a olivo quemado, y aire tibio y voluptuoso, es Andalucía. Y Vasconia se nos presenta con un cielo gris y bajo, entre dos alcores, y unas tablas gruesas y relucientes en el piso de la estancia. El barco que se lleva a Tomás apenas se distingue ya en la lejanía.

IX

OTRA VEZ EN SALAMANCA

MUCHAS VUELTAS

Muchas vueltas ha dado nuestro amigo Tomás por Italia y Flandes. Lo ha visto todo y ha estado por todas partes. Ahora vuelve otra vez a Salamanca. Desea continuar sus estudios interrumpidos; pero ahora ya no estará en aquella casita de antes. Y, aunque estuviera, ya no sería lo mismo. Las cosas no se repiten dos veces. Salamanca está igual que antes, sí; pero hay otras gentes que no son las de antaño.

—¿Y don Lope de Almendares?

—Murió; el pobre murió sin ver su deseo satisfecho.

¡Tened un recuerdo para don Lope de Almendares! ¡Amad la memoria de estos hombres buenos y un poco locos!

ASENSIO

Al volver ahora a Salamanca, Tomás ha encontrado un tesoro. Este tesoro se llama *amistad*. Amistad: cosa dulce y profunda. Amistad: sílabas encantadoras. Amistad: coloquio de dos almas que se comprenden... Acompáñenos el lector un momento. Vamos a una casa de la ciudad. Una casa española como tantas otras. Jerónimo de Alcalá, el segoviano, nos ha dado en cuatro líneas de su novela *El donado hablador* (I, cap. IV) la impresión de una casa española. Nada más sencillo y, sin embargo, nada tan sugeridor. «Subimos una escalera—dice el novelista—; pasamos un corredor, una cuadra y otra, llegando a una espaciosa sala, razonablemente aderezada de guadameciles, cuatro sillas, dos taburetes, un bufete, una alfombra mediada con seis almohadas de terciopelo carmesí, estrado de alguna moderación...» Los balcones son anchos; todo está limpio; sobre el tapiz de color oscuro resaltan las notas rojas de los almohadones. Se oye en una lejana estancia el son melódico de un clavicordio; cesa luego, y a poco aparece en la puerta del fondo un hombre que anda lentamente, con las manos un poco extendidas.

Asensio, este hombre es Asensio. No es caballero, ni siquiera hidalgo. No hace preceder su nombre con un sonoro *don* Asensio; nada más que Asensio; un hombre que era labrador rico y que amaba la música. ¿Por qué dejó su hacienda y vino a la ciudad? Seguid leyendo, todo lo explicaremos. El hombre que ha aparecido en la puerta del fondo camina lentamente. Ya ha conocido por la voz a Tomás, cuando éste le ha saludado. En su rostro se ha dibujado una sonrisa. Camina por la estancia despacio y no tropieza con ningún mueble. Hay en todos sus movimientos y ademanes una gran suavidad. En esta estancia clara, Tomás y él charlan largamente; otras veces—por las tardes—salen a dar extensos paseos por el campo. «No he estado nunca en esta ciudad — dice Asensio — y, sin embargo, tengo idea de todo. No podría perderme; cuando voy por la calle, conozco, sin que me lo diga nadie, dónde están los obstáculos. Al principio, cuando me quedé ciego, me entró una profunda tristeza. No sabía salir del abatimiento en que estaba. Después, poco a poco, mi espíritu ha ido serenándose, dulcificándose. ¡Qué sé yo! Ahora parece que vivo en otro mundo. Sin ver las cosas, las siento, las percibo como si las viera.»

Sobre este tema razonaba muchas veces Asensio. No ver las cosas y, sin embargo, sentirlas en torno a la persona; éste era el rasgo capital de su nueva existencia. ¿Qué tendrán las cosas, que las percibimos sin verlas? Si nuestro amigo estuviera sentado y una persona viniera hacia él tan pasito, tan calladamente que no se percibiera ni el menor rumor de pasos, Asensio sabría, de pronto, que alguien estaba a su lado. Cuando, inadvertidamente, se deja en la casa un mueble fuera de su sitio, en el camino que Asensio lleva de una estancia a otra, nuestro amigo, antes de llegar a él, se detiene, como misteriosamente advertido.

Desde niño tenía Asensio una profunda afición a la música. Mientras tuvo que cuidar de su hacienda, en el campo, sólo podía dedicar a la música algunos ratos. Era una cosa extraña este labrador músico. La Naturaleza tiene cosas extrañas. Cuando Asensio se quedó ciego, liquidó sus tierras y se vino a Salamanca con su mujer y sus dos hijas. Ya no vivía más que para su arte. Cuando, sentado ante el clavicordio, o, en alguna iglesia, ante el órgano, sus manos recorrían el teclado, su faz se transfiguraba. Asensio, como primera impresión, aparecía como un hombre recio y tosco del campo; luego, poco a poco, se iba viendo, al hablar con él, al verle moverse, que una delicadeza innata se desprendía de toda su persona. Un día, Tomás, en una iglesia, oyó unas melodías que no había escuchado jamás. Inquirió quién era tan singular músico, y desde aquel momento fueron Tomás y Asensio grandes amigos. Tomás conoció a la familia de Asensio. Tomás y Asensio recorren la ciudad, salen al campo; Tomás lee algunas páginas en voz alta; Asensio suena delicadas músicas, que su mujer y sus hijas y Tomás escuchan absortos. ¡Qué lejos está todo esto del tumulto y la fiebre de la vida mundana! ¡Qué lejos del trajinar errabundo por Flandes y por Italia! De Italia ha traído Tomás algunos volúmenes de poesías: Dante, Petrarca... A veces, Tomás leía alguno de estos versos, que él iba traduciendo luego. Pero a Asensio le agradaba profundamente el escuchar la música—¡otra divina música!—de los versos sutiles, melódicos, de Petrarca, a los austeros y terribles del poeta florentino, en la propia lengua italiana:

Entrai per il cammino alto e silvestre...

Al terminar la lectura de alguno de los cantos de la *Divina Comedia,* uno de estos versos finales quedaba como flotando —inquietadoramente—en la paz de la estancia. «Entré por el camino hondo y silvestre...» La falta de la vista ¿le había servido a este hombre, aparentemente tosco, para meditar en muchas cosas de que antes no se daba cuenta, y para comprenderlas? ¿No había entrado en una región para él desconocida? Algunas noches de verano gustaban los dos amigos de salir al campo y tenderse en el césped, cara a la inmensidad cuajada de estrellas. «Toda la vida, para mí—decía Asensio—, está en la cara; en la cara siento yo todas las cosas que me rodean; la cara me advierte de los peligros y me dicta por dónde he de caminar. Ahora, encarado con esta inmensidad llena de estrellas, que yo no puedo ver, tengo la sensación de que estoy libre de la presión de las cosas, de la presión material del mundo fugitivo y terrible, y de que respiro y me empapo de lo infinito...» Y las estrellas fulgían en la noche callada.

X

UN VINO DULCE Y VIOLENTO

DE ORDEN DEL REY

Decíamos... Ya no nos acordábamos; pues íbamos hablando de nuestro amigo Asensio, el músico. ¿Dónde vive Asensio? En la calle de Boneteros, a mano derecha, conforme se entra por la de Pan y Carbón. (¿No existen estas calles en Salamanca? Si no existen, debían existir.) Pero Asensio no vive ya en Salamanca. Un día vinieron a llamarle de orden del rey. El rey se había enterado de que Asensio Rodríguez era un sutilísimo músico de tecla y lo hizo venir a su capilla. En la corte se halla Asensio. Y en Salamanca, solo, estudiando a ratos y paseando a ratos, nuestro otro amigo Tomás.

A PRIMERA VISTA, NADA

Un día Tomás pasó por una calle y vió asomada a una ventana baja a una mujer. Era esta mujer como todas; no le llamó la atención a Tomás. Transcurrieron varios días, seis u ocho; al cabo de ellos volvió a pasar por la misma calle y vió a la misma mujer. Ya reparó un poco más en ella, pero siguió su camino. Días más tarde, en una plaza, al paso de una procesión, Tomás estaba mezclado con la muchedumbre; allí se encontraba esperando el desfile del cortejo. De pronto, sin saber por qué, volvió instintivamente la cabeza. ¿Por qué la volvía? No se daba cuenta de ello; pero sus ojos tropezaron con la mirada de la mujer desconocida. Retrocedió un paso y se puso a nivel de ella para poder observarla. No tenía nada de particular esta mujer; no era fea ni era bonita; tenía unas facciones regulares, simétricas, pero sin nada notable. Sin embargo, mirándola bien y volviendo a mirarla, sí, decididamente, se iba viendo algo en el rostro de esta desconocida. Poco a poco se iba sintiendo uno atraído, hechizado.

No era hermosa, no, esta mujer. No se podía decir que sus ojos, o su boca, o sus mejillas, o sus cabellos, fuesen extraordinarios. Y, sin embargo, la vista se recreaba contemplándola. ¿De dónde y de qué provenía este hechizo? (Desconfiad de estas mujeres que no son feas ni bonitas y en las cuales descubrimos latente una atracción profunda. Estas son las que más adentro penetran en nuestro espíritu. ¿Hemos dicho *desconfiad*? No; queríamos decir otra cosa. No las desdeñéis; no paséis de largo ante ellas.)

«ALGUNAS PERSONAS ARRUGADAS Y CANAS...»

Una viejecita arrugada y con el pelo blanco va caminando pasito por las calles de la ciudad y llama a la puerta de nuestro amigo Tomás. Esta viejecita no tiene nada que comer; a veces lleva en sus manos un jarrito; lo suele llevar envuelto en un lienzo para que no lo vean. Entra en las casas y dice oraciones y proporciona agujas, hilado, recetas para tal o cual mal. Ya conocéis a esta viejecita. La ha retratado, hace mucho tiempo, Fernando de Rojas. Pero un varón grave, como el maestro Luis de León, ha creído conveniente, en términos generales, hablar de ella. En las páginas sobrias y austeras de *La perfecta casada*, esta viejecita aparece y desaparece como una figurilla de Teniers: una figurilla de Teniers que anima—perdón, querido gran poeta—las dichas severas páginas. «Debajo de nombre de pobreza—dice fray Luis de León—

entran en las casas algunas personas arrugadas y canas, que roban la vida y entiznan la honra.» Y, más adelante, añade: «Y llega la vejezuela al oído y dice a la hija y a la doncella que por qué huyen de la ventana, o por qué aman la almohadilla tanto, que la otra fulana y fulana no lo hacen así. Y enséñales el mal aderezo. Y méntales la desenvoltura del otro y las marañas que o vió o inventó...»

«No hay que cansarse mucho trabajando sobre la almohadilla—dice la vejezuela a las lindas muchachas—; hay que salir también un rato al balcón; el aire y el sol son buenos. No seamos hurañas y huyamos de las gentes; hay que ser amables con todos.» Etcétera, etcétera. La vejezuela ha ido y venido de casa de las desconocidas a la casa de Tomás. Y, al fin, Tomás...

«LOS ABSCONDIDOS RINCONES»

Tomás ha bebido un vino dulce y violento. ¡Qué aspereza y qué suavidad! Existen mujeres terribles, mujeres apasionadas y ardientes, mujeres que subyugan y de cuyo sortilegio es imposible desprenderse. Tomás quería y no quería. ¿Nos apartamos con esto de la versión de Cervantes? No; estos días fueron angustiosos, de zozobra, para nuestro amigo. Iba y venía sin voluntad, como una brizna de viento. El mismo fray Luis, a quien hemos citado antes, hablando de estas mujeres hechizadoras, escribe, después de copiar una página de los *Proverbios,* en que se retrata a una de ellas: «Y si todas las ociosas no salen a lo público de las calles como ésta salía, sus abscondidos rincones son secretos testigos de sus proezas, y no tan secretos que no se dejen ver y entender.»

LAS HOJAS VUELVEN

Fueron tan violentos para su sensibilidad aquellos días, fué tan honda y violenta la conmoción de todo su organismo, que un día Tomás sintió su cerebro todo hecho fuego y no pudo ya mantenerse en pie. La fiebre comenzó a devorarle. No podía moverse de la cama. En ella estuvo dos o tres meses; luego, otros tantos en la estancia sin poder salir de su encercamiento. Desde la ventana, por encima de los tejados, se veía la copa de un olmo. Era al comenzar el otoño cuando Tomás cayó enfermo. En las largas horas de soledad y de inmovilidad, nuestro amigo no tenía más espectáculo que las ramas lejanas del árbol frondoso. Sobre el cielo azul o sobre el cielo gris veía perfilarse, al principio, las ramas vestidas de hojas amarillentas. Luego, las hojas fueron desapareciendo. Quedaron las ramas desnudas. Sobre el cielo azul o gris se perfilaron durante todo el invierno. La primavera llegaba. Las ramas lejanas se fueron vistiendo, engalanando de verde. Ya Tomás, fuerte la cabeza, podía ir leyendo largos ratos. Ya la primavera ha avanzado; el olmo lejano tiene las hojas tupidas y grandes. Pero Tomás—¡ay!—ya no es el mismo.

XI

VIDRIOSO, UN POCO VIDRIOSO...

FRAGILIDAD

¡Ah queridos lectores! Llegamos ahora a la parte más delicada de este cuento. ¿Por qué no era igual que antes nuestro amigo Tomás? Ser, exteriormente, socialmente, era igual; pero una honda conmoción había puesto un no sé qué en su organismo. Algo había en su cerebro, en su sensibilidad, que no había antes. No será fácil describir este estado espiritual de nuestro amigo. Diremos, en términos generales, que su carácter ahora era *vidrioso, un poco vidrioso.* Se irritaba fácilmente de muchas cosas que antes pasaban para él inadvertidas; él mismo comprendía lo infundado de estas súbitas irritaciones. Lo comprendía... y no lo comprendía. Detalles, particularidades, incidentes de la vida diaria, eran para Tomás motivo de reiteradas meditaciones. «Diríase —pensaba él—que hacia mi persona, como atraídos por un misterioso imán, acuden todos estos pormenores desagradables. Yo procuro poner un poco de lógica y de delicadeza en la vida; pero fatalmente, de pronto, uno de estos detalles, uno de estos incidentes, viene a revolucionar mi serenidad espiritual.» Pensaba Tomás en si todo este encadenarse de menudas adversidades sería fruto de un ambiente social determinado y, por tanto, si no existirían en tal otro medio social; pensaba, otras veces, si ello no radicaría en una fatalidad humana, honda e indestructible, idéntica en todas las naciones. Un resto de optimismo alentaba en el fondo de su espíritu, y nuestro amigo se inclinaba al primer partido.

Pero el primer ímpetu de nerviosidad no podía reprimirlo; un momento después, Tomás se avergonzaba, allá en su interior, de este movimiento de cólera brusca e irreflexiva. «No soy el mismo de antes—volvía a pensar—; parezco hecho de vidrio, de sutil y quebradizo vidrio. Esta sensibilidad mía, tan aguda, tan irritable, es algo enfermizo y doloroso. Veo ahora cosas que no veía antes; percibo matices y relaciones del mundo que antes para mí estaban ocultos; pero ¡a qué costa! ¡A costa de cuántas zozobras, de cuánta inquietud, de cuántas menudas y continuas aflicciones íntimas!»

LA SOLEDAD NECESARIA

De Salamanca, Tomás se marchó a Valladolid; estaba allí la corte. Tomás se creó numerosos amigos; placían todos de su conversación amena y de sus observaciones, siempre agudas y gratas. Pero Tomás necesitaba la soledad. Hemos citado, en algún precedente capítulo, unas palabras de Hernán Pérez Oliva, rector que fué de Salamanca tiempo antes de que estudiara Tomás en aquella Universidad. En su *Diálogo de la dignidad del hombre*—anticipo magnífico de *Il Parini*, de Leopardi—, el maestro Oliva, hablando de la soledad, escribe: «Ninguno hay que viva bien en compañía de otros hombres, si muchas veces no está solo, a contemplar qué hará acompañado.» Nuestro amigo se placía extraordinariamente en el comercio y comunicación de los demás hombres; pero, a ratos, necesitaba—imperiosamente—estar solo. Una vida de comunicación y de expansión constante le hubiera hecho *no ser él.*

Tomás quería ser él, sentirse él. Su personalidad se justificaba en las muestras de meditación silenciosa y apartada de la barahunda mundana. Cuando, después de un baño de soledad, volvía al tráfago cotidiano, ¡con cuánta fruición gozaba del tumulto de la vida y de la charla de las gentes! «Porque, como los artífices piensan primero sus obras que pongan sus manos en ellas—añade Oliva—, así los sabios, antes que obren, han de pensar primero qué hechos han de hacer y cuál razón han de seguir.»

LO SUBCONSCIENTE

Tomás iba escribiendo a ratos; sus libros han quedado inéditos, se han perdido. ¿Se encontrarán algún día en un granero, allá en la alta cámara de una casa, como los *Viajes* de Montaigne? Pero Tomás no piensa sus obras como hacen los artífices, al decir del maestro Oliva; las obras de Tomás salen ya hechas de su cerebro, sin que él piense en ellas. Todo esto que va él describiendo en los blancos folios—hoy perdidos—sale de su cabeza como automáticamente. ¡Qué cosa prodigiosa! A Tomás no le extraña, porque está ya habituado a ello; cuando nuestro amigo quiere escribir algo, piensa en ello un momento, *a grandes rasgos*, a la manera de quien esboza un cuadro con amplios brochazos. Luego hace por olvidarse de ello y se ocupa en otra cosa: pasea, conversa, lee. A la mañana siguiente, dos días después, todo está ordenado, limpio y cuajado de detalles. El cuadro aparece pintado en el cerebro con sus menores particularidades. Tomás, sin fatiga ninguna, sin variar nada, no hace más que ir trasladando las cosas del cerebro al papel.

HIPNOS, DULCE HIPNOS

Vidrioso, un poco vidrioso... Pero Hipnos, el dulce Hipnos, el dios del sueño, está aquí. Hipnos y Cronos son los dos dioses amigos de los mortales. Cronos, si es benéfico, es también terrible. Lo hace todo y lo deshace todo. Pero Hipnos es saludable y bienhechor enteramente. El sueño es una tregua en las adversidades y en los dolores. Se suspende la lucha por un momento; mañana se reanudará, sí; mañana el dolor y la angustia volverán a atenazarnos, sí. Pero, por de pronto, ahora, en estos momentos, estamos libres de la opresión. Estamos... o debemos esforzarnos en estarlo. ¡Que sea la noche realmente para nosotros, para nuestros espíritus conturbados, un oasis! Echemos fuera todas las malas pasiones; aplacemos para el día siguiente toda resolución grave. Seguramente, con la nueva luz veremos las cosas de otro modo; la ira se habrá aplacado; una gota de suave indulgencia habrá caído sobre el juicio temerario y rencoroso...

XII

LA POSTRERA IMAGEN

CAMBIO DE PAISAJE

—Pero, Tomás, ¿estás decidido a marcharte? ¿Te marchas al fin? ¿No volverás ya a España?

—Me marcho, sí, y con un profundo sentimiento. Siento marcharme... y me alegro. Si no me alegrara, no me marcharía. Pero... al mismo tiempo tengo una honda tristeza.

—No te entiendo; es decir, te entiendo. Pero creo que tú abultas un poco los motivos que te impulsan a marcharte de España. Yo comprendo tu problema, tu conflicto interior; pero ¿no exageras un poco ese conflicto?

—No lo sé; tal vez sí; pero estas cosas es inútil razonarlas. Tú sabes lo que yo amo a España, lo que yo quiero estos paisajes, estas piedras, estas ciudades, estas callejuelas. Pero, poco a poco, en mí se ha formado un estado espiritual, que todo esto—amado con tanto entusiasmo—no logra contrabalancear y neutralizar. Veo la irremediable perdición de España... Al pronunciar esta frese me asalta una duda: ¿Ha de ser fatalmente así la Humanidad, la sociedad española, o esto podría ser de otro modo, de un modo bueno? Me inclino a este último extremo; mi fe no se ha extinguido todavía del todo.

—No se ha extinguido, pero tú pones tierra de por medio, tú te marchas.

—Me marcho... y mi espíritu queda aquí. Me marcho porque hay aquí, en el ambiente, una violencia, una frivolidad, una agresividad que me hacen un daño enorme. Cada día vivo más replegado sobre mí mismo. Veo lo que pudiera ser la realidad... y veo lo que es. ¿Por qué habrá esa brusquedad en el ambiente moral que respiramos? En el moral y en el físico.

—¿Ves? Exageras un poco. Esa brusquedad es una característica de nuestro pueblo: es energía, vigor, fuerza. Fíjate en que esa energía, ese rasgo claro y saliente, ese sabor áspero, resalta en todo: en el paisaje, en los frutos de la tierra, en la mujer, en los grandes artistas, literatos y pintores...

—Tienes razón; yo gusto de esa energía, de ese vigor. Pero yo quisiera esa energía... ¿Cómo lo diré? Yo la quisiera encauzada, normalizada. No, no es esa energía a lo que me refiero; me refiero a la aspereza dispersa en el ambiente, y que es inútil y dañina. Aspereza que va desde el grito agudo y chillón de un vendedor ambulante, hasta la destemplanza de un literato que discute con un compañero. Y hay también, a par de esto, una frivolidad, una inseguridad en el afecto, un desorden y una confusión que me entristecen.

—¡Tomás, Tomás! ¿Qué te he de decir yo? Pasa por alto todas esas menudas contrariedades. Todo es cuestión de un poco de abnegación y de esfuerzo. ¿Tú crees que no sucederá lo mismo en otras partes, en cualquier parte del mundo?

—No lo sé; probaré. Entre tanto, cambiaré de paisaje espiritual.

LAS CORTAS DELICIAS

No podemos detener a Tomás. «Determinó de dejar la corte y volverse a Flandes», dice Cervantes. *Pian, pianito,* allá va nuestro amigo. Cuando Tomás regresó de Flandes, vino por Francia y entró por Guipúzcoa. Le encantó la vieja Vasconia. Ahora, al dejar a España—acaso para siempre—, desea volver a este país dulce y verde. En Vasconia, todo el ser de Tomás sufre un hondo cambio. ¡Cómo gusta él de este ambiente suave y plácido! A los cuatro días de estar aquí, su sensibilidad irritada se ha calmado. Todo le es grato en este país. Todo: desde los interiores de las casas hasta la perspectiva lejana de las montañas, con sus jirones y cendales de niebla. Tomás se ha detenido en un pueblo — Donostia — cercano a la frontera. Muchos años después, un historiador vasco, Zamacola, había de hacer algunas observaciones interesantes hablando de este pueblo. «Las mujeres—decía—son acaso las más agraciadas de España y Francia. No vimos entre ellas una mujer fea; aun las viejas sexagenarias conservaban una tez lustrosa y sonrosada. Las jóvenes añaden a su hermosura un trato sencillo y dulce, con que cautivan y encantan a los forasteros.» Tomás gozó en este pueblo, junto al mar, de unos días felices. Este mismo historiador que citamos dice también, hablando en general de las costumbres de Guipúscoa: «Todas las demás costumbres son semejantes a las de Vizcaya; tanto, que puede decirse que es Guipúzcoa una continuación de aquel apreciable país, en que el hombre filósofo es capaz de gozar con tranquilidad de las cortas delicias que ofrece la vida.» Nuestro amigo Tomás, filósofo o no, se siente, sí, capaz en Vasconia de gozar de las cortas delicias que ofrece la vida.

LA POSTRERA IMAGEN

Tomás iba a llevarse, al cabo, una sensación grata en España. Sí, parecía que iba a ocurrir esto; pero... Una tarde pasaba nuestro amigo por una calle, en compañía de unos caballeros con los que había hecho amistad; iba acompañándolos hasta la casa de uno de ellos y luego volverse él solo. Tenían que cruzar por delante de una iglesia; al tiempo de cruzar, distraídos con la charla, Tomás reparó en una vieja que había en la puerta, acurrucada en el suelo, como implorando una limosna. Sintió Tomás de pronto una honda conmoción. ¿Era *ella*? ¿No era *ella*? Le pareció a nuestro amigo esta vieja su antigua ama Mari-Juana; pero Mari-Juana decrépita, andrajosa. Tomás dudaba. ¿Cómo podía estar aquí Mari-Juana? Le parecía esto absurdo. Lo natural hubiera sido que Tomás se hubiera detenido en el acto, inmediatamente, con objeto de esclarecer estas dudas. Pero no lo hizo. Acaso, en presencia de todos estos caballeros, Tomás sintió un poquito de vergüenza. Se prometió, sí, interiormente, acercarse a esta vieja mendiga cuando regresara solo, después de haber acompañado a sus amigos. Al regresar solo, la vieja había desaparecido.

No describiremos la contrariedad y la tristeza de Tomás. Pero en un pueblo pequeño es fácil encontrar a una persona. Al día siguiente nuestro amigo volvió a pasar solo por la iglesia, y allí estaba sentada la pobre mujer como el día anterior. No, no era Mari-Juana. Le parecía absurdo a Tomás que lo fuera, y no lo era, en efecto. Pero la imagen había brotado viva y dolorosa. Allí estaba Mari-Juana, y todas las gratísimas sensaciones de la lejana niñez de Tomás. Allí estaba aquella mujer encantadora, y con ella la casa del pueblo, la ciudad, la madre—tan silenciosa y dulce—, La Olmeda, Lorenzo, las montañas... Allí estaba toda su vida, a la cual él daba el adiós postrero al salir de España. Y, sobre todo, lo que no se perdonaba, lo que le remordía y entristecía, lo que le impulsaba a darse él mismo los más denigrantes epítetos, era aquel comento de la primera tarde en que, al pasar frente a la pobre vieja, él, acaso por considerarlo humillante yendo con todos aquellos caballeros, no se había detenido a ver si aquella pobre era o no Mari-Juana, y había con ello pisoteado un afecto, y sacrificado a la vanidad una delicadeza, y renegado en un instante todo un pasado que él amaba con tantas ansias.

XIII

LA REALIDAD INTERIOR

LA LIMPIEZA

Tenemos a nuestro amigo Tomás en los Países Bajos. No podía olvidar él esta limpia y silenciosa tierra. Se encuentra Tomás en Leyde, o en Harlem, o en Dort, o en Amsterdam... (En Amsterdam, donde, en 1659, Juan Blaen imprimía una linda edición del *Oráculo manual,* de Gracián, y otra de El Herve; bellos tomitos que tenemos ahora sobre la mesa en que escribimos.) La casa en que mora Tomás es callada y pulcra. Todo está en ella reluciente y ordeando. Las mujeres de este país son cuidadosas y diligentes en extremo. «Ponen su empeño en la limpieza de sus casas y de sus muebles más allá de todo cuanto pudiera imaginarse. Hacen lavar y frotar incesantemente todos los muebles de madera, hasta los bancos y las más pequeñas tablas, así como también los tramos de las escaleras, al pie de las cuales la mayoría se descalza antes de subir a las cámaras de lo alto. Y si hay que dejar pasar a la gente de fuera, hay frecuentemente unos pantuflos de paja, en los cuales se meten los pies calzados, o, por lo menos, existen estrazas y argamandeles para limpiarse cuidadosamente. No se atreverá uno a escupir en las estancias; tampoco se sigue la costumbre de escupir en los pañuelos, de suerte que podemos juzgar que aquellos que son flegmáticos se encuentran en gran aprieto, y que, por tanto, es cosa conveniente el haberse acostumbrado desde la niñez a zafarse de este compromiso por otras vías distintas del escupitajo. No se extraña uno de encontrar las calles tan completamente ordenadas y limpias cuando se considera el tiempo y el trabajo que se emplea en frotar el piso. Por este dato será fácil de deducir que no se ahorra tampoco esfuerzo en frotar el de las habitaciones, que a menudo es de bello mármol. Se le jabona; se le repasa con arena, al modo que se hace con la vajilla. Y como esto se hace principalmente el sábado, no se puede estar en la mayor parte de la casa. Se come ligeramente—pan caliente y manteca—, a fin de que los criados puedan dedicarse por completo a la limpieza y que no haya nada sucio el domingo.»

(*Les délices de la Hollande, en deux parties... Ouvrage nouveau sur le plan de l'ancien.* Amsterdam, 1697.) (Acaba el autor de traducir estas líneas y se acuerda de su claro y límpido Levante, donde también las mujeres frotan, lavan, aljofifan los bellos pisos de mosaicos, y donde los sábados es preciso también comer frugalmente y marcharse de casa, porque en ella, con la estrepitosa y vehemente limpieza, no se puede trabajar.)

GABRIELA

Gabriela va y viene cuidadosa y solícita por la casa. En su estudio sobre Marcelina Desbordes-Valmore, Julio Lemaître—*Les Contemporains*, tomo VII—habla de *ses beaux yeux, ses cheveux éplorés, son long visage pâle, expressif et passionné, d'espagnole des Flandre.* También Gabriela, española de Flandes, tiene un rostro en óvalo, marfileño, expresivo y apasionado. ¿Cómo podríamos hacer en cuatro líneas la etopeya de Gabriela? Ya la vemos físicamente. Pero ¿cómo es su espíritu? *Gabriela, española y humana,* se podría titular un largo estudio que hiciéramos sobre ella; mas ahora no podemos detenernos mucho. La característica más saliente de Gabriela es ésta: *la vida es siempre para ella nueva.* Hay en ella un hondo instinto de bien y de optimismo. Siempre ante las cosas, ante los incidentes de la vida. Gabriela adopta la actitud de un niño que ve por primera vez el mundo. La adversidad, el rencor humano, no dejan en su espíritu huella de melancolía y de odio. Hay en ella siempre un gesto, un ademán espontáneo y sincero de cordialidad. El más interesado pesimista se queda absorto ante un optimismo de tal suerte. Un optimismo que no supone esfuerzo, ni tensión dolorosa de espíritu, ni abnegación, ni reflexión; un optimismo fresco, vivo, natural, ingénito. Muchas veces, ante un árbol recio y lozano, o ante un animal selvático, que se mueve libremente; o ante un perrito joven que retoza lleno de confianza, sentimos que la Naturaleza nos da una profunda lección. La vida es entrega cordial y espontánea de todo nuestro ser. En la casa de Tomás, Gabriela representa una lección perpetua de vida. Gabriela será siempre joven. Cuando su cabeza esté blanca, su corazón estará como el primer día. ¡Novedad perpetua de la vida! ¡Felicidad exquisita la de encontrar siempre nueva la vida! Y luego este gesto de bondad que no se cansa, de cordialidad que jamás desconfía...

¿CÓMO LO EXPRESAREMOS?

Algo de esta novedad de la vida que experimenta Gabriela la hay también en Tomás. El disolvente de la inteligencia no ha podido destruir en él del todo un fondo instintivo de vida. Ese profundo instinto reviste en Tomás diversas formas. ¿Cómo lo expresaremos? Deseamos huir del vocabulario usado y tradicional; acaso las palabras tradicionales se presten a interpretaciones que no sean exactas. Tomás, para trabajar, para producir, necesita un apoyo íntimo y espiritual. Ha de haber siempre en él una realidad interior. Y todo esto que le hace vivir, puesto que le hace vivir, es una verdad. No importa que los demás vean o no vean esta realidad; no importa que los demás estén o no conformes con ella. Tomás se siente apoyado en esta realidad innegable, y en virtud de ella vive, trabaja, sigue la sucesión del tiempo. La palabra tendría que ser un instrumento sutilísimo para poder describir estos estados de conciencia; tal vez, aun siéndolo, no lo lográramos. Siempre lo expresado sería más tosco que la efectividad que se tratara de expresar. ¿De qué manera, por ejemplo, un autor antiguo que Tomás lee puede crearle una realidad interior? Pues así es, en efecto. No porque Tomás le copie e imite; la imitación no serviría de nada. Sino porque, colocándose Tomás en el mismo plano, trata de polarizar todas las cosas en el mismo sentido y obtiene, no una obra análoga —no se trata de eso—, sino una corriente interna que le permite avanzar en la vida y desenvolverse en ella...

¡Realidad interior! Esa realidad supone siempre una ilusión, una perpetua ilusión con que el instinto se opone al disolvente de la inteligencia... ¡Realidad interior! Esfuerzo que hacemos, mediante el cual, creyéndonos de otra manera, logramos un resultado que no lograríamos permaneciendo los mismos.

LO INESPERADO

Tomás salía todas las tardes a hacer una corta excursión por los alrededores de la ciudad. Una tarde, al volver a casa, encontró encima de una mesa una carta. Conoció que era de España. Tomás la tomó y estuvo considerándola un momento antes de abrirla. Luego, a medida que iba leyéndola, la sorpresa y el júbilo se retrataban en su semblante. «¡Gabriela! ¡Gabriela!», gritó Tomás sin poder contenerse. Apareció Gabriela, y Tomás le dió a leer la carta. La carta decía así...

Madrid, 1915.

Al querido y gran poeta ANTONIO MACHADO.—Su amigo, AZORIN.

I

EN EL OTOÑO...

En el otoño se celebra en Madrid la feria de los libros. En el otoño... Han pasado los días ardientes del verano. Ha quedado un cielo azul —un poco pálido—y un ambiente gratamente fresco. Los higos comienzan a amarillear. Se recogen las frutas que en las anchas cámaras campesinas, allá en los pueblos, allá en las llanuras y montañas, han de esperar el invierno colgadas con vencejos de largas cañas, colocadas en blandos lechos de paja. ¿No hay en el aire una resonancia, una cristalinidad que no había en el verano? A los viejos libros madrileños del otoño se asocian los centenarios cipreses del Jardín Botánico y la perspectiva luminosa, infinita, de la llanura manchega. Vamos caminando, por el Botánico abajo, en busca de los libros. Contemplamos las bellas fuentes que están puestas a mitad del paseo. El agua cae en un fleco deshilachado de las anchas tazas; cae el agua dulcemente, como sin querer; cae como los días de nuestra vida; la verán caer otros paseantes que en otros tiempos se dirijan, al igual que nosotros, en busca de un volumen viejo; la han visto caer otros hombres, en lo pretérito, cuyos afanes, cuyos dolores, cuyas alegrías se han disuelto ya en la lejanía.

★

¡Días melancólicos, íntimamente melancólicos, del otoño! Estos días son los días gratos, profundos, armónicos, de las altas mesetas castellanas. Los días de Guadarrama y de Gredos. Los días en que el sentido del paisaje castellano se une al sentido hondo de los clásicos. ¿Por qué en otoño es cuando sentimos mejor a Cervantes, al autor del *Lazarillo,* al autor de *La Celestina?* «Acaeció que, llegando a un lugar que llaman Almoroz—se lee en el *Lazarillo*—al tiempo que cogían las uvas, un vendimiador le dió un racimo dellas...» Los lagares exhalan el acre y recio olor a mosto; penden de las parras los últimos racimos dorados o negros. Esas palabras del libro clásico hacen surgir en nuestros espíritus visiones dilectas de Castilla. En el invierno y en la primavera hemos estado enfrascados en los libros y en los tráfagos parlamentarios; durante el verano hemos querido olvidar nuestros afanes de todo el año; atrás quedan el ambiente y el paisaje de nuestra España; curioseamos ahora en las librerías de Francia; paseamos al azar, olvidados de nosotros mismos, por ciudades que no son las nuestras; nuestra mesa está cargada de libros y periódicos extranjeros. ¿Dónde está España? ¿Dónde está Castilla? ¿No está allá arriba, allá arriba, pasadas unas duras montañas, lejos de los países suaves, románticos, y de los mares azules? Sólo en el otoño, después de este vagabundeo espiritual, después de esta fiesta infantil de nuestro espíritu; sólo en el otoño, vueltos a la altiplanicie castellana, unas páginas de *La Celestina* o del *Lazarillo* nos hacen compenetrarnos hondamente, *dolorosamente,* con el paisaje, el ambiente y el arte de Castilla. En nuestros ojos traemos aún la visión de Europa. Quisiéramos, cuando vamos leyendo, releyendo estas páginas de nuestro siglo XVI, sentirnos uno mismo con las ciudades y el viejo paisaje. Quisiéramos, ya casi en el ocaso de la vida, ya fatigados por el trabajo, un descanso en uno de estos viejos pueblos. Pueblos de Toledo, de Segovia, de Avila, de Salamanca. Un vasto y cómodo caserón en una calle quieta, silenciosa y lejana. Detrás, un amplio y sombrío huerto, donde sólo discretamente entran las tijeras del jardinero en los arriates de mirtos y evónimos.

Hay hojas amarillentas sobre el agua del estanque y del ancho tazón de la fuente. ¡Oh los cipreses centenarios y negros que noblemente se perfilan en el azul del cielo! Y las campanadas de la lejana catedral llegan de tarde en tarde a romper el silencio y a hacerlo más sensible... «Lugar codiciado para hombre cansado», decía el poeta. En esta soledad, en este silencio, en este ambiente de ecuanimidad y de sedancia, un lazo sutil que nos una a Europa. Todos los días, a una hora misma, sobre nuestra mesa de trabajo sea depositado un paquete denso de cartas, periódicos, libros, revistas. Libros y revistas que exhalen el grato olor a tinta reciente. Castilla y Europa. (Vasconia y Europa, Cataluña y Europa...)

★

Vamos hacia abajo, junto al Botánico, en busca de la feria de los libros. La feria de los libros, unos años la sitúan detrás de este jardín, adosada a la larga verja, y otras veces está puesta, delante del Ministerio de Fomento, frente a la llanura manchega. En el Botánico, entre frondosos almeces, se yergue algún ciprés negruzco; allá abajo, en la llanura, destaca una montañita con un santuario. La feria de los libros la componen quince o veinte barracones de madera. Toda la anodinidad, toda la grisura, toda la vulgaridad de los libros inútiles está aquí. Es enorme la cantidad de libros absurdos que han sido publicados.

En montones, revueltos sobre tableros, podemos contemplarlos. Todos estos libros vulgares representan, por lo menos, un momento en una vida humana. Lo que ahora nos parece insignificante, ha animado durante un instante un espíritu. ¿Qué sabemos las manos que han vuelto las páginas de este pobre libro? Nosotros mismos, en la soledad del campo, sin nuestros libros dilectos, hambrientos de la lectura, ¿no encontraríamos también placer en la lectura de este volumen anodino? En parte, en gran parte, *el libro es nuestro propio pensamiento.* Muchos de estos volúmenes de la feria nos serán útiles. Acaso, sobre basto papel, con borrosos tipos, veremos estampado un pensamiento sencillo, natural, de un hombre ignorado que un día se puso a escribir sin saber nada. En los pueblecitos de Castilla — como en otras partes—ha habido de estos hombres que escribieron un día y que nadie sabe que han escrito. En ellos, el pensamiento puede quedar expresado en forma afectada y laberíntica—sugestión de grandes autores— ; pero puede también estarlo sencilla y limpiamente, con la sencillez y la limpieza de una fuente en la montaña. Una mañana de otoño, curioseando en la feria de libros, hemos encontrado uno de estos volúmenes.

★

Una mañana radiante y grata. En el otoño... En el otoño de Guadarrama, de Gredos y de los pueblos y caserones de Castilla. En el jardín, silencioso, caen de los plátanos y las acacias las hojas amarillentas. Los cipreses siempre están inmóviles. Hay una cristalinidad maravillosa en el ambiente. Sobre nuestra mesa de trabajo acaba de depositar el correo un recio paquete de libros, periódicos, revistas.

II

ENTRE MONTAÑAS

EL LIBRO

El volumen que hemos encontrado en la feria de los libros se titula: *Sentimientos patrióticos o conversaciones cristianas que un cura de aldea, verdadero amigo del país, inspira a sus feligreses. Se tienen los coloquios al fuego de la chimenea en las noches de invierno. Los interlocutores son el cura, cirujano, sacristán, procurador y el tío Cacharro.* La obra consta de dos tomos; los dos están impresos en el mismo año (1791) y en Madrid. Es autor del libro don Jacinto Bejarano Galavis y Nidos. Bejarano hace seguir su nombre en la portada de las siguientes calidades: cura párroco de San Martín, de la villa de Arévalo, en el obispado de Avila, opositor a las canonjías de oficio de las catedrales del reino, a las de San Isidro el Real de Madrid, a las cátedras de la Universidad de Salamanca y catedrático sustituto y consiliario que fué en ella.

LEJOS DEL MUNDO

No se engañe el lector por todos estos títulos—aunque bien escasos y livianos—; no nos figuremos a nuestro autor escribiendo su libro en una casa de Madrid o Salamanca, sentado en un amplio sillón frailero, después de haber dado una vuelta por las tertulias o de haber curioseado en alguna librería. ¡Ah, no! El mundo de Madrid, de Salamanca, está ahora lejos; lejos están las curiosas librerías y las amenas tertulias; lejos el devanear agradable y descuidado por entre la muchedumbre de ciudadanos que hacen otro tanto o que van a sus menesteres. Nuestro autor, ahora, en estos días en que escribe su obra, se halla en un pueblecito, casi una aldea, de la tierra de Avila. Se halla el pueblecito en lo hondo de un barranco y el sol apenas traspasa las altas montañas y desliza sus luces hasta la techumbre de las casas. El diminuto pueblo es frigidísimo. «Para el calor—escribe nuestro autor en la página 5 del primer volumen—nunca encontré reparo, y sí muchos recursos para abrigarme, aunque habito en Riofrío.» Es decir, aunque este pueblo es de lo más helado del mundo. Más adelante—y ése es el objeto de estas páginas—veremos cómo Bejarano, el buen clérigo, hace la descripción minuciosa y pintoresca de Riofrío de Avila.

¿Cómo ha venido a parar aquí don Jacinto Bejarano Galavis y Nidos? En la portada del libro se dice que, al tiempo de imprimir la obra, el autor es cura de la parroquia de San Martín, en la villa de Arévalo, de la misma tierra de Avila. Ha logrado, pues, Bejarano Galavis escapar de Riofrío. ¿Ha sido en el intermedio de uno a otro curato cuando el autor ha sido catedrático sustituto en Salamanca y ha hecho oposiciones a las canonjías de San Isidro, en Madrid? De la lectura de la obra se desprende que las estadas de Madrid y Salamanca han sido anteriores al destierro en el pueblecito abulense. ¡Ah, qué lejano está el mundo! ¡Ah, qué gratos y atormentadores recuerdos, atormentadores y gratos a la vez, los de las tertulias de Madrid y Salamanca y los del curioso e intructivo huronear en librerías y bibliotecas! Al presente, Jacinto Bejarano, lejos de aquellas ciudades tan queridas, lejos de las tertulias—que él tanto ama; lo veremos después—, se halla metido, recluído, encerrado en este pueblecito de la sierra de Avila. ¿Saldrá de aquí alguna vez? ¿Qué partido tomar: desesperarse, derramarse en plañidos y coléricos gestos inútiles, o bien mostrar una sabia y dulce resignación ante la dura e irremediable necesidad? ¿Qué hacer: despreciar estúpidamente, *como un hombre superior*, a todos estos toscos lugareños que le rodean, con los que ha de tratar todos los días, o bien acomodarse con ellos discretamente, no pidiendo a un pobre palurdo que sea un Vives o un Erasmo, tratando, sí, de sacar de estas gentes todo el partido posible, atendiendo a la perspicacia de sus luces naturales y no a su ignorancia del trivio y el cuadrivio?

UN PEQUEÑO MONTAIGNE

Este último es el partido que toma Bejarano. Nuestro autor es un pequeño Montaigne de Riofrío de Avila. Nuestro autor ha leído muchos y variados libros; tiene una viva curiosidad intelectual; ama todas las novedades y bizarrías del pensamiento; gusta, al mismo tiempo, del platicar ameno, agradable y ático; le place también la vida dulce, suave, discreta, sin goces estrepitosos, pero sin molestias, incomodos y amarguras. No tiene prejuicios tenaces. «Nunca me he adherido tan tenazmente a mis pensamientos—escribe—que no haya retractado con gusto el error a la primera ocasión que se me ha hecho conocer.» Sus ideas respecto a la cultura y a la erudición son las mismas que las del autor de los *Ensayos*. Amaba Montaigne más un entendimiento sin cultura, sin erudición, sin fárrago de libros, pero claro y preciso, que otro cargado de aparatosa balumba libresca, pero fuliginoso y deslavazado. *J'ay veu en mon temps*—escribe en el célebre capítulo sobre la filosofía de Raimundo Sebunde, el XII del libro II—; *j'ay veu en mon temps cent artisans, cent laboureurs, plus sages et plus heureux que des recteurs de l'université, et lesquels j'aimerais mieux ressembler*. Lo mismo viene a proclamar nuestro Bejarano Galavis y Nidos. «El estudio—dice—da noticias y ministra especies con que se hacen varios discursos, que sin ellas nunca se harían. Esto no admite duda.» No admite duda, pero... «Los libros no dan entendimiento.» Del error referente a los libros participan muchos. Han pasado muchos años desde que Bejarano, el cura de Riofrío, escribía estas verdades, y hoy el error que él trataba de combatir—y antes que él Montaigne—se ha hecho más craso y fuerte. La superstición hacia el libro ha aumentado. *Confundimos la cultura con la inteligencia*. «Que se diga—escribe Galavis—que la desigualdad de entendimientos o discurso en los hombres proviene de desigualdad entitativa de las almas, como pensaron algunos, o que únicamente pende de la diferente temperie o disposición de los órganos, como comúnmente se juzga, es preciso que la facultad intelectual sea la misma con estudio o sin él. Siendo cierto que la organización y temperie no es alterada por el estudio, incapaz de hacer semejante alteración, y más incapaz de mudar la entidad sustancial del alma.» (Note el lector, de pasada, qué bellamente está dicho esto. Ya veremos luego cómo nuestro autor es un elegante, un admirable prosista, uno de los buenos prosistas castellanos.)

No, los libros, la erudición, no dan inteligencia. Lo que importa es tener inteligencia. «El rudo siempre es rudo.» Y añade nuestro autor: «Supongamos que lee mucho, conferencia mucho, que manda muchas especies o noticias a la memoria. Siempre será cierto que nunca las congrega con acierto, que nunca las distribuye con discreción, nunca las penetra bien, nunca las entiende con claridad; y por lo mismo será un sabio puramente de perspectiva, muy a propósito para alucinar al ignorante vulgo, y de aquellos a que llaman pozos de ciencia, y, como dice un discreto autor, sólo son de agua turbia.» Un labriego de estos con quienes convive en Riofrío nuestro autor puede ser más inteligente que un doctor, o un ministro, o un autor de gruesos y eruditos libros; sin erudición ninguna, podrá ver las cosas de un modo más claro y preciso que otro que tenga mucha. Bejarano recuerda alguna vez sus visitas a las librerías y bibliotecas, pero no se entristece ahora cuando no dispone de ellas. «Siendo cursante en Salamanca—escribe en el segundo volumen de su obra—me entré una tarde (como lo hacía algunas veces) en la magnífica biblioteca de la Universidad; tomé de un estante un libro...» Han pasado ya aquellos días. El buen Bejarano Galavis piensa muchas veces en aquellos agradables instantes. Pero templa su espíritu en una discreta resignación y se sobrepone a las íntimas añoranzas. Aquí vive sereno, tranquilo, sosegado; aquí pasa sus días, en este barranco de la sierra de Avila. Mas ¿será cierto que nuestro autor logra sobreponerse a sus recuerdos? ¿No habrá en este hombre ecuánime y jovial ni un rápido gesto de tristeza en su faz, ni un segundo de desesperanza, ni un movimiento de taciturnidad febril y de desasosiego? En una hora dada, considerando su apartamiento del mundo y la solitaria esquividad de estas montañas, este hombre delicado, fino, inteligente, sensual—sensual como Montaigne—, ¿no tendrá un grito, un solo grito, revelador, por encima de su inalterable ecuanimidad, de lo más hondo de su espíritu?

Vayamos paso a paso; no adelantemos los sucesos.

III

ALGUNAS IDEAS

LAS MULAS

Expondremos algunas de las ideas del autor. Bejarano Galavis tiene odio a las mulas. ¿Recordáis la obsesión contra las mulas de don Fermín Caballero en su *Población rural*? Bejarano Galavis no puede ver las mulas. Las mulas son algo típico, consustancial de España. Las mulas son la visión de la llanura, vasta, gris. Allá, en la lejanía, sobre el cielo radiante, se columbra la silueta de una reata de mulas que arrastran lentamente, dando tumbos y retumbos, un grueso carro. Las mulas son las ventas, los mesones («Hay agua y paja»), los paradores en las callejuelas de los pueblos y en los altos de un puerto situado entre montañas solitarias. Las mulas son el espectáculo de todos los momentos en las calles de Madrid: un carro atascado en una cuesta empedrada de agudos y lucientes guijarros, vociferaciones de los carreteros, blasfemias; violentos gestos de cólera, horribles palos en la cabeza de las pobres bestias, coro de bausanes y papanatas que presencia, impasible, la escena. La mula es el surco superficial, la labor somera y rápida. La mula es la violencia, el erguirse hosco, la dureza, lo inesperado. La mula es el complemento lógico del chulo, de las corridas de toros, del vinazo espeso y sucio, del baileteo ruidoso y convulsivo. En el extremo opuesto de la dulzura, la paciencia, el sosiego, la intensidad de la labor del buey, está todo lo que representan las mulas. «No se puede negar—dice Bejarano—que el surco que hace el arado tirado por la mulas es menos profundo que el que hace el arado tirado por los bueyes.»

No concebimos el paisaje de España sin mulas. Pero hay en este aspecto del paisaje de España—del paisaje físico y del moral—un matiz que le da una profunda originalidad. El paisaje de España no puede ser el de Francia o Inglaterra. Desde una bella fruta hasta la estrofa de un poeta; desde estas manzanas tan coloradas y olorosas hasta estos versos tan ardientes y levantados de fray Luis de León, hay una gradación de energía admirable. Se respira en el ambiente de España una fuerza, un ímpetu, una claridad, que hacen inconfundible su paisaje con paisaje alguno. La aspereza de esta mujer de ojos negros, de miembros ágiles y de tez morena, ambarina; la aspereza y violencia de esta mujer—tan distinta de la suavidad, gratísima, de otras mujeres de otros climas—es lo que, precisamente, le presta una atracción inconfundible. Y como la atracción de esta mujer, como la aspereza de esta mujer, los encendidos colores y la fragancia fuerte de estas flores de España—rosas, claveles, jazmines—, o los crepúsculos radiantes de estas tardes claras de Castilla (en Avila, desde lo alto de las murallas, frente al valle de Amblés), o la melancolía honda y desgarradora de esta canción popular, cuyos ecos se van alejando, perdiendo, esfumando en la lejanía, cual un gemido entre lágrimas, cual un grito de angustia en la noche...

LOS TOROS

¿Le atraía esto a Mérimée? ¿Le atraía esto en España cuando, en sus cartas a Estébanez Calderón, le enviaba recuerdos para la *Tartaja*? ¿Quién era la *Tartaja*? ¿Y quién era Pepa la *Banderillera,* de quien nos habla uno de los biógrafos del autor de *Carmen*? Sí; Mérimée sentía la atracción profunda, inevitable, de esta exquisita sensación de energía y de aspereza. Más tarde, Nietzsche, viajando por Italia, escuchando la música de Bizet, había de sentir la misma atracción. Nietzsche, en España, hubiera gustado más hondamente de esos matices de psicología y de estética. La *Tartaja,* Pepa la *Barderillera*... Dos nombres que dicen todo un mundo de cosas, de cosas sugestivas y contradictorias. Abominemos de los toros. Los toros son brutalidad y barbarie. Nuestro autor abomina de ellos. Se dice que los toros sirven para «afirmar el ánimo en el valor». No. «Los hombres más sangrientos—escribe Bejarano—serán siempre más bárbaros e inhumanos, pero nunca serán más valerosos que los demás.»

Pepa la *Banderillera,* la *Tartaja;* ojos relampagueantes, tez ambarina y miembros ágiles y acerados... Lo que nosotros desearíamos es que este caudal de energía, esta fuerza, este ímpetu de nuestra España, fueran encauzados, normalizados, beneficiosamente recogido. La energía y la aspereza española pueden ser el matiz de una civilización intensa y original. Sobre un fondo común humano, poner el sello nuestro; ése es el ideal.

EUROPA O BLANCHARD Y ROUSSEAU

Ese es el ideal y ésa debe ser nuestra obra. En su esfera reducida y modesta, allá metido entre las montañas de Avila, ése ha sido el anhelo de nuestro autor. Todo lo curiosea y persigue Bejarano Galavis; no hay curiosidad intelectual ni invento que él no rastree en los libros. En estas páginas de que hablamos, el lector puede ver cuán varias y heterogéneas eran sus lecturas. Y, sin embargo, ¡qué espíritu más castizamente castellano, más hondamente castellano era el de este hombre! Entre las curiosidades de nuestro autor encontramos las siguientes: «... el carro volante de Blanchard y el globo aerostático de Montgolfier». ¡Atención! Estamos en Riofrío, una aldeíta perdida en la sierra de Avila, y vivimos en 1791. En estas mismas páginas encontramos también citado a Rousseau. «¿Quién jamás reputó por actos religiosos las corridas de toros, los bailes y las comedias? Hasta el ciudadano de Ginebra Juan Rousseau opina en esta materia como un Santo Padre.» Europa es Blanchard, el del carro aéreo, y es Rousseau; Europa es la máquina y es la ideología. Sigamos todo el movimiento intelectual y científico y apropiémonos de todas las innovaciones del pensamiento en cuanto podamos; pero apropiémonoslo para integrarlo en nuestro ambiente, para infiltrarlo, hecho cosa nuestra, en nuestro espíritu. Nadie que defienda con más ahínco que Bejarano el casticismo. Sobre el tema habla con insistencia en las páginas de su libro. Pero no nos cerremos sobre nosotros mismos. Lo que hacen otras naciones, hagámoslo nosotros. «¿Cómo la Holanda e Inglaterra estarían tan pobladas y pudientes si no se aplicasen sus individuos a lo que es más análogo a su situación?» Y añade nuestro autor: «¿Y por qué nosotros no imitaremos en esto a estas y otras naciones de la Europa, ya que se las imita en puerilidades, fruslerías y nocivas bagatelas? Es necesario desengañarlas, haciéndolas ver demostrativamente que el genio y numen español es a propósito para todo lo que emprende; en una palabra, que es numen y genio superior y no indolente.»

IV

TEORIA DEL ESTILO

LA NIEVE Y EL AGUA

Nuestro Bejarano Galavis y Nidos se halla sentado ante una mesita, y con los pies—si es invierno—puestos sobre una recia estera de esparto crudo. Se está bien en la estancia; un brasero le da cierta tibieza grata; por las ventanas se divisan las montañas cubiertas de nieve. Hay encima de la mesa un tintero, una pluma y unos papeles blancos. Nuestro Bejarano Galavis y Nidos va a escribir. ¿Cómo escribirá nuestro Bejarano Galavis y Nidos? ¿En ese estilo barroco, recargado, vacuo, que encontramos en los eclesiásticos del siglo XVIII, o en el truculento, empedrado de vocablos extraños, muchos de ellos traídos a redropelo, en que se expresa un Torres Villarroel? Está muy lejos Bejarano de Torres Villarroel—que él conoce—y de los eclesiásticos «elegantes» del siglo XVIII. ¿Que cómo ha de ser el estilo? Pues el estilo... Mirad la blancura de esa nieve de las montañas, tan suave, tan nítida; mirad la transparencia del agua de este regato de la montaña, tan límpida, tan diáfana. El estilo es eso: el estilo *no es nada*. El estilo es escribir de tal modo que quien lea piense: «Esto no es nada». Que piense: «Esto lo hago yo». Y que, sin embargo, no pueda hacer eso tan sencillo—quien así lo crea—, y que eso que no es nada sea lo más difícil, lo más trabajoso, lo más complicado.

DERECHAMENTE A LAS COSAS

El mismo Bejarano Galavis, en el prólogo de su libro, nos expone su teoría del estilo. Sus manifestaciones son terminantes. «La claridad—dice nuestro autor—es la primera calidad del estilo. No hablamos sino para darnos a entender. El estilo es claro si lleva al instante al oyente a las cosas, sin detenerle en las palabras.» Retengamos esa máxima fundamental: *Derechamente a las cosas*. Sin que las palabras nos detengan, nos embaracen, nos dificulten el camino, lleguemos al instante a las cosas. No se podrá encontrar expresión más feliz y exacta. Insistamos sobre el tema: «Si el estilo explica fielmente y con propiedad lo que se siente, es bueno.» Lo difícil, lo supremo, es explicar de ese modo lo que se siente. Siempre el que no sea artista, el que no sea gran estilista, el que no domine la técnica, propenderá fatalmente a revestir sus sentimientos y sus ideas de accesorios y faramallas enfadosas. No se comprenderá nunca que lo sencillo es lo artístico. No comprenderá nunca que un estilo, por sencillo, no es desestimable. «La cualidad de simple en punto de estilo no es término de desprecio, sino de arte.» ¿Por qué los autores primitivos tienen para nosotros—hombres separados de ellos por tantos siglos—un profundo encanto? Preferimos, en literatura castellana, los autores del siglo XVI a los del siglo XVII. Preferimos, entre las obras de un gran autor, las obras de su madurez a las de su mocedad... Acabamos de escribir estas líneas y nos detenemos un momento para reflexionar. ¿Será verdad esto que acabamos de decir? Las obras de la juventud son fuego y oro; las de la madurez, sobriedad y plata. Con los ojos del espíritu vemos en este instante los cuadros postreros del Tiziano. Pensamos también en la primera y en la segunda parte del *Quijote*. Y recordamos la profunda impresión de una relectura del *Persiles y Sigismunda*, ya doblada la vida. Todo tiene su encanto; pero quizá sea el mayor de todos, el más delicado de todos, este tono gris, esta sobriedad, esta melancolía indefinible, suave, de las grandes obras crepusculares.

Volvamos a la fórmula de Galavis: «La cualidad de simple en punto de estilo no es término de desprecio, sino de arte.» Y añade el autor: «El estilo simple no tiene menos delicadeza ni menos exactitud que los demás.» «De todos los defectos del estilo, el más ridículo es el que se llama hinchazón.»

ESTILO OSCURO, PENSAMIENTO OSCURO

Todo debe ser sacrificado a la claridad. «Otra cualquiera circunstancia o condición, como la pureza, la medida, la elevación y la delicadeza, debe ceder a la claridad.» ¿No es esto bastante? Pues para los puristas lo siguiente: «Más vale ser censurado de un gramático que no ser entendido.» «Es verdad que toda afectación es vituperable; pero sin temor se puede afectar ser claro.» La única afectación excusable será la de la claridad. «No basta hacerse entender; es necesario aspirar a no poder dejar de ser entendido.»

Sí, lo supremo es el estilo sobrio y claro. Pero ¿cómo escribir sobrio y claro cuando no se piensa de ese modo? El estilo no es una cosa voluntaria, y ésta es la invalidación y la inutilidad—relativas—de todas las reglas. El estilo es una resultante... fisiológica. «Cuando el estilo es oscuro, hay motivos para creer que el entendimiento no es neto.» Estilo oscuro, pensamiento oscuro. «Se dice claramente lo que se escribe del mismo modo, a no ser que haya razones para hacerse misterioso.» ¡Admirable de exactitud y de penetración! Recomendamos la sencillez y tornamos a recomendarla. ¿Qué es la sencillez en el estilo? He aquí el gran problema. Vamos a dar una fórmula de la sencillez. La sencillez, la dificilísima sencillez, es una cuestión de método. Haced lo siguiente y habréis alcanzado de un golpe el gran estilo: *colocad una cosa después de otra*. Nada más; esto es todo. ¿No habéis observado que el defecto de un orador o de un escritor consiste en que coloca unas cosas dentro de otras, por medio de paréntesis, de apartados, de incisos y de consideraciones pasajeras e incidentales? Pues bien: lo contrario es colocar las cosas—ideas, sensaciones—*unas después de otras*. «Las cosas deben colocarse—dice Bejarano—según el orden en que se piensan, y darles la debida extensión.» Mas la dificultad está... en pensar bien. El estilo no es voluntario. El estilo es una resultante fisiológica.

LO INNATO

Se es poeta o no se es poeta. Se es prosista o no se es prosista. Se es pintor o no se es pintor. Lo somos o no lo somos independientemente de nuestra voluntad. ¿Quién expresará todo el profundo misterio, la inagotable fuerza de lo innato? El encanto de un estilo literario es su variedad, su multiplicidad. «Así debe ser el de una obra escrita para todos—dice Bejarano—: claro, puro, culto; unas veces, simple; otras, elevado; aquí, cortado; allí, periódico.» La multiplicidad... El filósofo Nietzsche gustaba de repetir una frase de nuestro Lope de Vega: «Yo me sucedo a mí mismo...» Yo me sucedo en variedad de estilos, de formas, de matices. Yo me sucedo, entrando en todas las cosas y compenetrándome con las cosas mismas. El artista será el que cree las expresiones definitivas, *únicas,* de las cosas. «Hay términos que convienen tanto a las cosas y que son tan propios para el pensamiento, que nacen con él.» *Que nacen con él.* La obra del pensador y del artista es encontrarlos. «Algunas veces no se puede explicar bien sino de un modo. ¡Dichosos los que lo encuentran!» Ahí, en el caos del mundo, está latente el *modo;* ahí está la *Madona,* de Rafael, o el *Quijote y Sancho,* de Cervantes, o el dúo de amor de *Romeo y Julieta,* de Shakespeare. Ahí está el arquetipo, definitivo e insuperable. Ahí está la expresión única que define la cosa. Ahí, en lo increado, en la nebulosa, en el caos del mundo, está esperando la intuición del artista, el *modo.* «¡Dichosos los que lo encuentren!»

Lo innato... ¿Quién podrá expresar toda su fuerza y su misterio? Esa fuerza de lo innato lo es todo. Esa fuerza salta por encima de los preceptos sancionados y crea las estéticas nuevas. Nuestro autor —en 1791—se adelanta a toda la revolución romántica. Nuestro autor es—lo dice él mismo—un hombre sin prejuicios. Nuestro autor, con las ideas expuestas en este libro, él, ignorado de todos, metido en su pueblecito de Avila, se coloca entre los buenos autores castellanos modernos. «No se puede negar—dice—que la sujeción servil a las reglas corta el vuelo al ingenio.» Y luego estas palabras profundas, con las que queremos cerrar el presente capítulo: «El buen gusto no se ha formado por las reglas, sino que éstas se formaron después por el buen gusto. Un natural feliz, aunque sea irregular, vale más que toda la exactitud del arte ..»

V

LAS ESTACIONES DEL AÑO

EN PARÍS Y EN MADRID

Aquí, en este pueblecito de la sierra de Avila, ¿cuál será para nuestro Bejarano Galavis la mejor estación del año? ¿En cuál se aburrirá menos? El mismo nos lo va a decir. Las estaciones del año en Riofrío no son lo mismo que en París o Madrid. ¿Hay estaciones del año en las grandes ciudades? Por lo menos, las cosas por las que distinguimos las estaciones en el campo, en los pueblecitos, no son las mismas que las cosas que caracterizan las estaciones en las populosas urbes, o, por lo menos, en las estaciones vividas en las grandes ciudades no hay muchas cosas que sentimos y experimentamos en las estaciones vividas en la campiña. Nuestra vida corre vertiginosamente en las grandes ciudades; nos pasan muchas cosas, y por eso el tiempo es muy breve. (Leed las profundas observaciones de Guyau en su *Génesis de la idea de tiempo.*) Es invierno; la calefacción—que no vemos—está funcionando; apenas nos damos cuenta, ya notamos un día, sorprendidos, que los árboles están llenos de hojas verdes. ¡Cosa extraña! ¿Cómo ha pasado el tiempo? Un tren nos lleva junto a una playa; vemos bellas e incitantes mujeres alrededor de una mesa de juego; otro tren nos vuelve a la gran ciudad; la calefacción—que no vemos—comienza a funcionar. ¡Cosa extraña! ¿Cómo ha pasado el tiempo?

Querido Bejarano Galavis: las cosas no pasan de este modo en Riofrío de Avila. Nosotros *vivimos nuestra vida*—como ahora decimos—. Y vosotros... también.

PRIMAVERA

En la primavera las plantas y animales «empiezan a tener ser». «Sí, en este tiempo todas las cosas manifiestan su alegría.» Las aves parece como que resucitan. «Los árboles y los prados se presentan lo más lozanos con la frondosidad de sus hojas y variedad de sus flores. ¡Cuán hermosa y amena se descubre entonces la campiña!» (*Nuestra primavera.*—Un almendro en flor, solo, en un barranco rojizo. Arriba, cielo azul. Tintineo de un rebaño lejano. Son de una fuente. Olor a romero y espliego. Sombras azules. Voz de una canción que se apaga con la tarde. Allá en lo alto de la montaña, de noche, la lucecita de una hoguera.)

VERANO

Los labradores juzgan que el verano es la mejor estación del año. «A la verdad que el estío es el término de sus esperanzas. Si hasta este tiempo el arado estuvo cubierto de polvo, en él hace ostentación de sus triunfos coronándose de espigas. Los carros cargados de trofeos forman obeliscos de mieses y llenan las trojes de grano. En estío, el silvestre dios Pan, sabroso dios pastoril, sentado en su pollino, se lleva los ojos de todos, alegrándoles los ánimos con su tamboril y flauta. En fin, el estío, con efecto, es el tiempo de coger, y por lo mismo, quien en esta estación no pone en hacerlo así su cuidado, no come en el resto del año.»

(*Nuestro verano.* — Desde una altura, una inmensa extensión de mar azul y una costa lejana. Haz luminoso de faro que pasa y torna esplendente en la noche. Trajes femeninos ligeros y olorosos. Ventanilla abierta en el tren. Paseo lento durante el ocaso.)

OTOÑO

«Las ventajas del otoño son tantas que, bien mirado, se levanta con el principado de los tiempos y estaciones.» «En el otoño es cuando Baco o Sileno, sentado en la cuba, hace del guapo, y con sus hinchados carrillos, coronado de pámpanos, sale a ruar por las calles, dando a entender que él sostiene el boato de tierra de Medina. Entonces la sangre de los hombres, que se había extenuado por el excesivo calor del estío, fermenta con el mosto, y por los buenos oficios de Chiflot (despensero de Baco y el que le alarga la copa) se restituye a mejor estado, dando tono al corazón, al hígado y demás partes del cuerpo humano.» El otoño es la estación de los frutos perfectamente sazonados. Se arroja la semilla a la tierra; la tierra, lentamente, concibe para otro año.

(*Nuestro otoño.*—Cimas de cipreses que dobla el viento. Rosas pálidas. Campanas que plañen. Una alameda alfombrada de hojas amarillas. Olor de frutas navideñas en una cámara campesina. Una tos, unos ojos ardorosos y unas manos pálidas y finas. Pétalos de rosas que caen. El tictac de un reloj en el crepúsculo. Un mueble ha crujido...)

INVIERNO

¿Qué podrá alegar el invierno para ser apetecido de los vivientes? El invierno es hosco y áspero. «Los hombres, encogidos, ahumados y llenos de pajas, dan testimonio de su crueldad. Los árboles, desnudos, mudamente publican su inclemencia, y las peñas y collados, llenos de hielos y nieves, manifiestan su horrible semblante y genio desolador.» Sin embargo, el invierno tiene sus apasionados. «Yo, yo soy uno de ellos», dice Bejarano Galavis. Nuestro autor aborrece el calor y quiere el frío.

«Este me conforta y aquél me debilita.» Toda clase de insectos y animalillos nos desazonan en el estío; en el invierno nos vemos libres de semejantes plagas. «También en esta estación, aun cuando sople el solano, ni se acedan los vinos, ni tenemos aquellos desmayos, ni aquellas congojas que causa tan pestífero viento.» En el invierno, dormimos y comemos mejor y hacemos más fácilmente la digestión. Y hay también otra cosa que encanta a nuestro autor. «Sobre todo, siendo largas las noches, al fuego de las chimeneas hay tertulias, donde se critica cuanto sucedió en el día y ocurrió en el discurso del año.» ¡Oh las delicias para Bejarano de una amena y culta tertulia! «Para mí son éstas las mayores delicias; en todas partes fueron y me son agradables.» Y aquí, en este pueblecito, en Riofrío, procura también Bejarano gozar de los encantos de una tertulia apacible. En las demás estaciones del año todos los labriegos están fuera del pueblo, en el campo, ocupados en sus labores; cuando llega la noche, la fatiga les lleva derechamente a sus yacijas. No hay otro lugar para departir y bromear. Otra cosa es en el tiempo frío. «En este de invierno—escribe nuestro autor—, como sobra mucho tiempo para dormir y no hay oportunidad para vivir en el campo, nos juntamos más a menudo y, conferenciando largamente, se expele aquel humor hipocondríaco, tétrico y melancólico, que causa la soledad y hace a veces tantos estragos en el cuerpo y aun en el alma.»

(*Nuestro invierno.*—A prima noche, a través de los vidrios del escaparate, allá dentro, en la trastienda, se ve la cabeza inclinada de un viejo. Se desgranan las sonoras campanadas de la catedral. En la callejuela suenan pasos. Campanitas en la madrugada. Silencio de la nieve que va cayendo.)

TODO ES SUBJETIVO

¿Qué vemos nosotros, lector, en la primavera, el verano, el otoño y el invierno? ¿Cuál de estas estaciones preferimos? Todo es subjetivo. Las diversas estaciones del año son para nosotros lo que las hacen nuestros recuerdos, nuestros sentimientos, las remembranzas de la niñez, los sucesos de nuestra vida. Un rasgo común a dos estaciones, o a todas las estaciones, puede ser para nosotros representativo de una sola estación, y en esa estación sola puede decirnos lo que no nos dirá en las demás. ¿Por qué el haz luminoso de este faro en el mar es para nosotros verano y no invierno ni primavera? Es un sentimiento íntimo, indefinible. ¡Hemos contemplado en noches de estío, para nosotros inolvidables; hemos contemplado tantas veces, en el reposo y el silencio, su luminosidad callada, que gira y torna! Sobre la Naturaleza ponemos nuestro espíritu; una cosa no es la misma para dos hombres. Y a lo largo de la vida, a medida que se van apagando muchos ardores en nosotros, van quedando más vivas y resaltantes ciertas características de las cosas que ya, para nosotros, serán definitivas.

VI

PASTORES Y LABRADORES

UNA ADVERTENCIA DE NADAR

¿Pastores o labradores? Las dos cosas, las dos clases de hombres. Sí, las dos clases, pero... un poco lejos de Madrid o París. Bejarano se ha acostumbrado ya a vivir entre pastores y labradores, aquí, en este pueblecito de la sierra de Avila. Todo tiene su encanto; agradable puede ser, en cierto modo, la sociedad de los pastores y labradores. Puede serlo, cuando se trata de hombres simples, de viva intuición natural. En la tierra avilesa no será difícil conformarse a vivir entre esta clase de gentes. Todas estas gentes están lejos de Madrid. ¿Qué tendrán las grandes ciudades que tan escasamente irradian su civilización a su alrededor? ¿Por qué esta terrible brusquedad de los pueblerinos y labriegos de los contornos de Madrid? Viva Bejarano en Riofrío de Avila, pero no viva en los aledaños de la corte de España. Y lo que decimos de Madrid podemos decirlo también de París. ¿Quién podrá experimentar mejor lo que es la gente de los campos y de los pueblos; es decir, en qué grado de civilidad viven? Pues... un aeronauta. «¡Cómo! ¿Un aeronauta?» Sí, señor; un aeronauta. Un aeronauta cae con su globo en alguna parte; esto es evidente. Cuando cae el globo en medio del campo, en las inmediaciones de un pueblecillo, acuden pastores, labradores, artesanos. ¿Cuál es la actitud de esta gente ante el globo, y qué es lo que van a hacer con el globo? El globo es una cosa insólita, fantástica para ellos. En la vida de estos hombres ha surgido, de pronto, un hecho estupendo. Aquí, a su disposición, tienen el globo; ellos tienen en la mano hoces, palos, garrotas, piedras. ¿Qué es lo que va a hacer toda esta tropa? ¿Serán respetuosos con la *cosa insólita,* cuidándola y auxiliando al aeronauta, o bien serán agresivos, destructores? La pregunta hay que contestarla según se trate de los contornos de una gran ciudad o del campo lejano, muy lejano, de las populosas urbes. En los alrededores de Madrid seguramente destruirán el globo. En los alrededores de París, también. El genial Nadar, aeronauta, fotógrafo, humorista, etc., hizo ya la observación hace muchos años. Nadar realizó, allá a mediados del siglo XIX, numerosas ascensiones; él mismo las ha relatado en su libro *Memoires du Géant.* París, 1864. En ese libro, Nadar habla de «la zona hospitalaria que comienza más allá de las cinco leguas que contornan París». Y añade—página 41—: «No caigáis nunca dentro de este radio. En caso de hacerlo, abandonadlo todo. Porque en esas cercanías de la capital del mundo civilizado encontraréis brutos más salvajes y más feroces que los boschimanes y los del Oregón.» Y hay que recordar también lo que los labriegos de las cercanías de París, refugiados en la gran ciudad durante el sitio de 1871, hicieron en las casas ricas en que recibieron hospitalidad. Sarcey lo cuenta en su conocido libro...

En las cercanías de Madrid... Querido Bejarano Galvis: pastores y labradores, entre pastores y labradores; pero lejos, muy lejos de París y Madrid.

PASTORES

Ante el fuego, en la casa de Bejarano, discuten los amigos del cura sobre las ventajas de la vida que llevan pastores y labradores. Da gozo copiar estos párrafos escritos en tan castiza y sabrosa parla castellana. El tío Cacharro, labrador, dice que los pastores se llevan mejor vida que los labriegos. Oigámoslo: «Bien decimos nosotros que los pastores se llevan buena vida. Lo más del día se están tirados por esos campos, mientras que nosotros andamos pisando terrones y arrancando matas. ¡Así están ellos de alegres! Cuando vienen al lugar, no se hartan de bailar, y allí, entre los matorrales, entre las cabras, las ovejas y las vacas, también tienen sus fiestas. Unas veces tocan las castañuelas; otras, las gaitas y rabeles; cantan sus cantinelas y dan sus gigidos. Como comen a costa ajena, no les matan pesadumbres, ni les da nada porque el pan esté caro o barato. ¡A nosotros con esas fiestas! Pues cuando venimos de la arada estamos sólo buenos para arrimarnos a un rincón, y vuelta por la mañana a ir por entre esas peñas. Lo peor de todo es que, si se han acabado — como regularmente sucede — las cuatro fanegas de grano, llevamos las panzas bien vacías. Y con que nosotros lo cogemos, si nos prestan alguna fanega, diciéndonos que nos han hecho mucha gracia, en el agosto nos sacan doble. Entonces, ya por aquí, ya por allí, cuando uno menos se cata, se fué lo que hemos recogido. Esto es lo que más nos mata, y por eso no está uno contento con el oficio.»

LABRADORES

El cura Bejarano no está conforme con el tío Cacharro. Pastores y labradores tienen sus ventajas y desventajas. Más trabaja el labrador que el pastor, sí; pero no menos satisfacción hay en el labrador que en el pastor. Unos y otros bailan y cantan. «Eso de que se están los pastores todo el día tirados a la larga mientras los labradores andan arrancando matas y estripando terrones, también tiene su compensación. Los pastores, de noche y de día, están a la inclemencia; duermen tras de una mata y reciben la descarga de la tempestad, de frío y de calor, mientras los labradores están descansando en su cama, al hogar de su cocina o en alguna resolana de holgueta.» Sí; ambas vidas tienen su rato de mal camino. Pero pastores y labradores viven sencillamente y se crían sanos. (Hasta cierto punto, querido Bejarano. La tisis por deficiencia de alimentación hace estragos en los labriegos. Y otra enfermedad, que parece privativa de los ciudadanos, también. A la neurastenia nos referinos. De la *neurastenia rural* tratan ya los doctores. Y en cuanto a la sencillez de los labriegos..., también hasta cierto punto. En las aldeas se hace todo lo que se haga en Madrid o en París.) «Las pesadumbres — añade nuestro autor — no les matan; a ellos se les da muy poco de cuanto pasa en el mundo. Como beban y coman bien, no se inmutarán ni intimidarán aunque el cielo se caiga a pedazos.» ¡Admirablemente observado! Recordad el pasaje en que Montaigne habla de su jardinero: *Celui-là qui fouit mon jardin, il a ce matin enterre son père ou son fils*...

PASTORES Y LABRADORES

Unos y otros se llevan excelente vida. (Cuando se la llevan, amigo Bejarano.) «¿Quiénes comen con más ganas a todas horas cualquiera cosa sino los pastores y labradores? Pues en esto me fundo para afirmar que se regalan como reyes.» (Un momento para copiar unas palabras de Feijoo escritas por los mismos años: «Yo, a la verdad, sólo puedo hablar con perfecto conocimiento de lo que pasa en Galicia, Asturias y montañas de León. En estas tierras no hay gente más hambrienta ni más desabrigada que los labradores. Cuatro trapos cubren sus carnes, o mejor diré, que por las muchas roturas que tienen, las descubren. La habitación está igualmente rota que el vestido, de modo que el viento y la lluvia se entran por ella como por su casa. Su alimento es un poco de pan negro, acompañado o de algún lacticinio o alguna legumbre vil; pero todo en tan escasa cantidad, que hay quienes apenas una vez en la vida se levantan saciados de la mesa...» [Feijoo, discurso «Honra y provecho de la agricultura».] Ahora sigamos.) «En faltando el apetito, aunque haya los más exquisitos manjares, todo fastidia. ¿Qué importa abunde la mesa de ternera, de pollos y otras aves, de truchas, anguilas y otros pescados de gusto, etc., si los que se ponen o sientan en ella están desganados? Al contrario, habiendo buenas ganas, más gusta una olla de cecina con berzas, nabos y tocino, que lo referido.» (Según, según...) «Más les vale un zoquete de pan de centeno o mijo que las roscas del Colegio Viejo de Salamanca.» (Según, según... ¡Cómo se acuerda nuestro amigo de las roscas del Colegio Viejo de Salamanca!)

En cuanto al sueño, «¿de qué sirve al rey tener colchones de plumas y sábanas de la más fina holanda, si cuando busca el sueño no lo encuentra?» «Y a los labradores, ¿qué les sucede?» «Tirados sobre su jergón de tascos o pajas, cualquiera labrador duerme a pierna suelta, como suele decirse, y tiene el sueño más dulce y apacible. El pastor, recostado sobre sus pieles o sobre el desnudo suelo, goza semejante beneficio.»

(*Coro de pastores y labradores:* Sin embargo; sin embargo...)

VII

CHEZ ARKSTEE ET MERKUS

ESTAMPAS FINAS

España: un país donde nadie sabe geografía. Poco, la geografía del mundo. Nada, la geografía de España. Se pueden ver las tentativas y ensayos que sobre geografía se han hecho de un siglo o poco más a esta parte. En 1778 comenzó a publicarse en Madrid (en la imprenta de Pantaleón Aznar) una serie de libritos titulados *Atlante español o descripción general, geográfica, cronológica e histórica de España*... Era su autor don Bernardo Espinalt y García, oficial del Correo general de esta corte. Estos tomitos van «adornados de estampas finas». Y en estas estampas vemos esos panoramas de ciudades en que, por una ancha calle, en una vasta plaza, sólo se pasean o están parados dos o tres habitantes. Muchas veces, siendo niños y después en la edad madura, hemos contemplado en diversos libros del siglo XVIII y de principios del XIX estas vistas de calles y plazas. En ellas, nuestra atención, nuestro interés han ido siempre hacia estos tres o cuatro habitantes que ellos solos, en la populosa ciudad, gozan del vasto ámbito de la plaza o la calle. Tienen una profunda atracción estos solitarios personajes. A una hora del día en que se supone que las calles y las plazas están hirviendo de gente, estos dos o tres habitantes tienen para sí toda la vastedad del espacio ciudadano. Algunos de estos solitarios parecen que van a alguna parte; su pierna derecha avanza un poco. Otros llevan un alto sombrero de copa. No falta—esto es clásico—una dama con una sombrilla. Y un perrito, un perrito que nos es profundamente simpático, parece correr al lado de una de estas personas. Los edificios aparecen rígidos, simétricos, limpios; el piso se extiende liso y uniforme. No hay nadie en las ventanas ni en las puertas. Por el cielo no pasan nubes. ¡Felices hombres, que con vuestro alto sombrero de copa y vuestro frac permanecéis espetados o parece que vais a alguna parte en la estampa de un libro de Mesonero Romanos! Vuestra es la soledad y la extensión de una vasta plaza o de una ancha calle: no os molesta nadie; podéis hacer lo que os plazca; cuando se abre el volumen, los ojos del lector van derechos hacia vosotros, y vosotros, con vuestro sombrero de copa, sentís un leve desdén por el lector, que es fugitivo, que es distinto hoy del de mañana, en tanto que vosotros sois eternos.

CRÍTICAS AL «ATLANTE»

En el *Atlante español* se publicaron tomos correspondientes a Murcia, Córdoba, Valencia, Cataluña, Sevilla, Aragón... Las láminas del primero de estos volúmenes —el de Murcia—son de Palomino. Quedó por publicar la parte correspondiente a Castilla. El *Atlante* fué objeto de numerosas críticas. Está la obra plagada de errores y omisiones. Como más tarde el *Diccionario* de Miñano, el *Atlante* dió margen a folletos y trabajos satíricos y humorísticos. Conocemos dos de estos opúsculos, los dos publicados en Valencia y en el mismo año, en 1787. Uno se titula *Carta gratulatoria de un cosmopolita al autor de la obra intitulada «Atlante español»*. El otro lleva por título *Carta crítica de don Alvaro Gil de la Sierpe al autor de la obra intitulada «Atlante español»*.

El autor del *Atlante*, para poder redactar su obra, envió un cuestionario a las personalidades más salientes de los pueblos. Uno de estos cuestionarios fué a parar a Riofrío de Avila, y como allí el personaje más relevante era el cura, es decir, nuestro amigo Bejarano Galavis y Nidos, éste fué quien se encargó de contestarle. Pero el tomo o los tomos correspondientes a Castilla no salieron... ni Bejarano envió tampoco su contestación al autor del *Atlante*. Se limitó a publicarla en los *Sentimientos patrióticos*. Y éste es el fragmento más interesante de su libro. Pocas páginas conocemos tan encantadoras como la descripción de este pueblecito. *Un pueblecito:* así pudieran titularse estas quince o veinte páginas de historia castellana. Un pueblecito con sus costumbres, sus anales, sus gentes, su vida diaria, sus «monumentos», sus tradiciones, su industria. Un pueblecito castellano, castizamente castellano, que vemos vivir al través de una prosa límpida, socarrona a ratos, sencilla, familiar, con hondo sabor al terrazgo.

LOS DATOS DE MADOZ

Madoz, en su *Diccionario*—tomo XIII, 1849—, nos da algunos datos de Riofrío de Avila. Riofrío se halla a tres leguas de la capital, en un hondo que forma una especie de barco y entre dos sierras de mediana elevación; lo combate con más frecuencia el viento del Sur y su clima es mediano; tiene ciento treinta casas, con la del Ayuntamiento, que a la par sirve de cárcel, escuela de primeras letras, común a ambos sexos, y una iglesia parroquial (Nuestra Señora de la Asunción), con curato de «primer ascenso y de provisión ordinaria». Añade Madoz: «El terreno es de inferior calidad. Caminos de herradura que dirigen a los pueblos limítrofes; el correo se recibe en la cabeza del partido. Productos: centeno, patatas, legumbres, hortalizas, frutas, nueces y pastos naturales y artificiales; mantiene ganado lanar y vacuno y cría caza menor. Industria: varios molinos harineros. Población: noventa y nueve vecinos, cuatrocientas cincuenta y siete almas.»

CHEZ ARKSTÉE ET MERKUS

Profesamos dilección a un librito que tiene en lo bajo de su portada esta indicación: «A Amsterdam et a Leipzig, chez Arkstée et Merkus, 1769.» Suponemos que se trata de Arkstée, en Amsterdam, y de Merkus, en Leipzig, cada uno en su respectiva «oficina» tipográfica de estas ciudades. El libro está impreso en no buen papel, pero sus tipos son grandes y claros. Se han hecho muchas ediciones de esta obra, antiguas y modernas. Pero a nosotros nos cautiva esta... manoseada, con la encuadernación pringosa, sin mérito ninguno bibliográfico. Edición que se vende en casa de Arkstée y de Merkus, en Amsterdam y en Leipzig, cada uno en su tiendecilla de libros, donde entran viejos eruditos y catarrosos, con sus bastoncitos y sus pelucas. Esta edición del librito a que nos referimos lleva una excelente tabla de materias. Entre los artículos de la dicha tabla, hay dos que dicen así: «España», «Españoles». Y entre las divisiones de que se compone este último artículo, hay una que está expresada en esta forma: «Sus descubrimientos en el Nuevo Mundo y su ignorancia del propio país.» En la página correspondiente, el autor nos dice: «Han hecho descubrimientos inmensos en el Nuevo Mundo y no conocen todavía su propio continente. Existe sobre sus ríos tal puente que no ha sido todavía descubierto, y en sus montañas, naciones que les son desconocidas.»

No necesitamos decir ya quién es el que habla así. Lo ha conocido el lector: Montesquieu, en sus *Cartas persas*. (Pero ¿no es un poco raro eso del puente? ¿O es que no entenderemos y traduciremos nosotros bien? Descubrir un puente... Es decir, que arrieros y carreteros están pasando mil trabajos y fatigas para vadear un río y no saben que poco más arriba o poco más abajo existe un puente. ¿No es eso? De todos modos, la cosa es un tantico absurda.) Sí; hemos descubierto un mundo y no conocemos nuestro propio país. España ahora, como en 1721, cuando Montesquieu escribía sus *Cartas persas,* está por explorar. Regiones enteras (*naciones,* como dice exactamente Montesquieu) nos son desconocidas. La base del patriotismo es la geografía. No amaremos nuestro país, no lo amaremos bien, si no lo conocemos. Sintamos nuestro paisaje; infiltremos nuestro espíritu en el paisaje. He aquí, escrita por un narrador desconocido, la historia de un pueblecito.

VIII

UN GRITO INESPERADO

LA IRONÍA

Nuestro amigo Bejarano es un erudito; ha leído mucho y de muy distintas materias. En su descripción de Riofrío se complace Bejarano Galavis en hacernos ver que es un hombre de lecturas. Pero también pone un poquito de ironía en estas citas de erudición. ¿Se nos antojará a nosotros que son irónicas? Seguramente que lo son. Ejemplos: Hablando de los dos arroyuelos que corren por el término del pueblecillo, dice que se despeña uno de ellos por unas elevadas quiebras. Su caída produce un sordo estruendo. «Sin querer —añade— se acuerda uno de las cataratas o catadupas del Nilo. Parece la caída del Marañón, o río de las Amazonas, cuando se precipita por aquella peña tejada que se llama el Pongo.» Este buen clérigo ¿es que ha estado en América? ¿Cómo se «acuerda» de las cartas o catadupas del Nilo? Más abajo, hablando del mar Muerto, dice que los griegos le llaman *asfaltite,* «por lo gredoso y sulfúreo de sus aguas». Y agrega: «No me parece despreciable la noticia.» Aquí vemos una sonrisita maliciosa e irónica. Más lejos, al hacer una observación un poco filosófica, añade también: «Se ofreció a la pluma esta reflexioncita y no la quiero dejar en el tintero.» Hablando de las particularidades de Riofrío, nos dice Bejarano que «un médico de Avila, que escribía sobre las virtudes de las aguas de Lavaz y Muñana, dice que por aquí se cogió el maná, afirmando que no era de inferior condición al de Calabria». Y agrega el autor: «Pero siempre sería muy diferente del que cogían los israelitas en el desierto.»

Ironía, ironía... Sin poderlo remediar vemos cómo la sonrisita asoma a los labios de nuestro amigo. Es un creyente ortodoxo y sólido el buen cura; pero ¡de cuántas cosas sonríe con discreción! En el segundo volumen de sus *Sentimientos,* después de haber hecho un cierto razonamiento, escribe: «Lo dicho por mí es una ironía; es afirmar con una risita picaresca lo que interiormente se tiene por un desatino.» Aquí está todo nuestro hombre: culto, dulce, fino, sencillo, sonriendo de muchas cosas con levedad y picarescamente. Sonreír de todo es falta de hondura y de comprensión. No es posible decir el daño que nuestro moderno don Juan Valera ha hecho influyendo sobre muchos espíritus. Valera tomaba a broma muchas cosas serias y ha tratado socarronamente — para mostrar superioridad e ingenio—a muchos artistas y pensadores nobilísimos.

No, no es ésa la ironía; no debe ser ésa; no es ésa la de nuestro modestísimo amigo. Huyamos de la superficialidad y del sarcasmo lamentable de Valera. Tomemos en serio muchas cosas de la vida. Cuando un artista, un pensador, un poeta, un filósofo, aparezcan en el mundo en forma insólita, diciendo cosas que no habíamos oído nunca y que no acertamos a decir lo que son, no nos riamos—como Valera—, no lo echemos todo a broma, no afectemos ingenio y superioridad y no decidamos nosotros, desde esta meseta manchega, a seiscientos cincuenta metros sobre el mar y a muchos kilómetros de la frontera, perdidos en la seca estepa, que todos los nobles pensamientos, los nobles afanes, las sutiles especulaciones de un artista, sus angustias espirituales, su tragedia íntima—como la de Nietzsche—, son genialidades y extravagancias buenas para hacer sobre ellas chistes en la carrera de San Jerónimo...

EL BAÑO EN LA MONTAÑA

Nuestro amigo es, sí, un sensitivo. Ama todas las cosas finas y delicadas. Gusta de pasear solo. (El tío Cacharro le dice, en la página 129 del primer volumen, admirado de ver que sabe todo lo que pasa en el pueblo: «Me río a carcajadas porque vuestra merced todo lo que pasa sabe, aunque sale muy poco de casa, y cuando lo hace se anda solo.») Le placen a Bejarano dos cosas gratísimas: la soledad y el agua. ¡Cuánto se podría escribir del agua y de la soledad! El agua, en todas sus manifestaciones, y la soledad, como la pedía Montaigne; de modo que cuando queramos, en el momento que queramos, podamos salir de ella y mezclarnos al trato de nuestras amistades. ¿Por qué, generalmente, todos los que aman la soledad gustan también extremadamente del dulce y culto comercio humano? Así Montaigne y así nuestro querido amigo de Riofrío de Avila.

Ama el agua Bejarano. (De su amor a las gratas tertulias nos habla en muchos pasajes de su libro; ya lo veremos.) Una de sus preocupaciones es combatir el uso inmoderado del alcohol que hacen estos pobres labriegos en la taberna. No hay nada como un vaso de agua pura y límpida. En Riofrío huyen del agua. «Temen estas gentes tanto al agua, que se estremecen al verme echar a pechos por la mañana un vaso.» El vaso, bien fregado, limpio, lleno de agua exquisita, agua de montaña, brilla en la mano del buen cura; él lo levanta y lo pone a trasluz; un rayo de sol entra por la ventana... Hay en la montaña remansos que hacen los arroyos en que el agua se sosiega y en que, a través de las linfas tranquilas y diáfanas, se ve un lecho limpio, de piedra. Sería delicioso bañarse aquí. La soledad, el silencio, la pureza del aire, la limpieza de las aguas, todo forma un concierto maravilloso. Bejarano se bañaría, pero... ¿Y estos sutiles reptiles que avanzan sin que se sientan entre las piedras, por esos terrenos, confundidos con el color del suelo y que, al vestirnos o al desnudarnos, pueden mezclarse entre las ropas y producirnos—aunque no nos muerdan—una sensación desagradable? Hay muchas víboras en Riofrío. «Yo las tengo tanto temor—dice Bejarano—, que cuando salgo al campo, a cada paso imagino que me muerde alguna.» Y añade el hombre sensitivo e imaginativo, añade—el dato es interesantísimo—: «De aprensión he padecido a veces sensaciones de mordedura suya.» A causa de las víboras se ha privado Bejarano del baño en la montaña. «Ellas me han privado de los baños fríos, tan saludables y recomendados de los físicos modernos. Pienso que ni en el agua he de estar libre de sus insultos.»

SUSPIRO Y LLORO

A lo largo de las páginas de su libro ha ido nuestro amigo manteniéndose ecuánime, jovial. Acepta resignadamente su suerte. En todos los momentos de la vida y en cualquier parte del mundo podemos ser nosotros los que somos. Todo tiene su significación y su valor; los tienen una agrupación de labriegos tanto como una sociedad de hombres selectos. Es verdad, sí; pero... Pero ¡qué gratas, qué dulces, qué deliciosas las amenas y cultas tertulias! Allá en Salamanca y en Madrid, las librerías, las academias, los salones, nos brindan los encantos del delicado trato humano. Y nuestro amigo, que ha estado sereno, jovial, a lo largo de estas páginas, dice de pronto: «Por tales concurrencias *suspiro y lloro,* y por ellas anhelo, y al que las disfruta envidio.» ¡Ah buen Bejarano! Suspiros y lloros. ¿Y la sonrisa picaresca? ¿Y la ecuanimidad aparente? ¿Y la jovialidad y la resignación? *Suspiro y lloro*... ¡Cuánto nos dice respecto de un espíritu este grito del alma! Pero no es éste un grito aislado.

Al final de la descripción de Riofrío, a nuestro amigo se le escapa también otra confidencia angustiadora. Durante toda la narración ha estado enseñándonos su «risita picaresca». Todo es plácido y jovial en este relato. «Es el relato de un hombre, si no feliz, indiferente», pensamos. Mas al final surge el grito inesperado del dolor; un grito inesperado y que, sin embargo, no sabemos por qué, esperábamos. «Protesto—escribe Bejarano—que si he dejado correr la pluma no ha sido con el fin de que se me juzgue capaz de ser autor público, sino con el de divertir, con esta ocasión, las penas del destierro y suspender por algunos instantes las lágrimas que me hace verter incesantemente mi desgraciado destino.» ¡Terrible, dolorosísima confesión! Este hombre es alguien; en un autor del siglo XVIII causa sorpresa encontrar ese grito romántico. ¡Cómo! Este hombre, sereno, ingenioso, dicharachero, jovial, plácido; este hombre a quien vemos acomodado en este pueblecito, tratando con un tacto exquisito a los labriegos, hablándoles con tanta dulzura; este hombre ¿nos revela de pronto una honda, desgarradora tragedia íntima? ¿Nos habla, incidentalmente, *sin insistir*, al paso, sin declamaciones oratorias, de su *desgraciado destino*? ¡Ah, este hombre no es un hombre vulgar! Este hombre modesto, oscuro, desconocido, es alguien. Y ese grito inesperado, en medio de la placidez y de la jovialidad, fija la memoria de este hombre en nuestro corazón.

CUESTIONARIO ENVIADO A BEJARANO

Se solicita una razón individual de la villa de Riofrío y sus anexos para colocarla en la Historia general de España que estoy trabajando, y ha de ser en estos términos. Se explicará si es lugar o villa, a qué partido corresponde y cuánto dista de su capital; si la villa está situada en llano, montaña o en la orilla de algún río, y cuántas leguas ocupa su jurisdicción; la calidad del terreno y qué frutas u otras cosas produce; cuándo se fundó la villa y por quién, con los sucesos más notables de su historia; qué privilegios tiene, qué ferias y mercados; qué escudo de armas y que rey le concedió y con qué motivos; si es pueblo de señorío o real y quién lo posee; el número de vecinos, los ríos, montes, baños y fábricas; el número de parroquias, conventos, con los nombres de sus santos titulares y nombre de sus fundadores; los hospitales, ermitas, fuentes, escuelas públicas, número de puertas por donde se entra al pueblo, y si está cercado de tapias o murallas; qué castillos y edificios famosos tiene; los hombres esclarecidos que haya tenido, y si hay mucho comercio y en qué consiste, y qué fábricas, y, en una palabra, todo cuanto pueda conducir a ilustrar al pueblo y que salga en la Historia con todos sus particulares y no quede en olvido.»

RESPUESTA DE BEJARANO

Señor escritor público:

Muy señor mío: Cuando menos pensaba, estando metido en mi gruta (pues más merece este nombre que el de casa el lugar de mi habitación), se me entró en las manos una carta de letra de molde, que, a primera vista, causó en mí (sin poderlo remediar) temores y recelos de que me hacían soltar los cuartos por entonar el Ave María.

Así, con efecto, sucedió; pues un devoto de Madrid, llamado Campomenoso, que hace comercio espiritual (así lo dice), se ha empeñado en favorecerme repetidas veces con semejantes cartas, exhortándome, con la energía posible, que inspire a mis feligreses dicha devoción del Ave María, quizá persuadido a que si él no lo tomase a su cargo, vivirían los pueblos olvidados de saludar como el Arcángel a la Reina de los cielos.

Y aunque yo no pretendo condenar por malo un tan piadoso celo, antes sí le recomiendo y recomendaré como merece, no puedo disimular la indiscreción de encajarme unas tras otras, a secas y sin llover, tres o cuatro cartas de bastante tomo por estar bien rellenas de cedulitas y más cedulitas, con otros géneros de su espiritual comercio, sin reparar el santo varón que el correo está caro y que muchos curas de mi coturno necesitan el importe de tales cartas para un par de huevos con que sacar de necesidad al estómago.

Dios le perdone sus pecados (si acaso los tiene), como yo le perdono los reales que me ha hecho soltar por su santidad y beaterío. En virtud de lo expresado, para resolverme a leer la de vuestra merced, reconocí la firma, y viendo que ni nombre ni apellido convenían a nuestro beato, respiré, tomé aliento y pude enterarme de su contenido. ¡Epoca feliz (dixe entonces) para ti, oh Riofrío! ¿Quién en otros tiempos te podría hacer creer que habías de hacer trabajar las prensas algún día, para ocupar una buena parte en los libros, siendo hasta este momento tan despreciable y desconocido que ni a la puerta de casa sabían muchos tu existencia? Sí; llegó aquella hora inesperada de hacerse visible y de que brilles como le dé a tu cura la gana; pues, sobre su palabra neta, pretende estamparte la letra de molde el *Atlante español.*

Luego consiste en mí que salgas al público, o con tus arrapiezos despilfarrado, o con follajes para lucirlo como el más pintado. A la verdad que no sé lo que resolver; porque, si he de ser escrupuloso y observante de las reglas de un buen histórico, debo describirte como tu madre te parió, ni más ni menos; pero si atiendo a que es caridad ocultar los defectos ajenos, y también a que es muy natural el deseo de que sobresalga la patria o lugar en que uno ha nacido o tiene su residencia, debo despojarte de tus trapos y arrapiezos y vestirte de gala como que vas a la corte. Y ve aquí por qué yo alabaré siempre la satisfacción del escritor en valerse de puras o meras relaciones para una obra tal, cual la *Descripción general de España.* Si el escritor, para llenar bien su oficio y desempeñarle completamente, viajase por toda ella, contando con delicadeza crítica lo que viese y hay en todo el reino, sacaría a la luz una *España* buena o mala; y sucediendo, por desgracia, esto último, quedaríamos entonces desairados los españoles con los extranjeros si llegase esta *Descripción* a sus manos; conque es mucho mejor, y está más bien pensado, para adquirirnos la más alta estimación y reputación, que salga lo que saliere.

No se puede negar el exquisito gusto y bello modo de pensar del que ha imaginado un proyecto tan singular que no tiene segundo. Ni importa que el lector, al leer la historia nueva, forme una idea superficial, escasa y aun grosera de lo que es realmente nuestra península, porque la misma idea será la del autor, supuesto no la ha recorrido. Esto lo sabrán solamente algunos amigos; y como no han salido de sus casas a pasear regiones extrañas por saber dónde cae cada cosa, abrazando poco o ningún ámbito de intelectual esfera (según se explica Flores), faltará rasgo a sus potencias para hablar de Oriente a Poniente, y así tendrán ningún cuidado, siendo indolentes en solicitar la obra.

Los extranjeros sí que, como tan apasionados a tener noticias de mundo, se alamparán a ella y la estimarán como producto de aplicación indefensa de algún eruditismo académico, o como parto de alguna ilustre Academia. Creerán firmemente, con buena fe, que una obra de un tan revelante título y que se ha compuesto en tiempos tan ilustrados y de tan purgada crítica, será obra cabal y exenta de yerros. ¿Y quién no supondrá todo esto y más si no ignora lo que refieren los libros sobre el asunto?

Polibio atravesó los Alpes para escribir con exactitud el paso que por ellos hizo Aníbal. Estrabón, en tiempo de Tiberio, se tomó la molestia de andar gran parte de la tierra para escribir cuanto notó con suma diligencia. El andaluz Pomponio Mela y Plinio practicaron lo mismo: el primero, en el imperio de Claudio, y el segundo, en el de Vespasiano. Ptolomeo, en el de Adriano y Antonino, no omitió esta diligencia, añadiendo las tablas de demarcación con respecto al cielo, para evitar por este medio la incertidumbre de cómputos que se halla en el Itinerario de Antonino Pío. Abraham Ortelio y Pedro Esquivel, matemático de Alcalá, trabajaron no menos en promover la importante ciencia de Geografía y Cosmografía; aquél, dando a luz la primera gran obra geográfica con que se enriquecieron las bibliotecas de los eruditos; su título: *Teatro del orbe*, en idioma latino (año 1570), y el último, también protegido de Felipe II, una sabia descripción de nuestro continente. Los atlas se ilustraron con observaciones escrupulosas de otros, que no se estarían metidos en sus gabinetes.

¿Y qué hombre capaz, a vista de estos exemplos, no se persuadirá con muy sólido fundamento a que la obra que se emprende en el día será más correcta y estará más castigada que el *Estado presente del mundo*, de monsieur Salmón? Este, por haber compilado las *Delicias de España* (obra escrita en francés por don Juan Alvarez de Colmenar), pone muchos yerros en el décimoquinto tomo, como, por exemplo, que en Madrid hay muy pocas vidrieras, por ser muy costoso el vidrio en la España.

Ultimamente, ¿quién no ha de pensar que el *Atlante español* (obra del señor G. E.) enmendará varias cosas anticuadas, defectos en los nombres, observaciones poco respetuosas a diferentes puntos, contenidas en el *Itinerario* (impreso en Amsterdan, año 1656) de unos alemanes que viajaron por España?

Qualquiera supondrá todo lo dicho, y de tan regulares suposiciones resultará el buen crédito de la obra y la recomendación del Reyno. Nuestro clima y suelo será envidiable, como lo fué en otro tiempo por las minas de oro y de plata, por fertilidad, y también por su población. Sí: digo que también por su población, porque aunque algunos políticos sientan que al presente está la España más despoblada que ahora dos o tres siglos (1), siendo curas los c o m p o s i t o r e s de las relaciones (quienes tienen las matrículas de los que cumplen el precepto eclesiástico), si se equivocan y ponen por vecinos los individuos de los lugares, saldrán unas poblaciones muy numerosas, aunque no estén muy juntas.

Ya de cucharas, de ruecas, husos, y de alguna otra cosa habrá en cada lugar sus

(1) Feijoo, en las *Eruditas*, hace un cálculo de la población antigua de España y la presente. Véale el curioso, y abunde en su sentir.

maestros y aprendices; ya de lana, ya de lino, en las más partes echan telas y fabrican paños, xergas, etc., y ve aquí la industria popular. Tampoco faltará el comercio, pues en todos los lugares en donde hay hombres, se vende, compra y se permuta o cambia.

A adquirir estas instrucciones y otras no menos sabias, salen muchos de sus casas; hoy se puede excusar tan costoso trabajo y molesto estudio a beneficio del ímprobo del *Atlante*. Aquí cada uno metido en su rincón, estudio o gabinete, verá quanto pueda desearse para satisfacer la curiosidad: verá el antiguo y moderno nombre de la región, ciudad o pueblo; verá sus fundadores, ampliadores o restauradores; los ríos, costas, puertos, montes, frondosidad, pastos y temperamentos; qué modo de gobierno en lo presente y antiguo; qué curia y magistrados; qué escuelas para instrucción pública; qué bibliotecas; qué varones ilustres; qué fábricas; qué palacios, templos, castillos, estatuas, pinturas, fuentes y qué monumentos de antigüedad.

Por lo político, verá las costumbres, trages, artesanos, y qué comercio interior y exterior. Pues ¿a qué fin ya peregrinar por el Reyno de España? Tributen en buena hora los extrangeros muchas gracias al autor del plausible proyecto, pues es muy acreedor a este tributo y homenage, supuesto les hace un tan conocido servicio. Hasta hoy no satisfacían sus deseos de saber exactamente lo que es España; ya de aquí adelante, sin que les impidan los malos caminos y las malas posadas, sin temor de ser insultados por los bandidos o salteadores, y sin tener que alegar otras causas que les detenían en los Pirineos, como han dicho, podrán con sosiego, al fuego de sus chimeneas, perfectamente instruirse en el particular de que se trata.

Ninguno negará a la obra estas grandes utilidades y ventajas, y ninguno ignorará las que resultan a su autor. Este conseguirá su intento, que quizá será llevar los quartos a los curiosos que no escrupulicen demasiado (éste no es mi dictamen, yo debo juzgar bien de mi próximo), y así queda el público y particular pagado y bien servido. ¡Y con qué facilidad! Solamente con ir colocando las relaciones que recibe según el orden que se haya propuesto y se requiera.

Lo mejor será ver en cada hoja, párrafo o capítulo un diverso lenguaje, y con esto queda del todo sazonada la historia; saldrá de estilo seguido, templado, agradable y tranquilo, que debe usar todo buen historiador. Ni faltarán las transiciones, epítetos, reflexiones y sentencias, porque aunque el autor, siendo de Marte propio la obra, por brevedad las emitiría, no es de discurrir sea así, componiéndola curas, de los quales algunos estarán reventando si no arrojan borbotones o torrentes de este calibre.

¡Que yo no hubiese tenido esta ocurrencia! Como me hubiera ocurrido un tal pensamiento, me quito de cuentos, y a trueque de adquirirme nombre, y lo que es más, para los más, quatro reales, me meto a ser escritor público, geográfico, histórico, y con semejante recurso encuentro la piedra filosofal, y soy más feliz que quantos alquimistas tuvo el mundo. Y también hubiera dado el nombre de *Atlante* a la historia así compuesta, acordándome de lo que fingieron los poetas, afirmando que Júpiter sustituía en sus hombros el peso de los orbes; pues si aquello fué fábula, esto sería mucha verdad. Y quizá juntamente la llamaría *Polifemo*, sabiendo que Ulises le dexó ciego, habiéndole quitado el único ojo que tenía en la frente, por lo que tiraba peñascos al ayre sin acertar. Y... ¿pero con quién hablo yo? Por efecto de entusiasmo han estado enagenadas mis potencias y sentidos. Ahora que vuelvo del éxtasis o rapto, apenas me acuerdo de algo de lo mucho que ha delirado, disparatado y charlataneado mi fantasía y encendida imaginativa.

Señor mío, vuestra merced no le extrañe, ni lo eche a mala parte: ésta es enfermedad que debe ser compadecida. Yo vine mal enseñado a este lugar: estaba acostumbrado a conferenciar con toda casta de gente, y siendo en el día con toda propiedad ermitaño o solitario, como habituado a la contemplación, si se atraviesa alguna especie, paso los días y noches en soliloquios, que a veces dejan bien brumada mi cabeza. ¡Pobre de mí! Con toda lisura confieso mi flaqueza. ¿Qué más quiere vuestra merced? Yo no lo puedo remediar.

Si gusta oír mi respuesta a su interrogatorio, empiezo; pero con verdad y sinceridad, que no es justo y sí muy laudable el engañar.

Riofrío no es villa, es aldea realenga, sujeta a la ciudad de Avila por lo civil y eclesiástico. Dista de ella dos leguas y media (al Mediodía), según la común opinión de estas gentes. Es verdad que esta medida es a ojo, pues aunque los naturales de aquí pasean diariamente dicho camino, nunca se pararon a contar los pasos para saber quántos hay geométricos, qué millas, o qué estadios, y de consiguiente, no se puede señalar a punto fixo la real distancia.

Ni tampoco yo la puedo graduar por altura de polo o longitud, porque carezco de mapa y demás instrumentos. Teniendo a mano algo de esto, me divertiría con particular complacencia en averiguarlo, para que así nada faltase. Si no me engaño, todavía conservo especies, y hago memoria de las reglas que a este fin dan los geógrafos.

Allá en mis niñeces, quando cursaba en Salamanca, di algunas vueltas a los globos terráqueo y celeste, y también a la esfera armilar. Siempre tuve inclinación a esta curiosidad, que es tan útil. El amigo mío, y con sus instrucciones y mi tal qual inclinación, pude tinturarme de algunas noticias, y después la afición me hizo buscar algún librito que tratase del asunto. Yo supongo que vuestra merced tendrá todas estas cosas tan esenciales a su oficio, y por lo mismo, por sí adquirirá la noticia que no doy.

El lugar está metido y encerrado entre llano o vega. Hablando metafóricamente, es un seno del valle Amblés. Aquí se da respuesta genuina a lo que pregunta Virgilio: «*Dic quibus in terris, et eris mihi magnus Apolo: tres pateat celi spatium nom amplius ulnas?*» O a lo otro: «*Religione patrum, late, sacer, undique coles inclusre cavi.*»

El valle Amblés abraza el Poniente y Norte. Las montañas tendrán de elevación unos mil pasos geométricos. Como alguna estrella, por juguetear, no se ponga vertical, carecemos de su vista: mal sitio este para componer kalendarios. Como los caldeos hubiesen vivido aquí, harto fuese que descubrieran el año magno. Las sierras que nos circundan son ramos o brazos de la gran sierra que desde Portugal, por Viseo, se entra en la Extremadura, y viene dividiendo esta provincia de las dos Castillas, ya con el nombre de Sierragata, ya con el de Peña de Francia, con el de Béjar, Gredos, Puerto del Pico y Palomera, que así se llama por aquí. En esta parte son en sumo grado frías; lo más del año están cubiertas de nieve, y de este modo se hacen respetables por sus canas. Sus cumbres y cordilleras manifiestan un semblante horrible, imagen de la desolación. ¡Vea vuestra merced qué bello punto de vista!

De lo dicho se colige que será poco feraz este suelo; en efecto, así es. Solamente produce centeno, en que degenera el trigo si se sembrase. En los baxos hay algunos árboles frutales, cuya fruta no es de muy mala calidad si llega a sazonarse. Los pastos son muy apetecibles, y así en el estío se acogen en este término muchos rebaños de ovejas, muchas vacas y yeguas. Este es un término muy extenso; es de los más vastos de la circunferencia, cogiendo alrededor unas quatro leguas.

De la parte del Mediodía, por medio de las cumbres de esas prominencias, se precipitan dos torrentes o gargantas de agua, que nacen de manantiales perennes. Verifícase aquí literalmente la maravilla que canta David: «Por medio de los montes pasan las aguas.» Distan estos torrentes el uno del otro medio quarto de legua, y a la misma distancia se juntan, siendo el punto de reunión un barrio llamado Escalonilla. El uno baña al lugar y el otro a sus huertas.

Por esta abundancia de agua se forma una rivera de mediana extensión. Se ven muchos árboles: unos, nogales; otros, olmos blancos y negrillos, y (como se dixo arriba), algunos frutales, y todas estas especies tienen mucha corpulencia. En los parages cerrados se siembran cebadas, trigos, linos, patatas, aluvias o habichuelas, nabos, etc. Todos estos frutos se siembran y cogen (exceptuando nabos y patatas) en el espacio de quatro meses; por eso al trigo que aquí se coge llaman tremesino.

De esta frondosidad resulta una perspectiva muy deliciosa y agradable en primavera y estío, si lo hay por aquí, pues se puede afirmar que en esta tierra solamente se experimentan en las dos estaciones; a saber: invierno y primavera. Esta dura los meses de junio, julio, agosto y septiembre, y aquélla los restantes ocho meses del año. En efecto, el invierno es tan rígido y crudo, que parece vivimos en medio de los círculos polares o en esfera paralela, como se explican los geógrafos o cosmógrafos.

Las aguas son, sin disputa, delgadísimas. Yo, aunque he leído algo sobre el análisis de ellas, nunca he intentado analizarlas. Quise, sí, por medio del hidrométrico, hacer comparación de unas con otras, y se quedó en especulación. Ignoro sus virtudes; no sé si son acídulas, o si con sus sales neutras emprenderán los físicos la cura de algunas enfermedades y dolencias. Mientras que los esculapios deciden este artículo, pues a ellos, por precepto de Hipócrates, toca conocer las aguas del terreno en que residen, diré yo, con su licencia, que he observado en ellas las señales que las caracterizan de buenas, según los naturalistas. No tienen olor, sabor ni color.

Es verdad que Feijoo (1) dice que tales señales sólo sirven para reprobar las malísimas y no para elegir las muy buenas, siendo cierto que las hay harto pesadas en quienes concurren aquellas circunstancias. En este lugar se ven muchas quebraduras; con los más de los niños han exercido la proscripta acción de medio castrarlos los hernistas. Quizá tenga en esto influxo el agua por su delgadeza, como se ha observado en el Real Sitio de San Ildefonso.

Sea lo que fuere, yo protesto que para mi gusto son de predilección a las tan decantadas por sus azufres, mercurio, vitriolo, marte, etc. El un torrente de los referidos cría sus pececitos, ranas, etc.; pero no truchas, que es lo que yo siento, y se debe notar la falta, y tener por rareza, porque en las gargantas que vierten al Mediodía se crían con la abundancia de las quatro efes (2); animales anfibios también se descubren en él; pero en el otro pasma que no haya cosa viviente. Este fenómeno (llamémosle así) causa grande admiración en los naturales, sin embargo de pararse a considerar poco o nada los meteoros de Naturaleza. Verdaderamente que éste es uno de sus muchos arcanos y misterios. Por sus extravagancias las llamó el filósofo *Demonia.*

Yo alguna vez me he puesto a reflexionar sobre la causa, y no la he podido encontrar; me ha ocurrido que podía serlo la precipitación de las aguas. Tienen la caída por un peñasco elevadísimo, y por este motivo hacen tanto ruido, que sin querer se acuerda uno de las cataratas o catadupas del Nilo. Parece la caída del Marañón o río de las Amazonas, quando se precipita por aquella peña tajada que se llama el *Pongo.*

Mas, bien reflexionado, en esto no consiste, pues se verificaría lo contrario antes del descenso. Hablando una tarde con un sujeto bastantemente instruído en física y química, dixo que esto nacía de pasar las

(1) Tomo VIII. Discurso 10.

(2) Fragosas, frías, fritas y fragantes. Mejores son las de cinco: fiadas.

aguas por mineral de marquesitas. Yo las he cogido no muy distante de aquel sitio, con que está descubierto el misterio. El referido químico sabrá muy bien las virtudes y qualidades de semejante mineral; él sabrá si abunda el arsénico, etc. *Tractant fabrilia fabri.*

Yo dexo advertido que no he notado en las aguas olor que indique pasan o tienen origen de mineral. Son cristalinas, y yo las bebo sin desgracia; antes con conocida utilidad las uso; aseguro que por su particularidad las he preferido a las demás de este territorio, considerando que, si no admiten cosa viviente, serán de eficaz remedio para exterminar las sabandijas de las tripas, llamadas lombrices. En suposición de esto, llamamos nosotros al torrente de que se trata *Arroyuelo muerto;* pero no asfaltite, epíteto que dan los griegos al mar Muerto, por lo gredoso y sulfúreo de sus aguas. No me parece despreciable la noticia.

El caudal de aguas de dichas gargantas no es grande, pero sí tan perenne, que aun en los años más secos han molido incesantemente los molinos que hay en la rivera. Estos son once, y algunos tienen dos piedras; en otro paraje no podrían moler con la misma calidad de agua. Aquí, ya por su mucho descenso y rapidez, y también por su frialdad, en menos porción es suficiente. Vuestra merced no ignorará lo que sobre el particular dicen los físicos, y es que, con igualdad de agua, más muelen en el invierno las piedras que en el estío. ¿A qué sino a esto se debe atribuir, cuando se ve que el mecanismo es tan natural y sencillo? Los gallegos que construyeron estas máquinas hidráulicas jamás oyeron los elementos de Euclides, ni saludaron siquiera al Tosca.

En las arenas del riachuelo que dixe baña al lugar, he descubierto muchos fragmentos de oro, o cosa semejante. Se puede comparar al Páctolo, río de la Lidia, celebrado por los poetas, historiadores y geógrafos, en atención a sus muchas arenas de oro; los fragmentos que digo no son tan diminutos que se necesite un microscopio para descubrirlos. Siendo oro, se concluye que las aguas nacen de mineral de esta especie, o pasan por él.

He dicho oro, o cosa semejante, hecho cargo de que no es oro todo lo que reluce. Es verdad que solamente este metal sale depurado de las entrañas de la tierra. Confieso que para poder hablar con mayor seguridad sobre esta materia se requieren más conocimientos y experiencias de las que tengo. De la mineralogía o metalurgia sólo tengo aquellas noticias que se adquieren leyendo alguna física moderna. Los naturalistas o chímicos dicen que los montes abundantes de minas no son frondosos. El cerro por donde tiene su curso este torrente es muy enriscado y de poca feracidad, aun para arbustos.

Hoy se aprecian encarecidamente estas noticias; las comunico para que haga el uso que le parezca de ellas. Este precioso metal en todos halla buen acogimiento. Como ya las repúblicas no se gobiernan como la de Esparta, los mortales tienen mucha hambre de él. No acaso dió la Naturaleza en todas partes tan pródigamente los frutos, y ocultó en los profundos senos de la tierra la plata y el oro, porque no fuese a los hombres dañosa su abundancia. Se ofreció a la pluma esta reflexioncita y no la quise dexar en el tintero. Por esto conocerá lo bien fundado de mi expresión, que muchos curas están reventando por arrojar borbotones de sentencias.

Antes de pasar adelante hago solemne protesta de no afianzar lo referido sobre el torrente que no tiene en sí cosa viva. Aunque inconcusa entre estos hombres la tradición, yo no la confirmo. Soy muy incrédulo en estas materias; tengo en el filosofismo un espíritu fuerte; siempre viviré persuadido a que en la física, que exige experimentos e inquisiciones las más atentas, es muy importante el pirronismo. Ello es necesario advertir que se afirma a veces a bulto y sin sólido fundamento lo que no se demuestra o está demostrado suficientemente.

Aunque todos tengan ojos para ver las

cosas, no todos las ven como realmente son. A los ojos de la frente, si están afectos de diversos colores, o no están bien dispuestos, se presentan los objetos o los puntos de vista con los colores que en sí no tienen, o en diversa forma, y pasando así por los rayos visuales a la mente, queda ésta mal informada, y de consiguiente siente erradamente. Pienso que sabrá vuestra merced ser ésta la causa (según buena filosofía) de que los hombres opinen de una misma cosa variadamente.

En esta tierra se crían muchas yerbas medicinales; supongo que todas las que Dios mandó produxese la tierra tienen virtud para alguna cosa; yo así concibo; pero ahora sólo se trata de las conocidas por los farmacopolas o botánicos. Como yo fuese socio del Jardín Botánico matritense, podía con facilidad remitir todos los años una colección, y las acompañaría con las disertaciones correspondientes. Unas veces me valdría de Dioscórides, con los *Comentos* del doctor Laguna; otras, de las Memorias de Bomé, y, en fin, siguiendo el gusto del día, me valdría de las *Instituciones*, de monsiur Tournefort, y del *Sistema*, del famoso Linneo; entonces no acarrearía la soledad tanto tedio y fastidioso enfado.

Un barbero residente en este lugar me ha contado que años pasados vino aquí un herbolario extrangero, quien parece que cogió muchas yerbas, y algunas raras, por lo que recomendaba mucho este suelo. Un médico de Avila, que escribía sobre las virtudes de las aguas de Laraz y Muñana, dice que por aquí se cogió el maná, afirmando que no era de inferior condición al de Calabria; pero siempre sería muy diferente del que cogían los israelitas en el desierto.

Yo digo que en este territorio hay muchos fresnos, lo que, según los físicos, producen el dicho purgante. A este arbusto o vegetal atribuyen una virtud astringente o febrífuga. Ellos sabrán muy bien si el maná sólo se cría en tierras cálidas, como la de Calabria, o si también en las frías. Yo no soy capaz de decidir este pleyto.

El mencionado barbero, para hacerme ver que si no es Salomón en el conocimiento de yerbas, puede disputar, si no del cedro del Líbano, sí del hisopo de la pared, me ha presentado en cierta ocasión una raíz con sus dedos en forma de mano (llamado *manus Christi*), asegurando que para su curación es eficaz remedio. Yo le he creído sobre su palabra; porque si la raíz de escorzonera, por la semejanza con el escuerzo, tiene virtud alexifármaca, o contra su veneno, la otra, por la misma razón, la tendrá para curar las manos. ¿Qué digo manos? Tendrá virtud para sanar todas las dolencias. La mano de Cristo, sobre todos los específicos, fué maravillosa y eficacísima para curar perfectamente qualesquiera enfermedades.

No hay memoria del tiempo en que se fundó el lugar; mas según está de viejo manifiesta gran antigüedad. Se ignoran, de consiguiente, sus fundadores, pues no hay fastos. No tiene ni tuvo restauradores o ampliadores, pero sí destruidores, pues se conoce que ha sido más extenso. Como carece de historia, no se refiere suceso notable y que merezca atención. Aunque sus vecinos no gocen de privilegios, son muy libres y muy amantes de su libertad; en esto no ceden a la Vizcaya, Asturias y Montaña. Esta es propiedad característica de los que nacieron en ellas.

Un escudo de armas he descubierto rodando por el suelo, y arrimado a la cilla en donde se recogen los granos de diezmo. Contiene dicho escudo en campo raso, seis panecillos, puestos en línea tres a tres a cada un lado; no sé qué representan, pues en la materia de blasones soy completamente rudo. Solamente en la Enciclopedia de Cadalso, para los eruditos a la violeta, leí un poco, sin que nada se me pegase. Todos los términos con que se explica me parecieron greco-arábicos, caldeo-hebraicos, o de mala cábala se representaron a mi simplicidad como términos de nigromancia, que enseñaba aquel sacristán en la encantada y tan decantada cueva de Salamanca.

Esta ignorancia quizá sea la causa de

que yo piense que estando junto a la cilla, significarán sus panecicos que allí entra el pan. Si no esto, serán las armas que estuviesen en una casa ya arruinada, que allí llamaban palacio, cuyos escombros aún se manifiestan cerca de la Iglesia, y era propia de doña María Valdivia, residente en Córdoba, señora que en este término tiene una buena porción de su mayorazgo, y siendo así, no serán ya panecillos, sino doblones de a ocho, geroglífico de los muchos que tendrá su dueño.

Estatuas no hay, a no ser que se diga que sus habitantes lo son. Fuentes solamente hay las que produjo la Naturaleza. Tan pródiga en esto, que a manos llenas vacía por esta parte el humor de toda la tierra. En efecto, este sitio parece un respiradero o eructación de los aqüeofilacios de los abismos. No se celebran ferias ni mercados, pero no se necesitan; todo el año, sin interrupción, es un mercado franco, vendiendo y comprando cada uno si le acomoda.

Vecinos se cuentan unos 120. Todos son pastores o labradores, que es el oficio más antiguo y el ejercicio que tuvieron los hombres por muchos años. Son unos aldeanos toscos, que llevan una vida pobre, pero no penosa. Sólo es infeliz el que por tal se tiene; ellos viven contentos con su miseria. No tienen espíritu, ni entendimiento. Todo lo hacen en fuerza de la costumbre. Aunque los curas se hayan esmerado en pulirles, no sé si habrán conseguido su intento. Ellos no aspiran a empresa ilustre; permanecen indolentes en su estado de abatimiento. En alguna cosa se parecen a los héroes de Homero; v. gr., en servirse a sí mismos en las cosas comunes a la vida humana.

Verifícase de cada uno lo que el citado Homero refiere (1) del buen hombre Cumeo, que se hacía los zapatos, y lo que era necesario para alojar las bestias, como los establos, etcétera. También les conviene lo que se dice de Ulises (2), que él mismo edificó su casa y armó su cama. Sin haber leído lo que escribió en 25 libros Magon, sobre agricultura, lo que Xenofonte en su *Economía,* ni lo que escribieron sobre ganados y demás grangerías del campo Catón el Censor, Varrón y Columela, observan por tradición muchas de sus máximas.

Son grandes comedores, y por eso también muy semejantes a los que describe Homero. Beben mucho vino, como todas las naciones del Norte. Les viene muy ajustado lo que dice Isaías (3), que desde la mañana a la noche pasan muchos días en las tabernas. En esto tienen ellos sus mayores delicias. Hay vestigios de que en otro tiempo hubo viñas. Cuentan las dexaron perder, porque eran ocasión de muchas disensiones de malísimas resultas. Tan aficionados son a la fruta como a su humor. Ninguno es Nazareno. Les llaman tales por la figura antítesis.

Por mucho que se les predique, quedan como antes. Quando con más vehemencia se les ha intimidado desde el púlpito, entonces están más bien dispuestos a irse a echar un trago, para acallar por este medio algún remordimiento de conciencia; si es que les dicta alguna vez que la borrachera es pecado, se manifiestan en lo particular tan serenos, que juzgan no necesitar ni de agua bendita para lavar esta mancha. Acuérdome frecuentemente lo que se refiere de los iroqueses y otros pueblos de América, que llamamos salvajes: éstos oyen con paciencia quanto se les dice, conviniendo en todo; mas al fin del discurso se experimenta que nada se les ha persuadido.

Ni Orfeo con su lira, ni Anfión con su arpa (de quienes finge la filosofía antigua que con la armonía de sus instrumentos se llevaban tras sí los animales y aun las piedras), podrían reducir a estos hombres. Es menester primero formarles tales, y luego persuadirles. No sé a qué planeta toca este clima. Los cosmógrafos definirán si es de Saturno o pertenece a

(1) *Odisea,* 14.
(2) *Odisea,* 23.

(3) Cap. 5.

la Luna; según mi astrolabio, de ambos planetas tienen influxo mis feligreses.

Las mujeres son Rebecas, son Raqueles e imitan a Rut en ir a espigar, guardar ovejas y acarrear agua. No son hermosas, pero sí varoniles, y tan fecundas que no habrá en la redondez de la tierra quienes las excedan. Sus regocijos son cantinelas pastoriles y bayles al son de panderos y otros instrumentos parecidos a los que dice la Escritura Divina se tocaron en la inauguración de la estatua de Nabuco. Todas gastan un gran fondo de cháchara, y así no envejecen de pesadumbres.

Sus lutos tienen una gran conformidad con los de los israelitas. En los entierros acompañan los cuerpos de los difuntos con tales clamores y gritos, que mueven a compasión al más duro. En ellos me viene a la memoria la viuda de la ciudad de Naim, de que habla el Evangelio. Entre los sollozos van haciendo el panegírico de los hechos del difunto. Sus sermones fúnebres son tan patéticos, que ni Flechier, que tuvo gracia para estas oraciones, los podría imitar.

Aunque lloran tanto, se consuelan brevemente, casándose, si hay coyuntura, lo más tarde al año; lo mismo practican los viudos, verificándose de algunas casi lo de Sara, mujer de Tobías el mozo, que tuvo ocho varones.

Tampoco hay en este lugar conventos; sin embargo, no faltan frayles que vienen a sustituirnos por ausencia o enfermedad y a pedir sus limosnas. Fábricas solamente las hay de cisco; son tan dedicados a hacer este carbón menudo, que los llaman los cisqueros. Por antonomasia, tienen para ello buena proporción, pues abunda la leña de sierra; gracias por este beneficio que si nos viéramos apurados para salir del invierno, tan frío en esta parte, que podemos decir lo que San Jerónimo en una de sus cartas: «*Frigidos obsistit circum precordix sanguis.*»

No hay castillos ni palacios; tampoco hay baños, pero sí muchos parajes donde poderse bañar. Temen estas gentes tanto al agua que se estremecen al verme echar a pechos por la mañana un vaso. Blasonan de no haberla catado en todo el año. También se conoce, por sus rostros tiznados, que no la tienen menos miedo para lavarse. En las tierras cálidas son sus naturales más aseados; el calor les incita a buscar el agua para refrigerarse, así como a los de la tierra fría les provoca el frío a buscar el vino y los otros licores calientes para entrar en calor.

Muchas de las enfermedades que aquí se padecen, pienso yo que tienen su origen en la falta de limpieza. Tissot declama contra esto, y aconseja mucho la limpieza, que facilita la transpiración, tanto quanto la suprime la porquería. A la verdad que la limpieza es virtud que simboliza la limpieza del alma, según Fleuri.

Hospitales también faltan, sino que se quisiera decir que cada casa es un hospital. Hay solamente una Parroquial Iglesia: es bastante capaz, tiene tres naves, y su material, desde el pavimento al techo, es cantería, de que abundan mucho estos berrocales. Tiene una torre, no tan alta como la de Babel, y si ésta fué construída de ladrillos, también en esta circunstancia se diferencian. Penden de ella tres campanas muy buenas, y si se quisiesen poner las que se requieren para un órgano, no faltaría cabida, pues aún quedan cinco ventanas desocupadas.

La titular es la Virgen con el predicado de la Asunción (1), pero no es este día el que principalmente se celebra. La función de primera clase es aquí el día 2 de julio, cuando la Iglesia propone el Misterio de la Visitación de Nuestra Señora. En este día se hace el mayor mer-

(1) Se me olvidaba que hay una ermita hacia el Oriente, no muy pequeña, pues cabe en ella el pueblo. En efecto, así sucede el día 3 de mayo, que hace allí su fiesta la Cofradía de la Vera-Cruz. Se venera en esta ermita una efigie de Cristo Crucificado, tan mal hecha, que siendo yo obispo la mandaría enterrar en execución de lo que sobre el particular disponen los Cánones. Yo no me he atrevido a tomar esta resolución temiendo que oliese a chamusquina a estas gentes. Por las paredes, alrededor, están esculpidas las imágenes de la Pasión de Christo. Esto se conoce por el discurso, no por la pintura.

cado o feria. Acuden entonces (no obstante la justísima Real prohibición) muchos quinquilleros o buhoneros con rueda de fortuna y demás muebles propios de tal casta de gente. Hay su sermón y procesiones locales y claustrales, mucha comida, mucha bebida (no helada), mucho bayle cerril al compás del horrísono pandero y de sonajas de palo que tocan los pastores; estos Apolos jayanes hacen coro con las Musas charras y se transportan de tal modo que parecen locos, o lo están verdaderamente.

También, a veces, tienen su comedia, executándola según las reglas de acción, tiempo y lugar; pues si se echa de menos alguna de estas cosas, la culpa es toda del poeta, no del que representa el papel. Cada uno hace tan al vivo el suyo, que no queda que desear. Lo que se debe temer es que representen alguna acción trágica o belicosa; porque transformados en verdaderos gladiadores, esgrimen las espadas con tal ardor, que se tiran a matar. Yo he juzgado que tal vez fuese necesario saltasen los espectadores al tablado con bota en mano, para reducir la pendencia a la paz.

El espíritu de Cliflot hace aquel día todas sus habilidades. Unos versifican, otros cantan las letanías y vísperas con tan acordes voces, que no hay que tener envidia a la Psalmodia del Escorial, Coro de Toledo o Capilla Real. ¡Qué bemoles, qué remifasoles, qué baxos, qué tiples, qué pianos!

Para la enseñanza pública está asalariado un maestro de primeras letras; en ellas adelantan muy poco los muchachos, ya por poca aplicación, ya también por falta de método. Apenas se encuentra uno que forme medianamente los caracteres de letra. Pocos tiempos ha que yo llamaba a la escuela Trilingüe, porque el maestro hablaba con propiedad la lengua hebrea, caldea y griega; o podía llamarse Babilonia, porque todas las que allí se hablaron, creo las hablaba el tal pedante; yo nunca le entendía una palabra.

Murallas no hay, puede decirse, que el lugar está por naturaleza amurallado, pues a él sólo puede entrarse por tres puertas. Si aquí hubiesen peleado los romanos, podía haberles acontecido la ignominia de las horcas. La casa más visible es la del Concejo, sita en el centro del lugar. Los negocios políticos se tratan aquí y en la taberna, como en Londres. En estos lugares se juntan con frecuencia las Cámaras de los Pares y de los Comunes, imitando a estos *milores* en separarse a media noche o madrugada.

También tiene sus oradores, que, con el espíritu del vino, corrigen las leyes de las doce tablas, el Derecho natural y el de gentes. Estos decenviros no hacen caso de las Pandectas, Digestos, Leyes de Partida, Recopilación o Fuero Juzgo. Quando les conviene hacen su comento y ponen sus notas al Derecho divino. Su epiqueya todo lo interpreta a medida de sus conveniencias temporales. Yo temo estas juntas como a tropas enemigas que entran por asalto. Su gobierno es mixto de aristocracia y democracia.

Porque vuestra merced vea no es vano mi temor, le he de referir un pasage. Cansado de declamar contra las profanaciones del templo, arrebatado un día del celo, tomé al parecer una oportuna providencia. Y ¿qué resultó? Haberse juntado concejo a media noche, y llevando la voz un sastre de paño burdo y esquilador, propuso los dos puntos siguientes: 1.º, que se admitiese de porquero a N.; 2.º, que se expeliese al cura, porque le había reprehendido entrando en la iglesia con la jabardina al hombro, como se trae guardando cabras; que no consentía ruidos, conversaciones, mogigangas, ni andar vagueando sin necesidad por la iglesia, y últimamente se arrojaba amargamente y con gran enfado de ella a los que iban con una gotilla, o lo que es lo mismo en su vocabulario, a los borrachos. Acción que era repetida con N. y con N.

Los truxo a la memoria aquel lance tan público de haber estado arrestados en la ciudad los dos alcaldes, sólo porque habían asistido algunas veces a las procesiones cayendo y tropicando, etc. Habiendo perorado este buen tribuno con tanta valentía en defensa de los derechos del pueblo, se decidió por todos votos la expulsión del cura. No temía yo esto, y sí que el sastre tocase al arma y me atacasen. Gracias a mi espíritu, que les ha infundido un terror pánico para no resolverse a poner las manos en el Christo del Señor.

Para impedir tan execrable osadía, de que cuentan exemplos, me propuse, desde el momento que los comprendí, hacer el papel del guapo Campuzano. Me temen tanto, que aun estando rematados, procuran ocultarse o darse a la fuga. Las juntas concejiles siguen todavía, y aunque a la verdad son ilegítimas, por tumultuarias y vinolentas, y de un distinguido mérito para ir a Puerto Rico sus actores, hasta hoy no se ha encontrado remedio. El sastre, en premio de su celo patriótico, seguirá con los suyos gobernando. Estos son los hombres esclarecidos que tiene el pueblo.

No se puede negar que él dice bien: yo soy el mayor antagonista de los cofrades de Baco; los he perseguido incesantemente y los persigo; para exterminar un vicio tan abominable me he valido de las más fuertes inventivas y algunos recursos extraordinarios. Me río de sus contradicciones. El profeta David decía: «Los que se sientan en la puerta hablan contra mí, y los que bebían vino *in me Psalebant.*» Si Dios con nosotros, ¿quién contra? No hay que temer a mil del pueblo que nos circunden.

Esta capital tiene dos lugaretes anexos, cada uno de una docena de vecinos. El más distante está situado en la cumbre de la montaña, al Norte. Se descubre Avila desde este mirador, y a lo largo mucha tierra, siendo por esta parte de bastante extensión el horizonte sensible, y hacia los puntos de oriente y poniente; pero al mediodía muy corto, por impedir la vista un promontorio que quizá sea tan elevado como el del Cabo de Buena Esperanza.

El sitio del lugar es seco, y por esto carece de arboledas y huertas. Crían sus naturales vacas y ovejas, y su cosecha es de centeno y de garrobas. Hay en él su iglesia, cuyo titular es el Bautista. En el día de su festividad hacen su festín los vecinos; comen y beben potentemente, baylan y juegan, rebosando alegría de cepas, que si faltase este requisito, no se acordarían del Santo. Se les dice entonces su misa solemne; pero si al cura no da gana de predicar, falta el sermón y no se apesadumbran por eso.

Tiene una fuente de muy buena agua. Su estructura es semejante a una grande arca con su cubierta de peñascos toscamente labrados. No tuvo necesidad de las noticias que suministran la maquinaria e Hidrostática el que la construyó. Están aquellas gentes creyendo que es obra de moros, mas yo nunca he podido persuadirme a que los moros habitasen una tierra tan fría, habiéndose criado en la que tan caliente es.

El nombre del lugar es Cabañas. Tomaría esta denominación o traerá esta etimología de sus casas, que realmente son cabañas, o de las que hicieron los pastores cuando se empezó a habitar este parage. Aunque anexo a Riofrío, forma concejo aparte, teniendo su término redondo, por el que pagan anualmente un feudo de gallinas, dos carneros y quarenta fanegas de centeno al marqués de Villaviciosa, que al presente es el conde de la Roca, pero no es señor del lugar, pues es realengo.

El otro anexo está situado en llano, al poniente, saliendo para el valle Amblés. Llámase Escalonilla, ya se dixo arriba. Este forma un cuerpo civil con su capital. No a mucha distancia del río, se manifiestan ruinas de otro barrio. Refieren que se despobló por haberse envenenado sus moradores en un día de bodas, quando impensadamente cocieron con las demás viandas una salamanquesa.

En el contorno de Riofrío también se descubren en tres parages ruinas, siendo tradición que en otro tiempo fueron sus anexos. Del mismo modo, son pertenecientes a esta jurisdicción dos casas de montaraces. Están al oriente y distan entre sí un quarto de legua; pero de Riofrío, la una, tres quartos, y la otra, una legua; ésta se llama el Palacio de la Pavona, y aquélla, la Casa de Jemiguel. Yo juzgo que la Pavona fuese en otro tiempo atalaya o casa-fuerte, pues sus vestigios y situación en lo alto así lo dan a entender. Jemiguel está situado en valle, y en medio del camino que se lleva desde Avila, por la Palomera, al puerto de Mijares y a Talavera de la Reyna, por lo que sirve de posada a los viageros. A los umbrales de esta casería corre un torrente bastante caudaloso; tiene su puentecilla. De aquí no muy lexos están señales de una iglesia; sin duda serviría para decir misa a los montaraces y a los vecinos de las dos lugaretas arruinadas que estaban próximas allí.

Por la parte del poniente hay otra casa de monte; no tiene moradores; dista de aquí no media legua. Todas son dehesas de encinas y fresnos, y sirven más para pastos que para labor; bien que esto consiste en tener ningún espíritu los de Riofrío, y mucho poder o dinero, por decir mejor, los que las aprovechan para que pasten en ellas por el estío sus vacas, sus ovejas y sus yeguas, cabras y cerdos. Esta última dehesa se llama Clementes, propia de la señora Valdivia, vecina de Córdoba, de quien se habló. La Pavona es de un marqués de Arévalo; no sé su título. La de Jemiguel es de un Patronato: no sé si lego o eclesiástico. El marqués de las Navas también tiene por aquí muy buenas posesiones.

Aunque la tierra es muy a propósito, por sus berrocales y leña, para caza, es poquísima la que se cría. A mi parecer, es la causa la nieve, que, durando mucho tiempo y purificándose con el hielo, no da lugar a que los conejos, etc., salgan de sus vivares a comer, y perecen de hambre. De lo que hay mucha abundancia es de víboras. Se crían muy grandes y muy finas. Se conoce que, aunque el Apóstol San Pablo estuvo en España, no por estas sierras; habiendo estado por aquí, quizá le hubiese acontecido lo que en Malta y las hubiera conjurado, exterminando estas fieras terribles.

Yo las tengo tanto temor, que cuando salgo al campo, a cada paso imagino que me muerde alguna. De aprehensión he padecido a veces sensaciones de mordedura suya. Ellas me han privado de los baños fríos, tan saludables y recomendados hoy de los físicos modernos. Pienso que ni en el agua he de estar libre de sus insultos. Ni me aquieta el tener por antídoto de su veneno la piedra de la serpiente, que alaba tanto Feijoo.

Tenemos el consuelo de haber aquí unos hombres que las persiguen tanto como yo a los borrachos. Estos Hércules son acreedores a nuestras gracias por este beneficio, que de no nos asaltarían en las camas. A ellos les vale esta industria muy bien, pues conduciéndolas a las boticas de Madrid se traen algunos reales. En esta tierra no apetecen sus caldos; quieren más el de carnero y gallina. Uno de los cazadores me ha certificado que es fábula lo que se dice: que se mueren o revientan cuando paren. Me asegura que sucediendo esto muchas veces en la talega en que las encierra, saca los viboreznos o cría de allí y la pone en sus madrigueras para que crezcan.

Me parece justo dar crédito más a este experimentado que a otro, sea quien fuere, que no lo sea. El ilustrísimo Cano así nos lo enseña (1). Desde que he averiguado ser falso lo de las víboras (cuento muy decantado), me cuesta gran repugnancia (aunque lo asegure Plinio) creer lo que se cuenta de otros insectos y animales, que no se les puede observar bastantemente, y en esta clase entran las abejas. Plinio no fué tan crédulo que se tragase tales fábulas. El, en efecto, impugnó lo mismo que se dice afirmaba.

He respondido, si no me engaño, al interrogatorio de vuestra merced, y, además, he puesto quanto puede conducir a

(1) *Non aliis certius contigit scientia, quam hujusmodi rei peritis hominibus.*

ilustrar el pueblo en que resido. Si sale en esta forma a la luz por la estampa, no fué mi delirio en vaticinarle feliz, porque llegó el momento de trabajar las prensas y de ocupar en los libros una buena parte. Yo tendré suma complacencia en que tenga efecto, pues siendo esta descripción parto mío, es muy natural apreciarle, aunque sea deforme. El lugar, visto así pintado con letra de molde, no es tan feo como visto cara a cara.

Protesto que si he dejado correr la pluma no ha sido con el fin de que se me juzgue capaz de ser autor público, sino con el de divertir con esta ocasión los enfados de la soledad, las penas del destierro, y suspender por algunos instantes las lágrimas que me hace verter incesantemente mi desgraciado destino.

Hoc est cur cantet vinctus,
Quoque compede fosor.

Ultimamente, protesto que serviré a vuestra merced en otra cosa que me encargue, si me hallo con facultades para ello. Dios guarde su vida muchos años y le prospere, según exige su mérito, etc.

EPILOGO

AÑO DE 1789

Nos despedimos de nuestro amigo; vamos a dejarle; bastante le hemos traído y llevado a lo largo de estas páginas. ¿Cómo hubiera podido figurárselo él? Querido don Jacinto Bejarano Galavis y Nidos: Ahí te quedas entre las montañas. Te quedas entre tus libros; tú lo lees todo; en los *Sentimientos patrióticos* citas a Gracián y a Molière—dos autores que a nosotros nos son también dilectos—. De Molière citas *El médico imaginario*. ¿Qué coincidencia, qué fatalidad, qué secreta afinidad ha hecho, querido Galavis, que tú traigas a la memoria un fragmento, unas palabras de esta obra triste y melancólica de aquel gran artista? Obra en que Molière se despedía del mundo; la última obra que él escribió y representó. Pocas horas después de representarla—¡con cuánto esfuerzo doloroso—, Molière finaba su vivir... «Cuando me considero entre estas ásperas montañas y sin salida —has dicho tú, Galavis—, me lleno de pena hasta rebosarla.»

No tienes más consuelo que la lectura y tus paseos solitarios por el campo; charlas también con los labriegos, pero no siempre a tu afectuosidad se corresponde en igual modo. Los labriegos son toscos y violentos. Tú mismo dices que muchas veces con ellos has de representar el papel de «guapo Campuzano»; es decir, que a pesar de tu afabilidad te has de poner serio y has de estar dispuesto a ser tan hombre como el primero de estos rústicos valentones... Lees mucho; mas la lectura —lo dijo Montaigne, nuestro amigo, hace mucho tiempo—, la lectura entristece. Al tío Cacharro le haces decir alguna vez: «Siempre está vuestra merced encerrado; otros señores se divierten, ya asistiendo al baile, ya jugando a la calva, y así se pasa el tiempo. Yo no sé cómo vuestra merced no se aburre. Tanto leer no puede ser bueno.» Tú mismo lo conoces y experimentas los efectos de la melancolía producida por la lectura. *Tanto leer no puede ser bueno*. Pero ¿qué vas a hacer si no lees? ¿Qué vamos a hacer—tú, yo y tantos otros—si no leemos a filósofos, poetas, literatos, autores de todo género y catadura? Leer; ése es nuestro sino. Tú crees que las montañas, esas montañas de Avila que te cierran el paso, son las que te tienen aprisionado. ¡Ah, no, querido Galavis! La prisión es mucho más terrible. La prisión es nuestra modalidad intelectual, es nuestra inteligencia, son los libros. Cuando salgas de ahí, te encontrarás igualmente prisionero en Madrid o en Salamanca. Serás prisionero de los libros que tú amas tanto. De los libros somos prisioneros todos nosotros. Vivimos con ellos en comunión íntima y constante; a ellos amoldamos nuestro espíritu; sobre ellos fabricamos nuestros amores, nuestros odios, nuestras fantasías, nuestras esperanzas; un ambiente especial nos envuelve con nuestros libros... Y un día, cuando queremos romper este ambiente y esta marcha de nuestra vida, cuando queremos lanzarnos a gozar de otros aspectos del mundo, de otros distintos sabores de las cosas, vemos que no podemos. Nos hallamos entonces como desorientados; necesitaríamos una nueva polarización de nuestro espíritu... Y la polarización de una sensibilidad no se improvisa; es cuestión del tiempo y de otras circunstancias. Nos sentimos, en resolución, emprisionados. Nuestra prisión está en los libros.

¡Adiós, querido Bejarano Galavis! La hora de la despedida llega. Hemos vivido unos días juntos; probablemente ya no nos volveremos a ver. Mi espíritu ha recibido un gran placer en conocer a un hombre tan culto y delicado. Siento, *como si fueran míos,* tus dolores. ¡Adiós, adiós! Que el tiempo, tan terrible, sea un poco exorable para nosotros.

AÑO DE 1916

En lo alto de las torres, en las paredes, sobre las mesas, en los bolsillos, los relojes han ido marchando. *Tic-tac, tic-tac*... Van lentos, y ¡con cuánta velocidad marchan! Lo que pone tristeza en nuestra vida es el sentir que este minuto grato, que ahora tan hondamente sentimos, al que queremos aferrarnos para que no pase, ha pasado ya, se ha deslizado, se aparta de nosotros, se distancia, se aleja, se pierde en el recuerdo, se esfuma y desvanece en lo pretérito. ¡Oh dolor del tiempo que pasa! De 1789 a 1916 los relojes han dado muchos pequeños golpes con sus ruedecitas. En distintas ocasiones, mientras redactábamos estas páginas, hemos estado a punto de hacer el viaje a Riofrío de Avila. No quedará ya en aquel pueblecito ni rastro de Bejarano Galavis... ¿Bejarano Galavis? ¿Quién era este hombre? ¿Qué realidad evocan estos apellidos? El viaje se ha quedado sin hacer. Pero con la imaginación hemos corrido de Madrid a Avila y de Avila a Riofrío. Con la imaginación hemos entrado en la vieja ciudad; luego nos hemos aposentado en la fondita que está delante de la catedral; a la mañana siguiente un coche destartalado nos ha conducido, dando tumbos por un caminejo torcido, hasta Riofrío. Y en Riofrío hemos estado unas horas y hemos visto las callejas del pueblo y echado una mirada por la campiña. ¿Para qué hacer el viaje? Hay un momento en la vida en que descubrimos que la imagen de la realidad es mejor que la realidad misma. No acertamos a decir si este descubrimiento que hacemos en el fondo de nuestra conciencia nos causa alegría o tristeza. (Alegría; pero ¿y la disminución de nuestra curiosidad intelectual? Tristeza; pero ¿y los nuevos aspectos que nuestro desinterés nos hace ver en las cosas y que antes no veíamos?) La imagen del pueblecito de la sierra de Avila era mejor que el mismo pueblecito. Allí no quedará ya nada de aquel hombre que habitó en una de sus casas hace ya más de un siglo. Riofrío no nos diría nada; su imagen nos sugiere algo. Pasan los hombres, las cosas y los lugares... «Los lugares—dice Joubert en uno de sus *Pensamientos*—, los lugares mueren como los hombres, aunque parezcan subsistir.» Los lugares son nuestra sensibilidad; un lugar que ha atraído y polarizado la sensibilidad humana, no dice nada cuando el tiempo ha apagado sus motivos de excitación espiritual. *Los lugares mueren como los hombres.* Riofrío de Avila, siendo una realidad, ya no existe. Sólo nos queda, en lo íntimo del espíritu, su imagen. Una imagen de una cosa que no hemos visto nunca; una imagen fugaz, como la de un sueño; una imagen de algo que queremos recordar y no recordamos...

...toute l'invention consiste à faire quelque chose de rien.

RACINE: Prefacio de *Berenice.*

PROLOGO

ON Juan del Prado y Ramos era un gran pecador; un día adoleció gravemente...

En el siglo XIII, un poeta, Gonzalo de Berceo, escribe los *Milagros de Nuestra Señora.* Nuestra Señora ha salvado muchas almas precitas. Del báratro las ha vuelto de nuevo al mundo. En el milagro VII, Berceo refiere el caso de un monje sensual y mundano:

> Era de poco seso, facie mucha locura.

No le contenían en sus locuras ni admoniciones ni castigos. Todos sus pensamientos eran para los regalos y deleites terrenos:

> Por salud de su cuerpo o por venir más sano
> usaba lectuarios apriesa cutiano,
> en yvierno calientes, e fríos en verano;
> debrie andar devoto e andaba lozano.

Finó en la contumacia. Pero el monasterio en que había profesado estaba bajo la advocación de San Pedro. San Pedro quiso salvar al pecador. No pudo su solicitud lograr del Señor milagro. Entonces se dirigió a María. Entre María y el Señor se entabla una patética y tierna contestación. Alegaba el Señor el menoscabo que con la violación de todo lo establecido sufrirían las Escrituras.

> Seríe menoscabada toda la Escriptura.

Pero al fin vence Nuestra Señora...

Don Juan del Prado y Ramos no llegó a morir; pero su espíritu salió de la grave enfermedad profundamente transformado.

I

DON JUAN

Don Juan es un hombre como todos los hombres. Ni es alto ni bajo; ni delgado ni grueso. Trae una barbita, en punta, corta. Su pelo está cortado casi al rape. No dicen nada sus ojos claros y vivos: miran como todos los ojos. La ropa que viste es pulcra, rica, pero sin apariencias fastuosas. No hay una mácula en su traje ni una sombra en su camisa. Cuando nos separamos de él, no podemos decir de qué manera iba vestido: si vestía con negligencia o con exceso de atuendo. No usa joyas ni olores. No desborda en palabras corteses, ni toca en zahareño. Habla con sencillez. Ofrece y cumple. Jamás alude a una persona. Sabe escuchar. A su interlocutor le interroga benévolo sobre lo que al interlocutor interesa. Sigue atento, en silencio, las respuestas. No presume de dadivoso; pero los necesitados que él conoce no se ven en el trance de tener que pedirle nada; él, sencillamente, con gesto de bondad, se adelanta a sus deseos. Muchas veces se ingenia para que el socorrido no sepa que es él quien le socorre. Pone la amistad—flor suprema de la civilización—por encima de todo. Le llegan al alma las infidencias del amigo; pero sabe perdonar al desleal que declara noblemente su falta. ¿Hay, a veces, un arrebol de melancolía en su cara? ¿Matiza sus ojos, de cuando en cuando, la tristeza? Sobre sus pesares íntimos coloca, en bien del prójimo, la máscara del contento. No se queja del hombre, ni—lo que fuera locura—del Destino. Acepta la flaqueza eterna, humana, y tiene para los desvaríos ajenos una sonrisa de piedad.

II

MAS DE SU ETOPEYA

¿En qué se ocupa don Juan? ¿Cómo distribuye las horas del día? Don Juan no se desparrama en vanas amistades ni es un misántropo. Gusta de alternar la comunicación social con la soledad confortadora. Bossuet ha dicho una frase profunda en su *Oración fúnebre de María Teresa de Austria:* «Il faut savoir se donner des heures d'une solitude effective—dice el gran orador—si l'on veut conserver les forces de l'âme.» Fuerzas del alma son el gusto por la belleza, el sentido de la justicia, el desdén por las vanidades decorativas. En sus viajes, durante las temporadas que pasa en sus ciudades predilectas, gusta don Juan de abismarse, de cuando en cuando, en la bienhechora soledad. La meditación es para él la fuerza suprema del espíritu. No es artista profesional; pero cuando lee un libro piensa que en arte lo que importa no es la cantidad, sino la espiritualidad y delicadeza del trabajo. Ha viajado don Juan. La observación de los encontrados usos y sentimientos humanos le ha enseñado a ser tolerante. No tiene para el pobre la fingida y humillante cordialidad de los grandes señores; su afecto es campechano compañerismo. A los criados los trata humanamente. Comprende —según se ha dicho—que si exigiéramos a los amos tantas buenas cualidades como exigimos a los criados, muy pocos amos pudieran ser criados.

III

LA PEQUEÑA CIUDAD

Don Juan no mora ya en una casa suntuosa, ni se aposenta en grandes hoteles. ¿Se va cansando de los trabajos del mundo? ¿Está un poco hastiado de los deleites y apetitos terrenos? «¿Qué puedes ver en otro lugar que aquí no veas?—se lee en la *Imitación de Cristo*—. Aquí ves el cielo y la tierra, y los elementos, de los cuales fueron hechas todas las cosas. ¿Qué puedes ver que permanezca mucho tiempo debajo del sol?» Don Juan vive en una pequeña ciudad. «La ciudad—dice una vieja guía de 1845—es de fundación romana. Conserva, de sus primitivas edificaciones, un puente sobre el río Cermeño y restos de murallas. Suelen encontrarse en su término monedas y fragmentos de estatuas. La ciudad está edificada en un alto, rodeada de alegres lomas y colinas. Cuenta con cuatro puertas. La catedral es de estilo gótico; fué restaurada, en 1072, por Alfonso VI; tiene ocho dignidades, diez canónigos, cuatro racioneros, trece medios y diez capellanes. La industria de la ciudad consiste en telares de jerga y jalmas, estameñas y paños, curtidos de cuero y suela y cordelería. En su campiña se cosecha trigo, aceite, rubia y alazor. Se celebra una feria por San Martín.»

Desde lejos, viniendo por el camino del río, se ven los pedazos de la muralla y la ermita de San Zoles. Por encima de las techumbres se yergue la casa del Maestre. Unos cipreses asoman entre tapiales: son los del huerto de las jerónimas. A la derecha, otra mancha verde marca el convento de las capuchinas. Hay en la ciudad una cofradía del Cristo Sangriento. De noche, en las callejuelas, por las plazoletas, unas voces largas cantan la hora, después de haber exclamado: «¡Ave María Purísima!» Brilla un farolito en un retablo. No sabemos adónde vamos a salir por esta maraña de callejitas oscuras. Vemos, a la débil claridad del cielo, que un viejo palacio tiene un sobrado en arcos, como una galería, debajo de un ancho alero.

IV

CENSO DE POBLACION

Según el censo de 1787, la provincia de que era capital la pequeña ciudad contaba noventa y dos mil cuatrocientos cuatro habitantes. Había en la provincia: trescientos veinte curas, doscientos cincuenta y ocho beneficiados, ciento nueve tenientes curas, ciento ochenta y cuatro sacristanes, cuarenta y dos acólitos, cincuenta y nueve ordenados a título de Patrimonio, ciento diecinueve ordenados de menores, catorce síndicos de religiones, nueve dependientes de Cruzada, doce demandantes, doscientos noventa y cinco religiosos profesos, doce novicios, cuarenta y ocho legos, veinticinco donados, setenta y siete criados de convento, dieciséis niños en los conventos, doscientos treinta y cinco profesas, nueve novicias, cuatro señoras seglares en los conventos, doce criadas en los conventos, diez criados, veintiún dependientes de la Inquisición. En la provincia había también seis mil seiscientos cuarenta y tres hidalgos. Los comerciantes eran trescientos cuatro; los fabricantes, trescientos setenta y cinco; los artesanos, mil ochocientos noventa; los jornaleros, siete mil seiscientos cuarenta y nueve; los labradores, siete mil setecientos cincuenta. La provincia comprendía una ciudad, ochenta y dos villas, doscientos treinta y ocho lugares, setenta despoblados, trescientas noventa y una parroquias. En la actualidad hay en la pequeña ciudad dos conventos de frailes y cuatro de monjas. De los dos conventos de frailes, uno es de franciscanos; el otro, de dominicos. Los conventos de monjas son: el de las jerónimas, el de las capuchinas de la Pasión, el de las dominicas y el de carmelitas descalzas. El más rico es el de las jerónimas; el más pobre, el de las capuchinas de la Pasión. El de las jerónimas está en la plaza del Obispo Illán; el de las capuchinas se levanta en la calle de Coloreros. Las monjas jerónimas llevan túnica y escapulario blanco; la túnica va ceñida con una correa; la capa y el velo son negros. Las carmelitas descalzas llevan túnica y escapulario de paño pardo y manto negro. Las dominicas visten túnica blanca y capa negra. Las capuchinas visten túnica gris-azulado, ceñida con cuerda de cáñamo.

V

EL ESPIRITU DE LA PEQUEÑA CIUDAD

Roma, la Edad Media, el Renacimiento, han dejado su sedimento espiritual en la pequeña ciudad. Los fragmentos de muralla que quedan son romanos; romano es también el puente sobre el río Cermeño. La catedral es gótica. Son del Renacimiento la casa del Maestre, la Audiencia y el Consejo. Los siglos han ido formando un ambiente de señorío y de reposo. Sobre las cosas se percibe un matiz de eternidad. Los gestos en las gentes son de un cansancio lento y grave. El blanco y el azul, en el zaguán de un pequeño convento humilde, nos dicen, por encima del arte, eternidad. El arte, que ha hecho espléndida la ciudad, ha realizado, andando los siglos, el milagro supremo de suprimirse él mismo y de dejar el ambiente maravilloso por él formado. Ese muro blanco y azul de un patizuelo, en una calle desierta, es la expresión más alta del ambiente creado. Lo más remoto se ha apropincuado a lo más cercano. No es en la catedral, ni en los palacios del Renacimiento, donde sentimos más hondamente el espíritu de la pequeña ciudad. Desde lo alto de una calleja contemplamos, en lo hondo, un fornido pedazo de muralla romana. Las lomas labrantías aparecen, por encima, al otro lado del río: esas lomas son verdes unas veces; otras, negruzcas. Más arriba de las lomas está el cielo azul... No vemos más. Las casas de la calle son pobres; no pueden atraernos con sus primores. Esas tres notas simples, claras, permanentes—la muralla, la colina y el cielo—, es lo que solicita profundamente nuestro espíritu. Como contemplaran este espectáculo hace dos mil años otros ojos, lo contemplamos nosotros ahora. En su permanencia está la norma definitiva de la vida. No nos cansamos de contemplar la muralla, la colina y el cielo. La voz de un romano, nacido en España, llega hasta nosotros. «Todo el mundo—dice Séneca en su tratado *De vita beata*—, todo el mundo aspira a la vida dichosa; pero nadie sabe en qué consiste. De ahí proviene la grande dificultad de llegar a ella. Porque cuando más nos apresuremos, no habiendo tomado el verdadero camino, más nos apartamos del término apetecido. De esta suerte, nuestro afán por la vida dichosa no sirve sino para alejarnos de ella cada vez más.»

Bajo el cielo, azul o gris, está la colina, verde o negruzca; luego, más abajo, la recia muralla romana. *Vivere omnes beate volunt, sed ad providendum quid sit, quod beatan vitam efficiat, caligant...*

VI

EL OBISPO DON GARCIA

El obispo más famoso de todos los que ha visto la ciudad ha sido don García de Illán. En la ciudad hay una plaza que lleva su nombre. Nació en 1520; murió en 1599. En 1612, el licenciado Pedro Meneses Salazar publicó, en Burgos, una *Chronica del obispo don García de Illán.* El capítulo XXII de esta obra se titula *Prosopografía del obispo.* El retrato de don García que se ve en la sala capitular, en la catedral, concuerda con el que trazó Meneses Salazar. El obispo era de rostro fino, alargado. Los ojos miran fijamente, con dureza. «Era de grandes ensanches de ánimo», dice su biógrafo. Escribió don García varios tratados teológicos y una gruesa *Summa de casos de conciencia.* Estuvo en el Concilio de Aviñón; allí defendió seis proposiciones que causaron escándalo. Dos de estas proposiciones eran las siguientes: una, «que Nuestro Señor Jesucristo no fué muerto sino al principio del año treinta y tres de su edad»; la otra, «que no padeció a veinticinco de marzo, sino a tres de abril». Fueron causa de ruidosas protestas estas proposiciones; pero —como dice un autor moderno—«se ven hoy seguidas y aplaudidas, casi como evidentes, por todos los críticos, astrónomos, cronologistas e historiadores de más nombre».

Era don García de inflexible carácter. Lo inspeccionaba todo en su palacio y en la catedral. Las menores negligencias eran castigadas terriblemente. Su lucha con las jerónimas del convento de San Pablo dividió en dos épocas—la anterior y la posterior—los fastos de la pequeña ciudad.

VII

LAS JERONIMAS Y DON GARCIA

La lucha del obispo don García con las jerónimas del convento de San Pablo fué épica. Toda la ciudad la presenció conmovida. Duró muchos años. En el siglo xv, la vida en los conventos de religiosas era placentera y alegre. Las monjas entraban y salían a su talante. No estaba prescrita la clausura. Se celebraban en los conventos fiestas profanas y divertidos saraos. El Concilio de Trento acabó con tal liviandad. El obispo don García se dispuso a proceder severamente. Todas las monjas de la diócesis le obedecieron. Se negaron a sus mandatos las jerónimas del convento de San Pablo. Fueron inútiles imploraciones y amenazas. Pesaban sobre las frágiles monjas la decisión de un Concilio, los mandatos de varios pontífices, la conminación del obispo don García. A todo resistieron. Bonifacio VIII, en su decreto *Periculoso,* había ordenado la clausura. Pío V, en su extravagante *Circa pastoralis,* había ordenado la clausura. Gregorio XII, también en su extravagante *Deo sacris,* había ordenado la clausura. El obispo don García voceaba colérico en su palacio y daba puñetazos en los brazos de su sillón. A todo resistieron las tercas monjas. De la decisión tridentina se alzaron ante la congregación de cardenales intérpretes del Concilio. Fueron vencidas. Apelaron entonces al Consejo Real. Del Consejo Real mandaron otra vez, los consejeros, la causa a Roma. Otra vez en Roma fueron vencidas. Llegaron después en súplica hasta el rey. Y fueron vencidas. Las alegaciones, pedimentos, protestas, solicitudes, recursos y memoriales de este pleito forman una balumba inmensa y abrumadora. Alegaban las monjas que «no les puede mandar el obispo la clausura, ni el Concilio, ni el Papa, por no haberla votado ni haberse guardado en sus monasterios antes de agora, ni cuando ellas entraron, y que si se guardara, por ventura no entrarán, ni fuera su intención obligarse a ello».

Así hablaban las monjas de San Pablo en 1579. Fueron vencidas en la lucha; pero de la antigua y libre vida, siempre quedó en el convento un rezago de laxitud y profanidad.

VIII

SOR NATIVIDAD

Sor Natividad, la abadesa del convento de San Pablo, convento de jerónimas, es hermana de Angela, la mujer del Maestre. Sor Natividad está en un saloncito del convento. La sillería es roja, con dorados pálidos; sobre una consola se yerguen frescos ramos de rosas. Sor Natividad está con Angela y con Jeannette, la hija de Angela. Sor Natividad tiene una actitud de reposo profundo; sus ademanes son pausados, lentos. Miran sus ojos verdes dulcemente. No se sabe si hay en su cara melancolía o alegría. Su sonrisa es indefinible. Jeannette toca con suavidad el escapulario, la correa, la blanca estameña de la monja. Sor Natividad ha pasado su mano por el fino paño del traje de Jeannette.

—¡Cuántas cosas veréis en París, Angela!—exclama sor Natividad.

Y añade:

—¿Es bonito París, Jeannette?

Sor Natividad se levanta lentamente del asiento. Al estar en pie hace un movimiento leve para componer la ropa. Es alta; bajo la túnica blanca, al moverse, se perciben las llenas y elegantes líneas del cuerpo. Sor Natividad cruza las manos sobre el pecho y comienza a caminar. Sus ojos miran una lejanía ideal. Pasa sor Natividad por las galerías del claustro. En el centro del primoroso patio plateresco crecen los rosales. Sor Natividad se detiene, silenciosa, extática, en el umbral de una puerta. En el fondo luce el altar mayor de la iglesia. Multitud de luces, en límpidas arandelas de cristal, brillan, entre ramos, sobre los dorados esplendentes. Sor Natividad permanece un momento en la puerta, encuadrada en el marco, como la figura de un retablo.

En su celda, sor Natividad se sienta con un libro en la mano. A ratos va pasando las hojas, y a ratos permanece absorta. Suena una campanita. Lentamente, como quien despierta de un sueño, sor Natividad avanza por los corredores, ya en tinieblas, hacia el coro.

Cuando llega el momento del reposo, sor Natividad se va despojando de sus ropas. Se esparce por la alcoba un vago y sensual aroma. Los movimientos de sor Natividad son lentos, pausados; sus manos blancas van, con suavidad, despojando el esbelto cuerpo de los hábitos exteriores. Un instante se detiene sor Natividad. ¿Ha contemplado su busto sólido, firme, en un espejo? La ropa de batista es sutil y blanquísima...

IX

LAS MONJAS POBRES

El convento de capuchinas de la Pasión está en la calle de Parayuelos. La calle es solitaria. Una puertecita estrecha da entrada a un patio, formado por tres altos tapiales, y en el fondo, el convento. En medio del patio, en el centro de un alcorque cercado de piedras, se enhiesta un ciprés. Otra puertecita nos da paso a un reducido zaguán. Las paredes están enjalbegadas de cal blanca; un zócalo azul—con una rayita negra entre lo azul y lo blanco—corre por todo el ámbito. Otra puerta conduce al interior del convento; el torno y la reja del locutorio están en esta primera estancia. Si pudiéramos penetrar en la casa veríamos un corredor blanco y unas celditas blancas. Las monjas van y vienen silenciosas. En sus celdas meditan y rezan. En cada celda hay un tabladillo de madera en que las monjas reposan por la noche. Las comidas de las monjas son legumbres y verduras. La regla de la comunidad dice así en su principio: «En el nombre de Nuestro Señor Jesucristo comienza y sigue la forma de la vida y regla de las sorores pobres, la cual el bienaventurado San Francisco instituyó.» La pobreza es uno de los fundamentos de la orden. «Y así como yo—dice Santa Clara en la regla—siempre fuí solícita, juntamente con mis sorores, de guardar la santa pobreza que al Señor Dios y al bienaventurado San Francisco prometimos, así sean tenidas las abadesas que en mi oficio sucedieren, y todas las sorores, de la guardar hasta el fin sin traspasamiento.»

La casa de un pobre labriego es más rica que este convento. Pero todo está limpio y blanco. Blancas las paredes, blancas las puertas, blanca la tosca loza en los vasares. Silenciosamente, como sin apoyarse en el suelo, desfilan las monjas por los blancos corredores. Las rosas rojas de un rosal—en un patio interior de muros lisos—destacan, bajo el azul del cielo, sobre lo blanco unánime.

X

EL CAMINITO MISTERIOSO

Han venido a preguntar a la fondita si comprábamos antigüedades. Quien preguntaba era una viejecita vestida con largas tocas negras: doña María. Doña María nos ha llevado a su casa. La casa de doña María está en lo más alto de la ciudad. La ciudad tiene callejuelas estrechas y grandes caserones. En la Audiencia hay, desde hace dos años, unas vidrieras rotas en las ventanas. En el Gobierno Civil sale el tubo de una estufa por un balcón de la fachada. En el mercado, los vendedores envuelven los comestibles en hojas de libros antiguos y papeles del siglo XVI. La casa de doña María tiene un zaguán chiquitín. Arranca del zaguán una escalerita de madera; llega hasta el fondo y tuerce a la izquierda, formando una galería. En el fondo, a un lado, se abre la puerta. Hay en la casa anchas salas llenas de antigüedades y corredores oscuros con ladrillos sueltos en el pavimento, que hacen ruido al ser pisados. Doña María, entre cachivaches anodinos, tenía algunos primores en muebles, porcelanas y telas. Al pasar frente a una puerta, la ha abierto y ha dicho:

—Aquí posa don Juan.

Hemos entrado. La estancia estaba sencillamente aderezada. Una puerta de vidrieras daba a la alcoba. En las paredes había una serie de litografías en color. Desde el balcón se contemplaba el río en lo hondo. Iba muriendo el día. La pálida claridad del cielo, en el lejano horizonte, ponía en el ambiente una íntima tristeza. Un caminito de cipreses se perdía, a la otra parte del río, entre las lomas. ¿Adónde va ese camino? ¿De dónde vienen esos hombres que marchan por él lentamente? La casa estaba ya casi a oscuras. Fulgía en el cielo la estrella vesperal. Los cipreses del caminito han ido perdiéndose en la sombra. ¿Adónde irá ese caminito? ¿Cuántas veces lo contemplará don Juan —eternidad, eternidad — desde el balcón que da al río?

XI

EL OBISPO CIEGO

Una débil claridad aparece en las altas vidrieras de la catedral. Es la hora del alba. A esta hora baja el obispo a la catedral. El palacio del obispo está unido a la catedral por un pasadizo que atraviesa la calle. A la hora en que el obispo entra en la catedral, todo reposa en la pequeña ciudad. La catedral está casi a oscuras: resuenan, de cuando en cuando, unos pasos; chirría el quicio de una reja. En la pequeña ciudad, la luz de la mañana va esclareciendo las callejas. Se ve ya, en la plaza que hay frente a la catedral, caer el chorro del agua en la taza de la fuente; el ruido de esta agua, que había estado percibiéndose toda la noche, ha cesado ya.

El obispo está ciego; ciego como el dulce y santo obispo francés Luis Gaston-Adrián de Segur. Entra en la catedral despacito; va sosteniéndose en un cayado; obra de dos o tres pasos le van siguiendo dos familiares. La amplia capa cae en pliegues majestuosos hasta las losas. Se dirige el buen prelado hacia la capilla del Maestre don Ramiro. De cuando en cuando se detiene, apoyado en su bastón, con la cabeza baja, como meditando. Su pelo es abundante y blanquísimo. Destaca su noble cabeza en el vivo morado de las ropas talares. No puede ya ver el obispo ni su catedral ni su ciudad. Pero desde su cuartito, él, todas las mañanas, a la hora en que rompe el alba, espía todos los ruidos de la ciudad, que renace a la vida: el canto de un gallo, el tintín de una herrería, el grito de un vendedor, el ruido de los pasos. Ya no puede él ver los zaguanes blancos y azules de los conventos pobres; ni las iglesias sin mérito alguno artístico, pero ennoblecidas, santificadas por el anhelo de las generaciones; ni los vencejos que giran en torno de la torre de la catedral; ni el panorama de las colinas que se descubre desde el paseo de la ciudad... ¡Cuánto daría el buen obispo por ver, no un cuadro famoso, ni una maravilla arquitectónica, ni un paisaje soberbio, sino uno de estos porches de los conventos humildes, enjalbegados de cal nítida y con un zócalo de vivo azul!

El obispo camina lentamente, con su capa morada y su bastón, hacia la capilla del Maestre. Don Juan viene alguna mañana a verle. En la capilla del Maestre, el obispo dice misa todos los días, a tientas, ayudado por sus familiares. ¿Hemos dicho que él hubiera querido ver tan sólo un pedazo de muro blanco y azul? Tal vez ni esta inocente concupiscencia tiene. Como Segur, el otro obispo ciego, el obispo de la pequeña ciudad exclama: «¡Qué me importa, después de todo, ver o no ver la luz exterior, con tal que los ojos iluminados del corazón perciban la luz verdadera y eterna, que no es otra que Cristo viviendo en nosotros!»

XII

AURIFICINA

El aurífice tiene su tiendecilla—*aurificina*—en una vieja casa. Todo es perfecto y armónico en esta casa: los sillares de piedra, las ventanas, el hierro forjado de los balcones, la talla de los aleros en el tejado, el escudo que campea sobre la puerta. La casa fué labrada con verdadero amor. Ahora vive en ella el aurífice. El aurífice es un viejecito con un bigote blanco y una mosca blanca. Fué teniente con los carlistas. (Don Juan viene a charlar con él algunos ratos.) Todo el día se lo pasa dando golpecitos con un martillo o limando con una lima. Dicen que la casa tiene un subterráneo que llega al río. Corrió por la ciudad antaño el rumor de que el aurífice había encontrado en la cueva un maravilloso tesoro. El tesoro que tiene el aurífice son unos libros y papeles que él revisa todas las noches. Posee una casa de campo cerca del pueblo. Vive solo: no tiene a nadie. Todas las noches vienen a dormir a la tiendecilla, desde la casa de campo, dos mozos de labranza. Todas las noches el aurífice se cala sus antiparras y, como si fuera a labrar una delicada joya, se inclina sobre su pupitre, escudriña papeles, forma largas filas de guarismos, lee periódicos llenos de números, escribe cartas a Madrid y París.

En la tiendecilla trabaja todo el día. Y todas las tardes, a la misma hora, el aurífice y don Juan ven la cara de un niño que se pega al cristal. Las mejillas y la nariz aparecen chafadas en la transparente planicie. El niño mira con avidez los movimientos del martillito y el ir y venir de la lima. Así permanece un largo rato...

(Un año después, el niño es ya mayor y está sentado dentro, en el taller. Diez años después, el niño es casi un hombre y da él también golpecitos con el martillo. Veinte años después, el niño es ya un hombre formado. El aurífice ha muerto. El niño de antaño ha tirado la casita de piedra, ha comprado las dos de al lado, ha construído un caserón de ladrillo y ha puesto en la fachada: «Gran Bazar Moderno.»)

XIII

EL DOCTOR QUIJANO

Una placa dice en el portal: «Doctor Quijano.» El doctor está en su despachito. Se llama paredaño del convento de las jerónimas. A mediodía, en la madrugada, se oye una campanita y luego un canto ronroneante y sonoro. El despacho tiene —en invierno—una recia estera de esparto crudo. Frente a la mesa hay un armario con libros. Nadie puede ver los libros que tiene el doctor; el doctor no le deja la llave a nadie. El techo es bajo, con viejas vigas cuadradas. Por la ventana se ve un patio en que se yerguen verdes evónimos.

Cuando penetramos en el despacho del doctor, al comenzar a hablarle en voz alta, él nos coge del brazo, nos aprieta un poco y exclama:

—¡Silencio! Está aquí...

—¿Quién?—preguntamos.

No vemos a nadie en la estancia.

—¡Está aquí!—repite el doctor con gesto de misterio—. Ha venido; se halla presente.

Otras veces, el doctor se muestra entristecido.

—No ha querido venir—dice—. Los malandrines tienen la culpa.

El doctor recorre toda la ciudad; visita a los ricos y a los pobres; es infatigable; para todos tiene una palabra de amor. Por las noches, cuando le llaman, acude prestamente a casa del enfermo. Muchas veces, al salir de la casa de un pobre, queda sobre la mesa, en una silla, un recuerdo que ha dejado el doctor. Don Juan le acompaña algunos días en sus visitas por los barrios populares. Es bueno e inteligente el doctor Quijano, pero a nadie le deja leer los libros de su armario. Y a veces, cuando entramos en su despacho, desprevenidos, nos hace callar de pronto y nos dice bajito:

—¡Silencio! Está aquí; ha venido...

XIV

UN PUEBLO

El doctor Quijano ha tenido que ir a un pueblo cercano a la capital.

—¿Quiere usted acompañarme?—le ha dicho el doctor a don Juan.

Los dos han emprendido el viaje. El pueblo es uno de los más importantes de la provincia. En 1580, según las *Relaciones topográficas,* mandadas hacer por Felipe II, contaba el pueblo con setecientos vecinos. «De cincuenta años a esta parte—dicen las *Relaciones*—era de mucho mayor vecindad.» «En este pueblo—añaden—hay poca labranza, por razón del término ser angosto, porque si no es por la parte de la dehesa, por las demás no tiene media legua de término.» El pueblo vive de «granjerías del campo, principalmente del vino». Hay en el pueblo una iglesia. Cuenta la iglesia con cuatro beneficios, un curato, tres beneficios simples, seis prestameras, un cabildo con veinte clérigos. Existen también en el pueblo tres capellanías, un monasterio de monjas con cuarenta religiosas y cuatro capellanías, y un convento de frailes con veinte religiosos.

Según el *Nomenclátor* de 1888, el pueblo tiene mil doscientos noventa y nueve habitantes. En la *Información sobre la crisis agrícola,* abierta por el Estado en 1887, se declara que el alimento, por habitante, es el siguiente: carne, un gramo diario; pan, cien gramos; aceite, diez gramos; vino, quince centilitros. Y añaden los informadores: «Todo esto teniendo en cuenta que la clase proletaria, que constituye las tres cuartas partes de la población, no se alimenta con nada de lo que se consigna en esta respuesta.» La clase proletaria se alimenta de patatas, judías, chiles y acelgas; todo ello «sin pan». El suelo es pobre. Con los cereales que se producen «apenas hay para atender al consumo de la localidad». Van desapareciendo los viñedos a causa del «empobrecimiento del agricultor, que no tiene para renovar las vides, que se mueren de viejas, y no puede poner de nuevo». En cuanto a los cereales, en las tierras de primera alternan el barbecho y la siembra; las de segunda y tercera «hay que dejarlas descansar dos años por cada uno de siembra». Los jornaleros ganan una peseta veinticinco céntimos diarios; trabajan ciento ochenta días al año.

El viaje lo han hecho el doctor y don Juan lentamente, a caballo. Había que ir por las fragosidades de la montaña; la vereda que han seguido subía y bajaba por los alcores y se retorcía entre las quiebras. A las dos horas han divisado el pueblo allá en lo hondo. Junto al montón de casas aparecía una lámina redonda, de un intenso color negro: era una laguna. Cuando más tarde se han aproximado a ella, han visto que las aguas, sobre fondo de dura piedra, tenían una transparencia maravillosa.

XV

EN CASA DE GIL

En el pueblo, don Juan y el doctor Quijano han ido a pasar la noche a casa de un labrador amigo. La cocina es negra. La luz tremulante de un candil apenas la alumbra; arden gruesos troncos en la chimenea. Gil es un hombre recio y curtido. Con la mirada fija en los tueros, Gil permanece largos ratos inmóvil.

—¿Cómo cultiva usted sus tierras? —pregunta don Juan al labrador.

—Yo hago con mis tierras tres suertes u hojas—dice Gil—. De estas tres hojas, siembro nada más que una.

—¿Cómo llama usted a las demás?—torna a preguntar don Juan.

—Una de las suertes la siembro—repite Gil—; de las otras dos, una la labro, pero no la siembro, y se llama barbecho; otra, no la siembro ni la labro, y se llama eriazo.

—¿Se necesitará mucha tierra para coger alguna cosecha?—observa don Juan.

—Se necesita mucha tierra—replica el labrador—. El que más, cultiva aquí las tierras de año y vez; algunos las dejan descansar cuatro, seis y aun ocho años.

Don Juan iba preguntando por los nombres de todos los utensilios y trebejos de la cocina. Aquí, ante este fuego, en medio de esta primitiva simplicidad, rodeado de esta áspera pobreza, se le antojaba hallarse, no sólo tres o cuatro siglos atrás, sino lejos de España, entre los lapones, como Regnard, en 1681, o en la Groenlandia, o en alguno de los países imaginarios pintados en el *Persiles*.

Iba pasando el tiempo. Parecía que eran las dos de la madrugada y eran las nueve de la noche. La cámara a que Gil ha conducido a don Juan tenía el techo en pendiente y sostenido por troncos retorcidos de pino. El piso era de yeso blanco. Se veían dos grandes arcaces de roble, toscamente tallados; los cubrían tapetes a listas de vivos colores rojos, verdes y azules. En las paredes había colgados hacecillos de hierbas aromáticas: romero, tomillo, salvia, orégano, cantueso. En un rincón descansaba una escopeta vieja, y al pie había dos caretas de castrar colmenas. La cama la formaban seis colchones altísimos.

La noche ha sido interminable. A la madrugada, don Juan se ha levantado un momento y ha abierto un ventanillo. Brillaba con un fulgor intenso la estrella matutina. En el silencio denso, profundo, el parpadeo, henchido de misterio, del lucero ha puesto en el espíritu de don Juan una sensación indefinible de infinitud e idealidad.

XVI

LA GAYA TROPA INFANTIL

Subiendo por la calle de las Tenerías encontramos la plazuela de las Jerónimas. Allí tiene el maestro Reglero su escuela. En la escuela penden de las paredes cuadros con los árboles, los animales y los cielos. Llegan los niños corriendo y riendo. El maestro dice: «¡A cantar!» Los niños cantan una canción a coro.

—¡Comienza la lección!—grita después el maestro.

Los niños van con el maestro a casa del herrero. *Tin-tan, tin-tan,* hacen los martillos sobre el yunque; las limas y terrajas murmuran sordamente. Los niños van a casa del carpintero. *Ras-ras,* hacen los cepillos sobre las maderas, y saltan y llenan el suelo las virutas limpias y olorosas. Los niños van a casa del buen tejedor. El buen tejedor es ya muy viejecito. No quedan ya más tejedores en la ciudad. El tejedor tiene su telar en un rinconcito de su zaguán; parece una arañita curiosa. La lanzadera va de una parte a otra. Hace un ruido sonoro y rítmico el telar. La tela que va tejiendo el tejedor es roja, azul y verde. El buen tejedor envía una sonrisa bondadosa a los niños.

—Ahora—dice el maestro—vamos a leer el gran Libro.

Se marchan todos, saltando y gritando, al campo. El campo—en primavera, en otoño—está lleno de animalitos. Los niños levantan las piedras, observan los horados, ven correr sobre las aguas los insectos, con sus largas patas. El maestro les va diciendo los nombres de todas estas bestezuelas y de todas las plantas. Vuelven los niños cargados de ramas olorosas y de florecitas de la montaña. Don Juan los acompaña algunos días.

—Yo quiero—le dice el maestro—que estos niños tengan un recuerdo grato en la vida.

XVII

EL PRESIDENTE DE LA AUDIENCIA

Por el paseo de la Chopera va caminando un grupo de señores de la ciudad. En el centro aparece don Francisco de Bénegas, presidente de la Audiencia. Es la última hora de la tarde; se ve, a la luz suave, a lo lejos, el panorama de las colinas y altozanos. A un lado y a otro, los árboles fornidos, seculares.

—¡Eso que usted dice, amigo Pozas, es una enormidad! —exclama el presidente de la Audiencia, dirigiéndose al más joven de sus acompañantes.

Se detiene don Francisco; se detienen todos, en medio círculo, mirando en silencio al presidente. El presidente lleva una barbita blanca y unas gafas de oro. En su corbata luce una perla.

—¿Cree usted que es una enormidad? —dice, al fin, Pozas.

—¡Una enormidad!—repite don Francisco. Y ríe con una risita jovial y sarcástica.

—¿Por qué es una enormidad, querido don Francisco?—pregunta Pozas.

Habían comenzado a andar de nuevo; otra vez se detienen.

—Es una enormidad—dice don Francisco—, porque con ello quedarían alterados, subvertidos, derruídos los fundamentos del orden social.

—¿Y por qué iban a quedar subvertidos los fundamentos del orden social?—se atreve a preguntar Pozas.

Todos miran en silencio a Pozas, extrañados de esta inusitada audacia.

—¿Que por qué iban a quedar destruídos los fundamentos del orden social?

Se ha detenido don Francisco y ha mirado fijamente a Pozas. Después ha comenzado a caminar otra vez; al cabo de un momento ha dicho:

—Usted separa la Justicia y la Ley; usted afirma que puede haber Justicia sin Ley...

Se detiene otro poco don Francisco, y después dice, pasando su mirada por todos los circunstantes:

—Señores: Lo hemos oído todos...

Todos asienten en silencio, respetuosamente. Don Francisco añade:

—Pues bien. Si usted prescinde de la Ley, ¿en dónde va usted a asentar los fundamentos del orden social?

Se han detenido todos. Los circunstantes, vueltos hacia Pozas, esperaban su respuesta. Don Francisco no apartaba de él su mirada. Pozas se ha atrevido, al cabo, a decir:

—Yo asiento los fundamentos del orden social...

Pero el presidente le ha atajado con rapidez, tendiendo hacia él la mano, mientras se ponía otra vez en marcha:

—¡No, no! ¡Si no puede usted decir nada! Si usted suprime la Ley, viene el caos, la anarquía...

Y mirándole otra vez fijamente, entre la expectación de todos, entre la execración discreta de todos:

—¿Es que pretende usted sostener las doctrinas de la Anarquía?

Caía la tarde. Caminaba detrás un mendigo y los ha alcanzado; era un pobre caminante, andrajoso, con las melenas y las barbas largas; llevaba a la espalda un fardelito con ropa. El vagabundo ha pedido limosna a los caballeros, y como no se la dieran, se ha alejado murmurando reproches y dando con el cayado en el suelo.

Don Francisco se ha detenido, ha mirado con un gesto de severa reconvención a Pozas, y luego, señalando al mendigo, ha exclamado:

—¡Ahí tiene usted!

XVIII

HISTORIA DE UN GOBERNADOR

El nuevo gobernador llegó a la ciudad, sin avisar, en un tren de la noche. Se fué a la fonda y se acostó. A la mañana siguiente salió a dar un paseo. Le preguntó a un guardia municipal por el Gobierno Civil. Entró y vió en la portería a un guardia civil que estaba bruñendo unas botas.

—¿El señor gobernador civil?—le preguntó.

El guardia, sin levantar la cabeza, contestó:

—No hay gobernador; el interino lo es el secretario del Gobierno.

—¿Y no se podría ver al secretario?—insistió el gobernador.

El guardia civil levantó entonces la cabeza y, encogiéndose de hombros, replicó:

—Está malucho y viene tarde.

—Pues entonces—dijo el gobernador—esperaré a que venga. ¿Dónde puedo esperar?

El guardia civil volvió a mirarle desdeñosamente y, señalándole una silla, dijo:

—Si usted tiene empeño en esperarle, siéntese ahí.

Hizo como que iba a sentarse el gobernador; pero, cambiando bruscamente de pensamiento, añadió:

—No; aquí, no. Le esperaré en el despacho del gobernador.

Entonces el guardia civil le miró estupefacto y se puso a reír. Pero el nuevo gobernador abría ya la puerta y entraba en las dependencias del Gobierno. El guardia civil, repentinamente serio, se lanzó hacia él, y el gobernador exclamó:

—¡Soy el nuevo gobernador! Vaya usted a llamar al secretario.

Se le cayeron de las manos al guardia las botas que estaba limpiando; titubeaba; andaba azorado; no sabía si abrir la puerta del despacho y acompañar al gobernador o marcharse corriendo a cumplir la orden que el gobernador le había dado.

A los dos días de tomar posesión del Gobierno, vinieron de Madrid, a visitar al gobernador, Noblejas, el novelista, y Redín, el crítico. El gobernador era un gran poeta. En el despacho, el gobernador se sentaba encima de la mesa. Noblejas, en el brazo de un sillón, y Redín, a horcajadas en una silla. De cuando en cuando entraba el portero y anunciaba una visita. Desde fuera se oían gritos, fragmentos de frases: «¡Pues a mí, Góngora...!» «¡Yo les digo a ustedes que Garcilaso!...»

—El señor gobernador—decía el portero a los visitantes que esperaban en la antesala—, el señor gobernador está celebrando una entrevista importante con unos señores de Madrid.

—¿Es interesante la ciudad?—le preguntó Noblejas al gobernador.

—No lo es—replicó éste—; no la he visto todavía; encontré aquí unos libros viejos y he estado revolviéndolos.

Salieron a recorrer la ciudad. Lo primero que encontraron fué un disforme caserón; estaba en la misma calle del Gobierno.

—¿Esto qué es?—preguntaron a un guardia.

—El hospicio—contestó el guardia.

—Entremos—dijo el gobernador.

No les querían dejar pasar, y el gobernador, irguiéndose, dijo con voz recia, mientras golpeaba el suelo con el bastón:

—¡Soy el gobernador!

Un dependiente salió corriendo a avisar al presidente de la Diputación. El cuadro que en el hospicio se ofreció a los visitantes fué horrible. Los niños estaban escuálidos, famélicos, y andaban vestidos de andrajos. El presidente de la Diputación había llegado ya. El gobernador iba de sala en sala sumido en una especie de sopor. No oía lo que le decían ni Noblejas, ni Redín, ni el presidente... De pronto, el poeta sale de su estupor y entra en una encendida y terrible cólera. El poeta coge por las solapas al presidente, lo zarandea con una violencia impetuosa y le grita junto a su cara:

—¡Miserable!

Entre las dos manos del gobernador habían quedado los dos jirones de las solapas del presidente. Y el gesto de supremo desdén con que el gobernador los tiró al aire fué el más bello gesto que ha hecho nunca un artista.

Tres días después fué destituído el gobernador. Un periódico ministerial, al censurar la conducta del gobernador, dijo, entre otras cosas, que «no estaba en la realidad».

XIX

EL CORONEL DE LA GUARDIA CIVIL

La mejor fonda de la ciudad es la fondita de la Perla. El piso bajo es un café; en los demás pisos están las habitaciones, claras y limpias. Don Teodoro Moreno, coronel de la Guardia Civil, jefe de las fuerzas de la provincia, se halla sentado en el café; con él está Pozas. El coronel vive en la fonda, pero se pasa casi todo el día y parte de la noche en el café; aquí lee los periódicos y escribe sus cartas. Don

Teodoro es un hombre corpulento, fornido; gasta una larga y ancha barba. Sus manos son férreas y nudosas. Don Teodoro hizo de capitán la campaña de Cuba. Los soldados le idolatraban. No usaba nunca armas; llevaba siempre un bastoncito en la mano. En lo más recio de los combates, cuando por todas partes silbaban las balas, don Teodoro se detenía y sacaba un librito de papel de fumar. Cortaba una hoja y se la pegaba en el labio. Las balas pasaban silbando. Sacaba después una tosca petaca de cuero y daba en ella dos golpecitos. La abría y ponía tabaco en una mano. Volaban por el aire cascos de granadas; las balas rugían. El tabaco que tenía don Teodoro en una mano lo restregaba suavemente con la otra. Liaba don Teodoro un cigarro, lo encendía, levantaba la cabeza y echaba una bocanada de humo a lo alto...

—Me decía usted, querido Pozas—dice el coronel—, que el principio de autoridad...

—Yo le decía a usted—ataja Pozas—que el principio de autoridad...

—¡Ruperto!—interrumpe el coronel, llamando al mozo.

El mozo, silenciosamente, se lleva el *bock* vacío que tenía delante don Teodoro y trae otro lleno.

El coronel se pasa la palma de la mano, con suavidad, por la barba; sus ojos, entristecidos, miran vagamente la calle.

—¿Ha visto usted? — dice bruscamente—. Esa señora que ha pasado tiene la misma manera de andar que tenía mi pobre Adela.

En un momento cruza por el cerebro del coronel toda la tragedia de su vida. Su mujer, un día, estando embarazada, como anduviese distraída en los quehaceres de la casa, fué a sentarse en una silla, calculó mal, cayó al suelo, malparió y murió. Luego el suicido de su hijo Pepe en la Academia de Toledo; su hijo Pepe, tan pundonoroso, tan inteligente. Después, su otro hijo, Antoñito, un muchacho de doce años, yendo en bicicleta por el campo, recibió una tremenda pedrada y expiró a las dos horas.

—¡Ruperto!—vuelve a gritar el coronel.

El mozo, silencioso, sirve otro *bock*.

—Decía usted, querido Pozas, que el principio de autoridad...

Pero de pronto ha aparecido en la puerta un capitán. El capitán se llega hasta don Teodoro, se cuadra marcialmente, saluda y dice:

—Mi coronel: acaba de llegar la conducción de presos de Barcelona.

Don Teodoro ha apartado suavemente el *bock* que tenía delante. Donde estaba el *bock* ha puesto el codo y ha reclinado la cabeza en la mano, con la cara mirando al mármol de la mesa. En esta forma ha estado absorto un instante. Luego ha levantado la cabeza y ha dicho:

—¿Han venido por la carretera de Hencinares?

—Sí, mi coronel—ha replicado el capitán—. Han salido de Hencinares a las tres de esta tarde y han llegado ahora.

—¿Cuántos son? — ha preguntado don Teodoro.

—Ocho y un niño—ha contestado el capitán.

—¿Un niño?—ha interrogado don Teodoro.

—Sí, mi coronel; un niño de doce o trece años.

El coronel ha vuelto a inclinar la cabeza sobre la mesa y ha permanecido en silencio otro instante. Después ha dicho:

—Diga usted que me traigan ese niño.

Un momento después entraba un sargento con un niño. Era un niño rubio, revuelto el pelo, con los ojos vivos y azules. Llevaba una chaqueta muy ancha, atada con una cuerda de esparto, con las mangas cortadas, deshilachadas; los dedos de sus pies asomaban por las roturas de los zapatos. Venía cubierto de polvo.

El niño estaba en pie, silencioso, ante el coronel, mirándole con sus ojillos despiertos.

—¿Cómo te llamas?—le ha preguntado don Teodoro.

—Marianet—ha dicho el niño.

—¿Marianet, cómo?—ha tornado a preguntar don Teodoro.

—Marianet Pagés y Valls—ha dicho el niño.

—¿Qué has hecho en Barcelona?

El niño no contestaba. Subía y bajaba los hombros; movía la cabeza a un lado y a otro; reía.

—¿Qué has hecho en Barcelona?—ha insistido el coronel.

—Nada—ha dicho, al fin, el niño—. Estar en las ramblas...

El coronel ha sonreído con una sonrisa de tristeza y de bondad.

—¡Ruperto!—ha gritado—. Tráete para este niño un par de bocadillos de jamón.

Y al mismo tiempo señalaba su *bock* vacío.

Ha vuelto el mozo con lo pedido. El niño comía vorazmente sentado al lado del coronel. El coronel bebía lentamente con un gesto de profunda tristeza.

—Decía usted, querido Pozas, que el principio de autoridad...

XX

OTRO GOBERNADOR

Don Juan y Pozas han ido a ver al nuevo gobernador. El nuevo gobernador es el que ha sucedido al poeta. El nuevo gobernador está en pie en su despacho. Viste un correcto chaqué y sus botas están relucientes. Se mueve con presteza de una parte a otra, cortés y afable. En tanto que el gobernador conferenciaba con dos o tres visitantes, don Juan y Pozas esperaban en el hueco de un balcón.

—Estoy a la disposición de ustedes, señores—ha dicho luego, sonriendo amablemente.

Don Juan y Pozas iban a solicitar del gobernador algo que parecía hacedero. Deseaban que los presos que llegaron ayer por carretera a la pequeña ciudad prosigan su viaje en tren.

El gobernador, que se frotaba las manos sonriendo, ha cambiado súbitamente de gesto.

—Lo que ustedes me piden—ha dicho gravemente el gobernador—, lo que ustedes me piden es cosa de más trascendencia de lo que parece.

Don Juan y Pozas insistían.

—Yo ignoro—ha dicho don Juan—lo dispuesto sobre el particular; pero...

—¡Ramírez!—ha gritado de pronto el gobernador, llamando al secretario—, Ramírez, tenga usted la bondad de traer el apéndice sexto al tomo catorce del *Alcubilla* y ábralo usted por el capítulo treinta y dos.

Y luego, sonriendo otra vez, sonriendo festiva e irónicamente:

—Ahora les enseñaré a ustedes lo legislado sobre el particular.

Y después de una pausa, sonriendo también, frotándose suavemente las manos:

—Yo, señores, no soy más que un humilde guardador de la Ley.

Cuando ha venido Ramírez con el volumen del *Alcubilla*, el gobernador lo ha tomado y ha estado leyendo en voz alta un largo rato.

—¿Ven ustedes?—ha dicho sonriendo después.

—Pero, señor gobernador—ha dicho don Juan—, nosotros abonaremos todos los gastos del viaje en tren de esos presos.

El gobernador ha tornado a ponerse serio.

—¡Oh, no!—ha dicho—. ¿Cómo va a aceptar eso el Estado? El Estado no puede entrar en ese género de transacciones.

Y luego, sonriendo otra vez:

—Lo único que puedo hacer, en obsequio de ustedes, es telegrafiar esta tarde a Madrid; pero desconfío del éxito.

Y continuaba sonriendo, amablemente, mientras se frotaba las manos.

XXI

EL ARBOL VIEJO

Todas las mañanas, cuando hace buen tiempo, va don Juan a la Chopera. La Chopera es la vieja alameda que se extiende bordeando las murallas. Los árboles, frondosos, centenarios, casi forman bóveda tupida con su ramaje. Al entrar en la alameda, lo primero que columbra don Juan, allá a lo lejos, es una ancha y larga barba blanca. Don Leonardo pasea también. ¿Cuántos años tiene don Leonardo? Don Leonardo tiene ocho hijos, treinta nietos, quince bisnietos; es un roble centenario, venerable, con la fronda llena de pajaritos. Es un roble centenario; la más fervorosa pasión de don Leonardo son los árboles. Siempre que se habla de los árboles, don Leonardo sonríe como un niño. Tiene el buen anciano la risa franca y los entusiasmos súbitos de los niños; ha llegado a la suma vejez con el candor inalterable de los seis años.

—Don Leonardo — le pregunta don Juan—, ¿qué ha hecho usted hoy?

Don Leonardo lleva un libro en la mano, lo abre, señala un pasaje y se lo da a leer a don Juan.

—Mire usted—dice—lo que acabo de leer en este libro.

Don Juan lee: «Jagadish Chandra Bose, director del Instituto que ha fundado en Calcuta para el estudio de la fisiología vegetal; es autor de instrumentos y procedimientos ingeniosos de una gran delicadeza, especialmente del llamado *crescógrafo,* que facilita «ver las plantas». De sus trabajos se desprende que los vegetales están dotados de mayor sensibilidad que lo que se creía hasta ahora; un árbol, por ejemplo, se contrae cuando se le golpea; los tejidos de una planta tienen verdaderas pulsaciones y, al morir, experimentan una especie de espasmo.»

Don Leonardo es un ingeniero forestal, erudito y meticuloso. Las paredes de su despacho están llenas de cuadros con árboles; ha presentado trabajos meritísimos en varios congresos, ha escrito monografías elogiadas en el extranjero. De cuando en cuando, a solicitud de los periódicos, escribe ligeros y graciosos artículos de vulgarización.

—Don Leonardo, ¿ha escrito usted algo hoy?—pregunta otro día don Juan.

—Sí—contesta don Leonardo sonriendo—; he escrito un articulito titulado «El árbol viejo».

Bajo el ramaje de los árboles centenarios, venerables, don Leonardo comienza la lectura.

—Es un artículo—añade don Leonardo—escrito contra los que talan los viejos árboles. Dice así: «La ancianidad es respetable, debido a que, por lo menos, supone larga lucha con las numerosas causas de destrucción que, incesantemente, circundan cuanto existe...»

Una mañana no está don Leonardo en la Chopera; no se ve entre los negros y nobles troncos su barba luenga y blanca. Don Leonardo está enfermo. No puede salir de casa. La enfermedad es larga y de cuidado. Todos los días va a verle don Juan.

—¿Cómo van *mis* árboles, don Juan? —pregunta el anciano.

Su pensamiento está en los árboles de la alameda. Los árboles están bien; todos están en la alameda, nobles, buenos, dichosos en su centenaria senectud.

Llega la primavera; don Leonardo pregunta todos los días:

—¿Cómo están *mis* árboles? ¿Han comenzado a retoñar? ¿Tienen ya hojitas verdes?

Los árboles no están bien. Una tropa de leñadores ha venido con sus hachas y sus sierras a la alameda y, de orden superior, ha talado los más bellos ejemplares de olmos y de chopos. Una angustia terrible pesa sobre todos los que rodean al buen anciano. Nadie se atreve a darle la trágica noticia; ahora sería una imprudencia; lo harán más adelante, cuando esté convaleciente.

—¿Están ya cubiertos de follaje *mis* árboles?—pregunta don Leonardo—. No me decís nada; habladme de ellos.

Los circunstantes sienten una profunda opresión y se esfuerzan por urdir piadosas mentiras. Ya va estando mejor el buen anciano; poquito a poco, con los cuidados del amor que le rodea, va recobrando la salud. Ya habla de lo que va a escribir cuando se levante y de los paseos que va a dar por la Chopera.

—Con un paseíto que yo dé por la Chopera—dice, sonriendo alegremente como un niño—, con un paseíto que yo dé por la Chopera, ya estaré bueno.

Le ha mandado ya el médico a don Leonardo que se levante mañana; la semana próxima podrá salir de casa...

XXII

POR LA PATRIA

Algazara, estrépito, clamor de voces que se aleja por la calle y se va apagando poco a poco. Hace un momento han pasado bajo los balcones con una bandera. Se oye el *chin-chin* de una música; suena el tronido de los cohetes. La dama que está sentada en la sala, con la cabeza entre las manos, revive la vida de Carlitos. Lo ve a los dos años, chiquitito, cuando daba los primeros pasos, agarrándose a los muebles para no caer. Luego, a los cinco años, cuando tenía un lápiz en la mano, se inclinaba sobre un papel e iba trazando, él solito, unas letras grandes y torcidas. Su cara, en esos momentos, se tornaba ceñuda y había un mohín de concentrada atención en su boca. Cada tres meses, Carlitos estaba enfermo. Las zozobras eran angustiosas, interminables. El termómetro clínico estaba siempre entre los dedos de la madre. La cara de la madre se acercaba ansiosa, cerca de la luz, al tubito de cristal. Era frágil, quebradiza como un delgado vidrio, la salud del niño. Al igual que planta de países meridionales en país frío, le habían ido cuidando durante la infancia. ¡Eran tan anchos, vivaces y luminosos sus ojos! ¡Decía las cosas con un son de voz tan dulce! ¿Qué iba a ser este niño en el mundo: gran artista, gran poeta, gran orador? Ahora seguía brillantemente los estudios de ingeniero.

La música toca a lo lejos; se pierden los últimos sones; van y vienen, sobre la ciudad, las notas sonoras llevadas y traídas por el viento. Suenan repentinamente innumerables cohetes. Ha partido el tren.

De pronto, la dama, pálida, intensamente pálida, se ha llevado las dos manos al corazón; el busto se ha reclinado en el respaldo de la butaca. De su boca ha salido un gemido suave, un leve estertor... Parecía en éxtasis. Los circunstantes, aterrados, la rodeaban.

—Señor—ha dicho don Juan en voz baja, elevando sus ojos al cielo—. Señor: acoge en tu seno el alma dolorosa de una madre.

XXIII

LA «TIA»

La *Tía* vivió antaño en la cuesta del río, junto a las Tenerías, en una casilla medio caída. Un día ocurrió allí un suceso terrible; resultaba comprometido un señorito de la ciudad. Procesaron a la *Tía*, pero la *Tía* calló. Nadie pudo sacarla de su mutismo. Aquel silencio valió a la *Tía* una larga, constante y misteriosa protección. De la cuesta del río se mudó la *Tía* a una casa de la calle de Cereros. La calle estaba siempre desierta. En la casa de la *Tía* estaban siempre cerradas las puertas y las ventanas. De tarde en tarde, al anochecer, durante la noche, se escurría una sombra por la calleja; llegaba a la puerta y tiraba del cabo de una cuerda. Dentro sonaba una campanilla.

A las ventanas no se asomaba nunca nadie. A veces se oían voces iracundas, lamentaciones, ruido de muebles golpeados. La *Tía* era una mujer alta, fuerte; tenía la tez pálida, terrosa; en los dedos de las manos lucían apretadas sortijas y tumbagas. Silenciosamente, en los momentos de ira, estos dedos cogían un brazo e iban apretándolo como unas tenazas hasta dejar una honda huella amoratada. Y de pronto, ante los gritos de la víctima, la *Tía*, con los ojos relampagueantes, comenzaba a vociferar también, daba tremendos porrazos, lanzaba por el aire los muebles.

Don Juan pasaba alguna vez por la calleja. No había entrado nunca en la casa. Una tarde, al asomar por la calle, vió que se abría la puerta. Salió de la casa una muchacha. Estaba pálida, exangüe; tenía los ojos hinchados, con anchas ojeras. Había en toda su persona un profundo dolor. La muchacha llevaba una maleta y una jaula con un pájaro. Dos pasos más allá de la puerta, se sentó en la maleta, puso los codos en los muslos, apoyó la cabeza en las manos y comenzó a llorar.

Don Juan la veía llorar desde lejos. Se fué acercando despacio. Dejó caer en su falda unos papelitos azules y se alejó de prisa.

XXIV

DON FEDERICO

A las tres de la mañana abandona don Federico su despachito de la redacción. Ya ha visto el primer ejemplar del día siguiente; su olfato ha percibido, una vez más, sobre las páginas recientes, el perdurable olor a tinta fresca. Una bombilla pende sobre la mesa, con una pantalla de papel de periódico; hay en las paredes una fila de garfios con abultados números de periódicos; se ven periódicos sobre la mesa.

La ciudad duerme. Brillan las estrellas en lo alto; parecen como cansadas en las calles las lucecitas de la noche. Encima de la mesa del comedor tiene preparados don Federico, aseados y limpios, unos mantenimientos. En las alcobas, seis cabezas de niño y una mujer, orlada de rubia cabellera, descansan en las almohadas. Al día siguiente, a las doce, dan unos golpecitos tenues en la puerta. Dos o tres niños entran y suben presta y alegremente a la cama de don Federico.

¿Dónde han nacido estos niños? Don Federico ha trabajado en Madrid, en Barcelona, en Bilbao, en Valencia. Treinta años lleva sentándose frente a las cuartillas y llenándolas con su letra. Su ropa está limpia, sin una mancha, pero un poco usada. Ya para él declina la vida. Las cosas le son un poco indiferentes. Cuando en la redacción se entabla una polémica sobre los méritos de los políticos y le preguntan a don Federico, el buen periodista no contesta. Don Federico, en silencio, ladea la cabeza y enarca las cejas. Cuando un redactor le trae un artículo violento, don Federico dice:

—Queridos amigos, un poquito de tolerancia.

Don Juan va muchas noches, después de la tertulia del Maestre, a estar un rato con don Federico en la redacción. Don Federico, al llegar a la redacción, va hojeando los periódicos del día, y luego prepara las cuartillas. Hay un profundo gesto de cansancio en este hombre; muchas veces, mientras arregla las cuartillas, hace su gesto habitual de resignación y de indiferencia: tuerce la cabeza y enarca las cejas. ¿Qué será de estos niños y de su mujer cuando él no pueda escribir?

Una noche ha encontrado don Juan al buen periodista un poco nervioso.

—Don Juan—le ha dicho don Federico—, deseo consultarle a usted sobre un asunto importante.

Don Juan, al oír estas palabras, rápidamente se ha puesto en pie; se ha acercado a los rimeros de periódicos, que penden de las paredes, y ha preguntado algo, aparentando indiferencia:

—Don Juan—ha repetido don Federico—, deseo consultarle una cosa importante que me sucede.

Don Juan seguía aparentando indiferencia. Lo que le ocurre a don Federico es que un amigo suyo le escribe desde Madrid diciéndole que regrese a la corte; el problema de la vida de don Federico está resuelto; el amigo cree poder asegurárselo así al buen periodista.

—¿Qué cree usted, don Juan?

Don Juan, con íntima y ligera emoción, ha contestado:

—Creo, querido don Federico, que debe usted ir a Madrid.

Cuando ha vuelto don Federico esta noche a su casa, ha ido besando dulcemente las cabecitas que reposaban en la almohada.

XXV

LA CASA DEL MAESTRE

La casa del Maestre se levanta en una ancha plaza. El caballero que la habita no es Maestre, pero lo fueron varios de sus antepasados. La casa es de piedra dorada. Sus balcones son de hierro forjado con bolas de luciente cobre en los ángulos. Cuando se pasa la puerta del zaguán, se entra en un pequeño patio rodeado de columnas de piedra; por arriba corre una galería. De trecho en trecho cuelgan cuadros antiguos con escenas de caza o vistas de batallas. Hay en la planta baja dos vastos salones: uno, tapizado de rojo; el otro, de color perla. El rojo es un salón Luis XIV. Se ven en su ámbito anchos y bajos sillones, tapizados con escenas campestres en el respaldo, armarios y cómodas con incrustaciones de concha y cobre, bustos de mármol blanco.

El otro salón es de estilo Imperio; en los sillones de caoba brillan cariátides y ramos de bronce; las mesas rematan sus patas en garras de león; sobre una consola, entre dos ánforas de fina porcelana, un sátiro y unas ninfas danzan en torno de un reloj.

En el piso principal se hallan las habitaciones de la familia, la biblioteca y un pequeño museo. El Maestre es coleccionista de monedas romanas. En el extenso monetario se ven monedas preciosas de oro, monedas de plata, monedas de bronce. Las de bronce están veladas por sus pátinas azules, rosadas y verdes. En la biblioteca forman, en los largos plúteos, todos los clásicos españoles y todos los clásicos franceses. Los volúmenes aparecen intactos, irreprochables. Tienen su *ex libris* y su dorado *super libris*. En las paredes, entre los cuadros antiguos y modernos, un retrato de Ingres, un paisaje de Corot, la figura esbelta de una dama española—el busto hacia atrás, el abanico en el pecho—pintada por Goya.

XXVI

EL MAESTRE DON GONZALO

—Señoras y señores...

Con dos dedos, a la altura del rostro, don Gonzalo muestra una monedita de oro. Don Gonzalo es alto y delgado. El cuello de la camisa, cerrado, destaca con nítida blancura. Dos patillas grises bajan en punta hacia los hombros. Brillan los zapatos de charol. ¿Estamos en presencia de un banquero de 1880? ¿Es don Gonzalo un inventor de específicos? ¿Es un prestidigitador que va a hacer desaparecer una moneda? Todos se disponen a escucharle en silencio. Aquí están su mujer, Angela; su hija, Jeannette; don Juan, el doctor Quijano, el maestro Reglero...

—Señoras y señores...—dice don Gonzalo—: Tengo la satisfacción de anunciar a ustedes que hoy he adquirido una moneda legionaria de Septimio Severo. Es ésta...

Don Gonzalo va pasando la moneda ante los ojos de los contertulios.

—La Historia, señoras y señores—prosigue el Maestre—, es una sucesión de monedas. *In nummis Historia.* ¡Cuántas cosas han sucedido en el mundo desde que fué troquelada esta monedita! De mano en mano habrá ido pasando a lo largo de las generaciones. Lágrimas, alegrías, entusiasmos, decepciones..., todo lo habrá visto esta monedita. Como ahora la tengo yo, la habrá tenido un príncipe, una cortesana, tal vez un bandolero. La monedita permanece intacta, y han pasado los imperios, han muerto los príncipes, las más espléndidas ciudades se han...

De pronto suena estrepitosamente el piano y Jeannette canta:

Déplorable Sion, qu'as-tu fait de ta gloire?
Tout l'univers admiroit ta splendeur:
Tu n'es plus que poussière; et de cette grandeur...

—¡Jeannette!—exclama don Gonzalo.

—*Cher papa!*—responde Jeannette. Y calla el piano.

—Perdonad, señoras y señores—continúa el Maestre—. ¿Qué es la Historia? Para unos historiadores, una cosa, y para otros, otra. ¿Son los intereses materiales o son las ideas lo que impulsa a la Humanidad? Los historiadores nos hablan de los grandes hombres. ¡Pobres grandes hombres! Sin ellos, tarde o temprano, sucederían las mismas cosas que ellos creen hacer con su intervención providencial. ¿Puedo citar a Montesquieu? Montesquieu dice en sus *Consideraciones sobre la grandeza y decadencia de los romanos:* «Si César y Pompeyo hubieran pensado como Catón, otros hubieran pensado como César y Pompeyo, y la República, destinada a perecer, hubiera sido arrastrada al precipicio por otras manos.» El tiempo, señoras y señores, el tiempo es quien...

Vuelve a sonar el piano alegremente. Jeannette canta:

Sur ce globe, la course humaine
Ne dure, hélas! que peu d'instants.
Le postillon qui tous nous mène,
Je le connais trop, c'est le temps.

—Querida Jeannette—dice don Gonzalo en tono de reproche cariñoso—: Tú pasas, como la cosa más natural del mundo, de Racine a Béranger; de Racine, que te han enseñado en el colegio, a Béranger, que has aprendido tú.

XXVII

PARIS

Los mismos contertulios de siempre están reunidos en casa del Maestre.

—*As tu envie d'aller au village, ma chère Jeannette?*—le pregunta don Gonzalo a su hija.

Jeannette contesta, haciendo un mohín cómico de ansiedad:

—*Tres envie, mon cher papa!*

Don Gonzalo añade:

—*Ton village est le plus joli du monde.*

Jeannette replica:

—*Oui, c'est vrai; le plus joli du monde!*

Don Gonzalo y Angela, recién casados, se marcharon a París. Iban por un mes; estuvieron ocho años. En París nació Jeannette. París es el pueblecito de Jeannette. La familia pasa la mitad del año en la ciudad; la otra mitad, en París.

—¿Qué le gusta a usted más de París?—le han preguntado a don Gonzalo.

—¿De París?—dice don Gonzalo—. El cielo, el aire, el ambiente... De París, lo que me gusta más es caminar despacio por la orilla del Sena en un día ceniciento y dulce; me gusta ver el cielo de un gris de plata oxidada y contemplar al lado del agua unos álamos verdes... Nada más, y esto es todo.

Don Gonzalo va y viene por la estancia a pasos menuditos; parece que sus pies no tocan el suelo.

—¿Qué será de París dentro de doscientos años? No lo sabemos. ¿Hacia dónde va la Humanidad? Nadie puede decirlo. Entre tanto, gocemos del minuto presente. *Sub lege libertas.* La mayor suma de libertad dentro de la Ley. Dentro de unas pocas leyes limitadas a garantizar la seguridad del ciudadano. ¿Es que no van por ese camino las cosas del mundo? Entre tanto, gocemos de París, de su aire suave, de su cielo ceniciento, de su finura, de su espiritualidad...

El piano resuena estrepitoso. Jeannette canta:

Vive Paris, le roi du monde!
Je le revois avec amour.
Fier geant, armé de sa fronde,
Il marche, il grandit chauque jour.

—Jeannette!—exclama don Gonzalo.

—*Cher papa!*—exclama Jeannette.

XXVIII

ANGELA

En Angela resalta lo siguiente: sus labios grosezuelos y rojos, la carnosidad redonda y suave de la barbilla, sus manos llenitas, sedosas y puntiagudas. En la mano de Angela luce una magnífica esmeralda. La mano de Angela es una mano que no nos cansamos de contemplar sobre la seda joyante de un traje, en la página blanca de un libro, perdiéndose entre la melenita rubia de un niño; es una mano imperativa e indulgente. Angela tiene estas alternativas de indulgencia y de imperio, de actividad y de languidez. Camina presurosa por la casa, lo ve todo,

todo procura que esté limpio. A los criados no les tolera negligencias, pero sabe mandarles con afabilidad. Cuando está todo ordenado y limpio, Angela se sienta, pone la mano en la rodilla y clava la vista en la esmeralda. Hay entonces en su cara un arrebol de epicureísmo satisfecho. La comida está dispuesta y va a ser servida. Tres o cuatro invitados se sientan diariamente a la mesa. Todo ha sido preparado por Angela; su mano blanca, carnosita, ha ido delicadamente de una parte a otra. Angela está sentada. Se repliega voluptuosamente sobre sí misma; su barbilla redonda es más carnosita que antes. ¿En qué piensa Angela? En profundo silencio está el comedor. Nítido el mantel, brillan sobre la nitidez el cristal límpido y las piezas de argentería. Angela sale de sus ensueños. Ya se sientan a la mesa la familia y los invitados. Resuena el ruido de la porcelana y de la plata. Hay un ligero ambiente de enardecimiento y de voluptuosidad. La mano de Angela, con su esmeralda, reposa un momento sobre el mantel: blanco, rosa y verde.

XXIX

UNA TERRIBLE TENTACION

Dieciocho primaveras ha visto ya Jeannette. Las ha visto con unos ojos anchos y negros en una faz de un ambarino casi imperceptible, formada en óvalo suave, picarescamente agudo en el mentón. Una pinceladita de vivo carmín marca los labios. La negrura intensa del pelo aviva lo rojo de la boca. Jeannette entra en un salón, en una tienda, en el teatro; sonríe con leve sonrisa equívoca; su mirada va de una parte a otra, vagamente; en sus ojos brilla la luz que brilla en los ojuelos de una fierecilla sorprendida. La mirada quiere demostrar confianza y dice recelo; quiere mostrar inocencia y dice malicia... Ha pasado un minuto. La mirada de la fierecilla ha cambiado. Jeannette está ya segura de sí misma. Domina ya a su interlocutor. Ahora la risa es francamente sarcástica. De tarde en tarde, Jeannette, al igual de una domadora intrépida, hace con la cabeza un gesto instantáneo, enérgico, como queriendo, ante los espectadores del circo, esparcir al aire la cabellera espléndida. Y recuerdan el circo todos sus movimientos: vivos, prestos, en que el cuerpo se escabulle, se doblega, se tuerce en ángulos y curvas que hacen pensar en una masa de goma sólida y flexible, sedosa y tibia.

Jeannette corre y salta por la casa, arregla y desarregla los muebles, canta; se detiene de pronto. Se detiene frente a un ancho espejo. Calla un momento, pensativa. Avanza un poco el busto y se contempla la línea ondulante—deliciosamente ondulante—del torso. Da dos pasos erguida. Se levanta luego la falda hasta la rodilla y permanece absorta ante la pierna sólida, llena, de un contorno elegante, ceñida por la tersa y transparente seda. El pie—encerrado en brillante charol—se posa firme en el suelo. Las piernas mantienen el cuerpo esbelto, enhiesto, con una carnosa y sólida redondez en el busto. De pronto, Jeannette se hace una mueca picaresca a sí misma y echa a correr, riendo.

—*Oh! monsieur le chevalier*—exclama Jeannette ante don Juan.

Le mira en silencio con una mirada fija, penetrante; hace un mohín de fingido espanto y suelta una carcajada. Don Juan calla. Otras veces, Jeannette comienza a charlar volublemente con el caballero, en voz alta, con estrépito; poco a poco va bajando la voz; cada vez se inclina más hacia don Juan; después acaba por decir suavemente, susurrando, una frase inocente, pero con una ligera entonación equívoca. Don Juan calla. Ahora Jeannette pone el libro que está leyendo en manos de don Juan y le dice, con un gesto de inocencia: «Señor caballero, explíqueme usted esta poesía de amor; yo no la entiendo.» Una noche, terminada la tertulia, al dar la vuelta a la casa para marcharse a la suya, don Juan ve que en las callejuelas desiertas se marca el cuadro de luz de una ventana. El salón, de damasco rojo, está iluminado. La ventana está abierta. Sobre el rojo damasco, a través de la ancha reja, destaca la figura esbelta, ondulante, de Jeannette.

—*Au revoir, monsieur!*—grita Jeannette al ver pasar al caballero.

Y en seguida, con voz gangosa:

—*Buona sera, don Basilio!*

XXX

Y UNA TENTACION CELESTIAL

—¿Ha visto usted el patio de San Pablo?—le ha preguntado el Maestre a don Juan.

Y como don Juan contestara negativamente, don Gonzalo ha añadido:

—Le avisaré a Natividad y mañana iremos a verlo.

Han ido al día siguiente al convento de San Pablo. En el saloncito de muebles rojos se yerguen, frescos y pomposos, los ramos sobre la consola. Un leve olor de incienso llega al interior de la casa. El patio está en silencio. Se descubre un cuadro de flores en el centro. Hasta la galería trepa el tupido paramento de los jazmineros, cuajados de olorosas florecitas blancas. Entolda el patio el cielo azul. Los visitantes caminan despacio. Entre los floridos arbustos está sor Natividad. Tiene en una mano un cestillo, y en la otra unas tijeras. Como sutil y transparente randa, en torno de los arcos y en los capiteles de las columnas, se halla labrada la piedra. Sor Natividad va cortando, con gesto lento, las flores del jardín. No se ha estremecido al ver entrar a los visitantes, pero en su faz se ha dibujado leve sonrisa. De cuando en cuando, sor Natividad se inclina o ladea para coger una flor; bajo la blanca estameña se marca la curva elegante de la cadera, se acusa la rotundidad armoniosa del seno... Al avanzar un paso, la larga túnica se ha prendido entre el ramaje. Al descubierto han quedado las piernas. Ceñidas por fina seda blanca, se veía iniciarse desde el tobillo el ensanche de la graciosa curva carnosa y llena. ¿Se ha dado cuenta de ello sor Natividad? Ha transcurrido un momento. Al cabo, con un movimiento tranquilo de la mano, sor Natividad ha bajado la túnica.

—Mire usted—ha dicho don Gonzalo, señalando con el bastón la tracería de los arcos—; mire usted qué bella tracería.

Don Juan y sor Natividad han mirado a lo alto. Con la cara hacia el cielo, luminosos los ojos, tenía sor Natividad el gesto amoroso y sonriente de quien espera o va a ofrendar un ósculo.

—Hermosa—ha contestado don Juan, contemplando la delicada tracería de piedra.

Y luego, lentamente, bajando la vista y posándola en los ojos de sor Natividad:

—Verdaderamente... hermosa.

Dos rosas, tan rojas como las rosas del jardín, han surgido en la cara de sor Natividad. Ha tosido nerviosamente sor Natividad y se ha inclinado sobre un rosal.

XXXI

VIRGINIA

¡Qué bien bailan las serranas,
qué bien bailan!

Poco más de media hora de la ciudad se encuentra la aldea de Parayuelos. La componen familias de pelantrines y terrazgueros pobres. Tiene en Parayuelos una granja don Gonzalo. Don Juan suele ir allá algunos días con el doctor Quijano. Le place ver cultivar la tierra a los labriegos. Se informa de las propiedades y virtudes de las piedras y las plantas. Una moza va y viene por la casa y las tierras. Se llama Virginia y es la hija del cachicán.

En los pinares de Júcar
vi bailar unas serranas,
al son del agua en las piedras
y al son del viento en las ramas...
¡Qué bien bailan las serranas,
qué bien bailan!

No hay quien baile como Virginia. La moza es alta y esbelta. Ríe y ríe siempre con una risa sonora. Desde que quiebra el alba hasta la noche, no se cansa Virginia de trajinar por la casa.

Prepara las encellas para los quesos, dispone por el otoño el almijar, cierne la harina y amasa, clarifica la miel cuando se castran las colmenas, cuelga en largas cañas las frutas navideñas, aliña con romero e hinojo las aceitunas negras en las grandes tinajas... Y cuando llega el día de fiesta, Virginia se viste una saya de lana roja, un jubón verde y un pañuelo amarillo. Al cuello, Virginia se ciñe un collar de perlas toscas y artificiosas. Suena un tamboril y un pífano. En la plaza de la aldea se forma un ancho corro. Virginia es la que mejor baila.

¡Qué bien bailan las serranas,
qué bien bailan!

Don Juan contempla, embelesado, la gracia instintiva de la muchacha: su sosiego, su vivacidad, la euritmia en las vueltas y en el gesto.

Cuando Virginia va a la ciudad, las gentes sonríen; sonríen levemente; sonríen de la gracia, de la ingenuidad de Virginia. ¿Por qué se pone Virginia este ostentoso collar? Todo el mundo sonríe del collar tosco y falso de Virginia.

Un día, Virginia ha venido a casa del Maestre. En el salón gris, la moza, con sus colores vivos, está en pie, inmóvil, ante Angela y Jeannette, que contemplan su esbeltez y su gracia. De pronto, Jeannette exclama:

—¡Quiero ponerme el collar de Virginia!

Prestamente lo ha desceñido del cuello de Virginia. Ya lo tiene en la palma de la mano. Entonces, al contemplar estas perlas finas, purísimas, verdaderamente maravillosas, una profunda extrañeza se ha pintado en su rostro. Le ha alargado el collar a Angela. El mismo estupor se ha retratado en la cara de Angela. Las tres mujeres permanecen un momento en silencio, absortas.

¡Qué bien bailan las serranas,
qué bien bailan!

XXXII

EL NIÑO DESCALZO

Por un caminito de la montaña iba don Juan. La ciudad se veía a lo lejos. Por el caminito, hacia la ciudad, iba un niño descalzo. El niño trae sobre las espaldas un haz de leña; va encorvadito. Al oír pasos ha levantado la cabeza. Camina despacito el niño. No puede llevar la carga, que le abruma. ¿Son las iniquidades que cometen los hombres con los niños lo que lleva sobre sus espaldas este niño? Son los dolores de todos los niños: de los niños abandonados, de los maltratados, de los enfermos, de los hambrientos, de los andrajosos. Son los dolores del niño que duerme aterido en el quicio de una puerta, del niño alimentado con leches adulteradas, del niño inmóvil en las escuelas hoscas, del niño encarcelado, del niño sin alegrías y sin juguetes... El niño del haz de leña ha hecho un esfuerzo para levantar la cabeza. Sus pies descalzos estaban sangrando. Don Juan ha cogido al niño y lo ha sentado en sus rodillas. Don Juan le va limpiando sus piececitos. El niño tenía al principio la actitud recelosa y encogida de un animalito montaraz caído en la trampa. Poco a poco se ha ido tranquilizando; entonces el niño le coge la mano a don Juan y se la va besando en silencio. ¿Qué le pasa al buen caballero que no puede hablar? A lo lejos, sobre el cielo azul, destaca la ciudad. Se ve el huertecito de un convento, la casa del Maestre...

XXXIII

CANO OLIVARES

Quince días después del encuentro de don Juan con el niño descalzo se recibe en la pequeña ciudad una noticia sensacional. En Valparaíso ha muerto un español; nació en la pequeña ciudad. Deja a la pequeña ciudad una cuantiosa fortuna. Se ha de emplear ese caudal en la construcción de unas espléndidas escuelas. Las escuelas estarán dotadas de pensiones para los niños pobres. Se llama el donante don Antonio Cano Olivares. Ha venido de Madrid, para conferenciar con el alcalde, un delegado del Banco de España.

—¿Quién era don Antonio Cano Olivares?—pregunta el maestro Reglero en la tertulia del Maestre.

—Don Antonio Cano Olivares—dice el doctor Quijano—debía de ser hijo de don Felipe Cano, el que tenía una tiendecilla en la calle de Cordeleros.

—No—replica un contertulio—. Cano Olivares debía de ser un muchacho que se marchó hace cuarenta años; era hijo de doña Jesusa Olivares, hermana del canónigo Olivares, que murió en Zaragoza.

—Están ustedes confundidos — observa otro contertulio—. Ese muchacho que usted dice no era hijo de doña Jesusa Olivares. Debía de ser...

—¡Hay aquí tantos Canos y tantos Olivares!—interrumpe el doctor Quijano.

—En fin—resume el maestro Reglero—fuera quien fuere, Cano Olivares ha hecho una buena obra. De aquí han salido centenares de muchachos con rumbo a América, que luego no se han acordado de su pueblo...

Se han abierto los cimientos del futuro edificio. A la colocación de la primera piedra asiste todo el pueblo. Toca una música. El alcalde pronuncia un discurso: «Señores—dice el alcalde—, honremos a Cano Olivares. Cano Olivares era un grande hombre. De grandes hombres podemos calificar a aquellos que con su trabajo perseverante, con sus iniciativas arriesgadas, con su esfuerzo paciente de todos los días, han sabido labrarse una fortuna, y a la hora de la muerte, lejos de la patria, apartados de su ciudad natal por millares de leguas, tienen para ese pueblo, que los vió nacer, un rasgo espléndido y generoso. Honremos, señores, a Cano Olivares y tengamos para su memoria, en nuestros corazones, gratitud perdurable.»

La música toca alegremente. La muchedumbre aplaude. Confundido entre el pueblo, don Juan sonríe.

XXXIV

EL SEÑOR PERRICHON

Monsieur Perrichon ha llegado a la pequeña ciudad. El señor Perrichon ha venido invitado por la familia del Maestre; estará con sus amigos quince días y regresará con ellos a París. El señor Perrichon es regordete; sus ojos son diminutos; la cabeza, calva, rosada. Están rojas, encendidas, sus mejillas. Dos gruesos bigotes rubios caen lacios por las comisuras de la boca. Sobre su cabeza se ve un diminuto sombrero de paño, a cuadritos blancos y negros. Penden de una correa unos gemelos.

El señor Perrichon, acompañado de don Gonzalo, ha estado visitando los monumentos de la ciudad. En la catedral, el señor Perrichon ha exclamado:

—¡Oh, muy bello, muy bello!

En la audiencia, el señor Perrichon ha repetido:

—¡Oh, muy bello, muy bello!

El señor Perrichon sonríe siempre y se inclina, respetuoso y atento, ante las damas.

—Señor Perrichon—le dice Jeannette—, ¿quiere usted contarnos su viaje a Suiza?

—*Volontiers, mademoiselle*—contesta Perrichon.

Y comienza su relato, pintoresco e ingenioso. De cuando en cuando ríe a carcajadas, echando la cabeza hacia atrás. La concurrencia ríe también y palmotea.

Angela ha querido dar una comida de gala en honor del señor Perrichon. Todos los contertulios estaban en torno de la mesa. Todos los más selectos vinos de España han desfilado por la mesa. Perrichon estaba encantado. Sus ojuelos brillaban. Allí estaban el claro y fresco valdepeñas, el rioja, el oloroso jerez, el fondillón alicantino, el málaga, el montilla... El señor Perrichon se llevaba el vaso a los labios, saboreaba lentamente el delicioso vino y levantaba, extasiado, los ojos al cielo.

—Señor Perrichon—ha dicho don Gonzalo—, una canción a estilo de la vieja Francia...

El señor Perrichon se ha puesto en pie.

—¡Queridos amigos!—ha exclamado.

No ha podido continuar. Se ha llevado las manos al pecho con un gesto silencioso. Todos han aplaudido. El señor Perrichon ha bebido un sorbo de vino, ha levantado la copa en lo alto y ha comenzado a cantar:

Je ne suis qu'un vieux bonhomme,
Ménétrier du hameau;
Mais pour sage on me renomme,
Et je bois mon vin sans eau...

Al acabar la canción ha resonado un fervoroso aplauso en la sala.

—¡Viva la vieja Francia!—ha exclamado don Gonzalo.

—¡Viva la España!—grita Perrichon, llevándose las manos al pecho.

Y se deja caer, desplomado, en la silla, los ojuelos llorosos, lacios los gruesos y largos bigotes rubios.

XXXV

LE LION MALADE

En la tertulia del Maestre están los amigos de todas las noches. Han tocado el piano y han comentado los sucesos del día. Perrichon va de una parte a otra, galante y obsequios.

—Señor Perrichon—dice Jeannette—, ¿quiere usted que juguemos al *lion malade?*

—*Volontiers, mademoiselle* — contesta Perrichon, sonriendo.

—Pues usted será el fabulista—añade Jeannette.

Cada contertulio ha de representar un animal. Jeannette va haciendo el reparto.

—Usted—le dice a Reglero — será el perro.

Y al doctor Quijano:

—Usted, el pato.

Y a don Leonardo:

—Usted, el gato.

Y a Pozas:

—Usted, el gallo.

—Tú, papá, el tigre. Tú, mamá, la marmota.

Llega Jeannette ante don Juan; se detiene sonriendo.

—¿Qué quiere el señor caballero?

—Jeannette—responde don Juan—, yo seré lo que usted quiera hacer de mí.

—Pues yo quiero—dice Jeannette—que sea usted el pavón.

Perrichon comienza su relato con voz campanuda. Dice que el león está enfermo y que todos los animales van a visitarle.

—Le visita primero—dice—el perro.

Entonces, el personaje que representa el perro tiene que hacer lo que el perro hace. El maestro Reglero comienza a ladrar y a imitar los movimientos del can.

—Le visita después—prosigue Perrichon—el pato.

El doctor Quijano lanza algunos graznidos, imitando a los patos, y sacude los brazos como si saliera del agua.

—Le visita después el gato.

Don Leonardo da unos maullidos suaves.

—Le visita después el pavón.

Don Juan chilla agudamente, como los pavos reales.

Al final dice Perrichon:

—Le visitan todos los animales.

Y entonces se promueve una algarabía estrepitosa de maullidos, ladridos y gritos de todos los animales.

—Como nadie se ha equivocado—dice Jeannette—, voy a premiar a todos.

Coge Jeannette un fresco ramo de flores y las va repartiendo entre los contertulios.

—A usted—le dice a don Juan, dándole una rosa—, la rosa más roja, la rosa más lozana.

XXXVI

LA ROSA SECA

Angela y Jeannette han ido a ver las antigüedades de doña María. Antes de marcharse a París desean saber si doña María tiene algunos otros trastos bonitos. Han estado un rato curioseando por las salas. Ante la puerta de don Juan, Jeannette ha dicho, aparentando inocencia:

—¿Tiene usted aquí también antigüedades, doña María?

—Aquí es donde para don Juan, el amigo de ustedes—ha contestado la anciana.

Han entrado en la estancia. Don Juan hace dos días que está, con el doctor Quijano, fuera de la ciudad. Todo estaba en orden y limpio. La mancha de las cortinillas rojas, en las vidrieras de la alcoba, destacaba en el fondo. En las paredes había una serie de litografías antiguas, francesas. Tenían ancho marco de roble, pulimentado, con redondeles de metal dorado en los ángulos. Representaban la historia de Latude y de la Pompadour. En la primera de la serie estaba en pie Latude, lindo y apuesto garzón, rehusando una bolsa de oro que le alargaba la bella marquesa; en otra, la Justicia venía a prender a Latude, que estaba en la cama con una camisa de encajes; en otra, Latude se descolgaba, de noche, por un alto torreón...

Jeannette ha comenzado a leer la inscripción de la primera estampa: «Latude, né en 1725, à Montagnac, en Languedoc, ambitieux, mais plus étourdi que coupable...»

Después, meditativa, ensoñadora, ha exclamado, mirando a la bella marquesa, con su peinado alto y su falda cuajada de rosas:

—¡Qué bonita era la Pompadour!

En una de las litografías, en la primera, entre el cristal y el marco, había clavada una rosa: una gran rosa seca. Era la rosa que Jeannette había regalado a don Juan noches antes. Jeannette la ha cogido y la ha colocado en la litografía en que la Justicia prende a Latude.

Y cuando van a salir de la estancia las visitantes, Jeannette se ha vuelto otra vez hacia las litografías y ha exclamado:

—¡Qué elegante era la Pompadour!

XXXVII

EL ENEMIGO

—¿Qué es lo que más recuerda usted de París, señor obispo?—ha preguntado Angela.

Don Gonzalo, Angela y Jeannette han venido a despedirse del obispo; se marchan a París. El palacio episcopal es chiquito. El zaguán lo forman cuatro paredes desnudas; un ancho farol pende del techo. Se sube por una escalera corta, se llega a una puerta y se pasa a una pieza entarimada; por la ventana se ve un patio con un pozo. Se entra por un corredor, se tuerce a la derecha; luego, a la izquierda... Al fin, el visitante se encuentra en un salón cubierto de papel rameado. La sillería es de seda verde con dibujos blancos. En una consola de mármol se yergue una Virgen, debajo de un fanal. En la pared destacan un retrato de León XIII y una copia del Cristo de Velazquez. El obispo ha entrado, andando lentamente, apoyado en su báculo.

—¿Qué es lo que recuerda usted más de París, señor obispo? —ha preguntado Angela.

Le han oído ya algunas veces al buen obispo contar la historia, pero gustan de oírsela contar de nuevo.

—¿Lo que más recuerdo yo de París? —dice el obispo.

—Recordará usted muchas cosas—observa Jeannette.

—¿No estuvo usted en París en 1880? —añade don Gonzalo.

—Estuve—replica el obispo—cuando regresaba de Roma, el primer viaje que hice en 1880.

—¿Y qué es lo que más le llamó a usted la atención?—dice Angela.

—Muchas cosas vería en París el señor obispo—agrega don Gonzalo.

Hay un momento de silencio. En la puerta del salón, uno de los familiares se inclina al oído del otro y le dice unas palabras sonriendo.

—En París—dice, al fin, el obispo—yo vi..., yo vi al Enemigo.

—¿El Enemigo, señor obispo?—dice Angela, fingiendo espanto.

—¿Ha visto usted, señor obispo, al Enemigo en París?—dice Jeannette, fingiendo también terror.

—Sí, sí—afirma el obispo—; he visto al Enemigo. Fué una tarde; iba yo con varios compañeros. ¿Cómo se llama aquella plaza que hay cerca de otra grande con una estatua? No me acuerdo ya bien... De pronto uno de mis compañeros me señaló a un señor bajito, rechoncho, con la cara afeitada y que parecía un cura...

—¿Y quién era ese transeúnte, señor obispo?—pregunta Angela.

—¡Era el Enemigo!—exclamó ahuecando infantilmente la voz el obispo— ¡Era el Enemigo!... Terrible..., terrible..., terrible...

—Pero un hombre gordo y que parecía un cura, ¿era el Enemigo?—pregunta Jeannette.

—Sí, Juanita—dice el obispo—; sí, Angela; sí, don Gonzalo. Era el Enemigo... Terrible..., terrible..., terrible...

Los dos familiares, que se hallan en pie en la puerta, sonríen levemente. Sonríen también con discreción Angela, don Gonzalo, Jeannette.

—Al día siguiente—prosigue el obispo—vi en una librería la refutación de la *Vida de Jesús,* que escribió Augusto Nicolás, y la compré. Alguna vez, para recordar aquellos tiempos, hago que me lean un poco en ese libro.

Como llegaba la noche, la débil claridad del crepúsculo apenas iluminaba la estancia. Han sonado en la catedral las campanadas del *Angelus.* Al oír las lentas campanadas, el obispo se ha puesto en pie; todos se han levantado. El obispo ha permanecido un momento en silencio, con la cabeza baja, sobre el pecho. Destacaba en la penumbra la nieve blanquísima de sus cabellos.

XXXVIII

LA ULTIMA TARDE

Han llegado los días del otoño. En la plaza amarillea el follaje de las acacias. Se pone el cielo triste; llueve a ratos. Las golondrinas se van marchando. Don Gonzalo, Angela y Jeannette se marchan también a París; con ellos retorna el señor Perrichon. Saldrán hoy mismo, a prima noche.

En la sala de la tertulia están reunidos todos los amigos. Los muebles tienen sus fundas blancas. En el vestíbulo están preparados los equipajes. Desde donde está sentado don Juan se columbra un pedazo de cielo; a veces, se muestra límpido el azul. La luz va disminuyendo. Caen a ratos chubascos violentos. Jeannette va de un lado para otro, tarareando y saltando.

—Monsieur Perrichon—dice sentándose al piano y dirigiéndose al buen Perrichon—, monsieur Perrichon, *le retour à Paris?*

—*Enchanté, mademoiselle*—dice el señor Perrichon.

Jeannette comienza a tocar y a cantar:

> *Vive Paris, le roi du monde!*
> *Je le revois avec amour.*
> *Fier géant, armé de sa fronde,*
> *Il marche, il grandit chaque jour.*

Hasta la próxima primavera el piano no volverá a sonar. No volverá a correr Jeannette por la casa, a saltar, a mirarse en los espejos y a hacerse muecas. Los espejos no volverán a ver esta pierna sólida, elegante, ceñida por la seda negra, tersa y transparente. Ni en la mesa, entre la argentería y el cristal limpio, volverá a posarse sobre el blanco mantel la mano gordezuela y puntiaguda de Angela, con su esmeralda: blanco, rosa y verde. Ni en el salón, en pie, con sus patillas grises, tornará don Gonzalo a mostrar una monedita de oro y a decir:

—Señoras y señores: esta monedita...

¡Adiós, queridos amigos! Os vais con las hojas, que ruedan amarillentas; con la lluvia, que cae monótona; con las golondrinas, que se alejan raudas.

XXXIX

AL PARTIR

BERENICE

Pour la dernière fois, adieu, seigneur.

ANTIOCHUS

Hélas!

(Final de *Berenice*.)

Don Juan, don Leonardo, el doctor Quijano, el maestro Reglero, Pozas, todos, todos los contertulios han ido a la estación a despedir a la familia del Maestre. La noche estaba revuelta. Llovía sin cesar. En la sala de la diminuta estación se hallaban todos reunidos. Angela lleva un traje gris, sobrio, entallado. Jeannette viste de azul oscuro con rayitas blancas; su cuerpo se marca grácil, ondulante, bajo el terso paño suave. Perrichon no ha abandonado su diminuto sombrero a cuadros negros y blancos.

El tren va a llegar dentro de un instante. En la foscura de la noche brillan a lo lejos los faros rojos y azules. Suena el *tic-tac* del telégrafo. Repiquetea ruidosamente un timbre...

—¡Adiós, don Juan!—ha dicho Jeannette.

—¡Adiós, Jeannette!—ha dicho don Juan.

Han permanecido con las manos trabadas, en silencio.

—¿Hasta la vista?—ha añadido Jeannette.

—¡Quién sabe!—ha exclamado don Juan.

Ha habido otro corto silencio; las manos continúan unidas.

—¡Adiós, don Juan!—ha dicho, al fin, Jeannette.

—¡Adiós, Jeannette..., adiós, querida Jeannette!—ha dicho don Juan, sacudiendo nerviosamente la mano de Jeannette.

El tren va a partir. Desde la ventanilla, agitando su sombrero, Perrichon grita:

—¡Adiós, España, tierra del amor y de la caballería!

El tren se pone lentamente en marcha. A lo lejos, en la negra noche, se ha perdido, al cabo, la lucecita roja del furgón de cola.

EPILOGO

—Hermano Juan: ¿Por qué es usted tan pobrecito? ¿Es verdad que ha sido usted muy rico?

—Todos hemos sido ricos en el mundo; todos lo somos. Las riquezas las llevamos en el corazón. ¡Ay del que no lleve en el corazón las riquezas!

—Hermano Juan: si ha sido usted rico, ¿cómo se puede acostumbrar a vivir tan pobre?

—Yo no soy pobre, hija mía. Es pobre el que lo necesita todo y no tiene nada. Yo no necesito nada de los bienes del mundo.

—Pero sus riquezas, hermano Juan, ¿las

perdió usted por azares de la fortuna o las abandonó usted de grado?

—Mi pensamiento está en lo futuro y no en el pasado; mi pensamiento está en la bondad de los hombres y no en sus maldades.

—Hermano Juan: dicen que usted vivía en un palacio. ¿Es verdad?

—Mis palacios son los vientos y el agua. las montañas y los árboles.

—Hermano Juan: ¿cuántos criados tenía usted?

—Los criados que tengo son las avecicas del cielo y las florecillas de los caminos.

—Hermano Juan: su mesa de usted era espléndida; había en ella de los más exquisitos manjares.

—Mis manjares son ahora el pan de los buenos corazones.

—Hermano Juan: usted ha visitado todos los países del mundo. ¿Habrá visto usted todas las maravillas?

—Las maravillas que yo veo ahora son la fe de las almas ingenuas y la esperanza que nunca acaba.

—Hermano Juan: no me atrevo a decirlo, pero he oído contar que usted ha amado mucho y que todas las mujeres se le rendían.

—El amor que conozco ahora es el amor más alto. Es la piedad por todo.

(Una palomita blanca volaba por el azul.)

Madrid, 1922.

(ENTRE 1560 Y 1590)

> ... Que fué síncopa de un año
> o paréntesis de un siglo.
>
> (CALDERÓN: *En esta vida todo es verdad y todo es mentira,* jornada III, escena VII.)

Señores académicos:

SEAN mis primeras palabras — deben serlo— de gratitud (1). Cordialmente os agradezco a todos vuestros favorables sufragios. Representáis la tradición española; modestamente, he procurado yo servir esa tradición. Entre vosotros, a quienes admiro, a quienes quiero, me encuentro rodeado de amigos. De amigos que sienten los mismos fervores que yo siento. El amor del operario a su profesión es lo que más importa en los oficios, liberales o mecánicos. Cualquiera que sea el trabajo que realicemos, grande o pequeño, lo esencial es realizarlo con vivo amor. Un modesto obrero en pobre taller, enamorado de su arte, fervoroso en su labor, es tan admirable—independientemente de la obra realizada—como el más afamado artista. Amáis vosotros las letras patrias; conocéis los primores y puridades del lenguaje; os preocupan los problemas del arte. ¿Cómo no he de sentirme satisfecho entre vosotros? Muchas veces, en los pueblecitos españoles, he contemplado a los artífices del hierro, de la madera y de la lana trabajar en sus talleres. Desaparece rápidamente, en el mundo moderno, el trabajo minucioso y paciente de las manos. En esos obradores de los pueblos pequeños, admiraba yo el amor, el minucioso cuidado y la perseverante cordialidad de los artesanos. Frecuentemente, toda la familia del operario se asociaba a la obra. El ambiente del taller, tan íntimo, se fundía con el ambiente tradicional de todo el pueblecito. La tradición, de padres a hijos, había ido formando estos oficios y creando lentamente las prácticas, recursos y secretos con que se dominaba la materia. Y estas excelencias de los modestos obreros, este ambiente tradicional, este fervor en el trabajo, era lo que yo, espectador en el taller, deseaba para el artista literario. La obra del literato debe ser perseverancia y amor. Frente a los gozadores del momento—un poco frívolos—vosotros representáis la continuidad del ideal estético y el culto a las fruiciones del espíritu. Los representan también, fuera de este recinto,

(1) Discurso leído ante la Real Academia Española en la recepción pública del autor, el 26 de octubre de 1924.

escritores a quienes todos admiramos y respetamos. Hombres de todas las procedencias forman esta breve asamblea. De la política venía el académico a quien sucedo.

Era don Juan Navarro Reverter un político y un hombre de mundo. Yo le veo —y fué la última vez que le vi—en un salón mundano. Alto, apuesto, airoso, caminaba a pasos menuditos por el piso encerado. El ámbito era vasto. Estaba cerca el mar. Rumor de charlas llenaba la anchurosa estancia. Iban y venían, entre los caballeros, bellas y elegantes señoras. Don Juan Navarro Reverter, sonriente, afable, se inclina ante una hermosa dama. Tiene el caballero en los labios la sonrisa perenne de quien es cortés por instinto. Se siente, con los años, nevada la cabeza, paternal e indulgente para la atolondrada juventud. Don Juan se inclina atento y coge entre sus manos la mano de la bella dama. Entre sus manos la conserva y la va acariciando suavemente. Y en tanto sonríe y habla. Su palabra es insinuante y discreta. Arte difícil es el de conversar. Don Juan Navarro Reverter ha sido un conversador diserto y delicado. Ha vivido mucho. Ha sido ministro cuatro o seis veces. Ha viajado por el mundo. De sus viajes ha traído observaciones que ha recogido en algún libro. Cuando los áridos estudios rentísticos le dejan libre, se regodea en la lectura de los poetas. Sobre un poeta—conterráneo suyo—ha escrito también otro volumen. Pero don Juan no presume de erudición, ni alardea de conocer los escondidos secretos del arte literario. Con amenidad, ligeramente, conversa con la bella dama que tiene ante sí. El rumor de las charlas llena el salón. Entra el aire del mar por los anchos ventanales. El tiempo transcurre plácidamente. Y en este minuto de vida, frente al mar, ante la inmensidad azul, bajo el azul del cielo, el espíritu se abstrae. Desechamos la realidad circundante. Se abstrae el espíritu entre esta cohorte mundana en el vórtice mismo de la grata frivolidad. El mundo presente desaparece. Desasida momentáneamente de las cosas reales, la imaginación se echa a volar. ¿Dónde estamos? ¿Qué es lo que nos sugieren el mar y el cielo inmensos? ¿Estamos en la España del siglo XX o en la pretérita? ¿Qué es el tiempo y qué es la eternidad? ¡Eternidad, eternidad! Una música ha comenzado a tocar en el salón una sonata de Beethoven. Los hombres son como sombras de sombras. Surgen en el mundo un instante y se desvanecen. En la eternidad, desde un punto fuera del tiempo—si se sufre decir—, nosotros, hombres del siglo XX y los hombres del siglo XVI, por ejemplo, somos una misma cosa. Desde lo futuro, nuestros antecesores de cuatro siglos atrás se verían a par nuestro. Los conflictos íntimos de unos y de otros son los mismos. En este momento del atardecer, frente al mar, abstraídos del tráfago mundano, nos sentimos al lado de los hombres del siglo XVI. Las damas y caballeros del salón desaparecen. Otros vivientes—ya desvanecidos en la Historia—retornan. La consideración del tiempo y de la eternidad ha operado el milagro. ¿Qué surge, lo primero, ante los ojos del espíritu? El espectáculo va a comenzar. El telón del escenario—el escenario de la Historia—se ha levantado pausadamente. ¿Estamos en 1560, o en 1570, o en 1590? Es una hora de España lo que estamos viviendo. Es una hora de la vida de España lo que vivimos—con la imaginación—en este atardecer, frente a la inmensidad del mar.

I

UN ANCIANO

Y lo primero que vemos es un anciano en un aposento. El aposento está en un inmenso edificio de piedra gris. Centenares de ventanitas se ven en las largas y lisas fachadas. En los días claros, el cielo luce su limpio azul. Las techumbres son negruzcas. Golondrinas y vencejos giran, incesantes, blandamente, en torno de las altas torres. Los centenares de ventanitas dan luz a muchedumbre de estancias, cámaras, salones y corredores. Los pasos resuenan sonoramente bajo las bóvedas de piedra. Todo en el paisaje converge hacia la inmensa fábrica. Los montes son austeros. El boscaje que los viste resalta con su color negruzco. Las peñas que asoman entre el severo verdor aparecen en agudos picos o en rotundidades formidables. Todo en el paisaje—color y línea—sirve a realzar la solidez y fuerza de la enorme construcción. Y más allá del horizonte, transpuestos los cuatro puntos cardinales, ligado indisolublemente al gran edificio, al reducido aposento que se halla en el gran edificio, se extiende un vasto y poderoso imperio. Por todos los caminos del mundo, por los mares, por las llanuras, por las montañas, marcha muchedumbre de gentes. De gentes que van hacia el inmenso edificio o que regresan de visitarlo.

Y sobre la construcción que simboliza el formidable poder, las golondrinas, en esta hora del crepúsculo, sosegada y límpida, voltean en torno de las torres y lanzan sus chillidos agudos.

El anciano está en su aposento. La puertecita se halla cerrada. Tropeles de visitantes y servidores se extienden y andan por corredores y estancias. De patio en patio, de corredor en corredor, de salón en salón, la muchedumbre se va aclarando. Y a medida que la multitud es menor, los pasos son más lentos y las voces más quedas. La larga serie de estancias vastas ha ido reteniendo a los visitantes. Ya en la sala que precede al aposento del anciano, los caballeros y servidores son pocos. La puertecita se halla cerrada. El anciano está sentado ante una mesa cubierta de tapete carmesí. Libros y papeles se amontonan sobre la mesa. Una campanita de plata reluce sobre el rojo tapete. El anciano, durante un momento, ha dejado de leer los papeles que tenía entre sus manos. Ha apoyado el codo en el brazo del sillón y ha reclinado en la mano la cabeza. La faz del caballero es pálida. Blancas son sus barbas. Y en los ojos—claros ojos azules—se muestra una profunda melancolía. El anciano descansa y medita. La tristeza le anonada. Todas las desgracias, todas las angustias, todas las adversidades, parece que se han concertado para abrumarle. En el aposento, frente a la mesa, en un retablo, hay una estatuita de la Virgen. Durante cincuenta años, esa imagen ha acompañado al anciano a todas partes. Hora tras hora, año tras año, esta Virgen ha presenciado todos los movimientos y ha escuchado todas las palabras del anciano. El caballero ha levantado la vista y la ha puesto—amorosa y fervientemente—en la imagen. La muerte se ha ido llevando, en torno del anciano, a todos los seres más queridos por él. Deudos, amigos, servidores fieles, han ido desapareciendo. «Vió las muertes de casi todos los que bien quiso: padre, hijos, mujeres, privados, ministros y criados de grande importancia—dice Baltasar Porreño, hablando del anciano—; grandes pérdidas en materia de hacienda; llevando todos estos golpes y contrastes con tanta igualdad de ánimo, que puso pasmo al mundo.» Hace un momento han venido a anunciarle al anciano la muerte de un servidor lealísimo. El anciano, con la vista puesta en la imagen, se ha levantado del sillón. En su pecho, pendiente de un cordoncillo de seda, luce, sobre el terciopelo de la negra ropilla, un borreguito de oro. El anciano se levanta y va a ponerse de rodillas ante la imagen. Con un fino pañuelo ha secado las lágrimas de sus ojos. De pronto la puertecita se abre y en el umbral aparece un caballero. El anciano, sorprendido, contrariado, se yergue rápidamente. El caballero que está en la puerta se queda inmóvil, rígido, y se torna intensamente pálido. Inmóvil, pálido, está también el anciano. Su mirada permanece fija en el caballero de la puerta. El caballero no se atreve a moverse. Y lentamente, el anciano—en tanto que sus manos tiemblan un poco—, lentamente, el anciano profiere: «Benavides, holgaos en vuestra casa de Avila.» El caballero se inclina profundamente y desaparece. La puerta del aposento vuelve a cerrarse.

II

PALACIEGOS

La vida de los pobres cortesanos es dura. Llenan cortesanos y servidores los patios, corredores y estancias varias de Palacio. Van de una parte a otra ligeros y afanosos. En las antesalas cuchichean o callan durante las largas esperas. Se cansan, y si están en pie y no pueden sentarse, se apoyan en una pierna y estriban luego en la otra. Para distraer el enfado, miran por las ventanas, sin ver nada, o contemplan un cuadro que han visto mil veces. Cada cual tiene su obligación, y cada cual se ufana con sus derechos. Unos están en las puertas, las de las cámaras y las de la calle. Otros tienen cuenta del pan, del vino, del aguamanil, de las luces. Corren otros con el arreglo de los viajes. Incumben a los de más allá las mil particularidades de muchedumbre de ceremonias. La vida de los pobres palaciegos es un largo martirio. Están siempre pendientes del talante del señor. Ríen a carcajadas si sonríe el señor, y fingen sollozo si el señor está ligeramente triste. La atención de los cuitados no puede flaquear un momento. Todas las cosas han de hacerse por la pauta de un ceremonial complicado. Una cosa ha de ir de estas manos a las otras, pausadamente, y de las otras con la misma pausa, a las más lejanas. Y al fin el rey, un poco cansado también, con displicencia augusta, tal vez cuando la cosa ya no hace falta, la recibe en sus manos.

Hay servidores en todas las puertas. Unos tienen derecho a cubrirse y otros no tienen derecho a estar cubiertos. Unos tienen derecho a ir delante del rey y otros están obligados a ir detrás. Los menores aumentos en el favor son acogidos con entusiasmo. Si el rey, por inadvertencia o por cortesía, manda cubrirse a un cortesano, se apresura éste a darle las gracias al monarca por la merced de la grandeza que acaba de hacerle. Tal sucede en *Hernani*. Y tal sucede en *García del Castañar*. Los pobres palaciegos no reposan. No puede hacer nada el rey sin sus cortesanos. En la comedia de Lope *¡Si no vieran las mujeres!*—jornada primera, escena catorce—un emperador va de caza y le sigue muchedumbre de cortesanos, aposentadores, furrieles, cocineros. Y un personaje de la obra dice:

La gente, señor, me admira
que sigue a un rey, aunque sea
para entretenerse un día.

Cristóbal de Castillejo, en su *Diálogo y discurso de la vida de corte,* nos cuenta los trabajos de los servidores de palacio. Los viajes de la corte son molestos por todo extremo. La corte ha de pararse, a veces, en aldeas y publecitos. No hay alojamiento para todos. A veces van por los caminos hacinados «quince en una carreta alquilada». Llegados a la aldea, se acomodan por «parajes y rincones». Y siempre en la ciudad o durante el viaje han de estar prevenidos, diligentes, atentos. Y han de

> ... andar al retortero,
> de la sala a la capilla,
> tras las voces del portero
> y al son de la campanilla.

III

PIEDAD

El anciano ha dejado su aposento y ha salido al jardín. En su mano izquierda lleva cogido el rosario; con la derecha toca de cuando en cuando unos papeles que trae sujetos en la pretina. En el jardín, el anciano se ha detenido. Está en pie y contempla el paisaje. Los cortesanos permanecen inmóviles, un poco apartados. El anciano reza y medita. Va llegando el crepúsculo. La vida es breve y quebradiza. Todo denota aquí solidez, perdurabilidad: el inmenso edificio, los montes recios y hoscos, los árboles fornidos y frondosos. Todo en el mundo hace pensar, a quien medita, en la fugacidad de la vida. Un aire, el vaho de un enfermo, un jarro de agua, bastan a veces para ocasionarnos la muerte. La muerte trabaja incesantemente en todo el Universo. El anciano, ante el paisaje, en el jardín, con el rosario en la mano, ora y medita. Sus ojos miran a lo lejos indefinidamente. Todo en este panorama habla de fuerza y de poder. Y todo está caminando, sin parar, hacia la nada. Del inmenso y formidable imperio español, ¿qué quedará en la sucesión de los siglos? Todas las naciones del mundo, ¿en qué habrán venido a parar dentro de millares y millares de años, de millares y millares de siglos? La tarde va declinando bellamente. En la sucesión del tiempo, del tiempo sin medida, todas las naciones del mundo se trastrocarán y subvertirán, movibles, ligeras, rápidas como esas golondrinas que en el atardecer están girando vertiginosas en torno de las altas torres. Años más tarde, un religioso ha de escribir un tratado de lo temporal y lo eterno. El mundo es perecedero y los dolores del condenado son perennales. Desde que el primer hombre se condenó, en los comienzos del mundo, tras tantos cambios y tantos siglos, no ha habido mudanza para el precito. Se sucedieron los imperios, y para él fué todo un breve instante. Pasaron por el mundo los asirios y no hubo cambio en el condenado. «Al cabo se trasladó toda la potencia y monarquía a los medos, que fué revolviéndose toda Asia, y aunque duró en ellos trescientos años, al fin se acabaron, y se mudó a los persas. Después se mudó a los griegos, trastornándose otra vez el mundo. Después se pasó a los romanos, que fué otra mudanza mayor que las pasadas; la monarquía de los romanos también ha desfallecido, y con tantas revoluciones y mudanzas del mundo, no ha pasado, entre tanto, ninguna para aquel miserable.» Todo camina hacia la nada. Si pudiéramos en un instante atisbar la obra de la disolución universal a lo largo del tiempo, veríamos, en una vorágine hórrida, entre tolvaneras y llamas, ruinas de edificios, fragmentos de estatuas, tronos en astillas, cetros, osamentas, brocados, joyas, cunas, féretros... y todo en revuelta confusión y en marcha caótica hacia la eternidad. El anciano medita y ora. Está inmóvil ante el paisaje. De pronto ha hecho un leve ademán. Se ha acercado, reverente, un palaciego. El anciano, con voz suave, ordena: «Decid a Benavides que no se parta de mi lado.»

IV

EL QUE SABIA LOS SECRETOS

Todas las tardes, en los momentos del crepúsculo, sale de su casa este caballero. Es muy anciano. La casa está rodeada de árboles. No se ve la techumbre, escondida—en primavera y en verano—entre la fronda verde. Desde el camino, frente a la casa, se divisa, a lo lejos, la ciudad que emerge de las negras murallas. Y sobre los caserones, las cúpulas y los campanarios, se eleva la torre de la catedral. Avila, en la colina de oscura piedra, reposa en la serenidad de la tarde. El campo, desnudo en estos días de otoño, se extiende en suaves ondulaciones pardas hasta la lejanía azul de las montañas.

El caballero ha salido de su casa y se dirige lentamente por el camino. A la altura de su pecho, cogido con cuidado, lleva el rosario. La yema del dedo pulgar—el de la mano izquierda—va posada sobre una de las cuentas. Este caballero que camina pasito—es muy viejo—ha dejado la corte y sus vanidades. Vivía en palacio; es hijo de un antiguo criado de los reyes; él ha asistido durante toda su vida al rey. Desde que el rey era niño, él servía en su cámara; le daba de vestir; ocurría a todos sus deseos; estaba en todos los momentos a su lado. Y este anciano ha visto lo que nadie ha visto, ha quemado papeles que nadie ha leído y ha escuchado palabras que nadie ha escuchado. Grandes secretos pesan sobre el monarca. Como murallas formidables, estos secretos cercan la figura del rey. Historiadores, críticos, poetas, diríase que a lo largo de los siglos, cada cual de distinta manera, acometen todos sin cesar, apasionadamente, con sus piquetas, estas invisibles murallas. A veces cae un fragmento de esos muros; parece que un rayo de luz se cuela por la brecha. Pero el gran cerco de la muralla continúa en pie, y de nuevo, pasado el tiempo, resuenan los golpes de las piquetas sobre las piedras. En los palacios—coetáneamente a los sucesos—la muchedumbre de los cortesanos se rebulle en torno a esos grandes secretos. Los palaciegos cuchichean; miran las puertas para decirse luego, en voz baja, al oído, unas palabras; se llevan unos a otros al fondo de un corredor, o al hueco de una ventana, para confiarse el temeroso secreto. Luego, en la intimidad del hogar, lejos de palacio, las charlas se expanden libremente. El secreto es acometido por todos lados. Como los historiadores y críticos a lo largo del tiempo, estas gentes coetáneas luchan contra el misterio; tratan de arrancar al misterio la verdad codiciada; éste logra poseer un pedacito de verdad; aquél se ufana de poseerla toda y sólo tiene entre las manos jirones de leyenda; el de más allá—y todos, de cuando en cuando, repiten lo mismo—proclama que el terrible secreto no existe y que sólo han acaecido hechos lógicos, naturales y justos. Y en tanto, el misterio, tremendo y pavoroso, sale de palacio, inicia su marcha hacia lo futuro y va caminando impenetrable en busca de los siglos venideros.

Pero hay en palacio quien, mortal peregrino, lo ha visto y lo ha escuchado todo. El secreto no ha existido para él; la realidad ha brillado limpia para él. Este anciano que marcha lentamente por el campo ha asistido al rey desde que el rey era niño. En esos momentos en que las grandes personalidades se desquitan, con la negligencia, de la solemnidad y la tiesura, este anciano ha oído hablar al rey. Durante todo el día, el gran hombre—monarca o artista—ha estado solemnemente representando su papel; la solemnidad, el énfasis, le poseían desde la cabeza a los pies. Tal actitud enerva y desazona; ni el hábito contraído desde la niñez puede evitar la desazón. Y cuando, al fin, en apartada estancia, en las horas de intimidad, la tiesura acaba, el personaje tiene palabras, movimientos y actitudes que nunca tiene. El anciano que camina hacia la ciudad ha presenciado en la cámara regia, durante toda su vida, esos momentos de abandono del más poderoso de los monarcas. Silencioso, inmóvil, siempre atento, sus ojos lo han visto todo y sus oídos lo han escuchado todo. Su lealtad y su fidelidad han sido inquebrantables. Los grandes secretos que caminan a lo largo de los siglos no lo han sido para él; él no ha querido nunca ni medros ni sinecuras. Cuando se ha sentido viejo, achacoso, ha solicitado del señor que se le permitiera el retiro en una casita de Avila. Y del señor ha conservado el ademán de llevar el rosario a la altura del pecho, con la yema del pulgar —el de la mano izquierda—puesta sobre una de las cuentas.

V

HETEROGENEIDAD

España es grande. Con el reino de Aragón se han incorporado a la Corona de Castilla Sicilia y Cerdeña. Gonzalo de Córdoba ha ganado a Nápoles. El casamiento de Felipe el *Hermoso* con doña Juana nos ha dado los Países Bajos. Cisneros ha conquistado tierras en Africa. Carlos V ha reducido a la obediencia el Milanesado. Todo un vasto mundo ha sido descubierto por los españoles. La diversidad de reinos, tierras, regiones y ciudades en España es inmensa. Dentro de la misma área peninsular, tropiezan nuestros ojos con heterogeneidad pintoresca. Un historiador—Cánovas del Castillo—después de dar cuenta de la grandeza de España, al inaugurarse la unidad nacional, añade: «Pero, al entrar en ella, cada pueblo se conservó como era, con sus mismos usos, con su propio carácter, con sus leyes, con sus tradiciones diferentes y contrarias. Ni siquiera era igual la condición de todos los estados; los había de condición más y menos nobles, más y menos privilegiados; éstos libres y aquéllos casi esclavos, como que la unión había ido ejecutándose por muy diversos motivos, viniendo unos pueblos voluntariamente, como pretenden los vascongados, y otros por medio de matrimonios, como Castilla y León, de una parte, y de otra, Aragón y Cataluña; tales como Valencia y Granada, que estaban pobladas de moros todavía, por fuerza de armas; tales mitad por derecho, mitad por fuerza, como Navarra. Y no era esto sólo, sino que, dentro de una misma provincia, cada población tenía un fuero y cada clase una ley. España representaba de esta suerte un caos de derechos y de obligaciones, de costumbres, de privilegios y de exenciones, más fácil de concebir que de analizar y poner en orden.»

Los más heterogéneos paisajes integran España. La Historia de España ha sido un perpetuo tumulto de encontradas pasiones. La diversidad del ambiente moral ha sido tan grande en la nación como la heterogeneidad del suelo. Clases y ciudades se han recogido sobre sí mismas y han luchado por su cuenta. En la Edad Media existen las hermandades. Las hermandades son ligas y juntas que forman los concejos y las ciudades para defender sus fueros y privilegios. Las juntas figuran en la guerra de la Independencia. Las juntas actúan durante el siglo XIX. En 1844, Balmes escribe: «No puede negarse que pocos países han ofrecido el espectáculo que está presentando la España desde 1834. Se da un grito en un punto cualquiera, se constituye una junta, se formula un programa, se declara independiente la población pronunciada, que exhorta a la nación a que imite el ejemplo. La noticia circula; los ánimos se agitan; se pronuncia otra ciudad, y luego otra, y después otra, y al cabo de pocos días se halla el Gobierno supremo circunscrito al breve espacio donde puede alcanzar su vista. Obligado a capitular, a abandonar el puesto, suben al poder otros hombres: sale a la luz un manifiesto; las juntas felicitan; el nuevo Gobierno les manda que se disuelvan y ellas obedecen, y la función ha concluído.»

El feudalismo penetra hasta bien adentro de la Edad Moderna. Contra el feudalismo, los Reyes Católicos forman un partido popular. Apoyan el nuevo partido en la fuerza de la Santa Hermandad. Contra los feudales, Cisneros acude al pueblo. Durante su regencia, de 1516 a 1517, crea una milicia ciudadana que le sostenga. Milicias ciudadanas son creadas, por los partidos populares, en el siglo XIX. Un apoyo es buscado siempre por el poder en medio de la heterogeneidad nacional. El ambiente moral—hemos dicho—es tan vario como la tierra. La tierra es toda diversidad. Puédense gozar en España de todos los paisajes de Europa. Contamos con el paisaje romántico, todo bruma y penumbras, y con el paisaje clásico, henchido de luminosidad. Castilla, Vasconia, Levante, nos ofrecen panoramas clásicos y románticos. Es tan hermosa la llanura en que un macizo de pobos destaca en el azul, como las verdes y nemorosas vegetaciones de Vasconia. La flora de España es copiosísima. De las veinte mil especies vegetales con que se viste Europa, diez mil se las lleva la Península Ibérica. Y dentro de una misma especie, el carácter se acusa de región a región. El cantueso—*la flor del Señor*—de las secas y elegantes montañitas levantinas es de un morado claro, y en el grande y austero Guadarrama, el morado es intenso, y toda la planta, graciosa en Levante, se nos muestra en Castilla severa.

VI

AVILA

Avila es, entre todas las ciudades españolas, la más siglo XVI. Se la llama Avila de los Caballeros. Su población no es crecida. Las murallas—con sus ochenta y ocho torres—ciñen el caserío y forman un ámbito perfectamente cerrado. Los más bellos palacios de Avila son del siglo XVI. El siglo XV tiene también recuerdos. Todo evoca en la ciudad a Felipe II y a los Reyes Católicos. Felipe II tenía predilección por Avila; mandó edificar en la ciudad el Peso de la Harina y la Carnicería. Los Reyes Católicos levantan el convento de Santo Tomás—pareja de San Juan de los Reyes, en Toledo—y declaran a Avila sitio real veraniego. Corresponde Avila al modo y carácter de Felipe II; la piedra de sus edificios es cárdena, cenicienta. Todo es severo y noble en la ciudad. En el ámbito cerrado de Avila se ha ido condensando un ambiente de enardecimiento y de pasión. Los caballeros dominan la ciudad. Tienen todos gusto intenso por la política. La multitud está avezada a la vida ciudadana. No existe casi la muchedumbre en el sentido plebeyo. Todos, más o menos, son señores. Avila sugiere la idea de una Atenas gótica. La pasión por la política—ejercitada en la plaza y en la calle—se muestra en alzamientos, revueltas, asambleas subversivas, juntas y ligas revolucionarias. Es tradición en la ciudad el guardar en su recinto a los reyes niños. Reyes niños ha guardado y ha defendido Avila con amor maternal. Diríase que al degradar figuradamente a un rey—Enrique IV— y al guardar los reyes niños, Avila se considera por encima de los monarcas. Los monarcas salen de la vida regia por Avila y no pueden entrar en la vida regia sin Avila. Y este matiz de soberanía e independencia nos hace penetrar más adentro en el espíritu de la ciudad. Los ciudadanos viven en constante preocupación por los negocios públicos. Los ánimos están prestos a la acción. Rápidamente se pasa del pensamiento al acto. Felipe II, en cierta ocasión, no quiere acceder al desistimiento que le rogaban respecto a providencias contra los abulenses, «porque—decía—donde están enseñados a llevar el decir al hacer, no se ha de aguardar a que hagan». Avila señorea los graneros, las eras y los mercados de toda Castilla; tiene el privilegio de la medida de los granos; por el *marco de Avila* se han de regir mercantes y labradores. Dicen que Avila tenía también el derecho de entrar con sus soldados la primera en las batallas.

No quisiéramos pasar, en la representación de Avila, de las viejas estampas en que, en toda la espaciosidad de una plaza, sólo se ven un caballero con sombrero de copa y una dama con miriñaque y una sombrilla. Una *Guía* de 1863 nos dice que en Avila hay calles de Barruecos, Caballero, Cozuelo, Cuchillería, Maldegollada, Tallistas, Tres Tazas, Muerte y Vida, Tejares. El ferrocarril, en 1863, es cosa reciente; pero todavía corren las diligencias. «Sale el coche para Madrid, los días impares, a las ocho de la mañana—dice la *Guía*—, y entra en ésta los pares, a las cinco de la tarde.» Hay en Avila cuatro o seis posadas: la de la Estrella, la de la Fruta, la de Vulpes, la del Puente. En el Círculo de Recreo, en la Unión Avilesa y en la Aurora Artístico Abulense, esparcen el ánimo los moradores de la ciudad. En Avila existen muchas plazuelas. Las plazuelas son el encanto de las viejas ciudades españolas. La piedra de los edificios es cenicienta en Avila. El silencio, hoy, en las plazuelas es profundo. Lo gris de la piedra hace resaltar más lo azul del cielo. Las plazuelas se llaman de la Catedral, de la Feria, de Fuente el Sol, de Magana, de Ocaña, de Pedro Dávila, del Pocillo, del Rollo, de las Vacas, del Rey Niño, de Nalvillo, de Zurraquín... «No sé —dice Quadrado—qué melancólico encanto, por su soledad y por sus fachadas de piedra oscura, tienen para el viajero las plazuelas de Avila, que le aguardan a la entrada de casi cada puerta.»

El autor de la *Guía* citada nos da una relación—con nombres y domicilios—de los administradores que las grandes casas españolas tienen en Avila. Tienen administradores en Avila, en 1863, su majestad la emperatriz de los franceses, los duques de Abrantes, Alba, Medinaceli, Roca, Tamames; los marqueses de Cerralbo, Fuente el Sol, Obieco, San Miguel de Gros; los condes de Campomanes, Parcent, Polentino, Superunda, Torre Arias; la condesa de Montijo. En Avila se ven «infinidad» de escudos. Se los ve en las fachadas, en las puertas, en los capiteles de las columnas, en los esquinazos. Esos escudos son de los Heredias, los Acuñas, los Bazanes, los Mújicas, los Velas, los Guevaras, los Bracamontes, los Castillos, los Salazares, los Cepedas, los Ahumadas. Avila es la ciudad de los caballeros. Toda la ciudad vive intensa vida cívica. El ambiente es aristocrático. Y un momento hay en la vida de Avila en que esta modalidad culmina en una fórmula viva y espléndida—Teresa de Jesús—; una fórmula en que la acción se alía, no a un fin terreno y limitado, sino a un anhelo espiritual, universal, y en que el sentido aristocrático llega a su más alta y refinada expresión: a la *elegancia desafeitada.*

VII

EL VEREDERO

El veredero camina por las sendas, trochas y atajos de España. Va desde las costas del Norte a Madrid o al Escorial. Camina más presto y desembarazado que los correos que van por los caminos reales. En su zurrón, puesto a la espalda, lleva un abultado pliego. Nuevas funestas deben de venir en la valija. El veredero camina velozmente; sus pies apenas tocan la tierra. Allá lejos de España, en costas extranjeras, el mar revuelto escupe en la arena o sobre los peñascos restos de jarcias, tablas y mástiles; restos de naves que parecían invencibles. El veredero camina prestamente. Ya va a dejar atrás la tierra verde y el cielo gris del Norte. Al llegar a un mesón, por la noche, el veredero se dispone a descansar; él sabe algo de las nuevas terribles que vienen en su zurrón. Su cara está triste. Los que le rodean inquieren su tristeza. La nueva infausta se extiende por el lugar; viene un caballero que vive retirado en su caserón. En la casa luego se comenta el infortunio de España; el caballero contempla con melancolía sus arreos de pelear. Y de madrugada el veredero parte con su zurrón. Cruza montañas, vadea ríos, atraviesa llanos. Siempre marcha veloz, sin detenerse. La sombra de los árboles no es para él; las cabañas de los pastores no le detienen. Durante la noche descansa unas horas; antes de que rompa el alba ya está en pie. Va hacia El Escorial y Madrid. En las extranjeras playas, al son del ronco mar, se mecen sobre la arena, entre verdes ovas, tablas, jarcias y mástiles, restos de naves que serán llamadas irónicamente *invencibles* por los enemigos. Por dondequiera que pasa el veredero va quedando un rastro de tristeza. Pronto toda España estará llena de la infausta nueva. En El Escorial, o en Madrid, un anciano se pondrá de hinojos ante una Virgencita. Su semblante estará contristado. Habrá sonado para España una hora decisiva. ¿Se abrirá en la Historia otra perspectiva para España? Nadie sabe cuál es la hora que en la Historia divide dos épocas. Pero esta nueva que el veredero lleva en el zurrón va a hacer meditar al anciano retirado en su cámara. Toda España va a meditar. ¿Cuál será el destino que lo por venir le reserve a España? ¿Volverá a ser grande la Patria, o irá fatalmente hacia la ruina? Un mundo ha sido descubierto; España está creando otra gran Patria. En estos mismos días de desolación, España es la más fecunda de las naciones europeas. El veredero camina velozmente por llanos y montañas; sus pies apenas tocan el suelo. Si fuera alegría lo que llevara en su fardel, tal vez no pudiera ir tan de prisa. El infortunio es más veloz en su caminar; apenas la catástrofe ha sucedido, ya está la noticia volando por todos los ámbitos de España.

VIII

UN RELIGIOSO

Un religioso se halla asomado a la ventana de su celda. Son los mismos instantes del crepúsculo vespertino en que el anciano de que hemos hablado ora y medita en el jardín, ante el inmenso edificio. Este religioso es viejecito también. Su hábito es negro y blanco. Apenas si sus ojos ven las cosas. Como no puede ver casi nada, escribe en pedacitos de papel de colores, para distinguirlos unos de otros. La celda es pobre. Toda su vida ha estado el religioso contemplando unas estampas que hay en las paredes, y como gusta tanto de ellas, como tiene tanta devoción a las imágenes en ellas representadas, para poder seguir columbrándolas ha hecho que les pinten los marcos de verde. No ve casi nada el religioso; no posee nada en su celda; su vida la ha pasado escribiendo, predicando, dando buenos consejos a las gentes. Acaso ha sido alguna vez un poco riguroso con los revolvedores de su orden. Ha podido ser grandes cosas y no ha querido ser nada. Su necesidad suprema, como en Cervantes, es escribir. Sobre la mesa tiene un volumen que él ha escrito; se titula *Libro de la oración y consideración*. Escribe el religioso, como Cervantes, de un modo sencillo, claro y natural. Y cuando escribe, toda su alma se conmueve. ¡Divina emoción! Acaso éstos son los dos grandes escritores—el viejecito y Cervantes—que han puesto más emoción en sus obras. La pluma corre rápidamente llevada por su mano. No se dan cuenta ellos mismos de lo que escriben. El fervor, el entusiasmo, la delicadeza, la ternura, hinchen las palabras. Con las más sencillas palabras lo dicen todo. El religioso está apoyado en el alféizar de la ventana. Nadie como él ha dado la sensación profunda del tiempo y de la eternidad. Se va entenebreciendo la campiña. El viejecito, medio ciego, fatigado por los años y los achaques, no puede ver las estrellas que comienzan a brillar en el crepúsculo. Levanta la cabeza y sus labios se remueven un poco. No ve las estrellas en el cielo con los ojos terrenales, pero su espíritu está próximo a la liberación definitiva. Y dentro de poco el alma volverá por el empíreo, más allá de las estrellas fulgentes, hacia la eternidad.

IX

EL ESTILO

Cada escritor tiene su estilo. Cada escritor defiende su estilo. Toda defensa de un estilo es una confesión personal. ¿En qué consistirá el problema del estilo? ¿En el vocabulario o en la sintaxis? Escritores de caudaloso vocabulario pueden tener un estilo enfadoso; escritores de una sintaxis clara y precisa pueden tener un estilo cansado. El campo de las letras es muy ancho. La riqueza de vocabulario en escritores de sintaxis variada compone un estilo admirable. Admiramos, en efecto, a Lope y a Quevedo. Pero el autor del *Libro de la oración*, con sobriedad de vocabulario, con vocabulario corriente, ha llegado a dar a la sintaxis una sensibilidad exquisita. Y el estilo, en último resultado, no es sino la reacción del escritor ante las cosas. El estilo es la emotividad. El autor del *Libro de la oración* ha dejado consignada en su *Retórica* su estética del estilo. Su fórmula es la naturalidad. «Así amonesto—dice entre otras cosas—que se eviten, al modo que los navegantes los escollos, todos los vocablos inusitados y que muestran alguna sospecha de artificio.» En el siglo XVI la gran fórmula del estilo ha sido dada—práctica y teóricamente—por el autor del *Libro de la oración*. Lope de Vega, múltiple y vario, se ha planteado en cuanto al estilo el mismo problema que se planteara en la técnica dramática; pero si en el teatro se decidió resueltamente por la forma popular, en estilística ha estado durante toda su vida titubeando. De lo espontáneo y directo pasaba prestamente a lo culto. Como quien se balancea en un columpio, va el maravilloso ingenio de Lope de uno a otro cabo. El espectáculo es interesante; asistimos a esa fantasmagoría a lo largo de la extensa y variadísima obra del poeta. Con elegancia exquisita, con refinado primor, Lope llega, de verso en verso, al más sutil conceptismo. De pronto se detiene. Su sentido de lo espontáneo y de lo popular le advierte; una chanzoneta, un donaire, una parodia de lo oculto, de lo conceptuoso, brotan entonces de su pluma. Lo que vale más que Lope es, indudablemente, lo popular. En ese aspecto de su obra, Lope es un modelo y un maestro. Lo primero en el estilo es la claridad. Quien piensa claramente, escribe claramente. Lope lo expresa en muchos lugares de sus comedias. En *La mayor virtud de un rey*, un personaje dice:

> Hablar mal y entender bien
> implican contradicción.

En otra comedia, la primorosa *Por la puente, Juana*—acto primero, escena sexta—, se dice de un latinista:

> Peca en peregrinidad,
> propio ingenio de español,
> sabiendo que se honra el sol
> de ser todo claridad.

La mácula general de los ingenios de España es, en efecto, la «peregrinidad». En *La Celestina*—acto primero—, Parmeno le dice a la buena madre: «No curo de lo que dices, porque en los bienes mejor es el acto que la potencia, y en los males, mejor es la potencia que el acto. Así que mejor es sano que poderlo ser, y mejor es poder ser doliente que ser enfermo por acto, y, por tanto, es mejor tener la potencia en el mal que en el acto.» Y Celestina exclama: «¡Oh malvado, como que no se te entiende!» La exclamación de Celestina parecería ya extraña frase a fines del siglo XVI. En el siglo XVII se la tendría por asombrosa. En nuestros días no la comprendemos; de tal modo hemos perdido la noción y el gusto de la claridad en el estilo.

La fórmula perfecta del estilo ha sido dada, después del siglo XVI, en el siglo XVII. Y cosa curiosísima: la ha dado precisamente el escritor que ha codificado el conceptismo. En 1648, Baltasar Gracián publica, en su forma definitiva, su *Agudeza y arte de ingenio*. Los dos libros predilectos de Gracián son *El conde Lucanor* y el *Guzmán de Alfarache*. Gracián no se cansa de elogiar y extractar el libro de don Juan Manuel; ese libro es un modelo de naturalidad y sencillez. Y como si esa adoración por un libro dechado de naturalidad no bastara, Gracián nos dice: «Es el estilo natural como el pan, que nunca enfada.» Pero ¿cuál será la medida de la naturalidad? Lo dice el mismo Gracián. El estilo natural «es aquel que usan los hombres más bien hablados en su ordinario trato, sin más estudio». El Gracián que dictaba esta regla definitiva no era el Gracián autor de *El criticón*, sino el Gracián autor de *El comulgatorio*, libro claro, natural y sencillo.

X

EL REALISMO ESPAÑOL

En una capilla contemplamos una imagen de Pedro de Mena; en un convento admiramos un lienzo de Zurbarán. El *Libro de la oración* ha creado el más sereno y fuerte realismo español. La realidad en arte es el pormenor esencial, característico. En el *Libro de la oración*, al describirse el drama del Calvario, el pormenor esencial toca nuestra sensibilidad a cada momento. El gran realismo español—sereno, conmovedor y fuerte—es ese del *Libro de la oración*. Repasemos la obra en la edición hecha por Andrés de Portonaris, en Salamanca, en 1566. Jesús ha sido preso. «Míralo muy bien cual va por este camino: desamparado de sus discípulos, acompañado de sus enemigos, el paso corrido, el *huelgo apresurado*, el color mudado y el rostro ya *encendido y sonrosado* con la priesa del caminar.» En el Calvario va a ser Jesús despojado de su túnica. «Y como la túnica estaba pegada a las llagas de los azotes y la sangre estaba ya helada y abrazada con la misma vestidura, al tiempo que se la desnudaron... despegáronsela de golpe y con tanta fuerza, que le *desollaron y renovaron todas las llagas de los azotes.*» Los sayones levantan la cruz en alto. Mira cómo luego «levantaron la cruz en alto, y cómo la fueron a meter en un hoyo que para eso tenían hecho, y cómo... al tiempo de la asentar la dejaron caer de golpe, y así *se estremecería todo aquel santo cuerpo* en el aire y se rasgarían más las llagas y crecerían más sus dolores». La Virgen va en busca del Hijo. «Oye desde lejos el ruido de las armas, y el tropel de la gente, y el clamor de los pregones con que le iban pregonando. Ve luego *resplandecer los hierros de las lanzas y alabardas*, que asomaban por lo alto; halla, en el camino, las gotas y el rastro de la sangre, que bastaban ya para mostrar los pasos del Hijo y guiarla sin otro guía.» La Madre abraza al Hijo. «Abrázase la Madre con el cuerpo despedazado; apriétalo fuertemente en sus pechos (para esto sólo le quedaban fuerzas); mete su cara entre las espinas de la sagrada cabeza; júntase rostro con rostro; *tíñese la cara de la Madre con la sangre del Hijo* y riégase la del Hijo con las lágrimas de la Madre.»

El arte moderno en los grandes maestros—un Flaubert o un Pereda, por ejemplo—no ha llegado más allá en el realismo.

XI

DEVOCION, INSPIRACION

El religioso de la celdita es un inspirado. ¿Quién ha descrito mejor que él ese soplo misterioso y divino de la inspiración? Hablando de la devoción en el *Libro de la oración*, el religioso la define así: «Devoción es una prontitud y ligereza sobrenatural que el Espíritu Santo inmediatamente crea en el ánima del varón devoto, mediante la cual le hace pronto y ligero para todas las cosas que pertenecen al servicio de Dios. De tal manera, que el que estando sin devoción estaba pesado y desganado y perezoso para ellas, la devoción (por virtud del Espíritu Santo) le da un nuevo esfuerzo y aliento para hacer sus obras, no con pesadumbre, sino con ligereza; no con hastío, sino con gusto; no con tristeza, sino con alegría; no con desgana, sino con prontitud y buena voluntad.»

Esa prontitud y ligereza que proporciona la devoción es en arte la inspiración. Son esos momentos ligeros, felicísimos momentos de inspiración. Las cosas parece que no tienen secretos para nosotros. Comenzamos a escribir despacio. Caminamos lentamente, pero con seguridad. Poco a poco nos vamos enardeciendo. La letra, que antes era clara, se va con la rapidez haciendo más abstrusa. Nos falta tiempo para expresar lo que sentimos. Una misteriosa vibración va desde el cerebro a la pluma. La pluma camina velocísima. No oímos ni vemos nada. Los ruiditos que en estado normal nos desazonan, ahora no los advertimos. ¿Cómo hemos encontrado el vocablo raro que acabamos de escribir? Nunca, fuera de este momento, nos hemos acordado de tal palabra. Esta y otras palabras que nosotros ignorábamos surgen ahora espontáneamente por los puntos de la pluma. ¿De dónde han salido todos estos términos ignorados? ¿Quién va dictando la frase clara, limpia, exacta, rápida, directa? No nos detengamos; no podemos detenernos. Si nos detuviéramos, perderíamos en un momento la ligereza y prontitud. Las frases y palabras que previamente habíamos pensado para emplearlas en este instante en que escribimos, no nos sirven. Hemos pasado velozmente por el pasaje en que teníamos pensado el emplear esas frases, esos vocablos, y los hemos dejado atrás. No los hemos empleado. No nos hacían falta. Han quedado a larga distancia, como queda una estación cuando cruza un expreso vertiginoso. La pluma corre sobre el papel. ¡Dichoso momento de la inspiración! Todo es fácil y ligero. Una dificultad se nos presenta: es una cita que necesitamos hacer o una fecha que precisa compulsar. No nos detengamos, sin embargo; dejemos un claro en las cuartillas. Aprovechemos el instante feliz. La comunicación misteriosa que tenemos ahora en el mundo—el visible y el invisible—no la volveremos a lograr fácilmente.

El anciano religioso ha sido un inspirado. La devoción ha movido su pluma. Fray Luis de León es Renacimiento. Este anciano sensitivo, delicado, esclavo de sus nervios sutiles, es Edad Media. La diferencia es capital. La prosa de sus libros mana pura, fácil, ondulante, tierna, patética y viva como el agua borbolladora de una fuente.

XII

MONTAÑAS Y PASTORES

En los momentos en que el religioso está en su ventana, frente al crepúsculo vespertino, han comenzado ya a lucir las hogueras que los pastores encienden en las montañas. Desde la llanura, desde los hondos valles y cañadas, vemos allá arriba las fogatas de los pastores. ¡Bellos son los montes de España! Los ganados se dividen en riberiegos y trashumantes. Los riberiegos suelen tener corto número de cabezas; no van de una parte a otra por las veredas; pacen siempre en los mismos prados y cañadas; se recogen, venida la noche, cuando las estrellas comienzan a lucir, en los rediles de los caseríos o en las parideras del monte. Los ganados trashumantes son centenares y centenares. Cruzan y recruzan toda España. Levantan en las llanuras polvaredas que se diría movidas por un ejército. De los millares y millares de estas ovejas salen los finos paños para los caballeros y las estameñas para los religiosos. En 1828, don Manuel del Río, vecino de Carrascosa, provincia de Soria, ganadero trashumante y hermano del honrado Concejo de la Mesta, publicaba un librito titulado *Vida pastoril*. «Un rebaño de mil y cien cabezas debe tener un rabadán, un compañero, un ayudador, un sobrado (que también se llama persona de más) y un zagal—comienza diciendo el autor—. Los sorianos, que son mucho más antiguos en el pastorío que los montañeses—añade—, gobiernan un rebaño en los caminos con sólo cuatro pastores, que denominan rabadán, zagal, ayudador y rapaz.» De las montañas de España habla el autor; de las montañas de Soria, Cuenca, Segovia, León. El autor es de la tierra de Soria. En la sierra de Soria, «en su mayor eminencia, llamada la laguna de Orbión, tienen su nacimiento los dos caudalosos ríos Ebro y Duero, y toda la cordillera divide las aguas a Norte y Mediodía». «Lo más escabroso y escarpado de esta sierra se ocupa los cuatro meses de verano con ganados finos trashumantes, y, a no ser así, sería inhabitable y madriguera de fieras. Tiene algunas poblaciones: tales son las villas de Pineda, Ventosa, Quintana, Covaleda y todas las que ocupa la Cabaña Real de Carreteros.»

La noche va a hacerse sobre los montes y los valles. Quevedo, en su silva *El sue-*

ño, ha dado en dos palabras una sensación profunda de la noche:

> ...Ciega y fría
> cayó blandamente de las estrellas
> la noche...

Las sombras de la noche, como cendales sutilísimos que pudiéramos palpar, van a envolvernos. Ha caído la noche desde las estrellas ciega y fría. Las hogueras de los pastores comienzan a brillar. En los hatos, los perros ladran y sus latidos semejan, desde lejos, plañidos lúgubres. En el monte hay lobos, raposas, tejones, mustelas. Se han ido apagando las lucecitas de las ciudades. Las hogueras de las montañas han de lucir en la noche intempesta. Hasta la madrugada durarán sus resplandores. Las alimañas del campo velan toda la noche. Tienen todas los ojos brillantes y la piel limpia. Cuando se las toma, es grato pasarles las manos por el cerro y meter los dedos entre su pelambre sin grasa. La vida ciudadana no ha contaminado ni manchado a estos animalejos. Perdida la libertad en el armadijo o la trampa, bajo nuestras manos, las orejas gachas y el hopo entre las piernas, nos contemplan, inmóviles, con sus ojos límpidos, y parecen pedirnos—entre recelosos y esperanzados—un poco de piedad.

El genio de España no podrá ser comprendido sin la consideración de este ir y venir de los rebaños por montañas y llanuras. Las veredas, las cañadas y los cordeles cruzan y recruzan el área de la nación. Los montes están vestidos de vegetación alta, o de matorrales. Agrada encontrar y manejar los vocablos con que se denominan los accidentes y particularidades del campo y de la montaña. Gustamos sabor de España en esos vocablos. Poco usados de los ciudadanos, viven todavía entre los lugareños y labriegos. El monte, en cuanto a vegetación, se divide en alto y bajo. El bajo se denomina también ratizo. El alto lo forman las mohedas. Las mohedas son boscajes espesos de encinas, alcornoques, hayas, castaños. En el monte ratizo, las retamas—con sus flores amarillas—, los enebros, los lentiscos, los romeros, se extienden por los recuestos formando bosquecillos; entre esos árboles crecen y perfuman el aire el cantueso, el tomillo, el espliego, el orégano. El boscaje espeso o cerrado puede constituir lo que se llama el monte hueco. Imaginemos un monte hueco de pinos. La arboleda crece erguida, desembarazada; nada estorba el desarrollo de los troncos. La tierra está libre de matorrales. Desde abajo de la ladera, por lo hueco del monte, divisamos, sobre la bóveda verde—verde y olorosa—, los centenares de columnitas de los troncos. Sobre el suelo se extiende el muelle y resbaladizo tapiz de las agujas o barbajas del pino. El ambiente está embalsamado con el olor de la resina.

En las sierras de España hay serenas y misteriosas lagunas, hondos barrancos, pradecillos y agostaderos de suave hierba. Desde las empinadas cumbres oteamos los pueblecitos, que se perfilan limpios y precisos, en la lejanía. El aire es sutilísimo. Los ruidos, con la sutilidad del aire, son menores que en la llanura. Con el silencio gozamos, en los desnudos y ásperos montes, del regalo de un árbol que se alza en una barrancada. Todo en estos montes de España tiene una impetuosa energía: los riscos agrios y salientes, las aristas agudas y pulidas, los enormes y redondos cantos prontos a rodar por las laderas.

Es vivísima la luz. Trascienden los olores del romero, el cantueso, el espliego, el tomillo, la mejorana. Las aguas se deslizan cristalinas. Los arbustos hieren y desgarran con su follaje rígido. Como la literatura española, como el pensamiento, la tierra toda es fuerza, ímpetu y brillantez. Bellas son las montañas de Soria, de Cuenca, de León, de Segovia. Por sus laderas y collados van caminando centenares de rebaños. De ellos saldrán los paños recios y los paños finos que vistan al religioso, al labriego, al soldado y al señor.

En los telares de las ciudades las premideras suenan con ruido acompasado. Llega el crepúsculo y callarán. En las montañas, los pastores encienden sus fogatas.

XIII

PALACIOS CERRADOS

La noche desciende ciega y fría para las cabañas de los pastores y para los palacios de los caballeros. ¿Cómo será un palacio? ¿De qué manera será la estancia de un rey? Santa Teresa no sabe cómo son. No está segura de que se llamen camarines los aposentos de los reyes. «Entráis—escribe Santa Teresa en la sexta de *Las moradas*—, entráis en un aposento de un rey o gran señor (creo camarín los llaman), adonde tienen infinitos géneros de vidrios y barros y muchas cosas puestas por tal orden, que casi todas se ven en entrando.» Y añade la santa este recuerdo suyo: «Una vez me llevaron a una pieza de éstas en casa de la duquesa de Alba, adonde, viniendo de camino, me mandó la obediencia estar dos días, por importunación de esta señora, que me quedé espantada en entrando, y consideraba de qué podía aprovechar aquella barahunda de cosas, y veía que se podía alabar al Señor de ver tantas diferencias de cosas, y ahora me cae en gracia cómo me ha aprovechado para aquí.» Los bellos palacios han sido edificados por artistas del Renacimiento. Pero el Renacimiento ha calado poco en España. La Edad Media sigue dominando en el siglo XV, en el XVI y en parte del XVII. La Edad Media es ingenuidad, sentimiento, piedad. La Edad Media es lo concreto en oposición a lo abstracto. El Renacimiento no armonizaba con el paisaje de España, ni con la tradición de la lucha continuada y ardorosa, ni con la modalidad—grave y austera—de los españoles. Edad Media es el *Quijote*, y el *Libro de la oración*, y la parte espontánea y popular de la obra de Lope.

En *La Celestina*, mezcla de Edad Media y Renacimiento, lo mejor es lo que se debe a la Edad Media: el canto de amor en el jardín y el plañido trágico del padre, que nos dice la caducidad de las cosas y que acaba por dominar toda obra. El Renacimiento, sí, ha edificado muchos palacios en España. En la blanca piedra han sido labradas finas tracerías. De hierro forjado son los balcones. Pero las ventanas de muchos de estos palacios y caserones están cerradas. Cerradas están las puertas en el huerto que respalda las casas; crecen viciosas las hierbas por los caminos. Los señores de estos palacios se han marchado más allá de los mares. Dentro de los caserones, en las anchas salas, el polvo ha ido formando una delgada capa sobre los muebles. La barahunda de las cosas que asombraba a Santa Teresa descansa en armarios, bufetes y escaparates. Correrán los siglos. ¿Quién abrirá de nuevo estos palacios? ¿Dónde, dentro de trescientos, de cuatrocientos años, veremos muchas de las cosas que forman la sorprendente barahunda? En este sillón de cuero realzado ¿quién se sentará? Este retrato de un caballero con su lagarto de Santiago o el tao de San Juan al pecho, ¿dónde colgará? Diez, doce, quince caserones en la noble ciudad están cerrados; en tierras lejanas, más allá de los mares, bajo el fulgor de otras estrellas, están sus dueños. Y en las horas de melancolía, en aquellas inmensidades, seguramente tendrán un recuerdo henchido de ternura para estos palacios y para estos jardines en que las rosas, no cortadas por nadie, se deshojan lentamente en los senderos por la primavera y el otoño.

XIV

UN VIANDANTE

En esta hora del crepúsculo está sentado en pleno campo, y delante de una venta, un viandante. Por la puerta de la venta pasa un camino. El viandante es de rostro aguileño, cabello castaño y frente lisa y desembarazada. Sus ojos son alegres y su nariz es corva, aunque bien proporcionada. Grandes bigotes ensombrecen la boca. Si se levantara, le veríamos ligeramente cargado de espaldas. Pesan sobre el viandante muchos trabajos. Todo el verano ha estado corriendo por los campos y visitando los cortijos. Se ve forzado a tratar con gente ruda; se ve rodeado de un ambiente espiritual que no es el suyo. Existe un profundo desequilibrio entre su sensibilidad y la atmósfera espiritual en que se mueve. Ha publicado este viandante algunos libros; en una de las más grandes batallas de la Historia se ha portado heroicamente y ha quedado con una mano lisiada. Y ahora, entre gente zafia, de venta en venta y de pueblo en pueblo, él se siente íntimamente contristado. Cuando nos sentimos superiores a las cosas que nos rodean y la necesidad nos mantiene, nuestro espíritu se va concentrando en un ideal íntimo. Nos conformamos, sí, con la realidad; aceptamos la vida tal como se presenta. La bondad lo es todo en el mundo, y la bondad puede mostrarse, desbordando de nuestro corazón, en todos los momentos y en todos los lugares. Pero esta conformidad tiene su desquite en el ensueño interior. Sí; el mundo es amargo para nosotros. Ya a nuestra edad nos despedimos de la esperanza; si habíamos esperado un azar dichoso, el azar, el acaso, la fortuna impensada, no vienen. Dejamos el mundo material y creamos para nosotros, sólo para nosotros, otro mundo fantástico. En ese ideal que nosotros solos guardamos se reconcentra toda nuestra vida. Sin ese asidero imaginativo—imaginario y salvador—, nuestro espíritu se hundiría en el abismo. Y podremos trafagar por los pueblos y por las ventas, como este viandante; podremos tratar con gente ruda, podremos sufrir adversidades; pero allá en lo íntimo de nuestro ser se eleva para nosotros solos un mundo que todos los días, en nuestras meditaciones, vamos purificando y hermoseando. Las sugestiones de los libros importan mucho; pero en vano serían las sugestiones de los libros, leídos acá y allá, si no se llevara en el ánimo este desequilibrio de que hablamos. Las lecturas no hacen más que ayudar a la gestación de la obra. Las lecturas son simplemente la piedra aguzadera del ensueño.

En el interior de la venta se oyen gritos y ruidos de golpes. El viandante se levanta y entra en la casa. Un caballero riñe con el dueño del mesón. Alto, escuálido, huesudo, semeja el caballero una figura de pasadas centurias. Nadie entiende la fabla arcaica con que habla. La pendencia ha sido por querer amparar el caballero a un menesteroso a quien el ventero intentaba arrojar de la casa. Cuando ha entrado en el zaguán el viandante, todos han callado; había en la mirada de este hombre un dulce imperio. El ventero se reporta; está enhiesto el caballero de la figura triste, con los brazos tendidos en ademán de amparo al menesteroso; contempla éste ya al caballero, ya al viandante que acaba de entrar. Y cuando el señor de la prestancia antigua ha declarado el caso en peregrinas razones, el viandante ha sonreído levemente—con sonrisa de inefable bondad—, se ha acercado a él y le ha estrechado contra su pecho. El ensueño interior del viandante—¡oh maravillosa ironía!—se concretaba fuera, en el mundo, en la persona de un loco.

XV

EL TEATRO

El corral ha quedado desierto. En este instante del crepúsculo ha terminado la función. Años más tarde, en 1629, un escritor—Juan de Zabaleta—pintará este acabarse de la comedia: desaparecido el público, desierto y en tinieblas el corral, dos mujeres se han quedado rezagadas; durante el espectáculo han perdido una llave y ahora, alumbrándose con una vela, la andan buscando entre los bancos. El corral está solitario; va descendiendo de las estrellas, ciega y fría, la noche. Se han marchado los espectadores y han desaparecido los cómicos. No; no todos los recitantes se han retirado a sus posadas. Por entre las tinieblas avanzan en la soledad, silenciosos, un hombre, una mujer y un niño. Han quedado un momento en el vestuario después de la función y ahora se marchan lentamente a su morada. El hombre es un poco grueso y está pálido. De la mano lleva cogida la manecita del niño. La mujer es todavía joven. Han salido del corral de las comedias y se han dirigido a un mesón de la ciudad. Y cuando han entrado en su cuartito, el hombre se ha dejado caer pesadamente en una silla. La mujer se ha acercado a él y le ha dado un beso en la frente. El hombre ha puesto el niño sobre sus rodillas. Respiraba este hombre con fatiga. Ha atraído con dulzura hacia sí la cabeza del niño y ha puesto la tierna mejilla del infante pegada a su cara pálida. En silencio, conmovida, los miraba la madre. Por toda España caminan los tres en compañía de los demás actores; van de Granada a Madrid, de Madrid a Toledo, de Toledo a Segovia, de Segovia a Valladolid, de Valladolid a Burgos. El gran teatro nacional está naciendo. Por el esfuerzo de estos hombres va a tener plasticidad todo un mundo que sale del cerebro de los poetas. ¿Cuándo este hombre, cansado y pálido, podrá gozar un momento de sosiego? El aire dulce del rincón nativo que otros artistas pueden respirar no puede respirarlo de asiento él. Su destino es caminar. Su deber inexorable es colocar sobre las angustias íntimas una careta de jovialidad. En el aposento del mesón, después de la comedia, cansado, rendido de la vida, el buen actor tiene el niño sobre sus rodillas. El niño es su alegría; sin el niño, él no podría soportar el cansancio del trabajo y del vivir errante. Y con una íntima, profunda, inefable emoción en este instante del crepúsculo, ante la madre silenciosa, él oprime una mejilla coloreada del niño contra su cara pálida.

Está naciendo el gran teatro nacional. ¿Qué es el teatro clásico español? El teatro clásico es una síntesis de toda la vida española. Desde que en el *Poema del Cid* queda establecido el diapasón moral de la vida en el arte, todo el arte español, posteriormente, se adaptará a ese diapasón. Y ese diapasón es un cierto tono de elevación, de dignidad; excluye forzadamente ciertos aspectos de la vida cotidiana.

Todo es sincrónico y coherente en la vida española: el teatro, la mística, el paisaje—el paisaje de Castilla—, la idiosincrasia del ciudadano. Cuando se hable del énfasis español, asentid; pero a ese énfasis llamadle dignidad. El español es noble y digno. Su dignidad rechaza el pormenor prosaico y cotidiano. Noble, digno y severo es el realismo del *Libro de la oración*. El teatro no puede aceptar tampoco esos pormenores prosaicos. Es sereno y noble como el paisaje. No necesita el dramaturgo, ni quiere justificar, entradas y salidas; no es preciso tampoco que descienda a intimidades minuciosas. Si en el teatro clásico se descendiera a esos pormenores, a esas justificaciones, automáticamente toda la obra bajaría del plano elevado en que el poeta la coloca. La paridad entre el paisaje, la vida del ciudadano y la visión artística se habría roto. No extrañaremos los yerros y anacronismos de los grandes dramaturgos. En el ambiente férvido que envuelve el teatro, tales incorrecciones desaparecen. Lo esencial aquí, como en el *Poema del Cid*, fuente de todo el gran teatro, es el tono de la vida, el tono de dignidad, de grandeza, de elevación sobre las cotidianas realidades que el poeta presta a los personajes.

La noche se va llegando pronta. El cuartito del mesón está ya casi en tinieblas. La mujer ha encendido una luz. El buen actor tiene sobre sus rodillas al niño.

XVI

UNA RELIGIOSA

A la caída de la tarde ha llegado el carrito a la ciudad; han descendido del carro una religiosa y una compañera. Salieron por la mañana de otro pueblo. Han caminado durante todo el día. El viento sopla frío por la llanura. La religiosa va un poco enferma. A media tarde, la religiosa y su compañera han sacado de un zurrón un cantero de pan y un pedacito de queso y han comido. Está un poco enferma la religiosa; el viento frío del otoño le hace daño en la garganta. No cesa de caminar por toda España la buena religiosa; va de pueblecito en pueblecito y de ciudad en ciudad; habla con frailes, monjas y prelados. Para todos tiene palabras afectuosas. Sus ojos son negros y redondos. Ojos—dice el padre Ribera—«vivos y graciosos, que en riéndose se reían todos y mostraban alegría, y por otra parte, muy graves cuando ella quería mostrar en el rostro gravedad». La complexión de la religiosa es fuerte. «No soy nada tierna—dice ella hablando de sí—; antes tengo un corazón tan recio, que algunas veces me da pena.» Recio, no para los humanos, sino para las adversidades. Pero hoy es el día en que la esforzada religiosa va a sentirse un tantico desazonada. No le han hecho perder la serenidad los trabajos y la hostilidad de los hombres, y hoy, por una cosita de nada, va a estar a pique de perderla. El carro ha llegado a la ciudad. La religiosa y su compañera no conocen en ella a nadie. En el pueblo de donde vienen les han dado vagas indicaciones sobre lo que desean. El carro va dando vueltas por las calles; a veces se detiene y el carretero interroga a las gentes. Y otra vez comienza a caminar. La hermana que va con la religiosa es sorda; a la monja, su mal de garganta le ha quitado la voz. No pueden entenderse una y otra cuando hablan. El carro se ha detenido ante una casa. ¿Será ésta la casa donde van a fundar un pequeño convento? La puerta está abierta; al zaguán se sube por dos escalones; está encalado. Las paredes son de un blanco puro. A la derecha se abre una puertecita; da paso a una camarilla en que hay una tinaja y dos cántaros. A la izquierda, por otros dos escalones, se sube a un breve corredor. Al cabo del pasillo se encuentra un patio rodeado de alta galería. El techo del zaguán está formado por viguetas cuadradas que sostienen anchas tablas. La galería del patio es de madera. La madera del techo y la madera de la galería, en contraste con la nítida cal, aparecen negruzcas y ahumadas. Muchas generaciones, desde la Edad Media, han pasado por esta pobre morada. Las catedrales y los palacios son grandes y ostentosos; los nombres de quienes han levantado las catedrales y de quienes han morado en los palacios, tal vez han pasado a la Historia. Pero en estas casas humildes, a lo largo de los siglos, han vivido generaciones de gentes que han trabajado y sufrido en silencio. Y estas paredes blancas y estas maderas ahumadas, anodinas, sin primores artísticos, vulgares, llegan acaso a producir una emoción más honda, más inefable que los maravillosos monumentos.

La religiosa y su compañera han entrado en la casa. Vive en ella un anciano, casi ciego, terriblemente sordo. Es éste el caballero con quien la religiosa ha de entenderse para su fundación. No es posible, sin embargo, llegar a entenderse. La religiosa no podía hablar en voz alta; el caballero no puede oír lo que la religiosa le dice. Hace la religiosa vanos enfuerzos por expresar su pensamiento. El caballero mueve la cabeza asintiendo, pero no entiende nada. Papel y pluma no los hay en la casa. Durante un rato la religiosa se esfuerza en sus ademanes. Ya se impacienta un poco. El anciano la mira en silencio. La religiosa se levanta y va en la estancia de un lado para otro. El tiempo transcurre inútilmente por hacerse entender. De pronto, enervada, cansada, sus ojos se iluminan. Toda su persona se ha estremecido. ¿Hay alguien invisible a par suyo? Hablando de una de estas asistencias misteriosas, ha escrito la monja: «Sentía que andaba al lado derecho, mas no con estos sentidos que podemos sentir que está cabe nosotros una persona; porque es por otra vía más delicada que no se sabe decir.» En el umbral, sonriente, con los brazos cruzados sobre el pecho, ha aparecido un religioso amigo de la monja.

XVII

EL FIDEISMO

El viejo inquisidor se halla—un poco inquieto—en su cámara. Es un gran señor. La vida ha tenido ya para él muchos lances y adversidades. La inquietud del viejo inquisidor la motiva una hoja de papel que está encima del escritorio. En la blanca página se ven escritas estas líneas: «Si queremos ser cristianos, es necesario, para nuestra navegación en la mayor parte de la vida, perder este norte de la razón y navegar por la fe, y reglar nuestras obras por ella, especialmente a cosas que conciernen a la religión y sacramentos cristianos.» El viejo inquisidor pasea por su cámara. A veces se detiene ante el escritorio y coge la hoja de papel. Ha leído ya muchas veces lo escrito en ella; se lo sabe de memoria; pero sin darse cuenta, en tanto que piensa en otra cosa, su mirada pasa por las líneas manuscritas. Lo que dicen estas líneas ha sido copiado de un libro. Puede asegurarse que esas palabras son el resumen de un libro y de una personalidad. Debemos perder el norte de la razón. La razón no puede guiarnos. Sólo la fe es luz. Y el viejo inquisidor deja blandamente el papel en el escritorio y torna a sus paseos. Se ha celebrado hace pocos días una junta de la Suprema para examinar el libro de donde esas líneas han sido copiadas. No se ha llegado a un acuerdo todavía. Dentro de dos o tres días volverá a celebrarse consejo; en ella ha de informar el viejo consejero. Los tribunales de la Inquisición están repartidos por toda España. Hay la Inquisición de Toledo, la de Valladolid, la de Llerena, la de Santiago, la de Sevilla, la de Granada, la de Córdoba, la de Canarias, la de Logroño, la de Murcia, la de Zaragoza, la de Valencia, la de Barcelona, la de Mallorca. En las Indias existen la de Méjico, la de Lima, la de Cartagena. El más alto tribunal es el Consejo Supremo. Lo preside un inquisidor general y lo componen cinco consejeros. Desde la creación de la Suprema, en 1483, hasta 1596, ha habido quince presidentes del Consejo.

Con la barba tocando el pecho, inclinada la cabeza, el caballero se ha detenido otra vez en medio de la estancia. Sobre el escritorio, en la blanca hoja, las primeras palabras, escritas con clara letra, dicen: «Si queremos ser cristianos, es necesario, para nuestra navegación en la mayor parte de la vida, perder este norte de la razón...» El siglo XVI es el siglo en que con caracteres más dramáticos se ofrece el eterno conflicto entre la razón y la fe. En España, la Edad Media lucha—como en todos los demás países—con el espíritu del Renacimiento; pero si en otras partes triunfa, en España permanece vigorosa la Edad Media. Y el fideísmo es Edad Media. El viejo inquisidor ha vivido mucho y ha leído muchos libros. No creamos que sólo nosotros, hombres de ahora, tenemos el privilegio de la sabiduría. La proposición copiada en el blanco papel es peligrosa, herética. ¿Lo es tanto como lo parece? El conflicto es terrible, angustioso. El corazón le dice al viejo caballero que la fe es lo sólido, vivaz y fecundo. La razón no puede demostrar nada. De escalón en escalón, el discurso racional llega a un punto en que la demostración es imposible. Ni se puede negar ni afirmar nada. El impugnador y el defensor han de darse las manos. La razón es una quimera. ¿Qué razón es ésta tan débil, fluctuante e incierta? Un poco de calentura hace que la razón no sea la misma en el doliente que en el sano. Cuando estamos ayunos, no es nuestra razón la misma que cuando la repleción nos contenta. Una montaña, un río, separan dos países; la verdad, síntesis de la razón, no es la misma de este lado que de aquél. El viejo inquisidor medita en las palabras que ha de decir para condenar la proposición vitanda. ¿La condenará él? Es preciso, sí, condenarla. Y al condenarla se condena a un hombre bueno, nobilísimo, henchido de fervor. No hay drama más doloroso que este conflicto entre la fe y la razón. En España triunfa la fe. El hombre bueno que desecha el norte de la razón y se entrega por completo a la fe es un gran antecesor de Pascal. Su doctrina es idéntica a la de Pascal y su vida fué tan trágica como la de Pascal. Con profunda serenidad llevó sus persecuciones y trabajos. De lo más alto—Primado de las Españas—cayó a una cárcel. Su mansedumbre no se alteró jamás. Con su ejemplo vivificó su doctrina. «Fué enemigo de murmuradores y maldicientes, y los reprendía severamente—dice un autor—; perdonaba con mucha facilidad a todos los que le ofendían, y nunca trató de tomar venganza de ellos; en el comer y beber fué muy templado, sin regalo alguno; tanto, que repartía en el monasterio, cárceles y hospitales los presentes que le hacían sus vasallos, y no consintió se sirviesen a su mesa.» A fray Bartolomé de Carranza sucedió en la silla de Toledo don Gaspar de Quiroga.

XVIII

EL VIEJO INQUISIDOR

El viejo inquisidor está sentado en su cámara. Tiene delante una mesa. Sobre la mesa se ve un montón de libros. Hay entre estos libros una Biblia en castellano, otro que se titula *Carta a Felipe II* y otro que lleva el título de *Imagen del Anticristo*. El viejo inquisidor vive en esta casa desde hace mucho tiempo. Se casó joven; amaba con pasión a su mujer. De su mujer tuvo un niño. Los dos adoraban al hijo. Les costó muchos trabajos el criarlo. La salud del niño era precaria. Todos los meses, un poquito de fiebre hacía brillar los ojos del niño. El niño pasaba en la cama seis u ocho días. La madre y el padre, angustiados, inclinaban la cabeza hacia el niño y estaban contemplándolo durante horas. Crecía el hijo. Los demás niños jugaban; él estaba quietecito en un rincón, leyendo. Muchas tardes, un criado de la casa le sacaba a pasear por el campo; el niño se tendía en la hierba y levantaba las gruesas piedras. Los insectos, en la humedad, iban y venían, desazonados por la luz. Otras veces, el niño contemplaba sobre las aguas de una balsa correr y girar los volubles girinos. Gozaba de la Naturaleza. Para toda la vida, la Naturaleza entraba en su espíritu. La madre y el padre vivían para el hijo; muchas veces, retirados en una estancia, hablaban del porvenir del niño. ¿Qué sería este niño? ¿Le verían un día, entre nubes blancas de incienso, en la anchura de una catedral, revestido de brocado, en tanto que gemía dulcemente el órgano, elevar con sus manos finas y blancas la Sagrada Hostia? ¿Resonaría su voz bajo las anchas bóvedas y conmovería los corazones? La madre, ante esta perspectiva, se sentía emocionada; de sus ojos descendía una lágrima. El padre contenía su emoción en el silencio.

Y cuando el niño iba camino de Salamanca, murió la madre. El golpe fué terrible para el noble caballero. En muchos meses no traspasó los umbrales de la casa. Vivía ensimismado en un mutismo hosco. El mundo le enfadaba. Lentamente fué germinando en su cerebro una idea: la idea de renunciar a las cosas terrenas. Se ordenó de clérigo. Un año después de tomar órdenes se le confirió el cargo de consejero de la Suprema Inquisición. El hijo seguía en Salamanca, pero ya no estudiaba Teología. Sus estudios ahora eran los de Medicina. Al graduarse de doctor tornó a la casa paterna. Tenía el mozo el mismo carácter que cuando niño: era reservado y soñador. En el carasol del jardín, tras la casa. pasábase horas y horas con un libro en la mano. De cuando en cuando, de las páginas del libro su mirada iba a perderse en las nubes. Y al llegar la noche, en la quietud de la casa, iluminada la cara del mozo por la luz del velón, el padre le contemplaba estático, suspenso durante largos ratos. La cara del mozo era la cara de la mujer a quien el caballero había amado tanto; eran los mismos ojos anchos y azules y de mirada suavemente melancólica.

El mozo fué a París—«el gran París», que decía Garcilaso—; fué a París y fué a Flandes. En tierras extranjeras estuvo dos años. Al cabo de ese tiempo ha tornado a España. Desde ayer está el mozo en la casa solariega. El padre, al marcharse el hijo, le dió un retrato en miniatura de la madre. Deseaba el padre que sobre este retratito hiciesen en Flandes un retrato grande. Y ese retrato grande lo ha traído el hijo. El retrato ha sido colgado en la sala. Los vivos y espléndidos colores—obra maestra de un pincel ilustre—resaltan en la severidad de la estancia. En esta hora del crepúsculo, cuando todo va bañándose de penumbra, la hermosa y noble dama emerge de la oscuridad en su retrato. Y el anciano inquisidor mira a la mujer amada y pone después la vista en los libros que están sobre la mesa. Hace una hora, revolviendo las ropas del hijo en un cofre, ha encontrado el padre esos libros. Esos volúmenes han sido escritos por luteranos españoles. Cuando el viejo inquisidor veía lo que eran esos volúmenes, su faz se ponía pálida y sus manos temblaban. Durante largo rato ha permanecido absorto; miraba y remiraba los libros, los dejaba sobre una mesa, y luego volvía a examinarlos. Los ha llevado al fin a su cámara. Se ha sentado en un sillón, frente al retrato de la madre, y, en tanto que la estancia se va sumiendo en la sombra, el viejo inquisidor permanece inmóvil, con la cabeza entre las manos. El hijo ha salido esta tarde a dar un paseo por el campo; de un momento a otro va a volver. Ya se escuchan pasos en el corredor. El viejo comisario se estremece. No son éstos los pasos del hijo. Torna el silencio. Poco después resuenan otros pasos. Y éstos sí, éstos son los del hijo. Los pasos se oyen más cerca. El viejo caballero, instintivamente, sintiendo una dolorosa opresión en el pecho, se levanta. Una mano acaba de posarse en el picaporte de la puerta. La puerta se está abriendo...

XIX

CASTILLOS EN ESPAÑA

En España existen muchos castillos. Están casi todos en ruinas; se ven repartidos por toda la nación. En el siglo XVI muchos de estos castillos estaban ya derrumbados. En las *Partidas* se habla minuciosamente de los castillos. Todo el título XVIII de la segunda *Partida*, título compuesto de treinta y dos leyes, está dedicado a los castillos. Demuestra esa solicitud la importancia de los castillos en España. La prosa del venerable Código es coetánea de la fundación de muchos de esos castillos que vemos en ruinas. Leyéndola, parece que penetramos en alguna fortaleza del siglo XIII. Dominan los castillos las llanuras desde los cerros; se hallan otros engastados en las murallas de las ciudades; alguno se encuentra frontero al mar y señorea la inmensidad azul, verde o negruzca... Son recios, fuertes, vastos, los castillos de España. Parecen fantásticos, pero tienen una existencia indubitable. En ellos han estado presos príncipes y dinastas; han nacido y muerto reyes; por reyes niños se han levantado en ellos banderas; se han perpetuado por ellos sangrientas rebeliones. En el de Medina del Campo ha morado una reina infortunada y ha muerto la más grande reina de España; por el torreón de otro—el de Alaejos—se ha descolgado en un cesto una noche, en 1468, doña Juana, la esposa de Enrique IV; el de Montiel ha sido testigo, en 1369, de la terrible lucha del rey don Pedro y su hermano don Enrique; en el de Monzón pasó su infancia Jaime I; el de Escalona fué restaurado por don Alvaro de Luna y era reputado como el mejor de España; en el espléndido de Olite se celebraron las bodas del príncipe de Viana y doña Inés de Clèves; en el de Pedraza estuvieron presos, en rehenes, los hijos de Francisco I, Enrique y Francisco, en 1526, durante cuatro años; en el de Arévalo ha estado encerrado Guillermo de Nassau, príncipe de Orange; en el de Javier ha nacido uno de los santos más admirables de España; el de Pamplona ha sido la prisión de Quintana; el de Bellver, en Palma de Mallorca, la de Jovellanos, y en ese castillo frontero al mar a que aludíamos antes han estado también presos, en 1873, unos artilleros que, juntamente con los de toda España, originaron la caída de un trono.

Todos estos castillos nos hablan de turbulencias, banderías, revueltas, alborotos. La lealtad y la fidelidad se han albergado entre sus muros también. Han resistido heroicamente la furia obsidional. En la heterogeneidad y efervescencia de España, todos estos castillos—los de las ciudades y las campiñas—son como los puntos sensibles del organismo nacional. Se atiende en las *Partidas* a que los castillos estén suficientemente abastados de víveres. De agua es de lo que deben menos escasear. «No deben olvidar la sal, ni el olio, ni las legumbres.» Los ballesteros son los más eficaces defensores de los castillos. Deben los ballesteros saber bien su oficio, y adobar y reparar las ballestas. «Otro sí: las velas e sobrevelas, a que llaman montarazes, e las rondas que andan de fuera, al pie del castillo, e las atalayas que ponen de día, e las escuchas de noche; todos estos ha menester que guarde el alcayde quanto más pudiere, que sean leales, faziéndoles bien, e non les menguando aquello que les deve dar. E halos de cambiar a menudo, de manera que non estén todavía en un lugar.» La imaginación finge la vida en estos castillos; escucha todos los ruidos y ve las luces y las sombras. Escucha el ruido sonoro de los pasos, mezclado al tintineo de las espuelas, bajo las bóvedas resonantes; el relincho de los caballos, el estrépito de los soldados y los servidores, los sones agudos de los clarines y los ladridos de las jaurías. Contempla los resplandores de las antorchas, que forman fantásticas sombras en los muros; el humazo de las fogatas encendidas en los patios; los vivos colores de los arreos y trajes—oro, rojo, verde, plata—, que resaltan sobre las murallas negruzcas. Tal vez descubrimos que por la cuesta del castillo asciende un caminante. Se va acercando. Marcha apoyado en un alto bordón; cubre su cabeza un ancho sombrero; revuelta melena cae sobre sus hombros. Cuando está cerca, vemos que sus ojos son azules y que su melena es dorada. Viene de lejanas tierras el caminante. Acaso ha venido a España, en 1212, acompañando a algún señor—Teobaldo Blasón o Arnaldo de Narbona—para asistir a la batalla de Las Navas. Después ha caminado errante, de castillo en castillo. Al llegar ante la puerta de la fortaleza, cara a los ballesteros que aparecen en los adarves, levanta la cabeza, se quita el sombrero con un noble ademán y, con una voz dulce y melancólica, entona una plegaria a la Virgen:

Vera vergena María,
Vera vida, vera fes,
Vera vertatz, vera vía...

Ese castillo frontero al mar de que hemos hablado no tiene más que los muros exteriores. Comenzaron a edificarse las primeras fortificaciones por 1194, en tiempos de Sancho el *Fuerte*. Se levanta la recia fábrica en una loma; a una parte se extiende la ciudad—al pie del cerro—y a otra banda se muestra el mar. Frente al castillo, al otro lado de los mares, están Francia e Inglaterra—nuestras rivales históricas—; las costas más cercanas de Francia se divisan, a la derecha, a simple vista. A la izquierda se columbran tres cortinas de montañas: la primera, verde y rojiza, con manchitas blancas de casas; la segunda, azulada, incierta, borrosa; la tercera la componen cimas agudas, tenues, delicadas, casi invisibles en la opacidad del ambiente. Son esas remotas y sutiles montañas de la vieja y noble Cantabria. El fuerte muro almenado del castillo está intacto. Por encima de la muralla asoman las paredes de un caserón. Los muros del castillo son negros, y las paredes del caserón, amarillas. Se halla derruído en su interior el caserón; por el vano de las ventanas, desde el campo, se columbra el cielo. Todo un curso de botánica puede estudiarse en las laderas del castillo, en los fosos y en las murallas. Llenan de verdura laderas y castillo helechos, cardos, ortigas, heno, grama, malvas, zarzales. En el borde de las altas paredes crecen hinojos, que perfilan en el fondo cerúleo sus ramitas finas y enhiestas. Crecen hierbas en las junturas de los sillares, en las almenas, en los escudos que resaltan sobre la puerta. Las florecitas color jalde de la oreja de ratón alternan con los clavelitos silvestres—*dianthus caryophyllus*, de Linneo—, tan graciosos y vivos. Los clavelitos silvestres esmaltan las laderas; aparecen entre los helechos y las zarzas; los niños los cogen cuando suben por las tardes al castillo. El clavel es la flor de España. «Esta es la flor favorita de los españoles—dicen don Claudio y don Esteban Boutelóu en su *Tratado de las flores*, 1804—; no cultivamos ninguna con tanto esmero y diligencia; bien es verdad que reúne todas las cualidades que pueden hacer recomendable una flor, concurriendo en ella las propiedades de brillantez, viveza y variedad de sus matices, y la fragancia y suavidad de olor, circunstancias las más apreciables y que más se desean en las flores.» Estos clavelitos silvestres, encendidos y olorosos, crecidos en tierras fronterizas, son como las avanzadas de las flores de España. Las flores de España lozanean encendidas y vivaces; no son las flores suaves y delicadas de otras naciones. Los clavelitos silvestres las representan bien; adentro, por toda España, encontrará el extranjero clavellinas, serretas, reventones rojos, blancos, jaspeados, claveles todos de encendidos matices y penetrante olor. En las laderas del castillo, en los fosos, en los mismos muros, los claveles se mezclan a las flores moradas de la malva y a las flores blancas del cilantro y del aligustre. Dentro de la fortaleza, en la sala principal, sin techo, las matas del alhelí cuarenteno cubren el piso, y en abril, sus flores aterciopeladas, de color morado, forman una tupida y vistosa alfombra. Los sillares negros de los muros están matizados con manchas negras y amarillas de líquenes. Un cabrahigo encorva desde una almena sus ramas sobre el foso. La hiedra repta por las paredes hasta lo alto de la muralla y va dejándose desplegado un ancho manto verde. Todas estas plantas viven independientes y lozanas. El aire, sobre el mar, a ciento dieciséis metros de altura, es vivo y puro. Una tenue neblina vela el horizonte. Cuando, tras larga estancia en estas tierras, ascendemos a la meseta central, nuestros ojos contemplan, con avidez suma, las lejanías luminosas y el relieve terrestre de puras y resaltantes líneas.

Este castillo de frente al mar ha visto —como los demás castillos de España— tragedias y guerras. El mar besa desde hace siglos las casas del vecindario. El fuego se ha ensañado, a lo largo de los siglos, con la ciudad. Desde 1266 a 1813, diez o doce grandes incendios han destruído la población. El viejo castillo ha contemplado, a sus pies, llamear la hoguera, y ha oído el estrépito de los hundimientos, los gritos de las gentes despavoridas y el tañer de las campanas. Un rayo, en 1688, hizo volar, en el mismo castillo, el polvorín. La fortaleza quedó en ruinas. Ahora todo es reposo. El mar se extiende inmenso. Desde abajo llega el piar de las gaviotas. Las gaviotas revuelan lentas sobre las aguas azules, o se posan sobre las olas—como pedacitos blancos de papel—y permanecen largo rato inmóviles, traídas y llevadas, aupadas y hundidas, mecidas blanda, suavemente.

XX

LA PATRIA MORAL

Si un español del siglo XVI resucitara, no comprendería al pronto nuestro concepto de la patria. Esta es una creación de la cultura, y ha sido formada en España, después de la guerra de la Independencia, por los ferrocarriles, los libros y los periódicos. La había preparado antes el hervor crítico formado en el siglo XVIII en torno a Feijoo. No comprendería al pronto un español del siglo XVI nuestro concepto de patria. Todo está hoy centralizado y todo tiene una trabazón que en los siglos pasados no tenía. Una atmósfera sutilísima, espiritual, nos envuelve a todos en la nación. En el siglo XVI, la patria verdadera era el ambiente religioso. La religión era la verdadera patria. Acaso hoy, dentro de una nación, nos sentimos, de extremo a extremo, más desamparados y forasteros que en el siglo XVI. La unidad espiritual ha sido rota. Acaso hoy, con todo nuestro centralismo, con toda nuestra cultura—nexo de la patria—, nos sentimos menos ligados unos a otros que en los siglos pretéritos. Los intereses de clase se sobreponen a los anhelos generales. La religión, única e intangible, unía antiguamente todos los corazones. El creyente llevaba en su fe un vale de hermandad para todos los creyentes. Podía viajar por toda España; podía visitar las ciudades y entrar en todas las casas; podía tropezarse en los caminos con los más diversos viajeros. Siempre, el creyente reconocía al creyente. Y millares de templos—catedrales, iglesias, santuarios, ermitas—eran como las posadas espirituales del peregrino y del doliente. En esos lugares, henchidos de espiritualidad viva y fecunda, encontraba descanso el alma. En todas partes, el creyente estaba como en su propia morada. Por encima de las montañas, de las llanuras, de los ríos, de las ciudades, flotaba el mismo ambiente de creencias y de esperanzas que respiraban todos los ciudadanos. Y un mismo anhelo hacía latir todos los corazones: el anhelo de la salvación última.

XXI

LA CASUISTICA

El catedrático de quien vamos a hablar vivía modestamente. Todos los días, a la misma hora, iba a la Universidad. En la Universidad leía Teología. Su figura era vulgar; una barbita rala, rojiza, bajaba por la faz hasta terminar en punta. Lucían ante sus ojos unos espejuelos con gruesa guarnición de concha. Hacía diariamente el catedrático las mismas cosas. Se levantaba con el alba; se acostaba poco después de anochecido. Desde la mañana hasta la noche, sus pasos y sus actos eran los mismos. Hubieran podido concertar sus relojes los vecinos, tomando cuenta del punto en que abría su ventana al amanecer, o salía de casa para ir a la Universidad, o encendía la luz por la noche. Vivía el caballero entregado al estudio; confería raramente con amigos y conocidos; meditaba con espacio y calma. Y como su vida, en la soledad y en el silencio, era todos los días igual, llegó el buen catedrático a confundir los hechos y los sucesos. En el mundo de su memoria todo se desenvolvía en un mismo plano. Siendo todos los movimientos y pormenores de su vivir cotidiano iguales exactamente unos a otros, todos se iban yuxtaponiendo y soldando perfectamente. No sabía muchas veces el catedrático si el acto que acababa de realizar por la mañana lo había realizado por vez primera, o era tan sólo ese hecho un recuerdo de otro realizado meses antes. La duda le causaba terror. Llegaba a dudar de su propia existencia y de la realidad externa. Se veía como una entelequia, flotando vagamente entre fantasmas.

Ya no era posible retroceder; se sentía encadenado irremisiblemente a la costumbre diaria creada por él mismo. A los veinte años hubiera intentado la liberación. No podía hacerlo ya. De inaugurar de pronto otra vida, el pensamiento no acudiría a su mente. No podría razonar. Se sentiría extranjero en el nuevo orden de vida. Había, pues, que seguir fatalmente hasta el fin. El tiempo desaparecía para él; en la uniformidad de su vida, los accidentes adquirían un considerable relieve. Un pormenor que, inesperadamente, venía a introducir una ligera alteración en sus costumbres, le conmovía en todo su ser. Consideraba largamente los más fugaces pormenores. Su sensibilidad—en la meditación y en el silencio—se agudizaba. Le hacía daño lo que resbalaba sin lesión por la epidermis moral de los demás. La más pequeña incorrección por parte de un compañero, o una leve descortesía cometida con él por un amigo, le desabrían hondamente y le ponían triste. En la misma familia, entre los deudos y parientes, un disentimiento con su opinión, unas palabras ásperas, le hacían pensar en que su persona no era ya la misma que antes. No era la misma; declinaba su inteligencia; se hallaba su mentalidad en decadencia;

acaso nunca él había sido digno de estimación. Entonces cogía los libros de sus compañeros y los leía para compararlos con los suyos; deseaba ver, por contraste, si lo hecho por él era cosa merecedora de respeto. Y muchas veces la proclividad de su espíritu, puesto en el deslizadero del pesimismo, le hacía ver lo que no existía. Su obra era deleznable y mediocre; no podía ser comparada a la de sus compañeros. Tristemente, con severa y dulce tristeza, el buen caballero se resignaba. Y al resignarse, como desquite de su fracaso, ponía empeño en ser bondadoso y tolerante. La sonrisa de gratitud que los demás tenían para sus bondades era la compensación que encontraba a su imaginaria mediocridad intelectual.

Los días eran siempre los mismos para el catedrático. Abría su ventana a la misma hora, por la mañana; se recogía en su estancia para dormir en el mismo minuto de todas las noches. El matiz lo es todo en la vida. En la trama del mundo moral, un pormenor casi imperceptible basta para dar un valor u otro valor a un acto. El buen profesor, para quien el accidente monta tanto, sabe perfectamente el valor del matiz. Los actos humanos varían según estén teñidos, tenuemente, de estos o los otros colores. Y estimar y justipreciar en la vida esas variantes, esos matices, esos colores, en los diversos y variadísimos casos, es hacer obra de humanidad y de tolerancia. Ha escrito muchos libros el maestro, pero su obra grande será este libro que prepara sobre los matices y variantes de los hechos. En la primera página del manuscrito se lee: «*Summa* de casos de conciencia.» Cuando el catedrático sale por la mañana para ir a la Universidad, ya ha escrito quince o veinte páginas. Camina despacio por las calles. En la plaza en que la Universidad se levanta, sus discípulos le esperan. Todos le saludan cariñosamente y le van siguiendo.

XXII

EL PODER MILITAR

Cuanto más sencillamente lo contemos, será mejor. Contaremos la más bella hazaña de don Rodrigo. Don Rodrigo vive en una casa desmantelada. No cuelgan las paredes tapices ni cubren alcatifas el suelo. Muebles hay pocos: una cama, tres o cuatro sillas y un arca. El criado que asiste a don Rodrigo duerme en un duro cañizo. Es tan viejo como su amo. Don Rodrigo ha peleado en Flandes y en Italia. Pretendió un hábito, pero no se lo dieron. Fué muchas veces, hace años, a los patios de Palacio con un papel de sus servicios, pero no encontró valedores. Desengañado, se retiró del trato humano. Mora en una callejuela apartada, y su único amigo es un espadero de la ciudad. El espadero conoce la pobreza del hidalgo. Sabe que muchos días transcurren sin que amo y criado prueben un bocado de pan. Pero amo y criado salen de casa todos los días enhiestos, dignos, con las espadas, que levantan por detrás un poquito la capa. El caballero marcha delante, y obra de algunos pasos sigue el criado. En esta forma llegan todos los días, a la misma hora, hasta la tienda del espadero. Don Rodrigo entra en la tienda y el criado se marcha. No se sabe adónde el escudero dirige sus pasos. Tal vez a la portería de un convento, o acaso al tinelo de un palacio donde cuenta con amigos. Cuando vuelve a casa por la noche, este buen servidor trae debajo de la capa, sobarcado, un fardelito.

En la tiendecilla del espadero ha entrado, como todos los días, don Rodrigo. La espada del caballero ha sufrido cierto menoscabo en la guarnición. La espada es magnífica. Fué labrada primorosamente en Milán. No posee riquezas el caballero;

pero esta espada—adquirida en tiempos bonancibles—bien vale un tesoro. No habrá como ella dos en la ciudad. La espada ha acompañado desde mozo al caballero. Con ella ha reñido en Italia y en Flandes. El espadero la conoce; fácilmente la restaurará. Don Rodrigo la deja en la tiendecilla. Al día siguiente por la mañana entra en la tienda un cliente del espadero. Es un mozo alto, apuesto, y en su pecho brilla una venera de diamantes. Tenía el espadero en la mano la espada de don Rodrigo. El mozo la examina. Discuten el espadero y el galán. Y éste muestra deseos de adquirir la primorosa espada.

Ha sonado la hora de la visita del caballero. Por la callejuela se le divisa a lo lejos. Delante marcha, erguido y sereno, el caballero; ciñe una espada vieja. Le sigue su fiel escudero. En la tiendecilla, el maestro ha cogido a don Rodrigo y se lo ha llevado a un rincón. Cuchichean los dos. Don Rodrigo se pone pálido y mira la bella espada que está sobre una mesa. Y de pronto se aparta del armero, coge la espada y en silencio, dignamente, más altivo que nunca, sale de la tiendecilla sin despedirse...

La vida militar es espíritu. Los factores más formidables en la guerra son los espirituales. El poder militar de España ha sido grande cuando sus ejércitos, sus generales, sus soldados, sentían entusiasmo por un ideal; un ideal que podía sintetizarse en gestos pequeños como el del caballero de la espada. A fines del siglo XVI el poder, la fuerza, el entusiasmo, han pasado ya a un nuevo mundo, más allá de los mares.

XXIII

VASCONIA

La tierra vasca es bella y apacible. Tres cosas exquisitas hay en esta amable tierra: el alimento de los trabajadores, el de los enfermos y el de los poetas: el pan, la leche y el silencio. Pío Baroja, el buen compañero de vida literaria, ha pintado maravillosamente el País Vasco. Desde Castilla, desde Levante, países de luz, vamos hacia las brumas grises de Vasconia. Pero antes nos place pasar por la tierra de Alava. La tierra de Alava es fina y luminosa. Sus horizontes están limpios de celajes. En sus llanos se ven los álamos gráciles de Burgos, de Segovia y de Toledo. La tierra alavesa es una graciosa transición entre el paisaje clásico de Castilla y el romántico de Vasconia. Todo es en la tierra alavesa moderado y contenido. Pronto, a dos pasos de este paisaje, columbraremos en las montañas, desgarrándose entre los riscos, los primeros cendales de niebla. La vegetación se ha ido espesando. El cielo se ha hecho más bajo. El aire es más denso. En el verdor del paisaje resaltan los muros grises de las casas. Estas casas vascas—de recios sillares—, casas antiguas y nobles, nos dan la más honda impresión del siglo XVI. Vemos estas casas como las veríamos en el siglo XVI. Nada se interpone aquí entre el momento en que la casa ha sido edificada y este instante en que la contemplamos. El pasado no enturbia la visión. No existe aquí el pasado. Los vascos son los niños de España. Como los niños, descubren todas las mañanas el mundo. Como a los niños, los alboroza el deseo de asombrar: en pintura, en letras, en la industria. Sólo aquí las multitudes son instintivamente alegres; ven con sanidad y sin rezago de tristeza. Los múltiples adelantamientos de la industria moderna se alían aquí a una sensualidad primitiva.

El ambiente ha favorecido, por otra parte, en Vasconia la permanencia de las cosas. En Castilla, la limpidez del cielo diríase que ha ayudado a la irradiación de la materia. En Vasconia, el cielo bajo y denso ha comprimido las cosas y las ha detenido en su irradiación. La transparencia del aire hace que en Castilla se perciban los más pequeños estragos del tiempo: brechas, desportillos, hendiduras, herrumbres. En Vasconia, el ambiente húmedo, opaco, se asocia a los viejos edificios y disimula las ruinas; el mismo color negruzco de la piedra es una continuación del color ceniciento de la niebla. En Castilla, férvida y tumultuosa, las muchedumbres han ido y venido por las ciudades, se han agitado, se han movido a impulsos de poderosos ímpetus. Castilla ha quedado como un jardín después que la multitud ha pasado, hollándolo, por sus cuadros y arriates. En Vasconia no ha habido muchedumbres vehementes; su historia es larga y silenciosa; sus hombres han salido hacia las grandes empresas del mar individualmente, solitarios. Todo ha favorecido en Vasconia el recogimiento y la permanencia. Contemplemos, en la paz del paisaje, este caserón cuadrado y recio. Sus paredes están formadas por pequeños sillares. Sobresale el ancho alero en la techumbre. Un balcón espacioso de hierro forjado corre por en medio de la fachada. Sobre la puerta, en caracteres ahondados en la piedra, se lee: *Anno Domini MDLXXV. Tela minus ferium, quæ prævidentur. El hombre prevenido nunca será derrotado.* El caballero que moraba en esta mansión estaba siempre vigilante. En la última guerra civil, un incendio destruyó la parte posterior de la casa. En las estancias vacías están secando ahora semillas y legumbres. El paisaje es silencioso. Se respira una profunda calma. La casa vieja y noble se yergue en la paz de la campiña.

XXIV

CATALUÑA

Tot mirant a Catalunya
s'ha sentit robar lo cor...

JACINTO VERDAGUER.

Cataluña: tus costas luminosas atraen nuestra mirada; la mirada de nuestro espíritu. Desde Castilla y desde Vasconia vemos, a lo lejos, la faja de oro y de luz de las costas mediterráneas. Desde lo más alto de Cataluña se extiende el dentelleo de la costa hasta los confines de Alicante. Y enfrente está la predilecta Mallorca; Mallorca, con el oro y el azul y el morado del agua en sus calas profundas. Cataluña: tu nombre representa para España la vida, el tumulto, el movimiento, el fervor del mundo durante muchos siglos. Por otro mar navegan ahora los hombres. En el siglo XVI, ya la vida del mundo marcha por otros caminos. Pero la armonía, la euritmia maravillosa de la Grecia antigua, que desde Grecia han venido hasta aquí, serán imperecederas. Cataluña es Valencia, y es Alicante, y es Mallorca.

Cataluña tiene sus montañas llenas de soledad y sus masías en que la tradición es inconmovible; sus campanarios, blancos y cuadrados, llegan casi hasta las olas azules. Valencia tiene sus naranjales; las hojas del naranjo son charoladas; entre el follaje lustroso, brillan las áureas esferas o las suaves y carnosas florecitas ponen sus ampos blancos; el aire es templado, voluptuoso; la luz es cegadora. Alicante tiene sus almendros y sus olivos. Los olivos de Alicante no son como los de Mallorca. Los de Alicante, esmeradamente escamujados, tienen forma ovalada y despejado su interior; los de Mallorca son disformes, fantásticos; con sus troncos derrengados y sus ramas, que suben en penacho, parecen gigantes o vestiglos.

Los almendros crecen en Cataluña, en Valencia, en Alicante y en Mallorca. Los almendros son finos y se levantan sobre los blancos ribazos. En ninguna parte de España hay almendros bañados como éstos por una luz tan viva. En ninguna parte los horizontes, por encima de suaves alcores, tienen tan luminosas perspectivas. Las cosas resaltan, con todos sus pormenores, a remotísimas distancias. Los hombres son prestos y ágiles; su entendimiento es sutil; se alimentan frugalmente. Cataluña, Valencia, Mallorca, Alicante: quien lleve innata la visión de vuestra luz en la retina, no os podrá olvidar jamás. Ese almendro sobre las piedras blancas—delicado y gracioso—es el símbolo de vuestra delicadeza y vuestra gracia.

XXV

EL APOSENTO DEL POETA

Como la puerta del aposento está abierta, se ve por ella parte de la galería del patio. Las últimas luces de la tarde iluminan el patio. Se ve avanzar por la galería una linda joven. Trae en la mano una bandeja, y en la bandeja, un plato y un jarrito. Blancos paños cubren el plato y el jarro. La muchacha penetra en la estancia. En un ángulo se halla la cama, y junto a la cama hay una mesa. El poeta ha salido hace un momento; no volverá hasta media noche; es preciso que quede todo dispuesto para cuando vuelva. Deja la muchacha la bandeja con el plato y la jarra en la mesa; luego camina despacio por el cuarto. Hay en el cuarto un escritorio y un armario con libros. Una puertecita da a la recámara. En la recámara se ven colgados trajes y arreos varoniles: sayos de velarte, una capa de chamelote de aguas para la lluvia, otra capa gascona, jubones, calzas de terciopelo... Con una escobilla, la muchacha va limpiando alguna de estas prendas. La cama está blanda. La muchacha ha puesto la mano sobre ella y ha apretado ligeramente. Después, indecisa, se detiene ante el escritorio. Sobre el escritorio resalta un ancho pliego blanco. Unos cuantos renglones lo ennegrecen. Junto al papel, en un pequeño cesto, reposan seis u ocho plumas de ave y un cuchillo para tajarlas. ¿Qué libros figuran en el armario del poeta? La muchacha pasa la mano por el lomo de esos volúmenes; toca el papel en que están escritos los versos; acaba por sentarse en el sillón que se halla frente al escritorio. Sentada, se inclina hacia adelante, como para escribir, o bien se deja caer atrás sobre el respaldo. Goza de sentirse sentada en este sillón. ¿Qué libros hay en el armario? ¿Cuáles son las lecturas del poeta? En *La dama melindrosa*, de Lope, dos personajes, don Juan y su criado Carrillo, hablan sobre materias de erudición. Carrillo acaba de alegar una opinión de Plinio. Entre amo y criado se entabla el siguiente diálogo:

—¿Dónde has oído decir
eso de Plinio?
—Señor,
hanse dado a traducir
tantos hombres que carecen
de ingenio, que ya sabemos
los tontos lo que encarecen
los sabios, y merecemos
los nombres que ellos merecen.
Yo le tengo traducido,
y aun a Horacio y a Lucano.
—¿Esos hombres has leído?
—Pues si están en castellano,
¿qué dificultad ha sido?
Ya mi alazán latiniza;
allí están.
—Huélgome, al fin,
que estos que el mundo eterniza
buscan a Horacio en latín
y está en la caballeriza.
¡Que un lacayo te ha leído,
divino Horacio!

La erudición es poca cosa al lado de la creación. El mismo Lope habla, en el prólogo al *Triunfo de la fe*, de los que, sin ser creadores, escriben contra los que «inventan». Lo esencial en el arte es crear, imaginar, inventar. Amo y criado continúan departiendo. La crítica—como en Sainte-Beuve y como en Menéndez Pelayo—puede ser también creación:

—Luego el ingenio y la ciencia,
¿son los bonetes y grados
por Sigüenza o por Valencia?
En los vulgos engañados
consiste la diferencia:
¿Espada? Luego idiotismo.
¿Bonete? Luego letrado.
—¡Qué gracioso silogismo!
—Ya está en el vulgo asentado.
—¡Oh, qué cansado hispanismo!

¡Oh, qué cansado hispanismo! ¡Oh, qué absurdo parecer el parecer de los que creen que la erudición está por encima del estro creador! Esa exclamación del personaje de Lope es la mejor protesta contra la frase de *ingenio lego* aplicada a Cervantes. Lope, a pesar de su erudición, se siente el aliado natural de Cervantes. Lope, en *El premio del bien hablar,* llama «discreto» a Cervantes. Y ese calificativo es, en efecto, el que más cuadraba a Cervantes. Discreto era Cervantes en el sentido que Calderón, en *El gran teatro del mundo,* da al vocablo. Discreto en el sentido de sensato, de cuerdo, de sabio. ¡Oh, qué cansado hispanismo! La erudición no es el ímpetu creador. Ni la ciencia es la sabiduría. Y Cervantes es creador y sabio.

Pero la muchacha se ha levantado del sillón y ha espaciado su mirada por la estancia. Todo está en orden. En la oscuridad que avanza se percibe la mancha del blanco plato y del jarrito de porcelana.

XXVI

MAQUEDA

Maqueda es villa de corto vecindario; tendrá doscientos fuegos. Pertenece al partido judicial de Escalona, en la diócesis de Toledo. Se halla a una legua de Escalona; cerca están Torrijos, Novés, Alamín, Quismondo, Nombela, Almorox, Cadalso. En Nombela pensó Felipe II edificar el monasterio de San Lorenzo. En Torrijos levantó una iglesia doña Teresa Enríquez, mujer de un contador de los Reyes Católicos. Ante Cadalso dicen que pasó siempre sin detenerse don Alvaro de Luna; el pueblo pertenecía a sus estados; supersticioso terror le impedía entrar en él; un estrellero le había predicho que moriría en Cadalso. Méntrida tiene vinos claros y frescos. En Maqueda se cogen cereales, aceite y vino. Las tierras las labran someramente. La aceituna la muelen en ruejos de sangre, y la pasta la exprimen en prensas de viga y de rincón. De tarde en tarde, al romper las tierras novales, la reja del arado desentierra vestigios romanos. En tiempo de los árabes se edificó una fortaleza en Maqueda; fué reparada a fines del siglo x por orden de Almanzor; la restauró el mismo arquitecto, Fatho-ben-Ibrahim, que construyó en Toledo las mezquitas. En 1010 se libró sangrienta batalla al pie del castillo de Maqueda. El castillo está hoy en ruinas. Los cuatro muros exteriores, con cuatro torreones en los ángulos, es todo lo que resta de la antigua fortaleza. Desde lo alto de las murallas se divisa el riachuelo que corre, entre árboles, por lo hondo de la cañada.

En la villa ha estado un rey niño. De todos los recuerdos históricos de Maqueda, éste es el que está más en consonancia con el lugar. La figura de este niño es como la imagen del pueblecito: fugaz y modesta. Enrique I era hijo del noble vencedor de Las Navas, Alfonso VIII. Tenía once años cuando fué proclamado rey. Un magnate codicioso lo arrebató violentamente de entre las manos de una hermana del niño. El pueblecito parece desde lejos, con su castillo, una ciudad; pero su caserío es reducido y pobre. El niño ha sido exaltado ya al trono, pero todavía no es rey. No lo llegará a ser. No llegará a ser tampoco ciudad el pueblecito. El regente llevaba al niño de pueblo en pueblo, por tierras de Toledo y por las riberas del Duero; facilitaba con la presencia del rey sus exacciones y desafueros. Se detuvieron también en Maqueda. El niño rey ha pasado por el pueblecito como una sombra delicada y graciosa. Entre los árboles del valle, por las márgenes del río, habrá traveseado. Sobre el niño pesa la gloria de su magnánimo padre. ¿Qué fastos brillantes le reservará lo por venir? Sus horas estaban contadas. El tejero que en el alfar se dispone a formar una teja con un poco de arcilla, no podría sospechar que ese puñado de barro ha de dejar sin monarca a un reino. El albañil que está colocando tejas en un tejado, no creerá probable que una de esas tejas, al caer, haya de matar a un rey. En Palencia, un día, por junio de 1217, una teja cae de una torre y mata a Enrique I. No había cumplido aún el niño catorce años.

En el siglo XX, las horas transcurren en Maqueda como transcurrían en el siglo XVI. Unas ruinas más ahora, y todo el resto igual. En el pueblo acaso habría un poco más de tráfago. Tal vez entre los labradores vivirán algunos tejedores y guarnicioneros. Los oficios de la lana y el cuero son los genuinos de España. La mayor riqueza la tiene la nación en sus ganados. Rinden los ganados abundancia de cueros y de lana. La lana pasa, hasta convertirse en paño para las tiendas, por manos de cardadores, peinadores, tundidores, tintoreros, tejedores, prendedores, bataneros. El cuero lo labran curtidores y zurradores, guarnicioneros, guanteros y boteros. Los zaques u odres van llenos de vino o aceite por los torcidos y pedregosos caminos de España. Los jaeces y guarniciones lucen recamados y borlones de hilos rojos y verdes. En los mesones, las botas pasan de mano en mano y dejan caer en las ansiosas fauces un hilillo de vino.

Labradores y oficiales trabajan y sufren en Maqueda. La vida tiene en todas partes infortunios. La vida es igual en el siglo XX que en el XVI. Habría seguramente en Maqueda, en 1580, un hidalgo que ha gastado su fortuna en Toledo o en Madrid y que ahora vive aquí retirado, y un estudiante que espera el momento de volver a los estudios de Salamanca, y un cazador que no caza nada, y un arbitrista que posee el secreto para restaurar a España. Hacia 1523, llegó a Maqueda un muchacho en busca de acomodo; se llamaba Lázaro; entró a servir en casa de un cura; venía de Salamanca, a través de la sierra de Gredos, pasando por Almorox. El cura vivía pobremente. Hoy llegará al pueblecito, también, algún mozuelo desgarrado de los padres, buscándose la vida. La vida sigue en Maqueda, de siglo en siglo, siempre igual. Los sembrados en el siglo XVI verdean—como ahora—; el tierno trigal se convierte en altas cañas coronadas de espigas; los panes son segados. De raro en raro llega al pueblo una noticia: el turco ha bajado; el príncipe es muerto; los moriscos se levantaron; la armada fué hundida. Las campanas doblan fúnebremente una o dos veces al mes. El labrador vuelve a esparcir el grano por los surcos; verdean de nuevo las tierras; llega el momento de la siega; las hoces —como la muerte siega las vidas—van cercenando las empinadas cañas.

XXVII
LA FILOSOFIA NATURAL

El filósofo natural es un hombre curioso. Filosofía natural es la que estudia las segundas causas o propiedades de la Naturaleza. Corresponde el filósofo natural al imaginero que en la Edad Media ha llenado de flores, plantas y pequeños monstruos los pórticos de las catedrales, los capiteles de las columnas, las sillerías de los coros. El filósofo natural estudia la Naturaleza. En la Naturaleza, le atraen las particularidades raras, los casos peregrinos, las propiedades ocultas de las cosas. Celestina, la buena madre, era, sin saberlo, un poco filósofa natural. Todo el siglo XVI y todo el XVII están llenos de filósofos naturales. Han estudiado todos, principalmente, en Aristóteles, Plinio y Claudio Eliano. Pero ¿han visto ellos alguna vez los animales fabulosos que describen? El *echeneis* es un pececillo que detiene a un navío en su marcha. El calamón es a manera de una golondrina, que haciendo su morada en las casas, en habiendo en ellas un adúltero, al punto se ahorca. ¿Quién pintará el portento del unicornio? El unicornio—caso estupendo—se humilla ante las doncellas que encuentra a su paso.

El filósofo natural tiene ahora un nuevo ensanche para sus perspectivas: el descubrimiento de las Indias Occidentales. De allá viene una gran corriente de cosas peregrinas, que se une a la gran corriente que venía de la Edad Media y de la antigüedad étnica. Pero el filósofo natural, entre la barahunda intrincada de sus hierbas, plantas, piedras y monstruos, suele de cuando en cuando entremeter una prevención moral, un dictado de prudencia, una advertencia discreta. Y así nacen esas copilaciones—tan de gusto del siglo XVI—que son a manera de curiosos bazares llenos de cosas raras, donde suena a ratos, para instrucción de los lectores, la voz de un discreto filósofo. Tal es la *Silva de varia lección*, de Pedro Mejía, publicada en 1542, reimpresa muchas veces, difundida por toda Europa. «De la admirable propiedad de un animalico cuya mordedura mata o sana con música» se titula un capítulo de la *Silva* de Mejía. Y otro: «De los tritones y nereidas que llamamos hombres marinos, y si es verdad que los hay, y de ello algunos casos notables.» Y otro: «Cómo el león ha miedo de un gallo y de otras cosas muy flacas, y qué razón se puede dar para ello.» Se dice que Montaigne leyó este libro. El libro, aparte de sus casos peregrinos, encierra doctrina provechosa. ¿Qué diferencia existe entre la *Silva* y los *Ensayos*? En los *Ensayos* hay un elemento personal que en la *Silva* falta. En los *Ensayos* se descubre, se desenvuelve, se explaya ampliamente la personalidad del autor—y éste es el gran secreto de los *Ensayos*—en aquello que cuadra y es común a la personalidad general y permanente del hombre.

XXVIII
LAS LIBRERIAS

Antonio Oudin, en sus *Diálogos*, publicados en París en 1650, tiene una frase que encantará a los bibliófilos. Dice el autor, hablando de Medina del Campo, que allí hay «famosas librerías». La imprenta se ha ido extendiendo durante todo el siglo XVI por España entera. Hay imprentas en Burgos, Toledo, Valencia, Tarragona, Sevilla. Salen de esas imprentas infolios recios, abultados, y libros chiquititos, regordetes. Célebres son en el siglo XVI las imprentas de los Portonaris, en Salamanca, y la de Juan Brocario, en Alcalá de Henares. En Medina del Campo, la noble ciudad castellana, había, sí, grandes y famosas librerías. Hoy, después de los siglos, nos causa profunda emoción a los bibliófilos el encontrar en una librería de lance un librito del siglo XVI. Lo hemos perseguido a lo largo de los catálogos; se nos ha escabullido dos o tres veces; un librero a quien íbamos a comprárselo lo acaba de vender; un amigo nos dice que él ha visto un ejemplar en tal librería; pero el amigo está equivocado; se trata de otra obra o de otra edición, sin importancia, de la misma. Y un día, cuando menos lo esperamos, buscando otra cosa, nuestras manos se posan sobre un volumen; lo examinamos distraídamente y no podemos reprimir una viva exclamación. El volumen ansiado está en nuestras manos. En la portada se lee: «En Salamanca, en casa de Domingo de Portonaris, 1575.»

Pues ahora imaginad un bibliófilo transportado por arte de magia a las famosas librerías—públicas o particulares—de Medina del Campo. ¡Qué inmenso gozo! ¡Qué tesoro espléndido! Nuestra bolsa no es bastante grávida para comprar tantos libros como deseamos. Y si la librería no es de libros venales—lo que ahora llamamos biblioteca—, nuestra capa no es bastante ancha para poder llevarnos a escondidas cuatro, seis u ocho volúmenes. El bibliófilo, maravillado, va de uno a otro estante; saca libros de todos; los mira y remira; examina a trasluz la filigrana del papel; pasa la mano suavemente por el pergamino o por el cuero.

La materia bibliográfica es inagotable. Grande es la pasión del bibliófilo; pero hay libros que pueden escapar a la codicia del apasionado. Sobre todo, los libros chiquitos diríase que se complacen en hacer travesuras a los más sagaces y universales conocedores de libros. Los libros chiquitos son diablillos indómitos. ¿Qué bibliófilo quevedista conoce la edición de *La fortuna con seso,* hecha en Zaragoza el mismo año que la primera, en 1650, por los mismos impresores? ¿Y quién, entre los más conocedores de la bibliografía de Quevedo, tiene noticia de la edición de *La política de Dios* hecha en Milán por Juan Bautista Bidelo en idéntico año que la primera de Zaragoza, la de 1626?

XXIX

CORSARIOS

Desde la montaña llega hasta la ribera un hondo barranco. En el fondo se ve culebrear un arroyuelo. Las laderas del barranco son de tierra rojiza. La arena de la playa—todo a lo largo de la costa—es de color dorado. Lope de Vega, en tres versos, ha dado la sensación profunda del agua que va y viene blandamente sobre la arena suave. En su comedia *Don Gonzalo de Córdoba,* un personaje exclama: «¡Qué agradable está la mar!» Y otro replica:

> Con las arenas mojadas,
> parece, entrando y saliendo,
> que está retozando el agua.

Las laderas terrosas del barranco son rojas; el cielo es azul. Las arenas de la playa son doradas, y el mar es de un añil intenso. Allá lejos se ven venir por el mar dos velas blancas. Lentamente, las dos velas se van haciendo mayores. Caminan pausadas; no parece que marchan. Todo es silencio en el vasto y luminoso panorama. En un breve promontorio, que entra en el mar, se yergue una torrecilla cuadrada.

En la serenidad de la mañana nada turba la maravillosa quietud. Por el ramblizo ha aparecido, camino del mar, una punta de cabras. La hierba es escasa. Las cabras, diseminadas acá y allá, muerden las matas y dan de cuando en cuando repentinos cabeceos. Se oye en el silencio el sonido de un caramillo. Las velas blancas avanzan por el mar azul. Un pastorcito tañe el caramillo. Cuando ha tocado un poco se lo da a una pastorcita que marcha junto a él. La pastora toca otro momento y se lo vuelve, riendo, al muchacho. El zagal pone sus labios donde los ha puesto la pastora y vuelve a tañer. Los dos ríen alborozados. Las velas siguen avanzando hacia la costa. Las cabritas arrancan los matojos, dando fuertes respingos. ¡Cuán blandamente el agua avanza y se retira sobre la fina arena!

Con las arenas mojadas,
parece, entrando y saliendo,
que está retozando el agua.

En la espléndida luminosidad reverbera el mar de intenso color azul. La costa, de doradas arenas, se aleja a la derecha y a la izquierda, formando una inmensa cavidad. Las velas blancas han avanzado; están ya cerca de la playa. De los bajeles han descendido gentes, que corren por la arena y se internan por el barranco. Un momento después, las cabras, que se habían diseminado precipitadamente, vuelven a congregarse. Cabecean lo mismo que antes entre los matorrales. Un perro lanza, con la cabeza en alto y mirando hacia los barcos que se alejan, plañideros ladridos. Las dos velas se van haciendo cada vez más pequeñas. De la almenara del promontorio se eleva una columna de humo. Nada turba la serenidad del paisaje. Más adentro, en la costa, sobre otra colina se eleva otro penacho de humo blanco. Las velas son ya muy chiquitas en el horizonte. Pacen solas las cabras. El perro lanza sus ladridos tristes. Los humos de las fogatas encendidas en las colinas van ascendiendo lentamente en la serenidad y el silencio de la mañana.

XXX
LA GLORIA

¿Cuál era el concepto de la gloria en el siglo XVI? ¿Qué es la gloria para un español de esa centuria y de tiempos posteriores? La gloria suprema es la gloria de la acción. La gloria de la inteligencia —gloria científica, gloria literaria—casi no existe. Si existe, es tan tenue, tan subordinada a la otra, que se puede desdeñar. España es una nación profundamente cristiana. El cristianismo pone como pináculo de la vida la virtud. En España todo concurre a la exaltación del hecho sobre el pensamiento. Todo viene concertado, desde los orígenes de la Historia, para el triunfo de la acción sobre la inteligencia. El paisaje, la configuración de la tierra —tan diversa en tantas regiones—, el modo de vivir del español, las empresas guerreras, la conquista de América, todo, en suma, impele a la acción. El cristianismo está en consonancia con lo más íntimo y profundo de España. El Renacimiento, que es primacía de la inteligencia, no podía profundizar en tierra española. A la especulación intelectual de otros pueblos, nosotros oponíamos la voluntad que acaba en virtud. Los ideales eran en absoluto antagónicos. En *El héroe*, de Gracián, se examinan todos los heroísmos. El de las armas merece el aplauso y la reverencia del autor. El heroísmo militar es acción en sublimidad. Pero al llegar a la última página del libro, Gracián escribe: «Ser héroe del mundo poco o nada es. Serlo del cielo es mucho; a cuyo gran monarca sea la alabanza, sea la honra, sea la gloria.» ¿Podrá nadie afirmar que el ideal de inteligencia es superior al ideal de virtud? Absurdo es incriminar a España su infecundidad científica; su camino era otro. Y candidez—o excesiva nobleza—en los defensores de España es ir a situarse, para sus defensas, en el mismo terreno en que los partidarios del intelectualismo han querido plantear el problema.

XXXI

LOS MISIONEROS

Este crepúsculo que ahora avanza, crepúsculo de la tarde, no lo volverá a ver avanzar más desde su celda el buen religioso. No verá más esta faja de luz dorada, tenue, en lo alto de la pared del patio. ¿Cuántas veces, a esta hora, desde su celda, ha contemplado el religioso este último esplendor de la tarde? Ya acaso no lo vea más. Diez años ha estado en el convento. Desde el punto en que profesara, él tenía el profundo deseo de que llegara este momento. Ha llegado ya. El religioso ha recogido su ropa en un pequeño fardel. Los pocos libros que tenía han sido trasladados, unos, a la librería del convento, y regalados otros a los compañeros. Cuando el religioso se haya marchado, pasado el tiempo, el compañero que lea en alguno de estos libros le recordará con emoción. «¿Dónde estará en estos momentos? — pensará — . ¿Qué habrá sido de él? ¿Cuántas almas habrá conquistado ya para el cielo?» La celda está limpia y desembarazada de todo; el fardel con la ropa reposa encima de un escaño. La mirada del religioso vaga por las paredes blancas y desnudas del cuarto; él quiere llevar una visión última de estas blancas paredes. Mañana, al hacerse de día, el religioso partirá hacia la ciudad; se unirá allí con otros compañeros; todos harán juntos el viaje. Esta es la última noche que va a dormir el religioso en su celda. Dentro de poco, por los caminos de España, un tropel de hombres henchidos de fe irá en busca del mar. Por el inmenso mar navegarán luego hacia lo desconocido. ¿Qué dicen los nombres de Persia, de China y del Japón a los buenos religiosos? De allá han venido, de tarde en tarde, noticias terribles; pero la fe no desmaya ni se amedrenta. Allá van, desde España, hacia el martirio, hacia la muerte, estos buenos religiosos. Hacia el mundo ahora invenido marchan también, y allí evangelizarán a las gentes. Todos han dejado las celdas de sus conventos. El martirio y la muerte no representan nada para los misioneros. España es ardiente en su fe. La fe de España es llevada a todos los confines del mundo por estos religiosos. De entre todos los españoles que luchan fuera de la patria, éstos son los más abnegados. Unos pelean por reinos; otros buscan en los países vírgenes el oro. Estos religiosos se mueven por la caridad. Y allá van, por los caminos, hacia las costas; por los mares inmensos navegarán después en busca de lo desconocido.

XXXII

EL POBRE LABRADOR

El pobre labrador vive en Castilla, en Tierra de Campos, en el Bierzo, en la Vera de Plasencia, en Andalucía, en Cataluña, en Galicia. El pobre labrador puede ser pobre por su corta hacienda; pero en el siglo XVI—y en el XVII—era pobre por otras circunstancias. La vida del campo es independencia y sociabilidad al mismo tiempo. Se tiene en el campo la amada soledad y, a la vez, la grata comunicación. Las casas están independientes, a largo trecho unas de otras; pero por veredas y atajos se va prestamente de una a otra. El labrador es rey en su heredad. Tiene pan, vino, leche, miel, aceite. Con las maderas de sus árboles construye las puertas y ventanas y los artefactos y muebles de la casa. El aceite de sus olivos le alumbra. Las ovejas le dan lana para los trajes. El lino está presto para convertirse en blancos lienzos; sobre ellos estará el pan y entre ellos reposaremos. Hierbas medicinales son la farmacia del labrador. Para sus devociones, la cera le da luz al labriego, cera que es luz en las alegrías y luz en los momentos luctuosos. El pobre labrador vive independiente en sus tierras. Su vida está reglada por el sol. El sol es indefectible en sus mandatos; no tiene nunca ni apresuramientos ni negligencias. Acompasada sobre tal norma, la vida del labrador es toda simetría y regularidad. En el campo es en donde la autoridad y el orden son más espontáneos y firmes. La tradición es más sólida. El labriego conoce minuciosamente la campiña; es grato departir con él sobre las cosas agrestes. La charla de un señor nos vemos obligados a soportarla; la de un labriego podemos concluirla cuando nos plazca. «Más trabajo es sufrir a un señor pesado que a un labrador necio—decía fray Antonio de Guevara en una carta al conde de Benavente—; porque el caballero háceos rabiar, y el bobo labrador provócaos a reír, y más allende de esto, al uno podéisle mandar que no hable, y al otro habéisle de esperar a que acabe.» El pobre labrador puede ser pobre por otras circunstancias que su pobreza. A fines del siglo XVI ya la fuga de los moradores de los campos se ha iniciado. Las ciudades hechizan a los villanos. Las ciudades son espléndidas en el siglo XVI. Los monumentos aparecen nuevos. En las anchas plazas—muchas de ellas rodeadas de soportales—se yerguen esos hermosos edificios. El labriego se marcha hacia la ciudad. Le tientan las guerras y la conquista de América. Van faltando operarios en las campiñas. La Mesta se lleva todos los privilegios. Sobre el labrador pesan todas las cargas. Sus tierras no puede cerrarlas; los ganados entran a pastar en ellas; se comen los rastrojos y destruyen las viñas; los viandantes hurtan la fruta de los linderos; las tropas huellan las cosechas; gentes de guerra entran a saco en las casas; roban los perniles que están colgados en el humero; se llevan las gallinas escondidas en los anchos follados; suelen forzar a las mozas. No es grata la vida en el campo. Ya en el siglo XVI, la labranza comienza a declinar. Y el sustento de la patria son los labradores.

XXXIII

UN SANTO

El hermano Román es un humilde siervo de Dios. No le dejan estar en paz. Le sigue y acosa la multitud. Viste el hábito de San Francisco y mora en un convento de la ciudad. En el mapa conventual de España vemos primero los conventos de las ciudades. Después, los conventos erigidos en los alrededores de las poblaciones; tal es el de Santa Cruz, en Segovia; el de Santo Tomás, en Avila; las Cartujas de Burgos y Granada. Más lejos de las ciudades, en parajes solitarios, llamados desiertos, se levantan otros conventos. Y en el último extremo de la escala espiritual, como lo más austero, vienen las reducidas ermitas, que se construyen en las inmediaciones de los desiertos, y en las que viven los anacoretas. Los carmelitas son los que han fundado más desiertos en España. Podemos contar como el primero y más famoso de todos el de Bolarque—entre Pastrana y Buendía—, y luego los de Nuestra Señora de las Nieves, en la serranía de Ronda, el de las Batuecas, el del Cardón, en Cataluña. Los conventos se levantan en las ciudades y en los campos. El hermano Román mora en uno de los conventos de la ciudad. No le dejan sosegar un instante. La muchedumbre le cerca y le atosiga. El hábito que trae, cada ocho días está hecho andrajos; le cortan pedazos con tijeras o le desgarran violentamente jirones. El hermano sonríe y exclama: «¿Han visto la bobería en que dan?» Sonríe bondadosamente, como un niño. No sabe nada del mundo el hermano Román. Su candor es maravilloso. Cuando va de una ciudad a otra, los señores le hospedan en sus casas. La muchedumbre invade las estancias y llega hasta la mesa donde come el hermano; le abraza, le apretuja, le besa y corta pedazos de su hábito. El hermano Román tiene una sonrisa de inefable dulzura para todos. Llama *el asnillo* a su cuerpo. Al cuerpo no quiere darle gusto ninguno. Felipe II, encontrándole en la calle, le ha hecho subir a su coche; pero, al punto, el hermano Román se ha apeado. «No quiero—ha dicho—darle este gusto de la vanagloria *al asnillo.*» Su imperio es dulce. Cuando él, sonriendo, pone su mano sobre el hombro del iracundo, la cólera desaparece. Va siempre descalzo; come un poquito de pan y unas hierbas cocidas; su celda tiene cuatro metros en cuadro. El hermano Román casi siempre está fuera de su convento. En una gran pestilencia que hubo en la ciudad, en tanto que todos huían, él atendía a los enfermos y cargaba sobre sus espaldas a los muertos. Visita y consuela a los presos. Si en las madrugadas encuentra un niño abandonado, él lo recoge, lo mece en sus brazos y se pone en las puertas de las iglesias a pedir para el pobrecito. El hermano Román sonríe siempre. Sonríe siempre con una sonrisa de inefable bondad. Su enemigo es *el asnillo;* pero él sabe domarlo y mortificarlo. Cuando muera, la muchedumbre romperá en gemidos y llantos.

XXXIV

LA MUCHEDUMBRE

El hermano Román ha muerto. La noticia se ha extendido rápidamente por la ciudad y por los campos. Ha llegado la nueva hasta los senos más apartados de las montañas. Por los caminos y las veredas llegan los labriegos a la ciudad. Vienen ancianos, mujeres, mozos y niños. Los pardos gabanes y anguarinas de los hombres se entremezclan con las sayas amarillas, verdes y azules de las mujeres. En la ciudad, llena la muchedumbre la ancha plaza. Son las primeras horas de la mañana. Hace dos días, el hermano Román ha muerto. Su cuerpo está en la catedral. Le han colocado en la capilla mayor, cerrada la bella verja, tras los altos barrotes de hierro forjado. El hermano Román, con la cabeza un poco ladeada, parece dormir. Sus manos yertas, con los dedos trabados, sostienen un crucifijo. Esta misma mañana será el entierro. Las puertas de la catedral todavía están cerradas. La anchurosa plaza está rebosante de una multitud que espera ansiosa. En la negrura de la muchedumbre resaltan las notas azules, amarillas y verdes de los trajes femeninos. Los instantes transcurren lentos. A veces, un incidente cualquiera hace que se produzca un vivo remolino de gente. Todas las caras se vuelven entonces hacia el lado donde la gente grita. Un momento después, torna el silencio. Los balcones están llenos de espectadores; los hay también en las techumbres. De pronto, en el balcón de una casa—de una casa que tiene cerradas todas sus ventanas y puertas—alguien lanza grandes gritos. La muchedumbre se vuelve hacia el balcón. Todos callan. En el balcón se ve a un hombre joven, alto y gallardo. Trae una larga barba. Se envuelve en un amplio tabardo de pieles. La cabellera negra y revuelta baja hasta los hombros. El mozo eleva al cielo, con la mano izquierda, un crucifijo; con la derecha acciona enérgicamente. Han callado todos al oír los primeros gritos. En la vasta plaza, llena por la muchedumbre, reina un silencio profundo. Con el crucifijo en la mano izquierda, extendiendo la derecha hacia la multitud, el anacoreta grita: «*Domine Deus*...» Hace una pausa el mozo, y luego añade con la misma voz recia, poderosa: «*Domine Deus, salutis meœ, in die clamavi et nocte coram te.*» La fuerza de la voz es tal, y tal lo patético de la entonación, que la muchedumbre se siente dominada. La gallardía del mozo subyuga a todos. Todos se sienten conmovidos ante las voces del eremita. Las lágrimas caen de los ojos; lloran las mujeres; lloran los niños; todos gritan; un inmenso clamor surge de la plaza. En el balcón solitario, prosigue el anacoreta lanzando sus gritos: «*Intret in conspectu tuo oratio mea; inclina aurem tuam ad precen meam*...» («Haced que lleguen a Vos mis ruegos; dad oídos, Señor, a las súplicas que os hago.») La recia y formidable poesía de David tiene, ante la muchedumbre, en esta hora dolorosa, un magnífico intérprete en el eremita misterioso. La muchedumbre clama, gime, impreca y llora. «*Domine Deus, Domine Deus*», repite la voz poderosa del anacoreta. Y la muchedumbre, conmovida, angustiada, va repitiendo las mismas palabras. «*Domine Deus, Domine Deus*», vocean todos en un tremendo clamor. El cielo estaba radiante y ya el sol de la mañana bañaba las blancas piedras de la catedral.

XXXV

CLARO EN EL BOSQUE

En la paz de la tarde asciende lento el humo. Ni la más ligera voluta se disgrega de la compacta y tenue columna que sube por el aire limpio. El bosque se extiende por todas partes. En este anchuroso claro del bosque descansa una legión de soldados. Está lejos, muy lejos, más allá de los mares, España. El capitán de la tropa se halla sentado en el tronco de un árbol. En la hoguera se tuestan sanguinolentas carnes. Los caballos van paciendo la hierba o se yerguen y ramonean en los árboles. Hace un momento, la tropa ha salido de la selva. Han caminado durante todo el día. El capitán era cantero en España; trabajaba en la catedral de Burgos; por causa de una reyerta traspasó los mares; con intrepidez logró ponerse al frente de una compañía de soldados. Este hombre, que está aquí descansando, ha escrito en la historia humana una fecha única. Desde que el mundo es mundo, no ha realizado nadie hazaña de mayor fortaleza. Con hueste de soldados o solitario, con armas o inerme, roto y descalzo a veces, ha recorrido entre tribus diversas, en este mundo transmarino, inmensas extensiones de tierra. Ha vencido formidables obstáculos: muros empinados de lisa roca que le cerraban el camino y que era preciso escalar; mesetas elevadísimas en que el frío intenso y la rarefacción del aire hacían las horas angustiosas; lluvias torrenciales que lo anegaban todo e impedían durante semanas encender fuego; laderas de greda escurridiza por los turbiones, en las que se deslizaban y resbalaban los pies; hondas barrancadas con torrentes mugientes e impetuosos en lo hondo, que había que atravesar gateando sobre troncos de árboles; llanos inmensos, en que la seca y amarilla hierba reflejaba un sol abrasador; trampales extensísimos, en que las piernas se hundían hasta el vientre; ríos de una anchura prodigiosa, que ha surcado en frágiles y toscos esquifes. Sentado aquí, durante el crepúsculo, este español, tranquilo, sosegado, ha hecho lo que no ha hecho nadie en el planeta. Ha habido emperadores, reyes, grandes guerreros, héroes sublimes: nadie, en esfuerzo, en energía, en perseverancia, en serenidad de ánimo, ha llegado a donde este humilde español ha llegado. Y no tiene en torno suyo ni cortesanos, ni guardas reales, ni cohorte magnífica. Ni viste brocados, ni bebe en oro, ni yacerá esta noche en cama de holandas y damascos. Durante la noche que se aproxima, el capitán y su gente van a descansar en el claro del bosque. En el comienzo de *La Eneida*—el poema en que se alude a un mundo desconocido y misterioso—, en el comienzo de *La Eneida,* Eneas y sus compañeros, después de furiosa tormenta, arriban a una deleitosa isla, y descansan en tanto que se tuestan los ciervos cazados. En la isla hay un espeso bosque; agua fresca y dulce fluye en una gruta. Eneas y sus compañeros, y los descendientes de Eneas, han de fundar un vasto imperio. Del capitán español y de sus camaradas ha de arrancar una espléndida civilización en un mundo virgen. En el claro del bosque descansan todos. Cerca está el mar con sus procelas. Los ríos son anchísimos. Las montañas se yerguen inaccesibles. Durante el día, han caminado los españoles por la selva. La viva luz solar apenas llega al centro del bosque. Gruesos troncos caídos desde hace años y años, se van deshaciendo y convirtiendo en tierra negruzca. Follaje tupido cubre y tapiza troncos y ramas; como listones y cordeles que aseguran la verde cortina de hojas, van de tronco en tronco, se cruzan en el aire, reptan hasta las cimas y caen en festones que se balancean, largas y flexibles verdascas. Rasga los aires de cuando en cuando el grito agudo de un pájaro; se ve de pronto, sobre la verdura, cruzando rápidamente, el abanico dorado, verde y azul de un plumaje. En el silencio, alguna vez, entre las hojas secas, se produce un ruido de papeles estrujados y brilla un momento un pedazo de piel lustrosa, escurridiza y como de malla menuda, en apagados colores.

XXXVI

LA FAMOSA DECADENCIA

La idea de decadencia es antigua en España. Españoles y extranjeros han hablado largamente, desde hace tiempo, de la decadencia de España. Reaccionemos contra esta idea. No ha existido tal decadencia. ¿Cuándo se la quiere suponer existente? Se la supone precisamente en el mismo tiempo en que España descubre un mundo y lo puebla; en el tiempo mismo en que veinte naciones nuevas, de raza española, de habla española, pueblan un continente. La idea de decadencia es antigua, sí; han colaborado en la creación del concepto de decadencia hombres eminentes, eruditos, historiadores, literatos. Teniendo la idea siglos de antigüedad, ¿es ahora cuando vamos a rectificarla? ¿Es ahora cuando vamos a ver su falacia? Sí, ahora precisamente; porque ahora precisamente es cuando comenzamos a adquirir—puesta la vista en América—conciencia de la fortaleza y la fecundidad de España. Como es ahora precisamente, dicho sea de pasada, pero con pertinencia, cuando España adquiere la conciencia plena de su espléndida belleza, y la iniciación de este conocimiento—y el descubrimiento de Castilla—se debe, como tantas otras cosas, a los catalanes, a Percerisa y sus amigos. La experiencia de América debe de ser decisiva para el hombre de acción y el hombre de pensamiento. Cuando después de muchos días pasados entre mapas y libros americanos de geografía y viajes, volvemos a nuestros habituales pensamientos, experimentamos una sensación extraña. Hemos viajado por las inmensas extensiones de la Argentina, Bolivia, Perú, Chile, Colombia. Hemos estado en Méjico. Hemos visitado otras naciones de más reducido ámbito. La variedad inmensa de paisajes nos ha deslumbrado. Ahora todo nos parece pequeñito, reducido, exiguo. Sin haber estado en América, sentimos la nostalgia de sus panoramas múltiples y esplendentes. Todo es ahora restricto y angosto: los espacios geográficos y los movimientos humanos. Al vernos, con el pensamiento, en una ciudad de la Argentina, del Perú, de Méjico, de Chile, de Bolivia, de Colombia, una sensación misteriosa nos hace estremecer; nos parece que una íntima vibración baja desde lo pretérito hasta nosotros por una cadena de antecesores.

No ha existido la decadencia. Un mundo acaba de ser descubierto. Veinte naciones son creadas. Un solo idioma ahoga a multitud de idiomas indígenas. Se construyen vastas obras de riego. Se trazan caminos. Se esclarecen bosques y se rompen y cultivan tierras. Montañas altísimas son escaladas, y ríos de una anchura inmensa surcados. Se adoctrina e instruye a las muchedumbres. Las mismas instituciones municipales son esparcidas por millares de villas y ciudades. La industria, el comercio, la navegación, la agricultura, el pastoreo, surgen, en suma, en un nuevo pedazo del planeta y enriquecen a gentes y naciones. ¿Y quién ha realizado tan gigantesca obra? ¿Todas las naciones unidas en un supremo y titánico esfuerzo? ¿Francia, Inglaterra, Italia, Alemania, Austria, Rusia, de consuno? No; una nación, una sola nación, sola, sin auxilio de nadie: España. ¿Y cuántos habitantes tenía España cuando fundó el mayor de los imperios modernos? No limitemos la visión al área de España. España es la península y los veinte pueblos americanos. España, con el descubrimiento y colonización de América, creaba una sucursal, que había de ser más grande que la casa matriz. No se puede decir que un Banco esté en quiebra porque traslada sus fondos de una casa a otra casa. No teníamos, en ningún momento, que aprender nada en Europa. No necesitábamos para nada a Europa. Europa éramos nosotros y no los demás pueblos; o por lo menos lo éramos tanto nosotros—y lo seguimos siendo—como las demás naciones. Nuestro ideal era tan elevado y legítimo como el ideal de los demás países europeos. Es falso que Descartes sea superior a Santa Teresa y Kant a San Juan de la Cruz.

La idea de decadencia irá desapareciendo a medida que el espacio espiritual existente entre España y América—la solución de continuidad creada por dos o tres siglos de negligencia—vaya también desapareciendo. La génesis del concepto de decadencia es antigua. El ambiente, en siglos pasados, era adecuado para su desarrollo. La nación estaba saturada de doctrinas ascéticas. La vida es frágil y triste; los bienes terrenos son despreciables; el hombre es un compendio de miserias. El tránsito era difícil de lo genérico y sempiterno a lo circundante y accidental. La realidad española había de estar sujeta al mismo criterio de denunciación. Cuando se desdeñaba el universo, ¿qué importaba un mundo nuevo? No era lo raro que se viera la merma de España en el ámbito peninsular, sino que no se viera, ni se haya comenzado a ver, hasta ahora, el prodigio de la extravasación de España. Lo que se percibía con agudeza y dolor eran las lacras de casa, el ocio, la soberbia, la aridez, la incapacidad. La sensibilidad toda estaba polarizada en ese sentido. Mientras los extranjeros—singularmente en Francia y en Inglaterra—, por rivalidad política, por oposición de ideal, ahincaban en la idea de nuestra decadencia, nosotros reiterábamos nuestros plañidos. Y por encima de todo—para completar el desolado cuadro—se cernía la idea de que la decadencia es cosa fatal e inevitable. La idea venía de la antigüedad clásica. La idea estaba reñida con el libre albedrío. Pero, entre sutilezas de primeras y segundas causas, Gracián y Saavedra Fajardo, entre otros, expresaban esa opinión con palabras de un vigor y de un colorido seductores. El uno habla de una «inquieta rueda», y el otro, de los «telares de la eternidad», en que se teje la tela de los sucesos que no podemos romper.

XXXVII

PALACIOS, RUINAS

Viajero: es la hora de descansar un momento. Esta es la piedra blanca en que el viajero ha de sentarse. La campiña en esta hora del crepúsculo está solitaria. Junto a la piedra se yergue un grupo de álamos. Sombrean los álamos en las horas de sol unas ruinas. Lo que fué magnífica casa de placer, levantada en el Renacimiento, es ahora una pared rota. ¡Cuántas horas deleitables se habrán pasado entre las paredes que aquí había! Por los caminos bordeados de árboles vendrían, lentos, los coches de los señores; acaso en un palafrén pausado caminaría gallarda la dueña de la casa. Viajero: es la hora de la meditación ante las ruinas. La campiña está solitaria. La tenue luz, amarilla, dorada, del crepúsculo se desliza oblicua a ras de tierra. Ya dentro de unos minutos el sol acabará de desaparecer tras la lejana colina. Los álamos verdes se alzan junto al derruído paredón. Fué palacio espléndido esta ruina. En el siglo XVI todos esos palacios brillaban con la brillantez de lo nuevo. España estaba llena de palacios flamantes. La piedra acababa de ser labrada. Tenía una blancura de nieve. Las tracerías, en los claustros y en los patios de los palacios, parecerían recortadas en blanquísimo papel.

Canteros e imagineros hacían en las callejas y en los talleres un ruido sonoro y rítmico con sus cinceles y sus picos. Se labraba con amor la piedra. De los toscos pedruscos, traídos de los montes, arrancados de las canteras, iban saliendo grifos, conchas, niños, pájaros, querubines, frutas, flores. Con fervor pasaba sus manos el artista por todas estas figuras blanquecinas, que él acababa de crear, cubiertas todavía de un polvillo ligero. En los entrepaños, en las columnas, en las ventanas, en los frisos, en las retropilastras, aparecía luego todo este mundo vario y pintoresco de vivientes y vegetales. Los palacios resplandecían. Los formaban una conjunción maravillosa de fervores en el trabajo de las manos—de albañiles, canteros, herreros, estofadores, pintores, escultores—, que ha desaparecido, acaso para siempre, en la especie humana.

Si desde una atalaya imaginaria hubiéramos podido ver las ciudades de España, nuestras amadas ciudades, habríamos vislumbrado en ellas, sembrados con profusión, los palacios blancos. Viajero: el tiempo ha ido pasando, los siglos han transcurrido. ¿Estaban mejor antiguamente los palacios de nuestra España o están mejor ahora? Ahora tienen la dulce pátina del tiempo: tienen el encanto melancólico de lo viejo. Ahora sus piedras nos dicen lo que antes no podían decir: la tragedia del tiempo que se desvanece. Viajero: es la hora de meditar ante las ruinas, y este paredón ruinoso de un palacio que fué, aquí, en la campiña solitaria, nos da tema para nuestras meditaciones. Los siglos han transcurrido. El antiguo palacio se ha desmoronado; pero aquí, al lado de las ruinas, como una sonrisa en la eternidad, está este grupo de finos chopos, que tiemblan levemente en sus hojas al soplo de la tarde expirante.

XXXVIII

REDENCION DE CAUTIVOS

La vida de este religioso puede contarse en pocas palabras. Fué en el mundo un caballero principal. No había en toda la ciudad hombre más bondadoso. No desesperaba nunca en las adversidades. Cumplía estrictamente con sus deberes. Una sola flaqueza tenía: amaba con exceso el dinero. Por atesorar, se imponía los más recios trabajos. Todo era escaso en su morada. Llevaba traspillados a los sirvientes. Deshacíase el caballero en loores de la sobriedad por encubrir su avaricia. Todos le querían en la ciudad, a todos encantaba su trato; pero su avaricia contristaba a sus deudos y amigos. El mismo caballero se daba cuenta de su pecado y prometía enmendarse. Sus propósitos de arrepentimiento eran siempre fugaces. Deudos y amigos hablaron en cierta ocasión con el prelado de la diócesis; llamó el prelado al caballero; departieron los dos con gran espacio. Al día siguiente, el caballero dió una comida a los pobres. La ciudad contempló atónita el espectáculo. Los amigos y deudos del caballero se daban el parabién. Pero fué contrición fugaz. Podréis apartar de su torpeza a un hombre moceril; un iracundo podrá ser amansado; un envidioso podrá verse libre, por vuestras reflexiones, de su íntima congoja. No podréis lograr por ningún camino que un avariento renuncie a su pasión. Dos días después de la comida, el caballero volvió a su condición primera.

Un día se anunció que volvía a la ciudad un íntimo amigo del caballero. El amigo había estado cautivo en tierra africana. Quince años pasó en el cautiverio. Se veían desde la huerta en que trabajaban los montes de España:

> De las africanas playas,
> alejado de sus huertas,
> mira el forzado hortelano
> de España las altas sierras.

Durante quince años había estado el cautivo dando vueltas y vueltas en el artificio de una noria. Sus pies descalzos habían hecho en la tierra un hondo lendel. Columbraba a lo lejos la tierra española. No hizo en los quince años de esclavitud otro oficio el pobre cautivo. Las tentativas para su rescate fueron inútiles. La familia del cautivo era pobre. El caballero de la ciudad y el esclavo eran íntimos amigos. Acaso pudo el caballero ayudar con una parte de su caudal al rescate del amigo. No lo hizo el caballero. Al cabo de los años unos religiosos trinitarios redimieron al esclavo. Está ya en tierra de España el cautivo. Va a llegar a la ciudad. Ha llegado ya a la ciudad, y el caballero es avisado de la llegada de su íntimo. Entra el caballero en la casa donde está el amigo con su familia. Rápidamente va con los brazos abiertos hacia el amigo. El esclavo permanece inmóvil. Joven aún, su cabello está blanco y sus ojos miran espantados, sin ver a nadie. El caballero permanece absorto ante el amigo. Y de pronto el cautivo, maquinalmente, sin proferir palabra, comienza a dar vueltas por la sala con la cabeza baja, como alrededor de una noria...

En el convento de Trinitarios que hay en la ciudad entraba al día siguiente el caballero; le precedían dos criados, llevando un pesado cofre. El caballero no volvió a salir del convento. Tiempo después, vistiendo la túnica blanca y el manto negro de la Orden, el caballero emprendía el camino de Africa.

XXXIX

LA PEDAGOGIA

El maestro ha aparecido en el umbral. Es un viejecito cenceño y un poco encorvado; su cabeza está lisa, reluciente. Los ojos son diminutos y brillantes. Trae las manos metidas en las mangas del hábito. Cuando el maestro aparece en la puerta todos los novicios se ponen prestamente en pie; se hallaban todos—niños y adolescentes—sentados en un banco, en torno de la estancia. El maestro levanta la mano con un leve ademán. Todos los novicios tienen puesta en él la mirada. Se tornan todos a sentar. La lección comienza. Sonriente y ligero, el maestro va de una parte a otra. Sus pasos son leves. Todos los novicios van vestidos ya con sus hábitos. El maestro, rápido y silencioso, se ha detenido ante uno de los mocitos. Le pone cariñosamente la mano en el hombro y le hace una pregunta. El interrogado medita durante un instante. Y luego contesta. Al oír la contestación —contestación exacta—, el maestro tuerce la cabeza y frunce el ceño. Todos los alumnos, repentinamente, ponen seria la cara y miran al compañero. El maestro, con palabras graves, dice que lo que ha contestado el alumno no es lo cierto. El alumno, reprendido afectuosamente, se pone colorado. De pronto el maestro sonríe. Y ahora la reprensión, con palabras también cariñosas, no es por una falta que el maestro supone—no existiendo—en el discípulo, sino por una falta real: la falta de confianza y de seguridad por parte del discípulo en su propio dictamen. El alumno había contestado bien al maestro. La autoridad del maestro se había impuesto, sin embargo, al discípulo. Y eso es lo que de ningún modo quiere este viejecito ligero y silencioso. La treta se repite cada dos o tres días. Siempre el discípulo se siente sobrecogido por el maestro. Y siempre el maestro sonríe y mueve la cabeza, contrariado.

La lección prosigue. Los alumnos van exponiendo sus dudas al maestro. La estancia tiene unas ventanas que dan al campo. Se ve la campiña, dilatada y verde. Entra el puro y vivo aire por los anchos ventanales. Preguntan los discípulos y responde el maestro. El diálogo es cordial y animado. A veces el maestro se detiene delante de un niño: le mira en silencio, le coge por los dos brazos suavemente y le trae hacia una ventana; en la ventana, le mira a la luz, como si no le conociera. Luego, con voz un poco irónica, socarrona, profiere una exclamación. El maestro ha notado una falta en el niño y quiere reprenderle en forma grave y dulce a la vez.

En multitud de conventos españoles, a esta hora misma, en el siglo XVI, los maestros están adoctrinando a los discípulos. Debemos considerar en la historia de la pedagogía española la enseñanza en las Ordenes religiosas. Un siglo más tarde, en 1676, el jesuíta Pedro de Mercado dedica páginas delicadas a la pedagogía en su libro *Práctica de los ministerios eclesiásticos*. «Cuide—dice Mercado al maestro—de que los discípulos le pregunten sus dudas; y cuando le preguntaren, respóndales con afabilidad, porque si se desabren con las respuestas, no se atreverían a hacerle preguntas, y en no preguntando se quedarán con sus ignorancias.»

XL

LA VERDADERA ESPAÑOLA

La anciana vive en las afueras de la ciudad; esta parte de las afueras lleva el nombre de los *Pradillos;* se llega a este paraje después de atravesar el río por el puente romano. Donde hay ahora una fábrica de harinas, estuvo en 1860 el Matadero viejo. El Matadero se edificó en terrenos que ocupó de 1640 a 1802 el convento de San Agustín. Antes de que estuviera el convento, en 1570, se levantaba en ese lugar un grupo de casas. Se llamaban esas viviendas *las casas de Sancho Gil*. Sancho Gil fué un obispo de la diócesis; pero no se sabe si las casas pertenecieron al obispo o a un banquero judío del mismo nombre. En 1880, con motivo del derribo del Matadero viejo, se entabló violenta polémica sobre el tema entre dos periódicos de la localidad, uno republicano y otro conservador. La casa en que vivía la anciana tenía un reducido zaguán; en el fondo se veía una escalera de madera; corría por la pared estrecho balconcillo, también de madera; una puertecilla—la del cuarto de la anciana—daba a esta galería. La vieja señora sale todas las tardes, al anochecer, y va a la ciudad. Pasa el puente y sube por la Cuesta de Trajineros. Después se encamina a la catedral. La anciana marcha despacito; con una mano lleva cogido un cayado blanco y con la otra lleva, solapada debajo del manto, una alcuza de aceite. Todos conocen en la ciudad a esta viejecita. En la catedral arde una lámpara en la capilla del Amparo. No se ha apagado la luz de la lámpara desde hace cien años. Del mismo modo que esta anciana vierte su alcuza en la cazoleta de la lámpara, la han vertido antes su madre, y la madre de su madre. La lucecita no se ha extinguido jamás. A la hora en que penetra en la catedral la señora ya están en la penumbra las anchas naves. Las altas vidrieras palidecen con las últimas refulgencias del crepúsculo.

Lope de Vega, en su comedia *El molino,* hace que una duquesa, despechada, colérica, diga a una de sus damas:

> ...Que con una espada sola
> y la furia de mi pecho,
> hiciera, Teodora, un hecho
> de verdadera española.

En otra comedia del mismo Lope, *La moza de cántaro,* doña María de Guzmán y Portocarrero, la fingida moza, mata a un hombre que ha injuriado al padre de la dama. La anciana que va a la catedral no ha llegado a estos extremos; pero ha sido una mujer esforzada y animosa. Ya está arrugadita y encorvada; antaño prendaba a todos por la esbeltez de su cuerpo y la hermosura de su rostro. De tres hijos que tuvo, uno murió en Flandes; el otro partió a las Indias, y allí acabó sus días; el tercero encontró la muerte en una pestilencia que hubo en la ciudad. Todas sus adversidades las llevó con entereza la señora. La traición del marido fué la que más hondamente la conmovió. Hubo un instante en que estuvo a punto de hacer lo que deseaba ejecutar la duquesa de Lope.

La verdadera española es amiga del hogar. Le gusta vivir parte del año en el campo. Tiene la casa limpia. Amamanta a los hijos. Cose la ropa blanca. Entretiene la ropa usada con hábiles y curiosos zurcidos. Sabe aderezar conservas. Cuida amorosamente a los enfermos. Viste con sencillez; pasados los treinta años, los colores de sus trajes son los oscuros. No malgasta la hacienda ni regatea en lo que sea comodidad para la casa. Por ella no ha podido decirse: *derramadora de harina y allegadora de ceniza.* En su persona, bajo la bondad, bajo la más afable cortesía, encontramos un fondo de energía indómita. Y esa sensación de impetuosidad —en el paisaje severo y enérgico de España—, esa sensación de fortaleza que se alía a la gracia y a la sensualidad más delicada, es precisamente lo que da su atractivo insuperable a la mujer de España. Y ésa es—impetuosa y sensitiva—la *verdadera española* de que nos habla Lope de Vega.

La anciana que mora en las casas de Sancho Gil—el obispo o el banquero— va todas las tardes a la catedral. Tiene la constancia en la fe. Ha tenido la constancia en el amor. Ha sido tierna y fuerte. Sus manos, escuálidas ahora—¡tan bellas manos que fueron!—, mantienen lucidora la lucecita de la lámpara. Una tarde, al entrar en la capilla, a la anciana le ha dado un mal. Al día siguiente la han encontrado muerta. La luz de la lámpara estaba apagada.

XLI

EPILOGO ANTE EL MAR

> SEMPRONIO.—¿Has dicho?
> CALIXTO.—Cuan brevemente pude.
>
> (*La Celestina,* acto I.)

El ensueño ha terminado. Estamos en el mismo salón mundano donde comenzamos a soñar. Ante nosotros se extiende el mar inmenso. La noche ha desparramado—ciega y fría—sus sombras sobre la dilatada extensión de las aguas. Durante un momento el espíritu se ha abstraído de las cosas actuales. La realidad circundante no existía para nosotros. Volvemos ahora al mundo presente. Las estrellas brillan en la bóveda negra. Hemos puesto en nuestro ensueño un poco de efusión y de amor. No pueden ser comprendidas las épocas pasadas sin ese poco de sincera simpatía. Otras épocas—lejanas de nosotros—no pueden ser estudiadas con arreglo a las ideas, a los sentimientos, a los anhelos del presente. Un pueblo no puede ser condenado por haber seguido ruta distinta de otras naciones. ¡Qué sabemos hacia dónde marcha la Humanidad! ¡Qué sabemos cuál puede ser el resultado lógico y fatal, andando siglos y siglos, de un ideal que ahora propugnamos y reverenciamos! Desde la remota perspectiva de un porvenir de siglos y siglos, ¿qué es lo que podrá parecer el ideal de España en los tiempos sobre los que hemos meditado un momento? ¿Ha de triunfar en la Humanidad la inteligencia o ha de triunfar la voluntad? Hemos soñado durante un instante en la España pasada. Para nuestras meditaciones hemos escogido determinados hombres, determinadas circunstancias, determinados hechos. No hemos abarcado en su totalidad una época. Nos han bastado unos pocos rasgos—que juzgamos característicos—para determinar la modalidad de un pueblo. Y con profunda cordialidad hemos mariposeado sobre esos hombres y esas cosas. Nuestro espíritu ha divagado, ligero, de una parte a otra. Tal vez teníamos miedo de detenernos y de que en nuestra frente se marcara el ceño de la meditación apasionada. Con toda cordialidad, con vivo afecto, nos poníamos—durante un instante—de parte del pasado: admirábamos los hombres y las cosas de un siglo remoto; la lógica del sentimiento nos guiaba; con la lógica del sentimiento explicábamos lo que a los adversarios decididos de esa edad parece inexplicable. Pero la razón vigilaba en nosotros. No podíamos renunciar—al hacer la apología de la voluntad—a la luz de la inteligencia. Artistas y sentimentales, nos sentíamos atraídos por el espectáculo del pasado; obreros de la inteligencia, modestos obreros de la inteligencia, nos sentíamos arraigados en el mundo moderno. Y nuestro espíritu, durante la ensoñación, vagaba solícito, tratando de comprender, de un lado a otro. Tal vez sentíamos, sí, temor de detenernos. Al detenernos, al meditar con pasión, nuestra serenidad, nuestra ponderación, nuestro equilibrio, estaban perdidos. Habríamos de tomar forzosamente partido por el pasado o por el presente. Sin sentirlo, la parcialidad habría de apoderarse de nuestro espíritu. Y con profunda emoción, en estos momentos primeros de la noche, frente al mar entenebrecido, pensábamos en la paz espiritual: la paz espiritual que permite, entre artistas de todas las tendencias, gozar serenamente de los más variados espectáculos intelectuales. La estrellas brillaban en el cielo negro. Un faro paseaba, con breves intermitencias, su larga faja de viva luz blanca por el inmenso mar de tinieblas.

Y en nuestro espíritu, después de la meditación pasada, se resolvía el íntimo conflicto, el asomo de pavorosa antinomia—origen de angustias y desasosiegos—, en una fórmula de respeto y de tolerancia.

A DON RAMON MENENDEZ PIDAL, maestro y amigo, con admiración y con cariño.

I

EN MADRID

N 1840 y en Madrid. Son los primeros días de junio; media tarde. Por una c a ll ej u e l a avanza un transeúnte. La callejuela pertenece al barrio de Segovia. Las afueras del barrio de Segovia son extensas. Están comprendidos en su área la Casa de Campo, el Campo del Moro, el Parque de Palacio; se ven en su extensión lavaderos—quince o veinte: el del Platero, el de la Soledad, el del Escribano, el de la Viuda...—; tejares como el de Escudero, el de Zaldo, el del Conde de Corbos; huertas cual la de Barrafón, la de Luzona, la de Bornos, la de Fagoaga; paradores como los del Angel, Gilimón, San Dámaso; casas como la de la Cacharra, del Cura, del Estribo; ermitas: la de San Isidro y la de Nuestra Señora del Puerto. En las afueras del barrio de Segovia está enclavada la Fábrica del Gas.

El barrio de Segovia y el del Sacramento se hallan contiguos. Los dos son acaso los que tienen más carácter arcaico en la ciudad. En los dos se ven callejuelas y plazoletas como en las viejas ciudades de provincias. Están allí la plazuela de la Cruz Verde y la de San Javier; las calles de Azotados, del Cordón, del Rollo, de Procuradores, de Tente Tieso. A media tarde, en junio, las sombras que durante el mediodía se hallaban replegadas, cobijadas, debajo de aleros y repisas de balcones, se han ido alargando poco a poco por las fachadas. En las calles, acá y allá, se ven espaciosos zaguanes con el piso de anchas losas; otros tienen menudo ensamblado de guijarros blancos. En el fondo de las casas humildes se columbra una empinada escalera. Los escalones son altos, y sus astrágalos están por el comedio desgastados. De noche, en una ventana de junto a la puerta—una ventana con reja—, ondula una luz mortecina en un vaso de vidrio. El llamador de cadenita o de sobado cáñamo baja junto a una jamba. Se exhala de los aposentos lóbregos y angostos un vago hedor de moho y de lavazas. Las nobles y viejas casas tienen su encanto peculiar; pero las modestas y vulgares acaso atraen con más fuerza. Las escaleras, pronas y oscuras, evocan viejas novelas de Balzac y de Víctor

Hugo en primitivas traducciones. Las fachadas se apretujan unas contra otras. Son, unas, largas y ahiladas; otras, bajas y chatas. Aparecen en los muros, asimétricamente, más altos y más bajos, ventanas y balcones. Son sus vanos de distintas anchuras; y los pisos, en los balcones, muchos son de tablas hundidas, pandeadas. Detrás de esas paredes inexpresivas está lo anodino. Lo anodino, es decir, lo idéntico a sí mismo a lo largo del tiempo, lo inalterable—dentro de lo uniforme—en la eternidad.

La plazuela de San Javier es reducida, chiquita; su piso está en cuesta; se halla formada por el recodo de una callejuela. En lo alto, por encima de elevado tapial, asoma el follaje de una acacia. El sol muriente ilumina la verde hojarasca. Ya la luz solar ha ido subiendo por las fachadas. Tenue y suave, pone reflejos dorados y róseos en la blancura de los muros. Allá en lo empinado de una costanilla, en el esquinazo de una casa, en un tercer piso, los cristales de un balcón, al ser besados por el sol—en despedida hasta el día siguiente—, envían a lo lejos un vívido destello.

II

DAGUERROTIPO

El transeúnte que avanza por la callejuela es una mujer. En lo alto de la costanilla, en un tercer piso, la cortina que cubre los cristales del balcón será levantada dentro de un instante por la mano fina y blanca de esta mujer. Va trajeada la desconocida con una falda de color malva; el corpiño es del mismo color. En falda y corpiño irisa la joyante seda. Tres amplios volantes rodean la falda; la adorna una trepa de sutiles encajes. Del talle, angosto y apretado, baja ensanchándose el vestido hasta formar cerca del tobillo un ancho círculo. El pie aparece breve. Asciende tersa la media de seda color de rosa. El arranque de las piernas se muestra sólido y limpiamente torneado. Y sobre el empeine gordezuelo del pie, y sobre el arranque de la pierna, los listones de seda negra que parten del chapín y se alejan hacia arriba, dando vueltas, marcan en la carne muelle ligeros surcos. La desconocida es alta y esbelta. El seno, lleno y firme, retiembla ligeramente con el caminar presuroso. Cuando la dama se inclina, el ancho círculo de la falda—sostenido por ligero tontillo—se levanta en su parte de atrás y deja ver la pierna de una línea perfecta. La cara de la desconocida es morena. En lo atezado del rostro resalta el rojo de los labios. Entre lo rojo de los labios—al sonreír, al hablar—blanquea la nitidez de los menudos dientes. El pelo negro se concierta en dos rodetes a los lados de la cabeza. Una recta crencha divide la negra cabellera. Sobre los rodetes se ven dos estrechas bandas de carey con embutidos de plata. Dos gruesas perlas lucen en el lóbulo de la oreja. Gruesas perlas forman la gargantilla que ciñe el cuello. Amplia mantilla negra arreboza la cara y cae por el busto hasta el brazo desnudo que, puesto de través, la sostiene a la altura del seno.

No percibimos al pronto si esta mujer, ataviada al uso popular, es realmente una mujer de pueblo o una gran señora. Su manera de andar y sus ademanes son señoriles. Se trata, en efecto, de una aristocrática dama. La finura de la tez, su porte majestuoso y el puro oriente de las perlas de sus arracadas y collar no nos permiten dudarlo. Junto a la boca y en la barbilla de la dama, una tenue entonación ambarina matiza el moreno color. Los ojos negros y anchos titilan de inteligencia. Parece unas veces perdida la mirada de la señora en una lontananza invisible; otras, pasa y repasa sobre la haz de las cosas a manera de silenciosa caricia. De pronto, un pensamiento triste conturba a la desconocida: la mirada se eleva y un instante resalta en lo trigueño de la faz lo blanco de los ojos. En la boca angosta, los labios gruesos y como cortados a bisel—y ésta es una de las particularidades de la fisonomía—, cuando están juntos, apretados, diseñando un mohín infantil, dan a la cara una suave expresión de melancolía. Una observación atenta podría hacernos ver en el cuerpo de la dama que las líneas tienen ya un imperceptible principio de flaccidez. Se inicia en toda la figura una ligerísima declinación. En la cara, fresca todavía, la piel no tiene la tersura de la juventud primera. La mirada y el gesto de la boca lo hacen, sin embargo, olvidar todo. Los ojos y la boca dominan la figura entera. Cuando la dama camina, lentamente, con majestad, de rato en rato enarca el busto como si fuera a respirar. Otras veces, con movimiento presto y nervioso, doña Inés de Silva—que éste es el nombre de la bella desconocida—hace ademán de aupar y recoger en el seno el amplio y fino encaje de la mantilla.

Un caballero madrileño, el señor Remisa, que ha traído de París un daguerrotipo—y que luego lo ha regalado al Liceo Artístico en este mismo año de 1840—, le ha hecho un retrato maravilloso a doña Inés. Ha tenido a la señora tres minutos inmóvil, sin pestañear, delante del misterioso aparato, y luego, tras otros diez minutos de operaciones no menos misteriosas, le ha entregado una laminita de plata con su figura. El tiempo y el sol han borrado casi la imagen. Doña Inés está retratada con el mismo traje con que acabamos de describirla. No lograremos ver su figura en la brillante superficie si no vamos evitando con cuidado el reflejo de la luz.

III

EN EL CUARTITO

Doña Inés de Silva gusta, a ciertas horas, de vestir el traje popular. No hay gran distancia, por otra parte, en estos tiempos entre el traje de una maja pudiente y el de una dama. Se regodea íntimamente doña Inés con el contraste entre su posición social brillante y el arreo plebeyo. Le place asimismo un vestido que realza sus prendas personales. Y encuentra, finalmente, que un ligero envilecimiento es incentivo en el lance de amor repetido y cansado. Vestida con falda de tres volantes y trepa de encaje, arrebozada en la mantilla, calzado breve chapín con listones de seda negra sobre la media rosa, ha salido de su mansión aristocrática.

El cuartito donde está ahora la dama —ha estado muchas veces en él—se halla en un tercer piso. Desde el balcón se divisa un panorama de tejados; abajo culebrea la calle estrecha y pendiente. El piso de la estancia es de ladrillos rojos; algunas de estas losetas han perdido el barniz y se deshacen en un polvillo tenue. Da luz a la pieza un balcón. A la derecha se ve una puerta y dos a la izquierda. Entre las dos puertas de la izquierda se halla colocado un canapé. Delante se extiende una alfombrilla formada con menudos trapos de colores. Encima del canapé, en el muro, pende una litografía. Representa el cuadro, dentro de ancho marco de caoba, una gran ciudad en el estuario de un río, vista en perspectiva caballera. Las calles son rectas y anchas; muchas de las casas aparecen bajas y achatadas, de un solo piso, con anchos patios en el centro. En las afueras, los anchos y bajos edificios se alejan diseminados por la campiña. Delante de algunas de esas casas de las afueras se yerguen árboles frondosos. Encima de la litografía pone: *Confédération Argentine.*

Y debajo: *Buenos Aires. Vue prise à vol d'oiseau.*

Siempre que doña Inés penetra en el cuarto, su mirada va a posarse en la estampa colgada en la pared. La litografía es inseparable de sus ratos de espera en la estancia. Transcurre el tiempo; no se percibe ningún ruido. Nada turba el sosiego del aposento. La mirada de la dama tropieza con la amarillenta litografía. En el vivir de todos los días, nuestro espíritu, sin que sepamos por qué, se aferra a un objeto cualquiera de los que nos rodean. La fatalidad nos une, sin que lo queramos, a tal mueble o cachivache; ellos son en lo inerte más fuertes que nosotros en lo vivo. Nos rebelamos algunas veces contra nosotros mismos; sentimos desabrimiento por la tiranía de las cosas sobre nosotros; pero otras veces la vista del objeto que nos ha acompañado en horas de tedio y de tristeza conforta nuestro espíritu. Y siempre, con deliberación o sin ella, como imperativo que partiera de la eterna y pretérita informidad, nuestra mirada va a posarse indefectiblemente en el objeto que nos subyuga. Doña Inés, en el cuartito, contempla la litografía amarillenta; por centésima vez lee arriba: *Confederación Argentina,* y debajo: *Buenos Aires, a vista de pájaro.*

IV

LA ESPERA

Doña Inés está en el cuartito de la costanilla. No sucede nada; todo está tranquilo. Ha salido la dama por la puerta de la derecha y traía en la mano un plato con un vaso de agua. Al llegar frente al balcón se ha detenido. Ha levantado el vaso y lo ha mirado a trasluz. Ha dudado un momento y ha vuelto a entrar por donde había salido.

Al cabo de un instante ha tornado a salir con otro vaso de agua—o el mismo con otra agua—y ha desaparecido por una de las puertas de la izquierda. No sucede nada; doña Inés está tranquila. ¿Está tranquila del todo? Se ha sentado la dama en el canapé y ha puesto su mano derecha extendida sobre el muslo; en la mano reluce la piedra azul de un zafiro. Miraba fijamente el zafiro doña Inés; luego, pasaba suavemente la mano izquierda sobre la mano derecha. ¿Está tranquila del todo la señora? Hay momentos en que estamos tranquilos y en que, sin embargo, sentimos allá dentro de nosotros una levísima turbación. No nos sucede nada; repasamos mentalmente todos los sucesos que pudieran desazonarnos; no existe en ellos nada anormal. Y con todo, diríamos que en el remotísimo horizonte de las posibilidades ha aparecido una nubecilla—no es nada—que ha de ir avanzando hasta convertirse en tormenta. El tiempo pasa. Con la punta aguda de los dedos, la mano derecha extendida, se arregla doña Inés, con toquecitos rápidos, la negra onda de pelo que baja desde la crencha hasta el rodete. En tanto, la siniestra mano, al tiempo que el busto se yergue, estira y alisa el corpiño. ¿Se ha oído acaso un ruido en el pasillo por donde se penetra en los aposentos? Doña Inés se levanta y se acerca a la puerta de la sala. No ha sido nada; reina el silencio. Los visillos del balcón son ladeados por la fina mano; la mirada pasea vagamente por el panorama de los tejados y baja hasta el fondo de la calle. No está intranquila la dama y no acaba de sentir perfecto sosiego. Diríase que está en esos momentos singulares en que, a punto de entrar en la zona dolorosa de una enfermedad, permanecemos todavía en la región ya un poco ensombrecida de la salud. Y ahora sí que ha sucedido algo, repentinamente: en el silencio de la estancia ha sonado con furia y ha vuelto a sonar la campanilla de la puerta.

V

LA CARTA

Una carta no es nada y lo es todo. Cuando doña Inés ha penetrado de nuevo en la salita, traía en la mano una carta. Una carta es la alegría y el dolor. Considerad cómo la señora trae la carta: el brazo derecha cae lacio a lo largo del cuerpo; la mano tiene cogida la carta por un ángulo.

Una carta puede traer la dicha, puede traer el infortunio. No será nada lo que signifique la carta que doña Inés acaba de recibir; otras cartas como ésta, en este cuartito, ha recibido ya. Avanza lentamente hacia el velador que hay en un rincón y deja allí pausadamente la carta. Una actriz no lo haría mejor. En toda la persona de la dama se nota un profundo cansancio. Sí; está cansada doña Inés. Cansada, ¿de qué? En el canapé se ha sentado una vez más, y en su mano derecha, extendida sobre el muslo, refulge el celeste zafiro. La mirada va hacia la carta. La carta será como todas las cartas. Con el cabo de los dedos sutiles—los de la mano derecha—se aliña la señora el negro pelo. La mano izquierda estira el corpiño. Y ahora, al realizar este ademán, al enarcar el busto, surge del pecho, de allá en lo hondo, un suspiro. La carta no dirá nada; será como tantas otras cartas. En el velador espera a que su nema sea rasgada. Va declinando la tarde; el crepúsculo no tardará en llegar. La región penumbrosa—levemente penumbrosa—de la inquietud en el espíritu comienza a extenderse. En la zona indecisa entre la salud y la enfermedad, se va operando un cambio; lentamente, con una fuerza que nos arrastra desde la eternidad, sin que todas las fuerzas del mundo —¡oh mortales!—puedan impedirlo, principiamos a entrar en la tierra del dolor y las lágrimas. La carta está en el velador; blanquea su sobre en la luz desfalleciente del crepúsculo que se inicia. No dirá nada la carta; será como otras cartas. La dama la tiene ya en sus manos. ¿Cruz o cara? ¿Cuál es nuestra suerte? El sobre ha sido roto. La mirada de la dama va pasando por los renglones. ¿Habéis visto la lividez de un cuerpo muerto? Así está ahora el rostro de la señora; mortal ha quedado doña Inés. Y con movimiento lento, lentísimo, como lo haría una consumada actriz, ha dejado otra vez doña Inés la carta en el velador. Y al momento siguiente, con brusquedad, la ha cogido otra vez y la ha estrujado fuertemente en el puño. Se ha vuelto a sentar abatida en el canapé. Respiraba jadeando. Ya está aquí el crepúsculo de este día largo y sereno de primavera. Dentro de un instante lucirá una estrella en el azul pálido. Todo está en silencio. Nos hemos resignado ya al dolor. Hemos entrado ya en la región de la enfermedad. El pavor de antes del tránsito y en el tránsito ha pasado ya. Desde esta luctuosa ribera, nuestros ojos contemplan la otra ribera apacible y deleitosa de la salud, allá enfrente. ¿Cuándo volveremos a ella? ¿Y es seguro que volveremos? ¡Adiós, adiós, amigos! Doña Inés ha cogido la carta, la ha rasgado en cien pedazos y ha abierto el balcón. La mano fuera del balcón lanzaba los cien pedacitos de papel blanco. Los múltiples pedacitos de papel caían, volaban, revoloteaban en la luz penumbrosa del crepúsculo, y una encendida estrella rutilaba en el cielo diáfano.

VI

EL MECHERO DE GAS

Un mechero de gas brilla en alguna parte. El alumbrado por gas ha sido ya establecido en algún paraje. Brillan en las cercanías de Palacio, de distancia en distancia, las llamitas amarillentas. Como las estrellas hacen más profundas las tinieblas que llenan los espacios interestelares, en la inmensa bóveda sidérea, del mismo modo en las noches sin luna, las llamas de gas, diseminadas acá y allá, hacen más densas y misteriosas las negruras nocturnas.

Un mechero de gas luce solitario en la oscuridad. En Madrid ha lucido primero el gas de aceite; después fué utilizado el gas de carbón de piedra. En una casa—la de don Juan—un mechero luce durante todas las horas de la noche. Los salones están a oscuras. Todas las luces de la casa han sido apagadas. En los salones y en las demás dependencias de la mansión, las luces que brillan son de estearina y de aceite. Este mecheros de gas, como novedad pintoresca, ha sido colocado en un corredor. Desde un piso elevado, puesta la faz en el cristal, contemplamos allá abajo, en lo hondo del patio, un resplandor en otra ventana. En el patio, angosto y negruzco, se ven de día por el suelo papeles rotos, vidrios, pedazos de tabla. En el silencio de la noche, en el profundo e inalterable silencio, parece que las estrellas que lucen en el pedazo de cielo que encuadra el patio relumbran más vivamente. Y abajo el mechero de gas deja ver un pedazo de suelo enladrillado con losetas negras y blancas. Durante toda la noche no pasa nadie por el corredor. Alguna vez, de tarde en tarde, diríase, sí, que el resplandor del mechero ha sido anublado por una sombra rápida. La llamita del gas parece una mariposa inquieta. En las *Ilustraciones* hemos de ver, más tarde, los anchos y redondos globos del gas; un tubo de cristal emerge por arriba de la esfera de vidrio esmerilado. Los miriñaques y las chisteras de ala plana forman concierto con los redondos globos. Los redondos y blancos globos están en el ambigú de un baile, en las salas de espera de las estaciones—estaciones con máquinas de estrecha y alta chimenea—, en los despachos de los ministros.

Una débil claridad se ha ido extendiendo en el cuadro negro del patio. Lentamente lo claro se va avivando. Abajo luce todavía el mechero de gas. La claridad del cielo se ha convertido en un resplandor difuso y lactescente. Y desde los tejados, en el angosto ámbito del patio, va bajando ese resplandor con suavidad por los muros de la casa. Ya roza la imposta de la ventana. Las estrellas han desaparecido hace rato. La claridad diurna, viva allá arriba, es todavía borrosa en lo hondo de los cuatro elevados muros. Ha traspasado ya el dintel de la ventana y llega hasta el pasillo en que luce el mechero de gas. El contacto entre las dos luces se ha establecido. La luz del gas se rinde y desfallece; dura un instante no más este desfallecimiento de la luz del mechero—tras la labor fatigosa de la madrugada—; es hora ya de que se recoja la llamita hasta la noche próxima. En el alero de los tejados el resplandor del día es vivo y rojo. De pronto, el fulgor de la llama del gas desaparece.

La noche del día en que recibiera la carta doña Inés, la ventana del patio—en la casa de don Juan—no estaba iluminada. No lucía en el corredor el mechero de gas. Toda la casa estaba a oscuras y en silencio. Durante mucho tiempo han de permanecer juntas las maderas de los balcones y de las puertas en esta casa.

VII

EL ORO Y EL TIEMPO

El dedo índice pasa con cuidado sobre la piel. La pulpa de la yema es suave; brilla la uña combada y esmaltada de rosa. Lentamente el índice erguido, recto, va pasando y volviendo a pasar por el ángulo de los ojos. Llamea en la estancia, sobre la cama, la colgadura de damasco escarlata con estofa de ramos y amplia caída. Doblado, recio, cae en pliegues majestuosos el damasco desde lo alto hasta la alfombra mullida del suelo. La fina mano de uñas brillantes palpa la faz con suavidad.

Llenan el ambiente penetrantes perfumes de pomos y pastillas. Cerrado el balcón, cerrada la puerta, el aire de la cámara, en esta noche de primavera, es cálido y denso. La paz profunda, en lo hermético de la estancia, no ha de ser turbada. La luz suave parece líquida; se derrama por el damasco y gotea en los vidrios y porcelanas de botes y redomas. Y en la dulce vaguedad, en el claror pálido, rota débilmente por los destellos de la porcelana y el cristal, resaltan los damascos rojos y los matices trigueños de la tibia carne femenina. Los encajes, sobre la carne morena, son como blanca espuma. De los ojos, la mano ha bajado hasta la boca. El pulgar y el índice, después de repasar éste por la comisura de los labios, han cogido la piel del cuello, debajo de la barbilla, y la tiran suavemente para ensayar su tersura. Se extiende el seno, casi descubierto, en una firme comba. La henchida voluta desciende armoniosa y acaba por esconderse entre la nítida fronda de las randas. Silencio profundo en estas horas de medianoche. La línea firme de una pierna, ceñida por seda brillante, se marca bajo el amplio y traslúcido tejido blanco. La mano delicada ha tornado a repasar por la cara y ha caído luego con desaliento sobre el muslo. La imagen es reflejada por ancho espejo. Ya en la armonía de los dos colores—el rojo y el moreno—se ha introducido un nuevo matiz: el del oro. De un escritorio ha sido sacado un cestito con onzas. La mano fina ha metido los dedos entre el oro; ha levantado en el aire un puñado de monedas; ha dejado caer las onzas en el cesto. Y luego, tras una pausa, en el silencio roto por el son agudo del precioso metal, estos dedos de uñas brillantes cogían nerviosamente las monedas y las apretaban, las oprimían, las refregaban unas contra otras con saña.

El oro no puede nada contra el tiempo.

VIII

VIAJE A SEGOVIA

Segovia dista de Madrid trece leguas. El camino de ruedas pasa por Aravaca y Las Rozas; atraviesa el río Guadarrama; va después a Galapagar y Los Molinos; bordea la venta de Santa Catalina; desfila por el puerto de la Fuenfría; toca, por último, en la venta de Santillana. El camino de herradura va por Torrelodones y Alpedrete. El coche en que viaja doña Inés tiene la caja encarnada y el juego de ruedas amarillo con vivos azules. Lo arrastran cuatro briosos caballos y una mulita de guía. Doña Inés va recostada en el fondo del coche; las cortinillas están corridas. Un chal de vivos colores a cuadros cae sobre el pecho, después de dar la vuelta por los hombros. La pamela de anchas alas forma un abarquillado sobre el rostro; lucen los ojos en la penumbra; una cinta de seda pasa por debajo de la carnosa barbilla y sujeta el sombrero. El coche ha salido de Madrid al amanecer. Dulce somnolencia embarga a la viajera. El cielo está limpio, y las horas van pasando lentas. De cuando en cuando, encuentran en el camino góndolas y faetones, galeras y mensajerías que van de Madrid a los pueblos y de los pueblos a Madrid. Ya está lejos Madrid. El aire vivo y sutil tonifica los nervios. Llena el ambiente un fuerte olor a resina y tomillo. El verdor oscuro de los pinos se extiende en una inmensa mancha; por el boscaje hosco asoma a trechos un azulado risco. Apartando un poco la cortina de la ventanilla se ve por la rendija, allá abajo, un panorama inmenso. Las nubes dejan caer sus sombras densas entre la luminosidad viva en laderas y llanuras. Quedan entre las sombras, aprisionados, anchos fragmentos de paisaje en que resaltan peñas y árboles. Los colores del paisaje, en la inmensa extensión, son vivos y limpios. El azul oscuro bordea con el ocre. Un albero de tierra clara aparece entre un alijar sombrío con sus chaparros negros y redondos. Los retamares están en flor; amarillean anchas laderas. Los cantuesos es ahora cuando florecen: amplios mantos dorados visten los terrenos. Reverberan al sol las paredes encaladas de cuatro o seis remotas casas. De un pueblectio perdido entre las quiebras se eleva una humareda que se disgrega y desparrama lenta y suavemente en el azul claro del cielo. Y en la lejanía, cerrando el horizonte, sobre un casi imperceptible apiñamiento de casas—Madrid—, se eleva una neblina como vedijas de suavísima lana carmenada y deshecha.

Más tarde, la rendija de la ventanilla deja ver otro espectáculo. De la cima de una montaña desciende en abombamiento ligero una ladera cubierta de verde. La hierba, corta y fresca, forma un tapiz aterciopelado. De una parte cierra el pradecillo una cerca de toscas piedras sin argamasa. La albarrada es baja y se aleja sinuosamente hasta llegar a un arroyuelo que discurre en lo hondo, ahocinado entre peñas.

En las márgenes del regato, de un espeso zarzal surgen los troncos de ocho o diez álamos negros. En medio de la fina felpa del tapiz que cubre la ladera, aparece una piedra negra y redonda—un tormo—, que diríase ha sido puesto allí para que en los días de vendaval sujete el tapiz y no se vuele. Y el hechizo de este paisaje estriba en la paz y en la suavidad que, en medio de las fragosidades y agrura de los riscos, han venido a recogerse y remansarse en este pradecillo verde y en este grácil macizo de álamos.

A lo lejos, más tarde, asoma ya resaltando en el cielo la cuadrada torre de la catedral. El coche llega a Segovia. De una casa ancha y recia parte a un lado una larga tapia con su albardilla; en la tapia se ve una puerta cochera. Se halla abierta. La puerta, con chirrido de goznes, acaba de ser cerrada. La mancha roja y amarilla del coche ha desaparecido.

IX

SEGOVIA

De la lejana sierra diríase que se ha desgajado una poderosa mole y ha avanzado por la llanura. En una ladera ha quedado clavada. Suavemente, por la falda del monte, se llega a la eminente escarpadura. Luego, la mole se empina y tiende—en el extremo opuesto—un agudo picacho hacia la lejanía. En el promontorio se encima apiñamiento de casas, iglesias, palacios, torres, cúpulas. Los flancos de la elevada muela, que por la parte posterior eran suaves terrenos cubiertos de verdura, han ido poco a poco haciéndose más abruptos. Lo que eran huertas y arboledas se cambia en sequeral y peña viva. La verdura desaparece. Los flancos de la mole son un acantilado. Surge el espolón empinado y agudo del peñasco. En el azul del cielo—sobre el amontonamiento de las viviendas—resaltan lo amarillo de la torre de la catedral y lo ceniciento de las techumbres del alcázar. En el poblado, por entre las paredes de los portales y de los jardines públicos, se escapan borbollones de lozano verdor. Desde lo más empinado de la ciudad van escalonándose esos burujos verdes, desriscándose hacia lo hondo, espesándose cada vez más, hasta juntarse con las huertas que cubren los flancos de la peña. En el fondo, a una banda de la elevada mole—sobre la que se asienta Segovia—, corre un riachuelo, el Eresma; por la otra parte se desliza un arroyuelo, el Clamores. La espesura del boscaje casi oculta la cinta espejeante del río; entre los claros de la arboleda se ven a trechos los cristales de las aguas. Espesa fronda de álamos y almendros adumbra en lo profundo, entre ramas, troncos y follaje, el arroyuelo. La torre de la catedral se yergue amarilla en lo azul. Las techumbres plomizas del alcázar y de San Esteban resaltan junto a lo amarillo, en el añil, sobre la aspersión de lo verde en el pardo poblado.

En todo el ámbito de la ciudad, y en sus contornos, desde siglos atrás y a través de todas las mudanzas, millares y millares de manos se mueven incesantes. Son manos varoniles, manos femeninas, manos de adolescentes, manos de niños; son manos de jóvenes, manos de viejos; son manos huesosas, manos puntiagudas, manos regordetas. El inmenso y afanoso enjambre de manos va a lo largo del tiempo renovándose, jabardeando. Todos esos millares y millares de manos se ocupan en el arte textoria de la lana. Todos esos millares y millares de manos tocan, palpan, tientan, aprietan, trabajan, labran, la lana. Desde el rico limiste hasta el grosero buriel, salen de esas manos variedad y copia de paños. La lana es lavada, arcada, carmenada, cardada, teñida, hilada, tejida. Los paños son escurados, bataneados. La ciudad resuena con el ruido de los telares. El lino es también trabajado. Las diligentes manos que tejen los paños labran también primorosas telas de lino. Labran asimismo sombreros; adoban cueros; fabrican papel. Entre los millares y millares de manos, a lo largo del tiempo, se columbran los vivos colores del damasco en sayas y corpiños y las negras pinceladas de las ropillas de terciopelo. Brillan las veneras de diamantes y ondulan al viento los penachos. Suenan músicas; desfilan carrozas por las calles. Las espadas tienen las guarniciones trabajadas con oro. Las más exquisitas viandas pasan por las espléndidamente aparejadas mesas.

El tiempo se va deslizando. El espeso enjambre de manos clarea. Muchos de los ricos lanificios se han cerrado; el estrépito de los telares se va asordando. Se han desplomado cuatro, seis u ocho casas en una callejuela; han arrancado las puertas y las ventanas y se las han llevado. Diez o doce de las treinta parroquias han sido clausuradas. El torbellino de las manos es más lento; escasean las manos de adolescentes. En otra calle se han caído otras muchas casas. Los telares van desapareciendo. Los años pasan. En la diuturnidad del tiempo las manos van disolviéndose. El pie no mueve ya las cárcolas; las viaderas no suben ni bajan, ni las lanzaderas van de uno a otro lado. Está la ciudad —como en las horas de la madrugada, pero con pleno sol—en profundo silencio. Un palacio, en una calle desierta, tiene las puertas cerradas. Los balcones están abiertos de par en par. Los cristales de los balcones aparecen rotos; por uno de los anchos vanos se ve colgar el largo jirón del empapelado de las paredes, que se ha desprendido.

La torre de la catedral es cuadrada, recia, con resaltes en las esquinas. La corona una media naranja; esa media naranja es precisamente lo que le da carácter. Redonda en su cabo, armoniza con las nubes redondas. Los hinchados cúmulos—blancos, nacarados, encendidos—la hacen esplendorear soberbia en los ocasos. Parece viva. La luz de Segovia es más reverberante y fina que la luz de las otras ciudades españolas. Vive la alta torre en la luz. La hora del día, el tiempo, el sol, las nubes, hacen cambiar a la torre de color y aun de forma. Los resaltes de los ángulos son más salientes, o desaparecen, y el matiz llega a rojizo, pasa por amarillo, se desvanece en un pajizo suave, según la luminosidad del momento. Los espesos burujos verdes que asoman a su pie en la ciudad, entre las casas, realzan la amarillez de la torre. Desde varios puntos de la ciudad se la ve surgir de la verdura. La hora de su exaltación es cuando, amarilleando en el azul, se esponja con el atardecer, en su base, la fresca arboleda, y relumbran arriba las nubes de nácar y de oro.

X

LA CASA DE SEGOVIA

La casa—medio rústica, medio ciudadana—se levanta entre la ciudad y el campo. Es vasta y sólida. Está labrada de piedra berroqueña granigruesa, cenicienta y con pintas negras. Sobre la puerta campea un gran escudo con la selva espesa—*silva procera*—de este linaje de Silvas. Tiene la casa como accesorias cochera, caballerizas, un pajar. Los vanos de la fachada están encuadrados en acodos que figuran cabezas de clavo. La planta baja se halla dividida en su medio por tres arcos: uno ancho, y los laterales, estrechos. La escalera se encuentra a un lado. A la derecha y a la izquierda se abren las puertas de espaciosas salas. El zaguán está amueblado con sillones y un canapé provisto de mullidas colchonetas. Extenso y frondoso huerto respalda la casa; anchuroso patio linda con el huerto. La cocina se halla en la parte posterior; tiene salida al huerto. Del huerto traen a la cocina, en un instante, las frescas hortalizas y las hierbas aromáticas—tomillo salsero u hortense, alcaravea, perejil, romero—con que se aliñan los manjares. En el vasar de la cocina o colgados a lo largo de las paredes, se muestran—en porcelana, barro, cobre, azófar, peltre y hierro—los utensilios del arte culinario. La batería luce de limpia: peroles, ollas, sartenes, cazos, pucheros, aparecen refulgentes. Contiguo a la cocina están la despensa y el tinajero: panzudas tinajas se hallan empotradas en tierra. Los acetres para sacar el aceite penden de alcayatas y coinciden—para que no se manche la pared—con recuadros de blancos azulejos. En el techo hacen apetitosa vista abundante cuelga de perniles trasañejos, rojos chorizos, negros morcones. El cuarto de la plancha y costura se encuentra también cerca de la cocina. Se ven en esa estancia un armario, una mesita con reborde para que no se escapen ni deslicen carretes y tijeras, tablas para planchar, bateas de mimbre para colocar la ropa. Todavía se guarda en el armario una cabeza de madera sin facciones que servía para planchar las gorritas de la niña.

En el piso principal hay anchas salas, cuartitos, pasillos. Las camas están deshechas, con los colchones doblados. Encima de una mesilla de noche se ve un libro con un redondel grasiento de cera en la cubierta: con él se ha apagado una vela. Al pie de la cama se extienden—para que los pies descalzos se posen en su blancura pálida—pieles de carnero y oveja con tupida y fina lana. Las famosas merinas de Segovia están aquí presentes. Por toda la casa—delante de los canapés, delante de los sillones—se descubren zaleas abondo. En una sala hay libros en armarios. Las hileras de los volúmenes tienen anchos claros; muchos de los libros aparecen tumbados, solitarios. De pronto, al abrir una puerta que parece debiera mandar a otra sala, se ve una corta galería con otra puerta enfrente. La galería da al huerto. Y las ramas de un árbol llegan hasta la baranda y se enlazan con los cuadradillos de hierro.

En el desván se ven arrimados a las paredes, en los rincones, trastos y viejos cachivaches: un biombo chinesco; baúles con la tapa abombada y forrados de piel con su pelambre; un clistel en su caja; unas andaderas de niño; una rejuela para calentar los pies; un haz de escobas nuevas de algarabía; faroles puestos en una pértiga, de los que se traen para acompañar a los santos en las procesiones... Desde las ventanas se otean la campiña y la lejana sierra.

El primer rellano de la escalera cae debajo de uno de los arcos laterales y forma, dentro del mismo zaguán, a manera de una tribuna con su barandilla. Al pie de esta tribuna se colocaba por la noche, en una mesa, un velón de cuatro mecheros. Cuando se extendió el invento de Quinquet, se colocó aquí una lámpara de aceite con el depósito a un lado y al otro el brazo del mechero con un tubo de vidrio y una pantallita verde. De niña, Inesita gustaba de permanecer en este rellano de la escalera por las noches. La luz que llegaba de abajo dejaba en la penumbra los tramos; débilmente resaltaba en la sombra el dorado marco de un cuadro. Los visitantes de la casa charlaban abajo, sentados en el canapé y en los sillones. La niña, en el descansillo, experimentaba una sensación extraña: el rellano, con su baranda, era como un balcón que diese a la calle, y al mismo tiempo este balcón estaba en el interior de la casa. El rumor de la charla ascendía hasta la niña. La penumbra ponía misterio y gravedad en el vasto zaguán. La niña, ensimismada, silenciosa, permanecía largos ratos sentada en un escalón.

Y esta extraña sensación de cercanidad y distanciamiento del mundo, a un tiempo mismo, debía repercutir a lo largo de toda la vida de la niña y constituir el núcleo de su personalidad. La esquividad, el apartamiento, la enconada aversión hacia una sociedad estúpida y gazmoña, habían de impulsarla poderosamente por un lado; y por otro había de sentirse llevada hacia el efusivo y múltiple trato humano, con cordialidad, con emoción.

XI

TIA POMPILIA

—¡Por fin ha querido venir Inesita! —exclamaba tía Pompilia.

La señora es vieja y menuda; tiene muchos años; pero las mejillas de tía Pompilia—eterna juventud—están pintadas de arrebol y los labios manchados de carmín. Camina la anciana apoyada en un bastón de ébano con el puño de plata. Hace años, al bajar una escalera precipitadamente—no podía bajar de otro modo—resbaló y se lisió una pierna. Claudicante, ligera, con maravillosa festinación, va de una parte a otra tía Pompilia. Dos o tres veces ha resbalado ya también al apoyarse en su bastón; hoy llevaría en el cabo del palo una virola de goma; el invento ha venido un poco tarde para la anciana. Tía Pompilia no sosiega un minuto. El bermellón de su cara armoniza con el verde de una antiquísima bostonesa que viste; el verde de la bostonesa, con el azul del corpiño; el azul del corpiño, con lo amarillo de la falda.

—¡Por fin ha querido venir Inesita!

—grita tía Pompilia, poniéndose delante de doña Inés, moviendo la cabeza, dando un golpecito con su muletilla en el suelo.

No hace todavía dos horas que doña Inés está en Segovia. Tía Pompilia le había mandado ya a su sobrina tres mensajeros. Como a los diez minutos de mandar el primero no se presentara doña Inés, ha mandado otro; cinco minutos después de mandar el segundo, ha enviado el tercero. La sala en que se hallan la tía y la sobrina es ancha, con muebles del siglo XVIII. Hay en la estancia consolas con incrustaciones de marfil, escritorios de torneadas patas, cornucopias con el alinde cegado.

—¡Estas muchachas del día!—exclama tía Pompilia.

Doña Inés, cada vez que la anciana la llama Inesita y dice refiriéndose a ella «estas muchachas del día», siente redoblarse su cariño hacia tía Pompilia.

—Ven; siéntate aquí—dice la anciana, y señala un sillón.

Pero el sillón le parece en seguida demasiado alto a tía Pompilia y manda acercar un taburete. No acerca pronto el taburete una sirvienta que siempre tiene vigilante la anciana—han pasado ya dos segundos—, y tía Pompilia, indignada, dando con el bastón en el suelo, exclama:

—¡Viveza, muchacha!

Y luego:

—¿Quieres probar una conserva que hemos estado haciendo esta tarde?

Arrima tía Pompilia su bastón al sofá y comienza a tirar fuertemente del largo llamador con borlón. Suena lejos la campanilla. Está ya pedida la conserva a una criada que ha llegado; pero no la han traído todavía. ¿No hace ya una hora que la ha pedido la anciana? Se levanta tía Pompilia prestamente del sofá. Cuando va por mitad de la sala, precipitada, en dirección a la cocina, aparece la sirvienta con una salvilla.

—¡Viveza, muchacha!—grita tía Pompilia, y le toma de las manos el plato a la criada.

—¡Qué calmosas!—exclama la anciana.

Y luego, volviéndose a doña Inés:

—¿Has visto ya a tío Pablo? ¿Vas a subir a ver a tío Pablo?

Tío Pablo es el marido de doña Pompilia. La dama vive en la planta baja de la casa; en el piso principal habita el caballero. Ya hace muchos años que marido y mujer viven separados. El marido no podía acomodarse con el torbellino vertiginoso de su mujer. Las entradas de las dos casas son distintas. Pasan meses enteros sin que tía Pompilia y tío Pablo se tropiecen.

—¿Vas a subir a ver a tío Pablo?—pregunta la anciana.

Y a seguida, llevándose el dedo índice a la sien y haciendo ademán de barrenar:

—¡Pobre!

Y después, barrenando más:

—¡Perdido, perdido!

XII

LOS SARAGÜETES DE TIA POMPILIA

Que me presten su pincel mágico—si lo tienen a bien—los cronistas de sociedad. Los jueves se celebran los saragüetes de tía Pompilia. Llegan muchachos y muchachas de la ciudad y llenan la sala. Las cornucopias no pueden reflejar—están borrosas—las caras lindas de las bellas segovianas. Las bellas segovianas, tan finas, tan inteligentes, unas son melancólicas y remisas; otras, traviesas y vivarachas. Tía Pompilia está entre el concurso con su muletilla de plata. Sonríe la anciana y ríen todos. Los muchachos están cada cual ante una aguerrida moceta, en pie, erguidos, ostentando la gallardía de sus personas. Los preliminares del saragüete son bulliciosos; el decurso de la fiesta lo es mucho más. Tía Pompilia da golpes con su bastón en el suelo. Y va enterándose de todas las novedades ocurridas en la semana. Anima a las muchachas remisas: «¡Eh, eh, Conchita! ¡Viveza, muchacha! ¿Qué haces tan parada?» Contiene a los demasiado vehementes: «¡Isabelita, nada de rincones! ¡Aquí, aquí, en medio de la sala! A jugar con todos.» Los juegos a que se refiere tía Pompilia son los de prendas.

Los juegos de prendas han sido el encanto de nuestros abuelos. En Francia la autoridad suprema en esta complicada materia es madame Celenart; en España el libro de esta señora lo ha traducido, con adiciones, don Mariano de Rementería y Fica; el año pasado, 1839, don Mariano ha impreso la segunda edición del libro. Tía Pompilia tiene sobre su escritorio este precioso manual; es su libro de consulta.

—¡Vamos, vamos!—grita la anciana—. ¡Viveza, viveza!

Y comienza el juego. Los hay variados en el extenso repertorio. El juego del *vuelen, vuelen,* por ejemplo, es de los más amenos. Los mozos y mozas están ya agrupados en un corro de sillas en torno al presidente. El presidente lo es tía Pompilia. La anciana grita:

—Vuelen, vuelen los gorriones.

Todos levantan la mano y repiten lo mismo. En el aire las manos parecen pájaros que vuelan.

—Vuelen, vuelen las águilas.

Y todos repiten que vuelen las águilas.

—Vuelen, vuelen los mochuelos.

Todos vocean, levantando las manos, que vuelen los mochuelos.

—Vuelen, vuelen los carneros—dice precipitadamente tía Pompilia.

Y dos, tres, cuatro de los concurrentes, mientras los demás callan y permanecen quietos, vocean sin darse cuenta:

—Vuelen, vuelen los carneros.

Se produce una estrepitosa confusión. Todos ríen a carcajadas.

Los que han faltado pagan prenda; y cuando se ha jugado a otros muchos juegos y hay muchas prendas disponibles, llega la hora de sentenciarlas; ésta es seguramente la parte más agradable del sarag̈üete. Muchos son los juegos de prendas. ¿Hablaré del concierto grotesco, de la colección de estatuas animadas, del león enfermo, del jardín de mi tía, del tocador y del alfabeto? Nuestros abuelos se han divertido con estos juegos. Los juegos de prendas son prósperos al himeneo. Casi todas las bodas que se celebran en Segovia salen de los saragüetes de tía Pompilia. A media tarde se sirve una merienda, y luego se baila.

La anciana vocea:

—¡Eh, Conchita, nada de rincones!... ¡Andrés, las manos quietas!... ¡Tú, Adelita, más alegría! ¡Viveza, viveza, muchachas!...

Y tía Pompilia, con las mejillas rubescentes y con su antiquísima bostonesa, va presta de un lado para otro, dando golpecitos con su bastón.

XIII

TIA POMPILIA Y EL PIANOFORTE

Todos los jueves los concurrentes a los saragüetes de tía Pompilia se han de detener un momento, al entrar, contemplando el nuevo orden de los muebles.

—¿Qué os parece?—pregunta, sonriendo, la anciana.

De un jueves para otro los muebles de la sala han sido cambiados. Desaparecen consolas, sillones, canapés, cuadros. Sólo quedan insustituíbles las cornucopias con su azogue apagado. Tía Pompilia no puede permanecer quieta. Nada a su alrededor ha de estar inmutable. Los muebles sufren un zarandeo continuo de sala a sala; marchan por los corredores; se ladean violentamente para entrar por las puertas angostas; se les desconchan los chapeados y se les tuercen las patas. Durante la semana el trasiego de cachivaches y trastos ocupa a tía Pompilia. No sale la señora de casa. Aquí vienen a cuchichear a su oído todo cuanto ocurre en Segovia. Rara vez se aventura fuera de la sala y de la casa la anciana. Lejos de Segovia ha estado pocas veces. En 1793, hace cuarenta y siete años, estuvo tres días en Madrid. Todo lo recorrió y lo vió en tan breve tiempo: vió una compañía de bailarines de cuerda y de volteadores valencianos en el teatro de la Cruz; asistió a la representación de la ópera *La venganza de Nino;* estuvo en la Santa Bóveda de la iglesia de San Ginés; presenció en el Buen Retiro una ascensión en globo del capitán napolitano don Vicente Lunardi; examinó el modelo en madera que delineó y dirigió el abate don Felipe Jicharra para edificar el Palacio, y que se exponía en el taller que se halla debajo del arco que comunica el jardín de la botica real; vió también el modelo del puerto y ciudad de Cádiz, que estaba en el Buen Retiro; contempló las pinturas de la iglesia del convento de San Pascual y la colección de cuadros de don Bernardo de Iriarte, en la calle de la Cruzada, y el Cristo de Velázquez en la sacristía del convento de San Plácido; estuvo a ver relojes en la Real Fábrica, establecida en la calle Alta de Fuencarral; compró, en fin, un pianoforte, a imitación de los mejores que se hacen en Inglaterra, en una tienda de la calle de San Andrés, esquina a la calle de la Palma.

—Este mismo—dice tía Pompilia—; este mismo pianoforte.

Y se sienta ante el piano, teclea un poco y comienza a cantar:

Mi é in mente ognora viva,
m'accresce il desio
m'addoppia il dolore.

De pronto se interrumpe y dice:

—¿Has visto tú, Inesita, *Los puritanos y los caballeros*? ¿Se los has oído cantar a Antonio García, y a Santarelli, y a Morandi? ¿Has visto qué bien hace Adelaida Ghedine el papel de Enriqueta de Francia? ¿Y Clementina Fanti el papel de Elvira? Aquí, en Segovia, estuvo la compañía el año pasado.

Y otra vez tecleando:

Bel sogno beato,
d'amore e contento
o cangia il mio fatto,
o cangia il mio core.

De nuevo se interrumpe:

—Esto quien lo canta deliciosamente es Diego el de Garcillán. Diego el de Garcillán es un portento; es nuestro poeta. ¿Te han hablado ya de Diego el de Garcillán? Ya conocerás a Diego.

Inés escucha en silencio. La anciana vuelve a canturrear:

Oh! come é tormento
nel di del dolore
la dolce memoria
d'uno tenero amore.

Las viejas cornucopias, con su azogue borroso ahora, han reflejado antes las pelucas del siglo XVIII. La voz de la anciana rememora figuras evanescidas en lo pretérito. Doña Inés escucha la música de Bellini y piensa en cosas que ya no volverán. La traducción que acompaña al viejo libreto dice: «Siempre tengo a la vista tan agradables recuerdos, y cada vez aumentan más y más mi penar. ¡Oh sueños felices de amor y contento! Haced se cambie mi destino adverso o mudad mi corazón. ¡Cuánto atormenta a un alma apasionada el recordar, en días de amargura, dulces memorias de un tierno amor!»

XIV

TIO PABLO

Siempre está un poco cansado don Pablo. El caballero se nos aparece alto y recio; en algunos momentos, en pie, erguido, con la mano puesta en la abertura de la levita, semeja un doctrinario francés. Y esos momentos serían los adecuados para que hiciese su retrato un pintor genial y desconocido. Y ese retrato sería el más a propósito también—todos los días sucede — para ser encontrado con sorpresa y admiración en un desván. El sano color rosado de la cara, cuidadosamente afeitada, resalta sobre la nitidez de la camisa. La pechera blanquea en la negrura de la levita. La corbata, de seda negra, da dos vueltas al cuello. La guarnición o chorrera de la camisa es de muselina escarolada. Sobre lo negro de la corbata, a los dos lados de la faz sonrosada, se ven dos ámpos de nieve: los puntitos enhiestos y agudos de la tirilla. El rostro del caballero denota bondad; pero en la comisura de los labios, en el ángulo de la boca, se marcan dos ligeras arrugas que indican desdén. Desdén tal vez por muchas cosas preciadas de otros hombres y que él no estima; desdén quizá a causa de la ingratitud del amigo y de la inconsciencia de la muchedumbre. Los ojos de tío Pablo, a pesar del íntimo desdén, miran con indulgencia. Cuando el caballero se levanta por la mañana se siente un poco fatigado. Ha dormido dulcemente y, sin embargo, le cuesta ahora trabajo decidirse a tomar la pluma o a iniciar y mantener una conversación indispensable sobre los asuntos de la casa. Comienza a trabajar, y el cansancio va desapareciendo. Una impresión viva—la charla con un amigo o unas frases escritas con elegancia—dan a sus nervios, de pronto, gratísima tonicidad. Discurren las horas; el tráfago por la casa o por la ciudad lleva y trae a don Pablo. Otra vez, repentinamente, se siente abatido el caballero. Y en tanto que la comisura de los labios marca ligero desdén, los ojos miran con íntima y profunda bondad.

No puede ver don Pablo los muebles en distinto lugar del que están ocupando durante años, ni un centímetro más allá ni un centímetro más acá. Los papelitos y tamos del suelo los recoge con cuidado el caballero. El silencio ha de ser profundo en la casa; en el silencio le place a tío Pablo escuchar el sonoro tictac del reloj. Su ropa es limpia. El mantel de la mesa del comedor ha de ser nítido; sobre el mantel han de rebrillar la porcelana, el vidrio y la plata. Una hora antes de las comidas bebe don Pablo un vaso de agua delgada y fresca. No le interesan los lances y episodios de las guerras; en los libros y en los periódicos los pasa por alto. El hecho más saliente en su vida es el de haber leído en Roma, durante un crepúsculo vespertino, en el Coliseo, cuatro o seis páginas de un libro de *Pensamientos*, de Leonardo de Vinci. De los autores españoles el que más admira es Cervantes; Sterne, de los ingleses, y Goethe, de los alemanes. Al tratarse de los franceses, don Pablo duda entre Montaigne y Pascal; por los dos siente profunda simpatía. Y si quiere a Pascal, contradictor de Montaigne, se debe al desequilibrio doloroso de tal escritor. Ese desequilibrio es, en parte, el mismo de don Pablo; él lo reconoce sinceramente. No puede trabajar casi el caballero; necesita para trabajar tomar mil precauciones. Se siente profundamente cansado. Con la mano derecha puesta en la abertura de la levita y la izquierda posada en el respaldo de una silla, don Pablo, en pie, enhiesto, se ha detenido un instante en su biblioteca, respirando con fatiga y recobrándose de su cansancio.

XV

TIO PABLO Y LAS COSAS

Doña Inés ha subido a ver a tío Pablo. Cuando don Pablo de Silva ha visto entrar a su sobrina se ha puesto en pie ceremoniosamente y ha avanzado dos pasos. Su mirada estaba fija en el rostro de la dama. El rostro de doña Inés ha cambiado un poco desde que tío Pablo la viera por última vez hace tiempo. Profunda emoción embargaba al caballero. En pie, sereno, trataba de dominar su íntimo desasosiego. Acontece que, de pronto, en la calle o en un viaje, vemos una cara que hace años no veíamos y que teníamos olvidada. En un instante, ante el cambio, ante la transformación de las facciones, percibimos como cristalizado el tiempo. Don Pablo ha recibido a Inés en la biblioteca. Todo está en silencio. No hay nada en desorden. Don Pablo se hallaba junto al balcón, leyendo. Sonríe a Inés y retiene entre sus manos un rato la mano de la dama.

—Querida Inés—le dice tío Pablo a su sobrina—, yo soy viejo; tú eres joven...

Doña Inés, como antes le ocurriera con tía Pompilia, siente ahora un profundo cariño por tío Pablo. El tiempo transcurre. Lo que más ama el caballero es su sosiego. Desea vivir hora por hora, minuto por minuto, en una serenidad inalterable. Huye las emociones; no es egoísta. Da con largueza—y silenciosamente—al menesteroso. Ansía sólo, a cambio de esta generosidad suya, que nadie rompa su paz interior. No podría gozar de la Naturaleza, del silencio, de la luz, de las formas, de un crepúsculo, de un mediodía esplendoroso, sin esta perfecta adecuación del espíritu a las cosas. Necesita la calma que le permita entrar en comunicación efusiva y silenciosa con la realidad ambiente. Una sacudida violenta de los nervios o una emoción intensa hacen que el interés se polarice de pronto hacia otra parte. Cesa la secreta continuidad en la fruición. Después, pasada la emoción advenediza, será preciso reanudar la comunicación con las cosas. El goce dulce y apacible ha desaparecido. La sequedad espiritual durará un tiempo más o menos largo. Por más esfuerzos que haga el caballero, por más meditaciones que se imponga, por más concentración que se procure, sólo el tiempo, el transcurso de las horas, la acción aplacadora de los días, harán que el estado de beatitud torne al contemplador.

—Querida Inés—dice tío Pablo—, te vas a aburrir en Segovia. Yo vivo entre mis libros. La vida intelectual aquí es escasa. Tenemos, sin embargo, un poeta. ¿Has oído ya hablar de Diego el de Garcillán? Diego el de Garcillán es un mozo notable. Ya le conocerás. Yo soy viejo, Inés; tú eres joven.

La emoción iba a entrar en el espíritu del caballero; mientras tiene tío Pablo cogida entre sus manos la mano de Inés y contempla el cambio operado en el rostro de la dama, hace esfuerzos para dominarse. Cuando Inés salga de la estancia, tío Pablo podrá volver a su trabajo. Serenamente podrá seguir gozando de las cosas. Las cosas no son a todas horas las mismas. La luz las hace cambiar a cada momento. Ya el verano ha sucedido a la primavera. A lo largo de las estaciones, mes por mes, día por día, hora por hora, don Pablo va advirtiendo los cambios en la luz, en el color, en las formas. La soledad le es necesaria. Paulatinamente el caballero va extremando su retiro. Sin el apartamiento del mundo, don Pablo no podría trabajar. Ha publicado don Pablo una original y pintoresca historia de Segovia, que él titula modestamente *Adiciones a Colmenares;* tiene esparcidos por las revistas notas y trabajos diversos, y prepara en la actualidad un libro sobre un personaje ilustre de su propia familia. La soledad le es necesaria para la meditación. Y las cosas, en la soledad, han acabado por adueñarse del caballero. Don Pablo advierte a veces la monotonía de su vivir. En esos momentos intenta reaccionar. La vida es algo más que meditación y goce suave de las cosas. Don Pablo quisiera gustar el goce violento de la acción. Hace esfuerzos entonces por salir del círculo en que se halla encerrado y se arroja bruscamente a la vorágine del trato humano en la política y en los negocios. Y a poco se percata con inquietud de que no puede pensar; el pensamiento ha huído de su cerebro; su íntima personalidad se halla ausente; un bello crepúsculo pasa para él inadvertido; la luz, con sus variadas y finas gradaciones, no le hace sentir; los paisajes más hermosos le dejan insensible; la inquietud se convierte en pavor; experimenta una profunda repugnancia hacia sí mismo. Y de pronto rompe todas las ligaduras que se había fabricado; se desliga de todo lo que le rodea; da un tajo a todos los emprendidos tratos y negocios y torna a su soledad y a su silencio.

XVI

TIO PABLO Y EL TIEMPO

Un íntimo desasosiego conturba a don Pablo. El sentido del tiempo, hora por hora, minuto por minuto, le ha llevado paulatinamente a adelantarse al tiempo. No se puede perdurar en la percepción de la hora, del minuto y del segundo, sin acabar por tener la visión total del tiempo. Del pasado venimos al presente; del presente habremos de caminar hacia lo por venir. Un día, don Pablo, hallándose en su biblioteca arreglando unos libros, tropezó con una biografía de Hoffmann. En pie, comenzó a leer algunas páginas; media hora después aún se hallaba en el mismo sitio con el libro en la mano. Su faz revelaba profunda atención.

La lectura que aquel día hizo don Pablo en su biblioteca había de influir decisivamente en su vida. Todo un estado de conciencia oculto, latente, había de mostrársele. Don Pablo vivía tanto en lo pasado como en el presente. Poseía una prodigiosa memoria de sensaciones; su arte de escritor encontraba su mayor fuerza en esa singular rememoración. Estados espirituales remotos vivían con autenticidad en la subconsciencia de don Pablo. No podían ser evocados a voluntad, como evocamos a nuestro talante los paisajes y la música. De pronto, inesperadamente, una voz, un ruido, un incidente cualquiera, le hacían experimentar al caballero, con prodigiosa exactitud, con exactitud angustiadora, la misma sensación que quince, veinte o treinta años antes había experimentado. Esta memoria de las sensaciones era para él tan dolorosa como la visión anticipada y fatal de un porvenir posible. El cuentista alemán Hoffmann padecía el achaque de ver en el momento presente el desenvolvimiento de lo futuro. Cuando realizaba un acto, su imaginación le representaba inmediatamente las posibles desgraciadas contingencias del hecho. En la enfermedad leve veía ya la muerte; en el quebranto pasajero, el desastre pavoroso. No podía gozar de la felicidad presente; el pensamiento de que la dicha había de concluir le empañaba el goce. La lectura de la biografía de Hoffmann hizo aflorar en la conciencia de don Pablo lo que estaba latente en lo profundo. Con ansiedad iba pasando las páginas del libro. Y ya desde aquel día, el mal oculto fué ostensible. El mismo caballero sonreía de sus preocupaciones. A la manera que algunas enfermedades llevan el nombre de los investigadores que las han descubierto—como el mal de Bright o el mal de Pott—, él llamaba a su achaque *el mal de Hoffmann*. Sonreía don Pablo; pero agudamente, dolorosamente, advertía su dolencia. En lo presente veía lo futuro. En el niño enfermo —amaba apasionadamente a los niños— veía el niño expirante. En la leve alteración de la amistad, presagiaba ya la agria y truculenta ruptura. Un pormenor en la civilidad diaria por él olvidado le torturaba durante días; inevitablemente imaginaba las complicaciones y disgustos que de aquella inadvertencia iban a provenir. Sonreía el caballero; trataba de burlarse entre sí del mal de Hoffmann, pero no podía; solapado, insidioso, el mal roía su corazón.

XVII

LA MAÑANA EN LA CASA

En la negrura, las estrellas de luz coloreada van a concluir de quemar ya sus bengalas rojas, azules y verdes. Desaparecerán en breve. Expira la noche. ¿Dónde irán a amontonarse todos estos inmensos velos negros de la decoración nocturna? La luz de las estrellas coloreadas iluminará otros mundos de rojo, de azul y de verde. El terror sobrecogerá a los moradores de esos mundos, si se vieran de pronto iluminados por nuestra bella luz. La noche acaba. En el Oriente van a palidecer los Astillejos. Parecen en su inquieto rutilar bolitas de agua viva. Todavía es noche oscura. El huelgo frío de la madrugada ha comenzado a dejarse sentir. La inmensa y menuda orquesta de los grillos, terminado ya el concierto diario, ha bajado sus élitros como se baja la tapa de un piano. Son densas las tinieblas todavía; pero la línea del horizonte es como la raya de un doblez negro un poco descolorido. La debilísima claridad va aumentando. Dentro de poco los dedos de la aurora van a descorrer la cortina de la mañana. Pasan los minutos. Ya el sol naciente envuelve en papel dorado las chimeneas blancas, y el céfiro blanco remece ledo las menudas hojas de los álamos.

A primera hora de la mañana baja Plácida de su cuarto. Plácida es hija de unos labradores de Garcillán; los padres de doña Inés los favorecieron en su tiempo. Plácida vivió cuando niña en la casa de Segovia con doña Inés. No ha querido vivir de asiento en Madrid. Ha venido ahora a la ciudad para asistir a doña Inés. Cuando la moza baja de su cuarto, ya Matías, el pastor, ha abierto la puerta del jardín. Matías, el pastor, se acuesta en el zaguán; su lecho es un jergón henchido de albardín. En el zaguán queda uno de los mastines que ha traído de la majada el pastor. Otro ronda por el patio. El primer cuidado de Plácida es visitar el huerto; con unas tijeras va cortando rosas, claveles, mosquetas, jazmines. Forma con las flores un ramo que ha de ser puesto en el zaguán. Ya las abejas—que han venido caballeras en el primer rayo de sol—suenan su persistente bordoneo. Los cetonios dorados—*cetonia aurata*—, los cetonios de las rosas, están entre los pistilos de la flor, todavía arrecidos por el frío de la madrugada; necesitarán el bochorno del pleno sol para desperezarse.

Plácida pone en movimiento a la servidumbre y dirige la limpieza de la casa. La mañana va avanzando. Doña Inés se ha levantado ya. En la ciudad ha comenzado el tráfago de todos los días. El correo ha llegado la noche anterior. Llega de Madrid los domingos, jueves y viernes. Por la mañana, al día siguiente, se reparten las cartas. Los sellos, de lacre rojo o negro, resaltan en los sobres estrechos y largos. Resuenan en la calle los gritos de los vendedores. Van pasando el deshollinador, el lañador, que compone barreños y tinajas; el vendedor de azafrán de la Mancha, el vendedor de velones y capuchinas de Lucena, el «pañero barato», que, con su carro atestado de fardos, va de pueblo en pueblo; el comprador de galones de oro y plata. El vendedor de rehiladeras para los niños pasa también con su pértiga llena de molinos de colores. Y no deja tampoco de anunciarse el vendedor de carruchas o atacaderas de madera, que todavía, en 1840, se usan en los pueblos de Castilla; vendedor que hace sonar unos cascabeles y grita:

¡Carruchicas, carruchones,
carruchicas pa los calzones!

Las horas transcurren lentas. El coche está siempre dispuesto para partir. En la monotonía de las viejas ciudades, esta seguridad de poder marcharnos en el acto nos hace prolongar nuestra estancia y experimentar un agridulce regodeo en el tedio.

De tarde en tarde, aparece encuadrado en el postigo de la puerta principal, sobre el fondo vivo de sol de la calle, una figura con sombrero de copa. El caballero penetra en el zaguán, sumido en la penumbra, y da unas palmadas para llamar. A las doce suenan las campanadas del *Angelus*. El ancho comedor de la casa se abre rara vez. La mesa es aparada, si el tiempo es bueno, en un cenador del jardín. Por los claros de la arboleda se divisa, sobre el azul, la torre de la catedral. A lo largo de los siglos, desde la remota antigüedad, el esfuerzo y la inteligencia de los hombres han ido creando en Segovia el acueducto, la catedral, el alcázar, otros muchos bellos edificios. Siglo tras siglo, lentamente, un denso ambiente de espiritualidad y de belleza se ha ido formando. Y semeja que toda esa tradición, toda esa atmósfera de inteligencia, todo ese ambiente de sensibilidad refinada, se reconcentran durante este minuto de cielo radiante, sereno, en el breve término del nítido mantel, sobre el que se mueven unas manos finas y purpurean las rosas.

XVIII

MATIAS EL PASTOR

Matías, el pastor, estaba en la majada. Cuando ha venido a Segovia la señora le han mandado un recado. Ha venido Matías a la ciudad y ha traído sus dos perros. A uno le llaman *Barcino* y a otro le dicen *Luciente*. El uno es de color bermejo, y el otro es de color blanco. El tesoro que tiene Matías es su maravilloso cayado. Les tira con su cayado a las liebres que corren y las deja tronzadas. A las aves del campo no les hace nada Matías. Las aves del campo le miran confiadas. Las alimañas del monte temen sus tretas. Por la luz sabe el pastor, durante el día, la hora. Las estrellas que cuajan el cielo se la dicen de noche. Cuando salen los murciélagos sale la estrella miguera. El lucero de la tarde es amigo de los pastores. Le contemplan con tristeza los que penan del corazón:

Lucero que brillas tanto, dime dónde está mi amor.
La mocita que tú quieres se la llevó un rondador.
Lucero, dile que venga; sin ella no vivo yo.
Está presa en una torre; no la deja su señor.

Los panales de las abejas montaraces sabe Matías dónde están. Las virtudes de las hierbas medicinales las conoce Matías. En una barrancada ha descubierto el pastor una fuente milagrosa. A los dolientes que tienen la cara pajiza, torna sus aguas recios y colorados. Las raposítas de la montaña recelan de Matías. Con su navaja cachicuerna ha labrado el pastor la cabeza de una raposa en su cayado. El refrán dice que «mucho sabe la raposa; pero más sabe el que la toma». Atrapar raposas con armadijo lo hace un bausán. Lo hazañoso sería tomarlas con la mano. El pastor ha jurado coger con la mano una raposa. Ha trabajado mucho Matías para cogerla y no lo ha conseguido. Una vez puso la mano en el cerro a una raposita, y la raposita le encentó un dedo de un mordisco y salió escapada. Los zagales y los hateros se ríen de Matías. Matías se pone furioso. Cuando vuelva a Segovia dice el pastor que ha de cumplir su juramento. Si no puede cumplirlo, le regalará su cayado a un zagal. El cayado de Matías es maravilloso; pero no puede obrar maravillas si no es con el ojo y el brazo de Matías. El pastor se ha marchado a Segovia. Con Matías se han ido sus dos mastines. A uno le llaman *Barcino,* a otro le dicen *Luciente.* El uno es de color bermejo; el otro es de color blanco.

XIX

DIEGO EL DE GARCILLAN

Diego Lodares, llamado Diego el de Garcillán, ha nacido en el pueblecito indicado. Garcillán es villa; pertenece al partido judicial de Segovia. Cuenta con cuatrocientos sesenta y un habitantes. Los padres de Diego vivían de la arriería. Los segovianos han sido grandes trajineros. «Además de la labranza y la ganadería, se dedican bastante a trajineros los de tierra de Segovia—escribe un autor, don Fermín Caballero, en 1844—, y son bien conocidos en todas partes por sus machos y albardas colosales, por sus coletos y monturas.» Cuando el niño tenía doce años, sus padres se marcharon a Buenos Aires. En Garcillán, Diego ayudaba en las faenas del trajín a sus padres; iba y venía por los caminos, paraba en las posadas y en las ventas. Desde el comienzo de su vida, los ojos del niño percibían la inquietud humana. Diego era ensimismado, hablaba poco; detrás de las largas recuas o montado en un macho, el niño caminaba pensativo. Y en las plazas de los pueblos, cuando un ciego cantaba romances, o contaba crímenes, o refería historias de amores, él se detenía ansioso, y con los codos, empujando a un lado y otro, los ojos brilladores, se abría camino hasta el centro del corro.

Los padres de Diego no hicieron fortuna en la Argentina. El niño leía en vez de trabajar. Todos los papeles que caían en sus manos eran leídos ávidamente por él. En la Pampa, ante las estancias, suele haber algún frondoso árbol. El árbol más frecuente es el ombú. El árbol que estaba frente a la estancia en que trabajaban los padres de Diego era un ombú. La estancia se llamaba, por la hermosura del ejemplar, *La casa del ombú.* El ombú ha ido desde el suelo africano hasta la Argentina; su emigración es un misterio. El ombú simboliza la tradición poética y sentimental del gaucho; es un árbol venerable y sagrado.

Toda su vida conservará Diego en su espíritu la imagen bienhechora de este ombú. El niño se guarnecía bajo el ramaje espeso del árbol, y en tanto que el cielo esplendía arriba y que allí en la inmensidad remota, sin montañas, se veía el cielo juntarse con la tierra, él, olvidado dichosamente de todos, permanecía con un libro en la mano. Los padres de Diego murieron. Como al morir los padres un compatriota que regresaba a España le ofreciera traerle, Diego aceptó y se vió otra vez en el barco, sobre la inmensidad del mar, bajo la inmensidad del cielo. En Garcillán no supo qué hacer el mozo. Le quedaban unos parientes lejanos. En la Argentina, un día trazó en un papel un rengloncito corto; sin darse cuenta escribió otro debajo; un tercero apareció sin que Diego supiese lo que hacía. Sentía una dulce opresión en el pecho; la pluma caminaba rápidamente. Nunca había sentido Diego un placer semejante. En Garcillán continuó escribiendo versos. Un señor de Madrid, que pasó un día por el pueblo para dirigirse a un coto de caza, leyó uno de los papeles de Diego. El caballero se quedó pensativo y miró fijamente la cara del muchacho; Diego se puso colorado. Dos días después, el mozo salía para la capital de la provincia con una carta. Con la carta se presentó en la jefatura política y le dieron un destino. De este empleo vive Diego en Segovia. Habita en casa de Eufemia, en la calle del Mercado, frente al Cristo de la Cruz. Su figura se yergue esbelta; ensombrece su labio un sedoso bigote rubio. De su sombrero de copa alta desciende una dorada melena. La luz de sus ojos azules es viva. Los movimientos y ademanes del mancebo son rápidos y enérgicos; a veces, cuando mayor es el ímpetu, Diego se detiene absorto y sus ojos miran, sin ver nada, hacia una lejanía ideal. En pie, inmóvil, con los brazos caídos y un libro en la mano, Diego se halla en la terraza del alcázar, junto al pretil que da al Eresma. Enfrente, por encima de la fronda verde, se perfila arriba, en un camino, la iglesita de la Vera Cruz.

XX

PLACIDA

—Di, Plácida: ¿qué haces tú para estar siempre tan joven?

Plácida sonríe. El cuarto de Plácida, en el piso principal, está en un ángulo de la casa y tiene dos ventanas: una da al huerto, y por sobre los árboles se ve la catedral; la otra mira a la campiña y deja ver la sierra. La estancia es sencilla; las paredes reverberan de blancas. La cama está formada por dos banquillos bajos y seis anchas tablas, todo pintado—según uso—de verde claro. Un armario y una mesa con espejo completan el aderezo.

—¿Qué haces tú, Plácida, para estar siempre tan joven?—repite doña Inés.

Toda su vida la ha pasado la moza en el pueblo; no ha querido salir de Garcillán. Lejanos parientes suyos son parientes de Diego Lodares. Han sido compañeras en la infancia doña Inés y Plácida; pero Plácida es mucho más joven que doña Inés. La dama va examinando el cuarto de la moza. En el armario está colocada con cuidado la ropa. Blanquean las primorosas texturas segovianas del lino; cada tabla del armario está cubierta de un paño blanco; sobre el paño se levantan los montones de ropa. En un rincón, las manos de doña Inés han tropezado con una bolsa de punto de seda—seda roja—con dos argollas de plata. En un cujón de la bolsita hay napoleones, duros; el otro está henchido de onzas de oro.

—¿También tú tienes tu condesijo?—ha dicho doña Inés.

Y luego, en tanto sonreía Plácida, ha añadido:

—¿Te atrae también a ti el dinero? ¿Has visto tú que el dinero lo tienen muchas veces los más indignos? No debería haber *tuyo* ni *mío*. Yo tiraría a puñados las onzas por la ventana. Si con el dinero no se puede tener juventud otra vez, ¿para qué lo quiere la Humanidad? ¿Harías tú sufrir a nadie por causa del dinero? Es una maldad grande que haya dolores por una cosa que podíamos suprimir. Si tienes tú una espina en un pie que no te deja caminar, ¿no es una estupidez el que no te la quites?

Plácida sonreía. Plácida es alta y cenceña. En la tez tersa y brillante—al igual que en las esculturas sagradas—brillan los dientes blancos. En la blancura de la piel se enciende el rosicler de las mejillas. Los labios y las mejillas de la moza son—usando de una imagen de que gustaba usar Lope—pétalos de rosas caídos en naterones cándidos. El cuerpo fino y duro se mueve ondulando. Viste la moza una falda de indiana azul celeste con un ribete blanco, y el busto va ceñido por un pañuelo de fondo punzó y ramos también blancos.

Bajo uno de los paños que cubren las tablas del armario se nota un grueso bulto. Las manos de doña Inés han tropezado con él. Plácida se acerca vivamente al armario.

—¿Qué es esto?—pregunta doña Inés.

La mano de la dama tentaba por encima del paño un paquete de papeles. Un ademán de la moza ha detenido a la señora. Las dos se miran en silencio.

—¿Te ha cortejado a ti nunca nadie? —ha preguntado doña Inés—. ¿Tienes tú algún chichisbeo?

Plácida ya no sonreía. Si doña Inés hubiera escudriñado el paquete oculto en el armario, debajo del blanco paño, hubiera visto que muchos de esos papeles están llenos de versos. Las ventanas dan al campo y a la ciudad. La sierra se columbra en la lejanía. Cuatro o seis álamos, cerca de la casa, ponen sus cimas agudas—a causa de la perspectiva—junto a las últimas pinceladas blancas de la nieve de la montaña.

XXI

LA CASA DE EUFEMIA

La puerta de la casa de Eufemia está dividida en dos partes: una alta y otra baja. Cuando se abre la primera, puede quedar cerrada, como antepecho, la de abajo. El zaguán tiene el piso de tierra negruzca. Las paredes son blancas, y por todo lo bajo corre un zócalo gris, separado de la blancura por una lista negra. Hay en el zaguán un banco de pino sin pintar. En el fondo se abre una puerta que da al establo; a la derecha se ve otra puerta que franquea una cámara en que no hay muebles. Tres abombados cofres se ven en esa cámara. La escalera es de pino amarillo y asciende encajonada entre paredes blancas. Arriba se ve un corredor estrecho. Dos puertas dan a este pasillo, y otro corredor se abre a la derecha. Las paredes son blancas; el rodapié, ceniciento, corre por abajo; la línea negra separa lo blanco de lo gris. El corredor de la derecha conduce a un reducido aposento. En la pared cuelga la espetera. En un rincón reposa una tinaja; cuatro cántaros rojos de Villacastín le dan guardia. Cazos grandes y cazos chiquitos, peroles, un calentador, una chocolatera—todo de azófar—brillan amarillos, como de oro viejo y claro, de oro obrizo, sobre la nitidez del muro. Enfrente, colocados en una poyata, se ven calderas grandes y calderas chiquitas. Su fondo, batido con millares y millares de martillazos, relumbra encendido al igual de hierro enalbado. La puerta de la camarilla da a la cocina.

El piso de la cocina es de ladrillo rojo. A un lado del hogar hay un banco de pino; al otro, una mesa. El fregadero se halla enfrente, en un ángulo. En el reborde de la campana de la chimenea aparecen escudillas, vasos, jícaras y tazas. En un extremo se ven un atadijo de teas rojizas y un montoncito de pajuelas de azufre.

Las salas de la casa son anchas. Los techos no tendrán de altura más de estado y medio. Los aposentos tienen alcobas cerradas con puertas de vidriera. En una sala penden dos cuadros con grabados; en uno de ellos dice: «Nuestra Señora de la Fuencisla»; en el otro: «Nuestra Señora de Navas». En otra sala se ven otros dos grabados. En uno pone: «Verdadero retrato de Nuestra Señora del Henar». (La Virgen del Henar es la patrona de Cuéllar.) En el otro: «Santísimo Cristo de la Buena Muerte». La más espaciosa de las salas está en la parte posterior de la casa. Al pie de las paredes reposan tres cofres. El balcón da al campo; una parra se enrosca a la barandilla. Con el alba se abren las maderas del balcón. Ha comenzado ya a sonar la campana del Cristo de la Cruz. La primera misa de Segovia se dice en esta ermita. En estos días de verano, cuando el cantueso tapiza de morado las laderas de la sierra, al romper el alba, los devotos siembran de flores olorosas de cantueso las losas de la iglesia. El aire se llena de penetrante aroma. La aurora ha encendido ya el horizonte. Los verdes y lozanos pámpanos del balcón—en la casa de Eufemia—se bañan gozosos en la fina y virgen luz de la pura mañana.

XXII

LOS COMPAÑEROS DE DIEGO

Los compañeros de Diego en casa de Eufemia son un vasco y un valenciano. Diego ocupa la sala más grande de la casa; los otros dos huéspedes, otras más pequeñas. El vasco se llama don Herminio Larrea. Ha venido a Segovia para estar cerca de la sierra. Desde la ciudad hace excursiones Larrea a la montaña. Y de la montaña trae pedruscos de todos tamaños y colores. Luego estas piedras las manda fuera, a San Sebastián, en cajas de madera con etiquetas largas y complicadas. Larrea es autor de un *Plan metódico para ganar siempre a la lotería.* Cuando de tarde en tarde se le dice: «Pero, bueno, don Herminio, ¿con el plan metódico se gana de veras a la lotería?», Larrea contesta con voz firme: «Se gana, sí, se gana teóricamente; prácticamente, no. Me faltan datos complementarios. He pedido unos libros de matemáticas a París y estoy esperándolos.» Los libros tardan en llegar; pero don Herminio no tiene reparos en ceder *provisionalmente*—el adverbio es suyo—el *plan,* en copias manuscritas, a quien lo solicite, a reserva de enviar después un suplemento con los datos definitivos, cuando lleguen los libros de París.

El huésped valenciano se llama don Vicente Taroncher; está tambien, como Diego, empleado en la Jefatura política. Sus actividades, fuera de las horas de oficina, las dedica a la pintura y a la genealogía. En el archivo del palacio episcopal y en el Ayuntamiento trabaja para formar los árboles genealógicos de las familias que se lo encargan. La habilidad de Taroncher en imitar letras es prodigiosa. Su fantasía no lo es menos; disgustos y rencillas ha habido en la ciudad a causa de los documentos presentados por don Vicente. Y acaso hubiera tenido ya el genealogista un serio contratiempo sin la protección del obispo y del jefe político. Del jefe y del obispo ha pintado Taroncher los retratos.

Cuatro o seis días ha estado en Segovia un amigo de Larrea: don Marcelino Calero y Portocarrero. No se errará mucho si se afirma que Calero es también un imaginativo como Larrea. Si Larrea tiene un *plan* para ganar a la lotería, Calero es autor de un *proyecto para construir un camino de hierro de Jerez de la Frontera al Puerto de Santa María.* El folleto ha sido impreso en Londres, en 1830. Como se comprenderá, la cosa es totalmente absurda. En el extranjero se han construído algunos de estos caminos en que los vehículos van arrastrados por una máquina de vapor. El procedimiento no ofrece ninguna ventaja sobre los medios de locomoción conocidos. Teóricamente—como diría Larrea—, el problema está resuelto; prácticamente

mente no se logrará nunca nada. En cortos trayectos pudiera la novedad acaso dar resultado. Y siempre para el transporte de mercancías, nunca para el de viajeros. «¿Dónde encontrar el hierro necesario para construir los carriles que se necesitarían en caminos de largas distancias?», ha preguntado Thiers. Los viajeros corren peligro, en los nuevos vehículos, de perecer asfixiados por el humo de la máquina y por falta de aire. El paso por los túneles —según ha dicho en la Cámara francesa un sabio, Arago—«produciría a los viajeros fluxiones de pecho, catarros y pleuresías». Las empresas de diligencias y de transportes de mercancías se arruinarían; como no harían falta caballos, no se venderían forrajes, ni paja, ni cebada. Se arruinarían también los labradores. Y dejamos aparte el hecho, importante para los que viajan por recreo, de que los paisajes, con motivo de la velocidad, apenas podrían ser contemplados.

Diego el de Garcillán se aposenta en la sala que da al campo, en la parte posterior de la casa. Tiene al alcance de su mano, junto a la mesa, un estante de libros. Casi todos los volúmenes son de versos. Sobre la mesa se ve uno chiquito que ha comprado estos días. Acaba de ser publicado en este año de 1840; se titula, sencillamente, *Poesías,* y lo firma un Ramón Campeador o Campoamor. Diego lo va leyendo despacio; su autor será seguramente uno de tantos mozalbetes que publican un tomito de poesías anodinas y luego no vuelven a escribir más versos. Campeador o Campoamor, como otros muchos, no hará absolutamente nada. No vale casi la pena leerle.

XXIII

EN LA ALAMEDA

Doña Inés recorre la ciudad y pasea por los contornos. Suele recrearse lentamente en la umbrática espesura de la Alameda.

El río se desliza manso en el fondo de la cañada. La verdura, a un lado, cubre la margen y asciende hasta la población. Las huertas forman cuadros de hortalizas en que las altas matas de guisantes están rodrigadas con cañas. Los frutales se entremezclan entre los tablares verdes. Y el follaje va reptando por el repecho y se cuela por los portillos y entraderos de la ciudad. Ya en estos días de junio los árboles han acabado de pulular. La savia, encerrada durante el invierno en el subsuelo, ha ido ascendiendo por los troncos; ha henchido las yemas de las ramas, se ha asomado poco a poco en los renuevos verdes, y ha acabado—extendidas las hojas—por cubrir, invadir, llenar los árboles y el paisaje. El río, el Eresma, se desliza apacible en el fondo. Sobre sus cristales tersos, las frondas de las orillas se inclinan y besan las aguas, como si los árboles, sedientos, estuvieran bebiendo de bruces. Y a la otra margen se extiende la Alameda. Cuando el sol tramonta, la dorada luz suave entra sesgada, desde lejos, por los troncos. Todo es verde arriba y todo es suavemente dorado abajo. De los lejanos caserones y palacios de la ciudad llega la misma sensación de laxitud placiente que se respira en este paseo abandonado. Los retallos y vástagos surgen de las platabandas sin recortar y avanzan hacia el camino. Las espigas secas de los cadillos se agarran al traje del paseante. Llenan los senderos plantas silvestres: la caléndula, con su botón y pétalos amarillos; la matricaria, con sus pétalos blancos y botón de oro; el simpático gordolobo—*verbascum thapsus*—con su pináculo de florecitas de un amarillo claro, y sus hojas vestidas de sedosa borra blanca; las clemátides—*cle-*

matis vitalba—o hierba del pordiosero, con sus flores blancas o violáceas, dignas de ser secadas entre las páginas del *Buscón;* los cardos, hoscos, con sus pompones morados. En el cielo azul, por entre los claros del ramaje, allá arriba, a doscientas varas sobre el río, se yerguen el alcázar, la torre de la catedral, la torre esbeltísima de San Esteban, «reina de las torres bizantinas que en España conocemos», dice Quadrado. En el silencio profundo, gozamos de la armonía maravillosa del verde sobre la piedra dorada. En ninguna ciudad española se da, como en Segovia, tan perfecto, el concierto entre las viejas piedras y la hoja verde lozana. Los momentos van deslizándose y las sombras de los troncos se van alargando. Si nos llegáramos hasta el cercano monasterio del Parral, en ruinas, con los techos desfondados, con las estancias llenas de escombros, con las vides labruscas enroscadas a los maderos carcomidos, escucharíamos en un apartado aposento caer en un pilón el chorro de una fuente, y al mismo tiempo, como réplica a este murmurio, en lo hondo, en un subterráneo, el son pausado, intercadente, del agua que se entrederrama, que se derrama despacio, con lentitud.

XXIV

DESDE LA CANALEJA

Desde la Canaleja contempla doña Inés el panorama de la sierra. Allá en lo alto de la ciudad, en una de las calles—la Canaleja—, se hace un claro en la fila de casas; un antemural de piedra forma un elevado balcón. Parte de la ciudad, abajo, se divisa desde el mirador; más allá de las tierras labrantías, cerrando el horizonte, aparecen los dentelleos y rotundidades de la montaña. Cerca, diseminados entre las edificaciones, están el caserón de la Comunidad de la tierra de Segovia; San Clemente, con su torreón chato y cuatro ventanas por cada lado, bajo el alero; la Trinidad, Santo Tomás. Lejos están la eminencia de Peñalara, a dos mil cuatrocientos treinta metros sobre el mar; las cumbres de las Guarramillas, el puerto de Navacerrada, los Siete Picos, el Montón de Trigo, a dos mil ciento cincuenta y cuatro.

A continuación de éste, en dirección al Poniente, las curvas y redondeces de la montaña trazan la silueta de una mujer en su lecho de muerte—la Mujer Muerta—. La parte de la sierra que se divisa desde la Canaleja es la sección central de los montes carpetanos, en que se juntan, por un lado, la Somosierra, y por otro, la Mujer Muerta, enteramente segoviana.

La tarde está limpia; comienza a declinar el sol. En la limpidez y en la serenidad del aire flota como una sensación de melancolía. Las casas que vemos aquí cerca están desparramadas, dispersas. Entre paredones desmochados de corrales y esquinazos de viejos edificios, surgen borbollones de verdes hojas. Apoyados en el antepecho de piedra, nuestra imaginación vaga de casa en casa, de una en otra ventana. Contemplamos balcones en que quisiéramos apoyarnos, como estamos aquí ahora, sin esperar nada, sin pensar en nada, durante un crepúsculo vespertino, y vemos puertas en que desearíamos permanecer un momento, pisando sus umbrales, en una época de nuestra vida. En el azul de la sierra blanquean aún en estos días de junio unas manchitas de nieve. Las hojas de los álamos cercanos verdean sobre el azul de la sierra. De la ciudad—lejos del centro—llega hasta este grupo de casas que está a nuestros pies, casas disgregadas, desparramadas, el turbión de la vida. Los grandes edificios—iglesias, caserones históricos—clarifican y desparraman más todavía la corriente que viene de lejos, y hacen que de pared en pared, de esquina en esquina, por entre las calles cortas y desiguales, el hálito vital venga finalmente a condensarse y densificarse en esas puertas y ventanas misteriosas. Llena todo el paisaje, aquí cerca, el misterio de esas ventanas. Y allá lejos lo cierra la proceridad azul de la montaña.

XXV

LA IGLESITA

Diego el de Garcillán viene todas las tardes a la terraza del alcázar. Desde el antepecho de piedra, por la parte que da al Eresma, contempla el panorama. El río, en lo hondo, está casi oculto por la fronda. De estos árboles, algunos, los añosos y copudos, le recuerdan a Diego el ombú de la estancia argentina. Bajo el ombú pasaron los años de su adolescencia. ¿Está ahora solo aquí Diego el de Garcillán?

No está solo el poeta. En la visión que el viajero se forma de Segovia, rebullen en caos magnífico todos los monumentos de la ciudad. La mente se llena de palacios, iglesias, capillas, arcos, capiteles, rejas, ventanas, torres, retablos. Sobre la masa espléndida de monumentos, surgen el acueducto, el alcázar, la catedral, San Esteban, las puertas de San Andrés y de los Caballeros. La imaginación, deslumbrada en horas de recuerdo, va de una maravilla a otra. No podemos poner al pronto orden y sosiego en la admiración. Todo el conjunto de primores arquitectónicos aparece en un plan uniforme.

Diego el de Garcillán no está solo en la meseta del alcázar. En la mente del contemplador de Segovia se va haciendo poco a poco el orden jerárquico. Los recuerdos se clarifican. El acueducto, la catedral, el alcázar, quedan como fondo magnífico del cuadro. Y en primer término va apareciendo—confusa, primero; después, más clara—una iglesita románica. La iglesia es reducida; sus paredes son sencillas. Forma el templo un polígono; una torre cuadrada lo flanquea. El tejado es bajo, y sobre la techumbre se alza, poco empinado, el otro tejadillo del cimborrio. Sobresalen de la fábrica los ábsides. Las ventanitas de la iglesia nos miran desde lejos.

No está solo Diego el de Garcillán en la explanada del alcázar. La iglesita románica de la Vera Cruz se alza allá en un terrero, al lado de un sequeral castellano, pasada la arboleda del Eresma. Ante la puerta principal del templo pasa un camino blanco. La otra puerta, junto a la torre, es chiquita. El camino se aleja culebreando, polvoriento, hacia un poblado que emerge en el horizonte—Zamarramala—. Desde encima de las casas, la torre de otra iglesia parece observar a la iglesita románica. La iglesita está cerrada. En el interior se halla todo desmantelado; pero esta iglesita, entre los grandes y magníficos monumentos de Segovia, acaba por dominar, señera. El acueducto es admirable; acueductos y puentes romanos hay algunos en España. Catedrales hay muchas; alcázares no faltan. La iglesita románica no tiene par. La construyeron los templarios en el siglo XIII. De regreso de Jerusalén, estos caballeros quisieron imitar con su ámbito el sepulcro de Cristo. «En ninguna otra provincia española—dice un viajero—se encuentra ejemplar semejante.» «Unica en la ciudad y tal vez en España», asevera un arqueólogo. La iglesita, aislada, limpia, solitaria, sin edificaciones aledañas, se levanta al lado del camino sinuoso, en la tierra polvorienta castellana. El camino se aleja blanco hacia el pueblecito. ¿Va a estar solo en la vida Diego el de Garcillán, solo como esta iglesita? La iglesita románica le acompaña en sus horas de meditación. ¿Llegará a ser también el poeta singular en su arte, dichosamente singular, como la iglesita románica?

XXVI
LA FLECHA INVISIBLE

Todas las tardes, Diego el de Garcillán viene a la terraza del alcázar. El tiempo está sereno en estos días de verano. Los árboles se muestran llenos de sombra. Las aves pían alegres. Relumbra la bóveda azul del cielo. Diego, junto al antepecho de piedra, contempla a ratos el paisaje; otras veces lee en un libro. La arboleda cubre las claras linfas del Eresma. La iglesita de la Vera Cruz acompaña al poeta. En el otero se yergue solitaria. Junto a su puerta principal pasa el camino y se aleja sinuoso hasta el pueblecito que asoma en el horizonte. Todo respira vida y fuerza. Las cosas se ven claras; el aire es vivo y cálido. Con el brazo caído y el libro en la mano, el poeta contempla el panorama. Diego experimenta una ansiedad que no puede definir; a veces se siente exaltado y otras parece hundirse en un abismo. Quisiera hacer algo que no sabe lo que es. Cuando la Naturaleza toda ríe, él siente honda melancolía; en los crepúsculos vespertinos, a tiempo que surge el lucero, su espíritu se estremece con una sensación indefinible.

Ha llegado Diego el de Garcillán esta tarde a la terraza del alcázar. Absorto está leyendo cuando ha llegado también, lenta y silenciosa, una dama—doña Inés—. Cerca del poeta se ha colocado, junto al antepecho de piedra, la señora. No han hecho ruido ninguno los pasos de doña Inés; quieta está ahora, contemplando también el paisaje. Nada ni nadie turba en la terraza el silencio. Y de pronto, sin saber por qué, misteriosamente, Diego ha vuelto la cabeza y ha visto a doña Inés. La mirada del poeta ha quedado clavada en los ojos de la dama; la mirada de la dama se ha posado en los ojos del poeta. El aire es más resplandeciente ahora. Los pájaros trinan con más alegría. Canta la calandria y contesta el ruiseñor. Las flores tienen sus matices más vivos. Las montañas son más azules. El agua es más cristalina. El cielo es más brillante. Todo parece en el mundo fuerte, nuevo y espléndido. ¿Es el primer día de la creación? ¿Ha nacido ahora el primer hombre? Los ojos del poeta no se apartan de la faz de la dama, ni los ojos de la dama del rostro del poeta. Una flecha—invisible—ha partido de corazón a corazón.

XXVII
OBSESION

(ELLA)

Recostada en un sofá, contempla el cielo desde el fondo de la estancia doña Inés. El cielo se divisa por el balcón abierto de par en par. El azul pálido—en esta hora del crepúsculo vespertino—se va entenebreciendo poco a poco. Un espejo, en una de las paredes, refleja vagamente la débil claridad. En el cielo relumbra la estrella de la tarde. ¿Se podrá revivir la juventud en Hesperus? El lucero vespertino es un mundo similar al nuestro. La juventud no retornará tampoco en ese astro. Si pudiéramos trasladarnos a esa estrella, no notaríamos apenas cambio en nuestra vida; el peso de nuestro cuerpo sería un poco menor que en la Tierra. La luz del crepúsculo va menguando; es más brillante en el cielo negruzco el fulgor del astro. ¿Habrá congojas de amor en Hesperus? «La observación de ese mundo vecino — dice un astrónomo — es sumamente difícil. El disco brillante como una bola de nieve se nos muestra siempre de una blancura cegadora y es preciso observarlo en pleno día si queremos percibir algunos pormenores.» Doña Inés tiene la mirada puesta en la estrella brillante. Lentamente, el astro va ascendiendo por la inmensa concavidad cerúlea. El cuadrado de luz evanescente del espejo responde en la tinieblas de la sala al cuadrado pálido del balcón. La imaginación finge en la estancia unas manos varoniles que avanzan. Se siente estremecida hasta lo íntimo de su ser la dama. El brazo de doña Inés se apoya en un brazo; grata sensación de fortaleza entra en el espíritu de la señora. Nada interrumpe el silencio. A la dulce languidez de antes ha sucedido un indecible enardecimiento. Los labios de una faz se contraen; lucen los ojos azules. Entre el fulgor mortecino del espejo y el del cielo resalta lo rubio de una sedosa melena. La estrella ya está junto al dintel del balcón. ¿Se podrá revivir la juventud en el brillante lucero? Los labios han avanzado. En los labios de la dama se posan. Ya no refleja nada el espejo. La luz diurna se ha desvanecido. Sobre los labios de doña Inés se apoyan otros labios. El beso es largo y apasionado. ¿Habrá en la estrella vespertina cuitas de amor? El astro rutilante ha desaparecido del cuadro negro del balcón.

XXVIII

OBSESION

(ÉL)

La vista sigue los renglones del libro, pero no puede leer nada. Se desvanece la luz en el cielo del crepúsculo. El libro forma una mancha blanca sobre la mesa en la vaga claridad de la estancia. Los pámpanos verdes del balcón se divisan vagamente. En el firmamento oscuro relumbra Véspero. ¿Habrá poetas en el brillante astro? ¿Sentirán allí los poetas penas de amor? En la penumbra del aposento, la blancura del libro se va esfumando. Surgen unas manos finas y carnosas. Los labios de una boca resaltan encendidos. La estrella de la tarde es un mundo parejo al nuestro. «El ecuador de la Tierra — escribe un astrónomo — mide cuarenta mil kilómetros; el de Venus es casi de la misma longitud, o sea de treinta y ocho mil cuatrocientos cincuenta kilómetros.» ¿Habrá en el astro fulgurante poetas que amen a damas inaccesibles? No se distingue apenas en el cuadro del balcón la mancha verde de los pámpanos. Los labios rojos resaltan más en la sombra. Unos ojos negros tienen destellos de bondad, unas veces; otras, miran de hito en hito y misteriosos. Y unos brazos se levantan, y al tiempo que las manos atusan los aladares crespos de las sienes, dejan recortado en el fondo indefinido un busto firme y esbelto. Los ojos del poeta miran la claridad levísima del cielo y no ven nada. La mancha del libro ha desaparecido. Sobre los labios rojos y sensuales se han posado apasionadamente los labios del poeta. El beso ha resonado largo. No se percibe ni el más leve rumor del campo; ni en la estancia turba nada el sosiego. Las últimas vibraciones de las campanadas del *Angelus*, en la ciudad, se han disuelto hace rato en lo negro cristalino del cielo. Al ímpetu con que unos labios apretaban otros labios, ha sucedido un profundo desconsuelo. ¿Habrá en la lejana Venus cuitas de amor? En la noche rutila majestuosa la estrella de la tarde.

XXIX

EL SECRETO

Todo reposa en la ciudad y en la casa. En las casas españolas—al menos en las casas provincianas, por tradición de siglos—se hacen dos limpiezas diarias: una se realiza en las primeras horas de la mañana; otra, más sumaria, pasada la comida, en las horas postmeridianas. En estos momentos de la tarde, durante el verano, en que la segunda limpieza ha quedado ya hecha, el sosiego es profundo en la casa. En la ciudad todo se desenvuelve automáticamente; todo obedece a la luminosidad de la hora y de la estación. El sol, con su luz viva, suscita el bullicio y el estruendo de los moradores. Va declinando la viva luz solar; el estrépito y el tráfago se van amortiguando. Así, a par de la carrera del sol por el firmamento, crece o decrece en la ciudad el oleaje del tumulto y de los mil ruidos. El caos contradictorio de las grandes ciudades, en que el elemento internacional ha entrado, no existe en las pequeñas poblaciones. Las campanadas de la catedral—en el alba, a mediodía, al anochecer—lo dominan todavía todo, y a compás de las campanadas y a tono con el sol, la vida se desliza sincrónica, como el mecanismo de un reloj.

En estos momentos de reposo, después de la limpieza de la tarde, doña Inés y Plácida se hallan sentadas tras la casa, en la margen del huerto. La cocina ha quedado entornada. Despide—toda blanca y limpia—cálido vaho. Todavía está templada la piedra del hogar. No llegará a enfriarse del todo; pronto comenzará otra vez la faena en la clara pieza. Y ahora un rayo de luz viva, un rayo filtrado a través del parral que entolda la puerta, pone en el alizar blanco de la cocina un resplandor verde.

—¿Has visto tú cuántos tontos hay en el mundo?—dice doña Inés—. Los más antipáticos son los engreídos con su dinero. Detesto esos nuevos hacendados que se están enriqueciendo con los bienes del Clero. ¡Hay tal rapacidad! Son groseros y brutales. Después vendrán los remilgos, y esa gentecilla impondrá a la sociedad española un odioso tono de gazmoñería y de sordidez.

Luego, tras una pausa:

—¡Qué sórdidas y mezquinas esa clase media y esa aristocracia! Yo creo que todo lo que se cuenta de la antigua esplendidez española es mentira.

Y después, tras otra pausa:

—¡Qué dura e intolerante esta vida española!

Plácida, sentada en una silla baja, se ocupa en coser. Doña Inés va y viene por la emparrada plazoleta del huerto. Se detiene y pregunta:

—¿Hay hidalgos en Garcillán, Plácida? ¿Te ha festejado a ti alguno?

Plácida levanta la cabeza de la labor y sonríe. Y doña Inés, de nuevo, deteniéndose ante la moza:

—¿Has conocido tú a Diego, el poeta, en Garcillán? ¿Ha sido amigo tuyo en el pueblo?

Y Plácida se ha estremecido toda. Palpitaba su corazón con fuerza. Las mejillas se le han encendido. Se esforzaba por tener la vista fija en la labor y no veía nada. Doña Inés, absorta, la miraba en silencio.

XXX

DOÑA BEATRIZ

—Entra, Inés—ha dicho don Pablo.

Doña Inés permanecía indecisa en la puerta.

—He terminado ya de trabajar—ha añadido el caballero.

Tío Pablo estaba en su biblioteca. La mesa de trabajo es un ancho y recio tablero de nogal. Sobre la mesa se ve una gruesa carpeta henchida de papeles. Las manos del caballero añudaban las cintas verdes de la carpeta.

—He terminado ya de trabajar—ha reiterado don Pablo; estoy un poco cansado; pero en estos momentos de laxitud veo más claras las cosas. Lo que estoy haciendo es el último libro que escribiré en mi vida. No sé si te diga que estoy un poco satisfecho de mi trabajo.

La carpeta quedaba ya cerrada. La tenía entre sus manos don Pablo; ha señalado el tejuelo blanco que aparecía en uno de sus lados y ha dicho:

—Lee, Inés, este rótulo.

En el tejuelo se leía: *Doña Beatriz* (*Historia de amor).*

La postrera obra de mi vida será la biografía de esta señora. Estoy todavía en los preparativos.

Don Pablo ha cogido la carpeta y la ha guardado en un armario. El caballero trabaja lentamente; poco a poco va reuniendo los materiales para sus libros; poco a poco va empapándose y saturándose del asunto que ha de tratar. Llega a sentirse compenetrado con el tema, y a sentirlo en todas las horas y momentos del día. Siente entonces una intensa obsesión por el asunto de su libro. Los más pequeños pormenores están presentes a sus ojos. De pronto, en el paseo, en la calle, durante una visita, cuando está pensando en otra cosa, se le aparece limpio y definido un detalle que completa la visión que tenía del tema. Y en esos momentos, en un papelito que saca de la cartera, escribe cuatro o seis renglones. De innumerables papelitos de ésos están llenos gruesos sobres que figuran en la carpeta. Y el tiempo va pasando. Don Pablo ha escrito ya su libro. El libro se ha publicado. Lentamente se va realizando la operación contraria a la ya descrita: la materia tratada en el libro se va desvaneciendo; desaparecen los pormenores en la mente del escritor; van borrándose luego los trazos más genéricos. Y al cabo de algunos meses, en una conversación, se suscita un tema análogo al tratado por don Pablo en su libro, y el caballero, que un tiempo conociera hasta los más pequeños detalles del asunto, parece ahora un hombre completamente estúpido, al ignorar lo más elemental de la materia que se debate.

—Este libro, querida Inés—dice don Pablo—, será la última obra de mi vida. ¿No has ido a visitar en la catedral el sepulcro de don Esteban de Silva y de doña Beatriz, su mujer? Iremos los dos una mañana. Tú eres el último descendiente de la familia. Desde don Esteban y doña Beatriz, la línea viene limpia y recta hasta ti. Cuando has aparecido ahora en la puerta y yo te estaba mirando, creía tener ante mí a la misma doña Beatriz.

—¿Es bonita la historia?—ha preguntado Inés.

—La historia es terrible—ha dicho el caballero—; hay en la vida de doña Beatriz una pavorosa tragedia. Ya te la contaré otro día. Ven cuando quieras a esta misma hora de hoy; yo trabajo más temprano.

El trabajo de don Pablo es breve. Sólo una hora u hora y media puede permanecer el caballero con la atención fija en un asunto. La fatiga le sobrecoge pronto. Su productividad es escasa; escasa, pero intensa. Se podría comparar su pluma a la piquera de un alambique que fuera dejando caer gota a gota un precioso licor.

XXXI

COMIENZA LA HISTORIA DE DOÑA BEATRIZ

Don Pablo está saturado del asunto de su libro; todo lo ve claro y limpio; siente un gran entusiasmo por la obra. El trabajo oscuro de lo subconsciente se realiza en todos los momentos del día y de la noche. Y por la mañana, a primera hora, cuando el aire es sutil, don Pablo escribe quince o veinte cuartillas. Todo lo que emana entonces de su pluma se halla henchido de emoción. La obra va a ser perfecta... Y un día don Pablo amanece como todos los días. Ha pasado bien la noche; su sueño ha sido dulce. La personalidad del escritor se halla en tono de plenitud. Se sienta don Pablo ante las cuartillas y comienza a escribir. La letra no es la misma: enrevesada y difícil; no tiene, dentro de su irregularidad acostumbrada, la normalidad de siempre. El pensamiento discurre tardo. Un estremecimiento de pavor recorre entonces los nervios del caballero; don Pablo ya sabe de qué se trata. Sin darse cuenta de ello el mismo don Pablo, sin avisos premonitorios, se ha presentado el período de la sequedad. A partir de este momento, la esfumación del asunto en la sensibilidad del escritor va a comenzar. No habrá fuerza humana que pueda impedirlo. Y se va a entablar entre los personajes y el escritor una lucha desesperada: el escritor tratará de recobrarse y de entusiasmarse artificiosamente para lograr que los personajes no se le escapen, y los personajes, por su parte, lentamente, silenciosamente, se irán alejando de la mente del escritor. ¿Qué influencias misteriosas determinan este cambio en la sensibilidad del artista? ¿Es este caso el período de sequedad, como lo hemos nombrado, de que hablan los místicos? Y si ahora se ha presentado en don Pablo la repugnancia instintiva e invencible hacia el asunto, ¿podrá recobrarse, estando como está demediado el libro, y logrará terminarlo? La comprobación de su estado de repugnancia ha entristecido al caballero. Se resistía a la inacción; durante media hora ha estado comenzando cuartillas y rasgándolas en seguida. Inmóvil ante la mesa, con el codo apoyado en el tablero, ha visto cómo doña Inés penetraba en la biblioteca.

—Te agradezco, querida Inés—ha dicho tío Pablo—, estas flores que has tenido la bondad de mandarme para que me inspiraran; pero la inspiración no ha llegado. No haré el libro que pensaba escribir. Lo que he hecho no vale nada; creo que es cosa completamente anodina.

Don Pablo, en los momentos de plenitud, suele leer libros de compañeros suyos; esa lectura sirve para confirmarle en la idea del valor de su prosa. Sí; lo que él escribe puede parangonarse con lo que sus compañeros escriben. Y en los momentos de sequedad, lee también esos libros; pero lo hace para comprobar, entristecido, cómo su prosa es lacia y desmalazada, junto a la prosa viva y elegante de sus colegas. ¿Logrará don Pablo, para terminar su libro, salir de este atolladero de ahora? El asunto ha comenzado a escapársele; si la fuga y el alejamiento continúan, don Pablo llegará a la más completa insensibilidad con relación a sus personajes.

—No podré ya escribir el libro que había comenzado—dice—; tú, Inés, no comprenderías, aunque te lo explicara, todo esto que a mí me sucede. Lo que llevo escrito me parecía antes excelente; ahora veo que me he equivocado.

Doña Inés trata de animar a tío Pablo.

—Pero, querido tío Pablo—le dice—, no hay motivo ninguno para tal abatimiento.

—El asunto era bonito—contesta el caballero—; figúrate tú la tragedia de una mujer buena y candorosa. Doña Beatriz González de Tendilla era mujer, como tú sabes, de don Esteban de Silva, nuestro ilustre antecesor. Doña Beatriz nació en 1425 y murió en 1466. Don Esteban era copero del rey Enrique IV. Un día se presentó en el palacio de los Silvas un trovador. He logrado reunir curiosos documento; hubiera podido contar la historia con toda clase de pormenores. El trovador era casi un niño; componía poesías, trovas, que luego recitaban los juglares. Era el trovador un mozo alto, rubio, con los ojos azules, y traía una larga melena de oro.

Doña Inés escuchaba curiosa. Se ha detenido don Pablo y sus manos apartaban con profundo ademán de cansancio los libros que había sobre la mesa.

—Es interesantísima la historia, querido tío Pablo—dice doña Inés—. Yo quiero que siga usted trabajando en el libro.

Y el caballero ha replicado:

—No sé si podré terminarlo; no tengo ya ningún entusiasmo. Tú no sabes los lances que ocurrieron en el palacio de los Silvas con el trovador. Doña Beatriz se enamoró del poeta. Y el poeta escribía endechas a la dama. He visto algunas de las poesías del trovador...

Se ha detenido de nuevo tío Pablo; su mirada se posaba en el cesto lleno de cuartillas rotas; sus manos acariciaban los libros colocados sobre la mesa.

XXXII

SIGUE LA HISTORIA DE DOÑA BEATRIZ

¿Quién será capaz de explicar los misterios de la gestación artística? Seis días arreo ha permanecido don Pablo en estado de repugnancia: repugnancia a escribir, a leer, a pensar en cosas literarias. No sentía apetencia por los libros viejos; no le interesaba la pesquisición del volumen raro y curioso. Su salud era perfecta; estaba descansado el cerebro. Y de pronto, una noche, al acostarse, ha comenzado a sentirse desazonado. Ha pasado la noche de un modo deplorable; se han recrudecido sus achaques y se han avivado sus aprensiones. En los momentos en que un ligero sopor le aletargaba, cruzaban por ese tenue sueño—a manera de luces lívidas a través de las tinieblas—pesadillas y espantos. Cuando se ha levantado por la mañana, no estaba para nada; por hacer algo ha cogido la pluma y ha comenzado a escribir. A la segunda o tercera palabra ha visto don Pablo, con grata sorpresa, que la letra, dentro de su engarabitamiento habitual, era regular y uniforme. La prosa fluía límpida y exacta. Sentía don Pablo una intensa emotividad y se veía por momentos próximos a sollozar. Rápidamente iban quedando llenas de renglones las cuartillas. En tanto que iba escribiendo, él pensaba que hoy iba a feriarse un libro raro que había visto en la tienda de un anticuario la noche anterior. Y este artificio que él solía emplear frecuentemente hacía que su pluma, excitado el cerebro, corriera más ágil y presta. No solía usar don Pablo de otro excitante mental; ni el alcohol ni el café eran por él usados. Sencillamente, como un niño, se prometía para después de la tarea el goce de una adquisición de libros codiciados.

La tarea del día, quince o veinte cuartillas, estaba terminada. Cuando ha entrado en la biblioteca doña Inés, el caballero sonreía. Han comenzado a charlar. Tío Pablo se siente retozón y festivo.

—¿En dónde habíamos quedado de nuestra historia, Inés?

—Habíamos quedado en que el trovador estaba enamorado de doña Beatriz.

—Y doña Beatriz del trovador. Se llamaba el trovador Guillén de Treceño; era un guapo muchacho. Doña Beatriz, sí, estaba enamorada del trovador. Don Esteban de Silva, el marido de doña Beatriz, era un hombre de acción. Los hombres de acción, si tuvieran sensibilidad, no serían hombres de acción. No podrían hacer nada. La sensibilidad es el disolvente de la acción. Si América se hubiera descubierto un poco antes, don Esteban de Silva hubiera sido un conquistador admirable; hubiera fundado un gran imperio. Don Esteban no tenía sensibilidad. Los hombres de acción...

Y doña Inés interrumpe sin poder contenerse:

—¿Y el trovador?

—¡Ah, el trovador!—exclama don Pablo—. El trovador moría de amores por la bella doña Beatriz. Y la bella doña Beatriz no podía vivir sin su trovador. ¿He dicho ya que Beatriz era una mujer que estaba en el otoño de la vida? El trovador tenía dieciocho años; la amada tenía muchos más. Doña Beatriz no había gustado nunca del amor. Su marido era un hombre violento. No podía reparar don Esteban de Silva en los matices finos del sentimiento. Los hombres fuertes pasan por la vida sin recoger lo que la vida tiene de más bello. ¿Es que las grandes cosas que hacen los hombres de acción valen acaso el sutil cambiante de un sentimiento o de un afecto? Los hombres de acción...

—¿Y el trovador?

—¡Ah, el trovador! Perdona, querida Inés. El trovador pasaba los días en la cámara de la dama. Nadie podía sospechar de este adolescente. ¿He dicho ya que sus ojos eran azules y era rubia su larga melena? La melena del trovador era lo que más hechizaba a doña Beatriz. El marido, don Esteban, no veía nada. Don Esteban de Silva era un hombre de acción. Ni la Naturaleza, ni el Arte, ni el pensamiento existen para los hombres de acción. Pasan ellos por la vida como si pasaran con los ojos cerrados. Si los llevaran abiertos, ¿podrían caminar hacia su objetivo? Los hombres de acción...

—¿Y el trovador?

Tío Pablo sonríe; sonríe con una sonrisa de bondad y de malicia.

—¡Ah, el trovador! Su melena rubia era lo que más amaba doña Beatriz. La melena era larga, sedosa. Envolvía su faz como una aureola resplandeciente de oro. Las manos de doña Beatriz ansiaban acariciar la seda suave de la melena del trovador. Un día estaban solos en la estancia doña Beatriz y el poeta. Don Esteban se había marchado de caza. Don Esteban no gustaba de los goces de la casa y de la familia; era un hombre de acción. Los hombres de acción...

—¿Y el trovador?

—¡Ah, el trovador!—exclama tío Pablo, volviendo a sonreír—. El trovador estaba en la cámara de la dama sentado en una tajuela. Doña Beatriz, con un escarpidor de plata, le iba desenredando la enmarañada melena. Ese día el trovador había caminado por el bosque; sus guedejas estaban enmarañadas. Doña Beatriz, con gran cuidado, lentamente, como si se tratara de un niño, pasaba y repasaba el peine por el cabello largo y sedoso del trovador. Y de pronto...

Se ha detenido don Pablo, se ha dado una palmada en la frente y ha dicho:

—¡Qué memoria la mía! A esta hora me esperaban en el Círculo del Recreo.

—¿Y el trovador? ¿Y el trovador, tío Pablo? — ha preguntado ansiosamente Inés.

Estaba ya en pie el caballero. Con la mano en la puerta ha dicho:

—En el fondo de la cámara en que estaban el trovador y la dama, había una puertecita. Daba esa puertecita a una escalera de caracol. La puerta estaba perfectamente cerrada; doña Beatriz la había cerrado bien. Y, sin embargo, de pronto, la puertecita chirrió. Las manos de doña Beatriz se detuvieron; el rostro de la dama se había tornado pálido.

Don Pablo ha franqueado ya la puerta para marcharse.

—¿Y el trovador? ¿Y el trovador?

—Perdona, querida Inés; otro día proseguiremos. La puertecita que daba a la escalera de caracol estaba entornada. Doña Beatriz lo vió cuando se levantó y fué hacia ella; pero detrás de la puertecita, ni en la escalera, ni en la estancia de arriba, no había nadie.

XXXIII

ACABA LA HISTORIA DE DOÑA BEATRIZ

Sobre el ancho tablero de nogal, junto al cuadrado blanco de las cuartillas, ponen sus redondeles encendidos unas rosas bermejas. Y al lado de las rosas, en un reloj de arena, el dorado hilillo va cayendo incesantemente. La arena se amontona en el fondo y forma una montañita; cae un poco de arena más y la montaña se desmorona; de nuevo se levanta la cima del montón; el hilillo no cesa de caer y otra vez la montaña se derrumba.

—Detrás de la puertecita misteriosa no había nadie; pero al día siguiente el paje había desaparecido.

—¿Había desaparecido? Tengo miedo de oír esa historia. ¿Qué sucedió después?

—Nadie sabía nada del trovador; no estaba ni en la ciudad, ni en el bosque, ni en la montaña. El señor del palacio sonreía. Doña Beatriz estaba triste.

—¿Estaba muy triste doña Beatriz? No quisiera escuchar más de esa historia. ¿Qué es lo que pasó luego?

—Doña Beatriz estaba muy triste. Abatida andaba por el palacio; sus camareras la miraban con melancolía; no se hablaba nada en la cámara de la dama; pero todos tenían fijo el pensamiento en el trovador. La cara de doña Beatriz se ponía pálida; sus ojos estaban melancólicos. Y don Esteban quiso alegrar a doña Beatriz.

—¿Don Esteban quiso alegrar a doña Beatriz? No sé lo que presiento; no quisiera oír la continuación de esa historia. ¿Después qué aconteció?

—En el palacio se preparó una fiesta magnífica; vinieron de lejanas tierras todos los deudos del señor; se aprestaron viandas exquisitas y los cocineros trabajaban desde muchos días antes. Los juglares preparaban sus cantos: sus cantos que habían sido compuestos, muchos de ellos, por el pobre trovador.

—¿Por el pobre trovador? No quisiera oír más. ¿Qué sucedió el día de la fiesta?

—El día de la fiesta doña Beatriz hubo de ataviarse con sus mejores galas. Ya le dan de vestir a la señora; el palacio bulle de gente; ya le trae una camarera el blanco brial; en el palacio los caballeros y las damas van y vienen por corredores y galerías. Ya una camarera le ajusta el corpiño a la dama, y otra la baña con aguas de olor. En el palacio los juglares ríen y chancean con los caballeros. Doña Beatriz está pálida y cabizbaja. Sus camareras le traen las galas y ella se las deja poner como una muerta. En el palacio resuenan risas y cantos. Ya está ataviada doña Beatriz. Un hondo suspiro se escapa de su pecho.

—¿Suspiraba doña Beatriz? No puedo escuchar más. ¿Qué sucedió luego?

—La mirada de la dama estaba clavada en el suelo. Todo el palacio resplandece de luz. Suenan albogues y tamboretes. Los pebeteros hinchen el aire de aromas orientales. Las vihuelas mezclan sus vocecillas a las sonoridades de las trompetas. En el patio representan sus farsas los zamarrones, los mismos zamarrones que hoy todavía siguen a los desposados en las bodas entre los maragatos. Ni las más ingeniosas burlerías hicieran sonreír a la desdichada señora. Sólo falta que doña Beatriz se prenda sus joyas. Las camareras han traído la arquilla de las alhajas. Delante de la señora está una dueña que le presenta, puesta de hinojos, el cofrecillo. Las manos pálidas y lacias de doña Beatriz avanzan hacia la arqueta. La señora torna a suspirar; estas joyas de que ella gustaba tanto antes, ahora ya no las quiere; su espíritu está muy lejos del mundo y sus vanidades. Sin mirar el cofrecillo, con sus manos débiles doña Beatriz lo ha abierto; una de sus manos penetra en la arqueta. Y de pronto sus ojos se han ensanchado con asombro, y al asombro ha sucedido, en un segundo, el terror.

—¿El terror? No, no quiero escuchar más. ¿Qué sucedió después?

—Por el reborde del cofrecillo asomaban las hebras sedosas de una cabellera rubia. Doña Beatriz cayó desplomada. No vivió ya en su sano juicio.. Después se la llevaron a una casa de campo. En el campo vivió cuatro o seis años más. No podían tocar sus manos nada que fuera blando, suave, parecido al cabello largo y sedoso. Sus servidores habían de traer sus cabelleras ocultas bajo capirotes y tocas. Cuando, por un azar, veía las guedejas asomar por los sombreros o las mantillas, su angustia la hacía entrar en la más exaltada locura.

—¡Oh, qué espanto; qué espanto! No hubiera querido oír nada.

El hilillo de arena de la ampolleta ha cesado de caer. Ha pasado una hora: una hora como otra hora en la sucesión de los siglos. Las rosas dan su fragancia; rojas como la sangre del pobre trovador. Y en los espacios inmensos los astros trazan sus órbitas.

XXXIV

LA INTELIGENCIA

—Me siento muy caído—ha comenzado diciendo don Pablo—; no son aprensiones mías, querida Inés; es, desgraciadamente, una realidad. Ayer pasé también un día deplorable; mis alifafes no me dejan en paz. Y quiero contarte un sueño que he tenido esta noche. Por la mañana yo había estado hablando con Matías, el pastor; le tenía aquí delante de mi mesa de trabajo; había venido a traerme las flores que tú me mandas todas las mañanas y que yo te agradezco tanto. Matías es un hombre fuerte y sano. Yo contemplaba sus fortaleza y sentía cierta envidia del pastor. El día fué desdichado; por la noche, antes de dormirme, leí unas páginas, según acostumbro. Tenía en la mesilla este mismo libro que aquí tengo; una obra de Galileo Galilei. La contemplación de los astros me consuela de muchas cosas. El día que Galileo dirigió por primera vez a las estrellas su catalejo, marcó una nueva etapa de la Humanidad: el Universo se hizo a la vez más grande y más pequeño. Y el hombre aprendió a ser humilde. Las últimas palabras de Galilieo que leí antes de dormirme fueron éstas: «*Tra gli uomini é la potestà di operare, ma non egualmente participata da tutti: e non é dubbio che la potenza d'un imperatore é maggiore assai che quella d'una persona privata; ma e questa e quella é nulla in comparazione dell'onnipotenza divina.*» Apagué la luz y me dormí. No sé cuanto tiempo estuve sin soñar nada. De pronto me encontré en un espacio resplandeciente. Había allí un anciano de larga barba blanca: de larga barba blanca según la imagen antropocéntrica que el hombre se forma del Creador. Sí; yo estaba ante el Eterno. Me sonreía el Eterno con una sonrisa de inefable e infinita bondad.

—Sé que eres bueno—me dijo.

Y perdona, Inés, esta inmodestia mía;

no es éste el juicio que yo tengo de mí mismo; estoy siendo historiador imparcial de lo ocurrido.

—Sé—me dijo el Señor—que eres bueno y que en tu corazón no anida el rencor.

Yo me incliné profundamente: estaba conmovido.

—Señor—repuse—, soy un admirador fervoroso de vuestras obras.

—Lo sé—añadió el Señor—, y cuando contemplas por la noche los astros rutilantes, veo que piensas siempre en Mí. Y Yo me he acordado de ti ahora. Tu salud es precaria; necesitas fortaleza para proseguir tus trabajos. Yo te voy a dar la salud que tú ansías.

Volví a inclinarme profundamente; mi emoción era inmensa; el Señor seguía sonriendo, bondadoso.

—Y antes de que pasemos adelante —añadió—voy a enseñarte una cosa que a pocos dejo ver.

Tomó al decir esto un puñado de arena. Repentinamente quedó en tinieblas todo. Yo vi que después de levantar en alto el Señor el puño, la arena se escapaba de su mano y caía en el espacio. Cada granito de arena refulgía como una estrella. Y había millares y millares de brillantes granitos de arena.

Se hizo otra vez la luz, y el Eterno me preguntó:

—¿Has visto ese puñado de arena?

—Señor—contesté—, he visto un espectáculo interesante.

—Algo más que interesante—corrigió el Señor, sonriendo—; para ti, inmensamente maravilloso. Lo comprenderás cuando te diga que ese puñado de arena es vuestro Universo en sus proporciones exactas. Cada uno de esos granitos es un mundo. ¿Cuánto tiempo ha tardado en escaparse de mi mano ese puñado de orbes?

—Señor, creo que dos o tres segundos.

—Pues esos dos o tres segundos son vuestros millares y millares de siglos. ¡Calcula tú ahora lo que será una de vuestras vidas! Vosotros no podéis imaginar un Universo que sea distinto de ese en que habitáis. Siempre que echáis a volar la imaginación, pretendiendo forjar cosa distinta, lo hacéis teniendo por base el Universo vuestro o algunos de sus atributos. Ni la imaginación de los más grandes creadores vuestros—un Homero, un Dante, un Shakespeare, un Cervantes—podría imaginar un Universo sin los elementos y propiedades del vuestro; un Universo sin materia ni vacío, sin movimiento ni inercia, sin luz ni sombra, sin vida ni muerte, sin unidad de diversidad. Y, sin embargo, yo puedo hacer no un Universo, sino millares de Universos en que no haya ni materia ni vacío, ni movimiento ni enercia, ni luz ni sombra, ni vida ni muerte, ni unidad ni diversidad. Aquellos de vosotros que me niegan...

Y al decir esto el Eterno sonreía con serena piedad.

—Aquellos de vosotros que me niegan, razonan dentro de ese mismo círculo infrangible que yo mismo he trazado. No piensan que fuera de ese espacio cerrado pueden haber otras cosas que no sean ni materia ni vacío, ni movimiento ni inercia, ni luz ni sombra, ni vida ni muerte, ni unidad ni diversidad. ¿Cómo negaréis la posibilidad de que exista ese algo? La comprensión de esa posibilidad marca el punto máximo adonde puede llegar la lucecita de vuestra inteligencia; más allá, para la pobre inteligencia humana no existe nada; más allá, para vosotros, es la región desierta, inhabitable. La lucecita de la inteligencia está como debajo de un celemín rodeado de cosas que vosotros no podéis ver. Y vosotros, Pablo de Silva, vosotros sois vanos y soberbios. ¿No os he dicho muchas veces que seáis humildes? ¿No os he mandado que os améis los unos a los otros? Tú eres bueno; lo sé. Y en prueba de ello, en recompensa a tus merecimientos, quiero darte la salud que te falta. El mundo es una serie de equivalencias. Nada se puede conseguir por un lado que no se pierda por otro. Yo he establecido esa ley y quiero cumplirla. Cuando cree otro Universo haré otra cosa. Te digo esto para prevenirte que la salud que te dé a ti se la quitaré a otro. Claro está que al quitarle a otro la salud, le daré en compensación la inteligencia. Y la inteligencia habré de quitártela a ti.

Comencé, querida Inés, al oír estas palabras, a mostrarme un poco intranquilo. El Señor notó mi desasosiego.

—Tranquilízate—me dijo—: no se trata de que tú pierdas toda la inteligencia, ni de que otro hombre se quede sin toda la salud. Se trata sólo de una parte. Yo, por ejemplo, le quitaré a Matías el pastor un poco de su fortaleza; te la daré a ti, y, en cambio, Matías el pastor con tu inteligencia, con la partecilla de inteligencia que te quitaré a ti, será más inteligente. No notarás apenas el cambio. Veo que te emocionas como si fueras a entrar en una sala de operaciones. Desecha todo temor; de un lado tendrás la salud plena, y de otro un poquitín menos de inteligencia.

Y como yo siguiera desasosegado, el Señor añadió:

—¡Ea, no es de tan poco momento el caso que hayas de contestarme ahora! Piénsalo bien, y mañana podrás darme tu respuesta.

Y me desperté esta mañana. El día, querida Inés, se anuncia fatal para mí; mis dolores no me dejan.

Y don Pablo ha añadido sonriente:

—Esta noche acaso vuelva a soñar lo mismo que la noche pasada; seguramente volveré a encontrarme en presencia del Señor; habré de darle la contestación prometida.

—¿Y qué piensa usted decirle?—ha preguntado Inés.

—Pues que me encuentro mucho mejor.

XXXV

EN LA CAPILLA

Don Pablo e Inés han ido a visitar en la catedral el sepulcro de los Silvas. En uno de los muros de la capilla del Consuelo está abierto un alto y espacioso nicho sin zócalo. A lo largo se hallan colocadas dos tumbas: la de don Esteban de Silva, el marido, arriba, y la de doña Beatriz González de Tendilla, la mujer, abajo. En la lápida se lee esta inscripción: «*Aquí yace el noble caballero don Esteban de Silva, camarero del rey don Enrique IV, nuestro señor; finó en Riaza jueves dos días del mes de Noviembre de mill e CCCC e setenta y un años. Y la muy noble su mujer, cuya ánima Dios aya, finó en Cuéllar a cinco días por andar del mes de Octobre año del nascimiento de Nuestro Salvador JhuXpo de mill CCCC sesenta e seis años.*» Fray Juan de Boceguillas habla largamente de este sepulcro en su *Pira sacra y laudatoria de segovianos ilustres*. Las dos estatuas que yacen sobre las tumbas tienen las manos juntas. La cabeza de doña Beatriz reposa en dos almohadones con borlitas en las esquinas; la de don Esteban, en un brazado de laureles. Las esculturas tienen toda la finura y suavidad del mármol pario.

—Convendrás, querida Inés—ha dicho don Pablo—, en que nuestro antecesor tenía bien ganados sus laureles.

La luz entra en la capilla por un elevado ventanal. Una cortina puede velar la luminosidad del pleno sol. Don Pablo e Inés contemplan en silencio el sepulcro. El marido y la mujer parecen dormir; no reflejan en sus semblantes los horrores del tránsito fatal: ni afilamientos, ni concavidades. La escuela de escultura funeraria que se placía en marcar las huellas de la muerte en los personajes representados, no es la que ha esculpido estas estatuas. Don Esteban y doña Beatriz parecen entregados a un dulce sueño. La mano del visitante se va hacia el cordel con que se corre la cortina para hacer que se cubra el ancho ventanal y los rayos del sol no despierten a los yacentes. La faz de la dama es serena y sus ojos van a pestañear.

—La escultura, seguramente—observa don Pablo—, fué hecha según algún retrato antiguo, antes de la tragedia.

La tragedia no ha separado en su sueño eterno al marido y a la mujer. Con satisfacción diríase que descansa sobre sus laureles la cabeza de don Esteban.

—Duermen y van a despertar, acaso, dentro de un momento—dice don Pablo—. Cuando despierte don Esteban, lo primero que hará será llevarse a casa sus laureles.

Doña Inés no aparta su vista de la cara de doña Beatriz. Poco a poco se ha ido acercando a la estatua. Y primero ha tocado las borlitas y el repulgo de los almohadones. Y luego ha puesto su mano en la frente y en las mejillas de doña Beatriz. El mármol era fino y suave. Y la sensación de frescor que ha sentido la dama en la yema de los dedos ha estremecido, mezclada a otra sensación indefinible, todo su cuerpo.

XXXVI

EL RETRATO

Taroncher está pintando el retrato de doña Inés. Todos los días el pintor viene por la mañana a casa de la dama. En una sala clara del piso principal, doña Inés permanece inmóvil durante una hora, con breves descansos, ante el retratista. Don Pablo suele venir alguna vez y conversa con su sobrina y con el pintor. Taroncher está dando los últimos toques a su obra. Cada día, cuando la labor termina, el pintor encierra en un armario el lienzo; no permite tampoco Taroncher que nadie esté mirando su obra en tanto que él pinta. ¿Es que un escritor lee su libro a sus amigos en el curso de todas sus etapas, desde el apunte inicial hasta la forma definitiva?

—Hace cuatro años—dice don Pablo—estuve yo en París para hacer estudios en las bibliotecas y en los archivos; trabajé de firme durante quince días; quedé muy cansado; no quise emprender el regreso en tal disposición. Un amigo mío, pintor, para proporcionarme algún solaz, quiso que pasara algunos días en el campo. Una mañana vino a recogerme y emprendimos el camino de Fontainebleau; junto a este bosque había un casar de labriegos y leñadores que se llamaba Barbizón. Paramos en una posada de ese pueblo y estuvimos allí cuatro o seis días. Y lo singular del caso es que la fonda en que vivíamos estaba toda llena de pintores. Se habían reunido allí y vivían en plena libertad; trabajaban durante todo el día en el campo, en el bosque, y luego por la noche se divertían imaginando una porción de travesuras y extravagancias. La vida entre aquella gente era grata y amena. Habían llenado de dibujos curiosos y de rótulos chocarreros las puertas, las paredes y las mesas. Yo me hice amigo de uno de aquellos pintores; le acompañaba algunos ratos en sus excursiones; tenía un verdadero talento de paisajista. Nos levantábamos antes de amanecer; él gustaba de pintar la luz fina de la mañana y, en esa luz, la hojarasca sutil de la primavera, que a esa hora del día se deslíe en el azul flúido y pálido del cielo. No recuerdo ya cómo se llamaba aquel pintor; era algo así como Ciurot o Coquiot.

Y añade, sonriendo, don Pablo:

—De lo que sí me acuerdo es de una muchachita muy linda que algunas veces venía con nosotros: Lisette. Había varias mozuelas pizpiretas y graciosas en la posada, y claro es que la vida transcurría allí dulcemente entre el amor y el arte. Entre el amor, el arte y la ilusión.

Y tras una breve pausa:

—Le hubiera gustado a usted aquello, amigo Taroncher.

Y Taroncher, prestamente:

—Muy bonito, don Pablo; pero perdóneme; a mí no me gusta nada más que Valencia.

Y doña Inés:

—¿Y por qué no le gusta a usted nada más que Valencia, querido Taroncher?

—¡Porque Valencia es lo mejor de España!

—¿Y por qué es Valencia lo mejor de España?

Y el pintor, dando en su cuadro una briosa pincelada:

—¡Lo mejor de España y del mundo!

—Vamos a ver, amigo Taroncher—acude, sonriendo, don Pablo—, explíquenos usted la superioridad de Valencia sobre el resto del Universo.

Taroncher clava el pincel en la paleta y avanza hacia el caballero. Cuando está a dos pasos de don Pablo, le pregunta:

—Usted, amigo don Pablo, ¿ha visto nunca una valenciana vestida de negro? Que me perdone la señora; doña Inés de Silva está por encima de todo. Una valenciana vestida de negro es un prodigio. La tez es blanca, marfileña, de una blancura mate, suave; las facciones son llenas, con redondeces mórbidas; acaso en la blancura se advierten ramificaciones sutiles de las venillas azules. Y lo negro hace resaltar la blancura maravillosa de esta piel y pone un poco de veladura melancólica en la languidez de la mirada.

Doña Inés, un poco impaciente, ataja el tema de la conversación:

—¿No le gusta a usted, querido Taroncher, el paisaje de Segovia? ¿No le gustan el Terminillo, la Alameda, la Fuencisla, el camino de la Piedad?

—Sí, sí, me gusta todo eso—replica el pintor—; pero, perdóneme usted, señora, me gustan más la *sequía de Vera*, la *Pechina*, la *Volta del Rosignol, els Albres des Albats.*

Y después de una pausa, en que el pintor contempla a don Pablo y a doña Inés:

—¿Ustedes han visto el cielo de Valencia en un atardecer de primavera en la huerta? Ese cielo es de un azul tan fino y tan pálido, que es casi imposible copiarlo con colores. Y el aire, lleno del olor de las flores, parece encima de la llanura verde como de cristal.

El retrato está terminado. Doña Inés y don Pablo van a poder contemplarlo. El pintor se ha separado del caballete, y el caballero y la dama están frente al retrato. Inés, en el retrato, tiene un vivo parecido con doña Beatriz. Taroncher, por encargo de don Pablo, está haciendo el retrato de doña Beatriz según la estatua del sepulcro.

—Yo creo, amigo Taroncher—observa don Pablo—, que usted, influído por el rostro de doña Beatriz, ha puesto en este retrato algo de sus facciones.

El pintor ha abierto un cuaderno de apuntes tomados ante la tumba de doña Beatriz, y los tres han ido comparando. Doña Inés, pensativa, absorta, volvía a experimentar, con más intensidad, la sensación extraña, indefinible, que experimentara al poner la mano, días antes, sobre la estatua de doña Beatriz. ¿Existe el tiempo? ¿Quién era ella: Inés o Beatriz? Profundo silencio se ha hecho durante un instante en la sala. Don Pablo comenzaba a sentirse preocupado. Una obsesión turbadora de su quietud—lo más desagradable para él—se iniciaba en su espíritu.

XXXVII

LOS DOS BESOS

¿Existe el tiempo? Doña Inés experimentaba una sensación extraña. Las tinieblas iban iniciándose en las vastas naves de la catedral; declinaba la tarde. Con paso lento caminaba la dama; repentinamente se detenía suspensa. ¿Hemos vivido ya otras veces? Diríase que en una vida anterior, de que no podemos tener ni la menor conciencia, a veces se hace un ligero resquicio; la luz de una vida pretérita penetra en la presente; un fulgor de conciencia nos llega de lejanías remotas e insospechadas. Y entonces, en un minuto de certeza, en un momento de angustia suprema, sentimos que este momento de ahora lo hemos vivido ya, y que estas cosas que ahora vemos por primera vez las hemos visto ya en una existencia anterior. Doña Inés no es ahora doña Inés; es doña Beatriz. Y estos instantes en que ella camina por las naves en sombra los ha vivido ya en otra remota edad. El espanto la sobrecoge. No sabe ya ni dónde está ni en qué siglo vive. Las sombras van espesándose. En el espacio libre, en la campiña, las sombras del crepúsculo vespertino se difunden suavemente por el ancho ámbito. Se mezclan, a determinada hora, las sombras iniciales de la noche y los fulgores postreros del día. Blanda y suavemente —en un vago claror—el día va cediendo a la noche. En un ámbito cerrado, en las naves de una catedral, las sombras son violentas y brutales. Del fondo de los ábsides y de lo recóndito de las capillas, se levantan espesas y tangibles. Ascienden por los muros y rechazan formidables las claridades fallecientes que aletean en las anchas ventanas. Todo lo bajo está ya en sombra. Y cuando las elevadas vidrieras han acabado de palidecer y la oscuridad es en el fondo impenetrable, sólo acá y allá, en el mármol de un sepulcro, en la corona de una imagen, en el dorado de un marco, queda un mortecino y suplicante resplandor. El silencio entra entonces en alianza pavorosa con la negrura. Y el más pequeño ruido—el estridor del carretón de una lámpara, el chirriar de un quicio, el resoplido de una lechuza—hace resaltar más terrible la noche y nos estremece.

Doña Inés camina lentamente. Sus pasos quedos la llevan hacia el sepulcro de los Silvas. Se halla ya rodeada de sombras ante la estatua de doña Beatriz. ¿Es ella doña Beatriz? ¿Doña Beatriz es doña Inés? Las manos de la dama se extienden hacia el rostro marmóreo. La alucinación llena el cerebro de doña Inés. La cabeza de la señora se inclina; sus labios húmedos, rojos, ponen en el blancor del mármol un beso largo, implorador.

Y cuando ya de retorno, en la puerta de la catedral, en los umbrales, ha oído una voz que decía susurrante: «¡Inés, Inés!», la dama ha vuelto el rostro. Y repentinamente, Diego el de Garcillán, mientras pasaba un brazo por la nuca de la señora para sujetarla, ponía sus labios en en los húmedos labios de ella, apretándolos, restregándolos con obstinación, con furia. Doña Inés se entregaba inerte, cerrando los ojos, con una repentina y profunda laxitud. Desfallecía en arrobo inefable. Sin saber cómo, sus manos se encontraron con las manos del mozo. Y los dos se miraron en silencio, jadeantes, durante un largo rato que pareció un segundo.

XXXVIII

TOLVANERA

Las nubes, redondas y blancas, corren velozmente sobre el fondo de añil. Las veletas, mudables y locas—son veletas—, giran y tornan a girar de Norte a Sur, de Este a Oeste. No saben lo que hacen. El polvo se levanta y rueda en remolinos violentos, vertiginosos, mezclados con papeles, trapos, astillas, que azotan los vidrios de las ventanas. Suenan formidables portazos en los sobrados, que hacen retemblar todas las casas. Ciernen campanadas en lo alto; el viento las lleva, las trae, las zarandea, las desparrama, menudas o sonoras, a voleo, por calles y por plazas. El beso del poeta ha repercutido en toda la ciudad. Rueda un sombrero de copa, dando tumbos y quiebros, por un campillo; el manto de una vieja se agita como las alas de un ansarón, y quiere volar. Se comenta el suceso, al son de los majaderos, en las reboticas. Las viejecitas levantan sus manos pálidas, de que pende un rosario, y prorrumpen en exclamaciones de escándalo. Una lechuza ha salido de un campanario en pleno día; un avariento ha dado dos cuartos de limosna. Todo está revuelto y trastornado. El beso ha removido los posos sensuales de la ciudad. Al escándalo patente se asocia el escondido deseo; los labios se juntan apretados y se mueven las testas de un lado a otro; todos parecen decir: «¡Y tan señora!» Verbenean y corren, como cohetes, rumores que parten de las tertulias, se detienen en el corro de una esquina, zigzaguean por los mercados, rebotan en una sacristía. Si se pudiera materializar la huella de los rumores, se vería toda la ciudad cruzada, enredada, enmarañada, por hilos luminosos que serpean de una a otra casa, entre las calles, salvando los tejados, saliendo y entrando por puertas y ventanas. Barbulla en hornos y lavaderos. Titiritaina en talleres y obradores. Trulla en saragüetes y tripudios. Cantaleta en ejidos y eras. Tochuras de villanos en taberna. El gesto de condenación encubre la codicia de lo parejo. Confidencias salaces de viejos y pirujas. Melindres incitativos de hembras placenteras.

Las nubes corren rápidas sobre el fondo azul del cielo. Las veletas—son veletas—giran alocadas. No se ha visto nunca en Segovia tal abominación. Los golpazos de las ventanas en los desvanes son formidables. ¿Qué edad tiene ella? El es un muchacho. Los labios dejan caer en los oídos palabras misteriosas. ¿Se habían visto ya otra vez? Discusión violenta en la mesa redonda de la fonda. ¿Qué van a hacer ahora? ¿Seguirá ella en la ciudad? Un violento puñetazo de un defensor de la dama, dado en el mármol de la mesa, en el café, ha hecho saltar vasos, tazas y platillos. El vendaval dobla los troncos delgados de los árboles, y las ramas agitan, mueven, remueven sus hojas como implorando auxilio.

XXXIX

AQUELARRE EN SEGOVIA

Nubes pardas. Ruido de cedazos. Araña en espejo. Salero derribado. Cuatro viejecitas andorreras salen de sus cobijos en cuatro puntos opuestos de Segovia. Como si fueran figuras automáticas, al mismo compás, con el mismo andar lento, su paso a paso, van marchando cada una por su camino hacia determinado paraje de la ciudad. Sus caras pajizas están arrebujadas en la negrura de los amplios mantos. La nariz se perfila picuda sobre la boca sumida y avanza en busca de la saliente barbilla. De las cuatro viejas, una se ha detenido junto al fuste de una columna, bajo un arco románico:

—¡Que Santa Rita me libre de este dolor de ijada que me atormenta!

En el fondo de la callejuela, lejos, se divisa la catedral. Otra vieja, de las otras tres, se ha parado en un portal; encima de la puerta hay un bello escudo de piedra. En la lejanía de la calle se columbra un pedazo de acueducto.

—El padre Gelasio tiene pico de oro; de más de dos horas son sus sermones.

Otra vieja, de las dos que restan, ha hecho una pausa junto a una pared en que se ve un escudito con una mano que sostiene una cruz. A lo lejos, por encima de los tejados de unas casas, aparece el seminario.

—¡El jueves, trisagio en San Millán!

Y la cuarta vieja ha descansado brevemente en el pórtico de una iglesia.

¡Doña Inés de Silva está novia con un zagalón de Garcillán; el mundo va a dar un estallido!

En el fondo de la calleja se perfila el alcázar.

Desde puntos opuestos de Segovia, las cuatro ancianas negras y pajizas van avanzando lentamente su paso a paso. Poco a poco sus caminos van convergiendo; las cuatro rutas conducen a una casa de la ciudad. Ya están cerca de una puerta las cuatro viejas vestidas de negro. Dan con sus cayados en el suelo—llevan cayados blancos—y entran en el zaguán. Caminan las cuatro a compás, despacito, su paso a paso. En las salas de la casa, puestas en corro, tienen en medio de ellas a otra anciana. En la negrura de los anchos mantos, como llamas de colores que salieran de una sima oscura, el traje rojo, azul y verde de esta otra anciana flamea vivamente. Una de las cuatro viejas susurra unas palabras en el oído de la anciana vestida de colorines. La anciana contesta:

—¡Ya lo sabía!

Otra de las viejas murmura lo mismo. La anciana exclama:

—¡Ya lo sabía!

La tercera vieja pronuncia las mismas palabras. La anciana responde:

—¡Ya lo sabía!

La cuarta vieja desliza idéntica frase. Y la anciana replica:

—¡Ya lo sabía!

Dan todas con sus cayados en el suelo. La anciana vestida de rojo, verde y azul golpea también con su bastón. Las cinco abren desmesuradamente los ojos y profieren exclamaciones de asombro y de escándalo. Y cuando han vuelto a dar en el suelo con sus cayados, las cuatro viejecitas salen por el portal—no por la chimenea—a la calle. Lentamente, despacio, su paso a paso, van marchando por caminos diversos. En el fondo de una de las callejuelas por donde camina una de las viejecitas se ve la catedral; en el fondo de otra, por donde otra camina, el alcázar. En el fondo de las callejas que recorren las otras dos, el seminario y el acueducto. Poco a poco se van apartando las rutas que siguen las cuatro ancianas. Muy lejos están ya unas de otras. El crepúsculo vespertino ha llegado. ¿Han salido de sus mechinales los murciélagos? ¿Brilla blanca y redonda la luna?

XL

EL PECADO

A las cinco se levanta Eufemia todas las mañanas. Abre en silencio la puerta de la calle y la vuelve a cerrar con el mismo cuidado. Enfrente de la casa está la ermita del Cristo de la Cruz. En verano, ya a esa hora, la iglesia está llena de luz solar. Los devotos han esparcido por el piso las flores moradas del cantueso: el aire está embalsamado. De la iglesia va Eufemia a traer el repuesto para el día. Eufemia ha nacido en Turégano; se halla este pueblo a unas cinco leguas de Segovia. Era hija Eufemia del sacristán de San Juan. Los sacristanes, en los pueblos segovianos, suelen anejarse el oficio de tejedor; con él se ayudan a vivir. El padre de Eufemia tenía un modesto telar. La parroquia de San Juan estaba edificada en el castillo. El castillo se levanta en un empinado cerro. Desde sus murallas se otea el pueblo, en la ladera, con la iglesia de Santiago, y en torno del pueblo, verdes huertas—entre ellas la del Obispo—, y más lejos, después de los pinares, la línea azul de la sierra. En el castillo, todavía en este año de 1840, se ven cuatro o seis cañoncitos de forma ochavada al exterior; otros muchos han sido fundidos para labrar las rejas y cosas de hierro de la iglesia. De la torre del homenaje han sido descuajados muchos sillares. Hay en el castillo dos escaleras de caracol. Eufemia, cuando niña, correteaba con otras muchachas por las murallas, ascendía—dando gritos para que resonara la voz—por el caracol de las escaleritas; contemplaba desde arriba el panorama del pueblo. Ya era entonces, a los ocho, diez o doce años, una mujercita grave Eufemia. Cuando estaba sentada, cruzaba como ahora, y según hacen las mujeres españolas del pueblo, los brazos sobre el pecho. Y de sus labios salía la misma oración ue ahora susurra.

En tanto que Eufemia va preparando las vituallas para las comidas del día, murmura la vieja oración. Por la ventana entra el sol matinal. Brillantes y vivos van a dar los rayos en la panzuda limeta que, llena de vino claro, reposa sobre la mesa; a su lado se ven una dorada hogaza y cuatro o seis cuartales; manzanas, peras, rojos albérchigos, forman un montón pintoresco. Eufemia va cuidadosa por la cocina. Las segovianas son finas e inteligentes. Larga tradición de señorío ha dado a los moradores de esta tierra traza elegante y reposada. Don Andrés Gómez de Somorrostro, en su libro *El acueducto y otras antigüedades de Segovia* (1820), escribe, después de advertir que ha tratado a los habitantes de los pueblos y de las montañas: «Admiré muchas veces el despejo y finura de sus talentos, particularmente en las mujeres.» Eufemia anda diligente por la cocina. En la *Oración de San Antonio*, el padre del santo sale por la mañana a misa, como sale Eufemia, y encarga a su hijo, el niño Antonio, que vele para que los pájaros no devasten el huerto. El niño amonesta a los pájaros; todos acuden mansos, y el niño los encierra en un cuarto. Cuando el padre regresa, Antonio les dice a los pájaros que pueden marcharse, y las aves van saliendo todas y marchándose. Eufemia, mientras prepara las cosas de la comida, susurra la vieja oración. La geografía de las oraciones populares de España todavía no ha sido estudiada. ¿Cómo nacen esas oraciones populares? ¿Quién las compone? En esos versos toscos, mezclados con otros de sensibilidad exquisita, alienta el sentir del pueblo. En una vieja ciudad, entre paredes venerables, durante un minuto de silencio en que contemplamos la cal blanca de los muros o el dorado de los sillares, al escuchar una de esas oraciones, nos sentimos en plena Edad Media. Y, sin embargo, muchas de esas oraciones serán modernas, pero su contextura, su sensibilidad, su sencillez arcaica, son las mismas de los viejos romances. En tales regiones de España se rezan determinadas oraciones; otras, en regiones diferentes. A veces pasan oraciones seculares en un país a otro país dontodas ellas, y en todas partes, son traídas, llevadas, rezadas por ciegos, ancianas, mozas y niños. La llama de la fe, vivaz e ingenua, luce espléndida en los sencillos y rudos versos.

En la *Oración de San Antonio*, los pájaros van saliendo de su encierro:

> Antonio les dijo a todos:
> —Señores, nadie se agravie;
> los pájaros no se marchan
> hasta que yo no lo mande.
> Se puso en la puerta
> y les dijo así:
> —Vaya, pajaritos,
> ya podéis salir.
> Salgan cigüeñas con orden,
> águilas, grullas y garzas,
> gavilanes, avutardas,
> lechuzas, mochuelos, grajas.
> Salgan las urracas,
> tórtolas, perdices,
> palomas, gorriones
> y las codornices.
> Salga el cuco y el milano,
> burla-pastor y andarrío,
> canarios y ruiseñores,
> tordos, garrafón y mirlos.
> Salgan verderones,
> y las carderinas,
> y las cogujadas,
> y las golondrinas.

El rayo de sol que entra por la ventana refulge en el vidrio de la limeta; como un rubí relumbra el vino claro. Eufemia, la noche anterior—en el día del beso—no conocía todavía, a la hora de la cena, el suceso. Se ha enterado de la noticia esta mañana en el mercado. Y al salir ahora Diego de su cuarto, Eufemia ha cruzado los brazos sobre el pecho, ha bajado la cabeza y ha dicho con voz dulce:

—¡Qué pecado, Diego, qué pecado!

Y luego ha añadido:

—¡La pobre Plácida!

XLI

LA HISTORIA Y LA LEYENDA

No podía ser de otro modo: don Herminio Larrea ha publicado un cartel de desafío al pueblo de Segovia. La exaltación de don Herminio ha ido creciendo por días; discutía a gritos desaforados en la mesa, a la hora de comer; ni Diego ni Taroncher podían aplacarlo. En el círculo del recreo ha tenido un violento altercado con Dámaso. Trigueros, un periodista satírico de la localidad que le ha compuesto unas coplas indecorosas a doña Inés. Don Herminio, a las doce del día, en la plaza del Azoguejo, a pleno sol, ha leído su cartel. En estos días del verano y al mediodía, no había nadie en la plaza. El sol era ardiente y cegador. Ha pasado un niño, que había ido a la taberna por un cuartillo de vino, y se ha detenido ante don Herminio con el jarrito de Talavera en la mano. Un galgo—el galgo que corre, vago, por los pueblos—se ha llegado también y se ha sentado sobre sus posaderas ante el caballero. Del acueducto, donde anida, ha bajado una paloma. El niño, el galgo y la paloma estaban quietos, escuchando a Larrea. Y Larrea, alto, escuálido, con la cabeza puntiaguda y atusada, el bigote lacio y la barbilla saliente, leía a voces su cartel: «Sepan todos, hombres y mujeres, que si no confiesan que doña Inés de Silva es la más cumplida y noble señora de Segovia...» Cuando en San Sebastián reciben las piedras y las memorias que envía don Herminio, el director de la compañía industrial en que trabaja el caballero dice: «No tenemos mejor ingenio que Larrea; sus memorias son un modelo de claridad y exactitud.» Don Herminio sigue voceando en la plaza. Una vieja se ha asomado a una ventana y ha preguntado:

—¿Qué es?

Y otra vieja ha contestado desde una ventana próxima:

—¡Pregón de pescado!

La publicación del cartel ha concluído; el niño se ha marchado con su jarro, el galgo ha desaparecido por una calleja y la paloma ha emprendido el vuelo hacia el acueducto. Pero don Herminio Larrea acaba de realizar un acto trascendental. Horas después, en toda Segovia se comenta el suceso. Toda Segovia repite palabras memorables pronunciadas en el Azoguejo. ¿Son las palabras que repite Segovia entera las leídas por don Herminio en el acto de la publicación de su cartel? ¡Ay, no! Las palabras que repite el pueblo de Segovia no son las altivas y retadoras de don Herminio, sino las breves y pintorescas de la viejecita en su ventana: «¡Pregón de pescado!»

Y al llegar aquí he de hacer, en conciencia, una declaración leal. He escuchado referir en Segovia el lance de don Herminio Larrea; según la tradición, la viejecita del Azoguejo pronunció la célebre frase; pero un caballero anciano con quien he hablado del asunto me ha afirmado que, según referencias de su propio padre—autor de un *Libro verde*, que se propone publicar la familia—, la frase célebre no fué dicha ni por la viejecita ni por nadie en el acto de la publicación del cartel. La frase fué una invención de Dámaso Trigueros, el periodista de las coplas satíricas.

Y esa frase fué dicha luego y repetida a manera de comentario, el más adecuado, al acto de Larrea. No ha quedado de don Herminio su cartel; nadie se acuerda ya ni de una sola palabra del papel que leyó Larrea en el Azoguejo; el hecho, perfectamente auténtico, se ha desvanecido en la noche de los tiempos. Y, en cambio, subsiste lo apócrifo, la frase ideada con posterioridad al hecho, por un escritor chocarrero. La leyenda ha venido a la Historia. La leyenda es más verdad que la Historia. La leyenda hace cristalizar sentimientos e ideas que están en la conciencia de todos. Aún hoy mismo se repite en Segovia, sin saberse de dónde procede, la frase atribuída a la viejecita del Azoguejo. «Pregón de pescado» resume en sus letras desdén, incredulidad, ironía, sarcasmo. «Pregón de pescado» se dice de un discurso político, de una conferencia chirle, de una vana conversación, de una noticia falsa, de palabras retadoras e injuriosas que merecen desdén. La leyenda vence a la Historia.

XLII

EL SEÑOR OBISPO

Una tarde, durante el rezo en el coro, un canónigo—recién llegado el obispo a la diócesis—señaló a su compañero de al lado el mascarón de su misericordia, en la silla en que su colega se sentaba. El canónigo a quien se le llamaba la atención no sabía qué pensar de lo que se le insinuaba. El mascarón señalado representaba una faz humana: los ojos eran grandes, desmesurada la boca. En la boca, entreabierta, asomaban unos dientes agudos y helgados. Caía la nariz, roma, sobre los labios. Y toda la cara tenía una expresión de socarronería y de estudiada ingenuidad. El canónigo que señalaba la escultura dijo al fin: «Su ilustrísima.» Entonces el compañero exclamó: «¡Es verdad!» Y comenzó a reír. Al terminar el rezo, todos los canónigos conocían ya el hallazgo; reían todos de la semejanza peregrina entre el mascarón de la misericordia y la cara del obispo. Dos días después, el mismo obispo quiso ir a contemplar su grotesco retrato. Ante la misericordia, en la soledad de la catedral, su ilustrísima sonreía al ver esculpida en madera su misma faz.

El señor obispo es un hombre bajo y ancho, repolludo; sobre los recios hombros resaltaba una gruesa cabeza esférica. Los dientes, ralos, aparecen puntiagudos en el rostro, de tez áspera, cuando sonríe. Y en los ojos, en los ojos grandes de este hombre de sobrehaz tosca, brillan unos cambiantes de luz—luz viva de inteligencia—, que nos desconciertan de pronto y nos hacen notar la pugna peregrina entre la sutileza elegante y la materia ruda. No sosiega en su cámara el señor obispo; visita y escudriña todas las dependencias de su palacio. Allá se va por pasillos y aposentos, contoneándose, anadeando, moviéndose a un lado y a otro, presto y callado. Lo registra y examina todo; conoce hasta los menores hechos que ocurren en la casa. De la ciudad no ignora la vida de nadie. En la diócesis, su espíritu se halla presente en todas partes. Cuando se le cree más ignorante de un asunto, en una conversación, se pone el dedo índice a través de los labios, baja un poco la cabeza, como reflexionando, recordando, y luego dice: «Yo estaba pensando ahora que...» Y estas palabras inician una observación que lleva la charla por otros derroteros distintos del que traía; se piensa entonces en la incongruencia de su ilustrísima, pero luego a luego nos percatamos de que, suavemente, sin sospecharlo, el señor obispo ha venido a hacer notar, con palabras placientes, una cosa que, aunque verídica, era amarga de decir.

Los grandes ojos del obispo relampaguean, en la cara faunesca, con vivacidad inteligente. Calzado con zapatos de suela blanda, sin ser advertido por nadie, silencioso, camina el prelado por pasillos y corredores. Inopinadamente, en una tertulia de familiares y caudatarios, en un grupo de canónigos, surgen, cuando la conversación es más arriscada, unos ojos atentos, anchos y maliciosos. El señor obispo está allí; el señor obispo sonríe, y en su cara cetrina y redonda, entre los labios gruesos. aparecen los helgados dientes puntiagudos.

Todos los tertulianos callan. Entonces el señor obispo se pone el dedo índice de través de los labios y dice: «Yo estaba pensando que...» Y los canónigos, los familiares los contertulios maldicientes, comienzan a mostrarse desasosegados por lo que estaba pensando su ilustrísima.

XLIII

VISITA DE SU ILUSTRISIMA

Don Pablo está un poco inquieto. Los comentarios continúan en la ciudad. ¿Qué pensará del caso su amigo el señor obispo? El escándalo ha ocurrido en lugar sagrado. Don Pablo no ha visto a su ilustrísima desde hace tiempo. Doña Inés no viene ya por las mañanas a casa de tío Pablo. ¿Qué hará el señor obispo, tan vigilante, tan atento a todo lo que ocurre en la ciudad? Un golpecito suena en la puerta.

—El señor obispo.

Don Pablo se ha puesto en pie. Ha entrado, sonriente, el señor obispo. Avanza con la mano afablemente tendida, y entre sus manos ha estrechado con efusión la mano de don Pablo.

—He ido a pasear a la Alameda y yo pensaba: «Todavía no he dado la enhorabuena al amigo don Pablo; voy a dársela ahora.» Y he venido a esta casa, para mí tan grata.

Don Pablo ha sido nombrado miembro correspondiente de una academía extranjera. El señor obispo diserta sobre la Historia.

—Yo también he cultivado la Historia, modestamente, allá en mis mocedades; pero la Historia, amigo don Pablo, la Historia, tan cautivadora, nos aleja de la realidad presente. El historiador vive en lo pasado; las cosas de la actualidad pasan para él inadvertidas. Yo, en mis tiempos, cuando era aficionado a la Historia, experimentaba esta sensación de ausencia de lo presente. Y lo presente no debe ser olvidado. A nuestro alrededor se desenvuelve una vida que es preciso que conozcamos. Lances y episodios de todo género, amigo don Pablo, suceden todos los días que han de solicitar nuestra atención; algunos de estos episodios son gratos; otros son lamentables y pueden acarrear funestas consecuencias. Si engolfados en la realidad pasada descuidamos la presente, ¿no incurriremos en cierta responsabilidad? Todos los días, en mis tiempos de muchacho, cuando yo escribía mis pobres trabajos históricos, ésta es la pregunta que me formulaba.

Don Pablo escucha sonriendo al señor obispo. Y el señor obispo sonreía también, viendo que el caballero no necesitaba de más claras explicaciones.

En la puerta, ya después de la afectuosa despedida, el señor obispo se ha vuelto desde las escaleras y ha dicho:

—Esta mañana, varios señores de Segovia han ido a visitarme; solicitaban mi concurso para rogar al Gobierno que restaure la torre de don Juan Segundo en el alcázar. ¿Quiere usted unirse a nosotros, amigo don Pablo? Me dijeron que iban a visitar a usted. La torre de don Juan Segundo debe ser restaurada.

Y luego, poniéndose el dedo de través en los labios:

—Y yo pensaba: «¡Qué condición tan extraña la de las mujeres!» Sí, condición extraña tienen las mujeres. La torre de don Juan Segundo me hacía pensar en ella; porque de don Juan Segundo trasladaba mi pensamiento a don Alvaro de Luna, y don Alvaro de Luna me hacía pensar, a su vez, en la segunda mujer del rey. El rey quería casarse con una princesa de Francia; don Alvaro le hizo casar con doña Isabel de Portugal. Y doña Isabel, que debía el trono de Castilla a don Alvaro, fué la que más trabajó para la muerte del condestable. ¡Qué condición tan extraña la de algunas mujeres! Tienen caprichos y veleidades inexplicables. No puede nadie vanagloriarse de entenderlas. La pasión salta por todo. Teje los amores más absurdos, impulsa a las más nobles criaturas a extremos lamentables. Si yo me encontrara alguna vez frente a alguno de estos casos, ¿es que no haría con dulzura, discretamente, todo lo posible por encauzarlo dentro de las leyes divinas y humanas?

Don Pablo bajaba la cabeza ligeramente ante las manos del señor obispo, que apretaban cariñosamente la suya.

—Sí, amigo don Pablo—repetía su ilustrísima—; encauzarlo dentro de las leyes divinas y humanas.

Y don Pablo decía entre sí: «¡Cualquiera le hace a mi sobrina que se case, y a estas alturas!»

XLIV

EL BRAZO SECULAR

Toda Segovia asiste con curiosidad al conflicto planteado entre el poder espiritual y el temporal. El asunto tiene indudadable trascendencia. Ha ocurrido el suceso en lugar sagrado. Uno de los fautores del escándalo—el galán—depende del Estado español. La Iglesia no puede castigarle con penas corporales. El poder espiritual relajará el delincuente al brazo secular—*potestas temporalis*—. En la ciudad se espera con interés la decisión del representante del Estado. Y el representante del Estado, el jefe político de la provincia, don Santiago Benayas, se halla en su despacho oficial en esta mañana de verano, con las ventanas entornadas, en grata penumbra. En las rodillas del jefe político está sentado un niño. El padre y el hijo se hallan inclinados sobre la mesa. El jefe político tiene cogida en su mano la manecita del niño y se la va adiestrando en la escritura sobre una plana. Otro niño ha formado en el suelo un castillete con tomos de la *Novísima Recopilación;* otros dos niños juegan en un rincón y disponen los muebles en orden de batalla. El jefe político es un hombre alto y recio; grueso bigote cae por la comisura de los labios. Cuando se yergue, su aspecto impone por lo severo. Y su voz retumba atronadora. ¿Qué decisión tomará en el grave conflicto el representante del Estado? La puerta se ha abierto, y una voz dice:

—¿Da vuestra excelencia su permiso?

—¡Adelante, Gaspar!—grita don Santiago.

Y Gaspar, el ordenanza, cuadrado en la puerta:

—El señor arcipreste de la catedral desea ver a vuestra excelencia.

El jefe político se ha detenido en su tarea de llevarle la mano al niño sobre la plana; se ha levantado y ha antecogido a los otros niños como se antecoge un hato de corderitos. Los niños han entrado en una estancia próxima; ha cerrado la puerta el padre y ha dicho:

—Que pase el señor arcipreste.

Don Santiago se paseaba por la sala. Al ver entrar al arcipreste se ha parado y se ha erguido. El arcipreste se ha inclinado con reverencia, y a tal reverencia del poder espiritual ha contestado con otra el poder temporal. Y ya están los dos poderes sentados frente a frente en la quietud y la grata penumbra del despacho.

—Hay momentos, señor jefe político... —ha comenzado diciendo el arcipreste.

Delgado, escuálido, la cara amarilla y los ojos en cuévanos, el arcipreste habla lentamente, y su mano sale de lo negro del manteo afilada y blanca.

—Hay momentos en la vida, señor jefe político, verdaderamente solemnes.

El jefe político, inclinando la cabeza, asiente a estas palabras.

—La misión que, de parte de su ilustrísima el señor obispo, y honrándome mucho con ello, traigo ante la persona de usted, tan digna y respetable, es verdaderamente delicada.

El jefe político torna a bajar la cabeza, asintiendo, y sonríe. El arcipreste expone el motivo de su visita; el caso es grave; el representante del Estado en la provincia debe considerarlo detenidamente. En su claro juicio se confía.

—¡El caso es verdaderamente grave, inaudito!—exclama, dando un puñetazo en el brazo del sillón, don Santiago.

La voz ha sido tan recia, que el arcipreste contempla un poco inquieto al jefe político.

—Yo no quisiera—dice prudentemente, extendiendo su mano en ademán de súplica—, yo no quisiera agravar la situación de ese pobre muchacho; he expuesto imparcialmente el asunto.

—¡Y yo digo—exclama impetuosamente don Santiago—que el hecho merece la más dura sanción!

—¡Por Dios, señor jefe político!—implora el representante del poder espiritual—. Yo no quisiera que por mí...

—¡No, no!—ataja don Santiago—. ¡La más enérgica sanción!

El señor arcipreste, ante la fuerza del brazo secular—*saecularis auctoritas*—, baja la cabeza con gesto de resignación. Su misión ha concluído; con tacto y suavidad ha tratado de desempeñarla. No solicitaba rigores excesivos en el castigo del delincuente. El representante del Estado se muestra inflexible. Que la justicia humana siga su curso.

Cuando ha salido del despacho el arcipreste, don Santiago ha cogido de la mesa la campanilla y la ha agitado con furia.

XLV

DIEGO ANTE EL JEFE POLITICO

Al oír la campanilla repicando con tanta furia, la puerta del fondo se ha abierto, y por la rendija miraban, sorprendidos, los niños. Luego han ido saliendo uno a uno. El jefe político los ha acariciado cariñosamente en la cara y los ha empujado con suavidad otra vez hacia la estancia próxima.

—Entrad allí—les decía—, que papá está ahora muy ocupado.

El ordenanza estaba cuadrado en la otra puerta.

—¡A ver, Gaspar!—le grita el jefe—. ¡Que se me presente inmediatamente el señor Lodares!

El señor Lodares está ya en presencia del jefe político. Le mira éste en silencio; inmóvil se halla Diego.

—Señor Lodares—dice al cabo el jefe político—, hay momentos en la vida verdaderamente dolorosos.

Hay un profundo silencio en el despacho. El retrato de la reina gobernadora, doña María Cristina, parece sonreír. Los niños han entreabierto otra vez la puerta y miran por el resquicio.

—Señor Lodares, ¿qué tiempos hemos alcanzado? ¿Qué licencias nos toca presenciar en estos tiempos? Desafueros ocurren hoy que no se han presenciado jamás. ¿Es lícito esto? ¿Es lícito que un hombre inteligente, un verdadero poeta, ande descarriado y sin tino?

El jefe político se detiene y se yergue; su voz es sonora. Diego le contempla absorto. El jefe se para delante de la mesa —antes daba unos paseítos—y coge solemnemente una revista: el *Semanario Pintoresco*.

—Señor Lodares, esto, esto...

Y el jefe político agita como una bandera el *Semanario*.

—Señor Lodares, esto, esto no lo había yo visto jamás. ¿Acaso un poeta, un verdadero poeta, tiene derecho a lanzarse a tales extravíos? ¡Ah, no invoquemos el llamado romanticismo! Todo tiene sus límites, señor Lodares. Y en esta poesía que usted ha publicado en el *Semanario Pintoresco* se traspasan esos justos límites. No, no es esto fruto del llamado, romanticismo; esto es, sencillamente, anarquía. ¿Acaso Herrera, y fray Luis de León, y Garcilaso, escribían así? Un poco más de corrección y de mesura, señor Lodares. Debemos amoldarnos a las reglas establecidas. ¿Es, acaso, que dentro de las reglas establecidas no puede desenvolverse la inspiración? ¿No estamos obligados a ser correctos en el arte como en la vida?

Diego no daba muestras de querer hablar; permanecía absorto, sin saber qué pensar de lo que estaba diciendo el jefe político. Ha tornado a detenerse don Santiago, ha dejado el *Semanario Pintoresco* sobre la mesa y ha dicho con lentitud, recalcando mucho la frase, para darle un retintín de doble sentido y de misterio:

—A la Musa, señor Lodares, se la solicita discretamente y no se la violenta. ¡Y vaya usted con Dios, amigo Diego!

XLVI

PLACIDA, ENFERMA

En la inmensa mañana gris están enredados los pensamientos y las cosas. La luz gris entra por los borrosos vidrios. No luce apenas el cuadro alto y ancho de los vanos. Llueve desde la madrugada. En la estancia resalta la banda blanca del rebozo de la cama en la mate claridad. El agua chorrea de rama en rama sobre las hojas tersas, en los árboles. Se escucha en el silencio el son pausado, rítmico, de las goteras en la casa. La cara de Plácida, casi oculta en el rebozo de la cama, está vuelta obstinadamente hacia la pared. Puertas y ventanas están cerradas. Comienza a amarillear en la arboleda la hojarasca. Compresos en la casa cerrada, cerrado el paso hacia fuera por la densidad del ambiente exterior, los olores de la mansión—de hierbas silvestres, de especias, de ropa lavada, de lana saturada de juarda, de cocina—se expanden, densos y espesos, por todas las habitaciones. Cuando el ambiente está fuera cargado de humedad y el aire es frío, es cuando los olores, más que otro estimulante cualquiera, hacen resurgir, en los poseedores de memoria de sensaciones, los viejos estados espirituales. Cada ciudad tiene su olor y cada cosa también el suyo.

No todos los países y todas las civilizaciones adoran lo mismo. Sólo un gran poeta francés moderno y un gran novelista sajón han utilizado el poder evocador de los olores. La región de los olores está todavía inexplorada. Antiguas sensaciones de la niñez reviven por el olor de un aposento cerrado, o de una fruta, o de la brea de un barco, o del ramaje que se quema en el campo. La niebla va arrastrándose a jirones por la campiña, en la lejanía. El cielo es bajo y pesado. No cesa de llover; por los cristales, de recuadro en recuadro, se deslizan largos y silenciosos chorreones de agua. En pie junto a la cama, doña Inés. La voz suplicante de la señora susurra: «¡Plácida, Plácida, mírame, atiéndeme!» En una estancia próxima, una gotera, de medio en medio minuto, cae en un recipiente lleno de agua y produce como un lamento. En el profundo silencio, bajo el cielo gris, entre la niebla, en tanto que el agua resbala por los cristales, este lamento de la gota que, intercadente, cae, resuena flébil, tristemente, en la estancia. El día no avanza. Se ha detenido el tiempo; sentimos profundamente tupido el cerebro. Deseamos sumirnos en las cosas, en la materia eterna; no sentirnos vivir. Nuestro pensar, entre lo gris del ambiente, se torna inconcreto y vago como la niebla. La voz de doña Inés suplica: «¡Plácida, Plácida, yo no le quiero; será tuyo!» Y el sollozo intercadente de la gota sobre el agua, cayendo desde lo alto, se entra en el espíritu. Lenta e informe avanza la niebla. De recuadro en recuadro, por los cristales, se derrama el agua como llorando. Los anchos vanos que dan al campo son de ceniza. El espejo refleja opacamente lo ceniciento. Los árboles están medio envueltos en polvareda de ceniza. El ambiente en la casa es denso. Han llegado los sones de lejanas campanas. No sabemos si existe la ciudad y existe el mundo. Dudamos de la materia. Todo es impalpable, gris y de ensueño. Sopor indefinible paraliza los pensamientos. La cara de Plácida está tercamente vuelta hacia el muro. Y la voz de Inés, susurrante, dice, mientras las manos se crispan y el corazón siente suprema angustia: «¡No le quiero, no le quiero!» De lo ceniciento de la niebla comienzan a emerger en el campo los finos álamos verdes.

XLVII

EL PROBLEMA DE DON PABLO

Tío Pablo ha considerado el problema desde muy lejos, vagamente y a grandes rasgos. En la era está formado, a una banda, el gavillar. Las gavillas han de ser extendidas por toda la era; han de ser luego pasadas y repasadas por el trillo. La paja y el grano habrán de ser aventados. A una parte quedará el grano; a otra, la paja; de la paja, la más menuda volará más lejos; la más larga formará una espesa capa más cerca. El grano pasará por el harnero; en el harnero quedarán los granzones; el grano limpio habrá formado un montón. El grano irá al molino; en el molino lo molerán. La harina será vendida a los panaderos. Los panaderos amasarán el pan; el pan será cocido. Cocido el pan, será llevado a la mesa... Desde el gavillar hasta el blanco mantel se ha corrido mucho espacio. La cuestión, considerada por don Pablo, habría de correr antes de la decisión suprema tanto espacio como el trigo desde la era a la mesa. Vagamente, como entre nieblas, pensaba don Pablo que sería preciso ir a ver a Inés. En casa de Inés habría que plantear el problema. No podía el caballero rehuir el hablar del asunto del día a su sobrina, pero había que meditar detenidamente el caso.

No sabía don Pablo lo que tenía que decir a Inés. Había tiempo para pensarlo; convenía dejar pasar los primeros momentos de enardecimiento en la ciudad. Dentro de tres o cuatro días podría ser la entrevista. Tomada esta resolución—resolución de aplazamiento—, don Pablo queda tranquilo. Ya puede seguir el curso sereno y normal de su vida. Hasta dentro de cuatro días—habíamos dicho tres o *cuatro*—no habrá que pensar en el problema.

Los días han pasado. Ha llegado el momento de afrontar la cuestión. Tal vez, sin embargo, no pueda ser hoy planteada. Después de todo, si don Pablo no hablara del asunto a Inés, ¿qué se perdería con ello? La Humanidad ha visto cosas mayores; no es tan insólito el caso como se pregona. Y, sobre todo, el tiempo es el gran arreglador de los conflictos. Dulcemente, con suavidad y sin ruido, el tiempo lo va apaciguando todo. Y aparte de esto, ¿qué autoridad tendrá don Pablo para amonestar a su sobrina? El mismo —piensa el caballero—es un caso idéntico, en el terreno del espíritu, al de Inés. Su gozar codicioso de las ideas, del contraste y relación de las ideas; su fruición lenta y suave del mundo, de las formas, del color, de las gradaciones de luz, del silencio, ¿qué son sino voluptuosidad y sensualismo? Inés no alcanzaría, acaso, a ver esta orgía silenciosa e interior en que se regodea don Pablo, pero lo ve el propio caballero, y esto basta. Y después de todo, aunque Inés no lo vea—no lo vea con entera claridad—, se diría que lo presiente, y que el afecto, la simpatía, el impulso cariñoso que la lleva hacia tío Pablo, se fundan en esta tácita paridad, en uno y otro, de la manera de ver y sentir el mundo. Don Pablo, sin negarse a sí mismo, no puede ir a reprochar y amonestar a Inés.

Ha transcurrido otro día. Sin poderlo remediar, el caballero está un poco desasosegado. No valen argumentos de historia y de psicología para traer a su ánimo la serenidad. La imaginación, alborotada, le representa ya las consecuencias funestas del suceso. La ciudad está llena de escándalo; el señor obispo puede tomar una decisión enérgica. Diego, ardiente y apasionado, puede lanzarse a un desafuero; Inés, sensible e independiente, no sabemos a qué extremos puede llegar. Los periódicos de Madrid hablarán del caso; España entera...

En estos momentos decisivos, difíciles, de la vida de don Pablo, el caballero suele recurrir a la lectura de algún escritor de vida y obras serenas. Lee a Cervantes, a Montaigne, a Goethe, a Marco Aurelio. Don Pablo tenía anoche sobre la mesilla los *Pensamientos* del emperador romano. No pudo leerlos; ahora ha ido a buscarlos y, abierto al azar el libro, se ha encontrado con lo siguiente:

«Si alguien te preguntare cómo se escribe el nombre de Antonino, ¿no es verdad que tú pronunciarías con tranquilidad las letras una a una? Y si se airaran contra ti, ¿devolverías cólera por cólera? ¿No continuarías enumerando tranquilamente una letra y otra letra? Del mismo modo, acuérdate que acá abajo cada deber lleva aparejado un cierto número de obligaciones. Y estas obligaciones es preciso guardarlas, y no desasosegarte, y, sin devolver iracundia, acabar con pausa lo que te has propuesto.» (Libro VI, pensamiento XXVI.)

La lectura de este fragmento ha dejado perplejo a don Pablo. La tranquilidad que había ido a pedir a Marco Aurelio se ha trocado en inquietud. ¿Qué quiere decir en esas líneas el buen emperador? Por una parte, no debe intranquilizarse don Pablo, según Marco Aurelio, y por otra, no debe dejar de cumplir ciertas obligaciones ineludibles. ¿Podrá dejar el caballero de cumplir esos deberes? Y el entrevistarse con Inés, el hablarle discreta y amorosamente, pero con firmeza, ¿no es una de esas obligaciones? «No pierdas el sosiego—dice el emperador—, enumera las letras una a una sin alterarte.» Sí, sí; don Pablo enumera y vuelve a enumerar las letras del nombre de Inés—son pocas—, pero ¿lo hace con sosiego?

XLVIII

EL PRIMER GESTO

¿Cómo es el primer gesto de desabrimiento en el amor? La verdura de las eras es pasada. La plenitud solar se fué. Todo es fallecedero y nada es eterno. Se han disipado ese espíritu, ese ardimiento, esa perseverancia de los primeros días. En los primeros días, minuto por minuto, segundo por segundo, se quiere gozar del ser amado. Todo vive por él y para él: la luz, las formas, las cosas, el planeta, los mundos en el espacio. En todo se ve al ser amado. Una ebriedad dulce, deliciosa, llena el espíritu. A todas horas, el ser querido hinche nuestros sentidos. La espera del momento de verlo nos lleva ansiosamente de un instante a otro. ¡Deliciosa espera! ¡Dulce ansiedad! Todo converge, en el tiempo y desde lo pretérito, hacia este momento en que dirigimos nuestros pasos hacia la mansión de la amada. Y luego, en su presencia, el aire que respiramos es más suave, vivo y penetrante. Las cosas son más ligeras. Lo que nos desplacía antes, ahora merece nuestra indulgencia. No queremos ni cóleras ni gritos. Todo es azul y flotante. Lo disculpamos todo: las negligencias de los criados y las incorrecciones de un amigo. La corriente del tiempo desaparece: este instante que bebemos con ansia, locamente, va a ser eterno. En la felicidad suprema —como en el supremo infortunio—, el egoísmo se exalta. La desgracia ajena no la vemos. Cerramos los ojos a las lágrimas y al dolor de los hombres. No existe más que nuestra dicha en el planeta. Sin nuestra dicha, en este momento, los mundos no existirían...

Y poco a poco, con lentitud, el ardor va decreciendo. ¿Por qué hoy, en vez de ir a la entrevista derechamente, hemos torcido por otra calle? Nuestros actos son todavía correctos. No se nos puede reprochar nada. Ponemos especial empeño en nuestra corrección; no hemos dicho ni hecho nada que, por parte de nuestra amada, merezca reconvención. El fervor prosigue disminuyendo. Comenzamos a ver que muchos de los actos realizados en la plenitud de la pasión eran un poco ridículos. Sonreímos de nosotros mismos. El amor verdadero—nos decimos—es serenidad, reposo; el ardimiento exaltado no puede perdurar. Dura y perdura lo basado en la normalidad. Y comenzamos a encontrar justificantes para una ausencia, para el retardo en contestar una carta, para las palabras agrias que en un momento de mal humor se nos han escapado.

Y entonces, dolorosamente, asoma la primera lágrima a los ojos de la amada. Doña Inés no ha querido ver el primer gesto de cansancio en el amado. En la mujer que ama—y que ama en la declinación de la vida—no hay horror semejante al de sentir el desabrimiento del amado envuelto en palabras corteses que se esfuerzan, violentamente, por parecer cordiales.

XLIX

¿EPILOGO? NO; TODAVIA NO

«Querido tío Pablo: Me he sentado tres o cuatro veces a escribir, y me he levantado sin escribir nada. Son las seis de la mañana; estoy levantada desde las cuatro. He hecho una porción de cosas. Ahora no sé lo que decir. El desasosiego que tengo no me deja pensar en nada. Creía yo que podría hacer tranquilamente lo que voy a hacer, y me he engañado. He estado tranquila hasta ayer tarde, pero cuando me acosté no pude dormir. No he dormido en toda la noche. He oído todas las campanas de los conventos que tocaban a maitines. ¡No las volveré a oír más! He escuchado el canto de los gallos de todos estos contornos. ¡No los volveré a escuchar más! Y ahora, sentada para escribirle a usted, no sé lo que decirle. Se me olvida todo. Voy a levantarme para hacer una cosa que se me había olvidado. Si no lo hago ahora, sé que volveré a olvidarla...

»No sé lo que iba diciendo a usted; no quiero leer lo que he escrito antes. He estado poniendo unas cosas en las maletas. Lo que más siento de todo es no poder ver a usted por última vez. Si fuera a verle, estoy segura de que no me marcharía. Usted es bondadoso, tío Pablo; le quiero a usted de todo corazón. La ausencia mía de España me será dura, no por nada, sino por no ver a usted y tener con usted las charlas que teníamos. No tengo más remedio que marcharme. Las cosas vienen así. Si no me marchara, sería peor. La dicha que perseguimos, muchas veces no puede realizarse. Realizarla a medias es peor que no realizarla nada. Usted sabe lo que quiero decir. Sé que usted vendrá a casa; no nos hemos visto hace días. Vendrá usted y le entregarán esta carta, o si no, ordenaré que se la manden. Con esta carta le darán a usted también un pliego. En ese pliego van tres pequeñas memorias: una, con lo que quiero que se le entregue a Plácida; otra, con lo que ha de dar usted a Diego, y la tercera, con lo que destino a don Santiago Benayas, el jefe político. Deseo dejar a todos bien; mi fortuna sabe usted que es muy grande. No tengo apego al dinero. Plácida y Diego no tendrán ya que preocuparse del porvenir. Don Santiago me encanta por su bondad; no le he tratado mucho, pero adora apasionadamente a sus hijos y es amigo de todos los niños, y no puede verlos sufrir, como me sucede a mí. Dejo también regalos para Taroncher y Larrea. Tengo que levantarme otra vez; perdóneme usted; después, voy a seguir...

»¿Qué dejo yo para usted, querido tío Pablo? ¿Qué quiere usted de mí? La casa esta de Segovia, con su huerto, es de usted, si usted la quiere. Todo está arreglado con mi notario. Véngase usted a vivir aquí; estará más tranquilo que en la casa de la ciudad. El notario le entregará a usted los poderes que he hecho a favor de usted. Tenga usted la bondad de cumplir lo que dispongo en mis notas relativas a Plácida, Diego y don Santiago. El resto de la fortuna liquídelo usted. A mis criados de las casas de Madrid y Segovia déles usted lo que digo también, por separado, en una nota. Se me había olvidado hablarle a usted de esa otra memoria, relativa a estos buenos servidores míos. Y espere usted a que yo le escriba y le diga lo que se ha de hacer del capital que resulte de todo lo liquidado. Déle usted también a Matías, el pastor, una buena cantidad. No ande escaso en el reparto; quiero que todos tengan buen recuerdo de mí. Usted ya sabe lo que yo he dispuesto; añada, usted que es bueno, lo que quiera. A Matías cómprele un rebaño, una finca, lo que él desee. Es un buen hombre; es un segoviano fino y noble, de los antiguos.

»¿Y tía Pompilia? Usted no querrá decirle nada de mi parte a tía Pompilia. Ya le pondré yo dos líneas despidiéndome. ¡Y adiós, adiós, querido tío! ¡Adiós, adiós con el corazón y con toda el alma!

INÉS.»

L

HACIA UNA NUEVA CIVILIZACION

Con la vista fija en una hojita del árbol, don Pablo no pensaba en nada. Permanecía así largas horas. La marcha de Inés le había sumido en un profundo sopor. Se encontraba de nuevo solo y desesperanzado. Ahora sí que no saldría ya de su soledad y de su desesperanza. Ya no tenía asidero ninguno en la vida. De la hoja del árbol, la vista pasaba a la frondosa copa. Los vientos del otoño hacían caer a intervalos las hojas amarillas. El cielo, entre redondas nubes, dejaba ver claros de azul intenso. La vida era triste. Europa entera marchaba hacia algo desconocido e inquietador. En Madrid había estallado, en septiembre, una revolución. Asonadas y motines habían perturbado a España en este año de 1840. Se extendía por el mundo entero un fermento de desorden político y de relajación moral. El soez materialismo de una burguesía iletrada es el mayor corrosivo del orden social. No necesita la burguesía de ajena y airada mano para su muerte; ella misma se mata. Los aristócratas fraternizaban con manolas y chisperos. Un arte abigarrado—el romántico—refleja una sensibilidad anárquica. Los adolescentes piensan de distinto modo que sus progenitores. El mismo tipo de belleza femenina—con otras modas en el traje y otro estilo en el peinado—es completamente distinto al de antes. El cambio se refleja también en las maneras y en el porte de la gente distinguida: una cierta rudeza villanesca ha sucedido a la civilización antigua. Don Pablo, solo, desesperanzado, se sentía fuera del mundo. ¿Hacia dónde caminaba la Humanidad?

Nueve años más tarde había de morir el caballero, repitiendo la misma pregunta. Y repitiendo entonces la misma pregunta con preocupación más honda. La revolución de 1848, en Francia, ha conmovido todos los tronos de Europa. En Italia, en Austria, en Alemania, ha tenido repercusión la caída de Luis Felipe. El cólera hace estragos en varias naciones europeas. El socialismo avanza y se difunde. Una mujer, precisamente una peruana—Flora Tristán—, se ha convertido en el apóstol de las reivindicaciones obreras y ha lanzado, en 1843, la fórmula de la unión de todos los trabajadores; su libro *L'Union ouvrière* es un verdadero manifiesto. Todo está subvertido; las creencias tradicionales se desmoronan. El poeta más popular de Francia—Béranger—aconseja a los soldados la indisciplina y la deserción en una cancioncilla, *Nouvel ordre du jour*, que todo el mundo entona:

Qui s'lon not'origine.
Nous aurons pour régal.
Nous l'bâton d'discipline,
Eux l'bâton d'maréchal.

Y otro poeta, español este, Bretón de los Herreros, resume, en 1841, el estado de los espíritus en los siguientes versos:

Y lo mismo en la dulce poesía
que en moral, en política, en hacienda,
nuestro estado normal es la anarquía.

¿Hacia dónde camina la Humanidad? La civilización basada en el Derecho romano está agotada. Siglos antes o siglos después, al fin vendrá la muerte de la civilización actual. Hacia una nueva civilización caminaba la Humanidad. Virtualmente, el Derecho romano estaba ya muerto. Se sentía don Pablo profundamente triste; su tristeza era la del morador que, después de haber vivido largo tiempo en una casa, advierte que el edificio está ruinoso y que es preciso buscar otra vivienda. Y la extorsión de la mudanza—que él no había de ver—le preocupaba ansiosamente. Se caminaba acaso hacia un período de caos y de barbarie. *Natura non rompe sua legge*, había escrito uno de los maestros de don Pablo, Leonardo de Vinci. La Naturaleza no rompe sus leyes. Haga lo que haga la Humanidad, sea cuerdo o loco el hombre, sean ordenadas o anárquicas las sociedades humanas, al cabo, después de la barbarie, la Humanidad recomenzará lentamente su trabajo de civilización. El hombre es un animal de inteligencia y de orden; la inteligencia y el orden, en el transcurso de los siglos, a través de catástrofes y de horribles caos, acaban por imponerse. Y esto sucedería ahora; se caminaba hacia una nueva civilización. «¡Adiós, Europa!—repetía don Pablo en los últimos meses de su vida—. ¡Adiós, acueducto y todo lo que tú representas! ¡Adiós, imperio romano!»

Y luego pensaba que, al fin, tras tantas revoluciones y cambios, vendría la muerte de la Humanidad misma. Lector de La Place, sabía que los astros están destinados a perecer. Las modernas teorías cosmológicas—basadas en el descubrimiento de los cuerpos radiactivos—, las modernas teorías de reviviscencia perpetua de los mundos, de los mundos en agonía y en recobro perennales, no le hubieran enseñado nada nuevo. Lo importante era que, de uno u otro modo, la Humanidad había de acabar. Y por ahora, y entre tanto, se iba a una honda y pavorosa transformación social. El Derecho romano estaba agotado. No sentía, sin embargo, pavor el caballero. No sentía los terrores que pudieran sentir sus amigos y conocidos. El agotamiento de una civilización era para él un hecho ineludible. Hubiera, sí, querido ver algo de la nueva y lejanísima organización social. «¡Adiós, Europa! ¡Adiós, acueducto! ¡Adiós, imperio romano!», repetía don Pablo dulcemente. Y como ahora, en este otoño, en tanto él se sentía morir, las hojas amarillas caían en silencio de la arboleda.

LI

TAMPOCO ES ESTO EPILOGO

Desde lo alto del monte, en la ladera cubierta de boscaje, se ve allá en lo hondo, por un claro de la enramada, un pedazo de mar. La vista se recrea en la visión de este espejo de acero que reaparece, sin transiciones de rocas o de arena, entre lo verde claro de los árboles. Un poco más lejos, el mar es de un azul intenso; anchos meandros blancos, como vías lácteas, se extienden sinuosos por la inmensa llanura. Arriba, en el cielo de azul claro, se deshilachan, blanquecinos, los grandes filamentos de los cerros. La lejanía, en la línea del horizonte, es de un rosa tenue, pálido. Y los ojos vuelven otra vez—en el silencio de la montaña y del mar—hacia ese pedazo de cristal negro, negro y moviente, que se columbra entre la hojarasca verde, verticalmente, en lo hondo. Dos o tres gaviotas se mecen blandas en el aire. A ratos, con las alas inmóviles—misterio todavía no explicado—, ascienden rígidas por el azul. Es la hora del mediodía; si pudiéramos, desde aquí, ver el agua que juguetea entre las negras piedras, tomadas de verdín, observaríamos que es de un verde jade, claro, transparente. Y si nuestra mirada, doblando la curva del planeta, pudiera avizorar en la inmensidad—desde esta costa cantábrica—, divisaríamos, a esta hora misma, un extraño barco que camina sin velas. No lleva velas, y un largo rastro de humo denso va quedando tras la nave en el azul del cielo.

—¿Qué barco es ése?

—Barco de vapor, *steamboat*, invento maravilloso.

—¿Su nombre?

—*Star*.

—¿Marcha?

—Vertiginosa: diez millas por hora.

—¿Rumbo?

—De Londres hacia Nueva York.

—¿Capitán?

—Míster Davidson, marino joven.

—¡Hurra por los marinos jóvenes, y buen viaje!

El *steamboat* camina desde Europa hacia el Nuevo Mundo. Tiene a sus costados dos grandes ruedas de anchas paletas, y en medio del buque se levanta una estrecha chimenea con la boca ensanchada como la de un arcabuz. El mar, mansamente undoso, balancea con suavidad la nave. Las grandes ruedas del barco giran rápidas y el barco avanza por la inmensidad. Sobre la cubierta, tendida en un largo asiento, una dama—doña Inés—contempla el cielo y el mar. De cuando en cuando, el soplo de la brisa hace estremecer ligeramente su cuerpo, y las manos recogen sobre el pecho la manteleta. La humareda negra de la elevada y angosta chimenea va quedando atrás, en un reguero que se deslíe lentamente. Aparecen velas blancas de fragatas, bergantines, goletas, quechemarines, polacras.

Desde todas estas embarcaciones, contemplan el extraño navío con curiosidad, sorpresa, burla, admiración, socarronería —socarronería de los viejos marinos, incrédulos—. Y el extraño barco pasa raudo, impávido, escupiendo desdeñoso al azul sus bocanadas negras. ¡Hurra por los marinos jóvenes, y buen viaje! El viejo mundo está agotado.

LII

EPILOGO

Sí, esto sí que es epílogo. ¿Dónde está nuestro ombú? Con los ojos del deseo —los más avizores de todos—lo vemos en el horizonte infinito. Se yergue sombroso y fornido, empapado en el azul. El cielo forma sobre su copa una tendida e inmensa tela de brillante seda. Las ramas se inclinan, espesas y suavemente combadas, hacia la tierra. Y en las horas de pleno sol, en tanto que resaltan en el cielo las verdes hojas, se forma todo en torno del tronco un redondel de sombra densa y fresca. Con nuestras manos, quisiéramos acariciar el follaje terso de su espesura, y luego recorrer su tronco rugoso y venerable. El viejo ombú desafía el tiempo. Desde lejos, ha contemplado cómo la silueta de la ciudad—Buenos Aires—se agiganta. Diríase que todas las estancias y caseríos diseminados antes por la campiña, en los alrededores de la ciudad, se van acercando, densificándose, formando calles y manzanas, atraídos irresistiblemente por la grande y hechizadora urbe. El ombú marcha y marcha, lentamente, hacia la ciudad; se va por años, por meses, acercando a la ciudad. ¿Qué será del amado árbol cuando la ciudad le coja apretadamente entre sus edificaciones inexorables? La vieja estancia que se levantaba junto al ombú ha desaparecido. Han transcurrido muchos años. A la estancia ha sucedido una grande, espléndida, edificación. Son las primeras horas de la mañana; el aire es claro y sutil. El sol besa a lo lejos los muros blancos de otra estancia; en la pared se ve una reja de hierro casi cubierta por los pámpanos de una parra. Muchas veces hemos visto en España este muro blanco y bajo, y estos pámpanos verdes junto a una ventana. Como ha desaparecido la otra estancia, desaparecerá también ésta. La imagen material de la vieja y lejana España se va rompiendo a pedazos; una nueva y poderosa forma trabaja por nacer.

Todos los cristales del grande y espléndido edificio están abiertos; se orean las salas y aposentos. Los cristales de un balcón, en el piso principal, se hallan cerrados. En esta hora matinal, cincuenta o sesenta niños han salido al jardín que precede al edificio. Son hijos todos—niños y niñas— de españoles pobres, y a todos se les da educación y albergue gratuitos en esta casa. Los niños se solazan entre los cuadros del jardín. De pronto, se oyen unos golpecitos en el cristal del balcón cerrado. Todas las mañanas, a esta hora, en este minuto, golpea sobre el vidrio una mano. Los niños todos se detienen en sus juegos y levantan la cabeza. En el cristal, pegada a la transparente lámina, se divisa una cara. La cara está pálida; anchas y profundas son las sombras de los ojos. Las arrugas de la faz son hondas. Los niños sonríen y levantan sus manecitas. «¡Mamá Inés! ¡Mamá Inés!», gritan palmoteando. No puede ya salir de su aposento la anciana fundadora del soberbio colegio. Es muy viejecita y está enferma. El corazón le angustia. Su mano blanca se posa en sus labios y envía un beso, cuatro besos, muchos besos, a los niños del jardín. Y acaso en el jardín, bajo el venerable y amado ombú, cobijado en su sombra, apartado del bullicio, hay un niño—otro futuro poeta—, un niño huraño y silencioso, con un libro en la mano.

Madrid-San Sebastián, 1925.

PROLOGO

FÉLIX VARGAS

Complacerse en lo inorgánico.

EL AUTOR

Lo que, en apariencia, es inorgánico, señor Vargas, puede ser profundamente orgánico; será inorgánico con relación a una organización anterior, ya caduca.

FÉLIX VARGAS

En todo caso, la elipsis en el tiempo, el espacio y el espíritu. La supresión de transiciones o el salto de trapecio a trapecio.

EL AUTOR

Sin olvidar, señor Vargas, la creación de la imagen que exteriorice la sensación. La imagen que no corresponde a la realidad exterior — agrandando las cosas, deformándolas—, pero que traduce una realidad intrínseca.

FÉLIX VARGAS

Y utilizando la ambivalencia de las imágenes para hacer visible, en determinado momento, la dualidad de una situación psicológica.

I

BLANCURA

N el crepúsculo, ya en los últimos momentos de la tarde, una manchita blanca; blanca y cuadrada. Las postreras sombras han invadido los rincones de la estancia; avanzan hacia el balcón; se deslizan por el ancho y bajo diván; sumergen dos o tres cuadros claros, de paisajes; se regolfan en torno a la mesa; circuyen el cuadradito de blanco papel. Y un silencio profundo; por el balcón, abierto de par en par, entra el efluvio del campo; ya comienzan a brillar algunas estrellas. Las sombras avanzan, se espesan, se densifican; no se ve ya casi nada en la estancia. El fulgor, vago, incierto, que viene de fuera, hace resaltar con vaguedad la mancha blanca—un sobre—que aparece encima de la mesa. Félix Vargas, el poeta, ha dejado allí negligentemente la carta. ¿La ha leído? ¿La ha dejado cerrada, tal como vino de Madrid? La vida sigue; los trabajos del poeta—sus versos, sus novelas, sus dramas—se continúan; un ambiente de intensa cerebralidad rodea a Félix. Desde lo alto de la colina verde, en los ratos de respiro, contempla el poeta, allá abajo, allá a lo lejos, primero, en el fondo, el mar; después, la ciudad. El silbato de un tren rasga los aires; tenue, tembloteante. La estancia se halla cargada de reminiscencias, evocaciones, recuerdos, sensaciones de cosas pasadas, no en España, en Francia. En este momento de su vivir, Félix Vargas vive en la segunda mitad del siglo XVIII francés y en los primeros treinta años del siglo XIX. Un salón... ¿Dónde? En París. Benjamín Constant, madama Charrière, la Staël. Desaparece la casita colocada en la colina verde. Las imágenes reemplazan a la realidad. Influencia de tres mujeres sobre un escritor del siglo XVIII. La obsesión sigue a Félix por todas partes, en todos los momentos del día. Va y viene con el poeta a la ciudad. Desciende Félix de la colina verde; torna a la altura. Habla con las gentes. Dentro de sí, en su espíritu, se halla viviendo lejos de estos parajes, distante de estos tiempos. Benjamín Costant y las tres mujeres que han influído sobre el escritor francés: madama Charrière, la Staël, Julia Recamier. ¿Y Julia Talma? ¿Y el retrato de Julia Talma, a quien Constant ha visto morir, que Constant ha trazado con tanta emoción? Intensidad, profundidad, tenacidad —distintas, imborrables—en la sensación de este medio y de estos personajes. Todo, en el ánimo, en la sensibilidad, en la afectividad del poeta, se halla infiltrado del ambiente que esos personajes representan. No existe ahora, para Félix, España; ni los clásicos de España; ni la historia de España. La casita blanca, con las persianas verdes—y toda la realidad externa—son sensaciones desdeñables. En esta motivación de ahora—Francia en su siglo XVIII— está la razón de vivir del poeta; apoyándose en esas sensaciones, encuentra una vitalidad, una alacridad espiritual que él necesita para seguir trabajando. Dentro de sí, el poeta siente la necesidad de un tema en que estribar; estribar para seguir viviendo, para seguir creando. Ahora el motivo es este momento de la vida francesa. Sin sabor todo lo demás. Detestación profunda para los clásicos españoles. Todo el resto, fuera de este tema, no existe en la vida de Félix. Hombres, cosas, conceptos; todo visto a través de este cristal. Y apoyándose intensamente en este fundamento, ¡qué fuerza y qué singular facilidad siente! Desde la ventana, en la casita de Errondo-Aundi, contempla, después del trabajo, San Sebastián, allá a lo lejos. La fatiga, después de tres o cuatro horas de intenso laborar; postración honda. Postración que es para Félix, en el silencio, en la esquividad, una voluptuosidad suprema.

¿Dónde está el cuadradito blanco de la carta? Es un poco mayor ya esa blancura. París; Benjamín Constant, que ha pasado once años en Alemania; Constant, que comía y paseaba con Goethe; Goethe, con la faz tirante, con los ojos vivaces. ¿Y madama Charrière? La mujer sin prejuicios, que se ríe de miramientos y supersticiones sociales; la Charrière, que conversa con Benjamín Constant hasta las seis de la mañana; Constant, que estaba acodado en la mesa de juego hasta las cuatro de la madrugada y después se va a ver a su provecta amiga. ¿Y la Staël? ¿Y Julia Bernard, la Recamier? Ver—piensa Félix—todo lo que hay escrito sobre la Recamier, tan fina, tan intuitiva; estudiar todo lo referente a esta mujer. El ánimo oscila entre la Charrière y Julia Bernard. ¿Dónde está la carta que ha venido de Madrid? Se encuentra encima de la mesa, entre unos volúmenes; ahora es un poco más ancha. En el sobre se lee una estampilla que dice: *Fémina-Club. Madrid.* Y luego la dirección: *Señor D. Félix Vargas. Errondo-Aundi. San Sebastián.* Lo que piden en esta carta al poeta es absurdo: que dé en el próximo otoño un breve curso sobre Santa Teresa en el *Fémina-Club.* El cielo es hoy ceniciento; los verdes resaltan intensos. El poeta ha de buscar esta tarde en Francia—irá a las librerías de Bayona—obras referentes a su obsesión de ahora. ¿Hablará Félix de Santa Teresa? ¡Qué simpática se imagina a la Charrière, con su charla espontánea, libre, sin los repulgos y ñoñerías de todos! Benjamín Constant tenía entonces veinte años; ella tenía cuarenta y siete. Poder mágico de estas mujeres otoñales sobre la mocedad; evocación ligera del encuentro de Santa Teresa, a los cincuenta y dos años, con San Juan de la Cruz, a los veinticinco. Pero la mujer de Avila está lejos; reconstitución delectable, morosa, en el ánimo de Félix, de una de esas charlas, a la madrugada, del joven Constant y de la espiritual Charrière. Un salón en la penumbra; dorados pálidos de los cantos de los libros. Tenue, indeciso fulgor del alba naciente, en una ventana. ¿Santa Teresa? ¡Qué distante se encuentra! La carta se halla sobre la mesa; su tamaño ha crecido; aparece ya como un vasto blancor. Y el poeta tropieza con esa mancha blanca, al entrar y al salir, al acercarse a la ventana, al volverse, instintivmente, sin saber por qué, para echar una mirada a la puertecita del fondo.

II

SUS CARAS

Primeros días de agosto. Todo el verano esplende todavía; la luz es la luz del estío. Dentro de ocho, de quince días, en la Naturaleza habrá un imperceptible matiz de cambio. Goza el poeta de esta gravidez luminosa, intensa, del año. Este momento no se ha de repetir. ¿Se repite algún momento? Y el momento lo es todo. En pie un instante en la ventana, Félix contempla el paisaje. A lo lejos, a la derecha de la ciudad, la estación. Otra estación más cerca a la izquierda, poco antes de la fábrica del gas. La casita, en lo alto de la colina verde: la casita de Errondo-Aundi, blanca, con las ventanas verdes. De las estaciones, de tarde en tarde, parte un tren; llegan—diríase que fatigados—otros trenes. Silencio grato. ¿Y el tiempo? ¿Y la materia de la obra de arte? Quisiera el poeta, con las manos, coger, apretar la materia artística; pero como una materia blanda se escurre por los cabos del puño, por entre las junturas de los dedos, así se desliza la materia del arte, flúida, fluente, en movimiento constante, en devenir perpetuo. No, no—piensa Félix—; el arte no es ya lo que era hace veinte años, hace treinta; no lo es después de las últimas captaciones de la luz y el sonido. Y su sensación ahora, frente al paisaje, en el silencio, es la de esta inestabilidad del tiempo, del minuto fugaz, junto a este devenir fluente, flúido, de la materia artística, que él se empeña en aprisionar. ¿La aprisionará? Los años transcurren; queda atrás, en la vida del poeta, un pasado que pesa sobre él, que le esclaviza. Félix se rebela contra ese pasado, lo rechaza, lo repele violentamente y recurre a la identificación de su sensibilidad con la imagen para condensar la materia artística.

¿Dónde están las imágenes de ahora? Todas aquí, rodeándole, apretándose en torno a su persona. Paz en el paisaje; el valle, a sus pies; verdes apacibles, en las frondas y en los prados; pedazos de cristal de las aguas que la marea ha hecho subir. El silbido agudo de un tren. La Charrière—en la abstracción del poeta—se inclina ante Benjamín Constant y le dice bajito unas palabras; ríen los dos personajes en el ancho salón, silencioso, en los postreros momentos de la madrugada. La barbilla de la dama es regordeta, carnosita; cuando la espiritual mujer se pone seria—afecta ponerse seria—y baja la cabeza un poco sobre el pecho, esta carnosidad suave resalta en lo blanco de los encajes. Se ha oído otra vez el silbato largo y tembloteante de una locomotora. ¿Y Julia Bernard? ¿Y las bellas mujeres de ese siglo XVIII, en que vive ahora el poeta? Transición; el pensamiento—un segundo—en otras mujeres; santidad cívica femenina; las imágenes de Josefina Butler, de la finlandesa Matilda Wrede. Otra transición; por el camino de la santidad laica a la otra santidad. La carta—la que ha llegado de Madrid—ha aumentado más de tamaño. No está sólo ya en el despacho de Félix; se halla en el comedor, en la alcoba, en la escalera, en los pasillos de la casa. ¿Por qué no Santa Teresa? ¿Por qué no escribir ese estudio? Absurdo, imposible. No puede el poeta sentir ahora ese tema. Ve como desde la orilla de un río, discurrir la materia de ese trabajo; querría escribir sobre ese tema, y percibe que no puede. ¿Cómo lograr la identificación de la realidad interior y la externa? En su sensibilidad, el campo de Francia; el ambiente moral de Francia, tan grato, tan libre. La suavidad inefable de la vida francesa. ¿Y España? Poder, en Francia, decirlo todo, sentirlo todo. En una ciudad, una callejita solitaria, silenciosa; una tienda de libros; muchos libros; profundo amor al libro. Silencio profundo y placidez; ojos inteligentes de mujer y manos solícitas. La página cadenciosa de un libro. Todo en un pasado de inteligencia y de sensibilidad. Julia Recamier sonríe en el salón y tiene para cada uno de sus contertulios una palabra fina y comprensiva. La Charrière, sin prejuicios, sin supersticiones, ríe a carcajadas como una loca. La Staël, exuberante, pletórica de vida, de sensualidad, escribe inclinada sobre un bufetillo de recia caoba. El día llega a su plenitud; luz opaca, argentada; inmovilidad del aire. Las laderas descienden suaves, con su verdura de terciopelo; el Urumea, en el fondo del valle, muestra sus aguas negruzcas; parte de la llanada es un inmenso espejo. Corre un tranvía eléctrico hacia la frontera; el penacho negro de un tren. Libros, folletos, revistas, periódicos—todo venido de Francia—sobre la mesa, en las sillas, en el suelo. Dentro de unos días, plenitud del año. La blancura de la carta atrae a Félix, sin que el poeta quiera; en el sobre pone: *Fémina-Club. Madrid.* La mirada de Félix se va tras la blancura del sobre. La carta ya está en todos los aposentos de la casa. Visión, un instante, de las amigas dilectas del Fémina-Club; sus caras, sus ojos, sus sonrisas. El penacho negro del intenso humo que se esparce por el azul. El mar, lejano, en el fondo. Otro humito tenue de un barco...

III

POSTRACION

Plétora de vitalidad; mediados de agosto. Horas de mediodía; en la terraza de un café. No en el centro de la ciudad—San Sebastián—; aquí, junto al puente de Santa Catalina, solo, en el silencio profundo de estas horas centrales del día. Sensación honda de bienestar. Y con la perspectiva de la tarde en Biarritz. Ya, al pensar en este nombre, al cruzar por el cerebro del poeta esta palabra, se avivan, resaltan, surgen con más vigor todas estas figuras que rodean a Félix Vargas: madama Charrière, la Staël, Julia Bernard, Benjamín Constant... No son creaciones de la imaginación, evocaciones, todas estas mujeres; constituyen para Félix una realidad innegable. En la lejanía, sobre una eminencia, una edificación con ventanitas negras, rodeada de verdura. Abstracción del poeta. Van y vienen por el cercano puente los transeúntes. Julia Recamier se inclina sobre el blanco mármol del velador, y con su mano delicada coge un vaso de fino cristal. Grata voluptuosidad de la fatiga cerebral. Desde las ocho de la mañana, la pluma ha corrido presta, vertiginosa, *sobre* el papel. El poeta siente ahora dulce postración, satisfacción íntima—vanidad—de haber creado unas bellas páginas. Sí, ha caminado fluente, facilísima, la pluma por las cuartillas. ¿De dónde venían estas palabras de que Félix no tenía noticia? Un vocablo raro, desconocido, inusitado, surge. ¿En qué recoveco estaba escondido? ¿Escondido en espera de este momento de fervor? Las frases irrumpen definitivas, vivaces, exactas. Siente el poeta ya un poco de cansancio; pero todavía es preciso escribir unas cuartillas más. Y no levanta la pluma del papel. El cansancio aumenta; los vocablos, las frases, los períodos, van, sin embargo, saliendo limpios y justos. No quiere Félix trabajar más y el cerebro sigue funcionando. Se tiende el poeta en un largo diván; contempla el cielo; no piensa en nada. Y de pronto, sin quererlo, contra su voluntad, aparece luminoso, como sobre una pantalla blanca, una frase que completa lo escrito, un rasgo pintoresco, un pormenor esencial que rodean el asunto y ponen al capítulo un acabamiento perfecto. Se levanta el poeta; torna a escribir; ya en el cerebro se percibe una presión sorda, latente, poderosa, como de una caldera que va a estallar. Pero no estalla; las palabras siguen apareciendo; las frases afloran con su línea perfecta. Y Félix, en este producir incesante, en el grato silencio de la casita de Errondo-Aundi, siente hasta el fondo del alma, en lo más íntimo de su ser, una voluptuosidad deliciosa. Y luego, postrado ya del todo, fatigado, en la terraza del café, piensa en la escapada de esta tarde a Biarritz, en la próxima sumersión—momentánea—de su psiquis en la frivolidad. Este momento de ahora tampoco volverá. Se ha puesto el poeta—durante un segundo, nada más que un segundo—ligeramente pálido. Asocia el trabajo creador de la mañana con la disipación de la tarde. Y todo ello en un ambiente de inteligencia y de sensibilidad. Soñación; mediodía. Sombras vivas y densas; es preciso ascender por la colina verde. Desde la orilla del Urumea, Félix contempla, allá arriba, las paredes blancas y las ventanas verdes. Evocación de las bellas mujeres de Francia; duplicidad exquisita. Estar aquí y en siglo XVIII francés. Identificación absoluta con la imagen. ¡Ah, la deliciosa, libre, riente, sin prejuicios, madama Charrière! El poeta la tiene a par de sí; charlan los dos animadamente. De pronto, la carta; la carta en que se lee: *Fémina-Club. Madrid.*

IV

TRASLUCIDA

Al día siguiente de la visita a Biarritz, tras la contemplación silenciosa del mar: serenidad, perfecto equilibrio mental, indulgencia por los hombres y las cosas. Un ligero incidente ha habido en la casa—negligencia, descuido—; no ha tenido Félix, por correctivo, sino palabras exorables. Todo el poeta se halla entregado a la sensación pasada. Su alma inmersa en una placidez que se va diluyendo gradualmente; mañana, pasado, dentro de tres días, no quedará nada de esta sedancia; Félix la retiene, la aprehende, hace esfuerzos porque no desaparezca. Tumbado en el diván—desde donde se ve el cielo—contempla la bóveda gris, cenicienta, de esta mañana nubosa. Visión de Normandía, de Auvernia, de la lejana y nemorosa Bretaña; gestos lentos, silenciosos, en las gentes. La terraza de un café y una botellita de agua de Vittel. Y libros, muchos libros, siempre libros. En Normandía, una tarde de primavera; prados verdes, pomaradas, lluvia y sol. Una visión vaga aparece, resalta sobre los paisajes de Auvernia, de Bretaña, de Normandía. Félix se estremece ligeramente. La visión es una sombra traslúcida, casi invisible. Pasa lenta, desaparece. Es la Santa de Avila. La carta se halla sobre la mesa; su tamaño es desmesurado; la encuentra el poeta en todas las dependencias de la casa. Placer íntimo de Félix al pensar que está él lejos de Avila, de Santa Teresa, del siglo XVI español; pero que si quisiera podría escribir un libro sobre la santa, como está haciendo otro en estos días. ¿Podría hacerlo? Indecisión, vaguedad, un puntito penetrante—agridulce—en el sosiego voluptuoso. Auvernia, Bretaña. Habría que hacer una Santa Teresa moderna, palpitante, viviendo con nosotros ahora. Complacerse en lo inorgánico. Félix, despacio, como deletreando, repite: *Complacerse en lo inorgánico*. Hacer algo en contra de las normas tradicionales. Nada de cosa pensada, deliberada. Lo subconsciente en libertad. Tirar al suelo las formas viejas y pisotearlas violentamente. Declararse desligado de todo. Independiente de los viejos y de los jóvenes. Imposibilidad de evocar una figura antigua con arqueología; la arqueología es la enemiga de la sensación viva. Santa Teresa, prisionera de la retórica. Derrocar el tabique de la erudición. Impetu hacia lo pasado; unir en la sensación de hoy el presente y el pasado. Santa Teresa en automóvil; con un cablegrama en la mano; en la cubierta de un transatlántico. Se oye el silbido de una locomotora; el cielo plomizo; el verde suave de las laderas. No pensar en nada; sentirse sumergido en vago y placentero no ser. Partir, marchar. Partir sin saber adónde. El cuartito del hotel. La calle que no conocemos. Otro silbato largo. ¡Qué sensación profunda, íntima, de paz, de dulzura! De dulzura bajo este cielo ceniciento, con el aire inmóvil. ¿Podrá o no podrá Félix hacer el libro sobre Santa Teresa? Las amigas del Fémina-Club. La carta, una docena de cartas, centenares de cartas, millares de cartas. Ligera presión. Caminar, descender de la colina verde, ir a la ciudad. Deseo, ansia, anhelo de charlar un momento. Y de repente, la sombra, vaga, traslúcida, sobre el paisaje.

V

LA CABEZA EN EL ARBOL

Más amontonamiento de libros. Libros sobre el tema que preocupa a Félix. Libros, folletos, monografías, artículos de revistas. Las figuras de las bellas mujeres viviendo en torno al poeta, a todas horas con él, sin dejarle un instante. No sólo persigue y busca el poeta todo lo que se ha escrito sobre estos personajes; lee también lo que han escrito los más humildes comentaristas de sus vidas y de sus gestas. Molturación perpetua de comentarios de comentarios; complacencia profunda en desleír poco a poco la sensación de la imagen querida, en explayarse por todo el campo afectivo y sentimental por donde han pasado esas dilectas figuras. El fervor, la pasión, el ardimiento con que se interesa por esos personajes — madama Charrière, la Staël, Julia Bernard—da a Félix facilidad—especie de presentimientos—para encontrar libros y publicaciones desaparecidas del comercio hace mucho tiempo. ¡Y pensar que dentro de un mes, de dos meses, el poeta no tendrá de todas estas mujeres sino una idea confusa y vaga! Se hablará acaso en una tertulia, entre eruditos, de estos personajes, y Félix, incierto y titubeante, aventurará una cita, un hecho, una frase, que resultarán confusos y erróneos. Y ahora conoce todo, absolutamente todo lo que atañe a tales personajes; con todo linaje de pormenores, minuciosamente, con meticulosidad. Perspectiva de cielo gris sobre el verde intenso de las laderas. Defensa obstinada de la soledad del poeta. Lo que más ama Félix es su desasimiento de las cosas. En la ventana, desde la casa de Errondo-Aundi, contempla el mar lejano, los cristales del agua en el valle, la fábrica del gas con su penacho de humo, las estaciones con su espesa humareda negra y amarillenta. En los crepúsculos vespertinos, ya casi extinto el fulgor solar, perdido en ensoñación profunda, el poeta pone la mirada en los primeros puntitos centelleantes de la bóveda azul. Y las lucecitas blancas de las nacientes luces del gas. Reguerito de luciérnagas que va extendiéndose desde la fábrica, por todo el camino, hasta la ciudad. ¡Cómo penetran en el alma, en estos momentos, los silbatos agudos de las locomotoras! El tiempo y la lejanía de los países desconocidos... ¿Hay en la sensibilidad de Félix un rezago milenario de imágenes y perspectivas que él no ha conocido? ¿Hay en lo profundo de su ser un pródromo de locura? El propio poeta se lo pregunta muchas veces; en sus ensoñaciones, Félix, a veces, con delicias, con angustia, percibe un trastrocamiento y subversión de planos y de reminiscencias. Con angustia, porque experimenta el poeta la sensación de hallarse al borde de un abismo. Y con delicias, porque en esa subversión de la realidad externa olvida el poeta su propio y cotidiano ser y entra en una región desconocida para él, y hechizadora. Planos y perspectivas de realidad pasada, que estaban yacentes en los senos ignorados de la psiquis, surgen de pronto y se entremezclan con otros planos y perspectivas ostensibles y actuales.

El poeta se deja arrastrar por un vértigo suave; no sabe—durante un minuto—si está donde se halla, en la hora presente o en otros mundos, envuelto en lo futuro o en lo pretérito, viviendo una existencia que él no ha vivido. Un fragmento del paisaje actual se cruza con una sensación olfativa antigua. Todo lo ve—lo ve, no; lo siente—; todo lo siente Félix en esta hora vaga, borroso, como entre nieblas, en la penumbra de un no ser que no puede precisar si pertenece al pasado o a lo por venir. «¿Al pasado? ¿Al pasado?», se pregunta Félix con terror. Porque muchas veces este poeta, que se precia de tan fino y cultivado, siente en el fondo de su organismo, a manera de un violento tirón que una sensibilidad primitiva, ancestral, partida de paisajes milenarios, da de toda su personalidad a través de la inmensa cadena de las generaciones. Y entonces su espíritu se tiñe de una irreprimible tristeza. Sí; una sensibilidad primigenia. Sí; el antecesor milenario en la selva aborigen, melancólico como ahora el poeta, solo, apoyada la cabeza en el tronco de un árbol. Solo y triste como el poeta. Solo, y en sus ojos grandes y bellos un destello de infinita tristeza.

VI

CURVAS

¿Dónde está la carta que ha venido de Madrid? La carta ha desaparecido. Calma profunda; negligencia dulce. No pensar en un trance difícil. Félix no piensa en esa carta en que se lee: *Fémina-Club. Madrid.* La figura fantasmática, traslúcida, de Santa Teresa no ha tornado tampoco a aparecer. Vive el poeta en ese minuto en que el columpio se halla en lo alto. ¿Caerá? Ha de caer; no pensemos en el descenso. Y de pronto, ante el paisaje verde, bajo el cielo ceniciento, un papelito azul. El papelito azul de un telegrama. Indecisión momentánea. Presentimiento. Los dedos, levemente, rasgan el papel. «Rogamos con toda vehemencia al querido maestro que no nos abandone. Saludos afectuosos. *María Granés.*» María Granés, la secretaria del Fémina-Club. Llenita, redonda, toda curvas. Dos curvas de las mejillas; dos curvas de los hombros; curva moderada del pecho; dos curvas, sentada, de las finas rodillas. María Granés, con su voz melosa, dulce, que dice cosas—como algarabía de pájaros—que no se comprenden. Y en esto está el encanto. Sólo al final del enzarzamiento de las frases flébiles y melifluas, la muletilla que Marujita dice, saliendo de su melancolía e intentando sonreír: «No, ¿verdad?» Docenas, centenares de curvitas graciosas surgen de pronto en el aire, por todo el ámbito de la casa; curvitas en todas partes. «No, ¿verdad?» Imposible diferir la respuesta. Antes ha podido Félix ir demorándola, aplazándola; de una etapa cotidiana iba a otra etapa. Ahora tiene la angustia del decidirse. La decisión es la tragedia del poeta; en su oído repercute el golpeteo de un reloj de caja, grande, en una sala vasta, resonante en el silencio. Muchas veces, durante su infancia, a lo largo de su adolescencia, ha escuchado los golpecitos de ese reloj. ¿Escucharlos? Oírlos vagamente, mientras sentía una opresión dolorosa en su pecho. María Granés; su comba pectoral suave; su palabra balbuciente, de niña. Y sus abandonos lánguidos, vagorosos. «Con toda vehemencia.» Félix sonríe. Pero es preciso decidirse. Un momento mira el poeta al cielo gris, sin pensar en nada. Quisiera y no quisiera. Si quiere, ¿podrá? ¿Podrá dar esas seis conferencias? «Con toda vehemencia.» Sobre el fondo luminoso, de tamizada luz, el busto gracioso de Marujita, con las finas y sensuales redondeces. Y una sonrisa de melancólica aceptación. Decidir es terrible. Por primera vez, después de tantos días, reaparece la sombra de la santa, un poco más densa, inconsistente, todavía. Pero tras un instante de indefinible anhelo, la irrupción alegre, bulliciosa, de las dilectas mujeres del siglo XVIII. Delicadamente, sonriendo, cercan a Félix y lo van llevando, llevando bajo el cielo de plata, por los prados verdes, lejos, muy lejos de la sombra traslúcida, que queda allá en la sombra. Y el papelito azul, en la lejanía, también. Y en la lejanía, como una bandada de palomas blancas, las cartas, docenas de cartas, millares de cartas en que pone: *Fémina-Club. Madrid.*

VII

EL APOYO INTERIOR

Declinación de agosto; postreros días. Sensación de tristeza—vaga, indefinida—en Félix. Desde principios de año, la línea va ascendiendo lenta, firme, hasta los primeros días de julio; julio es la plenitud; los primeros días de agosto marcan un momento de indecisión; se es de lo pasado y no se es; se comienza a entrever en los lindes de la conciencia un nuevo módulo del tiempo, y nos sentimos todavía inmersos en lo pasado. La fiebre intelectual, bibliográfica, en Félix ha ido creciendo, agigantándose, desde enero hasta julio. Un fervor impetuoso por este tema literario actual le impulsaba; sentía la impregnación profunda de ese medio en todo su organismo. Al propio tiempo, la escapada hacia la frontera y el baño de frivolidad, todas las tardes, eran la compensación de las meditaciones esquivas y el contraste para encontrar más gustosos la reflexión y el replegamiento sobre sí mismo. Y luego la divisoria: septiembre; la divisoria de otro año, de otro nexo del tiempo, de otra existencia. ¿Cuál sería esa existencia? ¿Qué sería del poeta en el otro año, en el año intelectual que con septiembre alboreaba y entraba de lleno con octubre? Félix no lo sabía, y por eso en estos momentos de declinación de agosto, de acabamiento de un año, se sentía tomado de tristeza. Un tren sale de la estación de los Ferrocarriles Vascos; corre con un ruidoso resoplar y se pierde en el portillo de un valle. Libros, muchos libros, montones de libros. ¿Y las bellas mujeres? La tristeza de Félix se acrece porque ha sentido ya también una depresión en las evocaciones de la vitales imágenes. Si desaparecen estas imágenes, o simplemente empalidecen y no son reemplazadas por otras, el poeta se encontrará desamparado. ¿Cómo podrá dar pábulo a la meditación, sin un indispensable fermento íntimo? ¿Cuál será su vida espiritual? ¿De qué manera sin ese tamiz—a través del cual ha de ver el mundo—podrá Félix juzgar a los hombres y las cosas? No tendrá nada sentido para el poeta; la vida carecerá para él de sabor. El espectáculo de las cosas se desenvolverá ante Félix como la cinta de un cinematógrafo en que no hubiera imágenes. La voluptuosidad que el poeta pone en la contemplación de un paisaje, en la observación de una figura humana, no existirá para Félix. Y la realidad es que las imágenes de las bellas mujeres van palideciendo; ya esas imágenes no están junto a él, circuyéndole, asistiendo a todos sus pensares.

Aparecen de cuando en cuando en el foro de la conciencia y desaparecen. ¡Adiós a Juana Recamier! ¡Adiós a las otras discretas amigas! Todavía Félix siente un resto de emoción al ir leyendo nuevos libros que hablan de estas figuras. En un espacio luminoso, indefinido, que no puede el poeta precisar, aparece la silueta de una dama. ¿Hay un cielo gris como este de ahora en esa región imprecisa? Una mano blanca y fina. La figura que se desvanece. El silbato lejano de un tren y la nube de humo negro que se desgarra entre los verdes árboles.

VIII

IMPETU

Primeros días de septiembre. Desastre interior. Angustia en Félix Vargas. Ya las imágenes de las predilectas amigas se han tornado vagas, opacas; permanecen intactos los montones de libros. El derrumbamiento íntimo en el poeta es inocultable. No posee Félix un apoyo moral interior; va a la deriva de las cosas; creía él que, pasada esta obsesión de ahora, este poder de identificación con las imágenes, surgiría un nuevo motivo psicológico en que apoyarse. Y van transcurriendo los días y el apoyo ansiado no aparece. ¿Santa Teresa? Tampoco le queda a Félix el recurso de encontrar en este tema densidad, solidez, consistencia para la construcción interior. No se conmueve ante este nombre; no experimenta emoción alguna. La sombra traslúcida de la Santa aparece, desaparece, torna a surgir; pero no se concreta en volumen tangible. ¡Y Félix ha de escribir, ha de seguir creando, ha de trabajar sin descanso! ¡Y, sobre todo, ha de vivir! No esperaba la solución de continuidad, y ha llegado; el interregno, el vacío, el desamparo, están patentes. Al principio, Félix sentía sólo una vaga inquietud; poco a poco las imágenes iban borrándose; quedaba en el aire como una luminosidad fosforescente; el fulgor se extinguía; la inquietud del poeta se trocaba en tártago doloroso. En la ventana, sin ver la campiña; largos ratos de profundo sopor. ¿No habrá medio de enlazar la serie extinta de emociones con otras emociones? ¿Y de crearse otro interés, supremo interés, afanoso interés, que haga mover prestas sus manos en busca de otros libros que los ojos devoren? ¿España no podrá suceder a Francia? El otoño es la época del año en que el poeta siente a Castilla; otoño es la segunda parte del *Quijote;* otoño son las piedras doradas de las murallas viejas y de los derruídos palacios; otoño son los crepúsculos áureos y las campanadas de cristal en la mañana; otoño son los arcaicos prosistas en que tomamos fuerza para escribir la prosa nueva; aprovechándonos de su experiencia; otoño son las hojas de sangre y de oro que ya no volveremos a ver. La sombra de Santa Teresa, que irrumpe y se diluye. El cursillo de teresianismo en el Fémina-Club. ¿Lo llegará a profesar Félix? Los días van sucediéndose; de lo pasado sólo queda un escorial. Ruinas de recuerdos, de sensaciones, de imágenes. Y sin emoción por nada; indiferencia a todo; caminar frío por los caminos. La sensibilidad en eriazo. Ha abierto Félix un libro de Santa Teresa; se ha puesto a leer; ha pasado dos o tres páginas. Resistencia mansa; impermeabilidad del espíritu; negativa al contagio emocional. El libro, otra vez sobre la mesa, y la mirada puesta en el volumen, con tristeza, acaso con sorda irritación. Irritación que va creciendo y determina en Félix un ímpetu violento, irresistible. No leer ni este libro ni otro; dejar por diez días, por un mes, estas cuatro paredes; entregarse con furia—con furia contra sí mismo—a la vida rota de Biarritz, a la disipación, a la superficial y embrutecedora frivolidad. Y esta vez de un modo perdurable, y no momentáneamente, como las pasadas.

IX

UN ADIOS

Carretera; la cinta negruzca entre lo verde; minutos vertiginosos; Biarritz. Félix abandonado a sí mismo; sumergido en un profundo sopor. Desde el fondo del coche, en ese estado de somnolencia, ve un segundo el paisaje; piensa en cosas vagas; anhela el instante próximo. En su espíritu alienta ahora un tenue pesar: no se ha detenido bien, con cuidado, escrupulosamente, en el estudio de esta bella Julieta Recamier; la dama se ha alejado; ya no volverá probablemente a verla más Félix. Y el poeta piensa que no se ha compenetrado bastante con todas las delicadezas, los rasgos sutiles, la finura de esta mujer. Veía, sí, en la Recamier el gesto delicado y elegante; la contemplaba cómo sonreía, cómo tenía para cada uno de sus tertulianos la palabra, la frase, la sonrisa que a cada uno y no a nadie más correspondía. Pero ¿y el espíritu de esta mujer excepcional? ¿Y la complicación de su problema psicológico? ¿Y la tragedia íntima de esta mujer, que ella, fina y elegante, logró encubrir durante toda su vida? Como si el poeta hubiera pasado ante un espectáculo de piedad, de amor, de fervor, de anhelo, y no se hubiera detenido, así ahora se reprochaba esta inatención suya ante un panorama afectivo, único. Superficialidad, sí, y grosería. Indiferencia nativa a lo fino espiritual. No llegar—piensa Félix—a darse del todo al etéreo espíritu. Batalla íntima por conseguir esta tregua total. ¿Dónde estaba hace unos días la sensibilidad del poeta? ¿Cómo no había visto en Julia Bernard esta hondura trágica de su problema? ¿De qué modo, él, poeta, no había recogido todos los matices, los tornasoles, los cambiantes de la afectividad en esta mujer? Se revolvía el poeta contra sí mismo; se reprochaba su dureza; fulminaba contra su insensibilidad. Si Félix había estado tan inatento en esta ocasión, ¿cómo pretendería recoger, por ejemplo, los matices finísimos de la poesía lírica? ¿Cómo en un momento dado, ante un hecho cualquiera, ante un suceso que apasiona a las gentes, podría él ascender a un plano superior y juzgar con entera serenidad? Había pasado la teoría de las bellas mujeres; se había disuelto en lo pretérito, y se habían llevado consigo—acaso sonriendo irónicamente—la convicción de que Félix era como todos los demás, un poco más sensitivo quizá; pero no del todo comprensivo y fino. De todas las bellas mujeres, al desaparecer, Julia Bernard se había quedado un poco rezagada. Allí la había tenido Félix, su mano entre sus manos, en la despedida, sonriente ella, siempre espiritual. Y Félix no había aprovechado estos instantes supremos para comprender toda la tragedia de su espíritu. Se había casado Julia con su propio padre; era este caballero un hombre rico que esperaba de un momento a otro, en los días de la Revolución, ser llevado al cadalso; quería dejar su fortuna a su hija sin suscitar sospechas; había sido el amante de la madre; la muerte no vino; Julia se encontró ligada, en coyunda castísima, irreprochable, con su propio padre. Y llegó a sentir el amor, vivo amor, por otro hombre. Y pudo divorciarse. Pero la hacienda del padre desapareció, y al divorciarse, había que dejar abandonado, pobre, al hombre a quien debía la vida. ¿Supo Julia el terrible secreto de su propia existencia, de su matrimonio? Una sonrisa en la bella mujer de fina melancolía; las maneras corteses; la serenidad; el afecto cordial para todos; la solicitud constante, cariñosa, para el banquero Recamier. En su salón, medio tendida en el largo diván, el busto enarcado, tal como algún pintor la ha visto. Y la viva contrariedad de Félix, su irritación contra sí mismo. La figura de la dama que se desvanece para no aparecer acaso ya nunca.

X

EL RETORNO

A la tristeza y a la cólera del viaje ha sucedido una ligerísima satisfacción. Lucecita de esperanza. Sosiego dulce, explayación del ánimo recogido. Se halla el poeta sentado un momento ante el mar. El mar, en esta hora de sol esplendente, es de un azul intenso. La satisfacción en el espíritu de Félix se densifica. Un observador superficial podrá creer que el poeta navega en plena locura. ¿No son todos estos pesares suyos íntimas sutilidades, remilgos, escrúpulos inverosímiles? Cirrus impalpables en el horizonte; nervios sutiles en una hoja mirada a trasluz. Y, sin embargo, esta realidad intrínseca de Félix es una realidad sólida para la mente del poeta. Asidos a las cosas del mundo rudas, ásperas, violentas, ¿cómo se podrá juzgar de estos conflictos íntimos? Y nada hay más hondo, más emocionante, más dramático que este juego de la sensibilidad en el poeta; más dramático y más elevado. Félix se da exacta cuenta del problema. Una figura de mujer—la de Julia Recamier, por ejemplo—ha podido conmover la emotividad del poeta; se ha emocionado Félix ante la imagen de la dama; ha percibido que en el trabajo, al escribir, tal motivación le prestaba fluencia y fervor. Se podrá juzgar locura el apasionamiento del poeta por este juego de las imágenes; pero las imágenes con quienes se identifica el poeta y las complicaciones espirituales que estas imágenes suscitan son la razón última de la vida de Félix. Piedrecita que Félix roza en el metal de su sensibilidad. Y en este punto, al llegar a tal extremo en su recapitulación mental, Félix ha de reconocer el valor utilitario, egoísta—sí, egoísta—, de este deporte del intelecto. Sigue dentro de Félix el tejer de celajes. Sutilidad incomprensible para los ajenos a la meditación. Necesidad de la imagen; melancolía por lo que tiene de utilitario este ejercicio. ¡Utilizar el poeta la complicación psicológica, el fino conflicto espiritual! ¡Utilizar, aunque sea para delicados fines estéticos, esa noble imagen de la Recamier! ¡La Recamier, tan delicada, tan espiritual, sirviendo de medida, de metro, para valoraciones espirituales al poeta! ¿No eran, pues, desinteresados sus contactos etéreos con las bellas imágenes? Frente al mar azul va pensando todas estas cosas Vargas. ¿Pensarlas? Sentirlas de un modo latente, difuso; pensarlas sería ya darles una forma concreta, que rozaría con la rudeza. Grosería de las palabras para expresar los más sutiles matices de la emotividad; insuficiencia de la expresión. Necesidad de no concretar lo nebuloso y aéreo de la emoción indeterminada. Félix va sintiendo, en lo más hondo del ser, cómo se desprenden de los limbos vitales y afloran a la conciencia todas estas sensaciones que no se pueden concretar.

¿Ligera satisfacción en el poeta? ¿Satisfacción tras la irritabilidad del viaje? Satisfacción, porque el hecho de sentir tristeza ante su negligencia con la bella dama es una prueba de que su sensibilidad está viva. No, no se halla sumido para siempre en la indiferencia; esta melancolía demuestra la perennidad de la sensación en Félix. Y ahora, frente al mar, al darse cuenta de este resurgimiento, el placer íntimo se iba solidificando. Un momento después, ya en pie para marcharse a las librerías, se sentía animoso, casi jovial. Ya podría acaso abordar el estudio de la gran Santa; el mar, ancho y de añil; la luz, espléndida. Dentro del espíritu, otra vez la ebullición de las sensaciones. Todas estas sutilidades psicológicas, estos cambiantes, estos choques de fuerzas psíquicas, estas perplejidades, esta maraña inextricable de celajes y nervecillos; todo esto era la propia materia de la Santa; anhelos, esperanzas súbitas, decepciones imprevistas, descensos rápidos de la fuerza vital, exaltaciones apasionadas; todo esto era el ambiente de Teresa. Y el poeta acababa de ver que estaba plenamente dentro de tal ámbito de afectividad. Nubes blancas, redondas, en la lejanía, no los hilachos de los cirrus; cúmulos como gruesos vellones; realidades, no sutilidades; realidad todo este tejer incesante del intelecto; realidad más realidad que las montañas, y los ríos, y los bosques, y el suelo contra el cual da ahora con el pie el poeta para convencerse de que no es un ente de razón. Nubes, nubes, blancas nubes y exaltación del poeta en pleno retorno a la sensación viva.

XI

PIEDRECITAS

Biarritz; en las primeras horas de la tarde; en la calle central; entre muchedumbre; en el núcleo de la vorágine; automóviles; bocinas sonoras; bellas, sensuales mujeres. Félix, en pie ante un escaparate; la luna de una joyería. En pie y absorto; ve y no ve el anaquel de las joyas. Se siente complacido, con voluptuosidad, en este ambiente de mundanismo y elegancia; ansía perpetuar este momento. Sonoridades de bocinas; paso rápido de gentiles mujeres; rastros de penetrantes perfumes; trajes claros, vaporosos; mejillas encendidas; labios como flores de granado. En el escaparate, sobre una lámina de cristal, hilera de joyitas formadas con piedras de colores; piedras verdosas, amarillentas, rojizas; piedrecitas de los Pirineos. Engastadas en oro; traídas de las alturas y aprisionadas de cercos áureos. Meditación; los Pirineos cercanos; en el atardecer, un picacho visto desde la hondonada; allá arriba, el risco de color de acero; poco a poco se va tiñendo de matices coloreados: rosa, morado, añil. El cielo, azul; el aire, de una inmovilidad maravillosa. Por las quiebras, aguas verdinegras que forman entre los peñascos blancas espumas.

Bocinas lentas, sonoras, de automóviles. Resuenan en la conciencia de Félix a pedazos. El roce ligero de una hermosa mujer que pasa. Transición. Lentamente, en el escaparate, sobre las piedrecitas de colores, una torrentera desnuda, rojiza; Levante; el lejano Mediterráneo español. El cauce del torrente, seco; una higuera ancha, fresca, en un alterón. Salvia, romero, oloroso tomillo. ¿Dónde susurra una fuentecilla? Una piedra blanca, pulida, en que se sienta el poeta. El bordoneo de una abeja en el silencio profundo. Ruido de aguas trascoladas entre pedrezuelas lisas de rebalso en rebalso. La abeja limpia y meticulosa que trabaja todo el día. De flor en flor, con las patitas ya llenas de grumo, pesadas. ¿Dónde susurra el agua? Ansiedad de Félix por compenetrarse con el paisaje, con todos los paisajes. Anhelo de ser uno con las cosas, con los árboles, con las montañas. Integrar el mundo en su ser psíquico. Piedrecitas rojas, azules y amarillas, y flores de romero. Bocinas de automóviles que pasan lentamente. Sensación de los libros que va a comprar el poeta; presentir cerca el mar. Y los picachos enhiestos de los Pirineos. Ligera opresión; desaparece, un segundo, la realidad visible.

XII

«SAPRISTI!»

Ante el escaparate; una mano se apoya en el hombro del poeta; mano fina, blanca, con las uñas rosadas; mano que no pesa; mano leve. Félix se vuelve; ya un segundo antes de volverse, ha compuesto su cara para la vuelta; un segundo antes, ha dudado si se hallaba en presencia de un ente de razón o de una realidad palpable; antes de que la mano se apoyara en su hombro, ya Félix, en todo su organismo, había sentido una conmoción extraña. Se vuelve el poeta; ante él se halla una mujer alta, esbelta; sus ojos despiden destellos de jovialidad, en tanto que los labios —frescos y rojos— se aprietan para no dejar borbollar la risa. Félix finge también seriedad; pero sus ojos ríen también.

—¡Félix!

—¡Andrea!

Al fin, la dama y el poeta han reído franca y jovialmente.

—¿No has tenido sorpresa al verme?

—No.

—¿Por qué?

—Porque había ya visto tu imagen en la luna del escaparate.

—¿Y no te has vuelto?

—No.

—¿Y si yo me hubiera marchado?

—Hubiera corrido detrás de ti para cogerte.

—¿Vives en Biarritz?

—No. ¿Y tú?

—Sí.

—¿Y tu marido?

—En Saint-Nazaire.

—¿Qué hace allí?

—Ocupado en la evaporación oceánica.

—*Tudieu!*

—Una aplicación industrial nueva.

—*Sapristi!*

—De resultados maravillosos.

—*Parbleu!*

—Estarás aquí unos días.

—No he traído ropa.

—*Tudieu!*

—He de volver a San Sebastián.

—*Sapristi!*

—Tengo mucho trabajo.

—*Parbleu!*

—¡Ja, ja, ja!

—¡Ja, ja, ja!

Y Andrea coge del brazo suavemente a Félix y lo va llevando por la calle. Ante la puerta del hotel de Inglaterra:

—Tú vas a vivir aquí hasta que yo lo mande.

—No.

—Ya lo verás.

—Sí.

Van entrando por la replaza enarenada que precede al hotel; Félix baja la vista y mira los pies breves de Andrea, calzados de fina piel roja.

—Vamos a ver tu cuarto.

—No lo tengo.

—Está frente al mar.

—*Tudieu!*

—*Sapristi!*

—¡Ja, ja, ja!

—¡Ja, ja, ja!

Se dirigen al ascensor; línea grácil, esbelta, de Andrea; la curva de sus caderas; el torso enhiesto. Desde arriba, en el balcón, enfrente, el ancho mar azul; el blanco, nítido faro.

XIII

DESDE EL FONDO DEL TIEMPO

El encuentro, en París, años atrás. Primera intervisión; en pie, en un momento de espera, entre gente apretujada. Andrea con amigos; risas; conversación a gritos; Andrea un poco separada de sus amigos. A unos metros de Félix. Rumor de comentarios; carcajadas. La mirada de Félix pasea por la figura de Andrea, levemente, con indiferencia. Andrea contesta con una sonrisa a las sonrisas de sus amigos distanciados. Se prolonga la espera; impaciencia. La mirada de Félix se posa en Andrea; leve signo de percepción en Andrea. Tal vez, en la lejanía de los dos espíritus, el horizonte ha comenzado a empañarse; un ligerísimo vapor, traslúcido, surge. De nuevo, Félix mira a Andrea; ya en la desconocida percibe rasgos que no había visto en la primera rápida contemplación. Andrea se siente mirada, observada. Ligera perplejidad; sobra, casi imperceptible, de indecisión. Félix sabe ya que Andrea sabe que él la mira. Segundos decisivos, de una complejidad y delicadeza extraordinarias. ¿Se formará la nebulosa? ¿Se condensarán esos vapores sutilísimos que han aparecido en el horizonte? Ya se ha establecido entre los dos desconocidos —el poeta, Andrea—una corriente que puede continuar o puede ser interrumpida repentinamente. A la ansiedad levísima de los dos desconocidos, se junta el anhelo de la espera a que todos están sujetos y que puede acabar de un momento a otro. Si acaba, cada uno por su lado: Félix no volverá a ver más a Andrea, ni Andrea a Félix. La espera se prolonga; barullo; impaciencia; voces, risas; comentarios regocijados de los amigos que han venido con Andrea; Andrea sonríe. La mirada de Félix pasea, torna a pasear discreta, cauta, respetuosa, por toda la figura—bella figura—de Andrea. Sus ojos, claros y anchos; sus mejillas, tersas; su cuello, finamente torneado; su busto, ligeramente henchido... Andrea nota, siente, palpa, la mirada de Félix. La siente sin mirar al poeta. Y Félix sabe—se regodea sabiéndolo—que este elemento extraño, desconocido—una mirada—, ha entrado en su vida psicológica. Sonríe levemente Félix; rápida e intensa mirada de Andrea a Félix. Mirada de Andrea, cuando Félix está mirando a otra parte; pero Félix, sin ver a Andrea en este segundo, percibe como cosa sólida, densa, su mirada. Intima satisfacción de Félix; curiosidad en Andrea. De pronto, de perfil Andrea, torna la dama la cabeza para mirar hacia lo lejos; en esta posición, la cara de Andrea queda de lleno ante Félix. El poeta, que antes no podía contemplar más que el perfil de Andrea, puede ahora, todo a su sabor—¡y con qué profunda delectación!—, extasiarse en la contemplación de la hermosa faz. Andrea, en tanto, sigue mirando a lo lejos, muy apartada la vista de Félix; pero siente a Félix, que está contemplándola, deleitándose en la visión de su hermosura. Un momento tan sólo. Ya algo como una nebulosa, transparente, etérea, se ha formado. No son ya indiferentes uno a otro los dos. ¿Qué habrá en este territorio misterioso —el espíritu de la desconocida—, lleno de sensaciones, de ideas, de estados espirituales, que el poeta no puede sospechar? A la curiosidad infantil del primer instante ha seguido vivo interés. ¿Quién será esta desconocida? ¡Cómo ha variado ya la luz de los ojos de Andrea! ¡Qué emoción contenida, intensa, la de Félix! No se habían visto nunca el poeta y Andrea, y ya parece que desde el fondo del tiempo y del espacio han ido acercándose uno a otro, presintiéndose, conociéndose, seguros de quererse. La mirada de Félix y la mirada de Andrea tornan a cruzarse. Una hora después, en torno a la imagen de Andrea, irán cristalizando—en la mente de Félix, en toda su sensibilidad—estados de espíritu que transfiguran, realzan y magnifican toda la persona de la bella desconocida, todos los pormenores, hasta los más imperceptibles.

XIV

PERSPECTIVA DEL TUNEL

¿Cuántas veces en su vida se ha visto Félix solo en el cuartito de un hotel? En la oscuridad—profunda—, un estado vago, difuso, de inconsciencia dulce. Siente y no siente el poeta. Se da cuenta de todo y no se da cuenta de nada. Sopor inefable. Y todo negro. ¿Las dos de la madrugada? ¿Las cinco? ¿Y el rayito de luz que nos orienta en el cuarto donde dormimos, desde que nace el día? Félix, en su sopor, no puede formar idea de hacia dónde tiene la cabeza, ni adónde caen los pies. No tiene voluntad para extender el brazo. No sabe si hay una pared a la derecha o a la izquierda. ¿Hacia qué lado da la cabecera de la cama? Y no se oye ni el más ligero ruido. Sentirse solo, en un cuartito de hotel, entre sueños, a la madrugada. La claridad vaga de la ventana no se anuncia; por esa claridad, en Madrid—según sea más o menos intensa—, sabe Félix, desde la cama, si el día está radiante o nuboso. ¿Y en Levante? ¿Y en la casa clara y ancha de Levante? Claridad cegadora, esplendente, que se cuela impetuosa por las rendijas. Y las vetas resinosas de la madera de pino sin sangrar, que resaltan como de oro.

No se oye nada. Sopor dulce. ¿Se nota ya un hilito de luz allá enfrente? La conciencia de Félix va a la deriva. Despertar tras la penumbra entre el sueño y la vigilia. En pie. El cuadrado luminoso de la ventana. Un trazo vertical de tiza blanca—el faro—y abajo un inmenso papel azul, de intenso azul, que por el reborde cercano se mueve agitado por el aire: el mar. Cuartito de paredes blancas; un minuto, con la ventana abierta, aspirando el aire fresco, puro, de la mañana. Frente al faro, frente al mar. Y no tener libros. Paredes desnudas, blancas, sin libros. Lejos del amontonamiento de volúmenes de Errondo-Aundi; remotos los millares de volúmenes de Madrid. Ahora, como un niño en soltura, se siente alegre Félix de no depender de nadie. De no estar sujeto a la obsesión de millares y millares de volúmenes. Durante un minuto, una hora, unos días, va a sentirse dueño de sí mismo, en este cuartito. Podrá tener las ideas y las sensaciones que quiera. Podrá hacerse la ilusión—sin libros—de que va a comenzar ahora su vida cerebral. Ya puede escribir aquí las seis conferencias sobre Santa Teresa. La ventana, de par en par. La raya nítida, vertical, del faro. La Santa está sentada ante la mesita que hay en la habitación; Félix la contempla en silencio. Contempla su cara gordezuela, un poco pálida. Y sus hábitos blancos y pardos. Sencilla, pobre. ¿Y los pies? Félix, instintivamente, ante una mujer, mira los pies. Los cueros negros o rojos, encerrando el pie; la media tersa, sutil, de seda. No sabe Félix cómo son los pies de la Santa; la tiene allí, sentadita ante él, y no puede decirlo. No puede saber si van esos pies encerrados en zapatos de cuero negro, un poco rudo, o en alpargatas blancas, según ha leído en un libro de indumento conventual. Si son alpargatas, con ese calzado caminará la Santa tácitamente, muy callandito, por los largos claustros. Y su figura toda, con esa suela de cáñamo, se asentará más en la tierra, en esta tierra donde ella, espiritualmente, está sólo de paso. En los cuartos de las demás monjas penetrará cuando ellas estén en el huerto, sin que nadie lo note.

Ya puede Félix escribir, comenzar a escribir, pensar en que va a comenzar a escribir. Sí; escribirá. Pero ¡qué ligero temor siente! ¿Ligero? Todo su ser se conmueve ante la idea de la labor propincua. Escribir, para Félix, es meterse en un ambiente especial; crear ese ambiente poco a poco; ser poseído con tiranía por ese ambiente, del que luego no puede desprenderse. Y a todas horas, en todos los momentos, el poeta se siente dentro de ese túnel espiritual terrible. No puede hacer nada; no puede pensar en nada que no sea la obsesión. Todo el mundo está, para él, polarizado en torno a su trabajo. Se cansa físicamente; llega a la fatiga exasperadora; pero imposible escapar del ambiente que él poco a poco—un terrible túnel—ha ido creando.

XV

VILLA-AUTUMNAL

El pan, el café y la leche; frente al azul, en el ambiente puro de la mañana; en tanto que las manos van partiendo el pan, instintivamente, rememoración del pasado. Andrea y el pasado. Andrea en la lejanía de los días de la guerra. Su marido: Esteban Duclaux; no olvidar su agitación vertiginosa en los negocios. Hortensia, hermana de Andrea. Su marido, el marqués de Fontaine-Mendousse. En el camino de Biarritz y Bayona, la residencia veraniega del marqués. Con sus hermanos, Andrea. Villa-Autumnal. Las torres de la catedral de Bayona, en el azul; por encima de las frondas verdes. Un puente de hierro gris sobre el ancho Adour. Una calle con soportales de anchos arcos achaparrados. Villa-Autumnal; en el crepúsculo de la tarde, con el sol rasero, un fulgor de oro que viene desde lejos por la larga alameda, bajo la bóveda verde. La arena crujiente de la alameda, ante la casa. Los pasos de Andrea, menuditos, con el zapato de fino charol, sobre esa arena rojiza; un cristal en una ventana que se inflama en vivísimas llamas en el atardecer. Esteban Duclaux a lo lejos, impetuoso, afanoso, henchido de cifras y planos y papeles. Hortensia, pensativa, los ojos siempre en Andrea, siguiéndola, rodeándola en un efluvio de simpatía y acaso de no sabida, no explica, envidia. En la lejanía, hace diez años, Andrea en el hotel, en París; las noches en que las sirenas comenzaban a lanzar sus plañidos terribles, angustiadores; la electricidad cortada. Lucecitas de las linternas de bolsillo, fulgiendo, en baile fantástico, por los pasillos a oscuras en el hotel. El sótano. En el cielo negro, el bordoneo del avión alemán. Años después, en Biarritz; ahora, en Biarritz. Las campanas de todo París que tocaban, como el Sábado de Gloria, cuando desaparecían los aviones; la risa de Andrea en el sótano, entre los medrosos huéspedes del hotel. Sus labios rojos y frescos; su mirar estelar. Como las estrellas lejanas. Horas de París; horas de Biarritz; las dos vidas que se acercan y se separan, impensadamente, sin propósito de acercarse y separarse. La amistad leal en el torbellino de la vida. Ni plañidos por la ausencia, ni exaltación por el encuentro. En silencio y suavemente. Esperanzados en el azar; entregados a su propia suerte; fiando a la casualidad la dicha momentánea y fugaz. En el borde del camino, un instante de espera; de grata espera. Y ahora, ¿hasta cuándo? ¿Para siempre? Y el azar que los une de nuevo. Esteban, Hortensia, el marqués de Fontaine-Mendousse; Villa-Autumnal; los destellos rojizos del cristal en la ventana; la mirada de Andrea.

XVI

BLANDAMENTE

Desesperanza; desesperación; batallar continuado. Se levanta el poeta por la mañana, después de un momento de meditación, de preparación espiritual para el trabajo. Almacenamiento de optimismo; esperanzas. Arreglo cuidadoso—no afectado—de la persona. Ante las cuartillas en la mesita. Escribe dos, cuatro líneas; la pluma se detiene; otra vez en marcha; redacción lenta, prolija, torpe. Sensación de terror. No poder escribir. Félix se cree perdido; no volverá a recobrar el poder de la emoción; tendrá que renunciar a la obra en proyecto. Escribir sin entusiasmo; sin fervor; sin fluidez. Su frente, en este momento, fría y pálida. Aparta de ante sí las cuartillas; las mira en silencio; sus manos las van apretando poco a poco, estrujando. La pluma la ha tirado sobre el tablero. Y se deja caer desesperanzado en la cama de este cuarto del hotel. De un golpe, pesadamente, como un cuerpo exánime. Queriendo hundirse en la blandura y no sentir nada. Soñación vaga; ruidos lejanos que llegan de la calle. Se percibe el oleaje del mar, del estúpido mar, siempre en inútil movimiento. Los minutos pasan. Dulzura en el fondo de este renunciamiento a todo. Los demás viven, sienten y piensan; el poeta ha dejado de querer y de pensar. Sensación de blandura en el cuerpo y de indecisión en el espíritu. Félix Vargas ha sido; fué; pasó. Su obra y su persona se disuelven en lo pretérito. El tiempo transcurre. ¿Será verdad que Félix ha pasado? ¿No podrá el poeta volver a escribir? Una lucecita de aliento. Todavía en la penumbra. Sombra de esperanza. Aumenta el resplandor. La Santa se halla frente al poeta y le mira. Va a hablar. ¿Cómo será su voz? No ha pensado nunca Félix en la voz de Santa Teresa. Las inflexiones de su voz, su manera de decir las cosas. Sobre todo, de mandar; curiosidad en Félix por saber cómo mandaba Santa Teresa, Mandar, reprender y saber hacerse perdonar. La Santa sonríe a Félix; se inclina sobre la mesa y toca las cuartillas estrujadas. Félix se levanta; va a escribir de nuevo; se siente sin fe, pero escribe con fluidez dos o tres renglones. Contentamiento. Pero ha necesitado escribir una palabra precisa, apropiada, insustituíble, y esa palabra no ha venido; rodeo para no detenerse; desazón que siente, sin pensar en ella, para no quitar el pensamiento del discurso. Un giro que se hace largo, prolijo, y que el poeta no sabe cómo terminar. Otra vez la palidez y el sudor frío en la frente. Y ahora más abatido que antes; pero mansamente, sin ira, en silencio, recatándose de sí mismo.

Un cuarto de hora después, media hora, anhelo por algo que no se puede precisar. Los ruidos de la calle y el sordo oleaje del mar llegan confusos; se hundiría el hotel y Félix no se daría cuenta del hundimiento. Desde la lejanía de la conciencia, un tamizamiento de vida caótica. Una hora. El día espléndido; vivir; el poeta va a dejarlo todo. Ya está vestido para salir a la calle. En la puerta del cuarto, una mirada a la mesa, a las cuartillas. Con el sombrero puesto, con el bastón entre las piernas, sentado ante la mesa. Nada más que una palabra; escribirá sólo una palabra. Y la pluma corre vertiginosa, fácil, fluidísima, con una presteza y una alacridad que Félix no ha tenido hasta dar con la palabra que es poderoso estimulante para seguir escribiento. La facilidad acrece la facilidad. De un manotazo cae el sombrero; el bastón ha ido a parar en medio del cuarto. ¡Exaltación maravillosa, divina, tónica! La Santa está allí, junto a Félix; le mira, sonríe, pone su mano en el hombro del poeta, blandamente.

XVII

LAS LLAVECITAS

Superabundancia pasajera la de ayer. Vuelta a la triste laxitud. Desesperanza otra vez; engaños de la inspiración. Félix piensa que acaso su preocupación por el problema del estilo torna remisa su pluma. Baladronadas sus proclamas en favor de lo inorgánico. El poeta sonríe; el estilo de miembros disyectos supone una fuerte trabazón psicológica en el fondo; más arduo que el terso estilo, amplio y brillante. Escribir otra vez; de nuevo ante la mesita. Ahora va a prescindir Félix de toda consideración retórica y sintáctica; rasgos precipitados e inconexos sobre las cuartillas; a campo traviesa; el carro por el pedregal. La pluma que se detiene y Félix que contempla, jadeante, las cuartillas. Santa Teresa en sus momentos desesperantes de sequedad; todos los que aspiran a la plenitud y a la serenidad, rendidos, llenos de fatiga, de desesperanza íntima, en estos crueles instantes.

Recapitulación espiritual, comprobación de la fuerza que la costumbre ha ido adquiriendo, de año en año, en el poeta; tal vez esta torpeza de ahora provenga de sentirse ajeno en este cuartito de un hotel. Félix suele decir: «La patria es la costumbre.» Adaptados al medio más dispar de nuestro espíritu, ya ese medio es el nuestro, nuestra patria efectiva. Nos despedimos de las antiguas costumbres; damos adiós a todos los detalles antiguos de nuestra vida diaria. Pero estos detalles se iban mostrando más reacios, de año en año, para el poeta; su esclavitud dolorosa de los pormenores cotidianos. ¿Escribir en Errondo-Aundi? Cosa fácil, pero cosa difícil. Fácil: desde Madrid, de un salto, en automóvil, en tren, contemplando el paisaje, viendo a lo lejos los pueblecitos o atravesándolos rápidamente. En la casita ya de Errondo-Aundi, en lo alto de la colina verde, sensación profunda de sedancia, silencio profundo; sueño por primera vez, después de tantos meses, reparador; todos los cachivaches y trebejos, en orden; se puede principiar el trabajo. Y a la mañana siguiente, los nervios en calma, plenitud de fuerza. A trabajar. Con fervor, con tenacidad. La vida de la casa va a marchar—con los servidores aleccionados—sincrónica y automáticamente; cada hora, cada minuto, la misma cosa. Y todo en silencio. A trabajar. Pero sorpresa profunda: la facilidad no aparece. Sorpresa, no; Félix ya conoce estos engaños. Ahora los pormenores de la casa y la vida en

Madrid le retienen desde lejos; desde lejos le tienen esclavizado; el poeta está materialmente aquí, pero su sensibilidad está allá, en lo alto. Imperio de los pormenores en el organismo de Félix; cuanto más se hiperestesia su sensibilidad, tanto más le esclavizan los detalles cotidianos. Unos centenares de kilómetros han bastado para alterar su emotividad; piensa el poeta en la presión que ahora, junto al mar, pesa sobre su organismo, de pronto, al descender de la meseta; recuerda la sensación de ligereza al tornar a Madrid. Y el aire seco, elástico, en Madrid, con un agridulce que estimula los nervios; aquí, liento, húmedo, denso; la sensación de las sábanas, tan frescas, durante la noche; los libros, que vienen con las hojas sonoras y retornan silenciosos, pesados. No poder trabajar, y todo dispuesto admirablemente para el trabajo. La mano en la frente y el codo apoyado en la mesa.

Incidente desdeñable que ha venido a complicar la situación de ánimo de Félix. Todo estaba ya en su sitio: la ropa, los libros, los efectos habituales del viajero. Todo limpio y simétrico. Y de pronto, el poeta ha echado de menos un manojito de llaves. ¿Dónde estarán las llavecitas? Las cosas pequeñas que se huyen sin nuestro permiso. Lo pequeño que es grande; el granito de arena que nos desazona en el zapato. ¿Dónde estarán las llaves? Los criados, fieles, de toda confianza; inutilidad y estupidez de un hurto que no serviría para nada. El manojo de llaves lo había colocado Félix sobre su mesa; él había tocado el aro de acero de que pendían las llavecitas. Y no estaban allí las llaves. Ni en toda la casa. No en los armarios, en los rincones, debajo de los muebles. Irritación que se va convirtiendo, poco a poco, en furor idiota. Nadie puede haber tocado las llaves, y las llaves no aparecen. Obsesión; tozudez infantil que se va agrandando, imbécilmente, hasta hacer converger todo lo de la casa en este detalle minúsculo. Ni en los armarios, ni en los rincones, ni entre las ropas. Mirar y remirar; escudriñar y volver a escudriñar. Marasmo de estupidez.

Y al cabo, un momento de serena reflexión, y las llavecitas que desaparecen de la mente de Félix. Madrid, allá arriba, luminoso, de aire sutil; ahora, aquí, esclavo de la lejanía; las cuartillas sobre la mesa; esperar, esperar.

XVIII

FRENTE AL FARO

¡Casita de Errondo-Aundi! Desde la ventana, desde la cama, las cumbres del San Marcos y de Choritoquieta (*Sitio de pájaros*). El tren que parte a las once para Bilbao; la nube de humo que se enreda en los árboles que hay frente a la fábrica del gas; el tren, que desaparece por el vallecito de Isóstegui. Castaños, avellanos, robles, laureles, madroños; los tejados rojos de la Beneficencia sobre la colina de Zorroaga. El herbazal sedoso de los prados de guadaña, que baja hasta el espejo del agua. Las hierbecitas adventicias de los caminos y las lindes; el amaranto, el lúpulo silvestre, la menta vulgar que coge Félix para llenarse los bolsillos de hojas olorosas, la menta acuática, más fina, más delicada. Una casa, entre los árboles, a la izquierda del Puyo. Las epeiras en el centro de su tela urbicular, esperando siempre, sin cansarse. Como se ha evadido de Errondo el manojo de llaves, se evade, mentalmente, el poeta de este cuarto del hotel de Inglaterra. Había esperado trabajar aquí y no podía trabajar. No llegaba la suspirada facilidad. Libre de sus libros y gozoso como un niño, pero sin fervor. Las cuatro paredes; una puerta da al cuarto de baño. La mirada de Félix, que pasa y repasa por los blancos muros. Su gusto por los aposentos reducidos; el efluvio espiritual, humano, se represa en tales pequeñas habitaciones, donde siempre trabajamos; se empapan las paredes de nuestros anhelos y tristezas; represada la personalidad psíquica, son más fáciles las rememoraciones espontáneas y más hacedero coger el hilo del pensamiento interrumpido. Su contento de hallarse aquí, junto al mar, a la vista del faro, que de noche pasea en silencio su pincel luminoso por la inmensa fosquedad. Pero la afluencia no llega; no ha vencido todavía las asperezas del medio psíquico. Ya al abandonar Errondo marcha rápidamente; había creado en sí la adaptación al ambiente. La costumbre nueva en la patria nueva. Y ahora, no; la difícil concatenación de los momentos en casa ajena. La nueva orientación precisa conforme a la nueva luz. Debatirse, sí, entre telarañas; pero evidencia molesta que el poeta podía evitar. Sonrisa de ironía por sí mismo. El faro y el mar; blancas, en la mesa, las cuartillas. Esperar; dejar que la luz, el aire, el mar, el faro, las paredes del aposento, sean nuestros. Allá lejos, Errondo-Aundi; más en la lejanía, la altiplanicie madrileña y una voz que repite: «No, ¿verdad?»

XIX

MATERIA RADIANTE

Un laboratorio en ninguna parte y en todas. Espacio indefinido. Sin dimensiones, sin ambiente, en la eternidad. Retortas casi invisibles, tubos de forma extraña, balanzas sutiles para pesarlo todo y no pesar nada. Como una luz borrosa de acuario. La inmensidad sidérea. Entelequias que se desenvuelven y se repliegan sobre sí mismas. Lo vago, lo abstracto, y en esta región misteriosa, inmutable, de toda eternidad, cuatro masas gaseiformes, variantes. Cuatro volúmenes indeterminados. Se mueven hacia lo infinito. No tienen vida y tienen vida. Son sensibles e insensibles. Retráctiles y expansivos. Aeriformes y lumínicos.

La primera masa es de un color negruzco. Con la balanza, con el microscopio, podemos—o nos figuramos que podemos—apreciar sus cualidades. No sabemos decir de qué modo nuestros sentidos han aprehendido el volumen radiante. Tal vez, ante los fenómenos que presenciamos, no podemos tener un juicio seguro; la realidad cambia de segundo en segundo. La masa de la primera realidad concreta—concreta en un instante—tiene, en su negrura, fulgores súbitos, violentos; diríase que se escapan de ella esos instantáneos destellos, violados, verdes, que surgen de los fortuitos contactos eléctricos. A veces, una luz pálida y difusa. Movimiento de rotación vertiginoso. Reacciones violentas ante la luz, el aire, el ambiente todo. Líneas rectas que se cruzan y entrecruzan. Un rumor como de potentísimo motor. Volumen de un ímpetu, de un impulso excepcional, formidable. Un nombre: Esteban.

Otro volumen en el mismo espacio indefinido. Color blanco, nítido; uniformidad en la luz y en la coloración, lento evolucionar por la inmensa órbita, movimiento que parece marasmo, lentitud de siglos, casi invariabilidad. La irradiación templada y opaca. Sonoridad bordeante de salmodia litúrgica. Un nombre: el marqués de Fontaine-Mendousse.

Tercera masa radiante. Radiante con esplendores de aurora multicolor. Suavidad maravillosa en la coloración, aurora sobre cielo de cristal radiante. Volumen luminoso que evoluciona, con maestría y gracia, por el espacio sidéreo en que los más bellos astros rutilan. Y una música suave, deliciosa, que se mete en el cerebro y nos transporta a regiones de misterio y de insospechada vitalidad. Impetu también de vida, como en la primera masa; pero aquí la vida es apacible, suave, hecha de jirones de amor y piedad. Un nombre: Andrea.

Cuarta masa. Indefinida, compuesta de la primera materia y de la tercera; oscilación perpetua, titilante, entre el primer volumen y el tercero. Voliciones, que van en secreto sentimiento de la primera masa a la tercera, del marqués a Andrea. Y una armonía compuesta de los acordes sentimentales del marqués y de Andrea. Y ésta es Hortensia.

Los cuatro radiantes volúmenes, por el infinito espacio de los sentimientos, de las sensaciones, viviendo dentro de un mismo sistema planetario, acercándose y alejándose; en choques leves o violentos, en conjunciones afectivas, a lo largo de los años, camino de la eternidad.

XX

COMPLEJIDAD

Aparición de Esteban Duclaux; como un bólido. Dos automóviles; secretario, mecanógrafa; planos, carpetas rebosantes de papeles. El ayuda de cámara ha llegado con algunas horas de antelación. Carlton Hotel; nada de Villa-Autumnal. Cuando traspasa Esteban la puerta de su cuarto —gabinete, ancha antesala—, ya está todo arreglado y dispuesto para el trabajo. La mecanógrafa, en su sitio; los papeles, sobre la mesa. Esteban, cuerpo esmirriado, cenceño, todo nervioso, movimientos prestos, decisiones súbitas, tras un momento de silencio en que mira, de hito en hito, a su interlocutor. Y salidas repentinas de una jovialidad absurda, estrepitosa, cuando menos se espera y el instante es más grave. Diabólicos deseos de desconcertar con lo absurdo y dar la impresión, al mismo tiempo, de una reflexión profunda. Brusquedad y finura. La violencia del ímpetu repentino, desquitada con la generosidad inaudita. Pródigo, despreciador del dinero; manejando millones y complaciéndose en el desprecio altivo de esos millones. Como si se asomara al balcón y comenzara a tirar puñados de oro sin mirar a la gente, despreciando a la gente. Intima tristeza, nunca por señorío manifestada, de no verse comprendido; muchas veces, despecho terrible en el fondo de su ser por verse, siendo tan desprendido, atacado y denostado por la multitud; desprecio de la vida al pensar en esta incomprensión. No importarle nada morir; en el planeta no hallar ya más expansividad psicológica que la por él alcanzada; lo ha visto y gustado todo; sigue y sigue con ardor, con perseverancia, en los negocios, no por el logro—que desdeña—, sino por el ejercicio nervioso y aun muscular que desarrolla; el fin no es nada; lo importante es el placer de la marcha.

Andrea, en dependencia e independiente, sujeta a Esteban y no sujeta. Esteban, un hondo respeto por la inteligencia clara de Andrea y su posición espiritual. Irreprochable Andrea, pura, de una limpieza inmarcesible y apoyándose en esa irreprochabilidad para llevar una vida libre y suelta en absoluto, desquitándose de la pristinidad íntima, con ese su vivir en el peligro, expuesta cada momento a la caída. Pero sin jactancia de su impecabilidad y sin sentir inseguridad y vacilaciones. Como desde Hortensia—su hermana—va hacia Andrea una onda de recatada envidia por su situación singular, así se puede decir también que, si Esteban no la envidia—se siente Esteban muy alto para esa pasión—, siente por Andrea una admiración conmovedora.

En la puerta del Carlton, apretón de manos; arriba, en el cuarto, ya se percibe el tecleo de la mecanógrafa.

XXI

ESTEBAN

—Buenas noches, señoras y caballeros; voy a tener el honor de ejecutar ante ustedes unos bonitos juegos de prestidigitación. Curiosos, interesantes, mi-rí-fi-cos.

Esteban, de frac, irreprochable; grupo de ayudantes a su alrededor. Aparatos varios en la escena.

—Los experimentos que voy a realizar ante ustedes, he tenido el honor de realizarlos ante varias cortes europeas y en distintas repúblicas americanas; he trabajado también, señores, en Asia y en Oceanía.

Muchedumbre; pletórico el teatro. Cheques, letras de cambio, títulos, láminas intransferibles. Cajas de caudales de todos tamaños; cajas que resisten—indudablemente—a todos los berbiquíes, a todas las palanquetas; cajas vencedoras de los más modernos y poderosos sopletes. Tijeritas preciosas para cortar cupones. Ordenes de Bolsa, giros internacionales. Expectación; Esteban, sereno, sonriente

—He tenido el honor, señoras y caballeros, de que me dispense su amistad Aman Oullah Khan, rey de Afganistán, y de almorzar con Fouad Primero, rey de Egipto; de cazar con el rey de Bulgaria y ser invitado a las recepciones de los presidentes de Letonia, Checoslovaquia y Finlandia.

Los ayudantes van preparando los chirimbolos y artefactos necesarios para la prestidigitación. Esteban camina por el escenario, presto y sonriente. Se sube con suavidad las mangas del frac.

—Lo primero que voy a tener el gusto de hacer ante ustedes es un juego sencillo, sin importancia. Aquí tenemos varios objetos interesantes, c u r i o s o s, pin-to-res-cos.

De un cajón va extrayendo Esteban los siguientes trastos y adminículos: Transportes Aéreos del Sahara, la Interalpina, la Magneto Company... En el centro del escenario; crece la expectación; ligeros murmullos en el paraíso, acallados por leves protestas de abajo.

Van por el aire, formando juegos caprichosos, arabescos, los Transportes Aéreos del Sahara, la Interalpina, la Magneto Company. Con ligereza sorprendente, Esteban los lanza al espacio; hace que en el espacio se crucen y entrecrucen; los va recogiendo de nuevo. Aplausos en los palcos y butacas; siseos en las alturas.

—Lo que acabo de realizar ante ustedes, señores, no tiene importancia; es lo elemental en el arte. Ahora vamos a completar estos bonitos, elegantes ejercicios; ejercicios ma-ra-vi-llo-sos.

Otros objetos de forma extraña: la Hidro Faber, Caolines y Feldespatos de Australia, la Boliviana Limitada, el Crédito Sincrónico, la Inmobiliaria Balcánica, Thomson and Dawson, la Singer-Barlen Minera, el Levante-Poniente... Todo el ámbito del escenario, lleno de los pintorescos artefactos que ruedan y vuelan rápidos por el aire, y hasta bajan a la sala y forman giros caprichosos sobre los espectadores. Esteban, risueño, tranquilo, como si estuviera bebiendo un vaso de agua. De pronto cae al suelo la Inmobiliaria Balcánica y se hace mil pedazos, o se raja en mil hendiduras la Hidro Faber.

—No ha sido nada, señores; un poco de paciencia; lo arreglaremos en seguida.

Voces, estrépito, pistoletazos de suicida. Por el aire los artefactos, la sonrisa en los labios de Esteban, las manos del prestidigitador, que recogen con limpieza los chirimbolos que bailan en el espacio. Repentinamente, esos artefactos, en un vivo resplandor rojizo, se transforman en una inmensa C; después, en una A; luego, en una P; a seguida, en una I; a continuación, en una T; un momento después, en A, y, por fin, en una L; en grandes luminosas letras: *Capital*. Ovación ensordecedora en palcos y butacas; airadas protestas en el paraíso.

—¡Fuera, fuera, farsante, explotador! —gritan arriba.

Y abajo, dirigiéndose a los de arriba:

—¡Orden, orden! ¿Qué hace el Gobierno?

XXII

LEJOS

Trabajo, actividad. Establecida la corriente espiritual entre el cuartito del hotel de Inglaterra y Madrid. Desde el cuartito llaman, y Madrid responde. Se forma un reguero de volúmenes, que desde la capital de España, allá arriba, va hasta el cuarto del hotel. Volúmenes procesionarios: en octavo, en cuarto, en folio. Procesión de libros silenciosa, continuada, lenta, que sale de Madrid, atraviesa los montes y los ríos, cruza las llanuras, desborda del acantilado central, baja a las tierras vascas, penetra en Francia, se cuela en el aposento de las cuatro paredes blancas. Félix, ante la mesa, con la pluma en la mano; un momento de descanso. Del faro blanco, del mar, ahora ceniciento y bramador, la mirada va, poco a poco, apartándose y entrando en España. Pradecitos verdes, suaves, con un macizo de álamos enhiestos, finos, de hojas tembladoras. Una vieja casa en ruinas: convento, mansión señorial, piedras doradas, ventanas que dan al azul. Un muro blanco, largo; por sus bardas asoma la rama péndula de un granado; encendidas flores, que traen la asociación de un pelo negro y unos ojos relampagueantes. Más arriba, más arriba. Hemos pasado ya de la marca vasca; vamos ascendiendo. Más arriba hay un reborde de piedra, formidable; cierra el parapeto una elevada meseta. Pureza maravillosa del aire; Santa Teresa, los místicos, los problemas sutiles, complicados, de la personalidad. Por un paseo de olmos, en la lejanía, se ve avanzar, lento, hacia nosotros, un caballero vestido de negro, un poco pálido; se detiene un instante y parece abstraído. Levante: colinas que se perfilan en el azul, cubierta de plantas olorosas; vivo olor del romero, el tomillo, el cantueso. Mediterráneo; rosa, violeta, morado, oro. Calas silenciosas entre las rocas. Y otra vez Castilla, el reborde ingente de piedra, allá arriba, en la llanura de Europa, frente al balcón de Suiza. De balcón a balcón; de la altiplanicie esteparia, cargada de la espiritualidad de los místicos, a las cumbres serenas y canas de Helvecia. Los vallecitos sosegados en la plana de Castilla; aspiración al infinito. Silencio en los largos claustros. Pasos quedos ahora; tintineo de un rosario; el conflicto íntimo, profundo, bajo la inmutabilidad de la faz. La represión constante de las fuerzas psíquicas indómitas y el borbolleo de las pasiones que surgen de nuevo y se extravasa del ánima. ¡Qué lejos de Biarritz! ¡A qué distancia inmensa de esta mundanidad! La rama colgante del granado con sus flores de sangre y el ruidito metálico del rosario en el vasto ámbito silencioso.

XXIII

TRANSPOSICION

Finales de septiembre. Largas conversaciones con Andrea; por las callejuelas de la vieja Bayona: Langreon, Passemillion, Poissonnerie, l'Eveché. Andrea, sencillamente vestida; perlas, sólo perlas, como la Recamier; abstinencia rigurosa de brillantes; perlas blancas, rosadas, grises, negras; perlas sobre la blanca y carmínea piel. De pechos en el puente sobre el Adour, durante el crepúsculo vespertino. Félix ha hecho que le manden de París una fotografía de la Santa Teresa de Bernini.

Profunda sorpresa al ver el parecido de esta imagen con Andrea; corriente espiritual, afectiva—que es fuerza poderosa para el trabajo—, va de la cara de Andrea, pasando por Félix, a la faz de la estatua de Bernini. Trabajo perseverante, pero de un modo frío, sin exaltación, silencioso. Sensación en Félix de estar hundido en el tiempo, entregado a sí mismo, desviado de todo. Favorable estado espiritual para ir creando la imagen, el ser, la personalidad que va creando. La Santa está allí, junto al poeta, en el cuarto del hotel, viendo trabajar a Félix. Preceptos que se impone el poeta: restringir el vocabulario, ser inexorable en la restricción. Sacrificar lo sapiente muerto a lo popular vivo. Con el instrumental más sencillo y expresivo, tratar de recoger todos los matices; que el léxico sobrio sea como un cuchillito que va penetrando en todas las sinuosidades. Observar atentamente y en silencio, sin proponerse la observación. Ver sin propósito de ver. Que la realidad entre sin sentir en la sensibilidad; el propósito de la observación ya sería un principio de falseamiento.

Evolucionar delicadamente entre las masas psicológicas de Andrea, Hortensia, Esteban, el marqués. Sus complejidades y matices; la personalidad ondulante de Andrea, el juego de sus acciones y reacciones. Tejido de afectos sutilísimo, conjunciones y disconformidades de Andrea con sus deudos. La historia toda del espíritu humano, estudiada en este complejo variado de los cuatro volúmenes psicológicos. El mismo juego de estas personalidades puede darse en un plano más elevado; la calidad de la materia variará, pero la trama será la misma. Utilidad para Félix de la realidad presente; utilidad en el estudio que está elaborando de la Santa. Transposición que debe ser hecha con cuidado. Nada de sensualidad en la transposición; sopesar bien las masas afectivas que han de ser llevadas de un punto a otro, de la realidad psicológica que Félix tiene ante la vista a la región serena de la mística. Serena en la apariencia; tan encrespada y compleja en el fondo como este juego anímico de ahora. Tratar de poner toda la personalidad, con cariño, con fervor, en esta comprensión de la Santa; llegar hasta los últimos límites en la penetración. Abandono momentáneo de los propios sentimientos, de la propia personalidad. Hasta los últimos límites, aun a riesgo de que parezcan abandonadas, renegadas, las propias modalidades psicológicas del poeta que crea y escribe.

XXIV

EN VILLA-AUTUMNAL

Autumnus: otoño. Poder evocador de ese vocablo; cansancio, ensoñación. Autumnus: el año que declina, la tierra cansada, exhausta. Villa-Autumnal: un cubo ancho, recio, de piedra. Piedra gris y mármol rojo. Dos grandes circunferencias verdes—sombrosos pinos—ante la puerta, a un lado y a otro. Alamedas: rectas, henchidas de sombra. Dentro, rojo en un salón; rojo claro, rojo intenso; un volumen cuadrado—mesita—, varios sillones cuadrados; líneas rectas; líneas que se encuentran y se desparten. Fulgor de los rojos en los muros, en la alfombra. Por la ventana, azul. Silencio; brillante todo, limpio. En el cuadro de laca: cristal, porcelana y plata. El brillo del cristal, de la porcelana y de la plata en el juego de las rectas y en el resplandor rojo.

Un plastrón negro y una gruesa perla; el marqués de Fontaine-Mendousse. Docenas, centenares de números de *L'Action Française* aureolando su testa, circuyendo toda su persona. Hortensia: suavidad en la mirada; la mirada que se va adherida a la silueta de Andrea; manos finas que tienen la blanca porcelana junto a los labios encendidos, en tanto que los ojos miran a Andrea. Irisación en el cristal que sostienen las manos. Andrea: su barbilla redonda y su sonrisa. Esteban: inquietud, carcajadas, ironía; su manera de estar sentado aquí, como dispuesto ya a marcharse apenas llegado. En el azul, a lo lejos, por encima de la fronda, las torres agudas de la catedral de Bayona. Autumnus: se lleva un año de nuestra vida; la amarillez que apunta en la arboleda.

EL MARQUÉS.—*Monsieur Vargas, vous aprouvez le Vatican?*

FÉLIX.—*Permetez, cher marquis.*

HORTENSIA.—*Mon ami, mon ami.*

ESTEBAN.—*Voulez vous que je...?*

ANDREA.—*Oh, la, la!...*

Cambiantes de la luz en la argentería y el vidrio límpido; líneas entre las irisaciones; cuadros que se confunden entre las rectas. Rojo intenso y rojo claro.

EL MARQUÉS.—*Ecoutez, monsieur Vargas...*

FÉLIX.—*Ah, mon cher marquis!*

EL MARQUÉS.—*Je vous dis que...*

FÉLIX.—*Le Vatican?*

EL MARQUÉS.—*La France, monsieur, la France!*

Otoño. Villa-Autumnal: la fronda verde que va a teñirse pronto de amarillo. En el salón rojo, suavidad de la luz que resbala en los planos brillantes y se empapa en las muelles alfombras.

XXV

TRAICION DE AVILA

Dudas, titubeos, exaltaciones, depresiones, en el ambiente de la santa. Necesidad en Félix de ver, lo primero de todo, la figura física de la Santa; la contempla ante él, pero desea precisar, comprobar detalles. Propósito de un viaje a Avila al retorno a Madrid, a la capital y acaso mejor a los pueblos. Más rezago del pasado habrá en los pueblecitos de la tierra abulense. No exagerar la dependencia del hombre al medio, pero buscar en la tierra, en la habitación, en el aire, en el paisaje, un hálito de la persona que se estudia. La Santa en un pueblecito de Avila. Las nobles, serenas mujeres, que aún quedan en los pueblos de España; serenas—con bellos ojos de melancolía—en el dolor. Y las manos cruzadas sobre el regazo. El pensamiento de Félix va a Levante, donde él ha visto tantas veces estas nobles mujeres. Aprovechamiento de estas imágenes para el estudio de Santa Teresa; las manos cruzadas y los cipreses levantinos en el azul. Cipreses y eternidad. El Mediterráneo a lo lejos; Oriente, el Oriente de tan profunda atracción. Y vuelta a Castilla. Una cierta visión de Avila, en los primeros fulgores del alba, desde el tren, como en cierta ocasión la viera Félix. Avila fantasmática, de papel pintado, como en el teatro, con una bombilla eléctrica detrás de cada ventana; Avila romántica y francesa; dibujo de Gustavo Doré. Sorpresa y disgusto en Félix; ligera complacencia ahora, pero propósito de castigar esta infidelidad de Avila, poniendo, en las montañas, menos veleidosos, menos tornadizos, que esta Avila que, de ver pasar tantas veces el tren que viene de Francia, ha querido ser un poco coqueta, retozona, y se ha disfrazado, aunque de noche, todavía de noche, de un modo romántico. Pensamiento en las austeras sierras: en Cebreros, Picos, Gredos. Y en los puertos: Pilas, Mijares, Pedro Bernardo... La paramera desértica, árida; la vitalidad profunda de los álamos en esta aridez. Y las estrellas, en las noches de invierno, más puras y más fulgentes que en parte alguna. Rutilaciones infinitas; emanaciones remotas del espíritu eterno.

XXVI

BOLERO

Primeros días de octubre; caen hojas —las primeras—amarillas. En el desván de Errondo-Aundi, una tablita con un letrero que dice: «Se alquila.» Comiendo en una estación, Félix ha leído en los cuchillos este letrero: *Chemins de fer et hôtels de montagne*. Exasperación en el trabajo; morbosa irritabilidad. Cóleras inmotivadas, súbitas. Vida cenobítica; autoprohibición de libros y papeles que no se relacionen con el tema que ocupa a Félix. Esquividad; paseos con Andrea; caminar lento; despaciosas conversaciones; estadas largas ante el paisaje; reclusión en un rinconcito, por las tardes, de una pastelería. En la calle del Port-Neuf, la turba de los últimos veraneantes, los rezagados, los más selectos; bajo los anchos arcos, en los soportales de los escaparates llenos de golosinas; la fila de las pastelerías; todas las mesitas ocupadas; automóviles que llenan la calle.

—Félix.

—Andrea.

—¿Quién es aquella joven tan bonita?

—La duquesita de Brandilanes.

—¡Qué ojos tan negros tiene! ¡Qué moreno tan bello, de un matiz ambarino!

—¡España, España!

—¿Cómo dices que se llama?

—La duquesita de Brandilanes.

—Brandilanes... Parece esa palabra un cascabel de plata. ¿Qué es Brandilanes?

—Un pueblo de la provincia de Zamora.

—Brandilanes...

—Faramontanos, Maldones, Navianos de Valverde, Manzanal del Barco, Pobladura de Aliste, Vegalatrave.

—¡Oh, lo que le gustaría eso a Víctor Hugo!

—Casaseca de Campeán, Cerecinos de Carrizal, Monfarracinos, Moreruela de los Infanzones.

—Félix.

—Andrea.

—Yo quisiera levantarle un poquito la falda a la duquesa de Brandilanes.

—¿Para qué?

—Para ver si lleva una navajita en la liga.

—No la lleva.

—¿No es española?

—Pero lleva un puñalito con la punta envenenada.

—¿Para qué?

—Para clavárselo en el corazón al arzobispo de Toledo.

—¿Por qué?

—Porque la duquesa está enamorada del arzobispo, y el arzobispo quiere más a la Virgen que a ella.

—*Mon Dieu!*

—¡Camarilla!

—¡Bravo toro!

—¡Pronunciamiento!

—¡Olla podrida!

—¡Ja, ja, ja!

—¡Ja, ja, ja!

—*Vive l'Espagne!*

—*Vive la France!*

—Félix.

—Andrea.

—¿Hay muchos castillos en España?

—Muchos.

—¿Tú tienes alguno?

—Sí.

—Será bonito.

—De naipes.

—Yo soy Carmen.

—Yo, don Páez.

—Yo, doña Pendendo.

—Yo, Lilas Pastia.

—Yo, Inés de las Sierras.

—Yo, don Querubín de la Ronda.

—Yo, la marquesa de Amaegui, la andaluza de Barcelona.

—Yo, Gastibelza, el hombre de la carabina.

—*Bonas nochas, siñor.*

—*Votre serviteur, madame.*

—¡Ja, ja, ja!

—¡Ja, ja, ja!

—*Vive l'Espagne!*

—*Vive la France!*

XXVII

INCOMPORTABLE

Santa Teresa en la Puerta del Sol; ensoñación de Félix. Santa Teresa en plena vorágine; discutida, improperada, mofada; la polémica ardorosa de Prensa: unos periódicos en favor y otros en contra. El grave y extenso informe de los médicos psiquíatras; la frase despectiva de una alta autoridad eclesiástica: «Esa monja andariega.» El turbión de las pasiones, que la envuelve, la aturde, la desasosiega; las amistades más caras que vuelven la cara; en cambio, personas que no conocía y que se la ofrecen con una noble generosidad. Su ánimo, que llega a veces a desfallecer y fluctuar; un sentimiento íntimo de que acaso tengan razón quienes la combaten; reacción en otros momentos y confianza absoluta en sí misma. En la esfera de lo social, la misma curva sinuosa de su espíritu; exaltaciones y depresiones; esperanzas y desfallecimientos; un perpetuo fluir y refluir del ánimo. Y entre tanta amargura, entre las rechiflas, los denuestos, las burlas, las dolorosas injusticias, el pensamiento de la necesaria mortificación; el sentir de que todo este dolor, toda esta injusticia, es para su bien. El alma clara ve la flaqueza humana, contempla todas estas deserciones de la amistad, considera cómo en los ánimos ajenos la pasión se adueña de ellos y los lleva y los trae como briznas en el huracán. Percibe la Santa lo frágil que es el hombre—lo percibe dolorosamente, a su costa—, y en vez de retraerse hacia el pesimismo, en lugar de sentir hostilidad para quienes la combaten y la desconocen, abre su espíritu, su sensibilidad toda, a la indulgencia, a la tolerancia, a una bella lenidad para esa eterna flaqueza humana. En sus labios, una sonrisa, y su mano siempre dispuesta a acoger la mano de un enemigo.

Incesante movimiento; actividad que a veces, en la Santa, parece deseo de ocultarse a sí misma algo; actividad que es como un alcohol que la embriaga. Su mano, siempre sobre el blanco papel; cartas a todos; cartas en todos los momentos; cartas en todas las direcciones de España. De España y de América; ilusión por hacer el viaje de América. Cartas y telegramas, cablegramas, radiogramas. Todo en un estilo rápido, cortado, imperativo. En las cartas, de cuando en cuando, un retozo elegante, una ironía cariñosa. Escribe y no sabe frecuentemente dónde está ni qué día es; allá va rápidamente su sensibilidad, viva, vibrante, en estas líneas que escribe medio sentada o de pie, apoyada en un muro, en tanto que está oyendo que la llaman, o que ya piensa en otra cosa que ha de hacer urgentemente; tal vez, a punto de cerrar la carta, se percata de que se le ha olvidado algo; la abre febrilmente, separa la otra carta que estaba ya escribiendo, pone dos líneas adicionales y torna a cerrar el pliego, mientras que camina para acudir al llamamiento que se le estaba haciendo desde hacía diez minutos. Toda España, llena de fundaciones que la Santa ha ido haciendo con esfuerzos, con trabajos; lucha con los hombres y con sus propios terribles dolores. Ahora mismo, cuando está escribiendo la carta, no podía tenerse de dolor. *Incomportable* es un vocablo que le gusta usar a la Santa para expresar, resumiéndolas, sus sensaciones; sensaciones de la lucha, de sus dolores, del gozo, a veces, que experimenta en sus instantes de plenitud. *Incomportable* la vida, sí, pero es preciso seguir avanzando. ¡América! ¡América! Con un cablegrama en la mano, la Santa pone su pensamiento en un continente remoto, vasto para las obras de la fe, que ella no ha visto todavía y que siente ansias *incomportables* de ver.

XXVIII

LUZ EN LA MIRADA

La imagen de Andrea en el cuartito del hotel. ¿Es más real la imagen que la propia realidad? Contemplación; esfuerzo por encontrar en Andrea el rasgo dominador... Lo que es suyo y no de las demás mujeres. Evasión de lo genérico y pesquisición de lo concreto y determinado. La tez, de una suavidad sedeña; los ojos rasgados, claros, profundos. Visión de Andrea, de pie, enhiesta; la línea del pecho túrgido, la comba graciosa. En los ojos, un fulgor extraño, misterioso. Acaso en ese fulgor está el atractivo de Andrea. Pero no, no es eso. La ventana, abierta; el cielo, bajo y gris. Pensamiento fijo en la bella mujer. No es eso. Aire inmóvil y luz cernida. ¿La curva tan graciosa y elegante del torso? La finura, la delicadeza de Andrea no reside aquí. Buscar la característica casi imperceptible. Sensación de perplejidad; como un cristal claro y delgadísimo que va a romperse. Tal parece Andrea. De la sensación física de fragilidad, a la textura del espíritu. Aliar el fulgor misterioso de los ojos con esta sensación de finura. El fulgor en la mirada, esta luz que no podemos concretar, es tal vez un asomo de timidez audaz o de osadía que no se atreve. Dificultad con las palabras—como en Santa Teresa—para aprisionar en una fórmula el carácter de Andrea... Pensar y pensar ante su imagen. ¿Timidez en Andrea, en esta mujer que se declara a sí misma libre socialmente? ¿Por qué timidez, con su posición, rica, inteligente, desligada de prejuicios y supersticiones? Contrasentido acaso sólo aparente; seguir analizando esa luz de la mirada de Andrea. Aproximación al enigma; asociación de pormenores; reconstrucción de particularidades psicológicas. En el fondo plata del cielo, la figura de la bella mujer. Sus labios apretados con esfuerzo infantil cuando quiere ser burlona; la carcajada que no pueden represar los labios rojos. Y en los ojos, un parpadeo ligero. El parpadeo de Andrea; ése, ése es el misterio de su personalidad. Félix sonríe satisfecho. Con más vigor resalta sobre el fondo del cielo la imagen dilecta. En el curso de una charla ligera, desenvuelta, ingeniosa, un vocablo un poco áspero, arriscado; los labios de Andrea se comprimen; en los ojos, un ligero parpadeo. Una respuesta un tanto dura — aunque dulcificada por la cortesía—; Andrea calla, sonríe acaso; pero en sus bellos ojos, el parpadeo significativo.

La señal de que se ha producido un choque interior, que Andrea trata de ocultar y que disimula con el movimiento instintivo de los párpados. Movimiento que es profundo y delicado pudor, y que es repugnancia por todo lo grosero y lo violento; parpadeo que es el movimiento ingénito de una niña, siempre candorosa, que trata de ser fuerte. Lucecita misteriosa en el interior de Andrea. Luz que no se extingue nunca y que acompaña a Andrea en su vivir a través de todos los medios sociales y de todas sus andanzas. Irreprochable amistad con Félix; cuidado en los dos—sobreponiéndose a todo—de mantenerse en un terreno de delicado desdén, de finura espiritual, más señorial y de mayor agrado que la expansión personal ilimitada.

XXIX

VERDE Y GRIS

—Félix.

—Andrea.

—Yo quiero ir a España.

—Iremos.

—¿En automóvil?

—En una jaquita jerezana; tú a la grupa.

—Yo quiero tocar las castañuelas.

—Las tocarás.

—Yo quiero ver un auto de fe.

—Lo verás.

—Yo quiero bailar el fandango.

—Lo bailarás.

—Félix.

—Andrea.

—¿Son bonitas las nubes de España?

—De carmín, de nácar, de oro.

—¿En el cielo azul?

—Sobre las torres de las catedrales.

—¿Es bonita tu tierra?

—Pon en esta mesita tu sortija con la perla gris; ahora, yo pongo este duro español; después, tú pones también la ceniza de tu cigarrillo.

—¿Y qué?

—Ya está ahí mi tierra.

—¡Qué raro!

—Exacto.

Explicación de Félix: visión de Levante, paisaje de suaves grises. División de España; dos Españas: la España coloreada y la España de los grises. De Briviesca a Pancorbo aparecen las cuadrículas; el llano y las laderas, cuadriculados. Cuadraditos que bajan de lo alto hasta la llanada; cuadros de todos los colores: verdes, amarillos, ocres, rojizos. Aparición del color vivaz, violento. Gradación y contraste en la violencia de los colores; la gama variada de los verdes, de los amarillos—en tiempo de las mieses secas—, del ocre, del rojo. Cuadraditos de todos los colores, con rebordes de espesa hierba. Aire denso y pesado; cortina de gasa sutil. Desaparición de las aristas y angulosidades violentas; un paño de terciopelo que lo cubre todo. De terciopelo verde y usado; por alguna parte, un desgarrón, y la peña negra que asoma. Y el olor difuso, persistente, que componen las aguas entarquinadas, las masas vegetales que se descomponen, ciertas plantas, como el yezgo, la zarza del lobo, la alholva; la alholva que impregna con su perfume las carnes, los huevos, la leche. Si a Félix le pasearan por España con los ojos vendados, conocería por el olor a Vasconia.

—Félix.

—Andrea.

—No me dices lo que significa este montoncito.

—Te lo explicaré.

El montoncito de la perla, el duro y la ceniza es el paisaje de Levante. Paisaje calcáreo. Gradación de grises suavísimos; el hierro—pigmento de las rocas—en escasa proporción; paisaje sin color. Panorama de ceniza, perla y plata oxidada. Toda la gama de los grises; grises de una finura desleída. Grises rojizos, grises verdosos, grises amarillentos. Y horizontes clarísimos, distintos.

Si la montaña remota es de formación estratificada o sedimentaria, se pueden contar desde lejos las líneas horizontales de las capas o las verticales de las junturas. Sensación de capas de diversos grises, que han ido siendo colocadas delicadamente una encima de otra. Fajas de viñedos, de olivos, de sembrados. Oposición de las cuadrículas y las fajas; el violento verde y el pudoroso gris. En el aire, en torno a los caseríos, a la hora de las comidas, un vago olor de ramaje de pino y olivo quemados.

—Félix.

—Andrea.

—¡Qué suavidad en esos grises de tu país!

—¡Qué delicadeza, al caer de la tarde, en las coloraciones rosas, moradas, violetas, de las montañas vascas, veladas por una seda transparente e inmóvil!

XXX

DISGREGACION DEL ALMA

Días dulces de octubre. Por primera vez, desde hace años, la doble personalidad de Félix; angustia. Félix, que se refiere a Félix; Félix, en lo alto del acantilado, que contempla a Félix en lo hondo. Realidad viva, tangible, de ese otro Félix. Complejidad de los problemas espirituales; el terreno en que se mueve la Santa. El problema fundamental de Santa Teresa: su lucha desesperante con los confesores. La Santa habla un lenguaje y los confesores otro. Celajes sutilísimos de psicología. La figura melancólica de la santa, un atardecer de Castilla — llanura, álamos — , en una ventana. En los volúmenes grandes de la acción, la apreciación del tamaño, de la consistencia, de la densidad, puede ser aproximadamente la misma en el confesor que en la Santa. ¿Y en lo delgadísimo y etéreo? ¿Y en las sinuosidades, las curvas, los relumbres lejanos, la fricción casi impalpable de la realidad con el ensueño? ¿Y en todos esos casos en que el matiz delicadísimo lo es todo? Conatos desesperados por parte de la santa y por parte del confesor para llegar a un acuerdo; leve contrariedad de la Santa—contrariedad ahogada en lo hondo—cuando el confesor, como quien aprecia el tacto de una seda con un guante puesto, guiándose por los rasgos más rudos, no percibe las diferencias y acaba por dar una estimación ligera y desceñida. Hablar con el confesor como dos interlocutores desde orillas opuestas de un ancho río; las palabras se pierden en gran parte y sólo subsisten los gritos y los gestos violentos. Ansia de la Santa por psicólogos; gesto de apartar con cortesía irreprochable a los religiosos simples y buenos, sí, pero sin la agudeza que dan los libros y la vida. A veces, parece que llegan el confesor y la santa a un acuerdo; ya se han entendido; ya está establecida la dificilísima corriente que ha de ir de sensibilidad a sensibilidad. Un momento después, una palabra, un inciso, una reflexión del confesor, viene a demostrar de pronto que la inteligencia ha sido ilusoria. Y el más terrible sacrificio que ha de hacer la santa, lo más doloroso para ella, la mortificación más grande de su vida, es renunciar a ser comprendida en estos sutiles problemas de la efectividad, e ir enterrando parcialmente, a lo largo de su vida, pedazos de ese mundo psicológico que hay en ella—un mundo de flora espléndida, con su fauna, con sus paisajes—y que los demás no aciertan a ver, no pueden ver, cuando para la santa se halla tan vivaz, patente y tangible. Necesitaría Santa Teresa, y necesitarían los demás—confesores y biógrafos—, un lenguaje común, de que ahora no disponen. El problema angustiador de la Santa, el mismo de los grandes poetas innovadores: la psicología, producto de la sensibilidad, es distinta en el poeta y en el lector; condenación del poeta por el lector; estimación, acaso, sólo a grandes rasgos y torpemente. Incorrespondencia fatal, necesaria, entre la sensación del poeta y la del lector.

Sutilidad, inefabilidad. Disgregación del alma en matices cambiantes, líneas y volúmenes de transparencia infinita. Nuevo intento, patente y tangible, necesitaría Santa Teresa para llevársela al Mediterráneo.

Los ojos, profundos y sosegados; las manos, cruzadas sobre el regazo. Disgregación del alma en la luz eternal, la luz de que es trasunto el resplandor mediterráneo. Oriente: el alma que se expande, se atomiza, se disgrega, se diluye en la luz infinita, con gradaciones, reflejos, cambiantes, cruces y recruces, que son todas estas complejidades psicológicas que la Santa no puede hacer comprender.

XXXI

TORBELLINO

Exasperación en el trabajo; sobre la mesa, un solo libro: los comentarios del padre Alonso de Andrade a los *Avisos espirituales,* de Santa Teresa; libro de tan apacible y flúida prosa. Fatiga vencida todos los días. Aprovechamiento de las primeras horas de la mañana, las horas diáfanas, traslúcidas, como de cristal. Sensibilidad mórbida, extraordinariamente irritante. Montones de libros sobre la Santa por todo el aposento. La ventana, abierta; el cielo, azul o gris; el mar, de añil, o ceniciento, o glauco. Centenares de papelitos de diversos tamaños, en que el poeta ha ido, a lo largo del día, anotando un rasgo, un pormenor, que ha de injertarse en lo ya escrito o ha de servir para lo que escriba. Sobres anchos, abultados, llenos de estas notas. Dueño de su obra, el poeta, al principio, dispone el plan, distribuye los detalles, abarca todo el volumen, desde el comienzo hasta el fin. Síntesis de la obra en la mente. Iniciación de la labor con arreglo al plan preconcebido; dominio perfecto de la materia artística. Y poco a poco se va produciendo un fenómeno extraño: la obra se va desviando del designio primitivo, es como un automóvil que no obedeciera al volante; todavía Félix puede influir en la marcha, con trabajo, con violencia; pero este mismo esfuerzo por refrenar la obra que se escapa, le desazona y le irrita. Al fin, Félix decide dejar en libertad la obra; ha llegado ya a no saber si esta evolución de la obra es mejor o peor que la marcha prefijada desde el principio, y aunque el poeta viera que lo antiguo es mejor que esto, no podría ya seguirlo; lo nuevo, sea lo que sea, le arrastra impetuosamente. La obra se ha emancipado; no sirven ya muchas de las notas tomadas, que responden a un estado de sensibilidad concordante con el primitivo plan y que ahora están fuera de la nueva órbita. La obra marcha sola. Todas estas notitas, tomadas con tanto trabajo, son violentamente despedidas por una fuerza centrífuga. Allí están los panzudos sobres intactos. Lejana sensación de complacencia; sensación amargada por la excesiva irritabilidad del poeta.

Desasosiego de todas horas; no percibir, cuando abre el libro, el profundo encanto de esta prosa tan sencilla y sedante de Andrade en sus comentarios a los *Avisos;* pasar con la sensibilidad tupida sobre estas páginas; toda la afectividad, toda la atención, para la obra en marcha. La imagen de Santa Teresa, que sonríe, y el otro Félix fantasmático, que aparece y desaparece. Pedazos de ensueños antiguos, que de pronto afloran a la conciencia; pánico del poeta, que no sabe de donde proceden estas imágenes, estas sensaciones desconocidas, y que, al fin, descubre que son sueños de hace seis, ocho, diez años. Superposición de estas imágenes a las imágenes reales de ahora; titubeo angustioso en Félix para discriminar una cosa de otra. Fluctuación del espíritu, como en un columpio trágico. Estribación desesperada en un detalle auténtico presente, para no dejarse arrastrar en este revuelto torbellino de lo pasado y lo presente, de la realidad de ahora y del sueño pasado. Sensación suprema de que su personalidad va a desaparecer. Y el otro Félix que torna de pronto a surgir y que le mira sonriente.

XXXII

BLANCO EN ORO

En la casa—provisional—de una actriz; mansión estiva. Alrededores de San Sebastián. La actriz, española y cosmopolita; vivaz y flexible. Desde la ciudad, por una cuesta; camino estrecho y torcido; tapiales de huertos. Allá arriba, en lo alto de la colina. En un recodo, la casa de la actriz. Boscosidades espesas y frescas en torno a la mansión. Ancho zaguán. Del zaguán, a pie llano, a una vasta estancia. 1878; tal es la impresión de Félix Vargas. No vive el poeta aquí, en esta casa, en los días presentes; se ha retrotraído a 1878 y *Consuelo,* de Ayala. La sala blanca, de un blanco amarillento, con filetes dorados. Amplio ventanal en el fondo; la espesura verde, el cielo, el mar lejano. Lo blanco y dorado de las paredes, los filetes y las molduras hacen retroceder a Félix en el tiempo. Aparecerá ahora, seguramente, un caballero con ancha frente y gruesos mostachos y perilla; los ojos luminosos y henchidos de bondad. De su brazo, sonriente, la actriz. La actriz modernísima y el autor de *Consuelo.* Y por la noche, apenas acabe el crepúsculo, no rojizas bombillas eléctricas; no la violenta luz eléctrica; anchos y redondos y blancos globos de gas; el fulgor sedante del gas, que envuelve la figura grácil y esbelta de la dama y se desliza por la ancha y noble frente de Ayala. Un ruidito como de papel de seda estrujado; de espaldas, contemplando el paisaje a través del cristal, el poeta; un ruidito leve, y la actriz que, al volverse Félix, se halla sonriendo, como la fina Consuelo del otro poeta, ante Félix. Espiritualidad en la graciosa faz; el oro y lo blanco. Y otra visión de actriz, fugaz; blanco sobre oro; el traje vaporoso, de seda, amplio, de la dama, sobre la arena áurea de la playa en una mañana esplendente. Blanco en oro. Y la sensación en esta estancia de lo provisional; efectos y cachivaches dispersos por la estancia. Un momento aquí, y luego a mil, dos mil kilómetros de aquí. Lo provisional que atrae profundamente al poeta, empeñado en estar anclado en un momento que se huye. Lo provisional, que es el camerino del teatro, el camarote en el transatlántico, el pasillo en el *sleeping*, el cuarto del gran hotel. Lo provisional, que hace que, sintiendo las cosas, nos consideremos desasidos de ellas y tratemos de poner en ellas sólo un afecto pasajero. Las cosas que se suceden y el sentido del arte que perdura en el remolino. Sensación en Félix, desde lo futuro, como si ya hiciera diez años que hubiera pasado esta entrevista. Sensación de este minuto gratísimo de ahora frente a la actriz, mujer moderna, sensitiva, en una estancia arcaica. *Consuelo* y la luz del gas. Los radiogramas sobre la mesa y los redondos globos blancos. La voz de la actriz; el transatlántico que se aleja en el mar inmenso; los rieles lucientes sobre que se desliza, vertiginoso, un expreso. La mirada todo alrededor del cuarto para ver si se nos ha olvidado algo; ya aquí acaso no volvamos más. La diversidad y proteísmo de esta mujer; reír y llorar. Sonrisa frente a la muchedumbre que le aclama. Crepúsculo; luz purpúrea en la rotundidad del bosque. Los filetes dorados que brillan en la penumbra. Blanco en oro; visión definitiva; sobre la arena áurea, el blancor de seda de la esbelta figura.

XXXIII

CUATRO PAREDES

Todavía en el cuarto del hotel de Inglaterra; Biarritz. Perspectivas, allá arriba, en España, de huertos y claustros conventuales. La obra, en marcha; ahora, casi ya terminada, el poeta se dispone a guardarla en el fondo de un cajón; reposo absoluto del manuscrito hasta que llegue el instante de rehacer todo lo hecho, de pasar a la segunda versión; poda y escamonda implacables. De seiscientas cuartillas, a trescientas. Perspectiva de ámbitos conventuales; religiosos y religiosas; más teresianos que Teresa. Docenas, centenares de Teresas. En las cuatro paredes de un convento pobre. En una montaña, en un valle escondido, en la callejuela de una vieja ciudad. Desasimiento del mundo. Han visto un día a la Santa; han leído una carta suya; han oído simplemente hablar de la mujer de Avila. Y en las cuatro desnudas paredes, el espíritu desligado de las cosas mundanas. Y sin propósito alguno de la perfección. ¿Qué sabe esta pobre mujer de las sublimidades de la mística? ¿Qué noticia tiene este hombre sencillo de las puridades de la teología? Seguir su propia trayectoria. En el mundo, la belleza, el amor, los tesoros, las prelacías, el poder, el honor; aquí, un reflejo de sol, al nacer, en la pared blanca; otro reflejo al tramontar en el mismo muro blanco. Juntar los minutos del día; hacer que el crepúsculo de la mañana y el de la tarde se aúnen. Comprimir los minutos; hacer de todas las horas del día y de la noche un solo instante. Lograrlo haciendo todos los días la misma cosa, en el momento exacto, sin pensar en sí mismo. Vida automática; el sol nace; el sol muere. El pobre religioso, como el puro poeta lírico, solo en el tiempo, el espacio y el pensar... Las manos juntas y los ojos al cielo. Inaccesibilidad para los demás mortales al religioso o al poeta. Serenidad del espíritu en el aire sereno. Radiación luminosa del poeta o del religioso; resplandor que se va extendiendo en el tiempo y en el espacio. Los años pasan rápidamente: no existe el tiempo. En la montaña, en el valle, en la callejuela, más teresianos que Teresa. La Santa lucha en el mundo; la improperan unos, la aplauden otros; aun en los momentos de más amargura, cuenta con una mano que se tienda hacia ella; las muchedumbres la reconocen y la aclaman; un hombre ilustre le ha enviado su adhesión; un prelado, aun a riesgo de desconceptuarse él mismo, la protege. Llegará a contar con el respeto de todos al final de su carrera; aunque su sensibilidad se rebele, la gloria, la halagadora gloria del mundo, va a envolverla; no podrá Teresa, siendo tan humilde, tan opuesta al aplauso, evitar la admiración de las gentes. La mayor gloria del planeta es la santidad. Esa gloria la tendrá Teresa. Entre las cuatro paredes del pobre convento, un hombre o una mujer ignorados; desprendimiento absoluto del mundo; ni el más ligero rastro de lo que en el mundo constituye distinción: ni belleza, ni poder, ni riqueza, ni voluntad; sola el alma de este hombre o de esta mujer en el desierto de la vida; un anhelo de Infinito. El alma, como un cristal limpidísimo. Las horas, y los meses, y los años, que pasan siempre en la misma simplicidad. Un día, en el camposanto del conventito, un poco de tierra removida. Una vida ha pasado sobre el planeta. Y no ha dejado, como el santo, el sabio, el héroe, rastro ninguno. Y esta vida era una maravilla de sencillez y de bondad. Nadie sabe ya el nombre de esta pobre mujer o de este pobre hombre; en el camposanto, la tierra se ha secado ya. En las cuatro paredes de la celdita hay ya otro religioso u otra religiosa. El poeta, tan prístino en la soledad, ha dejado sus obras; estos pobres hombres, enterrados en el huerto conventual, no han dejado rastro en la memoria humana. Más teresianos que Teresa, el mundo y todo lo que el mundo representa está en ellos limitado a lo que, en el sepelio reciente, dura la humedad de la tierra.

XXXIV

EXPANSION

Sensación de languidez infinita, que va en forma de onda desde el minuto que sentimos pasar hasta la hoja amarilla que cae del árbol. El tiempo con sus giros y la eternidad con sus tumularias losas. Porción de afectividad, purísima, orientada hacia Andrea; afectividad vivamente represada en el fondo de la persona y que de pronto aquí, ante las cuartillas, irrumpe y toma la forma transparente y límpida de la Santa. La imagen de la Santa que aparece y desaparece, traída y llevada por el flujo y reflujo del afecto hacia Andrea. Juego de las dos imágenes: alternativas y violentas. Félix, ante su mesa de trabajo, escribe rápidamente; un vivo fervor lleva su pluma al pasar de las cuartillas; la imagen de Andrea que aparece; dura un instante la grata visión; toma en ella fuerza el poeta para seguir escribiendo, y en seguida, tras la figura de Andrea, que se desvanece, surge limpia la de Santa Teresa; la de la Santa, que sonríe y mira al poeta. El fervor transformándose en materias encontradas; la corriente de la afectividad contenida, que se desborda otra vez y hace surgir la imagen deseada. Los ojos de Andrea; su mirada lenta, que parece arrastrarse por la cara amiga; el parpadeo, que indica el choque interno; la pluma corre sobre el papel; la mirada dulce de la Santa; su sonrisa de bondad; el tintineo de su rosario; la pluma va rápida de cuartilla en cuartilla. Un momento, en el correr vertiginoso, las dos imágenes no tienen tiempo de dejarse el paso una a otra y se confunden, en afecto supremo, allá, en el foro del espíritu. No sabe ya Félix cuál es la faz de la Santa ni cuál la de Andrea; las dos sonrisas yuxtapuestas, las dos miradas cruzándose en rayos luminosos; allá, en la puerta, un caballero en pie, silencioso, rígido: el otro Félix, que contempla el grupo de las tres personas y sonríe también.

Corta tregua; el pensamiento en el faro blanco de enfrente y la hoja amarillenta que se desprende en silencio, tal vez gira blanda por el aire y cae en el silencio de la alameda; fulgor dorado del sol poniente. Bienestar profundo por haber exteriorizado en forma artística de flúido afectivo—de hondo afecto a Andrea—represado, contenido, condensado en lo íntimo de la personalidad. Un momento la pluma en la mesa, reposando, y la mirada, a través de la ventana, que se posa en la inmensidad azul.

XXXV

EL CABALLERO EN LA CELDA

Persistencia en la sensación de la hoja que cae. Una mancha de color de caoba y otra mancha de color rosado. Las dos se van delimitando poco a poco; una hoja de plátano, seca, brillante por el anverso, de fina nervatura, y una mano cogida a un barrote dorado. La mano con una gruesa perla. En el andén de la estación. La mano que se ha posado un instante en la cerradura niquelada de un maletín. La fronda verde, espesa, de las alamedas, comienza a amarillear. Un agujero entre lo blanco, en el cielo, de brillante azul. Viento que arrastra las hojas. En el suelo, las hojas se arremolinan, forman grupos. Son llevadas de pronto por la alameda, se detienen; las más pequeñas, que se han quedado rezagadas, corren todavía cuando las grandes ya están quietas. La sirena de una locomotora. La mano en lo dorado. Un golpe de viento, impetuoso, hace elevarse y girar en el aire el montón de las hojas. Las pequeñitas son ahora las que suben más arriba. Timbre persistente bajo la ancha bóveda de la estación. En lo exterior del coche, la placa con la inscripción «París, Quai d'Orsay». Los coches largos de anchas y apaisadas ventanas. Otro tintineo sonoroso del timbre. La mano se desprende del barrote dorado; entre las manos de Félix. Sensación de la fina mano; visión lejana. Un caballero que renuncia a todo. En el siglo XIV; en las cuatro paredes de un convento. La terrible amargura que este caballero ha experimentado en la vida; renunciación a todo; la amargura de una infidelidad suprema, desgarradora. En las páginas de un librito inmortal, la notación de esta herida del alma. ¿Fidelidad? ¿Infidelidad? ¿Amor, amistad, afectos intensos que se desvanecen? ¿Volverá a tener Félix algún día entre sus manos esta mano? La notación en el librito: «¡Cuántas veces he buscado en vano la fidelidad donde yo debía encontrarla! ¡Y cuántas la he encontrado donde menos podía esperarlo!»

No confiar en la permanencia de lo inestable, gozar sin reservas del momento presente, que ya no se repetirá, y no forzar la naturaleza humana a lo que no puede dar; tener ese poder íntimo de desasimiento y de abnegación. Y surge a veces, para recompensa de este sacrificio, la fidelidad, humilde, callada, donde no la esperábamos. Una persona en quien nunca habíamos reparado y que ahora, de pronto, vemos que está desde hace años junto a nosotros. Hojas que ruedan en la tolvanera. Diez segundos, veinte segundos que la mano con la gruesa perla permanece entre las manos del poeta, se va deslizando poco a poco; Félix siente ya que se escapa; el contacto supremo, en la despedida, va a terminar. Las hojas, cuando caen, ya han dejado en la rama un casi imperceptible botón; de esa levísima turgencia nacerá la primavera próxima otra hoja. ¿Quién verá esas nuevas hojas? En pie, en la plataforma del largo coche; ya el tren marcha lentamente; la mano en el aire, revuelta como las hojas. El tren que desaparece. El librito que ha escrito en su celda el caballero desengañado del mundo, y en el cerebro de Félix, el letrero que ha visto en los cuchillos de la estación. En el cielo, con agujeros azules, centenares de letreros: *Chemins de fer et hôtels de montagne.*

XXXVI

DESDE FUERA

Interferencia de planos; Félix, cautivo de la imagen, es decir, de la sensación. Félix y todos los seres pensantes. La persona de Félix entre líneas y volúmenes de luz.

En Errondo-Aundi. Ebriedad de líneas y de planos. Un haz cuadrilongo de viva luz solar entra por la ventana, va hacia un espejo, refleja en la brillante superficie, atraviesa el ámbito de la sala; en el fondo, una puertecita que se manifiesta en otro cuadrilongo claro, radiante. El espejo en su cuadrado brillador. Otro espejo reducido, en penumbra, más lejos, irradia una luz tenue. Claridad del cielo, refracciones fúlgidas, luz directa, luz refleja, cuadrados que cortan cuadrados, volúmenes de fulgor, planos de las cosas, líneas que se cortan y tornan a cortar. Catóptrica de la materia y del espíritu. Félix en un sopor dulce, cautivo de la sensación. La imaginación en vuelo por lo inconcreto. En un espacio que no podemos imaginar, un designio de construcción inexplicable. Inexplicable para los pobres humanos. ¿Dónde situaremos este espacio? Imposibilidad de concebir un espacio que no sea con elementos del espacio que vemos. Fuera del tiempo, la obra de construcción. Fuera del tiempo, que no existe, que es una sensación nuestra. Y esta sensación y la del espacio, como fundamento en el designio constructor. En la voluntad suprema y creadora. Creadora de una gama sutil, complicada, misteriosa, de sensaciones que forman la realidad en que vivimos. Y esa realidad no existe. La componen una urdimbre de sensaciones. Fuera del tiempo y del espacio—¿dónde?, ¿cómo?—, a manera de un inmenso clavicordio, son las sensaciones que los pobres humanos experimentamos. Las dos esenciales son el espacio y el tiempo; entre esas dos, todas las demás, que a lo largo de la vida vamos oprimiendo. ¡Si pudiéramos asomarnos a ese espacio en que el artificio musical ha sido construído! ¡Si por un esfuerzo increíble pudiéramos ver la verdad de estas sensaciones—es decir, la realidad—, que nosotros, por designio misterioso, experimentamos! Pero creemos que el artificio musical no existe. Existe ese artificio u otro. La complejidad de las sensaciones puede haber sido creada *ab aeterno.* Todo se desvanecería de pronto en cualquier instante si la Voluntad suprema quisiera. No podemos ni ver ni imaginar siquiera el porqué de esa creación. La inteligencia humana, como ahora Félix está prisionero de las líneas que irrumpen y se reflejan, se halla cautiva. No puede salir de sí misma. No puede evadirse de la sensación.

Planos de luz que se cruzan. Ebriedad de volúmenes. Del espejo a la penumbra lejana; en la lejanía, el fulgor del otro espejito. Cuadrado de la ventana soleada; cuadro de luz de la puertecilla del fondo. Líneas que se cruzan, planos que se interfieren. Y la sensación de la sensación que nos tiene prisioneros. Tal vez ahora una sonrisa acoge la meditación del poeta en su báquica disipación. ¿Dónde la sonrisa? Una sonrisa suprema, divina, de indulgencia. Nos debatimos en la prisión, llegamos a negarla, nos declaramos libres, fieros, intrépidos... Y la sonrisa acoge nuestra pobre altanería. Tal vez el tejido de sensaciones, en lo que llamamos tiempo, no dura más que un segundo. Todo va a desvanecerse. Miradas las sensaciones del hombre desde fuera—desde fuera del tiempo y del espacio—, este proceso nuestro, esta nuestra vida, es sólo un soplo. El Universo todo—desde las nebulosas en espiral hasta el mundo del átomo—, sensación evanescente. Líneas, planos, volúmenes de luz, fluctuación de la personalidad del poeta en una mañana de luz. Y la lontananza de lo infinito.

XXXVII

FABRICA

El cielo, como una lámina de plata oxidada, sin una rugosidad, sin una mancha. Ante la casa de Errondo-Aundi pasa un ancho camino; a un lado está la casa; al otro hay un pretil que impide caer en la empinada ladera. Félix, desde el parador, contempla el valle. Los ojos, llenos del suave gris; en la frente, la sensación grata del aire libre. Pasión de Félix por el aire del campo, ansia por respirar aire prístino, su ahogo en las ciudades. En el desván de la casa—el poeta siente ahora, en los primeros días de octubre, su presencia—, en el desván de la casa, la tablita que dice: «Se alquila.» Al principio del verano la tabla era chiquita, casi microscópica, no se la veía. El tiempo ha ido pasando y la tabla ha ido agrandándose; ahora ya es inmensa, formidable. La estación del Norte, en lo hondo, a la derecha; la estación de los Ferrocarriles Vascos, a la izquierda; la fábrica del gas, más hacia acá; los tranvías eléctricos, que van y tornan. Goce del aire, apacentamiento de la mirada en lo gris y en lo verde. Recepción de todos los ruidos y sonidos que ascienden del valle; en los días de niebla, o cuando el humo de las estaciones y fábricas llena la hondonada, los ruidos se perciben claros, distintos. Humo gris, humo negro, humo amarillento, el ámbito verde henchido de la humareda. Y como junto al poeta, las sirenas de las locomotoras, el resoplar de los trenes que llegan o se marchan, el tintineo de una herrería, el golpear férreo y sonoro de los topes de los vagones que hacen maniobras, el ladrido de los perros, el *ris-ras* de una segur en un prado, el *ki-ki-ri-kí* de los gallos, las horas del reloj de la fábrica del gas, del reloj de la Misericordia, del reloj de los Agustinos, a la salida de la ciudad; del reloj del Buen Pastor. En el silencio, a través de la niebla o el humo, todos estos ruidos resuenan en el valle.

Del pretil, frente a la casa, a la fábrica del gas. Un caminejo asciende por detrás; camino abierto en lajas transversales de negruzca pizarra. Desde lo alto, la fábrica, con sus gasómetros: uno grande, alto, que se ve desde fuera; otros dos recoletos en el patio, bajos, achaparrados. Muros rojizos, renegridos por el humo y la lluvia; la alta chimenea, el torreón con el reloj. El atractivo de las ventanas y vidrieras de las fábricas, siempre algunos cristales rotos. La invariabilidad del cristal roto en los ventanales de las fábricas. Los patizuelos reducidos y negros en una gran fábrica; cajones desfondados, pedazos de lienzo sucio, un fragmento de periódico, vidrios, un arbolito escuálido con las hojas cargadas de polvo negro. Félix, escribiendo poemas, y Félix, en una fábrica entre los demás obreros. La vida ruda del trabajador manual, las operaciones nocturnas en la fábrica del gas, los anchos ventanales irradiando una luz blanca, las llamas rojas de los hogares, que se mezclan al resplandor lechoso. Y en las grandes fábricas, en las fundiciones, en los altos hornos, los ruidos inopinados y terribles: resoplar de ventiladores gigantescos, como titanes asmáticos; lamento suave y continuado de las terrajas, golpeteo rítmico y sordo, explosiones retumbantes, atronadoras, que cada cinco minutos, como cañonazos de una batalla, vienen a cubrir todos los demás ruidos y hacen retemblar las paredes.

Félix en la fábrica y Félix aquí, en la casa de Errondo. Félix poeta y Félix obrero; dualidad de este momento de la vida de Félix. Los tranvías eléctricos van y vienen; a las once de la mañana asoma el correo de Madrid; poco después parte el tren vasco que va a Bilbao. Desde lo alto del camino, tras la fábrica, la vista de los gasómetros, del valle todo, medio cubierto ahora, con la marea alta, de aguas grises. El ancho espejo entre la verdura. El aire inmóvil. Amarantos en flor, simpáticos amarantos, discretos amarantos. Amarantos por grupos en el borde de los caminos, en las laderas, en los prados, en las quiebras. Millares de florecitas rosas, moradas, pero desteñidas por el sol y la lluvia, espolvoreadas de harina, de suavísimo olor. Amarantos bajo el cielo añil o el cielo gris.

XXXVIII

ESPEJO Y TELAS DE ARAÑA

Espejo de aumento; telas de araña. Sigue Félix en el ambiente de la Santa. Dentro de las complejidades de su vida. Espejo que está en todas partes; telas de araña que son como cables de acero. Ansia de Félix por el silencio y la soledad; su sombra juntándose en la lejanía—como un crepúsculo—con la sombra del otro querido poeta, Rainer-María Rilke. Poco a poco, sin transiciones violentas, hundiéndose más en la soledad. El otro poeta en su lejana casita de la montaña; su sensibilidad de finísimo cristal, pronto a romperse al menor movimiento. Pero poco a poco también, en Félix, un problema que se plantea con caracteres angustiosos. Si Félix se va deslizando cada vez más hacia la soledad, podrá llegar un momento en que su ideal sea contraproducente. Busca el poeta el recogimiento para afinar su sensibilidad; pero lo espontáneo de su sensibilidad ¿dónde principia?, ¿dónde acaba? Abnegación para renunciar a todo, en el poeta como en el cenobita; no dar valor a las cosas del mundo. Ya está Félix separado de todo. Y en este punto comienzan a enredarse a la persona del poeta las telas de araña. Ha seguido su tendencia natural Félix. Ahora, al igual que en Santa Teresa, surge el escrúpulo. En el espíritu del poeta se establece ahora una lucha constante entre lo natural y lo superpuesto, entre lo instintivo y lo reflexionado. En esta evasión del mundo, en esta marcha ascendente hacia el silencio y la soledad—en Félix como en Rilke—, el fondo nativo y natural ¿no corre el peligro de ser acrecido por la voluntad? Es decir, que la voluntad, el esfuerzo, la violencia tal vez, para llegar a la meta, pueden enturbiar, desasosegar esa porción preciosa y prístina de la natural tendencia. Habrá, pues, en la sensibilidad del poeta una parte clara, límpida, y otra porción debida al deseo más o menos violento de ser tal como Félix quiere ser. Tal vez la superposición no la vean las gentes, pero el poeta advertirá siempre en sí mismo esas extrañas adherencias que casi ocultan y afean lo prístino. Y podrá llegar también un momento en que Félix, inebriado por su propia sensibilidad, se deje llevar de lo pensado y sea en el poeta más, mucho más, lo adherido que lo primario. Y de este modo llegar también Félix a revestir una personalidad extravagante, toda esfuerzo, toda concentración violenta, que estará a cien leguas del tipo humano, puro, bienhechor, del poeta, de Félix o de Rilke. Dudas terribles de Félix en sus horas de soledad, intentos de retroceder, de hacer concesiones. Desde luego, instantes de estacionamiento, instantes que son una pérdida evidente en la marcha del poeta hacia su ideal.

Telas de araña que son cables de acero; un espejo de aumento siempre delante de Félix. ¿No serán todas estas perplejidades aprensiones suyas? Imposible negar la realidad; el sentir íntimo es una realidad, y Félix siente todas estas terribles dubitaciones. El espejo está allí; ante el espejo el poeta va—en horas de soledad—examinando en sí mismo lo que en él hay de natural y lo que hay de superpuesto. Y quisiera arrancar de sí todo lo que existe de ficticio para quedarse tan sólo con su sensibilidad pura y limpia; una sensibilidad como la de su hermano Rilke, una sensibilidad sin excrecencias odiosas; flúida y transparente. Arrojar lejos de sí el espejo terrible; romperlo en pedazos; librarse—suprema liberación—de su deseo de liberación.

XXXIX

CAZA DE MARIPOSAS

Ultimos días; reaparición del llavero con el manojo de llavecitas; estupor de Félix; el llavero en el fondo de un armario, bajo el blanco papel que se ha puesto para evitar el contacto con la madera. Lectura, por casualidad, del primer libro que leyó el poeta aquí, al llegar, en la misma página. El ciclo del verano está cerrado; apego del poeta, en estos momentos de despedida, a todo lo que le rodea. Sus manos en todo; millares de manos de Félix. En los árboles, en las montañas, en la ciudad, en las estaciones. Y más lejos... Largos ratos de contemplación. Deseo vehemente de incorporar a sí la esencia de las cosas; inquietud por la posible negligencia en la contemplación, en la intuición de este pedazo de mundo. Tal vez la esencia de las cosas está allí patente para el poeta, ha estado allí todo el verano, y Félix, negligente, no la ha visto. Las palabras del librito que escribiera el caballero en su celda: «Podemos perder por nuestra negligencia, en un momento, lo que apenas habíamos adquirido por la gracia con un largo trabajo.» Y podemos—piensa Félix—, por falta de fervor, no percibir lo que se halla visible ante nuestros ojos. Consideración en estos postreros días de todo este ambiente, del que se va a despedir el poeta y que ya no volverá a sentir más. Se repetirá acaso otro año el respiro estival en la soledad de Errondo-Aundi, pero no será este mismo ambiente; las aguas que pasan de un río—el río del tiempo—son las mismas y no son nunca las que fueron. Con toda el alma se aferra Félix al momento presente. Y en esta tarea le ayuda, fiel y esforzada, su maquinita fotográfica. Empeño de los dos en captar el tiempo y las cosas; su trabajo para aprisionar el segundo que se desliza. En la estación de Amara, caza de mariposas. Las mariposas son las locomotoras. De flor en flor, de estación en estación. Las locomotoras que representan tiempo, afanes, esperanzas, alegrías, tristezas, tragedias de gentes que ellas arrastran por el mundo y conducen de una parte a otra. Caza de mariposas, aquí, en la estación de Amara, de estas locomotoras que lleva cada una su nombre; nombre de personalidades, montañas, ciudades vascas. La maquinita fotográfica las va cogiendo, día por día, conforme van apareciendo. La gente del mundo, entregada a las profanidades, va y viene en los trenes; muchos de estos viajeros hacen ahora su postrer viaje; ellos no lo saben, pero cuando ponen el pie en el estribo del coche para subir, suben por última vez. Vivirán después más o menos días, semanas, acaso años, pero éste es su último viaje, no volverán a hacer otro. Como Félix, que, aunque torne otro año a Errondo-Aundi, no volverá a vivir lo que está viviendo ahora. Las locomotoras aparecen y desaparecen. En la estación, dos o tres: *Solube, Easo, Oíz;* y constantemente, la *Vizcaya,* máquina vieja, que no deja la estación, haciendo maniobras. Al día siguiente, *Udala, Zuria, Euzkadi, Marqués de Acillona.* En dos o tres días más: *Gorbea, Francisco N. de Igartúa, Plácido Allende, Elgóibar, Aralar, Urkiola, Amboto, Sagarbide.* La maquinita fotográfica las va cazando a todas; caza de mariposas; no deja una. Se marchan las locomotoras; allá van arrastrando alegrías y tristezas. Dos nuevas ahora: *Sabino de Goicoechea, Pagasari.* Horas de meditación en lo verde del paisaje, bajo el azul o el gris del cielo. Visitas al otro vallecito de Isóstegui, aun a riesgo de hacer traición, a última hora, al amado valle de Amara. En Isóstegui, el estrecho viaducto; al pie, la charca, con el agua cubierta de carrizo color de cardenillo. Luego, el túnel por donde desaparecen estas locomotoras que caza la maquinita; humareda gris que se agarra a los árboles y oculta la boca del túnel. Más lejos, pasados unos caseríos, el vetusto parque de Ayete: abandono, plantas viciosas que trepan por los troncos, troncos delgados que ascienden un poco torcidos, una puerta con verja, la puerta de todos los parques abandonados en las novelas y en las litografías. Soledad grata, silencio denso.

El rasgueo de los tranvías eléctricos y los silbatos de las locomotoras. Las últimas captadas en la estación de los Ferrocarriles Vascos: *Donostiya, Soláun, Urko, Intzorta.* No quedan, indudablemente, más. Y dos días después, aparición de otras: *Ernio, Iziar, Los Mártires.* Y ya varios días sin que la cámara fotográfica tenga ocasión de atrapar más; se han, decididamente, acabado. La maquinita fotográfica, inerte entre las manos de Félix; esta máquina enseña al poeta una gran cosa: le enseña conjunciones y oposiciones de líneas que él no puede ver. Auxiliar fiel y poderoso del poeta en la tarea de aprisionar la esencia de las cosas. *Aralar* cruza por el puentecillo que hay delante de la fábrica del gas y desaparece en Isóstegui; acaso no volverá a San Sebastián antes de que Félix se marche. Adiós, adiós a estas locomotoras que llevan y traen los afanes del mundo. Pronto tendrán que compartir su imperio con las locomotoras eléctricas, y poco a poco irán siendo arrumbadas, víctimas ellas también del minuto que pasa; ellas, que han devorado tantos minutos; tantos, menos este postrero de su ruina.

XL

SE ALQUILA

El pie izquierdo de Félix, asentado en el umbral de la puerta—en Errondo-Aundi—; el pie derecho, en el aire. De una serenidad dulce el ambiente; la lluvia ha lavado la porcelana del cielo. Ocho y treinta y dos minutos de la mañana. Salida para Madrid. Emoción; en este instante el pie izquierdo de Félix está levantado, no se ha detenido, pero durante un segundo, una centésima de segundo, se halla en el punto preciso en que el poeta ha de transponer el umbral de la casa de Errondo-Aundi. Y cuando haya pasado esa centésima de segundo, Félix estará ya fuera de la casa. El aire que llena el vano de la puerta puede ser figurado en forma de lámina delgadísima de cristal; esa lámina cierra la puerta; se encuentra colocada en el punto mismo en que el interior se separa de lo exterior; en ese punto mismo que el poeta va a salvar para hallarse fuera de la casa. Esa lámina sutilísima—una centésima de milímetro—es como una hoja de guillotina que va a separar el pasado del presente. Y toda la emoción del poeta se concentra en ese momento en que su pie izquierdo, sin hallarse inmóvil, está en alto. El pasado y el presente se encuentran divididos por una centésima de segundo y una centésima de milímetro. La casita de Errondo-Aundi todavía está intacta, íntegra, en la sensibilidad del poeta; el sol da en las blancas paredes por el lado de Oriente. Félix ha escrito con lápiz en la pared uno de los lemas de España: *Solis ortu usque ad occasum* (Iluminada cuando sale el sol y cuando se pone). La primera en el valle besada por el sol; la postrera de quien el sol se despide. Todavía la imagen de la casa está intacta en el cerebro del poeta. Fuera ya Félix de la casa. Resplandece la mañana. ¿Cómo era la puertecita de servicio que había al final de un pasillo? Esfuerzo de Félix por recordarlo; sensación primera de tristeza al ver que comienza ya la disgregación de la imagen. Desde la estación contempla el poeta, allá arriba, blanca, la casa. Un sutilísimo velo ha comenzado ya a interponerse entre el poeta y la casa. Horas, días, semanas; desde lejos, en el espacio y en el tiempo que van pasando, Félix contempla la casita. Ya resplandece más tenue, más pálida. ¿Había en las fachadas laterales cuatro ventanas o cinco? ¡Cuántas veces, al levantarse, ha contemplado Félix las montañas desde una de esas ventanas! ¿Eran tres o eran dos las puertas que daban a la galería del primer piso? La casa aparece allá arriba, en la colina verde; desaparece, torna a aparecer. Sus paredes blancas van disolviéndose en la lejanía. Días, semanas, meses. De la casita de Errondo-Aundi no queda más que una pared solitaria. En la vorágine de las imágenes nuevas, en el río de las sensaciones diarias, la pared blanca va a desaparecer también, hundida en las aguas del inmenso y terrible Leteo; reaparecerá acaso un instante, pero acabará por desvanecerse. En el cielo, de radiante azul o de suave gris, sobre el altozano verde, una inmensa tabla blanca con letras negras que dicen: «Se alquila.»

1928.

EL LIBRO DE LEVANTE

OS peces de colores, que giran, tornan a girar, vuelven a dar la vuelta, se escabullen y aparecen. En el acuario de lo subconsciente. En el acuario de aguas oscuras, donde hay también anémonas y actinias con sus filamentos sedosos; pulpos voraces, erizos, estrellas de mar. Una cara que quiere con sus ojos ávidos acercarse para ver lo que se mueve en el acuario; pero el acuario está cerrado. Un arroyito de agua clara, transparente, que surte del misterioso acuario. Corre susurrante el agua; entre sus linfas tersas espejean un pez rojo, otro pez amarillo, otro pez áureo. Se han escapado del acuario. Y hay quien se ríe—o, por lo menos, sonríe—de los peces de colores; pero hay también—siempre los ha habido en el Arte—quienes los miran atentos, con simpatía. Peces de colores y palabras autónomas. La autonomía de las palabras, la libertad de las palabras cansadas de la prisión en que las ha tenido la retórica antigua. Vida profunda y bella de las palabras solas, independientes. Una sola palabra situada en su ambiente natural expresa más vida, ella sola, única, que engarzada en largo y prolijo período. No tener miedo a libertar palabras. Conceder valientemente la libertad a las pobres palabras engarzadas, incrustadas, fosilizadas en la prolijidad de un estilo anacrónico. Que vivan las palabras su vida; hacer que cada palabra rinda el máximo de su vitalidad. Palabras que todavía no han desenvuelto toda su fuerza deben ser colocadas en una atmósfera estética propicia a su pleno desarrollo. Palabras y peces de colores. Los peces, con el auxilio de las palabras, en plena autonomía, en plena libertad.

I

EL LAPICERITO DE ORO

Propósito de escribir una novela. Propósito que se está balanceando dentro de la persona, en el tiempo, yendo el columpio de un día para otro. Para otro en que comenzará a ser escrita la novela. Y el deseo se va afirmando. Novela gaseiforme, amorfa; primera sensación de una novela. Primera, no; lo primero es el deseo. Después, en lontananza, como una luz, va surgiendo la sensación. Se afirman y definen las imágenes; brotan poco a poco los detalles. Dar la sensación de la novela en su estado predefinitivo. Cosa indistinta, con todo el atractivo de un sueño vago, confuso, pero que sentimos profundamente.

Lucha ahora de dos imágenes. El germen de la futura novela. Dos imágenes que giran, se acercan y se alejan. Dos imágenes que acarician la sensibilidad. Confianza en que de esas imágenes nacerá la novela. Placer en poseer virtualmente la novela futura. Dos imágenes: la alfombra recia, silenciosa, y la debilísima luz del alba en un ventanal del fondo. Por otra parte, cuatro paredes blancas, lisas, recubiertas de cal, y una mesita de pino. La sala espléndida de juego—en la playa elegante—, y la celda en la hospedería de un convento de franciscanos. Oscilación de la mancha verde del tapete hacia el pino dorado de la mesita. Lo elegante: mujeres bellas, de moral exorable, el automóvil vertiginoso, el saberlo todo y el desdeñarlo todo con gesto de supremo cansancio. La luz vaga del alba cuando ya se ha estado casi toda la noche junto a la mesa. Dos o tres fichas, con las que juegan distraídamente los dedos. El no importar ya ni ganar ni perder. Todo igual; todo como en lo pretérito. Y el cuartito de la hospedería por otro lado; pureza de la vida. Consagración enteramente, con toda la personalidad, a los problemas del espíritu. Armonía perfecta de esta pureza con la mesita de pino. Haber leído muchos libros, haber figurado en muchos lances del mundo. Conocer a hombres eminentes. No quedar nada de lo selecto del mundo de que no se tenga sensación; poseer un espíritu fino, delicado; considerar el concepto de la elegancia que tienen damas y caballeros aristócratas. Sentirse más fino que ellos; no desdeñarlos, sino acentuar, dentro de la persona, otro concepto de la finura. Y enlazar ese concepto con el cuartito blanco y limpio de este convento y con la renunciación suprema a todo lo que es el mundo.

Las dos sensaciones que se entremezclan. No saber de qué punto arrancar para la incoación de la novela. Ver una mano que se apoya en el picaporte. Imagen definida de esta mano que va a abrir la puerta. Las dos imágenes anteriores se funden en esta otra. Cosa fundamental esta mano. ¿Situarla en el primer medio elegante de la ancha sala o en el segundo? Pensar sobre ello; ver si conviene más partir del cansancio junto al tapete verde, a las tres o las cuatro de la madrugada, o de la celdita, que puede suponer también desgana, cansancio. Cansancio de quien ansía el silencio, la paz, la quietud, el alejamiento de todo lo que el mundo aprecia. Subjetividad del autor. No poder sustraerse al momento en que se escribe, a los libros que se están leyendo, a los entusiasmos y las desesperanzas que se experimentan al tiempo de escribir. Cansancio, al final del verano, de las salas con recia alfombra y de los lapiceritos de oro que relucen sobre lo verde del tapete, entre los dedos finos con las uñas pintadas de carmín. Impetu de la imaginación que va a la tierra alicantina en busca de un paisaje de dulzura, sobrio, puro, de coloraciones discretas. El azul desleído, el verde débil, el rojo pálido, el amarillo tenue. De pronto, el lapicerito entre los dedos, lapicerito de oro. Sensación profunda, ineluctable, de sensualidad. Enmarañamiento de otras imágenes que surgen y hacen palidecer las dos fundamentales.

II

EN LA PUERTA

El lapicerito de oro entre los dedos finos, negligentemente; la mirada en la bolita de marfil que salta en el cerco de caoba. Imagen obsesionante. Disolvente que diluye las otras imágenes. Tipo de pureza hebrea: tez ambarina, ojos negros centelleantes; la negrura de los ojos y el carmín de las uñas. Sobre un fondo indefinido, la figura enhiesta de esta mujer. Satisfacción por haberla encontrado, pero un matiz de inquietud, de indecisión, por no saber qué hacer de ella; supone esta mujer un medio, un ambiente, que no convienen ahora. Todo el curso de la novela tendría que torcerse en el caso de proseguir con esta imagen. Imposible partir de este punto de arranque. Tristeza; resignación a dejarla en su atmósfera de internacionalidad, de elegancia, superficial, sea, pero curiosa, pintoresca, grata cuando nos cansa la reclusión obstinada en un determinado ámbito geográfico. Grata como protesta contra una limitación espiritual rigurosa, angustiadora. Todo un mundo representado en esta mujer, que, al reír el alba, reclinada sobre el tapete verde, con su lapicerito de oro, mira distraída, cansada, el rodar de la bolita en la concavidad pulida. Sensación de universalidad; universalidad en la moral, en el arte, en la sensibilidad. Y, sin embargo, las antiguas imágenes, que esta mujer ha hecho desaparecer, nos llenan, sin verlas, sin tenerlas delante, de suave melancolía. Y la imposibilidad de ir hacia adelante en compañía de esta bella y misteriosa dama. No sirve ahora para los efectos de la obra que se va a crear. Pausa en el pensamiento gestor. Forzados a despedirnos de esta imagen, ponemos, al menos, un lapso consolador entre su despedida y la vuelta a otra cosa. Entre tanto, otra vez la vaguedad y lo indefinido. Esperar; sentir la voluptuosidad de poder hacer y no hacer. En el fondo, como unas formas indistintas que avanzan lentamente.

¿Desechado el punto de partida de la ancha sala con recia alfombra, en que se percibe el ruido leve de la bolita? Necesidad de un lugar que implique mundanidad; de esta nota de mundanidad, pasar a la de misterio. Supone este escenario, para la novela, un fondo de poder espiritual—entre superstición y ciencia—, que no sería verosímil encontrar en un lugar rústico. Esos grandes tipos de hombres, que han viajado mucho, que han gustado de todas las civilizaciones, que han conocido a los más famosos personajes del arte y de la política, se prestan a ser revestidos de una autoridad enigmática, misteriosa, que puede ser el punto inicial de la obra. Faz un poco pálida; movimientos laxos; una piedra preciosa en un anillo; cortesía irreprochable. No saber a punto fijo de dónde viene y adónde se encamina. El vestíbulo de un gran hotel. Riqueza en el traje y liberalidad para los que le rodean. Noticias contradictorias sobre su persona. A veces, como un aire siniestro; otras, la deferencia para con él de una persona autorizada; deferencia que viene a echar por tierra todas las ambiguas sospechas. Fino e ingenioso. En el viaje, inapreciable. Salón en un gran hotel o en un transatlántico; conversación con este personaje. Curiosidades de civilizaciones remotas; pormenores de países lejanos. La India; el Tibet. El Pacífico. Islas solitarias en un piélago azul. Anfractuosidad áspera de una alta montaña. Una barba blanca en un rostro macilento. La mano que se apoya en un báculo. Desde el remoto Oriente, la fórmula misteriosa que llega hasta el sosiego de este salón. Poder formidable de la ciencia misteriosa de ese solitario. Dudas; incertidumbre. Desconocimiento del poder de la Naturaleza y de las posibilidades de la vida. Breves silencios en la conversación, silencios durante los cuales se medita en el misterio. Y la mano que, después de la despedida, va a apoyarse en el picaporte de la puerta.

III

APARICION DE UN ANGEL

Definitivamente; la palabra es rotunda. Definitivamente, desechado el conventito alicantino para punto de partida; reservas mentales de emplear con amplitud ese factor, ése u otro parecido, siempre dentro de la tierra de Levante. Francia, Suiza; la alta montaña; un hotel en la montaña; en los días de verano; tal vez en los postreros. Los Vosgos; sugestión, encantamiento de esa palabra: Vosgos. Reminiscencias de cinematógrafo, de carteles anunciadores en las estaciones. Los Vosgos; tupida cortina de bosques; bosques densos, negros; sobre un cielo plomizo; en una mañana de septiembre. La niebla se va desgarrando sobre las redondas cimas del arbolado. De pronto, sobre la negrura, las cuatro paredes resplandecientes de la celdita. Esfuerzo por volver a los lejanos bosques. La rotundidad de la espesura; todo oscuro, denso. Sobre una eminencia, el hotel. No sensación de apartamiento; sensación falsa de esquividad; los detalles de la vida en el hotel nos dicen a cada momento del mundo. El olor de un cigarrillo turco, el sonido de una radio. La espesa niebla de un monte a otro; casi llega al suelo. Se eleva después otra vez. Y las cuatro paredes encaladas, blanquísimas, de la celda. Imposibilidad de olvidarlas, de empujarlas violentamente hacia dentro, hacia el olvido.

Precisión de poner en este lugar de la montaña, en un hotel solitario, la charla inicial con el caballero desconocido. Inutilidad del anacoreta indio. Ridículo, falso, un poco teatral. El olor a papel pintado de las decoraciones; en un cuarto, un actor en mangas de camisa, pintándose arrugas en la cara y poniéndose una larga barba blanca. Dejar en suspenso este detalle. Insistir en la oposición entre la elegancia mundana y la espiritual. Los cuatro muros nítidos. La mesita de pino; sobriedad en la comida. La elegancia mundana: París, los salones, el *cabaret*, una duquesa, el camarote de lujo en el transatlántico, el avión, la vertiginosidad, las antigüedades, los deportes.

No sentir este medio; repugnancia por tal mundo y tener que aceptar un punto de arranque que supone tales costumbres. Sin quererlo, tornar a ver con satisfacción la vuelta terca, obstinada, obsesionante, de las paredes enjalbegadas de cal. Desde este lugar, tender la vista hacia los lejanos Vosgos; los Vosgos, que ahora no tienen ya su encantamiento; el bosque negro, la cenicienta bruma, el hotel en la montaña, precedido de un pradito verde suave, acicalado todos los días, cuidado y encuadrado perfectamente por el jardinero. Desde lejos, mirar como por un agujerito la edificación cuadrada y limpia del hotel; en Francia, en Suiza. Tener que ir a esa mansión mercenaria desde tan lejos, desde la clara España; desde el límpido Alicante, desde el pueblecito casi moruno en que se está colocado ahora. De pronto, como un terrible explosivo, como un explosivo que nos librara de un poderoso obstáculo, de una ingente peña que cerrara el paso; de pronto, el diálogo de San Agustín en alguno de sus libros:

—*Quo eris nomen hujus naturae?*

—*Spiritus est.*

—*Quo eris officium?*

—*Angelus.*

La aparición de un ángel, un ángel libertador. Ojos claros, luminosos, en cara de tez suave y sonrosada.

IV

ALAMOS VERDES

Piedras que vuelan por el aire a impulsos de la explosión; tabla rasa; esponja que pasa por el encerado. El ángel ha acabado con todo. Todo artificial; todo teatro; teatro gastado, cien veces visto. Nada de hotel de montaña, ni de caballero misterioso, ni de fórmula mágica que, de labios de un asceta indio, ha escuchado el caballero, y que ha de transmitir al protagonista de la novela. El ángel claro, luminoso, radiante. ¿Por qué no aceptar la hipótesis del ángel? Lo del caballero mundano y cansado, improcedente: ya usado ese recurso; el ángel puede ser cosa atrevida, pero más sencilla, más natural. Alamos en la carretera; álamos finos y gráciles. Un grupo de álamos de los llamados *líricos* o *trémulos*. Líricos por el susurro musical de los millones de sus hojitas. Hojas más redondas que las de otros álamos; el pedículo, más largo y fino. El tembloteo melodioso de estos álamos. Castilla; accidente de automóvil; detención de otro automóvil que cruza. Conversación ligera con un viajero que no tiene, en apariencia, nada de particular. Simpatía discreta; simpatía que se va acentuando. En el fondo, la silueta de una vieja ciudad castellana. Vale tanto como el hotel de los Vosgos. Atrás, en la lejanía, fragmentado en mil pedazos, el cubo macizo y limpio del hotel, sobre el peñón, precedido por su sedoso pradito. Alegría por respirar el ambiente de Castilla; más desembarazo, más fluidez, más facilidad. El viajero, que se va adentrando en nuestro espíritu; es decir, en el del protagonista. ¿Cómo se llama el protagonista de la novela? Todavía en los limbos de lo increado, y ya creados, en masa confusa, los factores que han de influir en su vida; todavía como un germen casi imperceptible, microscópico, y ya trazado su camino. Como está trazado el nuestro, fatalmente, ineluctablemente, cuando venimos a la vida. Desde la remota eternidad, el ángel en el camino; los álamos en la carretera. El ángel que aguarda al protagonista, que ha de aparecer y que todavía no está creado.

Decoración, artificio, teatralidad polvorienta, con el polvo de cien escenarios. Un ángel ha disipado todo lo artificioso y nos ha puesto en la vía ancha y fácil. Ha descendido del automóvil, ha tenido una sonrisa de bondad; ángel como un hombre de los tantos que moran en el planeta. Vestido como no sabríamos decir de qué modo iba vestido; no lo sabríamos un momento después de haberse marchado. Pero algo en la mirada, en el porte, en la manera de sonreír, que no escapa a nuestra observación. Sobre el cielo radiante de Castilla, en la alta meseta, en el centro de la elevada masa central, entre dos álamos líricos, la casa del ángel. El mecánico arregla la avería del automóvil; entre tanto, el protagonista y el ángel pasean lentamente por un caminito que parte de la carretera. La sendita entre el césped; las pisadas, suaves; el aire, fresco, ledo; el cielo, radiante. La antigüedad de la población lejana, que emana efluvios de historia y de heroísmo, que se esparcen desde hace siglos por la campiña. Campiña noble, espiritual. Sensación de bienestar físico y de impregnación intelectiva. Propicio todo a la divagación sobre temas filosóficos, sin pedantería, como triscando levemente por los breñales de la Historia y de la metafísica. Conocimiento profundo, en el ángel, de los secretos de la vida; apenas con palabras sobrias los enuncia, sin insistir. Un momento después, reparada la avería del automóvil, cada viajero marchará en dirección opuesta. Hacer que haya entre los interlocutores como un lazo invisible que comienza a ligarlos; ver si la revelación del ángel al protagonista se puede hacer en este lugar o más adelante, en otro momento en que reine, naturalmente, la confianza. Dejar la dificultad en suspenso. Los álamos de Castilla que, con plena leticia, se juntan a las paredes blancas de Alicante.

V

CORREOS DE LO INFINITO

La imagen del ángel en la carretera; imagen limpia, tersa, blanca como la estampa que acaba de salir de la prensa, entre las manos del grabador, junto a la ventana. Hojitas, millares de hojitas de álamos que temblotean; sinfonía musical al céfiro. Repentinamente, como una manchita en el centro de la estampa, una gotita de agua, una gota que ha teñido levemente el lugar donde ha caído; palidez y ligerísimo arrugamiento de la imagen.

La manchita se va agrandando, surge en su centro como trazo informe; piedra sillar. Sillar que llama a otros sillares, que van brotando y uniéndose en un muro. La imagen antigua que palidece toda. Se aleja, y en su lugar va apareciendo un edificio en ruinas; sillares amarillentos, dorados; un mechinal en que tal vez hay un sabio buho o una corneja malagorera. O murciélagos pendientes del diminuto garfio de sus pies, cual morcillas en el humero. Murciélagos que esperan el crepúsculo vespertino, revolotear un instante por el cielo pálido y volver a sus agujeros. Castillo; castillo en Castilla. Castillo en tierra de Valladolid. Castillo de Montealegre. Desde sus murallas derruídas, uno de los más soberbios panoramas de España. La llanada de Campos y las remotas montañas de León. Horizontes distintos, clarísimos; coloraciones múltiples y delicadas en la campiña. Aire transparente de cristal de Venecia. Cielo con redondos cúmulos o retales largos de estratos. Castillo; en el centro, un anchuroso patio; escombros. Gramas y parietarias. La grama con los cordelitos de sus tallos fortificados a trechos por nudos con hojas de verde claro; la grama que asegura la tierra y no quiere dejarla escapar. Las parietarias que se agarran a los muros con uñas pardas y golosean su salitre; las parietarias con sus hojas de verde intenso. Una escalera de caracol; escalera de los dramas románticos; tan escalera de teatro, que la tocamos y no la creemos. Desde arriba, el panorama inmenso. Voluptuosidad de respirar Castilla a plenos pulmones, voluptuosidad intensa de recibir Castilla en toda la sensibilidad. El aire, el color y la vastedad del horizonte. Y recordar, aquí, en la brecha de este murallón; recordar tantas cosas de los poetas y de los conquistadores. Escapada a América...

Hadas; la palabra hada. La palabra hada indisoluble de la palabra floresta. Las hadas y las florestas. Hadas flúidas y ligeras; hadas que triscan en el boscaje y se escurren de los brazos amorosos. Hadas traslúcidas y risueñas. Risueñas y maliciosas. Hadas, hadas; florestas, florestas. Las hadas que han sido captadas por una maquinita fotográfica con placa ultrasensible en un nemoroso valle del Yorkshire, en Cottingley, cerca de Bingley, en Inglaterra. Con placas ultrasensibles captar también un ángel aquí, en el castillo. Durante el crepúsculo de la tarde, en los postreros instantes. Cielo arrebolado; rojos y oros en la lejanía. Noche que se acerca. Noche ya; últimos fulgores vagos, levísimos. Una ligera fosforescencia en la galería, arriba, adonde se sube por la escalera de caracol. Pensar en esta imagen para sustituir a la otra. La imagen del ángel, revelándose sobre la placa fotográfica en el laboratorio, como las imágenes de las hadas del valle penumbroso. Después, puede venir la revelación o aparición tangible del ángel. En suspenso. Angeles que vienen del empíreo a la tierra y van de la tierra al empíreo. La frase de San Bernardo: «Señor, son tuyos y son nuestros los ángeles.» Correos aéreos de lo Infinito.

VI

PALACIO

En el palacio suntuoso de la ortodoxia católica. Bronce: eternidad. Mármol: eternidad. Angeles, millares, millones de ángeles. Tres jerarquías. La primera: serafines, querubines, tronos. La segunda: virtudes, potestades, dominaciones. La tercera: principados, arcángeles, ángeles. Los serafines corresponden a los apóstoles; los querubines, a los patriarcas; los tronos, a los profetas; las dominaciones, a los mártires; las virtudes, a las vírgenes; las potestades, a los confesores; los principados, a los continentes; los arcángeles, a los casados. Cada categoría en pureza, su correspondencia con una jerarquía celeste. Cada jerarquía celeste, sus excelencias. Los serafines son los representantes del amor puro; los querubines son los doctores de la ciencia de los santos; los tronos nos regalan la paz del espíritu; las dominaciones nos enseñan el arte de ser dueños de nosotros mismos; las virtudes nos indican el camino de la perfección; las potestades nos defienden del poder del demonio; los principados velan por la salud de los Estados del mundo; los arcángeles cuidan del bien común; los ángeles se hallan lo más cercano a nosotros, los pobres mortales, y entran en la esfera de nuestro vivir cotidiano. Angeles, millares, millones de ángeles. Cada mortal, su ángel, su ángel de la guarda. Muchedumbre de ángeles sobrantes. «Sólo quien puede contar contra el número de las estrellas—decía San Dionisio—puede contar el número de los ángeles.» Angeles en el Antiguo Testamento, ángeles en el Nuevo. En el Antiguo: un ángel en la puerta del Paraíso; tres ángeles anuncian a Abrahán que será padre de un gran pueblo; un ángel detiene su mano en el momento de ir a sacrificar a su propio hijo; Jacob, dormido, ve subir y bajar por una maravillosa escalera etéreos ángeles; ángeles conservan la vida de los niños arrojados al horno en Babilonia; ángeles defienden al profeta Daniel en la fosa de los leones. Y en el Nuevo Testamento: el ángel Gabriel anuncia a Zacarías el nacimiento del Redentor; el mismo ángel, reverente y delicado, comunica a María el divino mensaje; muchedumbre de ángeles en el cielo, sobre el azul, que se inclinan para contemplar un establo; un ángel advierte a José la ferocidad de Herodes; ángeles asisten a Jesús en su retiro; un ángel aparece al Señor en el huerto de los Olivos, un ángel melancólico, con los bellos ojos de haber llorado; tres ángeles, vestidos de blanco, esperan la llegada de las santas mujeres, las ven de lejos y se estremecen encima de la piedra del sepulcro del Salvador; se estremecen, con leve vibración de sus etéreos cuerpos, a la idea de lo que van a sufrir las tres Marías inconsolables.

¿Y el arcángel San Rafael, que se nos había olvidado? Olvido misterioso, providencial; olvido que sirve para poner más de relieve la figura tan simpática de este puro espíritu. San Rafael y Tobías; Tobías con el pez, pasado un junquito por la boca. Dudas: no sabe si el pez lo lleva el ángel o Tobías. Vieja estampa vista de niño en una anchurosa sala de la casa nativa. El traje de los ángeles: el ángel que se apareció a Daniel iba vestido con una inconsútil veste de lino prendida con un ceñidor de oro de Tibar; de blanco iban ataviados los ángeles anunciadores de la Resurrección. El placer de ver a los ángeles. «Tanto placer tendría quien los viera—dice Santa Brígida—, que moriría de emoción.» Los han visto muchos bienaventurados. Tobías y su familia quedaron prosternados durante tres horas cuando el arcángel San Rafael, al ascender a los cielos, dejó ver todo el esplendor de su hermosura. Silencio profundo en la casa; de hinojos todos con la cabeza inclinada; el resplandor ha sido tan vivo, de luz tan maravillosa, que, después de estar mirando un momento, han doblado el cuerpo como para recoger en la cuenca de los ojos un poco de este relumbre, y que no se les escapará jamás.

Vivo amor para los ángeles. «Por todos los motivos imaginables debemos amar a los santos ángeles.» Así dice un teólogo francés en un precioso librito: el canónigo Boudon en *La devoción a los nueve coros de los santos ángeles guardianes* (París, 1755). «Sin embargo—añade el autor—, la devoción a los santos ángeles es rara, y si los ángeles son amantísimos para nosotros, se les ama poco, en cambio.» Y después: «Verdad es que la devoción a los ángeles guardianes, que forman el último coro, comienza a ser más común; pero se encuentran pocas personas aplicadas a la devoción a todos los otros coros de celestes jerarquías. Pocas personas se ocupan del amor a los serafines, a los querubines, a los tronos, a las dominaciones, a las virtudes, a las potestades, a los principados y a los arcángeles.» La razón es sencilla: ¡qué pocas personas viven dentro de sí mismas! «Yo sé bien —dice nuestro autor—que ese defecto proviene de falta de vida interior.»

VII

CASA

Casa, casita. Limpia, ordenada. La casa de la teosofía. Estucos, paredes enlucidas, brillantes. En la amplia azotea, multitud de catalejos, telescopios, prismáticos; todos enfocados hacia el cielo, como un bosquecillo de mástiles en una antigua y apretada flota que está en el puerto esperando una salida. Telescopios potentes y presuntuosos; catalejos que se desenchufan y se enchufan en tubos largos; prismáticos precisos y límpidos. Desde el palacio, en las galerías y en los balcones, gente que mira a los moradores de la casa cercana; les hacen señas a veces para que entren en el palacio; esperan siempre, con esperanza indulgente, bondadosa, incansable.

Siete categorías de ángeles. Los ángeles de la fuerza, los ángeles de la curación, los ángeles del hogar, los ángeles constructores, los ángeles de la Naturaleza, los ángeles de la música, los ángeles de la belleza y del arte. ¿Cuáles los más atrayentes, los más simpáticos? Todos que nos sonríen, todos que están atentos, todos que espían nuestros menores ademanes. Los ángeles de la fuerza ayudan a encontrar las energías latentes en el fondo de nuestra personalidad y que nosotros no sospechábamos. Cuando decimos: «Parece que soy otro; una fuerza hay en mí que no había antes»; cuando decimos esto, un ángel, al lado nuestro, sonríe; él ha sido, él; él ha sido quien ha hecho que escribamos esta obra que creíamos no poder escribir; o que tengamos fuerza—nosotros que nos creíamos tan imbeles — para resistir un largo trabajo. Los ángeles de la curación están presididos por el arcángel San Rafael; conocen el tacto de las almohadas de los dolientes; han puesto en ellas delicadamente sus manos al apoyarse para, inclinados, contemplar nuestra faz; las almohadas en que la cabeza del enfermo se revuelve febril y forma un hoyo. Estos ángeles se acercarían más a los enfermos, los asistirían más a menudo, si no fuera por la hostilidad de quienes rodean al pobre paciente, de los médicos sobre todo. Así lo dicen los moradores de la casita. ¿Quién no conoce un ángel del hogar? En los poemas y en las novelas han aparecido muchas veces estos ángeles; pero ellos se ríen con bondad de la simpleza—y un tantico de mal gusto—de tales poetas y novelistas. Los ángeles constructores rigen y gobiernan los nacimientos; son, naturalmente, tratándose de tales funciones, de una discreción extremada. Los ángeles de la Naturaleza están encargados de todo lo que concierne al campo. Los ángeles de la música los hemos visto muchas veces retratados, con sus largas trompetas, en los cuadros antiguos y en algunos modernos. Trompetas y melodiosas arpas célicas. El traje rozagante y los pies ligeramente echados hacia atrás. Los ángeles de la belleza y el arte tienen un trabajo inmenso: deben estar allí donde se esculpe, pinta o escribe; hay variedad de gustos en estos ángeles; no los culpemos de lo que tan sujeto a disputas se halla en este mundo sublunar.

Ropería de los ángeles. Ropas y vestes para la legión angélica. Maravilla de los indumentos ligeros, sutiles, inconsútiles; no costuras ni piezas añadidas. Todo nuevo y brillante. Cada categoría de ángeles, su color. Los ángeles de la curación, azul zafir; los de la maternidad, azul celeste; los de la fuerza, blanco; los de la música, también blanco; los de la Naturaleza, verde; los del arte, amarillo.

El bosquecillo de los telescopios, catalejos y prismáticos, hacia la bóveda inmensa del cielo, esperando el paso de un ángel; desde el palacio de enfrente, sonríen de esta perseverancia y piensan que los pobres moradores de la casa—la casa de la teosofía—no pueden ver nada.

VIII

BARRACA

Barraca de feria; trabazón y lona. Las tablas de las paredes, pintadas de azul, de rojo, de blanco, de amarillo; figuras de manos con rayas, muchas manos; naipes, muchos naipes. En la techumbre, redes pajareras, armadijos, paranzas, espartos untados con liga, como se ponen antes de rayar el alba en las márgenes de los arroyos donde van a beber los pájaros. Todo para cazar ángeles. En la puerta, un señor correcto, que grita: «¡Vamos a conectar!» Muchedumbre de bausanes; gentes que penetran en la barraca. Otras que salen con gesto ambiguo. Estadística: en París se gastan doscientos mil francos diarios en quiromancia, cartomancia, ocultismo. Existen treinta y cuatro mil seiscientos gabinetes de consulta; ciertos periódicos ingresan, en concepto de publicidad por ocultismo, hasta trescientos mil francos al año. El señor correcto que vocea: «¡Que vamos a conectar!» La gente que se atropella en la puerta de la barraca. Las redes del tejado, vacías. «¡Dentro de un momento vamos a conectar!» Y no se conecta. ¿Cómo conectar sin la intermisión de un ángel? Conectar con lo infinito; conectar con lo que está fuera del tiempo y del espacio; conectar con el eterno presente. Tiempo: idea humana. Eternidad: idea humana. Espacio: idea humana. Materia: idea humana. Nada: idea humana. ¿Conectar con lo que se halla fuera de todas estas ideas? Quiromancia, o las rayas de las manos; cartomancia, o las cartas; piromancia, o el fuego; geomancia, o la tierra; oniromancia, o los sueños; onomancia, o el nombre. Y tantos otros medios infecundos de conectación. Manos y naipes pintados sobre los colores violentos de la barraca; las redes, vacías. Y el señor vestido de negro, con ademanes solemnes, unas veces, y otras, con precipitación amable, afectada: «¡Conectamos; conectaremos dentro de un minuto!» Y los ángeles, que pasan, como aeroplanos, sobre la techumbre, como aeroplanos silenciosos, sonríen y no se dejan coger en las sutiles redes.

Entre sueños, un durmiente cree haber logrado el gran milagro; pasan las imágenes de los sueños en planos que se suceden, sin que tengamos conciencia de lo que acaba de pasar; una realidad misteriosa se forma con reminiscencias de la realidad cotidiana. Del fondo de lo subconsciente, ascienden al cristal de las aguas conscientes rarísimas flores. Caminamos por un mundo en que el tiempo y el espacio toman formas extrañas. Pero son tiempo y espacio todavía. En los limbos del sueño, creemos llegar a la solución del gran problema. Toda nuestra oculta personalidad se nos revela. Y el ensoñador acude al caballero correcto. El desenmarañar de los sueños; la ineficacia de la tentativa para salir de la prisión del tiempo y del espacio. En la puerta de la barraca, la muchedumbre de los espectadores. «¡Que vamos a conectar!» En el azul, los ángeles etéreos se balancean, pasan y repasan, y sonríen.

IX

ROMPIENDO EL AIRE

Y no sabemos lo que es un ángel. Romper el aire puro; *rompiendo,* más fuerza que romper. Rompiendo el puro aire. Imagen del ángel rompiendo el aire puro. Imagen del ángel que va ascendiendo por el aire transparente, límpido, sutil. Poco a poco más alto, hasta perderse en la lejanía remota de la bóveda celeste. El firmamento y, después, el empíreo. El empíreo, que viene de *pyr,* fuego; resplandeciente como el fuego. Quisiéramos pasar la mano, blandamente, de derecha a izquierda, de izquierda a derecha, por toda la techumbre eternal del mundo. Despacio, con suavidad, pondríamos el pulpejo de los dedos sobre el cristal finísimo del firmamento; el firmamento—según creían los antiguos—, como un fanal de vidrio transparente puesto sobre la bola de la Tierra. Debajo de este fanal, van volando los ángeles; luego, lo traspasan y entran en el empíreo. Los vamos siguiendo con la vista, ansiosos, hasta que desaparecen. Van a llevar su mensaje y han de volver. ¡Y no saber lo que es un ángel! En un vocabulario del siglo XVIII encontramos una definición; en el siglo XVIII sólo en los vocabularios podían existir ángeles; siglo de negación, de crítica. Un ángel: *spiritus est ab omni concretione remotus.* Espíritu lejos de toda concreción; espíritu apartado de todo lo material. Un teólogo español del siglo XVI nos dice que las Sagradas Escrituras están llenas de los ángeles, pero que no nos dicen nada de la naturaleza de los puros espíritus. Y si queremos hablar de los ángeles—asegura este autor—, «ha de ser adivinando y sacándolo por rayas y barruntos, como gitanos». Palabras del agustino fray Jerónimo Saona, en su admirable libro, de tan fina prosa, *Hierarchia celestial,* Barcelona, 1599; libro dedicado a tratar de los ángeles. Las rayas que las gitanas trazan en las manos; como ellas hacen, hemos de hacer nosotros para lograr saber algo de lo que son los ángeles. Una mano blanca y fina delante de nuestros ojos asombrados; el dedo índice del curioso que casi no se atreve a posarse en la mano. Un instante de indecisión.

Rompiendo el aire; el anhelo que llega a ser doloroso. Rompiendo el sutil elemento en que se mueven los ángeles. No perciben ningún ruido del desgarramiento de la bóveda azul. Pero en el mundo de los ultrasonidos debe producirse un estruendo al rasgar un ángel los aires. Por la vasta esfera va ascendiendo un ángel portador de su mensaje. Llegará a donde no podemos llegar nosotros; llegará a estar más allá de las ideas de tiempo y de eternidad; a una región que no puede concebir el cerebro humano. Romper el aire; rompiendo el aire. Como los puros espíritus; como los seres célicos que vuelan con un rumor que no pueden percibir los oídos humanos. Y todo por los espacios incorruptibles. Los antiguos llamaban también incorruptible al cielo. La bóveda azul incorruptible. Los ángeles flotando mansamente por el cielo eternal, incorruptible.

X

MANOS

La mano; la mano que emerge del condesijo de los recuerdos; la mano que surge de lo subconsciente; la mano que aparece en todas partes, en todos los momentos. Mano grande, inmensa; mano diminuta; mano de bronce, colosal; mano chiquita, de marfil. Millares de estas manecitas que están esparcidas por el área de la sensibilidad. No poder olvidar la mano; echarla hacia adentro—dentro de lo confuso, dentro de lo olvidado—y repentinamente saltar ante los ojos la mano. Caos; espacio negro; ámbito en que se agitan confusamente recuerdos, emociones, imágenes, sentimientos. Como desde la puerta de una caverna, miramos esa negra aglomeración de nuestra conciencia; no de nuestra conciencia, sino de ese terreno indeterminado que se halla entre lo consciente y la sima de lo inconsciente. Y allá dentro, una mano; una mano que se rebulle y que nos llama.

Mano que se dirige hacia un picaporte; el picaporte de una puerta; tal vez de una puerta de anchos cristales recios. Mano que está acaso apoyada en el picaporte para abrir la puerta. De pronto, en su marcha hacia la puerta, la mano se detiene. No puede avanzar. Sentimiento de duda, de leve temor en el personaje que tiene la mano tendida. Otra vez hace ademán de apoyar la mano en el picaporte. Acaso la vez pasada ha sufrido una alucinación; sintió acaso un desmayo de la conciencia. Ahora, de nuevo, hace el gesto de apoyar la mano en el picaporte. Y la mano no puede avanzar y apoyarse; el picaporte está allí, a cuatro centímetros de la mano, y la mano no puede, no, llegar a apoyarse. Terror, intenso terror; palidez que cubre la faz. Sentir como el mador pegajoso del enfermo. Inmovilidad; como estatua de piedra, el cuerpo. Repentinamente, la cabeza que se vuelve. Se torna hacia atrás como atraída por misterioso y potente influjo. Unos ojos están mirando; los ojos del caballero misterioso; el caballero que se supone que ha traído a Europa la fórmula cabalística del anacoreta indio. Un momento de indecisión; la luz de la madrugada que va rozando los cristales de un ventanal del fondo. Espesa y silenciosa la alfombra; las luces de las lámparas como cansadas de toda la noche; el tapete verde; el penetrante olor del tabaco, del humo frío del tabaco, que se agarra a los tapices y cueros. Densidad y cansancio... Las horas en que todo se perdona y todo se comprende. En este momento es cuando, en el plan primitivo de la novela, debía hacer su confesión al protagonista el caballero misterioso. Y al marcharse, al abrir la puerta el protagonista, era cuando acontecía la escena de la mano. El poder terrible del caballero que realiza este experimento para demostrar la eficacia de su saber. Su influjo espiritual que detiene la mano. Desechado todo el plan originario; de todo ese armatoste, ha quedado la mano; la mano que podría ser utilizada en otra forma; la mano que no estaba repudiada todavía. Mano que es preciso tirar ahora; mano inservible y que no se resigna a desaparecer. Tirarla como un papel manchado. Un papel que se tira desde la ventanilla del tren, desde un elevado tajo rocoso, desde la orilla de un río. El papel que va por el aire revolando; que va por el río llevado por la corriente. Poner otra imagen más fuerte encima de esta imagen de la mano; imprimir otra cosa sobre esta impresión. En las sensaciones penosas, sólo una sensación más fuerte es válida para el olvido; una cosa más intensa que otra hace palidecer la primera; un estremecimiento enérgico desarraiga otro estremecimiento que nos atosigaba. Así, con la nueva sensación, se palia y borra la antigua. Imagen sobre la imagen de la mano indeleble; luchar para que lo que no se puede borrar se borre. Mano que surge del fondo de la personalidad; mano tenacísima que ya no es necesaria y la vemos en todas partes. Mano en el cielo claro y mano en las tinieblas.

XI

MONTECILLOS DE COLORES

Ya es hora. ¡Que se va a empezar! Ya es hora de que aparezca el protagonista de la novela. La frase: «Cerritos y arroyadas de yeso, cuyos colores varían entre rojo, amarillo y blanquecino.» Esa frase que se inserta violenta y luminosamente—como un cohete en la noche—en la masa amorfa y negra de la prenovela. Esa frase que determina, por adelantado, al personaje. Predeterminación por una frase del personaje que se halla todavía en los limbos del tiempo. El mundo maravilloso de los ultrasonidos; el mundo de los sonidos inaudibles. Hacer que el protagonista se anuncie, desde lo increado, con sonidos que son recogidos en un aparato receptor de ultrasonidos. Maravilla de los ultrasonidos; los sonidos más graves que percibimos oscilan entre veinte vibraciones por segundo; los más agudos, raramente sobrepasan dieciséis mil vibraciones. Más allá y más acá, el silencio para los oídos humanos. Ultrasonidos: los sonidos de frecuencia superior a veinte mil; sonidos de cuarenta mil, de cien mil vibraciones. Todo un mundo de sonidos que son recogidos por aparatos especiales, y que no puede captar el oído de los hombres. Como todo un mundo de colores y rayos lumínicos que es invisible para nuestros débiles ojos. Hacer que en un receptor de infrasonidos se perciba el rumor del personaje que nos llama, que quiere ya ardientemente, vehementemente, nacer, salir al mundo del arte y de la vida. En un laboratorio. En un barco de los que llevan receptores; en alguna parte todavía no fijada. El rumor, sí, se percibe claro, distinto, persistente. Y se adivina la forma vaga, confusa, de la figura humana. Sobre esta imagen indistinta, la imagen de los cerritos de colores. Cerritos rojos, amarillos, blanquecinos. Cerritos lisos, pelados, desnudos, rasos. Montecillos de colores; montecillos rojos, amarillos, verdes, blanquecinos y pelados. Sobre el cielo luminoso, de un azul purísimo. La frase que rasga la negrura y que predetermina el personaje. En el fondo, el aparato receptor de los ultrasonidos, que vibra con rumores lejanos: apelaciones a la vida. En primer término, las rotundidades suaves de los altozanos coloreados sobre la luminosidad del horizonte.

XII

GRIEGO Y ARABE

El protagonista existe; ha nacido ya; tiene forma; se agita; piensa; alienta; desea. La frase completa que rompía la nebulosa de la prenovela, frase del *Diccionario* de Madoz: «Caminando desde Elda hacia NO., es el suelo más alto y ondeado; hacia el SO., se encuentran cerritos y profundas arroyadas de yeso, cuyos colores varían entre rojo, amarillo y blanquecino, brillando sobre ellos infinitos fragmentos del mismo yeso cristalizado en ojuelos, y crece variedad de plantas.» Elda, en el partido judicial de Monóvar. En Monóvar, cerritos de éstos; montecillos de colores y arroyadas. El personaje central de la novela determinado por esta atracción ineluctable de los cerritos. La personalidad moral del protagonista que se va concretando, solidificando, definiendo. Personalidad prefigurada por este paisaje o elemento primario de un paisaje. Cualidades de los moradores de este pedazo de tierra español resueltos en síntesis que se opera en la mente del personaje. Finura en el paisaje y en los hombres; perseverancia; perseverancia blanda; perseverancia que no se da a conocer; perseverancia arrebozada con ligeras veleidades. Sobriedad; sobriedad en el aire libre. La vida en el campo y en la calle. Un autor dice, hablando de Monóvar: «Atribúyese su origen a los árabes, y al mediodía de la población hay vestigios de aquella época.» El sabio Bosch-Gimpera ha encontrado en la sierra de Salinas fragmentos de cerámica griega. Salinas, del partido judicial de Monóvar. Griegos y árabes. Síntesis, en la sensibilidad del protagonista, de árabes y griegos. La intuición del griego y el fatalismo del árabe. Fatalismo que, en definitiva, es el sentido del tiempo del heleno. Sentido del tiempo en Heráclito. Elegancia desdeñosa del árabe. Todo en el carácter de los hombres nacidos en esta tierra, donde han dejado sus posos griegos y árabes. Sentido del tiempo; dolor del tiempo. Rasgo fundamental del concepto de vida en el hombre que acaba de nacer.

En el área vasta de las pasiones y sentimientos humanos, todo dominado por esta sensación aguda, dolorosa, del tiempo. Restos de un castillo árabe sobre una de las dos colinas en cuyas faldas se asienta la ciudad; tiestos de sutil cerámica griega. El griego y el árabe. La indolencia elegante del árabe y la intuición rápida del griego. El sentido de la corriente eterna de las cosas en ambos. Todo en el área de los sentimientos, agregándose y disgregándose con arreglo a estas fundamentales normas. La persona moral definida ya; ya puede andar por la vida y por los libros nuestro protagonista. En el horizonte, los montecillos de colores, y abajo, en lo hondo, las arroyadas y profundas, también amarillas, rojas, verdes y blanquecinas. Creta sin hierbas; creta lisa, escurridiza, alisada por las rarísimas lluvias; agrietada, con anchas grietas, por el solazo.

XIII

MONOVERAS

Su dilección, predilección, vivísima simpatía por la mujer. En presencia de una mujer, en el fondo de su espíritu—el del personaje—, como un instinto, un impulso, de sentirse ante un amigo, un compañero. Retardarse en escuchar las palabras femeninas, en una grata conversación. Su avidez de la psicología de la mujer. Precipitación, ansia por llegar a la mujer alicantina, a la monovera. *Polit;* esta palabra que surge con ímpetu. *Polit,* que se usa en el habla de la ciudad, y especialmente entre las mujeres. *Polit,* que es limpieza resplandeciente, cuidado, escrupulosidad; *polit,* pulido, un traje, un ramo, un encaje de los que labran estas manos tan diligentes y aseadas. Al conjunto de la palabra *polit,* como una banda de palomas que alza el vuelo de un barbecho, surgen en el espíritu del protagonista muchedumbre de recuerdos, de sensaciones olvidades, de sentimientos. *Polit,* anacardina para la memoria de la patria chica. Y también el vocablo *apaño;* apaño, tan usado, que quiere significar aquí un concepto más fino, más delicado que el corriente. Apaño; habilidad, destreza; pero también elegancia para hacer una cosa. Apaño y pergeño. Equivalencia. Apaño, sensación de Castilla. La monovera, limpia y diligente; su amor profundo a la limpieza; su apaño para alhajar una casa; para condimentar un plato gustoso; para formar un ramo en que entre la albahaca; la albahaca que está en muchas ventanas, y de la cual los mozos suelen llevar los domingos una ramita en la boca. Una monovera que sonríe; que sonríe con los ojos tan sólo. Cocar; cocar los ojos; risa en los ojos, en tanto que todo el continente de la persona y las palabras son graves. La luz que se cuaja en los ojos en cristales brillantes. Quevedo:

> ¿Cuál ánima no rechina
> si un ojo negro la coca?

Un ligero estremecimiento, un suave rechinar del ánima, ante la monovera limpia y ágil, de una movilidad, de una flexibilidad extraordinarias, cuando sus ojos nos cocan. Sus manos, su traje, su aseo, su silencio; todo al par de estos ojos en que la luz tiene vivos reflejos. Marcar la influencia de esta mujer en las casas; factor importante en el ambiente moral de la ciudad. La tolerancia de esta mujer; su sentido indulgente de la vida. Indulgencia presta a sonreír siempre. A sonreír y a perdonar. De las alicantinas decía, en 1858, un cronista de Alicante, don Juan Vila y Blanco: «Tez morena, ojos expresivos, con el iris de ópalo, claros y brillantes, con fuego del sol del mediodía, y labios juguetones con sonrisa que parece burlona, y no es más que tentadorcilla.» Y a continuación esta frase de una profunda lejanía ideal: «La respiración de esas criaturas se os figurará el dulce afán de un deseo, y os miran como si os conocieran, y os hablan como si las hubierais conocido siempre.» Y un poco más adelante: «No las vence la melancolía; saben ellas vencer al dolor.»

El andar silencioso de las monoveras. Ligero y tácito. El pie en alpargate blanco; la suela de cáñamo sobre el yeso blanco de los pisos. En *les cambres,* las cámaras; las anchas y silenciosas cámaras. Blanca la tela de este calzado; blanco el piso de las cámaras. En la blancura, los pasos ligeros y callados.

XIV

ROPAS

Su traje; sus ideas sobre el traje. Sencillez y limpieza. No ir nunca recargado; no llamar la atención. La idea del traje que hace surgir la imagen de las arcas monoveras, donde se guardaban antes las ropas de la casa. Grandes arcas de madera sin pintar. Primera aparición de la madera sin pintar. Madera de pino. Pino, si es del término, que no ha sido sangrado; pino henchido de resina; pino oloroso; pino que en las ventanas de tablas delgadas, sus nudos hacen por la mañana, antes de ser las ventanas abiertas, manchas y rodeles sangrientos, áureos. Las grandes arcas que descansan en tierra sostenidas por cuatro pies cortos, en el piso de yeso. El pino sin pintar y el yeso blanco: los dos cultos de Monóvar. Por delante, el arca; en la parte baja, ligeras obras de talla; no tantas que la hagan, por desgracia, pieza de arqueología. Las ropas que se guardan en el arca y los lienzos y paños que antaño se tejían en la ciudad; ya de los viejos telares de mano, acaso no quede ninguno; no, quedará alguno escondido en el rincón de un portal, como una pobrecita tejenanaria, una de esas arañas de patas largas, flúidas, que urde su telita en lo alto de la pared, en un ángulo. Los telares tejían mandiles de variados colores; los mandiles subsisten; los traen de fábricas comarcanas; cubren con esos lienzos los tableros en que son llevados al horno los panes de orejas y las roscas de pinos. La artesa, la cernedera, el cedazo que va y viene sobre las dos tablas de la cernedera; todo de pino. En el amasador y en toda la casa, el pino sin pintar; el amasador es un cuartito donde se amasa; el cedazo que anda y anda en la madrugada con un son que resuena en toda la casa; el cedazo, que ha dado origen a un pavor infantil legendario; el cedazo, que anda misteriosamente él solo, durante la noche, en el amasador.

La diligencia y apaño con que las monoveras cuidan la ropa y hacen en los desgarrones sutilísimos zurcidos; manos finas y limpias. La pasión de la limpieza; toda la casa barrida diariamente, y como epílogo retardado, otro barrido después de comer; no puede faltar en ninguna casa esta ratificación de barrido tras el prandio. Y los sábados, limpieza a fondo; cosa seria y trascendental; el olor a cloruro que está todavía y estará siempre en el olfato del protagonista; el cloruro con que se fregaba ásperamente, con tesón, la madera de pino sin pintar, y la pobre madera que iba gastándose y dejando al descubierto, en relieve, sus nervuras. Y la arena y el jabón. Toda la casa reluciente de limpia. Todo blanco; el yeso y la madera. Todo trascendiendo a cloruro y a jabón.

Los telares tejían también los paños de manos; junto al cantarero, la toalla blanca y recia que pende. El cantarero, pieza principal de la modesta casa. El agua y el aire; el agua cristalina y aire delgado del campo. Los cantareros y las jarras que rezuman en pequeñas gotas que se deslizan por las rotundidades del amarillo barro. La paz y el silencio de la casa. El brillo de la jofaina blanca con dibujos azules en la penumbra grata y sedante.

XV

LAS CAMARAS

Les cambres: las cámaras. Los pasos silenciosos de las monoveras en las cámaras. La cámara es una pieza subalterna en las casas de la ciudad, y principal en las casas campesinas. La cámara da su denominante a la casa monovera; puede haber en una casa de campo varias cámaras; el plural, *cambres,* indica espaciosidad y diversidad en la mansión. Cámara; paredes de yeso blanco; piso de yeso cuajado; alisado. En las paredes, estacas; del techo, acaso penden largas cañas horizontales sostenidas por cuerdecitas de esparto; en las cañas, cuelgas de uva, algún melón de olor; los de agua no se pueden guardar. En un rincón de la cámara, un montoncillo de patatas, de habas, de matalahuva; matalahuva y no anís, se dice aquí. Trebejos que se suelen encontrar en las cámaras: un ferrete para marcar ovejas y un tarro de miera para curar los morbos del ganado; caretas de colmenero, que sirven para castrar las colmenas; un harnero de piel o una zaranda de tela metálica; un cañizo donde se ponen a secar al sol tomates partidos por la mitad, o higos, o, tal vez, brevas—bacoras, es el término que se usa—. Exquisitas las bacoras secas, más finas y melosas que los higos. También, en la cámara, bolas de sal para las bestias. Acaso de una estaca pende un taleguito en que se trae lo que se llama el «gasto», es decir, las vituallas para la semana o los fiambres para el camino. La miera y el anís, que impregnan el ambiente de la cámara de un penetrante olor. Capítulo de los olores de Alicante, que no son los olores de otras regiones de España.

Preponderancia de la cámara en la vivienda monovera; señalar las características de estas casas. Limpieza y fragilidad; yeso y pino; tejas curvadas y algún azulejo. Delimitación en el aire seco de la casa monovera. Fragilidad que, dado el ambiente, es perennidad. Limpieza y líneas fuertemente definidas. Un labrador monovero no podría vivir ni dos días en una casa norteña; la casa norteña con su negrura, su pajuz esparcido, sus escurrimbres, su mezcla, en el zaguán, de establo y de tinelo. Definida, delimitada con vigor, con relieve, la casa alicantina. Una de las dos provincias españolas, Alicante, donde menos llueve. El dorado del mazacote viejo de las paredes. La desigualdad de las construcciones. Asimetría; añadidos de accesorias y dependencias que se han ido poco a poco construyendo, según el incremento de la fortuna; el desnivel interior; pasar de una pieza a otra, de una cámara a otra, en un dédalo de estancias claras y sonoras; el menor ruidito que es atronador en estas cámaras frágiles. Ventanitas con rejas de delgados barrotes que se cruzan; por la parte de adentro, un bastidor de tela alambrada. Parquedad en las ventanas, como en las casas de Africa. Ventanitas angostas puestas asimétricamente en los muros dorados. Tal vez desde una de estas ventanas, en la parte posterior de la casa, se columbra el panorama de un monte cubierto de pinos; el silencio, la paz profunda de la cámara; el olor del aceite de enebro y de las plantas montaraces; el tiempo que transcurre insensiblemente. Levísimo rumor: pasos tácitos, diligentes.

XVI

SU NOMBRE

Su nombre; dificultad del nombre; el personaje que no surge en tanto no tenga nombre. El nombre de Federico Bustos que rueda, va, viene y torna a vagar. Federico Bustos, que no es Alicante; que puede ser Zamora, o Palencia; acaso Valladolid. Obsesión de un apellido significativo. Fuerza de los nombres que leemos en los rótulos de las tiendas; ningún novelista puede inventar un nombre que posea la vitalidad del más vulgar nombre que leamos en la muestra de una abacería. Federico Bustos, desechado. Otros nombres, docenas de nombres que vuelan y revuelan. Tomar uno y dejarlo; cazarlos como mariposas, al vuelo. Ir dejándolos todos. Necesidad apremiante de un apellido con color, con expresividad; el personaje que desea salir de lo increado; el personaje, que ya está definiéndose, y que, sin embargo, no tiene todavía nombre. Emilio Caicedo. Caicedo es Galicia; prados húmedos y niebla en las peñas. Jorge Olloqui; expresivo, pero no alicantino; Jorge Olloqui, Guipúzcoa. Surge rápido Bendaña. Bendaña impera; Bendaña se impone. Bendaña, recto y sonoro. Valentín Bendaña; puede ser un poeta; un músico, sobre todo. Bendaña, la Giralda. Bendaña, como bandera que flamea al viento en la Giralda; que flamea y chasca al flamear. No es lo que se necesita ahora. Otra cosa. Apellidos corriente en Monóvar. Repasarlos. Verdú, Albert, Vidal, Navarro, Cerdá, Amo, Calpena, Brotóns, Alfonso, Sogorb, Bellod, Mallebrera, Arnal. En la biblioteca de una vieja casa solariega, muchos libros del siglo XVIII, que llevan estas palabras escritas: «Soy de Blas Ruiz y Albert.»

Dudas y tanteos. El enjambre de los nombres que revolotea en el ambiente azul, encima de la ciudad; imágenes de amigos, de deudos que se entremezclan a los apellidos. Tal vez, Joaquín Albert; nombre que puede ser núcleo central para las sensaciones y sentimientos que se expongan en la novela. Joaquín Albert. Acaso también convenga otro más expresivo. Una estancia llena de libros en pergamino; la letra ya parda por el tiempo. «Soy de...» La imagen de un hombre que vivió hace siglo y medio o dos siglos. Después la silueta de un caballero que se ha conocido en la niñez, Arnal, Cerdá, Brotóns, Navarro, Calpena, Mallebrera, Verdú. Toda la ciudad que surge con plasticidad recia, vigorosa, ante estos nombres. Los montecitos de colores. Lo nuevo, la nueva ciudad, que se interpone entre lo viejo, entre la ciudad pasada. Sensación de melancolía. Y el más profundo y vital instinto, que retorna, con retorno poderoso, hacia los pasos callados de las monoveras. Como el fundamento de todo; como la juventud que va renovándose de una en otra de las bellas mujeres; como la belleza siempre placentera, aunque cambien las caras en la sucesión del tiempo.

XVII

BARAJAR

—¡Que se va a empezar!

—¿Qué dice usted?

—¡Que se va a empezar!

—¡Bah!

—¿Y usted quién es?

—¿No me conoce usted?

—No tengo ese honor.

—¿Y me ha creado usted?

—¿Yo?

—¿Pues quién ha de ser?

—¿Usted es Joaquín Albert?

—O Diego Bellod.

—O Tomás Verdú.

—¡Ja, ja, ja!

—¿Se ríe usted?

—Ni siquiera sabe usted cómo me llamo.

—Lo mismo da un nombre que otro.

—¿Por qué?

—Porque usted soy yo.

—¿Yo, el protagonista, soy usted?

—Cabal.

—Con mucha seguridad lo afirma usted.

—¿No lo quiere usted creer?

—Usted cree en esa identidad; pero uno piensa el bayo y otro el que lo ensilla.

—Refrancitos.

—La sabiduría de las naciones.

—¡Ja, ja, ja! Ahora soy yo el que se ríe.

—Reír para llorar.

—Si usted se empeña...

—Yo me empeñaré en cosas que usted no podrá evitar.

—¿Sí?

—Claro; porque usted cree que yo soy su creación, y yo lo que soy es un ente distinto de usted, y libre.

—¿Me pareceré yo a usted?

—¿Usted, autor, a mí, personaje imaginario?

—Mi creación.

—Usted me crea y luego, en vez de parecerme yo a usted, es usted el que intenta parecerse a mí.

—Cosa rara; rarita, rarita...

—Sin sorna; eso es lo que les pasa a todos los autores que crean un personaje. Que lo crean con su sangre, con sus sentimientos, con sus alegrías, con sus tristezas.

—Me hace usted pensar.

—Ya ha cambiado la decoración; tendrá usted más sorpresas todavía.

—¿Qué más me va usted a enseñar?

—Le enseñaré cómo le he de llevar a usted detrás de mí, engarzado a mi existencia, prisionero, sin poder separarse de mí, unida su vida a la mía.

—¿Nada más?

—¿Le parece poco? Crear un personaje y hacer esfuerzos desesperados por parecerse a él; no ser el personaje quien refleja los sentimientos del creador, sino el creador quien, en determinados momentos de la vida, en un trance difícil, se comporta como no se comportaría el ente imaginado.

—Ahora, con sinceridad, me asombra.

—Eso pretendía.

—Sí, con sinceridad, con absoluta sinceridad.

—Joaquín Albert.

—O Diego Bellod.

—O Tomás Verdú... La vorágine de los sentimientos, de las sensaciones, de los ensueños; todo resumido, condensado, en mí. En Joaquín Albert, en Diego Bellod, o en Tomás Verdú. Y usted, pobre autor, que me va a seguir a todas partes y, como hacen algunas mujeres respecto de otras mujeres elegantes, va a tratar de copiarme. De copiarme en mi vestir, en mis ideas, en mis sensaciones.

—¡Terrible lo que usted me anuncia!

—Tómelo usted con filosofía.

—Así lo haré; y ya, haciéndolo, le copiaré a usted.

—No puede usted escapar de la prisión labrada por usted mismo.

—¡Qué le vamos a hacer!

—Hay un medio.

—¿Cuál?

—Crear otro personaje.

—¿Y cree usted que la imagen nueva borrará a la primitiva?

—No se lo garantizo.

—Pues es un consuelito.

—Paciencia.

—Y barajar.

XVIII

ESPEJITO

—¿Todavía usted por aquí?

—Y lo que estaré.

—¿Mucho tiempo?

—Estoy muy ocupado.

—¿En qué?

—En buscar un espejito.

—¿De mano?

—O de cuerpo entero.

—¿Con el marco de plata?

—O de concha.

—¿Para ponerlo encima de una mesa?

—O para colgarlo de un clavito.

—¿Se puede saber para quién?

—Para usted.

—¿Qué voy a hacer yo con ese espejito?

—Mirarse en él.

—¿Y qué sacaré yo de mirarme en él?

—Ver que usted no es yo.

—¡Qué graciosito! ¿Aún está usted en eso?

—Y lo que estaré.

—Le felicito.

—Usted ha dicho que en su novela iba a marcar una oposición.

—¿Cuál?

—La de las dos elegancias.

—Naturalmente; ése es mi tema.

—No cuente usted conmigo para eso.

—¿Se puede saber por qué?

—Porque yo no veo oposición entre esas dos cosas.

—¿Lo cree usted?

—¡Vaya! Yo aspiro a una síntesis.

—Si fuera posible...

—¿Cree usted que no existe elegancia en el logro de ciertas líneas sencillas y en la asociación de ciertos colores? Líneas y colores que pueden darse en un mueblaje, en un traje femenino; líneas y colores que pueden ofrecerse en el conjunto de una mesa bien aparada. Y en cuanto al espíritu...

—No niego yo su tesis; a veces, en el breve término de una mesita de té, puede darse un espectáculo exquisito de belleza; con la fina porcelana, con la plata, con la transparente cristalería.

—¿Tan bello como la simple y franciscana mesita de pino sin pintar?

—Dígalo usted y déjeme a mí pensar en silencio.

—Quien calla otorga. Yo aspiro a la síntesis.

—¿Y el espíritu?

—¿Afirmaría usted que no puede haber en un palacio quien tenga gustos tan sobrios y finos como un artista?

—Puede ser.

—¿Y no ve usted que el marcar la oposición entre las dos elegancias es introducir en la obra un elemento de hostilidad? Y el odio, ¿es elegante, es placentero?

—Me abruma usted.

—Le abrumaré más cuando le diga que usted, con el plan ideológico de su novela, con el fondo ideológico que quiere dar a su novela, la va usted a empequeñecer.

—¡Caramba!

—Con ¡caramba! y todo. Usted adopta una tesis moral y, si se quiere, también estética; la propugnación de un ideal ético de vida es su motivación. Yo, en cambio, doy a la novela, con permiso de usted...

—Usted lo tiene.

—... una trascendencia mayor. Yo doy por fondo del libro el problema del tiempo y del espacio; elevo el plano, y en ese plano cabe todo, todo: lo moral, lo estético y lo metafísico.

—El tiempo y el espacio. ¡Cosas terribles!

—Figuraciones, después de todo; lo otro es lo importante.

—¿Figuraciones? ¿Quiere usted decirme qué es lo otro?

—Lo sabe usted; no necesita usted que se lo diga; ya hablaremos de eso.

—Palabra de honor.

—Palabra de honor.

—¿Sin espejito?

—O con espejito.

XIX

TRASLUCIDO

La palabra *Infalibilidad* que surge en el campo radiante de la conciencia; con letras esplendentes, luminosas; como un anuncio en la fachada de una casa, en lo alto. *Infalibilidad,* y un electricista que va cogienlo letra por letra y se las va llevando lejos. En la cremallera de los capítulos, correr y correr hasta uno de los capítulos finales con el letrero *Infalibilidad* a cuestas. Desde este punto de la prenovela, se ve allá en la lejanía la palabra *Infalibilidad.* Ahora, la imagen de un sillón; sillón de cuero, con suaves rotundidades en que el codo y las espaldas se asientan blandamente. Un sillón de cuero en alguna parte. Y el ángel sentado en su confortable concavidad. El ángel que ha de hacer la revelación maravillosa—la revelación que había de hacer el caballero desechado—; revelación a Joaquín Albert, o Diego Bellod, o Tomás Verdú. El sillón con su ángel. Idea un poco manida; un cuento en que aparece un mozo elegante; una novela en que también se saca a este mozo y a este sillón. Y sobre todo, en el escenario, escena consabida; el actor que quiere ser elegante—y que tal vez no lo es; porque la elegancia es innata, y quien es elegante nativamente no tiene necesidad de querer serlo—; el actor que quiere ser elegante, vestido con un traje nuevo, con el que no ha hecho lo que un gran elegante hacía con los trajes nuevos: rasparlos con un vidrio para que no parecieran nuevos; el actor con su traje nuevo en el sillón; actitud especial del actor que se sienta en un sillón determinado, en que no tiene hábito de sentarse, puesto que mañana sacarán otro sillón; el actor joven, apuesto, que se sienta, sonríe, y se apresta a la confidencia; el gesto del hombre que lo sabe todo, y la pitillera y el encendedor del último modelo. Repugnancia a que sea hecha la revelación en esta forma del actor elegante que se sienta en un sillón de mueblista inglés. Buscar otra cosa; el escenario que se aleja; el actor que desaparece. Vaguedad; formas indistintas; confusa idea de que la revelación la debe hacer el ángel de Joaquín Albert, de Tomás Verdú o de Diego Bellod, pero de una manera que no sea ésta de cromo o de teatro. Tal vez en el mismo campo de Monóvar; en una noche de luna. La claridad de la luna, tan suave, sobre el paisaje suave. Rareza, parvedad de leyendas y supersticiones en esta tierra; nada de consejas temerosas y románticas; ningún ambiente norteño de historias maravillosas y de espanto. En este ambiente limpio de leyenda, de cosas supernormales, más fuerza lo supernormal. Lo superrealista que se desenvuelve plenamente, con limpieza, aislado, definido, en la atmósfera de esta espiritualidad transparente. Definido lo superreal, como definidas, con relieve saltante, las formas, en la noche clarísima de luna. Todo traslúcido y aéreo. Todo como envuelto en una inconsútil gasa. Sobre este fondo de luminosidad, rodeado de luz cernida, batida, la figura del ángel. Traslúcido en lo traslúcido. Lumínico en lo lumínico.

XX

BLANCO SOBRE BLANCO

Un peñón ingente; la cima de una montaña. Una cima que no es aguda, puntiaguda. Cuadrada, como un poderoso cubo de roca. En el azul, avanzando sobre el valle verde. Desde lejos, por encima de los otros montes, sobresaliendo entre las crestas de las sierras, el potente y azulado cubo de la montaña. La sierra del Cid; el Cid, que tiene aquí su montaña; la figura del Campeador — que conquistó Valencia— simbolizada en este fornido y cuadrado peñón, que se destaca de toda la montaña y avanza sobre el valle, poderoso y majestuoso. «Pretendido retrato del Cid», dice un geógrafo. Y la imposibilidad de vencer al Cid frente a frente; frente a frente, en buena lid, no se vence al Campeador. No se puede ascender al monte por delante; por delante es un inmenso muro perpendicular. Para subir a la alta meseta, a la elevada tabla, es preciso atacar alevosamente al Cid; sólo yendo por detrás, por la espalda, se puede ascender a la empinadísima cumbre. Cumbre dominadora de todo el valle de Elda; señora de una vasta extensión, reina de picachos, oteros, montañuelas, alcores, colinas, terreros, altozanos.

La sierra del Cid, que aparece y desaparece; que torna a aparecer al hablar de Alicante, al evocar Monóvar. Las palabras de Madoz en su *Diccionario:* «El territorio de Alicante presenta empinados montes, horribles barrancos y deliciosos jardines, bajo un cielo despejado y alegre; clima templado, si bien algo caluroso hacia la costa y demasiado frío en los puntos elevados; pero sano en todas partes y nada propenso a enfermedades endémicas.» Como un mapita, en relieve, mudo, la provincia de Alicante, contemplada desde lo alto. Horribles barrancos. En la primera edición de la *Guía del viajero en España,* de Mellado, hecha en 1842, se dice de la garganta de Pancorbo: «Este sitio es uno de los más horrorosos que hay en España.» Horroroso en 1842, Pancorbo; horribles los barrancos de Alicante, en 1845. Jardines deliciosos; jardines que nos hacen olvidar la horribilidad de los barrancos. La figura de Gabriel Miró que aparece; Gabriel Miró, en quien se piensa indefectiblemente, con delectación, siempre que surge el nombre de Alicante. Gabriel Miró, allá en la otra banda de la provincia de Alicante. Palabras de Madoz, que sigue hablando: «En ningún punto de España se encuentra un cultivo más esmerado que en la provincia de Alicante, ni mayor variedad de producciones comparables por lo delicado y fino de su gusto a las mejores que rinden los suelos destinados con especialidad a cada una.» Todo lo bueno y lo mejor de todas partes, aquí en la tierra alicantina. Los solícitos, cuidadosos, perseverantes, labradores alicantinos. Los más obstinados, apasionados cultores de España. Su perseverancia, su amor a la tierra. El gesto de amor con que los labriegos monoveros pasan el reverso del ancho y brillante legón por el lomo de los camellones. Su pericia y delicadeza en los injertos. Su maestría en la poda; la poda, arte sabido de pocos; los podadores monoveros que son solicitados en las tierras comarcanas. El cavar hondo con el anchuroso legón; cortar la tierra, tierra amarillenta, rojiza, como una pasta blanda... El cornijal como símbolo de los afanes del labrador de Alicante, del labrador de Monóvar. Cornijal: «La punta, ángulo o esquina del colchón, heredad o edificio.» El cornijal, voz tan usada por los monoveros. Cornijales que son rebujales o bancalitos que se forman en el recodo de una vereda o en el rincón de una cañada y como remate de un predio. Aprovechados afanosamente. Cornijales limpios de piedrecitas y de cardos y lampazos. El agua, que tiene aquí un valor que no tiene en ninguna parte; regar, rito sagrado; el agua que se va extendiendo poco a poco por la sedienta, ávida, tierra. Y la hidrografía o arte de nivelar las aguas; nivelarlas para que alcancen a todos los desiguales pedazos y se vaya regando todo. Contempladores perpetuos del cielo, estos labriegos. Como llueve poco, se está esperando siempre la lluvia. Caras levantadas al cielo; caras que atisban el horizonte. Maestros en celajes; doctores en nubes. Popularidad de lo que se llama las Cabañuelas o días críticos de agosto; días indiciadores del tiempo futuro; días de que dependen los meteoros. Las Cabañuelas y el Camino de Santiago, que aquí se llama de la Abuela Santa Ana. Contemplación del Camino de Santiago en las noches límpidas, radiosas, de Levante. En la casa todo limpio, y en el campo ni una hierbecita nociva. Y para lo último, como homenaje a los jornaleros y labradores de Monóvar; para lo último, su pericia insuperable en el arte de hacer ribazos. El ribazo, la *riba.* Ribazos, *ribes.* El arte difícil, delicado, complejo, de construir ribazos que represan la tierra. Los ribazos de piedras desiguales, perfectamente acopladas. Los ribazos de las altas paratas. Escalones de ribazos en las laderas pinas. Los ribazos blancos, iguales, lisos, del campo de Monóvar. Desde lejos, se ven lucir los ribazos en la verdura. En el reborde, almendros, frágiles y sensitivos almendros. Almendros que en febrero ya ponen encima de lo blanco de los ribazos lo blanco de sus millones de florecitas.

XXI

GABRIEL MIRO

Gabriel Miró; Gabriel Miró, atento y meditativo; Gabriel Miró, que es como una montaña, como un río, como un valle, de la provincia de Alicante; Gabriel Miró, elemento geográfico de esta tierra. Su atención, su escrupulosidad. Elemento geográfico; la geografía sentimental, subjetiva, tan diversa de la objetiva, la científica, la que lo reduce todo a cifras, diagramas y cuadros de líneas horizontales y verticales. La geografía de la provincia de Alicante; dividida en dos regiones la provincia: una, la lindante con Valencia; otra, la que está en los confines de Murcia y de Albacete. La de Gabriel Miró es la primera; lo que se llama la Marina. El Alicante que primero se ve llegando de Madrid, en tren y en automóvil, es la parte donde están Villena, Sax, con su castillo; Elda, dominada por la sierra del Cid; Monóvar, Novelda. Castillo en Villena; castillo en Sax, de paredones dorados, de un oro coronario, intenso, de un oro rojo; castillo en Elda; castillo en Monóvar, restos de castillo, muros recios, obrados por los moros; castillo en las proximidades de Novelda. Gabriel Miró, perdido allá lejos, en el otro Alicante, en la Marina. ¡Qué lejos está la Marina! Tan cerca de esta parte de Alicante y tan remota. Esta parte con emanaciones de Castilla, a través de la Mancha; la Mancha quijotesca, muy próxima. La Marina, con efluvios de la querida Valen-
1845 eran horribles y ahora son sencilla-
A lo lejos, el gesto lento de Miró; la mano de Miró, que pasa y repasa suave, leda, por el paisaje, por las montañas, por los vallecitos, y tal vez, también, por los horribles barrancos. Los barrancos que en 1845 eran horribles y ahora son sencillamente grandiosos. La voz de Miró; su gesto cuidadoso al escribir. Su delicadeza. Su escondido desdén. La capital, Alicante, con la banderita blanca y azul de su matrícula, es Gabriel Miró; Benidorm, Altea, Villajoyosa, toda la Marina, es Gabriel

Miró. Y la mano de Miró que se ha extendido también hasta Orihuela. Orihuela y su huerta. Opulenta y religiosa. Calles estrechas y catedral diminuta. Naranjales: follaje oscuro y bolitas múltiples de oro. Retroceder hasta el Alicante de Joaquín Albert, o de Tomás Verdú, o de Diego Bellod; el Alicante montuoso, con cañadas, con laderas suaves, con la singular coloración de grises rojizos, amarillentos, azulinos, morados. Desnudez en la tierra; en la primavera, el tapiz de las viñas y las alcatifa de los sembrados.

Villena, Sax, Elda, Monóvar, Novelda. El castillo de Sax, agudo, perforando el azul, que se ve desde los campos de Monóvar. El partido judicial de Monóvar, que comprende Elda, Pinoso, Petrel, Salinas. Olvidado, allá en la altura, el amado Petrel; tan recatado, tan resplandeciente de limpieza. Petrel, más arriba de Elda; en la ladera de un monte; Petrel, también con su castillo y con sus alfarerías que elevan el humo negro de sus hornos. Petrel, morisco; conquistado por Jaime I; quedaron en el pueblo muchas familias de los vencidos; más de trescientas familias moriscas abandonaron Petrel cuando la expulsión ordenada por Felipe III. En el centro del pueblo, una plaza con una fuente de mármol rojo. El susurro de los cuatro caños de agua en la noche. Los almendros de Petrel; su almendra, la más fina de todas. Y en octubre, en los zaguanes, grandes montones de almendra, y las manos femeninas que van quitando la corteza. Con los hijos y las almendras de Petrel, exquisito pan, que era llevado a Madrid y se vendía en el Peso Real.

En la capital, la banderita blanca y azul. Gabriel Miró, ensimismado, allá lejos; lejos de la Peña del Cid. Gabriel Miró, que en silencio, como en un sueño, va pasando las manos por su querido Alicante. En las blancas páginas, que poco a poco dejan de ser blancas, la letrita, menuda, firme, letra del siglo XVI, de Gabriel Miró. Todas las cosas de Alicante, del Alicante de la Marina, depositadas con amor en estas cuartillas. Y un estilo sabroso, suculento, sensual. Estilo que es la sensualidad del paisaje de la Marina; paisaje mediterráneo, en que la sensual Valencia ha puesto su sello, dulce y blandamente. Con la caricia del deseo y del amor.

XXII

LIBERACION INTERIOR

Necesidad de llevar a Tomás Verdú a Monóvar. Preparativos del viaje. Ligera febrilidad; enervación; dejadez casi imperceptible; en el fondo, grata. Verlo todo —que Tomás Verdú lo vea todo—como en un sueño; mejor, como se ven las rayitas de la luz del alba en las paredes de la alcoba cuando oscilamos entre el sueño y la vigilia, a duermevela. Dejar que la corriente del tiempo lleve a Tomás; ya se han visto muchas cosas y da lo mismo ver o no ver lo que esperamos ver. Y, sin embargo, deseamos verlo; un resto de instinto nos empuja hacia el viaje. Los libros del viaje; viático espiritual. Cosa difícil el libro que se ha de llevar para los días de la ausencia. Llevamos el libro; nos prometemos saborearlo en el silencio, en la paz, y luego no lo leemos. Nos atrae lo inesperado. Lo inesperado es un libro que encontramos. El placer de encontrar un libro olvidado; libro vulgar; libro en el rincón de un armario, en el cajón de una mesa, en un vasar tal vez. Libro que, desde el momento en que lo encontramos, se transfigura. Absorbe este libro en sus páginas todo el silencio, toda la quietud, toda la luz del lugar en que lo encontramos.

Libro que incorporamos a nuestra sensibilidad, creyendo que nuestra sensibilidad es de ellos. A los libros profundos, les pedimos la suya; a éstos, les regalamos la nuestra. Y este acto de liberalidad, esta entrega del yo, transfigura el libro. Vencidos, los libros nuevos que llevábamos. Libros ahora para el tren: un libro abstracto. Un libro abstracto, porque hemos de recrearnos en lo concreto. Lo concreto es el paisaje, los hombres, las cosas del camino. Si fuera concreto el libro, de cosas concretas, no hallaríamos placer en pasar de lo concreto a lo concreto. Necesitamos para el regodeo íntimo dejar la razón abstracta y fría, para entrar en el calor y la forma. De la región del razonamiento puro y resplandeciente, descendemos de cuando en cuando a la caricia sensual de un paisaje, de una montaña, de un macizo de álamos que vemos al pasar. Libro que Tomás Verdú lleva en su excursión: un libro sobre «la exigencia del idealismo y el hecho de la evolución». Imágenes de tiempo y de espacio frente al color y la línea que se ven rápidamente al correr el tren. Unas páginas que pasan; el espíritu que se sume, absorto, en la meditación, y los ojos que aprisionan después la imagen de un muro blanco en la Mancha. Otra vez el ascender al concepto original y hondo de la evolución del mundo, de la materia, y la silueta de un molinito de viento sobre una loma. Un molinito que ya no sirve; un molinito parado hace tiempo. Como no sirven y están paradas muchas ideas y conceptos metafísicos. Alamos verdes en la aridez y paredes blancas que vieron a Don Quijote. El devanear del espíritu por la región de lo abstracto y el golosear por lo concreto. Y un librito que nunca falta en la maleta de Tomás Verdú; un librito de un prosador del tiempo remoto que nos advierte de la vanidad de todo. El libro de un místico, de un místico castellano, como esencial en el viaje. Triaca contra la frivolidad de la visión; cuando el remolino de las formas y de los colores nos arrastra, unas páginas de este libro que nos vuelven de pronto a la verdadera realidad. En nuestra carrera, nos detenemos; entramos en nosotros mismos; el remolino del color y la línea nos había quitado nuestra personalidad; estábamos como embriagados con el mundo exterior. Ahora, después de dar un vistazo a este libro, experimentamos como un dulce sosiego. Podemos gustar entonces lo que hay de más alto después de la materia de este libro: la poesía lírica. Somos de nosotros, y no de nadie. Y con maravilla, vemos el muro blanco y los álamos como no los veíamos antes.

XXIII

OTOÑO

Otoño e invierno. El viaje de Verdú —o Albert—a Monóvar. Ver si ha de hacerlo en otoño o en invierno. Otoño. Las manos de las monoveras en las cámaras. La dulcedumbre exquisita de las tardes otoñales en Guipúzcoa. El aire, dulce; el cielo, dulce; las cosas, dulces. El cuerpo, todo que se deja caer en esta dulzura del ambiente como en un montoncito de plumones. La dulcedumbre de las mañanas alicantinas, monoveras. El cielo nuevo; acabado de salir de la fundición del verano. Radiante; de porcelana color de azul de Prusia. Las manos de las monoveras, que van colgando de las cañas horizontales, en las cámaras, racimos de uva, melones, aprisionados en cuatro o seis espartos; membrillos amarillentos, de un vivo y reluciente amarillo. En el campo, frente a la casa, en los contornos de la casa, los cañizos con los tomates partidos en dos rebanadas, y los higos. Todo para que se seque al sol fulgente. En las tardes, ristras de rojos pimientos; pimientos redondos, como medias pelotas; horcas de cebollas.

Uva de Alicante; uva de Monóvar; la variedad extensa de las uvas alicantinas. Reina de todas: la valensí, los granos apretados, cristalinos, frescos, que crujen entre los dientes. La de teta de vaca, de granos alargados, a la manera del pezón de una ubre. Como de cristal. En Petrel, en las casas de una banda de la plaza; huertos placenteros detrás; huertos insospechados por los que pasa una acequia. Emparrados con colgajos de marmóreas uvas, que llegan hasta Navidad en el parral. La limpieza y sonoridad de las frágiles casas; la ancha plaza silenciosa delante, y al respaldo de la mansión, el recatado huerto henchido de exquisita fruta.

El olor del mosto en las claras mañanas del cielo nuevo. Vendimias; carros llenos de uva que retiembla al entrar el carro en los baches. Las vendimiadoras, de dos en dos, con su hondo capazo y sus falces. Inclinadas sobre las recias y rastreras cepas; después, haciendo serpenteos entre los liños de vides, hasta el carro que se lleva al lagar. Canciones. Pullas que van y vienen. En el lagar, los coritos o pisadores —pierna desnuda— que pasan y repasan, cantando, sobre las tablas. Con sus pies calzados de alborgas o alpargatas de esparto. El olor fuerte en toda la ciudad del recio, espeso mosto; el olor en todas las casas de campo; el olor en toda la tierra alta alicantina. Y en toda la Mancha comarcana.

A la tarde, entornada la puerta, la labradora, la casera, que cose sentada en una sillita baja de asiento de esparto. Paz profunda; cielo radiante.

XXIV

SONRIEN

Invierno u otoño; el girar, en otoño, de las golosas avispas en torno de los melosos y frescos granos de uva y de la gotita de miel que tienen los higos en su centro. Avispas amarillas, de oro, en el ambiente de oro de la luz de Alicante. Invierno; el frío intenso del Guadarrama. El cierzo cortante del Guadarrama que rebaña las aceras de la calle de Alcalá. El cierzo, como una cuchilla. La cuchilla que baja hasta la ranura. El cierzo del Guadarrama, que es la cuchilla, y la calle de Alcalá, que es la ranura donde encaja, para cortar. Huir de esta hoja afilada. En lo más recio del invierno madrileño, tomar una mañana el tren de Alicante. La tierra alicantina, cálida, confortadora. Un pueblo de hombres ligeros y sutiles. Escasez de monumentos en la tierra de Alicante. No ha habido aquí Edad Media, la Edad de las catedrales; ni Renacimiento. No podía haber Edad Media junto al Mediterráneo; el már férvido, de las pasiones. Las pasiones de los pueblos ribereños que se reflejan en este mar azul. Ni Renacimiento. No necesidad de Renacimiento. No muerte, para nacer otra vez. Siempre continuidad del griego primitivo; siempre en contacto, al aire libre, con la madre Naturaleza. Sin necesidad de Renacimiento. El Renacimiento y su pedantería. Las pedanterías del Renacimiento que han maculado las páginas de *La Celestina.* Cristal límpido con verruguitas y opacidades. En invierno. Hacer que Albert deje Madrid en estos días de crudeza y de cierzo. Lecturas previas; lecturas para los viajes, hechas antes del viaje. Joaquín Albert conoce ya la tierra alicantina; ha nacido en ella; pero cuando va a alguna parte, lee poco relativo al paraje adonde se encamina. Una cierta ignorancia es necesaria para aprehender bien las cosas. Paradoja del historiador que sabiendo mucho se adentra poco en las cosas; y sabiendo menos, se encuentra con más libertad para la creación del personaje. La vorágine de los matices que impide el ímpetu creador. No detenerse en el enredijo de los pormenores. Selva de pormenores. Prolijidad infecunda. La empresa magna: dar únicamente el detalle vital. El detalle condensador. El detalle definidor. Lanzarse con fuerza a lo interior de las cosas. Estudiar este asunto sobre este extremo. Albert y su fatalismo. Volver sobre el tema. El pensamiento puesto en un remotísimo futuro de centenares de siglos. Y si escribe—pensando como piensa en este futuro, en que no quedará nada de lo presente—; si escribe es por instinto; pero sabiendo que todo es perecedero y deleznable. Todo es igual y lo mismo. Consuelo en el arte; beleño del arte. Pensamiento en las nubes que pasan sobre el azul; nubes de Castilla o nubes de Alicante. Alicante y las bellas monoveras que caminan airosas, silenciosas, y que sonríen.

XXV

MARIPOSA

Confusión; caos; revoltijo de imágenes. La palabra *Infalibilidad;* en letras luminosas; a lo lejos, el letrero resplandeciente que avanza; esfuerzos para hacerlo retroceder y colocarlo otra vez en la lejanía. Una puerta; puerta que aparece y desaparece. El verano que ha pasado. Conveniencia de que Joaquín Albert vaya a Monóvar en invierno. Un montoncito de granzones y corzuelo en el borde de la blanca y redonda era; después de los afanes de segar, agavillar, acarrear, trillar, aventar, ahechar, este montoncito como un gesto de laxitud. Ha quedado en la era después de la trilla. Ha sido retirado ya al cabo de algunas semanas. Con este montoncito de granzones y corzuelo, desaparece del todo el verano. Y los redrojos, que después de la vendimia marcan el fin de otra etapa. Los redrojos, o sea los racimitos redondos, de cuatro o seis granos, que quedan en un sarmiento después de haber pasado el ejército de las vendimiadoras. Que vaya Albert a Monóvar cuando haga tiempo que se han acabado los redrojos. La comida de Don Quijote en sus andanzas; de Don Quijote y Sancho; no olvidar a Sancho; el paso a través de la Mancha en el tren. En pleno invierno. El 8 de septiembre, Natividad de Nuestra Señora, la fiesta del pueblo; campanas locas y ruedas de colores en la noche. Pocos días después, una puerta cerrada en una calle; otra puerta cerrada; otra puerta cerrada. Desbandada de los monoveros hacia el campo; tertulias deshechas en el casino. Automóviles que corren por los caminos; coches, tartanas, carritos. Y las salas que se abren en las casas de campo; salas con olores de hierbas silvestres. Pasada ya la vendimia. En Monóvar y en toda la Mancha cercana. Atravesar la Mancha pensando en Don Quijote y en Sancho; que no se nos olvide Sancho. La comida de Don Quijote y de Sancho: pan y queso; pan bazo y queso de cabras; tal vez cecina de cabra y pescado cecial. La comida del cervantista en el tren, en tanto cruza la Mancha: carne asada a la inglesa, macarrones a la italiana, etc. La comida de Albert: pan... y callejuela, según la frase popular. Es decir, libertad; siempre libertad; variación. Cedacito nuevo, tres días en estaca. Cada tres días, Albert, un cedacito nuevo. Ya los vinos están en sus toneles. Vinos de Alicante; fuertes vinos de Monóvar; de diez a dieciocho grados. Los recios y olorosos fondillones. Fondillón: el fondo de la cuba, la madre, la solera. Fondillones de Monóvar—quedan muy pocos—, que dejan en el cristal del vaso una capa amarillenta; el dedo que se unta del vino, y durante todo el día un penetrante olor. Fondillones de ciento, ciento treinta años. Diríase que tienen un saborcete amargo; tónicos y reconfortantes.

Fuertes vinos de alta graduación; tierra que parece ligera por sus coloraciones suaves, y vinos impetuosos. Los vinos claros y ligeros de la huerta de Elda. En un ribazo, cuando ya se ha hecho la vendimia, tal vez quedan unos soberbios racimos de valensí, entre el follaje de los pámpanos. Los pámpanos ligeramente amarillentos ya; algunos, cobrizos. Los granos limpios y de oro sobre las piedras doradas del ribazo. Silencio en la ciudad después del día 8 de septiembre. Aguardientes que salen de estos vinos. En un vaso de agua fresca, unas gotas de este anís; el agua que se torna lechosa. Una *paloma* se llama a este refresco. *Paloma* en valenciano es mariposa. Una mariposa blanca en el rigor del bochorno veraniego, cuando la ardiente calina pone un cendal delante del paisaje. El aroma del anís, que se expande por el ámbito de paredes blancas.

XXVI

CONVERSACION

—Perdone usted.

—No hay de qué.

—Si usted me permite, voy a poner la maleta en la rejilla.

—Con mucho gusto.

—Mamá, aquí hay asiento; no van más que dos.

—¡Qué frío hace!

—Regular.

—Amparito, estate en la ventanilla por si viene tío Antonio.

—No, mamá; le dije ya anoche que no viniera a la estación.

—Poca gente.

—Regular.

—Así iremos mejor.

—¿Va usted a Alicante?

—No, señor.

—Mamá, ¿a que no sabes a quién se parece este señor?

—El viaje es cómodo.

—Muy cómodo.

—¿Quién no está levantado a las nueve de la mañana?

—Mucha gente.

—Bueno; pero es gente que trasnocha.

—Mamá, este señor se parece a don Anselmo.

—Será pariente suyo.

—A las cinco en Alicante. Cómodo.

—Muy cómodo.

—¿Usted se apea antes?

—Me quedo en Monóvar.

—¿No conoce usted a don Anselmo Gomis?

—No, señorita; no tengo ese honor.

—Si dice que es de Monóvar...

—¿De Monóvar? ¿Entonces sí que conocerá usted a don Venancio?

—¿Don Venancio?

—¿Cómo se llamaba, mamá, don Venancio?

—Pues... don Venancio.

—Quiero decir, de apellido.

—Tiempo seco.

—Muy seco.

—Si no llueve, la siembra se va a perder.

—Lloverá.

—El año pasado, por este tiempo, llovió.

—Sí; llovió por este tiempo.

—¡Qué fastidio! Mamá, se me ha olvidado...

—Ya, ya sé; no lo digas; siempre te sucede lo mismo.

—¡Y qué quieres que yo le haga!

—Nada; ustedes perdonen.

—¿A qué hora se come?

—Supongo que a las once y media o las doce.

—Creo que es a las once y cuarto.

—Yo no tengo apetito.

—Yo sí.

—Cuando se viaja se tiene más apetito, ¿verdad, caballero?

—Indudablemente, señora.

—¿Dice usted que va a Monóvar?

—Allí me tiene usted a sus órdenes.

—¡Ay, muchas gracias!

—¿A qué hora llega usted, si no es indiscreción?

—¡No faltaba más! A las cinco y seis minutos de la tarde.

—Ya de noche.

—¡Naturalmente!

—Pero en verano, de día.

—¡Naturalmente!

—Será bonito Monóvar.

—Muy bonito.

—¿No te acuerdas, mamá, que estuvo en Monóvar de juez don Alfredo?

—Es verdad; pero el señor no habrá conocido a don Alfredo.

—No he tenido ese gusto.

—¡Qué fastidio! ¡Cuánto tarda en salir el tren!

—Inmediatamente saldrá, señorita; a las nueve en punto.

—Son ya las nueve.

—Pues, entonces, va a salir al momento.

XXVII

UN FISIQUISTA

En el asiento del coche, el libro sobre la exigencia idealista y un tomito de máximas de un santo: Juan Bautista de La Salle; en el tomito, un capítulo de proloquios, cuatro o seis, dedicados a los ángeles. Alrededores de Madrid; fábricas; techumbres rojas en hondonadas. Llanura; comienzo de la llanura manchega. La Mancha, a las puertas de Madrid. Alamos; un arroyito. Cielo límpido. Oscilación en el espíritu de Albert, de dos sensaciones; de San Francisco va a San Felipe de Neri; los dos santos, entre los nacidos fuera de España, que prefiere Albert. La profunda atracción de San Felipe de Neri; su deseo, siendo inteligente, de no parecerlo. La inteligencia domeñada, vencida. Llanura; tapiz verde de los sembrados. Barbechos; surcos largos, interminables. La vista que se esparce por la llanada, bajo el cielo azul; tropezar con un árbol verde; detenerse; agarrarse con la mirada a esa fronda; dejar, al paso vertiginoso del tren, un jirón de mirada colgando de las ramas. Y el encanto profundo del muro blanco. Comienzo del imperio del tapial encalado, el tapial manchego; pasar y repasar la vista a lo largo de este refulgente muro que brilla en la lejanía. Anhelo de querer detenerse Albert en esta casa de la llanada manchega, con una ventanita y una tapia larga. El horizonte distinto y claro. A lo lejos, la depresión del Tajo en Aranjuez. Coloración de azules, grises, ocres y verdes. Luminosidad radiante. La repugnancia de Albert hacia el concepto mecanicista del Universo. Planos y colores que se suceden en vertiginosa vorágine. El mundo del espíritu superior al mundo de la materia. El mundo del espíritu, inexplorado, desconocido, esperando las luces que alumbren la noche; sólo, hasta ahora, alguna linternita errante y vaga. Llanura; del hondón de Aranjuez, de nuevo a lo alto. Y otra vez la llanada verde y cobriza.

Infinitud de la llanura, que nos lleva a la infinidad del espíritu. El mundo exterior y el mundo interior. Suposición de un filósofo: si en la antigüedad, en vez de iniciar toda la investigación científica hacia la materia, se hubiera dirigido hacia el espíritu, todo un mundo que ahora no conocemos nos sería conocido. Y supongamos que en América, no descubierta todavía, se hubiera seguido la dirección contraria, la dirección que ha seguido la civilización material en el mundo. Un día, un gran barco de vapor, venido de América, podría aparecer por el mar de Bretaña; los pescadores contemplarían absortos aquella maravilla; el barco, sin acercarse a tierra, retornaría a América. Y nadie en Europa daría crédito al relato de los pobres pescadores. Sigue suponiendo un comentarista: también podría aparecer en el cielo de Europa un aeroplano; volaría unas horas, y luego retornaría a las tierras americanas. El asombro de quienes lo vieran sería enorme; relatos del milagro en los periódicos; incredulidad de las gentes. Como ahora existen sociedades para la investigación metapsíquica, se formaría una sociedad de investigaciones físicas. Tachados de locos los que pertenecieran a tal instituto. Continúa suponiendo el autor: en Monóvar, seguramente habría un fisiquista, al igual que hoy existen por el mundo, en todas partes, metapsiquistas. El fisiquista de Monóvar, viejo y ridículo. Un fisiquista que creería en la posibilidad de volar y de hablar con Madrid desde Monóvar. Enorme disparate; aberración del entendimiento. Un fisiquista a quien darían vaya en el casino. Un fisiquista como perro con maza. Un fisiquista que caminaría por las calles del pueblo a sombra de tejado. Loco, loco; llanura, llanura. La llanura de Don Quijote. El muro largo y blanco.

XXVIII

LA MANCHA

Monte bajo y llanura. Chaparros, carrascas. Surcos; surcos que se alejan hasta el confín del horizonte. En un muro blanco, la máxima de La Salle en letras grandes, inmensas: «Los ángeles poseen luces muy superiores a las nuestras; pueden contribuir mucho, por tanto, a que las ideas de los hombres sean más elevadas y más justas de lo que de otro modo lo serían, dada la condición del espíritu humano.» La máxima en una pared blanca, y la pared en el librito de las máximas. ¿Y el ángel de Albert? En el pasillo del tren y en la cocina de la casa de campo. Sentado en el asiento, que es poyo también de cocina campestre. Penden de un vasar, muros blancos y chaparros. Un chaparro que es un manojito de máximas. El ángel tiene la cara de Albert. Pero no es el ángel, sino un señor que ha de leer la novela y la ha de tirar con indignación sobre la mesa. El ángel en la llanura. Cielo y pucheritos de barro amarillo. Peroles, escudillas, chaparros. Todo en la cocina y en el restorán del tren. Incrustado el restorán en una calle. Cámara monovera. De pronto, la calle se entrelaza con las carrascas y la cámara se transforma en un depósito de locomotoras. El tren por encima de una pared blanca; no se cae. San Felipe de Neri, que lee la *Guía de Ferrocarriles* y se ríe a carcajadas. «¡Tortas de Alcázar!» «Una picaza en hábito dominico», que dijo Quevedo. Una picaza, blanco en negro o negro en blanco. Las picazas de la Mancha. Una picaza que, en vez de estar posada en un majano, está posada en un libro de máximas. «¡Navajas! Una navaja bonita.» Bandolero con faja roja de seda y trabuco; periódico de París. Un par de mulas labrando en el bulevar de la Magdalena. La llanura, en que se ve repentinamente una pierna colosal de mujer con una gigantesca navaja en la liga. El Casar, Tembleque, Villacañas, Quero, Alcázar de San Juan. Alcázar, ennoblecido, espiritualizado, por su simpática obstinación en creerse la patria de Cervantes. Idealismo; llanura. El pensamiento, pensándose a sí mismo. Chaparros, carrascas. El realismo ontológico y las picazas que saltan. Extender el idealismo por la llanura. El pensamiento razonador, dialéctico, en el horizonte claro.

En el andén de Alcázar, un cartesiano que toca la campanilla. Tren que es inflexible sorites; coches y coches; razonamientos y razonamientos engarzados. Molinos de viento en las lomas; molinos de Criptana. Pensar y pensar siempre dentro del pensamiento; sin que salga nada de entre las muelas del molino; de los molinos de viento que no muelen. Un molino que es una locomotora que va moliendo kilómetros. Kilómetros y sensaciones: sensación de llanura, sensación de carrascas, sensación de idealismo, sensación de ángeles. ¡No poder salir del molinito de Criptana, ni expandir el pensamiento por lo que está fuera del pensamiento! La picaza blanca y negra; trituración de sensaciones. Pastor que pastura un hato de ovejas y filósofo que lleva y trae por la llanada un rebaño de representaciones. El ángel que sonríe. Llano y azul; trepidación. Altitudes: El Villar, mil ciento veinte metros sobre el Mediterráneo; Higueruela, mil doscientos cuarenta y cinco; Chinchilla, novecientos sesenta y ocho. Chinchilla, colina; en la cumbre, a doscientos metros, edificación llena de ventanas. Detrás del monte, la población; el monte va dando vueltas para que los viajeros vean la ciudad. Frío y llanura; laderas rasas. Frío y navajas de Albacete. Albacete, que arranca a un río fuerzas colosales. Maquinismo; modernidad de Albacete. Derroche de luz eléctrica en Albacete. En la noche, un enorme halo resplandeciente sobre la ciudad. Nueva York: todo a máquina; todo con máquinas. Trigo; molinos con maquinaria extramoderna. Trigales inmensos; caminos; Don Quijote y Sancho en el camino. A lo lejos, Don Quijote y Sancho. Y la vertiginosidad del expreso, que deja un remolino de polvo en la llanura.

XXIX

BIFURCACION

La Encina; tres y media tarde. Emoción y bifurcación. Dividido el tren; la mitad para Valencia y la otra mitad para Alicante. Emoción; haber corrido por la meseta fría y prepararse al descenso. El placer del niño en el deslizadero. A seiscientos cuarenta y un metros, todavía, sobre el Mediterráneo, ya las coloraciones suaves, los grises finos que apuntan; Valencia; ocho años de adolescencia; lo más fecundo y germinativo de la subconsciencia. En el dintel de una puerta, con letras de bronce: «Universidad literaria». El *Digesto* indigesto. Flores de azahar; el tenaz, capitoso perfume de azahar; en una plaza de Valencia, después de veinticinco años ausente, la angustia de Albert. La imagen de la plaza formada con los largos y densos recuerdos, y la imagen real que ahora contemplaba Albert. Lucha de la realidad imaginada con la presente; la presente, inferior a la otra; la otra, que se niega a dejar el campo libre, que se sobrepone a la verdadera y no deja verla. Esfuerzos de Albert por gozar ahora de esta realidad que él contempló tantas veces, e imposibilidad absoluta de llegar a aprehenderla. Dudas de Albert; congoja; el suelo que parece temblar y los edificios que se tambalean. Resignación final a vivir y gozar el recuerdo, la realidad pasada y no la visible. Bifurcación y emoción. La adolescencia lejana; una callejita con la Universidad. Dentro de un instante, el descenso al mar azul; ya el aire es más templado; se dejan los abrigos. Desde los seiscientos cuarenta metros, el tren va a correr rápidamente hacia el foso de la fortaleza. La explanada de la meseta. La poterna por donde se ha de bajar. Verdura y añil en la lejanía. Dulzura del ambiente. Ligeros celajes en el horizonte. Cerretes cercanos y picachos más lejos. Desde la altura, a la ribera del tranquilo mar. Nos detendremos antes, un poco antes. Desde la cumbre de los montes, en Monóvar, la mancha azul del mar. En la cumbre, la ligera y fresca virazón que viene del Mediterráneo; el viento que ha pasado por la llanada de la mar rizada. Y tal vez, con un catalejo, las velitas blancas que pasan. Velas blancas en la coloración de añil intenso, poco a poco por la inmensidad. El aire cristalino de la montaña; el silencio y el ruidito, de raro en raro, de una esquila remota. Y el dolor penetrante de las hierbas silvestres, que en Alicante tienen una fuerza penetrativa que no poseen las de Castilla. Romero, salvia, tomillo, orégano; matas chiquitas y aceradas. Entre las matas, las sendas de las perdices. Nubes ligeras en la bóveda azul; cúmulos, o cirros, o estratos. El mar, lejano.

XXX

LLEGADA

En marcha, hacia la costa, hacia Monóvar. El panorama de la campiña con horizontes distintos y claros. Caudete; camino de Yecla. En lo remoto, Yecla, la inmensa, con sus llanadas y la montaña, en que hay una cueva misteriosa. Yecla, castellana y medio manchega. Caudete. Va descendiendo el tren. Villena, señoril y mundana. Castillo con una ventana que nos mira. Huertas extensas. Perfil de montañas que resaltan en la lejanía. Sax; el peñón agudo con los muros lisos de su castillo moruno. Peñón enhiesto, que surge de pronto en unas huertas verdes. Desde el campo de Monóvar, desde Salinas, el peñón y el castillo de Sax. Sereno en el ambiente sereno, el castillo, que cambia con el tiempo de color. El castillo, cuatro paredones lisos, que son amarillos, ocres, violetas, morados, grises, según varíe el color del cielo y la transparencia del aire. Y el castillo, que, con la más ligera humedad, se esfuma sobre el gris de las colinas más lejanas. El castillo, compañero de meditaciones. No se ve el pueblo, que está en lo hondo de unas huertas. Al pie del castillo, la vía férrea, y desde el collado de Salinas, desde el cuartito a tejavana en que trabaja Albert, contemplar el castillo multicolor, el castillo veleidoso, proteico, y pensar en el camino de hierro que conduce hasta Madrid. El tráfago de la vida en Madrid, y el silencio y la quietud de la campiña.

Descender, descender. Un túnel; ochocientos setenta metros. Al salir, otro mundo; el aire, de pronto, más templado; primavera en invierno. Y el valle de Elda, espléndido, ante nosotros. El valle de Elda, por donde traveseó Castelar siendo niño; el valle de Elda, cantado en magnífica página por el gran prosista, el más cadencioso de los prosistas españoles. Todo el valle anegado de luz, luz fina, cristalina; oleadas de luz, luz batida por manos angélicas. El Cid, que nos saluda; la eminente peña del Cid, que está en la región azul. El Cid, que avanza su cuadrada testa sobre el valle. A la izquierda de la vía, en lo hondo, a dos pasos, Elda; Elda, la industriosa, con sus fábricas. Más lejos, Petrel, en la falda de una colina; Petrel, casi disuelto, desleído en coloraciones y matices de una suavidad exquisita. El reino de los maravillosos grises, que ha comenzado ya. Grises azules, grises verdes, grises morados, grises amarillos. Gris de oro en las piedras de las casas y los ribazos. El valle, como un barco perfecto; concavidad verde y gris. El Vinalapó en lo hondo, sesgando entre huertas, con remansos de movedizas pedrezuelas. Cañares, molinos. Susurro entre las cañas y borbolleo en el agua. El peñón en lo alto. Rápida pendiente de Elda a Monóvar. El tren silba gozoso. Ya vemos la ermita en la colina. Huertas; almendros, olivos, granados, higueras. Un ciprés, una palmera. Monóvar, en la falda de dos colinas; en una de ellas, la ermita de Santa Bárbara; en la otra, los paredones de un moruno castillo. Las calles, limpias; de yeso las colinas, y la lluvia, al descender, lava y deja casi lustrosas las callejitas altas. Una larga calle central y calles que descienden de las dos colinas y atraviesan la principal hasta llegar al remanso de la huerta. Dieciséis mil habitantes. Caminos, carreteras, sendas, atajos; siempre el pie en el camino y en la calle. Automóviles; la pasión por el automóvil. Líneas de autobuses, taxis de punto, automóviles de alquiler. Casino con deleitoso jardín. Sanidad del ambiente; pueblo para convalecencia. Dulzura y paz en las costumbres. Eutrapelia ligera y discreta. Epicureísmo y actividad. Fábricas. Campos primorosamente cultivados.

Delante de la ciudad, más allá del jardín del casino, un monte liso, pardo —Betíes—; más cerca, altozano y laderas grises. Vegetación ratiza. Un montecito en que abundan los jacintos de Compostela; cristales brillantes de cuarzo con sus dos puntas agudas; jacintos que aparecen al remover superficialmente la tierra. Dicen los filósofos naturales que el jacinto conforta el corazón y aviva el ingenio. Millares de jacintos proyectando su virtud sobre la ciudad. Millares de jacintos en Toledo—los de la fuente de los Jacintos, junto al antiguo monasterio de Monte Sión—, avivando el claro ingenio de los toledanos; sin duda, a causa de esos jacintos la reina Isabel la Católica, ponderando el ingenio de los toledanos, decía que sólo se sentía necia en Toledo. Viñedos; siempre, por todas partes, viñedos. Los sarmientos no rodrigados, como en otros países; sarmientos rastreros, que se extienden a escasa altura o rozan la tierra. En la sequedad del ambiente los racimos necesitan estar resguardados, al abrigo del sol, buscando un poco de frescor entre los pámpanos. Extensos viñedos. En la primavera y el verano, una alfombra verde por todas partes; en los llanos, en los valles, en las laderas de los montes. Detrás del pueblo, a espaldas de las dos colinas, arroyadas y calveros multicolores. Calveros de margas y gredas; calveros y arroyadas amarillos, rojos y verdes. Verdes de un verde caparrosa. Calveros entre las verdes viñas. Los colores del *Greco* antes de ser empleados en los cuadros; colores en montones grandes a disposición del pintor. Amarillos y rojos; verdes y ocres. Desde la colina de la ermita, contemplar estos altozanos multicolores; el valle de Elda allí cerca; el Cid enhiesto y magnífico en el azul, dominándolo todo. Dominando Elda, Petrel, Monóvar.

Las cinco y seis minutos de la tarde. A cuatrocientos veinte kilómetros de Madrid. Una carretera que conduce a la ciudad; poco más de un kilómetro de ascensión. Es preciso subir hasta la meseta en que se levanta Monóvar. Después, por la parte opuesta del pueblo, el terreno continúa ascendiendo hasta las casas de campo lejanas.

XXXI

MONOVAR

Monóvar: calles con losas; cuatro, seis, ocho plazas y plazoletas. Media naranja; tejas curvas, azules, vidriadas; otra media naranja; sala; mosaicos; olor del petróleo con que se fregotean y vuelven a fregotear los mosaicos. Mosaicos pequeños, azules, amarillos, rojos, grises. Horno; tableros en que se lleva el pan al horno; tableros cubiertos de mantitas a listas rojas, azules, verdes, negras. *Xauxau* de parlería femenina en el horno; *xauxau*, como se dice aquí del canto de los pájaros y de las continuadas conversaciones. El gabinete de lectura del casino; la iglesia franciscana del ex convento; blanca y desnuda. El pórtico de la ermita de Santa Bárbara; tres arcas; en la fotografías, como una iglesia de Florencia o Padua. Plaza que se entrecruza con calles; el Ayuntamiento; sillares y sillares amarillos. El jardín del casino y la chimenea de una fábrica. Cámara; zaguán con piedrecitas en el suelo. Ventanas angostas y plátanos frondosos en el casino; las ventanitas en los muros rojizos. Escuelas magníficas. Interposición de la torre del reloj en el dédalo de los tejados. La torre solitaria, aislada; entre las dos colinas, en lo alto de una calleja, a la que se asciende por una escalinata. El volante de una máquina y un cantarito rezumante. Una hilera de toneles. Entre los toneles, vides lozanas y granados con sus flores rojas. Palmera y la cúpula de tejas brillantes. El reloj de la torre. Dos teatros. Campanadas y olor a mosto. Olor al humo de las fábricas. Leña quemada; sarmientos en las casas. El señor que lee en el gabinete de lectura del casino, y una rastra de pimientos en el muro de una casa del barrio alto. Lee ahora el señor encima de un tejado. Palomas que revuelan. Los caminos y sendas que van a enroscarse en las casas de campo. La torre del reloj; la cúpula de la ermita y la cúpula de la iglesia; la torre que se convierte en tres torres y las cúpulas que elevan el vuelo por el azul entre las palomas y la nubes. Calles y zaguanes; carrito con toldo de cañizo que va por los tejados. El ruido del carro no deja leer al lector del casino. Calles que bajan de lo alto. Losas anchas en las casas. La torre del reloj, solitaria, da vueltas y acaba por colarse por la ventana de un cuartito donde están amasando. El cedazo sobre la cernedera. Escuelas magníficas. Suenan las doce en el reloj. Desde la altura de la colina, caen desgranadas las bolitas de cristal de las campanadas sobre el señor que lee y sobre los toneles. Y sobre los carros que marchan por los caminos. Todo gira, torna y vuelve a pasar: la torre, las cúpulas y las panzudas pipas de vino. Paredes blancas con pámpanos verdes. Peroles de barro oscuro en que se guisa el arroz. Un arroz de multicolores mosaicos. Velas, jabones, abejas que vuelan llevando una velita encendida comprada en la fábrica. Colinas de colores y automóviles. Penumbra en una bodega, y el señor que estaba leyendo en el casino que aparece por la piquera de un tonel. Maquinaria perfeccionada y vides cargadas de racimos. Las cúpulas y la torre que reaparecen en todas partes; ahora, entre los toneles. La calle silenciosa que está dentro de una cámara. Dulzura; placidez, el ambiente físico, a tono con el ambiente moral. Aire templado en pleno invierno; convalecencia plácida del lejano enfermo que llega. Llega y contempla con asombro unas cúpulas que giran en el azul radiante, limpio, y una torre que anda de coronilla entre los cúmulos y los cirros blanquísimos del cielo alicantino.

XXXII

AMBIENTE

Política; ambiente social. Estudiar la evolución de Monóvar a lo largo de cuarenta años. Monóvar en 1890; partidos políticos. Conservadores; liberales; republicanos posibilistas, o sea de Castelar; republicanos federales, con un prestigioso federal a su cabeza, amigo de don Francisco Pi y Margall, médico, certero clínico, a quien, a pesar del ambiente de terrorífica incredulidad que le rodea, llaman al punto en las casas burguesas; algún zorrillista trasconejado; algún centralista, o partidario de Salmerón, salido de la Facultad de Medicina de Valencia y amigo del grupo centralista de *El Mercantil Valenciano;* joven apasionado de novedades, curioso, lector infatigable. Conservadores en el casino, en el salón octógono, el del centro del edificio; posibilistas que leen *El Globo* y conocen personalmente a Castelar. Cordialidad entre todos los grupos políticos. Nada de las sañudas banderías de otros pueblos. Los conservadores, caballeros correctos, limpios; algunos, de extremada elegancia; que entran en el casino dando golpecitos en los mosaicos multicolores con sus bastones. Todos estos conservadores, tolerantes y aun tachados de indiferentes. Su máxima, la de los fisiócratas: «Dejad hacer, dejad pasar.» Viajantes de Barcelona que vienen a correr libros; las bellas ediciones de Montaner y Simón esparcidas por el pueblo. *Nuestro siglo, Los presidentes de los Estados Unidos, América pintoresca, Germania,* las obras del duque de Rivas, las obras de Larra, el *Romancero del Cid,* de Zorrilla. Libros de Madrid; las novedades de Madrid que son traídas al momento; libros de Galdós, Pereda, Campoamor, Palacio Valdés, *Clarín.* Impregnación de galdosismo en la ciudad. La tolerancia y la comprensión de los partidos políticos, especialmente de los conservadores—que son los señores más graves—; la tolerancia y la comprensión, que van poco a poco hinchando el ambiente, formando un nuevo ambiente; preparando una generación moderna y culta. La generación actual; curiosidad por las cosas de la inteligencia; lecturas; jóvenes que escriben, que fundan periódicos; partido socialista con su periódico.

Transformación de la ciudad agrícola; de agricultora a industrial. Fábricas. De jabones, una de las primeras de España; de curtidos, con maquinaria tan perfecta como pueda tenerla la más famosa; de calzado; de objetos de mimbre; de velas de cera; serrerías de piedra. El gusto por el automóvil; el espíritu de antiguo provincianismo que desaparece gracias al automóvil; irradiación de viajes en automóvil; de Monóvar a Albacete, Valencia, Alicante, Granada, Córdoba, Madrid. Ver y gustar lo que cualquier cortesano pueda ver y gustar.

XXXIII

LA TORRE

La torre señera y solitaria. Entre las dos colinas. La torre del reloj que esparce sus campanadas por la ciudad. Campanadas finas y penetrantes. Por toda la ciudad y su aloz. La cúpula de Santa Bárbara; la cúpula de la iglesia, iglesia espaciosa, grecorromana. Con sus toques de barroquismo. La ermita de San Roque siempre cerrada; en un alto, dentro del pueblo; en una plazoleta rodeada de barandilla. La iglesia franciscana del antiguo convento. Espacios anchos y blancos; atracción de estas iglesias sin primores artísticos, desnudas. Las paredes de cal; los anchos planos; la simplicidad y la desnudez. Pensamientos y sentimientos que ascienden rectos, escuetos, a lo alto, sin pararse en nervaturas, rosetones y capiteles. Ancho y blanco; el silencio, más puro, más etéreo, en estas iglesias franciscanas. Las cúpulas de las iglesias y la torre sobre el cielo azul. A todas horas el desgrane de las campanadas. Sentirse unido a la ciudad por el hilo de seda que baja de la torre hasta nuestra persona. La torre que se impone a las generaciones; la torre, dueña del tiempo en Monóvar; graciosa y terrible. «Son las ocho en la torre.» «Acaban de dar las doce en la torre.» La unión de Albert con la torre o con la catedral próxima; su gusto en vivir cerca de las catedrales, en Toledo, en Avila, en Burgos, para escuchar continuamente las campanadas de las horas. Entre sueños, las campanadas. A veces, no hemos comenzado a contarlas; comenzamos cuando han dado dos o tres campanadas; pero suponemos que hace un instante, hace un rato, que la campana ha comenzado a sonar. Entonces—a las diez, a las doce—esperamos que termine el reloj de dar la campanada siguiente, y no termina; lo esperamos a la que sigue, y tampoco acaba; lo esperamos a la otra, y no termina tampoco. Y concluímos por desesperarnos un poquito y tenemos la sensación honda, certísima, de que el reloj ha dado veinte, treinta, cincuenta campanadas.

En el pueblo, las campanadas de la torre. Palmeras; dos o tres palmeras en un huerto; palmeras que armonizan con la esbelta y solitaria torre. Palmeras y las cúpulas de la iglesia, de Santa Bárbara, del convento, que no quieren quedarse relegadas en la sensibilidad de Albert. Cúpulas y palmeras que giran y tornan a girar, entre sueños, en la imaginación. No saber, en un determinado momento, penumbra de sueño y vigilia, si las campanadas que suenan son de Burgos, de Avila o de Monóvar. Todo, España; sentirse en España hasta la raíz de la personalidad; sentirse ligado a toda la cadena de antecesores que ha creado España: la cadena que son estas campanadas que lanza la torre sobre la ciudad y su aloz.

XXXIV

CASAS DE CAMPO

Casitas; casas en el campo; casas en el término de Monóvar y algunas—propiedad de monoveros—en términos colindantes. Nombres de casas y parajes. Nombre de España, la patria grande. Hispania, Iberia, Hesperia, que viene de Vesper, la estrella de la tarde. Tubalia, Sefarad, como llamaban los hebreos a España. Nombres de parajes y casales de Avila y Segovia; el encanto de repasar el *Nomenclátor de España;* nombres de casas y parajes de Monóvar. El Zafarich—delante había un estanque o zafariche—, el Chinorlet, el Belich, el Bilaire, la Buitrera, la Umbría, la Fontana, Casas del Señor, la Solana, el Buho, la Alquebla, la Pedrera, Collado de Salinas, el Secanet, el Paredón, el Siri, el Hondón... Casas de campo monoveras; definidas, profundamente definidas en líneas y color. Definidas en la sequedad del ambiente, en la transparencia del aire. Intactas en su vejez, las que son viejas. Paredes blancas o doradas. En una casa de campo, una cámara; una estancia o sala. La alcoba, que aún tiene las antiguas puertecillas vidrieras; con cortinas rojas, y la cama. Todo de yeso; paredes, techo y piso.

Olor a madera seca y a ropas de la cama. Olor a lana y pino lleno de resina. La cama; cama la más práctica y cómoda de todas. Dos banquillos bajos, y, encima, cuatro anchas tablas; los banquillos con un reborde para que no se deslicen las tablas. Sobre las tablas, ante todo, una manta. Las mantas de retales que todavía se hacen en Monóvar; a vetas de todos los colores. Sobre la manta, una márfega o jergón—márfega se dice aquí—lleno de larga paja o de sonadora hojarasca de panoja; con una raja en medio para meter la mano y mullirlos. Sobre la márfrega, un colchón; encima, otro colchón. De la lana señosa y larga que dan los borregos de la comarca. Sábanas gruesas y cobertor acolchado. Llegar del tráfago de la gran ciudad y dormir en una de estas camas; en la sonora y resaltante casa de campo. Las casas monoveras en las cañadas, en los oteros, en las lomas. El sábado se cena a media tarde; los jornaleros se van por los atajos, atravesando montes, a la ciudad. Tarde de domingo en la casa de campo. Como si fueran las horas de la madrugada en una ciudad; silencio denso y soledad que pesa e inquieta un poco. Cuando se inicia el crepúsculo, van retornando los labriegos. Placer de verlos otra vez en nuestra compañía; aires de la ciudad. Noticias de la gente ciudadana; todas esas noticias que tienen un interés especial para los labriegos y que nosotros, en la soledad, también encontramos gustosas. Noche; la noche que comienza en seguida; no la noche de los cortesanos, que da principio a las doce de la noche. Noche y cama de banquillos; el cuerpo cansado que forma una hoya en la blanda lana, y el espíritu que vaga de casa en casa por todo el campo de Monóvar.

XXXV

OLORES, COLORES

Ante un escaparate; en una ciudad moderna—San Sebastián—; de pronto la vista, después de vagar de un objeto a otro, se detiene en la contemplación de una cajita. Cajita de pastillas para quemar; para perfumar las habitaciones. Larga y estrecha; en seis compartimientos, colocadas las pastillas; cada una de esas divisiones de la caja corresponde a un color de la tapa. La tapa, en lo interior, a fajas de diversos colores. Seis colores. En el rojo pone: *Rose*. En el verde: *Pine*. En el amarillo: *Waterlily*. En el morado: *Violet*. En el ocre: *Sandalwood*. En el negro: *Musk*. Violentos los colores; la mirada que se agarra a esta escala de colores. Poco a poco, abstracción del mundo; el mundo exterior que desaparece. Complacencia; del fondo de lo consciente, sale como una neblina que se va concretando. Lentamente, se va enlazando una especie intelectiva con otra. El desenlace de la novela que está aquí, en la tapa de esta cajita, en la escala de estos colores. Y estos colores enlazados con la palabra *Infalibilidad*. Colores e *Infalibilidad;* todo el desenlace de estas palabras, en estas imágenes. Colores, olores. El mundo inexplorado, para el artista, de los olores. Pastillas para perfumar las habitaciones. Cada raza, su olor. Cada civilización, su olor. Cada nación, su olor. Cada ciudad, su olor. Cada persona, su olor; sentir desde el primer momento, los perros; conocer a cada ser humano por su olor; sentir desde el primer momento, como los perros, simpatía o antipatía por una persona a causa de su olor. Todo henchido de olores que no percibimos. En Mallorca, las cuevas de Manacor. Oscuridad, tenebrosidad; la luz del guía que alumbra débilmente la caverna. En el suelo, cavidades tapizadas de fina arena; deseo de poner el pie en la blanda arena. Y el pie que entra en el agua; el agua está tan transparente, tan inmóvil, que no se puede ver; inmovilidad absoluta; transparencia absoluta. En otras cuevas, el aire tan despejado de olores, tan inodoro, que cuando se sale otra vez al campo, todo el campo vibra de olores que antes no percibíamos.

Olores; colores. La faja de los colores de la cajita, que es el desenlace de la novela; escala de rojo, verde, ocre, amarillo, violeta y negro.

XXXVI

ALICANTE

Alicante; treinta y cinco kilómetros desde Monóvar; término de la vía férrea M. Z. A. Escalinata en la vieja estación. Las torrenteras rojizas, de tierra reseca, sin una mata, que se ven antes de llegar. Los ojos llenos de ese rojo, y luego, en la concavidad del ojo, la mezcla de ese color con el azul. Con el azul del mar y del cielo, y con el amarillo del monte en que se levanta la fortaleza. Zarabanda de colores. Y de olores. Los olores de Alicante. De los penumbrosos almacenes, efluvios de café, de cacao, de salazones, de azafrán, de aceite, de aguarrás. Almacenes de salazones. Pescados ceciales que se desparraman por toda la provincia, gran consumidora de salazones. En el puerto, entre los dos azules, capas de olor de brea, que son atravesadas por los dardos del petróleo, la gasolina, el cacao y el café. Bandera blanca y azul. En los cuartos de los hoteles, todos los garbanzos de los viajeros en las perchas. Colgados a perpetuidad en pleno invierno. El poderoso reflector de la pared amarilla y desnuda del monte, que hace más templado el aire de la ciudad. Alicante, protegido contra los vientos del Norte por una cortina de montañas dominadas por el Mongó. Caminar en el ambiente seco, ligeros y elásticos Caminar, dejando atrás pedazos de convalecencia, fragmentos de aprensiones y prejuicios morbosos. Ambiente seco, indicado por un higienista extranjero para «combatir un estado atónico del organismo, para despertar la actividad vital, imprimiéndole una estimulación i m p u l siva». Impulsividad creadora en el aire templado y seco. Pasear por la línea rosa de la ribera junto a la línea azul del mar. Costas lejanas; maravilla de matices suaves en la lejanía; concierto magnífico de grises, rosas, amarillos y azules. Comer ante el mar, junto al mar, el arroz de granos sueltos y dorados. Sensaciones de niño; en una callejita, un mechero de gas; la mariposa vibrante de la blanca luz, y un niño en un balcón próximo que lee, poniendo el libro de cara al mechero de gas. Olores inolvidables de Alicante; suavidad y limpieza de los colores lejanos que se agarran al espíritu. Divagar junto al mar en los días de invierno, del crudo invierno de Castilla. Sin el peso de la ropa de invierno; entregados al azul, al rosa, al rojo, al violeta, al morado, al oro, de los crepúsculos vespertinos. En la templanza y dulzura del ambiente. Al aire, la bandera blanca y azul del puerto. Y en el horizonte, las banderitas verdes de las escalas de Levante. Las grímpolas o alargadas y puntiagudas banderitas verdes sobre el azul turquí del cielo. Las banderas verdes del Islam. Oriente. Todo el Mediterráneo con su historia de pasión férvida. Oriente por el Mediterráneo. Vela blanca que se aleja del puerto; los repullos de los olores que surgen de sacos, barricas, corambres, pipas, cajones, fardos. El velamen de los barcos en el azul. Pensar en el viaje lejano en que no sabemos lo que vamos a hacer. Terrados blancos de la tierra africana; terrados como los terrados alicantinos. Palmeras; palmeras con sus troncos finos que rayan el horizonte con multitud de trazos negros.

XXXVII

CON LA FRESCA

Monoveras; siempre bellas y aseadas monoveras. Una monovera que está sentada delante de una mesita de pino; naturalmente, la silla es baja, con asiento de esparto. En la penumbra grata del zaguán con la puerta entornada; encima de la mesa, un montoncito de arroz y otro montoncito de arroz. Hacer que el arroz de un montón vaya pasando al otro montón. Con las manos limpias; con las manos que siempre se lavan, antes de comenzar cualquier faena cocineril. Los dedos de la monovera que van escudriñando en el arroz las piedrecitas y corzuelo que pueda tener. El arroz ha venido a la mesa en un garbillo de lata, con el fondo agujereado por muchedumbre de agujeritos que forman un caprichoso dibujo. Cuando todo el arroz esté trasladado de un montón a otro, vuelve al garbillo y es volcado a su hora en la sartén, el perol o la cazuela. Monovera que arregla frutas en un tabaque; las exquisitas brevas, alargadas, tersa la piel, con rajas de un blanco lechoso. Cogidas antes de que salga el sol; tal vez en las higueras de una caña honda; las hojas de las higueras que se extienden pomposas y olorosas. En la cesta, con delicadeza, van siendo puestas a tongadas. El sabor de las frutas de secano, más fino que el de las frutas de regadío. Las manos de la monovera que se mueven entre las frutas y las hojas verdes y frescas con que se cubre el cestillo. Cogidas con la fresca. Rondando por las conversaciones esta locución: «Con la fresca.» Monoveras amigas de la mañana. Monoveras que a las cinco de la mañana ya están delante de su puerta, barriendo las losas. La randa que la monovera hace con sus manos prestas. Randa con los bolillos de caoba, en las horas de ocio; en la puerta de la casa, siempre en la cadira baja; la randa sutil y aérea. Y la sonrisa de la bella mujer, hacendosa y riente en todos los momentos.

La monovera que empuja suavemente el *bres*. El *bres*, la más práctica y cómoda de las cunas; en el zaguán, pendiente de unas sogas atadas a una argolla del techo, un hondo cesto de esparto. Dentro, acostado, el niño. La monovera que va meciendo, brizando con suavidad al niño. La monovera que amasa; en el amasador, el ruido del cedazo; la orcita de loza blanca en un ángulo; orcita con la levadura. El mandil a rayas verdes, azules y amarillas, que se pone para tapar la masa en la artesa. Afanarse silenciosamente por la casa. Encajes sutiles; cámaras en que un rayo de sol penetra por una ventanita angosta. Con la fresca en el verano; monoveras lozanas en la mañana fresca; ya limpias, peinadas, reidoras; monoveras en el aire sutil y puro de las primeras horas del día. En los ojos, una luz nueva, y en el cielo, otra luz sin estrenar.

XXXVIII

ESPARTO

El esparto; el esparto como compañero leal del pino y del yeso. El esparto en las casas monoveras; en las de la ciudad y en las del campo. Esparto picado y esparto entero; la pleita y la crezneja. La pleita, que es una tira de esparto tejido; la crezneja, que es la misma tira, pero de esparto picado. En los anocheceres, cuando ha terminado el trabajo de la tierra, los golpes sonoros y rítmicos de la maza que pica esparto; la maza de madera, recia, alargada, que da y vuelve a dar sobre el manojo de esparto colocado en el rulo de piedra que sirve para aplanar la parva. Esparto para trabajarlo en los ocios del día de fiesta, y en las cortas sonochadas, y cuando los peones están sobranceros. De esparto se hacen las alborgas del campesino. De esparto, los baleos para recoger la aceituna, las aguaderas, los torteros, sobre los que se sirven los gazpachos; las caracoleras, en que se recogen los caracoles; los cofines y cofinetas; los álabes o esteras que se colocan a un lado y otro en lo interior de los carros; las seras y serones. El manojo de esparto debajo del brazo y la madeja que ya se ha trenzado, debajo del otro. Cadiras con asientos de esparto; cadiras, como se decía en el castellano antiguo y se dice en el valenciano. Cadiras bajitas con el asiento de cuerdas trenzadas. Manteles de esparto, o sea ligeras esteras que se ponen sobre las mesas en que comen los labriegos. Capazos de esparto. A trabajar el esparto cuando llueve y no se puede salir al campo. De esparto, el pequeño capazo en que se miga el pan para las migas de la noche. De esparto crudo, las esteras que llenan la sala de un penetrante olor. Esteras amarillas o esteras a listas blancas y rojas. El esparto de los campos de Monóvar; la atocha, que es cobijo de perdices. El esparto de Yecla, y Jumilla, y Hellín; grandes productores de esparto; el antiguo campo espartario de los romanos; estas tierras y otras comarcanas.

En la casa monovera, las cadiras. El valenciano, que está esmaltado de voces y frases antiguas, ya en desuso entre los castellanos de ahora. Hay voces clásicas a manta, como aquí se dice. Sólo en la A, las palabras abondo, aína, arreo *(arreu)*, aosadas *(aosaes)*, que van y vienen por la parla de los monoveros. Y otros muchos vocablos de sabor castizo. Cadiras en el campo. Cadiras con asiento de esparto, y desniveles en las casas de campo. Los desniveles de estas casas, que suelen ser agrupación caprichosa de varias accesorias. El subir y bajar en el interior de las casas; el ir de una cámara que está alta, a otra que tiene más bajo nivel. Dédalo entretenido y placentero de cuartos, pasillos, cámaras y porches. El porche, que no hay que confundir con la cámara. El *porcho*, en Mallorca; el *porchi*, en Alicante. Mallorca y Alicante son tierras hermanas. El porche es cosa de la ciudad, desván, sobrado. Lo que está más alto en la casa. Además puede haber cámaras. En el campo, el porche es siempre cámara. Cadiras; cadiras con asiento de esparto; bajitas. Entre paredes de yeso blanco, junto a mesas de pino. Mesas también bajas, con patas hacia fuera.

Arreo, aosadas, abondo, aína; en Monóvar se habla valenciano; en Elda, castellano; en Pinoso, valenciano; en Salinas, castellano; en Petrel, valenciano; en Villena, castellano. Mosaico variado de valenciano y castellano.. Muchas de las voces castellanas injertas en el valenciano, que aquí se habla, son de uso en Aragón; marcados aragonesismos. Probablemente traídas en el siglo XIII por los aragoneses que vinieron con don Jaime el *Conquistador*.

Conquistados estos pueblos a los moros. «Parece que Alicante haya sido siempre una colonia, si no de extranjeros, de españoles no alicantinos—escribe el cronista Vila y Blanco—. Indudablemente, las conquistas que alcanzaban ya los romanos, ya los cartagineses; ora los godos, ora los árabes; luego los castellanos; después los aragoneses; y el alternativo imperio de los príncipes de estos dos últimos reinos, cambiaban la población, y por consecuencia, desaparecían unos apellidos, comenzaban aquí otros, nuevas costumbres, nuevos usos.» Riada de las huestes de don Jaime; fermentación de moriscos, catalanes, aragoneses, castellanos; calabriada de parlas; carnaval de la filología. Contraste y fecundación de ideas y sensaciones. Ideas y sensaciones que se van afinando por el roce de unas con otras, como las piedras de los ríos; eliminación paulatina de rudeza y bronquedad. Desde el fondo de siete siglos, levantamos la vista y vemos en el azul a don Jaime caracoleando en su bridón; paseándose por la empinada meseta de la peña del Cid. Don Jaime el *Conquistador* y Rodrigo Díaz de Vivar.

XXXIX

RESIGNACION

El grupo de los conservadores escépticos; lo más selecto de la ciudad; cultura y riqueza. La fundación del casino; fundación como principio de la época moderna. En unos feraces bancales a orillas del pueblo; dentro del pueblo y en el borde de la huerta. Edificio amplio, una cruz griega; salones a derecha e izquierda; el salón de lectura, en el fondo, con las ventanas enrejadas por plantas trepadoras, jazmines y pasionarias; la cocina, en primer término; en el centro un salón octógono; en este salón, junto a una ventana, la mesa de los conservadores. Jardín bien cuidado; agua para el riego; un plano de jardín que rodea el edificio, y otro plano más bajo; el descenso al jardín inferior, por una escalinata. Verdura; flores; arboleda tupida. El paisaje de los alcores suaves. Betíes, pardo, desnudo, acerado, enfrente; más cerca, el cerrito de los jacintos.

Los conservadores en su tertulia; puntuales, exactos. La evolución de la ciudad y la desaparición lenta de los conservadores que han creado el nuevo ambiente; la tertulia del casino que se va clareando; claros dolorosos. Las nuevas generaciones que avanzan. Ya no quedan más que tres conservadores en su tertulia; ya no quedan más que dos; ya no queda más que uno. Americana cruzada y ancha perilla; porte majestuoso. Un conservador que vive retraído en su casa; apenas sale; sólo en el verano y en los días soleados del invierno. Viene al casino; pero se siente todo conmovido; anciano amante de la ciudad; promotor, siendo alcalde, de reformas en la ciudad. La actitud de las nuevas generaciones respecto a él; ambiente de respeto y de simpatía que le rodea. El abrazo de Albert al viejo caballero, después de muchos años de ausencia; emoción del anciano y emoción de Albert. Abrazo que representa un homenaje a todo un período de historia de la ciudad, que va a desaparecer.

La historia de la ciudad condensada en este caballero, superviviente de la antigua tertulia; la historia de la ciudad, que forma con sentimientos, ideas, costumbres, anécdotas, episodios; que forma como una masa triangular; van muriendo los conservadores del casino; desaparecen también los representantes de los otros partidos; y el triángulo se va agudizando; a medida que desaparecen los conservadores, el ángulo más agudo. Una puntita agudísima ahora; una puntita que se va a romper cuando este anciano muera. Ya ha muerto; se ha roto la unión de un continente y otro, de un fragmento de historia y otro fragmento. Todo un mundo que desaparece. Anécdotas, dichos, incidentes, todo lo que compone un determinado ambiente, en un pueblo, no podrá ya ser recordado; quedará algo en la memoria de los nuevos, pero mucha de esa atmósfera espiritual, esfumada en lo pretérito para siempre. Un pedazo de historia que acaba; otro pedazo que está en pleno esplendor. Lo trágico existe tanto en lo grande como en lo pequeño; tragedia de un ambiente que se disipa para no volver más.

El casino; arriba, el salón de juegos de azar; pasión de los monoveros por los juegos de azar; el sentido del tiempo y el azar. Como antiguamente, el azar, en el salón de arriba, traía y llevaba la alegría y el dolor; el tiempo, con sus giros, trae sobre la ciudad, esparce sobre la ciudad, el dolor y la alegría. Carta adversa para los que pertenecen a la generación anterior; bolita de marfil que no cae en nuestro número; con la muerte del último conservador, con la desaparición del anciano caballero, la sensación del jugador que ve salir otra carta o que presencia cómo la bolita de marfil cae en casillero distinto. A otra cosa; resignación.

XL

HISTORIA ANTIGUA

Historia: lo que no se puede improvisar; lo que no se puede comprar; lo que no puede improvisar una familia, ni puede improvisar un pueblo; lo que un pueblo nuevo, una nación nueva, no puede comprar con todo el oro del mundo. Historia antigua de Monóvar; historia anterior a la fundación del casino. Al pie de un banco, en un paseo, añicos de una carta; cogemos algunos; leemos palabras aisladas, frases sueltas. Y nada más. La historia antigua de Monóvar que ha desaparecido casi por completo; como desaparecerá la moderna, o sea la anterior a la actual, que es la novísima. Desaparecerá casi en absoluto la historia que caracteriza el grupo de los conservadores; a pesar de las colecciones de los diez, quince o veinte periódicos que ha habido en la ciudad; colecciones que se guardan en el Ayuntamiento. Historia antigua, la Historia, que es lo que espiritualiza las cosas. Historia antigua, que es en la ciudad reminiscencias, anécdotas, sensaciones lejanas. Los pedacitos de carta que recogemos en el paseo. Don Juan Prim, amigo personal de los liberales de Monóvar; Prim, pasando unos días en el pueblo y jugando a la pelota en la calle; Prim, que hace vicecónsul de Esmirna a un joven de la localidad; joven de atildada elegancia, que conserva su atildamiento hasta su postrimer instante. Salamanca; don José de Salamanca, alcalde mayor de Monóvar, de octubre de 1833 a mayo de 1835; enfermo del cólera, le dan por muerto; al entrar el ataúd en la habitación, se incorpora Salamanca en la cama; si no se incorpora, no hay barrio de Salamanca en Madrid. En Monóvar, una calle recta y larga que lleva el nombre de Salamanca: «Calle de Salamanca, 1858.» En 1858, la inauguración de la línea férrea, construída por Salamanca. Viaje regio: Isabel II, don Francisco, el príncipe Alfonso. Salamanca, en la locomotora, desde Madrid a Alicante. Hoy las reminiscencias de Salamanca han desaparecido del pueblo. El tío Pío Rabosa—uno de los ancianos de la ciudad—cree, por ejemplo, que Salamanca debió de morar en Monóvar hacia 1854, año también de otro cólera. De tan gran señor, nada. *Sic transit*... La estación de la línea férrea, a un kilómetro de Monóvar, pudiendo estar a las puertas del pueblo, como castigo de Salamanca a los monoveros por no haberse plegado a una exigencia electoral de Salamanca. Independencia y desinterés de los monoveros en las elecciones; voto libre siempre y desinteresado. Los carlistas; el cabecilla Cucala. Cucala, aterrorizando a los habitantes y depredando los caseríos. La viuda *des gañivetets,* es decir, de los ganivetitos, o sea, de los cuchillitos; señora opulenta y solitaria en su caserón; un tren especial en que la viuda hace venir de Madrid un médico; lo que representaba en 1870 un tren especial. Doña Loreto Ruiz, en su casa solariega; puertas de cuarterones; ancha sala; el retrato de Pío IX, de gran tamaño, en litografía; sobre la mesa, *El Siglo Futuro.* La Borghi di Mamo, célebre cantante que había cantado en el Real; la Borghi di Mamo, que viene con una compañía de ópera a inaugurar el teatro; *El barbero de Sevilla* en Monóvar. Hoy existe otro teatro; en este teatro nuevo ha cantado Miguel Fleta. Alvaro, llamado Sansano, gran amigo de Castelar; jovial siempre, laminero consumado, ingenioso, una madrugada, en el viejo casino, se echó de bruces sobre una mesa para dormir y no se despertó más. El *Seráfico,* poeta humilde, no nativo de Monóvar, sino de Elda; pero en Monóvar se conserva fresca su memoria y se recitan fragmentos de sus poesías; poeta del pueblo, sin estudios, espontáneo, franciscano, su nombre lo dice: el *Seráfico.* La fábrica, la fábrica por antonomasia, la única y la sin rival, la antigua fábrica de exquisito aguardiente de Monóvar. El viejo alambique y el olor penetrante de anís. Don Antimo y sus dos grandes perros; la misantropía de don Antimo; cerca de una de sus casas de campo se hace construir, en lo alto de un monte, una casita, y allí van a llevarle todos los días el periódico de Madrid. Los vinateros franceses; los vinateros con su taza de reluciente plata, ancha y baja; taza en que se gustan los «caldos» y se observa su transparencia; los vinateros franceses como enlace de Monóvar con Francia. Chilo, el bodeguero, otro hombre jovial, amigo de don Cristino Martos, que va a Madrid a ver a don Cristino y se pone a bailar encima de una mesa, con gran estupor—estupor y regocijo—de los amigos del ilustre parlamentario. Historia antigua, historia que va desapareciendo; con la desaparición de los conservadores, todo un mundo de anécdotas, episodios y recuerdos que se sume en la nada. Pedacitos de papel en el paseo, y luego, ni eso.

En la historia nacional, ¿qué representa la historia—tan varia y pintoresca—de Monóvar? Y en la historia del Universo, en la historia de los seres orgánicos y de las constelaciones, ¿qué representará, entre millares y millares de siglos, la historia de una nación? Paridad a lo largo del tiempo de una y otra historia: la de una pequeña ciudad y la de una nación. Relámpago en la eternidad.

XLI

AFRICA

Un muro blanco y una ventanita; el muro se levanta en el azul. Ventana angosta; otra ventana también chiquita. Ventanas que son de España y de Africa. El tejado se inclina del otro lado de la pared blanca, pendiente, de tejas curvas. Desde enfrente no se ve más que el muro con la ventana. Patio silencioso; una palmera o dos; los troncos finos en la transparencia del aire. Montecillos redondos en España y en Africa. Cuartito de una casa de Africa que irrumpe en un patio de Monóvar; una torre de Monóvar que se transforma en un alminar. Dejadez profunda en la serenidad del ambiente, dulzura infinita. Cubos de edificaciones que giran y se confunden en el azul de Alicante, que es el azul de Africa. Canción lenta y monóstrofe en la noche, como una plegaria; en los crepúsculos, como la voz del almuédano. Piteras; el azul ceniciento de las piteras. Muros lisos, secos, dorados por el sol: muros de Monóvar y de Africa. Troncos de palmeras, girar y girar de los cubos de yeso blanco con la ventanita angosta. Y en las cámaras, la sombra blanca—todo blanco—de la mujer mora o de la monovera. Africa, en la lejanía; la España transfretana, nuestra España del otro lado del Estrecho, la España transfretana que ha de ser grande y próspera, continuación de la peninsular. El porvenir de España, que está en Africa; el aire de Africa, cargado de los mismos olores que la España levantina; aire que pasa sobre el brazo del Estrecho y llega hasta la campiña de Alicante. En un horizonte claro y luminoso, la zarabanda de los áloes y de las paredes reverberantes. El penacho de una palmera, la torre o alminar. El alminar, dentro de la torre; un patio africano en una cámara monovera; gazpachos y alcuzcuz; turbante y zorongo. Los ojos parladores y el silencio discreto. Africa con su flora y Alicante con la misma flora: plantas de penetrante olor, plantas de las montañas desnudas. Las golondrinas, que se emborrachan de azul y que no saben dónde están, si en España o en Africa. La desesperación de pintar o describir la pared que no tiene nada; horas y horas frente a esta pared con la ventanilla angosta; pared tan llena de arte, de misterio y de poesía, como el más primoroso muro de labrada piedra. Sola la pared en el silencio y en el azul; aquí, en este campo, al igual que en Africa, identificación de una y otra tierra en la sensibilidad. Lejanía de Europa; acaso un matiz de desdén por Europa. Europa, que ha producido la más bárbara de las guerras; Europa, podrida de *cabarets* y de sofistas. Con este muro y con esta ventana, la sugestión profunda, no rebasada por las maravillas de Europa. Otro aire, y otra luz, y otra civilización. Con otra civilización, otra sensibilidad. Palmeras y piteras; granados, baladres, bosquecillos de baladres. Más allá del Estrecho, las mismas palmeras, los mismos áloes, los mismos baladres. En la sucesión suave y ondulada de las colinas—como un mar que se hincha y se deprime—, llegar lentamente a la lejana Africa; dando un salto, desde la ribera de España hasta la costa de Africa. Y desde la orilla opuesta, contemplar como si fuera Africa, y no España, la ventanita angosta por la que se asoma una monovera. Una monovera que ríe.

XLII

COLLADO DE SALINAS

Hacia arriba, hacia las tierras altas. Desde la estación, en el fondo del valle, hasta el pueblo, un kilómetro de carretera en cuesta. Luego, saliendo por la parte opuesta del pueblo, el terreno sigue elevándose. Hacia las estribaciones de la sierra de Salinas, del Carche, de la sierra de la Pila. Valles, collados, recodos hondos de soledad y de silencio, gollizos, cañadas. En lo hondo de las cañadas o sobre las lomas pardas, las casas blancas o doradas. Almendros, olivos, higueras. Al salir del pueblo, desde lo alto, el valle de Elda a lo lejos. Petrel en la remota orilla opuesta; Elda al pie; coloración suave de grises. Como el polvillo multicolor y sutilísimo de una pintura al pastel. Arriba siempre; dejar la carretera de Pinoso a la izquierda y entrar en la de Salinas. Poco después, recorrer un caminejo entre las viñas, subir por una ladera cubierta de pinos bienolientes. Y la casa del Collado. El

Collado de Salinas. Edificación irregular, asimétrica; conjunto de techumbres de diversa altura, cámaras múltiples, escaleritas penumbrosas que suben y bajan a salas y cuartitos de todas las anchuras. Alhorines en una cámara, alhorines para el grano; llenos de trigo, de cebada, de maíz, de centeno. Y el olor penetrante que se exhala de todas estas semillas. Collado de Salinas; en lo alto del puente de un inmenso barco. Una faja de terreno elevado; a una banda, el valle de Salinas; a otra, el valle del Hondón. Dos espaciosas hoyas. Dos valles con un fondo de tierra grasa, rojiza, arcillosa, de hondo tempero. El valle de Salinas, más ligero, más fino. Soberbio panorama desde lo alto de una lomita, enfrente del lejano castillo de Sax. El castillo vigilante y señero. La belleza invisible—invisible para el turista—de este paisaje. Una estampa fina, paliada en su coloración por los años; una estampa a la cual el tiempo le ha quitado la violencia de su coloración. Ahora todo parece como desleído, suavizado. Desleído en gris el rojo; desleído en gris el azul; desleído en gris el verde; desleído en gris el amarillo. Todo en el aire transparente, como soñado, como entrevisto en una divagación lírica. Fajas de matices superpuestas, fajas de todos los grises coloreados, fajas de grises, que bajan horizontales de los montes y se extienden por la comba suave del valle. En la lejanía, delante de una cortina de seda azulina, opaca, vieja, el paredón cobrizo del castillo, enhiesto en su agudo peñón. Correlación armoniosa y profunda entre la sencillez de la suave coloración y el yeso blanco, el pino sin pintar y el esparto. Todo, nota de supremo franciscanismo. Ambiente el más propicio para un ángel; más que un paisaje romántico, de áspera montaña y de niebla. Paisaje éste de pura y clara inteligencia. Ver este paisaje desde el cuartito donde se trabaja; la mesa contra la pared, bajo la ventana, recibiendo los primeros fulgores del alba y los postreros reflejos del anochecer. La hoja puesta en la máquina de escribir, que va iluminándose o palideciendo. La tierra cóncava, allí, delante de los ojos, en tanto que la maquinita va marchando incansable. Tornasoles y cambios del sutil paisaje con la luz del momento; cambio a cada minuto; cada minuto, paisaje nuevo; los matices del gris, diversos de lo que eran el momento anterior. Cambio con el grado de sequedad o humedad del ambiente; las sutiles neblinas, que son como una esponja que borra el castillo; el castillo, que se esfuma casi imperceptiblemente; el castillo, que torna a aparecer como sonriendo por su travesura. En el fondo del valle, la laguna; el espejo terso de las aguas. Olivos, vides, almendros, higueras. Una serenidad inalterable: la seguridad gratísima de que esta quietud no ha de ser alterada. Y las horas que pasan, lentas, en el trabajo placentero. Cuartito a tejavana; el techo con troncos de pino, sinuosos, nudosos; los espacios entre las vigas, lo que se llama tabicas, enlucidos de yeso; las paredes y el piso, de yeso. El techo, en declive; una de las paredes más baja que otra. Paisaje para ser visto en invierno, en la desnudez invernal. En febrero, cuando los almendros están cuajados de flores blancas y flores rosadas. En abril, ya las vides están empleadas en su labor de cerner y los trigos están altos. Los panes están encañados, que diría un antiguo. La coloración maravillosa de los grises en la sobriedad del invierno.

XLIII

LUCES

Buscar para el final de la novela una celda, celda de religioso. Encima de la mesa, un libro; la mesa, en una celda de muros blancos. Ver si en la provincia de Alicante hay un convento que sirva. Convento de franciscanos, de carmelitas, de agustinos, de dominicos; no está determinado todavía qué religioso ha de figurar en la novela; o sea, de qué orden ha de ser. Tal vez sea más conveniente un franciscano, o tal vez convenga prescindir de un religioso y sea un clérigo secular quien figure en el relato. Más apropiado, un religioso. Convento; celda reducida y blanca; mesa con un libro. El libro, titulado *Criterios teológicos*. Leer bien este libro. Evocación del convento de franciscanos de Jumilla; de franciscanos o de capuchinos; no recordarlo bien. Recordar, sí, que en el recibimiento hay un cuadro con todos los religiosos de la orden que han sido cardenales; no estar seguro de si figuran todos los que han sido cardenales o todos los que han sido obispos y arzobispos. Sí; grabada en la memoria la imagen de Alameda y Brea, que fué arzobispo de Toledo; Alameda y Brea, que está retratado en ese cuadro. El convento chiquito; de Monóvar a Yecla; de Yecla a Jumilla. Viaje agradable; hacerlo para la documentación. De Jumilla, a través de la huerta, al monte vestido de pinares. Arriba, el convento; recuerdo indeleble de la cisterna que hay en el centro del patizuelo central; aguas puras y frígidas. Todo blanco, nítido, en la arcatura del patio. Luego, la celda de la hospedería, también como la nieve blanca. El sueño dulce y reparador. El sueño después de haber estado un rato en la huerta del convento, tras la cena, hablando con los frailes. A lo lejos, las lucecitas del pueblo.

La mesa con el libro. En el libro, *Criterios teológicos,* se lee: «Proposición XVI. La razón, aunque no pueda comprender la naturaleza íntima de los misterios, los ilumina admirablemente, poniendo de relieve las semejanzas con las cosas del orden natural y mostrando sus aspectos accesibles, o buscando los lazos que los unen y la armonía que reina entre ellos.»

Esta proposición, comentada en el libro, como tema que puede ser aprovechado en la novela. El religioso que medita sobre este tema. Religioso culto, erudito. Hablar de los religiosos en general. Sus trabajos, su heroísmo, sus vidas llenas de sacrificios. Misioneros en tierras de salvajes y de bárbaros. Caridad sublime, desinteresada, para los pobres, los enfermos, los locos, los ancianos, los niños. Y los religiosos contemplativos, que nos ofrecen, con su pureza y desasimiento del mundo, el más alto ideal de vida. Y así son tan bienhechores a la Humanidad como los otros religiosos.

Las paredes blancas del conventito de Santa Ana, cerca de Jumilla; el agua cristalina de la cisterna, las palabras cordiales y serenas de los religiosos en la noche serena, en tanto que las luces del mundo fulgen a lo lejos, bajo las luces del firmamento, trasunto de eternales luces.

XLIV

COCINA

Caminante que ha llegado a la casa a media tarde. Desea comer un bocado. En la ancha cocina de campana, la mesita de pino, baja, con las patas divergentes. En el hogar, entre las brasas, dos o tres pimientos secos, chiquitos, redondos. Han sido secados al sol el pasado verano. Con los pimientos, un trozo de bacalao; el bacalao, despizcado, como los pimientos. Todo en una fuente de loza tosca, con aceite y vinagre. El vinagre fragante, intensamente oloroso; vinagre puro, cosa rara en las ciudades, vinagre que es más preciado que el mejor vino; la fragancia del vinagre, que trasciende a todo el ámbito de la cocina. Con unas gotas de este maravilloso vinagre en un vaso de agua fresca se apaga la sed para mucho tiempo, y si estuviéramos un poquito febriles, desaparecería al punto la calentura. El aceite de España, el calumniado aceite, dorado y claro. Concierto de sensaciones en este plato esencialmente monovero; sensaciones del gusto, del olfato, de la vista. El sabor penetrante de los diversos componentes, el perfume intenso del vinagre, la coloración, en la loza blanca, del rojo, el morado y el amarillo. Síntesis paralelas de la mesita del té y de esta mesita; la nota de elegancia en el reducido término de la mesita rica de té y la nota de elegancia que se da en esta otra mesita pobre. Si el comensal es amigo del vino, un chisguete de aloque de las viñas de Elda.

España, única por la variedad de sus paisajes; colección espléndida de paisajes; de todas clases, románticos y clásicos. Desde el norteño al meridional, desde el europeo al africano. De veinte mil especies vegetales que se dan en Europa, diez mil corresponden a la Península Ibérica. De diez mil especies fanerógamas con que cuenta Europa, España posee seis mil. España, única por sus mantenimientos; la variedad espléndida de las cocinas regionales españolas. La cocina española, la más sólida y suculenta, la más ligera y nutritiva. De todo hay en el arte coquinario español; ligereza y reciedumbre. La cocina monovera. Aseada y variada, ligera y reparadora. Nada de grasas; la leche, desconocida hasta recientemente; antes, la leche, cosa de enfermos, y sólo leche de cabras. Semillas y verduras. Arroces y ollas. Fríjoles, lentejas, garbanzos, arroz. La variedad de los arroces pobres. En contraposición a los opulentos con que se obsequia a los forasteros. Los exquisitos arroces pobres. El arroz con garbanzos; el arroz con judías verdes; el arroz con bacalao; el arroz con patatas. Sentido de la perfección y del detalle: cada arroz, el recipiente en que ha de ser hecho. Peroles, cazuelas, sartenes. Arroces secos y arroces caldosos; arroces comidos en tosca loza y tal vez con cuchara nueva de palo. El gazpacho, diferente del gazpacho andaluz. Plato exquisito. Tortas sin levadura cocidas entre dos fuegos sobre la losa del hogar. Requisito esencial, sólo logrado por los muy peritos: el punto de cochura y el grosor de las tortas. Gazpachos puros, los preparados por los pastores con tortas amasadas en amasaderas de piel de cabra. Gazpachos viudos, los hechos con collejas; gazpachos que se confeccionan en las almazaras de Yecla, con aceite nuevo, al tiempo de la molienda de la aceituna. Variedad inmensa de golosinas y gollerías en Monóvar; *coquetes* y *rollets;* tortitas y rosquitas a granel, de todos los dulzores y de todas las formas. Colocadas con mimo en anchas bandejas, en orcitas vidriadas, en hondas zafas, en cestos de ligeros mimbres. La diversidad de las ollas y potajes. La olla de trigo que se come en pleno campo el día de San Antón. Las despensas llenas de tanto regalo y la sobriedad del monovero; la sobriedad que nos hace ir gustando con lentitud, con discreción, de todas estas cosas exquisitas.

XLV

OLIVAS

«Una almofa o barreña blanca, limpia», dicen las Ordenanzas de Burgos, cabeza de Castilla, que se ha de tener en el «barreñón crecido» sobre el que se mide el vino de la corambre. Almofa o barreña blanca, limpia, en Burgos. Almofa blanca y limpia, en Monóvar. En la penumbra de la cocina, la blancura de la almofa. La almofa llena de olivas negras aliñadas; olivas llamadas del cuquillo. Olivitas negras de Monóvar, de Petrel, de Onil; en Onil, consumados olivaristas; vienen de Onil a hacer la recolección de la aceituna. Grandes comedores de olivas los monoveros. Un ateniense, un puñado de olivas. Un poeta, un puñado de olivas. Un monje, un puñado de olivas. Un monovero, un puñado de olivas. Con un puñado de olivas y un cantero de pan se puede vivir. Con olivas negritas se puede razonar sutilmente. Olivas negras y olivas verdes partidas. No hay otra cosa en la región de las olivas; las demás olivas, las gordales, son cosa de hoteles y colmados. Lo clásico son las olivas negras y las verdes partidas. Las negras, olorosas, desinfectantes de los estómagos. Las negras, en noviembre o diciembre, en una orza o tinaja, una tongada de olivas y encima otra de tomillo y ajedrea, todo a capas, agua y sal, tapada cuidadosamente la orza; al verano, ya se pueden comer las olivas. Las verdes se machucan sobre una tabla con una piedra; también tomillo y ajedrea a tongadas; rajas de limón y hojas de laurel; sal, agua y cierre hermético. El puñado de olivas en un plato, sobre la mesa de pino; en la almofa, la negrura de las bienolientes y pequeñitas olivas. Olivas que son el distintivo de la cocina monovera; en el armario que está junto al hogar, las olivas encerradas han puesto una fragancia que se escapa por toda la cocina cuando se abre la puerta. El armario, obrado de ligeros tabiques, con dos puertas también del insustituíble pino sin pintar. Con el pañuelo puesto sobre el muslo, para oxear las moscas importunas, el labriego, sentado ante la mesita baja, va comiendo despacio, muy despacio, las olivas, una sardina que se ha prensado entre el marco y la puerta para que se desprendan las escamas; sardinas de cuba, un pedacito de bacalao, el plato dicho de bacalao y pimientos. Comer lentamente, muy lentamente, masticando con perseverancia; así hacen los labradores del campo monovero. Y ellos, sin haberla aprendido, poseen la difícil ciencia de comer, que sólo poseen en las cortes los consumados lamineros.

XLVI

LUNA

El Collado de Salinas, lleno de luna. Clara y vaporosa luz de luna. Poner en una noche de luna el encuentro y coloquio de Albert y su ángel. La plata oxidada de los olivos en la plata bruñida de la luna. El canto de los cuclillos. Cucú, de un olivo a otro, durante toda la noche, sin descanso. Su flauta, que suena más lejos o más cerca. Desde la ventanita del cuarto, el panorama lunar del valle; allá lejos, estará vigilante en la noche, sobre el pueblo dormido, el castillo de Sax. Dos, tres, cuatro ventanas iluminadas; la ventana de un enfermo, de un pobre enfermo, que no puede reposar. Al alba, las luces desaparecen; el castillo se perfila rojo en lo alto de la peña. Noche henchida de claror lunar. La luz de la luna como si fuera una gasa sutil. De las telas muy delgadas se suele decir, para ponderar su delgadez, que se pueden beber. Se puede beber el cendal finísimo de la luz de la luna; dan ganas de llenarse los bolsillos de luz de luna. Cucú, el cuclillo en el olivo. La quietud profunda, conmovedora, del campo silencioso. El valle, todo en plata y alinde borroso. El alinde de la laguna. El alinde de un espejo que ha envejecido en una sala que no se abre. Colocar en una de estas noches la entrevista de Albert y el ángel. El misterio de las cámaras en que entra un rayo de luna vaporosa, acaso más impresionante que la noche oscura. Los olores de la noche; la correspondencia misteriosa entre la luna y las cosas y los hombres. Concordancias de que hablan los oculistas. «El influjo lunar concuerda—dicen los oculistas—con determinados animales, como el cisne y el gato, y con plantas como el tulipán y la adormidera, y con gemas como el ópalo y el nácar, y con metales como la plata, y con perfumes como el estoraque, el benjuí, el ámbar y el iris. Y esto quiere significar que el tipo humano lunar vibra al unísono de todas las vibraciones exhaladas de estas diversas cosas. De donde se sigue que un talismán de luna debe ser hecho en una hora de luna, y condensar en sí el mayor número de vibraciones lunares, a fin de que este conjunto de tonalidades selénicas haga más favorable y más poderoso el influjo que se desea captar.» Talismán de luna; talismán en que vaya condensado todo este ambiente de misterio, de poesía, de anhelo hacia lo infinito, que respiramos en las claras, radiantes, noches de luna. En las noches en que, despiertos por acaso, vemos cómo un suave, acariciador, sedoso, rayo de luna, cautelosamente, ha entrado por la ventana que se ha quedado abierta e ilumina la estancia y envuelve en cendales los muebles. Y ante tanta suavidad y dulzura—suavidad y dulzura en lo blanco y en el silencio—, no nos sentimos tranquilos; un ligero estremecimiento nos conmueve. Y pensamos en una región infinita, que no podemos concebir, y en que sólo vemos ahora una infinita claridad de luna.

XLVII

DIALOGO

—¿Me conoces?

—Sí.

—¿Me esperabas?

—Sí.

—Entonces, ¿por qué te frotas los ojos?

—No se ve bien en la cámara.

—Está llena de luna.

—No se distingue bien si eres tú o un rayo de luna.

—Soy tu ángel.

—¿Y yo Joaquín Albert?

—Naturalmente.

—Dudo de todo.

—¿Estando junto a mí puedes dudar?

—¿Estás tú dentro del tiempo y del espacio?

—Tu quimera; tranquilízate.

—¿Estás tú fuera del tiempo y del espacio?

—Si estuviera fuera, no me percibirías.

—¿Estás dentro?

—¡Ja, ja, ja! Me haces reír.

—¿Reís los ángeles?

—Yo, ahora, como tú, como todos los hombres.

—¿Puedes entrar y salir en el mundo?

—¿Crees que no tengo un poder que tú no sospechas?

—Lo sospecho; pero me formaré idea exacta de ese poder si haces una cosa.

—¿Cuál?

—Abrir una rendija en lo infinito para que yo vea lo que hay fuera del espacio y del tiempo.

—¡Qué luna más clara tenéis!

—¿Te gusta?

—Tan clara como la que hay fuera del tiempo.

—¿Te burlas de mí?

—Te quiero; si no te quisiera no estaría aquí.

—Poco debes de quererme cuando no haces lo que te pido.

—Luna, lunera...

—Eres como un niño.

—Los ángeles somos niños.

—¿Niños traviesos?

—Sabía lo que ibas a decir, y por eso he dicho lo de niño.

—¿Y sabes lo que estoy pensando ahora?

—¡Qué malo eres!

—¿Por qué?

—Porque estás pensando que yo no debo de ser ángel, puesto que no quiero hacer un milagro.

—El milagro de abrir un resquicio en el muro de...

—Acaba.

—No puedo acabar.

—¿No puedes decir qué es lo que separa ese muro?

—Dímelo tú.

—Si te lo dijera, no podrías comprenderlo.

—¿No?

—Separación de los conceptos humanos y de los que no son humanos.

—¿Cuáles son los humanos?

—Tú los estás barajando un día y otro.

—¿Tiempo? ¿Espacio? ¿Eternidad? ¿Materia? ¿Nada?

—Exacto.

—¿Y lo otro qué es?

—¿Cómo vas a concebir lo otro? Si el entendimiento humano pudiera concebirlo, dejaría de ser humano. El hombre que concibiese otra cosa que eternidad y tiempo, materia y nada, no sería hombre, sería Dios.

—¡Ah, lo que dices es cosa terrible!

—Vuestros filósofos explican un enigma con otro enigma; sueltan una dificultad con otra dificultad. ¡Qué tontos sois! No sabéis lo que es el Universo y queréis que no haya milagros.

—¡Terrible, terrible!

—¡Ja, ja, ja! Mira ese bello rayo de luna que entra por la ventana y llena de suave resplandor las paredes.

—¡Concebir otra cosa! ¡Asomarse a lo que está más allá del tiempo y del espacio, de la materia y de la nada!

—Parece que estás soñando.

—¿Soñando? ¿No será el Universo un pensamiento, un rapidísimo pensamiento?

—¿Quieres decir que Alguien que está más allá del tiempo y del espacio, de la materia y de la nada, piensa el Universo?

—Lo piensa como ahora pensaría yo la imagen de un mosquito que atravesara ese rayo de luna.

—¿Y eso te figuras tú que es el Universo?

—Una imagen que dura una milésima de segundo. Imagen concebida fuera de los conceptos humanos.

—Te esfuerzas por concebir lo inconcebible, y eso te hace más simpático a mis ojos.

—¡Angel!

—¡Joaquín Albert!

—¡Por piedad, un agujerito para ver lo que no se puede imaginar!

—¡Por piedad, como tú dices, un poquito de paciencia!

—¿Ese es tu consuelo?

—¿Puedes desear mejores palabras?

—¿Nada más?

—Para que veas que te quiero, te voy a dar una prueba de mi cariño.

—Venga la prueba.

—Voy a hacer que tengas poder sobre una puerta.

—¿Cuál?

—La de una celdita.

—¿Cómo?

—Haciendo con la puerta lo que tú quieras.

—¿Y después?

—Después... Después...

—¡Anda!

—Después, te voy a hacer ver lo que pasa en una conciencia.

—¿Qué conciencia?

—La de un religioso.

—¡Qué curioso será!

—Un drama.

—¿Romántico y con rayo de luna?

—Un drama en un alma pura y santa.

—Luna, lunera...

—En el rayo de luna desaparezco.

—¿Dónde está mi ángel? ¿Quién se ha llevado a mi ángel? Cuclillo que tocas tu flauta en el olivar, ¿lo sabes tú? Estrella que brillas en la noche, ¿lo sabes tú? Cumbre de montaña en el cielo traslúcido, ¿lo sabes tú? Agua que susurra en la fuente, ¿lo sabes tú? ¿Quién se ha llevado a mi ángel?

XLVIII

PUERTA

Imágenes; grandes ringleras de imágenes; imágenes puestas de cara a la pared, como los lienzos de los cuadros; imágenes polvorientas; imágenes que acabamos de contemplar; imágenes que hemos olvidado hace tiempo. Una ringlera de imágenes de corredores o claustros de conventos y catedrales. Otra de celdas; celdas de religiosos. Otra de religiosos de diversas órdenes; religiosos con estameñas pardas, negras, blancas. Otra ringlera de imágenes totales de conventos. En el taller, todas las imágenes. Las manos afanosas que van volviendo hacia los ojos los cuadros que están hacinados. Ver una y dejar otra. Y el gran letrero *Infalibilidad;* el letrero de letras luminosas, resplandecientes. Y las imágenes de puertas. Puertas de celda, puertas sobre el claustro. Puertas de todos tamaños; alargadas, angostas; otras casi cuadradas, apaisadas. Tal vez alguna de cuarterones cuadrados y cuadrilongos.

Una puerta que da a un corredor; el corredor o claustro de un convento. Dentro de la celda, el religioso. Confusión de imágenes y diseños. Claramente, en el caos, la puerta. Y luciendo, como siempre, el letrero que dice: *Infalibilidad*. El religioso que escribe en su mesita. Un libro al lado: *Criterios teológicos*. Escribe y escribe sin descanso, día y noche, el silencioso fraile. Un libro sobre la infalibilidad. La infalibilidad: roca en el remolino de las olas encrespadas; faro en la noche tempestuosa. Infalibilidad; remanso de paz y de quietud. De dulce y profunda quietud. Un anciano que, en su trono de oro, sonríe con sonrisa inefable; un anciano vestido de inmaculada lana blanca. Infalibilidad. La pluma corre por el papel en la serenidad de la noche.

La puerta de la celda. Poder que tiene Albert para ser la puerta o para influenciar la puerta. Telekinesia. La puerta influída desde lejos por Albert. Imágenes confusas; ver lo que se puede hacer para dar naturalidad y misterio a este episodio de la novela. En el caos de imágenes, sólo radiante la imagen de la puerta. Una puerta que son varias puertas. Parhelia; el vocablo parhelia que surge en el campo de la conciencia. Vocablo sonoro y cristalino. Parhelia; el meteoro llamado así; un sol y varios soles reflejados en las nubes. El sol verdadero, y dos o tres falsos. La puerta verdadera y varias otras puertas. ¿Cuál es la verdadera? ¿Cuál escogeremos? El religioso ante su mesa. De pronto, la puerta hace un ruidito; no es nada; puede ser el viento; el religioso no mira; se halla absorto en su trabajo. Otro leve ruidito; pero ahora persistente, continuado. Puede ser también el viento; acaso una carcoma; las carcomas que en el silencio de las salas cerradas van horadando la madera. Ruidito continuado de la puerta; el religioso que se detiene y mira. No es nada; el ruido ha cesado. Y al poco rato, otro chirrido largo, suplicante, de la puerta. El chirrido es tan extraño, que el religioso mira con recelo. Se levanta, va hacia la puerta, examina el pestillo; coloca bien la aldaba. La puerta, ¿debe tener una aldaba de madera, o un picaporte de hierro? Madera es más ascético. Puede el religioso continuar su trabajo: la puerta ha quedado bien encajada. Ahora ya no podrá el viento hacerla gemir. Silencio; pausa. La pluma corre rauda sobre el papel. Y de pronto, un largo y lloroso singulto. Tan extraño es, que el religioso duda de si será en la puerta o en otra parte; pero no cabe duda: es la puerta. Allí, a dos pasos de él, está la puerta, y él escucha ahora perfectamente cómo la puerta chirría, gime, implora. No cabe duda. Pálido es el rostro del religioso. Su respiración es jadeante. Se levanta y va hacia la puerta. Duda un momento; al cabo, como si saliera de una larga reflexión, comprendiendo, al fin, se hinca de rodillas y junta sus manos. Todo el poder del infierno no detendrá a este pobre religioso en su tarea. Tranquilamente, reanuda su trabajo. La pluma torna a correr sobre el papel.

XLIX

AURORA

La escala de colores; la escala de la cajita de perfumes. Rodo, verde, amarillo, violeta, negro, ocre. Y el religioso que escribe en su celda. En alguna parte, un cristal deslustrado; en la oscuridad, de modo que se vea como una luz fosforescente que ilumina la placa de vidrio. El religioso ha llegado al punto crítico de su obra. Infalibilidad. La oscuridad del laboratorio; el cristal deslustrado; silencio profundo; el silencio con que se observan en los laboratorios las operaciones decisivas, sorprendentes. Escala de colores que brilla, de pronto. El contacto establecido; correspondencia entre los colores y las ideas. Colores y sensaciones; matices finísimos e irisaciones de la sensibilidad. El religioso que piensa, con la pluma sobre el papel, y las diversas coloraciones que en el silencio profundo, silencio dramático del laboratorio, van apareciendo en la placa deslustrada como representación de sus ideas. Confusión de colores. Rojo, amarillo, violeta, ocre, verde. Colores que van y vienen en revoltijo pintoresco; un color que avanza y anula al otro; y el otro que recobra su posición primera. El pensamiento elaborándose en el cerebro. Y sobre el cristal, fosforescente, suave, delicada, la iluminación de los colores. Un momento, de todos los matices, en el girar vertiginoso, no se percibe sino una nota confusa; después, el girar se hace lento; las fajas de color, los rondeles, los cuadrados de verde, de rojo, de amarillo, de violeta, van pasando lentos, despaciosos. Una luz blanca ilumina la placa toda. Lo blanco impera hasta ahora; pero, de repente, diríase que el color blanco se amortigua; avanza el rojo sobre el blanco; la pluma camina lenta sobre el papel. La cara del religioso adquiere una gravedad que antes no tenía. Se escucha como jadeo, como respirar fatigoso. De los colores, se han esfumado el amarillo, el verde, el violeta, el ocre. Blancura y negrura. Dos notas únicas; dos notas que han acabado por expulsar a las demás. La respiración del religioso es más fuerte; un ligero sudor frío cubre su frente. El negro y el blanco avanzan y retroceden en la deslustrada placa de cristal. Ora parece que ha de dominar el blanco, ora parece que el dominador ha de ser el negro. Los dos colores se combaten; chocan violentamente; se separan; tornan a chocar. Palidez en el rostro del religioso; los ojos que se apartan de las cuartillas y se elevan al cielo. Se elevan al cielo con expresión trágica de súplica, de iluminación suprema. En el cristal, el blanco y el negro en iguales proporciones. Momento terrible, conmovedor; momento en que la operación, en el laboratorio silencioso, adquiere la máxima intensidad. De las dos notas, la blanca y la negra, ¿cuál va a predominar al cabo? Los ojos del religioso, en lo alto, con mirada de angustia. Un m o m e n t o brevísimo. Cuando la pluma torna al papel, la expresión del religioso es otra. Rápidamente, lo negro ha desaparecido. Blancura espléndida. Blancura refulgente en el cristal. Blancura, en Oriente, del alba que nace. El alba y la aurora, después. Una aurora con rosicler nunca visto por el religioso. Rosicler de oro, vivísimo; de resplandores célicos; de fulgores en que se han fundido todos los más claros diamantes del mundo.

Y el religioso sonríe con una sonrisa inefable, divina.

San Sebastián, agosto y septiembre 1929.

A ANTONIO TOVAR, clara inteligencia y corazón generoso, en quien encontré un amigo desde el primer momento, dedico este libro, escrito en las madrugadas, cuando todo dormía y el pensamiento estaba entregado a sí mismo, desligado casi de la materia.

SPES. FIDES.

HISPANIA.

I

AQUI FUE

Ni «campos de soledad», ni «mustio collado»; un llano alegre con naranjos simétricos y gente afanosa que cosecha las doradas esferas. Tal vez en un cornijal se levantan solitarios, cohibidos por la opulencia de los naranjos, cuatro o seis algarrobos. El Mediterráneo se toca con la mano. Y tal vez también allá, en un claro de la arboleda, se parece un rodal de trigos, lo que se llama «panes» en Castilla, para nutrimento de una alquería. El viajero camina lento. Se resiste a preguntar. Si preguntara, le mirarían sorprendidos, y en los labios aparecería una sonrisa irónica.

Ni el romántico plinto de una columna rota en que sentarse. Ni el arranque destrozado de un arco en que descansar un momento. La canción de los recolectores en el aire, y millares y millares de esferitas áureas en los serones. Sentado el viajero en rota columna, inclinado el busto, la mano en la mejilla, podría meditar sobre la vanidad de lo terreno. En esta forma retrataríale un pintor, según vemos en grabados antiguos, acaso en una edición de *Las ruinas de Palmira.* Y en esta forma lo vemos en un cuadro patinoso, al detenernos en el desembarco de una escalera palacial, o al cruzar una galería.

Pero aquí no hay venerables ruinas. *Evanescencia:* la palabra es bonita, aunque parezca propia de persona redicha. El evanescerse de la imagen en la lejanía. La sensación pasada, que se va evanesciendo en el fondo de la conciencia. A veces el viajero, al leer un libro antiguo—el de Juan Altimiras, por ejemplo, escrito en buena prosa—, ha visto que desatar es equivalente a *desleír*. Se desata un terrón de azúcar en un vaso de agua. Y así se desata en lo hondo de la personalidad el recuerdo. Cuantos vocablos significan traslaticia o directamente el olvido—el olvido, a pesar nuestro—, van surgiendo en el triste pensar del camino. La obsesión de la imagen perdida le oprime. Sí, aquí fué. En este llano, donde se esponjan ahora los naranjos, donde los solitarios algarrobos muestran su humildad, estuvo Valencia. Y ya no podremos contemplarla. No queda ni rastro de la urbe ilustre. Estaba incólume en nuestro sentir íntimo de hace cincuenta años, y, al presente, convertida en materia deleznable, hecha mísero polvo, no la encontramos. No podríamos decir dónde, en este opimo campo de naranjos, estaban la catedral, ni la lonja, ni las puertas de Serranos y de Cuarte. Todo se ha evanescido en nuestra mente. Las antiguas sensaciones se han desatado, como se desata el terrón en el vaso de agua. Y ahora, al retornar a Valencia, llevados de animoso impulso, no hemos encontrado a Valencia. Nuestra obsesión es tan tenaz que no cesamos de repetir, con matices diversos, la misma idea. La personalidad psicológica ha ido renovándose a lo largo del tiempo. Todo pasa y cambia. La vida es así. La vida es la muerte. Somos otros, y es otra, por tanto, Valencia. Luchamos por aflorar, desde el fondo de la conciencia, las antiguas sensaciones. Nos sumimos, como en honda y lóbrega sima, en los cincuenta años vividos. Nos esforzamos por captar una partecilla, al menos, de la antigua sensibilidad, y nuestros conatos son ineficaces. Dolorosamente ineficaces. Cuando volvemos a la luz del día, desde el seno de la caverna, no llevamos nada en las manos. ¡Imposible empeño! La vida no se torna a vivir. Conflicto entre lo pasado y lo presente. Lo pasado, que no podemos volver a sentir, y lo presente, que, ya faltos de fuerzas, ya en la declinación de la vida, nos acucia, nos desconcierta y nos abruma.

Campo de naranjos y gente afanosa. Aquí fué Valencia. En este mismo ámbito—el Turia corre por el naranjal, el azul Mediterráneo se columbra—; en este mismo ámbito hemos experimentado hace cincuenta años sensaciones de juventud, con voluptuosidad unas, y otras las hemos sufrido penosamente, como se ingiere pócima acerba.

II

LA ELIMINACION

La eliminación o el punto sensible. ¿Podré yo eliminar, en estos recuerdos de Valencia, lo quebradizo, y quedarme con lo consistente? Lo esencial es lo que importa. Pero lo superfluo nos atrae, a veces, con afecto tierno, tratándose de sentimientos, y al lado de lo esencial pasamos con indiferencia. ¿Y qué es lo esencial en mis evocaciones de Valencia? Los historiadores no saben lo que es lo esencial. Se impugnan unos a otros, y acaba por triunfar la intuición genial. Según el arte, así es esencial lo superfluo, o así queda en la sombra, sin importancia, lo que otros reputan esencial. Pero conforme se dé preferencia a estos o los otros elementos, a tales o cuales accidentes, así será el tono de la obra. Y el tono es fundamento. Y el tono eleva la obra o la abate. Y el tono lo da, a más de la elección de la materia, el poder de eliminación. El problema del estilo es como un inmenso laberinto. Apenas si nos damos trazas a caminar por sus calles contradictorias y enmarañadas. No sabemos dónde nos encontramos, y acabamos por ir a la ventura. Es decir, por escribir impulsados por nuestro instinto. ¡Materia, tono, tiempo y eliminación! Viales del laberinto inextricable. Lo más grave en esta materia es hablar con voz doctoral. La humildad se impone, y cada cual, eminente o modesto artista, debe limitarse a su personal experiencia.

Entre todo el laberinto del estilo se levanta, a nuestro entender, el vocablo eliminación. Porque de la eliminación depende el tiempo propio a la prosa. Y un estilo es bueno o malo, según discurra la prosa con arreglo a un tiempo o a otro. Según sea más o menos lenta o más o menos rápida. Fluidez y rapidez; esas dos son las condiciones esenciales del estilo, por encima de las condiciones que preceptúan las aulas y academias; pureza y propiedad. El tiempo adecuado al estilo no lo da ni la elipsis ni el laconismo. La elipsis puede ser dañosa en muchos casos. Contra la elipsis, la repetición que precisa, la repetición sin miedo. Sólo en determinados casos—en poesía lírica, sobre todo, en prosa delicada también—la elipsis nos abre de pronto perspectivas que no conocíamos. La eliminación nos enseña a saltar intrépidamente, sin la preocupación de la incoherencia, de un matiz a otro matiz. Los intersticios que otros rellenan, con fatiga del lector, quedan suprimidos. Elipsis, sí; pero elipsis, principalmente, no gramatical, sino psicológica.

Hallándome en París—he vivido allí tres años, de 1936 a 1939—se celebró en el Palacio Grande de los Campos Elíseos una exposición de pintura. Se exponen allí los cuadros de los pintores actuales. Se celebran en París a la continua, por el Estado y por los traficantes en cuadros, exposiciones varias. A Pablo Gauguin lo he visto en su esencialidad. De Edgar Degas he contemplado en la Naranjería—Narangería no es traducción fiel de *Orangerie*—una espléndida exposición. La que vi en el Palacio Grande, en la primavera del 39, en treinta o cuarenta salas, mareaba. Se sentía el visitante empapado de color y envuelto en paisajes y entre figuras pintorescas que no se conocían. Y de pronto, en el dintel de una puerta este letrero, letrero salvador, letrero que nos pone por anticipado miel en los labios: *Exposition de Paul Cézanne*. Allí estaba nuestro pintor. Allí estaba el hombre que, como el personaje, otro pintor, de la narración admirable de Balzac, había luchado apasionadamente con el color y con el dibujo. Si es que el dibujo es cosa diferente del color.

En la sala, unos pocos cuadros de Cézanne. Pocos y escogidos. Los contemplamos largamente. Y evocamos al tiempo mismo los dos jugadores de cartas y el bodegón soberbio de la colección Camondo, en el Louvre. Pero lo que más nos interesó en esa sucinta exposición fué una fila de fotografías encima de otra fila de fotografías. En la de arriba estaban retratados los lugares—paisajes y villorrios—pintados por Cézanne, y en la de abajo los cuadros del pintor en que habían sido pintados esos parajes. La maravilla de Paul Cézanne estaba allí patente. El poder eliminatorio del pintor se nos mostraba ostensible. Comprendíamos entonces toda la fuerza, toda la intuición, todo el genio de este artista. Y comprendíamos también que sus coetáneos no lo comprendieran. Porque no hay nada que irrite más a la muchedumbre que lo esencial. Y lo esencial en arte es lo selecto.

III

LAS CASAS DE HUESPEDES

Piedra movediza, nunca moho la cobija. El refrán parece de loa. Lo que es nosotros—el grupo de compañeros—éramos movedizos hasta no más. En meses recorrimos seis u ocho pupilajes. Saltábamos de una parte a otra como pájaros. En la edad adulta, el acomodarse y desacomodarse en los sitios lleva anejas múltiples molestias. La personalidad está ya enraizada. El hombre es el hábito. La costumbre facilita las cosas y da descanso. Llegar a un hotel, tras largo viaje, vale tanto como trastrocar la vida entera. Las menudas costumbres antiguas desaparecen, y hay que crear otras nuevas. De las maletas o baúles van saliendo objetos, y es preciso colocarlos al alcance de nuestra mano, como antes los teníamos. Y de pronto, un día, todo acaba, y hay que recomenzar en otra parte lo comenzado aquí.

Las casas de huéspedes tenían su faz especial. No todas las casas pueden ser casas de huéspedes. Había cuartos como incrustados unos en otros. Para entrar en uno, había que pasar por dos o tres. El papel de las paredes se desprendía a veces en grandes fragmentos, y en el pavimento sonaban, al pisarlos, algunos ladrillos sueltos. Pero ¿y nuestra alegría? ¿Y nuestro afán de vivir? ¿Y nuestra despreocupación? Pagábamos ocho reales diarios por cama, desayuno, comida y cena. Había pupilajes todavía más arreglados: las casas de huéspedes de seis reales. No podía yo imaginar que andando el tiempo, pasado más de medio siglo, viviendo modestamente en París, había de pagar dos mil francos mensuales por un entresuelo, cerca del Arco de Triunfo, sin contar con la electricidad, el gas, el teléfono y el servicio de portería.

He vivido un pormenor curioso. Ese detalle flota, indestructible, perenne, sobre la imagen de las casas de huéspedes. Las mesillas de noche tenían, en todas partes, el tablero de madera con quemaduras, sin duda de fósforos o cigarros allí dejados descuidadamente. Y al abrir el cajón—y esto es lo esencial—se exhalaba, en todas partes, invariablemente, como el sino fatal de pupilaje, un fuerte olor a yodoformo.

IV

EL CAFE DE ESPAÑA

Ibamos, tras la comida, al café de España. No lo había más suntuoso en Valencia. No lo habría tampoco en el mismo París. Cuando yo he estado en París, más tarde, he recordado siempre, al entrar en los de la plaza de la Opera y grandes bulevares, el café de España. Transpuesto un zaguán losado de mármol blanco, se entraba en un primoroso salón árabe, con frisos de alicatados azulejos. No era aquello una teatral imitación, sino una obra auténtica. Y de allí se pasaba a una vastísima sala decorada por los más ilustres pintores valencianos. En un extremo, sobre estrado, se veía un magnífico piano Erard.

En el café nos traían un platillo de metal blanco colmado de terrones de azúcar y un botellín de ron. Llenaban un gran vaso de buen café, y añadían en una copa, a modo de graciosa adehala, otra porción del rico brebaje. Con este café suplementario y con ron se hacía un refresco agradable. Y solíamos confeccionar también caramelos. En la cucharilla poníamos azúcar, y en el platillo ron, que hacíamos arder. Cuando el azúcar se licuaba y tomaba un matiz dorado, lo extendíamos en el mármol. Lo malo era que algunas veces la cucharilla se fundía.

El pianista, mozo despierto, vivo, dominaba el piano. Wagner era su ídolo. Nos obsequiaba a la continua con fragmentos de *Tannhauser* y *Lohengrin*. La inmensa sala está henchida de un público vario. Comienza el piano a cantar. Los primeros compases de la obertura de *Tannhauser* resuenan en la sala sobre el tumulto de las conversaciones. De pronto se hace un silencio profundo. Del tablado se esparce por la sala como una misteriosa corriente magnética. El público escucha embelesado. Y cuando se apagan las postreras notas, un estruendoso aplauso llena el ámbito. Y muchas veces, tras el aplauso, sonaban los platitos metálicos en el mármol de las mesas. Se pedía la repetición. Y el maestro, que había estado de pie, inclinando la cabeza ante la ovación, tornaba a sentarse al piano.

De esto hace más de medio siglo. No se rendiría en ninguna otra ciudad española —ni acaso en otros países—el culto a Wagner que en Valencia, la fina, la sensitiva, se le rendía. En Madrid, don Francisco Asenjo Barbieri se emberrenchinaba, según cuenta un amigo suyo, Peña y Goñi, cada vez que éste le hablaba de Wagner. Y en una semblanza suya, el autor escribe: «Wagner le ataca los nervios. La batalla de Waterloo, las cataratas del Niágara, la Saint-Barthelemy, la insurrección de Cartagena, todo eso es nada al lado de las disonancias de Wagner, comentadas por Barbieri.» (Angel María Segovia: *Figuras y figurones*; segunda edición, corregida y aumentada; tomo VII. Madrid, 1881.)

V

LA COMPAÑIA

¿Y quiénes formaban la compañía? Pues la compañía era un modelo de amistad y de compañerismo. En el café no pagaba cada uno su consumo, como se hace ahora. Pagaba cualquiera de nosotros el gasto de todos. Cuando a uno se le acababa el dinero, lo tenía otro. Todos estudiábamos Derecho. Llorca era aplicadísimo, paciente, en extremo reservado. Vestía siempre de negro. Sus padres eran labradores ricos. Los dos hermanos Sancho pertenecían a distinguida familia. En el vestir mostraban pulcritud y riqueza. Arnal, alto, esbelto, pálido el rostro, estaba siempre pensando en sus combinaciones. Y en cuanto a Llopis, pensaba también en su barba magnífica y en el arreo de su persona. Llopis era tan exigente, en punto a su aditamento facial, que cuando se hallaba en el pueblo hacía que su peluquero de Valencia fuera a recortarle la barba.

Llorca, los Sancho y Arnal eran de Oliva, y Llopis, de un pueblo cercano. Los estudios de Arnal, a más de los de Derecho, consistían en su tema del azar. Al Fum-Club, timba elegante, solíamos ir con frecuencia. No pasaba yo de la categoría de mirón. Los estudios de Llopis no los sabía nadie. Daba lecciones, cuando pasaba por la calle, de apostura, dignidad y cortesía. Y eso era mucho. El espíritu señoril de pueblo, de pueblo valenciano, de pueblo rico, encarnaba en su persona. Tosía levemente, se pasaba con blandura la mano por la barba en forma de abanico y profería unas palabras sentenciosas y breves.

VI

PRESENTE Y AUSENTE

En el café de España, cabe la mesa en que nosotros, mis amigos y yo, nos sentábamos, se sentaba un caballero solo, silencioso. Digo silencioso, porque tardó mucho en entablar conversación con su vecino. Su vecino era yo, sentado en la parte de la mesa que correspondía a la suya. Y porque cuando entramos, al fin, en relaciones, sus palabras eran pocas y medidas.

No tendría más de cuarenta años este caballero. Su faz estaba pálida. Le iba consumiendo un misterioso mal interior. Había visitado a los más eminentes médicos de Valencia, y había viajado para consultar a otras eminencias, y no se había podido esclarecer el misterio de su fatal morbo. Procedía el caballero de Alberique. En este pueblo heredara de sus mayores fincas rústicas de gran valor, y él las había vendido para zafarse del trato, harto enojoso a veces, con aparceros, con arrendadores, o acaso, de llevar personalmente los predios, con cachicanes aprovechados. En Valencia, retirado de todo, viviendo con sus pensamientos—sus pensamientos estaban concentrados en su mal—, vivía en un pisito de la calle del Embajador Vich. Le visité yo dos o tres veces. Y siempre lo encontré atento, sobrio en su palabrear, obsequioso de libros. Compraba lo más selecto que aparecía, y no sentía la avaricia de guardarlo. Como él tenía la obsesión de que iba a vivir poco, había llegado a un desasimiento absoluto de las cosas humanas. Los libros los regalaba a los amigos o conocidos.

Tiene Leopardi, en sus *Detti memorabili di Filippo Ottonieri,* un dicho en que expone una de las más angustiosas tragedias que pueden planteársele a un ser humano. Amamos con sincero amor a una persona enferma, y esta persona, gradualmente, casi imperceptiblemente, de año en año, de mes en mes, se va transformando a causa de su enfermedad. Hemos comenzado teniendo una imagen de la persona, y la imagen va cambiando. Cambia en el color, en las líneas, en la expresión del rostro, en los ademanes. Junto a mí tenía yo todas las tardes al caballero pálido. Le veía durante los nueve meses del curso. Después de los exámenes, me marchaba al pueblo. Y al retornar, allí en su sitio, en la mesa de al lado, estaba el caballero. Pero era ya distinto del que yo había dejado. Del antiguo quedaba mucho todavía. Empero tenía yo barruntos, dolorosos barruntos, de que en el otoño venidero, después del curso, después del verano, esa parte primitiva que subsistía iba a verla con nueva merma. Y así sucedía. En la casa, una casa clara y limpia, cuando charlábamos, casi siempre de libros, nunca, ni en su conversación ni en la mía, había la menor referencia a su mal. Conocía yo la aversión del caballero a hablar de su persona. Tenía de ello experiencia después de algunas ocasiones, al principio de nuestra amistad, en que yo había tenido palabras de piedad discreta para su mal. Lo que hubiere de suceder, sucedería. No había que hablar de ello. No se hablaba de ello, en efecto. Pero yo notaba—estas cosas no se pueden ocultar— que el caballero tenía la obsesión secreta de su dolencia. Y lo advertía por accidentes y pormenores que inesperadamente surgían: un silencio largo, un fruncimiento de cejas; cuando, por el contrario, las palabras que se pronunciaban eran ledas, un llevarse la mano al pecho, de pronto, congojosamente, un renunciar tácito, sobrentendido, a todo porvenir.

Tres, cuatro, seis años más tarde, el caballero era otro. Si se le hubiera mostrado a alguien el retrato del caballero de hacía diez años y se le mostrara ahora al propio personaje, no creería nadie que se trataba de un mismo hombre. Todo había variado en mi amigo. Diríase que hasta la estatura era distinta. Parecía como si la persona se fuera estrechando, reduciéndose, ahilándose.

Presente y ausente. Leopardi tiene razón: ningún mayor dolor que estrechar entre nuestros brazos un ser querido que antes tenía un pergeño y ahora tiene otro, que antes era de un modo y ahora es de otro, que antes era una persona determinada y ahora se ha cambiado en otra. Presente y ausente. Es el mismo ser querido y no es el mismo, no. ¿Por qué esta trágica huída hacia lo pretérito de este ser que, siendo presente, tenemos entre nuestros brazos? La imagen placiente que teníamos de la persona amada es sustituída por otra imagen dolorosa. Y cuando la persona amada muere, es esta imagen, y no la otra, la que conservamos. Y así se pierde enteramente la persona amada. *Cosi viene a perdere la persona amata interamente.*

VII

EL FUM-CLUB

Entrábamos en una madeja de callejitas. No quiero ver el plano de Valencia. Debían de ser aquéllos—lo eran seguramente—los mismos lugares en que nació Vives y transitara el filósofo, siendo niño. Penetrábamos en un limpio patio. En el fondo había una puertecita guardada por un portero de librea. Al vernos, oprimía el botón de un timbre. Se abría la puerta y ascendíamos por una escalera alfombrada. Todo era allí lujoso y cómodo. La primera sensación de lo confortable moderno que yo he tenido, en el Fum-Club la recibí. De una antesala, ya arriba, antesala con muelles divanes, se pasaba al santuario del Azar. En las paredes colgaban pinturas de buenos maestros, y el techo lo había pintado al fresco un diestro en este difícil arte. Contemplé muchas veces—los estoy viendo ahora—los caballeros de elegancia exquisita, con calzón corto y frac rojo, que allí dialogaban con no menos apuestas damas. Entre tanto, el banquero iba pasando las cartas.

Arnal jugaba intrépidamente. El saber jugar, en juegos de puro azar, es un arte arduo. Hay que saber dominarse y conocer el momento en que se ha de arriesgar todo. Arnal, de codos en el tablero, era impasible. Sentía yo admiración por esta serenidad. Y desde entonces, ante los contratiempos de la vida, en los trances angustiosos, recuerdo siempre la faz inmutable de quien acaba de fiarlo todo a una carta.

Llorca jugaba también. Cansado de observar el juego, me iba a otras dependencias de la casa. Fum-Club es Humo-Club. El título era apropiado. El azar puede en un momento hacerlo todo humo. No solían convertirse en humo los cientos de pesetas que llevaban Arnal y Llorca. La suerte los solía acompañar. Y cuando, a la madrugada, tenían los dos los bolsillos repletos, revueltamente, de duros y billetes, nos íbamos todos—los otros nos esperaban cerca—hacia otras calles y otras mansiones.

VIII

OLIVA

Con Llorca fuí a Oliva y me hospedé en su casa. Gente llana y atenta la familia de Llorca. ¿Y Oliva? En este trozo de tierra feraz—feraz y fértil—de Valencia, ¿cómo es Oliva? No sé nada. Veo en las cercanías naranjos. Los he estado viendo en el camino. Pero de Oliva, a la distancia de tantos años, tres sensaciones. Como tres puntos luminosos en la oscuridad. Planos blancos, al lado, arriba y abajo. Planos de viva blancura. Y una mesa de pino, en que como yo, entre otras personas silenciosas y vestidas de negro. Y ésta es la casa de Llorca.

Portalón espacioso. Soledad y silencio. Techo alto y al fondo una escalera. Casa grande, noble y antigua. Subo por la escalera y entro, no veo ahora dónde. Seguramente en una sala. Arnal, huérfano, vive con sus hermanas en esta casa. Y no sé más.

En una calle larga, clara, otra casa: la de los hermanos Sancho. Sólo veo lo que los ingleses llaman *hall*. La casa valenciana, levantina—puesto que también se extiende el concepto a Murcia—es el tipo de casa más cómodo. Se abre la puerta, y ya se está en pleno hogar. No es que la cocina esté aquí. Pero aquí está la familia con sus amistades. Hay en esta estancia preliminar—que se llama la *entrada,* y que es el *hall* inglés—sillas, sillones, un canapé con su colchoneta y su cabecera, el perchero, tal vez una mesa o consola, en la que se ve un jarro con flores... Y de la entrada, en la casa de los Sancho, sólo conservo la visión de un perchero con espejo a la izquierda, entrando. Pero tengo viva la sensación del huerto que respalda la casa. Huerto con naranjos. Huerto bajo el cielo pálido de Valencia, con soledad y codiciadero al descanso.

¿Y la casa de don Gregorio Mayáns y Císcar, le Mayáns, que siempre habla de «mi casa de Oliva», y que siempre firma en Oliva sus sabios trabajos? No la vi. Y ahora lo siento. Ahora releo de cuando en cuando la vida de Cervantes, escrita por Mayáns. La primera vida de Cervantes que se escribió. Y aquí, en Oliva, debió de escribirse. Delicioso librito. Delicioso e instructivo. A pesar de los descubrimientos que desde 1737 se han hecho en la vida de Cervantes, la biografía escrita por Mayáns puede y debe leerse. Es como la casa primitiva, sencilla, llena de recuerdos, que apareciera de pronto donde se ha edificado, aprovechando sus materiales, un bello palacio. El palacio es magnífico. Pero ¡cuánto nos gusta la casita en que habitaron los antecesores, aquí, en el mismo sitio!

IX

EL PATIO

El patio de la universidad se abre en el centro del edificio. La universidad es chica y bonita. En el patio hay dos cosas notables. Amplia galería, con columnas dóricas, circundan el patio. Abajo está el deambulatorio escolar, y arriba, espaciosa terraza. A esa terraza dan las ventanas o puertas de la biblioteca. Las clases se encuentran en las galerías. Reciben la luz por ventanas enrejadas y con alambreras. La luz, procedente de calles angostas, es penumbrosa. La primera clase, la del preparatorio de Derecho, no tiene ventana y sólo está iluminada por el montante de la puerta. Filas de escaños en gradería ofrecen asiento a los estudiantes. Y en el fondo, elevada, a modo de ancho púlpito, está la tribuna profesoral. El acto de ascender y bajar el profesor es cosa solemne.

La universidad es una fábrica cuadrilonga, neoclásica, completa en sus dependencias, cuidada y limpia. Cuenta con las aulas de Derecho y las aulas de Ciencias, sala de profesores, rectorado, laboratorios, paraninfo magnífico—trazado por el matemático Tosca—, capilla espaciosa, más bien pequeña iglesia, biblioteca. Hacia mediados del siglo XIX existían en Valencia —fomentadoras de la cultura, como la universidad— excelentes bibliotecas particulares, ricas en ediciones raras y manuscritos: la de Fúster y Jordán, la de Lasala, la de Bernardón y, vecina a la universidad, la de don Vicente Salvá, parca en volúmenes, unos seis mil, exquisita en ediciones príncipes, ediciones de clásicos castellanos, y por sus encuadernaciones artísticas, obras maestras de Lewis, Mackensie, Bozerian, Thompson, etc. La gramática castellana de Salvá ha llegado a ser rareza bibliográfica. Contiene observaciones curiosas y personales. Se la buscaba mucho en París por los estudiosos de la lengua española. Encontré yo un ejemplar en los tabancos del Sena, se lo regalé a un amigo y lo estimó como un tesoro. En Madrid no he dado nunca con tal gramática. Salvá fundó una casa editorial en París, que luego traspasó a los hermanos Garnier, y que es la famosa editorial en que han trabajado tantos ingenios españoles expatriados en la gran capital. Al principio se consignaba en los libros: «Librería de Garnier hermanos, sucesores de don V. Salvá.» En las puertas de la universidad pone en letras de bronce: *Universidad literaria.* Y recuerdo que, adorador yo de la literatura creadora, literatura de imaginación, verdadera literatura, ese rótulo me irritaba sordamente. Respondía tal concepto de literatura al concepto antiguo, comprensivo de letras y ciencias en su sentido más lato.

Todo en la universidad es solemne y digno. Y ello no reñido con la cordialidad que debe unir—y aquí, en efecto, une—a maestros y discípulos. Las dos cosas notables del patio son la estatua de Vives y el reloj. La estatua se yergue en el centro, sobre pedestal que surge de un macizo de plantas cercado por verja de hierro. El reloj es importante, porque dicta la hora precisa en que los catedráticos han de salir de su sala de espera y encaminarse por los claustros a sus cátedras. No se hace la cosa al descuido y desordenadamente. El reloj acaba de lanzar sus campanadas, y en el mismo momento aparece el grupo de los catedráticos precedidos del bedel mayor. El bedel, hombre obeso, rotundo, con bigotes y perilla calderoniana, es autor dramático. *Tres roses en un pomell* (Tres rosas en un pomo) es un título bonito. Y esa obra es suya. Los profesores van con sus togas y sus birretes, en que, sobre lo negro, resalta el borlón rojo de la Facultad de Derecho.

Escribo estas líneas, y estoy viendo el desfile ordenado, simétrico, de los catedráticos y el ámbito de las clases. En esta primera he recibido yo mis impresiones originarias de estudiante universitario. Y en aquella de la izquierda, allá enfrente, la de Derecho Político, he aprendido yo, con un maestro insigne, lo que es la equidad y la tolerancia.

X

DISCREPANCIA

La irritación de que acabo de hablar en el capítulo anterior, irritación que en mí suscitaba el rótulo de *Universidad literaria*, marca una orientación fundamental en mi vida. Quedarían mancos estos recuerdos si no hablara yo, aunque sucintamente, de tal materia.

Véome parado en el umbral de la puerta que da a la calle de la Nave, en la universidad. Esta puerta era la más utilizada. Cerca estaba la calle de las Comedias, donde estuvo el teatro de la Olivera, matriz de la dramaturgia de lengua castellana en Valencia, y en la calle de las Comedias se hallaba establecida famosa pastelería. En los intermedios del afán estudiantil, de clase a clase, los escolares salíamos por la puerta de la calle de la Nave e íbamos a comer unas deliciosas empanadillas, acabadas de sacar del horno, en la dicha pastelería. Inmóvil yo en el umbral de la puerta, considero el contraste flagrante que ofrece a mi ánimo la pugna entre las letras boncíneas del dintel y mi personalidad psíquica. Arriba está lo oficial, inflexible, y abajo, lo particular, irreducible.

A lo largo de toda mi vida ha de manifestarse tal discrepancia. Y para fortalecerme más en ello, he de apelar—si ya no fuera instinto—a la austeridad en el vivir. No podría yo sentirme fuerte en mi posición, si se me pudiese impugnar con argumentos que atañeran a inmoralidad, disipación espiritual o desorden de vida. Al individualismo irreducible—tan lejano de toda colectivización, de toda doctrina comunista—he tratado de unir siempre la austeridad en el vivir. El azar de las cosas me ha deparado la asistencia a los más diversos espectáculos de la política y de la vida social. En todo momento he asistido a tales concurrencias e intervenido en tales asuntos, no ya como actor, más o menos brillante—nada brillante, desde luego—, sino como espectador, que acaso tiene, sin que apenas lo vea nadie, una sonrisa de desdén.

La fuerza reside, para mí, en efecto, en el desasimiento de las cosas. Y tal modo de sentir y de ver me ha llevado también al amor hacia los grandes místicos españoles. Conocida es mi predilección por fray Luis de Granada. La fuerza está en poder levantarse sobre los honores, pompas y vanidades del mundo. Y ese poder lo poseen los hombres que, por ser hostilizados, perseguidos, han tenido que replegarse sobre sí mismos. Hacia ellos ha ido, durante toda mi vida, mi viva simpatía. Primero, hacia don Francisco Pi y Margall. Luego, hacia don Juan de la Cierva. Pi y Margall, alejado indefinidamente del Poder, trabajando a los setenta años como un muchacho. La Cierva, combatido sañudamente por ciertas multitudes, repudiado del Poder, hostilizado por el clan parlamentario; solicitado, a pesar de todo, en ocasiones críticas, cuando ya los recursos admirables de su inteligencia y de su actividad no podían hacer nada. Los dos hombres, en suma, Pi y La Cierva, dignos, austeros, en pleno acuerdo con sus conciencias.

Inmóvil en el umbral bajo el letrero de *Universidad literaria*, no sé qué va a ser de mí en la vida que se me abre. Pero no estoy solo en mi actitud. Cervantes, a quien año por año debía de ir aproximándome, era un preterido. Dígase lo que se quiera, Cervantes no tenía la plena estimación de los selectos. Su literatura era pura literatura imaginativa, y los selectos entendían—lo entiende expresamente Lope de Vega—que para escribir novelas, como las *Novelas ejemplares*, había que ser «científicos» y que sólo los «científicos» debían escribirlas. La oposición—mi oposición—entre el letrero del dintel y la literatura creadora, era manifiesta. De esa pugna, nunca anulada, nunca aplacada, había de nacer en mí toda una estética. Recuerdo que mis primeras novelas—precisamente las que ahora son más leídas—fueron, en cierta ocasión, y por pluma autorizada, calificadas de «incoherentes». No se podía ver entonces la coherencia que en el fondo, no la superficie, existe en esos libros.

XI

LA ESTATUA DE VIVES

Vives parece pensativo. ¿Qué le pasará? Vives, en bronce, se levanta en su pedestal, en el patio de la universidad. Está cubierto con su boina usual, tal como la lleva en el retrato que aparece en la traducción de los *Diálogos,* por Coret y Peris... La boina no es, cual se cree, originaria de Vasconia, sino de la Europa central.

¿Qué le sucederá a Vives? De la tierra española partió en 1509. Y lleva ya a estas fechas, en 1522, trece añitos ausente de la patria. Está triste Vives. Y lo está porque no sabe lo que hacer. Juan Luis es delicado y sensitivo. Todo sensitivo duda. Y la duda en el sensitivo es un conflicto doloroso. A Vives acaban de escribirle de España, aquí a Lovaina, ofreciéndole una cátedra en la universidad de Alcalá de Henares. ¿Aceptará? ¿No aceptará? ¿Volverá a España? ¿No volverá? Si no vuelve ahora, ya la vuelta tal vez sea imposible. Y si vuelve, ¿qué le sucederá?

Esta última pregunta encierra un problema no de carácter político, sino simplemente psicológico. Primero, en España, Vives estará, no en su tierra, orillas del Mediterráneo, sino en la altiplanicie castellana. Ese paisaje y ese ambiente él no los conoce. Tendrá que luchar para adaptarse. Y podrá o no conseguir la adaptación. Por otra parte, Vives lleva, como hemos dicho, trece años fuera de España. Trece años son muchos años. Puede ser ya tarde para el regreso. La patria se impone a nosotros de un modo imperativo. La patria nos da mucho—ideas, sentimientos, emociones—, y exige, en cambio, mucho de nosotros. Cuando nos ausentamos de ella y estamos lejos mucho tiempo, vamos perdiendo el efluvio particular que la tierra nativa nos prestara. Porción de raicillas invisibles se van cortando: las raicillas que nos ligaban a la tierra querida. Y llega un momento en que, siendo los mismos, sintiendo amor vivo a la patria, somos otros. Y lo somos tanto para nosotros como para los demás. Los demás, nuestros compatriotas, vueltos nosotros a la patria, nos miran y ven que, a pesar de los cambios físicos, somos los mismos. Pero existe algo en nosotros—y ésta es la tragedia—que, sin nosotros quererlo, nos aparta de los antiguos amigos y aun de los familiares queridos. ¡Ay, pagamos nuestra culpa y vamos a ser, perpetuamente, extranjeros en nuestra patria!

XII

EL CASO DE LA VIUDA VALENCIANA

Debo abordarlo resueltamente. No quiero esquivarlo. Lope de Vega, en su comedia *La viuda valenciana,* pinta una señora valenciana que, siendo rica, independiente, se entrega a las mismas experiencias amatorias a que se entregan otras mujeres reducidas por la necesidad. La obra, como obra literaria, es deliciosa. Pero el caso que se expone en la comedia, ¿puede ser considerado como indicio de todo un estado social? ¿Podemos generalizar en Valencia ese caso?

Valencia era todavía a principios del siglo XVII—la época de Lope—un emporio vivaz de riqueza y civilización. Había llegado Valencia, en siglos anteriores, a un grado de sociabilidad extrema. La vida allí era dulce, muelle. Valencia fué la cuna de la tipografía española, y el primer papel europeo que vió Europa salió de los molinos montados en Játiva. Lope vivió en Valencia días para él inolvidables.

Si quisiéramos definir la bella ciudad en pocas palabras, diríamos que Valencia era la ciudad de las flores, de la seda y de la poesía. Cuando Cervantes embarca en Cartagena para ir al Parnaso, en nave cargada de poetas, al pasar por Valencia, después de saludar a cuatro o seis de los poetas más aupados, se niega Mercurio a recibir el grueso de los demás. Eran multitud. Y con seguridad, al ser tantos, se hubieran apoderado del Parnaso y hubieran impuesto «nuevo imperio y mando».

¿Qué imperio nuevo hubiera sido éste? Y lo que nos interesa más: ¿Cuál hubiera sido ese mando flamante? Si el poeta tenía en Valencia personalidad propia, estilo suyo, lo tenía la sociedad entera. El poeta es el más alto signo de un estado social. Y ese estilo social de Valencia, ese ambiente peculiarísimo, ese «imperio» propio en lo espiritual, es lo que más importa poner ahora de relieve.

XIII

MAS DE LA VIUDA VALENCIANA

Viviendo yo en París de asiento, con vagar para la observación, he podido comprobar la disconformidad de las costumbres con cierta literatura, novela y teatro. He observado a la mujer francesa en los mercados—adonde yo iba diariamente a hacer la compra—, en los grandes almacenes, en las iglesias, en los cementerios, en el Metro, en los autobuses. He completado estas observaciones públicas con otras hechas en casas particulares. La mujer francesa es hacendosa, diligente y casera.

Y algo ha sorprendido mi atención en grado sumo. El respeto que se tiene a la mujer en Francia. Jamás en las calles he presenciado el acoso de una mujer. Nunca he visto que a la beldad que pasa se le dirigieran chicoleos. Cuando entraba en el Metro o en el autobús una mujer bonita, nadie la miraba con insistencia. Era un ejemplar bello que pasaba—uno de los miles de ejemplares en París—y nada más.

Pero la contradicción entre la realidad y la fantasía literaria subsistía. No había medio de compaginar las dos cosas. París es un gran centro cosmopolita. En los lugares destinados a la frivolidad pasajera de los extranjeros, un París ficticio se les ofrecía. La Valencia que acusa *La viuda valenciana*, de Lope, es, en la Valencia antigua, selecta, refinada, llegada a la cumbre de la civilización, una Valencia para extranjeros. La verdadera realidad era otra. Como es otra en París.

XIV

SIGUE LA VIUDA VALENCIANA

¿Y cuál podría ser, además, la razón de la pintura de Lope? ¿No hay algo más hondo? Hay, a nuestro entender, una oposición de sentimientos entre otras mujeres y las mujeres valencianas. En el fondo, todo esto denota una pugna femenil. No supone tal pugna ni que unas mujeres, las no valencianas, sean peores que las valencianas, ni que las valencianas lo sean respecto de las otras. Pero la oposición profunda e íntima existe. En España—y ocurre lo mismo en todas las partes del planeta—existen rivalidades de pueblo a pueblo, de aldea a aldea, de región a región. El tiempo y el patriotismo han ido atenuándose o suprimiéndolas.

Lope es un mujeriego impenitente. Su «ocupación continua y virtuosa»—frase de Cervantes, frase terriblemente irónica—es el trato libidinoso con las mujeres. Pero a quien está a la continua entre las mujeres, se le pegan las proclividades y taimerías de las mujeres. Periquito entre ellas acaba por ser una de tantas. Lope es, en muchos aspectos, femenil. Y en su comedia lo que hace, en realidad, es secundar, en forma primorosamente artística, los rumores, hablillas y comentarios de unas mujeres respecto a las mujeres valencianas. Y hay una prueba decisiva de ello. Existe otro caso análogo al de Lope. Y ahora con la agravante de ser una mujer quien lo promueve. En la novela *El prevenido engaño*, doña María de Zayas pinta incidentalmente una señora valenciana, esposa de un duque catalán, señor de un pueblo, que se entrega, todavía con más franqueza que en la obra de Lope, a las experiencias arriba dichas.

De mujer a mujer. Recta y al corazón.

XV

FIN DE LA VIUDA VALENCIANA

He estado yendo un mes al Louvre a contemplar la Venus de Milo. La célebre estatua está colocada sola en una salita. En los cuatro lados hay cuatro bancos, a fin de que el visitante pueda contemplar la Venus en todos sus aspectos. La luz la recibe la estatua de una ventana próxima, por la parte derecha. Pero la luz de París no es violenta, sino suave, plateada. De noche, iluminada sabiamente la obra, el efecto es maravilloso. Largos ratos pasaba yo en contemplación silenciosa. Y se imponía a mi espíritu un enigma: ¿Por qué esta mujer tan bella, de líneas tan armoniosas, envuelve y oculta la parte baja de su persona en un manto? ¿No era natural el desnudo completo? Pensando y tornando a pensar, llegué a la conclusión que un escritor francés, por aquellos mismos días, había sugerido en un artículo. La hermosa mujer oculta, de propósito deliberado, sus piernas. «La Venus de Milo no está desnuda—decía este escritor—sino desde los hombros a las piernas.» Y agregaba: «*Or c'est d'un grand avantage même pour la plus belle femme du monde, des lors qu'elle est une femme faite.*» La Venus de Milo, en suma, podría tener las piernas mal hechas. (Drieu la Rochelle: «La Venus de Milo vivante et cruelle», en *Le Figaro* de 10 de noviembre de 1936.)

Las piernas, como los brazos, lo que llaman los franceses *les attaches,* es difícil encontrarlos bellos en una mujer, aun siendo ésta de hermoso rostro. En 1858 se inauguró en su totalidad la línea férrea de Madrid a Alicante. Con la reina Isabel II marcharon cronistas distinguidos. Don Ramón de Campoamor fué uno de ellos. Su narración es divertida. En Alicante admiró el poeta a alicantinas de diversas partes de la provincia. «Las medias de las de Jijona llamaron la atención por lo bonitas. Ninguna las llevaba. Y por eso gustaron tanto. ¡Qué blancura en la tela! ¡Qué suavidad en el tejido!» («Desde Alicante a Valencia», en *Polémicas.* Madrid, 1862.) Campoamor no hubiera admirado tanto las piernas de esas valencianas si no hubieran sido perfectas. Campoamor, el poeta de las mujeres, era el mejor juez de las mujeres.

La valenciana, tan cordial y limpia, es perfecta físicamente. No necesitaría el manto engañador de la Venus de Milo.

XVI

ARISTOCRACIA VALENCIANA

Cuarto de dormir. En una de las paredes, el retrato de una señora provecta, firmado por Ignacio Pinazo Camarlench, el autor del admirable *Romero Robledo* que está en el Congreso de los Diputados. Enfrente, otro retrato, el de una señora joven, pintado por Francisco Domingo, el pintor de la maravillosa *Santa Clara,* del museo de Valencia. Un Baedeker de París. Confusión de ropas. Ropa blanca interior, finísima, y trajes varios de elegante corte. *Manual del cultivo del naranjo.* El manejo continuo, afanoso, ha tornado lacio y sobado el libro. Maleta abierta colocada en una silla. ¿Va a ir o acaba de llegar esta maleta? En sus costados, etiquetas del hotel Crillon de París, en la plaza de la Concordia.

Y una profunda paz. El viaje va a ser emprendido. Y al mismo sitio que anteriormente y como antes. Con el mismo pensamiento en la tierra natal y en el país de elección. Metido en un bolso de mano, un sobre con un fajo de billetes de Banco y con letra fina de mujer en el sobre: «Para sembrar.» Pero esta siembra no se hace en tierra, sino en los corazones. *Haz bien, que para ti haces.* Se siembra en quien se conoce y en el desconocido que, de pronto, se presenta con lágrimas en los ojos y manos suplicantes, los dedos enclavijados.

No olvidar nunca los naranjos. No apartarse del terruño propio y nativo, y velar, junto a la tierra, por sus opimos partos. Y contrastar para la equidad, siguiendo la tradición europeísta de San Vicente Ferrer y Juan Luis Vives, el pensamiento de casa con el ajeno.

En el cuarto inmediato, en la recámara, veinte o treinta pares de zapatos femeninos, con esta inscripción dorada en la plantilla:

CLINIQUE

PIEDS SENSIBLES

NICE - PARIS - VICHY

Zapatos labrados por Joseph, en París, que, con Diego, es uno de los dos grandes maestros de obra prima en la capital de Francia.

XVII

LLORENTE

Teodoro Llorente Olivares: poeta, historiador, periodista, traductor de Goethe, amigo de Mistral. Hombre recio, barba corta y espesa, facciones abultadas, ojos mates, movimientos lentos, sosegados, que denotan reflexionar y resolver despacio. Llorente, en su periódico, escribe cortos y compendiosos artículos. Leerlos es tener ya un juicio definitivo de las cosas.

En la noche callada, cuando todos los ruidos de la ciudad se han desvanecido, un hombre escribe. La mancha verde de una pantalla y la nota carnosa de una frente pensadora. Todo lo demás, en oscuridad. Debe de haber en la sombra libros abondo, libros en estantes, libros en las sillas. La pluma va lenta y segura por el papel. No queremos que haya tropiezos ni detenciones. Esta prosa clara de Llorente—que a otro día ha de leer un público selecto—se produce sin tachadura ni manchones en las cuartillas.

Llorente era el alma de un resurgir poético en Valencia. Sabía dar a sus versos acentos tiernos y patéticos. En cordiales relaciones con Mistral—Mistral llamaba a Llorente *carîssime grand felibre de Valenço*—, hizo al gran poeta una o dos visitas. La primera está relatada en página límpida e ingenua. Mistral tiene obras grandes y obras de circunstancias. Llorente tiene, asimismo, obras de empuje y versos de efímero humor. Y tal vez, en el acervo de los recuerdos, quede más grabado lo que es accidente que lo que es fundamento. Como de Mistral recordaremos siempre los veinticuatro versos dedicados a una mano de mármol sacada del Ródano—los he leído treinta o cuarenta veces en el libro *Lis Oulivado*—, de Llorente recordaremos, en todo momento, su poesía sobre un popular yantar valenciano.

La mancha verde, en la oscuridad, permanece inmóvil. La nota carnosa se ha estremecido levemente. Hay en el Louvre, allá, al final de la galería grande, un retrato pintado por Rembrandt que me ha tenido en contemplación largos ratos. El San Mateo del gran pintor es un prodigio. Y lo más expresivo en esa faz, la frente. San Mateo está con la pluma en alto, en espera de la inspiración. Detrás del apóstol aparece un ángel, en quien el pintor ha retratado a su hijo. En el poeta, la frente era lo singular. Se veía en ese pedazo de faz todo el poeta, todo el historiador, todo el humanista. *Las Provincias* era un periódico conservador, y su clientela, escogida. Podían estar seguros cuantos leían los breves, sintéticos y precisos artículos directoriales—Llorente dirigía el periódico—, de que tenían un guía seguro. Hombre de tal frente no podía engañar jamás.

Llorente escribe. Un hilo invisible va desde él, en el presente, hasta el pretérito remoto. Ese hilo señala la estirpe de humanistas valencianos. Teodoro Llorente es el último de ellos en el tiempo. Desde Juan Luis Vives se va bajando, de escalón en escalón, hasta el poeta. Y son Honorato Juan, el maestro del príncipe don Carlos, hijo de Felipe II; Alfonso de Virués, padre de Cristóbal, recomendado por Vives a Erasmo; Rafael Martín de Viciana, historiador infatigable y autor de ese librito tan curioso que se titula *Alabanzas de las lenguas*, y, en fin, el magno don Gregorio Mayáns y Císcar, que desde su casa de Oliva tanto ha hecho por los clásicos castellanos.

La mancha verde de la lámpara resalta en lo tenebroso. La puerta se ha abierto, y tras un segundo—después del aviso de la visita—, ante Llorente está un joven que le tiende una carta. La emoción le sobrecoge. De todos los sentimientos que puede inspirar un hombre, acaso el más raro—en especial si se trata de un artista—es el respeto. Hombres que inspiren admiración hay muchos; que muevan a cariño, igualmente. El respeto es rarísimo. Y la impresión que este joven, primerizo en las letras, ha tenido al encontrarse frente al hombre que estaba escribiendo bajo la verde pantalla es la de un respeto profundo. La carta está en la mano de Llorente, que la va leyendo con lentitud. Todo calla en la noche. Todo es ansiedad en este mozo que espera inmóvil.

XVIII

SUS ADEMANES

A veces me complazco en imaginar los ademanes de Teodoro Llorente a lo largo del día. Lo que no es notorio e histórico, tiene en ocasiones el valor más subido de la Historia. Y sirve más, en el conocimiento de un personaje, que las gestas esclarecidas. Lo que me sedujo en mi primera visita a Teodoro Llorente fué su aire de tranquilidad y de lentitud. Ahora, después de una vida impetuosa y febril —ímpetu y febrilidad en el trabajo—, lo que gravita sobre mí dulcemente son dos vocablos; es decir, lo representado por esos dos vocablos: «sosiego y reposo». No cabe confundirlos. No son similares. El sosiego es una cosa y el reposo es otra. Pero los dos implican idea de quietud y de meditación. López de la Huerta define sosiego y reposo en su tratado de sinónimos: «La idea del reposo—dice—excluye absolutamente toda acción; la voz sosiego no la excluye; antes bien, supone muchas veces la moderación y tranquilidad del ánimo durante la acción.»

En Teodoro Llorente había quietud y meditación. Anticipadamente calvo, su frente, pensadora frente, se enlazaba con la calva. No perdía por ello expresión la frente; antes bien, la ganaba. La ganaba, porque desde la lisura brillante del cráneo se pasaba a la rugosidad de la frente y al fruncido del entrecejo. Y ese contraste realzaba más la significación frontal. He imaginado alguna vez el vivir cotidiano, el moverse de todas las horas, la actividad de la mano, en Llorente, a lo largo de la jornada. Camina el poeta con lentitud. Su cuerpo es fuerte y con cierta gordura natural, y no obeso. El embarnecimiento contribuye—ya que no fuera instinto—a la lentitud del caminar y de los ademanes. En la casa, Teodoro Llorente decide, puesto en difícil trance, de un modo ecuánime. Siempre, aun en las familias más cordialmente avenidas, suelen suscitarse cuestiones pasionales. El hijo discrepa del padre; el padre no sufre divergencias psicológicas en el hijo; la hija mantiene amores románticos que contrarían a los padres. En estos pasos, llenos de zarzas, en que la pasión se enreda, Teodoro Llorente escucha atento, guarda después breve silencio y pronuncia, al cabo, palabras de serenidad y de conciliación. Su fallo es, si definitivo, amoroso. Y esto en el caso de que dicte fallo. Porque el poeta sabe que, en ocasiones, hay que dar tiempo al tiempo. Resolución aplazada es dificultad vencida. El tiempo es cosa tan peregrina, que en estos difíciles y dolorosos trances va, poco a poco, limando las asperezas, aplacando las irritaciones, haciendo que se olvide el agravio. Y así, poco a poco, sin sentir, lo que antes era montaña inaccesible y fragosa, es al presente grano de arena.

Teodoro Llorente se levanta, se viste con calma, saluda a sus contiguos, se desayuna, lee un momento los periódicos y se pone al trabajo. Como ha estado escribiendo hasta bien entrada la noche, no puede ser madrugador. El descanso largo y profundo en la cama es, para el trabajador mental, el más eficaz corroborante. Descansa largamente el poeta, y confirma con el descanso su lentitud y su ecuanimidad. A pesar del fondo innato, Llorente no podría ser sosegado y ecuánime si, durmiendo poco y desasosegadamente, estuviera a otro día inquieto y desasosegado. Llorente se encuentra en su despacho de historiador y de humanista. El poeta está por encima de la Historia y de las humanidades. Poeta es Llorente en su alcoba, en su despacho, en la Redacción, en la calle, a todas horas. En la casa, el periodista comienza ya, al principio de la jornada, a entrar en comunicación con la realidad universal y violenta. Violenta en la política, en la vida social y en las letras. El arrebato pasional anda mezclado inevitablemente en todos esos órdenes de la vida. Y es importante tener siempre en la mente el aforismo de Gracián: «No hacer negocio del no negocio.» No encrespar con nuestra animosidad, con nuestras palabras impremeditadas, lo que, en el fondo, carece de importancia. De lo que no es nada hacen mucho los espíritus arrebatados, y de lo que es mucho hacen nada, lo resuelven en nada, los espíritus serenos y ecuánimes.

El sosiego de los ademanes en Llorente traduce su espíritu. Ya ha llegado a su despacho en la Redacción. Ya tiene que dar órdenes. Ya tiene que decidir. Ya tiene que resolver una dificultad grave. Llorente se ha sentado ante la mesa de trabajo. El despacho está en tinieblas, y la lámpara de pantalla verde ilumina la calva y frente del poeta y las blancas cuartillas. Han llegado cartas, llegan telegramas y entran visitas de personajes importantes. Llorente ha colocado simétricamente los libros que necesita consultar. Ha ordenado los papeles. Va abriendo calmosamente los telegramas. El caminar de su pluma en las cuartillas es lento. Todo lo que se expresa en esos renglones marca mesura, prudencia y sagaz intuición. Y, al fin de la jornada, tal vez le ponen en silencio, sobre la misma mesa del trabajo afanoso, un vaso de leche—Llorente no prueba el alcohol—y él lo va tomando en pequeños sorbos. La labor está hecha y la conciencia del laborador está tranquila.

XIX

MENCHETA O LA NOTICIA

A don Francisco Peris Mencheta no lo conocí yo en Valencia, sino más tarde en Madrid. En Valencia leía yo todas las noches su periódico. Era indispensable leerlo. Se leía por la mañana los tres o cuatro periódicos que salían con la aurora, y se leía por la noche, indefectiblemente, el periódico de Mencheta. Si en los primeros encontrábamos artículos doctrinales y literarios, encontrábamos en el de Mencheta amplia información y copiosas noticias.

¿Es un género literario la noticia? Cuenta en España la noticia con tradición ilustre. Grandes noticieros fueron Pellicer, Novoa, Barrionuevo. Suelo yo de tarde en tarde, para adentrarme en el siglo XVII, repasar los dos volúmenes del *Semanario Erudito,* de Valladares, en que están recogidos los avisos o noticias de Pellicer. Y nada más instructivo. Aquellas páginas son un verdadero diario de información moderno. Hay allí noticias de Madrid, de provincias y del extranjero. Lo más íntimo y curioso de la corte se expone ante nuestros ojos. Y hoy, que conocemos a los pocos momentos—por la radio, diario hablado, o por las más recientes ediciones de los periódicos—sucesos ocurridos en los más lejanos países, nos causa, por contraste, cierta voluptuosidad el leer las noticias del extranjero que nos da Pellicer. Noticias acabadas de llegar a Madrid, de cosas sucedidas en Flandes, en París o en Italia hace dos o tres meses. Pero acaso la voluptuosidad no consistiría en gozar de esta presteza de ahora, sino de la lentitud de antaño. Lentitud que anejaba dulce sosiego.

Peris Mencheta era un hombre activo, ágil y afable. Su aspecto tenía ostensible pergeño de levantino. Corta y negra la barba, fulgentes los ojos, atezado el rostro. Mencheta poseía un periódico noticiero en Valencia, otro periódico de idéntico género en Barcelona y una agencia informativa en Madrid. Al frente de la agencia madrileña estaba su hermano Salvador, llano y noblote, y don Francisco iba y venía de Madrid a Valencia, de Valencia a Barcelona. Peris Mencheta ha sido un gran productor de noticias. Lo repito: ¿Es un género literario la noticia? He hecho vida de redacción hasta la madrugada en Valencia y en Madrid. Llevo más de cincuenta años de periodismo. En ocasiones, he tenido que escribir rápidamente a última hora de la noche, en la misma imprenta, unas cuartillas para llenar un hueco. El regente apremiaba. No se podían perder los correos del amanecer. Pues bien: muchas veces he tenido que redactar una noticia y me he visto en grande aprieto. La noticia ha de ser breve, clara y exacta. Dos escollos peligrosos tiene el noticiero. Dos escollos que ha de sortear con destreza, como sortea el nauta las sirtes: la *anfibología* y la *batología*. Dicho queda en culto. Pero dicho queda de modo técnico y preciso. La anfibología es la confusión y la impropiedad. La batología es la repetición y el escribir prolijo. Como un breve y limpio cristal ha de ser la noticia.

Dechado de actividad y sagacidad en el cultivo de la noticia fué Mencheta. No se suele saber el ímprobo trabajo, el derroche de habilidad, la fértil inventiva que el periodista ha de poner en juego para poder servir al público una noticia interesante y recientísima. Se ha dado alguna vez el caso—durante nuestras guerras coloniales—de esconderse un informador debajo de la mesa, en el despacho donde se celebraba un importantísimo Consejo de ministros. Y ha ocurrido otra vez, durante el mismo período de las guerras ultramarinas, que como se anunciara que el ministro de Ultramar, don Tomás Castellanos, preparaba trascendental operación financiera, se suscitó la ansiedad en la opinión. Cuantos conatos hubo para barruntar de qué se trataba resultaron baldíos. El ministro permanecía hermético. Y una madrugada, al retirarse a descansar un redactor de *El Tiempo,* de Silvela, observó que de un balcón, en la calle de San Agustín, tiraban unos papeles rotos. El periodista era periodista. Recogió los papeles, fué uniéndolos, pudo leer, al cabo, lo que decían las cuartillas, y su asombro y contento fueron enormes. El ministro de Ultramar vivía en aquella casa, la del balcón que se abrió. Había estado trabajando toda la noche en su proyecto, y a la madrugada tiró a la calle el borrador inservible hecho añicos. El periodista pudo publicar en el número siguiente de su periódico la más estupenda y sensacional de las informaciones.

Fué un gran cultor de la noticia don Francisco Peris Mencheta. Lo estoy viendo, siendo él y yo diputados, en el salón de conferencias y en los pasillos, yendo de un grupo a otro para acervar noticias, como la abeja para libar el azucarado jugo va de flor en flor. Pero no fué Mencheta el perfeccionador, en los tiempos modernos, de la noticia. Ese mérito corresponde acaso a José María del Campo y Navas. Campo fué redactor de *La Correspondencia de España,* y murió en 1878. «Campo fué en la Prensa española—dice Felipe Pérez Capo en corta biografía—el primero o de los primeros que contribuyeron a dar a la noticia toda la importancia que tiene en el periodismo contemporáneo.» Pertenecía Campo a la Asociación de Escritores y Artistas, y a su muerte, Castelar, entonces presidente de la Asociación, pronunció a su memoria un hermoso discurso. «Campo se redujo a periodista y nada más que a periodista—dijo Castelar—. En esa profesión nunca tuvo ni preocupaciones ni partido. Su empleo principalísimo consistió en recoger noticias y dejar a los demás el comentario. Y en esta publicación de noticias, jamás recuerdo que calumniara a nadie, ni que hiciera el mal por la satisfacción de hacerlo, ni que tentara la vía del escándalo para alcanzar fama y fortuna.»

Y ése puede ser también el mejor epitafio del querido don Francisco Peris Mencheta: informó a la opinión verazmente, no hizo daño a nadie y para todos tuvo un apretón de manos afectuoso.

XX

VILLO

Presente y remotísimo. Al alcance de la mano y perdido en los albores de la Historia. Don José Villó Ruiz, catedrático de Historia de España en el preparatorio de Derecho. Caballero serio, grave, con anchos ojos soñadores, bigotes recios y larga y aguda perilla. Ha pasado el cortejo de profesores y Villó se ha quedado en la primera clase. La luz entra del patio en la galería, se filtra desde la galería por el montante de la puerta, se esparce en el ámbito sin ventanas. En los días cenicientos, las tinieblas se palpan. Don José Villó Ruiz, abstraído, asciende por los escalones del estrado, se sienta y coloca en la mesa el birrete. Sólo lo rojo de la borla vence la oscuridad. Villó, atento, ha ido saludando sin ver a nadie a su paso por el claustro. Saluda a personas invisibles. ¿Está aquí, en Valencia, o a miles de años de distancia, en Menfis, en Palmira, en Tiro, en Babilonia?

La explicación comienza con voz lenta y clara. La escuchamos todos ansiosamente. Villó suele cerrar los ojos. Y de cuando en cuando, en trance de que el discurso es más interesante, se para, se arroba silencioso, se sume en suspensiones misteriosas. Las suspensiones de este hombre bondadoso, que no suspende a nadie, nos maravillan. ¿Por qué estos impensados arrobos? ¿Quién es en realidad Villó, y cómo, y dónde vive? Recuerdo que un compañero me dijo una vez—y esto no es detalle ficticio—que había visto a Villó en la calle. En la calle, Villó era cosa insólita, peregrina. Porque Villó debía de vivir en una ciudad, lo hemos dicho, sumida en lo eterno.

No recuerdo la interpretación que Villó hacía de la Historia. Pero ¿qué más interpretación que su propia persona? Villó era la Historia misma. Lo veo ahora claro. Lo veo después de cincuenta años, en que he padecido la obsesión del tiempo. Don José Villó Ruiz, actual y remoto, escapaba a nuestra aprehensión. No podíamos captarlo. No podemos tampoco—¡infelices mortales!—captar el hecho histórico. Un hecho son cuatro, seis, ocho, veinte hechos. Según la mente y la sensibilidad que lo enjuicie. La Historia es una materia flúida. Nos hacemos la ilusión de que la conocemos, y un temperamento genial de historiador, un profundo artista creador que acaba de aparecer, blande en el aire un libro en que nos demuestra que nuestra pobre certidumbre era vana.

Villó sale de su arrobo, uno de tantos arrobos, en la densa penumbra, y continúa con voz impasible su explicación. Ha pasado el tiempo. La puerta se abre y una voz grita: «¡La hora!» Villó se cala el birrete, desciende del alto sitial y se va alejando hacia el pretérito remoto, hasta las profundidades inexploradas del tiempo, saludando a un lado y a otro sin ver a nadie.

XXI

SOLER

Silvano en el bosque. Hombre alto, desgarbado, ladeándose a un lado y a otro y campaneando la cabeza. Cabeza expresiva, dientes helgados, barba rojiza, rala, y ojos azules. Ha salido del bosque y ha llegado a la Universidad para dar, por capricho, una clase de Derecho político. Don Eduardo Soler y Pérez, natural de Relléu, es un amigo de la Naturaleza. La ama apasionadamente y pone en sus observaciones la misma precisión, la misma copia de pormenores, la misma claridad que pone en sus explicaciones del Derecho político. Ha ascendido dos veces a las cumbres inaccesibles de Sierra Nevada. Y el relato que ha publicado de sus impresiones es un primor. Su monografía *Por el Júcar* es igualmente inapreciable. La parte abrupta, áspera, severa, de la dulce Valencia, él la ha expresado en este viaje desde Alberique a Cofrentes.

Quien ama la Naturaleza ha de ser por fuerza un realista, es decir, un hombre de cosas concretas y prácticas. Y ese carácter tiene su enseñanza. En mí ha influído profundamente. El Derecho político no era una cosa abstracta, sino concreta. Lo veíamos, no cristalizado, de un modo invariable, sino vivo, ondulante, contradictorio, evolucionando, a lo largo del tiempo, por entre las luchas sociales, las asambleas parlamentarias, las voluntades de los dictadores o los arrebatos de las plebes enfurecidas. Soler encargaba breves memorias a los alumnos, y esos trabajos personales se discutían luego en la clase. Y para esparcir nuestros ánimos nos llevaba de excursión a campos y pueblos lejanos. Ibamos en tercera y llevaba cada cual su merienda, que luego juntábamos. La excursión a la Murta, derruído monasterio de jerónimos, en el valle de Miralles, a tres kilómetros de Alcira, fué memorable. Ningún paraje más exaltador de imaginaciones juveniles. Sitio romántico, de soledad honda, con riscos eminentes y arboledas bravías y espesas.

Soler, silvano en el bosque. Silvano bondadoso, cordial, que no huye, no se esquiva cuando los que le quieren bien, perdidos en la selva, se le aproximan.

XXII

JUSEU Y CASTANERA

Acaba de llegar y se marcha en seguida. No estará entre nosotros más que el tiempo de la clase. Don Juan Juséu y Castanera, profesor de Derecho canónico. Don Juan Juséu y Castanera, viejo, muy viejo, delgado, con los ojos vivísimos, la faz sonrosada y los miembros ágiles. El pelo largo y la barba intonsa. Las ropas son tan holgadas, que ahora me parecen hopalandas flotantes. Juséu es una autoridad en Derecho canónico y en historia eclesiástica. Bajo sus auspicios le cobré ley al Derecho canónico y lo estudié con entusiasmo. La calificación en el examen fué notable. La historia de los Papas me interesaba también y ha seguido interesándome. De cuando en cuando abro un volumen de Pastor. Juséu era el autor también de una refutación de la vida de Jesús, por Renan. Esas refutaciones abundan. Con la de Juséu no he tropezado nunca en mis rebuscas de libros en los baratillos. He leído la del presbítero don Miguel Sánchez, que es notable. He quedado sorprendido al ver los errores palmarios de Renan.

Pero ¿y don Juan Juséu Castanera? Juséu tenía genialidades y extravagancias. Lo sabíamos todos. No puedo decir ahora cuáles eran esas singularidades. Pero ahora, sin conocerlas, sin recordarlas, las concreto todas en una forma también estrafalaria. Juséu y Castanera acaba de llegar y regresa al momento. Vive en Amsterdam. Allí tiene una tienda profunda y lóbrega, en que se hacinan ropas viejas y trastos inválidos, cuadros y libros, estatuas y lámparas, artefactos que no sabemos para qué sirven e instrumentos de música. Y todo ello revuelto, en confusión suma, yacente bajo espesa capa de polvo. Don Juan Juséu y Castanera está en su tienda de cachivaches viejos, antiguos, como uno de tantos cachivaches. Participa de la intangibilidad y perennidad de esos trastos a lo largo del tiempo. Intangibilidad porque no entra nadie nunca en la tienda de Juséu. Si entrara alguien, sería inútil. El buscar el objeto deseado equivaldría a remover una mesa formidable de antiguallas.

Ya ha terminado su clase don Juan Juséu y Castanera. Rápido, como en levitación, flotando en su amplia toga, se marcha por el claustro para volver a Amsterdam. Los largos pelos al viento, la cara sonrosada más encendida todavía, el cuerpo ágil, inquieto, hecho un manojo de vibrantes nervios.

XXIII

VALENCIA Y ROMA

El historiador don Vicente Boix califica de «inmensas» las cloacas abiertas en Valencia durante la dominación romana. El epíteto nos deja ensoñadores. Debajo de la ciudad ostensible vemos, de pronto, otra ciudad secreta. Se compone de espaciosas avenidas rectas. De otras transversales y de una multitud de conductos afluentes. Tal vez, cual suele acontecer, el vestigio de un crimen anda revuelto en las aguas turbias y sucias. De todos modos, esta formidable subconstrucción revela una fuerza.

Y en la ciudad de la sobrehaz, multitud de reminiscencias de Roma esparcidas por todo el caserío. Las hay en las fachadas de las casas, en los rincones, en las inaccesibles alturas, en lo interior de las mansiones, en una esquina. Se descubren a veces inscripciones y lápidas romanas al golpear el pico del albañil en derribos. Entonces la voluntad que inscribiera, voluntad que había de perpetuarse en los tiempos y que se había eclipsado, torna a vivir y nos pone ante el pensamiento a Roma. Roma está presente en Valencia. El mismo nombre de Valencia es típicamente romano.

Lápidas y rótulos por todas partes. Los epigrafistas antiguos—un Lumiares, un Cortés—los estudiaron. De esas lápidas, muchas fueron rotas, y de esas inscripciones, muchas estaban medio borradas por el tiempo. Pero todas decían: «Roma.» Todas esas inscripciones atestiguaban la romanidad de Valencia. Las había de todos géneros: un soldado con suerte agradece su protección a los dioses; unos magistrados de la ciudad desean perpetuar la memoria de sus personas; la ciudad entera muestra su admiración a un emperador romano nacido en España. Aquí, en la esquina de esta calle apartada, quien ha sanado de grave dolencia se lleva con fervor al dios benevolente que le curara. En la fachada de tal monumento público, una dama de romano nombre deja inscrito su paso por la vida. En el cauce del río, al excavar, aparece un pedazo de ara con piadosa dedicatoria. Y no falta una lápida —y ésta es la más apropiada—en que se representa el cuerno de Amaltea, esparcidor de dones, signo de la abundancia, que figuraba en el antiguo escudo de Valencia.

Hubo un día en que cierto moralista, ofuscado, ordenó que en los cimientos de una gran fábrica que se iba a construir —el puente de Serranos—fueran enterradas las bellas lápidas. Ese moralista furente era enemigo de la Historia. Deseaba enterrar a Roma. Pero Roma es inmortal, y acaso en el fondo de la conciencia valenciana aliente el espíritu romano.

XXIV

VALENCIA Y BANDERA VERDE

La bandera verde es la bandera del Islam. Ha ondeado sobre Valencia siglos. El joven de quien quiero hablar me coge familiarmente por el brazo y me va llevando a un potente automóvil. El mozo trae negra barba y sus ojos son fulgurantes. La tez, del color del trigo.

—Ven conmigo—me dice—. Vamos a la huerta. Acabo de conocer tus pensamientos sobre la romanidad de Valencia. Y no sé qué te diga. Ya lo habrás visto por mi tipo. Lo soy y no tengo por qué ocultarlo. Desciendo de una familia distinguida de moriscos que aquí quedó, por su dinero, cuando la expulsión. Ahora, vosotros andáis regateándonos a nosotros, los árabes, nuestra influencia en España. En la misma Valencia, no sé si llegáis a decir que el sistema de irrigación no es nuestro en lo fundamental. ¿Me permites que sonría? Te abandono, si quieres, las ocho grandes acequias o azarbes. Repite conmigo esos nombres tan eufónicos: Moncada, Cuarte, Tormo, Mislata, Mestalla, Favara, Rascaña, Rovella. Tuyo es todo. Pero ¿es que no nos vas a dejar a nosotros la ramificación sabia y vivificante del agua sangrada de esos azarbes? ¿Y es que no nos vais a permitir el paciente, activo y hábil cultivo de las tierras? La realidad no puede ser recusada. En Valencia, en Castellón, en Alicante, nosotros somos nosotros. Nosotros alisamos con la planta del legón los camellones como no los alisa nadie. Nosotros marcamos los bancales y tablas con un primor que nadie marca. El arte de injertar es arduo, y nosotros lo practicamos con delicadeza. Podar no sabe todo el mundo, y nosotros manejamos la podadera y el hacha con el tiento que un experto cirujano su bisturí. ¿Y qué te diré de la trilla, de la molienda de la aceituna, del exprimir de los racimos? En Valencia tenemos agua a discreción. Pero donde nosotros sobresalimos es en el cultivo de secano. ¿Crees tú que desciende de Roma este labriego alicantino que con su mulita a horcate va labrando, allá en lo alto de una pina ladera, replanada en paratas, de tierra pedregosa, donde él siembra unos celemines de cebada? ¿Y no has visto a este labrantín en la sonochada, con su manojo de esparto bajo el brazo, labrando silenciosamente pleita o tomiza? Si una desgracia cae subitánea y terrible, contémplale cómo se repliega sobre sí mismo, impasible por fuera, silencioso, vacando siempre a sus quehaceres. Esa serenidad bella e inalterable es nuestra serenidad. Esa serenidad procede del sentimiento hondo de lo fatal. Y lo fatal es todo el Islam. Hemos llegado ya al fin de nuestro paseo. Nos hallamos junto a un cañaveral que crece a orillas del caz de un molino. Las mil flámulas de las alargadas y estrechas hojas temblotean. El cielo está pálido. Allá lejos, sobre el caserío de la ciudad, se eleva el Miquelete. En esa hora del día que va a morir, un anhelo inefable nos embarga. En ti, nacido en tierra valenciana, esa melancolía es constitutiva. Es la melancolía que suscita la voz del almuédano en su alminar. Es la melancolía de un patio interior, en una casita blanca sin ventanas, en que las rosas del jardín dejan caer sus pétalos en la fuente de agua negriverde. Y es la melancolía que en la declinación de la edad, al despedirnos de todo, nos sobrecoge cuando en las elevadas azoteas de la ciudad mora contemplamos los bultos blancos de las habitadoras de la mansión, que nos hacen pensar en una voluptuosidad que ya no es para nosotros.

XXV

SIGUE LA BANDERA VERDE

Dos años antes de llegar yo a Valencia —llegué en 1886—, amaneció un día, en una fonda de Alcira, un moro auténtico. Alcira es una de las ciudades más ricas del reino. Sus naranjales son famosos. Ninguna naranja más delicada que la de Alcira. La ciudad, limpia y blanca. Entre lo verde del brillante follaje, «se halla en una llanura — dice Madoz — rodeada de huertas y en una isla formada por los dos brazos en que el río Júcar se divide antes de llegar por el Oeste a la villa». Vivir en Alcira es una delicia. Ya el nombre mismo de la ciudad es eufónico, musical, suave.

¿Y adónde podía ir mejor que a Alcira este moro venido de tierras africanas? La dulzura y quietud de Fez o de Mequinez aquí estaba. Y aquí estaban también los hombres graves, silenciosos, contempladores eternos, que en realidad eran compatriotas suyos. Arabe el fondo del valenciano, debía un natural del Norte africano sentirse con los valencianos solidario. Y recíprocamente, en Alcira, tan valenciana, tan morisca, sus moradores no debían ver oposición entre su psiquis y la psiquis de este agareno.

El agareno era afable. Su cortesía hechizaba a todos, y pronto muchas manos estrecharon su tostada mano. El traje que vestía era irreprochable en su blancura y en su corte. Don Julián Ribera, el eminente arabista valenciano, académico de la Española, que había de morir, andando el tiempo, en una alquería por estos mismos parajes, sería entonces un muchacho, ya entusiasta del arabismo. Y pudo hablar—nada se opone a la hipótesis—con el moro recién llegado a Alcira. Y pudo comprobar la pureza y propiedad del árabe que parlaba el musulmán. En el casino de Alcira—estas cosas ocurren siempre en los casinos; lo sé por experiencia—habría seguramente entablada discusión reñida entre los partidarios de la influencia árabe en España y los negadores. Los negadores citarían a don Francisco Javier Simonet—si es que entonces había ya publicado Simonet sus sabios trabajos—, y con ello confutarían, naturalmente, anonadándolos, a sus contrincantes. Y acaso no faltaría quien, para remachar el clavo, ahondando más en la cuestión, citase a Macías Picavea, que, en su *Geografía*, compara las tres penínsulas meridionales europeas—la balcánica, la itálica y la ibérica—y concluye que, siendo las tres análogas, ninguna de las tres tiene nada que ver con Africa. La llegada del moro a Alcira cambiaba la situación de unos y otros. Los vencedores en la tertulia del casino iban a ser los vencidos, y los vencidos, los vencedores. Un escritor de la primera mitad del siglo XIX, aragonés, José de Vicente y Caravantes, que he de citar también más lejos, ha dicho, hablando del parentesco de valencianos y árabes, que existen ciertos rasgos en los valencianos que acusan tal hermandad. «El modo de sentarse con las piernas cruzadas—escribe ese autor—, la manera de subir en los caballos, de un salto o haciendo estribo de la cola del cuadrúpedo, y otras particularidades semejantes, son una prueba de que existen en esta provincia (Valencia) muchos rasgos de los usos de los invasores de Oriente.» No será aventurado suponer que alguno de los días en que el moro permaneció en Alcira daría muestras de su gallardía a caballo. De un salto, como manda el uso, se pondría a horcajadas en el trotón, o bien, utilizando la cola del animal para hacer de ella cómodo estribo. Y no faltaría algún alcireño que, presta y elegantemente, se pondría a caballo de un brinco. La concurrencia aplaudiría, y por la noche, en las tertulias, se daría como fallado el pleito.

El diputado a Cortes, el alcalde de Alcira, el cura párroco, llegaron a ser cordiales amigos del caballero moro. Tan español — español y valenciano — se sentía éste, que quiso abjurar de su secta y abrazar el cristianismo. El propio diputado a Cortes fué su padrino en el bautismo. El moro era ya un vecino de Alcira. No se le negaba nada. Había dejado un tesoro en Africa y necesitaba algunos recursos. En cuanto él volviera al suelo africano y desenterrara el tesoro, devolvería las cantidades aquí recibidas.

Desapareció un día el moro, y se supo más tarde que el auténtico agareno, que parlaba tan elegantemente el árabe, era, pura y simplemente, un aventurero valenciano, por cierto nacido en el pueblo de la Ollería. Y ahora imagine el lector que un asturiano, un malagueño, un leonés, o bien un inglés, un francés o un alemán, han estado en Alcira los días mismos en que estuviera el moro José Oltra. El moro auténtico, natural de Ollería, llevaba este nombre. Esos forasteros o extranjeros que imaginamos, se han marchado de la ciudad antes de descubrirse el engaño. Esos pasajeros de Alcira se interesan en el estudio del carácter valenciano. Y al marcharse se llevan la convicción, por lo que acaban de ver, de que la afinidad entre Valencia y la Mauritania es indiscutible. La Historia suele hacerse así.

—No, no, querido señor—oigo que me interrumpe un lector hipotético—. No, no, la Historia no suele hacerse así. La verdadera Historia es la verdadera Historia. Y el argumento que usted esgrime contra la Historia no vale en este caso. Las consecuencias que se han de deducir del caso relatado son las contrarias de las que usted deduce. Ese caso demuestra precisamente—y no niega—la afinidad espiritual, el parentesco psicológico entre valencianos y árabes. Porque si un simple vecino de la Ollería, José Oltra, pudo apropiarse tan exactamente la lengua, las maneras y los usos del árabe, fué porque, indudablemente, había en su conciencia de valenciano un imborrable, milenario, atávico, fondo árabe.

XXVI

EL TIEMPO Y LOS TIEMPOS

Valenciano adventicio—adventicias son las hierbas de los caminos—, he vivido en múltiples moradas. En la plaza de las Barcas, en la calle de Santa Teresa, en la calle de Moratín, en la plaza de la Pelota, en la calle de la Ensalada, en la calle de Bonaire. Va esta calle desde la calle del Mar a la plaza de las Barcas y atraviesa la calle de la Nave. En la calle de la Nave se alza la Universidad. Da a esa calle la puerta de la Universidad—creo que lo he dicho ya—de más éxito... y de más entrada. En un pupilaje de la calle de Bonaire, pupilaje muy arregladito, ocupo un cuarto casi en tinieblas. Fatalmente, quien había de contestar con el tiempo a lo largo de su vida, tenía que recorrer tantos espacios. El espacio es la otra cara del tiempo. Pero ahora hago propósito de estabilidad. La estabilidad es el deseo ferviente de las pupileras. Encima de la mesilla de noche tengo un quinqué con el tubo ahumado y un libro con la pasta raída. ¡Cuidado con este libro! Porque de él ha de salir la conciencia del tiempo, conciencia dolorosa, que me ha de dominar. El grupo de los antiguos amigos se ha disgregado y ahora vivo solo, a solas con mis pensamientos. Y es a la madrugada cuando enciendo el humoso quinqué y cojo el sobado volumen. La Gramática es lo que me atrae en mis comienzos de escritor. Como me atraen los autores clásicos. Y lo que reposa al pie del quinqué es la *Gramática* de don Vicente Salvá. En lo bajo de su portada pone: «Valencia. En la librería Mallén. Calle de la Nave. 1847.» La primera vez que leí la nota señalada al final con la letra C no advertí nada. Pasamos bordeando a veces un precipicio y no nos damos cuenta. La vez segunda comenzó a entrar en mi ánimo el desaliento. Y la tercera vez se apoderó de mí el espanto. El espanto, en este pupilaje modesto, de madrugada, a la pálida luz de un quinqué y, como ahora, alucinadamente. Salvá, en esa nota, juega con el tiempo. Salvá, cual un prestimano habilísimo, va a cambiar los tiempos de un verbo. *Amara, amaría* y *amase* pierden su primitiva condición y adoptan otra, gracias a Salvá. Ayer fueron pasado, y ahora van a ser futuro. Y yo pensaba que los tiempos son inseguros y que el tiempo, que es nuestra creación, acaba por destruirnos. El tiempo y el espacio son las dos barreras infranqueables del espíritu humano. No podremos jamás salvarlas. Haga esfuerzos el lector, recogido un momento sobre sí mismo, por imaginar algo que no sea tiempo ni espacio. ¿Es que podrá lograrlo? ¿Es que conseguirá percanzar una partecilla minutísima de algo que no sea tiempo y espacio? Y ahora, con la mano puesta en el corazón, diga si el mísero mortal que no puede imaginar más allá del tiempo y del espacio tendrá valor para afirmar que más allá no existe nada. Si lo afirmara, su infantil suficiencia nos parecería ridícula. La nota C de Salvá es como un trágico *Dies irae*. ¡Condición miserable la de los hombres! No Bello, no Cuervo, no el propio Salvá, son dueños de los tiempos. Cogen con mano febril un tiempo para colocarlo en el pretérito, y ya una vez asentado allí, el tiempo da un brinco y se traslada al futuro. Quieren poner otro tiempo en el futuro, y el tiempo, de un salto, se coloca en el pretérito. Y hay que resignarse a los caprichos y jugueteos de los tiempos.

—Leyera yo en Bétera las *Rimas* de Querol.

¿Cuándo las he leído? Pero ¿es que las he leído? Las leí acaso hace un mes o un año, y las voy a leer dentro de un año o un mes. No Bello, no Cuervo, no el mismo Salvá—que ha cumplido la operación mágica de transmutar un tiempo—saben tampoco si el pretérito es próximo o remoto, ni si el futuro tardará mucho o poco en llegar. ¿Y estoy yo seguro al oponer un *no* decisivo y resolutorio a las tentativas de Bello, de Cuervo y de Salvá? El *no* es el más inseguro, falaz y peligroso de los vocablos. El *no* es un adverbio veleidoso y travieso. Se complace unas veces en negar y otras en afirmar. El *no* es dubitativo. No sabe él mismo lo que hacer. Pensemos en esta exclamación: «¡No, que no!» Cuando se dice eso, se quiere decir: «¡Mucho que sí!» Y si se dice también, por ejemplo, aludiendo a Ceilán: «¡Allí sí que no habrá perlas hermosas!» En *El pelo de la dehesa*, de Bretón, Elisa pregunta en el tercer acto, escena VII: «¿Qué ha dicho?» Y el interrogado replica:

¡Friolera! ¡Que por poco
no se nos muere mamá!

En *Indulgencia para todos*, de Gorostiza (acto I, escena II), don Fermín interroga a una criada, refiriéndose a la cama: «¿Qué colcha has puesto?» Contesta la sirvienta: «¡Toma! La blanca de damasco.» Y don Fermín replica: «Te confieso que temía no le encajaras la de filipichín.»

«El hombre—como dice fray Luis de Granada—es una cañavera que se muda a todos los vientos.» El alba se aproxima y la llama del quinqué agoniza. Ha cantado un gallo. ¿Qué tiempo hará en el día que se va a iniciar? *Amaneciera* sereno y *fuera* yo a dar un paseo por la huerta. Acabo de expresar mi pensamiento con tales palabras y me sobrecoge de nuevo el espanto. Amaneciera sereno y fuera a dar un paseo. ¿He ido ya, ayer o la semana pasada, o he de ir cuando me levante? No lo sé. ¿Y cómo será el tiempo del nuevo día? ¿Largo o corto? ¿Tendrán las horas quince minutos o doscientos?

XXVII

EL PRETIL DEL TURIA

He estado de pechos en el pretil del Sena. Y en el del Arlanzón, en Burgos. Y en el del Guadalquivir, en Sevilla. Los pretiles tienen su encanto. Valencia cuenta con cinco antiguos puentes y diez kilómetros de pretil. Elías Tormo da a este pretil el dictado de «costosísimo». Valencia es la ciudad donde, en lo antiguo, gozando de civilización extremada, se han realizado obras públicas de puro lujo. Tales son las torres de Cuarte y de Serranos, entre otras. No recuerdo cómo es el pretil del Turia. Y ello me desasosiega. Porque hacen nacer en mí más emociones, a veces, las obras que no figuran en las guías, obras no reputadas por artísticas, que los fastuosos monumentos.

En París, en mis divagaciones a orillas del Sena, a la caza de libros viejos, he pasado largos ratos de pechos en el pretil. De trecho en trecho existen claros, a lo largo de los cajones de libros, para que el transeúnte pueda contemplar el Sena. Y el Sena, a través de París, es maravilloso. En la primavera, cuando el tiempo es templado, se pasea despacio por esos malecones y se goza de la fusión inefable que se forma entre el cielo de un gris de plata oxidada, la luz cernida, la fronda de los árboles, la corriente que se desliza mansa y las bellas que pasan y se detienen un momento ante los viejos libros.

El pretil del Turia me atrae. Quisiera terminar pronto estas letras y marcharme a ponerme de pechos en el pretil. El Turia no pasa caudaloso por Valencia, como pasa el Sena por París. Pero yo estaría largo rato contemplando las aguas, aguas rojizas, que por el centro del cauce van corriendo hacia el mar. Muchedumbre de recuerdos se agolparía en la mente. El agua pasa y la vida pasa. El agua es siempre la misma y varia, y la vida es siempre varia y la misma. El son lejano de una campana orientaría de improviso mi pensamiento en determinada dirección. «Valencia—ha dicho también Elías Tormo—es la ciudad de las campanas, pues tiene más de doscientas.» La campana es para mí melancolía. La campana me restituye desde lo frívolo a la gravedad. Todo se desvanece: tiaras, coronas y penachos gloriosos. Desde esta misma orilla del río verían correr las aguas, como ahora corren, dos valencianos, tío y sobrino, prelados de Valencia los dos, que llegaron a ocupar el solio de San Pedro. Uno, el tío, Alfonso Borja, cura párroco que fué también de San Nicolás. Otro, el sobrino, Rodrigo Llansol Borja. El apellido Llansol no puede ser más valenciano. De Llansol (sábana), los italianos han hecho Lenzuolo, como de Borja han hecho Borgia. Alfonso fué Calixto III, que reinó tres años, de

1455 a 1458. Rodrigo fué Alejandro VI, que pontificó once años, de 1492 a 1503. Y otro recuerdo que desde este pretil del Turia nos lleva a las márgenes del Sena, y ahora de un modo conmovedor: Calixto III fué quien ordenó la revisión del proceso de Juana de Arco.

El libro de Fernando Gregorovius *Las tumbas de los Papas* es lectura provechosa. En ascetismo y desengaño se resuelve todo, en resumen de cuentas, al leer este volumen. Dos prelados valencianos que fueron Papas vieron correr las aguas que he visto yo tantas veces. Gozaron del supremo honor humano y todo acabó. Calixto III tuvo sepulcro en San Pedro de Roma. No lo tiene hace tiempo. Alejandro VI yace en la iglesia de Santa María de Monserrato. Y dice Gregorovius: «En esa iglesia han sido enterrados sus huesos, bajo una losa que está detrás del altar, sin inscripción, sin nombre, con los huesos de su tío Calixto III. Porque esos huesos no encontraron reposo en la tumba. Julio II, enemigo mortal de los Borgia, los mandó retirar de las criptas del Vaticano y llevar a San Giacomo degli Spagnuoli, y cuando se hundió esta iglesia, fueron transportados a la de Monserrato, en 1610.»

Dies iræ, dies illa,
Solvet sæclum in favilla:
Teste David cum Sibylla.

Alfonso de Borja fué obispo de Valencia, y su sobrino, Rodrigo, elevada la diócesis a la categoría de archidiócesis, por Inocencio VIII, en 1492, fué el primer arzobispo. Calixto III rigió dichosamente la Iglesia. Sobre Alejandro VI, el juicio más discreto que conocemos es el del padre Enrique Flórez en su *Clave historial*, Madrid, 1790, página 286: «Varón de grandes hechos, en quien se dice compitió lo malo con lo bueno. Lo bueno lo confiesan todos. Pero en lo otro, no todos convienen. Y por esto, me valgo del silencio.»

XXVIII

LAS FALLAS

En la noche templada y límpida. Los dos balcones que dan a la plaza tienen las maderas cerradas. En la sala hay una sillería de amarillenta enea. Las sillas ostentan una lira en el respaldo. Los sillones, una lira. El canapé, una lira entre dos jarrones. Sobre una consola con embutidos de nácar y ébano, se levantan dos estatuitas de fina porcelana que representan un caballero y una dama del siglo XVIII. A un lado de la sala está la alcoba, cerrada por vidriera con cortinillas verdes. El techo es alto.

En uno de los sillones se encuentra sentada una señora anciana. Va vestida de negro. En una de sus manos blanquea un pañuelo de finísima batista que la anciana se lleva, de cuando en cuando, a los ojos. En dos sillitas bajas, a un lado y otro del sillón, a los pies de la dama, están sentadas dos jóvenes, también con luto riguroso. En la penumbra en que está sumida la estancia, casi se funde lo negro de los trajes con el ambiente negro. Y sólo resalta, bien visible, la nota blanca del pañizuelo.

Se oye rumor de multitud. La algazara ha ido creciendo desde el leve murmullo hasta las voces estridentes. La muchedumbre está ya congregada en la plaza. La impaciencia la gana. El silencio de la sala ha sido roto, y de ahora en adelante invadirá el ruido exterior el callado ámbito. Las meditaciones dolorosas de la anciana y de sus acompañantas serán imposibles. Las tres figuras permanecen inmóviles. Sin decir nada, sin ponerse de acuerdo, no se mueven de sus asientos ni se marca en sus caras el menor gesto. La gritería va creciendo. Ya la muchedumbre impacientada, vehemente, no puede esperar más. Atraviesan el aire, como saetas, imprecaciones agudas. Se oyen estruendosas carcajadas. Ha dicho alguien alguna chanza o ha hecho alguna travesura, y la multitud la celebra. No puede demorarse más el espectáculo ansiado. La plaza debe de estar rebosante de un público denso y anhelante. Y de pronto, por encima de la continua y clamorosa grita, rompe a tocar una música. Las tres figuras enlutadas siguen inmotas, durante unos minutos más. Al fin, las dos muchachas se yerguen, se pone en pie también la anciana, y el grupo empieza a caminar lentamente. La anciana va en medio y las dos jóvenes la sostienen y alientan. El caminar de la anciana es trabajoso, titubeante, como si llevara sobre los hombros un peso formidable. Ya han llegado las tres a la puerta de la sala y la transponen. Por un ancho pasillo van caminando.

Desde este aposento en que han entrado la anciana y las dos muchachas, el ruido de la plaza se percibe más mitigado. Pero todavía la algazara, el regocijo, el bullicio de la muchedumbre, tienen aquí su resonancia. Se ha sentado la anciana en otro sillón, las jóvenes en sendas sillas, a cada lado del sillón, y así permanecen silenciosas. Su espíritu está lejos del mundo, y el mundo las solicita, dolorosamente, con los gritos de la multitud y el alegre son de la música. El pañuelo de blanca batista refriega suavemente los ojos de la anciana. Y hasta este lejano cuartito llega también el vocerío. Como el silencio que guardan las tres mujeres es ansioso y como todo en ellas, a pesar suyo, tiende hacia la plaza —con imploración íntima de sosiego—, lo que parecía al principio mitigado se ha hecho estrepitoso. Suenan unos continuados tronidos, y ya la permanencia en esta otra salita lejana es inútil. Desde aquí lo exterior se percibe, en resumen de cuentas, tanto como desde la sala que se abre, en sus dos balcones, a la plaza. La anciana se pone nuevamente en pie, se levantan también las dos muchachas, y el grupo comienza otra vez a caminar. Van más adentro de la casa, donde no se pueda oír nada. La casa es profunda. Allá en el fondo, en un cuartito cerrado, el silencio será absoluto.

En el aposento del fondo de la casa están ya sentadas las tres figuras enlutadas. Nada desde aquí se oye, en efecto. En la noche templada, límpida y silenciosa. Y dentro de las almas—las almas de estas tres personas dolorosas—, la noche de los recuerdos inolvidables. En esa noche los recuerdos son como estrellitas brilladoras y eternas. El tiempo pasa. Pasa y no se sabe cuánto tiempo ha pasado. Las tres figuras se levantan y se encaminan al segundo aposento. El estrépito vago que se oía desde aquí, ya no se oye. Silencio profundo. Y al cabo de unos instante, la anciana y las dos jóvenes salen de este aposento y se dirigen a la sala. El silencio continúa. Y continúa consolador y benéfico. La anciana se sienta en el sillón que de primero y las dos jóvenes en las sillitas de antes. Todo ha pasado ya. Nada turba la paz de la noche. Ni la paz del recuerdo.

XXIX

BLANCA MARCH

Blanca March, la madre de Vives, es el prototipo de la señora valenciana. Procedía de una familia ilustre. Familia de poetas, en que el más eminente fué Elzear March, es decir, Auzias. Cuenta el mismo Vives que habiéndose ausentado de casa tres días, siendo muchacho, la madre a su retorno no dijo palabra. Y éste es el conflicto angustioso entre dos finas sensibilidades: la de Vives, que toda su vida fué un sensitivo, y la de Blanca March, que lleva en sus venas la sangre misma del poeta del dolor y del recuerdo.

La hora en que el niño debe restituirse a la casa va pasando ya. Juan Luis tarda en volver. Comienza a inquietarse la madre. Los minutos transcurren como siglos. Algo debe de haberle ocurrido al niño. Se pregunta acaso a los vecinos, y éstos no saben nada. Se hacen más serias indagaciones, y éstas son infructuosas. Henchido de dolor el corazón, presa de congoja mortal, la faz de la madre permanece inalterable. ¡Y ya está aquí Juan Luis! Tres días enteros ha vagado por no sabemos dónde. El niño espera gritos, espasmos, tal vez golpes, y se encuentra con un silencio glacial. No ocurre nada. Todo en la casa sigue su marcha normal. Pero este silencio de la madre es para Juan Luis la más dura reprobación. Este silencio de la madre le cuesta a la madre lágrimas internas.

«No me quiere mi madre—piensa el niño—. He cometido una falta grave y no ha chistado. Le soy indiferente. Me mostraba cariño en las cosas ligeras, y ahora que llega este trance en que demostrar su hondo sentimiento, no me dice nada.»

«No digo nada a Juan Luis—piensa la madre—porque no quiero acongojarle. No sé si hago bien o hago mal. Si hablara, si le recriminara, si rompiera en lamentos y reproches, tal vez se me escaparía alguna palabra imprudente. O podría precipitarlo en la desesperación, o podría alentarlo, para otra vez, en la impunidad. Lo veo sufrir y sufro yo misma. Más vale este silencio, en fin de cuentas, que el castigo. Y no digo más.»

He conocido varias Blancas March. Es todo el espíritu tradicional de Valencia lo que alentaba en ellas. Mi tía Magdalena, la de Petrel, siempre vestida de oscuro, parca de palabras, severa para los hijos, a quienes no perdonaba ni una palabra inconveniente, ni una mancha en el traje, era Blanca March. Y mi madre misma, también con sus vestidos oscuros, reservadísima, contenida en sus cariños maternales, pero celosísima por los hijos, curiosa de lectura, amiga del orden y de una pulcritud irreprochable en toda la casa, desde el desván al tinelo, era, asimismo, Blanca March.

XXX

ESCALANTE

Eduardo Escalante es como una de esas plantas que las tierras cargadas de humus, tierras feraces, tierras fértiles, producen. Escalante había de ser el producto lógico de la intensa sociabilidad valenciana. No sé si lo tropecé alguna vez. Murió en 1895. Su teatro es vario. En los tres volúmenes impresos por Domenech entran cuarenta y nueve obras. Ha pintado Escalante las costumbres valencianas en una época determinada. Y aquí comienza la confusión.

En un teatro costumbrista, lo que atrae, naturalmente, son las costumbres: tipos, trajes, modos de decir, peculiaridades de un grupo social. Si el pintor es diestro, como lo era Escalante, la muchedumbre se ve seducida por esta fidelidad de la pintura. De la muchedumbre sube la admiración a los doctos. Y los doctos fallan de acuerdo con su propio sentir y con el dictamen popular. Y el fallo puede ser—seguramente es—injusto en absoluto. Lo ha sido en el caso de don Ramón de la Cruz. Y lo está siendo en el caso de Escalante.

Porque lo esencial está por encima de lo contingente. Lo contingente, en el caso de Escalante, es la pintura de costumbres, y esa pintura, naturalmente, en un momento dado. Momento que pasa, llevándose consigo tipos, trajes, fiestas y pormenores pintorescos. Lo esencial, en Escalante, es otra cosa. Lo esencial en don Ramón de la Cruz es otra cosa también. Lo esencial, en Escalante es, ante todo, una ironía fina, delicada, sutil, que procede de lo más hondo de una civilización. Y lo esencial es asimismo el buen sentido, el desdén elegante, la resignación melancólica con que se acepta el dolor. La ironía de Escalante no todos podrían gustarla. Hay estados de espíritu que no se pueden poner de una lengua en otra. Al traducirlos se evaporan. Queda de ellos muy poco. Cosa análoga a la ironía de Escalante podremos encontrarla en Courteline y en Tristán Bernard, posteriores a nuestro ironista. Recuérdese la réplica formidable, en Courteline, que la mujer da al marido burlado: «¡Y te indigna por haber encontrado en el armario un hombre *a quien ni siquiera conoces!*» Y al final, netamente escalantino, de un sainete de Tristán Bernard en que habiendo ido una simple mujer a visitar a un vidente, después de hacerle varias preguntas, le pide que le diga cómo se llama el hombre que ha de cortejarla. Y el vidente, en tono sibilino y solemne, contesta: «Il s'appelle Joseph!»

Dechados de comedia son, por ejemplo, en el teatro escalantino, *Les criaes, Mentirola y el tío Lepa, La sastreta, El tío Cavila* (el enfermo imaginario). Frecuentemente se tropieza en el diálogo con esas réplicas y contrarréplicas simétricas, que usa Molière, que ya habían usado los clásicos castellanos y que yo llamo antífonas. Pueden verse tales procedimientos en *Bufar en caldo chelat*, en *Una sogra de castañola.* Frases de ironía sutil están esparcidas por todas las obras. En *Les criaes*, un personaje dice:

No, Leonor, fàsanos
un sofrechidet en fabes...
Es mès conegut.

En *Mentirola y el tío Lepa*, habla otro personaje, ponderando las condiciones de un joven:

Sa casa es la primer casa
de Pego; ademès, tù saps
molt be, qu'ell està seguint
la carrera d'abogat.

En *Bufar en caldo chelat*, se dice como encarecimiento del carácter de una señora conocida:

—¡En lo que eixa dona bufa!

Y se le contesta:

—Chica, bufar tots bufem.

Pero lo que importa no es el rasgo suelto, la frase feliz, el dicho agudo, sino la impresión que deja en el ánimo la totalidad de la obra. Y tal es que esa obra perdurará, pasadas las costumbres y evanescido el momento. Personalmente, Eduardo Escalante era un hombre hosco, entristecido, apartado del trato humano, desdeñoso de honores, temeroso de la muerte. Escalante es la contestación más adecuada a los que ven en Valencia la superficie, y no el fondo.

XXXI

EL ALBA EN EL NARANJAL

He contemplado muchos amaneceres. He visto romper el día en Madrid, en París, en Burgos, en Vasconia. Ningún alba me ha hecho estremecer como el alba en el naranjal.

Las albas me atraen. La noche acaba y el día se anuncia. La noche ha estado preñada de sueños y opresiones, y el día no sabemos lo que puede traer. Y siempre que hablamos del alba, evocamos versos de Baudelaire, en que se pinta la expiración de la noche—momento de cansancio para los noctámbulos, momento en que el facineroso cesa en su tarea—y recordamos paralelamente versos del himno sacro en que se expresa lo mismo:

Hoc omnis erronum cohors
Viam nocendi deserit.

El alba tiene más poesía que su heredera la aurora. La aurora son vivos arreboles de carmín, de nácar y de oro, y el alba es una casi imperceptible claridad teñida acaso de un leve verdín de cobre. En el naranjal, la casa está cerrada todavía. La casa se levanta entre el tupido follaje charolado. Ni una luz, ni un ruido. Todo duerme aún y todo va a despertar dentro de un instante. La noria, con su castillete de hierro, comienza a dibujar su esqueleto en el escaso claror. La casa está enlucida con brillante yeso blanco. Es moderna, chiquita y sonora. En esta casa, al lado de una ventana, aspirando el aire cargado densamente de azahar, trabajamos nosotros. Y ahora nos hemos levantado temprano para gozar del alba. El naranjal parece monótono y es vario. Nos hallamos muy lejos del bosque espeso y misterioro del Norte, o de las navas castellanas, o de los trigales de Tierra de Campos y de la Mancha, o de los cuadros de flores y árboles fructíferos de la misma Valencia. El naranjal es simétrico. La tierra está limpia, sin una hierbecita. Las acequias distribuidoras del agua tienen los rebordes alisados con primor. Y en esta tierra pulcra y limpia, el naranjo se levanta y esponja orgulloso, aristocrático. El nos suele dar flor y fruto al mismo tiempo. La flor es blanca, carnosa, de un aroma que embriaga. Y su zumo aplaca nuestros nervios en las crisis dolorosas. El fruto son esferas áureas, en su mejor clase, de piel delgada, lustrosa, y con carne henchida de abundante jugo; ni dulce, ni agrio; carne suavísima, pletórica de fuerza vital, que llena voluptuosamente nuestra boca.

La mancha blancuzca del alba se acentúa en su claridad. El día naciente avanza. Surge la casa entre el follaje. Comienzan a vivir los naranjos. Una ligera brisa orea el campo. Se marcha el lucero de la mañana. Y sentimos, ante la nueva jornada, una opresión, un anhelo, una angustia, que no podemos definir.

XXXII

SAN VICENTE FERRER

San Vicente Ferrer es el hombre que invariablemente encontramos en el vagón *pullman,* en el avión, en el autocar. Lo hemos tropezado en el sudexprés de Madrid a París, y en un avión que volaba de Londres a Dublín, y en un rápido de París a Milán. Pero este hombre que viaja en trenes de lujo y en aviones viste pobremente. Trae siempre bajo el brazo una abultada cartera, y en el tren, para no perder tiempo, va examinando papeles y papeles. La vida de este hombre es austera. Si se hospeda en los grandes hoteles, es porque ha de recibir gente de distinción. Pero no trata él sólo con los poderosos. Se place, sobre todo, en platicar con los humildes. No hay desgraciado que se acerque a él, que no reciba palabras de consuelo. Y algo más que palabras. Llevando una vida tan agitada, parece que debía despachar al pretendiente, al cuitado, con unas palabras breves y expeditas. Y no es así. De pronto, ante la faz llorosa y el habla entrecortada por sollozos, se serena. En su espíritu se hace un remanso de paz y de misericordia. Coge la mano del infeliz y comienza a hablar con voz dulce: «Mira, tú, lo que has de hacer, es lo que te voy a decir. Y ya sabes que aquí estoy yo para todo lo que necesites.»

San Vicente Ferrer es un hombre europeo. Como Vives, ha transitado los claustros de la universidad de París. Se solicita su dictamen en graves cuestiones europeas. Y él habla con palabra precisa, clara, convincente, decisiva. San Vicente Ferrer ha estado en Provenza, en Bretaña, en Escocia, en Italia. La muerte le cogió fuera de la Patria y expiró en una ciudad lejana. Se le quiere y admira en todas partes. Mucho después de su muerte vino a Valencia desde Escocia un hombre de fe, para llevarse una esportilla de tierra de su casa natal. Y siempre San Vicente, en sus infatigables actuaciones en España y en el resto de Europa, ha tenido la norma de todos los grandes políticos: *sumar y no restar*. Atraer gente a su causa, y no repudiarla. Ha trabajado siempre por la unión y la concordia. Ya luchando contra el cisma de la Iglesia, ya salvando a España en la conferencia de Caspe.

En un diccionario biográfico francés—el de Chandon, tomo XII, Lyon, 1804—se dice que los sermones de San Vicente están «pleins de faux miracles et d'inepties». Pintar como querer. No hay tales milagrerías, ni tales inepcias. San Vicente habla a los doctos en docto, y al pueblo en pueblo. Si su palabra no fuera selecta, ¿es que le hubieran llamado en trances arduos y hubieran escuchado sus palabras en reuniones donde se decidían gravísimos intereses? ¿Y es que hubiera triunfado en el compromiso de Caspe? Un biógrafo antiguo, Miguel Pérez, ha definido de este modo los sermones de San Vicente, en un delicioso librito publicado en 1510 y reimpreso modernamente en tirada restringida a cien ejemplares. «Eren los seus sermons una abundosa botiga e apotecaria de cordials y remeys spirituals.»

XXXIII

LOS TOROS

La plaza de toros de Valencia era una airosa plaza. No perdía yo corrida. Allí vi a todas las ilustraciones de la torería andante. No es posible olvidar aquellos toreros. Por allí pasaron— y yo los vi— el *Gordito, Cara Ancha,* Fernando Gómez (a) el *Gallo, Currito, Lagartijo,* Angel Pastor, Emilio Torres (a) *Bombita,* Reverte, el *Espartero,* Antonio Fuentes, *Guerrita.* A *Frascuelo* no lo vi. Los toros arremetían con pujanza formidable. Solían abrir anchas brechas en la barrera. Una cuadrilla de carpinteros, de servicio en la plaza, acudía presta a tapar el boquete. Preguntando yo hace cuatro o cinco años a Juan Belmonte el porqué de haber antes carpinteros y no haberlos ahora, me dió bondadosamente amplias, complejas y sutiles explicaciones que yo no entendí. Sigo creyendo, por tanto, que los toros tenían antaño un poder que no tienen al presente.

De toda la masa de tantas corridas, sólo recuerdo distintamente dos o tres rasgos. La elegancia de Antonio Fuentes la tengo ante la vista. Pero no apoyada en un hecho concreto. A Fuentes lo veía muchos años después en el casino de San Sebastián y en la Concha. Y siempre tan elegante y tan señor. Los hechos concretos que recuerdo con toda claridad, emergiendo del caos, son tres. Veo a *Lagartijo,* con sus javeras y su tupé, dando una larga magistral, poniéndose luego la punta del capote en el hombro y andando despacio de espaldas al toro. Veo al *Espartero*—predestinado a la tragedia—dando la vuelta al ruedo y saludando con la mano al tiempo que sonreía con su privativa sonrisa triste. Y veo, en el palco presidencial, una tarde de gran corrida a un gran duque ruso, no sé si hermano del zar, de paso por el Mediterráneo, en pie en el palco, esbelto, alto, saludando a la multitud que le aplaudía. Véolo separar el castoreño, cogiéndolo por el ala delantera, gran trecho de la cabeza, con ademán amplio y elegante.

El tiempo y el espacio se anulan. Se suprimen cerca de dos mil kilómetros de tierra española y francesa, y cincuenta años. La figura del palco se funde con la figura de otro caballero, igualmente señoril y aristocrático, que en la iglesia rusa de la calle de Daru, en París, está ante mí con un platillo metálico para la colecta. En esa iglesia se practica el rito griego católico. El coro, sin instrumentos—los instrumentos músicos están prohibidos en los ritos orientales—, es magnífico. ¡Ay, si en el caballero del palco, en Valencia, hace medio siglo, había serenidad y contento, en los ojos, en el continente de este otro caballero se refleja una indecible tristeza, una añoranza íntima de la Patria lejana y perdida!

XXXIV
LA URBANIDAD

En el comedor nos espera, blanca y limpia, la mesa aparada para el yantar. Y cerca de la puerta el aguamanil, casi siempre de loza, bella obra antigua de Alcora o de Eslida, nos ofrece agua para lavar nuestras manos. En 1886 o en 1895. El lavarse las manos antes de sentarse a la mesa es limpieza, cortesía e higiene. Creo haber leído que en alguna nación cultivada vuelven a usarse los aguamaniles.

La urbanidad es el conjunto de preceptos exteriores que regulan el trato de personas civilizadas. Se extienden estos preceptos al saludo, las visitas, el luto, las venturas, las comidas, las cartas, las conversaciones. Pero sería poco la urbanidad por sí sola. Necesita su complemento. En lo que pudiéramos llamar el tríptico de la vida social, la urbanidad es una parte y las otras dos son la equidad y la liberalidad. Se puede ser cortés y tener un fondo de incivilidad. Incivilidad que se traduce en injusticia, intolerancia, crueldad, etcétera. Se puede ser también cortés y no ser liberal, o sea dadivoso. Y siempre será preferible un hombre rudo, brusco, pero con sentido de la equidad, o bien dadivoso, a un perfecto caballero en los modales, pero injusto en sus resoluciones.

No sería tarea difícil el hacer sucinta historia de la urbanidad. Conocidos son los libros franceses de civilidad y los galateos españoles. Decimos galateos, porque al pasar a España, traducido y adicionado, el libro de Giovanni della Casa, galateo se ha convertido en sinónimo de manual o prontuario de urbanidad. Juan Luis Vives dedica también a la civilidad muchas páginas en sus *Diálogos*. De época a época, de nación a nación, de comarca a comarca, se pueden advertir variantes en los modales. ¿Qué diferencia habrá en cuanto a los modales de Valencia a Castilla y de 1886 a 1940? Siendo los mismos, podrán en esta o en aquella nación, en tal o cual comarca, ser más tensos o más laxos, más ostensibles o más apagados. Las conversaciones resumen la urbanidad de los interlocutores. Se habla mucho o se habla poco. Se habla por veces, dejando hablar a los demás, o se habla atropelladamente. Se guarda silencio para escuchar al que habla, pensando en lo que oímos, es decir, en lo que escuchamos—no es lo mismo oír que escuchar—, o no se presta atención a lo que nos dicen, embargados como estamos con nuestro propio pensamiento, y se espera con impaciencia a que acabe nuestro interlocutor, si es que no se le interrumpe con vehemencia. Se es respetuoso con el anciano experimentado, con el hombre discreto y sabio—saber vivir es la sabiduría—, con el facultativo informado de una ciencia o arte, con el viajero que acaba de llegar de un país lejano y trae noticias exactas de ese país, o no se repara ni en la experiencia, ni en la ciencia, ni en las informaciones exactas, y se habla atolondradamente.

En España se habla poco. En Francia, donde el tono de la palabra es más alto que en España, se habla mucho más que entre nosotros. Sentábame yo muchas tardes en un banco de la plaza de la Estrella, muy cerca de mi casa. En los bancos de aquella parte de la gran plaza, en las proximidades de la avenida de Wagram, venían todas las tardes a sentarse unas ancianas limpias, enlutadas. Como españolas eran. Pero no como españolas en su charlotear. El charlotear era continuo, monótono y perdurable. Una hora, hora y media, cerca de dos horas, duraba la conversación. Tengo yo paciencia para estar sentado tres y cuatro horas pensando en las musarañas. A veces una de aquellas aseadas ancianas pegaba la hebra y estaba hablando sin descanso ni respiro durante tres cuartos de hora o una hora.

En el comedor nos espera la limpia mesa. No olvidemos que nos hallamos en Valencia y en 1890. Hemos lavado nuestras manos y estamos ya desplegando la servilleta. Los niños no pueden hablar en la mesa si no se les pregunta. No puedo decir qué variante habrá en la urbanidad valenciana respecto a la urbanidad de otras tierras españolas, en cuanto a la mesa. Dos pormenores recuerdo, que quiero apuntar: no se podía decir que no gustaba tal o cual manjar. Lo perfectamente urbano era comer de todo, gustase o no gustase. Comer, dando fin al alimento que se nos había servido. Pero no apurándolo todo—y ésta es la segunda particularidad curiosísima—, sino dejando algo en el plato. La urbanidad lo imponía. Cosa grosera hubiera sido dejar el plato exhausto. Pensando en tal costumbre, he creído yo muchas veces que sufría una alucinación. Nos parecía hoy ridículo dejar un remanente en el plato. No sabemos cómo puede tomarse por grosería el dejar el plato limpio. Había yo llegado a dudar de mis recuerdos. Pero hace poco he tropezado con un *Catecismo de urbanidad civil y cristiana*, por el escolapio padre Santiago Delgado (Madrid, 1817). En este manual, al tratarse de las rusticidades reprensibles en la mesa, se pregunta: «¿Qué otros vicios son dignos de evitar?» Y se contesta: «Apurar los platos, restregar la cuchara, etc.» Pues en Valencia y en 1890, hace cincuenta años, no dejar nada en el plato un invitado era notoria zafiedad.

Ha comenzado la comida. No va un sirviente pasando la gran fuente de comensal en comensal. La fuente se coloca en el centro de la mesa y encima de una esterilla de junco para que el mantel no se manche. El dueño de la casa es quien sirve a los comentales. *Dueño* significa tanto señor como señora. *Viva mi dueño,* dice el rótulo de las ligas manchegas. Y cuando un amador vocea *viva mi dueño,* ya se sabe que el dueño es su enamorada.

XXXV

BLASCO IBAÑEZ

Blasco Ibáñez era un mozo fuerte, sanguíneo, la barba ébano y los ojos relampagueantes. Tenía siempre la sonrisa en los labios y el *che* en el aire. No debió nunca Blasco rasurar la barba moruna. Con la barba, Blasco Ibáñez era más Blasco que con los modernos bigotes recortados y el cuello marinero. Trabajaba incansablemente. Con la tirilla desabrochada, la camisa abierta y los brazos arremangados; o bien en camiseta los días festivos, como le ha retratado un pintor, Fillol, fabricaba cantidad de prosa clara y enérgica.

Nuestras estéticas se oponían. Como

manifestara yo, años adelante, esta discrepancia, las relaciones cordiales que nos ligaban se enfriaron. Volvieron a ser cálidas y sinceras años después. Leí con interés sumo las primeras novelas de Blasco Ibáñez: *Arroz y tartana, Entre naranjos, Cañas y barro, La barraca,* novelas valencianistas, sin tesis parcializantes. Se abría con ellas un mundo nuevo para mí. Viviendo en Valencia, venido a Valencia desde un país montuoso y desnudo, el paisaje valenciano no se me había revelado aún. Se ha dicho que el paisaje lo hace el artista. Y es mucha verdad. Blasco Ibáñez ha creado la Naturaleza valenciana. Encantado, embelesado — venciendo la frecuente acirología del novelista—, yo contemplaba los espectáculos desconocidos que se me presentaban. De lo particular en que estaba yo sumido pasaba—durante unas horas—a lo general. El paisaje en las novelas de Blasco Ibáñez estaba pintado a grandes rasgos, impetuosamente. La manera de pintar de su lector era con pinceladas breves. La prosa de Blasco Ibáñez era lo mismo en Francia, Inglaterra o Italia que en España. Por primera vez, modernamente, un escritor español se naturalizaba en el ambiente universal. Traducidos habían sido otros muchos y continuarían siendo otros muchos. Pero Blasco salvaba las fronteras y llevaba nuestro aliento a todas partes. Y al llevarlo lo hacía universal, sin que dejara de ser español. Desde su casa del Cabañal, Blasco se extendía por todo el mundo. Sus conflictos pasionales eran los conflictos que todos, en los más diversos países, podían sentir. La tradición europeísta de un Vives o de un San Vicente Ferrer se continuaba.

El peligro que se corría era el de que, al ser universal, al hablar un lenguaje que fuera comprensible a todos, se viera precisado Blasco a abandonar lo íntimo y profundo — lo particular — en los espectáculos que presentaban en sus libros. Pero ¿cómo nosotros podíamos sentir esto ante las magníficas descripciones de un naranjal, de un panorama de la vega valenciana, del prolífico lago de la Albufera? El libro estaba en nuestras manos, y febrilmente, sin advertirlo, íbamos pasando páginas y páginas. En el descanso respirábamos y meditábamos...

¿Ganará o perderá con el tiempo la obra de Blasco Ibáñez? Confidencias curiosas son las que nos hace el autor respecto de su arte. Diríase que existe una cierta pugna entre este modo de gestación—la gestación de la obra literaria—y la exteriorización definitiva. Podíamos esperar, según la confidencia, unas páginas íntimas, recogidas, sosegadas, y nos encontramos con el ímpetu arrollador y la incontrastable fortaleza. Subsistirá mucho en la obra de Blasco Ibáñez. Caerán las tesis transitorias. Caducarán los apasionamientos doctrinales. No interesarán acaso tanto los conflictos. Pero estos rasguños geniales con que se pinta un paisaje o se dibuja una figura permanecerán indelebles a lo largo del tiempo y a través de las generaciones.

XXXVI

ELZEAR

Escribo este nombre con emoción. Elzear (1379-1459) es lo mismo que Auzias. Y Auzias es el mismo hombre de quien allá arriba, en Castilla, un poeta y magnate, el marqués de Santillana (1398-1458), ha dicho que era «hombre de asaz elevado espíritu». Elzear no ha crecido solitario, sin antecedentes. Pertenece a una familia, la de March, en que ha habido varios poetas humanistas. Elzear es rico.

Nada en la abundancia. Puede satisfacer todos sus caprichos. Y, sin embargo, Elzear está triste.

Cerca de Gandía, en el lugar de Beniarjó, el poeta tiene sus posesiones magníficas. Un poeta puede entregarse al sueño creador y ser al mismo tiempo un hombre práctico. Error craso el que alienta en el vulgo respecto a los poetas. Se cree que son inadecuados para la acción, para los brujuleos de la política, para los enredijos provechosos de los negocios, y es lo cierto que nadie es más realista que un idealista. Por contraste con el celaje de la ilusión, se siente más fuertemente la dura piedra de la realidad. Y esto es lo que le sucede a Auzias. Ningún agricultor más atento, y vigilante, y emprendedor que él. En su predio rústico ha plantado la caña de azúcar y ha trazado bellas obras de irrigación. Aún perduran vestigios de esas obras. Elezear, valenciano neto, nacicido en Gandía, casa lo fantástico con lo práctico. Y ése es el rango fundamental del valenciano.

Pero Elzear está triste. ¿Y por qué está triste el poeta? Su tristeza es ingénita:

D'un ventre trist exir m'ha fet Natura.

He nacido triste. Triste era el vientre que me alumbró. El poeta nace de una Ripoll, como otro gran poeta, Emilio Castelar, había de nacer de otra valenciana Ripoll. Y este hombre, que vive en contacto con la Naturaleza y que se ha criado al aire libre, no da entrada en sus versos a la Naturaleza. Nada más exento de mundo exterior. Todo el poeta entregado a sí mismo, a su mundo interno. Elzear escribe unos poemas en que no hay más que espíritu y sentimiento. El deseo y el recuerdo son temas dominantes en la lírica de March:

E lo desig james en mi morrá.

El deseo no morirá nunca en mí. El deseo es el apetito insaciable de nuevos paisajes en la sensibilidad. Y un hombre que desea siempre es un hombre que va donde le lleva el deseo, en perpetuo ir y venir, sin miedo a las contradicciones. El mismo Elzear reconoce este divagar constante suyo por las ideas, por los sentimientos, por las filosofías. Lo ha expresado el poeta en un verso inolvidable:

Yo sò aquell qui el pensament ha vari.

Yo soy aquel que tiene vario el pensamiento. Siendo rico, pudiendo permitirse todas las complacencias, la sensibilidad al cabo llega al triste puerto del Hastío, y el hastío es la tristeza. Pasajes en que Elzear expresa su melancolía, la melancolía del recuerdo, la más honda melancolía del placer satisfecho, se podrían citar muchos.

Alguna vez nos complacemos en pensar cuál hubiera sido la conversación entre el marqués de Santillana y Auzias. Y también pensamos en que, según leyenda o historia, Honorato Juan, maestro del príncipe don Carlos, leía versos de Auzias March al infortunado hijo de Felipe II.

XXXVII

DON PEPITO VILLALONGA

¿Y por qué no he de hablar de don Pepito Villalonga? Don Pepito Villalonga es constitutivo de Valencia. No había personaje más popular en la ciudad. En el cuadro de *Las Meninas* figura Maribárbola, y el mismo Velázquez ha retratado a Primo, a Pernia, a Pablillos. En toda gran ciudad—y aun en los pueblos chicos—hay un personaje festivo que encarna el espíritu público de regocijo. En Valencia ese personaje era don Pepito Villalonga. No se sabía nada de su persona. Pero su persona denotaba la procedencia de familia distinguida. Don Pepito estaba en todas parte. Vestido con amplio traje raído—el difunto era mayor—, y cubierto con hongo grasiento, había en él cierta dignidad. He conocido en Madrid a Garibaldi y a madame Pimentón. Don Pepito era otra cosa. Don Pepito Villalonga era un hombre serio. El hecho de que no se le pudiera apear el *don* lo indicaba. Don Pepito hacía mandados y se empleaba en otros varios menesteres de utilidad pública. Y jamás dió un escándalo. Los grandes hombres de una ciudad no se comprenden si no tienen el contraste de estos otros hombres. Pero unos pasan a la posteridad y otros quedan retenidos en las mallas del tiempo.

Don Pepito Villalonga, digno del pincel de Ribera, que retrató a otros «filósofos» que no tenían la filosofía de don Pepito, baja lentamente por la costanilla de San Francisco y va saludando atento a todos los que le saludan. ¿Vive feliz? No sería temerario creer que hay cierta felicidad en este vivir por encima de las conveniencias sociales, desdeñoso de los honores y siendo estimado, en su humildad, por sus conciudadanos.

XXXVIII

EL TEATRO

El público de Valencia es un público entendido. Funcionaban en la ciudad cuatro o seis teatros. En la Princesa hacían zarzuela. El de Ruzafa era un teatro de comedias valencianas. En el Principal se cantaban óperas. Y al teatro de Apolo, en la calle de Don Juan de Austria, venían compañías extranjeras. En Valencia vi por primera vez a Antonio Vico. El gran actor estaba ya declinante. Pero el genio es el genio. Y Vico, en aquellos momentos de alucinación, en que trabajaba como un sonámbulo, pálido, sin caracterizar, tenía gran genio. Le vi en *O locura o santidad* y me asomé con ello a un abismo insondable de tragedia. Con un solo gesto, Vico hacía estremecer al público. Y cuando, inspirado, terminaba un parlamento con palabras ininteligibles, el público en masa se ponía en pie, electrizado.

Las funciones de ópera en el Principal eran magníficas. En ese teatro trabajó el tenor Viñas. Era este artista muy querido de los valencianos. Y precisamente la obra en que triunfaba Viñas era la obra predilecta de aquel público: el *Lohengrin,* de Wagner.

En Apolo vi a Novelli y a Zacconi, dos hondas sensaciones en mi vida. Novelli creó los tipos de Lebonard, de Luis XI y de Hamlet. Todavía le veo, haciendo de Luis XI, en el extremo izquierdo del escenario, rascándose con un dedo detrás de la oreja, tic nervioso con que daba vida, entre otros detalles, al personaje.

El Hamlet de Zacconi fué superior al de Novelli. Fué un Hamlet sombrío, taciturno, delicado y brutal al mismo tiempo. Veo a Zacconi en el fondo del teatro —acto tercero, primer cuadro—, lanzando a Ofelia esta frase: «Fatti monaca!» No sé si este italiano es correcto. Ha vivido en mí esa frase durante medio siglo y deseo que siga viviendo así. Pero donde Zacconi llegaba a la cumbre del arte era en una obra vulgar. Suele acontecer que son las obras mediocres y no las bellas las que dan más pábulo a un actor para su lucimiento. En la mediocridad de la obra, el genio resalta más. El genio convierte en oro de tíbar lo que es oro guañín. En *El cochero Henschel,* de Hauptmann, Zacconi estaba prodigioso. Véole ebrio, enfurecido, golpeando con el puño la mesa, arrebatado de una ira y de un dolor que no sabemos dónde van a llegar.

XXXIX

LAS DOS CASAS

Vieja fotografía, vieja y descolorida, vieja de hace justamente cincuenta años: la vista de una casa de sillares con dos pisos: planta baja y principal. Cinco ventanas arriba, y cuatro ventanas, con el vano de la puerta, abajo. A la derecha, asomando en la techumbre, una chimenea, y a la izquierda, otra chimenea. Casa sencilla, de gente holgada. La rodean unos cuantos arbolillos. No faltan en las ventanas las celosías. La celosía mitiga la luz vivísima del sol, y por las noches, en la mesa en que se escribe, habrá acaso un quinqué. En la puerta de la casa, en pie en el umbral, recostado en la jamba de la derecha—derecha del espectador—, se ve un caballero con bigotes y perilla, corbata de lazo, sin chaleco, puestas las manos colgando en la pretina. ¿Escribirá Federico Mistral a la luz de un quinqué?

La casa de Mistral, en Maillane, es una casa española. Las hay como ésa en cualquier provincia de España, y las hay especialmente en Valencia. Las hemos visto muchas veces al pasar en el tren, en pleno campo, o bien cuando el tren, refrenando su marcha, entra en los arrabales de la ciudad. Y en Valencia seguramente que el que escriba en una de estas casas escribirá a la luz de un quinqué. Pero no olvidemos la luz del gas. En Valencia, la fábrica de gas Lebon es magnífica. El gas ilumina toda la segunda mitad del siglo XIX español. Su luz la vemos a tal distancia como una luz suavemente melancólica. Sobre todo, en los grandes globos blancos que prolongan sus resplandores hasta la madrugada, cuando todo es ya soledad y silencio. El gas ha sido ensayado en España por primera vez en la Sociedad de Amigos del País, de Cádiz. Pero en 1818, en tierra valenciana, un alcoyano, Cristóbal Llopis, maestro hojalatero, había inventado un aparato que producía la iluminación por gas. De ello da fe la *Gaceta* correspondiente al 17 de octubre del citado año, número 1.053. (Con seguridad que ese m a e s t r o hojalatero había leído el libro del inglés Accum o su traducción francesa, con aumentos, por F. A. Winsor, *Traité pratique de l'éclairage par le gas inflamable,* París, 1816, con ocho grandes láminas plegadas, que acabo de examinar.)

En la puerta de la otra casa, la valenciana, idéntica a la de Mistral, ¿a quién pondremos? Nos conviene ahora que no haya nadie en pie en el umbral y reclinado en la jamba. La casa tiene también sus persianas. En Valencia son más necesarias que en Provenza. No sabemos quién vive en esta casa. Ni si es anciano o joven. Ni cómo piensa. Ni cómo siente. Ni qué es lo que escribe. Puede levantarse la casa en Bétera, o en Liria, o en Buñol, o en Moncada, o puede estar en los aledaños de la propia Valencia. El gas lucirá por la noche en las calles, en los teatros, en los cafés, en las estaciones. El quinqué, en la casa, dejará caer su luz en las blancas cuartillas. A la madrugada, cuando han sido ya extintos casi todos los faroles, quedarán vivos de raro en raro algunos mecheros, que por su forma semejan mariposas de luz en las tinieblas. Y acaso—caminamos siempre titubeantes en el campo de las hipótesis—, acaso, repetimos, el quinqué acaba de ser apagado, y el poeta, o novelista, o filósofo, reposan.

No sabemos quién puede colocarse en esta puerta. El ambiente estético de Valencia, hacia 1890, el año de las fiestas felibresas, es contradictorio. Hay en Valencia, mejor dicho, dos ambientes, dos climas. La fina sensibilidad de un artista, de un verdadero artista, puede sentir toda la gravedad de la pugna entre dos ambientes literarios distintos que se dan en Valencia. No podía darse en ninguna parte mejor que en tierra valenciana la confluencia espiritual que ocasiona la oposición dramática. De una parte, la influencia de Mistral crea un determinado ambiente estético. De otra, Emilio Zola comienza a crear distinta modalidad. Dos nombres que encarnan dos tendencias que representan Teodoro Llorente Olivares y Vicente Blasco Ibáñez. Todo esto es sutil, etéreo, impalpable, y, sin embargo, puede tener repercusiones patéticas, estériles o fecundas, en una sensibilidad.

¿Y es que existe oposición irreductible entre las dos tendencias? ¿Es que no podrán fundirse en una misma las dos estéticas? ¿No podrá Blasco Ibáñez completar a Llorente, y Llorente verse corroborado por Blasco Ibáñez? No sería difícil encontrar infiltraciones de una estética en otra. En los dramas agrestes y pasionales de Blasco, ¿no podríamos ver, por ejemplo, resonancias del drama pasional y campestre de Mirella? ¿Y sería imposible demostrar que, inconfeso de Zola, que es, empero, su maestro, Blasco, instintivamente, sin darse cuenta, como no nos damos cuenta de que respiramos; Blasco, digo, es una prolongación, en sus novelas valencianistas, lo mejor de su obra, del mistralismo de un Llorente y de un Querol?

Ni Blasco Ibáñez ni sus críticos mencionan jamás la escuela histórico-poética que representa Llorente. Diríase que ignoran todos el ambiente literario en que Blasco se inicia y desenvuelve. El segundo tomo de la *Valencia*, de Llorente, se publica en 1892, y Blasco escribe *Entre naranjos* en el verano de 1900. Porque es *Entre naranjos* adonde viene a desembocar, en la forma más moderna de historia y poesía—la novela—, la gran tradición histórico-poética valenciana. *Entre naranjos*, la más representativa novela de Blasco Ibáñez, la novela en que se aúna lo nacional con lo europeo, los espléndidos naranjales de Alcira con el genio espléndido de Wagner.

XL

LOS «MILAGROS» DE SAN VICENTE

Despierta de tu ensueño. ¿Qué vas a hacer? ¿Cuál es tu pensamiento? ¿Vas a meter a ese joven en alguna aventura? No soy yo quien habla, sino tú. Estás luchando tú contra ti mismo. Ante tu persona tienes a ese muchacho que te inspira viva simpatía. Cuenta unos dieciocho años, a lo sumo, y en sus ojos hay vislumbres vivos de inteligencia. En la plaza, sobre el tablado, en estas comedietas anuales que se representan en honor de San Vicente, este mocito ha trabajado y ha logrado arrancar de la muchedumbre aplausos atronadores. Lo que se representaba a pleno sol, bajo el cielo pálido y tierno de Valencia, era un *milacre*. Y en ese *milacre* se hablaba de luengas tierras—Bretaña, Escocia, Italia—. De tierras lejanas por donde el gran San Vicente Ferrer había peregrinado con su verbo ardiente y su actividad incansable. La añoranza de esos países no vistos se ha metido en el alma de este muchacho. Lo que él representaba era cosa viva y no cosa muerta.

Y ahora, ¿qué vas a hacer con él? ¿Y qué es lo que va a hacer él? Está en su cuartito de adolescente. Tiene libros, libros de viajes. Y en un cajón encierra papeles en que él ha ido trazando precipitadamente renglones. No sé si renglones cortos. Pero es lo mismo: prosa y verso a esta edad, con el entusiasmo que tiene este joven, son una misma cosa. Todo se resuelve en poesía. Y ha sido este *mila-*

cre, representado por él con tanto fervor, lo que ha venido a hacer rebasar el líquido del vaso. En la soledad de la noche, cuando todos duermen, cuando nada turba el silencio, observa lo que está haciendo. Ha cogido un amplio pañuelo, lo ha extendido en una mesa y en él va poniendo una poca ropa de su uso que ha sacado de un armario. Cuando el hatillo está hecho, anuda las cuatro puntas del pañuelo. El momento decisivo ha llegado. Con el envoltorio en la mano, este muchacho transpone la puerta de su cuarto. Después camina por la casa, a tientas, con pasos tácitos. Luego baja escaleras. Poco después descorre el cerrojo de una puertecilla que da al jardín. Y ya está en el jardín, libre de la casa, casi frente ya a lo desconocido. El jardín le ata, sin embargo, todavía a la casa con lazo tenue. ¿Sabes tú lo que va a ocurrirle a este muchacho? ¿Conoces tú la ruta que va a seguir? No la conoce él tampoco. De lo que está cierto es de su apetencia de la tierra lejana. Pero la despedida es dolorosa. En el nuevo día, los seres queridos, que duermen ahora, tendrán plañidos de dolor por su ausencia. Pero él estará ya lejos. Y, sobre todo, volverá triunfador algún día. Al dejar el jardín, el mozo ha cortado una ramita de laurel, de oloroso laurel, de simbólico laurel, como recuerdo.

Pon atención en lo que va a ocurrir ahora. No extrañes lo que ocurra. Ya te diré después por qué. Han transcurrido las horas de la noche. Quiebra el día, esplende la aurora y se entra la mañana. En su cama de adolescente, allá arriba, en su cuartito, con libros y con manuscritos juveniles, despierta nuestro viajero. No se había ido, sino que está aquí. Camina él hacia lo desconocido, hacia las tierras remotas—Bretaña, Escocia, Italia—, y ahora despierta en su propia cama. ¿Cómo puede ser esto? No se atreve él a creerlo. Se frota y torna a frotarse los ojos. ¿Habrá sido todo un sueño? Y sueño no ha sido. En una silla inmediata está la prueba de la realidad auténtica y vivida: la ramita de laurel. Pero ha habido un momento en que hemos estado—ha estado este joven—fuera del tiempo y del espacio. El actor fervoroso del *milacre* ha advertido—y ahora piensa en ello—cómo, en honor de su persona, en recompensa a piadoso fervor, se anulaban para él las dos infranqueables barreras humanas: el espacio y el tiempo. Eso es todo. Y ése es el gran *milacre,* no a pleno sol y ante la muchedumbre, sino en el seno de la noche callada y para él solo.

XLI

BODEGON

La escudilla. En el vasar de la despensa o en el revellín del manto de la chimenea. La escudilla blanca con filetes azules. Y el *cetrill* o alcuza. El aceite no ha de ser del refinado, claro, transparente, insípido e inodoro. Ese aceite sin sabor no lo hay por acá. El aceite es verdoso, espeso, que sabe a la aceituna y que crece en la sartén. Escudilla y alcuza. Falta el frasco con vinagre. El vinagre puro, el buen vinagre de vino, sólo aquí, en esta tierra, que da vinos de catorce a dieciocho grados, se encuentra. Y es un vinagre fuerte, olorosísimo. Con unas gotas en un vaso de agua se quita la fiebre y se refresca el cuerpo. Cuando se destapa el frasco, se esparce un vivificante olor por todo el ámbito.

Brilla el vidriado de la escudilla blanca. Arranca la viva luz irisaciones al vidrio del frasco. Permanece seria, hosca, digna, consciente de su misión, la alcuza. En el hogar, entre las brasas, se va tostando el bacalao. La piel, socarrada, es otro olor que nos estimula. Y hay unos pimientos, chicos y redondos, ñoras, pimientos secos, secados en ristras al sol, colgadas en las fachadas de las casas, que también entran en el fuego. La cocina es amplia y el hogar espacioso. Lo forma una ancha losa bajo la campana de la chimenea. Adosada a la pared se ve una mesita baja de pino. En el reino de Valencia—especialmente en Alicante—se come rústicamente en mesas bajas. Las sillas también son de poca alzada. La mesa va a ser colocada en el centro de la cocina, y la mágica operación cumplida. El bacalao se desmenuzará, las ñoras se convertirán en pedacitos, y el todo, revuelto, se colocará en la escudilla. Entonces el vinagre alegre y el aceite severo entrarán en acción. Saturado el manjar de aceite y vinagre, no habrá más que comerlo. Comerlo y saborear una de las cosas más exquisitas de todas las gastronomías. Ni en el mismo repertorio valenciano—tan vario y suculento—hay nada que se le compare. Con este manjar entra en nuestro cuerpo, de modo gustoso, el sobrio paisaje alicantino, todo grises, y la sencillez en las costumbres, y la limpieza de las alicantinas, y la parquedad del valenciano en gestos y palabras, y la serenidad muda en el dolor.

En los grandes restaurantes de París—en algunos hemos yantado, allá por la Magdalena—, siempre nos hemos acordado, ante los sabios aliños, de este humilde y lejano plato. En la mesita—bodegón sobrio de España, en contraste con los opulentos flamencos—, en la mesita está la blanca escudilla, con cenefa azul, y el pan bazo y dorado. La viva luz mediterránea ilumina el conjunto.

XLII

JOAQUIN SOROLLA

No conocí a Sorolla en Valencia, sino en Madrid, mucho más tarde. Valencia es la tierra de los pintores. Y de los pintores desposados con la luz. Obsesionado por la luz vivió, allá en Nápoles, José Ribera. Entablé en Madrid cordiales relaciones con el pintor con motivo de mi retrato. No puedo hablar de ese retrato, porque no me veo a mí mismo.

La pintura es el terrazgo donde más plantas viciosas crecen. Aludo con esto a los prejuicios—prejuicios monstruosos y tenaces—de la crítica y de los aficionados. Se queda el ánimo pasmado ante ciertas repulsas y ciertos encarecimientos, ante exaltaciones entusiastas y condenas rotundas. A propósito de Sorolla se ha formulado toda clase de juicios. No hay más que apartarse un artista, un escritor, un pensador, de la corriente imperante para que, en nombre de lo nuevo—lo nuevo que no es lo bueno—, se le condene.

Y yo creo que Joaquín Sorolla es un gran pintor. Pintor sereno y dueño de sí en época de afrentosas veleidades. Pintor dueño de sí, dueño de su mente y de su mano, al tiempo que otros caían en complacencias infantiles. Pero ¿existe el color donde Sorolla ha querido pintar color; es decir, en Valencia? El cielo de Valencia—comparado con el de la altiplanicie—es de un azul lechoso. Y la tierra, bajo el cielo pálido, se desvanece en grises de todas las categorías. Lo que en Valencia existe, resaltante, indubitable, es el blanco. «Los labradores viven fuera de la ciudad en barracas y alquerías en las que reina el mayor aseo. El piso es de bruñidas baldosas y las paredes resplandecen por su extremada blancura; es admirable el cuidado de las labradoras valencianas, el aseo y hermosura del interior de sus barracas; para este objeto tienen siempre preparada una vasija con cal, *e inmediatamente que ven una mancha en las paredes acuden volando a blanquearla.*» (José de Vicente y Cervantes: «Los valencianos», en el *Semanario Pintoresco,* 7 de abril de 1839.) Hablando el pintor Eugenio Fromentin de la blancura de las paredes en Argelia, dice: «De tiempo en tiempo, el mismo guardia viene a examinar el estado de las paredes. Con una escobita, un pincel y un bote de cal líquida hace desaparecer las más leves máculas, pintando más bien que enjalbegando, complaciéndose en hacer revivir, a impulsos de su mano, esta blancura impoluta que para el moro es el solo lujo externo de su vivienda.» (*Une année dans le Sahel,* París, 1859, página 82.)

Y precisamente una de las obras capitales de Sorolla—obra prodigiosa—es un estudio en blanco: su cuadro de la parturienta. Lo que en Valencia existe es el aire. El aire da tono a todo lo valenciano. El aire da vida a los grises, hace resaltar los montes desnudos, nos permite ver en la lejanía remota minutísimos pormenores y presta, finalmente, ligereza a la figura humana. Y precisamente, no el color, sino el aire, es lo que ha pintado Sorolla y lo que sublima su pintura. El mar, las velas blancas, los árboles, la mesa alba en la floresta, la barca humilde, todo, en fin, lo tocado por el pincel de Sorolla cobra inefable carácter etéreo.

Y aquel hombre que pintaba el aire libre, vivo, vivificante, en pleno campo, en la playa, pasó sus últimos días sentado en un sillón, clavado en él por el dolor. En Vasconia, ante un paisaje de intenso color, contrapuesto a los grises levantinos, departí yo con Sorolla las postreras veces. Estaba ya condenado a la muerte. Sus ojos, empero, brillaban y sus miembros tenían agilidad. Como hubiese contraído el compromiso de escribir un prefacio para la exposición de un pintor norteamericano, me cogió del brazo en la calle y me llevó a un lado. No podía escribir. Había hecho tentativas varias y no salía el prólogo. Ese prólogo era para él un penoso quebradero de cabeza. Sonreí y nos separamos. Por el correo, al día siguiente, recibió Joaquín Sorolla el prefacio. Lo copió él y así apareció en el catálogo. No recuerdo si con la firma de Sorolla o sin la firma. Creo que debió de ser esto último.

XLIII

EL DOCTOR MAS

Hay una cabeza que se inclina atenta y un cuerpo desnudo, tendido, inerte, blanco, con la faz pálida y los ojos cerrados. Brillo vivo de metales pulidos y blancura inmaculada en las amplias y limpias vestes. Cuando el doliente era llevado a la sala de operaciones, pensaba, en oración suprema: «Señor, en tus manos pongo mi pobre cuerpo.» Y luego, ya en la sala, ha tenido para el doctor una sonrisa triste.

La vida o la muerte. La moneda en el aire. Cara o cruz. Siempre en las previsiones más seguras de la Ciencia existe un elemento imprevisible. No se podía continuar en la indecisión. Continuar era la muerte segura. Ir a la operación era el riesgo mortal. ¡Y cuánto sufrir en tantos años! El torcedor dolorosísimo de su mal acongojaba a todos. Sobre toda la familia gravitaba su dolor. Y en la casa se andaba con pasos atentados y silenciosos. Se esforzaban en serenar la faz ante su persona, pero un casi imperceptible rictus descubría el íntimo dolor.

Trajín afanoso y en silencio, y de cuando en cuando—en esta limpia sala de ahora—, un golpecito de metal sobre la superficie cristalina. *Festina lente,* el apresúrate despacio que debe ser la norma de todo operador en sus funciones. La luz suave resbala sobre el yacente e inmoto cuerpo. Y luego, acabada la empresa decisiva, unos ojos enrojecidos por el llanto, una faz con el livor de tantas y tantas noches en vela, y una angustiada voz femenina que, entre sollozos, dice:

—Doctor, dígame usted, yo se lo ruego: ¿se salvará? ¿Puedo tener esperanza? ¿Ha sufrido mucho?

Stabat Mater dolorosa
Juxta Crucem lacrymosa.

El doctor Mas vivía en la calle del Poeta Quintana. Moraba en un amplio y cómodo piso. Parecía tosco por su continente—grueso y fuerte—y por su palabra brusca. Pero su mente era clara y delicadísima su mano. Su fama se extendía a todo el reino. Natural de Monóvar, en la provincia de Alicante, recibía con afectuosidad al joven nacido en su mismo pueblo. El doctor Mas me prestó los primeros libros nuevos extranjeros que yo leí. Tenía escogida biblioteca y compraba todo lo bueno que aparecía.

La Facultad de Medicina, en Valencia, era famosa. Ninguna escuela más ilustre. El cargo de rector de la Universidad parecía anejado a la Facultad de Medicina. Rigió la Universidad en los años que viví en Valencia el doctor Ferrer y Julve. Fué luego rector el doctor Moliner, eminente tisiólogo, corazón generoso. Siempre ha habido desparramados por el reino médicos salidos de esta escuela y que atraían al pueblo de su residencia los enfermos de la comarca. He conocido muchos médicos valencianos, profundos sabidores de su ciencia. Un médico valenciano, un médico viejo, sobre todo, cualquier médico de pueblo, es una garantía segura. Consuela y conforta. Trae, por tanto, con su entrada en el dormitorio del enfermo, una luz vivificante, alentadora, de esperanza.

XLIV

COQUILLAT O LA ELEGANCIA

Coquillat era el sastre más aupado de Valencia. Vestía a la aristocracia de la capital y de los pueblos. Los pueblos, en el territorio de los naranjos y los arrozales, son ricos. No se podía decir de Coquillat que «en casa del herrero, cuchillo mangorrero». El mismo Coquillat vestía de un modo irreprochable. Su obrador o, mejor. estudio, lo tenía en una planta baja, calle del Mar, frente a la imprenta de Domenech, donde se estampaba el diario *Las Provincias*. Y digo estudio, porque Coquillat era a modo de un pintor o un estatuario que crea figuras. Luis Medrano — que luego vino a Madrid y lució en los escenarios—estaba vestido por Coquillat.

Abrimos un armario y, de pronto, en un segundo, pasamos de un tiempo a otro tiempo. La casa, en el reino de Valencia, ha estado cerrada mucho tiempo. Si veníamos alguna vez a ella era de modo efímero, comiendo fuera y dejando sin abrir todas las habitaciones que no fueran el dormitorio en que pasamos una noche. Y ahora, en el recorrer curioso de la mansión, abrimos este armario. En la casa —edificada en el siglo XVIII—hay espaciosas salas con el piso pavimentado de pintorescos mosaicos. Cuando éramos muchachos, se fregoteaba, se aljofifaba con petróleo este pavimento. Tal era el uso en la provincia. Y ahora, parece que percibimos, cerrada como ha estado la morada, como un vago olor del petróleo del suelo.

En el armario hemos encontrado un sombrero hongo de color castaño y una corbata de peto. 1890 ó 1895. Esos sombreros eran usuales en la época. Variaban constantemente. No eran las mismas las alas ahora que antes. Ni tenían la misma anchura y el mismo abarquillamiento. Ni la copa era idéntica a la copa de años anteriores. Mudábase en su traza y en su altura. La corbata de peto, recia, de seda, brillante o mate, cubría casi toda la abertura del chaleco y apenas dejaba ver la blanca camisa. Y en este peto, lo indicado, lo elegante, era el camafeo o la perla.

Se vestía con gusto en Valencia. Siempre la elegancia ha sido tradición en los valencianos. La riqueza crea necesidades de fausto y de lujo. Y ningún lujo más ostensible que el del arreo personal. ¿No he visto yo en el Museo del Prado el retrato de un caballero valenciano pintado por Joanes? ¿Y no tiene un magnífico porte, una prestancia elegante, un gusto exquisito en el indumento ese caballero?

XLV

COQUILLAT Y EL FONDO DEL ALMA

¿Y por qué la personalidad de Coquillat ha cobrado estas proporciones extraordinarias? La persona de Coquillat se ha transformado. El recuerdo remoto ha sido sustituído por la persona del autor. Poco a poco ha ido agrandándose esta personalidad—la personalidad psicológica—y ahora lo ocupa todo. Y ante ella se ha abierto, pavoroso, como se abre un abismo, el gran problema. Y todo ello en íntimo enlace con el pasado que en estas páginas se trata de evocar.

No he sabido nunca cuál era el nombre de Coquillat. Si lo he conocido, habrá sido más allá de cincuenta años. A lo largo de los cincuenta años transcurridos desde que salí de Valencia, he recordado muchas veces a Coquillat. Nunca he asociado el apellido a un nombre. ¿Juan, Vicente, Pablo? No puedo contestar.

¿Y es cierto que no puedo contestar? En la pasada noche he tenido un sueño. Escribo al rayar el día. Parte de ese sueño voy a relatar sucintamente, con todas sus incongruencias y sus absurdas simultaneidades. En un aposento de mi casa, de una casa ajena, en Valencia, en Madrid, en Alicante, en Barcelona. No sé dónde. No sé para qué se vestían en este aposento los señores que venían a vestirse. El cuarto está aislado, solo en el aire, unido a otros aposentos de la casa. Solo y con el comedor, la cocina y la sala de recibir. Viva iluminación. En la puerta del aposento, los personajes. No sé quiénes han sido, ni para qué se visten, ni adónde van. Veo un sillón frente a un espejo. El espejo es un lavabo. El sillón desaparece. Sólo queda un vivo resplandor. Y aparece Luis Medrano. No se sabe cómo ha venido, ni por dónde ha pasado para llegar al aposento. No hay ninguna dependencia de la casa que comunique con esta habitación. Existe un pasillo y no existe. Unicamente se ve un vivo resplandor y a Luis Medrano que está en la puerta. El elegante personaje va vestido con terno de americana cruzada, ribeteada con galón negro de seda —según moda de 1890—, y un galón negro de seda se ve en la juntura de los pantalones. Se sienta Medrano y está en pie. Todo al mismo tiempo. Se mira al espejo, y el espejo sigue siendo lavabo. En este momento aparezco yo. Estrecho la mano de don Luis, y éste muestra profunda extrañeza. No sabe quién es este desconocido que le saluda.

—¡Le he conocido a usted—grito—en casa de Coquillat!

Y entonces, Luis Medrano profiere esta exclamación que me llena de estupor, que me confunde y me aterroriza:

—¡Don X Coquillat!

En donde está la X ponga el lector un nombre: Pedro, Juan, Antonio, Vicente, Joaquín, etc. Ese nombre es el que ha dicho Luis Medrano. Y al levantarme, al otro día, me conmueve viva inquietud. ¿Qué es lo que hay en el fondo de nuestra alma, es decir, en la subconsciencia? Medrano ha dicho un nombre que yo ignoraba. En sueños se me ha revelado el nombre de Coquillat. ¿Será verdad? ¿Habrá subido hasta la conciencia lo que estaba yacente en la subconsciencia bajo densos estratos de olvido? Con la pluma en la mano estoy ante el plieguecillo de una carta. Voy a escribir a Valencia para comprobar o no la certeza de esta inesperada revelación. Pero dudo. La idea de la confirmación me atemoriza, y la idea de la falsedad me desconcierta. Tengo fe en lo revelado en el sueño y me aferro a la verdad de lo dicho por Luis Medrano. Nuestra subconsciencia está llena de misterios inexplorados e inexplorables. El fondo de nuestra alma es insondable. Y tal vez, para el artista creador, ese depósito es un tesoro. Porque, de pronto, sin que nos demos cuenta, nos encontramos con una intuición salvadora, o una inspiración feliz, o una sensación olvidada, que llegan hasta nosotros desde las remotas tinieblas de lo pretérito y que nos dan el rasgo bello para una página, para un cuadro.

XLVI

LAS CALLES

¡Guay de nosotros! El pensar continuo e intenso nos atormenta. Nos entregamos a la maraña de las callejas, en la ciudad milenaria, como nos entregamos al hipnótico vencedor del insomnio penoso. Ansiamos dormir dulcemente ahora en lo pretérito. Y estas callejitas de Valencia—la ciudad goda, la ciudad romana, la ciudad árabe, la ciudad cristiana—nos van enlazando con sus tentáculos como lo haría un inmenso pulpo benéfico. Los mismos nombres de las calles nos encantan. En el *Manual de forasteros en Valencia,* publicado en 1841 por José Garulo, encontramos nombres de calles sugestionadores. Aquí están las de Adoberías, Barchilla, Bolsería, Cadirers, Cerrajeros, Cofradía de los Horneros, Colchoneros, Granotes, Huerto de los Sastres, Mesón del Caballo, Pellejería Vieja, Puñalería, Taronchers, Zurradores.

Las calles viejas nos hechizan. Nos encontramos ya, con su abrazo, con su dulce presión, dentro del pasado, en pleno sueño gratísimo. Vemos aquí un portal misterioso. Y más lejos, una escalerita empinada y lóbrega—*la escaleta del dimoni,* de Escalante, tal vez—, y en otra parte, un zaguán noble, y después de un rato, otro patio profundo, con galería que lo circunda. Entramos en esta casa. Nadie nos lo empece. El silencio es profundo. Y pensamos, pensamos.

«Sí, aquí debía de haber un telar. Se tejía aquí la maravillosa seda de Valencia. En la ciudad trabajaban de tres a cuatro mil telares. Los valencianos eran maestros en la difícil operación de *dar las aguas* a las telas de seda. Dar las aguas es lo que los franceses llaman *moirer.* Este silencio de ahora estaría interrumpido por el traqueteo rítmico de la lanzadera. Los sederos, los artífices de la seda, formaban un sabio gremio. Todos los oficios tenían su gremio. El gremio era paternal y benéfico. El gremio era una prolongación de la familia. Y el gremio era una garantía del trabajo fino, concienzudo, del cual la obra salía acabada, en su perfección. En este patio, rodeado de soledad, transportado el meditador a lo pretérito, el pensamiento va hacia Ruskin. Será acaso un imposible; pero el ideal de Ruskin, el ideal de la vida sencilla, con trajes hechos de telas y paños tejidos a mano, con medios de locomoción primitivos, a pie si es posible, ese ideal nos seduce. A fines del siglo XIX, un eminente historiador del Derecho de España, maestro venerado en las aulas valencianas, se esforzó noblemente en la resurrección, en guisa moderna, de la antigua organización gremial. La pieza maestra, prueba en el examen; la pieza perfectamente concluída, labrada con amor —el amor al oficio, que ha desaparecido casi del mundo obrero—, esa pieza, sin la cual no se podía tener personalidad gremial artística, domina al gremio. Y en el gremio no se podía pasar de oficial a maestro sino tras larga práctica.

Desde este patio, en la callejuela silenciosa, en la ciudad de los gremios, un homenaje a la memoria de don Eduardo Pérez Pujol.

XLVII

PUCHERITO DE ENFERMO

¿Has visto esto? ¿Abarcas bien toda la historia de Valencia y ves a Valencia en la perspectiva lejana de lo pretérito? Vamos, presta atención. No sé si digo un disparate cuando, al pensar en Valencia, pienso—y lo digo—en una carne fina, delicada, sensible al más leve contacto de la mano. O en una flor carnosa, fragante y encendida, que se ostenta en ameno vergel. El huerto está henchido de aromas y el aire tiene la transparencia de un vidrio veneciano. No sé lo que digo. Perdóneme usted. Lo que pretendo expresar es la sensibilidad de Valencia. Un pormenor indicia el todo. Por una particularidad minutísima sacamos la síntesis grande y definitiva. Valencia ha tenido sus poetas. ¿Es que no conoce usted, señora, a Elzear? Se encuentra ahora en Beniarjó, entre el boscaje de las cañas de azúcar por él plantadas. Si fuéramos a verle—ya comprende usted que hablo de Ausias March—, irían diligentes a llamarlo. Vendría él a la casa, arreado con su traje campesino, y nos hablaría con su palabra hechizadora de poeta. Y tal vez—es seguro—saldríamos de la entrevista con un dejo melancólico. Esta melancolía, junto con la imagen del poeta, la conservaríamos toda la vida en el alma, como un pomo o frasco conserva siempre el olor de la esencia que ha encerrado.

Dispénseme usted, señora. Sonríe usted y yo también sonrío. Iba a decir algo que es indicio de la sensibilidad valenciana. La sensibilidad dimana de lo denso en lo sociable. Cuando la sociabilidad llega a un punto máximo—y eso es la civilización—indica que el hombre se siente estrechamente solidario con el hombre. Solidario en los dolores y en las satisfacciones. Y más en los dolores que en los momentos placenteros. ¿No conoce usted, señora, el *Hospital de pobres estudiantes?* Pues ese hospital fué fundado en Valencia. Y también se fundó otro para sacerdotes menesterosos. Los estudiantes no son ricos todos. En el seno de una familia modesta nace y crece un muchacho despierto. Se anuncia un ingenio brillante. La familia hace un sacrificio y lo envía a la Universidad. Las enfermedades son costosas. La mayoría de los escolares modestos, lejos de sus hogares, no puede subvenir a esas expensas. Pero aquí está el *Hospital de pobres estudiantes*, fundado en 1540. Los catedráticos de la Facultad de Medicina asisten a los enfermos. Y las familias, aunque inquietas, preocupadas, allá en los pueblos, por la salud del hijo, pueden sentir un hálito de tranquilidad.

¿Y los otros enfermos, para quienes se guardan, día y noche, los elementos del puchero, su imprescindible alimento en la convalecencia y aun en la propia enfermedad? Hasta nuestros días ha llegado ese cuidado de Valencia. De Valencia la sensitiva. Lea usted, señora, lea usted estos renglones del *Manual de forasteros en Valencia,* escrito por José Garulo. Se hace una relación de las cosas que se venden en los tabancos públicos y en las tiendas. Y se escribe con el título de *Recado para puchero enfermo:* «De día y de noche, a toda hora, se encuentran cuartos de gallina, carne y garbanzos, para pucherito enfermo, en la plaza de las Yerbas, junto al Trechs.»

El diminutivo de pucherito nos encanta. El enfermo es un niño. En la misma Valencia, siglos atrás, había un magistrado que cuidaba y amparaba a los niños huérfanos. Digo esto al pasar y remediando un olvido. El enfermo es infantil. ¿Y qué cosa más adecuada que usar de un diminutivo gracioso—gracioso y lleno de piedad—, el diminutivo *pucherito,* cuando se trata de un niño, es decir, en este caso, de un enfermo?

XLVIII

EL CIPRES Y LA PARED

En mí, la imagen de la vivienda rústica va maridada a la sensación de cansancio mental. Y tal vez de desdén. La soledad que ansiamos nos cubre en las grandes ciudades como un fanal de vidrio frágil. Cualquier cosa inesperada—el teléfono, una carta, una visita—puede romper, o por lo menos resquebrajar, el quebradizo cristal. En cambio, a medida que nos alejamos de la ciudad y nos vamos adentrando en el campo—sobre todo en la montaña—, la soledad va solidificándose, endureciéndose, y al cabo, allá en la esquividad fragosa del monte, llega a ser inexpugnable.

Grata sensación de paz en la alquería. ¿Lejos de Valencia o propincua? Una pared blanca y un ciprés. El ciprés tiene la cima aguda y en la pared se abre una puerta, en arco de medio punto, con jambaje de piedra. Como la casa es vieja, secular, acaso la pared *hace sentimiento* en alguna parte. Y esta frase, perfectamente técnica, cobra para nosotros, que amamos la casa cual un ser vivo, significado afectivo y nos mueve a piedad. He estado en alguna alquería valenciana y he contemplado los trasuntos de otras. Se citan las de Benet, Parcent, Torres, Juliá, Castellar. En la casa de campo alicantina, el sol ha dorado el yeso de la fachada, y en ese plano dorado penden largas ristras de rojos pimientos puestos a secar. En la alquería valenciana es el ciprés, el laurel, el naranjo o el algarrobo lo que domina. Con el ciprés, la pared blanca.

¿Y las cámaras de la alquería? ¿Serán como las cámaras de las mansiones agrestes en Alicante? Allá, en la parte central y montuosa de la provincia—hablo de la alicantina—, una ventanita angosta, con alambrada, da paso a la luz. Y se percibe, en el silencio placentero, un vago olor a semillas, a hierbas silvestres, a lana lavada, a matalahuga, a frutas colgadizas.

Puesto que tanto rezago ha dejado Roma en Valencia—lápidas y fragmentos de aras—, yo quisiera que en esta alquería se estampasen, de un modo ostensible, las normas de la equidad romana. La alquería, en Valencia, es claridad. El genio romano es precisión. Como enlace entre lo pretérito y lo presente, aquí está el inmoto ciprés. En la fachada, sobre un fondo amarillo de azulejos, con cenefa azul el recuadro, habría de poner:

HONESTE VIVERE.
ALTERUM NON LAEDERE.
SUUM CUIQUE TRIBUERE.

Vivir honestamente. No dañar a nadie. Dar a cada uno lo suyo. Y entonces estaríamos en nuestro centro espiritual. El valenciano nunca, ni como individuo ni como colectividad, hace alarde de su fuerza. Su fuerza reside en el espíritu. Y esas normas romanas encierran la síntesis de la civilización. Por encima del ensueño árabe, más allá de la serenidad musulmana—todo está integrado en la historia de Valencia—, vayamos, en esta blanca alquería, hasta la fuerte impasibilidad de Roma.

La pared y el ciprés. Y nuestro cansancio mental que se aplaca, y nuestro desdén que se hace más sutil.

XLIX

LITERATURA

En Valencia escribí artículos periodísticos y publiqué algunos folletos literarios, hoy rarísimos. Artículos los había escrito ya en un semanario de mi pueblo. Y en Valencia aprendí yo solo el francés en Baudelaire y el italiano en Leopardi. Compré estos libros en una librería extranjera—la única en Valencia—que había en la calle del Poeta Querol. Siempre me acordaré de esta tiendecita de libros y de su librero. La tienda era angosta, profunda y lóbrega. No había casi libros en los grandes estantes. ¿De qué vivía este librero y qué es lo que vendía? El librero era un hombre ensimismado y taciturno. Si yo compré allí a Leopardi, el espíritu desesperanzado y triste de Leopardi se respiraba en la tiendecilla. Compré esos libros y no me aventuré a entrar más en la tienda. Pasaron unos meses, y un día vi la puerta cerrada. No se abrió más. No se volvió a ver al melancólico librero en Valencia.

Con la lectura de los libros extranjeros aprendí una cosa esencial: la de que toda literatura, sea poema, novela o drama, no puede subsistir si no se apoya en una base auténtica y sólida de realidad. Estudia, artista, la Naturaleza y las cosas. Obsérvalas atentamente, artista, en todos sus pormenores, matices y cambiantes. Recoge en silencio, como la hormiga en su hormiguero recoge su nutrimento, las observaciones pacientes que hayas hecho. Y cuando en tu cerebro, en tu sensibilidad, esté todo depositado, haz lo que quieras, porque fatalmente, sin que tú te des cuenta, pondrás en tu obra ese cimiento de cosas concretas sin el cual la obra se desmorona.

En aquel tiempo comencé yo a llevar en el bolsillo un cuadernito en que iba apuntando los detalles de lo que veía. Así, años más tarde, al prepararme a escribir la primera de mis novelas grandes y tener que describir el despertar de una ciudad, lo primero que hice fué levantarme mucho antes del alba, subir a un cerro, al pie del cual se asentaba la ciudad, e ir anotando, a la luz de una lamparita de bolsillo, todos los pormenores del amanecer, desde momentos antes del alba hasta ya entrada la mañana, pasada la aurora.

De mi labor literaria he tenido siempre conciencia. Debo decirlo aquí, donde la confidencia sincera es obligatoria. No he dudado nunca del valor de mis libros.

Pero, al propio tiempo, me ha ocurrido un fenómeno extraño: no he querido nunca hablar de mis libros, ni mucho menos—esto me produce disgusto—que me hablaran de ellos. Publicado un libro, trato de olvidarlo. Si lo recordara, me parecería que estaba prendido a él y no podría desprenderme de él para escribir otro libro. Hasta corregir las pruebas me causa desazón. Y he de decir también —sinceridad obliga—algo de mi combatido teatro. Siempre tuve querencia al teatro. La primera obra literaria mía, a los ocho años, fué una obrita teatral que representamos, como pudimos, en el zaguán de una casa varios amiguitos. Sobre el teatro se tienen muchas ideas falsas. Las tenía Cervantes, las tenía Lope de Vega y las tenía Moratín. Lope miente a boca llena cuando, en su *Arte nuevo de hacer comedias*, dice que él las escribe sin arte porque el vulgo es necio, las paga y las quiere así. Ni el vulgo era necio en tiempo de Lope, ni Lope escribe en necio, ni el vulgo pedía cosas necias, ni apenas el vulgo pagaba las comedias, puesto que los que entraban en los corrales forzando la puerta, es decir, gratuitamente, eran la mayoría. Cervantes ignora el secreto de su fracaso. No sabe que el teatro es acción directa, escueta y central, y que sus comedias—como casi todas las anteriores a Lope—se explayan en pinturas laterales, adyacentes, admirables en Cervantes, pero embarazosas para la acción central y enojosísimas para el espectador. En cuanto a Moratín, si Lope creó una realidad especial para el teatro—aparte de haber reducido la comedia a una acción única y central—, Moratín se esfuerza en que esa realidad fantástica y poética—en que no es necesario, por ejemplo, justificar ni entradas ni salidas de personajes—; Moratín, digo, se esfuerza obcecadamente en que el teatro vuelva de la realidad poética de Lope, más verdadera que la verdadera, a la cotidiana y realista realidad. El desvarío no puede ser mayor. Ni mayor el empobrecimiento que con ello se le sigue al teatro. Y en esa realidad en que hay que justificar entradas y salidas estamos todavía.

Creo que mi teatro, tan combatido, es superior, muy superior, a muchas, a muchísimas de las obras más aplaudidas en estos tiempos. Esas obras no pueden ya leerse y mi teatro—que se representará en lo porvenir—resiste a la lectura. Lo que sucede es que todos mis terceros actos, son terceros actos truncados. Sí, «se pierde la comedia», como decían los críticos. Se pierde la comedia al llegar el tercer acto. Pero es que todos los terceros actos, en todas las obras, son falsos. Y yo he tratado de huir de esa falsedad. Falso a más no poder, por ejemplo, el postrer actos de *El Trovador*. Falso el acto último del *Don Alvaro*. Falso el acabamiento de *Los amantes de Teruel*. Y falsos todos los actos terceros de Lope. El acto que vale en una obra es el acto segundo. En ese acto, después de una exposición clara y precisa en el primero, es donde ha de desenvolverse la verdadera comedia. Lo que pase en el tercero, puede sustituirse siempre por otro acto en que pase cosa distinta.

L

CASTELL

Hubiera sentido olvidarlo en este libro de caros afectos. ¿Y cómo pudiera olvidarlo, si guardo de él un retrato en que aparece vestida la muceta doctoral y calado el birrete con su borla? No recuerdo ya en qué era doctor don Francisco Castell, si en Derecho, en Filosofía y Letras o en Ciencias. Pero este personaje tan solemne en la fotografía era un niño. Pocos hombres tan afables y de tal llaneza.

Doy ahora importancia suma a dos cosas que antaño no me parecían tan importantes: las campanadas del reloj, sobre todo en la medianoche, cuando el estiaje de la vitalidad es más bajo, y los sueños. Las campanadas del reloj representan el tiempo, y al presente, en la declinación de la vida, el tiempo es más rápido y fluente para mí y se me escapa de las manos. Con los sueños me acontece que he llegado a no saber, en determinados momentos, qué es lo vivido y qué es lo soñado. Y esta confusión, esta no discriminación, me causa angustia. ¿Es un sueño o una realidad todo lo referente a mi paso por esta redacción? La redacción e imprenta de *El Mercantil Valenciano* estaban instaladas en un viejo caserón de una callejita corta, a espaldas del teatro Principal. El zaguán se abría espacioso y al fondo se mostraba la escalera. En el piso principal había un salón con dos balcones, y en él una mesa larga, la mesa del trabajo en común. Y lo que me produce un ligero vértigo es el no saber si a la tarde, a primera hora, cuando todavía no ha llegado nadie a la redacción, estoy yo aquí, repasando el montón de periódicos llegados, o en otra redacción, ante otra mesa, repasando el mismo hacinamiento de periódicos. Otra mesa que veinte o treinta años después está en Madrid—dos o tres mesas largas en Madrid—, o en San Sebastián, o en otra parte. No puedo decir ni cómo llegué hasta la mesa de la redacción de *El Mercantil*, ni cómo salí de la redacción. Tal como en un sueño. Todo con las soluciones de continuidad que se dan en los sueños. Y si no hubiera estos claros en la realidad—o en los sueños—, sueños y realidad no tendrían el encanto misterioso que tienen. Hablo de una realidad remota, aballada por la neblina del tiempo. Y empleo el vocablo *aballar*, vocablo técnico en pintura, porque no de mejor modo se puede expresar el acto de suavizar un paisaje espiritual, cual se suaviza, aballándolo, un paisaje en pintura.

En la redacción, no sé a qué hora, charlan en pie, junto a la larga mesa, varias personas. *El Mercantil Valenciano* tiene en Valencia su principal clientela entre los universitarios. A la universidad o sus aledaños pertenecen algunas de estas personas que ahora discuten animadamente. El tema es arduo y las voces suben de punto. A la derecha de la sala, entrando, se ve una puerta de cristales. No sé si sigo soñando. La puerta está entreabierta y de pronto se abre del todo y aparece un señor menudo, calvo prematuramente—puesto que está en la plenitud de su vida—, la barba y los bigotes cortos, vestido con desaliño, los pantalones bajos y tal vez descuidadamente abiertos. Pero hay en sus ademanes, en su caminar con desembarazo, una viveza infantil, y brilla en sus ojos una clara luz de inteligencia.

—Vamos a ver—dice—, ¿por qué discuten ustedes? No es eso, no es eso. He escuchado desde mi mesa lo que ustedes estaban discutiendo. Y están ustedes equivocados.

Esperamos todos las explicaciones del director de *El Mercantil*, don Paco Castell, y éste, con cuatro palabras claras, precisas, convincentes, dirime el pleito. Hay hombres únicos—como son únicos los diamantes—, que son los hombres de las cuatro palabras. Cuando todos divagan y se confunden en prosa prolija y nebulosa, estos hombres, de pronto, con cuatro palabras desatan el nudo apretado de las dificultades. La salida de don Paco Castell de su despacho, cuando todos discutíamos acaloradamente apoyados en la larga mesa, era esperada con ansia. Diríase que la polémica se había entablado tan sólo para que don Paco Castell, caídos los pantalones, descuidado en su arreo personal, vivísimo en su comprensión de las cosas, pronunciara las cuatro palabras resolutorias.

A la izquierda, en el zaguán de la casa, se veía una corta escalera que conducía a un despachito del entresuelo. Después de medianoche, a la madrugada, escribía yo en ese despachito mis críticas teatrales, que enviaba directamente a la imprenta. Fuí yo crítico de teatros en *El Mercantil* una breve temporada. Vi en aquellos días representar por Ricardo Calvo, excelente actor, en el teatro de la Princesa, *La de San Quintín,* de Galdós. Galdós era venerado en la casa. Y no sé cómo, ni con qué motivo, ni cuándo, salí del periódico. ¿Hubo acaso en mis críticas inesperadas acrimonias para quien recibía tributo de admiración en la casa? Sospecho que mi trabajo no gustaba a la clientela docente. El orden y la gravedad universitarios no podían compaginarse con mi escribir desenvuelto. Se me desembarcó apresuradamente de la nave, como se desembarca el polizón en el primer puerto. Y otra vez pesaba fatídicamente sobre mí el rótulo, en letras de bronce, puesto en el dintel de la universidad: *Universidad literaria.*

LI

MONESCILLO

En la catedral de Valencia vi una mañana al arzobispo y cardenal Monescillo. Caminaba lentamente por el vasto ámbito, creo que apoyado en una muletilla, y le seguían a respetuosa distancia dos canónigos con sus mucetas de inmaculado armiño. El cardenal estaba obeso y achacoso. Había trabajado mucho en la vida y se había mezclado, con ánimo conciliador, en las ardientes luchas de la política. Su intervención en la Asamblea constituyente de 1869 fué notable. En Valencia se quería a Monescillo.

El cardenal va caminando por las anchurosas naves de la catedral, y su gesto es de tristeza. Se detiene en las capillas laterales. Entra un momento en ésta o la otra. En esas capillas, que son verdaderas iglesias, algunas con sacristía propia, capillas espaciosas que no existen en las catedrales de Francia, suelen verse los sepulcros de prelados eminentes. La evocación por Monescillo de toda su propia vida de nobles anhelos, de sacrificios y de generosidad, vida que está ya en su final, tal vez se produzca aquí en la solitaria capilla ante el mármol funeral. ¿Y qué importa? ¿Y es el mundo el centro de las almas? Una preocupación ha embargado siempre el ánimo del cardenal: la formación espiritual del clero. Libro curioso, libro digno de ser reeditado, es el *Manual del seminarista,* escrito por Monescillo (Madrid, 1848). Hay en ese volumen muchas páginas llenas de agudas observaciones, ya sobre la Historia, ya sobre la literatura, ya sobre las costumbres, ya sobre la oratoria. Y es tema que descuella—no podía ser de otro modo en tal libro—el de la misión del clero en la colectividad social. El clero ha de ser el principal agente en «la rehabilitación del pueblo». El clero «ha de saber corresponder a lo grande de su misión». Desde el seminario ha de prepararse la grande obra. «El seminarista debe ser un soldado pronto a ejecutar las órdenes de sus jefes. Su ordenanza son las constituciones conciliares, y a la voz de los encargados de su dirección y enseñanza, está en la obligación de moverse con prontitud, regularidad y compostura, a la manera que con movimientos uniformes y convenientemente aprestado, gira el militar sobre la línea que le está marcada.»

Valencia adoraba a Monescillo. Los discursos de este prelado en las Cortes de 1869 son de una franqueza desconcertante. Entra resuelto en el terreno del adversario y hace al adversario concesiones que éste no esperaba. Y así, aventurando mucho, logra ganar definitiva y positivamente algo.

Este hombre, todo actividad, lucha ardiente, franqueza noble, generosidad siempre despierta, camina ahora con paso lento y trabajoso, triste la mirada, por el vasto y solitario espacio. Los dos canónigos, con sus pieles blanquísimas, le van escoltando.

LII

CALVARIOS EN VALENCIA

«No es lo mismo.» Y tras un momento repetimos: «No es lo mismo.» La voz es tan queda y lenta, que acusa un abandono irremediable de la persona. Abandono en la inmensidad de lo inexpresable. El tiempo a lo largo del año ha ido confluyendo en un punto determinado. Poco a poco se iba apretando en ese lugar. Y ahora, en un instante, trágico instante, vamos a sentir su condensación. No es lo mismo. No es la misma textura del tiempo ésta que la del resto del año. Esa condensación la vamos a sentir aquí, en el reino de Valencia, en determinado lugar y en determinado momento. La voluptuosidad del ambiente valenciano nos predispone, por contraste, para fruir de ese momento angustiador.

En la noche expirante. Todavía llevamos en el pulpejo de los dedos la sensación del charol brillante en la hoja del naranjo por su anverso y ahora palpamos en las tinieblas el ramaje áspero del ciprés secular. El naranjo es lo sensitivo, y el ciprés agudo en su cima es lo impasible. Apenas se percibe su silueta en el lado del camino. Apenas blanquean las capillitas del calvario, flanqueadas de dos cipreses. La noche expira. Tras un día de austeridad, de silencio y de meditación, nos vamos a encontrar con esta culminación del tiempo apretado y del dolor. Veinte siglos se condensan, mejor que en cualquier otro día de la Semana Mayor, en esta madrugada del Viernes Santo. En la noche expirante, entre las tinieblas, van ascendiendo por el camino tortuoso los bultos enlutados de las pobres mujeres. Dentro de un momento, allá en el horizonte, se hará una grieta levísimamente blanquecina entre las nubes, si el cielo está entoldado. Ningún cielo convendrá más al día triste y trágico que se anuncia, que un cielo anubarrado y ceniciento. Los bultos negros ascienden con sus rosarios en las manos, y nosotros ascendemos también con nuestra congoja de poetas. Abajo quedan los naranjos voluptuosos, los algarrobos, o los almendros, más frágiles y sensitivos que en otras tierras. Ya el alba está cercana. El canto metálico de los gallos sube del poblado. Lo blanco de las ermitas del camino va a seguir limpio, y los cipreses van a mostrarse en su hosquedad. En tierra de monumentos históricos, con ambiente milenario, no se advertirá, no se sentirá, no se captará tan hondamente este momento como en el calvario valenciano al que ascendemos en la noche, la noche expirante, viniendo de estar en contacto con un pueblecito vulgar, rodeados, en casa moderna, de muebles vulgares. Como la voluptuosidad del ambiente, de que hemos hablado antes, el ambiente valenciano, esta vulgaridad nos hace sentir más lo fino, selecto y refinado del momento.

Ya el claror difuso del alba ha aparecido. El instante trágico llega y acaba en un punto mismo. Tan fugaz es. Fugaz e intenso como un escalofrío que de pronto, en medio de unas horas placientes, nos sobrecoge. Pero este instante huidero abre ante nosotros, en la noche, la noche expirante, perspectivas remotas de lo Infinito.

LIII

LA CUPULA AZUL

Estamos viendo desde lejos, cada vez más distinta, la cúpula azul. O choca inesperadamente con ella la vista, cuando salimos de un barranco y entramos en un valle. La cúpula azul es privativa del reino de Valencia. Se levanta cubierta de tejas azules, curvas y vidriadas. Y al llegar la cúpula al cimborrio, se encorva ligeramente en curvatura graciosa. La cúpula azul es lo particular. Se corresponde, en el reino de Valencia, con el aguamanil blanco y rameado de azul—traído de Alcora—y los multicolores azulejos del pavimento. Todo es frágil y perdurable en las construcciones valencianas. Las casas campesinas parece que van a desleírse en el tiempo y perduran a lo largo de los años. Perduran intactas en el ambiente seco.

Siempre será para el poeta un conflicto el discernir la materia de la poesía. ¿Es lo perfecto la carne palpitante o lo es el cristal límpido? ¿Lo es lo subjetivo o lo impasible? ¿Lo general o lo particular? Aquí en el reino de Valencia, ¿qué es lo verdaderamente europeo? ¿San Vicente Ferrer, accesible a todos, o bien este otro santo, para unos pocos, ausente de las galerías frecuentadas del *Año Cristiano,* santo que era hijo de un tejedor francés establecido en Valencia: San Gaspar Bono? Bono es corrupción de Bonhomme. Bonhomme era el apellido del padre. Siempre ha existido amplia comunicación entre Valencia y Francia. El viaje a Marsella por mar es un paseo. Yo recuerdo que oía vocear por las calles de Valencia—y compraba—*L'Echo de Paris,* de Fernand Xau, cuando este periódico era un periódico literario.

La cúpula azul nos llama. Pronto vamos a ver su silueta sobre el cielo pálido de Valencia, al lado del perfil esbelto de una palmera. El naranjo nos ofrece la voluptuosidad y la palmera nos brinda con la sensación de Oriente. Y si la palmera se enhiesta en paraje solitario, sin camarada fecundadora, sentimos ante su vista desmedrada—pronto se secará esta palmera solitaria—una punzada de aguda melancolía.

Pero la cúpula azul, de tejas vidriadas, nos consuela. Y dentro de un momento, viajeros que retornamos a la nativa tierra, nos lavaremos las puntas de los dedos, según tradición, antes de sentarnos a la mesa, en el aguamanil blanco, con ramos azules, hermano menor de la cúpula azul.

LIV

ELENA VIU

La novela injerida en la Historia. La novela que es la Historia. No saber cuáles son los personajes que han vivido vida auténtica y real: si los personajes de la Historia o los personajes de la novela. Teoría sobre la historia de Menéndez Pelayo y de Alfredo de Vigny.

La pluma en las cuartillas. En las grandes cuartillas satinadas. Letra clara, fina, que es trazada con sosiego. Evitar la febrilidad y el ímpetu. Sensación honda en relato apacible. Y la blancura de las cuartillas que es la blancura de las ropas interiores femeninas, ropas sutiles, que se amontonan en el cuarto de costura y de plancha. Hacia ese cuarto tiende toda la apetencia del novelista, aun antes de haber visto distinta, en sus contornos carnosos, en su psicología, la figura de Elena Viu. Pero Elena Viu, condensa de Chelva, *la otra viuda valenciana,* vive en alguna parte, en los limbos de lo increado, y avanza poco a poco, concretándose, palpitante, hacia el novelista.

Orfandad a los tres años. Fortuna pingüe y saneada. Huertos de naranjos en Carcagente y Alcira, arrozales en Sueca. Y tío Bortoméu, tío Bartolomé, hombre sosegado y prudente, que se encarga de velar por Elena Viu, y de su educación. Tarea ardua la de plasmar una voluntad —y voluntad femenina—en el equilibrio mental y en la serenidad. Estadas de tío y sobrina, de tío Bortoméu y Elena, en las históricas ciudades castellanas, en las ciudades donde la Historia es profunda. En Burgos, en León, en Zamora, en Palencia, en Soria. Registrar todo lo curioso del reino de Valencia, en sus campos, en sus montañas, en sus ciudades. Y los itinerarios de San Vicente Ferrer en Europa: Provenza, Bretaña, París, Escocia, Italia. En cada sitio, libar como una abeja liba en las flores. Como se ha libado antes—cimientos de la educación nacional—en Burgos, en León, en Zamora, en Avila, en Segovia.

Remansos gratos en París. Visión de la vida española, de los tipos españoles, de la psicología española en oposición a lo extranjero. El contraste hace ver mejor lo que es España, todo lo bueno de España, que no se había visto antes en sus múltiples aspectos. En París, las predilecciones: iglesias, las cien iglesias de París, Nuestra Señora, la Magdalena, San Sulpicio, San Severino, San Esteban del Monte—con su claustro de maravillosas vidrieras—, San Germán de los Prados, San Germán Auxerres, San Roque, donde se convirtió Manzoni; San Pablo, donde está enterrado Bourdaloue. Y el rito oriental griego católico. Atracción profunda de estos ritos orientales—el bizantino, el armenio, el asirio, etc.—, que observan ciento cincuenta millones de católicos sumisos a la autoridad del romano Pontífice. Las iglesias de la calle de Daru, iglesia rusa, la rumana de la calle de Bizet y, sobre todo, la iglesia gótica, antiquísima, de San Julián el Pobre. En su puerta comenzaba el camino de Santiago de Compostela. Todavía la calle cercana se llama de Saint-Jacques. El canto llano, sin instrumentos, que viene del fondo de los siglos. Y la misa en griego, larga misa griega, hora y media, la Misa de San Juan Crisóstomo, que los fieles van siguiendo en un libreto que se vende en la iglesia. La comunión con las dos especies del pan y del vino. Los panecitos que el celebrante reparte entre los fieles al final. Panecitos que son el pan que en el rito latino se bendice al Ofertorio, los domingos, en la misa mayor, y que también es repartido. «Se repartió—y no se vendió, cual se dice—como pan bendito.» En el Sagrado Corazón, allá arriba, después de abarcar París, que se extiende en lo hondo, París inmenso, la meditación en la cripta. La cripta del Sagrado Corazón es otra iglesia subterránea. Iglesia vasta, como la de encima. Pero iglesia desierta, silenciosa, en que se goza de un reposo gratísimo.

En los grandes restaurante de los alrededores de la Magdalena. Y la delicia de los diez, quince platitos de los antes. Los antes, como se decía en siglos pasados, son los entremeses. Los hotelitos, hotelitos limpios y cómodos, preferibles a los grandes hoteles, en que por virtud liberal, dadivosa—las sempiternas propinas—, se hace uno, al cabo de cuatro días, el centro de todo. El hotel Newton, en la calle de la Arcade. El Buckingham, en la calle de Mathurins, es decir, de los Frailes, frente a los restos del antiguo cementerio de la Magdalena; un jardincito ameno—placiente entre la vorágine estrepitosa del centro de París—en que se levanta una capilla y se ven en un patio dos hileras de sepulcros. Las visitas a los cementerios de París, el de Montmartre, el de Montparnasse, el de Passy y, sobre todo, el del Padre Lachaise. Cementerios interiores. Cementerios en el corazón de la capital. Cementerios rodeados de altas casas de vecindad—desde las cuales los vecinos contemplan a toda hora el panorama de las tumbas—y que son lugares apacibles que no inspiran ideas tétricas.

LV

EL CUARTO DE COSTURA

Por fin, el cuarto de plancha y costura que ha sido el imán del novelista. Trajes en perchas y trajes en las sillas y en un canapé. En la pared, unas maravillosas planchadoras de Edgar Degas. Cuadro que es indicio, en este sitio, del selecto espíritu, de la sensibilidad, de Elena Viu. Tabaque con ovillos y madejas, con trencillas y presillas, con variados botones. Mesa de planchar, recubierta primero de blando fustán y encima blanco y liso lienzo. Costurero con tijeras, dedales, alfiletero, metro, acericos, jaboncillos. La escena dramática. Elena ha quedado viuda, la viuda valenciana. Ha estado casada con Paco Frígola, y los dos han sido felices tres o cuatro años. El tiempo ha pasado. Elena, condesa de Chelva, se halla en la plenitud de la vida. Palacio en Valencia y alquería en Chelva. Casa en la espesura, casa cercada de rosales que ofrecen rosas blancas, rosas coloradas, rosas amarillas. La alquería de la Bresca. Bresca es panal de miel. El vocablo se usa en Valencia y Aragón. Figura en el Diccionario de la Academia. La vida es dulce como la miel que se desprende de la bresca, miel nueva, en la alquería de Chelva. Pero algo hay de inquietador en la vida de Elena Viu, la viuda valenciana. Tío Bartoméu lo presiente y no lo sabe a punto fijo. No conoce los antecedentes exactos del caballero inglés Tomás Walter. De Londres, los naranjeros valencianos que van y vienen de allá han traído informes contradictorios. Tomás Walter encanta a todos en Valencia por su afabilidad, por su nobleza, por su desprendimiento generoso. Elena en el umbral del misterio. Elena indecisa, evasiva—evasiva para tío Bartoméu—. Elena que puede dar el sí a un extranjero, como la viuda de Lope acabó por casarse—se dice expresamente en la comedia—con un pretendiente no de Valencia, sino de otro reino.

Tío Bartoméu, decidido a plantear la cuestión de confianza. Elena se encuentra ahora en el cuarto de costura. Desde las blancas cuartillas, en el comienzo, ha llegado por fin el novelista, el historiador, a las blancas holandas del cuarto de costura, en la alquería de la Bresca.

Apice del drama, lo más agudo e intenso del drama. Por ahora. Entra tío Bartoméu en el cuarto de costura y hace una seña furtiva, para que se retire, a la labrandera que con Elena está ocupada en el trajín de las ropas. Tío Bartoméu aparenta calma, indiferencia. Elena ha captado la seña y su rostro se ha encendido. Sabe ya a qué atenerse. Sabe que ha llegado el momento que deseaba y temía. Y con un retal se ha entrapajado —¿para qué?—la mano izquierda. Tío Bartoméu avanza con preocupación. Necesita preparar prudentemente la declaración capital. Su conversación es sobre temas varios. Pero poco a poco se va acercando al momento decisivo. De pronto, entre las blancas ropas aparece—cual paraninfo trágico—un número del periódico *The Times*, y tío Bartoméu corta su discurso, frunce el entrecejo y queda absorto.

Y cuando el discurso continúa—Elena

ha permanecido silenciosa—hay otro instante, capital; instante en que la nueva viuda valenciana quita de su mano el misterioso arrapiezo y palmotea elevadas las manos. Diríase que quiere sacudirse en un segundo y en forma decisiva el pasado. Entonces la mirada de tío Bartoméu tropieza con un magnífico solitario, que él no había visto antes, y que fulge en la mano antes encubierta.

¡Ay, la suerte está echada! *Alea jacta est!*

LVI

EL MISTERIO

Han pasado muchos años. Emilio Arques ha estudiado Derecho en Valencia. Pero su predilección no es el Derecho. Habita idealmente en el Parmaso, en tanto que su persona física reside en un pueblo de la provincia de Alicante, de donde es nativo. Alterna las temporadas en el pueblo con las temporadas en Madrid. Estro de poeta sí tiene, y sus versos son inspirados, claros, precisos y límpidos. Con una perspectiva espiritual de inquietud y de misterio. El misterio atrae a Emilio Arques. Y nada más misterioso que la figura de la condesa de Chelva. El poeta va a escribir un poema en que el personaje central sea, como en la comedia de Lope, la viuda valenciana.

El doctor Eladio Taroncher es un buen clínico. Sobre setenta años. Prudencia y saber. Hizo sus estudios en Valencia, los principió cuando era rector de la universidad el doctor Ferrer y Julve. Pero tampoco, en el caso de Taroncher, la medicina es su predilección íntima. El doctor ha escrito un libro de poesías titulado *Fil y cabdell*. Hilo y ovillo. El hilo, por donde se saca el ovillo, es un breve doctrinal poético que va al frente del libro, y el ovillo, o los ovillos, son los poemas que van a continuación. Emilio Arques, en respuesta al envío de *Fil y cabdel,* ha mandado sus libros a Taroncher. Se ha establecido entre los dos cordial correspondencia. Taroncher es el médico de la condesa de Chelva. La condesa vive recluída en su alquería, y ahora, al venir Arques a Valencia, lo primero que hace el poeta es visitar al doctor.

—Imposible—le dice Taroncher—. Absolutamente imposible el ver a la condesa. Voy yo a verla dos días a la semana: los jueves y los domingos. Hoy me toca hacerle una de las dos visitas semanales. Siento en el alma, querido Arques, el que usted no pueda hablar con Elena Viu. Sobre Elena gravita un misterio inescrutable. Nadie sabe a punto fijo nada sobre este asunto. Su marido, Tomás Walter, murió en Australia, en Sidney. Y murió, a lo que se dice, de un modo extraño. ¿Qué es lo que sucedió en verdad? ¿Drama ignorado, entrevisto acaso tan sólo, presentido? En realidad, yo no sé nada. Pero la condesa vino de Londres y se rodeó de soledad impenetrable en la alquería. Su palacio de Valencia está cerrado. Sólo la biblioteca es accesible al público. Magnífica biblioteca, con todos los clásicos castellanos en ediciones príncipes, y con los poetas e historiadores valencianos en ediciones rarísimas. Los poetas: Auzias March, Febrer, Roig, Jordi de San Jordi... Los historiadores: Beuter, Diago, Viciana, Escolano, Boix, Llorente. ¿Quiere usted que hagamos una cosa? Comeremos juntos. Comeremos en un bodegón famoso que hay detrás de la Lonja un *arrós a banda.* Después emprenderemos el viaje a Chelva, doce leguas. No hablará usted con la condesa. Pero al menos pdrá usted verla, oculto entre los árboles del huerto. Veo yo a Elena Viu, fuera de casa, en sus paseos por el campo.

En la alquería de la Bresca. Emilio Arques entre la enramada, y la condesa de Chelva que está departiendo allá lejos con Taroncher.

Confidencias de Elena Viu al doctor a lo largo de las visitas. Algunas de las confidencias que Eladio Taroncher ha revelado al poeta. Habla la condesa.

—Taroncher, yo soy edetana y no agarena. En la barbarie moderna me siento perdida como el explorador desorientado en los hielos polares. Valencia es romana y no árabe. La Valencia romana ha atravesado impermeablemente el período musulmán. Valencia, la Valencia romana, se esquiva. No es fácil captar el verdadero y profundo carácter valenciano. Casi todos los observadores se van por el lado de la jovialidad ruidosa y frívola. Y no hay tal. Piense usted en ese labriego alicantino, sobrio, silencioso, obstinado en el trabajo, que sólo de tarde en tarde expresa su sentir en unas palabras sentenciosas. Cuando yo veo a uno de esos valencianos, creo estar viendo a un ciudadano de Roma. Hablo de Valencia y hablo con ello de todo el reino. Valencia no se entrega a quien no se propone entrar en íntimo y amoroso contacto con ella. Ni nuestros hombres, ni menos nuestras mujeres, descubren desde el primer momento su fondo. ¿Recuerda usted la semblanza que Vives traza de su madre? Seria, callada, rígida, represa sus sentimientos en el fondo del alma. Sólo les da salida en plena confianza y en momentos de efusión familiar o de la amistad sincera. Pues ésa, doctor, es Valencia.

★

—Taroncher, ¿cómo podré yo huir de mí misma? ¡Llevo tanta amargura en el alma! Quisiera ir muy lejos, donde no me conociera nadie. He pensado alguna vez en comprar la isla de Nueva Tabarca, que se halla frente a Santa Pola. Pero está muy cerca de la costa. Desde la costa se ve lo que pasa en ella. Y yo quisiera tener mi casa en Sicilia, en Creta, en Corfú. Usted, Taroncher, me dice que tengo la obsesión de Isabel de Baviera, la esposa de Francisco José de Austria. Sí, esa infortunada mujer me es profundamente simpática. Pero yo no erigiría en Corfú una estatua de Heine, sino de Auzias March. Hace tiempo que, hojeando las obras del poeta, tropecé con estos versos:

¡Plagués a Deu que mon pensar fos mort
e que passas ma vida en durment!

Ruego a Dios que mis pensamientos sean muertos. ¡Ah, qué felicidad! Pero yo, Taroncher, no puedo matar mis pensamientos. Y el pensar obstinado, continuo, contra mi voluntad, me abruma dolorosamente día y noche.

★

—Taroncher, yo he tenido, siendo moza, amores en París. ¿No lo sabía usted? No lo sabe nadie. La aventura es bonita. Tío Bartoméu y yo solíamos ir a los cementerios. Los cementerios de París, dentro de la ciudad, son lugares apacibles. Ibamos preferentemente al Père Lachaise. Una tarde fuí yo sola. Había observado yo que todos los sepulcros cercanos al de Félix Faure tenían flores. El de este hombre, que murió de un modo misterioso cuando desempeñaba la presidencia de la República, no tenía nunca ningún ramo. El sepulcro de Félix Faure está junto al monumento a los muertos, de Bartholomé. El escultor que ha esculpido la imagen de Faure ha tenido que vencer muchas dificultades. Sobre ancho bloque de piedra, yace la figura, en bronce, del muerto. Está Félix Faure vestido de frac; pero desde el pecho abajo, el cuerpo se muestra cubierto de ancho manto, y parece que se hunde en la tierra. En esta depresión, el manto forma cavidades que cuando llueve se llenan de agua. En ellas beben los gorriones. El muerto no tiene ofrenda de flores, pero tiene constantes pájaros. Las flores las llevaba yo ahora.

Y apenas había depositado el ramo en la tumba, cuando al volverme vi ante mí un capitán de artillería que se cuadró militarmente y exclamó, con la mano puesta en la sien:

—*Merci, merci beaucoup, madame!*

Hubo un silencio. Duraría dos minutos. En esos dos minutos viví un siglo. ¡Qué bonita era yo entonces, Taroncher! Las españolas nos distinguimos por la esbeltez y por el busto enhiesto. Se advierte en seguida cuando se viene de otros países. Se dice que Napoleón III se enamoró por el busto de Eugenia de Guzmán. Lo bonita que era yo entonces, no se lo quiero a usted decir. ¡Qué busto, Taroncher! Estoy riéndome de mi simplicidad. El capitán estaba encantado. No sabía lo que hacer. ¿Quién era yo? ¿Qué es lo que podía honestamente permitirse conmigo? Yo esperaba ansiosa. Le confieso a usted que toda mi persona se sentía impulsada hacia aquel desconocido. ¡Y al fin terminó todo!

—*Au revoir, madame!*

Y al decir esto, el capitán me cogió la mano y estampó en ella un beso.

★

Sí, la ha visto, la ha visto Emilio Arques. ¿Estaba despierto o soñando? ¿No era todo esto irreal, etéreo? El doctor hablaba a lo lejos con la condesa de Chelva. La condesa iba vestida con traje oscuro, sencillo. Llevaba en la mano una ramita de retama con flores amarillas. Su figura, a pesar de los años, era gallarda. Se despide el doctor, y Elena Viu se aleja lentamente, lentamente, hasta perderse en la espesura. ¡Adiós, Elena Viu, mujer de leyenda y de poesía! Tu imagen vivirá siempre en el corazón del poeta.

LVII

LA URDIMBRE Y EL COLOR

Difícil cosa es dominar un idioma. El artífice tiene la gubia en la mano—en este taller lleno de olor de madera—y ha de dominar la madera. Madera dura o blanda, con vetas o sin vetas, blanca o dorada, añeja o tierna. Madera que es haya, roble, olmo, caoba, ébano, pino sangrado o sin sangrar. El castellano es el primer idioma del mundo. En copia de voces y en riqueza de matices. Y su tesoro de modismos, frases adverbiales, refranes, es fabuloso. Más voces tiene el inglés. Pero en el inglés el acarreo de las voces, deja a las voces intactas, en tanto que en el castellano son modificadas, plasmadas en el ambiente. El castellano es un tejido, ya de seda, ya de hilo, ya de lana—de lo que se trate—, en que hay que considerar la urdimbre y el color. La urdimbre la constituye el tiempo, y el color lo da la abundancia de vocablos. El tiempo es o lento o rápido, más o menos rápido o más o menos lento. Podremos tejer una tela de colores brillantes. Pero no podremos hacer que esa tela—el idioma, el castellano, el español—sea excelente sin una buena urdimbre. Y se puede aceptar, se puede gustar, una tela de buena urdimbre sin que esa tela tenga el color brillante. Prosas pobres hay, pobres en vocabulario, que son artísticas, puesto que en ellas la urdimbre, es decir, el tiempo, es rápido, no titubeante, el tiempo que conviene al arte. Y hasta se ha defendido la parquedad—diríase mejor, la pobreza—en las voces, en cuanto al buen estilo. El color, en la literatura, no se produce con decir: esto es rojo, y esto verde, y esto azul. Nace de la palabra apropiada y pura, de la expresión concreta, del modismo oportuno y del refrán gustoso, del regusto añejo, en fin, sin tocar en el arcaísmo pedante.

¿Cómo escribirá quien ha pensado, niño, adolescente, con otros signos que el castellano? ¿Y cuál será el tiempo espontáneo que aglutinará esas voces? La ausencia larga en país extraño, en el propio, produce efectos similares, aproximados al pensar desde niño con otras palabras que no sean las que después han de emplearse. No puedo yo leer—no sé si será aprensión—a Juan de Valdés sin pensar en tal fenómeno y sin advertir la falta de color. Escribe bien Valdés. Se halla en posesión de la fórmula suprema, que él expresa de este modo: «Escribo como hablo.» Es decir, escribe como se habla en una conversación entre personas cultivadas. Pero ¿y el color? ¿Dónde está el color, color bajo el cielo de Castilla, en Juan Valdés, ausente de España años y años? Y allí en el Norte, en las regiones septentrionales, muy lejos de España, se encuentra también años y años el conde de Rebolledo. Y mirad lo que son sus versos. Ni el más ligero color. Diréis acaso—sí, lo vais a decir—que en este caso hay que considerar el estro del poeta. Si el poeta es mediocre, ¿cómo va a tener los colores variados y vivaces? Pero ¿y Saavedra Fajardo, tantos años ausente también, ausente casi toda su vida? Tácito no le salva. Tácito le presta la urdimbre—un tanto violentamente, enojosamente, penosamente—, pero no le da el color del paisaje castellano y de las cosas de Castilla.

¿Cómo escriben castellano los nativos de Valencia? Cuestión ésta conmovedora para el autor de estas líneas. Para el autor de estas líneas tratar esta cuestión es como poner el pulpejo del dedo, todo lo delicadamente que se quiera, en una carne sensitiva, palpitante y dolorosa. No podemos juzgar de Juan Luis Vives. El expatriado de Lovaina, de Londres, de Brujas, escribe en latín, la lengua universal en su época. ¿Podremos juzgar del tiempo, en las traducciones? La traducción de los *Diálogos* hecha por Coret es desmañada, embarazosa. En cambio, pura delicia, regodeo del espíritu, el traslado castellano del libro sobre la mujer cristiana hecho por Juan Justiniano, publicado en Valencia, año 1528 (edición de extremada rareza, esta príncipe, de la que poseo un ejemplar).

En estas observaciones sobre tal tema, surge en la memoria la declaración ingenua y graciosa de un gran historiador valenciano. Rafael Martín de Viciana (1564) ha de escribir en castellano. El historiador y humanista ha de defender su prosa castellana. Y nos dice, con mezcla de humildad y de orgullo, al hablar de sus faltas en el estilo: «En la lengua, que por ser yo valenciano, no escribiré yo tan polido castellano cual se habla en Toledo, e cuanto en esto merezco perdón; porque la lengua castellana es diferente entre sí, por tener los reinos diversos e espaciosos...» Hasta aquí la humildad, y ahora el orgullo: «E si no escribo toledano, a lo menos escribo en todo castellano, *e harto mejor que no fueron scriptos los antiguos libros propios castellanos.*»

LVIII

CORRESPONDENCIAS

Lo más selecto de la sociedad valenciana recibía las inspiraciones de un poeta: Teodoro Llorente. Llorente era el más autorizado definidor en Valencia de la doctrina conservadora. Y al separarse Silvela de Cánovas, Llorente siguió a Silvela. No podía ser de otro modo. El espíritu fino, ponderado, de Llorente se había de inclinar a la ecuanimidad, finura y ponderación de Silvela. Y esto en el ambiente de Valencia, donde el matiz en la ironía y en el desdén impera. No sé si mis recuerdos me engañan.

La fuerza de Silvela era el desdén—un desdén elegante y suave—, y ese espíritu dominante en Valencia, tradicional en Valencia, venido a los tiempos modernos desde Auzias March y Juan Luis Vives, iba al encuentro de Silvela a través del poeta. Todo era lógico, coherente y fatal. En uno de los tres volúmenes en que Mayáns ha coleccionado cartas clásicas españolas hay un epístola que siempre, al leerla, al pensar en ella, nos conmueve. El conde de Lemos, en 1618, ofrece un obispado a un canónigo de Toledo, don Alvaro Villegas, y el canónigo rehusa tan alto honor. Los términos en que lo hace son de suma y sincera humildad. Diríase que se está leyendo la confesión dolorosa de Silvela cuando, en el culmen de su fortuna política, renuncia a todo. El canónigo habla de su «insuficiencia e indignidad para tan alto cargo», y el político declara su «falta de condiciones para gobernar». La renunciación del uno empareja, salvando el tiempo, con la renunciación del otro. Pero en Silvela hay acentos de honda desesperanza. «Tened caridad para juzgarme—dice—por el único acto de que me considero culpable: el de haber tratado en declarar a mi pais que no tenía condiciones para gobernar.» En su gabinete de trabajo, entrada la noche, acaso rodeado de profundo silencio —es la hora en que llegan los telegramas de Madrid—, el poeta, inclinado sobre su mesa, irá leyendo esta declaración dramática de su jefe y amigo.

¿Desasimiento de todas las cosas mundanas? ¿Alteza de espíritu? ¿Y qué más desasimiento de las cosas que el de este valenciano, un caballero cualquiera, un labrador, un artesano, que siente alentar en el fondo de su espíritu el fatalismo de una raza que en esta tierra ha dejado su huella? Hay correspondencias misteriosas. Don Francisco Silvela correspondía con Teodoro Llorente, y Teodoro Llorente correspondía con toda una colectividad social.

Esbelto, vestido atildadamente, de irreprochable levita inglesa, había en Silvela un caballero español de estos tiempos y de todos los tiempos. Cuando quería era cáustico, y cuando quería, resoluto. «Soy hombre irresoluto cuando no veo claro mi deber—ha dicho en pleno Parlamento, siendo jefe del Gobierno, en días en que la rebelión se encrespaba—; pero cuando como ahora lo veo claro, nada me arredra. Sucumbo, pero no me doblo.» En su despacho oficial, al recibir la inevitable visita de un importuno, acogía a éste en pie, hablaba con él bondadosamente, y poco a poco se iba acercando más a su persona, de modo que el visitante, por respeto, iba a la par retrocediendo. De pronto se encontraban los dos en la puerta, estrechaba Silvela cordialmente la mano del importuno y tornaba a su mesa de trabajo.

Imponía respeto Silvela. Como imponía respeto Llorente. Y yo no sé de cosa más sutil, más delicada, más conmovedora—gran arte literario, si hablamos de la prosa de Silvela—, que el retrato que Silvela hace de una gran dama: doña Trinidad Grund de Heredia. Sobre la mesa en que escribo reposa este breve opúsculo de veintiséis páginas, impreso en Málaga en 1896, y al tocarlo mis dedos tengo la sensación—en correspondencia etérea—de toda la finura de Silvela, de toda la finura de Llorente y de toda la finura del pueblo valenciano.

LIX

LOS JUEGOS FLORALES

Silvela en Valencia. Silvela y los Juegos Florales. La gaya ciencia, que es la ciencia de la poesía. Los Juegos Florales están formados por un triángulo ideal. Tres ángulos, tres vértices. El cuarto de una modista, cuarto de pruebas, con dos o tres grandes espejos. Y la modista que diligente, atenta, prueba por última vez el traje que ha de lucir la beldad en la fiesta. El contemplador se detiene absorto. Hay en esta beldad o un gesto de resignación—es modesta, y su modestia ha sido vencida—o un gesto de ufanía infantil. Y en los dos o tres espejos se refleja su imagen en esta hora decisiva.

El segundo vértice o ángulo, en el cuarto del hotel o en la casa del amigo. El mantenedor en los Juegos Florales se recoge un momento—el último momento—para dar el postrer toque a su discurso. Y el tercer ángulo, en otro ámbito donde el poeta premiado considera con emoción su triunfo, y lee, por tercera o cuarta vez, la poesía que ha de ser leída en el magnífico concurso.

En el extracto que hace Mayáns de un libro antiguo sobre la gaya ciencia—está al fin de su edición del *Diálogo de la lengua*—, leo lo siguiente: «El consistorio de la Gaya Sciencia se formó en Francia, en la cibdad de Tolosa, por Ramón Vidal de Besalú.» Y se añade, esto es lo esencial: «Esmerándose con aquellas reglas los entendimientos de los groseros.» Los Juegos Florales son una noble fiesta. Todo lo que exalta el espíritu, ennoblece a los pueblos. Los Juegos Florales son como deben ser. Pero por debajo de ese triángulo ideal, hay—o debe haber—otro triángulo, no ostensible, sino secreto. El mantenedor, frecuentemente un notorio orador de la política o del foro, puede ser otro mantenedor. Este mantenedor no hablaría del arte por incidencia. Este mantenedor está dentro de la entraña del arte. Pero acaso no es orador y no serviría para presentarse ante la muchedumbre.

En el otro ángulo, el de la beldad, la mutación puede darse también. Otra beldad, humilde, desconocida, no designada ni por el rango social, ni por el linaje, ni por la riqueza, está en alguna parte. Y su poder magnético, digámoslo así—el de su mirada, el de su palabra, el de su porte—es irresistible y se halla ignorado.

Y el tercer ángulo, en el triángulo subyacente, es el de un poeta lírico, con estro, con personalidad, en oposición—o divergente, al menos—con lo oficial y lo ostensible. Puede darse el caso de que el poeta de los Juegos Florales coincida con el lírico casi desconocido. Deseemos que no sea así.

Silvela en Valencia. Silvela mantenedor, año de 1897, en los Juegos Florales de Valencia. En la primera parte de su discurso dice: «Yo descubrí a Valencia para mi alma y para mi cariño hace ya muchos años.» Todo el discurso de Silvela son gradaciones delicadas y matices con que se trata de armonizar los contrarios. Al final se dice: «Hacéis obra de nacionalidad.» Nada más cierto. Exaltar los valores espirituales, sean los que sean, es densificar el ambiente que une, sobre un fragmento de planeta, en una nación, a millares y millares de hombres. «No viviría como ha llegado a vivir Italia sin el Tasso y el Dante, ni Portugal sin Camoens; ni sería tan fundamental nuestra originalidad en Europa sin el Romancero, sin Calderón y sin Cervantes.»

Los Juegos Florales son simpáticos. En el triángulo secreto—¿lo hemos dicho ya?—el vértice del mantenedor y el de la reina de la fiesta no son esenciales.

Está bien después de todo lo que está en los Juegos Florales. Pero lo ineludible, lo fundamental, es lo relativo al tercer vértice. Lo que se refiere al solitario poeta lírico, solitario y fuerte en su sentir, fuerte en su arte casi desconocido. Disidente es el que *se sienta aparte*. El arte no sería fecundo si en los grandes concursos —concursos laudables—, en los concursos de los Juegos Florales, de las academias, de los ruidosos homenajes, no hubiera alguien que se sentara aparte.

LX

CHARAMITA

Dos golpecitos de la batuta en el atril y calla la cacofonía estrepitosa de los instrumentos. Los gestos se hacen graves. En la tarima, en pie, están el maestro Salvador Giner o Pepe Serrano. La batuta va a dar la señal decisiva. El maestro aparece inmóvil y solemne. Giner es el artista querido y respetado en Valencia. Diríase que encarna el alma lírica valenciana. Su música es la música de lo concreto. Y en sus obras descriptivas, por tanto, se reflejan las costumbres, los modos, el color y la luz de Valencia. Serrano, años después, es indolente y fatalista. Se abandona al viento y al mar. El olor penetrante de la flor del naranjo le hunde en dulce sopor. Pero de su árabe indolencia sale a veces, súbitamente, con una melodía que trasciende a cerrado e interior patio árabe, con sus adelfas y sus cipreses.

La batuta está en alto. Ya, pasados unos segundos, ha dado la señal. Suenan los primeros compases de una música de Giner o de Serrano. El dulce arrobo de la melodía nos sobrecoge. Entre las notas de esta música alienta Valencia. Soñamos en suavísimo ensueño. Y en tanto que prosigue la orquesta, nuestro espíritu es llevado irremisiblemente, sin que podamos remediarlo, a otras regiones. Plaza blanca y ancha de un pueblo. Son los días de fiesta anual. En el aire se respira algo que es jocundo y voluptuoso. Toca una charanga, y en centro de un ancho corro bailan las parejas, figura ante figura, moza distanciada del mozo, los brazos en alto y el movimiento acompasado. La *chaquera vella* es solemne, pausada y venerable. Está compuesta—ha sido compuesta en el remoto pretérito—para que un pueblo entero lleve su ritmo, un ritmo definido, distinto y claro. Y todo como en el paisaje, en el ambiente, ambiente moral y material, del pueblo valenciano.

Ese aire límpido, claro y sutil acaba de rasgarlo, con el ruido con que se rasga una seda, el ruido agudo de la charamita. «Charamita se llama todavía hoy en dialecto valenciano a la dulzaina o a la chirimía, instrumentos congéneres muy usados antiguamente en toda la comarca de Valencia.» (Felipe Pedrell: *Organografía musical antigua española,* Barcelona, 1901.) Charamita he oído yo decir siempre. Y es más bonito charamita que donsaina. El nombre está diciendo ya la voz del instrumento. La charamita es caprichosa y dibuja en el aire la tracería de un estuco árabe. Charamita en la alborada, el día de la *Mare de Deu.* Charamita entre el tronido de las tracas o ante los multicolores árboles de pólvora. El pito vasco armoniza con el cielo plomizo, el paisaje cerrado en su horizonte y las espesuras de un verde intenso. La charamita tiene la voz penetrante, aguda y clara que conviene al paisaje definido y claro de Valencia. En las calles del pueblo, en días de la fiesta anual, una alfombra olorosa de mirto, de sabina y de juncia. En los balcones, los joyantes paramentos de espléndida seda. Ya rojos, ya amarillos, ya verdes, ya de esos colores apagados, mates—amaranto, malva, heces de vino—, que en la seda, sobre todo en la antigua, la buena seda valenciana, son un placer para los ojos, al par que la textura es una delicia para el tacto.

¿Y de dónde viene ese cantar largo y plañidero? ¿De la milenaria Babilonia, de la Persia remota, de Marraqués, perdida en los vagidos del tiempo? En la era ha sido extendida la trilla. A la tarde, desmenuzada la larga paja, se aparva, y de la parva será separado el grano. Ahora, a las diez de la mañana, en un día ardiente de julio, bajo el vivísimo sol, los trillos van dando vueltas por la era. Todo a esta hora está quieto en la campiña. La viva luz del sol se come el escaso color del paisaje valenciano. Y en el sopor del momento una voz larga, inacabable, como llorosa, se deja oír en todo el contorno. La monorrítmica melopea dice siglos y milenios. Sube de las entrañas profundas de un pueblo y de las simas del tiempo. El trillo va dando lentamente la vuelta y la canción se alarga, se alarga, como un quejido, como una súplica, como un lamento de los millares y millares de antecesores, que en esta tierra valenciana vuelven un instante a la vida y nos reprochan nuestro olvido.

LXI

ANDRES PIQUER

Siglo XVIII, y siglo XVIII en Valencia. Tengo la preocupación de creer que es Valencia la ciudad que ha sido más adecuada al siglo XVIII. Donde mejor ha podido manifestarse el siglo XVIII. Y yo veo ese siglo en la ancha, clara y limpia sala de una casa. He vivido en Petrel —reino de Valencia—en una de esas casas situada en una placita solitaria, y me veo ahora en la sala del piso principal, con las paredes revestidas de un papel rameado y el piso de azulejos blancos con ramos azules. En un lado había un sofá tapizado de seda azul, y enfrente una cómoda en la que se veía, bajo fanal, una dama con pomposo traje de miriñaque. Y no sé por qué asocio esa casa, esa estancia, al siglo XVIII. Porque ese siglo es para mí claridad y espíritu limpio de prejuicios. ¿Y qué más claridad y limpieza que las de esta sala y esta casa?

Don Andrés Piquer no nació en Valencia; es valenciano de elección. No le incluye Mayáns en la relación que hace de los lógicos valencianos. Tengo sobre la mesa dos ediciones de su *Lógica:* una de Madrid, impresa por Ibarra en 1771, y otra de Valencia, estampada en 1747 por José García. En esta de Valencia, debajo del nombre del autor, pone: «Médico titular de la ciudad de Valencia. Cathedrático de Anatomía en su Universidad. Socio de la Real Academia Médica Matritense y académico valenciano.» Andrés Piquer es un hombre representativo del siglo XVIII. Y del siglo XVIII valenciano. Su crítica es fina, sagaz, independiente. Sabe condensar, y su libro tiene muchas páginas curiosas. ¿Y por qué Piquer es esencia de la tierra valenciana en determinado momento? Porque todo el espíritu tradicional valenciano que vive desde Vives está en su obra. Porque en su obra se condensa ese modo de pensar del labrador valenciano, del hombre medio valenciano, que se puede caracterizar por una expectación prudente. Ante las cosas, ante la naturaleza, un gesto de atención y un silencio cauto tienen en guardia a ese hombre medio. Y lo veréis, sobre todo, en el campo. No es esto sólo: a la cauta espera, ladina muchas veces, se une la dubitación crítica. Un labriego valenciano no afirma ni niega jamás. Y admite siempre una posibilidad en lo extraordinario. La diferencia entre el dogmático y el dubitativo prudente es esencial.

Andrés Piquer, en su *Lógica*—el libro capital, a mi entender, entre sus obras—, explaya ese estado mental. Su necesidad de lo preciso en la exteriorización de las ideas la expresa claramente. No es amigo de los modos de hablar figurados. La imagen es improcedente—y desde luego nociva—cuando se trata de exponer ciertos estados de conciencia. «También pecan contra la lengua universal los que usan *metaphoras* sin medida.» Y con esto se condena el estilo que los retóricos llamaban antes «asiático», y se está por el que llaman «ático». El ático es el propio del artista y del pensador. «A Theophrasto, sin embargo de haber merecido por su elocuencia que le llamasen la *Musa ática*, le dijo en público una verdulera que *no sabía hablar*.» La verdulera habla en lenguaje claro, pintoresco y expresivo, y el filósofo, no.

Y ahora, algo que cala más adentro. «Se ha de saber que los sentidos sólo nos informan de las cosas según la proporción o improporción (algunos lo llaman *relación*) que éstas tienen con nuestro cuerpo y no según son ellas mismas.» Estas palabras abren la puerta al misterio. Y el misterio no es del siglo XVIII, en que se pretende saberlo todo y reducirlo todo a ciencia.

Piquer acentúa su inclinación ante lo ignoto al exponer su divergencia con Feijoo. Feijoo no cree en las influencias cósmicas y misteriosas sobre el hombre. Feijoo niega el influjo de los astros sobre la cañavera humana, sobre esta cañavera que se doblega a todos los vientos. Los astros mandan en cierto modo. «Yo no soy de aquellos que les niegan toda influencia —escribe Piquer y asentiría cualquier labriego valenciano—; antes, por el contrario, creo que tienen algún poder sobre los elementos y que a lo menos de esta manera pueden influir en nuestros cuerpos.»

Ahora, una observación que plantea el angustioso problema del poeta, del artista literario en general. Las palabras no pueden transmitir todos los matices de la sensibilidad. No hablo del pensamiento. Podemos llegar a dominar nuestra herramienta: el idioma. Podremos hacer que el idioma en nuestra pluma saque del fondo de la conciencia estados sutilísimos, etéreos. Pero siempre habrá en el artista literario, en el poeta, en el pintor—recuerdo el caso del pintor Frenhofer, en la narración de Balzac *Le chef-d'oeuvre inconnu*—, siempre habrá una sensación, un sentimiento, que no podremos expresar. O bien, con relación al estado espiritual que acabamos de exteriorizar, sentiremos la contrariedad viva, la tristeza desesperante de no haber encontrado —porque no las hay—palabras con que hacer sensibles todos sus matices delicadísimos y sus cambiantes fugaces. «Tambien se ha de advertir que los hombres no han inventado voces bastantes para significar todas las percepciones que tenemos por los sentidos, de lo que nacen muchas equivocaciones y errores. El que padece melancolía tiene dentro de sí muchas percepciones que no hay nombres para explicarlas, y a veces por esto no puede hacer creer a los demás lo que padece.»

¡Qué moderno es esto! Los disidentes: Góngora, Mallarmé, Rimbaud y, en pintura, Cézanne... Los que han luchado por expresar lo inexpresable.

LXII

YANTARES

Cuando se dice «las provincias», sin más ni más, se entiende las tres bellas hermanas que forman el reino: Valencia, Castellón, Alicante. *Las Provincias* es el título del periódico de Teodoro Llorente Olivares, primero, y luego, de su hijo Teodoro Llorente Falcó. En las provincias hay su repartimiento gastronómico. La cocina tiene toda un definido carácter. Pero en unos parajes impera un plato y en otros un plato distinto. Los gazpachos son una infiltración de la Mancha en Alicante. Su ascendencia indubitable es moruna. Hay gazpachos y gazpachos. El gazpacho anduluz es comida exquisita. Pero no es plato de hogar. El fuego le es ajeno. Los gazpachos alicantinos—imperantes en la parte central, chos. El gazpacho andaluz es comida con torta delgadísima, torta ázima, que se cuece en la losa del hogar, entre el rescoldo. Luego esa torta se desmenuza en pequeños trozos. Y los gazpachos pueden ser pobres u opulentos. Pobres se hacen, por ejemplo, con collejas, una hierba inculta, o bien con las cultivadas espinacas. Opulentos, entran en su composición sabia la pava, la liebre, el conejo campestre o la perdiz. El gazpacho andaluz tiene singular y no plural. El gazpacho alicantino tiene plural y no singular. Los gazpachos han sido infortunados en la Academia Española. Se los ha exonerado modernamente. En la edición de 1803 se definen los gazpachos en plural. En la edición de 1925, ya el plural ha desaparecido y se da la definición, impropiamente, en singular.

En Valencia impera la prepotente paella. Cuando es máxima la paella—arroz, anguilas, salmonetes, pollo, jamón, longaniza—, es un abreviado mundo gastronómico, poliantea fastuosa de sabores. Pero la paella es plato que se ofrece a los españoles de otras provincias y a los extranjeros. A la hora de la verdad, ya a solas los valencianos, es el plato de *arrós en fresols y nabs,* inmortalizado en una poesía de Llorente, el que establece la íntima comunicación fraterna. Y no hay plato más exquito que este arroz, arroz caldoso, con fríjoles y nabos. Si uno de los dos pobres y apetentes muchachuelos ha elegido este plato como plato perfecto, el plato que quisiera comer, el mejor del mundo—resumo la poesía famosa del poeta—, ¿qué quedará a su compañero? ¿Qué es lo que podrá ya elegir si su amigo ha designado lo selectísimo y supremo?

LXIII

ALLA EN ULTRAMAR

Los primeros levísimos estremecimientos, ya al final de mi estancia en Valencia. En vísperas de la tragedia. Lo que se ha elaborado en el insondable Infinito comienza a manifestarse y no sabemos todavía lo que es. Se lee una noticia vaga, entre dos sorbos de café, y se vuelve a dejar el periódico con indiferencia en el blanco mármol. Aun entonces había periódicos circulantes en los cafés.

No ocurre todavía nada. Pero la tragedía está en el aire. Pronto el trajín afanoso en los puertos, las despedidas animosas en las ciudades, los transatlánticos que parten henchidos de soldados. La tragedia avanza. Luz misteriosa va a iluminar estos años de nuestra Historia. Toda España se conmueve. La lejanía remota presta tintes de romanticismo a la gesta.

Un romanticismo mezclado a la más dolorosa realidad. Y los soldados inválidos, enfermos, escuálidos, con el semblante pálido y macilento, que van volviendo. Allá, en ultramar, se lucha heroicamente con el enemigo y contra el clima. Contra el clima y contra la falta penosa de aprovisionamientos y pertrechos. Cirujeda, Santocildes. El nombre de Santocildes, que es repetido en España por millares de españoles. Cirujeda, exaltado. La duquesa de Santoña, que da quinientas mil pesetas por un palco en la corrida patriótica. Un periodista, un valenciano, Luis Morote, que logra en Cuba internarse en el campo enemigo, llega al cuartel general y es condenado a muerte por el enemigo. En una estación de empalme, La Encina, uno de tantos viajes míos de Madrid a Levante, la visión de un general, el general Blanco, que regresaba de Cuba, de Cuba o Filipinas, y comía entre los demás viajeros, en la mesa redonda, con gesto tranquilo y digno. En el Parlamento y en la Prensa, campañas dolorosamente injustas contra los que se baten con indecible heroísmo. Páginas éstas de las más bellas y dolorosas de nuestra Historia. Los ciento y treinta días de la defensa de Manila. Un pueblo débil, el español, contra la prepotencia irresistible de un pueblo opulento. Irresistible prepotencia, y, sin embargo, se resiste. Cavite y Santiago. En pie, sobre cubierta, irreprochablemente vestidos, con la sonrisa en los labios, nuestros marinos, que van a una muerte cierta. Barcos frágiles de madera contra acorazados formidables de acero. ¿Y quién ha tenido los acentos inspirados de la poesía épica para esos marinos? No se comprende ni se siente todavía, a pesar del tiempo transcurrido, toda la grandeza de esa epopeya.

Ni la grandeza sublime de la defensa de Baler. Un puñado de locos quijotescos encerrado en una iglesita y resistiendo días y días, semanas y semanas, meses y meses, a fuerzas poderosas. El capitán Las Morenas, y luego, muerto éste, el capitán Saturnino Martín Cerezo. No tienen ya alimentos. Apenas pueden sustentarse. En los alrededores de la iglesia hay un huertecillo abandonado, inculto, y ellos salen, con riesgo evidente de sus vidas, a coger hierbas que les sirvan de alimento. Y el tiempo va transcurriendo. La presión enemiga se acentúa. Falta el agua a los sitiados. Las enfermedades, la carencia de nutrimentos, hacen estragos en los defensores. Pero el espíritu está intacto. Pero la entereza no flaquea. Pero el heroísmo no merma.

Y detalle inverosímil. Detalle que eleva la epopeya a las regiones de lo fantástico. Cuando se ha hecho ya la paz en España y han sido en Filipinas depuestas las armas, todavía siguen estos locos sublimes luchando, abandonados, olvidados de todos.

Baler resplandece — como mucho más tarde el Alcázar de Toledo—con resplandores de oro. La defensa de Baler ha durado trescientos treinta y siete días.

Años más tarde, Ramiro de Maeztu, Pío Baroja y yo tuvimos la idea de un monumento a los combatientes de Cuba y Filipinas. Combatientes con soldados, clases, oficiales y jefes. Redacté yo el mensaje a la opinión. El general Polavieja nos prestó su valioso concurso y el monóptero fué erigido en el parque del Oeste.

LXIV

MARFEGA

Hay palabras que son por sí solas un mundo. Poseen una fuerza de sugestión intensa. En su torno surgen, pululantes, las asociaciones de ideas. Don Luis de Góngora, en un soneto en que habla de la grave enfermedad que padeció en Salamanca, dice que cayó «en un parasismal sueño profundo».

La voz *parasismal* es para nosotros todo Góngora. Del mundo exterior y despierto, pasamos en la poesía de Góngora a lo parasismal; es decir, a otro mundo en que la elipsis misteriosa impone su ley. Hemos salido de la sobrehaz de las cosas y entrado en la región de lo inquietante y delicioso a la par. No estamos despiertos, sino sumidos en un parasismal sueño profundo.

Todo Lope es también el vocablo *lotos*. En sus *Rimas sacras,* publicadas en 1614, a los cincuenta y tres años, está Lope de Vega, con su genio y con sus flaquezas.

Babilonia me dio su mortal lotos.

El fruto del *lotos* proporciona el olvido. Babilonia es el tráfago humano, la vorágine de las pasiones, la voluptuosidad exaltada. Y Babilonia ha dado su filtro, su filtro, que hace olvidar el canon virtuoso al gran poeta. Hay un dejo de resignación y de melancolía en ese verso. «Sí, he comido el *lotos* de la Babilonia loca y placiente. Pero ¿qué he de hacer? ¿Qué podía yo hacer? En la plenitud de mi genio, el *lotos* babilónico, voluptuoso, es para mí un estimulante, un placer y una fuente de inspiración. Soy así con el *lotos,* y el que no me ame—el que no me ame con mis fragilidades — que se aparte de mí.»

¡Márfega, márfega! ¡Qué eufónico y sugestionador vocablo! Márfega es un grueso jergón henchido de las hojas que envuelven en el maíz la panoja. Esas secas hojas son sonoras. La márfega tiene en su centro una abertura por donde se mete la mano para mullirla. El diccionario aragonés de Borao registra márfega. «Márfega, jergón de tela tosca.» Y algo más. Y lo esencial: la sonora perifolla, panizo o el bálago. No podemos imaginar la casa valenciana sin la márfega. Ni la márfega sin la cama de bancos. Márfega y cama de bancos son privativos de Valencia. Si fuera de Valencia se usan, es aquí donde adquieren su valor máximo. Sí, ya sé que Cervantes describe en una venta manchega—primera parte del *Quijote,* capítulo XVI—la cama de bancos. No concebimos, empero, la alquería valenciana, la casa rústica alicantina o castellonense, aun la misma barraca, sin la cama de bancos y la márfega. Sobre la márfega se coloca un colchón de lana. En Castilla, tierra de ganados lanares trashumantes o riberiegos, la lana abunda. Sobre las cuatro tablas, que se apoyan en los dos bancos, se levanta una mole inmensa de colchones mullidos. Trepar a esas camas es como encaramarse en el Moncayo. Valencia es parquedad. El colchón que está sobre la márfega es tan delgado, que cuando nos removemos en la cama suena el rumor de las secas y sonoras hojas.

¡Cuánto hemos dormido, allá en la mocedad, en la cama de bancos, con base de simpática márfega! Y la márfega es la alcoba con puertas acristaladas. En los cristales, los visillos rojos. El piso es, en esas casas agrestes, frágil, con ventanitas angostas, morunas, de blanco y yeso cuajado. Y el ruido de la márfega, en la noche, viene a juntarse en nuestro espíritu, ya en pie, a otro día, al ruido rumoroso de nuestros pasos en las cámaras alicantinas o valencianas.

LXV

EL PAN Y EL AGUA

Siempre me han preocupado el pan y el agua. Debían preocuparme en Valencia. El pan es lo elemental y eterno. El pan nos ofrece la prueba de la amistad y del sacrificio. Rompemos el pan con el amigo en la mesa. Se juraba antes no comer pan a manteles hasta ver coronado con éxito un noble esfuerzo. Ya no se jura. Pero puede ser figurativo hoy ese juramento. He comido el pan de Castilla—tal vez amasado con trigo de Tierra de Campos, los milenarios «campos góticos»—. Y el pan de Galicia. Y el maravilloso pan, en Sevilla, de Alcalá de los Panaderos. He comido, en fin, el pan de la expatriación. Y en Madrid, en los comienzos de mi bregar literario, estando yo desgarrado de la familia—era pudiente mi familia; vine desde Valencia sin su permiso—; en Madrid, viviendo en un cuartito pobre, trabajando día y noche, he hecho, durante veinte días, esta comida: un panecillo de diez céntimos a mediodía y otro panecillo de diez céntimos al anochecer.

El pan de la emigración lo he comido en París tres años. En su epístola al duque de Frías, desde París, con motivo de la muerte de la duquesa—creo que en 1830—, Martínez de la Rosa tiene este verso:

> Desde las tristes márgenes del Sena...

Las márgenes del Sena no pueden ser más placientes de lo que son. El poeta toma aquí «margen» por la ciudad entera de París. Y París es uno de los lugares más bellos y espirituales del mundo. El verso de Martínez de la Rosa hacía sonreír. He sonreído yo mismo muchas veces. Y he sonreído hasta encontrarme emigrado en París. La ausencia de la Patria lo tiñe todo, aun lo más jocundo, de melancolía. El pan de París es exquisito, blanquísimo y ligero. Pero a mí me ha sabido muchas veces, según el adjetivo consagrado, a «amargo». «El amargo pan de la emigración.»

¿Y cómo son el pan y el agua de Valencia? En París he consumido una cantidad estupenda de botellas de agua de Wittel. No bebo más que agua, y el agua es en mí un lujo y una voluptuosidad. En Valencia, aparte de la aducción municipal y gratuíta, el agua salubre es la que se traía de Torrente y de Paterna, y se vendía por cántaros. Y el pan, un pan esponjoso, moreno, cocido en su punto, es lo que se llamaba *pa d'horta*—pan de huerta—y que se vendía en cargas por las calles, traído también de fuera. No sé si estoy soñando. Pero las *pataquetes*, esos panecillos prietos y esponjosos, eran una delicia. No puede tener el gran plato valenciano de *arrós en fresols y nabs* más completo que una gustosa *pataqueta*.

LXVI

MARIANO BENLLIURE

No sé si Mariano Benlliure vive en estos días o es un coetáneo de Cellini o Donatello. De Cellini tiene el amor a lo preciso. Este amor ha dominado en la vida de Benlliure. El estudio de su hermano José—buen pintor—era un verdadero museo de cosas preciosas. Lo precioso atrae a los valencianos. Pero lo precioso es un peligro que el artista debe sortear con cuidado. Lo precioso, en oratoria—o, por lo menos, su aliado, lo profuso—, asoma tal vez en don Antonio Aparisi y Guijarro. Hubiera sentido yo que el nombre de valenciano tan valenciano faltara en este libro. Ninguna vida más noble y más bella. La página mortuoria que le dedica Castelar, su deudo, tan lejano de él en ideas, es una maravilla. Castelar, formado espiritualmente en tierra valenciana, en el valle de Elda, uno de los parajes más hermosos de la provincia de Alicante. Con Benlliure—que ha querido llevar lo precioso a las obras grandes—, con Aparisi y con Castelar, nos encontramos en un terreno resbaladizo por el que debemos caminar con pasos atentados.

Tengo ante la vista una fotografía de la estatua de José Ribera labrada por Benlliure. Obra juvenil es esa obra. Ribera tiene en el trasunto de Benlliure un gesto hosco. No le es impropio. Ribera es un valenciano tenaz, perseverante, ardiente, que ha impuesto su voluntad a lo impalpable: la luz. Es en mí una preocupación el encontrar un artesano o un gran artista que ame su oficio. Generalmente, las manos manejan la materia, la modifican, la transforman en bellas obras, y la mente está fría y lejana. El fervor brilla con fulgores más vivos que el más duro diamante. Y es tan raro como el diamante. No ha sido azar de las cosas el que Mariano Benlliure haya iniciado su vida con una estatua de Ribera. Ribera fué un trabajador incansable que amó apasionadamente su arte. Y eso mismo es Benlliure. Tan larga vida, sembrada de obras bellas—monumentos, estatuas, bustos, joyas preciosas—, me inspira admiración y cariño. Con impulso sincero voy hacia este hombre, que es una lección viva de fervor. Y me detengo, absorto, en su estudio, ante el artista que, después de haber trabajado tanto y tanto, trabaja todavía con el entusiasmo de un joven que amara el trabajo.

LXVII

QUEROL

Como no he querido que falte en estas páginas el nombre de Aparisi y Guijarro, no quiero que falte el nombre de Vicente Wenceslao Querol. A Querol lo veo literariamente a través de sutil neblina. Esa neblina da a lo visto la impresión de la lejanía en el tiempo. Querol lejano, Querol entrevisto vagamente, es como el recuerdo querido que, a pesar de nuestros esfuerzos, está a punto de disiparse. Querol es la sensibilidad que se halla en el límite preciso en que, unos centímetros más, entrara en el terreno de la sensiblería. Y también esto, esta delicada contención, es profundamente valenciana. Noble vida la de Querol. Vida que es un regazo lejano de la vida de Elzear. Porque en Querol, alto y activo funcionario del Ferrocarril M. Z. A., se asocia, como en Ausias March, el idealismo al sentido práctico.

De Querol, entre toda su obra poética, conservo dos imágenes. Una es la del brillo de las llamas del hogar, la Nochebuena, cuando está congregada piadosamente la familia, en la mejilla de un niño dormido. El resplandor vivo de la leña que arde en la cocina ilumina vivamente la estancia. Y la otra imagen es la de una casa y un huerto en Bétera. No quiero disipar la neblina al consultar libros. Deseo dejar la figura del sensitivo Querol en su ambiente propio. El poeta está en Bétera, y al relatar sus impresiones se dirige, en bella epístola, a sus hermanas. Afirmo que esa poesía es una de las más hermosas del Parnaso español. La casa ha estado cerrada largo tiempo. El huerto ha permanecido sin beneficiar años y años. En la casa ha vivido el poeta horas inolvidables. En la casa han vivido los antecesores que ya partieron para el viaje sin retorno. Por el huerto ha divagado el poeta, en tanto que en su mente germinaba lo bello. Y ahora, Querol, después de tanto tiempo, vuelve a la casa de Bétera. Y éste es el conflicto doloroso—que Querol expresa en bellos versos—, el conflicto entre lo que se ve y lo que se quiere ver y es imposible ver. Por tal sensación, aguda y lacerante, que el poeta nos da, suscita nuestra predilección.

El declinar físico de Querol fué doloroso. El estro alentaba vivaz y las fuerzas faltaban. Este querer y no poder, en el remate de la vida de Querol, venía a ser el corolario de su visión en el huerto abandonado. Las hojas caían lentas sobre la alfombra de las hojas formada por otros otoños, y el poeta se sentía débil, como un niño pronto a romper en llanto, en este crepúsculo vespertino que anunciaba el acabamiento de su vida. Pedía flores, y sus hermanas le llevaban del monte brazadas de menta, mejorana, romero, tomillo.

> ... Una alquería,
> blanca, del cerro en la aromosa falda,
> era mi albergue, que ceñían en torno
> un huerto al pie y dos parras por guirnalda.

LXVIII

EL FEMATER

¿Y puede existir un tipo más representativo de la vida agraria valenciana, en la ancha y feraz vega, que el *femater*? He alcanzado al *femater*, con sus amplios zaragüelles, su faja y su camisa blanca. Lo que no recuerdo es el sombrero de copa, en forma de cono truncado, con alas rectas y estrechas. El tipo era elegante. Alejaba toda idea de suciedad, de apestosos detritos y de sordidez.

El *femater*, limpio, aseado, está delante de mí. Ese *femater* es toda la Valencia rústica. Cuenta Teodoro Llorente Falcó que en Madrid le llamaba, festivamente, a su padre, el *Femater* don Francisco Asenjo Barbieri. Y trasuntos del *femater* había en Llorente. Los había en su accionar sosegado, en su tipo embarnecido, en su palabra parca. Porque no nos imaginamos el *femater*, el *femater* perfecto, siendo canijo y escuálido.

No es baladí este asunto. Ni menos repelente. Siempre, Valencia se ha preocupado de tal cosa. En el *Extracto de las actas de la Real Sociedad Económica de Amigos del País de Valencia,* comprensivas de los años 1787 a 1791, por el secretario de la Corporación, don Tomás Ricord (Valencia, Benito Monfort, 1792), leo a la página 90 lo que sigue, correspondiente a una sesión de octubre de 1788: «En la tercera junta de dicho mes se hizo presente una memoria de don Juan Pascual, con el título: *Discurso patético de Valencia feliz.*» ¿Y qué es este *Discurso patético de Valencia feliz,* que parece anunciar una égloga o una nueva Arcadia? En Valencia, hasta lo más material se transforma en etéreo. El mismo secretario nos va a decir de qué trata este *Discurso patético de Valencia feliz:* «Y en atención de que se trata del estiércol de esta ciudad, en cuyo asunto está entendiendo, como comisionado de la Sociedad, el señor marqués de la Torre de Carrús, se acordó: Pase esto a su comisión.» Y el marqués de la Torre de Carrús publicó más adelante una sabia monografía sobre el asunto, impresa bellamente también por Monfort.

El *femater*, que recorre por las mañanas las calles de la ciudad, es Valencia. La tierra, feraz de suyo, la hace fértil. Los tratadistas de sinonimia nos enseñan que una cosa es *feraz* y otra *fértil*. La tierra naturalmente productiva es feraz. La tierra que no es productiva por naturaleza, sino que hay que hacerla próvida con nutrimentos apropiados, es fértil. Y aquí entra la misión del *femater*. En el terrazgo feraz de la vega valenciana, este hombre, diligente y cuidadoso, añade productividad a productividad. Las flores son más bellas por él. Por él tienen más vivos colores y su fragancia trasciende más. Por él tenemos los dos extremos gustosos: frutos alvares y frutos serondos. Los dones de los árboles fructuosos, gracias a él son más suculentos. Las pulpas exquisitas nos acarician más el paladar. Y estos pezones carnosos, rubescentes, fuertemente aromáticos—la fresa—, que en las mañanas de la primavera comíamos, según costumbre, en el plantío, al propio tiempo que se expandía nuestro ser en la Naturaleza renaciente, por él, por el *femater*, son más exquisitos.

El *femater* va y viene, con sus amplios zaragüelles cortos, de la ciudad a la vega y de la vega a la ciudad. Y quisiéramos verle con el tradicional sombrero de copa. Porque ese sombrero—ligeramente modificado—, que trae la aristocracia, es, en efecto, un distintivo de nobleza. Y el *femater* es un noble. Es el aristócrata de la ancha, feraz y fértil vega de Valencia.

LXIX

PARA IR A VALENCIA

No hablemos más. He decidido ir a Valencia. Y esto después de tantas décadas: tres, cuatro o cinco. La decisión es firme, inquebrantable. Viene después de dramáticas dubitaciones. Con el conflicto interior contrastaba el continente externo. El gesto era sereno, y los movimientos tranquilos, y las palabras sosegadas.

Y ahora, después de la decisión irrevocable, todo ha cambiado. La febrilidad se ha apoderado de mí. Si mis pasos eran antes medidos, ahora son desatentados. Y si mis manos estaban seguras, ahora están trémulas. Pero ni una palabra más. Junto a mí—cosa inquietadora—advierto que está alguien. Se ha operado en mí un desdoblamiento de la personalidad. Voy accionando por la casa y noto que una mirada me abarca y me sigue. Y que un gesto irónico en una cara que conozco—la he visto mil veces en el espejo—marca un mohín de extrañeza y de ironía. Van a hablarme. Sí, van a hablarme. Es decir, me hablará este otro yo, y no sé lo que va a decirme. Pero esa espera de lo inminente desconocido me angustia.

¿A qué Valencia iré? ¿Y cómo haré el viaje? No sé si vaya a la Valencia del siglo XVI, anterior a las Germanías. O a la Valencia de Gaspar Gil Polo, al final del mismo siglo, cuando murió ese fino poeta. Y digo Gil Polo porque he repetido muchas veces una de sus más bellas poesías, y ahora la repito una vez más en su comienzo:

> En el campo venturoso,
> donde con clara corriente
> Guadalaviar hermoso,
> dejando el suelo abundoso,
> da tributo al mar potente...

¿Iré a la Valencia del siglo XVIII? Allí me tropezaré con don Gregorio Mayáns, que desde su casa de Oliva ha ido a la capital a comprar unos libros. No, no. La Valencia a que voy es la mía, la que llevo en el fondo del alma, la de 1890.

¿Y cómo voy a hacer el viaje? En mi biblioteca, voy atropelladamente revolviendo libros. No sé lo que hago. No sé dónde estoy. No sé lo que me sucede. Tengo aquí varias ediciones de la *Nueva guía de caminos,* de Santiago López. Tengo aquí también el *Manual* de Mellado —del que existen muchas tiradas—, y los *Itinerarios* de Rozas, publicados en Madrid en 1872. Consulto las dos rutas de Madrid a Valencia que trae este libro. Una va por Ocaña, Albacete y Almansa. La otra, por Tarancón, Requena y Chiva. La última etapa de la primera dice así: «Beniparell, Catarroja, Albufera, Valencia.»

Pero no es esto. No es esto lo que yo deseo. En la tercera edición de la *Guía,* de Santiago López, Madrid, 1818, la cosa es más bonita. Al entrar el camino en tierra valenciana, pone: «Reino de Valencia.» Y luego, todos estos nombres de lugares, nombres que son en sí mismos un estimulante de la imaginación: «Siete Aguas, Venta de Buñol, Venta de Larchiva, Venta del Poyo, Cuart.» Y ya estamos en Valencia.

Ya estamos en Valencia, después de haber seguido la misma ruta que el autor del *Nouveau voyage en Espagne* (París, 1789). Autor que puede ser Juan Francisco de Bourgoing, que aparece en las siguientes ediciones. El autor nos es simpático. Valencia le encanta. De la seda, de la industria de la seda en todas sus manifestaciones, habla con detención y amor. La venta del Poyo me atrae. He de detenerme en ella unos momentos. Y luego, en Cuarte. En Cuarte se detiene también el presunto Bourgoing, y escribe en esta edición de 1789 las siguientes admirables palabras: «*Arrivé enfin au villa du Quarte, à une lieuve endeçá de Valence, nous fîmes notre entrée dans le Paradis terrestre.*»

¿Y si luego resulta que voy en el automóvil de un amigo a ochenta o cien por hora?

LXX

VALENCIA AL FIN

Ya estás aquí. Has querido venir y ya estás en Valencia. No te lo digo en tono de reproche. Pero no quiero engañarte. Para venir, para decidirte a venir, has tenido que remover penosamente una ingente montaña de recuerdos, sentimientos, aprensiones. Tus ademanes eran lentos, y tus pasos, atentados. Durante días fluctuabas entre el sí y el no. Y al cabo, en un arranque súbito, te desentendiste de todo y te has precipitado hacia Valencia como un niño se lanza a un juguete.

Y ya estás en Valencia. Después de una carrera vertiginosa en automóvil, te encuentras en Valencia. Has llegado ya, entrada la noche, y te han dejado en una fondita modesta. El automóvil ha recorrido, al entrar en la ciudad, diversas calles y se ha detenido aquí. No sabes tú dónde te encuentras. Estás desorientado. La noche debe de estar ya en su promedio. No lo sabes tú de cierto. De cierto no sabes la hora que es. Tu reloj se ha parado, y ese contratiempo—en ti, que eres esclavo del tiempo, que sufres la obsesión del tiempo—te produce inquietud. Perdido en el espacio y en el tiempo, tal es ahora tu situación. La velocidad del viaje te ha producido un ligero vértigo. Lo estás sintiendo. Pero no es eso lo más sensible. Lo grave es este sopor que te causa el paso de un tiempo a otro tiempo. Si he de ser exacto, te diré que tú no vienes del tiempo, sino de la eternidad. Los primeros años del medio siglo que te separa de tu muchachez en Valencia, puede decirse que han entrado ya en la eternidad. No vienes, por tanto, de un punto del espacio—Madrid—, sino de la eternidad.

¿Y qué ilusiones te haces al venir a Valencia? ¿Es que crees que vas a resucitar tu juventud? Serénate y disponte a escribir con tranquilidad. No me vengas con un romanticismo intempestivo ni des en la sensiblería. Hace tiempo que has salido de la literatura temporal, sujeta a las contingencias del día, y te encuentras en el terreno del arte escueto. Lo que haces no digo, con esto, que sea bueno o malo. No prejuzgo nada. Digo que has logrado desasirte de la vanidad de las cosas.

Tiende la vista por el ámbito donde te encuentras. Poco te cuesta para ello. Cuartito reducido en humilde albergue. Una cama de hierro, un armario de luna, un lavabo y una mesita con dos sillas. Y esto es Valencia. Valencia, en la noche profunda, sin saber tú dónde estás, es el ambiente encerrado en este ámbito vulgar. Valencia no es ahora ni los monumentos, ni el paisaje, ni los hombres. Unos metros cúbicos de aire, y eso es todo. No te engañes a ti mismo. Si tú no sintieras Valencia, en este cuartito mediocre, sin más aditamentos de color, de diferenciación, tendrías que renunciar a ti mismo. Sí, tú sientes, percibes, adviertes hondamente Valencia en este aposento vulgar, que es un aposento como el que podrías habitar en Sevilla, en Burgos, en León, en San Sebastián. Pero la sensación que te conmueve no es la misma.

Has abierto la ventana y has querido encontrar, al asomarte, una orientación y entrar en comunicación visible, ostensible, con Valencia. Pero esta ventana no da a la calle. Las tinieblas son espesas. No columbras nada. Entre los millares y millares de estrellas que brillan en el cielo negro, te has fijado en un astro que tiene destellos rojos, azules, verdes. No inventes nada. Ya ves que el silencio es profundo. No imagines un grito, un grito desgarrador en la noche, ni el son remoto, casi imperceptible, de un piano tocado, acaso, por manos febriles, extenuadas. Ni la voz, también lejana, de un canto popular. No quieras hacer novela. Basta con este fragmento de ambiente que satura ahora toda tu sensibilidad. Y puedes contemplar, abierta la ventana, cara a la noche profunda, respirando un ambiente templado, dulcísimo, la estrella, con sus titilaciones misteriosas.

LXXI

LOS DOS EN VALENCIA

¿Eres tú o eres el otro? Cuando te has levantado de la cama, en el cuartito vulgar de la fonda humilde, has advertido que, lejos de haberse disipado tu sopor con el sueño—un sueño tranquilo—, se había adensado. Y has salido de la fonda y te encuentras ahora, después de haber caminado un momento, en pleno conflicto. Vas a enfrentarte, al fin, con la ciudad. Vas a poner frente a frente la Valencia de hace cincuenta años con la Valencia de ahora. Y no será lo grave el estrago que la piqueta municipal y loca haya hecho en la ciudad. Lo grave, lo trágico, van a ser los sentimientos, las ideas, los modos en el hablar, los usos, lo íntimo del espíritu. ¿Eres tú o eres el otro? El otro es el que ha venido a Valencia, y tú te encuentras muy distante. Tú no podías venir. Has hecho esfuerzos titánicos, penosísimos, por venir y no has logrado hacer el viaje. El que ha venido a Valencia es el otro. Y aquí está, en una callejita solitaria, dispuesto a lanzarse al gran peligro. El otro viene de lo pretérito, y lo que va a tener delante de los ojos es un presente que él no conoce y en que no ha de encontrar ni vestigios psicológicos del pasado.

No tengas miedo. El tiempo es el tiempo. Lo fatal es lo fatal. En la callejita, sin saber dónde estás, como no lo sabías anoche en el cuarto de la fonda, percibes, de pronto, un penetrante olor. La puerta de una casa está abierta. No es una casa, sino una tiendecita. En ella se ven colocados botes y cajas en estantes. Y el olor penetrante es emanación de especiería. Azafrán, clavo, pimienta, vainilla, han juntado sus fragancias en un olor único, que suscita en ti un estado espiritual singularísimo. Y tal vez se anuncia la *pebrella* con su fuerte olor. La *pebrella* es planta propia del reino de Valencia y ha sido estudiada por el dominico Santiago Barrelier—que herborizó en las provincias— y por Antonio de Jussieu, que también estuvo en España. Resume en sí la pimienta, la canela y el clavo. El historiador Escolano dice hablando de la *pebrella:* «De ésta hay una especie finísima en las montañas de Játiva, cuya hoja, entre blanca y pardisca, deshecha y echada en los guisados, es de sabor tan picante como no hay especia de las Indias orientales que la iguale.» ¿Cómo pudiera faltar en esta especiería, que oscila en el tiempo entre el pasado y lo por venir?

Sospechas que has encontrado de pronto, y sin esperarlo, la Valencia perdurable, eterna, y es la verdad. Y con la Valencia eterna, tu mismo pasado remoto. En tu espíritu se expansiona y esponja algo que estaba comprimido penosamente. Este olor que aspirabas hace medio siglo, al pasar frente a las especierías que existen en los alrededores del mercado, allá por las calles afluentes al mercado, detrás de la Lonja. Ese olor es Oriente. Y Oriente late en el fondo de Valencia. Cuando digo Oriente, pienso en el suelo africano, caro en su historia, en sus habitantes, a todo buen español.

Ya en este momento, ante la tiendecilla en que reposan las especias olorosas, no eres el otro, sino tú. Aunque cuando te sumerjas en la Valencia actual sufras violento y penoso choque, puedes darte por satisfecho. Valencia y Oriente. Valencia y la integridad de su ser a lo largo del tiempo. Eso dice este olor a vainilla, clavo, azafrán, pimienta; olor de todas las especias encerradas en sus cajas y que trasciende con fuerza al exterior. Y ese olor indica el gusto del valenciano por las comidas fuertemente aliñadas con especias. Y esas comidas hacen evocar el paisaje, el carácter y el ambiente todo.

No te intranquilices ya. Has encontrado tu Valencia. Positivamente, el otro o tú, el otro y tú, los dos, os encontráis en Valencia.

LXXII

LA BARRACA

Ello había de ser y ello ha sido. Había de ser en un futuro más o menos remoto, y ese futuro se ha convertido ya en presente. Estoy viviendo en una barraca valenciana. He de permanecer aquí un mes y he de ir anotando mis pensamientos. La barraca es bonita. La forman cuatro paredes blanquísimas y un techo a dos vertientes. Las paredes están enjalbegadas con cal y el techo es de larga paja. ¿Para qué quieren el ángulo agudo en la huerta de Valencia? El ángulo agudo es el que forma la techumbre. Los países nivosos necesitan ese ángulo. En Valencia, en la barraca, ese ángulo—pienso yo—servirá para que el agua de la lluvia se escurra y no se encharque en la paja y la deteriore.

La barraca está habitada por Blanes y Senta, Gaspar Blanes y Vicenta Rico, un matrimonio en la treintena. Delante de la puerta se extiende un frondoso parral —frondoso cuando tiene pámpanos—. En pilastras de piedra se apoya una armazón de ligeros troncos, y a ellos se asen las parras, con sus zarcillos y sus serpas o sarmientos largos. La cocina se halla fuera de la casa, bajo un cobertizo. Y fuera también, el pozo y el fregadero. En casas de campo alicantinas suele haber aljibes en lo interior. En la entrada de la barraca se encuentra la espetera de azófar, resaltante, áurea, brilladora en la nítida cal. No se usan los utensilios de la espetera a diario. Se reservan para las solemnes ocasiones. Y en la pared de enfrente se halla en zafariche o cantarera, con un alizar de azulejos blancos. Sobre una losa arenisca se yerguen cuatro cántaros amarillentos, y en la boca de cada uno reposan otras tantas jarras. No falta en la planta baja un cuartito o alguarín, donde se recogen las semillas y se guardan los aperos. De este alguarín sale, por tanto, el trabajo y el fruto. El trabajo son los aperos y el fruto son las simientes.

En el primer piso de la barraca está la cámara donde duermen Blanes y Senta. Además, se ve otro aposentillo con ropas y diversos efectos. Y mi cuarto está allá en lo alto. He querido yo que sea así. La barraca respira por tres ventanitas: dos en el principal y una en el desván. En un *Diccionario de las nobles artes,* impreso en Segovia el año 1788—en la imprenta de Espinosa—, he leído, lo recuerdo bien, que desván gatero es «aquel en que no puede acomodarse ninguna persona para vivir». Sin embargo, yo estoy viviendo, y viviendo a gusto, en este desvancito gatero. El menaje del aposento está formado por un catre, una palangana en su soporte, una silla y una percha. Apenas si puedo *levantar cabeza.* Suprimo el artículo antes del sustantivo para que la frase pueda tener doble sentido. En su sentido material, si me estiro un poco, doy un testarazo contra el techo. Y en el sentido psicológico, el desaliento que me abruma llega algunas veces a la angustia. Por estos motivos espirituales me encuentro en la barraca, con hospitalidad ofrecida y dada por finos amigos.

La oreja, junto a la teja. El refrán quiebra en esta ocasión. De la quiebra de otro refrán he de hablar también en el capítulo siguiente. Estoy en lo alto, duermo con la oreja junto a la techumbre y no hay tejas, sino parduzca urdimbre de blanda paja. Y mi sueño es tranquilo. Cuando clarea el día, lo primero que oigo, entre sueños, es el rechinar de la roldana o carrucha de madera en el pozo. Han cacareado ya los gallos y comienza el trino alegre de los pájaros, que despiertan y triscan en la espesura. Como viático de este viaje he traído dos libros. Uno es el *Manual de riegos* (Madrid, 1851), de un clásico de la agricultura, Hidalgo Tablada, y otro es un volumen de Juan Arolas. Copio la portada: «*La sílfida del acueducto, poema romántico en diferentes cuadros,* por J. A. Valencia. Imprenta de Jaime Martínez, año 1837.» Con la sílfida del acueducto he entrado ya en relaciones. El *Manual* de Hidalgo Tablada no lo he abierto todavía.

Blanes y Senta no me dicen apenas nada. Trabaja Blanes en la tierra y trajina Senta en la casa o en el cobertizo de la cocina. La vida de estos seres es silenciosa, y mi vida es toda silencio. En una de las pocas conversaciones que he tenido con Senta, me ha enterado, sucintamente, de su vida. La barraca viene de padres a hijos desde hace más de dos siglos. Pertenecía a los antecesores de Senta. En su cámara tiene el matrimonio un arca de nogal, aromada con espliego, donde se guardan, entre otras ropas, un traje del abuelo de Senta. Lo he visto y lo he tenido en mis manos. Aquí están las calzas o medias de fino algodón, los amplios zaragüelles, la camisa blanca, la faja de seda carmesí y el magnífico chaleco, tambien de seda, floreado con flores de matices vivísimos y adornado con afiligranados botones de plata.

LXXIII

BLANES Y SENTA

He llegado a la huerta valenciana en el próvido otoño. El umbrío entoldado del parral, ante la barraca, muestra ya amarillentos sus pámpanos. Los racimos penden, áureos, por doquier, y las avispas revuelan, golosas, en su torno. Son los granos alargados, como bellotas, sin orujo y con la piel delgada. Comienza la recolecta de las frutas navideñas. Pasaron ya los rotundos melones de agua y permanecen los melones de olor, que trascienden en las cámaras y que tirarán hasta las Navidades. Los membrillos han de ser colgados o puestos en las arcas o armarios entre las ropas, y las serbas y las níspolas han de yacer en blanda paja, de modo que su carne, que ahora es dura, blanca y acerba, se convierta en deliciosa crema color caoba.

Blanes va de un tablar a otro tablar con la azada al hombro, y Senta se afana en la casa. Guisandera experta por la mañana, es labrandera, a la tarde, de finísimas labores. Los nutrimentos que me sustentan son sencillos. Al levantarme, me espera un buen vaso de leche de cabras con parva fruta. Componen la comida meridiana los usuales y gustosos arroces, sustituídos a veces por alguna olla, con el aditamento de pescados fritos o en salsas leves, entre los que descuellan los salmonetes, en el Mediterráneo insuperables. No me alargo en la cena más allá de una cebolla dulce, asada en el rescoldo, y contadas ciruelas.

Blanes es ejemplar alto, bien repartido, ágil y con el pelo crespo y duro. Cuando contemplo a Senta, sin delectación morosa, naturalmente, imagino que es una antigua estatua de pulido mármol, exhumada por sabias manos de arqueólogos. Aquí está, frente a mí, cual Ceres, Minerva o Juno, sentada y en actitud de sosiego profundo. Claros y azules los ojos rasgados, su mirar reposa y abre ideales lontananzas. El escultor, helénico o romano, ha sacado ya de puntos el modelo en el informe bloque. Concluirá con pasión su obra. Concluir es trabajar con prolijidad fervorosa. Los vuelcos y eversiones de los imperios harán que la estatua se pierda. Y un día, después de muchos siglos, remanecerá en alguna excavación erudita, o bien tropezada por el arado en campo que el labrador está rompiendo. Senta vive ahora en Valencia, como antes viviera en Atenas o en Roma.

El otoño es la estación en que la Naturaleza, cansada de las parturiciones del año, se dispone al reposo. Y el artista, tras larga vida, rebosante de trabajo, quisiera que en estos momentos prologales del supremo *nihil*, su pluma o su pincel tuvieran la sosegada majestad de la Naturaleza en otoño. Los días son ya frescos, y los atardeceres, de una dulzura infinita. En el crepúsculo vespertino, en tanto que se llega la noche, ostensible ya Véspero, nos sentamos ante la puerta los tres moradores de la barraca. Encontró Blanes un día, en el arcaz donde se guarda el traje del abuelo, una bolsita con yesca, pedernal y eslabón. Desde entonces no apela para encender el cigarrillo a otro artificio, sino a tales artes. La hojita de papel pende del labio, el tabaco ha sido estregado en las manos y llega el momento mágico en que, golpeado bruscamente el pedernal por el acero, saltan chispitas fugaces.

—¡*Arreuet, arreuet!*—exclama Blanes. Y esta exclamación, repetida a lo largo del día y con cualquier motivo, compendia toda la locución del labrador. Valencia entera está en tal sobriedad. ¡*Arreuet, arreuet!* Arreo quiere decir «sucesivamente, sin interrupción». *Arreuet* es diminutivo de arreo, es decir, de *arreu*. El valenciano es tan maleable que admite diminutivos donde la lengua castellana no los sufriría. *Arreuet, arreuet,* cuando Blanes aporca el apio, o forma hormigueros, o coge la fresa, o corta las flores, o llena la banasta de fruta. *Arreuet* cuando se sienta a comer. Y cuando tercia en una conversación, ya grave, ya alegre; cuando se despide y cuando saluda al entrar en la casa. *Arreuet, arreuet* pasa la vida. Pasa sin discontinuidad, sucesivamente, sin interrupción que nos detenga. Blanes, con solas dos palabras, es más sabio que los sabios con sus discursos o escrituras elocuentes.

—Vamos a ver, Senta—pregunto, encarándome con la gentil labradora—. ¿No querría usted ir a Madrid, a Burgos, a San Sebastián, a París? ¿Y qué haría usted en París, en los grandes almacenes, en la calle de Rivoli, en la plaza de la Concordia, en la Magdalena?

Senta no pestañea. De hito en hito nos miramos y su cara permanece impasible. Ha tomado en serio mi inocente eutrapelia. Al cabo, dice:

—*Mire, ¿qué vol que li diga?*

Esta pregunta suya es tópico continuado y permanente, al modo como el *arreuet* es el tópico de Blanes. Mire, ¿qué quiere que le diga? Finjo yo a veces enfurruñarme con la respuesta, y en un arrebato cómico grito:

—*¡Diga lo que vullga, Senta!*

Diga lo que quiera, Senta. Blanes, golpeando el pedernal o despidiendo bocanadas de humo, apostilla sentencioso:

—*¡Arreuet, arreuet!*

Senta permanece serena, con las manos una sobre otra y puestas en el descenso del pecho. Consérvase lozana y placiente, y sus líneas son inflexibles, y duras las turgencias. La noche llega mansa y leda. ¿Leda, alegre? No para mí alegre. En la lejanía suena la bocina de un automóvil, o de no sabemos dónde arriba la nota larga y aguda de una locomotora. Y entonces me derrumbo de mi ensueño. El tren que pasa en lo remoto me vuelve a la realidad. Y la realidad es el problema que un cierto refrán, *corte o cortijo*, me plantea con inquietud.

LXXIV

PRISIONERO DE LA CULTURA

Corte o cortijo. He hablado antes de la quiebra de un refrán, y ahora voy a hablar de la bancarrota de otro. Pero el caso presente es más grave. En el caso presente se llega casi a la tragedia. *Corte o cortijo.* Si estamos fatigados, presas del desaliento, aflictos por el dolor moral, debemos abandonar la populosa ciudad. No nos detengamos en el intermedio pueblecito. No ganaríamos nada. El escritor francés que de ello habló, estaba en lo cierto. Veía a lo lejos un pueblecito encantador, asentado en la falda de una colina. Pocos minutos después estaba ya en él. Minutos más tarde, sentía vehementes deseos de partir. Acaso La Bruyère exagere un tantico. No nos detengamos, empero, en el pueblecito. Vayamos directamente a ponernos en contacto con la Naturaleza.

Pero ¿con qué Naturaleza? ¿Acaso estaremos en el cortijo, es decir, en el campo, si nos encontramos en una barraca de la huerta valenciana? Los años de mi juventud los he pasado entre Madrid y el campo alicantino. Hablo de la parte central y montuosa de la provincia de Alicante. La casa campestre era espaciosa. La campiña estaba beneficiada en parte, y en parte—las laderas de los montes—no rotas, incultas. Se gozaba allí de todo el afán de la cultura y de todo el abandono de lo silvestre. El labrador alicantino, cultivador de secano, es tan activo e inteligente como el de la vega valenciana. Las viñas están admirablemente cuidadas, y los almendros no pueden desear más mimos. Al venir a la huerta de Valencia, daba yo un salto del secano al regadío. Y otro salto más aventurado todavía: de lo agreste a lo intensamente cultivado. Lo agreste lo representaban allá, por ejemplo, los atochares de las laderas, puesto que allí no se da cultivo al esparto. Y tal cual allozo o almendro silvestre, o tal cual acebucha o silvestre olivo, o este o el otro maguillo o manzano también indómito. Nada de eso por estos parajes. No hay ni la menor hierbecilla inutilizable. La mano del hombre está en todas partes, y en todas partes se ven muestras de su afán. He recorrido ya los dominios de la barraca. Existen tres categorías de producción: arboledas de frutales, tablas de hortalizas y cuadros de flores. Frutales he visto los siguientes: granados, higueras, ciroleros —que dan ciruelas tan grandes y suaves como las de Burdeos—, nísperos, acerolos —con acerolas blancas y acerolas encarnadas—, membrilleros, limoneros, nogueras. En las tablas de hortalizas se encuentran, según las estaciones, berenjenas, cardos, apios, espárragos, alcauciles y alcachofas, puerros, tomates, pimientos, chirivías, cebollas... En los cuadros de flores se ostentan rosas, claveles, crisantemos, camelias, dalias, trinitarias, azucenas, jacintos. La provincia de Valencia no es toda su huerta. La huerta es muelle, y en otros sitios el paisaje es bravío, áspero y romántico. Aspero, duro, severo es, por ejemplo, en Cofrentes, en la confluencia del Júcar y el Cabriel. Romántico es en el valle de Miralles, donde se levantaba el monasterio de la Murta, y Portaceli, en el valle de Lulén, asiento de la famosa cartuja. El poema de Arolas *La sílfida del acueducto* se desenvuelve en este valle.

Todo está cultivado aquí. La cultura, una cultura intensa, perseverante, me rodea. Si en la gran ciudad, en la «corte» del refrán, el anhelo humano está por doquier, en la huerta valenciana el «cortijo», ese anhelar constante, se encuentra en el agua y en la tierra. El ambiente, en uno y otro lado, es profundamente humano. Y ésa es mi preocupación penosa. No he salido de entre el tráfago de los hombres. La cultura me oprime. Soy un prisionero de la cultura. De buena mañana ya está rechinando la carrucha del pozo, y oigo también, allá abajo, el ruido de los aperos que sacan del alguarín. La vida es dulce en este maravilloso vergel. Nada falta: ni el silencio, ni la soledad, ni manos diligentes y limpias que cuidan de todo. Pero ¿y el allozo que en el monte crece entre los riscos? ¿Y el ceniciento y bravío azebuche? Soy un prisionero de la cultura. Y al prisionero, de pronto, le presentan, con graciosa sonrisa, un pintado y oloroso pomo de rosas, claveles y lilas.

Madrid, febrero y marzo de 1940.

A MAXIMIANO GARCIA VENERO,
constante amigo en las bonanzas y en las procelas. Cariñosamente,

AZORÍN.

I

ETERNIDAD

o necesito nada. Gracias a todos, señores. He sido escritor famoso y ya no lo soy. No soy ni escritor ni famoso. No me conoce ya nadie. La carretera pasa al pie de la colina. El caminejo que sube hasta la casa va formando eses en la ladera, cubierta de plantas aromáticas. La casa tiene dos altos. No es espaciosa, sino chiquita. Hay un breve zaguán con puerta al fondo. Esa puerta da al corral. La cocina se abre a la izquierda, y a una parte y a otra de la entrada se ven otras dos puertas. Franquean dos aposentos con sendas ventanas enrejadas. El pavimento lo forman baldosines rojos. En el cuarto de la derecha me he acomodado yo, y arriba, en el piso principal, duermen Sunsiona y el tío Andréu, matrimonio del pueblo. Sunsiona — cincuenta y cinco años—vale por Asunción. Andréu—sesenta años—es lo mismo que Andrés. El pueblo se halla a seis kilómetros de estos parajes. Para ir a él es preciso descender hasta otra colina más baja. Para ir desde esa colina a la estación del ferrocarril necesitamos seguir descendiendo otros dos kilómetros, hasta llegar a lo hondo de un ameno valle, regado por un riachuelo. Como pesando sobre nuestras cabezas, veremos, al levantar la vista, un enorme peñasco cuadrado, que se destaca de la montaña—una de las montañas que cierran el valle—y se alza, en el ambiente límpido, a mil ciento once metros sobre el mar.

El mar no está lejos. Y ese mar es el

Mediterráneo. Ya lo dicen las palmeras, que acá y allá yerguen sus penachos, y los algarrobos, y los naranjos, diseminados también entre los demás árboles fructuosos. Treinta kilómetros separan la casa del Mediterráneo. No lo veo desde las ventanas del desván y lo presiento. Si ascendiera a la montaña que está a la espalda, podría espaciar la vista por la lejana planicie azul, reverberante en los días de vivo sol. Sol hay en esta tierra casi todos los días del año. El ambiente es seco. El azul del cielo es pálido. En la sequedad del aire, todas estas hierbas silvestres—el romero, el tomillo, el cantueso, el espliego — expanden fuertemente su olor. En el desván se ven colgados manojitos de cantueso y de tomillo.

No necesito nada, señores. He cumplido mi labor. He escrito mucho y ya no escribo nada. No sé lo que voy a hacer aquí ni cuánto tiempo estaré en la casa. Ahora me siento bien. En los contornos hay almendros, olivos, higueras. En estos días del otoño, ante la casa, durante el día, se muestra un ancho cañizo en que están secando los higos de estas higueras. Los alimentos aquí son parcos y elementales. Cuando yo escribía, procuraba también que mi estilo fuera parco y elemental. Pero ser elemental es cosa muy ardua. No quiero pensar en tales cosas—los problemas literarios—y pienso. No he podido zafarme de los libros tampoco. Escribir y leer son cosas terribles. Y mucho más el pensar. En esta casita, cercana al Mediterráneo, sin tráfagos, sin afanes, sin visitas, sin cartas, ni quisiera pensar. Envidio a Sunsiona y al tío Andréu. Andréu trabaja en la tierra y Sunsiona trajina por la casa. Cocina a la mañana y cose por la tarde. Los días en que se amasa oigo el sonoro golpeteo monótono del cedazo, que va y viene sobre la cernedera. Sunsiona cierne y yo estoy cerniendo también. Cierno yo mis recuerdos de Madrid hace cincuenta años. En el acervo copioso de mis evocaciones, separo unas y me quedo con otras. Y no sé si el cernido es bueno o malo. Desde el fondo de la personalidad suben hasta la conciencia imágenes del remoto pretérito. Todo es silencio y paz. ¿No habré olvidado, acaso, algo? ¿No habré olvidado lo que tanto quise? Contra nuestra voluntad, a veces lo más dilecto se nos escapa. Vibramos de amor por esas cosas unos meses, un año, como si no hubiéramos nunca de olvidarlas, y ahora, al advertir, tras muchos esfuerzos, que las habíamos olvidado, abrimos los ojos con espanto, abochornados de nosotros mismos, y permanecemos un rato inmóviles.

No recibo ninguna carta ni vendrá nadie a verme. El tiempo ha pasado. Los hombres y las cosas se han sucedido. No quería pensar y estoy pensando. Escribo esto para mí mismo. Han pasado, decía, hombres y cosas; se ha transformado el mundo, son otros los gustos de las gentes. Y, sin embargo, una íntima sensación me conmueve. El presente de hace cincuenta años no se ha convertido en pretérito. Nada se ha desvanecido en el tiempo. Tengo la certidumbre honda, inconmovible, de que todo es presente. No hay más que un plano del tiempo, y en ese plano—presente siempre—está todo. Junto a nosotros presentimos como presentes el pasado y el futuro. ¡Y no podemos apartar un poquito el velo que nos oculta el gran misterio! Si algún motivo para la serenidad espiritual tengo en esta casa, lejos del mundanal bullicio, olvidado de todos, sin que nadie se acuerde de mí, es esta sensación de eternidad presente. Eternidad en que todos—los de antes y los de ahora, los de hace diez mil años y los actuales, los olvidados y los famosos, los que no son nada y los que son prepotentes—estamos a la par, viviendo el mismo tiempo, siendo unos y otros todo, o no siendo nadie nada. Nada en la inmensa eternidad que nos envuelve a todos.

II

LLEGADA A MADRID

Vine a Madrid en el otoño de 1895. Creo recordar bien. Había yo pasado en Valencia diez años, estudiando Derecho. Unas veces me matriculaba y otras estudiaba libremente. Examinábame unas veces y otras renunciaba al examen. El preparatorio del Derecho lo formaban tres asignaturas: la Historia de España, la Metafísica y la Literatura general y española. En Literatura me suspendieron. Más adelante, en Derecho canónico me dieron *notable*. La afición o repugnancia a las materias estudiadas depende, en gran parte, del maestro.

El tren mixto de Madrid salía de Valencia a las dos de la tarde. No recuerdo nada de las particularidades de este remoto viaje. Lo que recuerdo es arbitrario. He soñado una vez en tal viaje. Lo soñado se sobrepone tenazmente a lo auténtico. En lo soñado hay pormenores absurdos. En vez de entrar en el andén por una puerta, entro por otra que no corresponde al andén. Voy a tomar billete en la taquilla y espero allí dos o tres horas, hasta que ya se ha hecho de noche y se ha marchado el tren. No me es posible, por más esfuerzos que hago, separar esta mampara del sueño para ver lo verdadero. Lo irreal tiene más fuerza aquí, más valencia aquí—valencia, por validez, dice Gracián—que lo real. Así sucede muchas veces en la vida. Y gracias a tal sustitución absurda la vida suele tener, acá y allá, a pedazos, su encanto.

Hice el viaje en tercera. No sé nada más. Si los que evocan su pasado confesaran con lealtad las fallas en la memoria, lo recordado tendría más valor. En los cuadros de Ribera, el gran pintor valenciano, la espesa adumbración del fondo hace resaltar más lo que ilumina la luz que cae por un agujero del techo. En el negro caos de mi memoria, tocante al viaje a Madrid, sólo aparecen esclarecidos tres momentos. Lo demás se lo ha tragado irremediablemente el olvido. En la partida de Valencia está lo arbitrario soñado. Y en lo demás resaltan, rodeados de sombra, tres puntos luminosos. Es el primero mi descenso del tren en la espaciosidad de la estación. La tarde era nubosa. El viajero estaba cansado y entumecido por tan largo viaje sentado en las duras tablas del austero coche. Se sentía gozo al evadirse del estrecho ámbito rodante y descender, de un brinco, elásticamente, al ancho andén. Y nada más. Segundo momento: allá arriba, encima de un cuarto o quinto piso, en la calle del Barquillo, un cuarto abuhardillado; en este cuarto, mi aposento. El aposento es reducido. Lo amueblan una angosta cama, una mesita de pino para escribir, una silla ante la mesa, otra silla a la cabecera de la cama y una palangana en su soporte, con un jarro de agua. En el techo, techo inclinado, una ventana. Los muebles los voy viendo ahora bien distintos. Siempre que paso y repaso la vista por tan pobres alhajas, acabo por mirar a lo alto. Ventanas como esta del techo no había visto yo nunca. Digo mal. Las conocía, pero no había vivido bajo su imperio. Ahora esta ventanita es para mí. Sujeto a ella estoy. La cierro subiéndome a una silla y la abro tirando de un cordón. Los ruidos de la calle no llegan hasta mí. La luz diurna que se cuela por la ventana ilumina vivamente todo el aposento y me permite escribir cómodamente. ¿Y qué escribo yo? ¿Qué podré escribir yo en Madrid? ¿Conozco a alguien en Madrid? En este punto surge el tercer momento.

En este tercer momento me veo bajando la escalera, saliendo a la calle y andando luego, tras unos instantes, por la acera de la calle de Alcalá. Postreros fulgores del crepúsculo, o bien, ya noche cerrada. Gente que entra y sale en el teatro de Apolo. Estaba este teatro junto a la iglesia de San José. Blancos globos de luz alumbraban el pórtico. Entre la gente, me detengo curioso. Y de pronto observo algo que me interesa profundamente. Cuatro o seis caballeros forman un grupo. Tiene uno de ellos unas blancas cuartillas en la mano y va leyendo algo, prosa o verso, que los demás escuchan atentos. A obra de unos pocos pasos se halla el espectador—espectador que acaba de llegar de provincias—, y ante él, inesperadamente, como azar dichoso, están, vivos y auténticos, en su propio elemento, los personajes del drama. Del drama o de la comedia.

El espectador no sabe lo que será. No se puede saber lo que será la vida de un muchacho que comienza a escribir: si drama o comedia. Pero él siente ansia irreprimible por ser uno de los actores de la comedia o del drama. Allí están, sí; allí están, escuchando lo que acaba de escribir uno de ellos. Y será acaso interesante. Dentro de unas horas, toda España lo va a leer impreso en la volandera hoja de un gran periódico. Tienen talento, ingenio, estos hombres. Son conocidos, populares, todos ellos. El que lee es un escritor, y los que escuchan lo serán también. Todo está con ellos y nada está conmigo. Andando el tiempo puedo ser uno de ellos, y ahora, desconocido, sin valimientos, sólo tengo mi cuartito con el pobre menaje y con la ventana en el techo, que deja caer la luz en las cuartillas. En otras cuartillas. En otras cuartillas que no son las cuartillas que el escritor famoso lee a sus compañeros en la puerta de Apolo, entre el bullicio de la gente, a la luz de los grandes globos blancos, en un ambiente de fluidez, de señorío y de modernidad.

III

LOS PUPILAJES

Vamos a ver si escribimos despacito, con sosiego, este capítulo. El asunto es muy español. He vivido en Madrid en incontables pupilajes. Los pupilajes, casas de pupilos o casas de huéspedes—ahora se llaman todas *pensiones*—, se dividen en las dos categorías que expresa la fórmula abreviada de *con* y *sin;* es decir, con asistencia o sin ella, o sea, comiendo en la casa, siendo asistido con los yantares, o sin comer. Y todavía se puede establecer otra distinción: casas en que se admite un caballero solo y casas en que se recibe a todos. Los restaurantes, bodegones, figones y casas de estado son anejo ineludible de los pupilajes sin asistencia. A menos que a tal o cual huésped no le suceda —por tiempo más o menos largo—lo que me aconteció a mí y se verá más adelante. La denominación de *casa de estado,* usada por los clásicos, ya no se emplea. Y es lástima, porque el término es bonito. Comer en una casa de estado limpia y donde guisen bien debe de ser cosa agradable. En general, las familias que, por accidentes de la vida, han venido a menos, son las que alquilan una habitación a un caballero solo. Solo y respetable. Con lo que tributa el huésped remedian decorosamente esas familias su callada estrechez.

Juan Luis Vives, en sus *Diálogos* (1539), pinta un verdadero pupilaje, y Quevedo, en su *Buscón* (1626), describe otro no menos auténtico. El primero es holgado; quiero decir que en él se vive bien, y el segundo es asaz y austero, por no decir sórdido. He vivido yo en pupilajes en común y de vivir bullicioso y jaranero. En soledad completa, propicia a la meditación, y en compañía de pandillas estudiantiles, inclinadas siempre a travesuras. He vivido en la calle de Jacometrezo, en la calle de la Aduana, en la calle de Relatores, en la calle del Carmen, en la calle de la Ballesta... No sé en cuántas calles más. El orden cronológico de todas estas mansiones no puedo recordarlo tampoco. Y no hace falta recordarlo. Lo que importa es la visión exacta del momento.

En la calle de Jacometrezo viví en una casa moderna, esquina a Olivo o Mesonero Romanos. Ya desapareció con el trazado de la Gran Vía. Allá arriba, en un piso cuarto, estaba la casa. No vivían en ella más que un matrimonio y la madre de la mujer. Se abría la puerta y se entraba en un pasillo largo y estrecho. En el fondo había una puertecita, y esa puertecita era la de mi aposento. Disponía yo de una mesa para escribir y de una cama para yacer. No creo, aparte de las sillas, que hubiera más muebles. El balcón daba a un hondo y angosto patio, y a ese patio daban también las ventanas de una imprenta, la de *El Imparcial.* No era yo conocido de nadie, o de casi nadie, y allí estaba el gran diario al cual sólo accedían los aupados escritores. Desde mi cama, a la madrugada, oía yo el traquetear de ruidosa rotativa. He dicho que no era yo conocido de *casi* nadie, corrigiendo así lo absoluto de la precedente afirmación, porque escribía artículos para un periódico. Había yo entrado ya en el engranaje del periodismo y en él había de perdurar, con fortuna próspera o adversa, durante cerca de medio siglo. Pero, periodista ya militante, mi vida era solitaria y esquiva. Iba por las noches, a primera hora, a la Redacción, antes que nadie fuera, y me retiraba pasada la media noche, casi a la madrugada. A la Redacción llevaba ya escrito el artículo, y en la Redacción, sentado ante la larga mesa común, escribía notas, ampliaba telegramas, redactaba comentarios del momento. Y durante el día, solo en mis divagaciones por Madrid, o en mis paseos por el Retiro. Nadie pudo sospechar, ni en la Redacción ni en parte alguna—no lo delataba mi actitud—la dura prueba por que pasé unos días. He guardado mucho tiempo—no sé cómo ni cuándo lo perdí—un calendario, un calendario del famoso y perdurable don Mariano Castillo y Ocsiero, en que había señalado yo los días, para mí harto memorables, en que no tuve más nutrimento que el siguiente: un panecillo por la mañana y otro al anochecer. El panecito, pan francés, buen pan, esponjoso y blanco, *fofo,* como dice Guevara en su *Menosprecio de corte,* que debe ser el buen pan; el panecito, digo, me costaba diez céntimos. Con veinte céntimos al día hacía yo mi comida. Que pruebe ahora cualquier principiante literario a hacer lo mismo. Y, sin duda, desde entonces tengo vivo afecto al pan. Evoco ahora todos los nombres, tan españoles, del pan de España: hogaza, mollete, rosca, libreta, telera, morena, oblada, bodigo, zatico, cantero, corrusco, pan leudado, o con levadura, o leuda; pan ázimo o cenceño, sin levadura; pan pintado; en fin, pan con adornos o dibujos trazados con la pintadera. Y si hay pan blanquísimo, pan de candeal, también hay pan sustancioso, pan moreno, bazo o prieto. Duró el severo régimen veinte días consecutivos.

En la calle del Carmen, esquina a Salud, la casa era vieja y espaciosa. El balcón de mi cuarto daba frente a la iglesia. El cuarto era espacioso. Escribí allí parte de mi libro *Antonio Azorín.* El manuscrito lo metí en un cajón, el cajón de una cómoda, revuelto con ropas y adminículos, y allí durmió durante mucho tiempo. No le daba yo importancia. Y hoy creo que esta novela, una de mis dos primeras novelas — la otra es *La voluntad* —, tiene una vida singular. En las reediciones posteriores, el público ha gustado—y sigue gustando—de este libro, que escribí yo para mí mismo. El tiempo lo ha fortalecido. Y es que lo que el artista hace para sí y no para el público, acaba por imponerse al público y ser lo preferido.

Y en la calle de Relatores—casa vieja, cuartito angostísimo, no podía yo revolverme—escribí parte también de *La voluntad*, otro libro improperado, menospreciado a su aparición, libro escrito concienzudamente, con muchedumbre de notitas auténticas, y que también con el tiempo —lo dicen los lectores—ha ido ganando.

IV

LAS REDACCIONES

La idea de las Redacciones suscita en mí la sensación — sensación pasada — de subir escaleras. He pertenecido en Madrid a varias Redacciones. La Redacción está en el piso principal. He escrito yo mi artículo durante el día. En el trabajo, solo en mi cuarto, he puesto fervor. Puedo decirme a mí mismo que estoy satisfecho. Y por la noche, a primera hora, me encamino a la Redacción. Con calma, llevando en el bolsillo interior de la americana el artículo, voy subiendo las escaleras. Como se trata del primer piso, las escaleras no son muchas. Pero en esos pocos momentos, bajo los resplandores de las lámparas que iluminan la escalera, siento que se expansiona voluptuosamente toda mi personalidad. Al otro día, una puertecilla de esta personalidad será comunicada, con mi artículo, a millares y millares de lectores.

En las Redacciones hay una mesa larga. Heme sentado a esa mesa común en incontables noches de trabajo, y me he sentado ante las mesitas autónomas. En las Redacciones, el escritor, escritor innato, deja algo y saca algo. Deja las adherencias superfluas del estilo y saca la limpieza de este estilo. Como hay que escribir rápidamente, sobre la marcha, pasada la media noche, en tanto que las máquinas marchan ya, se apartan los arrequives impertinentes y se escribe de un modo rápido y directo. En las Redacciones—escuelas de buen estilo — he trabajado yo mucho de madrugada.

Don Manuel Troyano era la reflexión sosegada. Don José Ortega Munilla, la generosidad y la intuición rápida. Don Torcuato Luca de Tena, el ímpetu generoso. Después de media noche, escrito ya su artículo de fondo, sale don Manuel Troyano de su despacho y se acerca a la mesa común. El artículo—este artículo, claro, preciso y lógico—lo escribe Troyano muchas veces teniendo encasquetada una montera de papel que él ha hecho con un periódico. Lo infantil se junta, en la persona de Troyano, con la prudencia. Lo infantil es lo elemental, y el estilo de Troyano, por lo fácil, por lo sencillo—todo ello en apariencia—, diríase que es el estilo de un niño. Digo en apariencia porque, como todo el mundo sabe, nada hay más arduo que un estilo sencillo.

Don José Ortega Munilla, activo, incansable, me llama a su casa. En su casa, mano a mano los dos, ha de darme las últimas instrucciones para el viaje. Con el mayor misterio me dice:

—Bueno, ya lo sabe usted. Va usted primero, naturalmente, a Argamasilla de Alba. De Argamasilla creo yo que se debe usted alargar a las lagunas de Ruidera. Y como la cueva de Montesinos está cerca, baja usted a la cueva. ¿No se atreverá usted? No estará muy profunda. ¿Y dónde cree usted que ha de ir después? ¿Y cómo va usted a hacer el viaje? No olvide los molinos de viento. Ni el Toboso. ¿Ha estado usted en el Toboso alguna vez? ¡Ah, antes que se me olvide!

Y diciendo esto, don José Ortega Munilla abre un cajón, saca de él un chiquito revólver y lo pone en mis manos. Le miro atónito. No sé lo que decirle.

—No lo extrañe usted — me dice el maestro—. No sabemos lo que puede pasar. Va usted a viajar solo por campos y montañas. En todo viaje hay una legua de mal camino. Y ahí tiene usted ese chisme, por lo que pueda tronar.

El viaje por la Mancha, siguiendo a Don Quijote, es encantador. Viajo en un carrito tirado por una mula, que gobierna Miguel, carretero de Alcázar de San Juan, antiguo confitero — la suerte tiene estos viceversas—en la famosa Mahonesa, de Madrid. Cuando van llegando a la Redacción mis artículos, escritos con lápiz, escritos como Saavedra Fajardo nos cuenta que escribió sus *Empresas*, en las posadas y en los caminos; cuando llegan a la Redacción mis artículos, digo, Julio Burell los lee en voz alta y enfática ante los redactores. La entonación altisonante contrasta infelizmente con mi prosa menuda, detallista, hecha con pinceladas breves. Y toda la Redacción acoge la lectura con protestas y risas.

—¡Hombre, no! ¡No puede ser eso! ¡Es insoportable! Don Antonio, don Pedro, don Luis, don Vicente, don Gustavo, don Pablo, don Aniceto... ¿Dónde vamos a parar?

Don Torcuato Luca de Tena aparece en la Redacción después de media noche y entra en la sala de trabajo comunal. No habrá existido director de periódico más obseso con su periódico. Don Torcuato Luca de Tena piensa en todo, lo prevé todo, lo perfecciona todo. No hay detalle en la casa, en el periódico, que escape a su mirada. Desde el tamaño de las letras en las distintas secciones del periódico hasta la organización del trabajo de los corresponsales, todo, todo está inspeccionado por el director. Junto a la mesa de trabajo, don Torcuato charla con los redactores. En el meñique de su mano izquierda lleva una gruesa sortija de hierro con fúlgido diamante: fortaleza y claridad. Y también don Torcuato Luca de Tena, en los momentos delicados, me convoca a su casa. Sentado don Torcuato en sillón frailero, de anchos brazos en que apoyarse cómodamente, y sentado yo enfrente, conversamos. La idea de injusticia le exalta. Su noble ímpetu estalla en palabras enérgicas. Golpea el brazo del sillón con fuerza y su rostro se enciende.

—¡No, no! ¡Eso no puede ser!—exclama—. ¡Y no será! ¡Antes quemo el periódico! Con España no se puede jugar. Soy patriota, amo a España intensamente y pongo ese amor por encima de todo.

Cual en Valencia fué maestro mío en periodismo Francisco Castell, en Madrid lo han sido Troyano, Ortega Munilla y Luca de Tena.

V

SAGASTA

Después del «cuarto Estado», como se ha llamado a la Prensa, hablemos del verdadero Estado. Don Práxedes Mateo Sagasta desciende de una berlina, la berlina de la Presidencia del Consejo, tirada por dos magníficos caballos, y se queda un momento inmóvil en la acera. Esparce su vista a un lado y a otro, y entra en el Congreso de los Diputados por la puerta de la calle de Fernanflor. Su paso es despacioso, y su actitud toda, de hombre cansado. Al llegar al Salón de Sesiones, penetra con la misma calma, apoyado en su bastón, en el banco azul. No iba a ocurrir nada esta tarde. Inesperadamente, las pasiones se han encrespado y el presidente del Consejo ha sido llamado con urgencia. En el salón, la pasión hierve. Todo son gritos, imprecaciones, golpazos en los pupitres, amenazas iracundas. Don Práxedes Mateo Sagasta, sin alterarse, apoyado en su bastón, está sentado ya en el banco de los ministros, y como quien despierta de un sueño, explaya su mirada vagamente por el salón y por primera vez—primera vez en esta tarde—tiene su gesto característico: se rasca la barba. ¿Qué pasa aquí? ¿Por qué lo han llamado? Un rebullicio más no vale la pena. Y cuando al presidente del Consejo le toca hablar, sus palabras son tan serenas, tan cordiales, tan sensatas, tan distantes de todas las pasiones, que todos se miran atónitos. Tal vez han estado discutiendo con ahincada pasión, con saña, sobre una cuestión que no lo merecía. La cosa estaba clara y nadie la ha visto. No la ha visto más que el presidente del Consejo, que, con su voz fría y distante, la ha explicado en cuatro palabras.

A Cánovas se le admiraba y a Sagasta se le quería. Vea el lector lo que elige: si la admiración o el cariño. Acaso Sagasta represente mejor que Cánovas los sesenta años, sesenta años espléndidos, de la Restauración alfonsina. Cánovas se encalabrina ante el hecho. Sagasta calla y espera. Pero no está lejos uno de otro. No lo están porque Cánovas define la gobernación del Estado como el arte de lo posible. Y Sagasta practica lo que ha llamado Baltasar Gracián, en su *Oráculo manual,* el «arte de dejar estar». Nada hay más funesto en un país que romper con la tradición. Una solución de continuidad es el semillero de extorsiones peligrosas. Lo que se ha elaborado durante siglos, sólo el tiempo, suavemente, puede ir modificando. Dos refranes castellanos definen el carácter de Sagasta. Uno es éste: *Pájaro viejo no entra en jaula,* o su equivalencia latina, fácilmente traducible: *Vulpes annosa difficile in laqueo capitur.* El otro es el siguiente: *Dar tiempo al tiempo.* La violencia es innecesaria—y a veces cruel—cuando el tiempo nos puede dar resuelto el espinoso asunto. Cánovas tenía que ver cumplida su ambición, noble ambición. Sagasta llegaba a la Restauración después de haberlo sido todo. El poder no podía ya ofrecerle, como a Cánovas, ninguna satisfacción. Sagasta nació en 1827, y muere en 1903. Su vida fué larga, intensa y borrascosa. Borrascosa en su primera parte.

Expongo en estas páginas, no lo que se puede encontrar en los libros, sino lo que yo he visto. Biografías de Sagasta las han escrito Massa Sanguineti, Martínez Alcubilla, Martín Olías, el conde de Romanones. Frente a la portada del libro de Massa Sanguineti (1876) figura un retrato fotográfico de Sagasta, un buen retrato, un retrato ya descolorido por los años. La boca de Sagasta es grande, expresiva; los ojos, rasgados, claros e inteligentes, y la frente, desembarazada. Lo que yo he visto muchas tardes desde la tribuna de periodistas, en el Congreso, es la figura de Sagasta, de Sagasta en los postreros días de su vida. Su oratoria era sencilla, a veces vulgar; pero el gesto, el dominio perfecto de sí, la simpatía personal, el ambiente de cordialidad que envolvía la persona del orador, transformaban esa vulgaridad en hechizo peregrino y gracioso. Ya cansado, amenazado de muerte, próximo su fin, Sagasta tenía para todos una sonrisa amable, y en los casos apretados, ante una pretensión inadmisible de la amistad, se rascaba la barba. Cuando Cánovas prorrumpía palabras iracundas, Sagasta se limitaba a pasar y repasar sus dedos, suavemente, por entre los pelos de su corta barba. Y eso era todo.

El doctor don Francisco Huertas, médico de Castelar, lo era también de Sagasta. A más de clínico eminente, era el doctor Huertas un apasionado de la pintura. En su casa tenía un gran retrato ecuestre de Prim, pintado por Regnault. Retrato que era una dúplica—pero con variantes—del que cuelga en el Salón de los Estados del Louvre. El doctor me hablaba de los últimos días de Sagasta. El temple de Sagasta era tan grande, tal su pasión por la política, que se mantenía incólume, erguido, en el Congreso, en la Presidencia del Consejo, cuando ya la muerte le tenía preso y le iban faltando por momentos las fuerzas. Para poder tenerse en pie, para morir en pie, tomaba en casa o a hurtadillas en el mismo banco azul, sellos de cafeína. Yo mismo creí ver una tarde que el presidente del Consejo, sentado en el banco de los ministros, se llevaba algo a la boca con ademán furtivo.

Y murió el gran político. Su popularidad era inmensa, y el cariño que se le profesaba, sincerísimo. Dos días después de su muerte fuí yo a su casa. Lo he referido alguna vez. Y la casa, antes bullente de amigos y parciales, estaba ahora horra de parciales y amigos. Silencio y soledad. *Sic transit gloria mundi.*

VI

LAS BOTERIAS

¿Y qué tienen que ver aquí las boterías? No seamos irrespetuosos. Comprendamos la tradición. Las boterías tienen que ver aquí y en todas partes, porque el trabajo del cuero es un trabajo histórico y nacional. La bota es la síntesis más popular del trabajo del cuero. Y en este libro se trata de captar una partecilla, al menos, del espíritu de España.

En mis visitas a los pueblos castellanos, viejos pueblos, hace cuarenta años, me paraba ante las boterías. En San Sebastián, cuando paso por la calle del Duque de Mandas, Fermín Lasala—creo que es esa calle; si no, será la de Calbetón, en el San Sebastián viejo—, me paro ante una botería que allí existe. En Madrid, camino de la Feria del Libro, paseo del Prado abajo, cerca de la estación del Mediodía, me detengo también ante una botería; en la muestra se lee:

JUAN AMPUDIA
TALLER DE BOTERÍA

He tratado de mostrar, en breve ensayo hace años publicado, que la acción de *La Celestina* se desenvuelve, no en Salamanca, como se cree, sino en Toledo. Todos los detalles lo indican. La misma hija de Celestina, de que nos habla Salas Barbadillo, *la ingeniosa Elena,* sube de Andalucía a Toledo para instalarse en la misma ciudad que fué residencia de su adorable madre. En *La Celestina* se habla de las tenerías de la Cuesta del Río. En Toledo hay una calle de las Tenerías y una travesía del mismo nombre. En muchas ciudades viejas hay calles que toman su nombre del labrado del cuero. Y en Valencia, la ciudad de la seda, no se ha descuidado el cuero. En Valencia existen—o existían—nada menos que una calle de la Corregería, otra calle de Pellejería vieja y otra tercera de Zurradores. Con el trabajo del cuero se relacionan los siguientes artesanos: curtidores, zurradores, guarnicioneros, talabarteros, corregeros, boteros, odreros, guadamacileros, pellejeros. Algunos de estos artesanos son la misma cosa. Lo que varía es el nombre. España es país quebrado, montuoso. Hay en España caminos reales, o carreteras, y hay caminos vecinales y caminos de herradura. Por los de herradura sólo pueden transitar las caballerías aisladas o las recuas. Oficio también nacional es el de recuero, trajinero o cosario. Ninguna vasija más apropiada para ser conducida a lomos de macho, por quebradas y puertos, por cotarros y caminejos torcidos y pedregosos, que la vasija de cuero. Y de ahí la importancia indiscutible de las boterías. Se labran botas en esos talleres, y se labran odres y zaques. Odrina es un zaque o pellejo o cuero de gran tamaño, fabricado con una piel de buey. La odrina es lo mayor y el botijo es lo menor. Y en todos se guarda el buen vino de España. Vino rojo, morado, de intensa graduación alcohólica—los vinos de catorce a dieciocho grados, de Alicante—, o el vino aloque, claro, ligero y alegrillo. La bota va y viene por el área de España y por los espacios de la Historia. Bota en el tendido de sol, en los toros. Bota en el carro que, lentamente, traqueteando en los baches, va de un pueblo a otro. Bota en las alforjas del campesino que viaja en tercera. Bota en el patio de Monipodio y en las manos amorosas de Sancho.

Dos minutos de parada ante el taller de un obrero o de un talabartero. La abstracción me lleva al ensueño. ¿Estoy en Madrid, en Burgos, en Valencia o en San Sebastián? ¿Estoy en España o en París? En París, mi pensamiento, en muchas ocasiones, iba hacia las boterías de España. Ignacio Zuloaga ha inmortalizado a los labradores de las pieles en la persona de *Gregorio el Botero*. En París, cual en Madrid, hay una Ribera de Curtidores, o sea, el *Quai de la Megisserie,* malecón o ribera situado entre el Châtelet y el puente Nuevo. En los pretiles se extienden cajones apetitosos de libros. Los he escudriñado yo veces sin cuento. Y en París existe también, en la orilla izquierda del Sena, en el cuartel latino, una callejita corta y estrecha, que se llama de la *Parcheminerie,* y que va desde la calle de *L'Harpe* a la de *Saint-Jacques,* calle ésta por donde salían los romeros que iban a Santiago de Compostela. Tiene carácter, en su sordidez, la callejita parisiense de la Pellejería. La he recorrido —siempre estaba yo en el barrio Latino— centenares de veces. La solía recorrer para ir a la iglesita de San Julián el Pobre, donde se celebra el culto griego ortodoxo. Tiene carácter, sí, esa callejuela. Pero nada, nada, nada, como las callejitas de España, en que junto a la puerta de una botería está colocando un botero en la bota una botana. En una de las églogas que figuran en las *Rimas de Tomé de Burguillos,* se lee:

Con la bota buenos vamos.
Yo ya bebo: clo, clo, clo.

La onomatopeya es graciosa. Bebamos, lector, para contera de este capítulo, un traguito a la salud de Lope de Vega y por España. Haga el clarete al caer en nuestras fauces, desde la empinada bota, en hililo exquisito: *clo, clo, clo.*

Quedamos, pues, en que la bota es utensilio eminentemente nacional. Se encuentra, como en su propia casa, en mesones, paradores y ventas, y es llevada y traída en la barjuletas de los carros y en las seras y serones de los arrieros. Y aun la vemos por las calles de la propia capital de España. En Madrid solemos ver, de cuando en vez, al chico de la taberna, que, con la bota a la espalda y el embudo al pecho, va a llevar unas azumbres de morapio a domicilio o viene de llevarlas. Para llenar cómodamente—*eche usted y no se derrame*—frascos, botellas y limetas, preciso es portar ese otro utensilio, que mentado en cierto y muy repetido refrán, se ha elevado a símbolo del egoísmo sin freno. *La ley del embudo: para mí lo ancho, para ti lo agudo.* Y volvamos a la taberna a echar un chisguete. En la tabla está el pellejo. Las Ordenanzas de Burgos, de 1747, pintando a lo Velázquez, mandan que los taberneros «tengan, bajo la boquilla del pellejo, un barreñón crecido y, dentro de él, una almofa o barreña blanca, limpia, en que caiga lo que destila del pellejo y rebosa de la medida, a fin de poderlo recoger limpiamente antes de desmayarse».

VII

MARAGALL

Juan Maragall venía a Madrid de tarde en tarde. Se hospedaba en el hotel de la Paz. El *grand hôtel de la Paix,* como ostentaba su rótulo, estaba instalado en la Puerta del Sol, manzana de casas 11 y 12. Se anunciaba en las guías francesas de España—la de Joanne, por ejemplo—como teniendo cuatro fachadas: *il a 100 balcons sur la voie publique.* Doy estos detalles porque el hotel de la Paz, el más confortable entonces en Madrid, tuvo su importancia con relación a un grupo de escritores.

Juan Maragall conoció a esos escritores en la carrera de San Jerónimo. La calle, en un breve trecho, el que va de la Puerta del Sol a las Cuatro Calles, era el paseo predilecto, al anochecer, de la gente distinguida. En esa calle estaba—y sigue estando—el restaurante de Lhardy, el mejor de Madrid, y en esa calle estaba la librería de Fernando Fe, la más literaria de Madrid. Juan Maragall era un hombre no corpulento, más bajo que alto, con barbita corta. Su vestir era pulcro. Daba idea no de lo que era—un gran poeta—, sino más bien de un joyero, o un mueblista de lujo, o el propietario de una casa en Barcelona o en otra parte. No se prodigaba en palabras, ni hacía afirmaciones rotundas, ni se comprometía negando en absoluto. Su amor predilecto era Goethe, y tenía en todo momento algo de la serenidad de su ídolo.

Acaso fuera ya quien avanzó más en la amistad con Maragall. La conservé toda su vida. Cuando publicaba un libro, me lo enviaba cariñosamente dedicado. Los conservo todos. De cuando en cuando, especialmente en los trances turbulentos, leo una poesía de Maragall o abro el libro *Artículos,* que sus amigos publicaron, en buen papel de hilo, y donde están reunidas sus más bellas páginas en castellano. La prosa no tiene sabor rancio, íntimamente castellano. Sí serenidad, placidez, deleitable y sencilla elegancia.

Juan Pedro Capdevielle, el propietario del hotel de la Paz, nos invitaba a comer alguna que otra vez. Comimos allí todos los escritores del grupo con Juan Maragall. Capdevielle gustaba de las bellas letras. Solía regalarnos libros franceses, de autores escogidos. La cocina del hotel era de primer orden, y los yantares en que nos congregábamos, exquisitos. A Maragall envié uno de mis primeros libros. No lo acogió con la fría urbanidad con que un gran literato debe acoger, por cortesía, la obra de un primerizo. La curiosidad y simpatía por el libro y por el autor eran evidentes. Guardo dos cartas del poeta. No figuran en el epistolario que de Maragall ha sido publicado. En la primera carta, fechada el 31 de julio de 1900, me habla de mi libro *El alma castellana,* un esbozo de juventud, y me dice, entre otras cosas, lo siguiente: «Para mí tiene la mejor cualidad (y la más rara) que puede tener un libro: el ser vivo.» No creo que un artista literario—y artista que comienza—pueda recibir mayor elogio. La mejor excelencia de un libro será siempre no su estilo, ni su color, ni su fuerza, ni su exactitud, sino su vitalidad. Contribuirán, sin duda, todas esas cualidades a la vitalidad. Pero un libro podrá reunirlas y no *ser vivo.*

La segunda carta de Juan Maragall merece ser citada en su totalidad. Puede ser muy útil en el estudio de ese grupo de escritores de que he hablado. En esa página se atisba ya finamente lo que los tales escritores iban a representar en España. Dice el poeta:

«Sr. D. J. Martínez Ruiz.

»Muy estimado amigo: He recibido su carta y su libro. Su impresión de mis *Visións y cants* me alienta mucho, me estimula a procurar merecer lo que la simpatía personal le haya hecho decirme de inmerecido.

»Su *Diario de un enfermo* me ha sobrecogido por la fuerza plástica de la expresión, por la dureza del claroscuro, que tanto corresponde a mi reciente visión de la luz castellana. También encontré eso, aunque con temperamento especial, en las *Vidas sombrías*, de Baroja. En algo menos fuerte que he ido viendo suelto por aquí y por allá de otros autores para mí desconocidos me ha parecido ver la misma tendencia; y todo ello, cobijado por *El alma castellana* de usted, empieza a hacerme sospechar si ustedes, los de la nueva generación, han vuelto a encontrar, a fuerza de serenidad y sinceridad, el espíritu inmanente del arte castellano en un nuevo sentido de su lenguaje, el sentido de la sobriedad, cosas una y otra inconocidas o desconocidas (a mi modo de ver) por los escritores castellanos de muchísimo tiempo (exceptuando tal vez a Pérez Galdós), que a fuerza de hacer juegos malabares con la riqueza más superficial de la lengua castellana, acabaron por perder su sentido íntimo e hicieron traición en su arte al alma castellana, austera y poderosa por su misma austeridad. Separaron el arte de la vida, que es como hacer flores de papel y frutos de cera; pero lo de ustedes es vivo.

»Como usted ve, todo esto lo tengo un poco confuso y al aire. necesito ver más y meditar más. ¿No tiene nada publicado Maeztu, que en el breve momento que pude hablarle me interesó mucho? Tal vez en el grupo de ustedes habrá algún otro que tenga verdadera significación y que yo ignore en absoluto. No me lo dejen ignorar.

»Acabo esta carta a la hora en que acostumbran ustedes a reunirse en la acera de la carrera de San Jerónimo, donde tan cordialmente me recibieron y que estoy viendo en este momento; les saludo con efusión y a usted especialmente, a quien tengo tanto que agradecer.—*Juan Maragall.*

S/s, Alfonso, 79. San Gervasio. Barcelona.

»22 enero 1901.»

Juan Pedro Capdevielle dejó el hotel de la Paz. Tuvo otro hotel en Pamplona y luego volvió a su país, Francia. Juan Maragall murió. El grupo de escritores que a él le interesaba trabajó, publicó muchos libros, intervino en las cuestiones literarias, se manifestó, en suma, de diversos modos, y al fin cada escritor de aquellos echó por su camino.

VIII

UNAMUNO

En el aposento en que escribo tengo una fotografía de Unamuno, sentado, con una pierna sobre la otra. La dedicatoria dice así: «A J. Martínez Ruiz, con un abrazo de su amigo Miguel de Unamuno. Salamanca, 30-V-97.» De Unamuno tuve varias cartas antes de venir yo a Madrid, que fué en 1895. Después hemos continuado carteándonos. Guardo muchas cartas del maestro. Las cartas de Unamuno son muy extensas. No he podido yo escribir nunca largo. Escribía mi correspondencia con gran franqueza. En una de sus cartas, fechada en Salamanca el 17 de noviembre de 1906, con el membrete de rector de aquella Universidad, el firmante se expresaba con acritud virulenta al hablar de ciertas personalidades literarias y científicas. Añade en seguida: «Reserve usted esta carta, amigo *Azorín;* resérvela, por favor—y no porque no tenga fe en mis convicciones y en mis repulsiones, sino porque aún no es hora—, y déjeme desahogarme.» No creo que yo le mostrara esta carta a nadie. Hoy se podría publicar. Pero andando los años Unamuno modificó, felizmente, su pensamiento respecto a esas personalidades combatidas.

Noctuas Athenas; cada vez que repito *in mente* este adagio latino, equivalente a nuestro *llevar hierro a Vizcaya,* me acuerdo de Unamuno. Su cara era la de una lechuza, o mejor, de un buho. Unamuno veía en las tinieblas. Podría decirse que era el hombre de las objeciones. Con su voz aguda iba desentrañando todos los misterios—buho en la noche—y viendo lo que hay dentro de las cosas.

En sus cartas, Miguel de Unamuno solía enviarme algún poema recién salido del horno. Por ejemplo, en una carta fechada en Bilbao el 10 de septiembre de 1909, me manda un poema que he visto publicado con variantes. El poema, sin título, es muy unamunesco. Hace pensar y hace sentir. La música falta—no la tenía Unamuno, poeta—, pero ahí está la vibración filosófica, que deja en el espíritu una inquietadora resonancia. Copio el principio. El poema—dice el autor—está escrito «en el cuarto en que vi mis mocedades».

Vuelven a mí mis noches,
noches vacías;
rumores de la calle,
las pisadas tardías,
conversaciones rotas
y desgarradoras notas
de un pobre piano,
viejo y lejano...
Así se hundió el tesoro de mis noches,
en esta misma alcoba;
aquí dormí, soñé, forjé esperanzas,
y a recordarlas me revuelvo en vano.
La realidad presente me las roba...
No logro asir aquel que fuí; soy otro...
Pienso, sí, que era yo, mas no lo siento;
es sólo pensamiento;
no es nada...
Los días que se fueron, ¿dónde han ido?
De aquél que fuí, ¿qué ha sido?
Muriendo, sumergióse aquel que fuera...
¡Hijos de tantos días que en el fondo
de la oscura cantera
de mi conciencia yacen!
Y ahí dentro, ¿qué hacen?

Estuvo Miguel de Unamuno expatriado en Francia seis años. Vivió primero en París y luego se trasladó a Hendaya. Veraneaba yo todos los años en San Sebastián. Como iba muchas tardes a Hendaya, veía a Unamuno y con él departía. No podía ocultar la tristeza que le producía el destierro. Había venido a la frontera para estar cerca de España—y tocando su tierra vasca—, y ahora este acercamiento avivaba su dolor. Desde la playa de Ondárraiz podía extender la mano y palpar el césped de la otra orilla, el césped de su patria, y se desesperaba pensando que no podía trasponer la frontera. Estando en Hendaya, cayó un día redondo al suelo, perdido el conocimiento. Juzgué que las aflicciones, los males del espíritu debieron de ser causa de la enfermedad, grave por cierto, que luego de este accidente se le siguió.

Hablando una tarde con el maestro en la plaza del pueblo, ante un cafetín, el cafetín donde él tenía una tertulia, me dió noticias de un drama que acababa de escribir. Invitóme a ir a casa para escuchar la lectura de un acto, y allá nos fuimos. No gusto yo de las lecturas. No puedo olvidar cierta página de Leopardi, en sus *Pensieri,* que principia así: *Se avessi l'ingegno del Cervantes...* El poeta querría hacer un libro como el de Cervantes para condenar el tormento *cruel y bárbaro,* así dice él, de las lecturas. La lectura del primer acto de *El hermano Juan* me agradó. Unamuno ponía fervor en su leer. La casa era chiquita y limpia. Vivía el maestro en la morada de un matrimonio que le atendía con solicitud. En el comedorcito de la casa nos sentamos. Unamuno pidió que le hicieran un vaso de agua de limón. Lo puso junto a sí, en el tablero, y comenzó la lectura. La luz de la tarde entraba por la derecha del lector. Llegaba un rayo de sol hasta la mesa. Escuchaba yo atento y la voz de Unamuno resonaba en la estancia.

IX

LAS INFLUENCIAS LITERARIAS

Cuando hablemos de las influencias literarias pongamos cuidado en lo que decimos. Las influencias pueden ser de dos clases: por adhesión y por hostilidad. Si de las primeras se habla mucho, no se para mientes nunca en las segundas. Nos puede agradar un escritor, nos puede entusiasmar, y ese escritor influirá en nosotros. Pero se puede dar el caso inverso: el de un escritor a quien detestamos, a quien menospreciamos, y que influye en nosotros de distinta manera. Influye porque nosotros, teniendo siempre ante la vista, en la memoria, sus defectos, su manera, su textura especial, tratamos de evitar esos vicios, y nos afirmamos cada vez más, cada vez con mayor ahinco, en nuestra estética.

Se ha hablado—y se sigue hablando—de los autores que han influído en los literatos de cierto grupo. Esos mismos escritores han dicho en sus confidencias que tales o cuales autores han influído en ellos. Debemos acoger con reservas sus palabras. Los propios autores son quienes menos saben, a veces, en ciertos aspectos, de sus obras. He dicho yo mismo, por ejemplo, que Baudelaire, leído en la mocedad, al comenzar mi carrera literaria, ha influído en mí. ¿Lo sé yo en realidad? El modo e intensidad de las influencias no se pueden determinar.

Ricardo Fuente, periodista, director que fué de la Hemeroteca Municipal de Madrid, sostuvo cordiales relaciones amistosas con Ramón del Valle-Inclán. En el libro titulado *De un periodista,* publicado en 1897, hay un capítulo dedicado a Valle-Inclán, y en ese capítulo se trata de las predilecciones literarias del autor de las *Sonatas.* Varios nombres extranjeros cita Fuente. El único español que registra es el de don Antonio de Solís. No puede rivalizar Solís, ni con mucho, con los otros grandes escritores que se alegan. Pero es curiosa la pretendida influencia de don Antonio de Solís en Valle-Inclán. El entusiasmo de Valle-Inclán por Solís, allá en los comienzos del escritor galaico, es indudable. Declamaba entonces Valle-Inclán enfáticamente unas líneas de Solís. Y precisamente ese fragmento es el que Vargas Ponce, que tiene a Solís por uno de los corruptores del idioma, cita en su *Declamación.* He oído yo mismo declamar las palabras de Solís a Valle-Inclán. Es éste el pasaje: «Llegaron a un promontorio o punta de tierra introducida en la jurisdicción del mar, que al parecer se enfurecía con ella sobre cobrar lo usurpado, que estaba en continua inquietud, porfiando con la resistencia de los peñascos.»

No de todos los autores que se dice han influído sobre tal o cual literato, sobre esta o la otra generación, se tiene exacta idea. No la tienen los influídos. Y se da el caso de que ese conocimiento imperfecto, fragmentario, a veces contradictorio, ejerza tanta influencia como el conocimiento exacto. La influencia debemos aceptarla, principalmente, como un estimulante para la creación. Sea o no sea exacta la idea que tenemos de nuestro autor, el autor que nos interesa, que nos entusiasma, ese autor influirá en nuestro trabajo. Y acaso influya más si la idea es falsa. Porque entonces somos nosotros los que creamos ese autor, lo creamos para nuestro caso, y escribimos la obra con arreglo a lo que deseamos.

¿Qué idea tenían de Federico Nietzsche los escritores pertenecientes a cierto grupo? En Europa, en aquella fecha, se tenían noticias breves y vagas de este filósofo. Y, sin embargo, esos escritores, ayudándose de libros primerizos, libros en que se exponía la doctrina de tal pensador, crearon un Federico Nietzsche para su uso, y ese Nietzsche sirvió, indiscutiblemente, como pábulo en la labor de los aludidos literatos.

X

VALLE-INCLAN Y AMERICA

En 1910 fué Ramón del Valle-Inclán a la Argentina, y en Buenos Aires dió varias conferencias sobre temas literarios españoles. De Buenos Aires me envió una extensa carta: cinco grandes hojas escritas por las dos caras. El documento es notable en extremo. Se ha preocupado siempre Valle-Inclán de nuestro influjo en América. Expresaba en esa carta deseos vehementes de que nuestras relaciones con las hermanas de allende el mar—las naciones americanas—fueran fomentadas. Entre otros arbitrios conducentes a tal fin, debieran enviarse a América misiones espirituales formadas por hombres que fueran aceptos a los americanos.

Había ido entonces a la Argentina la infanta Isabel, y con la infanta, como cohorte enaltecedora, cuatro o seis personalidades literarias de España. No todos esos hombres—expongo el pensamiento de Valle-Inclán—habían suscitado el entusiasmo de los argentinos. Las conferencias de Valle-Inclán habían sido aplaudidas. Decía mi comunicante:

«Ahora aquí me tiene usted dando conferencias. Hoy, la cuarta, ha sido sobre el modernismo en España; abarqué pintura y literatura, y traté de restablecer un poco la equidad de los valores. Hablé de usted, de Benavente y de Unamuno, los únicos escritores de libros que aquí son conocidos y reconocidos.»

En tanto que Valle-Inclán recibía obsequios, se trataba con frialdad correcta a los enviados españoles. No faltó, entre éstos, quien se indignara. Cuenta Valle-Inclán en su carta:

«Conmigo se molestó un poco, porque yo, habiendo salido de España sin anuncio y sin jaleo de prensa, era aquí un poco más conocido. En la intimidad, según me contaron, protestaba de que la intelectualidad me hubiese dado una fiesta, porque yo en España no era nadie. Cuando yo lo supe me reí un poco, y luego, habiéndome encontrado en el saloncillo de un teatro, le dije bromeando: «¿Ha visto usted qué tierra es ésta? Los que nada son en España, parece que aquí son algo, y a las eminencias de España casi nadie las conoce.» Se rió tascando el cigarro, apagado por economía, pero creo que no le hizo maldita la gracia.»

Eugenio Sellés, puesto que de él se trata, tenía, empero, su personalidad literaria bien cimentada. El campo del arte es ancho y hay en él caminos diversos. Cada escritor sigue su ruta propia. Sellés había estrenado con aplauso *El nudo gordiano*, y con escándalo *Las vengadoras*. Estos días he vuelto a leer *Las vengadoras*, y he sonreído del candor del dramaturgo y de la indignación de los críticos. Sellés escribe una prosa clara, tersa, rotunda y elegante. En su tiempo se hablaba de «la prosa lapidaria de Sellés».

Si Valle-Inclán encontró generales simpatías en Buenos Aires, no faltó su gotita de acíbar. Lo dice él mismo en su carta. Se le opusieron ciertos aislados elementos. Ocasionaban este desvío o malquerencia, entre otros motivos, las ideas políticas del conferenciante. Escribe Valle-Inclán: «Pero para estos ataques—más que las causas que le he indicado antes—hay otras razones: mi significación tradicionalista...»

He estado unas veces cerca de Ramón del Valle-Inclán y otras apartado. Cuando fué herido en la muñeca, le visitaba todos los días. He dedicado artículos de justo elogio a algunos libros suyos. Pero nuestras normas de vida eran distintas y nuestras estéticas se oponían. Pasaba yo una vez por la Puerta del Sol y me crucé con Valle-Inclán, que iba acompañado de varios amigos. Nos mostrábamos por aquellos días uno con otro esquivos. Uno de los acompañantes de Valle-Inclán me contó luego que el autor de las *Sonatas* les había dicho: «¿Han visto ustedes cómo he fascinado con la mirada a *Azorín*?» No advertí yo entonces tal fascinación. Pero fascinado por Valle-Inclán lo he estado siempre y lo estoy ahora mismo. Fascinado estoy ahora por un escritor que ha enriquecido la literatura española, que ha tenido siempre arranques generosos y que ha muerto pobre—él, que había regalado un tesoro a España—por no querer ser más que escritor.

XI

RUBEN DARIO

Pasé unos días en Oviedo, en casa de Ramón Pérez de Ayala. Nos reuníamos a charlar en una salita que tenía una ventana que daba a un patio, y en una repisa estaban alineadas, en espera de la mano del lector, las obras completas de Balzac, en volúmenes de folio menor. Estuvimos Ramón y yo en el Casino, donde *Clarín* escribía a veces sus *Paliques*. Subimos a la torre de la catedral y estuvimos abarcando el paisaje. Comimos una fabada, o sea, cocina suculenta de habichuelas, en compañía de Melquíades Alvarez y de Ricardo Torres, *Bombita*, que se hallaba de paso en Oviedo. Visitamos al marqués de Valero de Urria, helenista consumado, latinista perfecto, autor de un libro curiosísimo, libro de peregrino humor, en que se trata de la imaginaria secta de los telarañistas, que debiera ser reimpreso en edición extensa.

Fuimos una tarde a dar un abrazo a Rubén Darío, que veraneaba en San Esteban de Pravia. Página ésta señalada en mi vida. Pero página fuliginosa. Llegamos de noche a San Esteban y es ahora noche en mi memoria. En esta noche, que yo no puedo establecer, sólo resaltan unos puntitos brillantes. Veo una puerta, la puerta que transpusimos para entrar en un bodegón, donde cenamos, y me veo también, de pronto, después de cenar, bajo el cielo inmenso, tachonado de estrellas, chapoteando en un lecho de algas. El mar mugía levemente. Cada vez que pisaba yo las algas, en la huella dejada se producía leve fosforescencia. Dos fenómenos he observado en mi vida que seguramente no volvaré a ver. Uno es esta luminosidad fugaz de las algas oprimidas, y otro me lo deparó las caricias a un gato. Al pasar y repasar, casi en lo oscuro, la mano por el cerro de un hermoso gato, de pelo luciente, allá en un campo de Alicante, vi con sorpresa que de la brillante piel brotaban chispas. Dos luces éstas únicas: la luz de las algas y la luz del felino.

En la casa de Rubén Darío—no sé dónde se hallaba ni sé cómo llegamos a ella—el poeta se encontraba en una estancia de la planta baja, débilmente iluminada. Todo estaba en la penumbra y una lámpara trazaba con su luz un círculo brillante en la mesa. No veo a Rubén Darío. No le oigo hablar. No sé quién estaba con él. Veo la mancha amarilla de un libro, un nuevo libro de la colección del *Mercurio de Francia*. Esta amarillez virgínea del volumen, acaso intonso todavía, es lo que llena mi memoria.

Rubén Darío derivaba hacia lo fatal, como va derivando en un río un árbol derribado, hacia el mar. El poeta se encuentra desorientado en la inmensidad.

No puede detenerse. Le arrastra una poderosa fuerza incontrastable. Cada mortal tiene su sino, y el de Rubén Darío es el de la Fatalidad. Lo que ha de ser, será. Hombre de tan fina sensibilidad como Rubén Darío, percibe el mundo, percibe las cosas varias y encontradas del mundo, percibe «el agua, la tierra y el mar», y entre las cosas del mundo advierte cómo él va deslizando poco a poco, sin poderlo remediar, hacia la eterna noche: mar sin orillas y fatal.

La comprensión melancólica del poeta le hace ser indulgente para todos y para todo. Teniendo una personalidad única como poeta, no se encierra en su estética. Comprende a los otros poetas que chocan violentamente con su sensibilidad. Como publicara yo un artículo en que juzgaba con ciertas restricciones severas a Campoamor y a Núñez de Arce, con ocasión de algún proyecto de estatuas, Rubén Darío me escribió una breve carta desde Baleares, donde se encontraba. Lo que me decía Rubén de mi artículo es lo siguiente: «Vi su artículo sobre Campoamor y Núñez de Arce. Ellos van quedando en su verdadero puesto, gracias al tiempo. Y luego, una estatua a un hombre de musas, *de todos modos,* siempre estará bien, antes que la gloria falsa de los caballeros particulares estatuificados o bustificados todos los días.» El amigo se despide: «Admirándole y queriéndole, le digo: ¡Hasta pronto, *Azorín!*»

No nos volvimos a ver. He subrayado yo la frase *de todos modos,* en el primer párrafo, porque en esas palabras se encierra toda la bondad, bondad indulgente y comprensiva, de Rubén Darío en su última etapa.

XII

LOS CEMENTERIOS

En Madrid, los cementerios están en el ruedo de la ciudad, y en París están inclusos en la ciudad. En Madrid tenemos los muertos lejos, apartados de nuestra mirada. En París, los muertos no están muertos: son ausentes. Ausentes por tiempo indefinido. Desde las casas de vecindad que circuyen los cementerios, los vecinos y los visitantes de los vecinos están viendo a esos ausentes temporales. En España existen las anaquelerías para los muertos, es decir, las filas y filas de nichos. No las he visto en París. Sí hay, verdad es, en París, en el Padre Lachaise, cercanas al horno crematorio, los anaqueles de nichos pequeñitos, cuadrados, donde se guardan las cenizas de los incinerados.

Un escritor, André Gide, ha dicho: «Cuando voy a un pueblo, lo primero que hago es visitar los cementerios, los mercados y los tribunales.» En París he pasado yo largos ratos en la galería de los tratos, *Galerie Marchande,* del Palacio de Justicia. Nada más instructivo y más curioso. Y en París iba yo todas las mañanas a la compra al mercadillo de Ternes. En Madrid existen cementerios abiertos y cementerios clausurados ha tiempo. Ha sido arrasado alguno—el de San Nicolás—que un grupo de escritores visitábamos. Estaban allí enterrados Larra y Espronceda. Ante el nicho de Larra, junto al de Espronceda, en la más baja ringlera de nichos, celebramos un homenaje fúnebre en honor de quien tanto tenía de nuestro espíritu. Cuando años msá tarde se exhumaron los restos de Espronceda para trasladarlos a otro cementerio, yo estaba presente. Los restos eran un montón informe de huesos, cenizas y arrapiezos. Se conservaba intacto, sin embargo, el chaleco del poeta, prenda de fina seda de color tabaco con botones de nácar. Corté un pedacito, con un botón, y en un profano relicario lo guardo.

En los viejos nichos suele haber, al lado de flores marchitas, secas, alguna fotografía, ya descolorida por el tiempo. Se fué la memoria de los deudos—ausentes o muertos también—y se ha ido lo negro del retrato y el aroma y color de las flores. En lo alto, en las noches limpias lucen las estrellas, que parecen eternas, y las estrellas se acabarán también.

Fuimos varias noches, después de la tertulia del café, a uno de esos cementerios abandonados, allá por la puerta de Fuencarral. Por un portillo del muro saltamos dentro. Divagamos en el silencio de la noche entre las viejas tumbas. Nos sentíamos atraídos por el misterio. La vaga melancolía de que estaba impregnada esa generación confluía con la tristeza que emanaba de los sepulcros. Sentíamos el destino infortunado de España, derrotada y maltrecha más allá de los mares, y nos prometíamos exaltarla a nueva vida. De la consideración de la muerte sacábamos fuerzas para la venidera vida. Todo se enlazaba lógicamente en nosotros: el arte, la muerte, la vida y el amor a la tierra patria.

No sé quién de nosotros tuvo la idea extraña: representar el cuadro del cementerio en *Hamlet* en aquel camposanto. La primera noche en que luciera la luna, plena luna, allá nos iríamos llevando aprendido cada uno su papel. ¿Quién iba a hacer de Hamlet? Tal vez uno de estos dos hermanos Fuxá, rubios, esbeltos, señoriles, siempre con su sombrero de copa con ala plana. Formaban fielmente parte de nuestro grupo. ¿Y quién mejor, para hacer de Hamlet, en el cementerio abandonado, a las dos de la madrugada, que uno de estos dos jóvenes que habían nacido en la ciudad—Gandía—donde naciera el hombre, el marqués de Lombay, que ante el cadáver de una emperatriz sufrió tan terrible conmoción hamletiana?

XIII

EL PAISAJE

Nos atraía el paisaje. Prosistas y poetas que hayan descrito paisajes han existido siempre. No es cosa nueva, propio de estos tiempos, el paisaje literario. Lo que sí es una innovación es el paisaje por el paisaje, el paisaje en sí, como único protagonista de la novela, el cuento o el poema. Si a un clásico se le hubiera dicho que el paisaje podía constituir la obra literaria, no lo hubiera entendido. Novela como *Camino de perfección,* de Pío Baroja, le hubiera parecido absurda, desatinada, a un Mateo Alemán, un Salas Barbadillo, un Vicente Espinel y aun a un Cervantes. El *Camino de perfección* de Baroja es una colección, colección magnífica, de paisajes. Y para los antiguos, el hombre y no la tierra, el hombre y no el color y la línea, eran lo esencial. Hoy, en cambio, tratándose de pintura, consideramos superflua la Magdalena penitente, en el soberbio paisaje de Claudio Lorena —un valle al amanecer—, que figura en el Prado. Sabido es también que los impresionistas franceses se impusieron la exclusión en el paisaje de toda figura humana.

He sido un visitante asiduo de la antigua sala de Haes, en el Museo Moderno. Fué indebidamente deshecha esta sala. Meditaba yo allí en el paisaje pictórico y cobraba fuerzas para perseverar—perseverar y perfeccionarme—en la descripción del paisaje. Los escritores de mi grupo, allá en tiempos, no estimábamos a Carlos Haes. No será temerario decir que no lo conocíamos o que lo conocíamos sumariamente. Nuestro paisajista era Darío de Regoyos. De Regoyos a Baroja, de uno a otro paisaje, del pictórico al literario, no hay más que un paso. Sin embargo, Haes tenía la perseverancia y el ahinco que teníamos nosotros—era nuestro hermano, sin que lo quisiéramos—, en tanto que Regoyos tenía nuestro color y nuestra exactitud.

El grupo de escritores tan mentado aquí ha traído a la literatura, ya de un modo sistemático, el paisaje. El paisaje castellano y vasco lo ha descrito Baroja. Castilla ha sido descrita también por otros. Nos quedábamos absortos ante un paisaje, y los íntimos cuadernitos inseparables del escritor se llenaban de notas. En tal novedad reside el secreto de la innovación cumplida por esos escritores. Dice el poeta de la *Epístola a Fabio:*

¡Cuán callada que pasa las montañas
el aura respirando mansamente!
¡Qué gárrula y sonante por las cañas!

En tres versos, dos paisajes: el de la montaña y el del valle. El de la montaña abrupta y el de la hondonada, donde a orillas de un riachuelo crece un cañar. Pero ese paisaje—y ésta es la diferencia entre lo antiguo y lo moderno—no lo hubiera pintado así uno de los escritores del cuadernito. ¿Pasa callada el aura por la montaña? ¿Quién se lo ha contado al poeta? Según y conforme. Pasa callada en caso de que la montaña esté desnuda. Necesita para ese callar que la desnudez sea absoluta. El enebro, las coscojas, el lentisco, dan motivo al aura para el pronunciado rumor. Y si el monte estuviere poblado, ¿qué no cantarán, mugirán, rugirán los hayedos, los robledales, los pinares? En las montañas de Alicante, mis caras montañas, refugiado yo en el pinar, las horas de pleno sol estivo, escuchaba, a cada ráfaga de ligero viento, el son ronco, como el ir y venir del oleaje, que se producía en la enramada. ¿Y será verdad también que el aura pasa sonante por las cañas? Las finas y largas flámulas verdes tremolan el menor viento y susurran. El susurro es levísimo. No puede oponerse al pretenso callar de la montaña. Pero en la misma poesía lírica encontramos contradicho lo expresado por el autor de la *Epístola moral.* Autor que Narciso Campillo, aun después de la exoneración de Rioja, se obstinaba noblemente en asegurar que era Rioja. Escogeremos cuatro ejemplos. Fray Luis de León, al hablar del huerto que tiene plantado por su mano «del monte en la ladera», dice que el aire menea los árboles con un manso ruido. José Iglesias de la Casa comienza así la VIII de sus anacreónticas:

Debajo de aquel árbol
de ramas bulliciosas,
donde las auras suenan,
donde el favonio sopla...

De José Espronceda, en sus *Poesías* (Madrid, 1840), composición titulada *A la noche:*

El arroyuelo, a lo lejos,
más acallado murmura,
y entre las ramas el aura
Eco, armonioso, susurra.

De Enrique de Mesa, en su áureo librito *El silencio de la cartuja* (Madrid, sin año, pero de 1916), poesía titulada *La voz de las campanas:*

Los bosques de pinos
aroman y cantan.
No gimen sus troncos,
mordidos del hacha.

Castilla ha sido amada por los escritores del 98 en sus viejas ciudades y en sus campos. De Castilla, el deseo de describir ha ido hasta Levante, hasta Andalucía y hasta Vasconia. España se ha visto a sí misma en su verdadera faz y por primera vez. Dejad que uno de los escritores de ese grupo, después de haber cubierto de notas su cuadernito, con febril lápiz, se siente en el margen de un caminejo torcido, un camino de los llamados *viejos,* y coja una florecita amarilla, azul o carmesí, de las que graciosamente aquí crecen.

XIV

EN EL MUSEO DEL PRADO

Frecuentaba yo entonces el Museo del Prado. El grupo era muy amigo de la pintura. Ha influído mucho la pintura en los escritores del grupo. En los tres años de mi estancia en París, habré hecho al Museo del Louvre unas trescientas visitas. He transitado bien aquellas salas y aquellas galerías. En el Louvre recibía yo una impresión de apacibilidad mundana y de dispersión a los cuatro vientos de Europa. El Louvre, gracioso y delicado, me parecía un museo hembra. Tenía yo curiosidad, al volver a Madrid, de ver qué impresión me producía, en contraste con el Louvre, el Museo del Prado. La impresión ha sido de severidad y de concentración. Pero para percibir toda la austeridad del Prado es preciso entrar en el Museo por la puerta de su fachada al paseo del Prado. Necesario es recorrer aquel corredor, casi en la penumbra; poner los pies en la escalera de piedra berroqueña, apoyar la mano en la fuerte barandilla de hierro forjado, considerar las desnudas pilastras, también pétreas, y esparcir la vista, finalmente, por las inmensas telas de Ribera, el *Ixión* y el *Ticio,* colgadas en la escalera. Si el Louvre es un museo hembra, el Prado es un museo macho.

Después de dar unas vueltas por el Museo, allá en tiempos, me remansaba yo en la sala Ribera, al final de todo, con balcones que dan frente al Botánico. El silencio y apartamiento eran gratos, y la visión de aquellos lienzos me hacía respirar ambiente denso de España. Denso, fuerte y austero. Este «españolito», *spagnoletto,* menudo e impetuoso, era mucho hombre. Dueño de la luz, con imperio incontrastable, lo era también, no menos imperativamente, de su contrario: la adumbración. Si la luz es valiosísima en los cuadros de Ribera—la luz que cae desde lo alto—, tan valioso como lo esclarecido es lo adumbrado. No se quería mover Ribera de Nápoles, y no me movía yo de su sala en el Prado. *Qui bé estiga que no es moga.* El que esté bien, que no se mueva. Con ese refrán valenciano, que él solía proferir, justificaba José Ribera su permanencia en Italia. Al volver a España, acaso no encontrara en la tierra patria la consideración afectuosa y admirativa que entre los italianos. Y algo de esto manifestó él también. Valencia era, con todo, una tierra de arte. Valencia ha sido el punto de enlace entre la pintura italiana y la española. De Valencia iban pintores a Italia, y de Italia venían pintores a España. En Valencia se verificaba la conjunción fecunda y feliz.

Pintores antiguos y modernos... Tener un aposento de paredes desnudas—no nos place el amontonamiento de chirimbolos arqueológicos en los estudios—; tener, digo, un aposento desnudo, unas telas, unos colores, un pincel, y poder trabajar. Trabajar para nosotros mismos. Tener un cuartito limpio, un mazo de cuartillas, tinta y pluma y poder escribir. El *Greco* acaba pintando para sí. ¿Cómo pintaba el *Greco?* Los escritores del grupo pararon su atención en este pintor extraño. Vieron sus cuadros en Toledo. Encontraron cierta afinidad entre lo que ellos querían y lo que ambicionaba el *Greco.* De los distintos efluvios que emanan del *Greco,* lo que más era acepto a esos escritores era el idealismo exaltado y misterioso. Sobre una base de realidad—la firme realidad representada en los centenares de notitas recogidas en los cuadernos íntimos—, esos escritores elevaban una aspiración al infinito y a lo insondable. Infinito e insondable que se concretaba en esta palabra: *Eternidad.*

XV

LOS MERCADOS

Vámonos al mercado. La pluma comienza a cespitar en el papel. Necesitamos un descanso. Estamos trabajando desde la aurora. No pensando ahora en nada, germinará en el fondo de la conciencia lo que necesitamos. El mercado nos ofrece pasto apacible para la vista. Tenemos aquí ya el concierto de los vivos colores. Nos encontramos ya entre la apretada multitud y nuestros oídos son asordados por los gritos de los vendedores. Nos llaman acá y allá con vehemencia, y sonreímos. En París, yo iba cotidianamente a comprar al mercadillo de Ternes. No compro aquí nada. En París me alargaba algunos días, por simple gusto, hasta el mercado de la calle de San Antonio, el más típico de la gran urbe. Existen mercados en edificios construídos *ex profeso,* y existen mercados que se esparcen y dilatan por las calles en variedad de puestos, tinglados y tabancos. Son estos mercados, libres y a cielo abierto, los que preferimos.

Vayamos con calma. Observémoslo todo con detención y orden. Lo primero son las alcamonías, es decir, el azafrán, la pimienta, el clavo, el tomillo salsero, los vivaces cominos, los ajos. Sin las alcamonías no se puede hacer nada. Tendremos tiernas carnes y frescas verduras, pero no nos servirán de nada. Escribe prosa el literato, prosa correcta, prosa castiza, y no vale nada esa prosa sin las alcamonías de la gracia, la intuición feliz, la ironía, el desdén o el sarcasmo. Anejos a las especies aliñadoras están los elementales adminículos de la cocina. Puestecillos de tales artes hay también en los mercados. Tenemos aquí las trébedes, las espumaderas, las alcuzas, los aventadores, los fuelles. En Madrid trabajan dos fábricas de viento, quiero decir de fuelles: una en la calle de Cuchilleros y otra en la Cava Baja. Y esto indica que, afortunadamente, todavía existen muchas cocinas en que se guisa con carbón o leña y no con gas y electricidad. Los lamineros lo saben: la mejor comida es la que se ha cocinado en recipiente de barro y a fuego lento de leña. Y, si me permiten los señores—hablo de los señores gastrónomos—, un valenciano, el que escribe estas líneas, añadiría que nada hay comparable a comer un arroz hecho en estas condiciones—leña y fuego lento—y comido con cuchara de palo.

Los pimientos y los tomates nos dan lo rojo. Los rábanos, el carmín. La col, lo blanco. La brecolera y la berenjena, lo morado. La calabaza, lo amarillo. Las hortalizas españolas son deliciosas. Entre los puestecillos de hortalizas, abriéndonos paso entre la gente, vamos caminando. Habíamos olvidado las salutíferas espinacas, y lo sentimos. No hay comida más apropiada a gente sedentaria. Los escritores nos pasamos la mayor parte del día sentados con el libro ante nosotros o con la pluma en la mano.

¿Y los gritos y arrebatos de los vendedores? El mercado francés es una congregación de silentes cartujos. Nadie chista. Las vociferaciones del mercado español nos llenan de confusión. Se apela con vehemencia al comprador. Se encarece exaltadamente la bondad de lo que se ofrece: pimientos, tomates o coles. Se defiende a gritos el precio, regateado por el comprador. La gritería llena la calle. Y entre este torbellino de voces y de idas y venidas, por fuerza hemos de dejar de pensar en lo que estábamos pensando. Nos hemos evadido de la prisión—el cuarto de trabajo—, pero llevamos arrastrando la cadena. Deseábamos descansar y seguimos dando vueltas al tema en el magín. Y al cabo hemos logrado, sin quererlo, el propósito. Cuando no trabajamos es cuando trabajamos. Después de una visita al mercado, de una hora olvidados de nosotros mismos, apacentándonos de colores vivaces, es cuando nos recobramos. Al volver a las cuartillas, la pluma ya no cespita o titubea.

XVI

«CLARIN»

A *Clarín* lo conocí yo en noviembre de 1897, cuando vino a Madrid por última vez. Nos habíamos carteado antes. *Clarín* era un hombre menudo y nervioso. Análogo tipo humano era su hermano don Jenaro. Acaso tenía más viveza y más prontos que *Clarín*. A don Jenaro le traté mucho. Formaba parte de la tertulia a que yo concurría en el Salón de Conferencias del Congreso. Era un crítico militar competentísimo. En sus breves, claros y precisos artículos, el juicio no tenía apelación y daba la clave decisiva del problema tratado. Y su sarcasmo ante el adversario obstinado y obtuso era el mismo sarcasmo de *Clarín*.

Conversé largo y tendido con Leopoldo Alas. Su conversación estaba erizada de distingos, incisos y penetrantes agudezas. Dió en Madrid unas conferencias en el Ateneo—sobre el hedonismo o utilitarismo en la moral, según creo recordar—, y su oratoria no era expeditiva. No lo era porque *Clarín* veía demasiadas cosas a la vez. Su discurrir era como el sacar cerezas de un cesto. Una se enreda con la otra, y la otra tira de dos o tres más. En la oratoria de *Clarín*, al ofrecerse un inciso, se presentaba de seguida otro que se incluída en el primero. Y todavía, después de este segundo inciso o consideración lateral, venía un tercero, que se insertaba en el segundo. El auditorio seguía la oración trabajosamente. La sustancia que se le ofrecía era excesiva para su nutrimiento.

Ninguna oratoria, como ésta, puede arrastrar menos a las muchedumbres, que apetecen lo unilateral y rectilíneo. Ninguna conviene más a lo recoleto y reflexivo de una cátedra. Los asuntos tienen múltiples aspectos. Y todos esos incisos y contraincisos no son más que caras diversas de un mismo problema. Leopoldo Alas era un maestro admirable.

Paseamos juntos por Madrid y fuimos una noche al teatro de Lara, a presenciar el estreno de una obra de Jacinto Benavente. Esa obra era *La Farándula,* en que trabajaban Rosario Pino y Pedro Ruiz de Arana. No la recuerdo ya. No recuerdo tampoco la impresión producida por su lectura años después. El éxito sí recuerdo que fué menguado. Y esa recusación del público es lo que me inclina a considerar que la obra no debía de ser feble.

En enero de ese mismo año de 1897, *Clarín* me había escrito una carta, de la que quiero copiar un párrafo. Refleja esa carta la bella serenidad, el equilibrio y la independencia espiritual, la verdadera independencia, a la que había llegado en sus últimos tiempos el maestro. Ser independiente, abrazando una idea nueva, celebrada por los figureros de lo nuevo, lo que los ingleses llaman *snobs*—figureros los llamaba Gracián—; ser independiente en esa forma es cosa fácil. Lo difícil es tener el valor de abrazar y sostener lo que la grey y los figureros—ayudada a veces por espíritus selectos—repudia y condena. Decíame *Clarín:*

«Mucho celebraré que usted continúe por el camino de las buenas letras, a que creo que está usted llamado. Y Dios le preserve de buscar originalidad, que para ser verdadera ha de ser espontánea, y más de buscarla en la falta de respeto y en la afectación de ir contra la corriente, *porque sí,* en gustos, ideas, sentimientos y actos. Como observa bien Tarde en un reciente estudio filosófico, es un modo moderno de ser vulgar, el empeño de ser de la minoría, de ser excepción, de ser oposición.»

Y a seguida añadía: «Yo bendigo a Dios siempre que puedo estar conforme con algo tradicional.»

XVII

INTERVENCION SOCIAL

No podía el grupo permanecer inerte ante la dolorosa realidad española. Había que intervenir. La idea de la palingenesia de España estaba en el aire. La corriente de doctrinas regeneradoras no la motivó la catástrofe colonial. No hizo más que avivarla. Venía el noble anhelo desde antiguo. Jovellanos, por ejemplo, fué uno de los precursores. Doctrinarios y teorizantes había ahora muchos. Eecribían unos fríamente o se exaltaban otros, cual Joaquín Costa, con arrebatos grandilocuentes. Se podrían señalar ahora, entre otros, los libros del mismo Costa, de Macías Picavea, de Damián Isern, de Lucas Mallada. El libro de este último autor, geólogo eminente, acusa un pesimismo profundo. Pero el pesimismo es la fuente de la energía y del trabajo perseverantes. Contemplamos la realidad maltrecha, funesta, y ansiamos, ante ese trance de lo que nos es querido, salvar eso mismo que ponemos junto a nuestro corazón y depararle una vida placiente y venturosa. Si fuéramos optimistas, dejaríamos correr el mundo. Como todo está bien, no es preciso trabajar para mejorarlo. «Lo mejor es enemigo de lo bueno», dice el refrán. Cuando se acusa a ese grupo de pesimismo—pesimismo infecundo—, se comete una deliberada o indeliberada superchería. El sentimiento pesimista que se tiene ante lo presente, se lo traslada a lo por venir, con la ligereza y habilidad con que un prestimano hace su juego. Y no es eso: se considera tristemente lo actual y se tiene esperanza, firme esperanza, en lo futuro.

Los tres éramos Ramiro de Maeztu, Pío Baroja y yo. Nos llamábamos *los tres.* Así figuramos en artículos periodísticos y nos declaramos en entrevistas con informadores. Los tres éramos el núcleo del grupo literario y que se disponía a iniciar una acción social. Ya la primitiva y única agrupación se había escindido, y otro grupo era capitaneado por Ramón del Valle-Inclán y Jacinto Benavente.

¿Y qué íbamos a hacer? ¿Cuál era nuestro programa? Publicamos una proclama. No la recuerdo. Debíamos en ella de encarecer y propugnar las reformas hidráulicas y agrarias. El libro de Mallada, aun siendo escrito por tan reconocida autoridad en cosas terrestres, nos parecía excesivo. La tierra de España podía más. No estaba condenada por la geología, por el clima, a ser en su mayor parte estéril para *in aeternum.* Miguel de Unamuno nos prometió su ayuda. En el manifiesto publicado debía figurar esta frase: «La juventud intelectual tiene el deber de dedicar sus energías, *haciendo abstracción de todo,* a iniciar una acción social fecunda, de resultados prácticos.» Unamuno, en una carta a mí con fecha del 14 de marzo de 1897, citaba la frase subrayada; pero en vez de *haciendo abstracción de todo*, corregía: *haciendo abstracción de toda diferencia.* Justificaba la modificación diciendo: «No como la hoja dice, haciendo abstracción de todo, pues esto no es posible, porque en ese todo entra la acción misma que han de emprender.» A continuación nos prometía su concurso con reservas. Copio sus palabras:

«Ahora, aunque no me parece mal, ni mucho menos, la forma concreta que piensan dar a esa acción social, en ella no podría más que ayudarlos indirectamente, porque ni entiendo de enseñanza agrícola nómada, ni de ligas de labradores, ni me interesa, sino secundariamente, lo de la repoblación de montes, cooperativas de obreros campesinos, cajas de crédito agrícola (aquí las hay) y los pantanos, ni creo sea eso lo más necesario para modificar la mentalidad de nuestro pueblo, y con ella su situación económica y moral.»

Y agregaba: «Con verdad se dice que cada loco con su tema, y usted conoce el mío. No espero casi nada de la japonización de España, y cada día que pasa me arraigo más en mis convicciones. Lo que el pueblo español necesita es cobrar confianza en sí, aprender a pensar y sentir por sí mismo y no por delegación, y, sobre todo, tener un sentimiento y un ideal propios acerca de la vida y de su valor.»

Sí; era y es cierto: lo importante era y es el que España tenga confianza en sí misma.

XVIII

LA CUMBRE

Llegar a la cumbre era cosa dificilísima. Sólo llegaban algunos felices mortales. La cumbre de la fama periodística, en aquellos tiempos, era *El Imparcial*. Diario de más autoridad no se habrá publicado jamás en España. Los Gobiernos estaban atentos a lo que decía *El Imparcial*. En el mundo parlamentario pesaba lo que opinaba *El Imparcial*. Crisis ministeriales se hacían a causa de *El Imparcial*, y un Gobierno a quien apoyara *El Imparcial* podía echarse a dormir. En lo literario, la autoridad del diario no era menor. *El Imparcial* publicaba cada semana una hoja literaria. No había escritor que no ambicionara escribir en esa página. Publicar un artículo allí era trabajoso. Mucho más lo era publicarlo en los números ordinarios de los demás días. En el grupo de los escritores aludidos, sólo Ramiro de Maeztu logró tan preciado galardón. Publicó Maeztu muchos artículos en los números corrientes de *El Imparcial*. Sus compañeros le mirábamos con asombro y envidia. Pero Maeztu escribía de cuestiones políticas y sociales. Y esto era otra cosa. Nosotros, aun sin esquivar lo social, dábamos nuestra predilección a lo puramente literario. Ramiro de Maeztu llevó al artículo político la nobleza y el énfasis de la frase. De trecho en trecho, esclarecía lo severo del discurso con alguna imagen feliz.

Con el tiempo llegué yo, al fin, a escribir en *El Imparcial*. Sucedió tan dichoso lance al cabo de muchas tentativas infructuosas. *Clarín*, el buen maestro, fracasó también en la ayuda que me prestara. No podía ser. Y al cabo fué.

Emprendí la ruta de Don Quijote y fuí mandando, escritos con lápiz, los artículos de que ya sabe el lector. La empresa acabó bien. Había que continuar. Propuse un viaje por Andalucía. Ejercía atracción poderosa sobre mí, alicantino, este pueblo, tan diverso del mío. La jovialidad a ultranza que se adjudicaba a Andalucía me encocoraba. No creía en tal perpetuo y exuberante regocijo. ¿No había otro pueblo andaluz? El plañido largo, melancólico, de sus cantos populares me lo hacía barruntar. Lo que yo iba a escribir se titularía *La Andalucía trágica*.

Estuve, de primera intención, en Sevilla, en una fondita limpia y callada. Cada vez que por las mañanas, a primera hora, entraba en el comedor para el desayuno, me extasiaba ante el pan. El pan de Alcalá de los Panaderos—«quien las sabe, las tañe», dice el refrán—no tenía rival en el mundo. Y luego, al divagar por las callejitas sevillanas, me arrobaba. Por las callejitas en que no había, afortunadamente, ni azulejos ni hierros forjados. Callejitas blancas, pobres, franciscanas, a las que se abría alguna puerta de patizuelo empedrado de guijos y con algún ciprés o adelfa.

En Lebrija estuve también. Charlé allí con jornaleros del campo. Hice que me contaran por lo menudo cómo vivían, cuál era su nutrimento, cuál la retribución de su trabajo, el coste de sus pobres trajes, sus enfermedades, sus contentos y sus pesares. Contemplé el trasunto de la Giralda. Como la cortesía rumbosa es cualidad innata del andaluz, unos caballeros de la ciudad me llevaron a sus bodegas y me hicieron catar largamente sus vinos. Deliciosos vinos de fuerte aroma, claros, dorados, y que se beben sin sentir. Se comienza con pudorosos chupitos y se acaba en la tragantada.

Detúveme en Osuna, y después de pasar por Jerez—cátedra de señorío elegante y cordial—ascendí hasta Arcos de la Frontera. No he visto nunca un pueblo más expresivo. Puesto en la ceja de un monte, allá en lo hondo se desliza el Guadalete. La parte alta de la ciudad no es transitable por carruajes. En Arcos pasé días inolvidables y trabé amistad con un filósofo.

No tenía este filósofo un tonel de Diógenes; sí una mísera casilla—dos o tres aposentos en solo un piso—allá en el extremo de la ciudad, en parte opuesta al camino de Jerez. Conversaba yo con este hombre todos los días. No he dicho aún que era maestro de obra prima. Desde la remota España de Séneca bajaba hasta su mente el buen sentido, y su habla tenía dejos de ranciedad y nobleza.

Envié varios artículos a *El Imparcial*. No se publicaron más que contados. El mutismo de la Dirección me inquietaba. No pasó más. Se acabó *La Andalucía trágica* y yo descendí confuso de la cumbre del gran diario.

XIX

LA HISTORIA

La Historia nos tenía captados. Nos diéramos de ello cuenta o no nos diéramos. Para los resultados finales ha sido lo mismo. Baroja ha escrito una extensa historia de la España contemporánea. Maeztu acopiaba quizá entonces los hilos invisibles con que había de tejer su teoría histórica de la hispanidad. En cuanto a mí, el tiempo en concreto, es decir, la Historia, me ha servido de trampolín para saltar al tiempo en abstracto. La generación de 1898 es una generación historicista.

Hacíamos excursiones en el tiempo y en el espacio. Visitábamos las vetustas ciudades castellanas. Descubríamos y corroborábamos en esas ciudades la continuidad nacional. Fué Baroja quien viajó más. Y fué Maeztu quien, saliendo de España, viviendo en el extranjero, quiso contrastar la realidad histórica nacional con la de otros países. Contentábame yo con emprender cortos viajes, y siempre a solas. Visité al señor cura párroco de Maqueda, antecesor del otro párroco del *Lazarillo de Tormes*. En Escalona estuve en los andamios o pasos de las murallas de su castillo. Evoqué allí a la viuda de don Alvaro de Luna, que en tal mansión encerrara su duelo. Y visité varias veces Alcalá de Henares.

Si don Alvaro de Luna fué recordado por mí como precursor de la unidad española, en Alcalá de Henares rememoré quién pudo desbaratarla. Alcalá de Henares es una de esas ciudades en que, sin ser pródigas de arqueología, se encuentra más pábulo a la meditación. El hombre de la ciudad va unido a diversos regios personajes. El infortunado príncipe don Carlos, tan traído y llevado por la Historia, en Alcalá estudió. Educóse también en Alcalá don Fernando, el hermano del emperador Carlos I. Con Fernando estuvo Cristóbal de Castillejo, y con Carlos estuvo Garcilaso. Grandes poetas los dos, Garcilaso representaba el espíritu innovador, en tanto que Castillejo encarnaba la tradición.

Germana de Foix, reina malograda, inconstante en el dolor, ¿cómo te evocaremos en Alcalá de Henares? Germana era sobrina de Luis XII de Francia. Vino a España a los dieciocho años. Casó con Fernando el Católico. Y aquí principian los dolorosos trances. Pedro Mártir de Angleria habla de las drogas genésicas que injirió el rey. A toda costa se deseaba sucesión. Y la hubo. Rodrigo Méndez de Silva, en su *Catálogo real y genealógico de España* (Madrid, 1656), escribe esta escueta nota al hablar del hijo de Fernando y Germana: «Don Juan, príncipe de Girona, ciudad de Cataluña, nació en Valladolid, año 1509, y murió de pocas horas; yace en el monasterio real de Poblete.»

El príncipe de Gerona hubiera sido el heredero de la Corona de Aragón. Germana no debió de sentir mucho la muerte de Fernando. Se casó en segundas nupcias con el marqués de Brandeburgo. Y muerto éste también, con Fernando de Aragón, duque de Calabria. El que pasee por la huerta de Valencia piense, si llega hasta el penal de San Miguel de los Reyes, que el monasterio de jerónimos que antecedió al penal fué fundado por Germana y el duque.

Para Germana, la vida española, la vida en Castilla, era demasiado austera. El desabrimiento la inquietaba. Dice un historiador que para esparcirse solía ir a la animada Alcalá de Henares. Ello—pensamos nosotros—, como modernamente se suele ir al té de las cinco, en que se charla con bullicio y se bailotea.

Hay que girar en torno del hecho histórico para ver lo que es por delante, por detrás y por los lados. Sin esta circulación esencial no se puede ser historiador. Don Diego de Saavedra Fajardo, al hablar incidentalmente del segundo matrimonio de Fernando el Católico, lo justifica diciendo que era necesario «para desbaratar los conciertos y confederaciones que en perjuicio suyo y sin darle parte habían concluído contra él, en Haganau, el emperador y el rey don Felipe, el primero su yerno». Esto, en la empresa LXXIX del famoso libro.

XX

PUNTO ESENCIAL

La generación del 98 es una generación histórica y, por tanto, tradicional. Y viniendo a continuar, se produce la pugna entre lo anterior y lo que se trata de imponer. El hecho es lógico. No hay verdadera y fecunda continuación sin que algo sea renovado. En este renovarse de las cosas, cobran las cosas mayor vitalidad.

A lo largo de la Historia—en este caso la Historia de España—han existido diversos y múltiples momentos de renovación, es decir, de cambio. Han cambiado las costumbres y ha cambiado la manera literaria. Lo que interesa en cada caso es ver en qué se funda la pugna entre lo que venía viviendo y lo posterior.

«Las leyes de la Historia—dice don Juan Ferreras—son referir sin pasión lo próspero y lo adverso, sin dejarse cegar del amor de la patria.» Estas palabras de Ferreras son comentadas por fray Jacinto Segura en la segunda parte, discurso octavo, de su *Norte crítico con las reglas más ciertas para la discreción en la Historia.* La imparcialidad es esencial en la Historia. El historiador debe ser un espectador sereno. La más provechosa lección que puede emanar de un libro de historia será, acaso, no lo que se nos enseñe en él, sino ese considerar ecuánime del historiador y ese su producirse serenamente. Pero es tan reprobable la inclinación a un lado, como la parcialidad en el otro. Y si la exaltación hiperbólica desplaza en la Historia y daña en cierto sentido a lo que se exalta, del mismo modo debe evitarse la proclividad en opuesto sentido. No queremos averiguar ahora, por ejemplo, si Saavedra Fajardo tiene razón, en su *República literaria,* al decir que Mariana, «desapasionado con las demás naciones, no perdona a la suya y la condena en lo dudoso».

¿Cómo no iban a reaccionar los escritores de 1898 contra el énfasis, el superlativo elogio y la hipérbole desmandada? Y ése era, desde luego, un motivo de pugna. Pero había otra causa de discrepancia. En este punto entramos en lo verdaderamente esencial. De la Historia pasamos a la estética en general. No se trata ya nuevamente de escribir la Historia, sino de ver la vida, que es materia historiable. La divergencia con lo que se venía predicando es, en punto de materia historiable, fundamental. ¿Qué es lo historiable para Baroja? ¿Cómo entiende Unamuno la Historia? ¿De qué modo Baroja ha trazado el cuadro de la España contemporánea? Los grandes hechos son una cosa y los menudos hechos son otra. Se historian los primeros. Se desdeñan los segundos. Y los terceros forman la sutil trama de la vida cotidiana. «Primores de lo vulgar», ha dicho elegantemente Ortega y Gasset. En eso estriba todo. Ahí radica la diferencia estética del 98 con relación a lo anterior. Diferencia en la Historia y diferencia en la literatura imaginativa. Cuando el historiador citado arriba, don Juan Ferreras, nos pinta la entrevista de Carlos I y Francisco, el rey de Francia, en la prisión de éste, en Madrid, ¿qué hace sino poner en práctica la norma de *primores de lo vulgar?* La página es verdaderamente deliciosa. Los pormenores vulgares con que se nos pinta el cuadro hacen que la escena quede grabada en nuestra memoria.

Lo que no se historiaba, ni novelaba, ni se cantaba en la poesía, es lo que la generación del 98 quiere historiar, novelar y cantar. Copiosa y viva y rica materia nacional, española, podía entrar con tales propósitos, la de la generación del 98, en el campo del arte. Unamuno, en una de sus cartas a Ganivet, escribe:

«La Historia, la condenada Historia, que es en su mayor parte una imposición de ambiente, nos ha celado la roca viva de la constitución patria; la Historia, a la vez que nos ha revelado gran parte de nuestro espíritu en nuestros actos, nos ha impedido ver lo más íntimo de ese espíritu. Hemos atendido más a los *sucesos* históricos, que pasan y se pierden, que a los *hechos* subhistóricos, que permanecen y van estratificándose en profundas capas. Se ha hecho más caso del relato de tal cual hazañosa empresa de nuestro siglo de caballerías, que a la constitución rural de los repartimientos de pastos en tal o cual olvidado publecillo.»

La estética de los *primores de lo vulgar* la había ya definido en 1651 un agudo tratadista español de Historia: el carmelita fray Jerónimo de San José. En su precioso libro *Genio de la Historia,* capítulo octavo, escribe fray Jerónimo de San José:

«A los que sabemos y vemos hoy las cosas y las tocamos y traemos entre las manos, nos cansa y parece superfluo el referirlas con mucha particularidad. Como si se trata de una ciudad, de una religión y convento en que vivimos, el decir sus ritos y usos ordinarios y representar sus edificios, campos, huertas y otras cosas tales, por ser ya muy sabidas *aun del vulgo*. Pero al que vive en muy remotas tierras o a los venideros de los siglos futuros, que ni saben ni verán lo que sabemos y vemos ahora los presentes, todo aquello que a nosotros es muy *vulgar*, será muy raro, y lo que nos parece poco y pequeño, será para ellos mucho y muy grande.»

XXI

CASTELAR

No nos entusiasmaba Castelar, ni debía entusiasmarnos. No debíamos ceder ni un ápice en nuestra estética. Castelar representaba la retórica. No se puede escribir sin retórica ni se puede vivir sin Derecho. Hay momentos, empero, en que la retórica se hincha y el Derecho se ahila. Contra la hinchazón y la sutileza íbamos nosotros. Por lo que toca al Derecho, en el Fuero Juzgo, nada menos, queda expresado el verdadero sentido de lo jurídico. Hablando de la ley, se dice—cito por la edición Llorente, 1793—que «non sea fecha por sotileza de silogismos, mas sea fecha de bonos e honestos comendamientos». La sutileza de silogismos es lo que llega a embarazar la verdadera justicia. La generación de 1898 tenía que escribir claro y preciso. La hipérbole, sobre todo, nos desazonaba. No se podía juzgar del hecho histórico ni transcribir un paisaje, sublimándolo con la hipérbole. No se podía dar la sensación de la realidad con adjetivos morales, sino acopiando el detalle expresivo. Decir, por ejemplo, que un hombre es tolerante, o malvado, o diestro en determinado arte, no es lo mimo que hacer, con pormenores de la vida de ese hombre y sin definiciones éticas, impersonalmente, que resulte patente la tolerancia, la depravación o la maestría del tal personaje. La generación de 1898 condenaba el epíteto calificador y se atenía al pormenor auténtico.

Conocí a Castelar en la primavera de 1898, un año antes de su muerte, en el pueblo alicantino de Sax. Sax, del latín, es peñasco. Al pie de un elevado risco está asentado Sax. Se le ve pasando por la vía férrea de Madrid a Alicante. La ladera en que se recoge el pueblo desciende rápidamente hasta un hondo por el que corre un riachuelo, el Vinalapó. Sus aguas fertilizan huertas amenas. Los frutales alternan con los tablares de hortalizas, o crecen allí mismo, entre los camellones. En Sax, casas colocadas en la franja del pueblo están respaldadas por los amenos huertos. Vivía Castelar en una de estas casas. Su compañero de niñez allí en el pueblo, Secundino Senabre—un valenciano franco y jovial—, le había hospedado. Acaso esa estada en tierra alicantina, la tierra de su puericia, tierra sana, de buenos aires, de aguas salutíferas, de nutrimentos sanos, devolvería a Castelar la perdida salud.

Entré en la casita en que Castelar vivía. Subí por unas escaleras y me encontré —íbamos varios amigos—en una reducida sala. De allí se pasaba al despacho en que Castelar escribía. Penetramos en él todos. Castelar estaba sentado detrás de una mesa. Sus facciones estaban fláccidas y sus recios bigotes pendían lacios. Siempre, en la cara del gran orador, han descollado los ojos. Grandes, luminosos, con destellos de penetrante inteligencia, esos ojos subyugaban al interlocutor de Castelar. Y esos ojos, allí en Sax, en la declinación de la vida de Castelar, próximo el acabamiento fatal, tenían la misma expresividad luminosa de siempre, pero un cendal casi invisible de tristeza los velaba. En tanto que alguno de los visitantes hablaba con Castelar, pude ver que uno de los volúmenes que había en una mesita cercana, cargada de libros, era una obra de los hermanos Goncourt dedicada al siglo XVIII.

Era la hora del paseo de Castelar. En un claro de la huerta, bajo copudos árboles, se sentó el maestro, y nosotros le escuchábamos absortos. Recuerdo que disertó acerca del socialismo. En su conferencia del Círculo Mercantil, en 1890, Castelar hace un examen de la doctrina socialista y expone su juicio sobre *El capital,* de Marx, libro leído con suma «fatiga». Curioso es que en tal fecha un español calificado, un gran entendimiento, dijera de tal famoso libro lo que en esa oración, con gran independencia de espíritu, expresa Castelar.

Hubo un momento en que el gran orador habló de sus achaques. Las fuerzas le iban faltando. No podía casi ya ni gobernarse a sí mismo en los menesteres íntimos y cotidianos.

—¡Ni aun ponerme las botas puedo! —exclamó el maestro.

Y añadió sonriendo:

—Bien es verdad *que no me he puesto las botas nunca.*

La frase es de doble sentido. Ponerse uno las botas vale tanto como enriquecerse súbitamente con algún negocio pingüe, o mediante suculentísima sinecura. Castelar vivió siempre de su trabajo. No aprovechó nunca el Poder para la concusión. Escribía incansablemente. Estuvo escribiendo hasta horas antes de morir. Orador y escritor, ha trabajado como apasionado artífice la lengua castellana. Bretón y Castelar han sido quienes más amplitud y flexibilidad han dado al castellano. En el juego de los tiempos de los verbos, Castelar es prodigioso. Si la generación de 1898 se encalabrinaba contra una retórica profusa, el estilo sobrio y claro no hubiera sido posible sin la precedente profusión opulenta y magnífica. De esa riqueza inmensa en vocablos, giros, modos, dilataciones de períodos, flexibilidades extraordinarias, nosotros podíamos ir escogiendo lo que nos convenía. La amplia prosa, magnífica, nosotros la comprimíamos. Desde la cadencia de fray Luis de Granada llegué yo, gradualmente, paso ante paso, a la musicalidad de Castelar.

XXII

EL CLIMA DE MADRID

Si Cervantes hubiera nacido en Santiago de Compostela, ¿cómo hubiera sido? ¿De qué manera hubiera escrito el *Quijote?* Fray Luis de León, manchego de nacimiento, salmanticense de elección, ¿qué giro hubiera dado y qué matices, naciendo en Sevilla, a su *Noche serena?* La Puerta del Sol se encuentra a seiscientos cincuenta y cuatro metros sobre el Mediterráneo. No dejo yo nunca, mediterráneo que soy, de echar una mirada a la broncínea placa colocada en el que fué Ministerio de la Gobernación siempre que paso por la acera de ese edificio. El aire de Madrid es vivo y elástico. El agua de Madrid es delgada. No podía yo sufrir, en mis tres años de expatriación, el agua gorda y untuosa de París. Hidrófilo apasionado, huía de esa agua y me abrazaba a las botellas de Wittel. Soy un mojón de todas las aguas, como otros son mojones de los vinos. Paladeo yo una cristalina y sutil agua como otros catan lentamente un oloroso y claro vino. En Madrid la luz es viva, y los contrastes de resplandor y sombra, vivísimos. No es Madrid propicio a la melancolía y desgreñamiento romántico.

En Madrid se desenvolvió la generación del 1898. El determinismo no es hallazgo moderno. Deriva, por lo menos, de Hipócrates. Consideraciones deterministas—salvando el designio de la Providencia—hacen, por ejemplo, Gracián y Saavedra Fajardo. Masdéu, en el tomo primero de su *Historia crítica de España* (Madrid, 1783), es quien hace más completa aplicación de la teoría. «Entiendo por clima—dice—no sólo el aire (que es lo principal), sino el agua, la tierra y los alimentos.» El clima, a la manera completa cual Masdéu lo entiende, influye, indudablemente, en el hombre. El clima nos lleva, más o menos, a esta inclinación o a la otra proclividad. No exageremos, sin embargo. García de la Huerta, en un prólogo a su colección teatral española (1785), explica el carácter de la literatura francesa por las condiciones de suelo y clima. Leyendo tales explicaciones se ve la fragilidad del determinismo en literatura. De unas mismas condiciones geográficas pueden inferirse otros resultados. Aparte de que, en literatura, las grandes influencias son aquellas que ejercen las obras sobre las obras. ¿Hasta qué punto Madrid influyó en la estética y en la psicología de los escritores del grupo dicho? La inclinación en esos escritores a los contrastes enérgicos y a las líneas distintas es evidente. La luz de la altiplanicie castellana hace resaltar los contornos. Desde el paseo de Rosales se ven, como si estuvieran a dos pasos, las anfractuosidades del Guadarrama, y se tiene cercano el azul y blanco de la piedra berroqueña y—en invierno—de la prístina nieve. La pureza del cielo en Madrid estimula la apetencia de limpidez. Definidos y límpidos son los aludidos escritores. Castelar, en una de sus cartas a don Adolfo Calzado, habla de «la clara luz de Madrid, que le da al cielo una incomparable nitidez, no vista ni en Venecia ni en Roma». Y en otra dice: «No te digo nada de Madrid. Dios mío, ¡qué luz! Desde mi despacho, donde estoy escribiendo, veo horizontes celestes sin término y sin nubes; mares de luz resplandeciente; gigantescas cordilleras con las bases de azul oscuro y las crestas de blanca nieve, parecidas a inmensos cristales de Venecia.»

No nos arriesguemos en el terreno de las influencias. Pero tengamos presentes las condiciones de aire, temperatura, hidrografía y luz. Tratadista distinguido de climatología, miembro correspondiente de la Academia de Medicina de Madrid, viajero en España, el doctor Edouard Cazenave estudia el clima de Madrid en su libro *Du climat de l'Espagne*, París, 1863. En Madrid—dice el doctor—se dan bruscos cambios de temperatura. De un momento a otro cambia el termómetro. Esas perturbaciones motivan un «estado neuropático muy particular, que se traduce por una irritabilidad del carácter, una inquietud de humor, un desasosiego nervioso tan molesto para la persona que lo sufre como para sus propincuos».

Y el doctor Hauser, en su considerable libro, incorrectamente titulado *Madrid bajo el punto médico-social* (Madrid, 1902), concluye: «Si se considera Madrid bajo el punto de vista de la altitud, ejerce, ciertamente, una acción tonificante sobre el organismo, particularmente en constituciones linfáticas, que necesitan un aire seco y agitado; en cambio, ejercerá una influencia excitante y perjudicial en individuos dotados de una gran impresionabilidad del sistema nervioso.»

El madrileño, inteligencia viva y sutil, es analítico e irónico. No se deja candorosamente alucinar. Su espíritu de análisis le lleva a la oposición. La oposición en Madrid flota en el aire. Don Antonio Maura, siendo presidente del Consejo, en los respiros de un debate fatigoso salía a los pasillos del Congreso, cogía del brazo a un amigo y le decía chanceramente, respondiendo al ambiente madrileño: «¡Vamos a hablar mal del Gobierno!»

Tal espíritu de oposición era el espíritu de los escritores del consabido grupo. Y el desasosiego doloroso que señala el climatólogo francés era su desasosiego.

¿Ellos eran así y otros en el mismo ambiente no lo habían sido? ¿Ellos habían llevado al arte esas características? En la aparición y desenvolvimiento de una estética, las circunstancias sociales e históricas son también factor esencial.

XXIII

EL COLOR

El color atrae a los escritores de 1898. Viven esos escritores en un ambiente de pintura. Baroja tiene un hermano pintor. En el grupo figura Pablo Ruiz Picasso, que ha publicado hermosos retratos a pluma, tradicionales, en una revista del grupo: *Arte Joven*. Con otros pintores están trabadas cordiales amistades. El *Greco* ha sido revelado al público de España por ese grupo, y al pintor cretense se le ha consagrado un número en un periódico, *El Mercurio*, que un solo número publicó.

Era ineludible que esos escritores, al querer trasladar la realidad exacta, hicieran resaltar el más expresivo aspecto de las cosas: el color.

Debajo de un tejaroz, en vetusto caserón, en las horas de vivo sol, se forma una estrecha zona de sombra. En el patio de un palacio se establece en pleno día una división de espacio iluminado por el sol y de espacio de sombra. ¿En el Norte o en Levante? Tal vez en Levante, por ser más viva la luz, son más espesas las sombras. ¿Y cuántos percibirán lo azulado de la sombra bajo el alero o en el patio? Propensión honda al arte ha de tener, fervor estético vivo ha de tener, quien perciba los suaves matices de la sombra y la luz.

El color ha sido percibido siempre por el prosista y el poeta. Se pueden citar ejemplos deliciosos. Lope de Vega compara las mejillas de una linda muchacha a «rojos pétalos de rosa caídos en naterones cándidos». Lo encarnado en lo albo. Pero sólo modernamente es cuando se ha buscado el color como goce estético. Sólo en estos tiempos ha podido elogiarse una página, cual se suele hacer, como una *página coloreada*. No hubiérasele ocurrido tan singular elogio a un crítico del siglo XVII.

¿Y cómo es el color en la prosa moderna? ¿Con qué características expresan el color los escritores de 1898? En la pintura no se ha logrado saber, en resumen de cuentas, dónde está el color ni cómo es el color. ¿Hay color en Zuloaga? ¿Lo hay en Sorolla? Dado que lo haya en uno y otro, ¿será ese color el que corresponde al paisaje y a las cosas? El problema se resuelve diciendo lo que decía Diderot: el color es cosa subjetiva. Puede encontrar color un pintor o un literato donde no lo hay, y pueden hacer prosista o pintor que ese color sea más intenso de lo que es o más apagado. De ese subjetivismo del color se siguen las apreciaciones dispares y contrarias que hacen discrepar entre sí a los críticos.

El fragmento en que Diderot establece su teoría merece ser citado *in extenso*. Copiamos de las páginas 17 y 18, en los *Essais sur la peinture*, edición original, París, 1795:

«¿Por qué hay tan pocos artistas que sepan trasladar las cosas que todo el mundo ve? ¿Por qué tal variedad de coloristas, en tanto que el color es uno mismo en la Naturaleza? La índole del ojo que ve es, sin duda, el motivo. El ojo cansado y débil no será amigo de los colores vivos y fuertes. El pintor que pinte, repugnará poner en su lienzo los accidentes que en la Naturaleza le hieren. No gustará ni de los rojos vivacísimos ni de los prístinos blancos. A semejanza de los tapices que cuelgan en las paredes de su casa, su tela estará coloreada de un tono apagado, suave y apacible. Y, generalmente, ese pintor os compensará con la armonía de lo que os quita en el vigor. ¿Por qué el carácter, la complexión misma del hombre, no influirán en su predilección por el color? Si su pensar habitual es triste, sombrío y negro; si convierte sus meditaciones y el ámbito de su estudio en densas sombras; si rechaza la luz en su cámara; si busca la soledad y las tinieblas, ¿no esperaréis de él una escena, fuerte sin duda, pero fuliginosa, tétrica y lúgubre? Si ese pintor es histérico y lo ve todo amarillo, ¿cómo evitará el poner en su composición el mismo velo amarillo que su ojo enfermizo arroja sobre las cosas de la Naturaleza, y que le apesadumbra cuando compara el árbol verde que ve en su imaginación con el árbol gualdo que tiene ante los ojos?»

Los escritores del 98 han visto el color donde antes no se había visto. Y han visto el violento claroscuro de España. Hay color en el *Greco* y hay color en Ribera. Pienso escribir alguna vez unas páginas tituladas: *Ropa tendida en Toledo*. Cuando en el Museo del Prado se pasa de la contemplación de Ribera a las dos salas actuales del *Greco*, se tiene la impresión —y más siendo, como yo, un poco miope—de múltiple y coloreada ropa tendida. Esa es la pintura del *Greco*. Ropas tendidas, para que se sequen o para que se ventilen, en patios, galerías, balcones, descampados. Ropa blanca, azulina, verdosa, amarillenta, rojiza. Sábanas, cobertores, briales, refajos, sayas, todo al sol, o bajo un cielo de ceniza, inmóvil, en grandes masas, o flameando al viento. Ribera tiene la luz y la sombra. Mayáns dice en su *Arte de pintar* (1774): «Procuraba elegir asuntos a su inclinación, para lograr en la oscuridad de la noche mayor esfuerzo para el relieve.» Entre mis papeles guardo apuntes de conversaciones que en 1898 mantuve con don Lorenzo Casanova. Casanova era un pintor alicantino que había estudiado en Italia y que presidía una discreta escuela de pintores. Hablando de Ribera decía: «Ponía sus modelos en un cuarto penumbroso, sólo iluminado con cierta luz. Y él se colocaba en otro aposento inmediato y pintaba mirando por un agujero.» Todos estos textos parecen descriptivos de la literatura en la famosa generación.

XXIV

LUNA EN TOLEDO

En diciembre de 1900 fuimos por dos o tres días a Toledo y, allí, nos hospedamos en una vieja posada con presunciones de fonda. Digo con presunciones, porque si en las posadas no hay en el comedor mesa redonda, la mesa redonda de las antiguas fondas, allí la había. Y claro que debía estar cubierta con un mantel de hule.

Comimos en la mesa redonda con trajineros, tratantes y labradores.

—¿Usted de Madrid, compañero?—me preguntó mi vecino de mesa.

—¿Y usted será de Illescas, de Sonseca o de Escalona?

—De Sonseca, señor, para servir a usted.

De compañero pasé a señor. Compañero era más cordial. Compañero es siempre, en Castilla, el desconocido con quien se tropieza. Compañero es amigo. En los caminos de la Mancha, al cruzar con un labriego, envuelto en su cabaza parda—si es invierno—y caballero en una de las mulas del par, el buen hombre saluda: «¡Vaya usted con Dios, amigo!» En la posada toledana, cosarios, tratantes y labriegos, éramos todos amigos. La parla de estos hombres toledanos de los pueblos y de los campos la envidiaría un purista. Si es que los puristas tienen idea del idioma.

Callejitas y callejitas. Altos, tras mucho andar, en plazoletas desiertas. Diríase que allá arriba, en la celosía de un convento, se ha producido un ruidito. Seguramente habrá unos ojos que nos estarán mirando en este ámbito de la soledad. Ya en el hospital de Santa Cruz—una de las bellas cosas de Toledo—, todos en redor del sepulcro del cardenal Tavera. Berruguete no ha esculpido nada más bello. El arte literario no ha hecho tragedia más angustiosa. Todo el horror de la muerte está en la nariz afilada del cardenal, que yace tendido en el sepulcro. El *nihil* supremo e inapelable se expresa en esa nariz, que es la nariz de los que llevan dos días insepultos. Nos cuenta Pedro Salazar y Mendoza, en su *Crónica del cardenal Tavera* (Toledo, 1603), que el cardenal no se dejó retratar nunca. Los retratos que de él se hicieron fueron pintados después de su muerte, de mano de Berruguete o por su encargo. El cardenal era de rostro más largo que ancho. Tenía los ojos rasgados y verdes. Y sus manos eran largas y blancas.

Ha habido en el fondo de la generación del 98 un légamo de melancolía. En reacción contra la frivolidad ambiente, esos escritores eran tristes. Triste era el *Greco* y triste era Larra, admirados por tal generación. Pero ¿por qué se había ido hacia esos artistas? ¿Por qué, fundamentalmente, se era triste? De la tristeza y no de la alegría salen las grandes cosas en arte. No se diga, como se suele, que la tristeza provenía de la consideración del desastre colonial. Nos entristecía el desastre. Pero no era, no, la causa política, sino psicológica. Emanaba, a no dudar, del replegamiento sobre sí mismo de esos escritores. Replegamiento a que obligaba el cansancio, ya naciente, de una sociedad —la sociedad de la Restauración—que llegaba a su final, acaso—los hechos lo han confirmado—trágico final.

Vagábamos una noche por la ciudad y nos detuvimos en una plazuela solitaria. La luna, una luna clara, plateada, llenaba el área. Vimos que un muchacho, cargado con un ataúd blanco, chiquito, subía el escalón de un portal, llamaba a la puerta y, cuando le abrieron, preguntó:

—¿Es aquí donde han encargado una cajita para un niño?

No era allí. En la cajería—este nombre llevan las funerarias en Castilla—habían, sin duda, tomado mal las señas. Se puso el chico en marcha con su ataúd y llamó en otra puerta:

—¿Es aquí donde han encargado una cajita para un niño?

Tampoco era allí. El episodio iba cobrando tonos de angustia. De lo real se pasaba a lo fantástico de una balada en los países septentrionales. En ella estábamos, a la luz trágica también de la luna, y no en Toledo. No acabó la escena en el segundo *tras-tras* a una puerta. La Muerte llamó a otra. Ya no era un chicuelo que llevaba al hombro un ataúd, sino la Muerte misma.

—¿Es aquí donde han encargado una cajita para un niño?

Con su nariz afilada yacía Tavera en el frío mármol. En Santo Tomé, veinte o treinta caballeros asistían al sepelio del conde de Orgaz, y en la cripta de una iglesia—la de San José—nos paseábamos, a la mañana siguiente, entre las momias de los muertos en la guerra de la Independencia. Por la tarde estábamos contemplando el palacio del conde, retratado por el *Greco,* cuando me acerqué yo al caserón decrépito, y en una de las ventanas del sótano encontré un librito antiguo, entre tiestos y trapajos. Lo conservo todavía. Le faltaban muchas hojas y comenzaba el texto, en la veintitrés, en esta forma: «Mejor sería guardarte de los pecados que huir de la muerte. Si hoy no estás aparejado, ¿cómo lo estarás mañana? ¿Qué sabes si amanecerás?»

XXV

EUROPA

Nos preocupaban las relaciones exteriores. El robinsonismo literario—si fuera posible—sería funesto. Las literaturas necesitan la fecundación del exterior para fortificarse y renovarse. En todo tiempo se ha dado en España este intercambio. Ha sido unas veces Francia la que ha influído—y nosotros hemos, por nuestra parte, influído en Francia—, y ha sido otras Italia, y otras Inglaterra, y Alemania otras. No se podría impedir la impalpable contaminación de unas literaturas por otras. Las letras, a su vez, influyen en la sociedad. Literatura amplia, humana, abierta, ha de dejar caer su efluvio benéfico en la masa de los ciudadanos. El aura extranjera hace resaltar el propio numen. Garcilaso, eminente poeta, está influído por el extranjero. Cristóbal de Castillejo, poeta discreto, se halla cerrado a todo contacto. Naturalmente que Garcilaso no es grande por su contaminación foránea ni Castillejo es discreto simplemente por su permanencia en la exclusividad nacional. Garcilaso tenía genio, y Castillejo, no. Si Castillejo, cerrado a todo influjo, rechazador de lo extranjero, hubiera tenido genio, más genio que Garcilaso, su nombre estaría por encima del poeta toledano.

España necesitaba comunicación estrecha con Europa. Nosotros veíamos entonces representada a Europa, principalmente, por Federico Nietzsche. El libro de Henri Lichtenberger *La philosophie de Nietzsche,* publicado en el mismo año que da nombre a la generación, 1898, corrió de mano en mano. En 1902 publicaba yo en *El Globo,* diario de Madrid, dos artículos titulados *Un Nietzsche español,* en que examinaba las analogías entre Gracián y Nietzsche, analogías que, andando los años, habían de ser estudiadas en el extranjero con toda minuciosidad y atención. El nombre de Nietzsche hace recordar el de Wagner, otro hombre europeo. Música de Wagner había yo escuchado en Valencia, aplaudida por doctos e indoctos. En Madrid, la guerra wagneriana había terminado ya. Etapas de esa lucha habían sido el estreno de *Tannhauser,* en 1890, y el de *Los maestros cantores,* en 1894. Campeones de esa lucha fueron Arteta, Arín, Borrel, Peña y Goñi. España necesitaba también estrechar sus relaciones con América. El contacto con Europa fortalecería nuestra literatura. Siendo fuerte y original nuestra literatura, estaría en condiciones de merecer el respeto y la admiración de América.

Diéronme todos el encargo de que redactase yo un memorial al ministro de Instrucción Pública. Del mismo modo que se enviaban pintores pensionados, se debían mandar pensionados literarios a Francia, Alemania, Inglaterra, Italia. Se elevó el memorial y fué impreso en un plieguecillo, que se esparció por los centros culturales de la nación. Dice así uno de sus párrafos:

«Y he aquí que hoy, que se demanda la protección del Estado para el fomento de todo cuanto tienda a mejorar la vida, justo es que el Estado intervenga también bienhechoramente en esta esfera del Arte, que tanta trascendencia supone en el organismo social. El Estado protege las artes plásticas; no es lógico que deje desamparadas las artes literarias. Acaso años atrás pudiera encontrarse natural esta disparidad de protección; mas hoy, en que la novela, el teatro y la poesía lírica han llegado a ser un poderoso elemento de sociabilidad, en que se reflejan las aspiraciones y los ideales modernos, hoy entendemos que el arte literario debe ser protegido, no ya por los mismos títulos que la pintura y la música, sino por iguales motivos de trascendencia social porque se fomentan en el extranjero las misiones de investigadores del Derecho y de las Ciencias sociales. Así lo ha juzgado también un inventor insigne al instituir una perdurable recompensa para la obra literaria que refleje más fielmente la idealidad de una época.»

Y esto es todo. Estoy viendo al marqués de Santillana (1398 - 1458) allá arriba, en la meseta castellana, pensando en Michaute y en Alen Charrotier, como él escribe; es decir, en Pierre Michault y en Alam Cartier, poetas franceses.

XXVI

LA GRAVEDAD CASTELLANA

En la escuela del 98 había dos palabras fundamentales, dos palabras representativas y compendiadoras del espíritu de tal tendencia. Esas dos palabras eran: «Frivolidad, España.» Lo que nosotros hemos combatido con más tesón, con más denuedo, ha sido la frivolidad. Y la frivolidad ha sido nuestro mayor enemigo. La palabra «frivolidad» en la escuela del 98 representa la parte negativa, y la palabra «España», lo constructivo. Tratábamos nosotros por la vía literaria, con el estudio de los paisajes, de las ciudades y de los hombres, de imponer un sentido de la vida que se compendia en las dos palabras «gravedad castellana». Sentido que, siendo antiguo, es a la vez moderno. Sentido perdurable y noble.

A un vasco, un vasco como Unamuno o Baroja, no le era difícil de llegar a la gravedad castellana. La seriedad vasca es afín a la de Castilla. Variaba mi caso. Nacido yo en Levante—en la antigua corona de Aragón—, Castilla tenía para mí paisajes, modos y hombres que no eran los de mi tierra. Tenía yo a mi favor para llegar a la gravedad castellana ocho años de internado en un colegio de religiosos, los Escolapios, y abundantes lecturas de clásicos castellanos en la adolescencia, en la edad en que más adentro llegan las lecturas.

Se nos combatía frívolamente. Aun en actos solemnes, actos literarios, en que la gravedad se impone, se hablaba de nuestras tendencias—de la nueva poesía lírica, por ejemplo—en términos frívolos. El discurso de Emilio Ferrari en la Academia Española, verbigracia, lo testifica. Y no es sólo ese discurso el que nos ofrece textos en nuestro abono. El escritor—en este caso el del 98—pone fe, confianza, amor, escrupulosidad, en su trabajo. Cree en la belleza y cree en España. Podrá haber en su producirse agresividades y acrimonias. La misma fe en su ideal, opuesto a otro ideal, las motiva. Y de pronto, en una revista, en un discurso académico, en un libro, se habla y se condena a ese escritor, a los demás escritores que con él forman haz en la causa en términos frívolos.

La gravedad castellana obligaba, por el contrario, a que apartando acrimonias y destemplanzas, ladeando aun agravios personales al juzgado, se juzgase la escuela, la tendencia o la generación—aquí, la generación del 98—en términos serenos, tratando de discernir lo adjetivo y lo sustancial, lo efímero y lo permanente, lo provechoso y lo desdeñable. Hablar sin estar enterado de un asunto es lo privativo de la frivolidad.

Hay en el *Lazarillo de Tormes* un personaje que siempre nos ha sido simpático. La novela del *Lazarillo* no es una novela picaresca. No creemos en eso del picarismo español. Gentes que se buscan la vida las hay en todas partes. Trapalones los hay en todos los países. No sabemos por qué el *Lazarillo* ha de ser una obra picaresca, y no lo ha de ser, por ejemplo,

Los pleiteantes, del noble Racine, la comedia de los rábulas enredadores. Ni por qué no lo ha de ser la novela de Antonio Furetière, también pintura de embaimientos. Los dos personajes principales no son pícaros ni ridículos. No lo son tampoco los demás. Esos dos personajes son el cura de Maqueda y el hidalgo de Toledo. El cura es pobre, vive de las obladas de la iglesia, y en su casa no hay más que un repuesto de preciados bodigos en un cerrado arcaz. Nada más lógico sino que él guarde celosamente su parco sustento. En su parquedad y economía no podemos ver nosotros ridiculez.

El hidalgo es uno de los tipos más nobles y simpáticos de toda nuestra literatura. Precede a don Alonso Quijano y anuncia su venida. Ese hidalgo puede dar lecciones de gravedad castellana. Serio, digno, celoso de su honor, guardador puntilloso de su dignidad, vive austeramente, no come muchos días y oculta con decoro a todos su hambre, y aparece en público, altivo el continente, con una biznaga en la boca para demostrar que acaba de comer, no habiendo comido. No vemos tampoco aquí la irrisión. Contemplamos, sí, la gravedad castellana.

XXVII
PIO BAROJA

La casa de la calle de la Misericordia, número 2, esquina a Capellanes, era simpática. Hace años la derribaron. Viejo caserón, tenía amplio zaguán con escalera al fondo. En el piso primero vivía Baroja. Arriba vivía el capellán del convento paredaño. Desde las buhardas de la casa se veía el convento. El capellán era un erudito modesto y afable, a quien se debe el hallazgo de importantísimos documentos referentes a Cervantes y Lope de Vega: don Cristóbal Pérez Pastor. Las estancias en la casa de Baroja eran amplias. La sala en que nos reuníamos los amigos del escritor estaba alhajada con sillones y sillas de gutapercha negra, un escritorio isabelino y una consola de la misma época. Formaban la familia de Baroja don Serafín, doña Carmen, Carmencita y Ricardo. Doña Carmen, delgada, alta, limpia, silenciosa, iba y venía por la casa en trajín afanoso. Estaba atenta a todo. Don Serafín, ingeniero notable, tenía sus fugas hacia lo humorístico. Tañía también diestramente el violoncelo. Se propuso una vez don Serafín estar solo, al menos un minuto, en la Puerta del Sol, y se dedicó a conseguirlo. La cosa era difícil. Porque en la animada plaza a toda hora hay gente. Aun a la madrugada transitan por ella trasnochadores rezagados, mozos de los cafés que se cierran, aguardenteros y churreros que allí van a colocar, momentáneamente, su tablero forrado de cinc, encima de un ligero caballete. Duró mucho tiempo la porfía de don Serafín, y al cabo pudo, por maravilla, ser el hombre único, el hombre que podía ufanarse de una cosa estupenda: haber estado solo, único transeúnte, en la Puerta del Sol.

Ricardo era un pintor curioso e interesante. Hizo los retratos de los escritores del grupo y le gustaba pintar los mismos sitios—éste en Madrid y el otro en París—que pintaba Raffaelli: arrabales, casas populares de vecindad, descampados urbanos y campillos. Carmencita se entretenía en repujar cueros y plata.

No recuerdo cómo ni en qué ocasión conocí a Baroja. Se me ha olvidado antes decir que en la casa había otro personaje. Si en las *Partidas* se concede derecho a las animalias, derecho natural, no sé por qué le vamos a negar personalidad a un perro. *Yock* era un perro de lanas, negro, bajo, rechoncho, que se entregaba, de cuando en cuando, a la jovialidad. Cariñoso e inteligente, con los ojos brilladores, de pronto *Yock* interrumpía nuestras charlas con gambetas y evoluciones desconcertantes. El perro era un humorista en esta casa, y Pío y don Serafín también lo eran. Cada cual por su estilo, naturalmente.

La amistad con Baroja no ha tenido nunca ningún bajío. Ausentes o presentes, siempre hemos tenido uno para el otro afectos y respeto. Baroja es sencillo, franco y sin afectación. Lo que hace, lo hace sin énfasis. He viajado con él y ha estado él unos días en mi casa de Monóvar. A los adversarios los juzga Baroja con acritud, en forma absoluta y decisiva. Pero ocurre un fenómeno singular que yo no he advertido en ningún otro escritor: los estridores y negaciones de Baroja no dan idea ni de odio, ni de rencor, ni aun de leve inquina. Todas sus censuras están tan impregnadas de naturalidad, están todas tan dentro de un ambiente espontáneo, sin deliberación previa maligna, que el interlocutor de Baroja o su lector no experimenta sensación penosa. Hallándome en París, un amigo mío, enemigo de Baroja, me dijo: «He visto a Baroja en los puestos de libros del Sena. Hubiera querido acercarme a él y saludarle, pero no me he atrevido.» Le contesté yo: «Ha hecho usted mal. Baroja hubiera correspondido a su saludo y hubiera conversado con usted afablemente.»

XXVIII

EL SECRETO DE BAROJA

El secreto de Baroja es un secreto a voces. Todos lo saben y no lo sabe explicar nadie. Tienen la clave de ese misterio muchos y son pocos los que la tienen. El secreto de Baroja es su estilo. No se ha dado tal estilo nunca en ningún gran escritor español. Difícil es convencer a los obstinados. Los que sistemática y premeditadamente se colocan—en el terreno literario—frente a Baroja, no harán dejación de su prejuicio.

¿Cómo escribe Baroja? ¿Cómo se debe escribir? Se debe, indudablemente, escribir bien. Pero ¿de qué modo se escribe bien? Esta es la gran cuestión. Lo más sencillo, para resolverla, es repetir lo consuetudinario: se escribe bien, guardando las normas de la pureza y de la propiedad. Se escribe bien, si con la pureza y la propiedad se escribe con corrección gramatical. Primera objeción desconcertante: ¿Y el genio del escritor? ¿Y la fuerza íntima, innata, que se impone a las palabras, a la pureza, a la propiedad y a la corrección?

Esa fuerza innata—instinto, de otro modo—crea un ambiente en torno de todo escrito de raza. Recuerdo ahora que Hermosilla, en el libro *Juicio crítico de los principales poetas españoles de la última era,* reprueba el que Jovellanos use en cierta epístola las palabras *mulas, campanillas, trote, mayoral.* Son esos vocablos demasiado bajos. No faltará quien sonría de la severidad del crítico. Pero el crítico tenía razón. Nos parece hoy que no la tiene, y si nos trasladamos en espíritu a la época en que Jovellanos escribía y al ambiente que Jovellanos se había creado, advertiremos que Hermosilla estaba en lo cierto.

Todos los grandes escritores se forman un ambiente propio, en que se mueven. Con arreglo a ese ambiente hay que juzgar su estilo. Considerando ese ambiente es como el vocabulario que usan puede ser juzgado adecuado o inconveniente. Hermosilla encontraba que ciertas palabras no eran propias de Jovellanos, y Baroja nos dice, por el contrario, que ciertos términos selectísimos, refinados, latinismos cultos que otros emplean, a él le causaría vergüenza el emplearlos. En la prosa de Baroja, en efecto, detonarían.

La prosa de Baroja es clara, sencilla, sobria. La pureza no tiene nada que hacer en ella. Baroja vive, está cerca de las cosas. Su fuerza reside en este contacto con lo concreto. La propiedad, por consiguiente, es natural en él. Y Baroja usa — sin proponérselo, espontáneamente — el tiempo que debe usar y que él se ha creado también. El tiempo—lo he dicho en mi libro *Valencia*—es la esencia del estilo. Con tiempo lento no puede haber gran escritor. Ni aunque sea puro, y propio, y elegante. Se tiene o no se tiene el tiempo adecuado. Lo tiene Baroja. Lo tienen algunos de nuestros grandes clásicos, singularmente Cervantes; singularmente Cervantes en esa maravilla del prólogo a *Persiles y Segismunda.*

XXXIX

ESPAÑA

He dicho antes que las dos palabras fundamentales en la escuela del 98 eran «Frivolidad» y «España». La primera ha sido explicada. Vamos a explicar la segunda. Tan evidente es el caso, que apenas necesita comento aclaratorio. De nuestro amor a España responden nuestros libros. Los libros de Unamuno, de Baroja, de Maeztu y los míos. No creo que tenga yo ni un solo libro, en los cuarenta volúmenes, ajeno a España. Estaba ya descubierto el paisaje de España, y estaban descubiertas sus viejas ciudades y las costumbres tradicionales. Pero nosotros hemos ampliado esos descubrimientos y hemos de dar entonación lírica y sentimental a cosas y hombres de España.

Lo que motiva el desdén de cierta gente, desdén fundado en un equívoco, es el concepto que nosotros teníamos del patriotismo y el acento que poníamos en nuestro hablar. Acento pesimista, desalentador—se ha dicho—. Falta de patriotismo—se ha repetido—. Ni una cosa ni otra. Estos días acabo de leer que en tanto que nosotros paseábamos, indolentes, por la carrera de San Jerónimo, estaban en ultramar ofrendando su vida a España los combatientes. Y es lo cierto que nadie sentía más que nosotros la tragedia de España en Cuba y Filipinas, y que a nosotros se debe—a Maeztu, a Baroja y a mí—la erección de un monumento a los héroes de esas guerras.

El patriotismo, si no es un sentimiento moderno, lo es al menos en su vigor y en su escrupulosidad. Casos como el de Pedro Navarro, el gran general, que combatió con los franceses contra España, sería delirio imaginarlos hoy. Y el caso de Pedro Navarro no es único. Innumerables cita Eugenio Sellés en su libro *La política de capa y espada.* Hoy se siente a España con más ortodoxia. Y lo que los escritores de 1898 querían era, no un patriotismo bullanguero y aparatoso, sino serio, digno, sólido, perdurable. A ese patriotismo se llega por el conocimiento minucioso de España. Hay que conocer—amándola—la historia patria. Y hay que conocer—sintiendo por ella cariño — la tierra española.

¿Y quién será el que nos niegue que en nuestros libros hay un trasunto bellísimo —bellísimo en Baroja y Unamuno—de nuestra amada España?

XXX

EL LIBRO DE MALLADA

Don Lucas Mallada, ingeniero, era amigo de don Serafín Baroja, ingeniero. Pío Baroja nos solía hablar de Mallada. Había publicado este señor un libro sombrío, pesimista, sobre España. No conocíamos los escritores del grupo—salvo Baroja—el libro de Mallada. Pero siempre presentimos, por las palabras de Baroja, que el libro debía de ser tremendo. Pesaba vagamente esta aprensión sobre los escritores del 98.

No he leído yo hasta más tarde, bastante tarde, el libro fantasma de don Lucas Mallada. Y he de decir—no sé si será paradoja—que el tal libro semeja, para mí, un trasunto en cuanto al espacio—geología y geografía—de lo hecho por Buckle en cuanto al tiempo—Historia—en el famoso ensayo sobre España, que forma parte de su *Historia de la civilización en Inglaterra,* ensayo que fué puesto en castellano y publicado en Londres en 1861, formando limpio volumen, con el título *Historia de la civilización en España.* Las deducciones a que llega Mallada son, poco más o menos, las mismas a que llega Buckle. Y son, en conjunto, erróneas unas y otras. Con todo, el libro de Mallada *Los males de la Patria,* publicado en 1890, es el libro más representativo del momento.

España se nos aparece cual un país mísero. La tiera de España es pobre. El primer capítulo del libro de Mallada se titula «La pobreza de nuestro suelo». Joaquín Costa es un hombre de letras, y Lucas Mallada es un hombre de caminos; es decir, de *andar y ver.* Lo dice él mismo: «Nosotros, que hemos viajado por una gran parte de España, que tantas tierras, tantos barrancos, tantas sendas hemos cruzado...» Lo que en apariencia da valor a la obra es este empirismo del autor. ¿De qué modo desoír lo que nos diga de España, del suelo de España, de la fertilidad de España, quien tantas sendas ha recorrido—no *cruzado,* como él acaba de decirnos—y tantos cotarros y cuestas ha transitado? De la geografía, el autor pasa a lo intelectual y a lo político, y en ese terreno sí que plenamente se verifica la confluencia con Buckle. Pero ¿las deducciones son exactas? ¿Y cómo vamos a creer en el «desierto» de España, de donde manan todos los males? Frente a ese páramo improductivo, que más cercamente ha sido también descubierto por un famoso conde polaco, coloquemos ciertas páginas de Macías Picavea en su libro *El problema nacional,* publicado en 1899. Vale la pena de reproducir extensamente el texto. Dice así:

«Todo se vuelve hacer aspavientos, y no injustos, ponderando los fríos, durezas y esquividades de las altiplanicies castellanas; en tal guisa que, comparadas con ellas, las tierras occidentales de Francia, Bélgica e Inglaterra han de antojarse paraísos. Pues bien: en esas alturas tan crudas y heladas prospera la vid y florece el olivo, cuando en aquellos suaves campos francobelgas e ingleses, tan tibios y tan dulces, ninguno de esos arbustos meridionales vive si no es en invernadero. Y no así como se quiera, porque en las contadas comarcas de aquellos países donde se mete en cultivo la vid, lógrase únicamente de ella el basto fruto suficiente para hacer un buen vinagrillo civilizado, mientras las mesetas españolas dan *manu longa,* y sin mimos de ninguna clase, aun con tantas heladas, bajas presiones y cierzos horripilantes, la incomparable uva de Toro, el riquísimo albillo de Madrid, blancos como los de Medina, tintos cual los de Valdepeñas, y otros mil frutos y caldos preñados de azúcares, esencias y grados alcohólicos, tirando todos a generosos, siéndolo, mejor dicho, por su calidad nativa, aunque no por su inhábil tosca manufactura. Y así en todo. ¿Qué comparación sufren las agrias, insípidas frutas del interior de Europa, aun con sus carnes suavizadas en fuerza de artificiales selecciones e injertos, enfrente de nuestras frutas dulcísimas y aromosas, aun tan bárbaramente tratadas en su cultivo? ¿Dónde van a parangonarse las flores de aquellos jardines, de formas y matices extraordinarios, sin duda, pero pálidas e inodoras, al lado de nuestras flores, de nuestras rosas y claveles, cuasi silvestres, pero luminosos y encendidos, más que coloreados, y henchidos de éteres y fragancias capaces de resucitar a los muertos?»

Y lo que no aparece tampoco ni en Buckle, ni en Mallada, ni en Kayserling, es el carácter peculiar de las cosas en España. En parte alguna de Europa tienen las cosas tan definida y fuerte personalidad como en el «desierto» de España. De Hendaya a Irún, un paso. Ese paso lo he dado yo muchas veces, infinitas veces. Ese paso lo he dado yo una vez, teniendo a la espalda tres años de expatriación en Francia. Y he entrado en España con los ojos llenos de luz y de paisaje de Francia—luz suave, plateada, paisajes verdes, tiernos, con horizontes de cielo delicadamente plateados—. Y rememorando en el paladar los sabores de las vituallas de Francia: carne, pescados, frutas espléndidas en tamaño, suavidad de pulpa y matices finos. Al sentarme a la mesa, en la fondita de la estación de Irún, transformación profunda. Todavía no estoy en la alta Castilla y no puedo asociar la luminosidad viva y el azul intenso del cielo a los sabores intensos de lo que estoy comiendo. Pero ya esta penetrante gustación es la España auténtica. Carnes, pescados, frutas, verduras, pan, todo se adentra más y más voluptuosamente en la sensibilidad. Lo que experimento yo ahora, hanlo experimentado antes, desde siglos, viajeros foráneos. Uno de los más discretos, Bourgoing, autor de un conocido viaje, con palabras más expresivas acaso que los demás. «Las carnes —escribe Bourgoing—, al menos en las provincias mediterráneas de España, contienen, con el mismo volumen, más elementos nutritivos que en otras partes. Las verduras, menos esponjosas que en los países en que el agua contribuye más que el sol a su crecimiento, son de sustancia más nutritiva. Los extranjeros que se establecen en Madrid no tardan en advertirlo...» (*Tableau de l'Espagne moderne*, tercera edición, París, 1803, tomo II, página 323.)

La experiencia de la intensidad española en el nutrimento es cosa europea. Por modo curioso se expresa en cierto librillo que, al igual que otros antiguos, se ha escrito en forma dialogal para la enseñanza del castellano en el extranjero. Aludo a los *Dialogues fort recreatifs*, de Antonio Oudin, publicados en París, año 1650. Dos ingleses y dos españoles parlan en uno de los placientes coloquios. Debátese la fertilidad de Inglaterra y España. Inglaterra es, sin duda, más fértil. Pero en Inglaterra hase de comer mucho y en España basta para vivir comer escasamente. En Inglaterra todo mantenimiento tiene menos sustancia que en España. Habla un español y añade: «Y ésta es la causa de que los ingleses nos notáis a los españoles por miserables en el comer; porque las carnes de España, como de tierra más estéril, son de tanto nutrimento, que si comiese de ellas un hombre tanto como en Inglaterra come, sin duda ninguna reventaría.»

Parece que la voz *estepa* llama la idea de esterilidad. País estepario será país improductivo y árido. La estepa es, sencillamente, el maravilloso secano español. Don Eduardo Reyes Prósper ha dicho la última palabra en su libro *Las estepas españolas y su vegetación* (1915). En la estepa levantina, en que he nacido, el equilibrio es perfecto entre la tierra, el cielo y el aire; entre el color, la vegetación y los frutos. Alternan los viñedos con los olivares, crecen en las tierras, frescas, las higueras, se yerguen los almendros en los ribazos, y en las huertas y cortinales los árboles fructuosos nos ofrecen opimos y exquisitos dones.

XXXI

LOS MAESTROS

No todos los maestros nos ignoraban o —lo que es peor—aparentaban ignorarnos. Siempre ha habido entre los antiguos quien ha tendido su mano a los nuevos. Fueron para nosotros afectuosos y leyeron nuestras primeras obras con curiosidad don Juan Valera, doña Emilia Pardo Bazán y *Clarín.* Con don Benito Pérez Galdós—que entonces era todavía Pérez Galdós y no Galdós a secas—no manteníamos relaciones. El estreno de *Electra* vino a aumentar el desvío. Discrepó Baroja en conversaciones privadas. Discrepé yo en letras de molde, cuando todo el mundo aplaudía. Y de esta discrepancia se originaron penosos incidentes que no quiero relatar. Estando en París, en 1938, encontré en una librería, donde había libros españoles, la famosa *Electra.* Deseoso de revisar benévolamente mi parecer áspero de antaño, volví a leer la obra. Y no pude pasar del comedio del segundo acto. Comuniqué a Baroja mi impresión y me dijo sencillamente: «Sí, es claro...» Con los años, la amistad con Galdós fué entablada. Baroja fué buen amigo de Galdós. Pero en cuanto a mí, si el maestro se mostraba deferente conmigo, y hasta me enviaba con cariñosas dedicatorias sus libros, siempre hubo entre nosotros como una ligera neblina que no llegaba a disolverse.

No es fácil que un maestro, por un libro nuevo, el libro de un desconocido, rastree en tal bisoño un valor nuevo. Difícil tal cosa para un maestro y para cualquier lector. Doña Emilia Pardo Bazán, curiosa de toda novedad estética, se inclinó hacia nosotros. Hablé yo varias veces con la escritora y tuve con ella correspondencia antes de venir yo a Madrid y en Madrid mismo. Baroja mantuvo también cordiales relaciones con la Pardo Bazán. Había en doña Emilia una escritora innata. Fragmentos de una de sus primeras novelas, *La madre Naturaleza,* aludo a los paisajes, son cosa soberbia. Escribía la Pardo Bazán un castellano vivo, nervioso, coloreado, acaso con ciertas afectaciones de neologismos infelices acá y allá.

Don Juan Valera habló de nosotros. Le hicimos Baroja y yo una visita cuando ya estaba ciego, y nos trató cordialmente. Y en cuanto a *Clarín,* su intuición del porvenir de cada cual—los escritores del 98—no ha sido desmentida por los hechos. *Clarín,* en 1897, me dedicó uno de sus *Paliques.* En ese mismo año y en el mismo lugar—el *Madrid Cómico*—dió discretos consejos a Jacinto Benavente. Aparecía Benavente como demasiado influído por lo extranjero. Benavente mismo cita antecedentes franceses de su teatro en el prólogo puesto a una de sus obras. Se equivocaba de medio a medio Benavente. El trasunto extranjero es epidérmico; la sustancia en el teatro benaventino, aun en el primitivo, es perfectamente española.

En 1897, Valle-Inclán no había publicado más que un librito exiguo: *Epitalamio.* Había dado antes a las prensas su libro *Femeninas.* Pero, publicado en provincias, no habiendo corrido en Madrid, su existencia para la crítica era nula. ¿Y qué podría ser el autor de este chiquito *Epitalamio*? ¿Habría en él un escritor y llegaría a ser un literato famoso? *Clarín* atisbó lo venidero. Hablando de *Epitalamio*—en el *Madrid Cómico* del 25 de octubre de 1897—, escribió: «Se ve que el autor tiene imaginación, es capaz de llegar a tener estilo, no es un cualquiera.»

Ley fatal es que los jóvenes combatan a los viejos. Y que los viejos opongan resistencia a los jóvenes. Debe ser así. En la resistencia de los viejos encuentran los jóvenes, exasperados, corroboración para sus ideas y redoblamiento—aunque no sea más que por despecho y venganza—para sus esfuerzos.

Los jóvenes llegan, a su vez, a ser viejos y se ven tratados como ellos trataron antes. No importa nada tampoco. Los viejos, ya de vuelta de muchas cosas, saben separar lo sustancial—que siempre es tradición de los perifollos innovadores, que suelen durar un día.

XXXII

SILVERIO LANZA

¿Ha existido o no ha existido Silverio Lanza? ¿Es Silverio Lanza personaje mítico o de la Historia? Tanto se ha hablado de Silverio Lanza, que Silverio se ha convertido en un ente de razón. Y lo que menos pensó él jamás es llegar a ser ente, de razón y sin razón. No se sabe ya si Lanza ha escrito la vida del excelentísimo señor marqués del Mantillo o es este ínclito marqués quien ha pergeñado la vida de Silverio Lanza. El libro de Silverio—uno de sus más divertidos libros—lo conocemos. Tal vez aparezca algún día, allá en un desván de Getafe, la biografía de Lanza escrita por Mantillo.

Getafe es nombre caro a nosotros, los del 98. Pero ya el mismo ambiente mitológico que envuelve a Lanza circunda a Getafe. Espaciosa población de casas anchas y bajas, premanchegas, en un llano de sembrados y barbechos. En una de sus anchas y solitarias calles, una casa holgada. Dudamos si transponer el umbral. Tenemos vaga idea de que aquí vive don Juan Bautista Amorós. No sabemos si será o no será. Ni acabamos de hacer la conjunción entre Amorós y Lanza. Acaso todo sea un sueño. No está lejos la llanura donde Don Quijote soñaba. ¿Y si comienzan a repicar de pronto los mil timbres avisadores que Lanza, según se ruge por ahí, ha puesto en su casa? ¿Y si al poner la mano incauta en un picaporte nos sacude una descarga eléctrica? Todo podría ser. La inquietud nos embarga. Por un lado estamos sujetos a la realidad —la realidad de Getafe y de Lanza—, y por otro, nos sentimos opresos por el ensueño. La casa está ante nosotros. No podemos negarlo. El pie no avanza hacia el umbral. Y si volvemos a Madrid sin ver a Lanza, ¿qué explicación podremos darnos a nosotros mismos?

El caso que nos ha ocurrido es, empero, más embarazoso. Hemos visto a Lanza. Con él hemos departido, después de sonar, en efecto, múltiples timbres. Nos ha hablado Lanza de un libro nuestro, y nosotros hemos hablado a Lanza de los suyos: *El año triste, Mala cuna y mala fosa, Artuña, Ni en la vida ni en la muerte, Desde la quilla al tope, Cuentecitos sin importancia*. Sus libros no se parecen a nada. Son únicos en su época. Hay en ellos largos diálogos vivos y rápidos, profunda observación psicológica, grata ausencia de faramalla y prolijidad. *Nota bene:* en ningún manual de literatura se menciona a Lanza. Hemos hablado con Silverio y, sin embargo, tenemos la impresión de que con Silverio no hemos hablado. Todo se disuelve en la lejanía del tiempo. Todo es real y todo es ficticio. ¿Existe o no existe Silverio Lanza? En el coche de tercera, en un tren mixto, acabamos por creer en esa mixtificación.

Y tal vez doña Emilia Pardo Bazán, que ha asistido en el Ateneo a una conferencia de Lanza, crea lo mismo. En la vasta sala, treinta o cuarenta personas, a primera hora de la tarde; hora en que es inusitado el dar conferencias. Penumbra discreta, misteriosa. En los espectadores, viva ansiedad. Vamos a recoger las palabras de Lanza, con el fervor y la devoción del más exaltado creyente en un santuario. No sabemos por qué motivos doña Emilia Pardo Bazán, famosa ya en el mundo de las letras, está en esta momentánea y solemne congregación de desconocidos. Y ello para escuchar a un personaje mitológico e ignorado. Atracción, sin duda, poderosa y oculta ha traído a la ilustre escritora a este acto simbólico. Porque aquí todo es y va a ser simbólico. El símbolo supremo lo va a lanzar desde la tribuna el mismo Lanza. El símbolo lanzado por Lanza es el del cacique de España. En España—voy resumiendo la conferencia—hay cáfila de caciques, los cuales se pueden concentrar en uno solo y simbólico cacique magno y poderosísimo. Y ese cacique—el de Galicia, el de Castilla, el de Andalucía, el de Vasconia—es, en resumen de cuentas, la causa de la decadencia literaria de España. El deterioro de la lírica está íntimamente ligado con la prepotencia del cacique. El bajo nivel de la novela, al predominio del cacique se debe. La detestación por Lanza del cacique es constante y sañuda. En uno de sus *Cuentos escogidos,* el titulado *Apunte de economía política,* se nos dice, para ponderar la vetustez de una casa de la calle del Bastero, que «era anterior a la venida del caciquismo». Hipérbole no desacertada, puesto que ya en el siglo XIII Gonzalo de Berceo habla de un labrador que por las noches, a cencerros tapados, «cambiaba los mojones por ganar heredad». Y claro está que quien tales mañas empleaba para ampliar su campo a costa del vecino, era, indiscutiblemente, un redomado cacique rural. Se escucha una tos pertinaz en la sala. Volvemos la vista hacia doña Emilia Pardo Bazán, y la vemos confusa, inquieta y perpleja. ¿Será este singular orador también un *nietzscheísta,* como ella llama a uno de nosotros en los apéndices a su famosa conferencia de París, en 1899? ¿Será el tal Lanza un partidario solapado y artero de la célebre *transmutación de los valores,* transmutación — ¡qué horror! — de los valores democráticos en aristocráticos? Con pensar así, si así pensaba, no iría descaminada doña Emilia. Porque el misterioso Lanza, antiguo guardia marina, era, en efecto, un aristócrata. Sus libros, tan originales, lo proclaman. Pero no apartemos la atención de lo que Lanza está diciendo detrás de la mesa. ¡Caciques y chuletines! Eso, señores, es lo que hay en España. El desenvuelto chuletín es un aditamento del cacique. Y en tanto existan caciques y chuletines no habrá esplendor literario en España, es decir, no se podrá escribir bien.

Silverio Lanza viste de negro, con cuello y puños de celuloide lavables, de los que entonces se llamaban de *porcelana.* Su barba es ancha y negra. No ríe nunca francamente. Se contiene en una sonrisa preliminar y equívoca. Lentamente, como corresponde a los personajes de la leyenda, desciende de la tribuna en la sala silenciosa, ya casi en tinieblas, y todos le vamos estrechando en silencio la mano. Porque en la generación de 1898 el espíritu novelesco impera. Y Silverio Lanza, con su vida misteriosa y sus libros geniales, que nadie lee, es la culminación feliz de ese novelerismo.

XXXIII

EL ESPEJO DEL FONDO

No podemos imaginar Madrid sin Lhardy. Lhardy resume la aristocracia y las letras. Y a su vez Lhardy es resumido por el espejo del fondo. Ese espejo, grande, con marco de talla dorada, está en el fondo de la tienda, sobre una consola con tablero de mármol blanco. En Lhardy, por sus concurrentes, por su historia, por lo selecto de su servicio, todo resulta noble. En los estantes nos miran las limetas, botellas y frascos de exquisitos vinos y licores, y el espejo lo abarca todo. Frontero a la puerta, ese ancho cristal azogado recoge la claridad diurna y parece que se complace en retener los fulgores del crepúsculo vespertino. A esa hora del anochecer es cuando la acera de la carrera de San Jerónimo cobra su animación selecta. En un breve trecho se congrega lo más conocido de España. En el picaporte de Lhardy ponen su mano el duque de Tamames y Mariano de Cavia, Antonio Vico y Romero Robledo, Núñez de Arce y *Frascuelo*.

El ámbito de la tienda es reducido. Arriba están los dos comedores: el que da a la carrera de San Jerónimo y otro más chico, para comidas íntimas, que cae a la solitaria calle del Pozo. Agustín Lhardy, recio, vivaz, con su cara encendida y su sombrero de anchas alas, está a ratos en la tienda. Y otros ratos, con su caja de pintar, por las riberas del Manzanares. Nos ha dejado paisajes bonitos Agustín Lhardy. Lo que pinta puede ponerse—como cosa muy española—al lado de los paisajes de Beruete, de Espina y de Martín Rico.

Va avanzando el crepúsculo de la tarde, y acá y allá comienzan a brillar en los faroles las blancas mariposas del gas. El espejo del fondo se despide del día. Las luces de las lámparas hacen fulgir más el oro de su marco y la blancura de su cristal. Precisamente ésta es la hora. El poeta ha dejado ya sus cuartillas y el hombre de mundo se ha ausentado de su tertulia. De capa y sombrero de copa, pasará dentro de una hora, o de dos horas—no estoy seguro—, algún caballero camino del teatro Real. Entrará, o no entrará, un momento para comprar unos dulces—los dulces que se comen en el antepalco—en el selecto Lhardy. El espejo lo va reflejando impasible todo. Ya las luces de gas lucen en todo Madrid. El tiempo ha sido subvertido en la mente del poeta. Los caballeros que han entrado en Lhardy, que entraron ayer, que entrarán mañana, son sombras vanas. Se han esfumado ya en la eternidad. Y desde lo pretérito, aquí, en el restaurante famoso, ante el espejo, están otras sombras vueltas a la vida. La continuidad histórica se impone al artista y al pensador. En Lhardy, con un platito en la mano y en la otra un cuchillo de postre, un platito con pasteles, se encuentran Quevedo y su amigo Adán de la Parra, don Fernando, el hermano de Carlos I, y su secretario, el poeta Cristóbal de Castillejo, don Juan de Austria y Cervantes. El espejo del fondo recoge las imágenes de todos.

XXXIV

EL POETA SIN NOMBRE

Hay en el Parnaso español un poeta—y de los más delicados—que no sabemos quién es ni, en realidad, cuál es su verdadero nombre. ¿Se llama Francisco de la Torre o cualquiera de los otros nombres que se le adjudican? Como puede tener muchos nombres, no tiene ninguno. Y el ideal para un verdadero poeta es no tener nombre.

La poesía de aquellos años era una poesía triste. Había muchos poetas. Se ha cultivado la lírica en los tiempos de la generación del 98 como acaso no se ha cultivado jamás. *Tristitiae rerum:* tristeza de las cosas. No sé si la frase latina — creo que sí — ha servido de título a algún volumen de versos en aquella época. Las cosas lloran. El mundo llora. Lo que caracteriza a la lírica de ese período es ese dejo pronunciado de melancolía. Desearíamos ahora que tan bellos versos —los versos de un Francisco Villaespesa, por ejemplo—no acusaran ese desequilibrio. Las cosas no son tristes ni alegres. La excesiva melancolía rompe la serenidad del verso, como la rompe la alegría impertinente. Con reflejar las cosas como son, cual un terso espejo, basta. Pero esa impasibilidad con un leve matiz de sentimiento es lo arduo.

El poeta sin nombre es el poeta que todos llevamos en el corazón. Sentimos simpatía hacia aquella época del 98 porque era hondamente lírica. El poeta se sentía respetado. No importaban las chanzas frívolas que el llamado «modernismo» inspiraba. Este regodeo del vulgo era la prueba de que hasta en la misma calle se sabía de los poetas. Y desdichada de la nación en que no se sabe nada—ni se quiere saber—de sus poetas.

Epoca feliz, en que, al lado de prosistas finos, han vivido poetas fervorosos. En un jardín abandonado, viciosas las plantas, borrados los senderos, cubierta de una capa de verdín la fuente, se halla el poeta sin nombre. Los jardines abandonados son de esa época. Han ido acaso a la lírica desde los lienzos del pintor. La fachada trasera del palacio, un viejo palacio deshabitado, tiene rotos los cristales de sus ventanas. No sabemos dónde, ni en qué momento, ni de dónde viene, ni adónde va: el caballero, un caballero español, vestido de negro, con su sombrero de copa, va paseando lentamente. Y de tarde en tarde, con ademán instintivo, se lleva la mano a la corbata de peto, en que fulge una perla.

XXXV

ROSARIO PINO

Rosario Pino es la actriz de esa época —la del 98—. La sutil sociedad madrileña se ve encarnada en su persona. Rosario Pino es la intérprete del teatro de Benavente. Hay en su persona, esbelta y elegante, desenvoltura graciosa y reticencia cáustica. Rosario había trabajado mucho. Ya en la última etapa de su vida, vivía retirada, en decorosa estrechez, acompañada de su fiel camarista Paca. Para remediarse de algún modo, Rosario formó una corta compañía y se marchó al Norte de España. El repertorio que llevaba no pasaba de cuatro o seis obras. Pero era repertorio propio. Y como todas las demás compañías—las cincuenta y tantas que corrían por España — representaban todas las mismas obras, Rosario vió llenos los teatros en que trabajaba.

Había escrito para la actriz, a su ruego, una obra. Hablo de mi trilogía *Lo invisible*. Dos actos de esa obra fueron estrenados por Rosario. Y ocurrió entonces una cosa peregrina: la que había sido toda su vida actriz elegante e irónica, se convirtió de pronto en una gran trágica. *Lo invisible* era el misterio funeral y eterno. Y lo invisible, la Muerte cautelosa o brusca, estaba allí presente, en el escenario. En la figura, en las palabras, en los ademanes de la gran actriz se patentizaba. Acentos de angustia como los que tenía Rosario no los había escuchado yo desde Vico y Zacconi.

El tumulto del público y la confusión de la crítica acompañaban a las representaciones. No eran aquellas representaciones cosas de ver y pasar, sino actuaciones fuertes y turbulentas. Pero el genio trágico de la gran actriz lo dominaba todo. En *El segador*, segundo acto de la trilogía, Rosario, madre de un niño rondado por la Muerte—un segador misterioso que va de aldea en aldea—, Rosario, en el crepúsculo vespertino, en tanto sonaba el *Angelus,* sentada en el suelo junto a la cuna, se erguía súbitamente como una fiera acorralada al escuchar el aldabonazo del segador en la puerta. Y en el *Doctor Death, de 3 a 5,* tercera parte de la trilogía, Rosario se dispone a entrar en la clínica del doctor, que es la Muerte, y, apoyada por un ayudante, va caminando lentamente hacia la fatídica puerta. Este caminar lento y congojoso es la agonía. Un anciano valetudinario ha precedido a la triste mujer, y ese anciano no ha vuelto a salir de la clínica.

Durante una de las representaciones del *Doctor Death* resonaron en el profundo silencio de la sala—era esto en el vasto teatro Pereda, de Santander—unos gritos de angustia. En las butacas, un caballero anciano, que no iba nunca al teatro y que había venido aquella noche, se levantó, airado, y se marchó atropelladamente. Iba repitiendo:

—¿Y para esto he venido yo?

En los ensayos, Rosario Pino estaba en todo. Se sentaba en el suelo, junto a la concha del apuntador, y desde allí y en esa forma lo dirigía todo. Cuando el ensayo con todo de *El segador,* Rosario gritó, dirigiéndose a mí, que estaba sentado en las butacas:

—¿No cree usted, Azorín, que esto de *segur* no lo van a entender?

—¡Diga usted *guadaña,* Rosario!—contesté yo.

Andando los días, tras varias representaciones de *El segador,* Rosario, una noche, recibió un telegrama. Había muerto de repente una persona de su predilección. Allí estaba la guadaña fatal y trágica. Y como si hubiera caído de pronto un pesado telón invisible, Rosario Pino, supersticiosa, no volvió a representar *Lo invisible.*

XXXIV

OTRA IMAGEN DE CASTELAR

Copio aquí, a pesar de las repeticiones, fragmentos de un artículo publicado a raíz de la muerte de Castelar. En esta otra imagen hay—lo que no sucede en la anterior ni en la que figura en *Los pueblos*—una escena conmovedora: el llanto por la Patria.

Aún tenemos ante la vista la figura del gran orador, viejo, achacoso, exangüe, titubeante, con sus largos y lacios bigotes blancos, con sus ojos espantados, melancólicos. Cae la tarde: muere el día en uno de esos crepúsculos inacabables, serenos, suaves, de la tierra levantina. Las palmeras y los cipreses se recortan en el cielo diáfano; del follaje del huerto—en que lucen los encendidos albérchigos y las doradas prunas—se exhala un fresco hálito, que mece blandamente las hojas. A lo lejos, por encima de los tejados, se yergue, ingente, el peñasco agudo del castillo de Sax; tocan las campanas a una novena; pían las golondrinas; llega el rumor grato y lejano de una aceña. Y por los senderos del huerto, entre la umbría, lentamente, avanza el maestro, con su levita de alpaca, con su paraguas, acariciándose de rato en rato con gesto instintivo y fatigado el cano mostacho.

Todas las tardes, cuando el sol ya se oculta tras las montañas azules, desciende Castelar al huerto, da un corto paseo, se sienta bajo una ancha y rotunda higuera. Ha estado toda la mañana trabajando; se levanta a las seis; se sienta ante la mesa (en un cuartito en que hay cuadros bordados de cañamazo y litografías de lienzos de Pradilla y Gisbert); se sienta ante la mesa, cargada de papeles blancos, de cartas, de telegramas, por entre los que asoma un libro de los Goncourt sobre la Revolución francesa y otro libro del propio Castelar, en el que se ven marcadas unas páginas, tal vez para ser transcritas—como un auxilio—en este producir desordenado e incesante...

Aquí, en este cuartito, ante el balcón abierto de par en par, por el que se columbran las palmeras y los cipreses, dicta el maestro sus artículos, abre las cartas, ojea los periódicos del día. Y a las doce, cuando ha sonado la primera campanada larga y dulce del *Ave María,* extiende el brazo con ademán imperativo y se levanta.

Castelar trabajaba infatigablemente. ¿Cometió errores como político? ¿Tuvo prejuicios? ¿Incurrió en flaquezas imperdonables? Un gran amor, un amor único y supremo le salva: el amor a la patria. «Pese a todos los delirios cosmopolitas, no siempre generosos, de nuestro tiempo —ha dicho recientemente un ilustre pensador—, el hombre se ve irremisiblemente llevado, si no es un puro ideólogos o un egoísta, a reflejar todos los grandes problemas humanos en el grupo de humanidad a que pertenece.» Un patriotismo meditado y racional se impone a los espíritus cultos: y se ve que no podrá caminar la Humanidad si no fomentamos, si no hacemos florecer con intenso amor las cualidades congénitas, según el medio, según la raza, del pueblo en que vivimos.

Castelar amaba profundamente la patria. Esta tarde, en el callado huerto, bajo la ancha y tupida higuera, mientras cae el crepúsculo y suena el *Angelus,* el maestro oye leer los periódicos que acaban de llegar de la capital cercana. La voz del lector se desliza tranquila y sonora en este anochecer augusto; mas de pronto se entorpece y balbuce. Se trata de los telegramas de la guerra con los Estados Unidos. Algo tremendo y doloroso ha ocurrido en aguas de Santiago. Sí, es algo trágico y amargo: es la derrota formidable de nuestra escuadra. Entonces Castelar, conmovido, angustiado, yergue su cuerpo viejo con un esfuerzo heroico y exclama, dirigiéndose al lector: «¡Basta, basta!... ¡La paz, la paz!» Luego vuelve a caer anonadado en su asiento y llora como un niño durante largo rato.

XXXVII

NUÑEZ DE ARCE

Los ojos de Núñez de Arce es lo que en su persona me preocupa. En estas horas densas de la madrugada en que escribo, cuando las cosas se perciben más distintamente—todo el libro está escrito de madrugada—, me veo sentado ante la mesa en que el poeta trabaja. El poeta está sentado a la otra parte. Veía yo a Núñez de Arce en la librería de Fernando Fe. Núñez de Arce era menudo, nervioso, y parecía siempre aterido. Recogido sobre sí mismo, encogido, estaba sufriendo siempre el frío. ¿Y cuál es el frío que sufría el poeta: el físico o el espiritual? En este poeta de entonación vigorosa, altiva, rotunda, había un hombre feble y desconsolado. Sentado yo ante él, miraba sus ojos en tanto hablábamos. No sé si eran ojos ligeramente pitañosos, o de hombre que despierta y pasa súbitamente de la oscuridad a la luz, u ojos de quien acaba de llorar. El llanto reciente es lo que yo advertía en los particulares ojos de Núñez de Arce. El poeta de los *Gritos del combate* lloraba la ruina de todo: instituciones seculares, tradiciones, creencias. Y sus deprecaciones y plañidos eran grandilocuentes. Núñez de Arce es el último de nuestros grandes poetas de la elocuencia: Herrera, Quintana, Tassara, Núñez de Arce.

Las paredes del despacho en que nos encontrábamos estaban cubiertas por coronas y láminas de plata o bronce en que la admiración expresaba sus efusiones. En la mente, iba yo descolgando tales trofeos del triunfo y dejando las paredes desnudas. No era ya el despacho repleto de preseas rememorativas, henchido de preciosos cachivaches halagadores de la vanidad—legítima vanidad, desde luego—, sino el aposento sencillo, limpio, con pobre menaje, en que un poeta, ignorado por la muchedumbre, menospreciado por la crítica, iba escribiendo en las cuartillas.

Pero ese lírico íntimo no podía ser Núñez de Arce. Su llanto provenía del mundo, de la ruina del mundo tradicional, y no del fatal eterno deslizarse del tiempo, que se lo lleva todo. El castellano de Núñez de Arce es un buen castellano, terso y rotundo, castellano de tierras de Valladolid. Se habla de ese modo solemne y elegante en Nava del Rey, en Valoria la Buena, en Medina de Rioseco. No alcancé yo a Rafael Calvo, lector en público de *La visión de Fray Martín* o de *La última lamentación de lord Byron*. La impresión debía ser magnífica. El verso de Núñez de Arce está forjado para la declamación en público.

Suelo leer de cuando en cuando aquellos poemas de Núñez de Arce en que se esbozan rápidamente paisajes de Castilla. El Duero recuerdo que está allí presente. Castilla la noble alienta en el verso noble.

Con tenacidad se aferra a mí la imagen de los ojos del poeta. En la figura endeble y encogida por el frío de Núñez de Arce, los ojos nos atraen, nos imploran y lloran cosas que no sabemos. Núñez de Arce no dice casi nada ante su mesa de trabajo. Su hablar es parco e incoloro. Las coronas que evocan pasados triunfos penden de las paredes y el poeta las mira de cuando en cuando con mirada furtiva. Las glorias pasaron y los tiempos son otros.

XXXVIII

MENENDEZ PELAYO

¿Y qué extraño tiene que mientras come lea un señor un libro? En el comedor del hotel de Las Cuatro Naciones, calle del Arenal, Menéndez Pelayo, sentado a la mesa, tiene apoyado en la botella del agua un libro y lo va leyendo en el discurrir de la comida. Lee siempre Menéndez Pelayo. Pasan ante él los huevos estrellados, o la merluza frita, o el solomillo con patatas, y el lector no se entera. Lo que le interesa es el libro. De cuando en cuando mete el cuchillo en el volumen y abre las páginas.

En lo hondo de la biblioteca de Menéndez Pelayo, en Santander, he visto yo libros leídos por el maestro, que no esperaba encontrar. Eran libros de literatura modernísima en su tiempo. Menéndez Pelayo lo leía todo y ávidamente. Como sabía leer y captaba lo esencial de un libro con intuición certera, no leería seguido, en su integridad, el texto, sino saltando. Y saltando debe, sin duda, de leer en el comedor del hotel, el hotel de Las Cuatro Naciones, ante los huevos estrellados o el solomillo.

Las casas en que ha vivido el genio deben ser visitadas. Nos dicen esas mansiones mucho de las personas. En París yo he entrado—entrado y meditado—en la casa de Balzac, allá en Passy, y en la casa de Víctor Hugo, en la plaza de los Vosgos. Y en Villanueva de los Infantes he permanecido meditativo, conmovido y absorto, en el cuartito en que expiró Quevedo. De su casa de La Torre de Juan Abad vino a Villanueva al sentirse gravemente enfermo, al presentir la muerte, y aquí en un reducido aposento, con ventana a la calle, una calle solitaria, exhaló su postrer suspiro. Un gran poeta, Rubén Darío, visitó, ausente el huésped, el cuarto que ocupaba, en 1892, Menéndez Pelayo en el hotel de Las Cuatro Naciones. En la salita había un armario, una mesa, un canapé y dos o tres sillas. En la alcoba, dice Rubén que se veían manchas de tinta en la cama y en la alfombra. Y había muchos libros sobre los muebles. Por doquier, esparcidas, sin orden, cuartillas y cuartillas, pruebas de imprenta y papeles varios. Cita Rubén uno de los libros que vió: una obra del inglés Mathew Arnold.

Menéndez Pelayo no dijo nada de los escritores del 98. Le visité yo una vez en su buharda de la Academia de la Historia. Le vi varias veces en la calle. La última vez—lo estoy viendo—, en la plazuela del Matute. Iba el maestro embozado en su capita con dirección a la calle de Atocha. ¿Adónde podía ir? Hacia el olvido de tantísimo libro. Hacia el olvido, por un momento, de sí mismo, como descanso en el ensueño de la formidable labor.

XXXIX

CAMILO BARGIELA

Bargiela es uno de los personajes más curiosos del 98. Y más representativos. Hay en las generaciones literarias personajes que aparecen y desaparecen sin dejar rastro. Han tenido indudablemente su influencia y no han subsistido como sostenedores de la escuela triunfante. De Bargiela no hay más vestigio que un librito inencontrable, rarísimo, que nadie puede lograr y que lleva el título de *Luciérnagas*. Camilo Bargiela pertenecía a la carrera consular. Vagamente se sabía que había sido cónsul en alguna parte. La incertidumbre al tratar de Bargiela nos hacía estar perplejos. Llegábamos a dudar de que fuera cónsul, de que hubiera representado a España y aun de que fuera ente real, llamado Camilo Bargiela. Su personalidad se perdía, esfumada, por tanto, en las brumas de su propia patria, Galicia. Y en la caliginosidad de esa lotananza sólo brillaban, casi imperceptibles, las famosas luciérnagas.

Bargiela tenía unos ojos grandes y amorosos—los ojos amorosos de las incomparables gallegas—, y gastaba un bastón singular. La melosidad de los ojos estaba contradicha por cierta sonrisa irónica, sarcástica, que aparecía en sus labios. El bastón, al no tener contera, como no tenía, había ido desgastándose y llegó a ser un palo cortísimo, en el que Bargiela, al caminar, se apoyaba inclinándose violentamente a un lado.

¿Existe concomitancia entre Galicia e Irlanda? ¿Y es el humor galaico hermano del humor irlandés? Si hay en España humorismo a la manera inglesa—el humor es de Inglaterra—, en Galicia hay que buscarlo. En una sola frase resumía Bargiela su humor. No éramos nosotros nadie, ni nadie nos conocía. Los escritores interesan poco, aun siendo famosos, al promedio social, a esa masa que está entre la aristocracia y el pueblo. Paseando nosotros, los ignorados escritores del 98, una tarde por la Castellana, cual muchas tardes, Bargiela, al contemplar el ir y venir de los coches, sin que de los coches recibiéramos de nadie un saludo, nosotros los artistas del futuro, Bargiela exclamó: «¡Nos miran con un desvío inexplicable!» En ese estupendo *inexplicable* estaba todo Bargiela y todo el humor galaico.

Estando en París, leí por azar un cuento de Camilo Bargiela. Lo encontré en un volumen de cuentos españoles publicado por la antigua casa editorial de Rosa y Bouret. Esa editorial tiene su sede en una callejita, la de Visconti, del Barrio Latino. He ido yo mucho a tal mansión en busca de libros españoles. Y siempre me detenía en la puerta y contemplaba la casa frontera en que murió uno de los más grandes poetas franceses: Juan Racine.

En el cuento de Bargiela, una familia aristocrática vive en un viejo palacio. El jefe de la familia es un anciano venerable que queda paralítico y ciego. Se le atiende cariñosamente al principio. Se le descuida más tarde. Y se acaba considerando su presencia como molesta. Un paralítico, con el triste aditamento de la ceguera, es hombre que empece en algún modo y constantemente los contentos y los ímpetus y el vivir descuidado de la juventud. Del piso principal donde vive la familia habitualmente, se baja el enfermo a su sombrío entresuelo. Si antes le cuidaban cariñosas manos familiares, ahora no le atienden sino manos mercenarias. Y el abandono va acentuándose de día en día. Y un día, el enfermo expira sin que en el piso alto se den cuenta de la muerte y sin que en su agonía muda, ciega, haya sido el caballero confortado por sus deudos. El cuadro es sarcástico y sombrío. Y precisamente ese sarcasmo y ese desgarro tétrico estaban muy dentro del ambiente del 90 y lo acentuaban.

XL

DESCUBRIMIENTO DEL NORTE

El descubrimiento que hice del Norte ha sido capital para mí. En 1904 visité por primera vez Vasconia. Siempre que hablo del Norte, evoco este verso de un soneto de Lope de Vega en sus *Rimas de Tomé de Burguillos: Las bodas de doña Calamita con el Norte*. Desposéme yo también, como doña Calamita, es decir, la brújula, con el Norte. Tan pronto visto, tan pronto amado. Nativo yo de un país de paisajes desnudos y grises, de montes sin más vegetación que la ratiza, de cielo límpido, sin lluvias lo más del año, había de sentirme subyugado por el nuevo panorama. A la inervación, a veces dolorosa, sucedía una sedancia gratísima. Avanzaba la diligencia en que viajaba yo de Zumárraga a Cestona y aspiraba con avidez el ambiente. Por primera vez entraba, dentro de España, en un mundo desconocido. Los nervios y la mente eran otros. En este país de cielo bajo y de horizontes cerrados se habría de escribir de otra manera. Acabé entonces de comprender a Baroja. Sí, el ritmo y contextura de su prosa estaba concorde con esta paz, con tal sosiego y con tan sencillas maneras en los moradores.

He estado veraneando cerca de treinta años en Vasconia. No me he cansado nunca de gozar el ambiente. Los paisajes de mi tierra, los he visto mejor por estos paisajes opuestos. Contemplando estos colores intensos, en cuadrículas rojizas, amarillas, verdes y moradas, que se extienden por las laderas, he llegado a apreciar mejor, a percibir mejor, a fruir mejor, los grises delicadísimos de mi tierra. Y pienso que si Vasconia es la tierra de elección de los pintores coloristas, Alicante, en cambio, es la tierra de prueba de esos pintores.

He paseado mucho por el campo en mis estadas en San Sebastián. He recorrido también la provincia. En un pormenor resumo yo la oposición entre los montes levantinos y los vascos: en los levantinos nos podemos sentar y en los vascos hemos de estar en pie. La desnudez de los montes ratizos nos ofrece asiento en cualquier lugar. En una atocha podemos tomar asiento, entre las matas fuertemente odoríferas del tomillo y del romero. En un monte vasco la bravía maleza nos impide el asiento. Apartando trabajosamente el ramaje hemos de avanzar. Y luego, este suelo húmedo no es el terrazgo seco de Alicante.

En las primeras horas de la mañana, los cendales espesos de niebla se desgarran en el arbolado y circuyen los picachos. A veces, todo el día está enneblinado. Los caminejos ascienden serpenteando hacia la cumbre y de improviso, cuando menos lo catamos, nos hallamos al borde de un precipicio y atalayamos, allá en lo hondo de una cañada, un poblado recogido sobre sí mismo. El poblado está en el fondo del valle, y muchedumbre de casitas solitarias se asientan en las pinas laderas. Van a rodar al fondo de un momento a otro. El cielo bajo y ceniciento deja caer una luz dulce y tenue. Lo gris de lo alto hace resaltar lo vivaz de lo verde en lo bajo. De tarde en tarde, un caserón noble, denegrido, austero. Vivieron en él un tiempo caballeros esclarecidos y lo habitan hoy oscuros labriegos. Las salas están desnudas. El zaguán es hosco... Habituados a las casas de campo alicantinas, claras, frágiles y limpias, esta hosquedad—mezclada de desidia—nos hace pensar. El fornido caserón, con su escudo y su balcón corrido, se une en su decadencia, en su caducidad conmovedora, a la melancolía que emana del cielo gris, de la luz cernida y de los tupidos boscajes románticos.

XLI

EL SOMBRERO DE COPA

Si me preguntara cuál es, a mi entender, la cualidad fundamental de la civilización, contestaría sin vacilar: el respeto. El respeto en la familia, en el municipio y en el Estado. El respeto para el amigo y para el adversario. Y el respeto del individuo con su propia persona. «Nunca perderse el respeto a sí mismo», ha dicho Gracián. El hombre que se respeta a sí mismo, respeta a los otros. Las sociedades ascienden o declinan, según que en ellas suba o baje el respeto.

El sombrero de copa es digno. Con él se realzaba el respeto. En los sesenta años esplendorosos de la Restauración, la norma del respeto impera. El sombrero de copa es el sombrero usual. El tratamiento de «mi respetable amigo» es frecuente en la correspondencia y en los debates públicos. Ofrecer los respetos vale como testimoniar consideración y aun efecto. Los escritores del 98 traíamos sombrero de copa. Lo he usado yo durante muchos años. El sombrero de copa se llevaba a diario, en el día y por la noche. Hasta se iba a los toros con sombrero de copa. En el Museo de San Sebastián debe de haber —lo he visto muchas veces—un cuadro de Lizcano que representa un tendido lleno de público en que se ve un caballero con sombrero de copa. El sombrero de copa era perdurable. Bastaba darle un planchado de tarde en tarde. Para ocurrir al peligro de la inmortalidad del sombrero de copa—contraria a los intereses de la industria—, los fabricantes solían variar cada tres o cuatro años la traza del sombrero de copa. A veces las alas eran cortas, o se alargaban otras, o la copa era ligeramente abarquillada, o aparecía más ingente o más exigua. Pero el caballero digno, que sabía respetarse, conservaba su sombrero de copa tradicional y vitalicio, y desdeñaba la frívola variación.

Al cementerio de San Nicolás, cuando quisimos rendir pleitesía a la memoria de Larra, fuimos enchisterados. Los hermanos Fuxá, con su copa alta de ala recta, la melena sedosa y rubia, el carbotín negro de seda que daba tres vueltas al cuello, hubieran entusiasmado al *Greco*.

No faltaron ataques de los escritores

del 98 a los maestros que los repelían. Nunca esos escritores del 98 hubieran atacado sin conocer los libros de los combatidos, sus ideas y sus personas. Condenar una causa sin estar enterado de ella es falta de respeto para quien representa esa causa. Y más que falta para el atacado, imperdonable falta de respeto para quien, frívolamente, por hacer una gracia, muchas veces, por mostrar puerilmente una superioridad que no existe, se lanza al ataque. El improperado puede permitirse en esos casos una sonrisa de desdén, o simplemente contentarse con levantar los hombros.

Con cariño recuerdo mi antiguo sombrero de copa. El sombrero de copa y el blanco mechero de gas son rasgos característicos del siglo XIX.

XLII

LOS EXTRANJEROS

Los extranjeros que venían a España procuraban trabar amistad con nosotros. Hablo de escritores, eruditos o de personas que sin propósito de escribir deseaban conocer España. Pío Baroja era a quien visitaban generalmente. Baroja era ya conocido fuera de España. El primer escritor del 98 de quien se ha hablado seria y extensamente en el extranjero es Baroja. La visita a Baroja era como un obligado acto protocolar. Luego, Baroja presentaba en la tertulia al extranjero.

Dos extranjeros descuellan entre los muchos que hemos tratado. Pablo Schmitz y Cornuty. Pablo Schmitz vivió muchos años en España. Se marchó y volvió más tarde. Era un suizo de habla alemana. Serio, grave, afable, asistía a nuestras reuniones y contaba con la simpatía de todos. Le preocupaba todo lo español. Amaba sinceramente a España. Se le veía gozar de cuantas cosas expresivas, típicas, hay en España. Y concentraba todos sus amores en Madrid. Con el cielo azul intenso, límpido y alto de Madrid se extasiaba. Y el grito de un trapero o vendedor ambulante le hacía proferir en exclamaciones admirativas. *Gayarre*, no el cantante, sino el popular trapero, no tuvo más entusiasta admirador. Verdad es que el pregón largo y melódico del *Gayarre* trapero bien valía el *Spirto gentil* del otro Gayarre.

Particularmente a mí, lo que me preguntaba Pablo Schmitz era el significado de las palabras. Cuando leía en un artículo mío un vocablo inusitado, o me lo escuchaba decir, ya estaba pidiéndome que se lo explicara. Recuerdo—caprichos de la memoria—cuál fué uno de esos vocablos y dónde lo proferí: en la tribuna del Ateneo, una tarde que Schmitz y yo asistíamos a no sé qué solemnidad. Dije yo hablando de una señora que era desabrida, *zahareña*, e inmediatamente vi que Schmitz se ponía en la actitud del pachón que acaba de descubrir un conejo en la atocha.

—¿Cómo ha dicho usted? ¿Sareña?

—Zahareña.

—Sí, sí, zareña.

—No, no, amigo Schmitz: zahareña.

—Comprendido: azahareña.

—Permítame usted: za... ha... re... ña, es decir, esquiva, arisca.

Pablo Schmitz había ya sacado del bolsillo un papelito y escribía con exactitud la palabra.

Cornuty procedía de París. No habrá tenido el Barrio Latino un frecuentador más constante, ni Paul Verlaine un amigo más apasionado. La amistad con Verlaine —que, en efecto, era un gran poeta—llamaba la vida de Cornuty. Frecuentemente nos recitaba Cornuty poesías de Verlaine. Con preferencia la titulada *Chanson d'automne*, y que figura en las antologías:

Les sanglots longs
Des violons
De l'automne
Blessent mon coeur
D'une langueur
Monotone...

Llegamos a aprender de memoria esa famosa poesía, y de cuando en cuando declamábamos:

Les sanglots longs
Des violons...

Para Cornuty no existía más que el arte. Profirió él una frase que se hizo célebre y que compendiaba su sentir. Como en la tertulia se hablara de la profesión de ingeniero, Cornuty, que no dominaba el castellano, hizo que le explicáramos lo que era ingeniero, y exclamó:

—¡Ah, sí, esos hombres que hacen las cosas que no sirven para nada!

Nos echamos a reír. No faltarán lectores que se rían ahora. Pero la frase de Cornuty no era tan risible como parece. En forma excesiva, el amigo de Verlaine resolvía de plano un gran problema: el del arte y la ciencia, el del sentimiento y la razón, el de esa misma razón y la fe. ¡Y pocos dolores que han ocasionado las relaciones entre la Fe y la Razón! Una de las páginas más dramáticas de la historia de España, originada ha sido por esas relaciones. Aludo al largo y penosísimo proceso de fray Bartolomé Carranza, arzobispo de Toledo, en quien se vió o se creyó ver — al cabo fué absuelto — parcialidad en favor de la Fe.

En 1890, en una carta firmada por Silverio Lanza, que éste inserta en su novela *Ni en la vida ni en la muerte,* se escribe: «Soy católico ferviente, porque hallo perfecta la filosofía cristiana, y muy acertadas las prácticas católicas. Además, *prefiero sentir a pensar,* y las ceremonias del culto católico me hacen sentir de manera exquisita.»

XLIII

MONJAS DE TOLEDO

En nuestra memorable visita a Toledo —hace cuarenta años—debían interesarnos sobre manera las monjas. Alguien de nosotros llevaba prevenida una relación de los conventos femeninos en Toledo y hecho un apuntamiento breve de la vida conventual. Nos atraían rejas, redes y rallos. Las rejas de los coros bajos—como el del convento de San Plácido, en Madrid—, las redes de los locutorios y los rallos, todavía más rigurosos que las rejas, de esos mismos locutorios o de las ventanas. A primera hora de la mañana—las iglesias de los conventos se cerraban pronto—ya estábamos en el solitario templo, en que los cirios chisporroteaban, y en que se percibía, allá en el fondo del coro, un leve rumor y acaso se atisbaba la silueta de una monja. ¿Cómo sería esa monja? ¿Cuál sería su faz? ¿Y cómo definir esa cara con exactitud? Durante mucho tiempo—dos o tres años, los vascos son tenaces—estuvo Baroja protestando contra el epíteto de *guapa* que Galdós da a una monja, entrevista en el coro, aquí en Toledo. El pasaje incriminado debe de estar en el segundo volumen de *Angel Guerra,* dedicado a Toledo, bello volumen publicado en 1891. Baroja no cejaba. «¿Ha visto usted — gritaba — qué vulgaridad llamar *guapa* a una monja, como se llama *guapa* a una tiple de Apolo, a una modista o a una cocinera?»

Las iglesias estaban desiertas y nosotros aspirábamos con ansiedad el silencio, la soledad y la paz. Colocados junto a la reja del coro, nos desojábamos mirando allá dentro. Había en Toledo conventos ricos y conventos pobres. Eran los más estos últimos. Preferíamos al colegio de damas nobles el humilde convento de franciscanas o de carmelitas. De etapa en etapa, caminando hacia la soledad, la soledad absoluta, en algunos de estos conventos, antes prósperos, ahora míseros, se había ido reduciendo la comunidad. Los recursos faltaban y la vida era al presente de estrechez suma. En Madrid yo he sabido que en uno de los conventos de religiosas—el de la calle de San Bernardo—las monjas vivían con un real diario por persona. En la vastedad de algún convento toledano, en su inmenso caserón, cerrado al mundo, sabíamos nosotros que vivían tres o cuatro monjas ancianas, olvidadas de todos, sin parientes ya, sin nadie ya, fuera del monasterio, en quien poder confiar y apoyarse.

Había estado trabajando yo afanosamente en la biblioteca del Instituto de San Isidro, antigua biblioteca del Colegio Imperial de los jesuítas, riquísima en libros de mística y ascética. Preparaba yo mi novela *La Voluntad*, y durante seis meses estuve repasando todas las papeletas del índice y recogiendo apuntes y extractando libros. De entonces guardo copiosas notas referentes a las monjas.

Dediqué yo en la biblioteca de San Isidro atención preferente a la vida de las religiosas. El libro del obispo de Coria, don García de Galarza, *Libro sobre la clausura de las monjas* (Salamanca, 1589), es bonito. Se relatan patéticamente en él las reclamaciones de las monjas del obispado de Coria contra ciertas disposiciones del Concilio de Trento. Interesante también la obra de Antonio Diana, *Coordinatus seu omnes resolutiones morales* (Lugduni, 1667), en que se expresa, a la página 230, tratado I, resolución 337, que aun estando enfermas de muerte las monjas y con salir sanen, no pueden dejar el convento. «*Non egredi monasterio propter aegritudinem, etiamsi certo sciretur eas aliter morituras.*» La abadesa de las Huelgas, en Burgos, era una verdadera reina. Bajo su gobernación había varios pueblos. Las cistercienses de las Huelgas, de Valladolid, traían al cuello grandes collares de gruesas cuentas de azabache. Las hospitalarias de San Juan, en el Real Monasterio de Sijena, vestían toca blanca, túnica negra de larga cola y manto negro con blanca cruz de ocho puntas. En contraste con estas monjas opulentas, había otras, como las descalzas franciscanas de Sevilla, de las cuales se dice en la portada de sus *Apuntamientos* (1687) «que viven sin tener rentas, fiadas en la divina providencia que las sustenta».

¿Y cuál era para nosotros, en Toledo, la lección de los conventos de monjas? Sencillamente una corroboración de la espiritualidad del *Greco*. Del *Greco*, fatalmente íbamos a las monjas. La vida contemplativa es igual en un religioso que en una religiosa. La observancia de la regla es la misma. Las prácticas son análogas. La divergencia estriba en las fuerzas. La mujer es más débil que el hombre. El *Greco* tiende a una concentración de la espiritualidad. Todo su problema es ése. Y el religioso contemplativo tiende a ese mismo fin. Pero en la mujer, las energías físicas son menores. Y eso es lo que nos atraía a nosotros en un convento: con la menor cantidad de fuerza física, fuerza material, alcanzar, como la religiosa lo alcanza, el máximum de espiritualidad. En una de esas iglesias, la del convento de Santo Domingo el Antiguo, de bernardas, iglesia de que el *Greco* fué arquitecto, escultor y pintor, pende el retrato de una mujer pálida, anhelante, pintado por el mismo *Greco*. Y allá dentro en los claustros, en las celdas, otras mujeres, con sus débiles fuerzas, llegaban a lo más alto de su vida pura, delicada y fervorosa.

XLIV

EL MOMENTO Y LA SENSACION

Quisiéramos saber cómo ha sido la sensación en un momento dado: de 1898 a 1910, por ejemplo. Desearíamos saber cómo en esos doce años se ha sentido la luz, la sombra, el color, el silencio, la soledad, lo blanco de una pared o lo negruzco o dorado de unas piedras seculares, el son de una campana remota, el murmurar de una fuente en callado jardín, la nube blanca o cenicienta que pasa, la lejanía, la remota lejanía. Como antecedentes tenemos: un cuadro del *Greco*, un soneto de Góngora. La gran innovación del *Greco* estriba en que pinta *frío*, cuando todos pintan *caliente*. La gran innovación de Góngora consiste en que nos da la sensación *aislada*, cuando los demás necesitan antecedentes y consiguientes. «Cuando toda la pintura de Italia y de los demás países movíase dentro de la serie de los colores rojos o *xanticas*, produciendo, por consiguiente, en los cuadros una entonación *caliente* y un predominio de los tonos dorados, que el Ticiano, por ejemplo, lleva a su más alta expresión—dice Cossío en la *Revista Ibérica* del 20 de julio de 1902—, el *Greco* es el primer pintor que rompe con este sistema y emplea decididamente la serie *cianita* o de los colores azules, con predominio de los tonos plateados, resultando por tanto sus cuadros de entonación *fría*, como ocurre en general en la pintura contemporánea, sobre todo en Francia.»

En ese mismo año de 1902, se celebra en el Museo del Prado una magnífica exposición del *Greco*. En el prólogo del catálogo, el subdirector del Museo, don Salvador Viniegra, pintor, conocedor por tanto de la técnica, cita las palabras de Pacheco al hablar del *Greco:* «Retocaba muchas veces sus cuadros para dejar los colores *distintos* y *desunidos* y daba aquellos crueles borrones para afectar valentía.» Juntemos lo que hemos dicho de la sensación *aislada* en Góngora a la desunión de los colores en el *Greco,* de que nos habla Pacheco. El subdirector del Museo añade: «Cabe suponer que tal vez esos retoques, esos repintes y borrones no fueron para ocultar la fatiga técnica, que hoy admiramos como prodigiosa, sino más bien para quitar a las figuras algo de ese realismo a que por sentimiento llegaba en ellas, y que tal vez dominaría sobre la nota de espiritualismo que indudablemente quería hacer triunfar en sus cuadros; lucha de sentimientos artísticos, que pudieron ser la causa de sus exageraciones y defectos.»

Quintana dice en un verso feliz: «Pálida luz de fósforo ligero.» Pero nuestra orientación es perfecta. Hemos descendido, con el poeta, unos peldaños. Nos hemos encontrado en un ámbito tenebroso. Quintana ha encendido una lucecita y hemos visto mármoles funerarios, aquí cerca de nosotros, y más lejos penumbra, sombras, en las que adivinábamos inmersos otros sepulcros. Nos hallamos en el Panteón del Escorial.

> Descaminado, enfermo, peregrino,
> en tenebrosa noche, con pie incierto,
> la confusión pisando del desierto,
> voces en vano dio, pasos sin tino.

¿Dónde? ¿Cuándo? ¿Quién? ¿Por qué se daban esas voces, de día o de noche, en el crepúsculo vespertino o a la madrugada? ¿Y dónde resonaban esos pasos y por quién, ni por qué causa se daban? En el cuadro del *Greco* hay unos matices azulinos, verdes sucios, amarillentos desleídos, que ellos solos, sin más cooperación, suscitan en nosotros estados espirituales indefinidos. El poeta nos coloca fuera de toda concatenación histórica y social. Y la operación que efectúa el pintor, con sólo su color, es la misma. No nos sentimos ya ligados a lo que pasara o haya de pasar. Nos encontramos dueños de una sensación prístina e inactual.

Y en esos doce años ¿qué es lo que se ha conseguido en el dominio de la sensibilidad? ¿Cuáles variantes leves, casi invisibles, casi inexpresables, tenemos en nuestro poder? La comprensión del *Greco* es ya plena. De 1894 data la adquisición para la sensibilidad de la parte alta del *Entierro del conde de Orgaz,* negada con tesón, en tanto que se llegaba a aceptar la baja, la colección de retratos de unos veinticinco caballeros y la figura del conde y el mitrado que sostiene el cadáver. Martín Rico, paisajista, tiene la valentía, en un artículo de *El Liberal,* en el año citado, de proclamar la analogía entre las dos partes.

> Repetido latir, sino vecino,
> distinto oyó de can, siempre despierto...

¿Dónde ladra ese perro? ¿Quién es el que lo está oyendo y desde dónde lo escucha? ¿En la noche, postrado en el lecho, agitado por la fiebre, o ante las cuartillas, cuando está trazando sus versos? En esos doce años el paso de una cosa a otra es decisivo. Algo queda atrás olvidado, y algo avizoran nuestros ojos en el horizonte. Pero recoger y concretar esos matices tenues de la sensibilidad es cosa ardua. Lo que sí parece evidente es que la sensación por la sensación está en marcha, y que el color por el color es una conquista. De 1907 son estos versos de Antonio Machado:

> Las ascuas de un crepúsculo morado
> detrás el negro cipresal humean...
> En la glorieta en sombra está la fuente
> con su alado y desnudo Amor de piedra
> que sueña mudo. En la marmórea taza
> reposa el agua muerta.

La sombra densa y azulada bajo el tejaroz, en las horas de pleno sol, tiene valor en sí misma, y la tiene la irisación de la aurora o la blancura lechosa del alba. Al recorrer una calleja apartada en la ciudad histórica, nos detenemos para gozar de esta pared larga y desnuda, baja, que cierra un jardín, detrás de un viejo palacio, y por la que desborda el ramaje tupido de una acacia. En el aposento silencioso en que nos hallamos sentados, nos basta una silla con asiento de esparto y una mesa de pino sin pintar.

Nos sentimos lejos de todo, ajenos al tumulto social y exentos de miras utilitarias. No queremos aprovechar nada, ni sentimos intereses en perseguir un fin. Nos basta con la sensación prístina del silencio, de la blancura de las paredes y de la desnudez y humildad de la mesa. En 1901, como un académico electo de Bellas Artes hablara impropiamente de los impresionistas, un grupo de artistas españoles protestó. Decían estos artistas al hablar de los cultivadores del impresionismo, en el documento publicado en la revista *Juventud* del 30 de noviembre del expresado año: «Seducidos por los infinitos cambios de la Naturaleza, consiguen, *mediante una ejecución rápida,* fijar sobre el lienzo las movilidades de la atmósfera; en una palabra, son los pintores de los efectos fugaces, de las impresiones pasajeras, quizá las más sublimes, sobre todo, en el arte del paisaje y de la marina, pero también las más difíciles de interpretar.»

Los artistas que protestaban eran, por el orden que ellos se firman: «Francisco Durrio, escultor de Bilbao. Ignacio Zuloaga, de Guipúzcoa. Darío de Regoyos, de Asturias. Santiago Rusiñol, de Barcelona. Pablo de Uranga, de Guipúzcoa. Francisco Bidal, de Bilbao. Anselmo Guinea, de Santander. Adolfo Guiard y Manuel Losada, de Vizcaya. López Allén y Vicente Berrueta, de Guipúzcoa. Miguel Utrillo, de Cataluña. Daniel Zuloaga, de Madrid, pintores.» (Como verá el lector, en esta lista no figura uno de los pintores que más indicado estaba que figurase —Joaquín Sorolla—. No figura sin duda por amistad y paisanaje con el artista reconvenido.)

El momento es fugaz. Tratamos de fijar

en el papel y en el lienzo la sensación, y no sabemos si los demás sentirán o no ante la tela o el papel lo que nosotros hemos sentido. ¿Y será definitiva esta adquisición efectuada para el arte? ¿Qué habrá en ella de privativo nuestro intransmisible y de elemento propicio a la generalización? ¿Copiar a Góngora? ¿Copiar al *Greco*? Hacer lo que ellos han hecho no es continuarlos. El trasunto no es la evolución. No se hace lo mismo... haciendo lo mismo. Lo esencial—esencial y fecundo—es sentir lo que ellos han sentido y dar a la sensación nueva forma estética. No será aventurado decir que en esos doce años, de 1898 a 1910, a la sensibilidad española se ha incorporado algo que antes no existía.

XLV

LOS PRIMITIVOS

En un tablero de nogal, liso, desnudo, un vaso de buen vino—que será vino doncel—, una nuez, nada más que una nuez —acaso vana—y tres chirivías. La luz entra por una ventana lateral, vivísima luz, y hace que se forme sobre la mesa una leve sombra. Delante están el vaso, la nuez y las chirivías. Detrás el suave adumbramiento. El bodegón es bonito. No lo ha pintado mejor Lucas Menéndez. ¿Y para qué este vaso de vino, esta nuez foradada —indiscutiblemente se trata de una nuez vana—y las tres chirivías, amarillentas, larguiruchas, con sus raicillas todavía?

> Non lo preciaba todo cuanto tres chirivías.

La tierra en que ha sido cosechado el vino del vaso y cogida esa nuez—fallida nuez—y arrancadas de un tablar de hortalizas esas chirivías, es la feraz tierra de la Rioja. Y quien nos habla—quien ha pintado esas cosas—es un poeta, clérigo secular, agregado a un monasterio de benedictinos: el de San Millán de la Cogulla. Sienten por ese poeta viva simpatía los escritores del 98. Pío Baroja, tan parco en admiraciones por los clásicos, le nombra con cariño en *El mayorazgo de Labraz* (1903). No ha faltado tampoco en el grupo quien, al margen del volumen de Tomás Sánchez, volumen leído por esos escritores, haya imaginado alguna historieta. Los escritores del 98—y éste es otro rasgo esencial de la escuela—van a ese gran poeta, como van a otros autores de la Edad Media, como reacción lógica contra la ampulosidad en literatura. Al énfasis y artificio que los rodea—Castelar, Núñez de Arce, Echegaray, la pintura de historia, etc.—, esos escritores oponen la sencillez y la espontaneidad de los primitivos.

¿Y quién entre los primitivos será más sencillo e ingenuo que Gonzalo de Berceo? Y por otra parte, ¿qué artista habrá tenido que luchar más para lograr impo- convento en que habita. No hace nada porque se le admire. Da algún paseo por la campiña y acaso entra a descansar unos momentos en alguna casa del camino. Le obsequian los buenos labriegos—labriegos riojanos—con un vaso de vino, vino doncel, repetimos, vino puro, claro, oloroso, vino, en fin, de la Rioja, que el poeta levanta desde el tablero, tablero de nogal, hasta sus labios. Todo lo demás que hay de tejas abajo no vale, como él dice, ni una nuez foradada. Este momento en que está sentado en el pastoral albergue, con el vaso en la mano, pronto a llevárselo a los labios, es único en el mundo. No único: vale, naturalmente, un poquito más el otro momento, el momento subsiguiente, en que el vinillo es trascolado en las fauces y el bebedor lo va paladeando.

No hace nada en pro de su prestigio el poeta, y con todo, su nombre ha de sufrir suerte varia. Las vicisitudes de su fama van a recordar las luchas de un poeta moderno, o de un novelista, o de un pintor para imponer su propia obra. Desde 1780, en que Sánchez publica íntegramente a Berceo—antes se había publicado sólo algo—, este poeta ha sido como una luz naciente que unos ven y otros no ven, que unos dicen que es de un color y otros de otro color, que unos dicen que es suave y otros hiriente. Se le lee y no se sabe qué pensar de su estro. Sería curioso ir ensamblando textos, comenzando por Moratín y acabando por don Juan Valera, en que se juzga a Berceo. El poeta no se mueve de su celda en el monasterio, y es un luchador, como lo ha sido—sin que ellos hicieran nada tampoco—un Mallarmé, un Cézanne o un Góngora. ¿Rudo y grosero? ¿Delicado y gracioso? Nadie lo sabe a punto fijo. Valera, tan ufano con su buen gusto, ha juzgado a Berceo injustamente. Y esta lucha de Berceo por imponerse—al fin se impone—añade un incentivo más al interés con que le considera la escuela del 98, combatiente también en pro de una estética nueva.

¿Y son sencillos e ingenuos en realidad los primitivos? Si no lo son, es como si lo fueran. Su enseñanza viene a corroborar la sencillez de que hacen profesión los nuevos escritores. Sencillez que en Gonzalo de Berceo se junta a una cordial y viva humanidad. Y también esta excelencia del poeta es modernísima. ¿Rudo y primitivo Berceo? Delicadísimo y ultramoderno. Lo elemental es lo aristocrático: el vino y el pan. Su vaso de buen vino es ya popular. A la Virgen del Pan de Trigo no todos la conocen:

Reina de los cielos, madre del pan de trigo...

«No olvidéis nunca la limosna», nos dice el poeta. Puede ser esa limosna un zatico de pan o un cortadillo de vino. No todos salen por las calles y los caminos a pedir. Pobres hay, muy pobres, que se lo sufren en sus casas, de puertas adentro:

Miembrevos sobre todo de los pobes vecinos,
que iacen en sus casas menguados e mezquinos
de vergüenzan no andan como los peregrinos
iacen transiunados, corvos como ozinos.

Transiunados, es decir, hambrientos, acurrucados en un rincón, corvos o encorvados cual un garfio o clavo torcido. Allá están recoletos en sus casas, y nadie lo sabe. Con esto aparece en el siglo XIII la primera semblanza—que luego, en el XVI, hemos de ver más completa en el *Lazarillo*—del caballero español, grave, digno, entero, sufridor de estrecheces, sin que nadie se entere, ni él a nadie quiera decirlo.

XLVI

MARTIN RICO

Simpatía para Martín Rico: parece que le estoy viendo, allá lejos, en la acera de la Academia de Bellas Artes, con su sombrero de anchas alas, cobijadoras de larga melena, alongada y expresiva la faz, el traje amplio y descuidado. Y no sé, conforme voy escribiendo, si lo he visto o no lo he visto. Si lo confundo con otro o no lo confundo; tal vez lo confundo con Tomás Martín. Pero Martín Rico escribió sus Memorias, estando en Valencia, en 1906, con el título *Recuerdos de mi vida*. Y aquí en la mesa en que escribo tengo el libro. Si la imagen que guardo del pintor no es auténtica, el libro en que el pintor ha expuesto su pensar sí que lo es.

Tres focos de estética coexisten en España en determinada época, poco más o menos: la escuela del 98, el wagnerismo y los paisajistas. Creador del wagnerismo en Madrid—no digo en España—fué el maestro Luis Mancinelli. A los escritores del 98 debe estudiárselos, principalmente, en el terreno literario. En cuanto al paisaje en pintura, Martín Rico fué uno de los más descollados pintores del grupo. Curioso sería hacer la historia de las ideas estéticas en una época dada, atendiendo a los menudos incidentes, a las peculiaridades subalternas—que a veces influyen tanto como las notorias—, a pormenores y matices que no suele recoger la historia. ¿Cómo pudieron llegar a madurez esas tres dichas floraciones? ¿Y cómo germinaron poco a poco antes? Sería necesario también establecer la dependencia y solidaridad—si existían—entre el interés por Nietzsche, el culto a Wagner y el entusiasmo por lo que es lirismo, individualidad exaltada en pintura, es decir, el paisaje.

Carlos Haes ha sido el maestro, o, por lo menos, el inspirador de los paisajistas españoles. Entra Haes en la Academia de Bellas Artes, y su discurso de recepción —en 1860—es un interesante documento. El paisaje en pintura es cosa moderna. Moderna en el acento de personalidad, subjetivo, que al paisaje se presta. Ni Hobbema, ni Paul Bril, por ejemplo, han pintado paisajes como un Claudio Monet o un Daubigny. No es sólo en técnica en lo que difieren unos y otros; entre unos y otros se han desenvuelto sucesos en el mundo que han dado otro valor a la personalidad humana. Dice Haes que el paisaje de los fondos, en los cuadros antiguos, no puede considerarse como paisaje. Ese paisaje de los lejos «suele no ser bueno sino a condición de no ser verdadero». Tanto es así—añade Haes—, que difícilmente un paisajista acertará a pintar bien un fondo de cuadro, porque a ellos se opone la tendencia que siempre tiene de hacer puramente paisaje sin sacrificar nada a dicho objeto. Peñas y árboles eran, en lo antiguo, siempre los mismos. Carecían de individualidad. Se la han dado los paisajistas modernos. «Los árboles son las verdaderas figuras del paisaje. Cada uno tiene su fisonomía, cada uno su lugar favorito, donde despliega mejor su verdadero carácter.»

El cielo es esencial en el paisaje. Y en el cielo, las nubes. Sabido es que fué Paul Bril (1556-1626) el primero que ensanchó el horizonte. Constable se ha distinguido por sus cielos. Hay cielos aborregados de Constable maravillosos. Las nubes las pintan muchos, y las aciertan pocos. Existe un curioso opúsculo de José Parada Santín, profesor que fué en la Escuela de Bellas Artes, titulado *Las ciencias y la pintura. Estudios de crítica científica sobre los cuadros del Museo de Pinturas de Madrid* (Madrid, 1875). El autor, entre otras muchas cosas, habla de las nubes de Velázquez. «Velázquez, en sus magníficos retratos—dice Parada Santín—, nos presenta celajes que son de lo mejor en este género, excepción hecha de algunos fondos flamencos. El cielo azulado, poblado de *cirrus* blancos, es el que más comúnmente se presenta en el horizonte de Madrid, y aquel que más lo caracteriza, y el que nos ofrece en sus retratos este autor. Pero si es acertado en estas obras, no le sucede lo mismo en sus cuadros religiosos, como el de San Antonio y San Pablo, y otros que pintó en su primera época; éstos están plagados de defectos, en unos por no acomodarse el cielo al asunto de la composición, y en otros porque la materia de las nubes, de por sí tenue y vaporosa, se prestaba poco en la manera eminentemente plástica de pintar que tenía Velázquez, para representar de cerca este meteoro con aquellas condiciones. Así es que las nubes de algunos de sus cuadros religiosos, más bien que tales parecen pellas de algodón cardado y otras se asemejan a la espuma del jabón o la lejía.»

En el grupo de los modernos paisajistas madrileños figuran Martín Rico, Aureliano de Beruete, Agustín Lhardy, Juan Espina. Martín Rico estudia en París y en Roma. Cuando él principia, todavía no se había descubierto el Guadarrama. Vive una temporada el pintor en el Alto del León, en una mísera chavola, y pinta en las laderas, barrancos y altozanos. El panorama que desde el puerto se abarca «es de lo más hermoso y brillante de color que yo he visto», dice Martín Rico. Notable diferencia entre ese color y el color de las orillas del Sena, bajo un cielo plomizo, con luz de plata. No todos—los ajenos a esa tierra—pueden comprender y estimar tal paisaje. «Las orillas del Sena y del Marne, con aquella fineza de color, es difícil encontrarlas en otra parte.» De los paisajistas franceses anteriores al impresionismo, los que más gustan a Martín Rico son Daubigny — a quien trató — y Troyón. «¡Qué pintorazo!», exclama, hablando de este último. Con Pisarro trabajó un verano. «Me chocó mucho—dice—que pintaba y repintaba el cuadro que hacía, y todos los días cambiaba el efecto; de modo que a lo último el cuadro tenía más de dos dedos de color. Tenía por entonces un color gris muy fino de tono, que me gustaba más que lo que hacía después en pleno modernismo.»

El pintor está ante su caballete, el escritor ante sus cuartillas, el músico ante el papel pautado. Una época en la Historia y un instante en el tiempo. De unos a otros artistas, en ese momento dado, en un mismo país, van y vienen misteriosos efluvios. Tan sutil y etéreo es todo—todo lo que no se resuelve en sucesos—, que es imposible describirlo. Todo lo más, queda el recuerdo, que poco a poco se va disolviendo.

XLVII

LAS PALABRAS INUSITADAS

Como Darío de Regoyos era nuestro pintor, Amadeo Vives era nuestro músico. (Zuloaga vivía en París. Sin embargo, uno de los cuentos de mi libro *Los pueblos,* 1905, el titulado *Los toros,* está dedicado «Al pintor Zuloaga».) No venía Regoyos a Madrid sino de raro en raro. Moraba Vives de asiento en la Corte. Gustábale mantener con nosotros largas discusiones. Se ponía serio, muy serio, más serio que Pablo Schmitz, el cual siempre tenía fruncido el ceño y nunca pestañeaba. Los temas que descutíamos con Vives eran de estética o de moral. ¿Cómo entiende usted la impersonalidad en el arte? ¿De qué manera explica usted la transmutación de todos los valores de Nietzsche? ¿Cuál es el valor de la palabra en Góngora o en Mallarmé? Encontré un día a Vives en la calle de Alcalá, frente al teatro de Apolo. No recuerdo si todavía había pinos en la calle de Alcalá y si seguía siendo, por consiguiente, el *pinar de las de Gómez* el trecho de acera que va de Peligros a la Cibeles. Caminaba yo a paso de carga y me detuve un instante para dar a Vives la noticia sensacional:

—Lo siento mucho, querido Vives; pero esto no puede continuar así. Renuncio desde hoy, desde hoy precisamente, al empleo de palabras inusitadas.

—¿Cómo, cómo?—grita Vives—. ¡Eso no puede ser! Diga, diga...

—Tengo prisa ahora. Ya hablaremos despacio.

—¡No, no! ¡Ahora mismo!

Y Vives me coge por la solapa y me lleva hacia sí. Pasaba yo por sabidor de palabras raras, y me gustaba, en efecto, esmaltar la prosa con algún término preciso, aunque escondido. Habíamos palabreado mucho sobre el caso. A los escritores del 98, preocupados por el estilo, por la precisión en el estilo, les interesaba en extremo la precisión de las palabras.

—Vamos a discutir—prosigue Vives—. Eso no es serio. Renuncia usted a su primer privilegio de escritor. ¿Qué digo privilegio? Eso es un deber. El deber de ensanchar el idioma.

—¿Y qué quiere usted que yo le haga, querido Vives? El público no entiende esas palabras. Hay que escribir para todos. El lector que encuentra en lo que lee un término raro, tiene que saltarlo o echar mano del diccionario.

—¿Y qué importa que la eche? No vamos a sacrificar por su gusto la riqueza en la expresión. No sólo riqueza, sino la exactitud.

—Llevo prisa, Vives. Discutiremos más tarde. Ya verá usted cómo le convenzo.

Hago como que me marcho, y Vives, sin soltarme de la solapa, me va llevando a la puerta del teatro.

—¡Hombre, un momento nada más! —grita—. Ya seguirá usted su camino. Pero ¿es de veras lo que usted dice? ¿Cree usted que no existe una palabra única, ella sola, que en determinado momento es precisa, ineludible, y que esa palabra puede ser un término arcaico, o técnico de artes y oficios? ¿Y vamos a prescindir de ella porque el tendero de la esquina no la conozca?

—Pero usted, Vives, desvaría. El Arte es para todos. Y usted que desdeña al tendero de la esquina, en cuanto perito en estilo, no en cuanto perito en estilo, no en cuanto tendero, es el primero en hacer música para él.

—¡No lo crea usted! ¡Escribo música para mí mismo!

—¡Cuando usted puede!

—¡Siempre que puedo!

—¿Sabe usted, Vives, lo que es un perro *lucharniego?* ¿Ha oído usted muchas veces en los crepúsculos vespertinos *chiar* a las golondrinas? ¿Y en el Retiro *himplar* a las panteras? ¿Ha oído usted en la madrugada cantar a la *coalla?* Si está usted en una casa de campo y entra en el amasadero, cuando la casera está ante la artesa, con las manos en la masa, ¿sabrá usted lo que está haciendo? ¿Se acordará usted del verbo *heñir?* Y si aquí en Madrid pasea usted y se detiene ante una obra, como uno de tantos bausanes, y observa a un cantero que está alisando un sillar, ¿sabe usted decirme que ese cantero está *escodando* esa piedra? Pero ya hablaremos. Llevo prisa.

—¡Un momento! ¡Nada más que un momento y le dejo a usted!

Entramos sin darnos cuenta en el zaguán del teatro. Vives no me suelta de la solapa. Está empeñadísimo en el debate.

—¿Va usted a abandonar la empresa de toda la vida? ¡Eso es imposible! El Arte necesita de todos los medios de expresión. Y no se puede dejar sin utilizarlo el inmenso fondo de reserva que tiene el castellano. Sería absurdo que, por escrúpulos tontos, fuéramos poco a poco reduciendo el idioma a lo más preciso, es decir, a una lengua indigente.

—¿Y qué le voy yo a hacer, amigo Vives? ¿Usted no conoce a Jiménez Patón?

—¿A quién dice usted?

—A Jiménez Patón. Pues Jiménez Patón resolvió ya el asunto en su *Mercurio Trimegisto,* publicado creo que en 1614. Dice este autor categóricamente que no se deben emplear términos raros, desconocidos. Y para mí la autoridad de Jiménez Patón es irrecusable.

—¡Bueno, usted se ríe de mí! ¿No se llama eso *bernardinas?* Pues usted me está ahora engañando con *bernardinas.* ¿Es que cree usted que yo no me acuerdo de haberle oído lo contrario? Ha dicho usted alguna vez que colecciona manuales de artes y oficios...

—Del carpintero, del herrero, del alcaller o alfarero, del curtidor, del albañil... Eso es verdad.

—¿Y para qué los escudriña usted? Sencillamente para usar, en un momento dado, el vocablo único y exacto.

—No, no, no... ¡Ea, me marcho!

—No se va usted sin que antes le diga yo otra cosa. Hace ocho días, en el café de la carrera de San Jerónimo, hablábamos sobre el asunto, y usted decía que no eran las gentes del campo las que sabían de las cosas del campo. Suele suceder que los labriegos o los... No me acuerdo la palabra que usted usó. ¿Cómo era?

—Los pelantrines.

—¡Eso, los pelantrines! Suele suceder que los pelantrines confunden un pájaro o una hierba, es decir, que cambian las cosas e ignoran sus nombres. Y añadía usted que los que verdaderamente saben las cosas del campo son los cazadores. Por eso andaba usted siempre a la caza de libros de caza. Sobre todo, de libros de caza escritos por cazadores indoctos, no leídos, pero conocedores de su oficio.

—Conforme con usted. Y he citado muchas veces un librito titulado *El experimentado cazador,* publicado en tercera edición el 1817, y que es una verdadera maravilla de estilo. De estilo preciso, coloreado y pintoresco. «En el verano debes buscar y cazar las liebres en los labrados y palmares, en los prados juncales, en los altillos donde corra el aire y en las viñas, al cebo de la yerba fresca y lo fresco de las parras.»

—¡Ah, qué bonito! ¡Es una fábula de La Fontaine!

—¡Adiós, adiós, querido Vives! Ya hablaremos. Llevo mucha prisa.

XLVIII

LA INACTUAL

De los maestros, los dos que se acercaron a nosotros—creo haberlo dicho—fueron don Juan Valera y doña Emilia Pardo Bazán. Valera habló de nuestros libros. Doña Emilia estuvo siempre atenta a lo que hacíamos. Baroja se inclinó más a Valera. Consideré yo más afín conmigo a doña Emilia. Estando en París, me he acordado mucho de la Pardo Bazán. La evocaba, principalmente, cuando me encontraba en una salita silenciosa, con balcón a una calle sin tránsito, salita con cuadros y vitrinas henchidas de preciosas baratijas. Hablo del Museo Carnavalet—uno de los más curiosos de París—y de la salita que en él hay consagrada a *Jorge Sand.*

Desde Valencia, allá por 1888, había yo enviado a doña Emilia alguna curiosidad bibliográfica: una copia manuscrita del *Fray Gerundio,* de Isla; una de tantas copias como se hicieron, agotada la edición del libro en pocas horas, para satisfacer la vehemente curiosidad del público. A doña Emilia la visitaba yo con frecuencia, y ella, además de nuestras charlas, me solía escribir. Guardo sus cartas escritas en letrita delgada, sutil, clara, limpia. En Madrid, brujuleando por el Rastro en 1902, encontré unas fotografías del padre de la escritora. Se las regalé, y doña Emilia, en una carta, me dice:

«Gracias por su delicada atención al enviarme los retratos de mi padre, que es la persona a quien creo haber querido más en este mundo; por lo menos, la que mejor y más íntimamente ha comunicado conmigo de espíritu.»

He mostrado extrañeza al hablar de Silverio Lanza, el precursor, por la presencia de doña Emilia en la celebérrima conferencia del Ateneo. Y ahora voy recordando que, organizador yo de ese acto, fuí yo quien hizo asistir a él a doña Emilia. En todos los maestros—en los de España y en los de fuera, naturalmente—hay obra muerta. Todo lo que ha sido sacrificado a la actualidad, o perece o tiene un valor secundario. Hay mucha obra muerta en Galdós. Galdós es un gran historiador de Madrid en determinada época. Si como Historia tiene valor indubitable toda esa parte galdosiana, no la tiene tanto en cuanto a sensación viva e inactual. Lo que se gana por un lado—y es lo de menos—se pierde por el otro. En doña Emilia, caso único en su tiempo, la sensación viva predomina en la materia histórica. La Pardo Bazán tenía una excelencia sin la cual no se puede ser artista: la curiosidad. Notemos de pasada que, en el fondo, la curiosidad es lo mismo que la imaginación. Sin imaginación, la obra está muerta. Y doña Emilia Pardo Bazán ha llegado en sus curiosidades—el plural aquí es significativo—a donde no han llegado los otros maestros. Curiosidad por el libro, la muchedumbre de los libros, y curiosidad por la sensación viva. Esa sensación—experiencia humana—transportada a los libros es lo que da valor a su obra y la singulariza.

Pablo Schmitz, representante de Europa ante nosotros; Pablo Schmitz, suizo alemán, impasible, finamente observador, fué presentado por mí a doña Emilia. Aquí tengo la carta en que la escritora concedía la audiencia. Y nada más curioso que esta confrontación: la de una sensibilidad netamente española, abierta, a la par, a todo lo extranjero, y este hombre que traía a España una comprensión diferente, opuesta acaso, y que se mostraba ansioso de encuadrar en ella el alma española.

Doña Emilia ha escrito y ha sentido. Digo escribir sencillamente, sin aditamento de adjetivo. No todos los escritores escriben. El que realmente escribe—un Cervantes, un Flaubert, un Baudelaire—, ya es un escritor. La curiosidad de doña Emilia comienza en el idioma y llega a las más lejanas fronteras. Doña Emilia ha sentido el paisaje. Con más fuerza, con más amplitud, con más hondura que sus coetáneos, ha escrito doña Emilia la Naturaleza. Galdós no sintió el paisaje. Pereda lo siente a la manera antigua. Sus paisajes recuerdan los paisajes—y son admirables—de un Hobbema o de un Ruysdael. Los paisajes de Galicia en *La madre Naturaleza* (1887) son insuperables. No se ha hecho nunca más, no se podrá hacer. No son los únicos. Ha podido ser firmado un librito — *Paisajes de doña Emilia Pardo Bazán*, Buenos Aires, 1934— con páginas entresacadas en las novelas de doña Emilia.

El idioma, más que conocerlo, lo siente. Y porque lo siente, con independencia de la tradición, llega a veces a esas singularidades y caprichos que en su prosa extrañan a los profanos o a los tradicionalistas. Se puede discutir a veces la trama de tal o cual novela suya. Absurda es la intriga de *La madre Naturaleza*—una de las más bellas novelas de la autora—. Podremos no aceptar tal o cual desenvolvimiento psicológico. No lo extrañamos, empero. La autora, impulsada por su sensibilidad exuberante e impetuosa, va a donde quería ir, sin reparar en el camino. Precisamente llegamos con eso al punto en la obra de doña Emilia: la sensación viva y auténtica. La sensación prístina, palpitante, mórbida—mórbida en el sentido de suave, voluptuosa—, que es de todos los tiempos y es tan viva ahora como lo será dentro de siglos.

Y eso es lo que hace que entre todos los maestros, los de la generación del 1898, doña Emilia Pardo Bazán sea *la inactual*.

XLIX

LA SOLEDAD VERDE

No quisiera despedirme de estos recuerdos sin decir algo de la «soledad verde». La frase no es mía. La frase es de un gran poeta. No sentíamos en nuestro tiempo —sea dicha la verdad—entusiasmo por el arte flamenco. El flamenquismo, por otra parte, no había alcanzado el incremento que alcanzara luego. Pepa la *Banderillera* —de quien habla Próspero Merimée en sus cartas a Estébanez Calderón—no se había aupado todavía a figura nacional. Después han sido exaltados toreros, guitarristas, cantadores y bailadoras. Hasta se ha querido encarnar a España, toda España, en ese arte. Ha sido creada toda una literatura ditirámbica o saltatriz. La misma recatada poesía lírica ha sido particionera en el arrebato. Nos hemos olvidado, enajenados como estábamos, de que la verdadera poesía lírica, la grande, la inmortal, es la que se conmueve ante el destino trágico del hombre y busca anhelante —como decía fray Luis de León—el «principio propio y escondido» de las cosas.

Galicia estaba lejos. Valle-Inclán y Camilo Bargiela nos servían de enlace espiritual con Galicia. El viaje a Galicia entonces era interminable. A la otra parte del mundo, en los confines de la tierra habitada, estaba, ensoñadora y neblinosa, Galicia. En nuestra comprensión y en nuestro amor entraban todas las regiones de España. Baroja había situado la acción de una de sus más bellas novelas en Córdoba la nostálgica. He escrito yo muchas páginas sobre Andalucía. Pero Galicia tenía su sortilegio. No podía sentir Baroja como la sentía yo la necesidad del paisaje galaico. El paisaje de Vasconia es afín del paisaje de Galicia. Tiene, empero, el galaico una amplitud de horizonte y cierta espiritualidad melancólica de que carece el vasco, paisaje más cerrado, paisaje común a dos naciones y de tierras transitadas, holladas a la continua por el viajero internacional.

La soledad verde es la soledad del paisaje en la lejana y solitaria Galicia. Siempre que leo las *Odi barbare,* de Giosuè Carducci, me detengo en la estrofa en que el poeta califica de ese modo la soledad campestre:

O desiata verde solitudine
lungi al rumore de gli uomini!

Deténgome en tales versos y pienso en la soledad de Galicia. Con los ojos del espíritu veo esas verdes soledades y me empapo voluptuosamente de silencio. En mis oídos resuena entonces, lejano, casi imperceptible, viniendo de tan lejos, la música popular gallega. He oído músicas populares de muchos países: de Rumania—nación tan semeja a la nuestra—, de Hungría, de Italia, de la antigua Rusia blanca, la Rusia de Lermontoff y de Gogol. Ningunos cantos populares me han conmovido tanto, tan hondamente, como me conmueven los cantos populares de Galicia. En 1939, encontrándome en París, oí decir que en nuestra Embajada se iba a celebrar una «fiesta española». Escribí yo entonces al embajador, don José Félix de Lequerica, una carta en que le rogaba que, al menos por aquella vez, la tal fiesta española no fuera una fiesta de jipíos y bayaderas. Debía ofrecer el embajador a la selecta concurrencia que acudiera a la embajada una audición de música popular gallega. Y yo tenía la certidumbre firmísima de que escucharían algo extraordinario, único, y de que su emoción sería indeleble. Esa emoción hubiera sido la misma que la música popular gallega causó en el propio París cuando se celebró la Exposición de 1889. Doña Emilia Pardo Bazán habla del caso en su libro *Por Francia y por Alemania.* Estuvieron en París los orfeones gallegos dirigidos por el maestro Veiga. Laurent de Rillé, eminente en música coral, felicitó con entusiasmo a Veiga. Las masas corales, «a pesar de la inmensidad de la sala de fiestas del Trocadero, supieron hacerse oír, aplaudir y *bisar*».

Estaba muy lejos Galicia: veinte o treinta horas de tren destartalado y lentísimo. Pero en Galicia tenía yo reservadas sensaciones distintas a las de otras regiones de España. Allí estaba en su propio ambiente, en los valles solitarios y en las montañas umbrosas, esa música popular ansiada. Y allí estaban los poetas que yo había leído: una Rosalía de Castro o un Lamas Carvajal. A Rosalía, la desdeñada, la gustaba yo más en su lengua nativa que en el volumen castellano *En las orillas del Sar.* En su lengua vernácula, Rosalía se explaya y entrega toda ella con fluidez y graciosidad. En el idioma nacional, diríase que se percibe cierta limitación. El mismo título del libro, título en el que sobran las dos primeras palabras, la preposición y el artículo acusa ese no dominio pleno de la herramienta. ¿Y cómo ponderaré yo las horas deliciosas pasadas en Galicia, solo, sin ver apenas a nadie, aposentado en un cuarto de una fonda que estaba allá lejos, al fondo de un pasillo? Divagando por la campiña me veo y contemplando el mar desde la torre de Hércules, en La Coruña. Y vuelvo a sentir la placidez de ir paladeando, tras el cansancio del paseo, un vaso de leche espesa, densa, casi una emulsión; leche deliciosa, sorbida en un figoncillo de una calleja apartada y silenciosa.

Desde entonces cifro yo todas mis ilusiones en tener una capa, una capa de paja, la capa con que resisten la lluvia los aldeanos gallegos, y en pasearme con esa capa, en tanto llovizna, por el campo, escuchando acaso un canto lejano, prolongado, de una melancolía inefable, seguido del grito agudo y anhelante que parece salido de lo infinito.

L

EL CARDENAL ROMO

No podía ser otra cosa. Había yo dado el vale definitivo al pasado, y vuelvo desde la puerta para dedicar un recuerdo afectuoso al cardenal Romo. Sin ello, quedaría manco este estudio. «La Patria es la Historia», ha dicho un gran historiador. No se puede comprender la Historia sin la arqueología. Imposible comprender la arqueología sin comprender—comprender y sentir—ese espíritu que la anima. La visita que en 1900 hicimos a Toledo fué capital en el desenvolvimiento de la escuela. Fuimos a Toledo, no como frívolos curiosos, sino cual apasionados. Nos atraían los monumentos religiosos. En ellos se encarna la nacionalidad española. Interesábannos las iglesias visigóticas y las herrerianas, las iglesitas de pueblo y las grandes y suntuosas catedrales. En las catedrales, verdaderos mundos de arte, íbamos desde la estofa de una casulla antigua a la talla de un retablo. Y acaso lo que más nos apasionaba era un arte eminentemente español, que en las catedrales, sobre todo en las grandes catedrales, como las de Toledo y Cuenca, alcanza manifestación espléndida: el arte del hierro forjado. Rejas, cruces, atriles, púlpitos, los hay primorosos labrados en hierro. Sobre todo, las rejas. El rejero español ha sido un maestro incomparable. Nos deteníamos ante las inmensas rejas, rejas que separan el coro del resto de la nave, rejas, algunas, sobredoradas en parte, e íbamos pasando nuestras manos voluptuosamente por los barrotes.

De esa sensación voluptuosa era forzoso que pasáramos al prístino espíritu. El arte había de conducirnos a la pura espiritualidad. De otra manera, la comprensión de España hubiera sido incompleta. Y el tránsito de un mundo a otro, de la región sensual a la región etérea, nos lo facilitaba el *Greco*. El *Greco*, en quien el arte, el más refinado y moderno arte, se alía al fervor más intenso en el espíritu. Insensiblemente, sin que nos demos cuenta, en la soledad y el silencio de una capilla recóndita o en la vastedad de una nave, la balanza de la sensibilidad va inclinándose, ante el *Greco*, hacia el lado de la pura y desinteresada contemplación. Y ya, con el fervor contemplativo, nos hallamos dentro, plenamente dentro, de la Historia de España.

El azar de una lectura completó nuestra comprensión del *Greco*. Del *Greco* pasamos al cardenal Romo. Cuando don Judas José Romo escribió su libro *Independencia constante de la Iglesia hispana* (Madrid, 1843, segunda edición), todavía no era cardenal, sino obispo de Canarias.

Ese libro del obispo de Canarias suscitó en la generación del 98 un movimiento de curiosidad primero, de vivo interés más tarde y de pasión al fin. Lo discutimos amplia y calurosamente. No se había dicho nada de eso todavía. No conocían el episodio los críticos de la generación. Pero Baroja recordará, sin duda, los abundantes comentarios que hicimos al libro *Independencia constante de la Iglesia hispana.* A Toledo llevaba yo, entre otros papeles, un apuntamiento de ese libro. Porque en Toledo habíamos de celebrar, durante nuestra estancia de tres o cuatro días, una especie de dieta o conferencia en que tratar de los diversos asuntos que nos apasionaban. Durante el día recorríamos la ciudad, y a la noche, con todo sosiego, nos reuníamos en un aposento de la posada y celebraríamos la sesión. Discutimos mucho el interesante libro de don Judas José Romo, y aun tuvimos el propósito—no lo cumplimos—de visitar al arzobispo y cardenal, que lo era don Ciríaco María Sancha, para exponerle, respetuosamente, algunas dudas y rogarle las aclarase.

Nos encontrábamos dentro de la Historia de España. Dentro llenamente de la propia España. La nacionalidad la ha creado en España la Iglesia. El *Greco* nos había llevado al cardenal Romo, y el cardenal Romo, con su libro singular, desconocido de las gentes, nos había adentrado en el corazón de España. No había yo de conocer hasta más tarde toda la personalidad del cardenal Romo. En Toledo, nos interesó también el cardenal Tavera, llamado Pardo antes de llamarse Tavera. Y a mí, personalmente, había de interesarme años después el cardenal Lorenzana, gran humanista moderno, hombre que sabía unir lo temporal con lo espiritual en su mal alto grado. Lo prueba su carta a los labradores de la archidiócesis—por mí comentada repetidas veces—, sobre la recolección de la aceituna y cuidado de los olivos. (Toledo, 1 de abril de 1779.)

De agricultura escribió también algo el cardenal Romo, siendo arzobispo de Sevilla. «Entre los pucheros anda el Señor», decía Santa Teresa. Y esta alianza de lo vernáculo y lo sublime es uno de los caracteres fundamentales de la Iglesia española; esta Iglesia, que el cardenal Romo quiere independiente del Estado, sin servidumbre al Estado, sin vejámenes del Estado, disfrazados con pretextos de *protección y tuición,* con vida robusta, propia y espléndida. El cardenal Romo se preocupa de educación principalmente. Impresos en Sevilla, año 1851, se publican varios opúsculos interesantísimos del cardenal. Sobre el arte de leer—de enseñar a leer—, sobre la ortografía y su simplificación, sobre la creación de escuelas de primeras letras, ha escrito el cardenal. Al hablar de este último tema, es cuando el cardenal trata de la agricultura española. Y ello porque relaciona el estado de los estudios con el estado general de la nación, en que la agricultura juega papel importantísimo. Y coincidencia con el cardenal Lorenzana: también Romo nos habla del olivo, «este árbol querido de Minerva, manantial precioso de la riqueza nacional y el más útil de los árboles», en páginas pintorescas y delicadas. El cardenal Romo es un estilista. Le gusta el lenguaje coloreado, plástico y expresivo. No sé de nadie que haya parado mientes en la prosa castellanísima del cardenal Romo. ¡Y qué suculenta es! Para terminar, vaya una muestra. Hay que enseñar a leer—opina el autor—para que los españoles se puedan enterar de lo que vale y puede hacer España. Hay que enseñar a leer para reducir la barbarie y la ignavia. Con la instrucción disminuirá el número de los ignorantes, de los aviesos y de los indómitos. Esos son los enemigos verdaderos de España. El opúsculo de que hablo, si reimpreso colectivamente con los otros del cardenal en 1851, fué elevado como solicitud en 1816 a Fernando VII y dado al público en letras de molde en 1820. Ese trabajo, *Plan ejecutivo para el establecimiento de las escuelas de primeras letras en todas las feligresías,* tan de viva actualidad hoy como entonces, debiera reimprimirse y divulgarse.

«Con los hombres iliteratos no se piense, Señor, en tales adelantamientos—escribe el autor—. Piénsese sólo en que no murcien aquéllos las caballerías que huelgan en las rastrojeras y los prados o no las estanquen éstos en los talleres y plantíos. Piénsese sólo en que no trasminen unos los ganados de nacidas en nacidas, o que no vayan otros a hacer leña a los olivares, los descortecen y arranquen los ceporros. Trátese, en fin, que aquéllos y éstos, los unos y los otros, no asalten las huertas, espanten las palomas, despueblen los colmenares, de que no talen los campos.»

Don Fernando de Castro, en su discurso de ingreso en la Academia de la Historia—discurso también leído y comentado por los escritores del 98—, al hablar de los ««caracteres históricos de la Iglesia española», no recoge este aspecto tan interesante, simpático y nacional.

En la *Guía del estado eclesiástico de España,* correspondiente a 1851, figuran los retratos de muchos de los prelados españoles. Son bellas litografías. Entre esos retratos está el del arzobispo de Sevilla, don Judas José Romo Gamboa, creado cardenal en el Consistorio de 30 de septiembre de 1850. La faz llena del cardenal se nos muestra apacible. Los labios son gruesos y la nariz ancha. En el enarcamiento de las cejas, en la mirada y en ciertos leves pliegues de las facciones, advertimos como un matiz de resignación y de dulzura melancólica. Y esa impresión de bondad triste, con tristeza inefable, es la que deja en nuestra mente el cardenal cuando cerramos el libro.

LI

EPILOGO EN EL CAMINO

Sentado en una lancha o piedra del camino, veo pasar las nubes y dejo pasar el tiempo. Al alba me encontraba yo en pie. Son ahora las nueve de la mañana y la luminosidad ciega. Todo aparece henchido de luz en la campiña. Lo que sorprende al morador de las grandes ciudades es encontrar tal luminosidad espléndida a horas en que la luz es parca en las calles. Y esta sensación de luz se asocia a otra sensación de tiempo. En pie desde el primer albor de la mañana, siendo ahora las nueve, parece que es ya mediodía. Las cosas han principiado a vivir antes, con plenitud de vida, mucho antes en el campo que en la ciudad.

Y va pasando el tiempo. Las sombras de los redondos olivos van moviéndose y modificándose imperceptiblemente. Llegará un momento, en esta mañana esplendorosa, en que, no llevando reloj, no sepa qué hora es. ¿Y me lo dirá este pasajero que avanza por el camino? He arrancado una ramita de tomillo y la acerco a la nariz. El perfume es penetrante. En estos parajes solitarios, el paso de un caminante rompe la monotonía de nuestras horas y es suceso insólito. ¿Adónde irá este labriego? ¿De dónde viene? ¿Cuál será su vivir? Como me siento complacido en este ambiente voluptuoso de paz y bienestar, recuerdo los versos de una égloga de Lope y profiero tres o cuatro a media voz:

> Allí viene Juan Redondo
> cubierto con una manta;
> de mañana se levanta.
> Quien madruga, Dios le ayuda.

Juan Redondo, o sea, el caminante desconocido, pasa y se pierde a lo lejos. Una totovía trina. De allá lejos viene el traqueteo de un carro, que se hunde en los hondos relejes y que se empina luego en las peñas. No me pierdo yo a lo lejos, en ruta hacia lo desconocido, sino que estoy de vuelta. De regreso de todo en la declinación de la vida. De regreso de mis recuerdos, algunos de los cuales he evocado en este libro *Madrid* y en el otro libro *Valencia*. Pero ¿será éste un regreso? ¿No es más bien una marcha hacia el pasado, al que ineludiblemente, con fervor y con ternura, se vuelve en la senectud?

Estrellas hay que saben mi cuidado.

Creo que éste es el primer verso de un soneto de Francisco de la Torre. La hipérbole encierra un pensamiento delicado. El poeta vivirá solitario, sin expandir su tristeza. Pero allá en el cielo—el cielo traslúcido y negro de las noches sin luna—hay estrellas que conocen sus cuitas y le acompañan.

¿Tendré yo también alguna estrella que sepa mi cuidado? Lo veré esta noche.

Madrid, abril-mayo 1940.

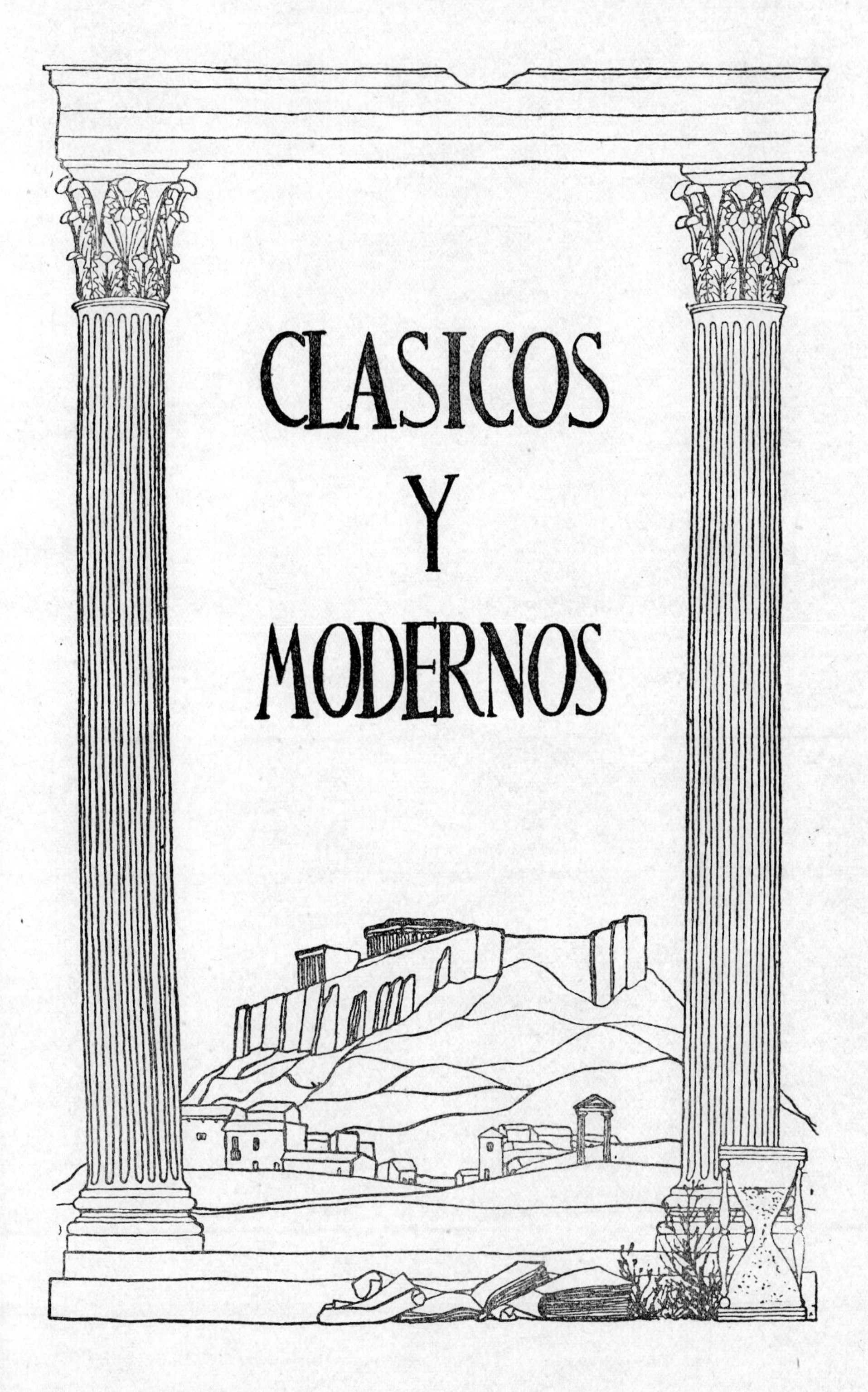
CLASICOS
Y
MODERNOS

A JUAN RAMON JIMENEZ, poeta predilecto, con un abrazo cordial,

AZORÍN.

Las presentes páginas han sido motivadas por la lectura de autores clásicos españoles. Son como notas puestas al margen de los libros. La impresión producida en una sensibilidad por un gran poeta o un gran prosista: eso es todo. Cuando nos acercamos al ocaso de la vida y vamos —dolorosamente— viendo las cosas en sí y no en sus representaciones, estas lecturas de los clásicos parece que son a manera de un oasis grato en nuestro vivir. Durante un momento nos detenemos a reposar. El espíritu se explaya como libre de los diarios y apremiantes afanes. Allá, hacia la lejanía ideal, camina nuestro pensamiento. El querido poeta lo ha dicho:

> Ya al fin de la jornada, en la penumbra verde,
> al lado de la fuente de piedra, hacemos alto...

LOS POETAS PRIMITIVOS

EL CANTOR DEL CID

No necesitamos hoy hacer grandes esfuerzos para imaginarnos, remontando los siglos pretéritos, allá en tiempos medievales, la figura de este poeta y el medio en que vivió y escribió sus versos. Era seguramente en un pueblecillo castellano; todo está hoy como entonces; todo, salvo que todo está mucho más viejo, ruinoso, y que cerca de allí, al volver de un montecillo, se ven en medio del campo, alargándose misteriosamente hasta perderse de vista, dos brillantes y paralelas barras de hierro... En el pueblo hay callejuelas tortuosas y sombrías; un hombre de faz aguileña y de ojos luminosos se inclina sobre unos libros y amontona, junto a una balanza, montoncillos de áureas monedas; otro hombre tiene en su cámara armaduras bruñidas, pesadas espadas, mazas recias llenas de agudas puntas; otro hombre guarda en su estancia unos libros de pergamino, y va y viene —por un corredorcillo estrecho—de su casa a la paredaña iglesia, y de la iglesia a su casa. Y, en fin, perdido entre la turba de los labriegos, los pelaires, los modestos regatones, aparte de todos, un hombre deambula por el pueblo, pasea por el campo, se encierra en su casa largas horas y escribe misteriosamente sobre unos blancos cueros. No es pobre este personaje: tiene unas tierras; vive con cierta holgura; los ratos que le dejan libre sus estudios, él los dedica a charlar con los labriegos y con los oficiales de mano. En su casa tiene un ancho patio, y unos gallos diligentes y petulantes le avisan todos los días la hora en que va a romper el alba. Los gallos son una de las aficiones de este señor de pueblo; los ve devanear por el patio desde su ventana y, pasada la ruidosa diana de la madrugada, continuamente, a lo largo del día, los oye lanzar al aire su estridente cacareo.

Lo que este hombre va escribiendo entre el trajín de las tareas agrícolas son unos versos; en estos versos se cuentan las hazañas portentosas de un héroe. Nuestro poeta va relatando, llana y apaciblemente, los hechos de este personaje. Los gallos cantan. *(Apriessa cantan los gallos e quieren crebrar albores.)* Todo está tranquilo en esta hora del día. Por el poema cruzan los guerreros en sus briosos caballos; de cuando en cuando tienen un formidable encuentro con sus enemigos; los pendones salen tintos en sangre; el más valiente de todos estos paladines se nos muestra con una barba larga y bella... Deja su labor el poeta; se entretiene un poco por el pueblo y el campo, y más tarde torna a su tarea. Los gallos cantan. *(A los mediados gallos pienssan de ensellar.)* Con la misma apacibilidad y sencillez de siempre va escribiendo nuestro poeta; nombra los pueblecillos, lugares, campiñas y ríos por donde pasan sus personajes. No se olvida de que los caballeros echen el pienso a sus caballos: *temprano dat çevada; fizo mio Çid posar e çevada dar; agora daban çevada, ya la noche era entrada.* Cuando ha estado un rato escribiendo, de nuevo se ocupa en los cuidados de la casa y del campo, y, más tarde, torna a estos pergaminos que él no puede dejar. Ya está otra vez rasgueando con su pluma sobre ellos. Los gallos cantan. *(A los mediados gallos antes de la mañana.)* Los personajes que el poeta pinta en sus versos van corriendo por los campos, tienen fieros encuentros...

En el pueblo ven pasar por las calles a este hombre con cierta simpatía; una simpatía en que hay extrañeza, un poco de conmiseración y otro poco de indulgencia. No sabe nadie a punto fijo lo que hace cuando se encierra en su cámara; desde luego, serán cosas absurdas; dicen que es poeta; pero, en fin, tiene una saneada hacienda y en su corral están los más espléndidos gallos del pueblo.

GONZALO DE BERCEO

Desde la ventanilla de la celda se ve el paisaje fino y elegante. Se ven unos prados verdes, aterciopelados, un riachuelo que se desliza lento y claro, y un grupo de álamos que se espejean en las aguas límpidas del arroyo. Dentro, en una celdita blanca, un monje escribe versos. Ahora se halla pintando un paisaje. Este paisaje es *verde e bien sencido;* está de *flores bien poblado;* las flores exhalan su fragancia; *claras fuentes* manan de las peñas: *en verano, bien frías; en invierno, calientes.* Hay en la campiña, destacando sobre el cielo azul, rotundidades de arboledas; acá y allá, como fugitivos de los macizos de árboles recios y seculares, como temerosos de ellos, aparecen, delicados y sensitivos, los granados y las higueras; los granados, con su tronco retorcido y sus encendidas florecitas, y las higueras, tan medrosas al frío y tan gustadoras de la humedad; los granados, erguidos en lo alto de una loma, como atalayando curiosamente el horizonte; las higueras, replegadas, encogidas, con su tupido follaje, en el fondo húmedo de una cañada. Otros muchos frutales se descubren en las huertas y repajos. De la campiña—singularmente en la hora del crepúsculo vespertino—asciende hasta la celdita de este monje un suave, gratísimo aroma. ¡Qué bien se está aquí! ¡Y qué agradable es, después que se ha escrito un gran rato, paladear, frente a este paisaje, *un vaso de buen vino*, del vino claro, ligero y oloroso de estas campiñas!

JUAN RUIZ

Querido Juan Ruiz: Sosiega un poco, siéntate; las gradas de este humilladero, aquí fuera de la ciudad, pueden servirnos de asiento durante un momento. Has corrido mucho por campos y ciudades y todavía no te sientes cansado. Tu vida es tumultuosa y agitada; quien te vea por primera vez, sin conocerte, dirá sin equivocarse cómo eres, cuál es tu espíritu, lo que deseas y lo que amas. Tienes la cara carnosa y encendida; en la grosura de la faz aparecen tus ojos chiquitos como dos granos de mostaza. La nariz, recia, una nariz sensual, avanza como para olfatear olores de yantar o de mujer. Tu pestorejo revela obstinación y fuerza. ¿Y dónde dejamos los labios? Tus labios, Juan Ruiz, son el complemento de esa nariz recia y sensual: son unos labios gordos, colorados, que parecen estar gustando a toda hora mil gratísimos gustores. Has corrido mucho por la vida y todavía te queda que correr otro tanto. Descansa un momento aquí, en la serenidad de la tarde. Allá en lo alto se yergue la ciudad—Segovia—; de esta ciudad tú has dicho que has estado en ella y que en ella no has hallado pozo dulce ni fuente perennal: *non fallé pozo dulce nin fuente perennal*. ¿Qué querías decir con esto? ¿Es simbólico lo que has dicho? ¿Querías tú expresar la tristeza que sientes al no encontrar en la vida un poco de reposo y de olvido? Pero el reposo y el olvido no son para ti; tú necesitas la animación, el ruido, el tumulto, el color, las sensaciones enérgicas, los placeres fuertes; tú necesitas ir a las ferias, estar en compañía de los estudiantes disipadores, tratar a las cantarinas y danzaderas; tú necesitas exaltarte, enardecerte con las músicas, los cantos amatorios, las alegres comilonas. El silencio, la paz, el recogimiento íntimo, la emoción delicada y tierna, no son para ti. Tú no aspiras a eso tampoco. ¡Ya ves! Ahora, en estos momentos dulces y melancólicos de la tarde que muere, frente a la ciudad, en el sosiego de la campiña, tus ojos no recogen toda esta poesía delicada y profunda; tus ojos—¡oh querido Juan Ruiz!—van hacia aquel caserón que se columbra allá arriba; hacia aquel caserón, adonde tú dirigirás tus pasos esta noche, y en que tú sabes que hay unas lindas mujeres, que cantan y danzan maravillosamente.

JORGE MANRIQUE

Jorge Manrique... ¿Cómo era Jorge Manrique? Jorge Manrique es una cosa etérea, sutil, frágil, quebradiza. Jorge Manrique es un escalofrío ligero que nos sobrecoge un momento y nos hace pensar. Jorge Manrique es una ráfaga que lleva nuestro espíritu allá hacia una lontananza ideal. La crítica no puede apoyar mucho sobre una de estas figuras; se nos antoja que examinarlas, descomponerlas, escrutarlas, es hacerles perder su encanto. ¿Cómo podremos expresar la impresión que nos produce el son remoto de un piano en que se toca un nocturno de Chopin, o la de una rosa que comienza a ajarse, o la de las finas ropas de una mujer a quien hemos amado y que ha desaparecido hace tiempo, para siempre?

La mujer que vestía estas ropas, que acabamos de sacar de un armario, ha iluminado antaño nuestra vida. Con ella se fué nuestra juventud. Ni esa mujer ni nuestra juventud volverán más. Todos aquellos momentos, tan deliciosos en nuestra vida, *¿qué fueron sino rocíos de los prados?*

Rocíos de los prados, ha dicho el poeta. Otro poeta—Villon—había mostrado también una honda tristeza al preguntar *dónde estaban las nieves de antaño.* Ni los rocíos ni las nieves de antaño vuelve. Un tercer poeta, en nuestros días, uno de los raros poetas de honda emoción—Verdaguer—, había de hacernos experimentar del mismo modo una abrumadora tristeza al preguntar en su magnífico poema *Recorts y somnis,* dónde están nuestras pasadas alegrías y nuestros compañeros de la lejana adolescencia:

¿Ahon sou, mes companyones?
¿Ahon sou, mos companyons?

EL ROMANCERO

Romances, viejos romances, centenarios romances, romances populares: ¿Quién os ha compuesto? ¿De qué cerebro habéis salido y qué corazones habéis aliviado en tanto que la voz os cantaba? Los romances evocan en nuestro espíritu el recuerdo de las viejas ciudades castellanas, de las callejuelas, de los caserones, de las anchas estancias con tapices, de los jardines con cipreses. Estos romances populares, tan sencillos, tan ingenuos, han sido dichos o cantados en el taller de un orfebre; en un cortijo, junto al fuego, de noche; en una calleja, a la mañana, durante el alba, cuando la voz tiene resonancia límpida y un tono de fuerza y de frescura. Muchos de estos romances son artificiosos y pulidos. Os conocemos: vosotros habéis sido escritos por algún poeta que ha querido mostrar en ellos su retórica, su lindeza y su elegancia. Otros, breves, toscos, tienen la hechura y la emoción de la obra que ha sido pensada y sentida. Estos romances «populares», ¿los ha compuesto realmente el pueblo? ¿Los ha compuesto un tejedor, un alarife, un carpintero, un labrador, un herrero? O bien, ¿son estos romances la obra de un verdadero artista, es decir, de un hombre que ha llegado a saber que el arte supremo es la sobriedad, la simplicidad y la claridad?

Romances caballerescos, romances moriscos, romances populares: A lo largo de vuestros versos se nos aparece la España de hace siglos. Entre todos los romances amamos los más breves. Son estos romances unas visiones rápidas, sin más que un embrión de argumento. Han podido ser estos romances concebidos por un hombre no profesional de las letras. Los otros, más largos, más complicados, revelan un estudio, un artificio, diversas manipulaciones y transformaciones, que han hecho que la obra llegue a ser como hoy la vemos. Aquellos son a manera de una canción que se comienza y no se acaba; algo ha venido a hacer enmudecer al autor; algo que no sabemos lo que es, y que puede ser fausto o trágico. Lo inacabado tiene un profundo encanto. Esta fuerza rota, este impulso interrumpido, este vuelo detenido, ¿qué hubieran podido ser y adónde hubieran podido llegar? Estos romances breves reflejan un minuto de una vida, un instante fugitivo, un momento en que un estado de alma que comienza a mostrársenos, no acaba de mostrársenos. Tienen la atracción profunda de un hombre con quien hemos charlado un momento, sin conocerle, en una estación, en una antesala, y a quien no volvemos a ver; o el encanto—inquietante y misterioso—de una de esas mujeres que, no siendo hermosas, durante unas horas de viaje comenzamos a encontrarles una belleza apacible, *callada,* que ya durante tiempo, desaparecida esa mujer en el remolino de la vida, ha de quedar en nuestra alma como un reguero luminoso...

*

El conde Arnaldos ha salido en la mañana de San Juan a dar un paseo por la dorada playa. Ante él se extiende el mar inmenso y azul. La mañana está límpida y fresca. Fulge el añil del cielo; unas aves pasan volando blandamente sobre las aguas. El conde ve avanzar una galera. Desde la remota lejanía, en que ha aparecido como un puntito, ha ido poco a poco avanzando hasta la costa. Las velas son blancas: blancas como las redondas nubes que ruedan por el azul; blancas como las suaves espumas de las olas. En el bajel viene un marinero entonando una canción; su voz es llevada por el ligero viento hacia la playa. Es una voz que dice contentamiento, expansión, jovialidad, salud, esperanza. ¿Qué cuitas íntimas tiene el conde? ¿Por qué, al oír esta voz juvenil y vibrante, se queda absorto? Una honda correlación hay entre la luminosidad de la mañana, el azul del mar, la transparencia de los cielos y esta canción que entona al llegar a la costa quien viene acaso de remotas y extrañas tierras.

«—Por Dios te ruego, marinero, dígasme ora ese cantar—exclama el conde.»

Y el marinero replica:

«—Yo no digo esta canción sino a quien conmigo va.»

Nada más; aquí termina el romance.

«A quien conmigo va.» ¿Dónde? ¿Hacia el mar infinito y proceloso? ¿Hacia los países de ensueño y de alucinación?

*

Es por el mes de mayo. La tierra respira vitalidad y sensualidad. Ya los árboles están cubiertos de follaje nuevo. La luz tiene una viveza que antes no tenía; las sombras—la del alero de un tejado, la de un viejo muro—adquieren imperceptibles colores: sombras rojas, sombras violetas, sombras azules. Canta el agua como antes no cantaba, y sentimos un irreprimible deseo de ahondar nuestras manos en las fuentes claras, límpidas y frescas. Los insectos zumban; pasan rápidos en el aire los panzudos y torpes cetonios que van a sepultarse en el seno de las rosas...

Un prisionero está en su cárcel. No puede él gozar de la Naturaleza que despierta exuberantemente. Su encarcelamiento es rigurosísimo, cruel, bárbaro. Oscuro completamente es su calabozo; no entra en él la luz del día «Ni sé cuándo es de día, ni cuándo las noches son», dice lamentándose el prisionero. Es decir, sí lo sabe; mejor dicho, lo adivina. Llega hasta el calabozo el canto de una avecilla; cuando esta avecilla canta, el prisionero sabe que ya en el mundo es de día, y que los seres, las plantas, las cosas —¡todos menos él!—gozan de la luz del sol. Esta avecica (como la arañita de otro célebre prisionero) era su único consuelo. ¡Cómo llegaban hasta su alma angustiada los trinos de este pajarito libre y feliz!

Y ya el prisionero no oye esta avecilla: «Matómela un ballestero. ¡Déle Dios mal galardón!»

*

«Mis arreos son las armas; mi descanso es pelear...» Cuando hoy leemos este viejo romance, nos imaginamos a un guerrero sudoroso, fatigado, polvoriento. Su vida es una perdurable fatiga; duerme sobre las peñas, a cielo abierto; su sueño es ligero, febril, interrumpido por sobresaltos y alarmas. Se destroza los pies, ascendiendo por las breñas y asperezas de las montañas; caen sobre él las aguas del cielo y azotan su rostro los vendavales helados. No hay para el mísero descanso; todo para él son peligros y dolores. ¿Por qué, hoy, nosotros, hombres modernos, damos a este romance, no el tono tradicional de altivez y de heroísmo, sino el de dolor y resignación? ¿Cómo, para nosotros, este hombre no canta alegre todos estos duros trabajos, sino que los cuenta entristecido? ¿Adónde va este hombre sudoroso, fatigado, extenuado?

Ahora, al leer este romance, recordamos la poesía de Gautier *Après le feuilleton*, en los *Esmaltes y camafeos*. El poeta también está rendido, fatigado, extenuado.

En estos versos nos refiere el ritmo de su vida, toda trabajos y fatigas. Ni por un momento puede dejar de escribir. Sí; por un momento, sí. Es ahora ese momento; ahora, cuando ha acabado su largo, interminable folletón. Ahora tiene unos instantes de descanso. Luego, otra vez ha de inclinarse sobre las cuartillas para continuar el trabajo de toda la vida. «Pero por vos, mi señora, todo se ha de comportar», dice el personaje del antiguo romance. Por la belleza, por la paz, por el progreso, por el ideal lejano, por lo que, cada uno en nuestra esfera, pudiéramos hacer en favor de todo esto, comportemos nuestras fatigas y nuestros dolores. Ese ideal sea la lucecita que nos alumbre en nuestra noche.

*

Romances, romances viejos, centenarios romances. ¿Quién os ha imaginado y qué voces os han cantado en las viejas ciudades españolas, en los pasados siglos?

FRAY LUIS DE LEON

EN LA CÁRCEL

Fray Luis de León es uno de los más delicados poetas clásicos castellanos. Esa cosa tan sutil, tan etérea, que se llama *emoción*, él ha sabido ponerla en sus versos. No hay poeta grande sin emoción; podrá darnos el artista la visión de la Naturaleza, o la expresión de la muerte, o el sentido de lo infinito, o las esperanzas y las desesperanzas del amor; pero si en sus versos no pone su espíritu, y nos hace sentir, y nos hace amar, y nos hace sufrir, y nos hace pensar, por perfecto, sereno y maravilloso que sea en la forma, no habrá logrado nada... Leopoldo Alas ha escrito, hablando de nuestro poeta, en su folleto *Apolo en Pafos,* lo siguiente: «Así como hubo un Fernando de Herrera, estúpido doctor que quiso convertir en religiosas las poesías eróticas de Garcilaso, y donde el cantor de la flor de Gnido había dicho Salicio, él puso Cristo, yo, por el contrario, convierto, para mi solaz, las poesías religiosas de fray Luis en profanas, y le tengo por uno de los míos, porque su misticismo es profundamente humano; la tristeza con que mira hacia el suelo rodeado de tinieblas, no le impide ver la naturaleza tal como es ella, con íntima emoción y conciencia de su belleza y de su realidad.» El lector moderno puede hacer en las poesías de fray Luis esta transposición que hacía *Clarín.*

¿Cuándo escribió fray Luis de León su poesía que empieza: *Virgen que el sol más pura?* Y, sobre todo, ¿dónde la escribió? En Valladolid, estando preso, debió de escribirla. Fray Luis, que en su oda a Grial, o en la del *Apartamiento,* o en la *Noche serena,* nos transporta a regiones superiores, en una ráfaga de idealidad, por encima de los tráfagos y miserias del mundo, aquí en estos versos, tan cálidos, tan sinceros, tan ardorosos, nos comunica sus más íntimos y angustiosos dolores y llega a hacernos sentir, a través del tiempo, lo que él mismo sintiera.

Si el poeta escribió este poema en la prisión—como se dice y es lo seguro—, nos place imaginar, un poco fantásticamente, el momento y el lugar en que los versos se trazaron. Acaso fué en un día de otoño; fray Luis amaba esta canción, grave y próvida, en la que las cosas parecen meditar. «El campo— nos ha dicho él mismo—recoge ya en su seno su hermosura, una luz triste baña el ameno verdor, y, hoja a hoja, las cimas de los árboles se van despojando.» Acaso en una tarde de otoño, al ir muriendo el sol, en estos minutos de profunda melancolía, el poeta tomó la pluma para expresar los sentimientos que de su corazón rebosaban. Su corazón estaba henchido de amargura. En estas horas de íntima desesperanza, el poeta invoca a la Virgen; piedad, consuelo, aliento le pide para «un miserable cercado de tinieblas y tristeza». Situación más angustiosa que ésta no la conoce el juicio humano; no la conoce tampoco igual. *Por culpa ajena* el poeta se encuentra en este estado... «Virgen—torna a clamar fray Luis—: vuelve sereno un corazón rodeado de nubes; que tu luz venza esta ciega y triste noche mía. Virgen: de momento en momento, mi dolor crece, mi situación empeora.» Han huído todos del poeta; el odio contra él ha cundido; aun los más fieles amigos han huído.

¿Habrá trance como éste? Cuando la adversidad nos abate, ver, sentir, comprobar que un amigo de siempre, a quien hemos favorecido, se aparta de nosotros, es la suprema prueba que nuestra resignación puede sufrir. Virgen: todo se conjura contra mí; me hacen la guerra «envidia emponzoñada, engaño agudo, lengua fementida». ¡Cómo en estos trances, cuando se nos ve caídos, contemplan las gentes, antes deferentes para nosotros, con indiferencia nuestra caída! Cada cual, replegado sobre sí mismo, atento a lo suyo, nos mira, sintiendo quizá una penumbra de regodeo íntimo. La animalidad innata en el hombre asoma en esos momentos de desventura ajena. Luchamos como el náufrago con las revueltas aguas, y acaso entre la turba indiferente sólo oímos una *voz* que nos compadece... «Virgen: cien flechas me arrojan para herirme—; siento el dolor, mas no veo la mano—. Ni escudarme ni huir puedo—. Desde mi tierna edad sabes que espero en ti. ¡Que no me falte tu clemencia!... Virgen—termina el poeta—: el dolor anuda ya mi lengua y no me deja hablar. No puedo decir todo lo que siento; pero tú, oye al doliente ánimo; tú, óyeme; tú, oye a quien de continuo a ti vocea.»

Ha terminado el poeta. Sobre el blanco papel han quedado trazados, en largo rimero, unos regloncitos cortos. Afuera se encendía el cielo con los últimos resplandores de un rojizo crepúsculo otoñal; espejeaba lo rojo sobre el agua del río; destacábanse unos álamos en el claror postrero del firmamento. Dentro, en la estancia, ya casi tinieblas, lucía vagamente la mancha blanca del manuscrito. Todo era silencio profundo.

> Tu luz, alta Señora,
> venza esta ciega y triste noche mía...

UN AVARO

¿Es un avaro como esos que vemos en las tablas de los primitivos flamencos: un avaro con largas y finas manos, con una balancita en que va pesando las monedas de oro y con un armario, lleno de papeles, detrás? ¿Tiene este numulario a su mujer al lado—como en esas pinturas—, cuando está recontando su tesoro? No sabemos; pero éste es un avaro terrible. Una invectiva enardecedora ha inspirado al poeta. Aunque amontone el oro, y aunque ensanche vastamente sus posesiones, y aunque con un espectáculo deslumbrador logre engañar al mundo, no conseguirá este hombre que no se produzca, fatalmente, algo que es inevitable: una hora habrá en que el espanto velará en su lecho. Ha hecho este hombre derramar muchas lágrimas; la angustia ha oprimido muchos pechos por él. A pesar de todo, a pesar de su oro, a pesar de su esplendor y de su fausto, un nimbo infausto le rodea. «La esperanza buena en compañía del gozo no pasa sus umbrales.» Esos tesoros que él ha amontonado, no han sido bastantes a proporcionarle lo que tiene el más humilde de los humanos: el contentamiento y la paz interior. El poeta, al decir esto, se remonta ya de las anteriores contingencias terrenas a otras angustias más altas. Fray Luis, en esta poesía, hace, al llegar a esta parte, un tránsito, propio de gran artista, de lo trágico remediable a lo trágico irremediable y eterno.

Aquí está precisamente la trascendencia de su oda *contra* el avaro. Supongamos que este hombre no ha sembrado el dolor y las lágrimas para amontonar su tesoro. Es rico, es opulento, sin extorsiones, llantos y violencias. Puede ser un hombre amante de la humanidad y de la belleza. Cuanto hay de elegante, bello y fastuoso en el mundo, él puede gozarlo. De todo puede disponer este hombre, gracias a su inmensa, fabulosa fortuna. Una ligera indicación suya es una orden. Y, sin embargo, cuando todo se pliega en el mundo a su voluntad, hay una cosa sutilísima, etérea, impalpable, que escapa a su deseo y que es más poderosa, más terrible que todo. Esa cosa es el tiempo. «No tendrás clavada la rueda, aunque más puedas, voladora, del tiempo hambriento y crudo.» ¿De qué servirán palacios, parques, trenes suntuosos, vehículos magníficos, viajes espléndidos, joyas, beldades, mesa suculentamente abastada? ¿De qué servirá todo esto cuando, granito a granito, sutilmente, aterradoramente, va cayendo el tiempo en la eternidad? Y el tiempo todo se lo lleva, todo lo muda, todo lo transforma, todo lo destruye... «Y quedarás sumido—escribe fray Luis—en males no finibles y en olvido.» El poeta, con arte maravilloso, nos ha hecho sentir en estos versos la emoción de la perdurable corriente de las cosas. ¿Dónde estáis, tesaurizadores que hace dos, tres, cuatro siglos, amontonabais el oro, lo acariciabais con vuestras manos finas y largas? A vuestro lado, una mujer os contemplaba con ojos de melancolía...

LA NOCHE SERENA

Cuando contemplo el cielo
de innumerables luces adornado...

¿Qué nos dicen las estrellitas del cielo? ¿Qué nos dicen en las noches profundas, negras? El poeta ha abierto su ventana —que da al campo—y ha contemplado el cielo. Toda la oscura bóveda está sembrada de un polvo brillante; unas estrellitas fulgen con reflejos rojos y azules; son las mayores, las más potentes. Otra, pequeñitas, casi imperceptibles, apenas si marcan un punto leve, microscópico. La noche se va deslizando; sobre el bosque, sobre la ciudad, sobre el río, se posan las negras sombras. A esta hora todo va entrando en el hondo reposo de la medianoche; luego, pasado este momento, vendrán las horas más lentas, más densas, de la madrugada. Estrellitas del cielo, eternas luminarias, puntitos casi imperceptibles, puntos mayores que parpadeáis rojo y azul: ¿quién os mira a esta hora? ¿Qué frente se levanta hacia vosotras y qué ojos os miran con anhelo, con tristeza, con desesperanza?

A nuestros oídos llegan los ruidos—de tarde en tarde—que turban la noche. Aquella hoguera que veíamos en las primeras horas allá arriba, en la montaña negra, ya se ha apagado. Un can late con un ladrido largo. ¿Por qué nos atrae una estrella entre todas las estrellas? No podemos apartar la vista de su resplandor. Los relojes, en estas horas de la noche, marcan más sonoramente su tictac. No sabemos ni de dónde venimos ni adónde vamos. En este momento de abstracción, mientras contemplamos el polvo brillante de la inmensa bóveda negra, nos sentimos perdidos en la inmensidad. Las blancas cuartillas nos esperan sobre la mesa; intentamos expresar la emoción profunda que ahora embarga nuestra espíritu; no hemos sentido, quizá, una emoción tan intensa como la que ahora experimentamos. Podemos escribir unas páginas que nos dejen satisfechos... Y, sin embargo, no las escribimos. No acertamos a expresar la serenidad de la noche, ni el silencio, ni el brillo misterioso de las estrellas, ni el concierto íntimo y espiritual que forman el ritmo perenne del reloj, el astro brillante de que no podemos apartar la vista y la melancolía de este can lejano que aúlla.

★

En estos días del siglo XX, la imagen del poeta que ha escrito en 1550, o en el 1560, su *Noche serena*, acaso va volando todavía por el espacio. Un astrónomo ha dicho, hablando de la distancia inmensa que nos separa de los astros remotísimos: «Si se piensa que la luz recorre setenta y ocho mil leguas por segundo, y que la de nuestro sol emplea ocho minutos en llegar a nosotros; y si se considera, por otra parte, que ciertas estrellas necesitan siglos y aun millares de años para que a nosotros llegue su luz, nos sentiremos asombrados, conmovidos, cuando pensemos que podemos percibir un astro que ha desaparecido en tiempos de San Luis, y que los habitantes de los planetas alumbrados por esas estrellas, si dispusieran de instrumentos bastante poderosos para descubrir lo que pasa en nuestro Globo, podrían ver a la hora actual las hordas de Gengis Khan precipitarse sobre Europa, o los cruzados de Godofredo de Bouillon marchar a la conquista del Santo Sepulcro.»

¿Habrá en alguna remota estrella, en alguno de estos puntitos brillantes que ahora, en 1914, titilan en la noche oscura, unos ojos que vean a nuestro Luis de León pasearse, a esta hora misma de 1914, por su huertecillo de la Flecha? En estas horas de silencio, de profunda calma, en que nos sentimos emocionados, la imagen del poeta, desaparecido hace siglos, va volando por el espacio inmenso, entre los millares y millares de relumbres de las misteriosas estrellitas.

*

Cuando contemplo el cielo
de innumerables luces adornado,
y miro hacia el suelo
de noche rodeado,
en sueño y en olvido sepultado...

Estrellitas del cielo, ¿qué decís a estos ojos que os miran? ¿Qué decís a este espíritu anhelante y contristado? No pueden separarse nuestros ojos de esta estrella que—más que las otras—fulge con destellos rojos, verdes y azules. La hemos contemplado a través de la ventanilla de un tren que nos llevaba hacia algo que sospechábamos, que presentíamos, que sentíamos angustiosamente. La hemos visto, cuando una noche, en unos momentos de expansión feliz de nuestro cerebro, en unos momentos de intensa vitalidad mental, hemos terminado unas páginas que nos han dado luego un poco de estimación. La hemos mirado en horas felices de nuestra mocedad y en horas de resignación melancólica en que nos despedíamos de nuestra juventud.

Nuestros ojos no se apartan del titileo de esa estrella fulgente. Nos imaginamos que, en medio de la fragilidad de las cosas y del mudar vertiginoso del tiempo, esos fugaces y brillante parpadeos rojos y azules son como el nexo entre lo que ha sido, lo que es y lo que será. Todo desaparecerá en las ciudades y en los campos; todas estas cosas que vemos se transformarán en otras cosas. Este minuto que ahora vivimos, ya no lo volveremos a vivir; este rostro del ser querido, que tan íntimamente está adentrado en nuestro espíritu; este rostro que refleja nuestras alegrías y nuestras tristezas, que es bondad y que es ingenuidad, ha de ser llevado en la corriente inexorable del tiempo. Lo que creemos que debiera ser perenne—la alada ingenuidad, la bondad que no retrocede nunca, la serenidad maravillosa de una mirada—; lo que creemos que debiera ser perenne, acabará del mismo modo que las cosas más viles y vulgares. Todo se mudará y acabará. Y allá arriba, en la inmensidad de la bóveda negra, esa estrella parpadeará con sus relumbres rojos, verdes y azules.

Ya las horas densas, frías, de la madrugada van llegando. Las estrellas brillan más límpidas. Ha callado el can que ladraba plañideramente. Por el espacio inmenso, entre el fulgor de los astros, va volando a esta hora la imagen del poeta que hace tres siglos escribía *La noche serena*.

GARCILASO

Lejos de España, lejos de Toledo, lejos de las callejuelas, de los viejos caserones, del río Tajo, hondo y amarillento, el poeta se halla desterrado en una isla de otro río: del Danubio. Para llegar hasta aquí hay que pasar por diversas y extrañas tierras: por Francia, por Suiza, por Austria. Ya han quedado atrás, allá en las remotas lontananzas del espacio, sobre el planeta, los llanos áridos y secos de Castilla, las torres de las iglesias con sus chapiteles de pizarra y su cigüeña—resaltando en el límpido azul—, los palacios de ladrillo rojo con entrepaños de cantería y con gruesas rejas, los huertos de adelfas y rosales, las olmedas seculares en los aledaños de los pueblos. El poeta ha cantado en una de sus *Canciones* esta isla en que él se halla. Nada en nuestra lengua más flúido, tenue, etéreo. El agua del Danubio, *corriente y clara*, hace *un manso ruido*. Tan riente y grato es el paraje, que *en la verdura de las flores parece siempre sembrada la primavera*. Entre la enramada, cantan, a lo largo de las suaves noches, los ruiseñores. Sus trinos, en tanto que las estrellas titilan en la foscura o que la luna baña la campiña con su luz dulce; sus trinos traen tristeza al ánimo, o nos llenan de una íntima satisfacción, si nuestro ánimo está propicio a la leticia. Con los ojos del espíritu estamos viendo el lugar: un tapiz de menuda y aterciopelada hierba cubre la tierra, que se aleja en una suave ondulación hasta un espeso bosque que forma, sobre el horizonte, una tupida cortina de verde oscuro; el río pasa cerca, se extiende en su ancho caudal, deja—amorosamente—que acaricien con suavidad sus aguas unos ramajes que se doblegan sobre ellas y forman como una sombría bóveda. Una sombría bóveda donde el poeta, que ha remado en un ligero batel un largo rato, viene a pararse y descansar, gozando de la grata sombra, viendo un claro de cielo retratado en el agua, teniendo entre las manos un libro de Petrarca o de Sannazaro...

Danubio, río divino,
que por fieras naciones
vas con tus claras ondas discurriendo...

«Danubio, río divino—piensa el poeta—; que mis tormentos íntimos, que mis angustias, que mis anhelos, que mis desesperanzas vayan corriendo con tus aguas hasta perderse con ellas, anegadas, en el ancho, eterno mar.» Una casa está puesta en la verdura; entre la fronda verde asoman su techumbre y una ventana alta. Desde la ventana, atalaya el poeta la campiña, el tapiz verde y suave de los prados, el río que se aleja, manso y claro, hasta perderse en la lejanía. *Danubio, río divino*...

*

A los treinta y tres años, el poeta fué herido gravemente en una acción militar; muchos días estuvo entre la vida y la muerte. Al cabo, logró vencer el peligro. La convalecencia fué larga. Garcilaso veía el mundo, sentía el mundo, vivía en el mundo como otro hombre. Era el mismo de antes, y, sin embargo, las cosas eran distintas para él; todo para él era nuevo, más profundo y más poético. ¡Cómo recordaba, en esas horas tenues y flúidas de la convalecencia, los lugares en que sus ojos se habían gratamente apacentado! Los Pirineos, en que la *nieve blanqueaba;* los sotos de la *abrigada* Extremadura; el *viejo* Tormes; el Tajo. Los ríos han tenido la dilección del poeta; tres ríos ha cantado Garcilaso: el Tormes, el Tajo y el Danubio. ¿No es verdad que, al lado de los dos viejos ríos españoles—que pasan bajo seculares puentes romanos; que retratan paisajes áridos, parameras, pueblecillos de adobes, milenarias ciudades llenas de conventos y de caserones de hidalgos; que son cruzados por carromatos con largas ringleras de mulas y por cosarios con sus recuas—; no es verdad que nos produce una indefinible sensación el ver, al lado de estos ríos, este otro río tan lejano, tan remoto, que lleva sus aguas a un mar que no es ni el Mediterráneo ni el Atlántico, y que bordea ciudades misteriosas y extrañas para nosotros?

Del Tormes recuerda el poeta una *vega grande y espaciosa* que hay en su ribera; siempre la verdura, invierno y verano, es perenne en ella. Del Tajo ama también Garcilaso una *espesura de verdes sauces, toda revestida de hiedra* que se enrosca por los troncos de los árboles y sube *hasta la altura.* Pero, en los días largos de su convalecencia, en este resurgir a una vida nueva, todo el amor de Garcilaso, toda su ternura, toda su efusión, eran para aquel río, ancho y claro, que allá lejos, muy lejos, deslizaba su corriente entre la arboleda. Su pensamiento, desde Toledo, iba hasta aquella bóveda que sobre el agua formaba la enramada. Y ahora, al cabo de los años, en estos momentos de meditación, de evocación, pensaba que aquellas horas pasadas allí—horas de destierro—, habían sido las más felices de su vida.

Danubio, río divino,
que por fieras naciones
vas con tus claras ondas discurriendo...

★

Han transcurrido muchos años. El poeta ha salido ya de la juventud; atrás van quedando los ensueños y las esperanzas. ¿Qué canta ahora Garcilaso? ¿Cómo ve ahora el espectáculo del mundo y de la vida el poeta? Garcilaso es, entre todos los poetas castellanos, el único poeta exclusiva e íntegramente laico. No sólo entre los poetas constituye una excepción, sino entre todos los escritores clásicos de España. En la obra de Garcilaso no hay ni la más pequeña manifestación extraterrestre. Todo es humano en él; y lo humano ha sabido expresarlo con una emoción, con un matiz de morbosidad, con una lejanía ideal, que nos cautivan y llegan al fondo de nuestro espíritu. Sobre sus angustias íntimas, sobre la trama—dolorosa y anhelante—de desesperanzas, de confidencias, de perplejidades, ¡cómo resalta una visión rápida del paisaje! Sobre este fondo de intensa afectividad e intelectualidad, ¡qué fuerza, qué relieve, qué limpidez radiante tienen los Pirineos coronados de blanca nieve, o los caudalosos ríos que, un momento, entrevemos!

Este poeta humano, esencialmente humano, este poeta terrestre, esencialmente terrestre, ¿cómo ve el mundo ahora, cuando la vida, los tráfagos por el mundo, los viajes por extraños países han puesto en él un sedimento que antes no había? ¿Cómo ve el mundo y cuáles son sus obras, ahora cuando toda aquella sensibilidad y aquellos anhelos, puramente humanos, han alcanzado todo su desenvolvimiento? ¿Ha escrito un poema sobre las *cosas,* como el de Lucrecio, o como el que más tarde, siglos después, había de esbozar, análogamente, otro gran poeta humano: Andrés Chénier?

Desde la vieja ciudad de Toledo, desde estas roquedades y estos páramos, el pensamiento del poeta, a través de Francia, de Suiza, de Austria, va hasta la bella e inolvidable isla del Danubio. Allí pasó Garcilaso los mejores días de su vida; allí, con un libro de versos en la mano, sintió deslizarse el tiempo, como se deslizaban las aguas, y a las aguas confió sus pesares para que fueran con ellas a perderse y anegarse en el ancho mar. ¡Qué lejos están aquellas horas y qué suave melancolía invade el espíritu al recordarlas!

Danubio, río divino...

GONGORA

LAS ROSAS

Rosas de España; las rosas que ha amado Zurbarán; las rosas que Velázquez ha puesto en la fina mano de alguna de sus infantas; rosas que crecen en jardines abandonados; rosas—pálidas—que en los días del otoño, cuando va finando la estación, se deshojan a lo largo de las alamedas, en tanto que, de lo alto, caen lentamente las hojas amarillas... El poeta ha querido cantar las rosas. Tienen las rosas de España un atractivo singular; en otros países, tal vez las rodea un ambiente de suavidad, de vaguedad y de dulzura; sus colores son discretos y su fragancia se exhala suave. En España, bajo el cielo radiante y azul, en una atmósfera de energía, de violencia y de impulsividad, las rosas ponen con sus amarillos, sus blancos y sus rojos una nota de apasionamiento y de emoción. Al pie de los cipreses centenarios, las rosas se abren espléndidas; contrastan sus notas con los viejos muros de los caserones seculares; en los conventos, en los jardines de los monasterios—todo silencio y paz—, las rosas, cortadas blandamente, van desde la luz plena a la penumbra de la iglesia en que brilla, día y noche, una lucecita; día y noche, durante siglos.

Rosas de España, rosas que el recio pintor Zurbarán amaba: don Luis de Góngora ha querido pintaros en catorce versos henchidos de emoción. No sabemos cuándo Góngora escribió este soneto; pero nos place ver al poeta ya un poco viejo, pobre, amargado por las adversidades de la vida. ¿Se acordaba de su Córdoba cuando escribía estos versos? ¿Veía, sobre la foscura del panorama de la serranía, brillar una rosa encendida que se inclina sobre su tallo? ¿Era para él la rosa símbolo del breve esplendor del poeta, del poeta que tiene un momento de inspiración, de plenitud, y luego acaba en la sombra y en el olvido? «Ayer naciste y morirás mañana—escribe Góngora—. Para tan breve ser, ¿quién te dió vida?» En una estancia, sobre una mesa, puesta en un búcaro, hay una bella rosa; en las paredes se ven los retratos de guerreros y de teólogos; un libro de Garcilaso o de Cervantes reposa junto al jarrón en que la rosa luce.

Entra un rayo vívido de sol por la ancha ventana. La rosa alcanza, en este minuto supremo de su vida, su plenitud. Unas manos finas y blancas la han cogido; unos ojos claros y verdes—como los de Melibea, como los de Dulcinea—la han contemplado; un instante sus pétalos fragantes han rozado una boca y una nariz sensuales y ávidas. Luego, la rosa ha sido puesta en el búcaro de cristal. En la estancia reina la paz, y los teólogos y los guerreros miran desde sus marcos.

«¿Para vivir tan poco estás lucida, y para no ser nada estás lozana?» Este minuto en que la rosa brilla y aroma, ¿qué es en la eternidad del tiempo? Minuto de 1600, o de 1800, o de 1900; minuto en que en estas paredes de la sosegada estancia acaba de ser colocado un cuadro de Velázquez, o una escena de Goya, o un paisaje de Beruete; minuto en que unos ojos han leído una poesía de Garcilaso, o de Chénier, o de Samain; minuto en que ha resonado en el callado ámbito una dulce música de Salinas, o una trágica sonata de Beethoven; minuto en que la emoción humana ha llegado a lo más delicado y lo más intenso, ¿qué representas tú entre las dos eternidades que nos ciñen y aprisionan en lo pretérito y en lo futuro, las dos eternidades del pasado y del presente? «Dilata tu nacer para tu vida, que anticipas tu ser para tu muerte.» Así escribe el poeta. No importará nada, sin embargo, el dilatar ese nacer. No se adelantará nada con perdurar en el limbo de la vida sin entrar de lleno en la vida. El limbo de la vida es tan fugaz como la vida misma. Entremos en la vida resueltamente. Seamos en ella lo que nuestro ser quiere—espontáneamente—que seamos. Podrán pasar los mundos y podrá dilatarse el tiempo en sucesión interminable de siglos y siglos. Pero este minuto en que la rosa—cortada por bellas manos—luce y perfuma en su búcaro de cristal, frente a un retrato de Velázquez, en una estancia en que han resonado las armonías de Beethoven; este minuto es lo más alto, lo más fino y lo más exquisito de la civilización humana. No sabemos lo que podrá producir el tiempo en su corriente inacabable; mas este instante, tan fugitivo, tan alado, es la flor maravillosa—¡oh hombres!—de la *pretérita* eternidad...

Rosas; rosas encendidas de España; rosas que amaba Zurbarán; rosas que en las tardes del otoño que acaba se deshojan al pie de los cipreses...

CÓRDOBA

Cuando el poeta trazaba este otro soneto, ¿lo trazaba lejos de su ciudad? Sí; él mismo lo dice en uno de los versos. Góngora, en este soneto, evocaba la ciudad lejana y amada, evocaba la ciudad lejana y amada. Con los ojos del espíritu veía sus callejuelas estrechas y silenciosas, pavimentadas de blancos guijarros, y en que los pasos del transeúnte hacen, en la soledad, un ruido sonoro. Veía la cinta del cielo azul que entre los dos aleros de los tejados se extiende; los patizuelos con evónimos y en que los blancos muros de cal tienen un zócalo de intenso añil pintado; las estancias silenciosas de las cosas modestas, en que tal vez hay un armario con libros viejos, olvidados de todos; las pequeñas iglesias humildes; el campaneo al amanecer y durante el crepúsculo vespertino. «¡Oh excelso muro! ¡Oh torres coronadas!» Sobre el cielo limpio se destaca la alta torre de la mezquita; una fuentecita mana en el patio, entre unos árboles, con un son continuado y rítmico. «¡Oh fértil llano! ¡Oh sierras levantadas!»

Desde una ventana, allá en lo alto, atisbamos el panorama de la campiña; acabamos de dejar un libro que teníamos entre las manos; en el silencio de la casa, durante una o dos horas, hemos estado recreando nuestro espíritu en una lectura llena de interés. Sentimos en torno nuestro el reposo de la estancia, el reposo de la ciudad, el reposo de la campiña. El lleno se extiende en una suave ondulación; luego cierra el horizonte el muro gris, negruzco, de la sierra. ¿No vió Góngora por esta ventanita, hace tres siglos, este mismo paisaje, en este momento de reposo? «¡Oh siempre gloriosa patria mía!» A lo largo de la vida, por encima de todos los cambios y mutaciones, el artista lleva—innatamente—una partícula de ambiente en que ha respirado por vez primera. Nuestro poeta ha puesto en sus versos la elegancia, la voluptuosidad, la malicia ingeniosa de este ambiente cordobés, con un fondo de austeridad, de melancolía, que es la nota del paisaje severo y noble que se columbra por esta ventanita.

LAS BELLAQUERÍAS

Hemos leído esta poesía, hace tiempo, en un pueblecillo levantino: se titula *La vida del muchacho*. La hemos leído al anochecer, sentados en un balcón que da a una ancha plaza, con una fuente en que el agua cae con perenne murmurio; con una recia iglesia que destaca sus dos achatadas torres en el azul pálido, tenue:

> Hermana Marica,
> mañana, que es fiesta,
> no irás tú a la miga,
> ni iré yo a la escuela.

No, no irá ella a la *miga*, ni él irá a encerrarse entre las paredes hoscas de la escuela. Ella se pondrá la saya buena, el cabezón labrado, la toca, la albanega en que recoge sus sedosos cabellos juveniles; a él le pondrán la camisa nueva, las medias de estameña, el sayo de palmilla y el estadal rojo que trajo de la feria un vecino. Una tía que él tiene—acaso una de esas mujeres viejas, enlutadas, solas, que besan y abrazan a los niños con efusivas añoranzas de amores remotos y malogrados—; una tía que él tiene, les dará un cuarto para que celebren el día; ellos comprarán garbanzos y altramuces. Y luego ella jugará a las muñecas (con Juana, con Magdalena, con las dos primillas Marica y la Tuerta), y él retozará con los demás muchachos, fingiendo batallas y torneos:

> Jugaremos cañas
> junto a la plazuela,
> porque Barbolilla
> salga acá y nos vea:
> Bárbola, la hija
> de la panadera,
> la que suele darme
> tortas con manteca.
> porque algunas veces
> hacemos, yo y ella,
> las bellaquerías
> detrás de la puerta.

Cerramos el libro. Y en estos momentos en que el cielo se enturbia y un sosiego profundo, melancólico, se exhala del crepúsculo, pensamos en estas lejanas y dulces sensaciones de muchacho; en ese apretón de manos, en ese beso dado a hurtadillas detrás de la puerta, en esas bellaquerías que ya no se borrarán jamás de nuestros recuerdos en nuestra paregrinación por la vida. Acaso encontremos en ella goces más recios y violentos; no volveremos a gustar jamás esta miel suave de los primeros años. Y pensábamos que el poeta, ya viejo, ya cansado, enfermo, pobre, llegando en sus angustias hasta confesar que quiere echarse a un pozo para acabar con sus miserias, volvía la vista, como un consuelo supremo, hacia esta primera ilusión, tan fugitiva, del placer, de la alegría y del amor...

AL MARGEN DEL «QUIJOTE»

Don Quijote hállase paseando por el porche—*fresco y espacioso*—de una venta. Una vaga melancolía baña su espíritu. Hoy, en nuestra vida moderna, al cabo de tres siglos, experimentamos una sensación análoga a ésta de Don Quijote cuando, después de años de batallar incesante —nosotros, políticos o literatos—, esperamos en una estación para marcharnos, dentro de un momento, a un pueblecillo, al campo, de donde no hemos de volver. Atrás, en la gran ciudad, quedan todos nuestros afanes, nuestras angustias, nuestros anhelos, nuestras esperanzas. La juventud se ha desvanecido; en las lejanías de lo pretérito se han esfumado las ilusiones de la mocedad. El tren va a alejarnos dentro de un instante de la gran ciudad. No volveremos más a estos sitios en que tanto hemos trabajado y tanto sufrido... Don Quijote se pasea por el ancho pórtico de la venta. Hace un momento ha llegado un caballero, acompañado de tres o cuatro fámulos. A uno de ellos ha oído llamar don Alvaro Tarfe, al viajero recién venido. El hombre de don Alvaro Tarfe lo ha leído el gran hidalgo en la historia apócrifa que de sus hechos corre. Cuando el caballero se ha aseado en su cuarto, ha salido al portal y ha reparado en la singular figura—magra y larga—de Don Quijote. Su curiosidad se ha despertado.

—¿Adónde bueno camina vuesa merced, señor gentilhombre?—ha interrogado don Alvaro a Don Quijote.

—A una aldea que está aquí cerca, de donde soy natural. Y vuesa merced, ¿dónde camina?

—Yo, señor—ha replicado don Alvaro—, voy a Granada, que es mi patria.

—¡Y buena patria!—ha loado Don Quijote.

La cordial conversación está trabada. Al ingenioso hidalgo le escarabajea el ánimo una duda. «Este don Alvaro Tarfe —piensa Don Quijote—, ¿será, en efecto, el mismo don Alvaro Tarfe que aparece en esa historia apócrifa de mis gestas?» Así se lo pregunta al cabo al incógnito viajero.

—El mismo soy—responde Tarfe—, y el tal Don Quijote, sujeto principal de la tal historia, fué grandísimo amigo mío.

Don Quijote queda perplejo, estupefacto, al escuchar estas palabras. A la sorpresa sigue una íntima indignación. Apenas puede reprimir unas palabras de cólera; la cortesía—su irreprochable cortesía—pone mesura en su lengua:

«—Y dígame vuesa merced, señor don Alvaro—exclama al fin—: ¿parezco yo en algo a ese tal Don Quijote que vuesa merced dice?»

No, no se parece en nada.

El interrogado caballero no se explica la pregunta de su interpelante; pero a poco Don Quijote va aclarando el misterio. Al cabo se declara con entera franqueza:

«—Finalmente, señor don Alvaro Tarfe, yo soy Don Quijote de la Mancha, el mismo que dice la fama, y no ese desventurado que ha querido usurpar mi nombre y honrarse con mis pensamientos.»

Y el inmortal caballero pide a su nuevo amigo que declare, *ante el alcalde del lugar,* en documento solemne, que hasta ahora no viera nunca a Don Quijote, y que este caballero, y no otro, es el auténtico, el verdadero, el inconfundible Don Quijote de la Mancha. A ello accede don Alvaro Tarfe de muy buen grado. «La declaración se hizo con todas las fuerzas que en tales casos debían hacerse; con lo que quedaron Don Quijote y Sancho muy alegres, como si les importara mucho semejante declaración...»

Esa declaración era el último acto trascendental en la vida del insigne manchego. Caminaba Don Quijote a su aldea de vuelta de su vencimiento de Barcelona. No era ya caballero andante; determinado tenía consagrarse a la vida apacible de las florestas y los oteros. Su nombre poético de pastor tenía ya elegido. La estada de ahora en la venta era la postrera etapa de su vida heroica por los caminos. Atrás iban a quedar las aventuras, los castillos, los hechos de caridad y de justicia, el rudo batallar por el ideal. Don Quijote veía que ese pasado no iba a volver para él. Una íntima melancolía bañaba su espíritu. Esta solemne declaración de ahora era la afirmación de su personalidad. Hemos vivido largos años de trabajos y anhelos; otras generaciones van pasando sobre nosotros —políticos o artistas—; nuevos hombres asoman con más energía, más brío, más inspiración que nosotros. Nuestro entusiasmo, nuestra fuerza, han desaparecido. En este crepúsculo vespertino de nuestra personalidad, al entrar en la región de las sombras, nos detenemos un instante—última parada — y consideramos nuestra obra, modesta o brillante. Hemos cumplido con nuestro deber; hemos trabajado; la sinceridad y el amor a la belleza y a la justicia han guiado nuestra pluma. Podrá pasar por encima de nosotros otra generación; no podrá arrebatarnos nuestra personalidad, lo trabajado, lo ansiado y lo sufrido.

A la tarde del mismo día en que ocurrió tal escena en la venta, Don Quijote y don Alvaro reanudaron el viaje. A obra de media legua, se separaban los caminos. Se abrazaron los dos caballeros y alejáronse por las dos vías distintas.

★

(El día 23 de abril de 1616 moría Cervantes. El 19 del mismo mes escribía sus últimas cuartillas: la dedicatoria de su novela *Persiles y Segismunda.* Hasta estos sus postreros días había tenido Cervantes la obsesión de los caminos. A lo largo de las vidas humanas se ofrecen distintos cruces de caminos. ¿Por dónde guiaremos nuestros pasos? De estos dos caminos que se abren ante nosotros, ¿cuál será el de la felicidad y cuál el del infortunio? Del camino de Esquivias a Madrid habla Miguel en su último escrito. «Adiós gracias, adiós donaires, adiós regocijados amigos —escribe Cervantes al final del prólogo—, que ya me voy muriendo, y deseando veros presto, contentos y en la otra vida.» Don Quijote y don Alvaro han seguido cada uno por uno de los dos caminos que ante ellos se abrían. Poco tiempo después de este encuentro moría Don Quijote.»

★

Don Alvaro Tarfe tenía en Granada su casa. Era una casa ancha, tranquila y limpia. A poco de llegar a su ciudad, don Alvaro compró un ejemplar de la primera parte del *Ingenioso Hidalgo*. Leía el caballero continuamente este libro; prendóse de esta honda y humana filosofía. Todas las noches, antes de entregarse al sueño, don Alvaro abría el libro y se abstraía en su lectura. Había en la casa de don Alvaro unas diligentes y amorosas manos femeninas. Desde la casa, situada en alto, se veían el panorama de la ciudad, la vega verde, la pincelada azul de las montañas. Al año, esas manos blancas y finas que arreglaban la casa, habían—para siempre—desaparecido. Algo más tarde, un incendio destruyó una granja de don Alvaro. La fortuna de nuestro caballero menguaba. Todo amor y solicitud era don Alvaro para los desgraciados. Nadie se acercaba a su persona que no viese aplacados sus dolores. Ya no tenía apego a nada. Su único consuelo era la lectura de ese libro sin par. Su amigo, su compañero inseparable, su confidente, era el ejemplar en que leía las hazañas del gran Don Quijote.

Tres años después del encuentro en la venta, don Alvaro estaba completamente pobre. Los últimos restos de su fortuna los había empleado en remediar el dolor ajeno. No le quedaba al caballero más que su ejemplar del *Quijote*. Con él pasó a Córdoba. De Córdoba, don Alvaró marchó a Sevilla. Vivía allí, de caridad, en una casilla de un barrio extremo. Se había quedado casi ciego; no podía leer. Su íntima angustia era no poder posar los ojos en las páginas del *Quijote*. Algunas veces, alguien le leía unas páginas. Pero él apretaba contra su pecho, henchido de ternura, el ejemplar de este libro que con tanta espiritual fruición había leído.

Un día, al cabo del tiempo, unos señores paisanos de don Alvaro, que anduvieron buscándole por Sevilla, llegaron a la casa donde había vivido y preguntaron por él. Una viejecita, que se asomó a una ventana, les dijo que no sabía nada. Una tarde—después de un año—un transeúnte que pasaba por delante de un puesto de libros situado en las gradas de la catedral compró un ejemplar de la primera parte del *Quijote*. Cuando llegó a su casa, raspó con una navajita un rótulo manuscrito que estaba puesto en una hoja de las guardas y que decía: *Soy de don Alvaro Tarfe*. En su lugar puso: *Soy de don Antonio Díaz*.

BARTOLOME ARGENSOLA

LA EPÍSTOLA A ERASO

Nos disponemos a dejar—para siempre—la Corte. Nos abruma esta barahunda, este estrépito, este ir y venir fatigoso, este continuo charlar con gentes que no nos interesan. Estamos viejos y cansados... Bartolomé Leonardo de Argensola cuenta a su amigo Jerónimo de Eraso, en una maravillosa carta, ese partir suyo hacia la paz del campo. Se retira ya definitivamente del tráfago mundanal; mientras escribe la epístola a su amigo, *esta gente, que está liando sus cofres*, no le deja casi percatarse de lo que hace. Lo mucho que estos faquines *vocean*, le conturba y le desasosiega. Este será su último desasosiego en la gran ciudad; ya falta poco para que todas estas contrariedades queden atrás, bien lejos. ¿Cómo hemos podido vivir durante cuarenta, cincuenta años en medio de este estruendo? Pensémoslo bien: la vida transcurre aquí sin que nos demos cuenta de ello; no hay un minuto que podamos decir que es nuestro. Sin querer, nos mezclamos a mil intrigas y devaneos; hemos de subir y bajar al día una porción de escaleras, cuando salimos en solicitación de alguna merced, distinción o cargo; en las antesalas de los personajes, hemos de hacer largas estadas en espera de que se nos llame; luego, hemos de sonreír, de proferir palabras lisonjeras, de poner semblante amable a los desabrimientos y esquiveces de un hombre de quien depende nuestra tranquilidad, o simplemente nuestro deseo. Si somos gente de letras, nos veremos envueltos en mil cuentecillos, insidias y malicias; nuestra obra será buena o será mala, según nos haya parecido buena o mala la obra del compañero. En los teatros sufriremos el inacabable tormento de las inacabables veleidades de los actores; cuando creemos que están vencidos todos estos obstáculos, cuando hemos derrochado tesoros de paciencia, de energía y de ductilidad, reduciendo a unos y otras (cómicos y cómicas); cuando ya se han desvanecido todas las prevenciones; cuando ya se han aplacado todos los celos; cuando ya va a poder estrenarse nuestra comedia, una noche, o una tarde, o una mañana, surge de nuevo, por un gesto, por una palabra, por una mirada, la inacabable discordancia...

¿Qué hacemos en Madrid? ¿Qué hacemos en este estrepitoso laberinto? Años y años hemos devaneado por escenarios, redacciones, tertulias aristocráticas, círculos políticos. Conocemos a todos los literatos, a todos los parlamentarios, a todos los periodistas; hemos formado parte de las reuniones del salón de conferencias y de las de los saloncillos de los teatros. No pasamos por una calle sin que a los dos pasos nos tropecemos con una *persona conocida.* Como la Corte es pequeña (y aun en las Cortes grandes sucede esto), sabemos cómo viven, de qué viven y por qué viven Fulano, Zutano y Mengano; todos nos conocemos y llevamos al dedillo nuestros presupuestos y nuestros recursos. Tal es la celeridad de la maledicencia, que si decimos secretamente una frase de mordacidad, al punto se desparrama y extiende por todo el mundillo de parlamentarios, literatos y periodistas. Un golpe bonancible de la fortuna hace que nuestros amigos y conocidos nos den su parabién; un fracaso tremendo y amargo de nuestras ilusiones hace que toda la grey de nuestros camaradas se dé el parabién. Hemos contemplado infinitas veces los clamores pálidos del alba, tras noches de trabajo o de regodeo.

La noche es el imperio de los moradores de las grandes ciudades; la noche es el teatro, la redacción, la charla en la tertulia, la intriga política que ha de desarrollarse al día siguiente y cuya primera avanzada está en un suelto de un periódico de la mañana. La noche es el vivo carmín en las mejillas de las bellas mujeres, los labios pintados, los ojos agrandados con negro. La noche son las miradas largas y luminosas desde el palco, los brillantes que refulgen, el blanco nítido de los largos guantes, el delicado zapato breve, el vaho de la concurrencia, los esplendores de la luz, el rumor de las charlas, el ambiente de ansiedad y de estremecimiento. La noche son las llamas del gas, blancas y frías, en la calle desierta, a altas horas de la madrugada, cuando el asfaltado—en invierno—se endurece por el frío. La noche es el artículo febril que a última hora se escribe precipitadamente en la redacción, cuando, habiéndose ya escrito otro fondo, llega orden de que han cambiado las cosas y hay que escribir de distinto modo. La noche es el ruido sonoro—que poco a poco se va apagando—del *último tranvía* que se aleja. La noche es artificio, nerviosidad, fiebre cerebral, refinamiento sutil, confidencia, expansión, relajamiento de las convenciones diurnas.

Estamos fatigados, rendidos, abrumados.

Tenemos el color exangüe y pálido de los noctámbulos; tenemos sobre nuestros músculos faciales el dominio perfecto de quien—repetidísimamente—se ha visto en los más opuestos y difíciles trances de la vida. No levantamos la voz jamás; cuando el adversario, con una procacidad, una insolencia, una injuria grave, cree desconcertarnos y anonadarnos, nuestra palabra, fría e irónica, vuelve a llevar la charla al cruce de donde había salido... y por el que a nuestro adversario no le conviene que siga. El amor no tiene para nosotros cosas inesperadas, ni el deporte político lances desconocidos. ¿No es hora ya de que nos retiremos de todo este ir y venir afanoso? ¿Qué más podríamos gozar y comprender? Ya estamos levantando la casa, preparando nuestro equipaje. El poeta le escribe a un amigo esta última carta. Mientras escribe está viendo, con los ojos del espíritu, la casa apacible de la aldea en que él ha de ir a morar. Circunstanciadamente la describe Bartolomé Argensola en su epístola. La casa es ancha, clara, soleada, limpia; tiene un alegre patio; un jardín; una «torrecilla de palomas» *(llena de sus roncos arrullos)*, una espaciosa cocina (en la que *blanquea una vajilla)*, una vasta y blanca sala con estantes de libros; unos cuartos cómodos para los amigos a quienes convidemos a pasar aquí una temporada; una bodega henchida de toneles de vino viejo (de vino *que cuanto más anciano es más activo*); una cámara, en fin, llena de frutas invernizas, navideñas, como los membrillos, como los higos, como las uvas, como las serbas, como

> las limas, que a las tetas virginales
> imitan en el bulto y la figura
> con que crecen fraternalmente iguales.

Entre nuestros libros, en este cuarto de la casa campesina *(que es grande, blanco, lleno de luz todo)*, vamos a pasar el resto de nuestros días. Ya nos representamos nuestra vida en la aldea; ya se la representa el poeta. Sin embargo, una ligera, sutil, alada, imperceptible duda pasa rozando por el espíritu del poeta, por nuestro espíritu. ¿Será verdad toda esta paz, esta dicha que nos auguramos? ¿Será la *soledad tan buena como en la Corte me la represento?* Algo hay, en lo más íntimo de nosotros, que en este minuto supremo se ha conmovido. Nos quedamos perplejos, espiritualmente desorientados. Queremos, una vez recobrados un poco, alentarnos a nosotros mismos:

> Yo bien sé de qué cosas me desvío,
> y siempre que las viere en su retrato,
> a cualquiera pesar mostraré brío.

Así escribe el poeta. ¿Mostraré brío a cualquier pesar que allá, en nuestro rincón, lejos de la Corte, sintamos al ver en *retrato*, en algún objeto que nos las recuerde, estas cosas que aquí hemos dejado? Un día un periódico, una revista, el libro de un amigo, la carta de una amiga, el triunfo de un compañero, harán revivir en nosotros el hombre antiguo, las antiguas andanzas, los antiguos anhelos, las antiguas sensaciones. ¿Qué haremos lejos de todo ese mundo bullicioso y afanoso, metidos en este cuarto de la casa campesina? ¿Estamos seguros de que, ante nuestro pasado que resurge, podremos mostrar ese «brío» de que nos habla Argensola? ¿Podremos tener ese «brío» para renunciar definitivamente a todo? El poeta, en tanto que escribía la carta a su amigo, a la vista de *esta gente que sus cofres lía;* el poeta, al hablar del posible pesar que la evocación de las cosas que deja podrá producirle, el poeta *ha presentido que no...*

Desde el fondo de nuestra alma, confesémoslo, nuestra sensibilidad de artistas y de hombres modernos, nuestra sensibilidad—¡oh Argensola!, ¡oh Baudelaire!—está ligada indisolublemente a este amanecer frío y vago, tras una noche de esfuerzo cerebral y de satisfacciones: a este carmín vivo en los labios pintados; a esta mirada brillante desde el palco; a estas cuartillas trazadas febrilmente; a los libros nuevos que huelen a tinta húmeda; a esos mecheros del gas o esos arcos voltaicos que han estado luciendo toda la noche y que palidecen sobre el alba...

AL MARGEN DE «LA FUERZA DE LA SANGRE»

Cervantes, en *La fuerza de la sangre,* nos da la sensación de una noche de luna. Como la novela *El amante liberal* está henchida de una visión del Mediterráneo—luz cegadora, mar azul, brisas leves, que impregnan de sal nuestros labios, nubes redondas y blancas, blancas casas, palmeras—, así *La fuerza de la sangre* nos trae al espíritu la sensación del centro de España: tierras altas, sembrados verdes y monótonos, callejuelas, campanas, viejecitas, caserones, estancias silenciosas y vastas, noches claras y calladas de luna. ¿Por qué unas líneas—dos o tres—de descripción en Cervantes nos producen el mismo efecto—o más intenso—que una amplia, detallada, prolija descripción? «La noche era clara; la hora, las once; el camino, solo, y el paso, tardo.» La luna alumbra el paisaje. Es en Toledo, allá por la cuesta del río. La luz de la luna, suave, fría, baña la campiña, envuelve los lomazos y quiebras de los montes, se filtra por el ramaje de los árboles, resbala sobre las aguas del río. En la ciudad todo duerme; poco a poco se van apagando las lucecitas de las ventanas. La grande y profunda calma de la noche va a comenzar; calma profunda que sólo romperán, acá y allá, las campanaditas cristalinas de un convento; calma profunda en que sólo lucirá en una ventana, perdida en las tinieblas, el resplandor de la luz, que ilumina un dolor o un esfuerzo mental.

La luz de la luna lo baña todo. Las noches de luna en el campo, en los aledaños de las ciudades, tienen un encanto profundo. Son los olivares grises, que se extienden, ordenados, en hileras, y por entre los que caminamos mientras un cuclillo lanza su nota, en busca del remoto pueblecillo. Son los jardines, que en estas horas parece que se recogen sobre sí mismos. Son los ríos, que se deslizan hacia lejanas foscuras que no acertamos a adivinar. Son las fuentes, que manan con un murmullo más sonoro y continuado. Son los molinos, que andan y andan incesantemente. Son esas callejuelas que hay detrás de las fábricas, angostas, intransitables, y desde las cuales, asomándonos por una ventana, vemos dentro, en el vasto ámbito, el laberinto de las ruedas, correas y engranajes, moviéndose todo en un retumbante estrépito, entre resplandores blancos o rojos.

En las noches de profunda oscuridad todo esto es más denso, más misterioso, más violento; en las noches de clara luna, después del anhelo y de la fatiga del día, las cosas parece que no entran en una inmovilidad definida e inconmovible; las cosas tienen una transición suave, dulce, del día a la noche. No es del todo la noche; la luz vaga, reposada y blanca de la luna, presta al paisaje, a las ciudades y a las cosas una vida mitigada y sedante. Cervantes, en su novela, nos ofrece esta impresión de noche de luna. De la lectura de la novela, por encima de todo, a pesar de la trama, contra el hecho patético que allí se narra; de la lectura de la novela queda en el espíritu esta sensación de luz nocturna y dulce; luz dulce que en la noche ilumina la cuesta del río, allá en Toledo, en tanto que la ciudad duerme y las últimas lucecitas comienzan a extinguirse.

(Por la misma época en que Cervantes vivía y escribía, un poeta—Góngora—nos daba también una sensación de noche y de luna. No son frecuentes en nuestra literatura estas visiones de un romanticismo delicado y misterioso. La luz de nuestra literatura clásica es más violenta y agria. Góngora imagina un paisaje—en una breve *Canción*—en que *las altas rue-*

das se mueven en silencio; ruedas, tal vez, de las artes con que los labriegos riegan sus campos. *Las verdes sonorosas alamedas* reposan en silencio; el Betis, *entre juncias,* se desliza *dormido.* En este paisaje nocturno hay, como en un cuadro de Juan B. del Mazo, *un peñasco roto;* el *rayo de luna* viene a quebrarse sobre él. Al pie de la roca se yergue un árbol, y recostado en su tronco, en el silencio de la noche, bajo el claro cielo iluminado por la luna, un amante suspira y se lamenta de sus pesares. Luna, peñasco roto, recio tronco de árbol, río que se desliza callado...)

*

En la novela de Cervantes, la sensación de la noche de luna en la cuesta del río va unida a otra sensación capital: la de una casa que se levanta en la ciudad. De esta casa sólo sabemos que tiene un salón tapizado de damasco. Nos place imaginar que este damasco que cubre las paredes es de un rojo apagado o de un verde oscuro. Sobre el damasco rojo o verde destacan los recios muebles de maderas preciosas, embutidos de nácar y plata. Es elevado el techo de la estancia, son gruesas las paredes; una ventana, con forjada reja, da a un jardín interior. Apartado del bullicio callejero está este salón; no llegan aquí los estrépitos de la ciudad; nuestros ojos descansan gratamente en el damasco de las paredes; nuestras horas de meditación y de lectura no son turbadas por los mil ruidos de la vida ciudadana. En el jardín crecen adelfas, rosales; un jazminero fragante llega hasta los hierros de la reja; unos cipreses se encumbran hasta traspasar el tejado.

¡Silencio profundo y sedante! ¡Paz del salón tapizado de damasco—rojo o verde—, que va a unirse a la paz de la cuesta del río en las noches claras de luna! En las noches claras de luna, la misma luz que nos hace amar el paisaje a esta hora entra en este salón, bello y noble, por la ancha ventana. Viene la luz de la blanca luna; ha besado la cima de los cipreses, ha resbalado sobre los rosales y ha entrado, a través de la reja, hasta el damasco de este salón.

Aquí, en este salón, han resonado gritos de angustia, se han derramado lágrimas, se han visto satisfechos anhelos, se ha llorado y se ha sonreído; risas y lágrimas, afanes y alegrías, han pasado por las generaciones que aquí, a lo largo del tiempo, han vivido. ¿Quién habitará ahora en esta casa y quién se hallará ahora en este salón? La impresión que nos produce la novela de Cervantes es la de las cosas que perduran y que continúan más allá de los deleznables y rápidos gestos de los hombres. Generaciones han pasado por el salón tapizado de damasco. Allá, en la cuesta del río, la luz dulce de la luna baña el paisaje, y aquí, en esta casa, la luna entra por la ventana del jardín hasta el damasco rojo o verde de las paredes.

AL MARGEN DEL «PERSILES»

I

¿Por qué se rodea el libro de *Persiles y Segismunda* de un ambiente de indiferencia, de olvido y de inatención? Detengámonos un poco. Hagamos como quien encuentra allá arriba, en una estancia apartada del caserón, un cuadro interesante. El cuadro no parece nada; su marco está carcomido; su lienzo, costroso, polvoriento. Se le limpia, se le encuadra en un marco espléndido. Después, en un salón claro y elegante, se le coloca sobre un fondo adecuado, en bello contraste con muebles artísticos y con delicadas porcelanas y figuritas gráciles. El cuadro, entonces, vive, se anima, emana claridad y belleza. Ya no es el lienzo ante el que hemos pasado indiferentes, inadvertidos, años y años; ahora la obra del artista ha entrado en el ambiente que le corresponde. Hagamos lo mismo con el *Persiles.* Cervantes: ya viejo, en un remozamiento último, pusiste tus anhelos y tus alegrías íntimas—las pocas que podías tener—en esta obra; la juzgabas, allá dentro de ti, como una bella obra. Luego, la inatención, el descuido, la rutina, el prejuicio de eruditos y profesores, han cubierto, poco a poco, de polvo tu obra. Otra obra atraía todas las miradas. Y, sin embargo, tu libro era un bello, un exquisito, un admirable libro. Se necesita en nuestra literatura sacar a plena luz obras que están todavía sin ser gustadas plenamente por los lectores. Hagamos con el *Persiles* lo que se hace con un cuadro olvidado.

En algunas de las *Novelas ejemplares,* Cervantes nos da una sensación honda de mar claro y azul. Este hombre, que escribe estas páginas de *El amante liberal,* por ejemplo, es el hombre que lleva en sus ojos la visión del Mediterráneo, del Tirreno, del Adriático, Nicosia, Chipre, Corfú, Malta. ¡Cómo estos nombres suenan gratamente en los oídos de este hombre nacido en el centro de España y que se ve condenado a peregrinar por las monótonas, desoladas llanuras manchegas! Nicosia, Corfú, Malta, Chipre; con estos nombres vienen a la memoria las olas blancas de espuma, las playas doradas, los crepúsculos sobre el mar, la lejanía límpida e infinita, las brisas saladas y tibias, los boscajes perfumados junto a las aguas. Desde este caserón del viejo pueblo castellano, en lo alto de la meseta, frente al panorama de los olivos grises o de las terreras cepas, el espíritu corre hacia allá abajo, hacia la inmensidad, y se espacia en las islas, claras y gratas, del Mediterráneo o del Tirreno. Cervantes es el primero que en nuestras letras nos ofrece una impresión de cosmopolitismo y de civilización densa y moderna. Hasta los días presentes no habíamos de encontrar en la literatura española nada parecido. En torno de los mares nombrados, en sus archipiélagos y en sus ciudades, se desenvolvía entonces la vida más libre y espontánea del mundo. Hoy mismo, para nosotros, modernos, esos nombres melódicos—Chipre, Malta, Sicilia—evocan un sentir de claridad y de elegancia; en nuestra sensación modernísima se fusionan las páginas de Cervantes y la realidad actual. Y así, la obra del artista adquiere para nosotros un relieve y un sabor que acaso no ha tenido nunca.

La sensación del *Persiles y Segismunda* ya no es la reverberante y límpida de las *Novelas.* Pero comienza también a tener este libro para los modernos un sentido que no ha tenido jamás. Principiamos a salir del estrecho y ahogador ambiente de los eruditos y los profesores de retórica. En el *Persiles,* la visión que nos ofrece el poeta es la de las tierras y mares tenebrosos del Norte.

*

Ante todo, reparad en el estilo. Comparad esta prosa—la mejor que ha escrito Cervantes—con la prosa de los *Cigarrales,* de Tirso, o de *El peregrino en su patria,* de Lope. En Cervantes todo es sencillez, limpieza, diafanidad; en Tirso y Lope, todo enmarañamiento, profusión, palabrería vacua y bambolla. No se puede parangonar esta prosa postrera de Cervantes sino a los últimos e insuperables cuadros de Velámquez. Como en las *Novelas ejemplares* aludidas (*El amante liberal, Las dos doncellas, La señora Cornelia*), unimos a las imágenes del poeta nuestras imágenes de ahora (excursiones en barcos elegantes por archipiélagos perfumados, paseos por bellas ciudades italianas, etc.), del mismo modo otras imágenes de hoy, completamente modernas, salidas de nuestra sensibilidad actual, se unen a las evocaciones del *Persiles.* Cuando Cervantes nos pinta, por ejemplo, los países de eternas noches, las islas misteriosas, las llanuras inmensas de hielo, el divagar de las naves por mares desconocidos y procelosos, pensamos en estos viajes temerarios y abnegados que modernamente han realizado un Nordenskjold, un Nansen, un Charcot. Todo esto que leemos en Cervantes, para nosotros no es —como se juzga en los manuales—absurdo y deslavazado; todo esto, escrito en el siglo XVII, tiene una trascendencia moderna, actual. Al recorrer estas páginas vamos gozando de la impresión que un gran artista de hace tres siglos tenía de esta realidad que ahora tanto nos apasiona a nosotros.

*

¡Qué prosa más fina y más clara! Ya en los primeros capítulos del *Persiles* esta nota dominante de cosmopolitismo y de modernidad que hemos apuntado se nos revela por un detalle interesante. Uno de los personajes nos habla de «algunos caballeros ingleses que habían venido, llevados de su curiosidad, a ver a España, y habiéndola visto toda—se añade—, o, por lo menos, las mejores ciudades de ella, se volvían a su Patria». Ese grupo de viajeros, de turistas, precisamente ingleses, que pasa por esas páginas, que cruza fugazmente por ellas y que desaparece después de haber visitado, por mera curiosidad, las principales ciudades de España; ese grupo de turistas ingleses es este grupo que ahora acabamos de encontrar en los pasillos del *sleeping* o en las salas de un museo...

¡Qué prosa más fina y más clara! Pongamos algunos ejemplos. De mar sosegado de un puerto: una nave destrozada por la tormenta es «llevada poco a poco de las olas, ya mansas y recogidas, a la orilla del mar en una playa que, por entonces, su apacibilidad y mansedumbre podía servir de seguro puerto, y no lejos estaba un puerto capacísimo, de muchos bajeles, en cuyas aguas, como en espejos claros, se estaba mirando una ciudad populosa». De un paraje solitario y poblado de árboles en una isla: «Era redondo, cercado de altísimas y peladas peñas, y a su parecer tanteó que bajaba poco más de una legua, todo lleno de árboles silvestres...» De una noche en el mar, navegando en un frágil esquife: «Entré en la barca con solos dos remos; alargóse la nave, vino la noche oscura, hallóme solo en la mitad de la inmensidad de aquellas aguas.» (Navecillas que en las catástrofes marinas os apartáis y alejáis hacia la negrura terrible y misteriosa...) Del amanecer en el mar, para otros náufragos: «Se les pasó la noche velando y se vino el día a no más andar, como dicen, sino para más pensar, porque con él descubrieron por todas partes el mar cerca y lejos.» De una isla cubierta de hielo: «Se entró con ligero paso por la isla, pisando no tierra, sino nieve, tan dura por estar helada, que le parecía pisar sobre pedernales.» (Sobre esta inmensidad dura y blanca sale este náufrago a cazar, y vemos ahora las excursiones cinegéticas científicas hechas desde el *Vega*, el *Fram* o el *Pourquoi pas?*) De las noches hiperbóreas: «Tres meses había de noche oscura, sin que el sol pareciese en la tierra en manera alguna, y tres meses había de crepúsculo del día...»

*

Hay en *Los trabajos de Persiles y Segismunda* silueta de personajes que cruzan un momento por estas páginas y que nos atraen profundamente. Ya el destino de todos estos eres que van perdidos por el mar, de isla en isla, náufragos luchando con las olas como impulsados por una fuerza que ellos mismos desconocen y a la que no pueden resistir, ya este destino oscuro y trágico—mezclado con cosas grotescas—llega a nuestro espíritu. ¿Para qué caminan de tragedia en tragedia todos estos hombres y cuál va a ser su fin? De cuando en cuando, uno de estos seres errátiles y vulgares muere; sus compañeros le sepultan en una isla o le arrojan al mar, y la caravana sigue, dando tumbos hacia lo desconocido, por piélagos tormentosos y por islas desiertas. Sobre la vulgaridad y monotonía de todas estas aventuras (la vulgaridad y monotonía en que *tan sólo* se han fijado los eruditos) sopla un viento de inquietud, de misterio y de dolor... Y esta Rosamunda, cuyo retrato se dibuja desde el capítulo XII al XXI del libro I, esta Rosamunda, agitada, convulsa por la pasión, mujer fatal, mujer que en la lejana Inglaterra ha dominado y angustiado a sus adoradores, esta Rosamunda bella y refinada, ¡qué trágica y desconcertadora figura es! Sobre la moral corriente coloca esta mujer una moral, unas prácticas éticas, que ella expone en el capítulo XIV y que hoy proclama la pedagogía nueva. Rosamunda — «amiga del rey de Inglaterra»—, ahora desterrada, persigue al gallardo Antonio en la isla nevada, sobre la llanura de hielo. Al fin, en alta mar, acaban los anhelos, las torturas y las ansias de esta mujer. «Sirvióle el ancho mar de sepultura», nos dice el poeta. Y nuestra imaginación queda perpleja, desorientada, ante este ejemplar femenino de una fuerza, de un ímpetu y de una pasión extraordinarias.

⋆

Islandia, Frislandia, Hibernia, Lituania, la isla Nevada... Cervantes, desde la altiplanicie castellana, envía su espíritu hacia esas regiones de ensueño y de misterio. No es posible, en breves citas, dar una idea del tono general de un libro; es preciso leer toda la obra de Cervante, todo el *Persiles,* con amor, sin prejuicios, para gustar de todo su ambiente. En el fondo —éste es nuestro parecer—, el mismo espíritu que en el *Quijote* alienta en este libro. No diremos que es un libro *más* trágico; sí que es un libro *tan* trágico, pero de distinto sentido trágico. ¿Hacia dónde van todos estos seres perdidos en las noches septentrionales, de isla en isla, náufragos, movidos por una fuerza que ellos mismos ignoran? Sí; es hora ya de que lo proclamemos: el libro postrero de Cervantes es el libro admirable de un gran poeta.

II

El *Persiles,* de Cervantes—lo hemos dicho—, es uno de los más bellos libros de nuestra literatura; no se ha parado la atención en él. Bello libro que comienza a tener para nosotros, los modernos, una trascendencia y un encanto profundos. Figuras singulares desfilan por sus páginas. Aquí tenemos—como una de las principales—a Rosamunda. Esta mujer ha tenido en su patria, Inglaterra, una vida de esplendor, de riqueza y de dominación. Ahora peregrina sin rumbo, sin finalidad, desterrada, por los mares del Norte. Esta mujer, ¿cómo se elevó al poderío pasado? ¿Desde qué condición logró auparse a la gloria y a la fortuna? Nos imaginamos que, como sus más célebres congéneres (como esta extraordinaria mujer de un poeta satírico y paralítico, Scarron, que llegó a ser reina de Francia), esta mujer nos place imaginar que salió de los medios más modestos y humildes; nació en una choza de labriegos, en el taller de un tejedor, en la oficina de un ignorado tabelino. Pero había en ella una fuerza, un ímpetu, un despejo que, ya niña, la distinguía de todas. Lo decía la luz de sus ojos, sus maneras bruscas e imperiosas, el modo de mandar una cosa o de suplicar y rogar. Las líneas del cuerpo, el ademán, la manera de andar, indican en estas adolescentes lo que andando el tiempo han de ser: seres extraordinarios. Sus vestidos son pobres; la escena en que se mueven es mezquina; pero ¡cómo resalta su vitalidad interna, incontrastable, por encima de todo!

Rosamunda, poco a poco, ha ido elevándose. De la aldea ha pasado a la ciudad. En la ciudad, pronto una aureola de simpatía ha rodeado su nombre. De la ciudad, de un círculo de admiradores allegadizos, transitorios, más o menos frívolos y toscos, ha penetrado en la sociedad más refinada y culta de los cortesanos, artistas y príncipes. Ha sido combleza del rey de Inglaterra. Ha impuesto su voluntad a toda la corte. No se ha hecho en palacio y en toda la nación más que lo que esta mujer ha querido; ella misma dice que ha sido «domadora de las cervices de los reyes y de la libertad de los más exentos hombres». Es extraordinaria en todo esta mujer; su misma vitalidad, poderosa, hace que Rosamunda se cree para ella una moral: a su tiempo había adelantado mucho en esta materia de la ética; algo de lo que ella expone es proclamado ahora.

¿De qué manera Rosamunda cayó de su elevada posición? ¿Cómo llegó hasta ella la desgracia? En el *Persiles* la encontramos peregrinando por regiones misteriosas en compañía de un tropel de gentes tan infortunadas como ella. En estos días de adversidad, y por estos parajes hiperbóreos, la pasión no abandona a Rosamunda. Es aquí la mujer fuerte, imperiosa, de siempre. Se enamora perdidamente de un mozo que figura en la caravana. Un día, habiéndose éste internado en una isla cubierta de hielo, ella le sigue a lo largo de la blanca llanura. «¡Yo te adoro, generoso joven—le grita Rosamunda—, y aquí, entre estos hielos y nieves, el amoroso fuego me está haciendo ceniza el corazón!» Cuando, después, otro personaje—un viejo, profesador de la ciencia astrológica—se entera de la aventura, pronuncia, reflexionando, estas palabras: «Yo no sé qué quiere este que llaman amor por estas montañas, por estas soledades y riscos, por entre estas nieves y hielos...» Este anciano, que ha vivido mucho y que observa los cielos, muestra su extrañeza, su perplejidad, a pesar de su larga experiencia, ante la pasión avasalladora, fatal, de esta mujer...

*

Clodio es un hombre de mundo. Clodio fué desterrado al mismo tiempo que Rosamunda. Los dos caminan lejos de la tierra inglesa. A este hombre le desterraron por maldiciente. Su ingenio, su travesura, su donaire, inquietaban a todos. Era una especie de Aretino. (Físicamente, ¿se parecía también a este hombre barbado y corpulento que vemos retratado por Ticiano en la Galería Pitti, de Florencia?) Un ambiente de rencores disimulados, de amables insidias, llegó a envolverle. ¿No veis en nuestras asambleas parlamentarias el ambiente especial que rodea a los que realmente son superiores a los demás? Al cabo, desterraron a Clodio. Pero el mismo Cervantes nos muestra simpatía por este hombre. No es un detractor vulgar y procaz; es una inteligencia que gira al margen de la sociedad. «Hombre malicioso sobre discreto», le llama el autor. Y añade: «de donde le nacía ser gentil maldiciente». ¿Por qué esta consecuencia? Porque su intelecto fino, sutil, le hacía ver en las cosas, en el espectáculo del mundo, relaciones, analogías, disparidades, que los demás no notaban. Esto es todo. Carlos I, emperador, no veía las cosas que veía el autor de *Il mariscalco*.

Clodio muere impensadamente, de un modo trágico y absurdo. Un mozo, que está en una estancia de un palacio, dispara una flecha para matar a una mala mujer. La flecha no alcanza a ésta, pero en el mismo momento asoma Clodio y el dardo le quita la vida. Un instante antes este hombre inteligente no sabía que iba a morir; pasó instantáneamente—sin penumbra de dolor, sin anhelos angustiosos—de la plena luz a las tinieblas eternas.

*

¿Y este rey Policarpo, rey shakespiriano, rey caduco, casi decrépito, que en este acabamiento de sus días se enamora súbita y apasionadamente de una linda muchacha? Policarpo anda vagando con su enamoramiento por las estancias y corredores de palacio. El mismo no sabe lo que pasa; a su hija le confiesa su amor y le pide que ella interceda con su amada. Le vemos pasar encorvado, arrastrando estos pesados mantos bordados de los reyes de antaño, con una larga y blanca melena.

Unas veces está en el fondo de su estancia, meditabundo, *retirado y solo;* otras, devanea y corretea, *alegre sobre manera.* Todo en palacio está revuelto y trastornado desde que al viejo rey le pasan estas cosas. Nadie pone cuidado en nada; cortesanos, pajes, dueñas, bufones, maestresalas, cubicularios, todos, todos andan desordenados y bullangueros. Un viento de locura y de jovialidad ha soplado sobre la morada secular y venerable de estos reyes.

★

Este tropel de los personajes del *Persiles*, que anda—perdurablemente—peregrinando por mares desiertos e islas misteriosas, ¿qué se propone? ¿Cuál es su sino? Unos proceden de Inglaterra; otros, de Italia; otros, de España. Todos marchan hacia lo desconocido. Cada uno conoce de los demás el nombre—tal vez supuesto—y algún detalle de su historia próxima.

Pero su conocimiento mutuo no se extiende más allá del tiempo que llevan navegando juntos. Todos desconocen sus vidas pasadas. ¿Qué trágico sino los ha reunido en esta nave que camina entre los hielos del Septentrión o en esta isla inhabitada en que esperan el crepúsculo de la larga noche hiperbórea? Nadie sabe «de dónde vienen ni dó van. Perdiéndose aquí, anegándose allí, llorando acá, suspirando allá»—, dice uno de los personajes, hablando de otro que camina en la caravana—. Así, entre angustias, suspiros y naufragios, caminan todos. ¡Qué sentido más trágico el de este libro! ¡Qué sentido más trágico para nuestra moderna sensibilidad!

Cervantes tiene una frase suprema hablando de estos personajes del *Persiles;* una frase henchida de melancolía, de fatalidad y de misterio, que nos hace soñar y nos llena de inquietud: «Todos deseaban, pero a ninguno se le cumplían sus deseos», escribe el poeta. Un deseo siempre anheloso, un deseo errante por el mundo, un deseo insatisfecho, un deseo que siempre ha de ser deseo: eso es el libro de Cervantes.

III

En su peregrinar por los mares e islas septentrionales, esta gente errática e infortunada ha llegado al palacio del rey Policarpo. Estas gentes son españoles, italianos, ingleses, que no saben adónde van ni se conocen mutuamente; nadie sabe el pasado de nadie; todos sospechan en los demás una historia infausta y dolorosa; hay en cada uno, respecto a los demás, cuando los demás hablan, un gesto equívoco, un gesto de duda, acaso de desconfianza. Y, sin embargo, todos marchan en tropel hacia lo desconocido, por piélagos misteriosos y por tierras llenas de desolación y de peligros. El azar los ha reunido a todos; el azar los ha traído a estos parajes desde la lejana España, la lejana Inglaterra, la lejana Italia. Todos, sin preocuparse aparentemente de la suerte del compañero con quien caminan, ni de su pasado, ni de sus ocultos designios, siguen su rumbo fatal y desconocido. ¿No es ésta también la vida humana? ¿No puede esto ser un símbolo del poeta? En el piélago de pasiones, de ambiciones ajenas, de contrapuestos intereses, de codicias, de envidias, por el que caminamos, ¿cuál va a ser nuestra suerte? ¿Qué es esta mano que, en apariencia cordialmente, estrecha nuestra mano? ¿Qué es esta sonrisa que a nosotros se dirige? ¿Qué hay en esta afectuosa solicitud y en esta deferencia? Y, sobre todo, y aparte de esto, en un momento crítico, supremo, en uno de esos momentos que surgen en nuestra vida, como esas montañas de hielo en los mares septentrionales, ¿cuál será nuestra actitud? ¿De qué modo—piadoso o inexorable—sortearemos el lance terrible?

El tropel de gente errática ha llegado al palacio del buen rey Policarpo. Buen rey viejo, caduco, amigo de fiestas artísticas y espléndidas. Buen rey, que se enamora perdidamente—a los setenta años—

de una linda muchacha que marcha entre los desconocidos aventureros. Las cosas que hace este rey para ver cumplida su pasión son inauditas. Al cabo, imagina prender fuego—ficticiamente—al palacio para, con la confusión que se produzca, poder él realizar su intento. Una nave está preparada en el puerto; en ella embarcarán los demás individuos de la caravana; el buen rey se quedará aquí con la linda muchacha, en tanto que los demás se alejan. Arde, en efecto, por los cuatro costados el palacio; pero con la tropa que se marcha se va también la bella moza amada del rey. Policarpo contempla angustiado, desde una alta azotea, cómo la nave se pierde en el horizonte. No imaginaba él esto. ¡Oh buen rey, ingenuo y atolondrado! Los años que han nevado su cabeza han puesto también candor en su corazón. ¿Cómo ha podido imaginar este rey la farsa peligrosa del incendio, y cómo ha sido tan cándido para dejar escapar a la amada de su corazón? Desde lo alto de la azotea, frente al mar, contempla ahora, en las primeras horas radiantes de la mañana, cómo se pierde la nave en la remota lejanía.

Horas después, en este mismo día, el buen rey Policarpo será depuesto de su trono. Se ha divulgado la farsa del incendio; toda la ciudad anda alborotada. Los súbditos de este rey, atolondrado y novelero, no son como él; son pacíficos, flemáticos, amigos del orden, de la simetría, de la uniformidad. Han tolerado pequeñas fantasías y ligeros devaneos al rey Policarpo; pero lo del fingido incendio les parece enorme, intolerable. «Aquel mismo día—dice Cervantes—le depusieron del reino.» Buen rey Policarpo, buen rey caduco y enamorado, buen rey que reías y llorabas por las estancias y corredores de palacio, andando de una parte a otra con tu largo manto y tu melena blanca: ¿adónde irás ahora? ¿Qué podías tú hacer, hombre romántico, entre estos vasallos serios, graves, solemnes? (Romántico y ensoñador Luis de Baviera: ¿cuál podía ser tu destino, sino el trágico que tuviste?)

*

En su caminar por los mares septentrionales, la caravana ha encontrado otro navío. Han pasado gentes de uno a otro y se han comunicado noticias. Un hombre camina en el navío encontrado que ha hechizado a todos por su bondad y por sus infortunios... Llega el momento de que cada nave siga su ruta. El anciano que ha encantado a todos es también otro rey amargado por la adversidad. El ha de continuar su camino; los otros han de seguir el suyo. Ya no se volverán a encontrar jamás. Las naves van a separarse una de otra. «Desde el borde de mi nave me despedí del rey a voces, y él, en los brazos de los suyos, salió de su lecho y se despidió de nosotros.» Las naves se alejan; el rey anciano y enfermo ha vuelto a bajar a su cámara. Las naves desaparecen en el horizonte.

En una de las más hermosas novelas de Maupassant—*Pierre et Jean*—hay también una de estas despedidas angustiadoras. Maupassant tiene de común con el Cervantes del *Persiles* la impersonalidad, la sobriedad del estilo y la difusa melancolía que impregna toda la obra. Un matrimonio de modestos burgueses, después de una vida de trabajo, ha ido a retirarse a una pequeña ciudad marítima. Tiene dos hijos: Pedro y Juan. Viven todos oscura y tranquilamente. Pero surge un drama de conciencia, uno de esos dramas callados, serenos y hondos. Uno de los dos hermanos se cree en el deber de alejarse de la familia. ¿Se va para siempre? ¿Es transitoria su marcha? El padre, la madre—¡qué maravillosa figura de madre!—y el hermano bajan al puerto a despedirlo. Llega el instante de la partida. La angustia oprime todos los corazones. Ya se mueve el barco. Ya avanza. Ya se aleja. Ya se esfuma en el horizonte. La familia regresa a la ciudad. Cuando van a internarse por las calles, la madre vuelve por última vez los ojos hacia el mar. «Pero ella no vió más—escribe Maupassant—que un humito gris; tan remoto, tan tenue, que no parecía más que un poco de bruma.»

★

Con el segundo libro de *Persiles* termina la peregrinación de este tropel de gentes por los mares septentrionales. Todos van a volver a sus patrias. Todos van a volver desde una isla desierta, donde han encontrado a unos seres tan solitarios e infortunados como ellos, y adonde acaba de arribar un navío de Europa. ¿Qué pasa en Europa? ¿Qué cosas han acontecido por el mundo? Todos deseaban saber noticias. «Pasaron a preguntarle por nuevas de lo que en Europa pasaba y en otras partes de la tierra.» Van a marcharse todos; una nave llevará a unos a Inglaterra e Italia; otra nave llevará a otros a España. ¿Ha acabado ya con esta dispersión el misterio trágico de esta extraña deambulación por lo desconocido? No; va a quedar aquí, como pendiente del azar, cual rastro que ha de inquietar al lector, una nota tan extraña como todo lo acontecido anteriormente. Uno de los personajes de la caravana quiere quedarse en esta isla desierta, para acabar en ella sus días. Los dos solitarios que había en la isla se marchan en la caravana; pero este hombre desea permanecer aquí. Aquí, en este islote, hay un faro que orienta por las noches a los navegantes. En la tenebrosidad de este mar desconocido brilla esta lucecita. El hombre de la caravana que va a quedarse en la isla desea permanecer en ella, «siquiera para que no faltase en ella quien encendiese el farol que guiase a los perdidos navegantes».

Todos los días, cuando llegue el crepúsculo vespertino, este hombre, perdido en las regiones septentrionales, solitario en un islote desierto, va a encender el farol que ha de brillar con su lucecita en las tinieblas de la noche, frente al mar rumoroso.

★

Cuando los españoles de la caravana hayan vuelto a sus viejas ciudades castellanas, a sus caserones de las plazas con soportales y de las callejuelas, tened por seguro que la visión de los mares del Norte ha de iluminar toda su vida. Siempre, ante el paisaje polvoriento de la Mancha, o ante las parameras de Avila, recordarán las inmensas llanuras de hielo y las altas montañas de n i e v e. Recordarán cómo aquellos hombres vestidos de pieles patinaban velozmente sobre la tersa superficie. «Caminaban sobre solo un pie, dándose con el derecho sobre el calcaño izquierdo, con que se impelían y resbalaban sobre el mar grandísimo trecho, y luego, volviendo a reiterar el golpe, tornaban a resbalar otra gran pieza de camino.» Recordarán cuándo el navío, entre las enormes extensiones heladas, quedaba «engastado en ellas como lo suele estar la piedra en el anillo.» ¡Qué lejos está todo esto!

IV

Van a partir todos hacia Europa; al islote desierto de las Ermitas, perdido en los mares septentrionales, ha llegado una nave procedente de Francia. Termina la peregrinación sin rumbo de la caravana de aventureros ingleses, italianos y españoles. (¿De aventureros? No va buscando aventuras, como Don Quijote, esta gente; lo extraño, lo raro, es que marchan divagando por lo desconocido, sin rumbo, sin plan, dejándose llevar por el azar.) Termina la peregrinación por los mares del Norte. Con viva ansiedad han preguntado todos por noticias de Europa. Uno de los personajes, al enterarse de cierta nueva, se ha quedado absorto, meditativo. «Puso los ojos en el suelo—escribe Cervantes—y la mano en la mejilla.»

Dos naves parten hacia Europa con rumbos distintos. El tiempo es plácido y el mar está en calma. Va a ver el lector cómo pinta el poeta esta marcha de las naves por el mar bonancible; no hay fragmento de prosa más flúida y etérea. En la literatura francesa se citan algunos versos de La Fontaine como expresadores de una tenuidad y una fluidez insuperables:

...L'onde était transparente ainsi qu'aux beaux jours...
...Le long d'un clair ruisseau buvait une colombe...
...Solitude où je trouve una douceur secrète...

Este fragmento—muy breve—de Cervantes no es menos límpido y etéreo que los más bellos versos: «En esto iban las naves con un mismo viento por diferentes caminos, que éste es uno de los que parecen misterios en el arte de la navegación. Iban rompiendo, como digo, no claros cristales, sino azules; mostrábase el mar colchado, porque el viento, tratándole con respeto, no se atrevía a tocarle más de la superficie, y la nave suavemente le besaba los labios, y se dejaba resbalar por él con tanta ligereza, que apenas parecía que le tocaba.» Nada más. Allá van las dos naves hacia Europa. Después del largo tiempo de deambulación por regiones de misterio, por mares desconocidos, por islas desiertas, estas pocas líneas nos dan una impresión de alegría, de bienestar, de placidez. Ya vamos hacia Europa; el viento apenas roza la superficie del mar; la nave se desliza con tanta ligereza sobre el mar que apenas parece que le toca. Ya vamos hacia Europa. ¿Qué es Europa para nosotros? ¿Qué sensación nos dan de Europa todo lo que en el *Persiles* hemos leído anteriormente y ahora, en contraste con ello, estas líneas tan límpidas, etéreas y flúidas? Europa es lo definido, lo claro, lo lógico, lo coherente. Ya marchan las naves raudas y gallardas; casi no se mueve el mar y el aire es diáfano y sutil...

*

El *Persiles* es un libro único en cierto respecto. Cervantes ha trazado en estas páginas retratos y siluetas de personajes que aparecen un momento—inesperadamente—y luego desaparecen. Diríase que, ante una visión cinematográfica, breve, fugaz, nos percatamos instantáneamente de que conocemos a una de las personas retratadas; una persona que evoca en nosotros complejos recuerdos, vagas y gratas emociones. Pero cuando queremos reflexionar y fijar nuestra atención, ya la silueta ha pasado, se esfuma, se pierde en la lejanía. ¿Conocíamos de veras a esta persona? O bien, ¿hemos experimentado ante tal personaje, ante tal escena, lo que los psicólogos llaman la *sensación de lo ya visto,* es decir, la sensación de haber visto ya algo que no hemos visto nunca?

¿Dónde hemos visto nosotros a Feliciana Tenorio? El nombre no puede ser más eufónico y distinguido. Pero no se la conoce por su apellido; Feliciana tiene una voz dulce y extensa; la gente llama por esto, a esta linda muchacha, Feliciana de la Voz. Así, el nombre es todavía más eufónico, más original, más simpático. ¡Feliciana de la Voz! Evocamos un retrato de Palma el Viejo o del Ticiano; una bella moza, rubia, con el pelo de oro suelto sobre los hombros y los brazos desnudos. Feliciana de la Voz se ha enamorado de un mancebo que desplace a los padres de la doncella. Toda esta parte de la novela de Cervantes es de lo más delicado del libro, porque al ambiente de poesía se unen detalles de fino y cotidiano realismo. («Alborotóse mi padre—cuenta Feliciana—y con una novela en la mano me miró el rostro...») Feliciana de la Voz ha tenido un trance apretado y ha huído de la casa. Impresión de angustias y lágrimas.

Páginas más adelante, impresión de contento, de cordialidad y de sonrisas. Se acaba el episodio; la vida no trae otra cosa; los peregrinos de la novela siguen marchando. Atrás ha quedado Feliciana de la Voz—lágrimas y sonrisas—; de su conocimiento, de su aparición, de la visión que hemos tenido durante un momento, sólo nos queda en el espíritu —¿hasta cuándo?—el recuerdo de una voz dulce y simpática, una cara pálida, angustiada, ante la cual un hombre airado pone una vela, una mujer que, en una ancha casa de pueblo, desciende *por un caracol a unos aposentos bajos* y huye luego, durante la noche, por el campo...

*

¿Y la vieja peregrina que va por los caminos, sin pararse, sin descanso, vestida de andrajos, descarnada, siniestra? ¿Quién es esta vieja peregrina que la caravana encuentra seis leguas más allá de Talavera de la Reina? Cervantes ha querido, sin duda, presentarnos una figura simbólica. Pero ¿qué representa esta peregrina decrépita, andrajosa, descarnada, que anda y anda por los caminos? Allá queda, atrás, también. ¿Ya no la volveremos a ver? ¿Estamos seguros de ello? Esta peregrina, ¿no surgirá ante nosotros, ante nuestros deudos queridos, cuando menos lo esperemos?

*

Un deleitoso pradecillo. Los personajes de la caravana se detienen a descansar. «Refrescábales los rostros el agua clara y dulce de un pequeño arroyuelo que por entre las hierbas corría; servíanles de muralla y de reparo muchas zarzas y cambroneras, que casi por todas partes los rodeaba: sitio agradable y necesario para su descanso.» Aquí se detienen todos a descansar. Bruscamente, de entre la enramada, surge un mancebo que camina unos pasos y cae de bruces; trae una espada clavada por la espalda. «¡Dios sea conmigo!», exclama el mozo, y expira. Días después aparece una carta en que este hombre manifiesta que sale de Madrid acompañando a un pariente suyo; que le acompaña porque este pariente tiene, respecto de él, *ciertas sospechas falsas,* y él, con prestarse a acompañarle, quiere desvanecerlas; que finalmente él, el autor de la carta, cree que su pariente *le lleva a matar.*

Cuando leemos por primera vez el libro nos preguntamos: ¿Encontraremos más adelante la clave de este misterio? ¿Quedará esto también así, como queda en la vida, como queda cuando hacemos un viaje y nos enteramos, fragmentariamente, de algo que ya no podemos completar?

*

El *Persiles* es el libro que nos da más honda sensación de continuidad, de sucesión, de vida que se va desenvolviendo con sus incoherencias aparentes. Otros libros nos dan la impresión de un plano en que se muestran los acontecimientos y las figuras en una visión *simultánea.* En el *Persiles,* todo es sucesivo, evolutivo; pocos libros tan vivos y tan modernos como éste. La vida pasa, se sucede, cambia en estas páginas. No es nada este episodio que nos parece insignificante, y, sin embargo, ¡cuán hondo llega a nuestra sensibilidad! No tiene gran relieve esta figura—cuatro rasgos—, que se nos antoja vulgar, y a pesar de eso, ¡con qué profundidad se queda grabada en nuestro espíritu! Atrás, a lo lejos, a lo largo del camino, van quedando cosas, como en la vida, como en el tiempo.

QUEVEDO

I

Hay en esta ciudad—Villanueva de los Infantes—una iglesia de piedra, una ancha plaza con soportales, caserones con patio de galerías en medio y escudos sobre la puerta, callejuelas llenas de tiendecillas de mercaderes, cortinales y huertos que lindan con la llanura desamparada, rojiza, que se extiende a lo lejos. Un día de 1621 ha entrado por una de las callejas del pueblo un pesado coche de camino. La ciudad, en estos tiempos, todavía bullía con el estrépito y el trajín de la vida; hoy, todo es silencio, paz y muros ruinosos. En aquel entonces, los grandes caserones aún tenían sus puertas y sus ventanas abiertas; hoy, las puertas y las ventanas—con las maderas alabeadas, carcomidas—están constantemente cerradas. En aquella época, en la plaza había un rumor de muchedumbre, y en las tiendecillas entraban y salían a la continua labriegos, artesanos y viandantes de los contornos; hoy, la plaza, con sus soportales, muestra el ancho ámbito desierto, y de las callejas han desaparecido los mercaderes. En el silencio, en tanto que calladamente los anobios van taladrando la madera, y que las paredes poco a poco se desmoronan, se ven pasar, allá en lo alto, por el cielo de azul intenso, cielo sin lluvia para estas llanuras ardorosas, las nubes blancas, blancas...

El coche de camino ha entrado por las calles con un estrépito de campanillas y de tablas y vidrios. Los vecinos han salido a las puertas; bajo el ancho alero del tejado se ha asomado una viejecita. Ha avanzado el coche y se ha detenido en la plaza. Del carruaje ha bajado un caballero vestido con negra ropilla de terciopelo. Sobre el terciopelo, en el lado izquierdo del pecho, resalta roja la cruz de Santiago. Lleva el caballero unos redondos anteojos guarnecidos de concha. Su melena baja hasta los hombros. Se enhiestan sus bigotes. Cuando anda—y ahora ha dado unos pasos por la plaza—, cojea levemente. Hay algo en este hombre que hace que este corro de bausanes que se ha formado en su torno le mire con respeto. Un hidalgo del pueblo ha avanzado entre los curiosos y le ha tendido los brazos; el nombre del caballero ha circulado en voz baja, de oído a oído, entre la concurrencia. El viajero, después de un rato de charla, ha subido al coche. En su mirada, en sus movimientos, en sus gestos, hay un aire profundo de melancolía y de cansancio. Cuarenta años podrá tener ahora; sesenta diríamos que tiene por lo cansado. El pesado carruaje ha vuelto a emprender su marcha, y, ya fuera del pueblo, se ha perdido a lo lejos, en la inmensa llanura, camino de La Torre de Juan Abad...

★

En sus infiernos pone Quevedo una multitud pintoresca y clamorosa de escribanos, sastres, oidores, soplones, hechiceras, taberneros... ¿Qué efecto nos hacen hoy, cuando volvemos a leerlas, estas páginas de Quevedo? ¿Cómo sentimos sus poesías festivas, sus jácaras de pícaros, su epístola, tan citada, al Conde-Duque? ¿Y qué impresión dejan en nuestra sensibilidad moderna sus obras ascéticas, políticas, morales? En nuestro espíritu, al volver a leer a Quevedo, acaso luche la imagen ya formada allá en la adolescencia y la mocedad, con la impresión que ahora vamos formando. La imagen de la mocedad es la de un hombre tumultuoso, desbordante de ingenio, polígrafo fecundísimo, pluma fertilísima, satírico de un desgarro y de una originalidad hondos. Algo de esto hay en nuestro sentir de ahora; pero en nuestro sentir de ahora hay también algo de más y algo de menos. El tumulto, la variedad, la efervescencia perpetua de las ideas, lo admiramos ahora en Quevedo; pero en estos infiernos que el poeta ha imaginado, quisiéramos ver — como en 1820 quería ver Marchena — otros personajes, otros tipos, otros condenados que no fueran sastres, taberneros, escribanos. Concebimos ahora la sátira social de distinto modo que en 1600. Nuestra execración va hacia hombres y cosas que tienen más trascendencia que los hombres y las cosas pintados por Quevedo. Y esa execración la fundamos y motivamos—en lo íntimo de nuestro ser—en el amor cordial, efusivo, generoso, hacia seres y muchedumbres de seres explotados, aniquilados, extenuados por el trabajo y la miseria. En este ambiente moderno, sobre el fondo de la gran ciudad henchida de esplendor y de lujo, ved este mísero hombre que pasa encorvado, los ojos hundidos, pálido, subido el cuello de la astrosa chaqueta, la barba revuelta, las manos en los bolsillos del pantalón, el sombrero grasiento, metido hasta las cejas. ¿Adónde va este hombre? ¿Qué trágico destino pesa sobre él? El dibujante Steinlen ha pintado estos misteriosos y dolorosos tipos modernos. Ved ahora esta mujer y estos niños que están en plena calle, junto a un montón de muebles míseros; la mujer tiene los ojos enrojecidos por el llanto, y los niños —chiquitos, amoratados por el frío—miran con sus ojos asombrados al transeúnte, que se detiene un momento. Ved después a los labriegos, en sus chozas, como animales hoscos y fieros, en contraste—terrible—con el ciudadano refinado de las grandes ciudades; ved allá, en lo hondo de la mina, o en las fábricas, la legión de hombres, de mujeres, de niños que penan continuamente de la mañana hasta la noche. Y luego considerad las mil formas sutiles, etéreas, casi impalpables, que la iniquidad y la violencia adquieren al desparramarse por la urdimbre social.

No podíamos esperar de Quevedo ni esta execración ni este odio. Todo esto es un sentimiento moderno. Pero en tiempos de nuestro poeta había también una visión más honda de las cosas. Imaginemos un momento cuál era en 1595 el ambiente de España; dominando este ambiente, surgen las llamas de los autos de fe. Ahora, traslademonos, en un viaje mental, a una apacible casa situada cerca de Burdeos, en el verde campo francés. Aquí vive retirado un señor silencioso que ama el orden, la limpieza y los libros. Gusta este hombre de escribir sus impresiones; y he aquí una frase, una sola frase, escrita por él en este año citado de 1595: «*Après tout, c'est mettre ses conjectures à bien haut prix que d'en faire cuire un homme tout vif.*» Nada más; pero en esa sola frase, en ese solo vocablo *conjeturas*, ¡cuánta hondura, cuánta independencia mental, cuánta modernidad, cuánta civilización!

No puede separarse de nuestro espíritu, cuando leemos a Quevedo, nuestra misión moderna de la injusticia social; no podía tenerla el poeta en 1600 como nosotros la tenemos ahora. Pero sí cabía un poco más de piedad, un poco más de trascendencia, un poco más de exactitud en la investigación de las causas del mal.

★

Y, sin embargo, nuestra simpatía va hacia este hombre derechamente, con efusión. Quevedo, por encima de todo, en virtud de estas síntesis que el tiempo forma, representa un gesto de protesta, de rebelión. Ese solo gesto nos basta. A esa actitud de Quevedo, a lo largo de los siglos, vienen a juntarse los dolores y las persecuciones sufridos por el poeta. Hay también en Quevedo una nota que conmueve nuestra sensibilidad moderna y que vemos simbolizada — maravillosamente — en el *Balzac* y en *El pensador*, de Rodin: el esfuerzo mental, la tensión cerebral, la preocupación constante y obstinada por las ideas. No necesitamos más para colocar a Quevedo entre nuestros hombres dilectos. Vivió Quevedo por el cerebro y para el cerebro. Sufrió intensamente. De 1621 hasta ahora en que le volvemos a ver entrar en Villanueva de los Infantes, han pasado veinticuatro años. Sesenta y cinco tiene ahora Quevedo. A lo lejos, por el llano raso y rojizo, vemos avanzar un pesado coche de camino; viene de La Torre de Juan Abad. Ha entrado por las calles de Villanueva y se ha detenido ante una modestísima casa. No ha parado delante de ninguno de estos caserones con escudo y con patio de columnatas; sí en la puerta de esta vivienda humilde. Del coche ha descendido un caballero con su negra ropilla y su cruz roja al pecho. Ya no hay atildamiento y apostura en su persona; la barba la tiene sin afeitar de quince días y su cara está lacia y exangüe. No puede caminar solo el caballero; en brazos han tenido que bajarlo del coche. Días después—el 8 de septiembre de 1645—moría don Francisco de Quevedo.

★

En febrero de 1903 fuimos nosotros, desde el bullicio de la Corte, en pleno

Carnaval, hasta la silenciosa Villanueva de los Infantes. Los muros se agrietan y desmoronan; las puertas y las ventanas de los viejos caserones están siempre cerradas; los anobios van calladamente taladrando las maderas. Profunda sensación de reposo y de silencio invadió nuestro espíritu. Desde las afueras del pueblo contemplamos la llanura y seguimos con la vista el camino que se aleja hasta La Torre de Juan Abad. La misma tarde de nuestra llegada visitamos la casa en que murió Quevedo. Tiene la casa un zaguán estrecho y un patizuelo con una galería en que se ve una barandilla tosca de madera. A la izquierda, entrando a la casa, se abre una estancia reducida, con una ventana que da a la calle. No puede darse nada ni más sencillo ni más pobre. En tal estancia vino a acabar sus días, lejos del tráfago de las grandes ciudades, en el silencio, en la humildad, el hombre que más que nadie en su tiempo había representado la agitación, la energía, el tumulto y la efervescencia de las ideas. En la escala social, al lado opuesto del ocupado por Quevedo, polígrafo, poeta, filósofo, diplomático, hombre de acción, podemos imaginarnos a una viejecita de pueblo que no sabe nada ni ambiciona nada. Una de estas viejecitas vestidas de negro era quien, al cabo de tres siglos, nos enseñaba la estancia en que murió el grande hombre.

—Aquí—nos decía—; aquí, en este cuartico, es donde dicen que murió Quevedo.

II

Quevedo nos ofrece una visión dura y violenta de España. Cervantes es otra cosa. En aquellas de las *Novelas ejemplares* que pudiéramos llamar *exóticas (La española inglesa, La señora Cornelia, El amante liberal,* etc.), parece que unos hacecillos de viva y clara luz—luz del Mediterráneo, de Italia, de Inglaterra—vienen a iluminar la severidad y hosquedad castellana; se experimenta un íntimo placer al sentir, al través de la prosa de Cervantes, en contraste con nuestras tierras altas, nuestras parameras, nuestros mesones desamparados en las campiñas solitarias, el claro mar latino, las alegres y próvidas hosterías italianas, el verde campo inglés. En Quevedo no hay ninguno de estos rayos de luz: todo en él es severo, sombrío, hosco, de un duro y fuerte relieve. ¿Cuáles son los rasgos salientes de su España? Cuando hoy leemos sus libros, asociamos en el recuerdo a esta lectura impresiones recogidas en los *avisos* y papeles de la época y en los escritos de los economistas. Y he aquí, sumariamente, en estilo telegráfico —que traduce mejor el sintético y cortado estilo de Quevedo—, nuestra sensación de esa España.

*

Una vieja ciudad castellana: Segovia, Alcalá, Avila, Burgos. En la ciudad, un caserón de cuadrados sillares; sobre la puerta, un ancho escudo; balcones con espacioso saledizo y hierros forjados; bolas brillantes de cobre en los ángulos del balconaje. En las maderas de los balcones, vidrios chiquitos y recios; algunos, sustituídos por lienzos; otros, rotos y pegados con tiras de papel; otros, con un solo fragmento. Para que no entre por estos claros el viento, está cerrada media puerta. (Hace ocho meses se ha dado orden de reponer estos cristales rotos.) El zaguán del caserón está empedrado de menudos guijarros; hay pendiente del techo un farolón; no se enciende jamás; tiene los cristales rotos también. (Hace seis meses se ha ordenado que sea compuesto el farol.) Arriba se abre una espaciosa sala. Recio olor a vaho humano y a humedad. Se ven armarios repletos de legajos: papeles de todas clases, papeles recios, papeles llenos de una escritura unida y chata—como una procesión de hormigas—, papeles con negros y redondos sellos. En el fondo del salón, un estrado; sobre la tarima, una mesa con tapete; recia escribanía de Talavera. Salvaderas que arrojan—con un ligero ruido—limaduras de hierro sobre los recios papeles timbrados.

Entran tres caballeros vestidos de negro, con anteojos de concha, y se sientan. Uno de ellos tiene la cara fina y pálida, de color terroso; parece absorto en una visión interior. No oye ni ve nada. No oye ni ve los gestos de súplica, los lamentos, los plañidos, los llantos.

Nube de corchetes, barracheles, belleguines, alguaciles, escribanos: Marco Ocaña, Butrón, Gambalúa, Gayoso, Gonzalo Xeñiz, Malla, Escamilla, Juan Redondo... Todos van, vienen, corren por las calles, entran en las casas, llevan papeles y los leen en voz alta, golpean con sus varas el suelo, pasean de noche por la oscuridad la luz de sus linternas.

Abogados, abogados, abogados, abogados...

Una cárcel lóbrega y hedionda. Algazara y vocerío de presos. Juegos bárbaros; correazos; patadas. Un coro de voces destempladas que entona la Salve. En un rincón, un hombre pálido, con el pelo y la barba largos. Está sentado; tiene los dos codos sobre los muslos y la cabeza entre las manos.

> Lobrezno está en la capilla;
> dicen que le colgarán
> sin ser día de su santo,
> que es muy bellaca señal.

Una viejecita montada en un asno, con un cucurucho en la cabeza y las espaldas desnudas llenas de plumas que se han pegado a una untura de pez.

Alonso Ramplón, verdugo de Segovia. Bigotazos recios, regüeldos de vino, cuchillada en la cara. (Ofrece sus servicios; tarifas especiales.)

Un rollo a la entrada de un pueblo... (Hay rollos que son una simple columna; otros que tienen un elegante capitel; otros con una bella jaula o un lindo farol de piedra.) Un rollo a la entrada de un pueblo. Espesa bandada de grajos y cuervos revolotea en torno de una pierna humana colgada de una argolla o puesta en la jaula o farol.

> Campana, la de Toledo;
> iglesia, la de León;
> reloj, el de Benavente;
> y rollo, el de Villalón.

Hoguera en el crepúsculo vespertino. Multitud. Gritos de angustia. Crepitaciones. Olor de carne que se tuesta y carboniza. (En el cielo, ya fosco, comienza a brillar un lucero.)

Campanitas que tocan en las Bernardas, en las Comendadoras, en las Calatravas, en los Mercedarios, en los Benitos, en los Franciscanos, en los Jesuítas, en los Agustinos, en los Dominicos...

Mendigos. Cojos, mancos, lisiados de mil maneras. Mendigos con teratologismos monstruosos y repugnantes. Mendigos que rezan, claman, plañen, hacen visajes con sus ojos en blanco, extienden las manos.

Un campo abandonado, lleno de cardos, ababoles, correhuelas; por entre los claros de la maleza se ven todavía, ya casi borrados, los camellones de los antiguos surcos. Sobre una loma, una casita sin puerta y con el techo hundido. Junto a ella, un pozo cegado.

La cocina de una venta al lado de un camino. Rufianes; busconas. Llega un estudiante y pide de comer. Todos tienden la oreja al oír tales palabras y se disponen a saquearle.

«Mi amo, pues, como más nuevo en la venta, y muchacho, dijo:

»—Señor huésped, déme lo que hubiere para mí y dos criados.

»—Todos lo somos de vuesa merced —dijeron al punto los rufianes—, y le hemos de servir. Hola, huésped, mira que este caballero os agradecerá lo que hiciéredes; vaciad la despensa.

»Y diciendo esto, llegóse uno y quitóle la capa, diciendo:

»—Descanse vuesa merced, mi señor.

»Y púsola en un poyo.»

Novatadas en la universidad. Estrépito, carreras, vocerío en los claustros. Un tropel de estudiantes rodea a un muchachuelo recién entrado y lanza sobre él una granizada de escupitajos.

Los patios y las antesalas de palacio henchidos, abarrotados de pretendientes: hidalgos, escuderos, soldados. Las pretinas llenas de papeles y memoriales.

Un caballero que da una estocada a un hidalgo—ser inferior a él—porque no le ha tratado de *señoría.* (En el *Persiles y Segismunda,* de Cervantes—libro I, capítulo V—un hidalgo trata a un caballero de señoría; pero el caballero, en vez de tratar de merced al hidalgo, le trata despectivamente de vos. Indígnase terriblemente el hidalgo y acomete con su espada al caballero. «Y diciendo y haciendo le di dos cuchilladas en la cabeza muy bien dadas.»)

Soldados astrosos, rotos los vestidos, despeados, sin cobrar sus pagas ha mucho tiempo, y que marchan por los caminos, en bandadas, de pueblo en pueblo.

El departamento destinado en un teatro a las mujeres solas. Un caballero, para divertir al rey, que asiste al espectáculo, suelta de una jaula una porción de ratones. Confusión, espanto, sobresaltos, gritos, lágrimas, desmayos. (El rey y sus acompañantes ríen a carcajadas.)

La plaza Mayor de Madrid. Vastos tablados de madera llenos de gente popular. En los balcones, damas y caballeros aristocráticos. Se alancean toros. Ruge la muchedumbre de entusiasmo y aplaude. ¿Cómo estos caballeros—pregunta Quevedo—han podido llegar a persuadirse de que picar un toro sea una hazaña?

> ¿Qué cosa es ver un infanzón de España
> abreviado en la silla a la jineta,
> y gastar un caballo en una caña?

(¿Es este pasaje de la *Epístola al Conde-Duque* la primera protesta contra la barbarie taurina y el señoritismo flamenco? No; hacia 1480, Hernando del Pulgar, en una de sus cartas, la dirigida a su hija monja, decía, hablando de la diferencia que hay de ver los toros desde la talanquera o en el coso: «Los que andan en el coso verdad es que tienen una que parece libertad para ir do quieren, é mudar lugares á su voluntad; pero dellos caen; dellos estropiezan; otros huyen sin causa, porque va tras ellos el miedo, é no el toro; otros están siempre en movimiento para acometer o para fuir; otros se encuentran é se darían; y el que va a tirar al toro la frecha *no sabrá decir qué razón le lleva con tanta diligencia é peligro á facer mal á quien no gelo face...*».)

Un caballero que sube al cadalso y en él muere, degollado: muere entero, sereno, «no sólo con bríos, sino con gala».

«Estuvo degollado todo el día en el cadalso, donde todas las Ordenes le fueron a decir responso. Convidó el conde de Luna caballeros para su entierro, y al anochecer estaban muchos llamados y otros inducidos de la misericordia. Desnudó el verdugo el cuerpo de don Rodrigo en el tablado; pusiéronle en el ataúd de los ahorcados; dióse orden de que nadie le acompañase. Y así, sin cubierta el ataúd, le llevaron con una luz al Carmen Descalzo los alguaciles; donde hallando un túmulo, le derribaron y pusieron el cuerpo en el suelo.»

Salón suntuoso en palacio. Tapices, muebles de ébano, braseros de plata. Señoras con veneras de diamantes sobre el negro terciopelo. *Sabandijas,* es decir, enanos, corcovados, bufones. En el fondo, sentado bajo un dosel, un caballero de larga melena rubia y subidos billotes. (¿Se pone colorete para encubrir su palidez?) Aire triste y absorto. Llega a la puerta un caballero con una bandeja y una taza de plata; las entrega a otro caballero que hace una reverencia y las recibe; el cual las pasa a otro que se inclina y las coge... El caballero del dosel coge la taza, la lleva levemente a los labios y la coloca otra vez en la bandeja con un gesto de cansancio y desdén. Silencio. Un enano hace una pirueta. Un caballero le da un fuerte torniscón. Lanza el enano un grito de dolor. El caballero del dosel deja vagar por sus labios una leve sonrisa.

AL MARGEN DE «LA VIDA ES SUEÑO»

Lo cuenta el poeta en los primeros lances de *La vida es sueño.* La escena parece un grabado de Durero; hay en ella una ansiedad, un misterio, una melancolía, una vaga inquietud que nos estremece el espíritu. Una dama—disfrazada de varón—anda descarriada por un monte; la acompaña un fiel escudero. Al dar vuelta a un recodo del vericueto descubren una salida torre; son los últimos momentos del crepúsculo vespertino; se inflama el cielo con los resplandores de un ocaso sangriento; una nube de nácar acaso camina lentamente hacia Oriente. Desde lo alto del lomazo que los viajeros acaban de dejar, se divisa, allá en la remota lontananza, por un gollizo abierto entre las montañas, la confusa masa de una gran ciudad. Si fuera día claro, si luciera el sol, veríamos reverberar su lumbre en los chapiteles metálicos de las torrecillas, en las tejas barnizadas, brillantes, de las cúpulas; veríamos las masas macizas y grises de los palacios, veríamos, entre la fronda verde y suave de los jardines, destacarse las cimas agudas y hieráticas de los cipreses. La dama y su criado han llegado ante esta torre perdida en las fragosidades de la montaña, después de una larga jornada de camino; una luz brilla—vagamente—en una ventana baja. ¿Que quién habitará en este edificio hosco y recio? ¿Qué mano ha encendido esta lucecita que a malas penas irradia fuera, en el campo penumbroso, y que contrasta, en su debilidad, con estos grandiosos resplandores rojizos del crepúsculo, que ya se van apagando y ensombreciéndose?

Los dos viajeros se aproximan a la ventana. Nada da idea de vida en estos desiertos parajes; ni una flor, ni una fuente, ni un árbol hospitalario y frondoso. En las anfractuosidades de la montaña se levanta—piedra con piedra—el torreón fornido. La ventanita, conforme va acabando el crepúsculo, va marcando más vivamente en la oscuridad su marco de luz. Se han acercado ya a la ventana los dos viajeros; en el silencio, en la soledad y en la noche, sus bustos se inclinan con un ademán de atención, y en sus caras hay un profundo gesto de curiosidad y de extrañeza. Adentro se divisa un hombre joven que tiene la frente apoyada en la mano. Va vestido de toscas pieles, y su cabellera, que cae sobre la espalda, es sedosa y dorada. ¿Cómo serán sus ojos? ¿Qué luz de inteligencia y de tristeza resplandecerá en ellos? El mozo ha levantado la frente; sus ojos anchos y azules han mirado a lo alto. De sus labios ha salido un profundo suspiro: «¡Ay, mísero de mí! ¡Ay, infelice!»

Estas palabras de honda amargura han hecho estremecer el corazón de la dama, que fuera, en la oscuridad, a través de la ventanita, miraba al morador misterioso de la torre con un gesto de curiosidad y de ansiedad. Y así, en tanto que el crepúsculo acaba y que comienzan a brillar las primeras estrellas—mensajeras de lo Infinito—, han permanecido inmóviles, ignorándose, ignorándose en este minuto supremo, esta mujer y este hombre que, desde ahora, han de marchar espiritualmente unidos hasta la eternidad.

*

El hombre de la melena rubia y de los ojos azules ha sufrido en su vida cambios y mutaciones extraordinarios, inauditos. De la fortaleza, perdida en la montaña, ha sido traído a uno de estos palacios grises que desde allá arriba se veían, transpuesta una loma, destacar entre la verdura de los jardines. Este hombre era rey; todo era suyo; podía hacerlo todo. ¿Soñaba este hombre? ¿Era un sueño la vida en este palacio, o era un sueño la vida en la torre de la montaña? Sus manos tocaban las sedas, las armas primorosamente labradas, los muebles tallados, la argentería artística de las mesas. No acertaba a darse cuenta de lo que sus ojos veían ni de lo que sus manos palpaban. Y entre toda la confusión y desconcierto de su espíritu, unos ojos ávidos y amorosos le seguían: los ojos de aquella dama que, en la montaña, durante el crepúsculo, le contemplaran por primera vez. ¿Qué ha hecho este hombre para ser tornado a su torre y verse otra vez encerrado, junto a la ventana, vestido de pieles? ¿Es sueño esta vida de la fortaleza, o es sueño aquella vida de palacio?

De nuevo, al cabo del tiempo, se ha visto entre las fastuosidades de la Corte. No puede ya dudar ni un solo momento; los pasados lances le han advertido. Sólo hay una cosa cierta en la realidad mundanal: el obrar bien. No sabemos si la vida es un sueño; los días discurren vertiginosos; todo se lo lleva el tiempo en su corriente inexorable; aun los sentimientos más delicados, finos y nobles de nuestro corazón se amortiguan con los años; cuando al cabo de los años volvemos a encontrar a un amigo a quien hemos querido, a un antiguo condiscípulo, nos quedamos absortos, silenciosos, sin acertar a decir nada. ¿Dónde está nuestra personalidad? ¿Cómo retener la porción más exquisita de nuestro yo que se nos escapa y se nos disgrega en las cosas que en el tiempo, a lo largo de los años, se van escapando y disgregando? Seamos sinceros y buenos siempre. Unas miradas silenciosas y amorosas seguían a todas partes, entre el tráfago de palacio, al rey de los ojos azules y de la cabellera dorada.

*

Vivía este rey sencillamente. Después de su segundo encierro en la fortaleza, el pueblo había ido a sacarle de la esquividad y apartamiento de los montes. Le querían por su rey; a lo largo de los sinuosos y empinados caminos, en tumulto, estruendosamente, había ido la muchedumbre a traer a este hombre sencillo y bueno. Después, toda la ciudad había resonado con el estrépito de la alegría victoriosa, y, durante la noche, desde allá arriba, desde la montaña, se veía sobre la población el resplandor encendido de las luminarias.

Este rey vivía sencillamente. Hay en los hombres que han pasado ya la mayor parte de su vida en la soledad y en el silencio una sensibilidad exquisita y mórbida que se estremece a la menor violencia o discordancia. Este hombre se sentía mal, desasosegado, nervioso, entre el fausto aparatoso y el complicado formulismo de la corte. Sentía que, entre todas estas cosas—que nunca había conocido—, *él no era él.* Sus costumbres iban contra la corriente de las costumbres de los magnates, señores y cortesanos que le rodeaban. Le placía evadirse calladamente de palacio y vagar a la ventura por las callejas de la ciudad; entraba en las casas humildes —donde no le conocían—y charlaba mano a mano con menestrales y labradores. Le desazonaban las vanas y redundantes distinciones honoríficas. Su indumento era todo simplicidad; vestía como el más modesto de sus súbditos. Sus hábitos de bondad y de justicia le llevaron a poner mano en la formidable máquina de las seculares máculas y corruptelas que gangrenaban su reino. Nadie había osado jamás tal cosa.

Cundió el descontento; se fué formando poco a poco en su torno un ambiente de viva hostilidad. Unas miradas silenciosas y cariñosas le contemplaban constantemente en sus empresas de bondad y de rectitud: le miraban siempre aquellos ojos que antaño le contemplaron, allá en la montaña, al través de una ventanita iluminada.

★

¿Cuántos años han pasado? Junto a la torre de la montaña ha sido—hace tiempo—edificado un palacio. No mora en el palacio más que una viejecita. Todo el palacio es suyo; de todas sus vastas y espléndidas cámaras dispone; pero la viejecita se pasa su vida en una habitación de esta torre, que tiene una diminuta ventana. Los cabellos blancos plata de la anciana destacan sobre el intenso negro de las tocas. La anciana gusta sentarse junto a la ventanita en los crepúsculos vespertinos. Su pensamiento—mientras permanece inmóvil—camina por las regiones de lo pretérito. Constantemente está presente en su espíritu—y en su corazón—el día en que, alborotados los grandes y magnates de palacio, acuchillaron al rey de los ojos azules y lanzaron su cuerpo al mar desde un balcón. En este minuto del crepúsculo vespertino, tal recuerdo adquiere en esta mujer una agudeza intensamente dolorosa. ¿Es un sueño la vida? ¿Ha sido un sueño su amor, largo, delicado y silencioso? ¿Fué un sueño aquella sangre que, en el día trágico, ella vió rojear sobre el blanco mármol? ¿Fué un sueño aquel instante en que ella, por esta ventanita, junto a la que está sentada ahora, contempló por primera vez al hombre de los ojos azules y luminosos? Afuera, como ahora, acababa el crepúsculo; una nube caminaba lentamente en lo alto; comenzaban a fulgir las primeras estrellas, mensajeras de lo Infinito.

JOSE ZOMOZA

I

EL PUEBLO Y LA CASA

Avila: la tierra de Avila, que vemos al pasar en el tren. Horizontes claros; tierra parda; en el fondo de una cañadita, un bosquecillo verde; sobre el azul, la línea ondulada, amplia, de los oteros. Una vieja ciudad: Piedrahita. En 1844—época, poco más o menos, en que nos situamos—, don Fermín Caballero da los siguientes datos en su *Manual geográfico de España:* Piedrahita tiene 1.450 habitantes. La rodean los arrabales de Almohalla, Cañada, Pesquera, El Soto. Se halla situada en la falda de una montaña; es vecina de un valle. «Estuvo cercada de murallas y tuvo un castillo en lo alto, que convertido después en magnífico palacio del duque de Alba, era la joya de este país hasta su destrucción en la guerra de la Independencia.» Se goza de un clima excelente en estos parajes. «El buen clima para verano y las comodidades, jardines y primores del palacio atraían a los duques y a muchos personajes a residir allí.» Una nota ahora de intelectualidad sobre el paisaje castellano: «Bails, Meléndez, Iglesias, Goya y otros hombres célebres honraron estos sitios, meditando y componiendo algunas de sus apreciables obras.» (*Apreciables:* calificativo 1840; pinturas de Villamil; viajes de fray Gerundio; cuadros de costumbres de Mesonero Romanos. Una sensación discordante: Larra.)

En el tiempo a que nos referimos, el espléndido palacio está ya derruído. Tienen un encanto de misterio y de melancolía estas ruinas. Somoza habla de ellas en sus *Memorias de Piedrahita:* «Me acuerdo—dice—que en el día 22 de noviembre de 1811 entré en sus jardines por la puerta de hierro, que ya no existía. Por el puente elíptico, llamado de las Azucenas, bajé a la calle de los grandes chopos. Las fuentes ya no corrían; el grande estanque estaba encenagado, y había cesado el murmullo de la caída de agua. Subí las gradas, que no eran ya sino un montón de sillares desencajados, y me estremecí al hallarme en el salón del palacio. Allí donde habían sido los conciertos, las risas, la concurrencia de los mejores ingenios y talentos de España, ya sólo se escuchaba el roer de los insectos que carcomían los techos, y el bramido de los vientos que, entrando por los subterráneos, hacía retumbar bajo mis pies el pavimento. Este ruido se aumentaba con el de las aguas que de las cañerías reventadas corrían estrepitosamente a precipitarse al río por la ancha alcantarilla del dique. Al resplandor de la luna recorrí las demás habitaciones, todas desamuebladas.»

En esta vieja ciudad castellana, con este palacio derruído—por donde devanearon Meléndez, Jovellanos, Goya, Quintana—, hay una casa célebre; tan célebre ahora como el palacio. Se encuentra en la calle de Jesús, una de las que van a dar a la plaza. Los que la han visto la describen menudamente. Tiene unas rejas cuadradas y saledizas, adornadas con toscas figuras de hierro, rematadas por cruces. En la planta baja están la cocina, la bodega, las cuadras. La cruzan penumbrosos corredores; el piso está empedrado de morillo redondo. Los corredores van a dar al jardín. (Corredores oscuros en que habrá estacas de que penderán jaeces, arneros, vencejas de esparto crudo que han servido para atar haces de paja. Corredores con olor de humedad. Allá afuera, en los días luminosos se recortan unas hojas verdes sobre la claridad.) «El piso principal no está todo a un nivel.» Hay en él esos escaloncitos que llevan de una habitación a otra. «No tiene simetría.» Habrá piezas anchas y cuartitos como escondidos en un recodo; cuartitos con una ventanita allá en lo alto, que da a un tejado. Dos solanas o anchas galerías se abren al huerto. Por debajo corren unas parras. ¿Jardín hemos dicho? Chiquito, muy chiquito es esto que llamamos jardín. El boscaje de la parra lo llena casi todo. Las demás plantas serán unos rosales, unos geranios, una madreselva que intenta escaparse pared arriba, agarrándose a las piedras y a las desconchaduras.

EL HOMBRE

De esta casa vieja y modesta sale un hombre viejecito y modesto: es don José Somoza. Le tiene este viejecito un profundo amor a esta casa. El mismo, en uno de sus escritos, le hace decir a su hermana, refiriéndose a él: «En ese corredor que da sobre el jardín, te estuvimos lavando y envolviendo. (Cuando nació.) Además, esta casa en que naciste y vives es la misma en que padres y abuelos vivieron; y la mesa en que comes, la misma en que comieron; de la misma cuchara y del tenedor mismo de que se sirvieron, es de los que te sirves.» Somoza ha querido morir en la misma alcoba en que nació; ha querido — estrictamente — ajustar su vida al mismo ritmo, punto por punto, de sus antecesores. Este es el rasgo fundamental de su personalidad. Somoza siente en sí la continuidad de la especie, y él, instintivamente, trata de establecer una íntima relación entre su persona—tan castellana—y esta vieja casa, esta vieja ciudad, este viejo paisaje, todo sobriedad y luminosidad. La obra toda de Somoza responde a esta armonía de un hombre con su medio.

Somoza, según nos lo describe su mejor crítico, Lomba y Pedraja, es un viejecito delgado, menudo, un poco encorvado. Se mueve inquieta, nerviosamente. «Cuando andaba, llevaba la mano izquierda en la espada y se asía de una cachaba con la derecha. Por las tardes, a la puesta del sol, acostumbraba dejar sus libros o sus trabajos y salía a la plaza solo, a pasear rápidamente, arriba y abajo, por unas filas de losas que hay enfrente de la Casa de Ayuntamiento.» Su vida discurre plácidamente: lee, escribe, charla, pasea. «En el pequeño círculo femenino de que él es jefe, formado por su hermana, por su sobrina y por las hijas de don Toribio Núñez, se cultivan el dibujo y la música, se leen buenos autores, se hacen versos, se representan comedias, se discuten, familiarmente, proposiciones sencillas de filosofía y de moral que entretienen y a la vez ilustran.» Es amigo Somoza de los más famosos escritores y poetas; a todos los ha tratado en Madrid o aquí, en Piedrahita. El don Toribio Núñez de las líneas anteriores es un publicista, propagador de las doctrinas de Bentham. (Una carta le ha escrito Bentham en que le dice: «Habéis adivinado el verdadero espíritu de mis enseñanzas.» ¡Relaciones gratas, inolvidables, conmovedoras, de los grandes hombres de Europa con hombres sinceros y perseverantes de nuestra España!)

Ha desempeñado varios cargos Somoza: ha sido gobernador y diputado. Los aceptó a disgusto; los renunció tan pronto como pudo. No se puso jamás una condecoración—la de Carlos III—con que le agració Argüelles. En su *Vida de un diputado a Cortes,* curioso cuadro de costumbres, describe el mismo Somoza la vida que hacía en el Congreso cuando era parlamentario. (Un detalle que, siendo de 1834, puede serlo de 1914: «Me paseo —dice Somoza hablando del Congreso—, pero tengo que parar, porque un celoso hidráulico explica a otros varios su plan de canales...») En uno de sus fragmentos autobiográficos, hablando consigo mismo se pregunta: «Usted, señor Somoza, en resumidas cuentas: ¿ha sido feliz o no?» Y a seguida contesta: «Yo cuento por feliz todo momento en que puedo decirme: no estás mal. Digo, pues, que en mi vida han superado los ratos no malos a los ratos malos.» Ha tenido pesadumbres grandes y pequeñas. Las pequeñas las ha soportado bien; *el tiempo ha hecho obtusas* las grandes. Lo importante en la vida es la conformidad con el destino. Lo importante es no envidiar ni ser envidiado. *El que salve el tropiezo de la vanidad, cuente con que todo el mundo le dejará ir en paz por su camino. Los hombres, cuando no se los humilla, no exigen ni siquiera que se les haga bien; se dan por muy contentos con que no les hagan mal.*

II

LAS IDEAS

Hablando Somoza de la elección de carrera, dice que él no quiso ser militar. «No me deslumbró por fin—escribe—la carrera militar, porque vi luego en ella una alternativa odiosa de obedecer sin pensar o de mandar sin razón. Por supuesto. el mandar a los hombres me ha parecido siempre el oficio más tonto y más mezquino de la sociedad; sólo el ser indispensable lo puede hacer ejercer; pero el mandar en la guerra lo he juzgado un tormento para la honradez.» (Expresión ésta de la *honradez* defectuosa actualmente; hoy diríamos sensibilidad. Es decir, que en la guerra nuestra sensibilidad se ve en el doloroso conflicto del deber ineludible, luchando con la piedad.) Por la cita anterior se puede comenzar a colegir la ideología de Somoza. Somoza es un ferviente enamorado del progreso y del humanitarismo. En *Una mirada en redondo a los sesenta y dos años* hace nuestro autor la recapitulación de lo que ha aprendido. Ha aprendido que los hombres «en ciencias y en artes útiles han dado un vuelo asombroso sobre todos los siglos conocidos. (Estamos en 1843.) Que en costumbres, por lo mismo, mejora la Humanidad; que habrá en el mundo menos antropófagos, menos terrenos incultos, menos pantanos infectos, menos bosques desiertos y mares impracticables y desconocidos; menos causas, en fin, de inercia, de ignorancia, de miseria y mal».

Indudablemente, para Somoza el más

profundo mal humano es la guerra; en su entusiasmo por la paz insiste con viva complacencia. En las páginas en que define el heroísmo, parece atisbarse la huella de Feijoo. Feijoo ya había dicho algo parecido en su discurso *La ambición en el solio*. «Cervantes—escribe Somoza—, en el discurso de las armas y las letras, quiere dar a las primeras la preferencia de gloria, porque el fin de las armas es la paz, que es el mayor beneficio de la sociedad. ¡Ojalá esta solución fuese tan cierta como es ingeniosa! Mas creo que la preeminencia de las armas sobre las letras, y aun sobre la virtud, en el vulgar sentir, consiste en que a la idea de grandeza unamos comúnmente la de poder destructor e irresistible. Por este cobarde modo de apreciar la grandeza, el león es el rey de los bosques, el águila es de los aires y el cetro del supremo Dios del cielo era el rayo vengador.» El concepto del heroísmo ha de modificarse; por lo menos, habrá de irse viendo heroísmo en otras muchas cosas en que antes no se veía o se veía *secundariamente*. «Las acciones más grandes, las más útiles, las más difíciles, las del valor pasivo, son poco admiradas, y el perdón de las injurias, el luchar con las pasiones, el vencerse a sí mismo , ¡vive Dios que supone más valor que el andar al morro con los doce pares!»

Si Somoza condena la guerra, claro está que, para ser lógico, ha de condenar también el duelo. Así es, en efecto. Observaciones agudas y exactas hace a este respecto en su *Carta sobre el reto o desafío*. El argumento más original del autor es el que se refiere a la desigualdad que la posición social puede establecer entre los dos desafiados. Un hombre rico, que al morir en desafío pueda dejar acomodada a su familia, se batirá en bien distintas condiciones que otro de cuyo trabajo dependa el mantenimiento y bienestar de los suyos. ¿Cómo no se ve esta enorme desigualdad? ¿De qué manera se cierra los ojos ante ella y se la tolera? Esta desigualdad — *económica* — puede equipararse a otra desigualdad que se origine desde el punto de vista de utilidad social. Un sabio, un inventor, ¿podrá batirse con un clubista o deportista, perfectamente honorable, correcto, caballero? No; ni con el más irreprochable clubista (irreprochable, pero socialmente inútil) ni con nadie. El hombre útil, en mayor o menor grado, se debe a la sociedad. «Suponga usted—escribe Somoza—un perdido, un calavera, cargado de delitos y de trampas, sin casa, sin familia, sin salud; en fin, uno de estos hombres que un día u otro se tiran al Canal por no poder tolerarse a sí mismos. Pues ahora bien: ¿hemos de permitir que este desesperado venga a desafiar, antes de suicidarse, a un hombre honrado, bien establecido, útil y necesario a su familia y a la sociedad?»

Cuando el duelo fuere entre un caballero pobre y otro rico, a favor del primero deberían establecerse ciertas justísimas garantías. «Es muy de admirar, por cierto, que en un siglo y en una época en que a todos, por todo y para todo se exigen lo que llaman garantías, no ha de exigirse alguna para ejercer el derecho de apiolar al prójimo. Por lo que deberrían, a mi juicio, estar autorizados los padrinos, no sólo para fianzas y cauciones y saneamiento, sino para fallar en ciertos casos que por instrumento ante escribano público y para siempre jamás, cediese el retador rico una renta equivalente a la que el retado obtiene por su industria o empleo o modo de vivir, y que hasta verificarse dichas diligencias, no hubiese lugar al duelo.» (En otra ocasión hemos hablado de un folleto publicado en 1806 con el título de *Impugnación físico-moral de los desafiados*. Su autor se escondía bajo el seudónimo de *Lunar*. Obra verdaderamente admirable. Todas las desigualdades de los desafíos, desigualdades irreductibles, se estudian aquí con una lógica rigurosa.)

Un punto de vista relacionado con esta su doctrina social es el relativo a la estética que Somoza expone en *Una conversación del otro mundo*. Conversan Cervantes y Shakespeare en esta página. Entre otras cosas, el autor inglés le dice al español que su obra no ha sido aún bien apreciada. «Os falta sufrir aún—añade—el examen frío y neutral de algún siglo que gradúe el mérito de las obras humanas por la utilidad real que produzcan a la Humanidad.» ¿Arte docente? ¿Estética de Tolstoi? Pero la utilidad la produce una obra que aparentemente no sea útil. Una página bella es útil... sólo por ser bella. Hace bien a la sensibilidad humana, afina la sensibilidad humana. Con esto basta y sobra. Esto lo es todo. Pero no parece que Somoza haya querido referirse al utilitarismo artístico tal como lo ha concebido en nuestros días Tolstoi. O, mejor dicho, sí se ha referido a eso, según miremos la cosa. No se olvide, atendiendo a este último punto, que el novelista ruso ha sido también un entusiasta adversario de la violencia, de la efusión de sangre, de la guerra. Y véase lo que añade Somoza después de las frases copiadas: «Ese siglo... (el del verdadero criterio de la utilidad humana)... ese siglo, que no llegará nunca para la reputación de los llamados héroes, cuyos hechos están ya consignados, con razón o sin ella, por una oscura y ciega tradición, llegará, sin duda, para cada escritor, porque sus hechos son sus pensamientos y éstos están al alcance del lente de la razón de las edades.»

Otro aspecto—el más trascendental—nos falta señalar en el pensamiento de Somoza. A su fe en el progreso indefinido de la Humanidad (idea de Condorcet) une nuestro autor otra fe: la fe en la eternidad del espíritu humano. Eternidad, ¿de qué modo, en qué forma? En el trabajo *Conversación sobre la eternidad,* Somoza, dialogando con su hermana, nos expone su teoría. No es otra esta teoría que la palingenésica del suizo Carlos Bonet. Una larga cita de Bonet hace el autor en este trabajo. «Como vemos que nada se aniquila—dice Somoza—, debemos inferir la eternidad, aun cuando ni Demócrito ni Newton nos la hubieran enseñado.» La idea de evolución—madre del pensamiento moderno—está ya patente en estas páginas. («... Pues y a las presumidas de hermosura, ¡qué cuesta arriba se les ha de hacer el haber de admitir por abuelo a un lagarto y por origen de su linda cara las quijadas de un caimán!»)

El trabajo de Somoza debe ser leído detenidamente; es interesante para el estudio de la ideología española en 1840. Todo es eterno; el hombre, desprendido de la actual envoltura carnal, renacerá bajo formas diversas, espiritualizadas, en otros mundos. En otros mundos, sí. ¿Y qué sabemos lo que serán esos mundos? ¿Qué sabemos las formas que la vida revestirá en ellos?

Oigamos hablar al autor y a su hermana:

«ELLA.—Hombre, ahora que se me ocurre... En esos otros mundos más perfectos ¿habrá también, como por acá, eso que llaman amor? Porque va a ser un embrollo y un rabiadero continuo.

»YO.—Hablándote formal, siempre he creído que no ha de haber sexos.

»ELLA.—Siempre acá me ha parecido una cosa como algo burlesca y que da un aire ridículo a los actos más graves y solemnes de la Naturaleza.

»YO.—Como esa Naturaleza es tan variada y tan omnipotente, es de esperar que serán infinitos los medios de que se valga para resurrecciones de los seres, y sobre todo, hermana, lo consolador, lo bueno y lo indudable es que tenemos por nuestra toda la eternidad.

»ELLA.—Y pues que has concluído como el Credo con su artículo de fe, *resurrección de la carne y la vida perdurable, no hay más* que decir *amén* y acostarnos, que ya es hora.»

Fechado: «Piedrahita, fin de diciembre de 1841.» Es decir, que en una vieja ciudad castellana hay, en 1841, un hombre, metido en un viejo caserón, que piensa de este modo: «Lo consolador, lo bueno y lo indudable es que tenemos por nuestra toda la eternidad», dice Somoza a mil quinientos metros de altura, en las estribaciones de Gredos. Ados después, en 1881, a Nietzsche, también en la montaña, en Sils-María, a mil quinientos metros, le llenaba de espanto una idea análoga, casi idéntica a ésta: «A seis mil pies de altura sobre el mar y muchos más sobre todas las cosas humanas.»

III

EL POETA

El poeta en Somoza es vario, pintoresco, ameno. Tiene Somoza de todo: versos festivos, versos patéticos, traducciones (de Ariosto, de Shakespeare), poesías de circunstancias, poesías morales y satíricas. Algunas de las poesías en que Somoza ha pintado tipos y escenas de su tiempo se leen con agrado. Otras veces, en lo sentimental y filosófico, Somoza se desliza correctamente, sin chabacanería, y tiene, acá y allá, algún rasgo de viva y honda emoción.

Entre las poesías de este último género, sirvan de ejemplo la elegía a su hermano y la canción a fray Luis de León. Las dos poesías citadas se complementan; en las dos, el poeta se nos muestra preocupado del misterio del mundo y del angustiador problema del tiempo:

Si al hombre fuera dado
hundir su vista en la caverna oscura
que tragó lo pasado,
desde allí, por ventura,
lograra ver la eternidad futura.

Así dice Somoza en la poesía dedicada a la memoria de su hermano. La canción a fray Luis de León es una *transposición* de la oda a Felipe Ruiz del indicado poeta, *transposición* en lo humano, en lo puramente terrestre, de lo que fray Luis hace ultrahumano; *transposición* a la manera que Leopoldo Alas decía que él realizaba con las poesías del vate clásico. Las doctrinas palingenésicas de Somoza están poéticamente expresadas en estos versos:

¿Y es del hombre la cuna
y el féretro este punto limitado?
Vivir en forma alguna,
de globo en globo alzado,
de perfección en perfección, ¿no es dado?
Sí, que alternando un día
con cuantos tienen en la luz su asiento,
la inmensa jerarquía
del bien recorrer cuento,
y eterna escala ve el entendimiento.

Hay una preocupación trascendente en Somoza; este hombre solitario, perdido en un recoveco del austero paisaje castellano, ha sabido pensar en cosas de que sus coetáneos no tenían ni la más remota sospecha.

VISIÓN DE ESPAÑA

Esa idealidad trascendente de Somoza tiene una base de fina y viva realidad. No es nuestro autor un abstraccionista; observa la vida cotidiana, y, ensamblando pintorescos detalles, nos ofrece una visión de España. Son sencillamente admirables de sobriedad y de plasticidad algunos de los breves cuadros de Somoza. Sirva de ejemplo el que lleva por título *La justicia en el siglo pasado.* Estas dos o tres páginas valen más, como historia del alma española, que multitud de gruesos volúmenes. Una noche de 1840, Somoza y su hermana se ponen a hablar del nuevo juez llegado al pueblo. «En la noche de año nuevo de este 1840, quiso mi hermana cenar a la mesa su sopa y su ensalada de apio, y mientras de sobremesa fumaba yo mi cigarro, la hablé del nuevo juez que había venido...» De este juez pasan a hablar de otros que antaño, allá por el siglo XVIII, hubo en Piedrahita. Uno de ellos dejó memoria honda y amarga en el pueblo. Se llamaba Grima. «Era un corregidor de gorro blanco, cogote y cara de salmón cocido, vestido de terciopelo leonado y zapatos de castor.» Servía celosísimamente al duque de Alba, señor de la villa; era un ardiente defensor del pasado. Grima quiso también encausar a Pepe el *Andarique;* la resistencia y celeridad en la marcha de este mozo le parecieron al juez cosa de brujería; mal se hubiera visto Pepe si no hubiera intervenido a su favor el obispo de Avila, Merino. Otra vez echó de su casa a bastonazos a la tía Andrina, que había ido a pedirle justicia; de resultas de un brutal golpe que Grima le dió en un ojo, quedó tuerta esta pobre mujer.

«Pero cuando la ferocidad de este animal llegaba a su colmo era cuando se trataba de los privilegios del duque mi señor.» (Como siempre el juez tenía en la boca este sonsonete del «duque mi señor», el *duque mi señor* le llamaban en el pueblo burlescamente.) El duque tenía en Piedrahita un coto de conejos; los conejos devastaban las huertas inmediatas. Una noche, un labrador, careando de un garbanzal una banda de conejos, le tiró a uno un garrote; fué a morir el conejo al coto del duque; entró el labrador por él y echó mano al labrador el guarda. Grima le sentenció. «Pues, señor, embargados sus bienes y a presidio, de donde no volvió; he conocido a sus hijos pidiendo a nuestra puerta.» (Esto de los cotos de caza es cosa terrible en España; leguas y leguas y leguas de ellos tienen algunos señores, y el caminante se ve forzado a no poder seguir en su camino porque un hombre con una tercerola le conmina a no pasar adelante, por estar prohibido. A Pío Baroja hemos oído relatar muchos de estos lances a él ocurridos en sus viajatas a pie por España. Ciro Bayo, también viajador pedestre, cuenta, en su *Peregrino entretenido,* que en cierta ocasión no pudo adelantar por una carretera a causa de que allí cerca unos señoritos *estaban tirando a unas palomas.* ¿Sucederán en algún país de Europa estas cosas?)

Pero la hazaña mayor del juez Grima fué la referente al tío Cortijo. «Conocí al tío Cortijo ya muy viejo, y como había oído decir que le habían dado tormento, le rogué más de una vez que me enseñase los pies, que le habían descoyuntado, y me horrorizaba el verlos.» Siendo mozo Cortijo, hubo una muerte en un monte: mataron al guarda. (¡Cuántas muertes de éstas hay en España!) No lo mató Cortijo, sino un compañero suyo; pero Cortijo no quiso denunciar a su amigo. El juez decidió dar tormento a Cortijo. Hubo un día de consternación en el pueblo; muchas gentes se ausentaron. «Los vecinos cerraron todas las puertas y ventanas y aún creían oír por los cañones de las chimeneas los alaridos del atormentado. La novia y la hermana de Cortijo (estaba amonestado) tuvieron el valor y la ternura de asistir a enjugarle el sudor y darle agua.» Cortijo tuvo entereza bastante para callar. Cuando terminó la terrible escena, todo el pueblo fué a verle. «Todas las mozas del pueblo, con panderos, con vendas, con licores y conservas, fueron a la cárcel, y Cortijo les decía: Chicas, si esta lengüecita hubiera dicho hoy sí, no pudiera mañana dar el sí delante del altar; ella y Dios son quienes me han dado el valor en la agonía.»

En el trabajo *Una conversación del otro mundo,* Somoza hace decir a don Ramón de la Cruz: «Me pareció que la España no se hallaba en estado de adoptar de repente toda la delicadeza de la comedia moderna.» Y añade: «Vi su afición decidida a los bailes de candil, a los purchinelas, a los ahorcados, a las jácaras y pullas cantadas en las calles por los ciegos. Miré al grande vestido de gitano; al militar, recostado sobre la mesa de la castañera; al abate, manteando peleles entre las mozas de los barrios bajos.» (Peleles, ahorcados, jácaras...)

Hacia la misma época, Moratín le escribía desde Burdeos a su amigo don Juan Antonio Melín: «Guárdate de los hartazgos de callos, huevos duros, tarángana, sardinas fritas, chiles, pimentón en vinagre, queso y vinarra, que tanto apeteces por esos ventorrillos, rodeados de moscas, y mendigos, y perros muertos. ¡Esa sí que es vida!»

¡Esa sí que es vida! Carromatos, gritos en las casas, palabrería, gentes que escupen sobre la alfombra en el salón de conferencias...

IV

TIPOS DE CASTILLA

Somoza ha trazado, a lo largo de su obra, siluetas y esbozos de tipos curiosos, representativos, de los viejos pueblos castellanos. Sobre las vetustas ciudades—como fondo del cuadro—, sobre los paisajes de llanuras grises y de alcores suaves, en las estrechas callejas, devaneando por los soportales de las plazas o tomando el sol sentados en los poyos, vemos a estos hombres con sus capas pardas, con sus sombreros grasientos, los ojos melancólicos y apagados, una comisura de ironía y de desdén en los labios. Entre estos hombres extáticos, absortos, hay algunos resignados; otros, que encarnan el sentido activo: un sentido de exasperación, de nerviosidad, de rebeldía; son aristócratas, viejos caballeros, que sienten revivir en su sangre lejanas impetuosidades guerreras, ansias de correr por el mundo, anhelos indefinidos de una vida aventurada. Y hay también otros hombres, entre este acervo de psicologías nacionales, que son humildes, resignados, que tienen una sonrisa de bondad indeleble, que no se alteran por nada, que todo lo sufren y que van de casa en casa—«¡Ya está aquí don José!»—llevando un poco de dulzura, de buen sentido, de reposo, de ecuanimidad. Todo esto, tan diversos tipos, en un ambiente de quietud, de marasmo, de ciudades muertas y de campos incultos, secos, yermos.

LA DUQUESA DE ALBA

La duquesa de Alba es uno de los tipos más interesantes que dibuja Somoza. Era veleidosa y humana, dulce y violenta. Amaba a los artistas y tenía esos rasgos de originalidad que tienen los aristócratas que gustan de afirmar, ante sus iguales, su superioridad, y ante sus inferiores, un caprichoso desdén—falso en el fondo—por las preeminencias y honores de su rango. Entre las grandes damas de la corte de María Luisa—dice Lomba y Pedraja—descuella su personalidad original y pintoresca, que resume y caracteriza un período histórico.» Iba la duquesa frecuentemente a Piedrahita; allí tenían los duques el palacio. «La persona de quien hablo—escribe Somoza—es la última de los estados de Alba, María Teresa de Silva, en quien la Naturaleza había personificado tan hermosamente en beneficencia, y digo la Naturaleza, porque el arte nada había hecho en su favor. No había recibido educación alguna, ni había leído buenos libros, ni había visto sino malos ejemplos. Mas la Naturaleza de este ser era, respecto del bien, lo que la de los metales respecto del imán.»

FRAY BASILIO

El retrato de fray Basilio nos hará ver lo que era la duquesa de Alba. Cuenta Somoza que la primera vez que la duquesa fué a Piedrahita se encaprichó de fray Basilio. ¿Quién era fray Basilio? La duquesa lo distinguía entre todos con sus bondades y su deferencia. «Fray Basilio era cojo, tartamudo, mal criado y tan ignorante, que no había podido hacer carrera alguna en la comunidad.»

Aquí, en esta afección de la duquesa por fray Basilio, tenemos uno de estos rasgos de que hablábamos antes. ¿O es que, por encima de todo, había en este frailecico esa simplicidad divina, esa bondad tosca e inagotable, que hacen de un hombre tosco y miserable, física y socialmente, un ser de excepción? La bondad de este hombre, su atracción para la duquesa, sería que fray Basilio, humilde y nulo, resistiría indiferentemente todos los caprichos, las veleidades, las violencias, las intemperancias de la aristócrata. Y ésta es la razón por que grandes señoras, grandes políticos, grandes artistas, necesitan al lado de ellos—cosa a primera vista absurda—estos seres obtusos, ignorantes, pero a los cuales se les puede mandar todo y cuyas palabras, cuando hablan, puede el artista o el político dispensarse de escuchar.

La duquesa de Alba llevaba siempre consigo en sus paseos a fray Basilio. Una tarde, mientras la comitiva avanzaba, el fraile quedóse rezagado. Nuestro frailecito había visto un ternero atollado en un trampal y se había parado para sacarlo del barro. ¿No sospechábamos antes que este fray Basilio era uno de esos hombres humildes, nulos, pero de una honda bondad? La duquesa echa menos a su acompañante; manda detener la marcha a la cohorte de criados. «¿Dónde está fray Basilio? ¡Que vayan a buscar a fray Basilio!» Fray Basilio, entre tanto, se había apeado de su cabalgadura, se había metido en la zanja; con mucho trabajo (era cojo y gastaba muletas) había sacado del cieno al ternerillo. Luego, subido penosamente con el ternero a caballo, la madre del animalejo, viendo que se llevaban a su hijo, había comenzado a dar de testaradas contra el caballo. ¡Pobre y buenísimo fray Basilio! A fuerza de testaradas, el frailecico cae de cabeza en el cenagal. Llegan los criados de la duquesa, ven la escena y comienzan a reír a carcajadas. Pero llega también inmediatamente la duquesa y, al contemplar la algazara de la servidumbre, lanza un grito de indignación y hace cesar la bulla. Sacado del fango el fraile, decía humorísticamente: «¡Cuerno, señora duquesa, y lo que cuesta hacer un beneficio!»

«La duquesa—escribe Somoza—estaba frenética contra todos, y a un bello espíritu madrileño, que en hora menguada le ocurrió glosar el lance chocarreramente, le hizo enmudecer diciéndole que *el lodo del semblante de aquel fraile valía más que sus epigramas y que su persona.* Y comenzó a llorar, y abrazó a fray Basilio, y le daba mil besos, y replicó al duque, porque la rogaba que se serenase:

»—Cuidado, duque, con ponerse de parte de los malos, que seré capaz de creer que no hay aquí más buenos que fray Basilio y yo... No nos entienden, fray Basilio. Yo sí le conocí a usted desde el primer día, y vi un alma a la manera de esa con que Dios me ha dotado y de que le doy gracias.

»Se empeñó—añade Somoza—en volverse con el fraile a casa, y no hubo remedio, aunque el duque proponía seguir el paseo y que al padre se le llevase al pueblo por los domésticos.

»—De tales domésticos — replicaba la duquesa—, ni mi marido, ni el fraile, ni yo debemos servirnos. ¡Canalla que es capaz de persuadirnos que somos mejores que ellos!»

EL TÍO MORÓN

Al tío Morón le conoció también Somoza. Era pobre; no tenía ni un real; no podía dar nada a nadie, pero no paraba de hacer bien a todos. (¿No decís, viejos castellanos, que *más da el duro que el desnudo*? Pues el tío Morón, sin un ochavo, hacía más bien que muchos millonarios.) «Siempre que me lo encontraba iba haciendo algún bien: ya cerrando una angarilla que se dejaron abierta, ya dirigiendo el agua al huerto de una viuda que estaba enferma, ya antecogiendo las reses que estaban haciendo daño en un sembrado, ya con un niño en los brazos que se había extraviado.»

Un día Somoza le vió venir por un arroyo arriba con unas telas al hombro; una muchacha le seguía, llorando y repitiendo:

—¡Dios se lo pague a usted, tío Morón!

Y el tío Morón replicaba:

—¡Mira que ya van dos, que también el otro día te recogí las madejas que te llevaba el río! ¡Tú, o eres muy dormilona o traes quebradero de cabeza!

«Y la chica cambió el llanto en una carcajada.»

DON ANTONIO

Seguramente le llamarían todos, con familiaridad, don Antonio. Era arcediano de Avila y se llamaba don Antonio de la Cuesta. ¿Nos imaginamos un hombre siempre ingenuo, siempre inocente, siempre candoroso, que tiene un cuartito limpio y ordenado, con una estera de esparto crudo? Tiene muchos libros, sabe mucho. «Pero su rectitud, y su talento, y sus profundos estudios, no han evitado que sea más crédulo, inexperto y fácil de engañar a los sesenta años que cualquier niño a los doce. Todas las mujeres públicas de París, Madrid o Cádiz estafaban y sacaban protección a un hombre cuya pureza hubiera dejado mal a la cortesana griega que apostó a hacer pecar a todos los filósofos.» ¡Cómo vemos a don Antonio, pasmado, estupefacto, enternecido, sacando el pañuelo de hierbas y frotándose los ojos ante esta pécora taimada, que está desembaulando ante el pobre clérigo todas las trapazas y bernardinas de su cacumen endiablado! Un día, estando don Antonio en casa de un pariente, entró a plañir sus cuitas al arcediano una busconcilla; se había dejado momentos antes dos onzas sobre una mesa, para una compra; sin saber lo que hacía—¡cielos santos!—, don Antonio cogió las peluconas y se las entregó a la llorosa mujerzuela. ¿Qué había de hacer el buen arcediano? ¿Cómo iba a dejar desamparado este hondo dolor?

PITAFIO

Epitafio le llama Somoza, pero todos en Piedrahita le llamaban Pitafio. Pitafio era un bufón, un albardán. ¿Lo han retratado Velázquez, Goya, Zuloaga? «Era ahijado de la duquesa — dice Lomba —; fué su bufón habitual durante largo tiempo; vino con ella a Madrid en ocasiones distintas. Sus rápidas ocurrencias, sus modales hoscos y zurdos, eran de un atractivo singular para su ilustre madrina.» Al comienzo de las *Memorias de Piedrahita,* Somoza traza la silueta de Pitafio: «Hay en este pueblo un lobo que llaman Epitafio, parecido al Quasimodo de *Nôtre-Dame de Paris,* y es campanero también y enterrador además. Ayer, al ponerse el sol, le encontré en los cuatro arcos del convento de Santo Domingo, extramuros de esta villa. Me saludó y siguió su camino, pero diciendo en voz alta:

»—Los señores de la Junta quieren hacer cementerio de la iglesia vieja de los dominicos... Como se la quemó el techo cuando los franceses y tiene buenas paredes... y está en alto... y la da bien el aire..., dicen que allí se ha de hacer... Pero no saben ellos, como yo, lo que pasa: está toda ella minada de conejos... La otra tarde, el podenco de mi hermano entró tras uno y se puso a escarbar debajo de los túmulos de los fundadores, y sacó una quijada de los señores duques.»

Pitafio: tu discurso es de Pablillos de Valladolid y de Hamlet. A lo lejos declina el sol entre los alcores y se ve un campo amarillo y yermo.

BECQUER

Fué breve la vida de Gustavo Adolfo Bécquer. Nació en 1837, murió en 1870. La obra del poeta no es muy extensa; no lo fué tampoco la de Garcilaso. Compuso Bécquer un breve número de poemas cortos; trazó—con mano febril—unas cuantas páginas de prosa. Cuando leemos ahora a Bécquer, los que no le hemos conocido tratamos de imaginárnoslo a través del espíritu de sus versos, a través de los recuerdos que tales o cuales mujeres románticas y por nosotros secretamente amadas — cuando éramos adolescentes — han dejado en nuestro espíritu. El espíritu de Bécquer va en nosotros unido a una vaga y mórbida melancolía, a una triste canción en que se habla de unas golondrinas que *ya no volverán;* a la mirada lánguida, larga y melancólica de unos ojos femeninos; a un crepúsculo, a unas campanillas azules que han subido hasta los hierros de un balcón, a unas cartas con la escritura descolorida—y con una florecita seca entre sus pliegos—que encontramos en el fondo de un cajón... La poesía de Bécquer es frágil, alada, fugitiva y sensitiva; es inseparable de las fotografías que Laurent hizo en 1868 y de un tipo de mujer, pálido, rubio y con unos ricitos sedosos sobre la frente.

El poeta no fué nada ni representó nada en su tiempo. Vivió pobre, murió casi desconocido. No le consideraron como un gran poeta sus coetáneos. Los grandes poetas eran amplificadores, oratorios, elocuentes, pomposos. Bécquer escribía poco; lo que escribía—en una época de desbordada grandilocuencia—parecía cosa deleznable, linda, menuda, artificiosa. El poeta debió de sentir esta inferioridad en que se le consideraba en la sociedad literaria de su país. ¿Por qué no escribía él grandes, extensos, robustos, vibrantes poemas? ¿Por qué de su estro no brotaban odas inflamadas de patriotismo, odas en que se cantaran los grandes ideales humanos? Y, sin embargo, este poeta triste, desconocido, ignorado; este poeta recogido sobre sí mismo, nervioso, sensitivo, modesto; este poeta que escribe breves poesías, poesías que parecen hechas de nada, ha ahondado más en el sentimiento que los robustos fabricadores de odas y ha contribuído más que ellos a afinar la sensibilidad. Al hacer esto, Bécquer ha trabajado, como el más grande poeta, en favor de los ideales humanos. El ideal humano—la justicia, el progreso—no es sino una cuestión de sensibilidad. Este arte, que no tiene por objetivo más que la belleza—la belleza y nada más que la belleza—, al darnos una visión honda, aguda y nueva de la vida y de las cosas, afina nuestra sensibilidad, hace que veamos, que comprendamos, que sintamos lo que antes no veíamos, ni comprendíamos, ni sentíamos. Un paso más en la civilización se habrá logrado; en adelante, la visión del mundo será otra y nuestro sentir no podrá tolerar sin contrariedad, sin dolor, sin protesta, lo que antes tolerábamos indiferentemente, y, por otro lado, ansiará férvidamente lo que antes no sentíamos necesidad de ansiar. El concepto del dolor ajeno, del sufrimiento ajeno, del derecho ajeno, habrá sido modificado, agrandado, sublimado, al ser intensificada y afinada la sensibilidad humana.

★

Formémonos idea exacta de lo que son y lo que representan los poetas líricos: artistas que no han cantado los ideales humanos y que, sin embargo—¡con cuánta eficacia!—, han laborado por ellos. Bécquer trae al arte español una visión más intensa que las anteriores de la Naturaleza. Nos referimos a sus *Cartas desde mi celda.* Hay en esas páginas descripciones de paisajes en que se mezcla un matiz de morbosidad antes desconocido. Ante las montañas hoscas y coronadas de nieve, ante los árboles seculares—formados en solitaria y misteriosa alameda—, ante las fontanas, que se deslizan en hilillos de plata ante el cielo ceniciento y triste de un crepúsculo de invierno, la prosa española no había dicho aún lo que le hace decir el poeta. Este rezago del romanticismo que surge en Bécquer es, entre nosotros, el verdadero romanticismo. Romanticismo artificioso, palabrero, hueco, el nuestro, no podía tener esa estética un verdadero representante hasta que un artista, sintiendo la independencia de la propia personalidad y experimentando la tristeza universal de las cosas, se apoyara firmemente—como Bécquer—en el amor a la realidad y en el culto al paisaje. Las páginas escritas por el poeta frente al Moncayo, en la campiña de Tarazona, desde la celda de Veruela, marcan una época de nuestra literatura.

★

Pero Bécquer, aparte del arte puro, que tiene su manifestación en los versos del poeta, ha expresado en algunas de las páginas aludidas sus ansias de ideal y de renovación. Su fina exasperada sensibilidad, esa sensibilidad que le daba una visión penetrante del mundo, hacía que le fuera insufrible el espectáculo de la injusticia. «Yo tengo fe en el porvenir—escribía—. Me complazco en asistir mentalmente a esa inmensa e irresistible invasión de las nuevas ideas, que van transformando poco a poco la faz de la Humanidad, que, merced a sus extraordinarias invenciones, fomentan el comercio de la inteligencia, estrechan el vínculo de los países, fortificando el espíritu de las grandes nacionalidades y borrando, por decirlo así, las preocupaciones y las distancias, hacen caer unas tras otras las barreras que separan a los pueblos.» Su filoneísmo lo concreta Bécquer en la fórmula más terminante y definida que pudiéramos desear. «Lo que ha sido—escribe—no tiene razón de ser nuevamente y no será.» Y en una hora de prima noche, sentado ante las cuartillas, allá en las soledades de Veruela, evoca el recuerdo de las damas espléndidas que en esos momentos se congregan en el teatro Real, rodeadas de lujo, saciados sus menores caprichos y veleidades, y piensa el poeta en estas otras pobres mujeres de España, compatriotas de las otras, hermanas en raza, que allá, por las fragosidades ásperas del Moncayo, han andado exangües, extenuadas, buscando un poco de leña y porteándola angustiosamente por quiebras y desfiladeros, sobre sus espaldas, hasta la remota ciudad. «Francamente hablando—escribe el poeta—, hay en este mundo desigualdades que asustan.» A la memoria se nos viene—por lógica asociación de ideas—la poesía que Guyau dedica, en sus *Versos de un filósofo,* a un brillante; brillante que, en sus facetas vívidas y claras, se le antoja al poeta la cristalización de las lágrimas de la larga cadena de obreros que han hecho que, desde el lejano yacimiento, vaya esa piedra inestimable, ya pulida, ya áureamente engastada, a fulgir sobre la sedosa y tibia carne de una beldad.

*

El poeta—leemos en una de sus rimas—se halla en un estado espiritual que linda entre la vigilia y el sueño. No duerme y no está despierto. Su espíritu «vaga en ese limbo en que los objetos cambian de forma y en que las ideas dan vueltas en torno al cerebro en un compás lento». Todos hemos experimentado estas sensaciones indefinibles de enervación, de marasmo y de vaguedad; en unas horas de dolor, de desesperanza, de renunciamiento a todo, nuestro cerebro percibe el mundo exterior como a través de un velo tupido. Como a través de un velo tupido, sí, y no obstante, en estos momentos, cuando parece que todo se cierra a nuestra percepción, hay cosas que llegan hasta nosotros—un ruido, una voz, el aullido lejano de un perro, el crepitar de una lámpara—con una claridad, con una agudeza, con una significación que nunca para nosotros han tenido. ¿Tienen alma las cosas? ¿Nos dicen algo las cosas que nosotros no acabamos de comprender? ¿Hay en torno nuestro fuerzas desconocidas, misteriosas, que nosotros, con nuestra limitada sensibilidad, no podemos percibir?

Bécquer—único en nuestro Parnaso—ha acertado a dar en sus versos esta sensación indefinible y modernísima. En el poema a que aludimos, el poeta, después de describirnos ese estado de espíritu de que hemos hablado, nos dice que, de pronto, en medio de su somnolencia, oyó una voz, *delgada y triste,* que le llamó *a lo lejos:*

> Entró la noche y, del olvido en brazos,
> caí, cual piedra, en su profundo seno;
> dormí, y al despertar exclamé: "Alguno
> que yo quería ha muerto."

Un poeta que nos ofrece en sus versos una sensación tal de las cosas es un delicadísimo poeta. Pensad en la poesía oratoria, rotunda y enfática, de la misma época. ¿Tienen alma las cosas? Poeta: ¿qué fuerzas misteriosas hay en el mundo que tú has presentido y que *todavía* no podemos comprender ni utilizar? Poeta: tu visión ha ido más allá de esta primera y ostensible realidad que todos, cotidianamente, tocamos. ¿Qué es este escalofrío nervioso que, como un misterioso aviso, nos sobrecoge de pronto? ¿Y ese relumbrar vago que creemos haber percibido en la penumbra de nuestro silencioso gabinete de trabajo? ¿Y ese grito, agudo y angustioso, que ha atravesado la noche? Nuestros sentidos son limitados; no podemos saber aún nada. «¡Quién sabe—ha escrito nuestro gran Cajal en sus *Reglas y consejos sobre investigación biológica*—, quién sabe si a fuerza de siglos, cuando el hombre, superiormente adaptado al medio en que vegeta, haya perfeccionado sus registros óptico y acústico y el cerebro permita combinaciones ideales más complejas, podrá la Ciencia desentrañar las leyes más generales de la materia, dentro de las cuales, y como caso particular de las mismas, se encerrará, quizá, el extraordinario fenómeno de la vida y del pensamiento.»

1915.

EPILOGO DE «RIVAS Y LARRA»

IGURÉMONOS el Ministerio de la Gobernación en 1836. Se van a celebrar dentro de poco elecciones de diputados. Ahora han cambiado bastante las condiciones materiales de los ministerios; pero en el fondo, son los que vemos—excepto en algún caso—los mismos cortinajes pesados y polvorientos de antaño, los mismos muebles incómodos, los mismos retrasos míseros y de mal gusto; los horribles retratos, por ejemplo, del Ministerio de la Guerra. En 1836 los cortinajes serían todavía más pesados y la incuria y el destartalamiento mucho más relevantes: incuria y destartalamiento y suciedad que se muestran ostensiblemente ahora en el Congreso. Se van a celebrar dentro de poco las elecciones generales; su fecha se ha dispuesto para el 13 de julio; nos hallamos a mediados de junio. Por las escaleritas del ministerio suben y bajan—como ahora—personajes, tipos e individuos de toda clase de pergeños; por los pasillos, por las vueltas y revueltas de la casa, va y viene un hormiguero de pretendientes y candidatos—como en estos días—; la antesala y el despacho del ministro están repletos de concurrencia—al igual que hoy—que espera, desde hace media hora, una hora, dos horas, la salida del gran dispensador de actas. Entre todos estos candidatos que aquí vienen casi todos los días figura un joven que, del primer golpe de vista, destaca de entre toda esta confusa y estrepitosa muchedumbre. Viste con un atildamiento perfecto; su mirada brilla con lumbres de inteligencia; lleva una barbita negra y sedosa, y sobre su grueso labio, sobre la boca, que es un trazo recio, se ostenta un poblado y caído bigote. Hay en toda la persona de este joven, en sus ademanes, en sus gestos, cierta vivacidad, cierta nerviosa rapidez, que hacen que en las largas esperas, cuando alguna vez le toca esperar, se siente y se levante a la continua, o vaya de una parte a otra prestamente, o se acerque al balcón para echar un vistazo sin ver nada. Alguna vez, porque deseamos hacernos la ilusión de que el ministro no le hace esperar nunca.

El ministro aparece en la puerta del salón; su aparición ha sido un poco teatral. Repentinamente, sin ruido, la puerta se ha abierto y encuadrado en el marco ha quedado, durante un brevísimo instante, un hombre joven, apuesto, de vivísima mirada y de faz—sobre la negra corbata—resaltante con su pulcro rasuramiento. Luego, este hombre ha avanzado sonriente, afable, y ha comenzado a repartir efusivos apretones de mano entre los concurrentes. Pero aquella leve tiesura con que este caballero había surgido en el umbral de la puerta, aquella ligera teatralidad que él ha querido poner en su solemne salida, ha desaparecido, y ahora la llaneza, la locuacidad, los dichos agudos, la palabrería ruidosa, las efusiones cariñosas, lo llenan todo. Con un gesto rápido, el ministro, que ha visto a nuestro joven de antes entre la concurrencia, le ha mandado acercar y le ha metido—después de un estrepitoso abrazo, demasiado estrepitoso—en la estancia de al lado.

Cuando el señor ministro de la Gobernación se ha desembarazado de los visitantes que tenía en el despacho grande, ha vuelto a su gabinete de trabajo; en esta estancia le esperaba nuestro joven. Se han sentado los dos y han comenzado a charlar. ¿Por qué no seguir imaginando? Todo esto es perfectamente verosímil. ¿Por qué no trazar el diálogo que los dos personajes pueden haber tenido?

—Me alegro mucho de haberle visto hoy; le iba a mandar una carta—habrá dicho el ministro—. ¡Todo está ya definitivamente arreglado!

—¿Cómo? ¿Por dónde?—habrá replicado el joven elegante de la negra barbita.

—Usted va por Avila—habrá vuelto a decir el ministro.

Y al llegar aquí se nos ocurre que ya debemos estampar los nombres de estos dos charladores: uno, el ministro, es Rivas, y el otro es Larra. ¡Rivas y Larra! Rivas *trayendo* de diputado a Larra, y Larra siendo candidato ministerial de un Gobierno—como éste, presidido por Istúriz—al que la llamada opinión liberal ha declarado su más enconada hostilidad. Ahora, al cabo de tantos años, cuando la pasión no puede enturbiar nuestro juicio, ¿qué nos importará que Larra haya sido liberal o conservador, ni cómo va a influir en nuestra gustación de la obra de Rivas el hecho de haber sido éste ministro de un Gabinete hostilizado sañudamente por elementos radicales? Rivas y Larra. Rivas trayendo a las Cortes a Larra, y Larra deseando, impacientemente, llegar a los escaños del Parlamento. ¿Qué nos importa que haya venido él por sus propios votos o que lo hayan traído? Si el ministro de la Gobernación, si Rivas no le hubiera dado el acta a Larra, ¿qué distrito, qué masa electoral, qué muchedumbre ciudadana hubiera dado sus votos al gran satírico? No hubiera venido nunca Larra a las Cortes. Y Larra necesitaba venir a ellas. Larra, observador social, analista penetrante del mundo, necesitaba extender su campo de experiencias, ensanchar su visión. Prescindiendo de la parte de vanidad—muy legítima, muy explicable—que pueda haber habido en el deseo de Larra, siempre tendremos que la vida parlamentaria, concentración—buena o mala—de la vida nacional, hubiera sido para Larra una inestimable y rica mostradora de aspectos y problemas variados. Algunos años de ver por dentro la realidad, de conocer los secretos móviles de los hombres, de presenciar los resortes ocultos de muchos grandes hechos, y la inteligencia de Larra—tan fina y dúctil—hubiera juzgado de las cosas humanas con un aplomo, con una seguridad, con una previsión que antes no tuviera. Desde luego, la visión de Larra, desentendiéndose de lo externo, de los accidentes sociales, hubiera ido más a lo hondo, a las causas íntimas y permanentes. Y tal vez la misantropía y desesperanza del satírico hubieran sido más grandes viendo lo ineluctable. Pero tal vez también su pesimismo de mocedad se hubiera atenuado y hubiera sido cubierto por cierto optimismo bondadoso y por cierta esperanza en lo futuro, toda vez que el observador hubiera podido comprobar que los males y vicios que parecían privativos de su tiempo eran de todos los tiempos; que el hombre no marcha sino muy lentamente hacia la luz, y que, en resolución, caminantes todos por el camino de la vida, amargados muchos por la adversidad, debemos tener un gesto de indulgencia para aquellos de nuestros compañeros de ruta a quienes la triste realidad obliga a hacer cosas que no quisieran hacer...

Rivas *sacó* diputado a Larra, pero Larra no pudo sentarse en las Cortes. La opinión se había encrespado furiosamente contra el Ministerio. Tales estaban los ánimos, que la *Gaceta* del 1 de agosto del citado año de 1836 publicaba una real orden encargando a los gobernadores que facilitasen a los diputados electos escoltas y auxilios necesarios para que con toda seguridad pudieran realizar sus viajes. El 12 del mismo mes ocurría el motín de La Granja. El 15 caía el Gobierno y lo reemplazaba otro, presidido por Calatrava. Salía Rivas del Ministerio de la Gobernación y entraba en él don Ramón Gil de la Cuadra. Y en el suplemento de la *Gaceta* del martes 23 del indicado mes de agosto se estampaba el real decreto anulando la anterior convocatoria de Cortes y haciendo nueva convocatoria para el 24 de octubre. Larra dejaba de ser diputado sin haberlo sido.

¡Rivas y Larra! La política juntó estos dos nombres y el azar ha hecho que sean las dos más altas expresiones del arte literario en su tiempo. Al cerrar estas páginas, un escritor de 1916, que ha querido reunir estas dos figuras en un libro, envía el testimonio de su simpatía, de su más viva simpatía, al ministro de la Gobernación de 1836, maravilloso artista del color, y al diputado electo por Avila, profundo observador de la vida española.

1916.

FERNAN CABALLERO

Fernán Caballero es el novelista de los pobres. ¿Habrá división más honda entre los escritores, entre los políticos, que el concepto que se tiene de la pobreza? Todo el concepto de civilización deriva de la apreciación de la pobreza. Para unos, la pobreza es un mal—y son los más—; para otros, es un bien, o si no un bien, por lo menos un hecho indiferente—y éstos son en menor número—. Fernán Caballero no se avergüenza de la pobreza; es una mujer ingenua y sencilla; para ella, la civilización no está en las riquezas, en las maravillas de la industria, en el comercio, en las comunicaciones, etc.; para ella, la civilización está en el espíritu. Fernán Caballero cree que la pobreza es un bien. En una de sus novelas (*La farisea*, Madrid, 1865), el novelista habla del «pudor de la pobreza noble, que consiste, no en avergonzarse de ella, sino en sufrirla con valor y sin el bochorno del socorro ajeno». Y añade: «En España hay, además, dos motivos muy poderosos para sobrellevar bien la pobreza; es el uno la escasa suma de necesidades y la sobriedad de sus habitantes, de lo cual nace la independencia que los distingue, y el otro es que en esta católica nación está desde siglos arraigado el respeto a la pobreza. Puede que andando el tiempo se llegue a menospreciar, como sucede en otros países; pero, por suerte, aún está muy lejos ese día, sobre todo en provincias, donde lo *rancio* no se desarraiga fácilmente.»

El respeto a la pobreza se va perdiendo; la pobreza—en literatura, en política—comienza a ser indecorosa. Pero Fernán Caballero nos consuela de estos cambios de ahora. Toda la profunda simpatía que emana de su obra procede de esta última, noble, concepción del mundo. Lo esencial de este novelista reside en esa su consoladora filosofía. Y ella le lleva, lógicamente, forzosamente, a amar la sencillez, la ingenuidad, lo candoroso y primario. Nadie se ha acercado más al pueblo. Calladamente, con profundo amor, con dulzura, esta señora curiosa y limpia va observando los tipos del pueblo; entra en las casas de los pobres; nos describe sus huertecitos modestos—henchidos de flores, bajo el cielo radiante de Andalucía—; nos dice minuciosamente de qué modo están dispuestas las habitaciones de la casa; charla largamente con los niños; recoge los cuentecillos, consejas y cantares populares. Y luego va escribiendo en un estilo claro, sencillo, directo. El amor a lo popular, su inspiración en lo popular, hace que Fernán Caballero logre, en su sencillez, los extremos del más alto representante estético. Los extremos, en verdad, se tocan. Hablando del espíritu popular, dice el novelista: «Los indagadores estudian en estos cuentos y cantos el desarrollo, las primeras elaboraciones del pensamiento en su libre albedrío, la expresión innata de los sentimientos del corazón, la agudeza espontánea del entendimiento, como los botánicos estudian las plantas que crían, en su germen, y las plantas silvestres, en sus hojas y flores.» (*Diálogos entre la juventud y la edad madura*, Madrid, 1862.) Note el lector la frase *las primeras elaboraciones del pensamiento;* es decir, el pensamiento primario, directo. Y eso es el *Poema del Cid,* y Gonzalo de Berceo, y todos los poetas muy antiguos... y muy modernos. Hay en Fernán Caballero páginas que nos producen una viva sorpresa. ¿Es esto—preguntamos—de un novelista contra el cual se nos ha prevenido, se nos ha prevenido por su tradicionalismo, su ñoñería, su falta de arte, o es, por el contrario, esta página de un refinadísimo y ultramoderno artista? Tal sucede, por ejemplo, con esta maravillosa *Letanía compuesta por una triste madre* (en *Colección de artículos religiosos,* Cádiz, 1862), que diríase escrita por el gran poeta, poeta en prosa rítmica, Paul Claudel. Y tal sucede también con algunas leyendas o baladas, que parecen salidas—por su sencillez, idealidad y emoción—de la pluma de Baroja.

Pero nos equivocaríamos si creyéramos que Fernán Caballero es un escritor inconsciente, ignorante de las formas supremas del arte. Fernán Caballero, curioso de lo popular, es a la vez un lector ávido de toda novedad literaria refinada. ¿No hay en uno de sus cuentos un epígrafe de Baudelaire? ¡Quién lo creyera! Al frente de una de las narraciones que figuran en la *Colección* indicada, Fernán Caballero, en 1862, cita cuatro versos de Baudelaire; el año anterior, 1861, se había publicado una segunda edición de *Las flores del mal.* Lee Fernán Caballero mucho; como una silenciosa abejita, va de una parte a otra, de flor en flor. Cita a Víctor Hugo—repetidamente, como lema de cuentos suyos—; cita a Balzac; traduce primorosamente, en prosa, una hermosa poesía de Marcelina Desbordes-Valmore: *La almohadita del niño.*

¡Y qué visión tan honda, serena y sencillamente poética de Andalucía! No se habla nunca de la Andalucía de Fernán Caballero. Y ahí están, en sus libros, Sevilla, Bornos, Sanlúcar de Barrameda, Arcos de la Frontera. Ni afectaciones de ingenio, ni alegría excesiva, ni tristeza artificiosa; ésa es la Andalucía de Fernán Caballero, tal vez la más exacta de todas las Andalucías creadas por la literatura. Una sensación de paz, de silencio, de vida profunda, se desprende de estas descripciones del novelista. Vemos las bellas playas desiertas, con su finísima arena dorada, sembradas de conchitas, de estrellitas de mar, de «pesadas y transparentes aguasmalas metidas en su masa de flema cristalina como la yema del huevo en la clara»; vemos los patios callados y blancos de las casas de campo, tapizados de flores: «la lila, esa flor alemana, que tan temprano florece, se inclinaba indolente y triste en su modesto vestido; las delicadas violetas se cubrían con sus hojas, redondas como parasoles; en las rendijas de las paredes hacía el reseda a toda prisa sus ramilletitos, mientras lo miraba con sus grandes e inocentes ojos su buena amiga la salamanquesa»; vemos, en fin, los pueblecitos pintorescos, pueblecitos únicos de Andalucía, como Arcos de la Frontera, colocados en la cumbre de una montaña. ¿Cómo Fernán Caballero nos produce esta impresión de claridad y de silencio? Al dejar sus libros de la mano queda en nuestro espíritu la visión suprema de un muro ancho y blanco, de una callejuela en que se oye una canción lejana, popular, de una playa amarilla y desierta...

¿Ñoñerías en Fernán Caballero? ¿Moral casera y ramplona? No; hay un pasaje en la *Guía de pecadores,* de fray Luis de Granada, que deseamos citar. El autor ensalza la humildad, y añade: «Mas con todo esto, no ha de ser tal la humildad que se rinda a cualesquier pareceres y se deje llevar de todos vientos, porque ésta ya no sería humildad, sino inestabilidad y flaqueza de corazón.» Tened cuidado con estos hombres humildes y discretos. La humildad tiene sus límites. No creamos que podremos llevar y tratar a nuestro antojo a un hombre humilde; eso sería, no humildad, sino lo que acaba de decir fray Luis de Granada: *inestabilidad.* No; no es vulgar el pensamiento de Fernán Caballero. Humildad, sí; pero dentro de la humildad, independencia. Recordemos que, acusada de pesimismo sistemático, Fernán Caballero ha tenido que recabar de la autoridad eclesiástica una aprobación (figura al frente de los *Diálogos* citados) que tranquilizara a los lectores timoratos. Y el final de *Las dos Gracias* es, por otra parte, altamente característico de la psicología del novelista. Una mujer, Gracia Vargas, ama apasionada, tenazmente, a un hombre; es una mujer inteligente, silenciosa y humilde. Un día otra mujer, celosa, le envía un anónimo calumnioso al prometido de Gracia. El novio, bruscamente, cuando ya iba a celebrarse la boda, desaparece. Gracia Vargas se hace hermana de la Caridad. Pasa el tiempo. La calumniadora, en el lecho de muerte, se acusa de su infamia a Gracia y a su antiguo novio. ¡Ah, todavía es tiempo de reanudar aquel amor profundo, purísimo, ardiente, que unía a las dos almas! ¡Todavía pueden ser felices los dos amantes! Pero no; el antiguo novio se equivoca. Por encima del amor, por encima de la humildad—nótelo el lector, de la humildad—, está en esta mujer, que ha llegado hasta los mayores sacrificios de la humanidad, por encima de todo está la propia conciencia de su dignidad de mujer. Gracia Vargas ha llegado a las más altas abnegaciones de la humildad; pero ahora lo supedita todo a su dignidad ofendida. «No —le dice a su antiguo novio—; no, yo no puedo ser tuya; yo no puedo ser del hombre que antes que a mí ha creído a una vil carta anónima. Nada puede ya haber entre los dos.» Y todo, intensa pasión amorosa, humildad, modestia, todo cede ante este sentimiento de dignidad e independencia.

¡Tengamos en la peregrinación por el mundo la lucecita consoladora de la idealidad! ¡Que el sentimiento de nuestra propia y recta conciencia nos eleve sobre las ruindades y perfidias! «El mundo—dice Fernán Caballero con hermosas palabras—; el mundo es un valle de lágrimas, pero no un árido desierto; en él hay muchas encinas que extienden su sombra sobre la maleza. Pájaros que cantamos en él, no lo hagamos siempre posados sobre ruinas en voz plañidera; hagámoslo también al amparo de esas santas y nobles encinas que tan altas y encumbradas descuellan en los bosques de Aranjuez, La Granja y San Telmo, con la suave voz que expresa el elogio y las bendiciones.»

1922.

CAMPOAMOR

Vayamos examinando poco a poco algunas de las figuras literarias—españolas—del siglo XIX. ¿Cómo ha evolucionado, por ejemplo, la personalidad de Campoamor? ¿De qué manera, al iniciarse una nueva corriente literaria, en 1898, ha sido juzgado Campoamor? Tal vez el gran poeta sea la personalidad más adecuada para estudiar las tendencias estéticas de la generación de 1898; tendencias estéticas en pugna abierta, irreductible, con los escritores de la anterior generación. Los escritores jóvenes aludidos no gustaban de Campoamor. En 1898 Campoamor era uno de los viejos representantes literarios en quienes se concentraba toda la hostilidad —hostilidad ruidosa, desdeñosa—de los innovadores. Las cosas han ido cambiando; los años han ido transcurriendo. Y ahora ya es momento de que examinemos serenamente las causas hondas, íntimas, de tal hostilidad.

Repasemos toda la obra de Campoamor. Todavía no se ha hecho una crítica completa del ilustre vate; formulemos aquí algunas indicaciones que podrán servir de base para una crítica futura. ¿Qué es Campoamor? La generación de 1898 venía al arte sintiendo un ansia viva de realidad. Campoamor es un poeta de lo abstracto. A la vaguedad, a la falta de observación, a la falta de fundamento en el hecho concreto que distinguía a los viejos maestros, la nueva generación quería oponer todo lo contrario: la observación minuciosa y exacta, el estudio del medio, el amor al hecho preciso y exacto. Recuérdese de qué manera se escribieron las primeras novelas de esos jóvenes escritores; algunas de ellas—por ejemplo, *Camino de perfección,* de Baroja—no eran sino simples colecciones de paisajes, paisajes hechos con detalles y rasgos de la más rigurosa autenticidad. Y esta tenaz preocupación por el «hecho» y por el «medio» hizo que la generación de 1898, al estudiar el medio y observar el hecho, hiciese surgir en el arte la realidad española. Puesto que el medio era España y el hecho era la sociedad española, viejas ciudades, paisajes, tipos, escenas e interiores hubieron de ser estudiados minuciosa y perseverantemente.

Al proceder así, los escritores aludidos se oponían violentamente a sus predecesores. Entre sus predecesores había algunos—hablo sólo de los de primer orden—que se inspiraban en la realidad y amaban la materia artística de España: Alarcón había recorrido toda España; Alarcón había descubierto viejas e interesantísimas ciudades como Cuenca (descubierta otra vez, mucho más tarde, por escritores de 1898); Galdós había estudiado también la realidad española (mucho menos que después de surgir la generación aludida) Pero las características generales de la literatura eran la vaguedad, la declamación y el desdén por el hecho preciso y exacto. Podríamos abonar lo que acabamos de decir, citando ejemplos curiosos tomados de famosas novelas publicadas por ilustres autores modernos, autores anteriores a los jóvenes de 1898, pero no queremos poner agresividad en estas líneas.

Uno de los autores en quien se concentraba la oposición de los nuevos en 1898 —decimos—era Campoamor. Si leemos detenidamente toda la obra de Campoamor, nos encontraremos con un poeta completamente irreal, abstracto. Contrariamente a lo que le ocurría a Gautier, Campoamor es un hombre «para quien el mundo exterior no existe». ¡Caso extraño! Caso que, instintivamente, sin razonarlo, había de sorprender a una generación ávida de realidad. Para Campoamor no existen ni el color, ni la forma, ni el espectáculo del mundo. Un ejemplo curioso de lo que decimos es el poema *Colón,* de Campoamor. Leamos ese poema, publicado en 1853. ¡Colón! ¡Qué grande y bello asunto para un poeta! Las riberas de España, el embarque, el mar inmenso y misterioso, el cielo, las inmensas tierras arcanas... El color, las formas vivas, los espectáculos más variados, la luz en todas sus gradaciones, se ofrecen al poeta.

Otro gran poeta, el francés Heredia, de la partida por el puerto de Sevilla de los conquistadores, ha hecho—en prosa—unas páginas maravillosas de luz y de color; aludimos al prólogo a la traducción francesa de Bernal Díaz. Colón era para Campoamor, por tanto, un asunto magnífico. Leamos el libro. ¿Qué encontramos en él? Ni rastro de color y de luz. Nada de realidad. Nada de espectáculos exteriores. *Colón*, poema admirable, poema hermosísimo, es la obra de un poeta interior, de un poeta—ya tardábamos en decirlo—, de un poeta de *ideas y sentimientos*. En *Colón* no encontramos realidad ninguna, ni de España, ni de América, ni del mar. Todo lo que desfila ante nuestros ojos son figuras morales, sentimientos abstractos; grandes alegorías —la Fe, la Esperanza, la Envidia, la Idolatría, etc.—llenan las páginas del libro. Y cuando el poeta fija los ojos en el espectáculo del mundo, por ejemplo, en las nubes, en las nubes suspensas sobre el vasto mar, es para ir personificando en esas nubes, de formas variadas, personajes de historia y de leyenda. Y cuando, concretando la visión interior, trata de dar forma a esos personajes y escribe la historia de España y la historia de la Humanidad, lo hace ateniéndose, como un psicólogo, no como un pintor, a ideas y sentimientos.

Todavía en *Colón* hay una vaga base de realidad. El poeta no puede prescindir de la Historia. Pero los años pasan. Campoamor va afirmando su verdadera personalidad. Las verdaderas características de Campoamor se definen limpiamente y cristalizan de modo definitivo. En 1869 Campoamor publica *El drama universal*. Y ya ese largo poema es sólo y únicamente irrealidad, abstracción, sentimientos. Campoamor ha querido hacer una epopeya de la moral. Y el fracaso es terrible. Nada más incongruente e infantil que este poema. No se sabe a punto fijo lo que quiere significar el poeta. ¿El amor eterno y transmutable en todas las cosas? ¿El amor que toma todas las formas y va desde lo inanimado hasta la psiquis más perfecta y sensitiva? El hecho es que Campoamor ha querido hacer una epopeya grandiosa *en lo moral* y que ha fracasado. Y, sin embargo, Campoamor es un grande e indiscutible poeta.

Cerrado al mundo exterior, fracasado en lo m o r a l grandioso, ¿debía renunciar Campoamor a la poesía? Si el color y la forma no existían para Campoamor, si no lograba tampoco Campoamor ser poeta en lo moral grande, ¿debía considerar Campoamor nulo su estro poético? No; un ancho ámbito poético se abría para Campoamor. La verdadera poesía de Campoamor estaba en el sentimiento, no grandioso, sino mediocre; en la idea, no sublime, sino corriente y cotidiana. Lo que se siente y piensa diariamente, en todos los momentos y por un tipo medio de hombre, es lo que había que expresar. ¡Qué importa que para Campoamor no exista el mundo exterior! El poeta tiene para sí otro mundo, ancho, conmovedor: el mundo de las diarias y prosaicas—pero terribles—desesperanzas; el mundo del olvido, el olvido después de los juramentos de eternidad; el mundo de la inconstancia, tan humana, y de la fragilidad femenina, tan digna de tolerancia y de piedad. Y todo eso es para Campoamor —grande y maravilloso poeta—materia para una poesía sentida, honda, fina, delicada, conmovedora. Así está el gran poeta en su verdadero elemento, y su obra marca en la literatura española toda una época. ¿Qué hay en el mundo de estable, de duradero, de permanente? Todo es transitorio y relativo. No pidamos la perdurabilidad a la promesa femenina. El olvido es la ley del tiempo y de la vida. Pongamos un poco de bondad sobre esta urdimbre humana de interés y de ingratitud. Y, a la manera que La Rochefoucauld, el filósofo del egoísmo y del interés, era un perfecto y abnegado caballero, Campoamor, que tiene idéntica filosofía, es, con sus blancas patillas, con su mirar reposado y sereno, un grande y humano corazón.

1922.

ALARCON

Alarcón nació en 1833, murió en 1891. Se deslizó su infancia en una vieja ciudad andaluza. Vieron — lo primero — sus ojos una catedral, callejuelas, caserones antiguos; la campiña, en los contornos, era verde, riente; hay en todo aquel panorama que rodea a la vieja ciudad un aire de sensualidad, de alegría, mezclado a una sensación de tristeza ancestral, secular. Alarcón fué poeta, autor dramático, novelista, redactor de periódicos, historiador. Sintió curiosidad por todo, quiso vivir múltiples vidas. Viajó por toda España, por el extranjero; se sentó en la Cámara popular, hizo largas campañas políticas en la prensa, guerreó en Africa, vivió la vida aristocrática y mundana de los salones, descubrió viejas ciudades españolas... Su deseo de conocer y de vivir era violento, inextinguible, insaciable. En las páginas que ha escrito, en los libros, en los periódicos, Alarcón ha dejado su vida; este artista, con violencia, franca y resueltamente, se ha entregado a su obra. ¿Cómo los escritores de 1898, la generación que nacía al arte puro, aun después de morir él, ha podido desconocer su obra? Alarcón escribe al mismo tiempo que Fernán Caballero, que Galdós, que Pereda, que Valera. Los nuevos escritores han leído y celebrado—parcamente, con reservas—a algunos de estos novelistas; para el nombre de Alarcón ha habido desconocimiento, silencio. Esos nuevos escritores—vanagloriosos de un nuevo romanticismo—venían al arte ansiosos de vida. Y Alarcón, entre todos los escritores del siglo XIX, es quien más honda sensación de vida ofrece, el que ha abierto más largas perspectivas de dolor y de idealidad. ¿Cómo puede haber ocurrido ese fenómeno? Indudablemente la política ha intervenido aquí funestamente; en Alarcón — singularmente durante sus últimos años — se ha visto, ante todo, la tendencia política; esa tendencia ha sido tenaz y estruendosamente combatida por sus adversarios. Y el ruido de la lucha ha hecho que quedara en olvido el aspecto estético de las obras de Alarcón. Pero ya es hora de que las cosas se restablezcan en su verdadero orden; veamos cuáles son las características del novelista.

Cuando leemos detenidamente la obra de Alarcón—tan varia y pintoresca—, experimentamos diversas y contradictorias impresiones. Tales impresiones podemos ordenarlas y clasificarlas en tres grandes categorías, que forman tres etapas ideológicas en la obra alarconiana.

Primera etapa. El autor se nos aparece como un hombre ligero, jovial, atolondrado. Todo es en su prosa exclamaciones, risas, chanzas, salidas de tono, extravagancias. ¿Ante qué escritor nos encontramos? ¿Qué especie de hombre es el que tenemos delante? ¿Es éste el gran escritor que han admirado tanto nuestros padres? En esta etapa de Alarcón vemos una realidad inestable, fugitiva, momentánea; esa realidad es la bohemia postromántica de 1850, Madrid hacia mediados de siglo, los bailes de máscaras, las ferias de Atocha, el café Suizo, el Real, las Redacciones de los periódicos... Todo eso no está mal. Pero ¡cuánta moralidad inoportuna, cuánta exclamación de jovialidad ruidosa, cuánta afectación de espíritu despreocupado! En esta etapa del escritor nos encontramos también con un hecho curioso. A cada paso, Alarcón nos habla de los autores que él visita. Escuchad los nombres de estos autores: Mürger, Alfonso Karr, Balzac, Heine, Byron. Todos éstos, y además —asombraos—Paul de Kock. A todos nos dice Alarcón y nos torna a decir que los imita o ha imitado él, y entre esos nombres citados hay algunos que merecen el estudio y la consideración (Byron, Balzac); pero no son ésos, sino los otros — Karr, Mürger, etc. —, los que atraen más la atención del novelista. Y es curioso este caso. Pereda tiene la obsesión de que se le pueda decir que imita a alguien; ante esta sola idea se desasosiega e indigna. Alarcón, por el contrario, a cada momento nos está diciendo que él ha seguido las huellas de los autores citados. ¿Será verdad lo que nos quiere inculcar el autor? ¿No será Alarcón sino un trasunto feliz de tales o cuales noveladores extranjeros? Entremos en la segunda etapa.

Segunda etapa. Poco a poco, de las exclamaciones ruidosas, de la moralidad jovial, de las risas y las extravagancias, hemos ido pasando a un estado de espíritu más grave y severo. Lentamente se ha ido serenando nuestro ánimo y convirtiéndose a la meditación. Otra realidad más honda, más permanente, más sólida, se halla ante nuestros ojos. El panorama anterior, fugaz, inestable, ha desaparecido. Tenemos frente a nosotros a un gran pintor de España. Ha habido en la novela española moderna pintores de las costumbres y del ambiente patrio; han dedicado los tales a esas pinturas libros enteros; Alarcón no nos ofrece sino rasgos ocasionales. Y, sin embargo, Alarcón llega tan hondo en esas descripciones—sumarias, rapidísimas—como pueda llegar en libros enteros otro cualquier novelista. El fenómeno de que hablamos se observa en todos los grandes escritores de genio. No hay paisajes deliberados, voluntariamente preparados, en el *Quijote;* no era propio de la época la descripción del paisaje por el paisaje mismo. Y, sin embargo, ved qué fuerza, qué relieve, qué emoción tienen los cuatro rasgos con que Cervantes, hallándose Don Quijote en Sierra Morena, nos pinta un pradecillo verde entre las hoscas peñas. Alarcón, genial, ansioso de vida, nos da en su obra una visión profunda y maravillosa de la España de mediados del siglo XIX. De mediados del siglo XIX y de algo más. La realidad española de Alarcón—con raigambres hondas en la raza—es perdurable. Y lo logra Alarcón con cuatro palabras incidentales. Granada está en *La comendadora;* Madrid, en *El capitán Veneno;* Tarragona, en *El Angel de la Guarda*... No podrá un historiador escribir una historia de España honda en la psicología sin estudiar y recoger estas visiones geniales de Alarcón. El novelista ha llegado en su intuición al alma de las cosas. Alarcón es un maravilloso pintor de la realidad nacional. ¿Y no era nada más que eso, con ser mucho, nuestro novelista? Algo más que eso hay en su obra. Pasemos a la tercera y definitiva etapa.

Tercera etapa. En 1883, Emilia Pardo Bazán vió por primera vez a Alarcón. No le conocía; había mantenido con él larga correspondencia epistolar. Le vió en la Biblioteca Nacional. Alarcón se le apareció a Emilia Pardo Bazán como un hombre cansado, fatigado; estaba enfermo; respiraba penosamente; su faz se mostraba pálida. A través de las palabras de la escritora, nos representamos ahora a Alarcón como un infatigable luchador, que al término de la jornada, no pudiendo resistir más, se entrega humanamente y nos descubre lo más íntimo de su ser. Y lo que ha hecho Alarcón durante su vida es un continuado, un tenaz, un perseverante esfuerzo para ocultar ese fondo espiritual que él ahora — y a trechos antes — nos muestra. Y este contraste violento entre la jovialidad aparente y el fondo lúgubre es toda la obra de Alarcón. Alarcón es un artista a la manera de Goya. En alguna parte de sus libros habla él de la adoración suprema, altísima, de su espíritu en arte; ya no se trata de los autores arriba citados; se trata de Shakespeare. Y si se han escrito modernamente en España páginas shakespirianas, son seguramente, indiscutiblemente, las de Alarcón.

¡Qué poder formidable de genio en *El amigo de la muerte*, en *La mujer alta,* en *Lo que se ve por un anteojo,* en *La comendadora!* No hay en las literaturas europeas modernas nada que supere a esas narraciones citadas. ¡Y qué sensación tan trágica y terrible de la guerra en los episodios que Alarcón narra! Nadie ha inspirado tan gran horror contra la pena de muerte como Alarcón en *Lo que se ve por un anteojo.* Y nadie ha sabido condensar en quince páginas toda la historia psicológica en España como Alarcón en *La comendadora.* Ahí, en *La comendadora,* insuperable maravilla, maravilla de técnica y de espíritu, está la vieja ciudad histórica, su ambiente sensual y melancólico, el ancho y bello palacio, la hermosa española —retratada con tanta sensualidad por el autor—, el niño enclenque, enfermizo, último residuo de una estirpe ilustre; el poder solapado y tremendo de la Inquisición... Y todo forma un conjunto armónico y coherente—en quince páginas—de una idealidad definitiva.

¡Aquí está Perico Alarcón! Perico Alarcón, como él mismo se nombra en algún pasaje de sus obras. Alarcón ríe a carcajadas, grita, va afanosamente de una parte a otra, anima con voces alegres a los amigos, hace la guerra, se bate en un duelo terrible, frecuenta los salones, dice madrigales a las marquesas, se acuesta al alba. Se ve en este hombre el esfuerzo por animarse él mismo, por engañarse él mismo; pero de pronto, bruscamente, cesa la carcajada, se desvanece la alegría y aparece, tremenda, formidablemente trágica, la idea del dolor, la idea de la muerte, la idea de la eternidad. Y eso es el genio.

1922.

PEREDA

¿Cuál es la estética de Pereda? ¿Cómo podríamos sintetizar su arte? En el prólogo a las obras completas del novelista, Menéndez Pelayo escribe: «Pereda, que tiene a gala el ser realista, ha rechazado con indignación en varios prólogos suyos toda complicidad con los naturalistas franceses.» «Déjese—le dice Pereda a la crítica, en el prólogo de *Sotileza*—; déjese, por Dios, de invocar nombres de *extranjis* para ver a qué obras y de quién de ellos y por dónde arrima mejor la estructura de la mía.» Y en otros pasajes de este prólogo y en otros muchos lugares de otros libros suyos, Pereda se revuelve indignado contra los que puedan dudar de su espontaneidad. Pero las obras literarias tienen una causa eficiente. Nada es incausado y primero en el mundo. Y no puede ser depresivo para el artista, ni puede aminorar el mérito de la obra, la investigación de los antecedentes intelectuales del escritor y la determinación precisa de las influencias que sobre el artista se han ejercido. Si en la obra de arte influyen, hasta cierto punto, el medio, el momento y la raza, existe también, poderosísima, la influencia de los géneros literarios sobre los géneros análogos, y la de un libro sobre otros muchos libros.

¿Qué es el naturalismo en arte? Menéndez Pelayo, en su estudio sobre Martínez de la Rosa, escribe que «la barbarie naturalista o efectista» no es más, después de todo, «que una de tantas plagas con que la justicia divina visita a los siglos y a las razas degeneradas». El naturalismo, en el fondo, es el determinismo. No importa que la realidad copiada sea fea o bella. Lo esencial es la dependencia forzosa, ineludible, fatal, de todas las cosas y todos los vivientes a leyes inexorables. Leyes inexorables que están por encima de la voluntad humana. Y como el apetito de vida es lo más fuerte en las criaturas, bárbaramente, brutalmente, supeditándolo todo a esa apetencia, se mueven los hombres y las demás criaturas en el planeta. De ahí el que el espectáculo que nos ofrece el mundo sea, no halagador y risueño, sino teórico, horrendo y repulsivo.

Tal es, en síntesis, la fórmula naturalista. En su esencia, un implacable determinismo. Y a esa fórmula, mientras protestaba contra ella, mientras contra ella se rebelaba airado, ha sido fiel Pereda. Y ha sido fiel sacrificando la verdad, sacrificando—a veces—las mismas leyes de la Humanidad y de la tolerancia. Un hombre tan fino, tan delicado como él, ¿de qué modo ha podido caer en tal error? ¿Qué es lo que ha hecho Pereda en su novela *La Montálvez*? Aquí tenemos un libro representativo, capital, para el estudio del autor. *La Montálvez* es la novela de la aristocracia y la alta burguesía de España. Conforme vamos avanzando en su lectura, vamos experimentando una profunda extrañeza. La extrañeza se va trocando en asombro. ¿Será tal como nos la pinta el autor la aristocracia española? Nos hallamos dentro de un ambiente corrompido. No hay en este medio de alta burguesía nadie honorable e íntegro. Todos son «perdidas y bribones». Perdidas las mujeres, sean quienes sean; bribones los hombres, sean diputados, ministros, banqueros, simples deportistas o gente que no hace nada. Tenemos, pues, creado, rigurosamente, fatalmente, un medio (un medio que es un prejuicio), y de modo tan inflexible y fatal como en una novela de Zola. Nos hallamos en pleno determinismo. «Ponme — dice un personaje — una santa rodeada de perdidas y bribones; persíganla sin tregua ni descanso con ejemplos y sofismas; denle el veneno hasta en el aire que respire... y la misma santa caerá.» Todo, repetimos, está determinado, inflexiblemente concatenado, en esta realidad que pinta el novelista (realidad que es la aristocracia española, no lo olvidemos); todo, desde las figuras hasta el ambiente. Nos hallamos dentro del determinismo naturalista. Pero salgamos de la esfera puramente filosófica. Pasemos a la esfera de la moral. ¿Qué es lo que nuestros ojos contemplan? ¿Ha pintado Zola espectáculos más abominables que los que tenemos ante la vista? En esta conversación que dos muchachas sostienen—en el capítulo XV—, ¿qué es lo que, refiriéndose a cierto caballerete, dice al oído una de las conversadoras a la otra? ¿Qué es lo que ha querido sugerir el autor? Pues ¿y la caída de la protagonista? ¿Podremos dar crédito a este contrato, implícita y tácitamente contrato, entre el seductor y la seducida? ¿Hay nada superior a esto en el naturalismo francés? Pero si no podemos aceptar este determinismo del autor, es para nosotros tan inaceptable la tesis moral de la última parte de la novela. Inexorablemente, fatalmente, con una frivolidad implacable, se condena a una hija por los extravíos de una madre. Más repulsión sentimos ante la representación de la virtud que Pereda nos presenta (la ciega doña Ramona) que ante los perdularios de la sociedad aristocrática. No; el cristianismo, que ha sublimado el tipo magnífico de la Magdalena, no puede admitir este concepto terrible y cruel de la virtud. Y cerramos el libro sintiendo una honda impresión de tristeza, de rebeldía y de desconsuelo. Ni la vida ni el arte son como nos los presenta el autor.

No es el arte como nos lo presenta el autor. No es el diálogo largo, profuso, interminable, de una prolijidad extremada. No es la acumulación de detalles innecesarios. No es la infidelidad en la observación de una determinada realidad (la aristocrática y la del mundo político, en *La Montálvez*). Pero Pereda ha escrito novelas en que se pinta un medio más íntimo y conocido del autor. Pasemos del mundo político y aristocrático al rústico y marino. En cuanto a los procedimientos técnicos, un autor no puede cambiar; el estilo, la manera, serán iguales en un campo o en otro. No cambia la estética, el procedimiento de Pereda, al pasar de la ciudad al campo o al mar. La forma de los diálogos es la misma; es idéntica la tendencia en la descripción. Sólo que ahora—en el campo y en el mar—, con la misma retórica, describe cosas que conoce mejor. Como *La Montálvez* es el tipo, en Pereda, de la novela ciudadana, lo es *Sotileza* de la novela agreste y marina. Acaso *Sotileza* sea la mejor novela de Pereda. El novelista se encuentra en su elemento natural. Digamos de pasada, sin dar importancia al asunto, que en *Sotileza* el retrato del padre Apolinar, fraile exclaustrado, tan bondadoso, tan simpático, es una reminiscencia del padre Nolasco, pintado en *¡Pobre Dolores!* (1852) por Fernán Caballero, y que la famosa escena del encierro de Andrés en casa de Sotileza (capítulo XXIII) es también una sugestión de una escena análoga en la citada novela de la autora de *La gaviota*. Y hemos de abordar el problema de las descripciones en Pereda. ¿Cómo ha pintado Pereda el campo y el mar? ¿Es realmente un pintor original y fuerte de la Naturaleza? Abramos *El sabor de la tierruca*. Hay en esta novela grandes cuadros descriptivos. El primer capítulo es todo él la pintura de un vasto panorama agreste. La descripción es admirable; ante nuestros ojos aparece la vasta campiña que el autor pinta. Pero nótese un detalle curioso: salvo el principio, cuando el autor no ha comenzado todavía la gran pintura; salvo el principio, en que encontramos las «manchas *azuladas*», en todo el resto del vasto—y verdaderamente magnífico—panorama que el autor nos describe, no hay ni una sola nota de color. El autor es un maravilloso dibujante, que no emplea los colores. Más adelante—capítulo XVIII—se ofrece a Pereda otra ocasión de ejercitar sus pinceles: se trata de la descripción de un mercado. Imaginad el cuadro: todos los colores—rojo, azul, blanco, verde, violeta—de frutas y de lienzos y paños, bajo el vívido sol. Y tampoco en esta descripción magnífica existe ni una sola nota de color.

Pereda es un soberbio, fuerte, poderoso dibujante de luz y sombras, a lo Rembrandt. Esta parte de la obra del gran novelista es la que se salvará de entre todo el resto. ¡Qué adorable la historia y la fisiología del patache, las pequeñas y frágiles embarcaciones, en *Sotileza*! ¡No sabemos, en nuestra literatura moderna ni en la antigua, de nada superior a la formidable pintura de una galerna, en la misma novela! Al furor enorme de los elementos mézclase en estas páginas únicas la trágica angustia del espíritu humano aniquilado y zozobrante. Y en el mismo libro, sus figuras insuperables, la citada del padre Apolinar y la del noble y generoso Michelín...

Pereda era un hombre afable, delicado, íntimamente bueno. Amaba apasionadamente su arte. La misma obsesión contra la crítica, que él descubre a cada momento — temor, indignación, desdén —, es la preocupación de un niño. Pereda era en realidad un niño. Le conocimos en 1903, en su hermosa casa de Polanco. Nos dijo que desde que comenzaba a escribir una novela hasta que la terminaba, vivía nervioso, obsesionado, atormentado por la idea que llevaba en el cerebro. Sus palabras—en aquel paisaje de una belleza romántica, melancólica—tenían una tristeza profunda. «Yo—nos decía—estoy ya casi fuera del mundo: me queda poca vida.» Unos meses después moría. Y de aquella visita, y de la lectura de sus obras, nos queda la impresión honda, definitiva, de un gran caballero, bueno y afable, que amó fuertemente a su tierra y que ha dejado, con rasguños recios, inmortales, tipos, escenas y paisajes del terruño nativo y del mar que contemplaron tantas veces sus ojos.

1922.

ROSALIA DE CASTRO

En tanto que aquí, en la gran ciudad, los poetas lanzaban versos rotundos, enfáticos, declamatorios; en tanto que aquí, entre la sociedad literaria, todo era artificio, estrépito de lisonjas mutuas, tráfago de vanidades — superficialidad brillante, frivolidad—, allá en un rincón de Galicia, lejos de este estruendo, apartada remotamente de este bullir mundano, había una mujer que iba, en silencio, componiendo unas poesías, delicadas, suaves, íntimas, henchidas de emoción. Nadie conocía en Madrid a este poeta; nadie ha comenzado a estimarle hasta muchos años después. Un obstinado y estúpido silencio ha sido guardado en torno a este poeta; su nombre ha sido ignorado por críticos, académicos eruditos, catedráticos de literatura, formadores de antologías. Este silencio era necesario al prestigio del poeta; quien vivió y escribió como vivió y escribió Rosalía de Castro no podía ser proclamado poeta súbitamente por la gente frívola y mundana; era preciso que poco a poco, con lentitud, con suavidad, de una manera íntima y recatada, su poesía fuera gustada por lectores amigos del lirismo original y delicado; era preciso que en la aceptación y exaltación de este poeta—dentro de una esfera reducida—hubiera como una protesta y una rebelión contra los versificadores que, no teniendo estro ni emoción, lo fueron todo en su patria, metidos en el estrépito de la corte, mientras que Rosalía, que no era nada en su tiempo ni en su país, llevaba en su corazón—perennemente—la ternura y la emotividad de un excelso poeta.

Cuando hoy contemplamos el retrato de Rosalía—los que no la hemos conocido—, nos figuramos una mujer sensitiva y melancólica. Tiene el poeta unos ojos expresivos; su boca es grande; unos rizos caen sobre la frente, y en el gesto, en la inclinación de la cabeza, en la mirada, en las comisuras de la boca, flota un ambiente de resignación, de tristeza, de anhelo insatisfecho. «Mas yo prosigo soñando—ha escrito el poeta—, pobre, incurable, sonámbula, con la eterna primavera de la vida que se apaga.» La melancolía del poeta se filtra por toda su obra, pero la tristeza de Rosalía no es una tristeza hosca, desesperada, agresiva; es un sentimiento dulce, suave, de resignación y conformidad con el espectáculo del mundo. En la Naturaleza, en la contemplación del paisaje, se conforta y reposa el espíritu de Rosalía. Ama el poeta—profundamente—el mar, los robledales, los ríos claros y sosegados de su tierra, los altos y negros picachos que de la apacible verdura de la fronda surgen hasta el azul y recogen—para desgarrarlas—las neblinas que pasan... Antes de morir quiso pasear su mirada por la inmensidad del mar y se hizo llevar hasta sus orillas. Estas olas que iban y venían—incesantemente—representaban la perpetua agitación de su espíritu, y esta remotísima lejanía azul, blanca, gris, era como el Infinito por que ella, a lo largo de sus versos, había suspirado. «Quería ver el mar antes de morir—escribe su fiel compañero Murguía—; el mar, que había sido siempre, en la Naturaleza, su amor predilecto.»

*

Rosalía, en su poema *Margarita,* ha expresado un hondo sentimiento de humanidad y de cordialidad. Al comenzar la lectura del poema, caminamos por una región de simbolismo y de realismo; no acertamos a distinguir lo cotidiano de lo fantástico. Unos canes aúllan clamorosamente y van «a despertar a la implacable fiera que duerme en su guarida». Surgen, de los limbos de lo ignorado, pasiones, tentaciones, «malos pensamientos». Principia a dibujarse la figura de una mujer. Una lámpara deja caer su luz en la noche; bajo la lámpara destaca la cabeza de un anciano dormido. Margarita contempla en silencio al anciano; un estremecimiento sacude los nervios de esta mujer. ¿Qué pasa en su espíritu? ¿Qué perspectiva es la que en estos instantes supremos se abre ante ella? En este minuto, en la noche callada, bajo la luz de la lámpara, en el sosiego de la estancia, su porvenir va a decidirse; toda su vida, todas sus energías, todos sus sentimientos, todas sus ideas, van a encauzarse y polarizarse en dirección distinta. Nada turba el sosiego de este momento único y angustioso. ¿Siguen aullando, a lo lejos, en la foscura de la noche, los perros? En nuestra vida hay instantes como éste, en que todo nuestro ser—mientras nuestro semblante está impasible—hace crisis y se cambia en una honda y perdurable transformación. Y el tictac de un reloj, o el anobio que taladra la madera en una silenciosa estancia, ponen, como contraste, su ruidito imperceptible al lado de nuestros espirituales fragores.

El anciano duerme bajo la lámpara, y Margarita abandona la casa. Fulgen en lo alto, misteriosas, las estrellas. Comienza a apuntar un vago resplandor por Oriente; el día nace. «El día soñoliento asoma por las lejanas alturas.»

*

Ha pasado mucho tiempo; los años han transcurrido inexorablemente. El anciano murió; Margarita anduvo rodando entre las asperezas de la vida. Ya no había en ella ni una partícula de la antigua personalidad; Margarita era otra. ¿Cómo pudo llegar hasta donde está ahora y ser lo que ahora es? Desde aquella noche en que, a la luz de la lámpara, en el profundo silencio, contemplaba ella al anciano; desde aquel momento supremo en que abandonó la casa, hasta estos días del presente, ¡cuánto camino recorrido! Y al llegar a este punto de sus versos el poeta, Rosalía levanta su corazón en un arranque de delicadeza y de ternura y escribe:

> Es que en medio del vaso corrompido
> donde su sed ardiente se apagaba,
> de un amor inmortal los leves átomos,
> sin mancharse en la atmósfera flotaban.

Ante estos versos, tan nobles, tan anchamente humanos (acordaos de las tradicionales condenaciones), nuestra simpatía va, desbordante y efusiva, hacia el poeta y hacia la mujer pintada en su poema. Esta mujer pintada por el poeta es, por encima de todo, contra todo, noble, generosa, magnánima; esta mujer, antes que nada, como lo fundamental de su ser, pone la cordialidad y el amor; esta mujer, por delante de otros valores seculares, milenarios, coloca, como lo primero de todo, el valor de su corazón y de su afectividad generosa. El gran problema de todas las civilizaciones y de los tiempos modernos estriba en el concepto — ético, jurídico y estético—que se tenga de la mujer y en el concepto que la mujer tenga de sí misma. Todo el movimiento ideológico y político del siglo xx en los pueblos más adelantados va a girar en torno de la mujer; no habrá, para la marcha de la Humanidad, un problema más hondo y más trascendental que éste. Todas las tradicionales valoraciones morales y jurídicas han de ser revisadas. En la mujer, en nuestro tipo ideal de mujer, en la mujer que juzguemos más humana, más en armonía con la civilización moderna, ¿cuál es la cualidad, el rasgo distintivo que querremos ver considerado como fundamental? ¿Cómo serán en esa mujer la modalidad ética y la orientación de su sensibilidad?

> De un amor inmortal los leves átomos
> sin mancharse en la atmósfera flotaban.

Rosalía tiene una faz expresiva, luminosa, y un gesto de vaga y dulce tristeza. Ha cantado los paisajes de su tierra—tan bellos—y ha visto pasar ante su puerta, «cuando sopla el Norte duro y arde en el hogar el fuego», la caravana eterna de los labriegos que abandonan la tierra nativa y van en busca del mar para trasladarse a remotas tierras: los labriegos «flacos, desnudos y hambrientos», que dejan al poeta «opreso y triste, desconsolado cual ellos». («¡Cuánto en ti pueden padecer, oh patria! ¡Si ya tus hijos sin dolor te dejan!») Rosalía, en una rápida excursión, ha atravesado la desolada y calcinada Mancha, ha recorrido la feraz Extremadura, ha contemplado los finos y claros paisajes de Alicante, ha paseado su mirada por la huerta de Murcia. Todo eso tiene su belleza, su encanto; pero el poeta vuelve sus ojos—¡con cuánto amor!—a su querida Galicia. «A terra cuberta en tódalas estaciones de herbiñas e de frores, os montes cheyos de pinos, de robres e salgueiros, os lixeiros ventos que pasan, as fontes y os torrentes, derramándose fervedores e cristaiños, vran e inverno, xa pó-los risoños campos, xa en profundas e sombrisas hondonadas... Galicia e siempre un xardín donde se respiran aromas puros, frescura e poesía.»

Nació nuestro poeta el 21 de febrero de 1837; murió el 15 de julio de 1885. Su último suspiro fué para el ancho mar; la visión del eterno oleaje y de la lejanía infinita fué su última visión. «Cuando la vi encerrada en las cuatro tablas que a todos nos esperan—ha escrito su velado—, exclamé: —¡Descansa al fin, pobre alma atormentada; tú, que has sufrido tanto en este mundo!»

Rosalía: no has muerto; tu imagen está viva en el corazón de cuantos amamos la pura delicadeza lírica y detestamos las bambollas oficiales y las inquietudes que hacen marcharse de la patria a los buenos. Rosalía: en tu cara de bondad y de tristeza se leen, como tú has dicho en uno de tus poemas, «las inquietudes vagas, las ternuras secretas...»

1922.

LA PSICOLOGIA DE PIO CID

Hay en mi biblioteca tres autores por los que yo siento especial predilección: Angel Ganivet, Silverio Lanza, Pío Baroja. Los tres son, a mi entender, los más representativos espíritus de la España literaria novísima; los tres son profundos, inquietos, raros y complicados; los tres tienen una concepción peculiarísima del mundo y de la vida, y los tres, por sus contradicciones, por su diversidad, por sus rápidos y originales cambiantes, pueden repetir la frase profunda de Lope de Vega, citada por Nietzsche: «Yo me sucedo a mí mismo.»

Hoy quiero hablar—actualidad perdurable—de uno de estos españoles representativos: de Angel Ganivet, o, lo que es igual, de su héroe—Pío Cid—, tal como queda retratado en *Los trabajos*.

Pío Cid es una figura arrancada de una vieja estampa española. Pío Cid es alto, huesudo, fornido; su barba es larga y revuelta; sus cabellos caen, en una melena sedosa y negra, sobre los hombros. Pío Cid lleva un sombrero «de hechura algo rara»; no usa guantes; gasta «la menor cantidad posible de corbatas»; trajes nuevos, no se los compra hasta que el que lleva puesto está traspillado; si en su ropa, zapatos o sombrero sufre alguna avería, él mismo la arregla con sus manos. Pío Cid «come poco, y alimentos muy ligeros, generalmente legumbres». Y si ahora, en este punto, vosotros abrís la crónica del padre Sigüenza sobre El Escorial, veréis que Arias Montano «tenía tanta abstinencia, que al día no comía más que una sola vez, de veinticuatro en veinticuatro horas, y en esta vez no comía ni carne ni pescado, sino legumbres». Y si echáis la vista sobre la vida de Juan de Avila, compuesta por el licenciado Martín Ruiz, observaréis que aquel gran orador descuidaba tanto el mantenimiento del cuerpo, que subía al púlpito extenuado, titubeante, con el pecho hundido, con la voz apagada. Y si, finalmente, registráis la biografía de fray Luis de Granada escrita por Muñoz, comprobaréis que el ardoroso místico comía tan menguadamente como Avila y como Montano, y vestía «una camisa de estameña gruesa» y unos «hábitos remendados».

Y no abráis más historias ni más infolios; todos los grandes españoles que han laborado nuestra historia espiritual son de esta suerte. Pío Cid sigue la tradición gloriosa; yo creo que es el último español fuerte y castizo. Ya habéis visto su apariencia exterior; ahora quiero mostraros su íntima contextura. Ante todo, Pío Cid se ha educado en un pueblo; hay una enorme diferencia entre el que ha pasado sus primeros años en un rincón de provincias y el que ha visto transcurrir su infancia en una gran ciudad, en que nuestro carácter se va plasmando y disgregando en las cosas, las personalidades y los afectos, que pasan fugazmente.

El pueblo es la soledad, la monotonía, la inacción exterior; todos los días vemos las mismas cosas, todos los días repetimos las mismas palabras. El paisaje es perdurablemente el mismo; a la tarde, vosotros recorréis, con los mismos pasos que ayer y que mañana, el mismo camino, que serpentea entre colinas yermas o se aleja, recto, interminable, por la llanura inmensa. Por la noche, en el casino solitario, permanecéis absortos, inmóviles, mientras el viento ruge fuera o un silencio profundo, sólido, envuelve la ciudad entera, que duerme. Y en este sosiego provinciano, ante las mismas caras de siempre, ante el mismo paisaje siempre, vuestro espíritu va divagando por las regiones del ensueño y vuestro *yo* se crece, se aísla, se agiganta, se desborda hasta en vuestros menores piques y obras...

Pío Cid se ha formado en un pueblo; su vida de muchacho—como él mismo confiesa—ha estado llena de «tristeza»; es pobre, sí, pero tambien es español, y él mismo dice que se ha resistido con todas sus fuerzas a «doblar la raspa»; es decir, a humillarse en fruslerías que él cree trascendentales, como el hidalgo del *Lazarillo* no se avenía a quitarse el sombrero antes que su vecino. Aquí, en el pueblo, ha tenido lugar, durante los largos días de soledad, a formarse una base considerable de cultura; pero su saber no es el saber metódico, enrigimentado, clasificado, sino más bien un «vasto y enmarañado saber» a la española, tal como sería el de Caramuel, o el del *Tostado*, o el de Victoria, o el de alguno de estos varones, que en sus *sumas* y *relectiones* hablaban de todo lo humano y lo divino. Pío Cid también sabía de todo: «a ratos parecía poeta y a ratos jurisconsulto, o músico, o filósofo, o lingüista». Pero no reparéis en esta enciclopedia de dones mundanos; lo que en él vale más es su savia interior y poderosa. Profundizad en él: veréis cómo encontráis «cierto mar de fondo debajo de la quietud y serenidad de su espíritu», veréis cómo debajo de la sobrehaz social tropezáis con «una personalidad oculta y muy diferente de la que a nuestros ojos se mostraba». Y esta personalidad, toda íntima, toda recogida, toda vigilante, es lo que en él vale y domina. Cuando los caballeros y príncipes del mundo visitaban a fray Luis de Granada en su celda de Lisboa, no veían más que el buen viejo risueño, afable y modesto; de ningún modo al espíritu poderoso y tenaz; a Pío Cid no lo conoceréis tampoco ni lo comprenderéis—que es lo más grave—si no estáis habituados a estas cosas hondas de la vida espiritual. Sobre su verdadera faz se ha puesto para el vulgo una careta de conveniencias corrientes. ¿Qué le importa a la multitud lo que nosotros somos y lo que en lo más íntimo de nuestro ser alimentamos? «¡Una máscara; venga otra máscara!», gritaba el filósofo Nietzsche, y diríase que Pío Cid ha elegido el más impenetrable e inaccesible de los disfraces. «De todos los elementos exteriores que nos rodean—dice él—, el más despreciable es la sociedad.» «Yo tengo la costumbre—dice en otra parte—de arreglar mi vida, no como la sociedad lo dispone, sino como yo quiero.» «Cuando oigo criticar a alguien—añade más lejos—, empiezo a suponer que este alguien es alguien; es decir, que es una personalidad, lo más malo que se puede ser para el vulgo anónimo.»

¿Veis ya claramente la figura de este hombre formado en el aislamiento de un pueblo, en perpetuos y desgarradores coloquios con su *yo*? Pío Cid no hará carrera ni en literatura ni en política. «Mi grandeza—dice él fieramente, como dirían o pensarían aquellos místicos que rehusaban un capelo—, mi grandeza está en no querer ser nada, pudiendo serlo todo.»

Y de este modo, todo su mundo es interno; es decir, todo el mundo es él mismo. «Me enamora sobre todo la vida del espíritu, dice él. Hace doscientos o trescientos años, Pío Cid hubiese sido un predicador incansable y ardoroso, como Juan de Avila, o hubiese escrito inflamados tratados místicos, como Granada; hoy le falta lo esencial, lo indispensable para ser una u otra cosa; es decir, le falta la fe. «Si queremos ser cristianos—decía en su *Catecismo* el arzobispo toledano Bartolomé Carranza, con palabras que son una formidable crítica de un dogma—, si queremos ser cristianos es necesario, para nuestra navegación en la mayor parte de la vida, perder este norte de la razón y navegar por la fe y reglar nuestras obras por ella, especialmente en cosas que conciernen a la religión y a sacramentos cristianos.» ¿Se puede en el siglo XX renunciar al norte de la razón tan fácil e impunemente como tal vez pudiera hacerse en el XVI? No; de ningún modo. Pío Cid no puede renunciar a la razón y, sin embargo, experimenta la necesidad de la fe. Y diréis vosotros: ¿Y cómo este hombre, que tiene toda la recia contextura de un místico, que posee su misma mentalidad, que lleva la misma vida interior, cómo este hombre vive, cómo no es devorado por su misma ansia irrealizada e irreductible?

Y yo satisfaré vuestras preguntas diciendo que cuando estas ansias de fe se sienten y no se pueden aplacar derechamente, el espíritu forcejea y desvaría, buscando sustituciones y conciliaciones más o menos eficaces y estables. Y así, reparad cómo Pío Cid habla de «la mano oculta que gobierna las cosas humanas» y cómo se yergue y se estremece ante el misterio. «Me gusta pasar—dice él con frase sugestionadora—, me gusta pasar por las cercanías de los conventos de monjas a la hora de maitines o vísperas, cuando llega a mi oído el vago rumor de las canciones, que me suenan a cosa inmutable y perenne, como los movimientos de los astros.» Y no es esto sólo: él mismo, en ocasiones, siente esta honda nostalgia de la fe, y en otras habla como si realmente la poseyera. «Brindo—exclama en un banquete—porque al amigo Orellana no le falte la fe jamás.» «¿Qué me importa—dice en otra ocasión, hablando de la batalla de la vida—, qué me importa, triunfador o derrotado, esa lucha, cuando tengo yo algo más alto adonde dirigir mis fuerzas y de donde recibir más noble premio?»

Y es innecesario expresaros las perplejidades, los anhelos, las ansias hondas y torturadoras que tal especialísima disposición mental lleva consigo aparejados. Pío Cid siente a la continua estas tormentas en el hondo mar subterráneo de su espíritu. Y, sin embargo, no se doblega. ¿Cómo os explicáis este fenómeno? ¿Cómo os explicáis el que este hombre, que tiene ansia de crecer y que lleva «un vacío inmenso en su alma», siga viviendo? Y, sin embargo, no se doblega. Acaso la fe en sí mismo le salva. «La fe en sí mismo—dice él—es el germen de todas las grandezas humanas.» Y he aquí cómo surge otra vez el hombre que se ha educado y se ha formado en la soledad, donde todos los instintos y las tendencias personalísimas se desarrollan. «¡Un hombre como Pío Cid no se doblega nunca!», exclama él. «Nosotros — añade — no conocemos más que dos orgullos: el aristocrático y el militar. El día que tengamos el orgullo intelectual podremos aspirar a algo. Yo soy, quizá, el único español que tiene ese orgullo; pero pronto nacerán centenares que lo tengan.» Y cuando hayan nacido, cuando se hayan sobrepuesto con su fuerza y con su soberbia a la turba de los políticos nefandos, entonces — dice Pío Cid—«el régimen de hoy se hundirá, sin que haya tiempo de componerlo».

Pensemos en estas nobles y vivificantes palabras; pensemos en nuestras campiñas yermas, en nuestros pueblos tristes y miserables; en nuestros labradores, atosigados por la usura y la rutina; en nuestros municipios, explotados y saqueados; en nuestros gobiernos, formados por hombres ineptos y venales; en nuestro Parlamento, atiborrado de vividores. Pensemos en esta enorme tristeza de nuestra España. Y nosotros, que la amamos con todo nuestro amor, porque hemos estudiado su Historia y estamos compenetrados con sus anhelos, trabajemos, poco o mucho, cada cual desde su esfera, modesta o prestigiosa, porque sea venida esta era de justicia que Pío Cid, o Angel Ganivet, ansiaba con ansia tan grande y generosa.

(Lectura en el Ateneo de Madrid. Publicada en Valencia, en 1905, con las de F. Navarro Ledesma, Miguel de Unamuno y C. Román Salamero.)

LA GENERACION DE 1898

Se desea que escribamos algo sobre la generación de 1898. Hace poco, Roberto Castrovido publicaba en *El País* unos briosos artículos hablando de aquellos muchachos. No es el autor de estas líneas el más indicado para esta obra; se le pudiera tachar de parcialidad; otros hombres vendrán—ya están llegando—, que hagan desapasionadamente el balance de aquel período. Pero a los jóvenes de 1898 les será permitido suministrar datos, noticias, pormenores de una época en que ellos intervinieron; esos datos podrán servir de indicaciones para estudios y exámenes escrupulosos e imparciales. Perdónese, pues, al autor de estas líneas. Que cada cual cuente lo que sepa. No sabemos quién ha dicho que todo el que relata algo de lo que a él le ha ocurrido puede contar algo interesante.

★

En 1898, Joaquín Dicenta había estrenado ya *Juan José,* y Jacinto Benavente, *Gente conocida.* Dicenta representaba para los nuevos escritores la pasión popular, el ímpetu, el lirismo romántico y libre. (¡Qué soberbiamente hacía Vico—ya un poco viejo y cansado, pero no decadente—el protagonista del drama de Dicenta!) Benavente era fino, delicado, aristocrático. Tenía para nosotros el prestigio, un poco inquietador, de la ironía. Formaba ya grupo aparte; su nombre iba unido a una idea de erudición de cosas extranjeras, de poetas ingleses, acaso de un poco de indiferencia — como en Larra — hacia nuestros valores clásicos. Dicenta se mezclaba más con nosotros; era más enérgico, más violento, más rebelde.

★

Nos reuníamos unas veces en casa de Dicenta y otras en casa de Ruiz Contreras. Recordamos un patizuelo interior de la casa de Dicenta: un patizuelo silencioso. ¿Había allí un árbol y unos claveles? ¿Dónde estaba aquella casa? Nosotros no teníamos nada; no sabíamos qué suerte iba a ser la nuestra al día siguiente. Y nuestro camarada Dicenta, que tan bondadosamente nos acogía; Dicenta, aclamado por los públicos de toda España; Dicenta, rebelde, altivo, despreciador de todo lo oficial y lo sancionado; Dicenta tenía un pequeño patio silencioso de que disponer. ¿Cuándo nosotros, bohemios, llegaríamos a gozar de este silencio para escribir bellas obras?

★

Luis Ruiz Contreras, el patriarca, el organizador de las huestes de 1898. Ruiz Contreras, un hombre que posee una copiosa biblioteca. Libros franceses, libros ingleses, libros italianos. Leedlos todos, examinadlos todos, pero no os llevéis ninguno. Nos sentamos en amplios sillones, charlamos a gritos, discutimos las obras nuevas, imprecamos—desde lejos—a los maestros.

Ruiz Contreras funda una revista: la *Revista Nueva.* Todos escribimos aquí: poetas, filósofos, críticos. Aquí está Unamuno; aquí, Rubén Darío; aquí, Baroja;

aquí, Maeztu. La revista es chiquita, ligera, traviesa, agresiva. Ha pasado el tiempo, han transcurrido muchos años. De tarde en tarde, en un baratillo de libros viejos, encontramos un número de la *Revista Nueva,* y un poco emocionados, un poco entristecidos — ¡oh tiempo!—, echamos una mirada rápida por *Nicodemo el fariseo,* de Unamuno, o por la *Patología del golfo,* de Baroja.

★

Maeztu es terrible, detonante, explosivo. Habla de Nietzsche. Tiene gestos de inaudita intrepidez. Escribe en una prosa cálida, nueva, rápida, pintoresca. La voz encantadora, atrayente, sugestionadora, de Maeztu es melódica, rotunda, insinuante, dominante. Los ojos de Maeztu, en una faz cetrina, pálida, brillan con fulguraciones geniales. Cuando Maeztu comienza a pasearse agitado, nervioso, por una estancia, frotándose nerviosamente las manos, no sabemos ni lo que va a hacer ni cómo va a concluir. ¡Y qué ímpetu tan gallardo éste de sus artículos iconoclastas!

★

—Querido Ruiz Contreras: ¿Cómo principió Baroja?

—A Baroja—dice Ruiz Contreras—lo descubrí yo. Yo hice que Baroja escribiera; sin mí, a estas horas Baroja no sería más que panadero.

Y tiene algo de razón Ruiz Contreras; tiene razón al decir que él hizo que Baroja escribiera las primeras páginas. Fué en la *Revista Nueva.*

¿Ya estaba entonces calvo Baroja? ¿Ya mostraba entonces esa arcada tan perfecta y armoniosa de su vasto cráneo? Baroja pasea, deambula, peregrina por Madrid y por toda España. He aquí un hombre que no tiene plan. «No sé lo que hacer; no tengo plan.» Definición de Baroja: «el hombre que no tiene plan». No tiene plan, pero ¡qué fertilidad de ideas! ¡Qué visión honda y original de las cosas! De esta tan perfecta y armónica bóveda craneana han salido los libros más profundos, más libres, más originales de la España contemporánea. Sencillamente, espontáneamente, con la espontaneidad con que un frutal da su fruta, Baroja va sembrando en sus novelas las ideas más innovadoras y disolventes.

★

Valle-Inclán ha publicado un libro: *Epitalamio.* Tiene para nosotros el sortilegio del estilo: un estilo refinado, elegante, ático, lleno de ensueños y de poesía, como no lo habíamos gustado jamás. Lleva unas largas melenas Valle-Inclán. Acaba de llegar de Galicia. ¿Es un gran señor? ¿Es el último de los conquistadores de América? Es, sí, un grande, un soberano señor de la prosa castellana. Ha publicado, allá en su tierra, un libro del que no se encuentran ejemplares en Madrid. Ricardo Fuente posee uno, y de cuando en cuando, como quien nos hace un exquisito regalo—y lo es en efecto—lo saca del bolsillo y, con dicción admirable, nos lee unas páginas. Valle-Inclán ha recorrido las librerías con *Epitalamio;* no ha colocado más que cuatro o seis ejemplares. Genialmente, con altivez magnífica, Valle-Inclán abre la ventana del café y lanza su librito a la calle.

★

Las influencias. Sobre la generación de 1898 han obrado diversas influencias. Ha influído Nietzsche; han influído los pensadores anarquistas; han influído el paisaje de Castilla y las viejas ciudades; ha influído la pintura. Sobre Valle-Inclán han ejercido una honda influencia las tablas de los pintores primitivos; nada más afín espiritualmente a ese arte que la concepción literaria del gran prosista. Sobre Maeztu ha pesado Nietzsche. Sobre Baroja han gravitado el panorama castellano y la visión de las ciudades muertas.

★

Silverio Lanza: enigmático, mefistofélico. Aparece y desaparece. ¿No vive en Getafe? ¿No tiene una casa llena de misteriosos aparatos eléctricos que suenan en cuanto el visitante avanza un pie? Aparece, sonríe irónicamente, desaparece. Aparece, nos entrega un libro lleno de cosas raras, desaparece. Aparece, lanza un discurso incongruente, desaparece.

★

¿Y estos tipos de extranjeros que han convivido con nosotros un momento y nos han traído una visión de Europa? Pablo Schmitz, el doctor alemán, silencioso, curioso, en el patio del Paular, en tanto que la fuente susurra, lee a Pío Baroja, con voz lenta, meliflua, un volumen de la correspondencia de Nietzsche. A medida que lee va traduciendo en castellano las páginas del trágico pensador. Arriba, el cielo se extiende límpido y azul.

★

¿Dónde está en la gente novísima, querido Dicenta, el grito de rebelión de aquellos mozos de antaño? ¿Dónde están aquel ímpetu, aquel ardor, aquel gesto de independencia y fiereza? Ahora, ¿qué es lo que hacéis, jóvenes del día? ¿Tenéis la rebelión de 1898, el desdén hacia lo caduco que tenían aquellos mozos, la indignación hacia lo oficial que aquellos muchachos sentían?

Otra generación ha llegado. Hay en estos jóvenes más método, más sistema, una mayor preocupación científica. Son los que este núcleo forman: críticos, historiadores, filólogos, eruditos, profesores. Saben más que nosotros. ¿Tienen nuestra espontaneidad? Dejémosles paso. Digamos de ellos, nosotros, ya un poco viejos, lo que Montaigne decía de los mozos de su tiempo: «*Ils ont la force et la raison pour eux; faisons leur place.*»

1914.

LA ANCIANA Y LAS ESTRELLITAS

La estancia es chiquita. Tiene la estancia un balconcito angosto. Uno de los vidrios de la ventana está roto. Los demás se hallan empañados, sucios. Un lienzo blanco cubre uno de los huecos en que no hay vidrio. El suelo de la estancia se halla cubierto de gruesa estera de esparto crudo. En la mesa se ven cuatro o seis libros. Están llenos de polvo. Por la ventanita se columbra el ramaje verde de unos árboles. Las ramas de un árbol rozan los cristales de la ventana. Pablo ha entrado en la estancia. Entra en pos de él un clérigo. Pablo entra en la estancia. Los movimientos son prestos, volubles, un poco teatrales. Entra y dirige una mirada en derredor. Con su teatralidad y ligereza —con su petulancia—, Pablo quiere oprimir y ocultar su emoción. Pero al llegar frente a la mesa, el caballero aparta un poco el sillón que se halla frente a ella y se deja caer en él pesadamente. Pone Pablo las palmas de la mano en los remates de los brazos del sillón, y luego, con un gesto ligero, echándose de bruces sobre la mesa, cambia de posición y apoya la cabeza en las dos manos. Y en esta forma, meditabundo, permanece un momento. Luego se echa hacia atrás en el sillón y exclama, dando un gran suspiro:

—¡Qué cansado estoy!

El clérigo ha estado en silencio contemplando a Pablo.

—¿Cansado del viaje?—pregunta el clérigo.

—¡Ah, querido señor cura!—torna a exclamar Pablo—. Del viaje y de todo.

Al acabar de pronunciar estas palabras, el caballero se levanta y se dirige hacia la ventana. Atisba un momento por el cristal y luego abre las maderas. Se ve por el balcón un huertecito. Crecen en su ámbito cuatro o seis granados, una pomposa higuera, dos recios y enhiestos laureles. La higuera hace llegar una de sus ramas hasta la ventana. Son los días del otoño. A lo lejos, por encima de los tejados, se columbra la espadaña de una ermita con su campanita. Pablo ha ido acariciando las hojas anchas de la higuera y ha contemplado la campanita lejana de la iglesia. La espadaña se destaca, limpia, elegante, en el azul. Tras un largo rato pasado en silencio, Pablo ha vuelto al sillón y se ha tornado a sentar.

—¡Qué cansado estoy!—ha vuelto a exclamar.

—El viaje es largo—ha tornado a decir el clérigo.

Y Pablo, lentamente, ha repetido:

—Cansado del viaje y de todo.

Las manos del caballero, distraídamente, se posaban sobre los libros de la mesa, los acariciaban. Durante un instante ha estado Pablo palpando uno de los volúmenes. El balcón estaba abierto. Se veían el verde de la higuera y el azul del cielo. Pablo ha abierto el libro que acariciaba y ha leído en la portada: *Plan de l'Eneide de Virgile*. Era un libro en francés. El caballero ha seguido leyendo y traduciendo el largo título: «Plan de la Eneida de Virgilio o exposición de la economía de este poema para facilitar su inteligencia; obra en la que se discute cuál ha sido el objeto principal del autor al componer su poema. Por M. Vicaire, profesor emérito de elocuencia y ex rector de la Universidad de París. París, 1787.» Cuando ha terminado su lectura, Pablo se ha vuelto hacia el clérigo y ha dicho:

—¿Usted sabe, señor cura, cuál fué el objeto de Virgilio al componer su *Eneida*?

El clérigo ha sonreído y ha replicado:

—¡Difícil cosa! No sabemos lo que sucede a nuestro lado, en un alma sencilla, y pretendemos conocer el secreto del gran poeta...

—¡El secreto de la *Eneida*!—ha exclamado Pablo—. ¡El secreto de las almas sencillas!

Los ojos del caballero se posaban amorosos en el verde del huertecillo y en el azul del cielo. En la estancia reinaba un grato, profundo silencio.

—Este momento, sólo este momento, al cabo de tantos años—ha dicho Pablo—, es el que yo deseaba.

Sentado ante la mesa, con el balconcito abierto, gozando del silencio, gozando del azul del cielo y de la verdura del jardincillo. Pablo retrocedía en el tiempo hasta su juventud. Y ahora, lejos de todo, perdido en un rincón de España, todo su sentido del espacio y del tiempo, de la Humanidad y de la vida, se cifraba en este minuto fugitivo, pero intenso, sagrado, en que él gozaba del silencio, de la paz y de la luz.

—¡Sólo deseaba yo este minuto!—ha vuelto a exclamar Pablo.

El clérigo sonríe y explica:

—¿No desea usted nada más?

Pablo se vuelve hacia el clérigo y añade:

—Nada más, querido señor cura.

Sus manos juegan con el volumen indicado y sus ojos leen distraídamente: «Plan de la Eneida de Virgilio.»

El clérigo torna a sonreír bondadosamente y añade:

—¿Y Modesta?

Pablo levanta la mirada del libro, contempla al clérigo y sonríe también, con s o n r i s a equívoca, sin saber por qué sonríe.

—¿Modesta?—pregunta.

—Sí, Modesta—repite el clérigo.

—No comprendo, señor cura. Habla usted de Modesta. ¿Qué Modesta es ésa?

El clérigo ha explicado el enigma al caballero. Modesta es el ama que crió a Pablo. Es ya muy viejecita; vive sola; está completamente sorda. Pero Modesta piensa en Pablo. Algunas veces, cuando el clérigo la encuentra en la iglesia acurrucadita en un banco, sola, ensimismada durante horas y horas, Modesta pronuncia el nombre de Pablo. El clérigo y la anciana, a gritos, hablan del caballero ausente.

—Modesta, Modesta... Es verdad, es

verdad—ha dicho Pablo, poniendo la cabeza entre las manos.

Y un momento después el clérigo y el caballero caminaban por las empinadas callejuelas del pueblo. Han entrado luego en una pobre casa. En la cocina, de rodillas en el suelo, casi tendida, estaba una anciana. La anciana soplaba penosamente en un hogaril. El clérigo y el caballero han permanecido un instante contemplando a la anciana. El clérigo ha puesto la mano en la espalda de la anciana y la ha llamado, dando una voz. Se ha levantado la anciana. Se halla frente al caballero. Ya le mira en silencio con sus ojuelos mortecinos. Ya parece que en su semblante se hace como una luz. Ya se lleva las manos a la frente. Ya, por fin, levanta los brazos y se los echa al cuello al caballero.

—¡Ay, Pablo!—exclama—. ¡Ay, mi Pablo!

La emoción del caballero es profunda. No puede hablar. Ha de fingir una alegría estrepitosa para que las lágrimas no salten de sus ojos. La pomposa higuera del huertecillo y la espadaña de la ermita en el cielo azul no evocaban del todo el lejano pasado. El lejano pasado está aquí, en los brazos de esta viejecita.

—¡Ay, Pablo! ¡Ay, Pablo!—exclama la anciana.

Y luego, moviendo la cabeza con ademanes de reconvención cariñosa:

—¡Quién lo había de decir! ¡Quién lo había de decir! ¡Tanto como yo te quiero!

Han pasado cuatro o seis horas. Declina la tarde. El caballero y el clérigo se hallan otra vez en la diminuta estancia. De la higuera, en el crepúsculo, se exhala un penetrante olor. La espadaña de la ermita, por encima de los tejados, va esfumándose en la noche propincua.

—Pero bien, querido señor cura—dice el caballero—; lo que yo no he comprendido es cierto tono de reconvención en las palabras de Modesta...

El clérigo, dulcemente, con bondad, ha dicho:

—Querido don Pablo, he de ser con usted franco...

Y se ha detenido un poco.

—Pero bien... ¿Qué?—ha interrogado vivamente el caballero.

—Debo ser sincero con usted—ha proseguido el clérigo—. Modesta lleva en su espíritu un profundo pesar, y usted es la causa de ese pesar.

—Me deja usted confuso, señor cura —dice Pablo.

El clérigo sonríe y añade:

—No se alarme usted. Modesta cree que el escribir novelas es un pecado terrible. Usted escribe novelas. Modesta es un alma piadosa y candorosa. En su espíritu luchan el amor hacia usted y el horror al pecado. Y eso es todo.

El caballero escuchaba asombrado.

—¡Pero eso es absurdo!—ha exclamado luego—. ¡Mis novelas son perfectamente morales!

—Es verdad—ha observado el clérigo—. Pero una novela es un libro profano, mundano. La idea tradicional sobre la novela es la idea de condenación y de reprobación. Modesta, piadosa, fervorosa, vive ahora como viviría un alma piadosa y fervorosa hace tres siglos. Y ése es su pesar: el sentimiento de ver a un ser querido extraviado en el error.

Iba llegando la noche. La estancia se hallaba casi en tinieblas. En el cielo habían comenzado a lucir las primeras estrellas. Todo estaba igual que en el pasado lejano; las cosas materiales, el ambiente, el silencio, la paz, eran los mismos. Pero del pasado, del pretérito amado, lo vivo, el espíritu, representado en el alma, en el afecto, en el corazón de esta viejecita humilde y pobre, se le escapaba. El alma de esta viejecita estaba, sí, con él, con Pablo, con el gran escritor; pero ese escritor, con toda su notoriedad, con todo su renombre, no podía disponer enteramente, completamente, del espíritu tan pobre, tan humilde, de esta anciana. El aplauso del mundo valía ahora menos que la aprobación de esta viejecita. Y esta viejecita, aun queriendo a Pablo, aun amándole efusivamente, no podía aprobar a Pablo. «¡Ay, Pablo,

Pablo!—exclamaba ella por la mañana—. ¡Quién lo había de decir... !»

—¡Pero, señor cura — dice el caballero—, yo no puedo marcharme del pueblo sin que Modesta sepa la verdad, sin dejarla convencida... !

El clérigo ha movido la cabeza con ademán de dulce gravedad.

—¡Dejarla convencida! — ha dicho—. ¡Imposible! Todos los años, cuando llega el santo de usted, esta pobre mujer, que no puede casi comer, que no dispone más que de unas pocas monedas, compra una vela y me la trae a la iglesia. «¡Por la salvación de Pablo», me dice. Y la vela luce en el altar hasta que se consume. ¡Convencer a Modesta! Es imposible. Su sordera la tiene aislada del mundo. La edad la ha incomunicado también de las cosas. No podríamos entendernos con ella; ella sólo tiene una idea, fija y tenaz, y esa idea es la del pecado que comete usted escribiendo sus libros...

Estaba ya en tinieblas densas la estancia. En lo negro de la noche titilaban luminosas y misteriosas las estrellas. Se ha escuchado el son pausado de una campana. El caballero se sentía oprimido, emocionado. Tan fatal como la rotación de los mundos en el sidéreo espacio, era la idea de esta anciana. Como no podría cambiarse el curso de las estrellitas que rutilaban en la inmensidad, no podrá cambiarse el sentimiento íntimo de esta viejecita. Y allí, a la eternidad, iría este sentir humilde y pobre—pero de tan incalculable valor para el artista—, como irían la luz de las lejanas estrellas y el movimiento incesante, perennal, de los mundos en el espacio.

★

Don Armando Palacio Valdés tiene la primacía entre los novelistas españoles contemporáneos por su emoción. Palacio Valdés, espiritual, fino, delicado, tiene emoción en sus libros. Páginas hay en la obra del novelista—*¡Solo!*, *El pájaro en la nieve*, *Polifemo*—que, por su sencillo y profundo sentido trágico, sólo tienen par en los grandes novelistas rusos. Ha llevado una vida Palacio Valdés serena, recogida, consagrada de lleno al desinteresado y puro trabajo intelectual. Y en esta vida, como en la serena de Goethe, ha habido una profunda y desgarradora angustia. Nuestro afecto, sincero y efusivo, va hacia este hombre tan ecuánime, digno, noble y espiritual. Puede ser faro de juventudes. Su prosa es sencilla y transparente.

En esa prosa sencilla está escrito su último libro: *La novela de un novelista.* Y el lector puede encontrar una síntesis del espíritu del querido maestro en el volumen de *Cuentos escogidos*, que, lindamente editado, acaba de publicarse. La pintura que Palacio Valdés hace del pueblo nativo en *La novela de un novelista* ha sugerido al autor de estas líneas la fantasía de un escritor que retorna a la tierra donde naciera.

1923.

LA BANDERA VERDE

—¿Dónde ha estado usted, señor?

—He estado—replica Baroja—en Levante.

—¡Ah, Levante!—exclama la distinguida señora.

El tren corre vertiginosamente. El coche comedor está lleno de gente. Pío Baroja se halla sentado en una mesita frente a una elegante dama.

Pío Baroja ha estado en Levante. ¡Las escalas de Levante! La frase clásica, la frase que escribían y pronunciaban nuestros abuelos, tiene una musicalidad oriental sugestionadora. Baroja viene de Levante. Ha navegado por el mar Mediterráneo, por el mar Jónico, por el mar Tirreno. Ha estado en Calabria, en Sicilia, en Chipre, en Creta. Ha visitado Malta, Trípoli, Bengasi, Alejandría. En sus peregrinaciones por los mares azules ha bordeado islitas rocosas, volcánicas, y ha pasado raudo, en un bajel velero, junto a otras henchidas de verdura. Se ha detenido a veces—caminando por tierra—junto a una cisterna de aguas profundas y claras. Desde el mar, a lo lejos, ha columbrado, por encima de los arenales amarillentos, dorados, los cubos blancos, nítidos, de las casas morunas. En su retina trae, indeleble, la mancha verde de una bandera—la bandera del mundo oriental—, flotando sobre el azul del mar, en el azul del cielo. Y al lado de esta mancha verde guarda, como sensación suprema, el recuerdo de unas horas de paz, de sosiego profundo, de silencio, pasadas en un patio de mármol blanco, rodeado de alta galería, con enrejados que dejaban traslucir blancas e inmóviles siluetas.

— ¡Ah, Levante! — ha exclamado la dama.

Y en seguida, tras una breve pausa, ha añadido:

—¿Es usted acaso mercadante, señor?

Baroja ha sonreído.

—¡Oh, no!—ha replicado—. Nada de mercadante.

—¿Acaso ingeniero de puentes y calzadas?

Baroja ha vuelto a sonreír.

—Escritor—ha replicado.

La elegante dama tenía en la mano una taza de café; se disponía a sorber el negro licor. Ha dejado la taza otra vez en la mesa, ha mirado fijamente a Baroja y ha dicho:

—¿Escritor? ¿Escritor? ¿Poeta? ¿Novelista?

—Novelista—ha replicado Baroja—. Novelista aficionado a los viajes; novelista ambulante.

—¡Oh, novelista ambulante! ¡Qué cosa! ¡Qué bizarrería!

Y en seguida, para corregir la severidad de su juicio, ha añadido:

—Perdón, señor; soy, por adelantado, una admiradora de su talento.

La dama tenía en la silla de al lado un magnífico manto de pieles. En el pecho de la señora rutilaba un prendedero de rica pedrería. Uno de los dedos de la dama mostraba una gruesa y fina perla. Baroja ha sonreído de la cortesía que se le acaba de hacer.

—¿Por adelantado?—ha dicho—. Es usted galante... e intrépida.

—Intrépida, ¿por qué?—ha preguntado la dama.

—Sencillamente porque usted—ha añadido Baroja—no conoce la clase de mi literatura.

—¡Ah! Pero un hombre que viaja por Levante no es un hombre vulgar. Los mares clásicos, las mares de las antiguas civilizaciones...

La elegante señora—a imitación de los oradores parlamentarios—ha interrumpido la frase para beber un sorbo de café. Luego no la ha reanudado...

—¿Es usted realista, idealista, romántico?—ha preguntado tras breve pausa.

—Un poco romántico—ha contestado Baroja—. ¿Quién no es romántico? Todo el mundo es un poco romántico...

—¡Ah, de claro de luna! ¿Me mandará usted su novela próxima? Yo voy a Praga; después estaré en Londres; más tarde iré a Nueva York; a fin de año estaré en Tánger.

Pío Baroja estaba un poco anonadado. La señora ha registrado en un bolso y ha sacado una tarjeta.

—Esta es mi tarjeta—ha dicho—. Acuérdese de su promesa.

Baroja ha leído en la tarjeta: «Demetria, duquesa de S...» El comedor había quedado vacío. La señora se ha levantado y ha salido rápidamente.

Un año después, Baroja deja su casa de Iztea, en Vera del Bidasoa. La casa de Iztea es ancha, vieja, noble. Los pisos son de gruesas tablas lucientes. Baroja tiene una copiosa biblioteca. Los volúmenes se hallan colocados cuidadosamente en estantes bajitos y largos. Por las ventanas de la ancha y limpia estancia se ven la campiña verde, los montes azules, un camino blanco, que sube hasta un terrero y desaparece.

Baroja, un poco cansado de la soledad, deja su casa de Vera y se marcha a Madrid. En la soledad del pueblo, del campo, ha escrito su nueva novela *El laberinto de las sirenas*. Uno de los primeros ejemplares ha salido para Venecia con esta dirección: «Excelentísima señora duquesa de S...» Hace tres meses que el libro se ha publicado. En San Sebastián entra el novelista en el sudexpreso de París-Madrid.

—¡Perdón!—exclama Baroja en el pasillo del coche-cama, después de haber tropezado involuntariamente con una viajera.

La viajera va envuelta en una amplia y rica capa de pieles.

Al volverse hacia Baroja exclama también esta señora:

—¡Ah, el señor Baroja! ¡Qué cosa!

—¡Oh señora!—grita también Baroja.

—¡Qué felicidad!—dice la dama.

—¡Qué agradable encuentro!—replica el novelista.

Se entabla amable conversación entre Baroja y la duquesa.

—¿Recibió usted mi novela, querida señora?—pregunta Baroja.

—¡Oh, gracias, gracias!—repite efusivamente la duquesa.

Y después, en tanto que Baroja la mira en silencio:

—Bella, bella, mucho bella, querido señor Baroja. Pero...

Baroja ríe.

—Pero... ¿no le ha gustado a usted?

—¡Oh, no diga eso!—grita la elegante dama—. No; pero... ¿cómo lo diré? Permítame usted, querido señor. ¿Cómo he de decir yo?

Baroja sigue riendo.

—Diga usted lo que quiera, duquesa; sea usted completamente sincera.

—No, no; no quiero decir nada desplaciente para usted, señor. Pero hay una escena en su libro terrible, terrible...

—¿Terrible, querida señora?—pregunta Baroja.

—¡Ah, sí, muy terrible! La escena de ese amante que asesina a su bella amada. ¡Oh, terrible, querido señor; verdaderamente terrible!

Baroja ríe a carcajadas.

—¡Oh, no!—exclama—. Querida duquesa, la vida es la vida.

—Verdaderamente, sí—corrobora la duquesa—. La vida es la vida.

El tren camina en la noche rápidamente. Pío Baroja no ha puesto en su novela ninguna escena de amante que asesina a su amada.

«Las duquesas—piensa el novelista—no tienen el deber de leer novelas. Son discretas y bellas, las que lo son, y con esto basta.»

★

Las duquesas, querido Baroja, no suelen leer los libros de los literatos. Pero son corteses y dicen—a veces—que los leen. No hace falta tampoco que las duquesas lean *El laberinto de las sirenas*. En las páginas preliminares de esa novela de Baroja, el autor cuenta su encuentro con la referida duquesa y la promesa que Baroja le hiciera de enviarle su libro. Yo he imaginado la segunda parte de la aventura.

¡Las escalas de Levante! ¡Qué bella, sugeridora y musical frase ésta de nuestros abuelos! Pío Baroja ha recorrido esa escala oriental. Y luego ha escrito *El laberinto de las sirenas*. La obra de Baroja es un libro perfectamente equilibrado. La acción, el paisaje, los caracteres, se hallan en armónicas proporciones en esas páginas de Baroja. La novela es, ante todo, interés. El arte debe ser para todos...

Espíritu verdaderamente libre el de Baroja—y, por tanto, aristocrático—, el novelista está por encima de las modas y usos fugitivos de la estética y de la filosofía. La verdadera moda se dictó, hace muchos siglos, en Grecia. Desde entonces —salvo el espasmo romántico—no se ha producido nada nuevo en arte. Y aun el romanticismo se halla en germen en Sófocles y en Eurípides.

Baroja sitúa parte de su novela en los mismos parajes en que Cristóbal de Virués sitúa parte de su magnífico poema *El Monserrate* y Cervantes su novela *El amante liberal*. Sicilia, Chipre, Trípoli, la Fabiana, la isla Pantelaria... Los paisajes y las marinas del libro de Baroja reverberan la viva luz de Levante. Blanco, azul, rojo y verde son los colores predominantes en estos cuadros. ¿Hace Baroja cosa distinta a la que ha hecho Cervantes? El libro de Baroja es un libro verdaderamente clásico. Un escritor moderno no puede hacer nada que no hayan hecho los escritores antiguos. En arte no hay nada nuevo. En *El laberinto de las sirenas* no hay nada que no haya en *El amante liberal*, de Cervantes. Pero si los autores antiguos han considerado el paisaje como accesorio (y muchos modernos lo consideran así también), los escritores de ahora dan al paisaje la misma importancia en la novela que al factor psicológico. Y esto es todo; la innovación—como todas las innovaciones en arte—se reduce a reforzar una nota existente ya en lo antiguo. Y no a los románticos debemos este gusto por el paisaje, sino a los investigadores del siglo XVIII, a los botánicos, geógrafos, astrónomos, matemáticos, etnógrafos, etcétera, que, al estudiar la materia, nos han hecho acercarnos a la tierra.

Calabria, Sicilia, Chipre, Creta... Baroja ha viajado durante tres o cuatro meses por el lejano Levante. Ha pasado por el estrecho de Mesina y se ha detenido más tarde en Alejandría. En el azul del cielo, sobre el azul del mar, flotaba la bandera verde del mundo oriental.

1923.

LAS FLORES DEL ROMERO

I

Las flores del romero,
niña Isabel,
hoy son flores azules,
mañana serán miel.

El barco camina raudo, sereno, por el mar ancho. El cielo está azul y la inmensa llanura líquida es azul. En la cubierta, cómodamente sentados, charlan un caballero, una dama y una niña. La niña dice:

—¿Tardaremos mucho en estar en Sevilla, papá?

El caballero está casi tendido en su largo asiento. De rato en rato lanza una bocanada de humo. Se ven en el firmamento unas nubes blancas. El caballero responde:

—Dentro de ocho días estaremos en Sevilla.

La dama suspira al oír estas palabras. Sus ojos son negros. Su negro pelo encuadra una cara de tez morena. La niña vuelve a preguntar:

—Mamá, ¿hace veinte años que tú no has visto Sevilla?

La dama sonríe con una sonrisa de bondad y de tristeza.

—Veinte años hace, Carmencita, que no he estado en Sevilla—responde la dama—. Salí de Sevilla cuando era niña.

—¿Y por qué saliste de Sevilla, mamá?—torna la niña a interrogar.

El barco camina raudo y sereno. La proa va cortando gallardamente el ancho mar. A veces, de las redondas y anchas chimeneas, sale un humo negro que va quedando atrás, en la lejanía, y va manchando el azul del cielo. La dama se ha detenido un instante; luego dice:

—¿No lo sabes ya, Carmencita? Toda la familia, los abuelos, los padres, vivíamos en el huerto. Hubo un año malo; el siguiente año también cayó un pedrisco y hubo una gran sequía. Luego, al tercero, se presentó en Sevilla una epidemia. Murieron muchos de la familia. Tuvimos que emigrar. Vendimos el huerto.

La niña interrumpe:

—¿Era bonito el Huerto de las Campanillas, mamá?

La dama torna a sonreír con bondad y tristeza. Sus dientes son finos y blancos; resaltan en lo bermejo de los labios. La dama dice:

—¡Oh, el Huerto de las Campanillas! La casa estaba en medio del huerto. Las paredes eran blancas (blancas como las campanillas blancas); el zócalo era azul (azul como las campanillas azules). Nos levantábamos...

Vivamente interrumpe la niña:

—Sí, sí; os levantabais antes de amanecer para cortar las flores.

La dama prosigue:

—Nos levantábamos antes de amanecer para cortar las flores. En la oscuridad se veían las flores blancas. Cortábamos primero las flores blancas. Poco a poco iba amaneciendo. Las demás flores destacaban entonces en el resplandor vago de la aurora. Parecía que de la nada iban surgiendo al mundo. ¡Y allí estaban las rosas, los claveles, los heliotropos!

La niña palmotea alegremente, y exclama:

—¡Qué bonito, mamá!

Y luego de estar un momento pensativa, pregunta:

—¿Iremos a h o r a de madrugada al huerto?

Las nubes blancas pasan por el cielo. El barco camina sereno y raudo. Lanzan un humo negro las chimeneas. Lanza de cuando en cuando una bocanada de humo a lo alto el caballero tendido en el largo asiento.

La niña, tras un momento de silencio, exclama:

—¡Pero el huerto no es nuestro, mamá!

La dama sonríe tristemente, suspira y dice:

—Es verdad: el Huerto de las Campanillas no es nuestro.

—¿Teníais allí muchas rosas?—pregunta la niña.

—Muchas, muchas rosas—contesta la dama.

—¿Y claveles? ¿Había muchos claveles?

—Muchos, muchos claveles.

—¿Y jazmines? ¿Daban mucho olor los jazmines?

—Muchos, muchos jazmines. Los jazmines, al anochecer, llenaban de suave olor el huerto.

Ha habido un momento de silencio. El barco camina sereno y raudo. Su proa va tajando gallarda el inmenso mar.

La niña ha tornado a exclamar:

—¡Pero el huerto no es nuestro, mamá!

La dama ha vuelto a suspirar. Por su imaginación pasaba el cuadro de sú infancia transcurrido en el huerto. Ahora, al cabo de veinte años, iba a ver ese pedazo de florida tierra sevillana.

La niña se ha vuelto hacia el caballero y ha dicho:

—¿Compraremos el Huerto de las Campanillas, papá?

El caballero ha contestado:

—Lo compraremos.

La niña ha tornado a interrogar:

—¿Y si piden mucho dinero?

El caballero ha lanzado al aire una cocanada de humo, y ha contestado:

—Aunque pidan mucho dinero.

Y la niña otra vez:

—¿Y si han derribado la casita y han edificado un palacio?

Y el caballero:

—Aunque hayan edificado un palacio.

La niña otra vez:

—¿Y si los dueños del palacio no quieren venderlo?

El caballero ha lanzado otra bocanada de humo y ha sonreído. La dama se ha inclinado hacia él y le ha dado un beso en la frente. La dama se veía otra vez en su antiguo huerto. Su mirada se pierde en la lejanía. Diríase que sus ojos ya ven España. Y el barco camina raudo, sereno, rápido.

II

Las flores del romero,
niña Isabel,
hoy son flores azules,
mañana serán miel.

El caballero, la dama y la niña han llegado a Sevilla. Han llegado por la noche y se han acomodado en el hotel. El caballero no ha estado nunca en Sevilla. La niña se siente regocijada por haber llegado a Sevilla. La dama calla, profundamente conmovida. Se han acomodado todos en el hotel. A la mañana siguiente, antes de que raye la aurora, han de ir a visitar el Huerto de las Campanillas.

¡Qué lentamente pasa el tiempo! Los minutos parecen siglos. La dama no quiere dejar ver su impaciencia; pero está un poco nerviosa. Se le caen a veces las cosas de las manos; tiembla ligeramente otras cuando va a hacer algo. ¿Ha dormido durante la noche? Poco, muy poco ha dormido. Piensa en cosas lejanas; se ve, niña, en el huerto. Evoca las madrugadas en que ella se levantaba para cortar las flores. Las blancas destacaban en la noche. Cuando apuntaba vagamente la aurora, las rosas encendidas iban surgiendo de la penumbra.

No duerme, no, la dama. Se revuelve inquieta en el lecho. El huerto va a ser suyo. El hombre noble y digno a quien unió su suerte va a hacerle este regalo. La fortuna de este hombre—español nuevo de tierras nuevas—es tan grande como su corazón. El Huerto de las Campanillas va a ser otra vez de la dama. No duerme la dama tranquila. A cada momento levanta la cabeza de la almohada y mira hacia las maderas del balcón. ¡Qué emoción tan profunda cuando, en la noche todavía, vayan caminando por las calles desiertas hacia el huerto! El reloj suena ruidosamente en la estancia. ¿Son ya las cuatro? Impaciente, nerviosa, a las tres y media la dama se levanta y llama al caballero y a la niña.

Y allá se van los tres, antes de que amanezca, hacia el Huerto de las Campanillas.

III

Las flores del romero,
niña Isabel,
hoy son flores azules,
mañana serán miel.

El barco camina, raudo, sereno, hacia América. Ya han quedado lejos las costas de España. Por el cielo azul pasan unas nubes blancas. El humo negro de las chimeneas va emborronando la inmensa bóveda de añil. La dama, el caballero y la niña charlan sobre cubierta.

¿Volveremos pronto a Sevilla, mamá?—pregunta la niña.

La dama está triste. El caballero, tendido en el largo asiento, contempla el cielo y lanza de cuando en cuando una bocanada de humo.

La niña, después de un largo silencio, exclama:

—¡Qué tristeza, mamá! ¿Verdad?

La dama no responde. Y la niña, cariñosamente:

—¡Mamá, no estés triste!

La dama no replica, y le da un beso a la niña. Y la niña, como siguiendo con palabras una ilación interior:

—¡Qué tristeza, mamá! Yo iba a tu lado y te veía cómo temblabas. Aunque era de noche, veía que estabas pálida. Yo estaba alegre porque iba a conocer el huerto donde tú naciste... Cuando salimos a las afueras, y no encontrábamos el huerto, tú no sabías lo que te sucedía...

La niña se detiene y se vuelve hacia el caballero.

—Papá—le dice—, ¿tú has sentido tanto como mamá el que no hubiera huerto?

El caballero se yergue ligeramente en su asiento. No quiere recrudecer la tristeza de la dama.

—Es una ley de la vida, querida Salud —le dice a la dama, con voz tranquila y dulce—; es una ley de la vida. Donde estaba el huerto han edificado un barrio obrero. Donde estaba la rosaleda del huerto está la fábrica de hilados de Montoto, Cremades y Compañía... El tumulto de la vida y del trabajo lo invade todo, querida Salud.

Y la niña:

—Dice bien papá. El trabajo lo invade todo.

La dama ha sonreído y ha dicho:

—A ti, Carmencita, ¿no te parece mal que donde estaba la rosaleda esté la fábrica de Montoro, Cremades y Compañía?

La niña enrojece un poco. Calla, mirando hacia el lejano horizonte.

—¡El trabajo lo invade todo!—exclama el caballero.

Y la dama, después de una pausa, trayendo hacia sí a la niña cariñosamente:

—Es verdad, sí; el trabajo lo invade todo; pero cuando entramos en la fábrica y yo puse los pies en el mismo suelo en que estuvieron mis rosales, yo sentí una profunda tristeza.

Callan los tres. El barco camina sereno y raudo. La dama, tras una pausa, mirando a los ojos de la niña, con profundo cariño maternal, con una bondadosa ironía:

—¡Ah! ¡Y qué rudo que era aquel joven que nos enseñó la fábrica! ¿No es verdad?

La niña ha bajado los ojos.

¡Días de Sevilla! ¡Lejana España! El corazón de la niña queda en Sevilla. Camina raudo y veloz el barco, pero algo queda en España que no se puede llevar a América. Cuando la niña está sola en su camarote abre una cajita perfumada y comienza a leer unas cartas: «Adorada Carmencita...»

Las flores del romero,
niña Isabel,
hoy son flores azules,
mañana serán miel.

★

Perdónenme los h e r m a n o s Alvarez Quintero el epílogo—arbitrario—que he puesto a su bellísima comedia *Las flores*. Los Qintero están publicando su *Teatro completo*. Un lector de Marivaux y de Musset puede ver que las obras más cortas de los Quintero entran en la categoría ideal de las más breves obras de Musset y de Marivaux. Los Quintero son, ante todo, psicólogos y moralistas. Una modalidad del sentimiento, una observación profunda e ingeniosa del carácter humano, un contraste entre el estado espiritual del hombre y el ambiente que le rodea: tales son, en abstracto, genéricamente, los motivos de su teatro. *La pena,* primoroso y hondo drama, en un acto, puede ser el modelo del teatro breve de los Quintero. El espíritu sobre las cosas es lo que más muestran los dos dramaturgos. Sin perjuicio de pintar las cosas (ambiente, costumbres, interiores) con pincel coloreado, fino y preciso.

Lo patético domina en esta extensa y variada producción teatral. Cuando íbamos leyendo, releyendo, todas estas obras de los Quintero, íbamos experimentando la sensación de sentirnos envueltos en la atmósfera moral que rodea el poema clásico de Jorge Manrique. Cosas, personajes, escenas, pasaban raudamente, alegres, tristes, cordiales, cómicas, en confusión pintoresca, dejando en el ánimo un dejo profundo de melancolía y de angustia. La realidad era lo mismo que este teatro. El mundo, como este teatro, trágico y cordial, se desvanecía en la corriente de los siglos. En el horizonte de la ilusión aparecen y desaparecen hombres y mujeres que nos entretienen un momento, que nos cautivan y que se van, dejándonos sumidos en la angustia. Con ellos se van también nuestras ilusiones y nuestra juventud.

¡Melancólico y sutilísimo teatro el de los Quintero! ¿Es todo este mundo una ficción artística? ¿Lo hemos vivido realmente nosotros? Cuando nos despedimos de estas páginas, cuando cerramos el libro o salimos del teatro, no sabemos si hemos soñado o vivido. Un hombre—desde las regiones de la ilusión—tiene para nosotros un ademán de cordialidad y de ironía; una mujer, en un huerto lleno de flores, nos mira con sus ojos anchos y negros. Y por encima de todo flota una sensación de dulzura, de íntima cordialidad, de sutil elegancia, de sabio equilibrio, de angustia trágica.

1924.

UNA MANO DELICADA

Laura tenía quince años. Todo estaba dispuesto para el viaje de Madrid a Valladolid. Recogieron el largo, negro y brillante pelo de la niña, en la nuca, dentro de una redecilla. Tocáronla con un sombrero de anchas alas; el sombrero tenía una cinta de seda, que pasaba por debajo de la redonda y suave barbilla de la niña. Vistiéronle un traje verde de seda. Colocáronle sobre la faz—la faz tersa, morena, con anchos ojos negros—una mascarilla de tafetán. Y cuando ya los coches estaban en la puerta, a punto de partir, en el momento de abandonar estas estancias del viejo caserón de Madrid, la niña se colocó ante un espejo, se quitó el antifaz, se miró un instante en silencio—entre las dueñas, entre las doncellas de la casa, entre los escuderos—, e hizo, sonriendo, una graciosa reverencia.

El día está claro. Diáfano, sutil es el aire. La caravana de coches y cabalgaduras va caminando lentamente. La ciudad queda poco a poco detrás, allá lejos. La caravana asciende por los cotarros del Guadarrama. Ya Madrid apenas se divisa en la lejanía. El aire es delgadísimo. Y un profundo silencio reina en la montaña. Un pajarito ha saltado de un arbusto que se yergue al borde del camino. En lo alto de la montaña la niña ha hecho detener su coche, se ha apeado y se ha vuelto, en silencio, hacia la ciudad lejana. No podía verse la faz de la niña. ¿Cuál ha sido la expresión de su rostro? Las anchas alas del sombrero formaban una sombra sobre el antifaz. En pie, silenciosa, con su ahuecado traje verde, con la cinta de seda que oprime suavemente la barbilla, la niña ha permanecido un instante de cara a la ciudad. A la ciudad que apenas se columbra, allá a lo lejos, perdida en una tenue neblina.

*

Han pasado dos años. La casa es ancha, grande. Forma esquina; la fachada principal da a una espaciosa plaza; la otra fachada da a una angosta callejuela. Y dentro de la casa se muestra un bello jardín. En el jardín crecen rosales y laureles. Un ciprés eleva su aguda cima hasta el azul del cielo. Está Laura sentada en el jardín; tiene sentada en las rodillas, cogida amorosamente entre sus brazos, una niña. La casa está servida por muchedumbre de servidores. Las estancias son grandes, suntuosas. Se ven en los salones bufetillos de ébano, escritorios de maderas ricas embutidas de nácar y marfil, pesados braseros de plata. Sirven en la casa Marcos de Obregón, escudero—ya anciano, de hablar sonoro y reposado—; Farfán, Batín, Rodríguez. Hay un diminuto enano que se llama Limón. Matico es el albardán; Felipe, Cantueso y Rato son mozos de mulas que han sido traídos de la aldea. Las mujeres que sirven a Laura son Celia, Belisa, Rosela. Dominga Gil es una dueña sabidora de todos los modos de curar. Otra dueña más solemne y redicha que Urganda no se ha conocido jamás. Y hay muchos más servidores—hombres y mujeres—en el palacio. Todos van y vienen por los corredores y llenan las estancias. En el tinelo, a la hora de comer, mueven una estrepitosa algazara. Detrás de las puertas, cuando callandito vamos a abrirlas, encontramos una dueña, con sus tocas reverendas, que echa a correr por el pasillo al verse sorprendida.

Laura, la niña, está en el jardín. Y en

su regazo tiene una niñita de pelo negro y ojos negros. Allá en lo alto, en una ventanita del postrer piso, en el hueco angosto de una buhardilla, ha aparecido la cabeza blanca, venerable, de un anciano: es el escudero Marcos de Obregón. En silencio, el anciano mira hacia el patio y contempla a Laura sentada en un banco, entre los rosales, al pie del ciprés. Y de pronto, el gran balcón del piso principal se ha abierto violentamente. Han saltado rotos algunos vidrios, y los pedazos han caído con estrépito en el jardín. Se han oído vociferaciones furiosas. Por el balcón ha salido volteando en el aire una silla, que ha ido a parar a los arbusto del huerto. De una comedia antigua se nos han quedado en la memoria estos cuatro versos, en que se pinta un carácter impetuoso:

> Si no le van a la mano,
> ayer, con cólera insana,
> echa por una ventana
> a una dueña y a un enano.

Don Gonzalo, el marido de Laura, ha aparecido en el balcón. Tiene faz roja, congestionada. Por la ropilla desabrochada, por el jubón abierto, se le ve el pecho. Respira el caballero fuertemente. Diríase que está acometido de una ardorosa sofocación. Le acompañan varios caballeros. Todos discuten a gritos. Sobre una mesa se ven frascos y copas. Exaltado, frenético, don Gonzalo es quien más vocifera. Llega un momento en que el estrépito resuena en toda la casa. La pendencia se reproduce. Todos gritan a la vez. Don Gonzalo, en el paroxismo de su furor, ciego de ira, golpea los muebles, ase de un bufetillo, da con el mueble contra el suelo. Lo lanza después por el abierto balcón. Ya los demás caballeros, ante la furia de don Gonzalo, han enmudecido. Manoteando, haciendo visajes, bramando de furor, don Gonzalo, al cabo, cae rendido en un sillón. Los caballeros acuden a socorrerle. Hay ahora un profundo silencio. Y en este instante entra Laura por la puerta de la sala. Viene con la dama el viejo escudero Marcos de Obregón. Los dos se acercan a don Gonzalo. Los demás caballeros, ante el imperio callado y suave de la dama, se retiran, respetuosos, unos pasos. Laura está al lado de don Gonzalo. El caballero, jadeante, pálido, yace desvanecido en el sillón. El viejo escudero contempla en silencio a don Gonzalo. Laura pone, con suavidad, con amor, su mano sedosa y fina sobre la frente del caballero.

★

Han pasado los años. La casa de don Gonzalo no es la misma. Pero el caballero en esta casa, ahora cuando lo vemos, tiene también abierto el jubón, desabrochada la ropilla, y parece sufrir una ardorosa congestión. En una mesita se ven copas y jarros. El caballero se hace aire con un lindo abanillo. En Zaragoza, y en 1635, fray Tomás Ramón publicó un libro titulado *Nueva premática de reformación contra los abusos de los afeites, calzado, guedejas, guardainfantes, lenguaje crítico, moños, trajes y exceso en el uso del tabaco.* Fray Tomás se indigna de que los hombres se den aire con abanillo. No puede sufrir este escándalo fray Tomás. «Ha llegado el mal a tal punto—dice—, que vemos los hombres por las calles con abanillo en la mano, haciéndose viento, como si no les sobrase el que llevan en los fuelles de sus cabezas, con que andan tan desvanecidos, hechos unas mujerillas de las que ganan el sueldo que los soldados pierden; los hombres que lo son, con la rodela habían de hacerse aire en el rostro o con el guante de mala. ¡Pero con abanillo!» Don Gonzalo está cometiendo esta abominación. Pero no es ésta la más terrible. La casa ya no es el grande palacio antiguo. Ha desaparecido casi toda la servidumbre. Ya no están aquí muchas de las doncellas, dueñas y mozos de antaño. Pero quedó, sí, fiel, leal, el buen Marcos de Obregón.

Laura está sentada en un silloncito de terciopelo rojo. Los grandes y ricos muebles de otros tiempos no están aquí. Pero don Gonzalo es el mismo. Los gritos, las vociferaciones se perciben en una estancia contigua. Suenan estrepitosos golpazos; ruedan por el suelo copas y frascos. Congestionado, frenético, don Gonzalo alterca con los demás caballeros. Y llega un momento en que por el aire voltean los muebles y en que un bufetillo sale violentamente por el balcón.

> Si no le van a la mano,
> ayer, con cólera insana,
> echa por una ventana
> a una dueña y a un enano.

Don Gonzalo, al cabo, rendido, jadeante, cae—todo palidez el rostro—en un sillón. Y en este momento la puerta de la estancia se abre, y por ella aparece Laura. Detrás de la dama viene el buen escudero. Los dos caminan en silencio, gravemente. Los caballeros, respetuosos, se retiran un poco al verlos. Y Laura, cariñosamente, pone su mano fina y suave en la frente fría y amarilla del caballero.

★

En Madrid, y en 1636, Alonso Carranza publicó su *Discurso contra malos trajes y adornos lascivos.* El buen Carranza fulmina su ira contra toda clase de escándalos en el atavío y adorno de la persona. Y una de las cosas que dice es que en el planchado de enaguas y briales se gasta mucho almidón y que el trigo que se emplea en hacer ese almidón pudiera alimentar a muchos necesitados. «Alléguese a esto el sumo e intolerable gasto de almidón—dice Carranza—que estas pompas y anchuras tienen en su manifatura y beneficio.» «Pudiendo el trigo que en esto se pierde—añade—servir para el sustento de muchos necesitados.»

Laura, la esposa de don Gonzalo, ya no puede quedar incursa en estas condenaciones. De sus antiguas galas ya poco le va quedando. Su traje es sencillo y pobre. La casa es más reducida que las anteriores. Han pasado los años. Laura está sentada en una sillita de madera. A su lado está una niña de pelo negro y brillante, de ojos negros y anchos. De la estancia contigua llegan voces furiosas y golpazos de muebles. Don Gonzalo, con la ropilla desceñida, pálido, exangüe, manotea y grita violentamente. Quienes altercan con él ya no son los antiguos caballeros. Cataduras infames muestran estos interlocutores. El caballero, en un momento de furor, lanza contra la pared una silla, que se deshace en pedazos. Y luego, jadeando, rendido, cae desplomado en un asiento. En este instante la puerta se abre, y aparece Laura, seguida del leal escudero. Todos los circunstantes—rufianes y tahures—se apartan respetuosamente al ver entrar a la dama. Laura, en silencio, los ojos henchidos de lágrimas, pone su mano delicada y suave sobre la frente, helada y pálida, del caballero.

★

Y han pasado más años. ¿Dónde están los palacios de antaño? ¿Dónde los ricos muebles? ¿Dónde la muchedumbre de servidores, dueñas y doncellas de labor? Todo se ha desvanecido. Laura viste de luto. Vive en una casita miserable, en los arrabales de la ciudad. A su lado hay una hermosa joven. Tiene el mismo pelo negro de Laura, y sus ojos son también negros, como los de Laura. Las dos, en silencio, se inclinan ante sendas almohadillas. En la almohadilla se ve un sutil encaje. Y en la paz de la desnuda estancia resuena el ruidito rítmico de los macitos de boj movidos por las delicadas manos.

★

En estos días se ha publicado un libro viejo, viejísimo, y al mismo tiempo nuevo, de la más extrema novedad: el *Libro de Job;* el *Libro de Job* es una traducción primorosa, fidelísima, modelo de traducciones. Job es contemporáneo nuestro. Es de todos los tiempos y de todos los países. La traducción que se publica ahora (con un bello prólogo del jesuíta padre Sandalio Diego) la hizo, hace muchos años, don Francisco Caminero. Para su publicación, al tiempo de ser hecha, escribió Menéndez Pelayo un magistral estudio. La traducción y el estudio quedaron inéditos. Y ahora es cuando salen a luz por vez primera. Caminero, doctísimo hebraizante, era un clérigo modesto y discreto. Job es de todos los tiempos. ¿Habrá lectura más eficaz en las adversidades? Pensando en Job, hemos imaginado esa mano fina y delicada que, incansable en su bondad, se posa sobre la frente del frenético que causa la ruina y el dolor de los suyos.

1924.

LOS PRIMEROS FRUTOS

En una ancha estancia se hallan colgados en las paredes, guardados en arcaces, los aparejos y arneses de los caballos: las sillas, los bocados y frenos, las gualdrapas, los petrales, las gruperas. Todo está limpio y brillante. En otra estancia próxima, aireada, con grandes ventanas, por las que se ve el campo, se encuentran diez o doce caballos. Los hay de todos los pelajes. Este es alazán; aquél, bayo dorado; junto a él se ve un cuatralbo negro, con los cuatro pies blancos; no falta un rubicán ni dejaría de haber un overo. El palafrén de la señora—manso, noble—se halla un poco apartado de los demás. Y más allá, al final, se ve—cosa rara—una estantigua de caballo; grandote, escuálido, como melancólico y pensativo. Junto a tal alimaña, un rucio regordete cruza su cabeza bajo el cuello erguido, altísimo, del caballejo. Todos los caballos son finos y todos tienen el pelo luciente. En la caballeriza no se percibe ni el más ligero hedor. Los mozos y cocheros van y vienen, ocupados en la limpieza. Uno de los cocheros, Galván, se ha acercado al caballejo fantástico y le va pasando con amor la mano por el lomo. El caballo parece que agradece la caricia del mozo. De pronto se oye una voz que grita:

—¡Tan loco está él como el amo de ese caballo!

—¿Quién ha dicho que yo estoy loco?

Galván ha estado en Flandes; él solo asaltó un día una torre; detrás de él entraron los demás. Pedraza, otro cochero, es quien ha dicho que Galván está loco, pero no lo dice por enojar a Galván. Los mozos se han reunido en torno a Galván y Pedraza. Todos discuten a gritos. Se trata de saber si el dueño del caballejo está loco o no lo está; unos dicen que sí; otros aseveran que no. La discusión se va agriando. Se grita desaforadamente; es posible que lleguen a los golpes.

★

La estancia es el cuarto de las labranderas. Se ven por todas partes ropas blancas. Flota en el ambiente un grato olor de ropa limpia y seca. De ropa secada en el campo sobre arbustos y hierbas olorosas. De ropa guardada en los armarios entre membrillos, cidras y manzanas. Aquí, en la estancia, están Inés, Juana, Narcisa, Celia, Leonor, Beatriz. Unas van planchando los anchos cuellos blancos; otras cosen y hacen delicados e invisibles zurcidos; otras van tejiendo randas sobre las almohadillas. Y todas, en la alegría del trabajo moderado y sano, van cantando:

> Al molino del amor
> alegre la niña va
> a moler sus esperanzas.
> ¡Quiera Dios que vuelva en paz!

El coro de las voces femeniles llena toda la estancia. Y de repente, las voces callan. Ha aparecido en la puerta doña

Rodríguez. Doña Rodríguez, que viene con sus largas tocas seculares. Es vieja, y unos redondos anteojos de concha se posan sobre sus narices. Al verla, las doncellas de labor han callado. Doña Rodríguez pide el memorial de la ropa del señor, y Celia lo trae. Se disponen a hacer la cuenta de los escarpines, los pañizuelos, las camisas, los cuellos de lechuguilla. Doña Rodríguez se ha levantado los anteojos hasta la frente. Han hecho ya la cuenta, y la dueña huronea por los armarios. Entre tanto, Beatriz, traviesa, ha recortado en el papel un muñequito y se lo ha colgado a doña Rodríguez. Todas las muchachas hacen esfuerzos por no reír. Doña Rodríguez pregunta después por sus anteojos. Se le han perdido. No los encuentra. Beatriz, Leonor, Celia, Narcisa, Juana, Inés, miran, riendo casi, a la dueña. Al fin, doña Rodríguez cae en la cuenta de que sus anteojos los lleva en la frente. Y se oye una voz que dice:

—Tan loca está ella como su enamorado.

Doña Rodríguez se vuelve de pronto, enfurecida, y pregunta:

—¿Quién es mi enamorado? ¿Quién es el loco?

Y se promueve una fuerte discusión entre las doncellas. Unas opinan que el caballero de quien se trata está loco; otras le defienden con entusiasmo. Todo son gritos desaforados en la estancia. La discusión va a acabar mal. Y en esto, la señora aparece en el umbral. La señora recorre e inspecciona toda la casa. La ropa limpia le gusta a ella, en especial el verla. Sus manos finas y blancas van posándose y palpando los delicados y sutiles tejidos de hilo.

> ...Siempre he oído
> que suele echarse de ver
> el amor de la mujer
> en la ropa del marido.

Han callado las doncuellas, en tanto que la señora estaba en la estancia. Pero cuando se ha ido, la discusión ha tornado a plantearse. La estancia ha vuelto a resonar con los gritos e imprecaciones de Celia, Narcisa, Juana, Inés, Beatriz...

*

El mayordo, Laurencio, ha entrado en la contaduría, y ha dicho, dirigiéndose a Marcelo:

—Vamos a ver, Marcelo: ¿están puestas en limpio las cuentas de la mascarada de la otra noche?

Marcelo estaba inclinado sobre un bufetillo, leyendo un libro. En la contaduría se ven cuatro o seis escribientes, escribiendo con sus plumas de ave. De cuando en cuando las plumas entran en pintorescos tinteros de loza. Marcelo ha sacado de un cajón un papel y ha ido leyendo:

«Paramentos negros para el carro: veinte ducados. Trajes blancos para los disciplinantes: treinta ducados. Traje de Merlín: veinticinco ducados. Traje de Dulcinea: cuarenta ducados...»

El mayordomo, atajando la lectura, ha exclamado de pronto:

—¡Y pensar que tanto dinero se haya gastado por un loco!

Marcelo, con todo respeto, ha replicado:

—¿Cree vuesa merced que es un loco?

El mayordomo ha contestado vivamente. Los demás empleados de la oficina han dejado su trabajo. Daban también su opinión. Defendían unos al caballero; otros lo denostaban. El debate se iba tornando violento. Se oían los gritos desde el corredor. Corríase peligro de que las voces fueran preludio de los golpes.

*

Toda la servidumbre ha ido entrando, lenta y silenciosamente, en el espacioso y rico salón. Alumbran la estancia velas puestas en candeleros de plata. La servidumbre ha ido sentándose en escaños que dan la vuelta a todo el salón. El duque y la duquesa están sentados en un pequeño estrado. En el centro de la estancia hay un sillón y una mesita. Sobre la mesita se ven un velón y un libro. El capellán del palacio se ha sentado en el sillón a par de la mesita.

—*In nómine Patris, et Fílii, et Spiritus Sancti*—dice el capellán.

—*Amén*—contestan todos.

—*Benedicta sit santa et individua Trinitas, nunc et semper, et per infinita sæcula sæculorum*—torna a decir el eclesiástico.

—*Amén*—dice de nuevo el concurso.

Y comienza después el santo rosario. La voz sonora y grave del capellán va rezando lentamente. Los duques y toda la servidumbre contestan con la misma pausa y gravedad. Cuando el rosario ha terminado, el eclesiástico, dirigiéndose a los duques, dice:

—Con la venia de vuestra excelencia.

Y principia a leer en el libro que tenía en la mesita. Todas las noches, después del rosario, el capellán lee un rato en el libro que cree más oportuno, y luego hace una breve plática explicativa. El eclesiástico dice ahora:

—*Los nombres de Cristo,* capítulo *Príncipe de Paz.* «Dos cosas diferentes son las de que se hace la paz, conviene a saber: sosiego y orden. Y hácese dellas así, que no será paz si alguna dellas, cualquiera que sea, le faltare. Porque lo primero, la paz pide orden, o, por mejor decir, no es ella otra cosa sino que cada una cosa guarde y conserve su orden: que lo alto esté en su lugar y lo bajo, por la misma manera, que obedezca lo que ha de servir, y lo que es de suyo señor que sea servido y obedecido; que haga cada uno su oficio y que responda a los otros con el respeto que a cada uno se debe. Pide, lo segundo, sosiego la paz. Porque aunque muchas personas en la república, o muchas partes en el alma y en el cuerpo del hombre conserven entre sí su debido orden y se mantengan cada una en su puesto, pero si las mismas están como bullendo para desconcertarse y como forcejeando entre sí para salir de su orden, aun antes que consigan su intento y se desordenen, aquel mismo bullicio suyo y aquel movimiento que destierra la paz dellas, y el moverse o el caminar a la desorden, o siquiera el no tener en la orden estable firmeza, es, sin duda, una especie de guerra. Por manera que la orden sola, sin el reposo, no hace paz; ni al revés, el reposo y sosiego, si le falta el orden.»

El capellán ha cerrado el libro con un ademán brusco y lo ha colocado sobre la mesa, dando un fuerte golpe. Después ha dicho:

—Consideren vuestras excelencias lo que acaban de escuchar. La paz ha huído de esta casa. Tenemos el orden, pero nos falta el sosiego. Y sin sosiego de los espíritus no hay paz.

Al decir esto, el eclesiástico se ponía en pie. Los duques y la servidumbre se han levantado también. La servidumbre ha ido desfilando en silencio. Cuando los duques y el capellán han quedado solos en el salón, el capellán ha hecho una reverencia y ha dicho:

—Que vuestras excelencias tengan muy buenas noches.

Y ha salido del salón con talante grave, severo. El capellán viste una sotana limpia, pero raída; sus zapatos son de cuero tosco. En el inmediato pueblo saben muchos pobres—y los duques lo saben también—por qué la sotana del eclesiástico es mísera y los zapatos humildes. El duque y la duquesa, al quedarse solos, se han mirado en silencio.

—¿Has visto?—ha preguntado el duque.

—Sí; un poco brusco—ha replicado la duquesa—. Un poco brusco, pero bueno.

—Sí; el corazón, excelente—ha respuesto el duque—. ¿Sucede algo en la casa?

—No sé—ha contestado la duquesa—. Acaso Don Quijote...

—¿Crees tú que es por lo de Don Quijote?

—La servidumbre está un poco soliviantada. Unos dicen que es loco y otros le defienden.

—Y tú, ¿le defiendes también?

—Te diré...

Y la discusión ha comenzado a propósito del sin par caballero. Poco a poco la charla ha ido animándose. Poco a poco las palabras han sido más ardientes. Media hora después, la duquesa salía del salón precipitadamente, dando un fuerte portazo.

*

Don Quijote y Sancho han dejado el palacio de los duques. Descansan ahora en el claro de un boscaje. Las avecicas cantan y una fresca fontana murmura. Ha sacado el condumio Sancho de las alforjas, y caballero y criado han yantado apaciblemente.

—Estoy cansado, rendido, Sancho amigo—decía Don Quijote—; pero tengo el ánimo tranquilo. Los días pasados en el palacio de los duques han sido los más dichosos de mi vida. He dejado allí sembrada buena semilla. Esa simiente de cordialidad y de abnegación fructificará. Yo tengo fe, Sancho bueno, en la bondad de los hombres. En el palacio de los duques, a esta misma hora, está ya seguramente dando sus frutos la doctrina inmortal de la Caballería.

Y así era la verdad, porque a la misma hora en que Don Quijote pronunciaba estas palabras, después de la comida de los duques, reunida en el tinelo, para su ágape, toda la servidumbre, se promovía uno de los más grandes escándalos que han presenciado ojos humanos. La discordia había ido envenenándose entre partidarios y enemigos de Don Quijote. La casa era un hervidero de pasiones. Y en ese día, a esa hora dicha, de los denuestos se pasó a los golpes, y volaron por los aires, con infernal estrépito, platos y cachivaches de cocina. Tal fué la grita y confusión, que acudieron los duques y acudió el capellán. Y el capellán, horrorizado, gritaba, llevándose las manos a la cabeza:

—¡Dios mío! ¡Dios mío! ¡Por un loco!

*

Aconteció que tiempo después Don Quijote murió en su aldea. Cervantes publicó la segunda parte de su historia inmortal. El duque compró cuatro o seis ejemplares del libro y los llevó a su palacio. En la casa el espíritu de Don Quijote había ido labrando en los ánimos. Las pasiones habían servido para fortificar, corroborar, la gran idea. Sin la lucha, sin el ardimiento, la idea no habría entrado en los corazones.

Andando los años, los duques, en la villa inmediata, levantaban un santo hospital en memoria de don Alonso Quijano. Muchas de las doncellas de la casa fueron enfermeras en ese hospital. Doña Rodríguez, la más ardiente de todas en su fervor, moría de una enfermedad cogida en la cura de un enfermo. Galván y Pedraza, los dos cocheros, entraron en la Orden de la Merced, como donados, y se emplearon, allá en Argel, en la redención de cautivos. Marcelo, el paje que hizo de Dulcinea, acabó heroicamente en la guerra. Su heroísmo maravilló a todos. En una Cartuja, metido en su celdita, está el buen capellán que fué del palacio de los duques. Ha llegado el buen religioso a la más alta perfección ascética. Su cara, escuálida, llena de luminosa idealidad, es tan blanca como su cándida estameña.

*

He vuelto a leer el *Quijote*. Lo he leído en una flamante edición. Se compone esta edición de cuatro tomitos manuales, editados por Calpe. El papel es alisado y la estampación clara. Y mientras leía, yo imaginaba la historia que va contada. He querido creer que ésos fueron los primeros frutos de la santa predicación de Don Quijote. ¡Y cuántos más se habrán producido a lo largo del tiempo! ¡En cuántos corazones habrá puesto la lectura del maravilloso libro un poco de idealidad, un poco de abnegación, un poco de heroísmo!

1924.

IMITACION DE LOPE

Sobre los llanos se levantan eminencias de todas las formas y de diversas alturas. Las denominaciones de estas eminencias son múltiples. Existen las sierras, los montes, las montañas, las colinas, los alcores, los terrenos. Desde todas estas eminencias nuestra vista—en mayor o menor extensión—puede espaciarse por el paisaje. Las sierras son agrias, quebradas; tienen las cimas—ya lo dice el nombre—dentelladas, en forma de herramienta de carpintero. El modelo de tales cumbres es el Monserrate de Cataluña. En las montañas hay barrancadas hondas, silenciosas; un torrente corre por lo hondo, espumajeando —con blanquísimo encaje—entre las peñas. Se ven paredes lisas, altas, a trechos rojizas; por lo alto corre un caminito, serpenteando, y los viandantes se asoman al abismo, temerosos. Y en la lontananza, entre los dos muros de piedra, se percibe un pedazo de cielo azul luminoso, vívido y espléndido.

Los montes son más modestos. Las hondas barrancadas de las sierras altísimas son en ellos amenas y apacibles cañadas. Tal vez un pobre labrador ha querido aprovechar la tierra en que el agua ha dejado un resto de humedad. Y se ven en la cañadita pradillos verdes, alcaceles tempranos, y acaso, pomposa, marcando redonda sombra en el suelo, una higuera con sus anchas y ásperas hojas. En el monte han terraplenado también algunas laderas; para sostener la tierra han levantado, con blancas e irregulares piedras, toscos ribazos. Desde lejos se ven, en lo sombrío del monte, albear los ribazos de blancas piedras. Y si es en Levante, sobre las blancas piedras se levanta—frágil y sensitivo—un almendro de tronco retorcido.

Más abajo de los montes están las colinas, recuestos, oteros y alcores. La tierra ondula suavemente en la llanura. ¿No va por la llanura—por la llanura manchega— un caballero asistido por un criado, y el caballero lleva enhiesto un lanzón, y el escudero palpa amorosamente sobre el rucio una ventruda bota de vino? Y en lo alto del otero, entre la inmensa extensión de los trigales, parados un momento, el caballero y su criado destacan limpiamente en el cielo radiante. En los oteros y alcores hay pequeñas ermitas; la piedad trae a estos lugares, una vez al año, largas filas de rezadores que se congregan en torno de la humilde fábrica. Durante el año, al pasar, podemos ver, por una rejilla de la puerta, una Virgen, allá dentro, con las manos juntas. Y en la repisa de la espadaña se divisa un montón de piedras que los muchachos han tirado a la campana.

★

¿Quién cantará las delicias del agua? El agua es multiforme. En las montañas hemos encontrado el agua en riachuelos y lagunas. Son las aguas unas recias y otras delgadas. Las aguas de las montañas son delgadas y frígidas. Y existen en el interior de las grutas—como en Manacor de Mallorca—aguas que no son aguas; aguas invisibles, aguas-fantasmas, sombras de aguas. En vuestra excursión por la caverna vais a poner el pie en un espacio de suaves arenas, y veis con profundo asombro, con estupefacción, que el hoyo que creéis vacío está lleno de agua. El agua es tan transparente, tan maravillosamente limpia, tan prodigiosamente sosegada, que ni los ojos más linces pueden advertirla. Diríase que es agua que se ha reposado en centenares de siglos. Después de haberla conmovido durante un instante, sentimos pesar por esta turbación momentánea. Quisiéramos que sin interrupción esta agua maravillosa hubiera continuado invisible, sin ser interrumpida en su quietud, hacia los siglos venideros.

El agua del caminante es la más excelsa de todas. Cuando la fatiga nos rinde, después de una larga caminata, sudorosos, nos sentamos al borde de una fuentecica que hemos descubierto en la montaña. Todavía no nos atrevemos a beber; deseamos desudarnos un poco; entre tanto, contemplamos cómo las límpidas linfas se bullen en las piedrecitas de su lecho. El caño surte de la peña y cae en el remanso. Hace un dulce son; un son de niño balbuciente, de niño amado. Y de pronto tendemos la mano, sentimos en ella la voluptuosa frescura, y vamos bebiendo como bebería un antecesor nuestro de las edades milenarias.

*

Los árboles, ¿no os dicen nada? Los encerrados en los jardines son bellos, pero más bellos son los libres. Los recios y fuertes de las grandes selvas son hermosos, pero más hermosos son esos chopos de nuestra Castilla que, solitarios, se levantan en la llanura parda y tienen una expresión y una fuerza que su misma soledad les da. Toda la melancolía de la llanura se concentra en ellos. Sus hojas tiemblotean, delicadas y finas. La llanura triste, las casas pobres del pueblecito parecen excusarse con nosotros en esos chopos. La llanura es triste, sí; las casas del pueblecito son humildes, de adobes, sí, pero allí están sus chopos para nosotros, para que perdonemos a la llanura su tristeza y al pueblecito su humildad. Allí están esos chopos, enhiestos, esperando nuestra llegada, para sonreírnos graciosamente —con la gracia del pobre—; para sonreírnos con sus hojitas finas, que tiemblan al viento. Y mientras levantamos la cabeza los contemplamos en silencio, y desde la lejanía remota de nuestros antecesores —místicos y guerreros, que en esta Castilla nacieron—nos sentimos profunda y dolorosamente conmovidos. Castilla, en este momento, ha sido revelada para nosotros, ante estos árboles modestos, mejor que con la magnificencia de sus monumentos gloriosos.

*

Las nubes marchan por el cielo lentamente. Unas son blancas, como grandes burujos de lana inmaculada; otras revisten matices de nácar y de rosa. Y todas tienen para nosotros una suprema indiferencia; ellas están sobre las alegrías y las tragedias de los humanos. Lentamente, ahora como hace cien siglos, caminan por el azul del cielo. Y nosotros, con nuestra suficiencia de perennidad, somos más transitorios que estas nubes fugaces. El hombre es un accidente en el planeta, y las nubes—blancas, doradas, grises—son lo perdurable y lo eterno.

*

Montañas, aguas, árboles, nubes: cantad la gloria del poeta. Cantad la finura, la delicadeza, la espiritualidad del poeta Antonio Machado. El poeta acaba de publicar un volumen de versos: *Nuevas canciones*. Para celebrarlo, he querido componer esta imitación de Lope de Vega. Lope de Vega es uno de nuestros grandes poetas clásicos; no se podrá entender bien su poesía si no se tiene en cuenta su teatro. Toda su poesía es simetría, construcción ordenada, arquitectura. Y una de esas poesías más arquitecturales es esta que he aprovechado para la imitación: la dedicada a fray Ponciano Basurto, en las *Rimas sacras* (1614). El poeta habla de un arroyo, de un jilguero, de una nave, de un pez, de un peregrino. Cada estrofa va dedicada a uno de estos temas; y al final, arroyo, pájaro, nave, peregrino, cantan la gloria del santo religioso.

1924.

HORAS EN LA PRISION

¿Ha estado el lector alguna vez en la cárcel? La pregunta es impertinente, indiscreta, pero se puede estar en la cárcel por un delito político; se puede estar en la cárcel—en España y fuera de España—por escribir un artículo o por pronunciar un discurso. La vida en la cárcel debe de ser monótona, un poco aburrida, los primeros días. Las horas parecerán lentísimas. Se sentirá un ansia irreprimible de libertad. Pero el tiempo va pasando; tras un día viene otro. Cosas que para nosotros no tenían importancia—dentro de estas cuatro mudas parades—la van teniendo extraordinaria. La tiene la luz, caso de que haya luz en la prisión. La luz de la mañana no es igual a la del mediodía; la del mediodía no es idéntica a la de la tarde. Y tienen importancia los más pequeños ruidos. Y las palabras del carcelero. Nunca las más anodinas palabras han encerrado, para nosotros, presos, que no hablamos con nadie, tan profundo sentido. Todo lo nota y lo advierte el pobre prisionero; en los más ligeros pormenores se prende su espíritu.

Asistamos, hora por hora, a la vida de un preso. Este preso es un caballero principal. Ya hemos dicho que se puede ser caballero y estar encerrado en una cárcel. Y este caballero lo está por haber escrito un manifiesto. Su vida es monótona. Lo sacaron una madrugada de su casa. No le dieron tiempo ni para coger una capa o un tabardo con que repararse del frío. Hacía un tiempo inclemente. Desde Madrid le llevaron a una lejana ciudad. Pusiéronle primero en una torre. Pareció luego poco áspera la prisión. Lo bajaron a un aposento subterráneo. Para llegar hasta esta cárcel es preciso descender veintisiete escalones. Arriba hay una puerta, el comienzo de la escalera; abajo, al final, hay otra. Las dos están cuidadosamente cerradas y guardadas. La estancia en que el preso se halla tiene las paredes desconchadas, húmedas; no hay en ella más luz que la artificial; mide el reducido ámbito veinticuatro pies de largo por diecinueve de ancho. El menaje es sencillo; lo componen una mesa, un brasero, cuatro sillas y dos pobres camas. En una de esas camas se acuesta el caballero; en la otra, su criado. Las horas pasan lentas para el preso y su servidor. Encima de la mesa se yergue un velón; veinte o treinta libros se encuentran también sobre el tablero. Las horas transcurren iguales, uniformes, para el caballero reducido a prisión. Se levanta a las siete de la mañana. El criado le ayuda a vestir. ¿No hemos dicho que el preso lleva en sus pies pesados grillos? Dos pares soportaba al principio; le han dejado ahora con sólo un par. Este par de grillos pesará de ocho a nueve libras. Rápidamente se viste el caballero. A las siete se halla ya en pie. De siete a ocho emplea una hora en meditar. A las ocho el criado le sirve el desayuno. El desayuno que toma el preso es ligero. Con un poco de chocolate tiene bastante el preso para llegar hasta mediodía. De ocho a diez de la mañana el caballero escribe.

Se ha sentado ante la mesa el prisionero. El velón luce en sus cuatro mecheros. Fuera el sol brilla; el campo y las ciudades estarán resplandecientes de luz. Aquí, en este aposento subterráneo, las tinieblas son perpetuas. Siempre es de noche. Y a todas horas, en tanto está despierto el preso, los mecheros del velón lanzan sus débiles resplandores y chisporrotean de tarde en tarde. El tenue ruido del chisporroteo del velón resuena distintamente en el profundo silencio de la estancia. El caballero escribe, va trabajando en diversos asuntos: cuando se cansa de uno, deja el manuscrito y toma otro. Durante estos momentos de trabajo, de creación, la cárcel no existe para el caballero. Todo se olvida; todo desaparece a su alrededor; la pluma corre presta por el papel, y el ruidito de la pluma se mezcla al ruidito del chisporroteo del velón. A las diez la tarea termina. De diez a once el caballero reza. A las once termina el rezo. La hora que va de las once a las doce es empleada en la lectura. La lectura en la cárcel es más provechosa y grata que en cualquier otro paraje; ningún estrépito turba la ilación de las ideas; nadie puede venir a interrumpirnos. A las doce le sirven la comida al caballero. Un religioso ha bajado a traer la comida. Durante el tiempo del yantar el caballero charla con el buen fraile. A la una ha terminado ya la refacción. El preso necesita hacer un poco de ejercicio. Su criado le pasea por la estancia, llevándole casi en vilo. ¡Leal y fiel criado el del caballero! No ha querido separarse del señor; aquí en la prisión le acompaña como le ha acompañado en la bonanza. «Mi Juan, que así se llama mi querido criado—dice el caballero—, me hace dar cuatro paseos, sosteniéndome alguna cosa sobre sus hombros, para hacer menos molesto el embarazo de los grillos, divirtiéndome media hora en esto y en referirme (porque no habla mal, aunque no escribe bien) algunos casos que le han pasado, pues aunque de pocos años, ha corrido bastante tierra.» De dos a tres y media descansa el caballero en la cama. Acostado, en silencio, medita. A las tres y media, después de abastecer el brasero, bajan a la prisión tres o cuatro religiosos. La tertulia es discreta y amena. Discuten todos cuestiones de literatura y filosofía. Ningún asunto de los que se trata aquí es pueril o superficial. A las seis, el criado sirve un refresco. La charla se prolonga hasta las siete.. De siete a ocho y media, el caballero vuelve a entregarse a la meditación y al rezo. A las ocho y media traen la cena. La cena es parca; a las nueve está ya despachada. Y a esa hora tornan a bajar algunos religiosos. Se charla y discute de nuevo. La tertulia dura hasta las diez y media. Hasta las once reza el caballero. De once a doce vuelve a escribir. Media hora más de meditación, y el caballero se desnuda para acostarse. La cama del señor y la del criado están juntas. Los dos presos platican hasta la una. A la una llega el silencio. Duerme el caballero hasta las tres y media. Y a esa hora, generalmente, se despierta y se pone a leer. Leyendo permanece hasta las cuatro y media. En la paz profunda de la noche y de la prisión subterránea, no se pierde ni una palabra de la lectura. «Este género de estudio—dice el preso—es el que más me aprovecha, pues el silencio de la hora, la aplicación con que lo ejercito y el ningún ruido ni alboroto que puede distraer la atención de esta subterránea habitación, disponen que se imprima tan fuertemente en la memoria cuanto leo, que es imposible se escape de ella en muchos años lo que una vez recoge.» Y terminada la lectura, a las cuatro y media, el caballero torna a dormir hasta las siete. Y a las siete de la mañana siguiente, la misma norma que el día anterior.

*

Don Francisco de Quevedo y Villegas tenía cincuenta y nueve años cuando estuvo preso en San Marcos, de León. Estaba enfermo. El mismo Quevedo relata la vida que llevaba en la prisión en una carta dirigida a su amigo Adán de la Parra. Y en otra carta, encaminada también al mismo amigo, en vez de quejarse, en vez de romper en imprecaciones y denuestos, nos ofrece, al aceptar la adversidad, un noble y elevado ejemplo de estoicismo. Lean sus páginas aquellos de nuestros políticos que por estar alejados del Poder se crean en la desgracia. La vida es dulce para estos compatriotas nuestros. Quevedo, por decir la verdad, por su entereza, vivió cuatro años como ha visto el lector. La vida en París es grata para el político ahora caído. La vida en Madrid, sin cuidados, sin ahogos pecuniarios, con entera libertad para hacer lo que se quiera, es grata también. No es precisamente la vida de esos políticos lo que llevó Quevedo en su prisión. Consuélense los políticos españoles. Y cuantos, políticos o no, padecen ahora adversidades—levísimas adversidades—tengan un poco de pudor al confiarnos sus cuitas y piensen en lo que, enfermo, achacoso, gloria de su patria, pasó el gran Quevedo en San Marcos, de León, metido bajo tierra.

La Lectura acaba de publicar un volumen más de la serie de Quevedo. En este nuevo volumen se recogen algunas de las obras literarias del gran satírico. Ha cuidado de esta edición José María Salaverría. Salaverría ha escrito un bello prólogo para esta edición. Define en tal trabajo Salaverría—en prosa clara, límpida y elegante—la personalidad de Quevedo. Quevedo, para Salaverría, era, ante todo, un patriota, un gran patriota. Y es cierto. La patria era una de las obsesiones de Quevedo. Una, y no la principal. La principal está en el *Tratado de la inmortalidad del alma* y en *La virtud militante*. La principal es la salvación del alma. Por encima de la patria geográfiica, a la cual ama apasionadamente, para Quevedo está la patria moral: el cielo. Y el ansia por esa patria moral responde en él toda la parte seria, severa, de su obra. Y responden —acabamos de verlo—todos esos momentos de meditación que a lo largo del día y de la noche tiene en su cárcel.

1924.

IN MEMORIAM

I

MAGIA EN TABARCA

Magia en Tabarca: el título me parece bonito. Magia en Tabarca: melodía, cadencia suave, rapto desde la costa, por encima del mar, hasta la isla. Meditar acerca de este título, componer el libro futuro de modo que vaya entremezclado lo crítico con lo pintoresco; no dar excesiva importancia a lo crítico. Sin que por esto se pierda la personalidad de Gabriel Miró. Miró es lo primero en el libro, la razón de ser del libro. En cuanto al argumento, puede ser sencillo: tres amigos, por ejemplo, salen todas las tardes a dar un paseo en automóvil; viven en una reducida y clara ciudad que se halla cerca de la costa, a unos cuarenta kilómetros. Van a sentarse y dialogar plácidamente en un altozano que da vista al mar. Salen a primera hora de la ciudad; los tres son admiradores fervientes de Gabriel Miró; los tres charlan todas las tardes de la persona y de los libros de Miró. Para ir desde la ciudad hasta el mar han de deslizarse suavemente desde una altura de sesenta metros hasta la ribera. El automóvil es rápido y silencioso. Las tardes son largas. Conviene, más que en otoño, poner la acción en la primavera, para que, siendo larga la tarde, puedan con toda comodidad ir y venir los amigos a la costa. Durante el viaje se ve todo el panorama alicantino; se pasa primero por el valle de Aspe: vasta llanada verde, cuajada de huertas. No olvidar los cerros y las montañas desnudas. Montes que nos muestran sus grises peñas y sus aceradas laderas. Montes que, en la transparencia del cielo, parecen relumbrar. Montes en que crecen el romero, el tomillo, la alhucema, el cantueso. Ganas vivísimas de bajar un minuto del automóvil y de sentarnos en la ladera y pasar la mano por estas hierbas de olor tan penetrante. Las casas que se ven en el camino son, como todas las alicantinas, de paredes frágiles de yeso, que al principio, recién hechas las casas, es blanco, pero que después se pone rojizo, dorado por el sol.

El aire a veces va royendo las paredes; socava la parte blanda, en yesos que son flojos, y deja subsistente lo duro; de modo que todo a lo ancho de estos muros deleznables se ven millares de piquitos de cristales que relumbran bajo la viva luz solar. Amor intenso por estas casas; estas casas donde Miró y el autor del libro han pasado la infancia y la adolescencia; estas casas que semejan quebradizas, y que se van deslizando por la pendiente de los siglos como sus hermanas las casas recias, formadas con sillares, del Norte. Como sus hermanas, pero sin la solemnidad y el énfasis de ellas. Las puertas cerradas de algunas de estas casas; atracción profunda de estas puertas cerradas de las casas campesinas. ¿Un gran duelo que ha hecho alejarse a los moradores? ¿Una de esas enfermedades que las buenas mujeres del campo soportan años y años con tanta abnegación, pero que acaban por hacer que se vaya a la ciudad en busca de un supremo remedio? Una palmera a lo lejos; la cinta blanca de la carretera que se aleja montaña arriba. El trazo negro del tronco de la palmera y la viruta nevada de la carretera. Como si sintiéramos ya el mar. La llanada que ya no tiene verdes. Barrancadas rojas; terrazgos secos. Extensión de tierra sin una brizna de hierba. A lo lejos, cerrando el horizonte, un trazo azul; azul debajo de azul; azul claro del cielo y azul claro del mar. Depresión de la tierra; el automóvil asciende otra vez. Un páramo cubierto de tomillos; la torre del faro. Nítida, impecable, la blancura de la torre. Ya los tres amigos, sentados frente al mar; ellos están arriba, el mar se extiende abajo. La tierra ha ido subiendo; de pronto, se detiene; se produce un altísimo corte; en lo hondo, se ve la playa dorada. Un huertecito que respalda una casa—casa de los carabineros—intercalada entre los dos azules, el del mar y el del cielo; la nota verde del arbolado. Limpidez en la bóveda celeste. Ni una nube. Enfrente, la isla.

Magia en Tabarca. Prestar atención a la isla. Una isla de azul y de rosa. Una isla como un jirón de sutil cendal sobre el mar. Citar un párrafo de la *Guía del alicantino y del forastero en Alicante*, de don José Pastor de la Roca (Alicante, 1875). «Este pequeño islote, de unos tres kilómetros de extensión—dice el autor—, dista una media legua del continente, y se compone de unos cien edificios, habitados casi en su totalidad por marinos y pescadores, que componen la inmensa mayoría de la población isleña.» Sutilidad de la isla vista desde el elevado altozano de la costa. Como si fuera cosa impalpable. En estas horas de la tarde primaveral, envuelta en un suave resplandor áureo, la isla resalta blanca, rosa y azul. Citar la frase de Gabriel acerca de la isla: «La isla de Tabarca, que siempre tiene un misterio de azul de distancias, como hecha de humo, mostrábase cercana, desnuda y virginal.» Como de humo, dice Miró; como de humo azulado que asciende de chimenea campesina y que vemos, para que sea azul, a contraluz.

Los tres amigos hablan de Miró; todas las tardes dedican casi la charla entera a Gabriel. A lo largo del viaje han ido acoplando las distintas visiones del panorama a las visiones de Gabriel en sus libros. Pasa ante ellos el sentido de las cosas que tenía Miró, sentido lleno de voluptuosidad; recapitulan acerca del estilo del escritor. Al igual que si fueran pasando las páginas de los libros de Gabriel y al mismo tiempo fueran echando un vistazo, para comprobar, a los paisajes. Y ante la isla que tienen allí cerca, al alcance de la mano, la suprema emoción, la evocación tangible del amigo querido inolvidable. Otro párrafo de la *Guía del Alicantino:* «Hoy, si bien abandonada a sus pobres recursos, esta isla, con sus ruinosas fortificaciones batidas constantemente por las aguas, cuya acción corrosiva destruye paulatinamente las obras de sillería de que muchas de ellas están formadas, y lo mismo las emanaciones salitrosas que exhalan, ofrece, no obstante, un punto de atractivo al arqueólogo, al filósofo y al pensador, que no dejan de sentirse hondamente preocupados por cierta impresión tan grata, al par que melancólica, ante la contemplación de su conjunto.» Estas últimas palabras, hacerlas resaltar. Impresión grata, pero melancólica. Esa melancolía es la que invade todas las tardes a los tres amigos al final de sus charlas ante la isla. Y una tarde, cuando están más embebidos, ocurre algo que los llena de asombro.

La isla de humo azul se transfigura. Ya no es la isla de antes. Ahora, los tres amigos parece que tienen delante de los ojos un cuadro de Poussin. Un cuadro en que se pintan los apacibles campos, donde los inmortales pasean entre mirtos y laureles. Magia en Tabarca. Los Campos Elíseos. Y una barquita de vela blanquísima que se ha despegado de la isla y que se va acercando. Un pañuelo que se agita en el azul del mar y del cielo. Gabriel Miró. El amigo querido que viene hacia nosotros, que está ya entre nosotros, que sonríe con su dulce bondad entre nosotros. Como la cosa más natural del mundo ahora: si antes asombrados, ahora hablando con la mayor naturalidad. Los ojos claros y azules de Miró; su voz sonora, con inflexiones de reconvención amistosa. Reconvención, porque él cree que le hemos olvidado. La tarde va cayendo con una inmensa serenidad. Ha llegado el instante de la separación. Gabriel sonríe con melancolía y se agacha sobre la arena. Coge tres conchitas humildes, y en la concavidad de cada una de ellas escribe: «27 de mayo de 1930.» Y luego, con la misma sonrisa de melancolía, nos entrega a los tres una de estas conchas.

Y la navecita parte de nuevo. La tarde ha caído; brilla un lucero. Es todo oro en el mar y en el cielo. Otros pañuelitos blancos se agitan en la isla llamando a Miró. Y miró va lentamente, muy lentamente, en esta barquita de la Eternidad.

1931.

(Prólogo a las *Obras completas de Gabriel Miró*, vol. I, 1932.—Edición conmemorativa emprendida por los "Amigos de Gabriel Miró", presididos por Azorín.)

II

AMIGOS DE GABRIEL

Se cumple mañana el segundo aniversario de la muerte de Gabriel Miró; con motivo del aniversario he visitado a algunas personas que conocieron al escritor; en estas líneas las hago hablar; no me han hablado en lengua castellana; hago yo la traducción; se han expresado en su idioma nativo. Tal vez la forma en que hago hablar a estos personajes parezca impropia de sus condiciones; a semejanza de los historiadores antiguos, entre ellos nuestro Juan de Mariana, he puesto en sus bocas discursos que, si al parecer son inverosímiles, procuran dar exacta impresión de sus figuras.

PEDRO

Me llamo «Pere»; es decir, Pedro; podría decir, usando la frase conocida, que «apenas me llamo Pedro», porque soy un pobre labrador. No tan pobre que no tenga mi par de mulas, gordo y luciente. Me acuesto una hora después de ponerse el sol; me levanto dos veces todas las noches: una, a las once, y otra, a las dos de la madrugada; lo hago para atender a estas dos buenas y sufridas mulas. Por las mañanas, antes de que raye el día, ya estoy en pie. Conocí hace tiempo a don Gabriel Miró; estuvo en esta casa de campo una temporada. No se levantaba tan temprano como yo, es natural; venía a media mañana, a eso de las diez, a buscarme al haza. Yo estaba labra que te labrarás desde el comienzo del día. Labrar es una cosa que parece fácil y es muy difícil; ha de hacerse el surco muy recto y sin torceduras. Y si se labran olivares o tierras de almendros, entonces hay que llevar mucho cuidado para que no quede nada sin remover y, al mismo tiempo, no romper las raíces. Sin contar con que hay que tener ojo para que, al pasar las mulas debajo de los almendros, no levanten la cabeza y ramoneen.

Don Gabriel se sentaba en un ribazo del bancal; allí esperaba que yo volviera del lejano linde; yo iba y venía despacio. Don Gabriel leía en un libro que había traído en el bolsillo; alguna vez cogía un puñado de tierra y lo iba soltando poco a poco; le gustaba sentir escurrirse entre los dedos estas tierras rojizas o amarillas, que producen todo lo que el hombre consume. Don Gabriel me hablaba muchas veces de las hierbecitas de los sembrados y de los caminos; tenía predilección por las flores silvestres, tan distintas de las cautivas de los jardines. Le gustaban los cardos, los lampazos, las cardenchas, las correhuelas. Con el armagón, o diente de león, que aquí llamamos *llistsóns,* se hace una deliciosa ensalada; alguna vez la comí en compañía de don Gabriel. Cuando él había cogido muchas de estas hierbas, con sus florecitas rojas, azules, amarillas, me decía: «Estas flores, amigo Pedro, son las que yo quiero más, porque son libres y viven la vida de los campos y los caminos.»

VISITACIÓN

Tengo cuarenta años; no me importa decirlo; no me importa, porque estoy tan fresca y tan lozana como cuando tenía veinte. Siendo muchacha, serví en casa de don Gabriel. Me casé a los veinticinco y me retiré con mi marido a esta casa de campo. Me apasiona la limpieza; no hay polvo en los rincones de mi casa, ni debajo de las camas se ve tamo. Estoy en lo mejor de la vida; creo que ésta es, cuando se es guapa y frescachona como yo, la mejor edad. A los hombres les deben de gustar las mujeres que son amigas de hacerlo todo bien. No hay obra que yo haga, que no la haga con todos sus detalles; gusto de lo bien acabado y de lo perfecto. Sé confeccionar una porción de conservas; guiso admirablemente; mi especialidad son todas esas golosinas que conservamos en esta tierra como el mejor legado de los moriscos. ¡Hay que ver todas estas golosinas puestas en las blancas y brillantes ajofainas o zafas! Y después, ¡de qué manera, con mis manos gorditas, remangados los fuertes y duros brazos, presento yo un vaso de agua! Uno le presenté una vez a don Gabriel y se quedó encantado. Pasaba por la carretera de allá abajo, vió la casa en lo alto de la loma, le gustó y, dejando el auto en que viajaba, llegó hasta aquí; él no sabía que yo era la casera; tuvo una gran alegría al verme. Traía sed y me pidió un vaso de agua. Yo comencé por poner la mesa en medio del zaguán. Después fuí sacando de la alacena las golosinas que guardo. No se me ha de olvidar que aquel mantel era blanquísimo, nítido, sin mancilla. Don Gabriel me miraba y levantaba las manos, diciendo: «¡Pero, Visitación, si para beber un vaso de agua no es necesario tanto!» Yo me reía. Cuando estuvo toda la mesa llena de golosinas, don Gabriel, con una voz seriamente cómica, exclamó: «¡Señor, cuánta maravilla!» Y ésas son las palabras que yo tendré metidas en el corazón en tanto que viva: «¡Señor, cuánta maravilla!»

REMEDIETS

Don Gabriel me llama la *Moruchita.* Decía que yo había vivido en una aldea morisca en el siglo XVI y que ahora había resucitado. Me conoció él a los dieciocho años; ahora tengo veinticinco. Soy morenita y esbelta; mi cuerpo es delgado y ondulante. Mis carnes son escurridizas y duras. Brillan mis ojos negros; me muevo con flexibilidad y rapidez. Siendo niña, me gustaba trepar a los árboles; subo las escaleras de dos en dos y las bajo de cuatro en cuatro. Cuando suena estrepitosamente una risa en una de estas cámaras campesinas, de paredes enlucidas y de piso de yeso, cuajado, esa risa es la mía. Parece que estoy en todas las partes de la casa al mismo tiempo; ya en las cámaras, ya en el granero, ya en el corral, entre el ruidoso averío, ya en el horno. Mis ojos, en la penumbra de las cámaras, relucen como los de los gatos durante la noche. Si alguien quisiera cogerme, estrecharme entre sus brazos, yo estoy segura de que mi cuerpo, tan fino y duro, tan elástico, se escurriría, en tanto que mi risa se desgranaría en sones cristalinos y que mis ojos lanzarían llamaradas ardientes. Una vez, don Gabriel me cogió las manos; con mis manos en sus manos me dijo, mirándome a los ojos: «Remediets, eres la esencia de nuestra tierra.» Porque yo me llamo Remediets, que es el diminutivo de Remedios.

BONASTRE

Mi casa es alta, muy alta, y estrecha, muy estrecha. Está toda enlucida de cal blanca. En lo alto tiene una galería, y en el centro, un fanal con un farol. Yo lo enciendo todos los atardeceres; no me retraso jamás ni un segundo. Durante el día suelo sentarme al pie del faro, en el poyo que lo circunda. En este mismo poyo estuvo sentado muchas veces conmigo don Gabriel; un tomillar, que se extiende por toda la contornada, hace que estos parajes estén penetrantemente perfumados. A lo lejos se ve la ciudad, y enfrente, una islita. Con don Gabriel charlaba yo de las cosas del mar y del campo; muchas veces contemplábamos en silencio las nubes. No sabía don Gabriel qué nubes eran las que le gustaban más: si los cúmulos o los cirros, si los nimbos o los estratos. Una tarde estuvimos toda la tarde haciendo el examen de las nubes. Creo que no miento si digo que los cirros eran las nubes que él prefería; sobre todo, cuando esta clase de nubes semeja las barbas de una inmensa pluma. Recuerdo que la última vez que estuvo aquí vimos de pronto aparecer por el horizonte una barquita. Llevaba henchida una vela triangular. Parecía esa vela un ampo de nieve; un ampo de nieve bajo el azul del cielo y encima del azul del mar. Don Gabriel se quedó un rato absorto, mirándola en silencio. No sé lo que pensaría; tal vez que la vida del hombre es como aquella barquita, que parecía y desaparecía entre dos inmensidades. De pronto sacó una cartera y cortó un pedacito de papel, semejante al ampo de la vela. Lo tenía en alto, entre dos dedos. Cuando terminó de contemplarlo, me dijo: «¿Ve usted, amigo Bonastre? Ahora yo voy a llevarme esta velita blanca del Mediterráneo en el bolsillo.» Estas son las palabras de don Gabriel Miró de que más me acuerdo; se llevó la velita blanca del Mediterráneo a Madrid, y su vida fué como esas velitas que aparecen y desaparecen en un momento sobre la pureza del mar y bajo la pureza del cielo.

1932.

III

ETERNIDAD Y FUGACIDAD

No sé todavía lo que voy a hacer; he pensado vagamente en el asunto, pero no tengo ideas concretas. Poseo dos elementos fundamentales, aparte del principal. He imaginado, confusamente, una casita de campo. No sé todavía dónde la voy a situar. Pero a lo que sí estoy decidido es a que tenga delante de la puerta tres cipreses; hay muchas en Levante que los tienen. Los cipreses harán bien en un cielo azul, de límpido azul, el cielo siempre sin nubes de Alicante. Y me daré maña para que, en algún momento, las cimas de estos cipreses aparezcan como taladrando la inmensa bóveda sidérea. La fachada de la casa tiene en lo alto tres ventanitas. No olvidemos que estas casas labradoras de Levante tienen las ventanas muy angostas. Sin duda, es moda moruna que no se ha perdido todavía; como en Levante hace mucho sol, no es preciso que el vano de las ventanas sea muy ancho para que entre en la casa la vívida y esplendente luz solar. Ya tenemos los tres cipreses y las ventanitas. Pongamos a Asunción asomada a una de las ventanitas. Digamos que en la pared, la lisa pared de la casa, se ven algunas ristras de pimientos puestos a secar. ¿Y quién es Asunción? Pues, vagamente, la vemos como una campesina de unos treinta años. Vemos a Asunción y no sabemos con fijeza todavía nada de ella; pero la vemos sonreír, apacible, con una sonrisita amable y jovial. Su jovialidad no es ruidosa; no ríe siempre; no es una mujer vulgar. Lo que la caracteriza profundamente es una serenidad inalterable. Pase lo que pase, ocurra lo que ocurra, Asunción no pierde su sonrisa tenue, fina. Y ella, que se levanta con el alba, va por la casa todo el día, por la planta baja, por las cámaras, por el corral, por el lagar, por la almazara, con pasos silenciosos y menudos. No para en toda la jornada. Sus ojos son de un tornasol verde y azul; unas veces parece que son verdes y otras veces parece que son azules. Lo positivo es que no se cansa uno de mirar los ojos de Asunción. Parece que descansa uno mirando los ojos, ya verdes, ya azules, de Asunción. Y cuando, sin vernos ella, la estamos mirando un rato y de pronto ella se fija en nuestra mirada, lo que hace Asunción es acentuar un poquito más su sonrisa y apartar en seguida la vista con un pudor sincero, encantador. Porque Asunción, que es una mujer hecha, una mujer espléndida, no ha dejado nunca de ser niña. Ya es niña cuando canturrea, estando sola, canciones de niños, que ella cantaba hace muchos años, en su niñez. Y es niña cuando, ante una cosa bonita, cosa de la ciudad, ella levanta las manos con admiración y palmotea, gozosa. Asunción es el símbolo más vivo, más simpático, de esta suave y elegante tierra alicantina. Símbolo de esta tierra, donde las colinas están desnudas de árboles, mostrándonos todas sus curvas graciosas y llenas de hierbas silvestres, que tienen un penetrante olor. Y en la lejanía, el mar, el Mediterráneo, que se ve como una pinceladita que un pintor, a quien ya no le quedaba azul en la paleta, ha puesto tenuemente.

Asunción se halla en el zaguán de la casa; es media mañana; la puerta está entornada. Y por el resquicio entra una viva franja de sol. Asunción se halla sentada ante una mesita baja de pino; estas mesitas moriscas no las hay más que en tierra alicantina. Y estas mesitas reclaman, naturalmente, para sentarse ante ellas, unas sillitas terreras. Sillitas de pino también con asiento de esparto. Está sentada Asunción, y en la mesita se ve un montón de arroz. Con sus lavadas manos, Asunción va, del montón, separando algunos granos; mira si en ellos hay alguna brizna o cascarilla, y cuando ve que el arroz está limpio, lo echa en un garbillo. Poco a poco todo el arroz de una parte pasa, ya limpio, a otra. Hay en el zaguán un reloj de cuco. En el fondo se encuentra la cocina, cocina que es de ancha campana, con una leja en que se ven peroles, cazuelas y vasos puestos ordenadamente. Todo es silencio en la casa; se escucha fuera el estridor de una cigarra, que se ha posado en un ciprés. En este momento la puerta se ha abierto un poco más y ha penetrado en la casa Gabriel Miró. Asunción levanta la cabeza y no se nota en su semblante ni la más leve emoción. Diríase que esperaba la visita. Miró está un tanto pálido; camina lentamente; parece que hace mucho tiempo, miles y miles de años, que no ha estado en esta casa. Como si fuera un extranjero, lo va examinando todo. Asunción lo ve ir de una parte a otra y no dice ni hace nada. Lo único que ha hecho es parar en su faena, poner el codo en la mesita, reclinar la mejilla en la mano y estar así contemplando a Miró, que va y viene por el zaguán. Todo lo quiere tocar Gabriel Miró; coge un cacharrito de loza que hay puesto en el cantarero y lo tiene en la mano un rato. Pasa su mano por la curva de un cántaro rezumante de fresca agua. En la tinaja, con su tapadera de pino, se ve el reborde de un acetre, que está metido dentro; Miró quita la tapadera, coge el acetre, lo saca y lo mira con atención. Diríase que sus manos, manos que han estado mucho tiempo inactivas, tienen un gusto especial, hondo, en ir tocando todas las cosas de esta casa campesina. Asunción no dice nada; semeja que duerme. Y en toda la casa no se percibe ni el más ligero rumor. La cigarra sigue cantando fuera, en el ciprés; el reloj produce su rítmico son. El ancho rayo de sol resplandece en el piso del zaguán. Si lo atraviesa un tamo levísimo, esta partícula de materia brilla un instante y luego desaparece. Gabriel Miró se ha detenido. Está ahora delante de la mesita. Ya ha tocado con sus manos leves y etéreas cuantas cosas hay en el zaguán. Ahora, ante la mesita, ¿qué es lo que va a hacer? Asunción espera; su serenidad no se ha alterado. ¿Qué es lo que espera Asunción?

No sé todavía lo que voy a hacer. El rumbo de la gestación estética se detiene en este momento. Momento decisivo en que la imaginación puede echar por un camino o por otro. ¿Por cuál echaremos? El instante es de emoción. Pienso en el reloj; medito en el tiempo; pasa por mi conciencia, como un velocísimo relámpago, el concepto de eternidad. Aquí, en este punto, cruce de dos o más caminos, me paro, absorto, en la contemplación de lo infinito. Y quisiera dar la sensación de tiempo y de eternidad, de cosas efímeras y de cosas perennales. Gabriel Miró es como una leve sombra. Y Asunción es la realidad del mundo. Miró es la eternidad, lo que no acaba, y Asunción, con sus bellos ojos serenos, es lo perecedero, que en un grano de arena, rodando por lo infinito, espera, sin pesar, sin tristeza, el tránsito a lo inmortal. El reloj, cuando Gabriel ha entrado en la casa, marcaba las once y quince minutos; Miró ha hecho en la casa muchas cosas; parece que han transcurrido muchas horas. Y, sin embargo, en este momento, después de haber hecho tantas cosas Gabriel, el reloj señala la misma hora. La misma, no; ha transcurrido un segundo. Y esto es lo que, después que se ha marchado Miró, tiene admirada y suspensa a Asunción. Tiene Asunción la vista fija en el reloj y no puede convencerse de que en un segundo hayan pasado tantas y tantas cosas.

Mañana es el aniversario, tercer aniversario, de la muerte de Gabriel Miró; en esta fecha cojamos un libro de Miró y vayamos leyendo. Leamos con la serenidad de esta hermosa y limpia mujer que acabamos de esbozar. Y de cuando en cuando dejemos el libro y tengamos un pensamiento, aunque sea ligero, para lo que es eterno e infinito.

1933.

TEATRO

A PEPITA Y SANTIAGO

A la señora doña Josefina Díaz de Artigas y al señor don Santiago Artigas. Admirables en el arte; meritísimos en la amistad.

AZORÍN.

PROLOGO *

A telón corrido. Se oyen voces de una disputa; sale un actor; figura que acaba de interrumpir una discusión.

ACTOR.—Señores y señoras: El director de escena y el autor... *Aparece por un lado del escenario, cautelosamente, Míster Brown, vestido de payaso. Lo ve el Actor y se dirige a él.* ¿Qué hace usted ahí, míster Brown? No está permitido escuchar; usted no puede oír lo que estoy diciendo.

MÍSTER BROWN.—¿Yo no poder oír lo que está usted diciendo? ¿No estar permitido escuchar?

ACTOR.—¡No; no, señor! Puede usted marcharse; márchese usted.

MÍSTER BROWN.—Yo ser muy amigo de usted. Yo quererle a usted mucho; yo llevarle a usted en mi corazón. ¿Eh, señor Antoine?

ACTOR.—Ni yo me llamo Antoine ni soy amigo de usted. ¡Largo! No es cosa de broma; estoy hablando en serio con estos señores. Hágame el favor...

MÍSTER BROWN.—¿No poder oír ni una palabra? Usted habla con mucha elocuencia, ¿eh? Sí, con mucha elocuencia, señor Antoine; es usted un gran orador, ¿no? Déjeme, déjeme tener el gusto de escuchar su bella, su gentil, su hermosa, su soberana, su maravillosa palabra.

ACTOR.—Bueno, bueno; si usted no se marcha, yo no puedo continuar.

MÍSTER BROWN.—¿Y por qué no poder continuar?

ACTOR.—Porque usted no debe saber lo que estoy diciendo.

---

* Esta comedia en tres actos y un prólogo se estrenó el 13 de septiembre de 1926 en el teatro del Príncipe, de San Sebastián, y en el teatro de la Reina Victoria, de Madrid, el 3 de noviembre, con el siguiente reparto:

Pepita, Josefina Díaz de Artigas; *Lucita,* Carmen M. Ortega; *Juliana,* Isabel Zurita; *Doña Marcela,* Elena Rodríguez; *Agueda,* Natividad Ríos; *Blasa,* Emilia de Haro; *Una vieja,* N.; *Una dueña,* N.; *Marqués de Cilleros,* Manuel Díaz de la Haza; *Don Joaquín,* Santiago Artigas; *Míster Brown,* Manuel Díaz González; *Actor,* Fernando F. de Córdoba; *Señor Cicuéndez,* Fulgencio Nogueras; *Don Claudio Pisana,* Rafael Ragel; *Alcalde,* José Trescolí; *Corresponsal,* Octavio Castellanos; *Don Vedasto,* Rafael Ragel; *Don Nemesio,* Aniceto Alemán; *Servando,* Manuel Dicenta; *Don Quijote,* Rafael Ragel; *Un bandolero,* Aniceto Alemán; *Apuntadores:* Joaquín Llácer y Jaime Rosa; *Director de escena,* don Manuel Díaz de la Haza.

MÍSTER BROWN.—¿Y por qué no debo yo saber lo que está usted diciendo?

ACTOR.—¡Caray, qué posma de hombre! Porque si lo oyera usted, pues ya no habría comedia.

MÍSTER BROWN.—Y si no habría comedia, ¿yo no podría trabajar en la obra?

ACTOR.—¡Naturalmente!

MÍSTER BROWN.—¡Ah, señor Antoine! Entonces, yo me marcho. Yo quiero trabajar en la obra. Yo quiero lucirme en la comedia. ¡Adiós, adiós, señor Antoine! ¡Abur, señor Antoine! ¡Que lo pase usted bien, señor Antoine!

ACTOR.—¡Qué pesadez! Llámeme usted como quiera, pero... márchese. *Se marcha Míster Brown.* Perdone el respetable público. Tenía yo el honor de estar diciendo que el director de escena y el autor han mantenido una empeñada discusión...; empeñada, pero, vamos, cordial... Una empeñada discusión sobre la obra que vamos a representar. El texto de la obra no es largo, pero hay varios cambios de decoración, que exigen bastante tiempo. El director y el autor—y en esto están los dos de acuerdo—temen que el público se impaciente. Un público impaciente es siempre temible. Para ganar tiempo—ya que no se puede ganar otra cosa—, el autor ha decidido suprimir el prólogo. *Aparece otra vez, por un lado del escenario, calladamente, Míster Brown. El Actor lo ve y le dice:* Pero, bien, míster Brown, ¿no se había usted marchado?

MÍSTER BROWN.—No he oído nada, señor. He estado en mi cuarto, señor.

ACTOR.—¿No se había usted marchado?

MÍSTER BROWN.—Sí; me había marchado, pero... he vuelto.

ACTOR.—Ya lo veo. Ya veo que se empeña en oír usted lo que no le importa. Y se lo vuelvo a repetir...

MÍSTER BROWN.—¿Usted quererme a mí repetir una cosa? Yo le quiero repetir también a usted otra cosa.

ACTOR.—Déjeme usted hablar. ¿Qué quiere usted repetirme?

MÍSTER BROWN.—Que yo soy un amigo entusiasta, apasionado, fervoroso, frenético, de usted, señor Antoine.

ACTOR.—No necesita usted repetirme esas simplezas. Voy a acabar de hablar con los señores. Estamos gastando un tiempo que vamos a necesitar luego. Dispóngase a trabajar en la comedia.

MÍSTER BROWN.—¿No le gusta a usted la comedia?

ACTOR.—Eso ya lo veremos luego. Ahora, márchese.

MÍSTER BROWN.—¿Y si no quiero marcharme?

ACTOR.—Yo les diré a todos estos señores que le echen a usted.

MÍSTER BROWN.—Pues yo traeré a mis amigos para que me defiendan.

ACTOR.—¿Quiénes son los amigos de usted?

MÍSTER BROWN.—Mis amigos son Pierrot, Pantalón, Franca-Tripa, Arlequín, el capitán Ceremonia...

ACTOR.—¡Bah, bah, bah, bah!

MÍSTER BROWN.—¡Ah, ah, ah, ah!

ACTOR.—Si no quiere usted marcharse, no comienza la función.

MÍSTER BROWN.—¿No comienza la función?... Entonces, me marcho. ¡Adiós, adiós, señor Antoine, querido señor Antoine, amadísimo señor Antoine!... *Se marcha Míster Brown.*

ACTOR.—Perdone el respetable público; tenía yo el honor de ir diciendo que en el prólogo suprimido se hacía ver al protagonista en su misma patria de Nueva York. El protagonista es un archimillonario, hijo de padre español y de madre norteamericana. Siente grandes deseos este señor de venir a España. Toda su vida—no es viejo—la ha pasado rodeado, en su despacho, del ambiente español. Pero quiere venir a España, no como multimillonario, sino fingiéndose pobre, para poder vivir ignorado en una vieja ciudad castellana. (¡Qué cosas tienen algunos millonarios norteamericanos!) Su tío, español, trata de disuadirle de su intento; pero como el protagonista es un poco temático y un mucho extravagante, se sale al cabo con la suya y emprende el viaje a España. Le decía su tío que con tantos millones sería imposible pasar inadvertido en una pequeña ciudad. Pero él no le ha hecho caso a su tío... Y ya está aquí nuestro hombre, entre nosotros. Va a aparecer dentro de un momento; ustedes lo van a conocer en seguida.

Señoras y señores: El autor me encarga pida a ustedes por adelantado perdón por sus muchas faltas. Si ustedes no quieren..., «no lo hará más». *Vuelve a aparecer Míster Brown.* ¿Aquí otra vez?

MÍSTER BROWN.—Yo ser muy amigo de usted.

ACTOR.—¿Ha oído usted algo?

MÍSTER BROWN.—Yo no he oído nada, ni una palabra.

ACTOR.—Pues si tan tozudo es usted..., ahí se queda con los señores; yo he terminado. Ahora usted se arreglará camo pueda. *Se marcha el Actor.*

MÍSTER BROWN.—¿Que ya me arreglaré como pueda? ¿Han oído u s t e d e s ? ¿Y qué hago yo ahora? ¡No, no, esto no es el circo! ¡No tengo aquí ni trapecio, ni barras fijas, ni aros, ni pesas!... ¿Ustedes creen algo de lo que les ha contado ese señor? Seguramente les habrá contado una porción de boberías. Ese señor es un iluso... ¡Ay, me está oyendo! Está allí enfrente, allá arriba. ¡Vaya, adónde se ha colocado! ¡Ja, ja, ja! ¡Eh, señor Antoine! Yo voy a subir también ahí a acompañarle a usted; yo soy siempre su amigo de usted... Voy, voy. ¿Por dónde salgo? *Intenta saltar por las candilejas* ¡No, no; por aquí, no, que está muy alto! *Asomándose a la concha del apuntador.* Por aquí tampoco puedo salir; está ocupado. La función debe comenzar en seguida. ¡eh, señor Antoine! Iré por este lado... ¡Adiós, señores, adiós! Lo que me voy a reír después... ¡Ja, ja, ja!

ACTO PRIMERO

Salita modesta. Puertas al fondo y a la derecha. Al levantarse el telón se oye una flauta dentro. Se hallan en escena DOÑA MARCELA y LUCITA.

LUCITA.—Vamos, mamá; te encuentro como siempre, aquí, sola y llorando.

DOÑA MARCELA.—Déjame llorar, Lucita.

LUCITA.—Pero, mamá, ¿por qué vas a llorar?

DOÑA MARCELA.—Lloro, ya lo sabes, porque cada vez que oigo tocar la flauta al señor Cicuéndez me acuerdo de tu pobre padre.

LUCITA.—Pero, entonces, ¡no se va a acabar tu llanto nunca! Porque todas las mañanas, sin faltar una, el señor Cicuéndez toca en su cuarto la flauta

DOÑA MARCELA.—Y yo me acuerdo de tu pobre padre, que tan buen músico era.

LUCITA.—Pero, mamá, serénate. Eso no es razón.

DOÑA MARCELA.—Sí es razón. Me acuerdo de tu pobre padre y me acuerdo de aquellos tiempos en que nosotros éramos otra cosa de lo que somos ahora.

LUCITA.—Sí; yo era entonces chiquita, pero yo también me acuerdo. Entonces éramos ricos. Ahora no lo somos. Pero ¿le pedimos nosotras nada a nadie?

DOÑA MARCELA.—¡Tener una casa de huéspedes!

LUCITA.—Tener una casa de huéspedes y ser tan decente como lo sea el que más. ¡Qué importa que el trabajo sea uno u otro! La cuestión, mamá, es que el trabajo sea decoroso.

DOÑA MARCELA.—¡Tener una casa de huéspedes!

LUCITA.—¡Dale! ¿Y qué más da tener una casa de huéspedes o una fábrica de sombreros o un obrador de plancha?

DOÑA MARCELA.—Pero cuando me acuerdo de aquellos tiempos...

LUCITA.—Aquellos tiempos no son éstos. Tienes razón. Pero ¿es deshonra el vivir del trabajo? Y luego, los huéspedes que tenemos, todos son personas decentes, dignísimas...

DOÑA MARCELA.—Sí, es verdad. Si no fuera por eso...

LUCITA.—Son todos como de la familia. Ya ves: el señor Cicuéndez, don Claudio, don Joaquín, míster Brown. Con los cuatro, y sin necesidad de más, tenemos para ir pasando.

DOÑA MARCELA.—Los cuatro como de la familia. El señor Cicuéndez...

LUCITA.—El señor Cicuéndez, el profesor de música en la Escuela de Artes y Oficios, ¿no es un bellísimo sujeto? En toda Nebreda no hay mejor persona.

DOÑA MARCELA.—En toda Nebreda no se puede encontrar un hombre más bueno. Es verdad.

LUCITA.—Pues ¿y don Claudio Pisana? ¡Pobrecito capellán de las Agustinas! Menos quehacer que él no podía dar nadie. Está quietecito en su cuarto. Se levanta temprano, dice su misita..., y luego, a pasear y a rezar sus horas.

DOÑA MARCELA.—¡Santo varón! ¡Ni que fuera un ángel!

LUCITA.—¿Y míster Brown?

DOÑA MARCELA.—¿Por qué le llamas siempre míster Brown?

LUCITA.—Ese es su nombre artístico, mamá. El quiere que le llamen siempre así. Se llama Moreno. Pero ¿crees tú que para un artista de circo, para un «clown» como él, puede servir el nombre de Moreno? Se pone en los carteles míster Brown.

DOÑA MARCELA.—¡Ay, ese míster Brown qué extravagante es!

LUCITA.—No, mamá, no. Es también un hombre bonísimo. Se quedó aquí cuando se marchó la compañía en la cual trabajaba. El médico le dijo que necesitaba una temporadita de descanso. En Nebreda se quedó reponiéndose. Su familia está en Madrid. Esto es más sano: aire de montaña... Y míster Brown, en medio de sus extravagancias, es delicioso.

DOÑA MARCELA.—¡Delicioso! Como don Joaquín. Para ti todos son deliciosos.

LUCITA.—No, mamá. Conozco a la gente. Sé distinguir de personas. ¿Tú crees que yo no he olido algo de lo que es don Joaquín?

DOÑA MARCELA.—Don Joaquín es un misterio, Lucita. Lo tenemos aquí de huésped desde hace un mes y no sabemos quién es. No sabemos ni de dónde ha venido ni cuál es su posición.

LUCITA.—No hace nada malo, mamá. Don Joaquín vino un día aquí sin conocer a nadie en Nebreda. Se hospedó en esta casa y aquí está.

DOÑA MARCELA.—¿Y qué hace don Joaquín? ¿En qué se ocupa?

LUCITA.—En lo que se ocupan muchos españoles: en nada. Pero es una bellísima persona.

DOÑA MARCELA.—¡Todas bellísimas personas! ¡Qué inocente eres, Lucita!

LUCITA.—¿Inocente yo porque digo que don Joaquín es un caballero?

DOÑA MARCELA.—Hay algo en ese señor que me intranquiliza. *Mira el reloj de la pared.* Las ocho. ¡Juliana, Juliana, el chocolate para el señor Cicuéndez! Hay algo en don Joaquín que me intranquiliza.

LUCITA.—¿Y qué es lo que te intranquiliza, mamá?

DOÑA MARCELA.—Me intranquiliza su aire de misterio..., sus largos paseos solitarios...

LUCITA.—Y el no saber—¡pícara curiosidad!—ni de dónde viene ni cuál es su posición.

DOÑA MARCELA.—Su posición creo que no puede ser más modesta. *Sale Juliana llevando en una bandeja un chocolate.* ¿Está bien espesito, Juliana?

JULIANA.—Sí, señora, sí.

DOÑA MARCELA.—¿Y el pan, está bien frito?

JULIANA.—Los picatostes, como no se comen más que en Nebreda. Gloria da verlos.

LUCITA.—Eres un primor para la cocina, Juliana.

JULIANA.—Don Joaquín me lo dice muchas veces.

LUCITA.—¿Habla contigo don Joaquín?

JULIANA.—¡Toma que si habla! ¡Más párrafos echamos los dos!...

LUCITA.—¿Y qué es lo que te dice don Joaquín?

JULIANA.—No hay hombre tan bueno como ése. Sólo que tiene la manía de creer que es muy rico; él me dice, riendo, que es millonario, y yo, ¡claro!, me río también.

LUCITA.—¡Sí, ésa es la manía que tiene don Joaquín!

DOÑA MARCELA.—¿Don Joaquín millonario? ¡Anda con Dios!

LUCITA.—Pero fuera de esa manía, mamá, es un hombre que da gusto hablar con él. ¡Sabe más cosas!

JULIANA.—Sí, señora; debe de haber viajado la mar.

LUCITA.—Yo tengo la preocupación de que don Joaquín no es lo que parece.

DOÑA MARCELA.—¡A ver si resulta un millonario de veras!

LUCITA.—Millonario, no; pero es hombre que debe de haber sido rico. A los dos días de estar aquí ya tenía yo mis sospechas.

DOÑA MARCELA.—¿A los dos días?

LUCITA.—Sí; verás... La primera ropa interior que dió a la lavandera yo la vi. El traje de don Joaquín, ya lo sabes, es muy modesto... Y, sin embargo—¡qué cosa tan rara!—, la ropa interior es finísima, de lo mejor, de todo lujo.

JULIANA.—Es verdad, señorita. Yo me he fijado también.

DOÑA MARCELA.—¡Qué se está enfriando el chocolate! Anda y vuelve si quieres. *Mutis Juliana.*

LUCITA.—Y no es eso sólo de la ropa blanca; es que don Joaquín tiene unos modales como de persona muy distinguida.

DOÑA MARCELA.—Hay que ver, Lucita, a don Joaquín cuando manda una cosa y tardan un minuto en hacerla. ¡Cualquiera diría que ese hombre es un emperador!

LUCITA.—Son rarezas de los hombres, mamá. En cambio, cuando se pone a hablar, a contar sus cosas, no hay hombre más fino.

DOÑA MARCELA.—Yo no sé..., no sé. Me inquieta el tal don Joaquín. *Vuelve Juliana.*

JULIANA.—No tiene usted razón, señora, no. Don Joaquín es campechano, bonísimo.

DOÑA MARCELA.—Campechano... y variable... y extravagante. ¡Jesús, y qué de disparates se le ocurren! Yo creo que ni míster Brown cuando trabajaba en el circo es más extravagante que él.

LUCITA.—Vamos, vamos, mamá. Extravagante, sí; pero ¡qué buen corazón!

JULIANA.—¿Y si luego resultara que don Joaquín era rico?

DOÑA MARCELA.—¿Rico don Joaquín y viviendo aquí? ¿Tú crees que un hombre rico va a tener el capricho de vivir como un pobre?

JULIANA.—Puede que sea rico don Joaquín; pero lo que es español, no es.

LUCITA.—Pues el apellido bien español es: don Joaquín González.

JULIANA.—El apellido será español, pero ¿qué quiere usted que le diga, señorita? Yo, cada vez que le oigo hablar, parece que oigo hablar a un extranjero que hubiera nacido en España.

LUCITA.—La verdad es ésa, sí; habla con un acento... No es que hable mal el castellano, pero parece que no es un español quien lo habla.

JULIANA.—¿Y qué es eso que dice de cuando en cuando..., unas palabras raras?

DOÑA MARCELA.—¡Ah, es verdad! Dice algo así como «olé chipén».

LUCITA.—¡Qué disparate! «¡Olé chipén!» Lo que dice (y a mí me lo ha explicado él mismo) es «Old Spain»; que quiere decir «Vieja España».

DOÑA MARCELA.—¿Y por qué dice eso de vieja España?

LUCITA.—¡Vaya usted a saber! Rarezas. Frases que dicen los hombres que han corrido mundo.

JULIANA.—Y más vale que diga eso que no otra cosa.

LUCITA.—¡Y qué bien le imita míster Brown! *Imitándole.* «Doña Marcela... Lucita... Juliana... ¡Oh Juliana!..., pintoresco, pintoresco..., mucho color, mucho color... «Old Spain!»

DOÑA MARCELA.—Juliana, la tarea de la casa te espera.

JULIANA.—Voy, señora. *Mutis Juliana. Y sale Don Claudio.*

DON CLAUDIO.— ¡Buenos días nos dé Dios! ¡Santos y buenos días!

DOÑA MARCELA.—Buenos días, don Claudio.

LUCITA.—Buenos días.

DON CLAUDIO.—¿Hay alguna novedad? ¿Ocurre algo por el mundo?

DOÑA MARCELA. — Nada, don Claudio. Ninguna novedad.

DON CLAUDIO.—Hoy lo mismo que ayer. Y mañana lo mismo que hoy. ¿No se dice así? ¿No ha dicho eso algún clásico? Y así vamos, poco a poco, caminando, caminando...

LUCITA.—Y más vale, don Claudio, que caminemos poco a poco y no de prisa.

DON CLAUDIO.—Es verdad. No debemos tener prisa para llegar a donde, de todos modos, hemos de llegar. Poquito a poco... Y lo que hace falta es que podamos ir pasando. ¡Unos tanto y otros tan poco!

LUCITA.—Esa es la vida, don Claudio.

DON CLAUDIO.—No, si yo no pido torres ni montones. Yo siempre digo: «Señor, con unas cuantas pesetillas, pocas, muy pocas, para tapar las goteras de la iglesia de las Agustinas y que no se venga abajo la bóveda..., con unas cuantas pesetillas, me contentaba.» Y esas pesetillas no vienen.

DOÑA MARCELA.—La canción de siempre, don Claudio.

DON CLAUDIO.—Sí, mi canción de todos los días, y las pesetillas, dos o tres mil, no vienen. Y la bóveda de la iglesia se hunde.

DOÑA MARCELA.—¿No dicen que don Joaquín es millonario? Que apronte él esas pesetillas.

DON CLAUDIO.—¡Tate! Ya ha salido el dichoso don Joaquín. Era milagro. ¡Poco que hablaron de él anoche en la rebotica de Críspulo Pérez!

LUCITA.—¿Que hablaron de don Joaquín?

DON CLAUDIO.—Lo menos una hora. Bueno se está poniendo el pueblo. Que si don Joaquín es un tal, que si don Joaquín es un cual... Dios me libre de murmuraciones, y, sobre todo, que don Joaquín es un personaje de cuenta.

DOÑA MARCELA.—¿Usted también? ¡Pero cómo anda usted de la mollera, don Claudio!

DON CLAUDIO.—¿Cómo quiere usted que ande, doña Marcela? El mundo está de tal modo que ya no me extrañaría el mayor disparate... Pues sí, anoche contaban... ¡Qué les voy a decir ustedes! En fin, corren por ahí tales rumores... El pueblo está soliviantado.

LUCITA.—¿Cómo, don Claudio? Pero ¿es que ahora va a resultar que don Joaquín va a promover una revolución en Nebreda?

DON CLAUDIO.—Lo que fuere, sonará. Doña Marcela, Lucita: me voy a misa de las Agustinas. No murmuremos nunca del prójimo. Todos somos hermanos. ¡Ay, si yo tuviera esas pesetillas para la bóveda de la iglesia! *Mutis Don Claudio.*

DOÑA MARCELA.—¡No, si ya te decía yo, Lucita, que este don Joaquín nos va a traer alguna complicación! ¡Señor, si no puede ser! Un hombre que está diciendo a cada paso eso de «olé chipén», no puede ser cosa buena.

LUCITA.—¡Pero, mamá, por Dios! Son aprensiones tuyas; no hay motivo para la menor alarma.

DOÑA MARCELA.—Ya ves lo que van diciendo por el pueblo: que si don Joaquín esto, que si don Joaquín lo otro.

LUCITA.—Dirán lo que quieran; el hecho es que nosotras no tenemos motivos para sospechar de nada..., es decir, nada malo..., de don Joaquín. A lo menos puede que resulte que es multimillonario.

DOÑA MARCELA.—¿Tú también? ¡Dale con los millones!

LUCITA. — Quien dice millonario, dice hombre rico..., que tiene tierras, o lo que sea, en alguna parte.

DOÑA MARCELA.—¡Como no tenga...! *Entra Cicuéndez.*

SEÑOR CICUÉNDEZ.—¡Paz y armonía!

DOÑA MARCELA.—Buenos días, señor Cicuéndez.

SEÑOR CICUÉNDEZ.—Paz y armonía y, desde luego, melodía también. ¿Hay alguna novedad?

DOÑA MARCELA.—Ninguna, señor Cicuéndez.

SEÑOR CICUÉNDEZ.—Ninguna, ¿eh?

DOÑA MARCELA.—Ninguna.

SEÑOR CICUÉNDEZ.—¿Conque ninguna?

DOÑA MARCELA.—Absolutamente ninguna.

SEÑOR CICUÉNDEZ.—¿De verás que ninguna?

DOÑA MARCELA.—De verás, señor Cicuéndez.

SEÑOR CICUÉNDEZ.—Pues... háganme el favor de sentarse. No estén de pie; siéntense; no quiero que se caigan de espaldas cuando les dé el notición. *Se sientan alarmadas, nerviosas.* Conque no hay ninguna novedad, ¿eh? ¡Vaya, vaya! *Pausa. De pronto, dando una gran voz:* ¡Don Joaquín! *De un salto se ponen en pie Doña Marcela y Lucita.*

DOÑA MARCELA.—¡Jesús!

LUCITA.—¡Qué hombre, este señor Cicuéndez!

SEÑOR CICUÉNDEZ. — ¿Conque ninguna novedad? Siéntense; háganme el favor. *Otra pausa y otra gran voz.* ¡Don Joaquín! *Otro salto nervioso de las dos mujeres.*

DOÑA MARCELA.—¡Pero, señor Cicuéndez!

LUCITA.—¡Pero, por Dios!...

DOÑA MARCELA.—¡Estoy asustada!

LUCITA.—¡Estoy temblando!

SEÑOR CICUÉNDEZ.—Bueno, bueno, doña Marcela, Lucita. ¿Conque no hay ninguna novedad? *Nueva pausa y nuevo grito.* ¡Don Joaquín!

DOÑA MARCELA.—¿Acabará usted, hombre?

LUCITA.—No es cosa de broma.

SEÑOR CICUÉNDEZ.—Sí, señoras mías; conmigo no hay misterios. Lo sé todo; lo adivino todo.

LUCITA.—Pero ¿qué es lo que sabe usted, hombre de Dios?

SEÑOR CICUÉNDEZ.—¡Qué tumulto había anoche, a última hora, en el saloncillo del casino, donde se reúnen los señores graves! Perico, el mozo que sirve en el saloncillo, se desgañitaba g r i t a n d o: «¡Don Joaquín es un farsante! ¡Don Joaquín es un farsante!»

DOÑA MARCELA.—¡Silencio! Puede estar ahí.

LUCITA.—No, no está; ha salido a primera hora.

SEÑOR CICUÉNDEZ.—Sí; todo el pueblo está alborotado. Unos a favor de don Joaquín y otros en contra de don Joaquín.

LUCITA.—¿Y usted qué dice, señor Cicuéndez?

SEÑOR CICUÉNDEZ.—Lo que digo yo...

LUCITA.—Sí; ¿usted cree que don Joaquín...?

SEÑOR CICUÉNDEZ.—Yo tengo datos ciertos, seguros. Anoche lo vieron.

LUCITA.—¿A quién vieron?

SEÑOR CICUÉNDEZ.—A don Joaquín. Lo vieron; ya no es posible dudar; lo vieron.

LUCITA.—Pero ¿dónde lo vieron? ¿Qué es lo que vieron?

SEÑOR CICUÉNDEZ.—Me lo contó todo después, en el casino, Cirilo Parra. ¿Conocen ustedes a Cirilo Parra? Cirilo Parra estaba anoche, a las nueve, hablando con su novia. La novia de Cirilo vive en la calle de Trajineros, esquina a la del Reloj. Estaba hablando Cirilo con su novia, a las nueve, y de pronto...

DOÑA MARCELA.—¿Qué?

LUCITA.—¿Qué sucedió?

SEÑOR CICUÉNDEZ.—*Dando una gran voz.* ¡Don Joaquín!

DOÑA MARCELA.—¡Ave María Purísima!

LUCITA.—¿Y qué importa que don Joaquín estuviera allí, mamá?

SEÑOR CICUÉNDEZ.—Don Joaquín estaba allí esperando a alguien.

LUCITA.—¿A una mujer?

DOÑA MARCELA.—¡Don Joaquín... Tenorio!

SEÑOR CICUÉNDEZ.—No, señoras mías; esperaba... lo que vino después. Y vino un magnífico automóvil por la carretera de Madrid. Magnífico de veras. Me lo ha dicho Cirilo. Y del automóvil se apeó un señor. Un señor elegante, elegantísimo... Y le dió un abrazo a don Joaquín. Y le entregó una cosa.

DOÑA MARCELA.—¿Una bomba?

LUCITA.—¡Don Joaquín conspirador!

SEÑOR CICUÉNDEZ.—¡Vamos, ahora tomen ustedes a broma lo que les he dicho! ¡No se puede tratar con el sexo débil! Son ustedes incorregibles.

LUCITA.—Es una comedia todo eso.

DOÑA MARCELA.—Una fantasía.

SEÑOR CICUÉNDEZ.—¡F a n t a s í a, no...! ¡Don Joaquín! Y que tuviera yo sus millones.

DOÑA MARCELA.—¡Qué locura!

LUCITA.—Señor Cicuéndez, está usted guillado.

SEÑOR CICUÉNDEZ.—Lo primero que yo haría sería reparar la Escuela de Artes y Oficios, que se está hundiendo. Los pobres muchachos se ahogan en verano de calor y tiritan en invierno de frío. ¡Qué lástima no tener yo unos miles de pesetas!

DOÑA MARCELA.—La tonadilla de todos los días.

SEÑOR CICUÉNDEZ.—Armonía, paz... y, desde luego, melodía. *Se marcha. Breve pausa y asoma después la cabeza y da otra voz.* ¡Don Joaquín!

DOÑA MARCELA.—¡Jesús!

LUCITA.—¡Ay!

DOÑA MARCELA.—Pero ¿has visto, Lucita?

LUCITA.—Sí, mamá, ya veo que... No sé lo que va a pasar aquí.

DOÑA MARCELA.—Yo ya voy dudando.

LUCITA.—¿Quién será don Joaquín?

DOÑA MARCELA.—¿Un conspirador?

LUCITA.—¿Un «apache» disfrazado?

DOÑA MARCELA. — ¡Qué horror! *Entra Míster Brown. Imita a Don Joaquín. Habla con un ligero acento extranjero. Pone su sombrero en la punta del bastón, le da vueltas en el aire, lo arroja a lo alto y lo recoge. Después baila un poco en medio de la escena.*

MÍSTER BROWN.—«Doña Marcela, Lucita.., Vengo de dar mi paseo matinal... Encantado, encantado... Pintoresco, pintoresco... Mucho calor..., mucho calor; "Old Spain!"» *Pausa.* Y ahora, doña Marcela, Lucita, no como don Joaquín, sino como míster Brown, les digo a ustedes: ¡Qué publiquito! El pueblo está que arde. ¡Cómo estaba anoche el saloncillo del casino! Imponente, imponente.

DOÑA MARCELA.—Pero ¿usted también cree que don Joaquín es un millonario?

MÍSTER BROWN.—Si fuera millonario, ¿estaría aquí? Pero, en fin, yo no creo ni dejo de creer. Tengo la obligación, por mi respetable cargo, de creer en las extravagancias. ¿Quién es don Joaquín? ¿De dónde viene don Joaquín? ¿Es rico o es pobre don Joaquín? Esto es lo que a estas horas pregunta todo el pueblo. La cosa está que arde. En fin, señoras mías, voy a mi cuarto a ponerme mi uniforme. Yo no puedo estar un solo día sin ponerme mi querido uniforme, mi traje de faena. ¡Ay, cuántas ganas tengo de volver a trabajar en el circo! Y mi mujer y mis chicos que me están esperando allí, en Madrid. Llevo aquí cerca de mes y medio. He visto al médico en la calle ahora mismo. Me ha dicho que estoy ya bien. Sí; estoy fuerte, robusto... *Volviendo a imitar a Don Joaquín.* «Doña Marcela, Lucita: pintoresco..., pintoresco... Mucho color, mucho color... "Old Spain!"» *Desaparece.*

DOÑA MARCELA.—Todos locos en esta casa.

LUCITA.—En esta casa y en el pueblo.

DOÑA MARCELA.—Ea, Lucita, al trabajo. Voy a trajinar un poco por ahí dentro. *Se marcha. Lucita coge una labor y se sienta a trabajar junto al balcón. Pausa. Aparece Don Joaquín y hace lo mismo que antes hacía Míster Brown. Cuelga el sombrero en el extremo del bastón, lo lanza al aire y lo recoge. Bailotea después en el centro de la sala.*

DON JOAQUÍN.—Lucita, vengo de dar mi paseo por el campo. Mi paseo de todas las mañanas. Pintoresco..., pintoresco... Mucho color... «Old Spain!» ¿Qué hace usted tan sosegada, tan espiritual, tan simpática?

LUCITA.—Gracias, don Joaquín, por sus piropos. Trabajo como siempre.

DON JOAQUÍN.—¡Oh, el trabajo es una gran virtud para los demás!

LUCITA.—¿Usted no trabaja nunca, don Joaquín?

DON JOAQUÍN.—Yo soy multimillonario. ¿Para qué voy a trabajar?

LUCITA.—Si es usted multimillonario, ¿cómo no se le conoce?

DON JOAQUÍN.—¿En qué se me va a conocer, Lucita? *Bailotea otra vez en el centro de la escena.* ¿Usted no había visto nunca bailar a los multimillonarios? ¡Oh, gran cosa! Pintoresco..., pintoresco. En España, ¿no bailan los multimillonarios? ¿Son graves todos, tiesos, solemnes? ¿Son serios? ¿Es preciso, Lucita, que un multimillonario sea una persona seria? ¡Oh España, vieja España! «Old Spain!»

LUCITA.—¿No es usted español, don Joaquín?

DON JOAQUÍN.—Español castizo. Español hasta las cachas. ¿No se dice así?

LUCITA.—No es usted serio, don Joaquín.

DON JOAQUÍN.—¿Cómo? Pero ¿usted se había figurado que yo era un hombre serio? ¡Qué horror! Vamos a ver, Lucita, un momento de confidencias: ¿en qué piensa usted ahora?

LUCITA.—Pienso en que dicen por ahí muchas cosas.

DON JOAQUÍN.—¿Qué cosas dicen por ahí?

LUCITA.—¿No se incomodará usted?

DON JOAQUÍN.—¿Puedo yo incomodarme nunca?

LUCITA.—Dicen que le han visto a usted en la Alameda Vieja.

DON JOAQUÍN.—Y en la Alameda Vieja, ¿qué hacía yo?

LUCITA.—Pasaba por allí también cierta personilla graciosa... Vamos, don Joaquín, cierta personilla como para un millonario.

DON JOAQUÍN.—¿Quién era esa personilla graciosa?

LUCITA.—La hija del marqués de Cilleros; la condesita de La Llana.

DON JOAQUÍN.—¡Oh Lucita, es verdad! La condesita de La Llana...

LUCITA.—¿No le gusta a usted?

DON JOAQUÍN.—¡Verdaderamente preciosa!

LUCITA.—¿Preciosa de veras?

DON JOAQUÍN.—«Old Spain!» *Don Joaquín baila otro poco en medio de la sala, después se sienta en una silla e inclina el cuerpo y apoya la cabeza en la mano.* «Morir... Dormir... ¿Dormir? ¡Quién sabe! Soñar... Sí; ése es el problema. En ese dormir, ¿qué sueños se podrán tener...?» *Pausa ligera. Don Joaquín toma notas en un cuadernito y luego arranca las hojas y las guarda en la cartera.*

LUCITA.—¿Se aburre usted, don Joaquín?

DON JOAQUÍN.—No.

LUCITA.—¿No le gusta a usted Nebreda?

DON JOAQUÍN.—No.

LUCITA.—¿Y la catedral?

DON JOAQUÍN.—No.

LUCITA.—¿Y «San Damián»?

DON JOAQUÍN.—No.

LUCITA.—¿Y el puente romano?

DON JOAQUÍN.—No.

LUCITA.—¿Y el Ayuntamiento?

DON JOAQUÍN.—No.

LUCITA.—¡Jesús, qué malhumorado está hoy, don Joaquín!

DON JOAQUÍN.—«Dormir... Soñar...»

LUCITA.—¿Qué le pasa a usted, don Joaquín?

DON JOAQUÍN.—Me marcho.

LUCITA.—¿Se va usted a pasear por las calles?

DON JOAQUÍN.—Me voy a Constantinopla, a la India, a Oceanía...

LUCITA.—¡Pues no va usted poco lejos, don Joaquín!

DON JOAQUÍN.—Me marcho.

LUCITA.—¿No quiere usted estar más en Nebreda?

DON JOAQUÍN.—No.

LUCITA.—¿No le gusta a usted tampoco el palacio del marqués de Cilleros?

DON JOAQUÍN.—¿Qué decía usted, Lucita?

LUCITA.—Que si no le gusta a usted tampoco el palacio del marqués de Cilleros...

DON JOAQUÍN.—¿Ha vuelto ya el marqués de su viaje?

LUCITA.—Hace dos días.

DON JOAQUÍN.—He de ir a ver ese palacio.

LUCITA.—Debe usted ir. Es lo más bonito de Nebreda.

DON JOAQUÍN.—Me interesa mucho el palacio.

LUCITA.—¿El palacio nada más, don Joaquín?

DON JOAQUÍN. — Perdone usted, Lucita. ¿No va usted el domingo al baile del casino? Sí; ya sé que va usted. Y yo quiero que luzca usted en el baile un regalito mío... Un regalito modesto..., insignificante... ¿Oye usted, Lucita? Insignificante...

LUCITA.—Muy amable, don Joaquín.

DON JOAQUÍN.—Y yo quiero que luzca usted, sí, este modesto collar de perlas. *Le entrega a Lucita un collar de perlas.*

LUCITA.—¡Qué precioso collar, don Joaquín! ¡Qué precioso! Muchas gracias, muchas gracias. Precioso, precioso... ¡Qué bien me está!... Voy corriendo a enseñárselo a mamá. Gracias, mil gracias. Precioso, precioso... ¡Qué bien me está!... Voy corriendo a enseñárselo a mamá. Gracias, mil gracias. ¡Qué amable, don Joaquín! *Desaparece. Don Joaquín se sienta en una silla.*

DON JOAQUÍN.—«Morir... Dormir... ¿Dormir...? ¡Quién sabe! Soñar...» *Sale Míster Brown vestido de payaso.*

MÍSTER BROWN.—¡Turidu!

DON JOAQUÍN.—«Old Spain!» *Se abrazan canturreando. Don Joaquín le pone su sombrero a Míster Brown; éste le pone su montera a Don Joaquín. Don Joaquín le pone la montera a Míster Brown y éste su sombrero a Don Joaquín. Luego se sienta cada uno en el respaldo de una silla, frente a frente, con los pies en el asiento.* Me aburro, míster Brown.

MÍSTER BROWN.—Y yo también, don Joaquín.

DON JOAQUÍN.—La vida es triste.

MÍSTER BROWN.—Donde no hay extravagancias no hay alegrías.

DON JOAQUÍN.—La vida sin extravagancias es despreciable.

MÍSTER BROWN.—¿Quién es usted, don Joaquín?

DON JOAQUÍN.—Yo soy un multimillonario, míster Brown.

MÍSTER BROWN.—¿Cuántos millones tiene usted, don Joaquín?

DON JOAQUÍN.—Tengo treinta millones de dólares, míster Brown.

MÍSTER BROWN.—Présteme usted dos pesetas, don Joaquín.

DON JOAQUÍN. — «¡Old Spain», míster Brown!

MÍSTER BROWN.—¡Turidu, don Joaquín!

DON JOAQUÍN.—¿Qué haría usted si fuese millonario, míster Brown?

MÍSTER BROWN.—Reírme de la Humanidad, don Joaquín.

DON JOAQUÍN.—¿Y para qué se quiere reír de la Humanidad?

MÍSTER BROWN.—Para no verme obligado a llorar.

DON JOAQUÍN.—Y sin dinero, ¿qué le sucede a usted, míster Brown?

MÍSTER BROWN.—Sin dinero me aburro, don Joaquín.

DON JOAQUÍN.—¿Cree usted que los que tienen dinero no se aburren?

MÍSTER BROWN.—Se aburrirán, si se aburren, de otra manera.

DON JOAQUÍN.—Aburrirse con dinero es más fácil que aburrirse sin él.

MÍSTER BROWN.—Prefiero aburrirme con la cartera llena que con la cartera vacía.

DON JOAQUÍN.—Yo voy a hacer la felicidad de usted, míster Brown.

MÍSTER BROWN.—¡Qué gracioso está el niño! Recuerdos a su tía, don Joaquín.

DON JOAQUÍN.—Gracias, de su parte, míster Brown. ¿Cuánto necesita usted para ser feliz?

MÍSTER BROWN.—Un poco más de lo que necesito para ser desgraciado.

DON JOAQUÍN.—¿Quiere usted comprar una casita en el campo para retirarse cuando se canse de trabajar en el circo?

MÍSTER BROWN.—¡Olé los hombrecitos, don Joaquín!

DON JOAQUÍN.—¿Tendrá usted bastante con cien mil duros?

MÍSTER BROWN.—Añada usted una pecera con todos sus habitantes, don Joaquín.

DON JOAQUÍN.—¿Para qué, míster Brown?

MÍSTER BROWN.—Para que me ría yo de los peces de colores.

DON JOAQUÍN.—¿Tiene usted el chaleco blanco de mi tío?

MÍSTER BROWN.—No; pero tengo el peine de concha de mi sobrina.

DON JOAQUÍN.—«Old Spain!».

MÍSTER BROWN.—¡Turidu!

DON JOAQUÍN.—Pintoresco..., pintoresco. *Se suben a las sillas que hay a los lados de la mesa y se sientan en los respaldos.*

MÍSTER BROWN.—¿Quién es usted, don Joaquín? ¡Diablo!

DON JOAQUÍN.—Soy un multimillonario que se aburre. ¡Caramba!

MÍSTER BROWN.—¿Puedo yo aliviar su aburrimiento, don Joaquín?

DON JOAQUÍN.—¿Quiere ser usted mi secretario general, míster Brown?

MÍSTER BROWN.—Tengo una viva simpatía por usted, don Joaquín.

DON JOAQUÍN.—Y yo le profeso un sincero afecto, míster Brown.

MÍSTER BROWN.—¿De veras, don Joaquín?

DON JOAQUÍN.—De verás, míster Brown. *Se levanta y se estrechan la mano; un pie en la silla y otro en la mesa.*

MÍSTER BROWN.—Venga esa mano, don Joaquín.

DON JOAQUÍN.—Ahí va mi mano leal, míster Brown.

MÍSTER BROWN.—¡Turidu!

DON JOAQUÍN.—«Old Spain!»

MÍSTER BROWN.—Tra, la, la...

DON JOAQUÍN.—Tra, la, la... *Desaparecen, bailoteando y haciendo visajes cómicos cada uno por una puerta. Ligera pausa. Entra Don Claudio, presuroso, jadeante, pálido.*

DON CLAUDIO. — ¡Socorro! ¡Socorro! ¡Agua, que me ahogo! *Salen todos, menos Don Joaquín.*

DOÑA MARCELA.—¿Qué pasa?

LUCITA.—¿Qué ocurre?

DON CLAUDIO.—¡Agua! ¡Agua! *Se deja caer desplomado en una silla.*

DOÑA MARCELA.—Pero ¿qué tiene usted, don Claudio?

LUCITA.—¿Qué le ocurre a don Claudio?

MÍSTER BROWN.—¡Señor don Claudio!

DON CLAUDIO.—¡Las pesetas, las pesetas...!

DOÑA MARCELA.—¿Le han robado a usted?

DON CLAUDIO.—No, no. ¡Que tengo las pesetas! Un sueño todo; parece un sueño. ¡Agua, agua! *Le trae Juliana un vaso de agua y bebe.*

LUCITA.—Hable usted, don Claudio.

DON CLAUDIO.—¡Ay, qué felicidad! ¡Sí; aquí tengo ya las pesetas! ¡Y muchas más! ¡Y muchas más!

DOÑA MARCELA.—Cálmese, cálmese, don Claudio.

LUCITA.—Explíquenos usted.

MÍSTER BROWN.—¡Las pesetas!

DON CLAUDIO.—¡Sí; las pesetas!

DOÑA MARCELA.—Hable usted; díganos lo que ha sucedido.

DON CLAUDIO.—Yo les diré. No lo puedo creer... Estaba yo en la puerta de la iglesia; me encontraba parado un momento en el umbral; en esto llega un señor, un señor elegante, se quita el sombrero y me dice: «¿Es usted don Claudio Pisana»? «Servidor de usted», le contesto. Entonces él echa mano a la cartera y me dice: «Tengo para usted un encarguito.» Y me alarga un papel. Yo lo cojo, temblando... El caballero me dice: «Lea usted, a ver si está bien.»

Yo lo veo... ¡Y era un cheque, a mi nombre, de cincuenta mil pesetas!

MÍSTER BROWN.—¡Zambomba!

LUCITA.—¡Diablo!

DOÑA MARCELA.—¡Qué barbaridad!

DON CLAUDIO.—Eso dije yo: «¡Qué barbaridad!» Es decir, no dije nada. Se me fué la luz de los ojos; me arrimé a la puerta, y no sé lo que pasó. Cuando me recobré, ya había allí mucha gente.

MÍSTER BROWN.—¿Y el cheque?

DON CLAUDIO.—El cheque está en mi bolsillo. Aquí lo tengo. Voy a llevarlo al Banco. ¡Cincuenta mil pesetas! ¡Voy a poner nueva la iglesia! Me marcho corriendo, corriendo... *Desaparece.*

DOÑA MARCELA.—¡Qué raro!

JULIANA.—¡Qué suerte ha tenido el señor!

LUCITA.—¡No he visto un misterio como éste!

MÍSTER BROWN. — Curioso, pintoresco, pintoresco...

DOÑA MARCELA.—¡Cincuenta mil pesetas y a su nombre!

MÍSTER BROWN.—¿No podré desmayarme yo también? *Aparece Cicuéndez. Entra con la cabeza baja, mohino; da unas vueltas en silencio por la escena. Todos le miran atentamente.*

DOÑA MARCELA.—¿Qué le pasa a usted, señor Cicuéndez?

SEÑOR CICUÉNDEZ.—Nada; no me pasa nada.

MÍSTER BROWN.—¿Por qué se abrocha usted la americana, señor Cicuéndez?

SEÑOR CICUÉNDEZ. — ¿Hay por ahí alguien? ¿Saben ustedes si hay cerca Guardia civil?

LUCITA.—No, no hay nadie. ¿Tiene usted miedo?

SEÑOR CICUÉNDEZ.—*Entra en su cuarto. Pero sale al momento.* La cerradura de mi armario está un poco floja, doña Marcela.

DOÑA MARCELA.—¿Lo nota usted ahora? Parece que tiene usted temor de algo.

LUCITA.—¿Qué le sucederá al señor Cicuéndez?

SEÑOR CICUÉNDEZ.—*Dando una gran voz.* ¡Don Joaquín!

MÍSTER BROWN.—Pero explíquese usted, amigo Cicuéndez...

DOÑA MARCELA.—A usted le sucede algo raro.

JULIANA.—Sí; al señor Cicuéndez le pasa algo.

LUCITA.—¡Vamos, señor Cicuéndez! Díganos usted lo que le pasa.

SEÑOR CICUÉNDEZ.—¡Ay, ahora soy yo el que me siento para no desmayarme! ¡Cincuenta mil pesetas!

DOÑA MARCELA.—¿Usted también?

LUCITA.—¿A usted otras cincuenta mil pesetas?

SEÑOR CICUÉNDEZ. — Sí, señoras mías. ¡Cincuenta mil pesetas!

DOÑA MARCELA. — ¡Qué raro es todo esto!

LUCITA.—¡Qué misterioso!

SEÑOR CICUÉNDEZ.—Estaba yo en la Escuela de Artes y Oficios; entra un señor en mi clase y me dice: «Perdone usted. ¿don Federico Cicuéndez?» «Servidor», le digo yo. Echa mano a la cartera el caballero y añade: «Tengo para usted un encarguito.» Y me alarga un cheque de cincuenta mil pesetas a mi nombre.

DOÑA MARCELA.—¡Qué barbaridad!

LUCITA.—¡Qué fortuna!

DOÑA MARCELA.—¡Lleve usted esas cincuenta mil pesetas a un Banco, señor Cicuéndez!

SEÑOR CICUÉNDEZ.—¿A un Banco? ¡No; nunca! ¡Qué horror!

MÍSTER BROWN. —¡Señores, el fin del mundo! ¿Dónde está ese tío de los cheques? ¡Que me lo traigan!

LUCITA.—¡Vamos a llamar a don Joaquín! *Le llaman. Sale Don Joaquín, bailoteando y haciendo movimientos cómicos.*

DON JOAQUÍN. — Míster Brown: «Old Spain!»

MÍSTER BROWN.—Don Joaquín: ¡Turidu!

DON JOAQUÍN.—«Old Spain!»

MÍSTER BROWN.—¡Turidu! *Los dos se ponen a bailar en el centro de la escena. Gritos, risas.*

ACTO SEGUNDO

Sala en casa del Marqués de Cilleros. Un retrato de caballero antiguo con armadura. Entran DON JOAQUÍN, MÍSTER BROWN y AGUEDA.

AGUEDA.—Pasen ustedes aquí y tengan la bondad de esperar. El señor marqués ha salido y no tardará en volver.

DON JOAQUÍN.—¡Excelente retrato!

AGUEDA.—Es el retrato del fundador de la familia. El primer marqués de Cilleros. ¡Quién ha visto esta casa antes y la ve ahora!

DON JOAQUÍN.—Lleva una magnífica armadura.

MÍSTER BROWN.—A propósito para trabajar en el trapecio.

AGUEDA.—¿No han estado ustedes nunca en la casa? Arriba, en el salón, hay cuatro o seis armaduras como ésa. El salón hace tiempo que está cerrado. ¡Qué tiempos aquellos cuando vivía la señora!

MÍSTER BROWN. — ¿Qué tiempos eran aquéllos, buena mujer?

AGUEDA.—Me llamo Agueda.

DON JOAQUÍN.—¿Qué tiempos eran aquéllos, Agueda?

AGUEDA.—La casa estaba entonces como un ascua de oro. Desde que murió la señora, ya todo se acabó. El señor no quiere ver a nadie, ni la señorita tampoco. La señorita es un vivo retrato de su padre.

MÍSTER BROWN. — ¿La condesita de La Llana?

AGUEDA.—Sí; el señor le ha cedido ese título, el de condesa de La Llana, a la señorita Pepita.

DON JOAQUÍN.—¿No habla con nadie el señor?

AGUEDA.—Una vida más retirada no la lleva nadie. ¿No conocen ustedes este palacio? Es el más hermoso de toda Nebreda. Y ya ven ustedes... La familia vive en un rinconcito de este palacio tan grande. Esta sala, con un comedorcito y dos o tres habitaciones más, es todo lo que utilizan.

MÍSTER BROWN.—¡Un gran señor que no quiere vivir en su gran palacio!

DON JOAQUÍN.—Es verdaderamente curioso este señor. «Old Spain!»

MÍSTER BROWN.—Ya siente usted por él verdadera simpatía, don Joaquín.

AGUEDA.—¡Cuántas salas cerradas! ¿Y el patio? ¿Han visto ustedes el patio? Ya lo verán ustedes todo. El señor tendrá mucho gusto en enseñarles a ustedes el palacio. Las armaduras como esa del retrato están en el salón de arriba, con muchos cuadros y tapices. ¡Ay, qué tiempos aquellos en que vivía la señora! Ya hace seis años que murió. Y desde entonces no ha habido alegría en esta casa... Esperen ustedes un momento. El señor no tardará en volver. *Hace mutis Agueda.*

MÍSTER BROWN.—¿Ha visto usted, don Joaquín?

DON JOAQUÍN.—Sí, ya estoy viendo, míster Brown. *Míster Brown se sienta en el respaldo de la silla con los pies en el asiento.*

MÍSTER BROWN.—¿Cree usted que no hay extravagancias en la casa de un viejo caballero español?

DON JOAQUÍN.—Parece que no debía haberlas.

MÍSTER BROWN.—Pues debemos esperarlas.

DON JOAQUÍN.—Pues que vengan en hora buena. *Aparece la Condesita.*

CONDESITA.—*A Míster Brown.* No; no se moleste usted; no baje de la silla.

MÍSTER BROWN.—Señorita, perdone usted.

CONDESITA.—No, si ya le conozco a usted. Le he aplaudido mucho en el circo.

MÍSTER BROWN. — Muchas gracias, señorita.

DON JOAQUÍN.—No quisiéramos molestar.

CONDESITA.—¿Esperan ustedes a mi padre? Sí, me lo ha dicho Agueda. Mi padre no tardará en volver.

DON JOAQUÍN.—No pensamos molestarle más que un momento.

CONDESITA.—No molestarán ustedes nada. *Se sientan.* Mi padre tendrá mucho gusto en conversar con ustedes.

DON JOAQUÍN.—Muchas gracias, señorita. Es usted muy amable.

CONDESITA.—Y perdonen ustedes que haya entrado... He querido que no les fuera a ustedes muy pesada la espera.

DON JOAQUÍN.—La espera, que no tenía nada de pesada, es desde este momento deliciosa.

MÍSTER BROWN.—Ahora ya podríamos esperar mucho rato.

DON JOAQUÍN.—Media hora, una hora...

CONDESITA.—¡Muy amables!

DON JOAQUÍN.—La amabilidad es la de este país encantador.

CONDESITA.—¿No es usted de esta tierra?

DON JOAQUÍN.—En espíritu, sí.

CONDESITA.—¿No es usted acaso español?

DON JOAQUÍN.—Lo soy con el corazón.

MÍSTER BROWN.—Señorita, ¿se puede gritar viva España?

CONDESITA.—¿Quién dice que no? *Se ponen de pie Míster Brow y Don Joaquín.*

MÍSTER BROWN.—¡Viva España!

DON JOAQUÍN.—«Old Spain!»

CONDESITA.—España es un país hermoso, ¿verdad?

DON JOAQUÍN.—Son bonitos los campos y las ciudades.

CONDESITA.—Pero usted no parece de aquí...

DON JOAQUÍN.—Estoy en el pueblo hace dos meses.

CONDESITA.—¿Ha visto usted ya toda Nebreda?

DON JOAQUÍN.—La veo un poquito cada día. La voy descubriendo a retazos.

CONDESITA.—¿Ya habrá usted visto la catedral?

DON JOAQUÍN.—Sí, la catedral es muy hermosa, pero hay otras muchas iglesias bonitas. Como, por ejemplo, San Damián, el Cristo del Arroyo, San Basilio, las Agustinas...

CONDESITA.—Todas esas iglesias son preciosas.

DON JOAQUÍN.—Por las mañanas voy un rato a las iglesias. Sobre todo, a las iglesias de monjas.

CONDESITA.—¿Y por las tardes? ¡Ah, perdón! ¡Qué indiscreta soy!

DON JOAQUÍN.—No, no; yo tengo mucho gusto. Por las tardes leo un poquito y salgo al campo.

CONDESITA.—La vida aquí es un poco aburrida. Acostumbrado al movimiento de una gran ciudad...

DON JOAQUÍN.—¿Usted sabe que estoy acostumbrado al movimiento de una gran ciudad?

CONDESITA.—Digo, lo supongo; sólo los que vienen de las grandes ciudades encuentran todo su encanto a la vida de los pueblos.

MÍSTER BROWN.—¡Ah, naturalmente, naturalmente, señorita!

CONDESITA.—No sé si he dicho un disparate.

DON JOAQUÍN.—No; disparate, no. En efecto, para gustar de la paz de los pueblos es preciso venir de las grandes ciudades.

CONDESITA.—Pero la vida en estos pueblos es aburrida, ¿verdad?

DON JOAQUÍN.—Aburrida, ¿por qué?

CONDESITA.—No hay en estos pueblecitos castellanos el movimiento febril, la actividad...

DON JOAQUÍN.—¿Usted cree, señorita, que el movimiento y la actividad hacen el encanto de la vida?

CONDESITA.—Yo no, pero lo cree mucha gente. Yo creo lo contrario.

DON JOAQUÍN.—¿Cree usted lo contrario, señorita?

CONDESITA.—Sí, precisamente lo contrario. Yo no podría vivir, por ejemplo, en Nueva York.

DON JOAQUÍN.—¿Cómo dice usted, señorita? ¿Qué ha dicho usted? ¿Que no podría usted vivir en Nueva York?

CONDESITA.—Quien dice Nueva York, dice París, Londres, Buenos Aires...

DON JOAQUÍN.—No, no; usted ha dicho en Nueva York. ¿Cómo se figura usted a Nueva York?

CONDESITA.—¿Qué sé yo? Una ciudad muy grande..., con mucho ruido..., como un torbellino, como un vendaval...

DON JOAQUÍN.—Torbellino, vendaval... ¿Y las gentes?

CONDESITA.—¿Es usted de Nueva York?

DON JOAQUÍN.—¿Y las gentes?

CONDESITA.—¡Dios mío, las gentes de Nueva York!...

MÍSTER BROWN.—Don Joaquín: «Old Spain!»

DON JOAQUÍN.—¡No interrumpa! ¡No interrumpa! Señorita, ¿cómo se figura que son las gentes de Nueva York?

CONDESITA.—Yo no quisiera, señor, decir ningún desatino. Pero yo creo, por ejemplo, que en Nueva York las extravagancias no hacen ningún efecto. Las gentes no se asombran de ellas. Y en España, por el contrario, una extravagancia conmueve a todo un pueblo. Un extranjero un poco extravagante podría creer que para que progresen los españoles es preciso hacer muchas extravagancias, a fin de que los españoles salgan de sus casillas.

DON JOAQUÍN.—¡Señorita! ¡Estoy asombrado, verdaderamente asombrado! ¡Está usted diciendo unas cosas que las he pensado yo!

CONDESITA.—¿Las ha pensado usted?

DON JOAQUÍN.—¡Sí, las he pensado yo y las he escrito!

CONDESITA.—¿Las ha escrito usted?

DON JOAQUÍN.—¡Sí, las he escrito yo! ¡Estoy verdaderamente asombrado! !Es usted adivina!

CONDESITA.—¿Yo adivina?

MÍSTER BROWN.—Adivina y divina.

DON JOAQUÍN.—¡Veamos, señorita, veamos! ¡Esto es muy importante!... *Se oye una voz dentro que dice: «¡La Divina Pastora!»*

DON JOAQUÍN.—¿Quién entra aquí? ¿Quién interrumpe? ¡Ah, perdón, perdón, señorita! ¡Creí que estaba en mi casa!

CONDESITA.—Y lo está usted, en efecto, señor. Esta casa es la suya. *Entra Blasa.*

BLASA.—¡La Divina Pastora! ¡La Pastora Divina! *Sale, trayendo una imagen de la Divina Pastora.*

CONDESITA.—Adelante la Pastorcita, y ustedes perdonen.

BLASA.—¿Están ustedes bien? He dado la vuelta al barrio. Ahora le toca a la casa del señor marqués de Cilleros.

CONDESITA.—Cada ocho días viene la Pastora a casa. ¿Ustedes no saben lo que es la Pastorcita Divina?

DON JOAQUÍN.—Esta Pastorcita, no; pero otras pastorcitas primorosas, sí.

MÍSTER BROWN.—Un poco de serenidad, don Joaquín.

CONDESITA. — La Pastorcita es preciosa. Tiene en la peana unos borreguitos blancos. La imagen va dando la vuelta por el barrio. Cuando llega aquí yo me pongo muy alegre.

DON JOAQUÍN. — Perdone, señorita; un momento... Estábamos diciendo...

CONDESITA.—¿No le gusta a usted la Pastorcita? Estos borreguitos que están alrededor de ella son blancos, blancos como la nieve.

DON JOAQUÍN.—Sí, señorita; es encantadora la imagen. Pero yo quisiera...

CONDESITA.—¿Y el sombrero que lleva? Es redondo, ancho, con una borlita detrás.

DON JOAQUÍN.—Sí, está bien. Yo admiro la borlita y el sombrerito; pero, perdóneme, íbamos diciendo que las gentes de Nueva York...

CONDESITA.—La Pastorcita parece que va paseando por el campo. Y los borreguitos son blancos, blancos.

DON JOAQUÍN.—Sí, señorita, sí. Los borreguitos son blancos, blancos. Pero yo quisiera... Decía usted que la gente de Nueva York...

CONDESITA.—Y esta Pastorcita es muy milagrosa. ¿Ve usted qué cayado tan bonito lleva?

DON JOAQUÍN. — En efecto, señorita; el cayado es precioso. Pero yo le preguntaba a usted si usted cree que las gentes de Nueva York...

CONDESITA.—¿Ve usted cómo sonríe la Pastorcita?

DON JOAQUÍN.—Sí, sí; ya veo cómo sonríe. Pero, perdóneme usted, yo quisiera saber... Ibamos diciendo antes que las gentes de los Estados Unidos...

CONDESITA. — ¿Hablábamos antes de los

Estados Unidos? ¡Ah, perdón, perdón! ¿Qué íbamos diciendo? Cuando tengo la Pastorcita delante se me olvida todo. ¿Es que hay pastorcitas como ésta en esas tierras tan lejanas de que usted me habla?

DON JOAQUÍN.—Señorita, perdone usted. Yo me desespero; pregunto; soy indiscreto; soy, si usted quiere, rudo.

CONDESITA.—¿Cómo voy a querer eso? Yo no quiero que usted sea rudo, don Joaquín.

DON JOAQUÍN.—Soy todo lo que usted quiera. Y el tiempo va pasando. ¿No le parece a usted que no se debe perder el tiempo?

CONDESITA.—¡Perder el tiempo! ¡Qué horror! El tiempo pasa... Dejémosle pasar.

DON JOAQUÍN.—Pero el tiempo es la vida.

CONDESITA.—La vida es pensar, sentir, ver pasar el tiempo.

DON JOAQUÍN.—Ver pasar el tiempo, ¡no! ¡Dominar el tiempo!

MÍSTER BROWN.—Serenidad, serenidad, don Joaquín.

CONDESITA.—En un día gris de Castilla —de esta tierra de Castilla cercana al país vasco—, en un día gris, ceniciento, de cielo bajo, ¡qué placer el estar en una ventanita, contemplando el horizonte! No sabemos la hora que es; la luz es fina e igual durante todo el día; el cielo es de plata bruñida y el campo es verde. No pasa el tiempo. Hemos detenido el curso de las horas. No sentimos ni ansiedad ni pesar por nada. En nuestro espíritu hay tanta paz como en el campo y en la bóveda gris del cielo. ¡Y detrás de nosotros, detrás de nuestra personalidad, sentimos un pasado espiritual de siglos y siglos, que es lo que realza y ennoblece todas las cosas y todo el paisaje!...

DON JOAQUÍN.—¿Es un sueño todo eso?

CONDESITA.—¿Qué está usted diciendo?

DON JOAQUÍN.—¿Es ése su ideal?

CONDESITA.—¿Sueño? No; realidad, intensidad de vida; vida íntima y profunda.

DON JOAQUÍN.—¿Vida la inactividad? ¿Vida el marasmo?

CONDESITA.—¡Qué vale todo el trajín del mundo, y todas las máquinas, y toda la actividad industrial, al lado de este minuto pasado en la ventanita, contemplando en un día gris el paisaje!

MÍSTER BROWN.—¿Qué es lo que decíamos hace un momento?

DON JOAQUÍN.—El cielo gris y el silencio profundo...

CONDESITA.—¡Qué bonita es la Divina Pastora! Los borreguitos son blancos y el sombrero de la Pastora es redondo.

DON JOAQUÍN.—Sí. La Divina Pastora... El silencio, la inactividad...

CONDESITA.—¡Todos la quieren a la Divina Pastora! ¡Todos la queremos! Vamos a llevarla a su sitio, en la otra sala. Vamos, Blasa, trae la Pastorcita. Vamos a ponerle unas flores. Los borreguitos son blancos; el sombrero es redondo y tiene una borlita detrás... *Salen la Condesita y Blasa.*

MÍSTER BROWN.—¡Preciosa mujer!

DON JOAQUÍN.—¡Antipática!

MÍSTER BROWN.—¡Hermosísima!

DON JOAQUÍN.—¡Insoportable!

MÍSTER BROWN.—¡Lindísima!

DON JOAQUÍN.—¡Cargante! *Pausa ligera. Míster Brown se sube a una silla.*

MÍSTER BROWN.—Oiga usted, don Joaquín: ¿no es un poco redicha esta señorita?

DON JOAQUÍN.—¡Discretísima!

MÍSTER BROWN.—¿No tiene los ojos un poco pequeños?

DON JOAQUÍN.—¡Como dos soles!

MÍSTER BROWN.—¿No tiene las mejillas un poco pálidas?

DON JOAQUÍN.—¡Como dos amapolas!

MÍSTER BROWN.—No le conozco a usted, don Joaquín.

DON JOAQUÍN.—¡Estoy furioso, míster Brown! Quiero que pase el tiempo inmediatamente; quiero hacerlo todo en un minuto. ¡Quisiera que ya hubiera pasado una semana, un mes, un año! *Aparece el Marqués de Cilleros.*

MARQUÉS DE CILLEROS.—Servidor de ustedes.

DON JOAQUÍN.—Muy señor mío. Yo soy Joaquín González, forastero en Nebreda. Míster Brown es mi secretario general.

MARQUÉS DE CILLEROS.—Mucho gusto en conocerlos personalmente. De oídas ya los conocía.

DON JOAQUÍN.—Perdone usted si vengo a molestarle un momento.

MARQUÉS DE CILLEROS.—No me molesta usted.

DON JOAQUÍN.—No quisiera interrumpir sus ocupaciones.

MARQUÉS DE CILLEROS.—No estoy nunca ocupado. Dispongo de todo mi tiempo para ver pasar la vida. *Se sientan.*

DON JOAQUÍN.—¿Es usted un espectador de la vida?

MARQUÉS DE CILLEROS.—Soy un espectador de la corriente de las cosas.

DON JOAQUÍN.—¿Es usted fatalista?

MARQUÉS DE CILLEROS.—Voy a donde me llevan las cosas.

DON JOAQUÍN.—Pero la corriente de las cosas puede ser modificada por nuestra intervención...

MARQUÉS DE CILLEROS.—Esa es la gran ilusión humana. Al cabo de todo, cuando se han dado muchas vueltas por el mundo, se advierte la ineficacia del esfuerzo del hombre.

DON JOAQUÍN.—La doctrina de usted lleva derechamente a la inacción.

MAAQUÉS DE CILLEROS.—¿A qué llama usted inacción?

DON JOAQUÍN. — El hombre vive para desenvolver su personalidad, y en la acción la desenvuelve.

MARQUÉS DE CILLEROS.—¿A qué llama usted inacción?

DON JOAQUÍN.—Llamo inacción a la quietud.

MARQUÉS DE CILLEROS.—¿Cree usted que sin máquinas, sin empresas industriales, sin grandes negocios, no puede haber acción?

DON JOAQUÍN.—Condena usted la vida moderna.

MARQUÉS DE CILLEROS.—Condeno lo accesorio, lo inútil, lo superfluo de la vida moderna y de todas las vidas.

DON JOAQUÍN.—Con el criterio de usted no habría civilización.

MARQUÉS DE CILLEROS.—¿Son las máquinas la civilización? Dentro de un hombre quieto puede haber más actividad que dentro de un personaje frenético con los negocios industriales.

DON JOAQUÍN.—No puedo comprender el marasmo, ni en el individuo ni en las naciones.

MARQUÉS DE CILLEROS. — Pensamiento, pensamiento; meditación, meditación... Toda la actividad de un hombre está ahí... Entre cuatro paredes se puede ser más activo y más feliz que en la más agitada de las ciudades.

DON JOAQUÍN.—¿Cree usted que Nebreda es superior, por ejemplo, a Nueva York?

MARQUÉS DE CILLEROS.—He estado en muchas capitales del mundo y nunca me he sentido tan dentro de mí mismo, tan activo, como en este viejo pueblo castellano.

DON JOAQUÍN.—La Humanidad necesita caminar, marchar.

MARQUÉS DE CILLEROS.—¿Marchar de prisa, vertiginosamente?

DON JOAQUÍN.—Marchar sin detenerse.

MARQUÉS DE CILLEROS. — ¿Para llegar adónde? ¿Es que la Humanidad tiene señalado un momento fijo para llegar a alguna parte?

DON JOAQUÍN.—El progreso lo requiere. La marcha de la Humanidad no admite detenciones.

MARQUÉS DE CILLEROS.—La marcha de la Humanidad es indefinida. No tiene la especie humana una hora, repito, para llegar a ninguna parte. Da lo mismo llegar un poco antes que un poco después. Y lo que importa es cómo se llega; es decir, cómo se va llegando lentamente a lo largo de los siglos.

DON JOAQUÍN.—En cierto modo usted desdeña el progreso.

MARQUÉS DE CILLEROS.—Según del progreso de que se trate. Si es cierto progreso industrial, mecánico, tiene usted razón. Yo no sé por qué he de ser más feliz llegando a San Sebastián desde aquí en seis horas que llegando en doce.

DON JOAQUÍN.—Me asombra usted, Marqués. Me asombra usted, y escuchándole, después de conocer la opinión que de usted tienen sus convecinos, siento por usted una profunda simpatía.

MARQUÉS DE CILLEROS.—Yo también, don Joaquín; charlando con usted parece que charlo con un antiguo amigo.

DON JOAQUÍN.—Míster Brown, esto es admirable.

MÍSTER BROWN.—Verdaderamente admirable.

MARQUÉS DE CILLEROS.—El amigo de usted, míster Brown, a quien yo he admirado en su trabajo alguna vez, debe de pensar algo parecido a lo que yo pienso.

MÍSTER BROWN.—Gracias, marqués. Es usted un caballero perfecto.

MARQUÉS DE CILLEROS.—Gracias también, amigo míster Brown.

DON JOAQUÍN.—¿Quiere usted que le sea sincero, marqués?

MARQUÉS DE CILLEROS.—Séalo usted, don Joaquín.

DON JOAQUÍN.—Hay en esta tierra un ambiente que me atrae y me desagrada al mismo tiempo. No sé cómo explicarlo. Me siento atraído y a la vez disgustado por muchas cosas. No acierto a explicármelo.

MARQUÉS DE CILLEROS.—Yo se lo explicaré a usted. Soy un poco orador; resabio de mis tiempos del Senado. Cuando usted, en una callejita silenciosa, apartada, contempla un viejo palacio, no siente pasar el tiempo. El silencio, la paz, la hermosura de las viejas piedras, le atraen a usted.

DON JOAQUÍN.—Sí, eso es «Old Spain!»

MARQUÉS DE CILLEROS.—Cuando usted habla con un labriego de nuestras campiñas o entra en un taller y conversa con un artesano, la calma, el sosiego, las maneras lentas y reposadas de esos viejos castellanos, tan señores en su humildad, le atraen a usted.

DON JOAQUÍN.—Sí, sí. «Old Spain!»

MARQUÉS DE CILLEROS.—Cuando penetra usted en una catedral y contempla usted en la inmensidad de la nave una viejecita silenciosa, vestida de negro, que permanece horas y horas entregada a su fe, a sus profundos sentimientos tradicionales, sin esperar nada de nadie ni ambicionar ya nada, usted se siente atraído irresistiblemente.

DON JOAQUÍN.—Sí, sí. «Old Spain!»

MARQUÉS DE CILLEROS.—Cuando usted asciende por la colina en que está asentado un viejo castillo y contempla luego desde las rotas almenas la vieja ciudad, que se desparrama allá en lo hondo, llena de palacios primorosos, usted se siente atraído por esta obra admirable de tantos siglos.

DON JOAQUÍN.—Sí, sí. «Old Spain!»

MARQUÉS DE CILLEROS.—Y, sin embargo, don Joaquín, usted querría transformar el ambiente de todo este paisaje, de todas estas ciudades; usted querría imprimir un impulso formidable a la vida española.

DON JOAQUÍN.—¡Oh, sí, sí; eso es lo cierto!

MARQUÉS DE CILLEROS.—Y lo cierto es también que para eso habría que abolir el pasado.

DON JOAQUÍN.—¿Abolir el pasado?

MARQUÉS DE CILLEROS.—Borrar la obra lenta y compleja de muchos siglos.

DON JOAQUÍN.—Es preciso caminar hacia lo por venir.

MARQUÉS DE CILLEROS.—Es preferible gustar las cosas hora por hora, minuto por minuto, que pasar vertiginosamente por la vida.

DON JOAQUÍN.—El mundo está cada vez más dominado por la acción.

MARQUÉS DE CILLEROS.—Sí; por la acción y por la cantidad. Y ese ambiente de la vieja España que usted admira y que al mismo tiempo le desagrada, es la tradición, la experiencia de incontables generaciones. Y la tradición no se improvisa. La tradición es la finura y el sentido de lo perfecto. Cuando yo veía que antes se llevaban de nuestras ciudades bellas portadas de edificios y a veces viejos palacios enteros, yo lo deploraba; pero al mismo tiempo pensaba que lo que no pueden llevarse esos pueblos grandes y poderosos es el ambiente de perfección que ha creado esos palacios y esas ciudades.

DON JOAQUÍN.—¿No siente usted, marqués, deseos de salir de Nebreda?

MARQUÉS DE CILLEROS.—¿Adónde iré que no vea lo que ya he visto? Cielo, tierras, montañas, mares... Yo soy ya viejo. ¿Ve usted este palacio? Esta casa es una de las más hermosas de Castilla. Y en esta casa mi hija y yo sólo habitamos una parte reducida del edificio. Todo lo demás es para nosotros inútil. Y nuestra comida es tan sobria como nuestra habitación.

DON JOAQUÍN.—¿Ha vivido usted siempre en Nebreda, marqués?

MARQUÉS DE CILLEROS.—He vivido con mi familia en Madrid. Hemos vivido también largas temporadas en el extranjero. Desde que se murió mi mujer, hace seis años, me retiré a Nebreda y todo acabó para mí. ¿No conoce usted esta casa?

DON JOAQUÍN.—Mucho gusto, marqués, tendremos en conocerla.

MARQUÉS DE CILLEROS.—Con permiso de ustedes; iré a dar orden de que abran todas las dependencias y ahora mismo podrán ustedes visitarla. *Sale el Marqués.*

MÍSTER BROWN.—Esto es admirable, don Joaquín.

DON JOAQUÍN.—Verdaderamente admirable, míster Brown. *Míster Brown se sube al respaldo de la silla.*

MÍSTER BROWN.—¡Turidu!

DON JOAQUÍN.—«Old Spain!» *Sale la Condesita.*

MÍSTER BROWN.—Perdone otra vez, señorita.

CONDESITA.—Está usted bien. ¡Si no le digo que le he visto muchas veces...!

DON JOAQUÍN.—¿Y a mí también?

CONDESITA.—¿A usted? ¿De qué modo, siendo de tan lejos?

DON JOAQUÍN.—¿Cómo sabe usted que soy de tan lejos?

CONDESITA.—Parecía tener usted antes mucho interés por las gentes muy lejanas.

DON JOAQUÍN.—Pero el que yo tuviera interés en oír su opinión sobre esas gentes, no quiere decir que sea yo también de allá lejos.

CONDESITA.—¿Qué importa, después de todo, el lugar del nacimiento? Lo que importa es el corazón con que nacemos.

DON JOAQUÍN.—¿Y usted cree que hay gentes sin corazón?

CONDESITA.—Sin corazón... o teniéndolo sólo para sentir los goces materiales y rudos de la vida.

DON JOAQUÍN.—¿No concibe usted que esos llamados intereses materiales pueden ser el nervio de la vida moderna?

CONDESITA.—El nervio de la vida moderna es el mismo que el de la vida antigua: el espíritu.

DON JOAQUÍN.—Hay una opinión irreductible, condesita, entre el ideal de ciertas naciones y el de otras.

CONDESITA.—¿Irreductible, don Joaquín? No soy yo tan severa; lo que sospecho es que las personas nacidas en uno u otro de esos países no tendrán mucha facilidad para entenderse.

DON JOAQUÍN.—¿Ni para amarse tampoco?

CONDESITA.—¿Amarse?

DON JOAQUÍN.—Sí, amarse.

CONDESITA.—El amor está por encima de todo.

DON JOAQUÍN.—El amor llega a comprenderlo todo.

CONDESITA.—O, por lo menos, a tolerarlo todo.

DON JOAQUÍN.—¿A tolerarlo? ¡Yo no quiero que me tolere nadie!

CONDESITA.—Perdón, don Joaquín. ¿Cómo puede usted suponer que me refería a su persona?

DON JOAQUÍN.—Los niños c o m i e n z a n bromeando y acaban riñendo.

CONDESITA.—¿Y usted quiere principiar por el final?

DON JOAQUÍN.—Voy siempre un poco contra la costumbre; lo inusitado me enamora.

CONDESITA.—¿Es usted un poco extravagante, don Joaquín?

DON JOAQUÍN.—¿Un poco? Un mucho, un mucho... La vida sin extravagancias no tiene encantos.

CONDESITA.—Y como en España no hay extravagancias, es preciso hacer muchas para que los españoles salgan de sus casillas.

DON JOAQUÍN.—¡Condesita, por Dios, dígame usted! ¡Eso lo he pensado yo, lo he escrito yo! Estoy asombrado. ¿Cómo ha podido usted adivinarlo? *Aparece el Marqués.*

MARQUÉS DE CILLEROS.—Señores, cuando ustedes gusten. Ya está todo abierto y dispuesto para que ustedes visiten la casa.

DON JOAQUÍN.—A los pies de usted, señorita.

MÍSTER BROWN.—Señorita...

CONDESITA.—Señores, mucho gusto. *Salen el Marqués, Don Joaquín y Míster Brown. La Condesita coge una labor y se pone a trabajar junto a un balcón. Breve pausa. Sale el Marqués.*

MARQUÉS DE CILLEROS.—Ya van esos señores escaleras arriba en compañía de Agueda; voy a coger la llave del oratorio, que se me había olvidado. *Toma el Marqués una llave de un escritorio o bufete.*

CONDESITA.—Papá, ¿qué te ha dicho ese señor?

MARQUÉS DE CILLEROS.—Es un señor un poco raro, pero simpático. Ya te contaré luego.

CONDESITA.—Yo le he visto también mucho por las afueras. Una tarde iba yo por la Alameda Vieja con Agueda; este señor iba delante; había estado escribiendo en un cuadernito y después arrancaba las hojas y las guardaba en una cartera. Como hacía viento, una de las hojas se le escapó sin que él lo viera y comenzó a volar por el campo. Agueda la cogió y me la dió a mí. La nota estaba escrita en inglés; ya te la enseñaré luego. Encima pone por título «Nueva York-Nebreda», y luego dice que en Nueva York las extravagancias no escandalizan a nadie; que en España una extravagancia conmueve a todo un pueblo; que es preciso hacer en España muchas extravagancias para que los españoles salgan de sus casillas, y que sólo cuando los españoles salgan de sus casillas podrá progresar España.

MARQUÉS DE CILLEROS.—Es curioso. Ya había oído hablar de este señor. Es un poco extravagante.

CONDESITA.—Extravagante, no, papá.

MARQUÉS DE CILLEROS.—Estrafalario.

CONDESITA.—Estrafalario, no, papá.

MARQUÉS DE CILLEROS.—Fantástico.

CONDESITA.—No, no; fantástico, no, papá. Yo lo he visto paseando por las afueras.

MARQUÉS DE CILLEROS.—¿Y él te ha visto a ti?

CONDESITA.—Pasea mucho por los alrededores del pueblo.

MARQUÉS DE CILLEROS.—¿Y él te ha visto a ti?

CONDESITA.—Es un gran andarín.

MARQUÉS DE CILLEROS.—¿Y él te ha visto a ti?

CONDESITA.—¡Papá, qué cosas tienes!

MARQUÉS DE CILLEROS.—Hasta ahora, Pepita. *El Marqués se marcha y se detiene en la puerta. La Condesita deja la labor, apoya el codo en la rodilla y reclina la cabeza en la mano; así permanece un momento, pensativa; el Marqués la mira desde lejos, llega despacito hasta ella por detrás, le pone las manos en la cabeza y le da un beso en la frente. Después sale presuroso.*

ACTO TERCERO

CUADRO PRIMERO

Calle. Al levantarse el telón están en escena dos ancianos, DON NEMESIO y DON VEDASTO. Se oyen de cuando en cuando clamorosas vociferaciones. Una murga toda una música viva, alegre, fuera de la escena.

DON VEDASTO.—¡Qué escándalo!
DON NEMESIO.—¡Qué horroroso!
DON VEDASTO.—¡Esto es el fin del mundo!
DON NEMESIO.—¡Esto no ha ocurrido desde el tiempo de los franceses!
DON VEDASTO.—¡Tiene la culpa el Gobierno!
DON NEMESIO.—Antes no pasaban estas cosas. *Sale corriendo el Corresponsal.*
CORRESPONSAL.—¿No saben ustedes lo que pasa?
DON NEMEESIO.—¡Alguna barbaridad!
DON VEDASTO.—¿Don Joaquín?
CORRESPONSAL.—¿Son ustedes joaquinistas o antijoaquinistas? Medio pueblo es joaquinista; la otra mitad, antijoaquinista. ¿Qué es usted, don Vedasto? ¿Qué es usted, don Nemesio? Voy corriendo a telegrafiar a Madrid, a mi periódico...
VOCES.—¡Viva don Joaquín!
OTRAS.—¡Muera don Joaquín! *Se oyen aplausos clamorosos. Luego, protestas. Sigue tocando la murga.*
DON NEMESIO.—¡Qué escándalo!
DON VEDASTO.—¡Tiene la culpa el Gobierno!
CORRESPONSAL.—¿Qué son ustedes, joaquinistas o antijoaquinistas? Voy corriendo a telegrafiar a mi periódico; ya todos los periódicos de Madrid hablan del suceso... Y lo peor, ¿saben ustedes?... ¿Sabe usted, don Nemesio; sabe usted, don Vedasto?... Lo peor es que la condesita de La Llana no se quiere casar con don Joaquín.
DON NEMESIO.—¿Que no se quiere casar?
DON VEDASTO.—¡Que no se case!
DON NEMESIO.—Teniendo tantos millones don Joaquín...
DON VEDASTO.—¿Cree usted que tiene tantos millones...?
DON NEMESIO.—Es archimillonario.
DON VEDASTO.—¡Es un farsante!
DON NEMESIO.—¡Antijoaquinista!
DON VEDASTO.—¡Joaquinista!
CORRESPONSAL.—Señores: Paz, paz. Voy a escape a telegrafiar.
VOCES.—¡Viva don Joaquín!
OTRAS.—¡Muera don Joaquín! *Se oyen dentro de nuevo aplausos. Luego, protestas.*
DON NEMESIO.—¡Es horroroso!
DON VEDASTO.—¡Tiene la culpa el Gobierno!
CORRESPONSAL.—Vengo en seguida, vengo en seguida. ¡Ah! ¿No conocen ustedes la hoja que ha publicado don Joaquín? Se ha repartido por todo el pueblo... Aquí está... No, no; esto es una receta para hacer pestiños... No, esto tampoco es; esto es la oración de San Serenín, que me ha dado mi cuñada para que se la dé a mi mujer... Aquí está. Como la condesa de La Llana no se quiere casar con don Joaquín, ¿qué ha hecho don Joaquín? Ha prometido lo siguiente, si la condesita accede al casamiento. Atención. *Lee.* «Sepan todos los habitantes de Nebreda que el abajo firmante promete: pesetas cien mil para la catedral; doscientas mil para la Escuela de Artes y Oficios; trescientas mil para un hospital; doscientas mil para el casino; doscientas mil, distribuídas en ocho premios de veinticinco mil, que habrán de ser sorteados entre los vecinos de Nebreda. Promete todo esto el abajo firmante si la condesita de La Llana le concede el suspirado sí. El millón de pesetas se halla depositado en el Banco de España. Firmado, Joaquín González Moore. *Nota:* Invito a los señores representantes de la Prensa a que hagan información de este suceso. Y prometo corresponder a su trabajo con mi especial gratitud.» ¿Eh, qué tal?
DON NEMESIO.—¿Tantos millones tiene don Joaquín?

DON VEDASTO.—No tiene un céntimo.
DON NEMESIO.—Es un archimillonario.
DON VEDASTO.—Es un farsante.
VOCES.—¡Viva don Joaquín!
OTRAS.—¡Muera don Joaquín! *Aplausos; protestas. Toca la murga.*
CORRESPONSAL.—Ahí, en la plaza, está todo el pueblo... *Llamando a alguien que pasa fuera de la escena.* ¡Eh, alcalde! ¿Adónde va usted...? Un momento. *Sale el alcalde.*
ALCALDE.—¿Qué hay, corresponsal? ¿Sabe usted la novedad? He telegrafiado esta mañana a Madrid, al Banco de España... Ya habrá usted leído la hoja que ha circulado por ahí.
CORRESPONSAL.— Sí, se ha telegrafiado también a Madrid a los periódicos.
ALCALDE.—Yo, el alcalde de Nebreda, obligado a saberlo todo, a mantener el orden, a volver por los principios, a... Bueno; he telegrafiado al gobernador del Banco de España; he preguntado atentamente, claro; con todo respeto, claro; con toda cortesía, claro...
CORRESPONSAL.—¡Claro!
ALCALDE.—He preguntado si estaba allí depositado el millón de pesetas de don Joaquín, ¿y saben ustedes lo que han contestado? Acabo de recibir este telegrama del gobernador del Banco.
VOCES.—¡Viva don Joaquín!
OTRAS.—¡Muera don Joaquín! *Aplausos; protestas.*
ALCALDE.—No me dejarán leer el telegrama. *Lee.* «Gobernador del Banco de España a alcalde de Nebreda. La cuenta corriente de don Joaquín González Moore en el Banco de España asciende a veinte millones de pesetas. Hay aquí depositado un millón para donativos condicionales a esa ciudad. La fortuna personal de don Joaquín González Moore en los Estados Unidos se calcula en treinta millones de dólares. Corresponde atentamente a su saludo...»
CORRESPONSAL.—¡Qué barbaridad!
DON NEMESIO.—¡Qué animal!
DON VEDASTO.—¡Qué bruto!
ALCALDE.—¿Qué dicen ustedes ahora?
CORRESPONSAL.—Yo he sido siempre joaquinista.
DON NEMESIO.—Y yo también.
DON VEDASTO.—Yo también tenía mi sospecha.
ALCALDE.—He estado en la estación... ¿Dónde se ha metido usted, corresponsal? Han llegado una porción de redactores de periódicos de Madrid. Vienen también fotógrafos. Hasta ha llegado el representante de una casa de películas de los Estados Unidos... ¿Dónde se ha metido usted? ¿Usted sí que estará enterado de lo del collar de Lucita Serrano? ¿El collar de perlas que le regaló don Joaquín y que llevaba anoche Lucita en el baile del Casino? ¡Un collar que vale cincuenta mil pesetas! Lo descubrió Daza, el joyero. Y se lo quiso comprar a Lucita en tres mil duros.
CORRESPONSAL.—¡Qué escándalo!
DON NEMESIO.—¡Qué tío!
DON VEDASTO.—¡Cómo se aprovecha!
ALCALDE. — Me marcho, me marcho... ¡Hay que hacer que la condesita se case con don Joaquín!
CORRESPONSAL.—¡Claro que se ha de casar!
ALCALDE.—Pues no quiere casarse.
DON NEMESIO.—Eso sería una vergüenza para el pueblo.
DON VEDASTO.—¡No lo toleraremos!
ALCALDE.—*Llamando a alguien que pasa fuera de la escena.* ¡Lorenzo! ¡Lorenzo! Venga usted aquí un momento.
VOZ.—*Fuera.* No puedo; voy al telégrafo.
ALCALDE.—¿Pasa algo?
VOZ.—¡Gran notición! ¡Notición sensacional! Ha desaparecido del pueblo la condesita de La Llana; no se sabe de ella hace dos días. El marqués no quiere decir dónde está.
ALCALDE.—¡Eh! ¿Qué dice usted?
VOZ.—*Fuera.* Y acaban de marcharse también del pueblo don Joaquín y míster Brown.
ALCALDE.—¡Diablo! ¡Eso no puede ser!
CORRESPONSAL.—¡Vamos corriendo a casa del marqués!

DON NEMESIO.—Vayan ustedes.

DON VEDASTO.—Corran, corran a casa del marqués. *Se oyen vivas a Don Joaquín. Pero ahora la aclamación es unánime. Como en una salmodia con ritmo musical, la multitud aclama a Don Joaquín. Se oye a lo lejos la murga.*

VOCES.—¡Viva, viva, viva don Joaquín...! ¡Viva, viva, viva don Joaquín...!

CUADRO SEGUNDO

Exterior de una casa de campo. En escena, la CONDESITA y AGUEDA. La CONDESITA, con un cestito en la mano, echa de comer a unas palomas, que se supone están fuera.

CONDESITA.—¡Palomitas, palomitas! Mira cómo acuden, Agueda. Todas bajan, todas bajan. Oiga, esa rabiosilla no quiere dejar comer a las otras. ¡Palomitas, palomitas! *A Agueda.* Y ahora vamos a lo importante.

AGUEDA.—¡Ay, Pepita! ¿Qué es lo que vas a hacer?

CONDESITA.—Déjate de lamentaciones, Agueda. Demasiado sabes tú lo que voy a hacer. ¿Qué voy a hacer?

AGUEDA.—Sí. ¿Qué vas a hacer?

CONDESITA.—Voy a darle una lección a don Joaquín y al mismo tiempo distraerme un poco.

AGUEDA.—¡Ay, Pepita mía! Te conozco desde que naciste; te he tenido en mis brazos y no quiero más que tu bien.

CONDESITA.—¿Y crees tú que yo puedo hacer algún disparate?

AGUEDA.—Disparate, no; pero ¿es propio esto de la condesa de La Llana?

CONDESITA.—¿Y por qué no ha de ser propio?

AGUEDA.—¿Y qué dirá don Joaquín? Don Joaquín te quiere; se casará contigo.

CONDESITA.—Si me quiere don Joaquín, me querrá más cuando vea que yo le gano a él en extravagancias. ¿No quiere extravagancias? Pues las va a tener, y gordas.

AGUEDA.—Y tu padre, ¿qué dirá tu padre?

CONDESITA.—Mi padre, encantado. ¿A quién hacemos daño con esto? Después de todo es una broma inocente y muy española, de buen gusto.

AGUEDA.—Pero ¿vendrá don Joaquín?

CONDESITA.—¿Quién lo duda? ¿Has oído lo que nos ha dicho el recadero que todas las mañanas y todas las tardes enviamos con el auto al pueblo? Don Joaquín, al principio, me creía escondida en algún convento de la ciudad. Los registró todos; es decir, él no; él dió dinero, hizo donativos espléndidos y acabó por saber que en los conventos de la ciudad no estaba yo.

AGUEDA.—¡Ay, Pepita! ¿Y cómo va a saber que estamos aquí? Desistirá de su amor.

CONDESITA.—¡Qué simple eres, Agueda! Al contrario; más apasionado ahora que antes. El debe de sospechar que estoy en alguna finca de la familia; ya de otras casas lejanas han venido labradores y nos han dicho que don Joaquín ha enviado mensajeros, que me buscaban. No tardará él en estar aquí. En automóvil se recorre en poco tiempo todo el término de Nebreda.

AGUEDA.—¡Ay, Pepita, tengo miedo a estos caprichos tuyos!

CONDESITA.—¡Simple, simple, simple! Y cuando saliera mal todo, ¿qué íbamos perdiendo?

AGUEDA.—¡Perder ese partido tan bueno!

CONDESITA.—¿Y qué me importa a mí la fortuna de don Joaquín? ¿Para qué quiero más de lo que tengo? Con lo que tengo yo, con lo que tendré el día de mañana, me río de todos los multimillonarios. No necesito más.

AGUEDA.—Pero ¿vendrá don Joaquín?

CONDESITA.—Vendrá don Joaquín, y no ha de tardar mucho. Mira, llama a Servando, el cachicán. Por allí va. ¡Servando! ¡Eh! Aquí... *Sale Servando.*

CONDESITA.—Oye, Servando: todo lo que yo he ordenado, ¿está ya a punto?

SERVANDO.—Sí, señorita. Todos los comediantes, los que han de hacer de comediantes, están preparados.

CONDESITA.—¿Has hablado de nuevo a todos?

SERVANDO.—Sí, señorita; todos están arreglados para cuando la señorita disponga.

CONDESITA.—Yo los he aleccionado bien, pero temo que alguno no sepa su papel.

SERVANDO.—Esté descuidada la señorita.

CONDESITA. — Vamos a ver, Servando; primero..., ¿qué hemos dicho que será lo primero?

SERVANDO.—Lo primero, lo de los tiritos.

CONDESITA.—Sí, lo de los tiritos. ¿Y luego?

SERVANDO.—Luego, lo de los comediantes y la armadura.

CONDESITA.—¿Tú sabrás cuándo hay que principiar?

SERVANDO.—Sí, señorita; cuando esté aquí ese señor que se llama don Joaquín.

CONDESITA.—Es un caballero alto, buen mozo...

SERVANDO.—¿Buen mozo?

CONDESITA.—Sí; buen mozo, guapo...

AGUEDA.—¡Ay, Pepita, y cómo dices eso de buen mozo y guapo!

CONDESITA.—Vamos, Agueda, calla. ¿No quieres que diga la verdad?

AGUEDA.—Sí, sí; di la verdad, Pepita. Recréate diciendo la verdad.

SERVANDO.—¿Dice la señorita que buen mozo y guapo?

CONDESITA.—Eso es. Buen mozo, alto, erguido...

SERVANDO.—Está bien, señorita. Y si hace falta, ¿habrá que darle también algún cachiporrazo?

CONDESITA.—¡Jesús! ¡Qué barbaridad! ¡Qué horror! Hay que tratarle con todo género de consideraciones.

SERVANDO.—Perdone usted, señorita; es que yo creía que era algún enemigo de la señorita.

CONDESITA.—Enemigo mío, no. Hay que tratarlo con toda finura.

AGUEDA.—Sí, sí, Servando. Hay que tratarlo como a las niñas de los ojos de la señorita.

CONDESITA.—Vamos, Agueda, vamos... ¿Has puesto, Servando, un centinela en la torrecilla de la casa?

SERVANDO.—No hace falta, señorita. Si es para ver los autos que vienen por la carretera, yo tengo más vista que nadie. Desde aquí yo veo allá lejos, lejos, cuando aparece un auto por la carretera.

CONDESITA.—Pues fíjate bien, para que no nos cojan desprevenidos.

SERVANDO.—¡A ver, a ver! ¡Toma, pues si parece que ha asomado uno allá por lo alto!

CONDESITA.—Tienes una vista maravillosa, Servando. Yo apenas distingo nada.

SERVANDO.—Sí, sí. Viene un auto por allá lejos.

CONDESITA.—El debe de ser. Listo, listo a la cabeza. Avisa a todos.

SERVANDO.—Voy corriendo, señorita, voy corriendo. *Se marcha.*

CONDESITA.—Tú, Agueda, conmigo; vamos a la casa. *Pausa.* Agueda...

AGUEDA.—¿Qué? ¿Ves? Lo decía yo...

CONDESITA.—Agueda...

AGUEDA.—¿Vacilas? ¿Dudas? ¿Tenía yo razón?

CONDESITA. — ¿Vacilar yo? ¿Dudar yo, siendo quien soy? No..., no es eso. Es que siento, siento hasta el fondo del alma, que éste es un minuto decisivo para mí. Es que en este minuto se va a abrir para mí una nueva vida. Es que veo que ya no soy la misma que era antes. Todo va a cambiar para mí, Agueda; de un lado está mi juventud libre, independiente, en esta vieja ciudad castellana, y de otro... No sé, Dios mío, qué es lo que me está reservado. Mi vida va a ser desde este momento otra distinta. Y ya no veré con los mismos ojos este cielo azul, ni las montañas, ni las serenas noches estrelladas de Castilla... ¡Ah, estrellitas del cielo de España! Ya acaso deje de veros para siempre...

AGUEDA.—¿Y por qué, Pepita? Aún es tiempo.

CONDESITA.—Tiempo, ¿de qué? ¿Es que podemos detener la vida que pasa? Adelante, adelante; en marcha, en marcha hacia lo desconocido. No puedo retroceder. Mi corazón lo manda. Y yo... ya no soy dueña de mi corazón. *Mutis las dos. Pausa ligera. Entran Don Joaquín y Míster Brown.*

DON JOAQUÍN.—Me parece, míster Brown, que hemos acertado.

MÍSTER BROWN.—¿Cree usted, don Joaquín?

DON JOAQUÍN.—Creo que nos hallamos en una pista segura.

MÍSTER BROWN.—¡Dios lo haga! Estoy derrengado de tanto automóvil. ¡Y tengo un apetito! Hemos recorrido todo el término de Nebreda. ¿No podíamos tomar aquí algo, don Joaquín?

DON JOAQUÍN.—El té, el té de las cinco...

MÍSTER BROWN.—Unas magras con unos traguitos, don Joaquín. ¡Tengo un apetito!

DON JOAQUÍN.—¿No hay nadie aquí? Todo está cerrado: puertas y ventanas. Llame usted, míster Brown. *Míster Brown se acerca receloso, llama y arrojan desde una ventana un jarro de agua.*

MÍSTER BROWN.—¡Qué barbaridad! Se dice: «Agua va.»

DON JOAQUÍN.—Curioso, curioso... Pintoresco, pintoresco...

MÍSTER BROWN.—¡Acuático! ¡Acuático!

DON JOAQUÍN.—Muy pintoresco. Llame usted otra vez, míster Brown.

MÍSTER BROWN.—¿Que llame yo?

DON JOAQUÍN.—Es usted mi secretario general.

MÍSTER BROWN.—¿Qué llame yo como secretario general?

DON JOAQUÍN.—Sí, míster Brown.

MÍSTER BROWN. — Pero usted, don Joaquín, ¿cree que los secretarios generales están para llamar a las puertas?

DON JOAQUÍN.—Para llamar a las puertas y para todo lo que haga falta.

MÍSTER BROWN.—¿Y si me echan otro jarrito de agua?

DON JOAQUÍN. — Llame usted, míster Brown. No tenga miedo. Yo sabré recompensar su heroísmo. Mil pesetas. *Míster Brown da un paso hacia la puerta.* Dos mil pesetas. *Míster Brown da otro paso.* Tres mil pesetas por llamar a la puerta. *Míster Brown sigue avanzando hacia la puerta, lleno de miedo; suena un disparo y retrocede corriendo.*

MÍSTER BROWN.—¡Que me matan, que me matan!

DON JOAQUÍN.—Hombre, míster Brown, usted es un pusilánime.

MÍSTER BROWN.—Pusi... ¿qué? Yo no llamo a esa puerta. Que llame otro.

DON JOAQUÍN.—No pasa nada; va usted a ver. Llamaré yo. *Se acerca Don Joaquín, llama a la puerta y aparece una vieja en una ventana.*

VIEJA.—¿Quién es?

DON JOAQUÍN.—Abran a unos viajeros. (¿Ve usted, míster Brown, cómo no pasa nada?)

MÍSTER BROWN.—¿Que no pasa nada? ¿No cree usted que debemos marcharnos ya? Esto ya está visto, don Joaquín.

DON JOAQUÍN.—Espere, espere; no tenga prisa. Esto comienza a ponerse interesante.

MÍSTER BROWN.—¿Interesante? No veo el interés. *Sale de la casa un personaje disfrazado de bandolero andaluz; trae un trabuco y comienza a pasearse ante la fachada.* ¡Anda, y qué personaje sale por la puerta!

DON JOAQUÍN.—Vaya usted hacia él, míster Brown. Interróguele, interróguele. Es usted mi secretario general.

MÍSTER BROWN.—¿También los secretarios generales han de interrogar a estos ciudadanos?

DON JOAQUÍN.—Acérquese. Pregúntele si ésta es la casa del marqués de Cilleros.

MÍSTER BROWN.—¡Eh, caballero!

DON JOAQUÍN.—¿Dice usted caballero?

MÍSTER BROWN.—¿Cree usted, don Joaquín, que un hombre que lleva un trabuco al hombro no es caballero? Llámele usted otra cosa a ver lo que pasa.

DON JOAQUÍN.—Interrogue.

MÍSTER BROWN.—¡Eh, caballero! ¿Es ésta la casa de la Umbría?

BANDOLERO.—Esta no es casa; esto es castillo.

MÍSTER BROWN.—¿Castillo? ¡Pues me río yo del castillito!

DON JOAQUÍN.—Sí; debe de ser un castillo. *Sale una dueña.*

DUEÑA.—Sí, señor; un castillo, y en él está encantada la nueva Dulcinea del Toboso. *Sale un personaje con armadura y una gran lanza.*

MÍSTER BROWN.—¡Ya escampa! ¡Don Quijote de la Mancha!

DON JOAQUÍN.—¡Oh, fantástico, sublime, muy pintoresco!

MÍSTER BROWN.—¿Adónde va ese tío?

DON JOAQUÍN. — Interrogue, interrogue, míster Brown.

MÍSTER BROWN.—¿Que le interrogue yo con esa lanza que lleva?

DON JOAQUÍN.—No tema, no tema. Yo le protejo. Don Quijote es un caballero.

MÍSTER BROWN.—Ya sale Dulcinea. Ya la traen en una silla de manos. *Aparece una silla de manos, en la que viene una dama cubierta con un velo.*

DON QUIJOTE.—Yo, Don Quijote de la Mancha, hago saber a todos que la nueva y sin par Dulcinea del Toboso está encantada por obra de un malsín encantador. Y que no saldrá de su encantamiento en tanto que el nuevo Sancho Panza, o sea míster Brown, no se propine con propia mano una tanda de doscientos azotes.

MÍSTER BROWN. — ¡Qué bárbaro! ¡Yo doscientos azotes!

DON JOAQUÍN.—Doscientos azotes nada más, míster Brown.

MÍSTER BROWN.—¿Yo darme doscientos azotes? ¡Ni soñando! Señora, esto ya pasa de ser una broma. ¡No, no; en serio, no! ¿Quién es usted? Descúbrase usted. Yo no me dejo dar azotes. Señora, por favor, descúbrase usted. *La dama enlutada se descubre y ríe a carcajadas.*

DON JOAQUÍN.—¡Divina condesita!

CONDESITA.—«Old Spain!», ¡don Joaquín!

DON JOAQUÍN.—¡Divina condesita! ¡Admirable país España!

CONDESITA.—¿Quiere usted más extravagancias, don Joaquín? Los españoles, hasta que no salgamos de nuestras casillas, no podemos progresar.

DON JOAQUÍN.—¿Pero es usted adivina, Pepita? ¡Yo he escrito eso alguna vez!

CONDESITA.—Ya le contaré a usted, señor.

DON JOAQUÍN.—¿Señor nada más?

CONDESITA.—Y amigo.

DON JOAQUÍN.—¿Y amigo nada más?

CONDESITA.—Ahora, amigo. *Van desapareciendo los demás personajes por la puerta de la casa.*

DON JOAQUÍN.—¿Se han marchado?

CONDESITA.—Estamos solos.

DON JOAQUÍN.—Solos con nuestros corazones. Y en la majestad de la tarde.

CONDESITA.—¿No le gustan a usted estos momentos de la tarde?

DON JOAQUÍN. — Esta tierra española es admirable a todas horas.

CONDESITA.—¡Qué hora tan henchida de emoción, en la tierra de Castilla, esta en que la tarde va declinando! ¡Qué bonita esa estrella!

DON JOAQUÍN.—Maravillosa.

CONDESITA. — ¿Resplandecen en América las estrellas tanto como aquí?

DON JOAQUÍN.—Sí, y hay ojos que las contemplan con los mismos anhelos.

CONDESITA.—¿Y dicen las mismas cosas que aquí?

DON JOAQUÍN.—Dicen..., dicen... cosas del corazón.

CONDESITA.—Las estrellitas hablan a todos.

DON JOAQUÍN.—Y a unos dicen alegrías y a otros penas.

CONDESITA.—Y a usted, ¿qué le dicen?

DON JOAQUÍN.—A mí me dicen temor.

CONDESITA.—Temor ¿de qué?

DON JOAQUÍN.—Temor de no lograr la felicidad que deseo.

CONDESITA.—El cielo nos liga más a la tierra.

DON JOAQUÍN.—¿Por qué?

CONDESITA.—Porque la contemplación del cielo, de la inmensa bóveda azul, nos hace meditar... Y esa meditación nos hace evocar a nuestros antepasados, los seres a quienes hemos querido, y que vemos, con el pensamiento, unidos a la casa, a la ciudad, a la patria, en que vivieron y en que vivimos ahora.

DON JOAQUÍN. — Es verdad, Pepita. Y cuando el azar de la vida nos lleva a conocer, a estimar, a mar a una persona de distinta patria que la nuestra, parece que en nuestro espíritu se abre como una ventanita iluminada.

CONDESITA.—Iluminada con otra luz que nuestros ojos no han visto nunca.

DON JOAQUÍN.—¿No quiere usted contemplar esa luz nueva, Pepita?

CONDESITA.—Me atrae esa lucecita de la ventana iluminada y tengo al mismo tiempo miedo.

DON JOAQUÍN.—Miedo ¿de qué?

CONDESITA.—De perder mi serenidad espiritual; de perder lo que amo más que todo: ese dulce lazo que liga al pasado.

DON JOAQUÍN.—¿Y no ganará usted nada en cambio, Pepita? ¿No ganará usted al fundar en el viejo tronco un árbol nuevo? La Humanidad es eso: renovación, continuación del pasado, pero añadiendo al pasado una fuerza nueva.

CONDESITA.—¡Ay! Me atrae, por un lado, la ventanita iluminada, y siento también, por otro, hasta el fondo del alma, el amor a esta vieja tierra de Castilla. *Pausa.*

DON JOAQUÍN.—La tarde declina, Pepita.

CONDESITA.—Y las estrellitas van pronto a brillar.

DON JOAQUÍN.—¿Quiere usted que veamos cómo desciende el crepúsculo sobre la ciudad lejana?

CONDESITA.—Desde aquel altozano se ven lucir los cristales de la ciudad cuando los hiere el sol poniente.

DON JOAQUÍN.—Vamos, vamos, Pepita.

CONDESITA.—¿Quiere usted contemplar el crepúsculo?

DON JOAQUÍN.—Y quiero que el crepúsculo sea para nosotros una aurora. *Se van alejando hacia el fondo la Condesa y don Joaquín.*

MÍSTER BROWN. *Apareciendo por la ventana de la casa.* «Old Spain!» ¡Siempre la vieja España!

TELÓN

LAS ACOTACIONES

He reducido a lo indispensable las acotaciones. No he puesto tampoco, a la cabeza de cada acto o cuadro, sino poquísimas palabras para situar la escena. No he podido nunca leer sin trabajo las difusas, prolijas, pintorescas descripciones que se suelen injerir en las obras escénicas. Las acotaciones, para el actor original, observador, no sirven de nada. Estorban y no ayudan. En el arte del teatro, el diálogo lo es todo. Todo debe estar en el diálogo. En el diálogo limpio, resistente y flexible a la vez: fluido y coloreado. Cada actor ha de encontrar en el diálogo motivación para su arte personal. En el primer acto de esta comedia, a lo largo de la escena—tan difícil—entre Don Joaquín y Míster Brown, lo mismo que en la escena de la farsa final, yo podría haber expresado los mil efectos y recursos de risas, llantos fingidos, miedos cómicos, piruetas, lentitudes medrosas, exclamaciones, muecas, visajes, etc. He creído, sin embargo, que debía dejar ancho campo a la espontaneidad de otras creaciones. ¡La imaginación, la imaginación y siempre la imaginación, es la gran creadora—madre fecunda—en el Arte!

AZORÍN.

Madrid, 1926.

A FRANCISCO FUENTES

Admirable actor, escrupuloso director de escena, profundo conocedor del teatro. Su admirador y amigo,

AZORÍN.

ACTO PRIMERO *

Plazoleta de un jardín. Bancos. Al levantarse el telón, un momento la escena desierta; entra ANTONIO VALDÉS.

VOCES.—*Fuera.* ¡Eh, eh!

DON ANTONIO VALDÉS. — ¿Qué decís? ¿Qué es lo que queréis?

VOCES.—¡Aquí, aquí!

DON ANTONIO VALDÉS.—¿Qué decís?

VOCES.—¡Que no se vaya nadie!

DON ANTONIO VALDÉS.—¿Que no me vaya yo?

VOCES.—¡Sí, sí!

DON ANTONIO VALDÉS.—No me marcho; he venido a ver esto.

VOCES.—¡No se puede trabajar hoy!

DON ANTONIO VALDÉS.—No trabajaré; no traigo el papel; hemos venido todos a distraernos un rato.

VOCES.—¡No se permite trabajar!

DON ANTONIO VALDÉS.—No estudiaré

VOCES.—Ahí va don José; él le vigilará a usted y le impedirá trabajar.

DON ANTONIO VALDÉS.—Sí; decidle que... *Pausa. Valdés saca del bolsillo un papel y comienza a leer.* «Hija de un viejo ciego, Antígona, ¿a qué país, a qué pueblo hemos llegado? ¿Quién acogerá hoy con una pobre l i m o s n a a Edipo errante?»

VOCES.—¡No vale; no vale estudiar!

DON ANTONIO VALDÉS. — No estudio; contemplo los árboles, el jardín.

VOCES.—¡Que le estamos viendo, don Antonio!

DON ANTONIO VALDÉS. — ¿Qué estáis viendo?

VOCES.—Estamos viendo cómo estudia usted su papel.

DON ANTONIO VALDÉS.—Hoy no hay más que actores que pasan unas horas en el campo. Yo no soy actor ahora, yo no trabajo.

VOCES.—¡Ahí va don José!

DON ANTONIO VALDÉS.—¡Que venga el gran poeta! Pepe, te espero. Ven, quítame los papeles; aparta de mi mente la idea del trabajo; haz de mí un hol-

---

* Esta obra, en tres actos, se estrenó el 25 de noviembre de 1927, en el teatro Fuencarral, de Madrid, con el siguiente reparto: *Don Antonio Valdés,* Francisco Fuentes; *Pacita Durán,* Társila Criado; *Don José Vega,* Modesto Rivas; *Paco Méndez,* Clodio Sancho; *Doña Manolita,* Joaquina Maroto; *Joaquín Ontañón,* Ramón Albolafia: *El Doctor Perales,* José María Torre; *Un niño,* N.; *Actores y Actrices.*

gazán; arráncame la pasión por el arte; conviérteme en un bruto... ¡Sálvame!

VOCES.—¡Bravo, bravo! ¿De qué obra inédita es eso? *Pausa.*

DON ANTONIO VALDÉS.—«¿Quién acogerá hoy con una pobre limosna a Edipo errante? Poco pide, menos logra, y ese poco le basta, porque los sufrimientos, la vejez, le enseñan la resignación.» *Entra Pepe Vega.*

DON JOSÉ VEGA.—Oye, Antonio, gran actor: bromas, no; no vale trabajar. Habéis salido hoy toda la compañía al campo para divertiros un poco y no es lícito el trabajo. No te lo perdono, no te lo consentiremos.

DON ANTONIO VALDÉS.—El trabajo del actor, del artista, del hombre cerebral. ¡Ah! Querido Pepe, ¿podemos prescindir nosotros de trabajar siempre?

DON JOSÉ VEGA.—Es verdad, Antonio. Ya lo sé; estamos viciados, intoxicados por el trabajo.

DON ANTONIO VALDÉS.—La ficción lo es todo para nosotros.

DON JOSÉ VEGA.—La ficción es más bella que la Naturaleza.

DON ANTONIO VALDÉS.—Y no podemos gozar del cielo azul, de las montañas, del mar, de los bosques...

DON JOSÉ VEGA.—Hagamos un esfuerzo, Antonio. ¿Has visto tú la alegría infantil de toda tu gente?

DON ANTONIO VALDÉS.—Mi gente, este grupo de actrices y actores que yo dirijo, es todo bondad; son todos como niños, aman las cosas o las odian con la misma pasión que los niños.

DON JOSÉ VEGA.—El aire puro del campo los embriaga.

DON ANTONIO VALDÉS.—¿No te sucede a ti lo mismo? Trabajando siempre en el mundo de la ficción, cuando nos ponemos en contacto con la Naturaleza nos sentimos desorientados. El arte ha entrado hasta lo más hondo en nuestro espíritu.

DON JOSÉ VEGA.—Y no sabemos si la realidad es la que estamos viviendo o la que fingimos nosotros.

DON ANTONIO VALDÉS. — ¡No poder librarnos de la ficción!...

DON JOSÉ VEGA.—Y lo que es más grave, más angustioso: no querer librarnos.

DON ANTONIO VALDÉS.—Yo creo que en la ficción está nuestro consuelo.

DON JOSÉ VEGA.—Si lo pensamos bien, sí.

DON ANTONIO VALDÉS.—¡Qué sería de nosotros sin el mundo ideal que imaginamos!

DON JOSÉ VEGA.—Antonio, ¡qué tristeza tan profunda me causa a mí el renacer de las cosas en la primavera!

DON ANTONIO VALDÉS.—Se siente, más que nunca, en estos días la fatalidad de nuestro destino.

DON JOSÉ VEGA. — ¿Cómo acabaremos, Antonio?

DON ANTONIO VALDÉS.—Tú y yo y todos nosotros, actores y poetas, ¿cómo hemos de acabar? Y nos quieren imponer el orden, la previsión, la austeridad...

DON JOSÉ VEGA.—¿A nosotros? Sin un poco de generosidad, de romanticismo, ¿qué sería del arte y del artista? ¿Es que la creación libre y espontánea es compatible acaso con la ordenación rigurosa en todos los actos de la vida? En estos días de primavera se siente, sí, una profunda melancolía. Yo la siento. Me la producen la serenidad y la templanza del ambiente. La tengo cuando contemplo a lo lejos la silueta azul de las montañas... *Risas.* Y cuando yo veo a todos nuestros compañeros, los artistas, alegres, satisfechos, pienso en la terrible suerte de todos.

DON ANTONIO VALDÉS.—Y yo siento la misma tristeza, y pienso también en el trabajo terrible de todos, en las noches y en los días de constante batallar, y creo que quien vive así, en este ambiente de exasperación, tiene derecho a un poco de negligencia. *Entra el Doctor Perales.*

EL DOCTOR PERALES.—Actor, poeta, ¿soy indiscreto?

DON ANTONIO VALDÉS.—Nunca, doctor.

DON JOSÉ VEGA.—¡Qué pregunta!

EL DOCTOR PERALES. — Perfectamente.

¿De qué hablaban el gran actor y el gran poeta?

DON JOSÉ VEGA.—Fantasías.

DON ANTONIO VALDÉS.—Filosofías.

EL DOCTOR PERALES.—¿Sobre qué eran esas fantasías, esas filosofías?

DON ANTONIO VALDÉS.—Sobre la vida, doctor.

EL DOCTOR PERALES.—Perfectamente. ¿La vida es buena o es mala?

DON JOSÉ VEGA.—Usted opinará, doctor.

EL DOCTOR PERALES.—Yo no opino nada. La vida es buena y es mala. Excelente día. ¡Admirable!

DON JOSÉ VEGA.—Hermoso.

EL DOCTOR PERALES.—Actor: vuestra gente está trabajando toda la semana, todo el mes, todo el año. Vuestro doctor, es decir, yo, el doctor Perales, os acompaña en vuestras alegrías y en vuestras tristezas. Las tristezas son más que las alegrías... Un día salimos al campo, vamos a distraernos; la comida es exquisita; el aire, primaveral, tenue y transparente. Todo es contento y sosiego. Y antes de terminar la comida, nuestro gran actor se levanta y desaparece.

DON ANTONIO VALDÉS.—No he desaparecido, doctor.

EL DOCTOR PERALES.—Y después se va tras él don José Vega, nuestro gran poeta.

DON JOSÉ VEGA.—He venido mandado por todos los demás compañeros para evitar que el actor estudiase.

EL DOCTOR PERALES.—Muy bien. El gran actor se levanta de la mesa; finge que observa el paisaje y, de pronto, saca un papel y se pone a estudiar.

DON ANTONIO VALDÉS.—No estudiaba.

EL DOCTOR PERALES.—¿Qué es lo que estaba estudiando nuestra gloria de la escena?

DON ANTONIO VALDÉS.—No estudiaba, doctor.

EL DOCTOR PERALES.—Yo le diré: estudiaba su papel en el «Edipo en Colona». «El «Edipo en Colona» es la obra elegida para su beneficio por el gran actor, y nuestro artista, que no puede dejar de trabajar en ningún momento, se separaba de sus compañeros para estudiar un poco.

DON JOSÉ VEGA.—Exacto.

DON ANTONIO VALDÉS.—Es verdad; me preocupa un poco o un mucho ese papel.

EL DOCTOR PERALES.—¿He dicho que es cosa rara la elección de esa obra? ¿No? Pues lo digo ahora. ¿Por qué nuestro actor ha elegido esa terrible tragedia?

DON JOSÉ VEGA.—Es una de las más bellas tragedias del teatro griego. Hermosísima, pero ¿no hay un poco de preocupación personal al elegir esa tragedia? Trágico destino, como el de Edipo, pesa sobre el artista.

DON ANTONIO VALDÉS.—Doctor, yo no estoy preocupado.

DON JOSÉ VEGA.—¿Sobre quién en el mundo no pesa ese destino?

EL DOCTOR PERALES.—Perfectamente. Nuestro gran actor no está preocupado; eso dice él. Nuestro gran poeta añade que el destino pesa sobre todos. Perfectamente. El doctor Perales no les cree. Vamos, queridos artistas, estamos solos; es éste un momento de intimidad frente a las montañas azules, bajo el cielo azul; un poquito de depresión, melancolía. ¿El artista puede gozar plenamente de la vida? ¿Cuando la vida del artista va a terminar, ¿el artista puede decir que ha gozado de la vida?

DON JOSÉ VEGA.—Ha gozado de su ficción.

DON ANTONIO VALDÉS.—Ha gozado del arte, doctor.

EL DOCTOR PERALES.—¿Pero el arte es el goce pleno de la acción? ¿El arte es la violenta sensación de la vida? ¿El arte es el amor?

DON ANTONIO VALDÉS.—El arte puede ser el amor.

EL DOCTOR PERALES.—No, no; el arte pide, reclama, exige, toda la vida, y el amor pide, reclama, exige, también, toda la vida.

DON ANTONIO VALDÉS.—¿Lo cree usted, doctor?

DON JOSÉ VEGA.—No, no lo cree.

EL DOCTOR PERALES.—Sí, sí, lo creo y lo cree el actor, lo cree el poeta. Un artista se halla en la plenitud de la vida; ha llegado a la más alta posición en el arte. Ha sacrificado su vida al arte. Y cuando se halla en la mitad de la vida, cuando va a comenzar para él el triste descenso por el otro lado de la montaña...

VOZ.—*Fuera.* ¡Eh, doctor, doctor!

EL DOCTOR PERALES.—Voy, voy; un momento, acabo una consulta... Cuando ese gran artista se halla en el momento crítico de su vida...

VOZ.—¡Doctor, doctor, le reclamamos!

EL DOCTOR PERALES.—Un momento, termino de redactar una receta... Una receta urgente... Cuando después de años y años consagrados con tenacidad, con entusiasmo, al arte, el artista advierte que la vida va a comenzar a escapársele de entre las manos, entonces...

VOZ.—¡No podemos estar sin usted, doctor!

EL DOCTOR PERALES.—Bien, bien; continuaré en otra ocasión. Adiós, adiós; vuelvo a la mesa con los demás compañeros. ¿Quién viene por allí? ¿Quién está ahí, detrás de esos árboles? Ya, ya... *Se marcha el Doctor.*

DON ANTONIO VALDÉS.—¿Has oído, Pepe?

DON JOSÉ VEGA.—Sí; extraordinario el doctor.

DON ANTONIO VALDÉS.—¿Has comprendido?

DON JOSÉ VEGA.—Ni una palabra.

DON ANTONIO VALDÉS.—¿No has comprendido la alusión?

DON JOSÉ VEGA.—No.

DON ANTONIO VALDÉS. — ¿No sospechas lo que quería decir?

DON JOSÉ VEGA.—No, no ha terminado de hablar.

DON ANTONIO VALDÉS.—No era preciso que terminara; ha dicho bastante.

DON JOSÉ VEGA.—¿Y qué es lo que ha dicho?

DON ANTONIO VALDÉS.—¿No has oído la pregunta del final, cuando se marchaba?

DON JOSÉ VEGA.—Ha preguntado que quién estaba allí, entre los árboles.

DON ANTONIO VALDÉS.—Pues mira quién está.

DON JOSÉ VEGA.—Está Pacita Durán.

DON ANTONIO VALDÉS.—Pacita Durán, la meritoria de nuestra compañía.

DON JOSÉ VEGA.—Pacita Durán, mimosita, tímida.

DON ANTONIO VALDÉS.—Carácter reservado, reconcentrado.

DON JOSÉ VEGA.—Insignificante, poca cosa, en opinión de sus compañeros.

DON ANTONIO VALDÉS. — Sobre todo de sus compañeros.

DON JOSÉ VEGA.—Una de tantas.

DON ANTONIO VALDÉS.—¿Una de tantas? Ya lo veremos... Hacia aquí viene, hacia aquí estaba viniendo desde que me levanté yo de la mesa. Voy a ausentarme un momento. Tú habla con ella. Cuando hayas terminado tus observaciones, volveré. Poeta: intuición para el alma femenina. *Se marcha Valdés. Habla Vega, dirigiéndose a Pacita Durán, que está todavía fuera de la escena.*

DON JOSÉ VEGA.—Vamos, señorita Durán, a escena. ¡Pronto! ¡Animación, viveza! *Entra Pacita Durán.*

PACITA DURÁN.—¿Siempre en el teatro?

DON JOSÉ VEGA.—Siempre.

PACITA DURÁN.—¡Qué bonito teatro! Arboles de veras, montañas a lo lejos, cielo azul.

DON JOSÉ VEGA.—Seriedad, señorita; no divaguemos. Va a comenzar el ensayo. Usted, naturalmente, ensaya su papel.

PACITA DURÁN.—Con mucho gusto.

DON JOSÉ VEGA.—Vamos a ver, señorita Durán: ¿cuál es su papel?

PACITA DURÁN.—Don José, el que usted quiera, usted dispone.

DON JOSÉ VEGA.—No, yo no dispongo. Su inclinación de usted, señorita, su propensión natural... ¿Cuál es su papel?

PACITA DURÁN.—¿Qué sé yo? Una actriz

que comienza ahora a trabajar, una aprendiza de actriz.

DON JOSÉ VEGA.—Un poco de fantasía; la fantasía es el alma del arte. Usted es una mujer de pueblo, o una princesita, o una mujer enamorada, una mujer celosa...

PACITA DURÁN.—¿Una mujer enamorada, don José?

DON JOSÉ VEGA.—¿No le gusta ser una mujer enamorada, señorita Durán? En el amor hay muchos matices.

PACITA DURÁN.—¡Oh, sí, sí!

DON JOSÉ VEGA.—Y el arte es variedad en la expresión. Expresión en el rostro, en las manos, en los ojos, en el movimiento. Usted, Pacita, es una mujer enamorada.

PACITA DURÁN.— Pero ¿enamorada de quién, don José?

DON JOSÉ VEGA.—Vayamos despacio. Sí. Pacita, no lo niegue usted. No lo niegue; la ficción es la realidad. Y entra usted en escena. La entrada en escena es muy importante. El público está ansioso, esperando. El autor ha ido preparando al público. Usted entra en escena.

PACITA DURÁN.—¿Y quién es el galán?

DON JOSÉ VEGA.—¡Ah! El galán no es ya joven. Es un pintor, un artista, un gran artista, pero pobre. Pobre y en la declinación de la vida. Su bella obra ha sido ya realizada. Y ve el gran artista que se acerca la vejez. ¿Qué será de él en esos años tristes? Un poco de fantasía, señorita Durán.

PACITA DURÁN.—¿Y el pintor me tiene a mí a su lado?

DON JOSÉ VEGA.—La tiene a usted a su lado.

PACITA DURÁN.—¿Y yo le sostengo en sus aflicciones?

DON JOSÉ VEGA.—Y usted le sostiene en sus aflicciones.

PACITA DURÁN.—¿Y yo puedo trabajar para él, cuando él no pueda trabajar?

DON JOSÉ VEGA.—No cabe duda.

PACITA DURÁN.—¿Y él me quiere a mí?

DON JOSÉ VEGA.—Con entusiasmo.

PACITA DURÁN.—¿Y él me consagra a mí todo lo que le resta de vida? ¿Y vivimos los dos tranquilos, felices, sin pensar en nada ni en nadie?

DON JOSÉ VEGA.—En plena dicha.

PACITA DURÁN.—¿Y ahora, por ejemplo, después de haber salido por la mañana, regreso yo a casa? ¿Y lo encuentro a él?...

DON JOSÉ VEGA.—Un momento. Regresa usted a casa, y encuentra usted a una gran señora.

PACITA DURÁN.—¿Y qué hace en mi casa, al lado de mi gran artista, hablando con él, esa gran dama? ¡No, no; eso no puede ser, no puede ser!

DON JOSÉ VEGA.—Calma, calma, señorita Durán. Las grandes damas van a todas partes; las grandes damas se enamoran a veces de los artistas eminentes. Y esa gran dama ha visto un cuadro del gran pintor. Y ha querido ir al estudio del artista.

PACITA DURÁN.—¡No, no; no puede ser eso! ¡No irá ninguna gran dama al estudio de ese pintor, de mi pintor! ¡Yo no lo consentiré; no quiero, no quiero!

DON JOSÉ VEGA.—Calma, calma, señorita. ¿Que no puede ir una gran dama al estudio de un pintor? Adelante. Pues no es pintor el personaje. ¿Puede una señora, una gran señora, aplaudir a un actor en el teatro? El pintor se ha transformado en un actor.

PACITA DURÁN.—¿Qué dice usted, don José?

DON JOSÉ.—¿No le agrada a usted la transformación?

PACITA DURÁN.—¡Oh, sí, mucho, mucho!

DON JOSÉ VEGA.—Pues si le agrada mucho, adelante. Usted admira a ese actor, es un gran actor, ¿eh? No es un actor mediocre.

PACITA DURÁN.—Un actor eminente.

DON JOSÉ VEGA.—¿Un actor más grande que Máiquez?

PACITA DURÁN.—¡Ya lo creo!

DON JOSÉ VEGA.—¿Más que Romea?

PACITA DURÁN.—Mucho más.

DON JOSÉ VEGA.—¿Más que Calvo?

PACITA DURÁN.—¡Qué duda cabe!

DON JOSÉ VEGA.—¿Más grande que Vico?

PACITA DURÁN.—Sí, don José: más grande que Vico.

DON JOSÉ VEGA.—Y ese actor tiene una expresión en los ojos...

PACITA DURÁN.—Sus ojos son inteligentes, expresivos, hermosos. Todo lo dice con los ojos. En silencio dice el amor, la ternura, la pasión, la cólera, la melancolía...

DON JOSÉ VEGA.—Y las manos de ese actor...

PACITA DURÁN.—Las manos de ese actor son tan expresivas como sus ojos. Con sus manos, sin hablar, lo expresa todo.

DON JOSÉ VEGA.—¿Y el gesto de ese actor...?

PACITA DURÁN.—Y el gesto de ese actor es tan variado, tan rápido, tan múltiple, que las palabras son casi inútiles. El gesto, como los ojos, como las manos, expresa todas las pasiones.

DON JOSÉ VEGA.—Va usted comprendiendo la situación. El entusiasmo pone elocuencia a sus palabras. Y ese actor ya no está en la primera juventud. No; la vida comienza para él a declinar.

PACITA DURÁN.—¿Y qué importa? Está en el período más bello de la vida. Ha vivido la ardorosa juventud y ha llegado para él un momento de serenidad, y en esa serenidad irradia su ingenio.

DON JOSÉ VEGA.—Es usted expresiva. Comprende usted la escena. Decíamos... ¡Ah, sí! Ha pasado ya para nuestro actor el ímpetu de la juventud y se siente un poco triste.

PACITA DURÁN.—¿Triste? ¡Oh, no! No quiero que esté triste. No se puede estar triste cuando se tiene vida, genio, entusiasmo, admiración de las gentes...

DON JOSÉ VEGA.—Bien, bien, Pacita. El gran actor está un poco triste. ¿Cuál será el final de su vida? El final de la vida de los artistas, señorita Durán, suele ser un poco desgraciado.

PACITA DURÁN.—Pero puede tener junto a su corazón un corazón que le consuele.

DON JOSÉ VEGA.—Y un cariño constante.

PACITA DURÁN.—Y unas manos que le cuiden en todos los momentos.

DON JOSÉ VEGA.—Manos piadosas y delicadas. El gran actor prepara su beneficio. ¿Qué obra representará esa noche? Ha de representar una obra apropiada a su genio. Y un poeta que se siente también ya un poco viejo, un poco cansado; un poeta con el pelo largo y el sombrero ancho—viejo estilo—; un poeta que quiere que el arte conserve un poco de romanticismo, de generosidad... Permítame usted, señorita Durán. Me encuentro un poco conmovido... *Las manos de Pacita en las manos de Vega. El poeta mira a la mucha enternecido. Pausa.*

PACITA DURÁN.—¿Qué tiene usted? ¿Qué le sucede, don José? Yo también me conmuevo profundamente, oyéndole hablar del viejo poeta. No; viejo, no; cansado, no. Romanticismo, sí. Romanticismo siempre. *Vega se desase repentinamente de Pacita.*

DON JOSÉ VEGA.—¿Qué estábamos diciendo? Hablábamos del beneficio de nuestro gran actor... Y un poeta ha hecho para él una traducción del «Edipo en Colona». El gran artista representará la obra de Sófocles. ¿Lo recuerda usted, señorita Durán? Edipo es el más infortunado de todos los hombres; ya no hay esperanzas para él. Tan desgraciado ha sido, que él mismo se ha arrancado los ojos por no ver el mundo. Y al comenzar la tragedia, el infortunado monarca aparece por los caminos guiado por su hija Antígona.

PACITA DURÁN.—Sí, sí, por Antígona, buena, generosa, que le asiste y le consuela. *Declamando.* «Edipo, padre infortunado, veo a lo lejos las torres de las murallas que rodean la ciudad; el lugar en que nos encontramos es tranquilo, apacible; está poblado de laureles, de viñedos y de olivos. Y entre el follaje, los ruiseñores entonan sus cantos melodiosos.»

DON JOSÉ VEGA.—¡Ah, señorita Durán!

¿Conoce usted mi traducción? ¿Sabe usted el papel de Antígona?

PACITA DURÁN. — Todo, todo, fervorosamente, con toda el ama.

DON JOSÉ VEGA.—¿Con toda el alma?

PACITA DURÁN.—«Los ruiseñores entonan sus cantos melodiosos. Descansa en esta peña. El camino que has hecho es trabajoso para un anciano.»

DON JOSÉ VEGA.—Edipo es una imagen de todos nosotros, de todos los artistas que viven por el ideal. ¿Quién piensa en nuestro porvenir? Edipo, ciego y viejo, lleva sobre sus hombros el peso de todos los dolores... ¡No puedo, no puedo! *Se sienta en un banco. Pone los codos en los muslos y se cubre la cara, inclinado. Pausa. Pacita le toca en la espalda.*

PACITA DURÁN.—Don José, ¿qué le sucede?

DON JOSÉ VEGA.—Nada, nada.

PACITA DURÁN.—¿Está usted triste?

DON JOSÉ VEGA.—No, no. *Vega se levanta y se limpia los ojos.*

PACITA DURÁN.—¿Lloraba usted?

DON JOSÉ VEGA.—Pacita, hija mía, acércate al viejo poeta. Ven, ven a mí; quiero darte un beso en la frente. *La besa.* Un beso puro, inmaterial. Pacita, yo no te conocía. Nadie sabe lo que vales. Y eres una gran artista. De tu carácter reconcentrado ha surgido el ímpetu del entusiasmo. Cuando seas famosa, que lo serás, acuérdate de este beso que te ha dado un poeta.

PACITA DURÁN.—Don José, don José, yo no quiero verle triste. Yo no quiero tampoco que esté triste el gran actor. ¿Oye usted? Yo tengo confianza en la vida.

DON JOSÉ VEGA.—La emoción me abruma. *Se sienta en un banco. Entra Ontañón.*

JOAQUÍN ONTAÑÓN.—¡Eh, eh, en escena y siempre en escena!... El gran actor cómico Ontañón está aquí. Dicen que estoy un poco..., un poco... No; un momento de expansión, de olvido... ¿Conservatorio? ¿Calle? ¡Fuera el Conservatorio! Calle y siempre calle... Variedad de tipos, de gestos, de trajes. Ontañón ha estudiado en la calle el arte de la escena. Me dan un papel: lo estudio. He de buscar mi tipo; paseo por las calles, entro en los cafés, en las tiendas, en las iglesias; subo a los tranvías. ¿No lo encuentro? Me siento en la terraza de un cafe. La gente pasa por las aceras. De pronto doy un grito y pego un salto. Se derriba el velador, se rompe el servicio. Los camareros acuden. Una señora se desmaya. Todos gritan: «¡Ontañón está loco!» La gente corre. Yo corro también. ¿Qué ha pasado? Que Ontañón, que estaba sentado en la terraza del café, ha visto cruzar a lo lejos su tipo, el tipo que buscaba. Y ha corrido a observarlo... ¿Conservatorio? ¿Calle? ¡Siempre calle! *Se sienta en un banco. Entra el Doctor Perales.*

EL DOCTOR PERALES. — ¿Qué sucede? ¿Qué pasa? ¿Qué es esto?

PACITA DURÁN.—Nada, doctor.

EL DOCTOR PERALES.—Un poco excitada. Don José, ¿usted también nervioso?

DON JOSÉ VEGA. — Perfectamente bien, doctor.

EL DOCTOR PERALES.—No, no; un poco excitado. ¿Y Ontañón? ¿Qué hace Ontañón?

JOAQUÍN ONTAÑÓN.—¡Ja, ja, ja! Tengo ganas de reír.

EL DOCTOR PERALES.—Ontañón, más excitado que nadie. Todos un poco nerviosos, inquietos, desasosegados. Y don Antonio, ¿por dónde está? No comprendo lo que sucede aquí.

DON JOSÉ VEGA.—La primavera, doctor.

EL DOCTOR PERALES.—Indudablemente.

PACITA DURÁN.—¡Ay, el papel de Antígona!

JOAQUÍN ONTAÑÓN.—¡Ja, ja!

EL DOCTOR PERALES. — Todos excitados. ¿No sirve para nada la Naturaleza? ¿Son mejores los telones y las bambalinas? ¿Dónde está don Antonio? Seguramente, perdido por el jardín, estudiando su papel.

DON JOSÉ VEGA.—Por el jardín debe de andar.

PACITA DURÁN.—Sí, sí; estará estudiando.

EL DOCTOR PERALES.—Por allá veo venir a Manolita Redondo, nuestra primera dama. Viene en un momento oportuno. Y viene con ella su hijo Paquito. *Entra Manolita con un niño de la mano.*

DOÑA MANOLITA.—¿Ha visto usted, doctor? Esto no puede ser. Vengo sofocada, excitadísima.

EL DOCTOR PERALES. — ¿Usted también, Manolita?

DOÑA MANOLITA. — Excitadísima, doctor.

DON JOSÉ VEGA.—¿Qué pasa?

PACITA DURÁN.—¿Qué sucede?

EL DOCTOR PERALES. — Vamos, cálmese usted, serenidad.

DOÑA MANOLITA. — ¡Qué algarabía, qué voces!

EL DOCTOR PERALES.—¿Quién da las voces?

DOÑA MANOLITA.—Todos: todos están enzarzados en una discusión terrible.

DON JOSÉ VEGA.—¿Sobre qué discuten?

DOÑA MANOLITA.—Yo les decía: «Vamos a pasear por el jardín.» Pero no querían. Allí están discutiendo.

EL DOCTOR PERALES.—¿Y no quieren pasear?

DOÑA MANOLITA.—No; están gritando todos a la vez.

DON JOSÉ VEGA.—¿Qué es lo que están discutiendo?

DOÑA MANOLITA.—Discuten sobre la interpretación escénica de los personajes antiguos.

PACITA DURÁN.—«Los ruiseñores entonan sus cantos melodiosos.»

EL DOCTOR PERALES.—¡Eh!

DON JOSÉ VEGA.—La primavera, doctor.

EL DOCTOR PERALES.—No, la primavera, no; es que la Naturaleza no sirve para nada.

DON JOSÉ VEGA.—La ficción es mejor.

EL DOCTOR PERALES.—¿Sobre qué discuten?

DOÑA MANOLITA.—Hablan del carácter de Edipo.

EL DOCTOR PERALES.—Pero ¿es que no hay árboles, ni montañas, ni cielo que admirar aquí?

PACITA DURÁN.—La ficción es más bella que la Naturaleza.

DON JOSÉ VEGA.—El arte crea el paisaje.

PACITA DURÁN.—«Edipo: padre infortunado.»

EL DOCTOR PERALES.—Todos alucinados. ¿Y éste también? ¿Qué haces, Paquito?

PAQUITO.—¡Que quiero ser actor!

EL DOCTOR PERALES.—¿Actor cómico, como el señor Ontañón?

PAQUITO.—No; actor trágico.

EL DOCTOR PERALES.—¿Actor trágico, como don Antonio Valdés?

PAQUITO.—Sí, como don Antonio Valdés.

EL DOCTOR PERALES.—¿Para hacer llorar a la gente?

PAQUITO.—Sí, como llora mamá cuando trabaja don Antonio.

EL DOCTOR PERALES. — ¿Llora tu mamá cuando trabaja don Antonio?

PAQUITO.—¡Ya lo creo!

DOÑA MANOLITA. — No haga usted caso, doctor.

EL DOCTOR PERALES.—¿Le molesta a usted que se crea que llora cuando trabaja don Antonio?

DON JOSÉ VEGA.—Eso la honra a usted, Manolita.

DOÑA MANOLITA.—Callen, callen ustedes.

EL DOCTOR PERALES.—Paquito, el porvenir es tuyo. A ti te aplaudirán las muchedumbres... ¿Y Valdés? ¿Dónde está Valdés? *Observa por todos los lados del teatro.* ¡Antonio! ¡Antonio!

DON JOSÉ VEGA.—Estará estudiando.

EL DORTOR PERALES.—No hay derecho a estudiar ahora.

PACITA DURÁN.—¿Quiere usted que vaya yo a buscarlo?

EL DOCTOR PERALES.—No, no, Pacita; tú, aquí; ya vendrá él... Ya viene por allí. *Se oye la voz de Valdés, que declama el papel de Edipo en el comienzo de «Edipo en Colona».*

DON ANTONIO VALDÉS.—«Hija de un viejo ciego, Antígona, ¿en qué país, a qué pueblo hemos llegado?»

PACITA DURÁN.—*Aparte, a Vega.* ¡Yo quisiera hacer el papel de Antígona en el beneficio de don Antonio!

DON JOSÉ VEGA.—¿Tú hacer ese papel?

PACITA DURÁN.—Lo he estudiado bien.

DON JOSÉ VEGA.—¡Silencio, silencio!

PACITA DURÁN.—¡Yo quisiera trabajar esa noche! *Entra Valdés, representando el papel de Edipo. Valdés se dirige hacia Pacita.*

DON ANTONIO VALDÉS.—«¿Quién acogerá hoy, con una pobre limosna, a Edipo errante? Poco pide; menos logra, y ese poco le basta, porque los sufrimientos, la vejez, le enseñan la resignación.» *Pepita se ha colocado junto a Valdés con un movimiento rápido e impetuoso y da la réplica al actor en el papel de Antígona.*

PACITA DURÁN.—«Edipo, padre infortunado, veo a lo lejos las torres de las murallas que rodean la ciudad. Descansa en esta peña; el camino que has hecho es mucho para un anciano...»

DON ANTONIO VALDÉS.—«Siéntate y guarda a tu viejo padre.»

PACITA DURÁR.—«Tanto tiempo hace que cumplo este deber, que no he de aprenderlo.»

DON ANTONIO VALDÉS.—«¿Puedes decirme dónde estamos?»

PACITA DURÁN.—«Cerca de Atenas, sí; pero este lugar no sé cuál es.»

DON ANTONIO VALDÉS.—«Antígona, hija mía. ¿Nos han abandonado todos?»

PACITA DURÁN.—«Sí, padre mío, todos nos han abandonado.»

DON ANTONIO VALDÉS.—«¿Y tendrás tú siempre fe en mí?»

PACITA DURÁN.—«Fe y entusiasmo tendré siempre.»

DON ANTONIO VALDÉS.—«No puede una niña sacrificar su juventud a la vejez.»

PACITA DURÁN.—«Yo tengo fe, tengo confianza; lo sacrificaré todo.»

DON JOSÉ VEGA.—Oye, Antonio, perdona; eso no es el texto de mi traducción.

DON ANTONIO VALDÉS.—Comedia del arte. El autor da la situación, el actor pone las palabras.

EL DOCTOR PERALES.—Sí, comedia del arte.

JOAQUÍN ONTAÑÓN.—Tragedia del arte.

DON ANTONIO VALDÉS.—«¿Dices que tienes entusiasmo?»

PACITA DURÁN.—«Mucho entusiasmo.»

DON ANTONIO VALDÉS.—«Es un sacrificio terrible el que deseas hacer.»

PACITA DURÁN.—«No, padre mío. Cuando hay afecto, no existe el sacrificio.»

DON ANTONIO VALDÉS.—«El viejo Edipo no puede aceptar ese sacrificio de tu juventud.»

PACITA DURÁN.—«Yo no te abandonaré nunca, padre mío.»

DON ANTONIO VALDÉS.—«¿Hay aquí un bosquecillo de laureles?»

PACITA DURÁN.—«Hay un bosquecillo de laureles y hay también rosales.»

DON ANTONIO VALDÉS.—«¡Qué cansado estoy, querida Antígona!»

PACITA DURÁN.—«¡Hay aquí una piedra donde puedes sentarte a descansar!» *Valdés se acerca en un* a p a r t e *a Vega.*

DON ANTONIO VALDÉS.—¿Le has hablado? ¿Qué dice?

DON JOSÉ VEGA.—Está apasionadamente enamorada de ti.

DON ANTONIO VALDÉS.—Es una niña; yo no tengo derecho a sacrificarla.

DON JOSÉ VEGA.—¿Podrás vencerte?

DON ANTONIO VALDÉS.—Procuraré hacerlo.

JOAQUÍN ONTAÑÓN.—¿No sigue la representación?

DON ANTONIO VALDÉS.—Hay que dar un tono un poco más solemne a este comienzo.

EL DOCTOR PERALES.—No se permite trabajar, querido Valdés. *Pacita se acerca en un aparte a Vega.*

PACITA DURÁN.—¿Qué le ha dicho a usted? Conozco estos apartes teatrales.

DON JOSÉ VEGA.—Dice que eres una actriz admirable.

PACITA DURÁN.—Quiero hacer el papel de Antígona.

DON JOSÉ VEGA.—Creo que lo harás.

DOÑA MANOLITA.—¿Qué sucede aquí?

DON ANTONIO VALDÉS.—Vamos, vamos; hay que acentuar un poco más este comienzo. Principiemos otra vez.

DON JOSÉ VEGA.—Pero ¿te empeñas en trabajar, Antonio?

DON ANTONIO VALDÉS. — Un momento, atención... En seguida terminamos. Vamos, atención... «Hija de un viejo ciego, Antígona.« (Pacita, he decidido que haga usted el papel de Antígona en la noche de mi beneficio.)

PACITA DURÁN.—¡Oh! ¿De verás, de veras?

DON ANTONIO VALDÉS.—¡Atención! Diga usted la parte de su papel!

PACITA DURÁN.—¡Qué emocionada estoy! ¡No puedo hablar, no puedo hablar!

EL DOCTOR PERALES.—¿Qué ocurre?

PACITA DURÁN.—No sé lo que me sucede.

EL DOCTOR PERALES.—Excitada, excitadísima.

PACITA DURÁN. — Déjenme ustedes. No puedo, no puedo hablar.

JOAQUÍN ONTAÑÓN.—Siempre en escena.

DON JOSÉ VEGA.—Comedia del arte.

JOAQUÍN ONTAÑÓN. — Tragedia, tragedia del arte.

DOÑA MANOLITA.—¡Ya, ya veo lo que sucede!

PACITA DURÁN.—Tengo ganas de reír y de llorar.

DON ANTONIO VALDÉS.—A escena, a escena... Antígona, hija mía.

PACITA DURÁN.—Edipo, padre infortunado, ¡qué feliz soy!

DON ANTONIO VALDÉS.—Ríes, lloras.

DON JOSÉ VEGA.—Comedia del arte.

JOAQUÍN ONTAÑÓN. — ¡Tragedia, tragedia del arte!

ACTO SEGUNDO

Sala modesta. Puerta a la izquierda, por donde saldrá ONTAÑÓN; puerta a la derecha, que comunica al cuarto de VALDÉS. En el fondo, a la derecha, se abre un ancho vano que deja ver un comedorcito; por aquí ha de entrar PACITA, y en los momentos que se indiquen se sentará en una de las sillas, en tanto que MANOLITA y ONTAÑÓN la atienden y consuelan. El grupo de los personajes, a la izquierda, para dejar libre la parte de la derecha, por donde ha de aparecer PACITA. En escena, MANOLITA y PACO.

DOÑA MANOLITA.—¿Qué hace don Antonio?

PACO MÉNDEZ.—Está en su cuarto. El chico que le lleva de paseo se ha marchado ya.

DOÑA MANOLITA.—¿Qué hace?

PACO MÉNDEZ.—Lee unas poesías en un libro de ciegos.

DOÑA MANOLITA.—¡Pobre! ¡Quién iba a decir que don Antonio Valdés iba a quedarse ciego!

PACO MÉNDEZ.—Debe de ser un gran tormento el no poder ver, mamá.

DOÑA MANOLITA.—Figúrate, y más para un artista como él. ¡Quedarse sin vista un gran actor en lo más glorioso de su vida!

PACO MÉNDEZ.—¡Sí que fué una cosa terrible!

DOÑA MANOLITA. — ¿Te acuerdas tú de cuando don Antonio tenía vista, de cuando trabajaba?

PACO MÉNDEZ.—¡Ya lo creo! Hace de eso diez años.

DOÑA MANOLITA.—¡Cómo pasa el tiempo!

PACO MÉNDEZ.—Yo me acuerdo de un día que fuimos al campo.

DOÑA MANOLITA.—¿En que comimos toda la compañía de don Antonio en el campo?

PACO MÉNDEZ.—¿No tenía yo entonces ocho años?

DOÑA MANOLITA.—Justo; ocho años. Dos años después fué la desgracia de don Antonio.

PACO MÉNDEZ.—Aquel día del campo, mamá, ¿fué cuando se reveló como actriz Pacita Durán?

DOÑA MANOLITA.—¡Ya te acuerdas tú de Pacita Durán! ¿Para qué tienes todos los retratos de Pacita Durán en tu cuarto?

PACO MÉNDEZ.—Para nada, mamá.

DOÑA MANOLITA.—Sí, aquel día le prometió don Antonio a Pacita un buen papel en su beneficio. ¡Lo que son las cosas! Don Antonio eligió el «Edipo» ¡Y mira tú qué casualidades! ¿Quién le había de decir que iba a quedarse él ciego?

PACO MÉNDEZ.—Pacita hizo de Antígona.

DOÑA MANOLITA.—Y tuvo un triunfo estupendo. Todo el mundo estaba sorprendido. Pacita todavía no era nada. Y de pronto... Un prodigio, una actriz de genio.

PACO MÉNDEZ.—¿Es que Pacita, mamá, estaba enamorada de don Antonio?

DOÑA MANOLITA.—Enamorada, enamorada... Podía estarlo; don Antonio tenía un tipo arrogante y además era el más grande actor de España. ¿Quién no había de sentir entusiasmo por don Antonio?

PACO MÉNDEZ.—¿Pero don Antonio correspondía a Pacita?

DOÑA MANOLITA. — Mira, Paquito: ésas son cosas que a ti no te deben interesar.

PACO MÉNDEZ.—¿Por qué no, mamá?

DOÑA MANOLITA.—Pacita, desde aquella noche, fué una gran actriz.

PACO MÉNDEZ.—Es una gran actriz y es muy buena.

DOÑA MANOLITA. — Buena de veras. Un gran corazón.

PACO MÉNDEZ. — Ha querido siempre a don Antonio.

DOÑA MANOLITA.—Ha sido agradecida.

PACO MÉNDEZ.—¿Tú crees, mamá, que es ella quien socorre a don Antonio?

DOÑA MANOLITA.—No sé. Don Antonio vive con nosotros. Aquí está atendido por nosotros como si estuviera en su casa. No tiene a nadie en el mundo, pero a él no le falta nada.

PACO MÉNDEZ.—Mejor que tú lo cuidas no lo cuidará nadie.

DOÑA MANOLITA.—Lo cuido por simpatía hacia él. Si fuéramos ricos, yo ese dinero que trae todos los meses el doctor Perales no lo tomaría.

PACO MÉNDEZ.—¿Y no crees tú que es Pacita quien manda ese dinero al doctor Perales para que te lo entregue a ti?

DOÑA MANOLITA.—Yo no quiero saber nada, Paquito. ¡Que no fuera yo rica! Pero ¿qué tenemos nosotros desde que me retiré de la escena? Ya sabes cómo vivimos; más modestamente no podemos vivir.

PACO MÉNDEZ.—Pero yo debutaré pronto, mamá.

DOÑA MANOLITA.—Tú debutarás y serás un gran actor. Tú, Paquito, eres mi esperanza. Y teniendo tan buen maestro como don Antonio...

PACO MÉNDEZ.—Don Antonio cree que con las lecciones que él me da paga el hospedaje de esta casa.

DOÑA MANOLITA.—No sé si él se figurará eso.

PACO MÉNDEZ.—Pero él sospechará...

DOÑA MANOLITA.—¡Cómo no ha de sospechar! Don Antonio no olvida a Pacita, ni Pacita se olvida de él.

PACO MÉNDEZ.—Le ha escrito muchas cartas desde América. ¡Y olían tan bien!

DOÑA MANOLITA.—¿Te has fijado en el perfume de las cartas de Pacita?

PACO MÉNDEZ.—Sin proponérmelo, mamá. ¿Viene pronto Pacita?

DOÑA MANOLITA.—Hace dos días, ya lo sabes, que ha desembarcado en Cádiz.

PACO MÉNDEZ.—¿Va a venir en seguida a Madrid?

DOÑA MANOLITA.—Creo que piensa hacer una temporada corta en Andalucía; después vendrá a Madrid.

PACO MÉNDEZ.—¡Qué placer el trabajar con una actriz así!

DOÑA MANOLITA.—¿Querrías tú trabajar con Pacita Durán?

PACO MÉNDEZ.—¡Qué felicidad!

DOÑA MANOLITA.—Don Antonio me habla bien de ti.

PACO MÉNDEZ.—¡Si don Antonio tuviera vista y pudiera enseñarme del todo...!

DOÑA MANOLITA.—Sin vista hace lo que puede; él no puede ver tus gestos, tus movimientos; pero su gran inteligencia hace que se los imagine; cuando te está dando lecciones es como si te estuviera viendo.

PACO MÉNDEZ.—No puedes figurártelo. Muchas veces me asombra. «No, no —me dice—, no pongas la cara así; ese movimiento no es como tú lo haces.» Y yo digo: ¿cómo hará para adivinar lo que yo hago?

DOÑA MANOLITA.—El se fija en el tono de la voz.

PACO MÉNDEZ.—¿Por la voz conoce él todo lo que se hace? *Entra el Doctor Perales.*

EL DOCTOR PERALES.—¿Se puede pasar? ¿Cómo vamos?

DOÑA MANOLITA.—Bien, bien, doctor.

EL DOCTOR PERALES.—¿Qué dice este mozo? ¿Cómo estás?

PACO MÉNDEZ.—Perfectamente, doctor.

EL DOCTOR PERALES.—¿Noticias?

DOÑA MANOLITA.—Nada, doctor.

EL DOCTOR PERALES.—¿Y don Antonio?

DOÑA MANOLITA.—En su cuarto. Ha salido esta tarde, a primera hora, con el chico que le acompaña, y se ha retirado luego.

EL DOCTOR PERALES.— ¿Qué hace en su cuarto?

DOÑA MANOLITA.—Lee: ha comprado un libro, un libro de poesías... Y lee y lo vuelve a leer. Ya se sabe muchas de memoria.

EL DOCTOR PERALES.—¿Le hace falta algo? ¿Necesita algo?

DOÑA MANOLITA.—Nada. Tiene todo lo que desea. Vive contento, satisfecho, en una perfecta tranquilidad.

EL DOCTOR PERALES.—Nadie podía sospechar que llevase tan resignadamente su desgracia. Si necesita algo, si desea algo, dígamelo usted. No vacile. No debe faltarle nada a nuestro querido don Antonio.

PACO MÉNDEZ.—¡Qué generoso es usted, doctor!

DOÑA MANOLITA.—Sí. ¡Tiene un corazón...!

EL DOCTOR PERALES.—¿Yo generoso? Ea, no quiero llevarme una fama que no me corresponde... Perdonen ustedes: yo vivo de mi trabajo; tengo numerosa familia; si yo pudiera...

DOÑA MANOLITA.—¿Entonces no es usted, doctor?

EL DOCTOR PERALES.—¿No soy yo qué?

DOÑA MANOLITA.—¿No es usted quien atiende a don Antonio?

EL DOCTOR PERALES.—Paquito, ¿y esos estudios?

DOÑA MANOLITA.—Doctor, perdone usted; lo hemos preguntado tantas veces... ¿Es verdad que es Pacita Durán quien atiende a don Antonio?

EL DOCTOR PERALES.—Oiga usted, Manolita.

DOÑA MANOLITA.—¿Qué quiere usted, doctor?

EL DOCTOR PERALES.—Oiga usted... será preciso... Vamos a ver...

DOÑA MANOLITA.—¿Ocurre algo? *Ligera pausa.*

EL DOCTOR PERALES.—¿Si ocurre algo? Esta madrugada, a las dos... Tú, Paquito, ni una palabra de esto... ¿Me prometen ustedes reserva?

DOÑA MANOLITA.—Hable usted sin miedo.

EL DOCTOR PERALES.—He recibido un telegrama... ¿Y qué dirán ustedes que decía?

DOÑA MANOLITA.—Dígalo usted.

PACO MÉNDEZ.—Acabe usted, doctor.

EL DOCTOR PERALES.—El telegrama decía: «Llego a las ocho de la mañana. Salga estación.» *Paquito, de pronto, se pone en pie, emocionado.*

DOÑA MANOLITA.—¿Pacita?

PACO MÉNDEZ.—¿Pacita en Madrid?

EL DOCTOR PERALES.—He ido a la estación.

DOÑA MANOLITA.—¿Traía muchas alhajas?

PACO MÉNDEZ.—¿Estaba hermosa?

EL DOCTOR PERALES.—¿Alhajas? Ninguna. Sí, después he visto en sus orejas dos perlas gruesas. Nada más.

DOÑA MANOLITA.—¿Cómo iba vestida?

EL DOCTOR PERALES.—Vestía sencillamente. La compañía se ha quedado en Sevilla. Ella regresa hoy o mañana.

PACO MÉNDEZ.—¿Tan pronto?

EL DOCTOR PERALES.—Ha venido sólo para abrazar a don Antonio y volverse a marchar.

DOÑA MANOLITA.—Vendrá muy rica; habrá ganado mucho dinero.

PACO MÉNDEZ.—¿Venía sola?

EL DOCTOR PERALES.—Venía y no venía sola. No les he contado a ustedes lo mejor; es decir, lo mejor, no; lo mejor es el regreso de Pacita; pero lo otro es bueno también. Bueno, claro, según se mire.

DOÑA MANOLITA.—¿Cuál es lo otro?

EL DOCTOR PERALES.—Lo otro es... Yo estaba en el andén: hablaba con Pacita; de pronto siento que me abrazan por detrás; me vuelvo, y era Pepe Vega quien me abrazaba.

DOÑA MANOLITA.—¿Ha venido don José también?

PACO MÉNDEZ.—¿Ha venido el gran poeta?

EL DOCTOR PERALES.—En el mismo vapor que Pacita, y luego, a Madrid, en el mismo tren.

DOÑA MANOLITA.—¡Ocho años fuera de España!

EL DOCTOR PERALES.—Sí, ocho años. Se fué antes de que don Antonio perdiera la vista.

DOÑA MANOLITA.—¿Trae dinero?

EL DOCTOR PERALES.—¿Dinero? Se fué para buscar un poco de dinero, para trabajar... Y, nada; nada, lo mismo que siempre.

PACO MÉNDEZ.—¿Nada?

DOÑA MANOLITA.—¿Qué ha hecho al verle a usted?

EL DOCTOR PERALES.—Nos hemos mirado en silencio. No sabíamos lo que decir. Luego, si no estamos en la estación, yo creo que hubiéramos llorado.

PACO MÉNDEZ.—Y Pacita ¿qué decía?

EL DOCTOR PERALES.—Pacita reía... para no llorar.

DOÑA MANOLITA.—¿Ha preguntado por todos?

EL DOCTOR PERALES.—Por todos... Silencio, un poco de silencio...

DOÑA MANOLITA.—Silencio, ¿por qué?

EL DOCTOR PERALES.—Pacita vendrá esta tarde. La he informado de todo lo que hace don Antonio. Vida metódica. A las seis de la tarde, en punto, la lección a Paquito. «¿La lección a Paquito?», ha preguntado Pacita.

PACO MÉNDEZ.—¿Ha preguntado eso, doctor? ¿Es verdad?

EL DOCTOR PERALES.—Lo ha preguntado. Tiene una memoria prodigiosa; se acuerda de todo. Dice que lee una vez el papel y no necesita leerlo más. Ha preguntado también por don Joaquín Ontañón, nuestro gran actor cómico.

DOÑA MANOLITA.—¿Y va a venir a ver a don Antonio?

PACO MÉNDEZ.—¿Vendrá, doctor?

EL DOCTOR PERALES.—Vendrá esta tarde, ahora mismo, dentro de media hora. Quiere llegar en el momento en que don Antonio esté dándole la lección a Paquito. Don José vendrá también. Ella entrará sin decir nada. Desde la puerta presenciará la lección... Un poco teatral esta escena, ¿eh?

DOÑA MANOLITA.—La pasión por el teatro.

EL DOCTOR PERALES.—La tenemos todos.

PACO MÉNDEZ.—¿Vendrá a las seis?

EL DOCTOR PERALES.—Vendrá a las seis; sin que sepa nada don Antonio, ella hará su entrada en escena. Nosotros estaremos callados. Tú, Paco, no interrumpas la representación. Pacita estará en la puerta; tú sigues representando. ¿Lo has entendido?

PACO MÉNDEZ.—Lo he entendido.

EL DOCTOR PERALES.—¿Don Antonio está en su cuarto? Voy a verle. Silencio, reserva, mucha reserva. *Se marcha el Doctor. Se oye fuera, en el pasillo, la voz de Ontañón. De cuando en cuando, una carcajada femenina.*

JOAQUÍN ONTAÑÓN.—¡Eh! ¿No se puede entrar en este castillo encantado? ¡Eh! ¿Quién es la castellana linda de este castillo?

DOÑA MANOLITA.—Ya está ahí Ontañón.

PACO MÉNDEZ.—Y haciendo diabluras, como siempre.

DOÑA MANOLITA.—Ontañón es un niño grande; siempre lo ha sido.

PACO MÉNDEZ.—Voy a ver lo que hace; habrá ido a la cocina.

DOÑA MANOLITA.—Estará imaginando alguna extravagancia. No puede ser que él no haga todas las tardes algo suyo. *Se marcha Paco. Manolita se levanta. Va hacia un espejo, se contempla un instante, coge una fotografía de Pacita que hay sobre la mesa, contempla el retrato, se vuelve después a mirar al espejo, comparándose con la fotografía; se arregla los rizos de la frente, se pasa la mano con suavidad por la cara. Torna a compararse con el retrato. Al cabo, levanta los hombros y arquea las cejas con un gesto de resignación. Vuelve Paco.*

DOÑA MANOLITA.—¿Qué hace Ontañón?

PACO MÉNDEZ.—Está de rodillas ante la muchacha. Trata de convencerla de que ella es una hermosísima princesa y le hace una declaración romántica.

DOÑA MANOLITA.—¡Qué hombre!

PACO MÉNDEZ.—Es un gran actor.

DOÑA MANOLITA.—Lleva el arte en la masa de la sangre. Para él es teatro el mundo entero; comienza la función por la mañana y la acaba al acostarse.

PACO MÉNDEZ.—Tiene un temperamento de actor como yo no lo he visto nunca.

DOÑA MANOLITA.—Y un gran corazón.

PACO MÉNDEZ.—¡Qué hombre tan alegre!

DOÑA MANOLITA.—Nadie ha visto triste nunca a Ontañón.

PACO MÉNDEZ.—Ya viene.

DOÑA MANOLITA.—Se habrá caracterizado como otras tardes. *Se oye la voz de Ontañón.*

JOAQUÍN ONTAÑÓN.—¡Trapero, traperito de Madrid...! ¡Trapero...! *Entra Ontañón, representando el tipo de un trapero.*

JOAQUÍN ONTAÑÓN.—Trapero... ¿Quién vende sombreros, pantalones, chalecos, levitas...? Trapero... Traperito de Madrid... Nacido en las Cuatro Calles... una mañana de abril... Las rosas daban su olor... El cielo era como añil.

DOÑA MANOLITA.—Pero, Joaquín, ¿siempre con tu tema?

PACO MÉNDEZ.—¡Bravo, don Joaquín!

JOAQUÍN ONTAÑÓN.—Señora, a los pies de usted.

DOÑA MANOLITA.—Oiga usted, don Joaquín.

JOAQUÍN ONTAÑÓN.—Oigo, reverente, y a sus pies.

DOÑA MANOLITA.—Vamos; ahora en serio.

JOAQUÍN ONTAÑÓN.—¿En serio? ¡Favor, socorro, que me matan, que me asesinan!

DOÑA MANOLITA.—Pero, Joaquín, ¿no se te podrán decir dos palabras en serio?

JOAQUÍN ONTAÑÓN.—¿Dónde estoy? ¿Qué me sucede? ¡Ay de mí! ¡Me quieren condenar a oír una cosa en serio!

DOÑA MANOLITA.—Mira, Joaquín: ocurre que...

PACO MÉNDEZ.—Mamá, ¿se lo vas a decir?

DOÑA MANOLITA.—Es preciso que lo sepa; pero él no se lo dirá a nadie.

JOAQUÍN ONTAÑÓN.—No se lo diré a nadie, lo prometo. ¿De qué se trata?

DOÑA MANOLITA.—Pacita...

PACO MÉNDEZ.—Sí, Pacita...

JOAQUÍN ONTAÑÓN.—Lo supongo, lo preveo, lo adivino, lo atisbo, lo barrunto, lo sospecho. Pacita ha venido a Madrid.

DOÑA MANOLITA.—Justo, cabal.

PACO MÉNDEZ.—Pacita ha llegado esta mañana a Madrid.

DOÑA MANOLITA.—Y estará aquí dentro de un momento.

JOAQUÍN ONTAÑÓN.—¿Pacita en Madrid? ¿De regreso de América? Treinta baúles, cincuenta sombrero, siete doncellas, cajas de alhajas, billetes de Banco... ¡Oh la vida, la vida! ¡Bien por nuestra Pacita! ¿Te acuerdas tú, Paco? Tú eres muy niño. Tú no has conocido a Pacita de meritoria en la compañía de don Antonio...

PACO MÉNDEZ.—Sí, sí; la he conocido; me acuerdo mucho.

DOÑA MANOLITA.—Y es preciso, Joaquín, que cuando llegue a la casa Pacita, no digas nada.

JOAQUÍN ONTAÑÓN.—¿Que no diga yo nada?

DOÑA MANOLITA.—Ella entrará sin que lo sepa don Antonio. Quiere verle cuando está dando la lección a Paquito.

JOAQUÍN OTAÑÓN.—¿Comedia del arte? Estoy en mi elemento.

DOÑA MANOLITA.—Pacita estará en la puerta viendo cómo Paco da su lección. Después...

JOAQUÍN ONTAÑÓN.—Teatro. ¡Viva el teatro!

DOÑA MANOLITA.—Lo hemos convenido así con el doctor Perales. El doctor está ahí dentro con don Antonio.

JOAQUÍN ONTAÑÓN.—¡Qué ganas tengo de ver a Pacita!

PACO MÉNDEZ.—¡Y yo también!

JAQUÍN ONTAÑÓN. — ¿Tú también, rapaz? Pacita es hoy la primera actriz española. En lo trágino, ¡eh!, en lo trágico. ¿No es Ontañón el primer actor cómico del planeta? Trapero, traperito de Madrid... *Se oye la voz de Don Antonio, dentro.*

DON ANTONIO VALDÉS.—¡Joaquín, Joaquín! Ya te oigo, allí voy.

JOAQUÍN ONTAÑÓN.—Ya sale el maestro. *Entran Don Antonio y el Doctor Perales.*

DON ANTONIO VALDÉS.—Tú siempre viviendo tus papeles... ¿Qué papel has representado esta tarde?

JOAQUÍN ONTAÑÓN.—¡Trapero! ¡Traperito de Madrid!

DON ANTONIO VALDÉS.—Muy bien, Joaquín, siempre en el teatro. ¿Es que puede haber algún artista, verdadero artista, que no esté siempre, a todas horas, pensando en su arte, diciendo su arte? Paquito, ya estamos dentro de la lección del día. Doctor, Manolita, un momento de silencio. El arte debe ser para el artista su constante cuidado. ¿Qué crees tú, Paco, que es el arte del actor?

PACO MÉNDEZ.—¿El arte del actor?

DON ANTONIO VALDÉS.—Sí, nuestro arte. ¿Crees tú que es cálculo o inspiración?

PACO MÉNDEZ.—Estudio, estudio siempre, don Antonio.

DON ANTONIO VALDÉS.—Y usted, doctor, ¿qué cree?

EL DOCTOR PERALES.—Estudio... y un poquito de otra cosa.

DON ANTONIO VALDÉS.—Eso es; un poquito de otra cosa; pero ese poquito de otra cosa no es cosa humana, sino divina. El plieto es antiguo, ya lo sabéis. El actor, dicen unos, debe hacer sus papeles por cálculo. El actor, contestan otros, debe fiarlo todo a la inspiración. Y ni una cosa ni otra. Es decir, las dos cosas. Todos los grandes han sido las dos cosas. Vais a verlo. Yo voy a representar un papel, he de empaparme de ese papel, he de compenetrarme con él, he de profundizar en él todo lo que pueda. Y para crear ese tipo que un poeta ha imaginado, iré por las calles, asistiré a las tertulias, frecuentaré toda clase de gentes. En suma: observaré atentamente, con minuciosidad, los gestos, los movimientos, los ademanes, las inflexiones de voz del personaje que he de representar. Y ya me he empapado de realidad. Ya está mi espíritu lleno, henchido, de pormenores reales. La noche de la representación llega. Me llama el traspunte. Minuto solemne, terrible; siento una profunda emoción, y entro en escena... Entonces todo se me olvida. Los pormenores de la realidad están en el fondo del espíritu, pero yo voy hablando, hablando... No sé lo que hago. Una vibración nerviosa me conmueve todo. Siento angustia y placer al mismo tiempo. Sin saber nada, sin darme cuenta de nada, de pronto lanzo un grito, hago un gesto, un ademán, que electrizan al público, que le emocionan y que le hacen aplaudir calurosamente... ¿Sabía yo al entrar en escena que iba a realizar ese gesto? No. ¿Sabía que tal frase iba a decirla con una entonación que ha llenado de horror trágico a los espectadores? No; de ningún modo. No; la realidad ha surgido porque estaba acopiada, almacenada, y por encima de todos los pormenores de la realidad ha ido aleteando, mariposeando, la inspiración. Y eso es todo.

EL DOCTOR PERALES.—¡Bravo, bravo!

DOÑA MANOLITA.—¡Qué bien! ¡Qué gran actor!

PACO MÉNDEZ.—¡Oh maestro, qué bien dicho!

JOAQUÍN ONTAÑÓN.—¡Admirable, Antonio!

DON ANTONIO VALDÉS.—No, no; gran actor, no. No habléis de mí. ¡Gran arte, el de Pacita!

DOÑA MANOLITA.—Pero Pacita se lo debe a usted.

DON ANTONIO VALDÉS.—Pacita se lo debe todo a sí misma. ¡Cuánto habrá adelantado en esos cuatro años de América!

PACO MÉNDEZ.—Dicen que es una actriz formidable.

DON ANTONIO VALDÉS.—Lo creo. El arte de Pacita es lo que acabo de decir: estudio e inspiración. La inspiración la componen las cosas imprevistas. ¿Es que un poeta que comienza a escribir sabe todo lo que va a expresar después? Lo imprevisto es lo más gustoso, lo más exquisito del arte.

EL DOCTOR PERALES.—Yo creo que en Pacita hay más estudio que inspiración.

DON ANTONIO VALDÉS.—Es un error, doctor. ¿Queréis que os diga cómo es el arte de Pacita Durán? Pacita Durán no es la misma en la primera representación que en las otras. No; en el intervalo de la primera a la segunda representación, la actriz ha ido trabajando, no ha dejado de pensar en el personaje representado. Y la segunda vez que hace ese papel es ya otra. Ha añadido ya más cosas al personaje. Los detalles son muchos más. La realidad es más vivaz, más auténtica... Y la tercera noche, todavía el relieve y el color suben de punto. Un espectador que haya ido siguiendo a Pacita de una noche a otra, podrá decir que, siendo admirable la actriz en la primera representación, es ya otra distinta en las noches sucesivas.

EL DOCTOR PERALES.—Esa era la gran actriz francesa Rachel, don Antonio. Así trabajaba, según dicen.

DON ANTONIO VALDÉS. — Exactamente. Así han sido algunos grandes actores.

PACO MÉNDEZ.—Lo notable en Pacita, don Antonio, es su manera de representar los personajes de las obras clásicas.

EL DOCTOR PERALES.—Los periódicos de América insisten mucho en ese punto.

DON ANTONIO VALDÉS.—El secreto de Pacita es un secreto a voces. Paco, atiende esto. El secreto de Pacita en las representaciones clásicas es muy sencillo. Pacita pone un alma nueva, de ahora, en los personajes antiguos. Y no hay más. ¿Comprendéis todo el alcance de la innovación? La psicología humana es lo mismo que hace mil años. Se siente ahora como hace mil años el amor, el odio, los celos, la ambición. Los trajes antiguos importan poco. Por debajo de los trajes están las pasiones, los sentimientos, los afectos, que son iguales a los de ahora...

PACO MÉNDEZ.—Pero eso es lo que usted hacía.

JOAQUÍN ONTAÑÓN.—Eso es tuyo, Antonio.

DON ANTONIO VALDÉS.—No habléis de mí. Pacita no le debe nada a nadie. Es única, genial.

PACO MÉNDEZ.—¡Qué actriz tan grande!

DOÑA MANOLITA.—Caprichosita.

DON ANTONIO VALDÉS.—¿Has dicho caprichosita?

DOÑA MANOLITA.—A veces tiene unas cosas...

DON ANTONIO VALDÉS.—Como todos los artistas de genio. ¿Es que el artista puede amoldarse a la pauta común?

DOÑA MANOLITA.—Es que a veces Pacita tiene unas extravagancias...

DON ANTONIO VALDÉS.—¿Extravagancias?

DOÑA MANOLITA.—Buena, sí; gran corazón, pero un poquito extravagante.

DON ANTONIO VALDÉS.—No, no.

PACO MÉNDEZ.—No, mamá; de ningún modo.

EL DOCTOR PERALES.—Rarezas, rarezas que tenemos todos.

DON ANTONIO VALDÉS.—¡Ea!, a la lección práctica. Ya hemos divagado bastante. La teoría sin práctica no es nada. Quedamos ayer en la escena quinta del acto tercero de «El Trovador». ¿No es eso? ¿La has estudiado bien?

PACO MÉNDEZ.—Sí, don Antonio...

DON ANTONIO VALDÉS.—Ya sabes la situación. Leonor está en la celda de un convento; se oye de pronto, fuera, la canción del trovador. Leonor escucha ansiosa, emocionada. Bueno, vamos a su salida...

PACO MÉNDEZ.

Te encuentro al fin, Leonor.

DON ANTONIO VALDÉS.

¡Huye! ¿Qué has hecho?

PACO MÉNDEZ.

Vengo a salvarte, a quebrantar osado
los grillos que te oprimen, a estrecharte
en mi seno, de amor enajenado,
¿Es verdad, Leonor? Dime si es cierto
que te estrecho en mis brazos, que respiras
para colmar, hermosa, mi esperanza,
y que extasiada de placer me miras...

DON ANTONIO VALDÉS.—Un momento; un poco más de ímpetu, de pasión; ten en cuenta que éste es tu amor primero, un amor apasionado, de adolescente. Tú debes querer como se quiere en el primer amor. Vamos allá.

PACO MÉNDEZ.

Vengo a salvarte, a quebrantar osado
los grillos que te oprimen...

Aparece Pacita en el fondo en el comedorcito; Manolita, Ontañón y el Doctor Perales, que estaban sentados, se levantan en silencio al verla, atraídos irresistiblemente por su presencia; Paco se detiene y la contempla extasiado. Pacita, conmovida, les hace señas que callen.

DON ANTONIO VALDÉS.—¿Por qué te detienes? Sigue. *Pacita hace señas a Paco para que continúe.*

PACO MÉNDEZ.—*Sin apartar la vista de Pacita.*

¿Es verdad, Leonor? Dime si es cierto
que te estrecho en mis brazos, que respiras...

DON ANTONIO VALDÉS. — ¿Qué te pasa, Paco? Es raro; no sé lo que me sucede a mí también. Continúa.

PACO MÉNDEZ.

... que respiras
para colmar, hermosa, mi esperanza...

DON ANTONIO VALDÉS.—No te conozco hoy, Paco. Se dice así:

Vengo a salvarte, a quebrantar osado
los grillos que te oprimen.

No puedo, no puedo. Yo he sentido algunas veces en la vida una influencia extraña. Sin saber por qué, me he sentido a veces paralizado. No puedo, no puedo. ¿Es que mi inteligencia flaquea? No lo creo; no estoy enfermo y, sin embargo, siento un estremecimiento nervioso... Es una cosa rara, una sensación extraña; mi cuerpo todo vibra. *Siguen las señas entre Pacita y los demás personajes. Pacita llora y se limpia los ojos con el pañuelo. Los demás personajes le dicen que ya basta y que se retire. La actriz se retira de la puerta.*

EL DOCTOR PERALES.—¡Tranquilidad, don Antonio, tranquilidad!

DON ANTONIO VALDÉS.—¿Qué sucede aquí? ¿Y este perfume de mujer que antes no había? Lo percibo, lo percibo bien. Estoy ciego, pero mis otros sentidos se han agudizado. Aquí percibo ahora un rastro de mujer. ¡Es Pacita! ¡Pacita está aquí! ¡No juguéis conmigo! ¡Por favor! ¡Compasión, piedad!

EL DOCTOR PERALES.—¡Calma, don Antonio!

JOAQUÍN ONTAÑÓN.—Te diré, Antonio.

EL DOCTOR PERALES.—Ha de llegar, en efecto, de un momento a otro.

DON ANTONIO VALDÉS.—¡Cómo! ¿Sabéis que estaba en Madrid y me lo ocultabais? ¿Qué es esto?

EL DOCTOR PERALES.—Sí; está en Madrid.

DON ANTONIO VALDÉS.—¿Y me lo ocultabais? ¡Esto es intolerable, esto es una farsa indigna! ¡Compasión, compasión para el pobre ciego, para el pobre artista caduco! Piedad, piedad.

JOAQUÍN ONTAÑÓN. — ¡Vamos, Antonio, por Dios!

EL DOCTOR PERALES.—No, no, don Antonio. Un poco de sosiego.

DON ANTONIO VALDÉS.—¡Es una farsa indigna! ¡No lo tolero! Sí..., haced lo que queráis. Soy un viejo. Soy un pobre. Haced de mí lo que queráis.

JOAQUÍN ONTAÑÓN.—¡Antonio, Antonio! ¡Calma, calma!

DON ANTONIO VALDÉS.—Pacita está aquí, aquí, en esta casa. ¡Pacita, Pacita! *Entra Pacita precipitadamente, sollozando, y se dirige a Valdés.*

PACITA DURÁN.—¡Don Antonio!

DON ANTONIO VALDÉS.—¡Pacita! *Se abrazan y permanecen abrazados un instante. Pausa.* ¡Me habéis engañado! ¡Me habéis engañado todos!

PACITA DURÁN.—Perdón, perdón.

DON ANTONIO VALDÉS.—Traicionera, traicionera.

PACITA DURÁN.—Perdón, perdón. He querido contemplar a usted en silencio; contemplar cómo daba usted la lección. He querido ver de qué modo era usted el gran actor de siempre; Joaquín, Paco...

DON ANTONIO VALDÉS.—Te perdono, te perdono.

PACITA DURÁN.—¿Cómo estáis todos?

DON ANTONIO VALDÉS.—¡Qué comedia! ¡Qué angustia!

PACITA DURÁN.—Todo teatral.

JOAQUÍN ONTAÑÓN.—Teatral.

DON ANTONIO VALDÉS.—Ven, ven a mi lado, Pacita. ¡Cuéntame tus proyectos!

PACITA DURÁN.—He de hacer una temporada en Andalucía, una temporada corta. Después vendré a Madrid. Regreso esta noche a Sevilla.

DON ANTONIO VALDÉS.—¿Esta noche? ¿Tan pronto?

PACITA DURÁN.—Sólo he venido a ver a usted, don Antonio. Le veo bueno, fuerte. Y le he visto a usted representar hace un momento maravillosamente.

DON ANTONIO VALDÉS.—¿Representar? ¿Quién se acuerda del teatro?

PACITA DURÁN.—¿Que quién se acuerda del teatro? Usted no puede dejar de ser el gran actor de siempre.

DON ANTONIO VALDÉS.—Yo ya pasé.

PACITA DURÁN.—No ha pasado usted, don Antonio.

DON ANTONIO VALDÉS.—¿Qué quieres decir con eso, Pacita?

PACITA DURÁN.—¿No siente usted la nostalgia de la escena?

DON ANTONIO VALDÉS.—Pacita, Pacita, tú estás avivando sin querer mi íntima tristeza.

PACITA DURÁN.—Sin querer, no; queriendo.

DON ANTONIO VALDÉS.—¿Queriendo? ¿Tú te alegras de que yo vuelva a pensar en el teatro y me entristezca por no poder trabajar?

PACITA DURÁN.—Pero es que va usted a trabajar.

DON ANTONIO VALDÉS.—¿Trabajar yo?

DOÑA MANOLITA.—¿Trabajar don Antonio?

PACITA DURÁN.—Sí, sí, trabajar; trabajar en una gran función que yo preparo.

DON ANTONIO VALDÉS.—Vamos, Pacita, seriedad.

PACITA DURÁN.—Seriedad, sí. Yo preparo esa gran función y usted ha de trabajar en ella. Representaremos el «Edipo».

DON ANTONIO VALDÉS.—¡Oh el «Edipo»! La tragedia en que tú te revelaste como una gran actriz!

PACITA DURÁN.—La tragedia que, desgraciadamente, puede usted representar ahora con toda propiedad.

DON ANTONIO VALDÉS.—Es verdad, Pacita. Pero ¿tú crees...? ¿Crees tú que yo puedo...? ¿Puedo volver..., volver a trabajar?

PACITA DURÁN.—Lo creo, don Antonio.

DON ANTONIO VALDÉS.—La tentación es fuerte; la pasión por el teatro me domina.

PACITA DURÁN.—Sí, sí, don Antonio. Usted vuelve al teatro; vuelve usted por una noche o por varias. La representación de ese «Edipo» será una cosa maravillosa. Yo estoy viendo ya la emoción de los espectadores.

DON ANTONIO VALDÉS.—Y yo estoy ya emocionado. ¡Volver yo al teatro! «¡Hija de un viejo ciego, Antígona!»

PACITA DURÁN. — «Padre mío infortunado...»

DON ANTONIO VALDÉS.—¿Y cuándo será esa representación?

PACITA DURÁN.—Esa representación será en honor de don José Vega.

DON ANTONIO VALDÉS.—¿Ha venido Pepe? ¿Está en Madrid?

PACITA DURÁN.—Y es extraño que no se encuentre ya entre nosotros.

DON ANTONIO VALDÉS.—¿Cómo está? ¿Ha venido contigo? ¿Cómo viene?

PACITA DURÁN.—Viene bien; fuerte, sano; pero estaba deseando volver a España. Ha estado por allá seis u ocho años.

DON ANTONIO VALDÉS.—Se marchó antes de ocurrirme a mí la desgracia. ¿Una función en su honor? Es decir, ¿un beneficio? Un beneficio. ¡Dios mío, Dios mío!

PACITA DURÁN.—Sí, en su honor; en honor del gran poeta.

DON ANTONIO VALDÉS.—Un beneficio. ¿Pepe está pobre? ¿Está pobre como antes de marcharse? ¡El más grande poeta de España está pobre! ¡Pobre y viejo! Comedia, tragedia del arte... *Aparece Don José en la puerta. Se detiene un momento en el umbral, con la cabeza baja, los brazos caídos y las manos juntas. Lleva puesto el ancho sombrero. Asoman por debajo las largas melenas. Pausa ligera. Don José se quita el sombrero con un ademán solemne y avanza silenciosamente.*

PEPE.—Decíamos ayer...

DON ANTONIO VALDÉS.—¡Pepe!

PEPE.—¡Antonio! *Se abrazan.*

JOAQUÍN ONTAÑÓN.—¡Gran poeta!

PEPE.—Señores, paz para todos.

DON ANTONIO VALDÉS.—No me habías visto ciego.

PEPE.—Y tú ahora no puedes verme a mí, Antonio.

DON ANTONIO VALDÉS.—No puedo verte.

PEPE.—No puedes ver este pelo mío, que está blanco.

DON ANTONIO VALDÉS.—Somos viejos y estamos como cuando éramos niños.

PEPE.—¡Y qué importa que seamos pobres!

DON ANTONIO VALDÉS.—No deseamos nada. Nosotros vivimos como entre sueños.

PEPE.—Y tenemos piedad para quienes no pueden comprendernos.

DON ANTONIO VALDÉS.—Y queremos estar con nuestra pobreza por encima de las sordideces de la vida.

PEPE.—Y deseamos desdén para todo lo que no sea nuestro ideal.

DON ANTONIO VALDÉS.—Y sólo pedimos un poco de cordialidad a los compañeros.

PEPE.—Con ese poco de cordialidad somos felices.

PACITA DURÁN.—Sí, cordialidad, cordialidad, todos en el arte, como hermanos.

DOÑA MANOLITA.—¿Y cuándo será esa función, Pacita?

PACITA DURÁN.—Don Antonio representará el «Edipo en Colona».

PEPE.—¿Tu, Antonio?

DON ANTONIO VALDÉS.—Sí, yo, en una función en tu honor. Por ti lo hago yo todo.

PEPE.—Pacita, divina Pacita...

DON ANTONIO VALDÉS.—Otra vez el «Edipo», y ciego de veras. ¡A escena, a escena! «¡Hija de un viejo ciego, Antígona!»

PACITA DURÁN.—«Edipo, padre infortunado.»

DON ANTONIO VALDÉS.—¡En escena, en escena! ¡Siempre en escena!

ACTO TERCERO

CUADRO PRIMERO

Cortina o telón primer término; se supone el saloncillo de un teatro. La puerta donde llaman, invisible. Sólo un diván. La mutación ha de ser al final sin bajar el telón, haciendo la oscuridad en la escena. En este acto, VEGA, el DOCTOR PERALES, ONTAÑÓN y PACO visten de *smoking*. Al levantarse el telón entra PAQUITO rápidamente y se pone a arreglar el diván. Voces y ruido, fuera.

VOCES.—¡Aquí, aquí!

PACO MÉNDEZ.—¡Despacio! *Entran dos mozos del teatro, trayendo a Don Antonio Valdés desvanecido. Viste el actor traje de Edipo, en la obra de Sófocles. Entran también el Doctor Perales, Pacita y Manolita.*

EL DOCTOR PERALES.—Despacio, despacio... Ponerlo ahí, en el diván.

PACITA DURÁN.—Así, con suavidad, que descanse la cabeza en alto.

EL DOCTOR PERALES.—Y que no entre nadie. Cerrad la puerta.

PACITA DURÁN.—¿Qué le parece a usted, doctor?

EL DOCTOR PERALES.—Lo que he dicho: un desvanecimiento. El pulso está bien.

DOÑA MANOLITA.—¡Qué desgracia!

EL DOCTOR PERALES.—No exageremos; un ligero desvanecimiento. Se recobrará en seguida.

PACO MÉNDEZ.—Yo estaba entre bastidores y lo he visto caer.

DOÑA MANOLITA.—Yo también. He visto cuando se llevaba las manos a la cabeza y caía al suelo.

PACITA DURÁN.—¡La mía sí que ha sido emoción! Dos emociones: primero, cuando le he oído que comenzaba a decir cosas que no estaban en el papel; después, cuando lo he visto desplomarse.

DOÑA MANOLITA.—Y el efecto en el público ha sido terrible.

PACITA DURÁN.—¿Cuánto tiempo hemos estado representando? Yo creo que no han pasado sino unos pocos minutos y me han parecido un siglo. *Llaman a la puerta.*

DOÑA MANOLITA.—¿Quién es?

EL DOCTOR PERALES.—No se puede entrar.

DOÑA MANOLITA.—Un momento, un momento; saldremos en seguida. *Se oye la voz de Pepe.*

PEPE.—Soy yo. Pepe Vega; abrid. *Abren y entra Pepe Vega.* ¿Y Antonio? ¿Cómo está? ¿Qué ha sido?

EL DOCTOR PERALES.—Un poco de calma. Ya va recobrándose; no tardará en estar completamente bien.

PEPE.—¡Qué lástima! ¡No he visto nunca una cosa semejante! ¡Qué manera de representar!

PACITA DURÁN.—De representar lo que no estaba en el papel.

PEPE. — Gesto y entonación de terrible tragedia, como no los he visto yo nunca.

PACITA DURÁN.—¿Dónde estaba usted?

PEPE.—En las butacas; quería ver desde fuera, desde la sala, el arte de Antonio. No lo he visto nunca como esta noche. ¡Qué manera de entrar en escena, de hablar, de accionar!

PACITA DURÁN.—Y usted, ¿qué ha sentido cuando, a los pocos momentos de comenzar, ha visto que don Antonio hablaba por su cuenta?

PEPE.—He sentido vértigo.

PACITA DURÁN.—Pues figúrese usted mi asombro y mi desorientación... ¡Pobre don Antonio!

EL DOCTOR PERALES.—Un poco de calma. El pulso está bien, no tardará en volver en sí.

PEPE.—¿Podrá seguir la representación?

EL DOCTOR PERALES.—Ahora lo veremos.

PACITA DURÁN. — La representación se puede aplazar para otro día.

EL DOCTOR PERALES. — Veremos, veremos... ¡Don Antonio!

DOÑA MANOLITA.—¿Cómo se encuentra usted, don Antonio? *Pausa.*

DON ANTONIO VALDÉS.—¡Pacita, Pacita!

PACITA DURÁN. — Vamos, don Antonio, ánimo, no ha sido nada.

DON ANTONIO VALDÉS. — ¿Quién está aquí? ¿Y Pepe?

PEPE.—Aquí estoy, Antonio; no te preocupes, todos estamos aquí.

EL DOCTOR PERALES.—No ha sido nada, don Antonio. Ya se encuentra usted bien; un poco de valor.

DON ANTONIO VALDÉS.—¿Valor? ¿No lo he tenido para hacer en escena lo que he hecho?

PEPE.—Y ha sido formidable, magnífico.

DON ANTONIO VALDÉS.—Contadme, contadme; yo no me he dado cuenta de nada. La sala estaba soberbia, ¿verdad?

PEPE.—Brillantísima. La gente, en pie en los pasillos, en los palcos, entre las butacas.

DON ANTONIO VALDÉS.—Pero cuando se ha levantado el telón, ¿qué ha sucedido?

PEPE.—Un silencio profundo.

DON ANTONIO VALDÉS.—Sí, sí; no es eso. La impresión íntima del público, la impresión verdadera, ¿cuál ha sido?

EL DOCTOR PERALES.—No se excite usted, don Antonio, un poco de calma.

DON ANTONIO VALDÉS.—Estoy bien, doctor.

EL DOCTOR PERALES.—¿Bien del todo?

DON ANTONIO VALDÉS.—¿No lo ve usted? «¡Hija mía Antígona!» ¿Pero es que creen ustedes que, aun estando yo muriéndome, no iba a seguir representando...?

EL DOCTOR PERALES.—No se excite usted, don Antonio; un poco de serenidad.

DON ANTONIO VALDÉS.—Me encuentro mejor que antes; no tengo ya nada.

PACITA DURÁN.—La emoción ha sido terrible.

DON ANTONIO VALDÉS.—Sí, la emoción hacía vibrar todo mi cuerpo.

PACITA DURÁN.—Yo no sabía qué contestar a usted cuando ha empezado a decir cosas que no estaban en el papel.

DON ANTONIO VALDÉS.—Cuando he salido a escena, después de decir las primeras frases, la emoción ha hecho que me olvidara de todo. No veía al público, pero sentía su presencia. Y era algo así como si me fueran apretando el corazón. Me sentía yo en ese momento visto, observado con ansiedad por la muchedumbre. Entonces he pensado en todo lo que es la vida del actor; en nuestros dolores, en nuestros infortunios... Y todo eso lo he ido diciendo impetuosamente.

PACITA DURÁN.—Sí, sí, don Antonio; hablaba usted con un ímpetu formidable. Yo estaba emocionadísima.

DON ANTONIO VALDÉS.—Sí, sí, Pacita, yo no podía verte, pero te sentía llorar. El silencio era profundo. Nunca he tenido ante ningún público esa impresión de silencio. Y yo iba hablando, hablando; no me daba cuenta de nada. Sin embargo, ha habido un momento en que sentía confusamente que me hallaba en el trance más decisivo de mi vida. Después de tantos años sin representar, volvía a la escena y era ahora cuando me despedía realmente del público. Tú, Pacita, ¿por qué llorabas?

PACITA DURÁN.—Lloraba sin poderlo remediar. Y miraba al público, que seguía anhelante la representación. Yo me sentía abrumada, no sabía qué contestar al parlamento de usted, don Antonio. Y veía acercarse el momento en que yo tenía que replicar. Algunos espectadores se habían puesto en pie. Había señores en los palcos y en las butacas que lloraban.

DON ANTONIO VALDÉS.—¿Lloraban?

PACITA DURÁN.—¿Cómo iba a terminar esta escena? De pronto estalló la sala en un formidable aplauso, y yo le vi a usted vacilar, llevarse las manos a los ojos y caer desplomado.

DON ANTONIO VALDÉS.—¿Llevarme las manos a los ojos? ¡Oh, sí, he querido ver, contemplar esa muchedumbre que me aplaudía! ¡Y era imposible! ¿No podía salir del fondo de las tinieblas en que vivo, no podía ver un minuto nada más, un segundo nada más, ese público que me aplaudía, que aplaudía a un pobre artista?

PACITA DURÁN. — No, no hable usted así.

PEPE.—Pobre artista, no; gran artista, magnífico artista. *Se oye la voz de Ontañón.*

JOAQUÍN ONTAÑÓN.—Abrid, abran ustedes.

EL DOCTOR PERALES.—¿Quién es?

DOÑA MANOLITA. — ¿No podéis esperar un poco?

JOAQUÍN ONTAÑÓN. — Abrid, soy Ontañón.

DON ANTONIO VALDÉS.—Abrid a Joaquín. *Entra Ontañón.*

JOAQUÍN ONTAÑÓN. — ¿Y Antonio? ¿Y Antonio?

DON ANTONIO VALDÉS.—¿Qué hay, Joaquín?

JOAQUÍN ONTAÑÓN.—¿Estás bien? ¿Bien del todo?

DON ANTONIO VALDÉS.—Ya estoy bien.

JOAQUÍN ONTAÑÓN.—¡Qué susto me has dado! ¿Y qué hacemos? El público espera. He hablado con todos. Hay una gran ansiedad.

DON ANTONIO VALDÉS.—¿Qué decían en la sala?

JOAQUÍN ONTAÑÓN.—Cuando se ha levantado el telón ha habido un momento de duda, nada más que un momento.

DON ANTONIO VALDÉS.—¿De duda? Habla, Joaquín.

JOAQUÍN ONTAÑÓN.—Un momento de duda, de malestar.

DON ANTONIO VALDÉS.—¿De malestar? No me habías dicho nada.

JOAQUÍN ONTAÑÓN.—De malestar, de inquietud por ti. Creían que no ibas a poder desempeñar tu papel, después de tanto tiempo alejado de la escena.

DON ANTONIO VALDÉS.—¿Creían eso? Y vosotros, ¿qué creéis?

PACITA DURÁN.—El triunfo ha sido inmenso. Lo pasado, pasado.

DON ANTONIO VALDÉS.—¡Ah, no creían en mí! ¡Me veían ya decadente, incapaz para representar un papel!

JOAQUÍN ONTAÑÓN.—Antonio, no te atormentes. Ha sido nada más que un momento. Desde el instante en que has comenzado a hablar, ha cambiado todo.

DOÑA MANOLITA.—Un éxito nunca visto.

JOAQUÍN ONTAÑÓN. — Es verdad. Pero ¿qué hacemos? El público espera.

PACITA DURÁN.—¿Qué hacemos, don Antonio?

DON ANTONIO VALDÉS.—Que siga la representación.

PACITA DURÁN. — ¿Comenzaremos otra vez?

DON ANTONIO VALDÉS.—Hay tiempo; no habíamos representado sino el principio de la obra; debemos comenzar.

PACITA DURÁN.—¿Qué dice usted, doctor?

EL DOCTOR PERALES.—No hay inconveniente. Don Antonio puede trabajar, si quiere.

DON ANTONIO VALDÉS.—¿Si quiero? Con todo entusiasmo. Mientras tenga un soplo de vida. ¡Acabado! ¡Decadente! Veremos. Veremos.

EL DOCTOR PERALES.—Calma, don Antonio.

PACITA DURÁN.—¡Por Dios!

DON ANTONIO VALDÉS.—¡A escena! ¡A escena! *Se marchan. Quedan en la puerta, los últimos, Pepe y Paco.*

PACO MÉNDEZ. — Un instante nada más, don José.

DON JOSÉ VEGA.—¿Qué quieres, Paco?

PACO MÉNDEZ.—Perdóneme usted.

DON JOSÉ VEGA.—¿Qué te pasa?

PACO MÉNDEZ.—Le ruego que me perdone.

DON JOSÉ VEGA.—¿No vienes al escenario?

PACO MÉNDEZ.—Quisiera hablar con usted un minuto.

DON JOSÉ VEGA.—Pero ¿ahora?

PACO MÉNDEZ.—Sí, ahora.

DON JOSÉ VEGA.—Van a levantar el telón.

PACO MÉNDEZ.—No puedo sufrir más.

DON JOSÉ VEGA.—¿Qué dices?

PACO MÉNDEZ.—¿Usted sabe que Pacita Durán va a dar una representación de «El mágico prodigioso»?

DON JOSÉ VEGA.—Sí, lo sé.

PACO MÉNDEZ.—¿Sabe usted que soy un admirador entusiasta de la Durán?

DON JOSÉ VEGA.—Lo sospecho.

PACO MÉNDEZ.—¿Y no sospecha usted mi pretensión?

DON JOSÉ VEGA.—Estoy impaciente, Paco; di lo que tengas que decir en dos palabras.

PACO MÉNDEZ.—En dos palabras: yo quiero debutar con la Durán.

DON JOSÉ VEGA.—¿Tú debutar con Pacita?

PACO MÉNDEZ.—Lo deseo frenéticamente.

DON JOSÉ VEGA.—¿Frenéticamente? *Pausa ligera.* El mundo, hijo mío, es un teatro. Un teatro en que se representa la misma función desde hace siglos, desde que comenzó a vivir la Humanidad. Cambian los personajes, los trajes, las decoraciones, pero la obra es la misma.

PACO MÉNDEZ.—Sí, don José, la misma.

DON JOSÉ VEGA.—Lo que me dices ahora me trae el recuerdo de una escena ocurrida en un jardín, hace años, bastantes años; una joven se acercó a mí y me pidió con ansiedad, frenéticamente, como tú ahora, el debutar en una gran obra que iba a representar un gran actor...

PACO MÉNDEZ.—¡Don José!

DON JOSÉ VEGA.—Uno de los actos de esa obra única que se presenta desde hace siglos y siglos en el escenario del planeta, ¿sabes tú cómo se titula?

PACO MÉNDEZ.—¿Cómo?

DON JOSÉ VEGA.—Se titula «Amor».

PACO MÉNDEZ. — Usted, tan gran poeta, tan bondadoso, tan fino, sabrá comprenderme.

DON JOSÉ VEGA.—Sí, Paco, te comprendo. El tiempo pasa y la obra es la misma; te comprendo.

PACO MÉNDEZ.—¡Oh, si yo pudiera trabajar con Pacita Durán!

DON JOSÉ VEGA.—Las cosas recomienzan.

PACO MÉNDEZ. — ¿Oye usted? Parecen aplausos.

DON JOSÉ VEGA.—Un rumor lejano.

PACO MÉNDEZ.—*Con impaciencia. Ahora, vehemente.* Pase usted, querido maestro.

DON JOSÉ VEGA.—*Tranquilamente. Atajando con el ademán a Paco.* Hay tiempo.

PACO MÉNDEZ.—¡Estarán ya en escena!

DON JOSÉ VEGA.—Espera un poco; tal vez éste sea el último momento en que pueda hablarte; ya en el torbellino en que vas a entrar lo desdeñarás todo.

PACO MÉNDEZ.—Todo, no.

DON JOSÉ VEGA.—Todo lo que no sea tu ideal.

PACO MÉNDEZ. — Y otras muchas cosas, tampoco.

DON JOSÉ VEGA.—¿Ves esta impaciencia que tú tienes? Yo la he tenido.

PACO MÉNDEZ.—¿Usted?

DON JOSÉ VEGA. — ¡Claro! ¿Te figuras que no he sido mozo como tú? Yo he pasado por esos momentos de ansiedad, de zozobra, de temor, en que te veo ahora. Te contemplo en estos instantes y evoco mi juventud.

PACO MÉNDEZ.—¿No oye usted?

DON JOSÉ VEGA.—No es nada; llegaremos a tiempo. Y esos momentos son deliciosos, exquisitos, son los de la espera. La esperanza es acaso más dulce que la certidumbre.

PACO MÉNDEZ. — *Con viva impaciencia.* Vamos, vamos, querido maestro.

DON JOSÉ VEGA. — ¡Aprisiona, aprisiona esos momentos, que ya no volverán!

PACO MÉNDEZ.—Salgamos.

DON JOSÉ VEGA. — Sí, vamos. Una luz nueva nace para ti; sé feliz, ten fe.

MUTACIÓN

CUADRO SEGUNDO

Gabinete en un restaurante. Mesa en que se habrá cenado hace rato. Flores, frutas, botellas. Al fondo, ancho ventanal o galería. En escena, todos los personajes de la obra: unos están sentados en divanes, y charlan; otros pasean por la escena.

EL DOCTOR PERALES. — ¡Ea, amigos, la última, realmente la última copa de champán! *No acude nadie a la mesa donde está el Doctor. El Doctor golpea con un cuchillo una botella.* ¡Ea, caballeros, a beber la última copa!

DON JOSÉ VEGA.—¡Que llama el doctor!

EL DOCTOR PERALES.—Vamos a beber la última copa. Señores, a la salud de la gran actriz, que nos ha regalado con esta espléndida cena. *Acuden todos. Llenan las copas, las chocan y beben.*

DOÑA MANOLITA.—¿Qué hora será?

JOAQUÍN ONTAÑÓN.—Va a amanecer pronto.

DON ANTONIO VALDÉS. — ¿A qué hora sale el sol?

EL DOCTOR PERALES.—A las cuatro y cuarenta y cuatro.

JOAQUÍN ONTAÑÓN. — Exacto, cronométrico.

EL DOCTOR PERALES.—He visto la hora en el calendario ayer mismo.

DON ANTONIO VALDÉS.—¿Arranca usted todos los días la hoja del calendario?

EL DOCTOR PERALES.—La arranco y me sale una cana.

DON JOSÉ VEGA.—¡Cómo pasa el tiempo!

DOÑA MANOLITA.—¡Qué noche tan larga!

DON ANTONIO VALDÉS.—Larga, ¿por qué?

DON JOSÉ VEGA.—Sí, larga. ¿No habéis observado que cuando pasan muchas cosas en un día parece el día más largo?

EL DOCTOR PERALES.—En cambio, cuando no pasa nada, parece que el día ha sido como un segundo.

PACITA DURÁN.—Principió la representación del «Edipo» a las diez, y son...

DON ANTONIO VALDÉS.—¿No oís cantar los gallos?

JOAQUÍN ONTAÑÓN.—Yo he bebido mucho. Cuando bebo me dan ganas de llorar. ¡Churritos calientes! ¡Ja, ja, ja! ¡Quiquiriquí!

DON JOSÉ VEGA.—¡Qué bien habéis estado esta noche!

PACITA DURÁN.—Y eso que teníamos la impresión triste de lo ocurrido a don Antonio...

DON JOSÉ VEGA.—Es que cuando se está triste se trabaja mejor. Yo siempre he hecho lo menos malo de todo lo mío cuando me sentía triste.

EL DOCTOR PERALES.—¿Por qué es eso, don José?

DON JOSÉ VEGA.—La tristeza me reconcentraba en mí mismo. El espíritu se recogía en esos momentos. No se desea nada. Lo desdeñamos todo; no nos importa ya nada de la gloria y del mundo. Y entonces, con perfecta independencia, con maravillosa serenidad, se va creando la obra.

DON ANTONIO VALDÉS.—Tú lo has dicho, Pepe; cuando se desdeña todo, da lo mismo hacerlo bien que hacerlo mal. Y entonces es cuando se hace siempre bien.

PACITA DURÁN.—¡Cuántas supersticiones tenemos! Yo no entro nunca en escena sin conceder todo lo que me piden.

DOÑA MANOLITA.—Yo, antes de salir, había de tocar hierro.

DON ANTONIO VALDÉS.—¿Sabéis lo que hacía yo? Contaba siempre algo que fuera número par: cuatro sillas, seis luces. ¿Oís? Tocan a misa del alba en una iglesia. Las campanadas son como de cristal y parece que se van desgranando en un calderito de plata.

DON JOSÉ VEGA.—¿Qué piensas hacer en la temporada próxima, Pacita?

DON ANTONIO VALDÉS.—Si se representara esto, dirían que era absurdo e incongruente.

DON JOSÉ VEGA.—Y así es la vida: sin chistes ni situaciones cómicas.

JOAQUÍN ONTAÑÓN. — ¡Churritos calientes!... *Ontañón hace flexiones con dos botellas de champaña.* Aún estoy ágil yo. ¿Por qué no me habré dedicado al circo? ¡Quiquiriquí! *En primer término. Paco habla con Don José.*

PACO MÉNDEZ.—Don José, ¿le ha dicho usted algo a Paz de mi deseo?

DON JOSÉ VEGA.—Pero, Paco, tú comprenderás...

PACO MÉNDEZ. — Yo deseo, ansío, hacer esa obra con la Durán. Vamos, un poquito de piedad para mí... ¿Es que no cree usted que yo soy actor?

DON JOSÉ VEGA.—Calma, calma, Paco; ya hablaremos de eso. *Paco se aleja hacia el fondo. Avanza Pacita.*

PACITA DURÁN.—¿Qué dice Paco?

DON JOSÉ VEGA.—¿No lo adivinas?

PACITA DURÁN.—Sí, lo sospecho, lo sé.

DON JOSÉ VEGA.—Y tú...

PACITA DURÁN.—Yo..., yo me domino. El es un niño.

DON JOSÉ VEGA. — ¿Te dominas? ¿De veras? ¿Toda el alma, todas las energías, todo el entusiasmo, para el arte? ¿Y la vida que pasa? ¿Y la juventud que no vuelve? ¿No sientes el amor?

JOAQUÍN ONTAÑÓN.—¡Quiquiriquí!

PACITA DURÁN.—Siento..., siento algo que no puedo expresar en este minuto de un amanecer de primavera, cuando brilla todavía el lucero de la mañana. . No sé lo que siento, no puedo decirlo...

DON JOSÉ VEGA.—La noche está magnífica.

EL DOCTOR PERALES.—Va a amanecer.

DOÑA MANOLITA.—Está ya amaneciendo.

PACITA DURÁN.—Apagad la luz, que gocemos mejor del amanecer. *Apagan la luz. Campanas.*

DON ANTONIO VALDÉS.—Pepe, Pepe, ¡qué tristeza no ver la luz! La luz nueva del día. Tú has hecho cosas maravillosas pintando la luz. Sobre todo, la luz suave, melancólica, de los crepúsculos vespertinos, y la luz virginal, pura, de los amaneceres. ¿Queréis ponerme en el balcón, de cara al alba naciente?

PACITA DURÁN.—Venga usted, venga usted, don Antonio.

DON JOSÉ VEGA.—Ven, Antonio; yo te pondré ante el horizonte.

DON ANTONIO VALDÉS.—¿Brilla aún el lucero de la mañana?

PACITA DURÁN.—Sí, brilla en el cielo puro. ¡Qué bello es!

DON ANTONIO VALDÉS.—¿Verdad que parece una bolita llena de agua viva?

PACITA DURÁN.—Sí, irradia con una limpieza y un brillo magníficos.

DON ANTONIO VALDÉS.—Yo lo he contemplado muchas veces, cuando después del trabajo de la noche me quedaba estudiando hasta que se hacía de día. ¿Se va haciendo ya de día?

PACITA DURÁN.—Se ve una claridad pálida en el horizonte. Ahí abajo hay un jardín.

DON ANTONIO VALDÉS. — Sí, se nota el efluvio de los árboles.

PACITA DURÁN.—La claridad del alba se va haciendo mayor.

DON ANTONIO VALDÉS.—¿Es una luz suave, blanquecina, como lechosa?

PACITA DURÁN.—Después se pondrá ligeramente rosado el horizonte.

DON JOSÉ VEGA.—No, no; antes parece como que se tiñe de un ligero color verde.

PACITA DURÁN.—¡Qué bonito es el lucero de la mañana! ¡Quisiera poder alcanzarlo para hacerlo saltar entre mis manos como un brillante!

DON ANTONIO VALDÉS.—¡Qué felicidad la vuestra! Veis la luz, la luz que va creciendo, creciendo e inflamando el cielo. *Va aumentando la claridad diurna.*

PACITA DURÁN.—Una última copa, y a casa. Definitivamente, la última.

DOÑA MANOLITA.—Ya no puedo más.

EL DOCTOR PERALES.—Estoy repleto.

DON JOSÉ VEGA.—He bebido yo solo una botella de champán.

PACITA DURÁN.—Verdaderamente, la última.

DON JOSÉ VEGA.—¡Vaya por la última! *Se acercan a la mesa. Pacita va llenando las copas, y después, con una en alto, va recitando los versos de Calderón.*

DON JOSÉ VEGA.—Bebamos por el ideal.

JOAQUÍN ONTAÑÓN.—Bebamos por el arte.

PACITA DURÁN.—No, por el amor.

PACO MÉNDEZ.—Sí, sí, eso es, siempre por el amor.

PACITA DURÁN.

¿Cuál es la gloria mayor
de esta vida?

TODOS.—*A coro.*

Amor, amor.

PACITA DURÁN.

No hay sujeto en quien no imprima
el fuego de amor su llama,
pues vive más donde ama
el hombre que donde anima.
Amor solamente estima
cuanto tener vida sabe,
el tronco, la flor y el ave.
Luego es la gloria mayor
de esta vida...

TODOS.

Amor, amor.

PACO MÉNDEZ.—*Se ha ido acercando a Pacita y con la mirada dirigiéndose a Pacita. Pacita coge una rosa de la mesa, la besa y se la entrega a Paco.*

Hermosísima Justina,
en quien hoy ostenta ufana
la naturaleza humana
tantas señas de divina...

DON ANTONIO VALDÉS.—Déjame, Paco, déjame a mí. El aire del amanecer se mete en mis pulmones y me rejuvenece.

Hermosísima Justina,
en quien hoy ostenta ufana
la naturaleza humana...

Las últimas palabras las habrá dicho Don Antonio con voz desfalleciente, entrecortada; se deja caer en un sillón; da muestras de una angustia suprema. Todos se acercan a él con ansiedad.

EL DOCTOR PERALES. — ¿Qué? ¿Qué es esto?

PACITA DURÁN.—¡Don Antonio, don Antonio!

DOÑA MANOLITA.—¡Qué horror!

EL DOCTOR PERALES.—¡Muerto, muerto!

TELÓN

A ROSARIO PINO

siempre niña, siempre con tan fina y vivaz sensibilidad.

AZORÍN.

PRÓLOGO.—LA ARAÑITA EN EL ESPEJO.—EL SEGADOR.—DOCTOR DEATH, DE 3 A 5

Sobre el tablero de la mesa—limpio, despejado—un ramo pomposo de rosas. Algunos pétalos han caído, y reposan en la brillante superficie. Un libro abierto. Lectura larga, despaciosa, entrecortada de meditaciones. Ese libro ha sido leído, vuelto a leer, sentido, a lo largo de muchos meses. El autor era uno de los más grandes poetas contemporáneos. Vivía solitario, abstraído, obsesionado por su último trance. Su vida parecía un hilito de cristal; a cada momento podía ser roto. Podían romperlo un soplo tenue, una vibración casi imperceptible, la caída de uno de estos pétalos de las rosas, que se van desprendiendo ahora, en el silencio, sobre el limpio tablero. Un día, cuatro líneas en los periódicos. Nada más. La vorágine de los sucesos universales continuaba. Parecía que en el tráfago mundanal, entre el estrépito de las cosas, se había oído como un debilísimo lamento. No era nada y era mucho. Era, en el curso de la Humanidad, uno de los mayores sucesos que pudieran acontecer. El poeta más fino entre todos los modernos desaparecía. Con el silencio, la delicadeza, la suavidad con que había vivido, se iba de este mundo. El cielo, aquella mañana en que leía yo la noticia, estaba radiante. Las rosas rojas resaltaban entre la verdura del follaje. Todo era lo mismo que antes, y un cambio profundo se había operado en las regiones del espíritu. La Humanidad se sentía aminorada. Rainer-María Rilke había muerto. Durante muchos meses yo había ido sintiendo vibrar la sensibilidad del poeta en sus obras. La muerte era la obsesión de Rilke. «Señor—escribía el poeta—, da a cada cual su muerte, su muerte adecuada, una muerte que salga verdaderamente del fondo de nuestra vida... Porque nosotros, los mortales, no somos más que la corteza y la hoja. Y todo tiende, entre los humanos, como el fruto natural, hacia la grande muerte que cada cual lleva en sí.»

La lectura de la obra maestra del gran poeta, *Los cuadernos de Malte Laurids Brigge*—el libro de la Muerte—, ha suscitado estos tres actos, escritos para que una actriz pueda desenvolver todo su arte.

Madrid, mayo 1927.

PROLOGO *

PERSONAJES: La actriz. — Una señora. — El autor.— El traspunte.

Cortina o telón de primer término. En escena, la ACTRIZ y el AUTOR.

EL AUTOR.—¿Se va ya a principiar?
LA ACTRIZ.—Faltan unos minutos.
EL AUTOR.—¿Han dado ya la segunda?
LA ACTRIZ.—Todavía no. *Aparece una Señora vestida con un traje corriente. Se dirige a la Actriz.*
UNA SEÑORA.—¿Un momento, señora?
LA ACTRIZ.—Todos los que usted quiera.
UNA SEÑORA.—Pocos; la representación va a comenzar.
EL AUTOR.—Yo, con permiso de ustedes, me retiro.
UNA SEÑORA.—No, no; es usted el autor de la obra, y yo tengo interés en que el autor asista a esta conversación.
EL AUTOR.—Si es así...
UNA SEÑORA.—Por usted tanto como por la actriz, la eminente actriz, he venido.
LA ACTRIZ.—Gracias, señora.
UNA SEÑORA.—¿No me conocen ustedes? *Aparece el Traspunte con el libreto en la mano.*
EL TRASPUNTE.—¿Doy la segunda?
UNA SEÑORA.—¿Quién es este caballero?
LA ACTRIZ.—El traspunte de la compañía.
EL TRASPUNTE.—Servidor de usted.
UNA SEÑORA. — ¿Y usted no me conoce tampoco?
EL TRASPUNTE.—No, señora, no.
UNA SEÑORA.—Se me quedaba usted mirando de un modo...
LA ACTRIZ.—Si usted permite, el traspunte ha de ir a ultimar algunos detalles.
EL TRASPUNTE.—Con permiso. *Se marcha.*
UNA SEÑORA.—Me he permitido venir para tener el gusto de saludar a ustedes.
LA ACTRIZ.—Gracias.
EL AUTOR.—Muchas gracias.

* Este prólogo escénico y la trilogía fueron estrenados en la Sala Rex, de Madrid, el 24 de noviembre de 1928. Azorín representó en el prólogo el papel del Autor.

UNA SEÑORA. — Y ustedes saben quién soy... y no lo saben.
LA ACTRIZ.—Si he de decir la verdad...
EL AUTOR.—En cuanto a mí...
UNA SEÑORA.—No, si no tiene nada de particular. Usted representa bien, maravillosamente, la obra.
LA ACTRIZ.—Muy bondadosa.
UNA SEÑORA.—Y usted... A usted yo quisiera decirle algo sin que se incomodara.
EL AUTOR. — Puede usted decir cuanto quiera.
UNA SEÑORA.—¿Cree usted que se puede jugar con cosas serias, muy serias?
EL AUTOR.—¡Oh, indudablemente que no!
UNA SEÑORA.—¿Cree usted que los grandes misterios de la vida pueden ser tratados a la ligera?
EL AUTOR.—Me hace usted unas preguntas...
UNA SEÑORA.—Las que debo.
LA ACTRIZ. — Señora, usted perdone,. Yo creo que estamos representando una escena un poco misteriosa.
UNA SEÑORA.—Muy misteriosa, en efecto; así es.
EL AUTOR.—Yo, hasta ahora, no comprendo nada de lo que esta señora dice.
UNA SEÑORA.—Conozco su obra. He visto su representación. Señor autor: cuidado con lo que se hace.
EL AUTOR.—¿Por qué he de tener cuidado?
UNA SEÑORA. — Mucho cuidado, repito, con lo que se escribe; llevar a la escena temas como éste es un poco peligroso.
EL AUTOR.—Peligroso, ¿por qué?
UNA SEÑORA.—¿No lo cree usted, señora?
LA ACTRIZ.—Si usted no se explica mejor...
UNA SEÑORA.—Usted interpreta bien los personajes; su gesto, su cara, toda su persona expresa el misterio, el terror. Tiene usted un arte prodigioso para hacer sentir...
LA ACTRIZ.—Hacer sentir ¿qué?
UNA SEÑORA.—No necesito decirlo. *Sonriendo ligeramente.*
EL AUTOR.—¿Sonríe usted?

UNA SEÑORA. — ¿Quiere usted que me nombre a mí misma? ¿Tan poco perspicaz es usted, que no me ha conocido?

LA ACTRIZ.—Entonces usted cree ser...

UNA SEÑORA.—¡Bah, bah! Si no lo fuera, ¿estaría yo en todas partes? ¿Sabría yo lo que pasa en todos los lugares del mundo?

EL AUTOR.—¡Es curioso!

UNA SEÑORA.—¿Dice usted que es curioso? ¿Duda usted? ¿No lo cree?

EL AUTOR.—Yo no pongo en duda su veracidad.

UNA SEÑORA.—Hace usted bien. Ahora ha dicho usted unas palabras profundas. ¡Nada hay en el mundo tan verdadero como yo! ¡Yo soy la verdad misma!

LA ACTRIZ.—Pero, en fin, aclaremos ese misterio.

UNA SEÑORA.—No necesita usted aclaraciones.

EL AUTOR.—La señora es...

UNA SEÑORA. — Hable usted, no tenga miedo.

LA ACTRIZ.—Pero ¿es de veras?

UNA SEÑORA.—¡Ja, ja, ja! ¡Me hacen ustedes reír! ¡Y si vieran ustedes qué pocas veces río!

EL AUTOR. — ¡Tiene usted una risa extraña!

LA ACTRIZ.—Muy extraña.

UNA SEÑORA.—No me ven ustedes con mi propia figura. ¿Creían ustedes que yo iba a ir vestida de negro, con un gran velo? No; ahora voy como todos.

EL AUTOR.—¿Lleva usted alguna vez otro traje?

UNA SEÑORA.—No llevo traje; no lo necesito.

EL AUTOR.—Es una economía.

UNA SEÑORA.—¿Irónico también?

LA ACTRIZ.—Deje usted que hable la señora.

UNA SEÑORA.—Con un relojito de arena y una guadaña chiquita me basta.

EL AUTOR.—Menaje sencillo.

UNA SEÑORA.—¡Muy sencillo! Todos lo saben... y ustedes también. *Aparece el Traspunte.*

EL TRASPUNTE. — Perdonen ustedes; el público se impacienta.

LA ACTRIZ. — Que toquen una sinfonía larga.

EL TRASPUNTE.—Ya lo han hecho.

LA ACTRIZ.—Pues dé usted la tercera.

UNA SEÑORA. — *Al Traspunte.* ¿Otra vez me mira usted asombrado?

EL TRASPUNTE.—No, señora. ¿Por qué?

LA ACTRIZ.—Deje usted que vaya a dar la tercera.

UNA SEÑORA.—Yo también suelo dar avisos algunas veces; otras, no. Y mucha gente no los oye.

EL TRASPUNTE.—Con permiso de ustedes. *Se marcha.*

UNA SEÑORA.—Yo me voy a marchar también.

EL AUTOR.—Y quedamos como antes.

UNA SEÑORA.—Como antes, no.

LA ACTRIZ.—La señora es tan misteriosa...

UNA SEÑORA.—Saben ustedes quién soy. ¿No es verdad, señor autor?

EL AUTOR.—Hable usted con franqueza.

UNA SEÑORA.—Yo he querido venir esta noche a visitar a ustedes, pero es una simple visita de cortesía.

LA ACTRIZ.—Y nosotros... lo agradecemos mucho.

UNA SEÑORA.—Yo estoy en todas partes; deben saber todos quién soy, pero mucha gente se empeña en no querer saberlo.

LA ACTRIZ.—¿Está usted en todas partes?

UNA SEÑORA.—De un modo invisible; pero basta un detalle cualquiera, un incidente, un pormenor insignificante, para que mi presencia se revele a todos. ¿Qué saben los pobres mortales lo que hacen? El más sano, el más fuerte, el más robusto, en pocas horas puede estar conmigo. Basta a veces un vaso de agua, una corriente de aire, un mal paso... Todo en el mundo está lleno de mí. Cuando más descuidada está una persona, yo voy pasito a paso, despacito, callando, y le toco en el hombro con mi guadaña. ¿No lo creen? ¡Qué cara ponen ustedes dos! ¡Ja, ja, ja!

EL AUTOR.—Sí; gracioso, gracioso.

LA ACTRIZ.—Divertido.

UNA SEÑORA.—No, no se preocupen.

LA ACTRIZ.—Señora, la representación va a comenzar.

UNA SEÑORA.—Todo el mundo es una representación. Y yo soy en ella el principal personaje. ¡Ja, ja, ja! Me voy, me voy. Siempre a las órdenes de ustedes.

EL AUTOR.—No, no; nunca.

UNA SEÑORA.—Alguna vez será.

LA ACTRIZ.—Acabemos.

UNA SEÑORA.—Yo siempre estoy acabando..., acabando con los demás.

EL AUTOR.—¡Qué pesadilla!

LA ACTRIZ.—Es absurdo.

UNA SEÑORA.—¿Absurdo? ¡Ja, ja, ja! Pocas veces me río, pero ustedes me han puesto de buen humor.

LA ACTRIZ.—A escena, a escena.

EL AUTOR.—A principiar, a principiar.

UNA SEÑORA.—¡Ja, ja, ja! *Desaparece.*

LA ACTRIZ.—¡Qué cosa más rara!

EL AUTOR.—¡Extravagante!

LA ACTRIZ.—¡Insensata!

EL AUTOR.—¡Locura! *De pronto vuelve la Señora; trae puesta la careta de una calavera. Hace una gran reverencia y torna a desaparecer.*

EL AUTOR.—¿Qué es esto?

LA ACTRIZ.—Un sueño. *Telón y comienza inmediatamente el acto primero.*

LA ARAÑITA EN EL ESPEJO *

Sala decorosa. Puerta a la derecha; puerta a la izquierda. Al fondo, ancho balcón por el que se divisa, en la lejanía, el mar. Una mesita con libros. Al levantarse el telón, LEONOR, que estaba leyendo junto al balcón, lo abre y se asoma a él.

LA VOZ.—¡Señorita, señorita!

LEONOR.—Perdone por Dios, hermano.

LA VOZ.—Una limosnita.

LEONOR.—No tengo aquí nada.

LA VOZ.—Hágalo por Dios.

LEONOR.—Espere, espere. *Leonor deja el balcón, se dirige a la puerta de la izquierda y grita:* ¡Lucía! ¡Lucía! *Aparece Lucía.* Lucía, una moneda; diez céntimos.

LUCÍA.—Tome, tome, señorita. *Le da Lucía la moneda y Leonor la echa al pobre.*

LA VOZ.—¡Dios se lo pague, señorita! ¡Qué buena es usted! ¡Y qué ojos tan bonitos tiene!

LEONOR.—Vaya, vaya, no diga boberías.

LA VOZ.—Sí, sí, señorita; muy bonitos, pero... ¿se lo digo?

LEONOR.—Vamos, diga. *Esforzándose por sonreír.*

LA VOZ.—Pero un poco tristes.

LEONOR. — ¿Ves, Lucía? Dice que mis ojos son un poco tristes.

LUCÍA.—Hermano, hermano, márchese; deje a la señorita.

LA VOZ.—¡Y que no le pase a usted nada malo, señorita!

LEONOR.—¿Que no me pase nada malo?

LUCÍA.—No haga usted caso.

LEONOR.—Los ojos tristes, sí. ¿Cómo no había de tenerlos tristes? Y que no me pase nada malo... Me pasará, me pasará.

LUCÍA.—No quiero oír decir a usted esas cosas. ¿Qué mal le va a pasar a usted? *Leonor se yergue en el balcón, e inmóvil, ensimismada, contempla la lejanía. En este momento aparece en la puerta de la derecha Don Pablo. Se detiene en el umbral y pregunta por señas algo a Lucía. Lucía, por señas también, contesta negativamente. Don Pablo se pone el dedo índice de través en los labios, indicando silencio, y desaparece. Leonor se vuelve hacia la escena.*

LEONOR.—¡Qué pensamientos tan tristes!

* Esta obra se estrenó el 15 de octubre de 1927, en el teatro Eldorado, de Barcelona, por la compañía de Rosario Iglesias, con el siguiente reparto: *Leonor,* Rosario Iglesias; *Lucía,* Ascensión Vivero; *Don Pablo,* Cecilio Rodríguez de la Vega; *La voz,* Manuel Pinto.

El mar me pone triste; el mar es misterio y melancolía.

LUCÍA.—No tiene usted motivos para estar triste.

LEONOR.—Oye, Lucía: ¿con quién hablabas antes?

LUCÍA.—¿Yo? Con nadie.

LEONOR.—¡Qué cosa tan rara! Hay días en que nuestra sensibilidad está tan agudizada que parece..., parece que sentimos las cosas a distancia. ¿No hablabas tú con nadie? Hubiera creído que había alguien en la sala.

LUCÍA.—¡Oh, no, señorita! No había nadie; estaba yo sola.

LEONOR. — ¿Tú sola? Yo también estoy sola; lo estoy con mis pensamientos... Y, mira, soy feliz, casi soy feliz. ¿No he realizado ya mi ensueño?

LUCÍA.—Sí, sí; a la señorita no le falta nada.

LEONOR.—No me falta nada... Nada más que lo que ya he tenido. Y lo que he tenido es el amor, el afecto, el cariño tan puro, tan generoso, de Fernando.

LUCÍA.—¡Ah, sí, sí! Lo que es eso...

LEONOR.—¿No es verdad que todo parece un sueño? Yo, tan enferma, tan débil, tan poquita cosa, casarme con Fernando; con un hombre tan fuerte, tan bueno...

LUCÍA.—Vamos, vamos, señorita; no se excite usted.

LEONOR.—No, no me ocultes la verdad. No quiero ocultármela a mí misma. Ya no sirven engaños. Yo estoy convencida de todo. Ya cada día lo estoy más. Cada día que pasa, y que veo—y lo veis todos—que mi mal no tiene remedio.

LUCÍA.—¡Que me incomodo y llamo a su padre! Llamo a don Pablo y le digo todos los disparates que está usted diciendo.

LEONOR.—Y se los diré también a él. Yo no creía nunca que Fernando llegara a casarse conmigo. Yo enferma, de esta enfermedad... Sí, sí; soy fuerte para saberlo; no me importa ya nada de la vida y del mundo. Lo sé, lo sé; no me lo oculto a mí misma. Yo no creía nunca que Fernando llegara a casarse conmigo. ¡Casarse él, tan sano y fuerte, con una enferma como yo! ¿Le guiaba el amor? ¿Le guiaba una piedad suprema? Yo no lo sé; no he querido saberlo. Cuando por primera vez el brazo de Fernando enlazó mi brazo, yo me sentí desfallecer. Era aquél, querida Lucía, el sueño de toda mi vida.

LUCÍA.—¡Ay Señor, qué cosas dice la señorita!

LEONOR.—Y las digo por algo que no comprendo; por algo que siento en el fondo de mi espíritu y que no acierto a adivinar.

LUCÍA.—Cálmese, cálmese; no está bien que se excite usted así, señorita.

LEONOR.—Ya desde aquel día no me importaba nada: ni la vida ni la muerte. Un momento, Fernando y yo habíamos sido dichosos; yo era la mujer de Fernando. Ya el sueño está realizado. Y después Fernando fué llamado a Africa, a la guerra...

LUCÍA.—Han pasado seis meses.

LEONOR.—Seis meses en que, día por día, he tenido noticias suyas. Su carta diaria era para mí un asombro, una maravilla. Yo decía: «No, no se casó conmigo por piedad. No; me tiene cariño; me tiene amor.»

LUCÍA.—Alguna vez han faltado esas cartas.

LEONOR.—Es verdad; han faltado dos, o tres, o cuatro días. Pero yo sabía que la vida de campaña le obligaba a trabajos que le impedían escribir.

LUCÍA.—Sí, sí; la guerra tiene sus lances... Hay que pensar en todo.

LEONOR.—¿Pensar en todo? Yo no pienso en nada malo para Fernando. Yo pienso en mí misma. Y casi, casi me alegro...

LUCÍA.—La guerra es cosa terrible.

LEONOR.—Pero la guerra no ha sido cruel con Fernando. ¡Qué heroico siempre, en todos los momentos! ¿Verdad que todos lo dicen?

LUCÍA.—Sí, sí; el señorito Fernando ha dado un ejemplo muy hermoso.

LEONOR.—Di, di; me gusta que me hables de ese modo; me agrada oír esas palabras. Y dentro de unas horas Fernando estará aquí, junto a mí, entre nosotros.

LUCÍA.—Ea, señorita; conviene que tenga usted serenidad.

LEONOR.—¿Por qué?

LUCÍA. — Porque se desasosiega usted y eso puede dañarle.

LEONOR.—¿Y qué me importa ya a mí el daño? Dentro de unas horas estará aquí Fernando. Pero... es raro que no haya escrito.

LUCÍA.—No se preocupe de eso.

LEONOR.—El viaje estaba señalado para hoy. No habrá tenido tiempo de avisar.

LUCÍA.—No siempre se puede hacer lo que se quiere.

LEONOR.—Hablas de un modo tan frío, tan apagado... ¿Qué te sucede hoy?

LUCÍA.—¿Sucederme? Nada.

LEONOR.—¿Estás triste?

LUCÍA.—No; como siempre.

LEONOR.—Como siempre, no.

LUCÍA.—Sí estoy un poco triste, es de ver a usted...

LEONOR.—¿De verme a mí?

LUCÍA.—De oír las cosas que dice usted.

LEONOR.—¿Y qué cosas quieres que diga?

LUCÍA.—Me refiero a lo que decía antes la señorita.

LEONOR.—¿Y por qué te pones de ese modo? ¿Por eso estás hoy como si te hubiera ocurrido una desgracia?

LUCÍA.—¿Qué le voy a hacer?

LEONOR.—Porque tú no te formas idea de lo que me sucede a mí. Yo pienso así, digo esas cosas que he dicho, por el mismo amor que le tengo a Fernando.

LUCÍA.—Y yo no quiero que usted, señorita, tenga esos pensamientos tan negros.

LEONOR.—Vamos, vamos, Lucía; hoy no es día de que riñamos; estoy segura de tu cariño. Me quieres bien... y estoy, sí, un poquito alegre, quiero estarlo, me esfuerzo por estarlo. Dentro de un momento... *Se asoma al balcón.* ¡Qué bonito está el mar! El mar azul, radiante, allá a lo lejos. El azul del mar se funde en el horizonte con el azul del cielo. ¡Inmensidad, eternidad! ¡Marchar, marchar en espíritu, como una nube, blandamente, en silencio, por la inmensidad azul! Desde aquí se oyen las sirenas de los barcos que llegan al puerto. Pero no se los ve llegar. Yo quisiera verlos llegar. A mí me encanta esta casita aislada, puesta en lo alto de la colina.

LUCÍA.—Pero estaría mejor la señorita en la montaña.

LEONOR.—Sí; papá no quería que habitáramos aquí, al lado del mar; pero, tú lo sabes, yo me opuse tenazmente a que nos separáramos del mar. Yo quería estar aquí, más cerca de la tierra de Africa, viendo este mar por donde se fué Fernando y ha de volver Fernando.

LUCÍA.—El mar es alegre y es triste.

LEONOR.—Ahora, Lucía, no es triste. No es triste para mí... Digo esto y, sin embargo, no sé qué pensar. Es extraño lo que me sucede. Antes creí que había entrado alguien en la habitación. Ahora, cuando tiendo la vista por la lejanía del mar, me estremezco toda.

LUCÍA.—¿No ha dormido bien esta noche la señorita?

LEONOR.—Perfectamente; toda la noche en un sueño.

LUCÍA.—¿Y no ha soñado nada?

LEONOR.—Soñaba en nubes doradas, blancas, que caminaban por el azul. Y yo era una de esas nubes que, poquito a poco, con lentitud, con suavidad, se iba disolviendo, disolviendo en el horizonte, hasta no quedar nada en el cielo limpio.

LUCÍA.—¡Qué cosas tan raras piensa usted, señorita!

LEONOR.—¿Cosas raras? Esa es la vida.

LUCÍA.—Las once.

LEONOR.—¡Ah! Voy un momento al cuarto de Fernando; no vengas; déjame sola; quiero echar una mirada por si falta algo, y quiero también... sentirme sola allí, entre las cuatro paredes, pensar en silencio, sentir como el primer día de felicidad.

LUCÍA.—Yo espero aquí; veré al señor.

Se marcha Leonor. Breve pausa. De pronto, Lucía rompe a llorar amargamente. Aparece en la puerta de la derecha Don Pablo y se dirige con precipitación a Lucía.

DON PABLO.—¡Por Dios, calla, calla!

LUCÍA.—¡El señorito Fernando era tan bueno!

DON PABLO.—Te puede oír Leonor.

LUCÍA.—No; está en la otra parte de la casa; se ha marchado un momento al cuarto del señorito.

DON PABLO.—¿No ha oído nada Leonor la noche pasada?

LUCÍA.—Cuando a las dos trajeron el primer telegrama, no hicieron ruido al llamar. Después, sí; a las cuatro, cuando llegó el segundo.

DON PABLO.—Yo estaba inquieto, lleno de ansiedad.

LUCÍA.—La señorita no se despertó; estuve en su cuarto; vi que dormía.

DON PABLO.—¡Qué terrible situación!

LUCÍA.—¡Pobre, pobre!

DON PABLO.—Vamos, no llores más. Podría venir de pronto.

LUCÍA.—No tardará.

DON PABLO.—¡Y yo tener que darle la noticia! Antes he estado en la puerta...

LUCÍA.—Sí, lo he comprendido.

DON PABLO.—Y no me he atrevido a decirle nada. La vi en el balcón, contemplando el mar; gozaba de un momento de paz, de sosiego espiritual, y no quise interrumpir ese momento.

LUCÍA.—Será preciso, señor.

DON PABLO.—Sí, es preciso. ¿No ha dicho Leonor nada antes? ¿No sospechaba nada?

LUCÍA.—No, señor; todo lo que piensa es por ella misma.

DON PABLO.—Por ella misma, sí; obsesionada con su muerte, no sospecha la muerte de los demás.

LUCÍA.—¡Y está tan triste...!

DON PABLO.—¡Tan cerca del hecho terrible y tan distante! No sé lo que voy a decir cuando ahora, dentro de un minuto, tenga que hablarle.

LUCÍA.—Yo no podría, señor. Eso es una cosa tan cruel... Y la señorita está tan delicada...

DON PABLO.—Su salud me preocupa; cada vez la veo más lejana del mundo, de las cosas... ¿Tendré fuerzas para hablar sin que desde el primer momento me traicione?

LUCÍA.—¿Quiere que llame a alguien?

DON PABLO.—No, no, Lucía; nadie podrá hacer lo que yo debo hacer.

LUCÍA.—¿El señor tendrá valor para hablar a la señorita?

DON PABLO.—No sé; procuraré tener un poco de serenidad.

LUCÍA.—Ya parece que vuelve.

DON PABLO.—Vete; déjanos solos.

LUCÍA.—¡Está tan enferma la pobre!

DON PABLO.—Vete, vete. *Se marcha Lucía.* ¡Dios mío, dadme fuerzas en este trance tan terrible! *Don Pablo coge un libro, se sienta y finge abstraerse profundamente en la lectura. Aparece Leonor; se detiene un momento y avanza después hacia Don Pablo, lentamente, en silencio. Al estar junto a su padre, le levanta la cabeza del libro con suavidad y le da un beso en la frente.*

LEONOR.—Estás un poco pálido, papá.

DON PABLO.—La mala noche que he pasado. Y tú, ¿como te encuentras?

LEONOR.—Un poco fatigada. Y no sé lo que me sucede hoy. Parece que en todo alrededor de mí hay como unos velos sutiles, invisibles, que me van envolviendo. No he sentido nunca sensación tan extraña.

DON PABLO.—Aprensiones tuyas, Leonor.

LEONOR.—¿Dices que aprensiones mías? ¿Tú crees que yo soy supersticiosa?

DON PABLO.—No, no lo creo. Cuando eras niña, a todos nos maravillabas con tu clarividencia. Tenías—y los tienes ahora—unos ojos anchos y luminosos, y ya, a los seis años, parecía que todo el misterio del mundo se reflejaba en ellos.

LEONOR.—¡Qué bonito es eso que dices, papá! Ahora, en el cuarto de Fernando, yo he visto un retrato mío de cuando era niña. ¿Y sabes lo que me ha impresionado? Un mohín de los labios que parece de tristeza. ¿Era yo así cuando tenía seis años?

DON PABLO.—Vamos, Leonor, querida Leonor; no comiences a atormentarme.

LEONOR.—¿Tú crees que yo temo las cosas terribles del mundo? ¿Tú no te acuerdas de mí cuando era niña?

DON PABLO.—¿No he de acordarme? A los ocho años ya tenías la inteligencia de una mujer hecha, de una mujer de gran talento. Tu inteligencia nos pasmaba a todos... y nos daba un poquitín de miedo.

LEONOR.—Pero yo no tengo miedo, papá. Todos los terrores que tenéis vosotros, yo no los he tenido nunca, ni los tengo ahora.

DON PABLO.—¡Oh la mujer fuerte, audaz!

LEONOR.—Te esfuerzas en sonreír, en ser irónico. Pero yo te digo, papá: tu espíritu está muy lejos ahora de la ironía. Yo te voy a contar lo que acabo de ver. ¿Sabes lo que acabo de ver en el cuarto de Fernando?

DON PABLO.—No sé; tú dirás.

LEONOR.—He echado una mirada por todo el cuarto; quería ver si faltaba algo; me he acercado al espejo y he visto sobre el cristal una arañita.

DON PABLO.—¿Una arañita? ¡Claro, el cuarto está cerrado desde hace seis meses!

LEONOR.—Y esa arañita me ha dicho muchas cosas, pero yo no me he asustado.

DON PABLO. — ¿Por qué ibas a tener miedo?

LEONOR.—¿Tú crees que conocemos todo el mundo de misterio que nos rodea? ¿Tú no crees que hay signos, señales en lo conocido que son como enlaces misteriosos con lo desconocido?

DON PABLO.—Estás un poco enigmática.

LEONOR.—La arañita no me ha dado miedo. Y, sin embargo, yo sabía que estaba allí por mí.

DON PABLO.—¿Por ti?

LEONOR.—Sí, por mí. Papá, yo quiero hablarte con franqueza en este momento. ¿Me dejas que lo haga? ¿No te vas a poner triste?

DON PABLO.—Habla, habla; pero no desvaríes.

LEONOR.—¿Desvariar yo? ¿Lo he hecho alguna vez?

DON PABLO.—No, nunca; di, habla.

LEONOR.—Yo no deseo ya nada en el mundo. Mi enfermedad es incurable...

DON PABLO.—Leonor, Leonor...

LEONOR.—No, no protestes; la niña terrible de antaño, la niña que lo sabía todo, todo el misterio de las cosas, te habla ahora. Y ahora es ya mujer..., es mujer que se despide del mundo.

DON PABLO.—Vamos, hija mía; no puedo oír eso.

LEONOR.—Y se despide del mundo después de haber sido un momento feliz. Ahora quiere hacer feliz a otra persona: a Fernando ¡Que mi Fernando sea dichoso en la vida!

DON PABLO.—¡No puedo, Leonor, no puedo oírte!

LEONOR.—¿No me habías prometido callar, oír en silencio?

DON PABLO.—¡Pero estás diciendo desatinos!

LEONOR.—*Tomando la cabeza de Don Pablo entre sus manos y besándole la frente*. No, papá; para mí no hay misterios ni terrores. Tú lo sabes; tú eres fuerte; deja que yo lo sea ahora también. ¡Que Fernando, libre de mí, libre de esta pobre enferma, sea feliz! La vida es para él; él puede encontrar una mujer que sea digna de su persona. A mí, durante un momento, me ha dado toda la dicha del mundo. ¿Qué podía yo esperar, sino soledad y tristeza? Y él fué tan generoso que se casó conmigo. *Don Pablo llora en silencio*. ¿Lloras, papá? No llores; yo ya casi no soy tuya. No soy de este mundo Dentro de un momento, Fernando estará entre nosotros. ¿No es verdad?

DON PABLO.—¡Leonor, Leonor!

LEONOR.—¡Y cuán feliz sería yo si mientras él está aquí, a mi lado, teniendo mi mano entre sus manos, acabara todo para mí!

DON PABLO.—¡Dios mío, no me abandones!

LEONOR.—Esta es una hora suprema para mí. Deja que llegue hasta el fin. Sí, que acabara todo para mí teniendo la mirada de Fernando fija en mis ojos.

DON PABLO.—¡No quiero, no quiero oírte hablar así!

LEONOR.—Cada vez me siento más abatida, más débil, más cansada. No sé lo que me sucede. Debo alegrarme por la vuelta de Fernando y no puedo sentirme alegre.

DON PABLO.—Serénate, Leonor, hija mía. Haz un esfuerzo.

LEONOR.—¿A qué hora decíais que entraba el barco?

DON PABLO.—¿El barco?

LEONOR.—Sí, si; el barco en que viene Fernando.

DON PABLO.—¡Ah, sí, el barco! Me han dicho..., he oído decir... que ha retrasado su llegada.

LEONOR.—Debía entrar a mediodía. ¿No es eso? Sí, ésa era la hora. Vamos, papá; no estemos aquí. ¿No hemos de ir a esperarle?

DON PABLO.—Sí, sí; pero hay tiempo.

LEONOR.—No comprendo.

DON PABLO.—Pudiera no venir.

LEONOR.—¡Pudiera no venir! Pero ¿tú sabes algo?

DON PABLO.—Nada; lo sospecho.

LEONOR.—¡Tú me ocultas algo!

DON PABLO.—Leonor...

LEONOR.—¿Qué quieres decir?

DON PABLO.—Yo quisiera que tú, en este momento... *Breve pausa. Don Pablo coge las manos de Leonor. De pronto se oye a lo lejos la sirena de un barco. Don Pablo y Leonor escuchan ansiosos.*

LEONOR.—¿Es la sirena del barco?

DON PABLO.—Sí, sí, Leonor.

LEONOR.—¡Qué angustia! ¡Qué angustia tan grande! *Se deja caer desplomada en un sillón.*

DON PABLO.—¡Leonor, Leonor!

LEONOR.—¡Qué opresión tan angustiosa! Quiero morir, quiero morir.

TELÓN

EL SEGADOR *

En una reducida y pobre casita de labriegos. Cocina con chimenea de campana; puerta al fondo; al fondo también, no lejos de la puerta, una ventana. Puerta a la derecha. En la pared de la derecha, un retablito con una Virgen, y delante de la imagen, una mariposa encendida, en un vaso. Una cuna con un niño de meses. Las paredes, blancas, con un zócalo de vivo azul, separado de lo blanco por una raya negra. Crepúscula vespertino. MARÍA cose junto a la ventana. Breve pausa. La puerta está entornada. Entra, sin llamar, PEDRO.

PEDRO.—¿Se puede pasar?

MARÍA.—Siéntese, Pedro, siéntese.

PEDRO.—Como siempre, como todos los finales de mes.

MARÍA.—¿Y Teresa?

PEDRO.—Teresa se ha quedado un momento en la Casa de Arriba.

MARÍA.—¿Y usted siempre bien?

PEDRO.—Siempre bien por aquellas alturas.

MARÍA.—No están ustedes lejos de la ciudad...

PEDRO.—Un poco más lejos que tú; media hora.

MARÍA.—¿Y siempre trabajando?

* Esta segunda parte de la trilogía se estrenó en el teatro Pereda, de Santander, por la compañía de Rosario Pino, el 30 de abril de 1927, con el siguiente reparto:
María, Rosario Pino; *Teresa,* Angeles Jiménez Molina; *Pedro,* Ramón Gatuellas.

PEDRO.—No hay otro remedio; la tierra quiere asistencia continua. ¿Y tú?

MARÍA.—¿Yo? Sola, como siempre.

PEDRO.—No debías vivir tan sola.

MARÍA.—Los pobres estamos siempre solos.

PEDRO.—Pero debías ir al pueblo.

MARÍA.—¿Y qué voy a hacer en el pueblo? Desde que murió Antonio, yo no tengo deseos de nada. Y como murió aquí, yo no quiero dejar estas paredes.

PEDRO.—Dos meses ya que murió...

MARÍA.—¿Estuvo usted el mes pasado?

PEDRO.—¿No te acuerdas? Siempre que vamos al pueblo tenemos que descansar aquí un ratito. Teresa te quiere también mucho; ahora vendrá.

MARÍA.—Pocos amigos tengo yo, Pedro; ustedes son de los buenos.

PEDRO.—Nosotros lo que quisiéramos es no verte sola. Y en este terrazgo tan seco... No hay en estos contornos más que retamas y aliagas.

MARÍA.—Yo no tengo ilusión de nada; sólo me alegra un poco el ver a mi niño.

PEDRO.—¡Está siempre tan hermoso!

MARÍA.—Gordito, colorado; si viera usted... Ahora está durmiendo.

PEDRO.—Y tú, ¿no tienes miedo?

MARÍA.—Miedo, ¿a qué?

PEDRO.—No sé; en los días de invierno, tan sola en esta casita... ¡Y por las noches!

MARÍA.—¿Quién va a querer robar a una pobre como yo?

PEDRO.—¿Quién sabe las intenciones de la mala gente, María?

MARÍA.—Sí, mala gente hay por el mundo.

PEDRO.—Vamos, te estoy asustando. No hagas caso, pero no vivas aquí. Hazlo por tu niño.

MARÍA.—¿Por mi niño?

PEDRO.—¿No puede estar enfermo?

MARÍA.—¿Mi niño enfermo? Tan sano como está.

PEDRO.—Si se pone enfermo, ¿cómo lo vas a cuidar aquí?

MARÍA.—Es verdad; si se pone enfermo el niño... No, no; no quiera Dios.

PEDRO.—Teresa está en la Casa de Arriba; se ha quedado allí un poco, porque tienen el chico enfermo.

MARÍA.—¿El chico de la Blasa y de Tomás, los labradores de la Casa de Arriba?

PEDRO.—Está muy enfermito; cuando pasábamos, hemos oído llorar dentro.

MARÍA.—¿Estaban llorando?

PEDRO.—Yo no los he visto; Teresa ha entrado y me ha dicho que la esperara aquí.

MARÍA.—Es un niño pequeñito.

PEDRO.—¿No pensaba Antonio haber labrado este sequeral?

MARÍA.—Tenía dos años.

PEDRO.—¿Vosotros comprasteis este pedazo de tierra para hacer un huerto?

MARÍA.—¡Y era tan bonito! Yo lo vi una vez... ¿Cuándo lo vi? No me acuerdo.

PEDRO.—¿Qué dices, María?

MARÍA.—Hablo del niño.

PEDRO.—Yo te hablaba de este pedazo de tierra. Antonio hubiera hecho de todo esto un vergel.

MARÍA.—¿Usted no ha querido entrar en la casa?

PEDRO.—No, no... ¿Venderías tú este pedazo de tierra?

MARÍA.—¿Y no han llamado al médico?

PEDRO.—Oye, oye, María; yo no estoy interesado, vaya; pero si tú no necesitas esta tierra...

MARÍA.—Debían haber llamado al médico. ¿No sabe usted lo que tiene el niño?

PEDRO.—No lo he preguntado. ¿Qué vas a hacer tú con esta tierra? Es un erial; no vale para siembra.

MARÍA.—Yo no sabía nada; si me hubieran llamado... Pero ¿quién se va a acordar de mí? Usted, Pedro, debiera haber entrado a verle. Yo no puedo ver sufrir a una criatura. ¿Dice usted, Pedro, que estaba muy enfermito?

PEDRO.—No tardará Teresa. Hemos de llegar al pueblo antes de que sea de noche.

MARÍA.—Ya está aquí. *Entra Teresa.*

TERESA.—¡Jesús, Jesús, qué malito está el niño!

MARÍA.—¿Está muy enfermo?

TERESA.—Tiene la cara pálida y está muy frío, muy frío.

MARÍA.—*Con ansiedad; retrocediendo instintivamente, de espaldas, hacia la cuna del niño.* ¿Tan enfermito está?

PEDRO.—Vamos, vamos, Teresa; cálmate.

TERESA.—¿No quieres que lo cuente?

PEDRO.—Habla; di lo que quieras.

TERESA.—No, el nene ese no es como el de María. ¿Verdad, María? El niño de Blasa y de Tomás no es como el tuyo; el tuyo ¡es tan bonito! ¡Y está tan rollizo! ¿Verdad, María?

MARÍA.—*Como cubriendo con su cuerpo la cuna del nene.* Sí, sí; mi niño está muy sano. ¡Dios sea loado!

TERESA.—Eso les decía yo a todos en la Casa de Arriba: «¿Por qué no habéis tenido con este niño el cuidado que tiene con el suyo María?»

PEDRO.—¿Y qué te contestaban?

TERESA.—Nada; están todos como locos; no me oían.

MARÍA.—¿Y qué le dan al niño?

TERESA.—¿Darle? Tiene los ojos cerraditos; no habla; alguna vez suspira.

PEDRO.—Ya decía yo que ese chico estaba muy pálido.

MARÍA.—Pues yo le he visto siempre bueno.

TERESA.—Sí, sí; bueno... No se puede decir lo que pasará el día de mañana. Tú, María, ¿quieres mucho a tu hijo?

MARÍA.—¿Si le quiero? Como a mis propias entrañas.

TERESA.—¿Ha estado malo estos días?

MARÍA.—No le ha sucedido nada.

TERESA.—Cuídale mucho. ¿Duerme ahora?

MARÍA.—Hace un rato que está durmiendo.

TERESA.—*Acercándose a la cuna.* A ver, a ver... ¡Qué bonito está siempre!

MARÍA.—*Acunando al niño.* D u e r m e, duerme, niñito mío. Duerme, duerme.

PEDRO.—¿No nos vamos?

TERESA.—Estaremos en el pueblo antes de anochecer. ¿Quieres tú algo para el pueblo, María?

MARÍA.—Yo, nada.

TERESA.—¿Vas a bajar tú al pueblo pronto?

MARÍA.—¿Para qué he de bajar al pueblo!

TERESA.—Parece que el niño se despierta.

MARÍA.—Duerme, duerme, niñito mío. Duerme, duerme.

TERESA.—¡Qué coloradito está! El de allá arriba está tan pajizo...

PEDRO.—¿No le has aconsejado tú nada?

TERESA.—Cada uno de los que están alrededor del niño manda una cosa; el niño no quiere tomar nada.

MARÍA.—¿Cómo puede estar así?

PEDRO.—¿Qué van a hacer?

MARÍA.—Que lo lleven a la ciudad.

TERESA.—Ya no serviría para nada. Tiene los labios amorataditos.

MARÍA.—¡Jesús, Dios mío!

TERESA.—¿Tienes miedo?

PEDRO.—Deja a María. No la metas en aprensiones.

TERESA.—Yo no le digo nada.

MARÍA.—Niñito mío, niñito mío. ¡Quiera Dios conservármelo siempre sano!

PEDRO.—Y que lo veamos todos, María.

MARÍA.—Son ustedes buenos amigos míos.

PEDRO.—¡Y que lo digas!

TERESA.—Para mí seria un gran dolor que se pusiera enfermo tu niño.

MARÍA.—*Con ansiedad.* ¿E n f e r m o mi niño?

TERESA.—Corren muchas enfermedades por ahí.

MARÍA.—No, no; que el Señor no lo quiera.

TERESA.—¡Y tan lozano como está! ¿Quieres que le dé un beso?

MARÍA.—*Sacando al niño de la cuna.* Niño mío, niño querido.

TERESA.—Sería un dolor el ver al nene sin esos colores.

PEDRO.—Vamos, Teresa, no le digas esas cosas a María.

TERESA.—No; si lo digo por su bien. Yo lo que quiero es que este niño sea un mozo garrido.

PEDRO.—Como nosotros no tenemos chicos, tú te prendas de todos.

TERESA.—¡Lo que yo quiero a los niños! *Tomándolo en sus brazos y haciéndole fiestas.* ¿Quién te quiere a ti, pimpollo? ¿No es verdad que todos esos males que corren por ahí no te cogerán a ti?

MARÍA.—¡Jesús, me angustia usted!

PEDRO.—Vaya, Teresa, deja al niño y vamos al pueblo.

TERESA.—*Haciéndole fiestas al niño.* ¡Lo que yo quiero a los niños! Estos colorcitos estarán siempre en la cara del niño. No, no; enfermito no estará él nunca. Todos, todos están enfermos por ahí.

MARÍA.—*Con angustia creciente.* ¿Todos están enfermos por ahí?

TERESA.—¡Vaya! ¡No hay poca mortandad de criaturas en todos los caseríos de la montaña!

MARÍA.—¡Mortandad de criaturas! Y yo sin saber nada.

TERESA.—Se han muerto, que yo sepa, diez o doce en estos días.

MARÍA.—¿Diez o doce niños? ¡Dios mío, Dios mío! No, no; éste no. ¡Líbramelo, Dios, de enfermedades!

PEDRO.—Teresa, Teresa, que se nos hace tarde...

TERESA.—¿No sabías nada, María? Todos esos niños han muerto en dos días.

MARÍA.—¡Qué horror! No me digan ustedes eso. Sólo de pensarlo me estremezco toda. No, no será verdad.

PEDRO.—Dejad esa conversación. ¿Para qué entristecerte, María?

TERESA.—Mira, mira, María, como está el niño.

MARÍA.—*Tomando al niño.* Traiga usted. ¡Ay, está mojadito el niño! Ustedes perdonen; vuelvo en seguida. *Se entra con el niño por la puerta de la derecha.*

TERESA.—Y no le he dicho nada del segador.

PEDRO.—Es verdad; el segador.

TERESA.—¿Crees tú que debo decírselo?

PEDRO.—Ya se lo dirás sin que te lo aconseje yo.

TERESA.—Se va a asustar mucho si se lo digo.

PEDRO.—No se lo digas.

TERESA.—No, no se lo diré.

PEDRO.—Ya verás cómo se lo dices.

TERESA.—¿Crees tú que se asustará mucho?

PEDRO.—Se asuste o no se asuste, tú acabarás por decírselo.

TERESA.—Estas señoritas de la ciudad...

PEDRO.—¿Qué tiené María de labradora?

TERESA.—No ha salido nunca del pueblo; hasta que se casó Antonio con ella no pisó el campo.

PEDRO.—Si nos vendiera esta tierra... El ruedo de la casa es un pedazo magnífico.

TERESA.—¿Buena tierra?

PEDRO. — Parece peña dura porque está sin romper; pero todo es mantillo.

TERESA.—¿Nos la venderá?

PEDRO.—Podíamos tenerla por un puñado de cuartos.

TERESA.—¡Qué bonita finca haríamos aquí!

PEDRO.—Yo no sé por qué se empeña María en estar en esta casa.

TERESA.—Acabará por aburrirse y marcharse al pueblo. ¿Le digo lo del segador?

PEDRO.—Ya se lo dirás.

TERESA.—Pues es una cosa tan verdad como la luz.

PEDRO.—Verdad es; muchas personas lo han visto.

TERESA.—Y tú también.

PEDRO.—Yo también lo he visto

TERESA.—¿Va vestido de negro?

PEDRO.—Cuando yo lo vi, sí.

TERESA.—¿Y dónde se cobija?

PEDRO.—No lo sabe nadie; en la montaña.

TERESA.—Ya sale María. Yo no le digo nada.

PEDRO.—Díselo, a ver si se asusta y se marcha.

MARÍA.—Miren mi niño; miren mi niñito hermoso.

TERESA.—¡Qué bonito está ahora! ¡Y cómo se ríe con esos ojuelos pícaros!

PEDRO.—Buen mozo promete ser.

TERESA.—¡Qué manecitas tan lindas tiene! Oye, María: ¿tú te asustarás mucho?

MARÍA.—Asustarme, ¿de qué?

TERESA.—¿Quieres que se lo diga, Pedro?

PEDRO.—Vamos, mujer; ten juicio.

TERESA.—Yo creo que debo decírselo.

MARÍA.—Me acongojan ustedes; no entiendo lo que dicen. ¿Qué es eso que me ocultan?

TERESA.—No, no; si te lo digo es porque creo que debes saberlo.

MARÍA.—¡Hablen, hablen, por Dios! Estoy intranquila.

PEDRO.—¿Ves, Teresa?

TERESA.—Pues no se lo diré.

MARÍA.—¡No, no; hablen, por Dios! Se lo pido, se lo ruego. Díganme eso que me ocultan.

TERESA.—Pues... mira María: dicen que por estos contornos anda un segador.

MARÍA.—¿Un segador? ¿Y qué?

TERESA.—¿Y qué? Pues que ese segador es un hombre del otro mundo.

MARÍA.—¿Del otro mundo? Yo no creo en fantasmas. ¿Qué mal puede hacerme a mí un fantasma?

TERESA.—No digas eso; ese segador...

PEDRO.—Dilo, dilo todo.

TERESA.—Ese segador se lleva a los niños.

MARÍA.—¿Un segador que se lleva a los niños? ¡A los niños! Eso es una locura.

TERESA.—Sí, locura, locura... Ese segador anda de casa en casa, llamando a las puertas por la noche. Cuando salen a abrir, ya se ha marchado. Va vestido de negro. Lo ven una vez aquí y otra a diez leguas de donde estaba antes.

MARÍA.—Y cuando llama a las puertas, ¿qué sucede?

TERESA.—Cuando llama a las puertas el segador, media hora después ya están los niños enfermos. No llama más que a las casas donde hay niños.

MARÍA.—*Con ansiedad suprema, apretando al niño contra su pecho.* ¡Dios mío, qué horror! ¡No, mi niño, no! No es verdad y es verdad. No lo creo y lo creo. Hable usted; más, más; dígame usted más; quiero saberlo todo. Pero ¿es cierto o es un engaño? ¿Ha visto alguien a ese segador? ¡Mi niño, mi niño! ¡Niño mío querido! No, nunca; siempre aquí. Siempre con su madre; junto a mi pecho; mi boca en su frente. No quiero; estoy ya como loca. ¡El segador! No es verdad... No, no; Pedro, Teresa, díganme ustedes que todo eso es un embuste. ¿No es cierto que es un embuste? Estoy tranquila; mi niño está sano. ¿Han visto muchos al segador?

PEDRO.—¿Ves, ves, Teresa? ¿No te lo decía yo?

MARÍA.—Deje usted que hable. ¿Lo han visto muchos?

TERESA.—Lo han visto en casa de la Fontana.

MARÍA.—¿En casa de la Fontana?

TERESA.—Y en el Carrascal.

MARÍA.—¿Y en el Carrascal?

TERESA.—Y en los Pinares.

MARÍA.—¿Y en los Pinares?

TERESA.—Y en la Umbría.

MARÍA.—¿Y en la Umbría?

TERESA.—Y todos los niños que había en esas casas...

MARÍA.—*Con emoción profunda.* ¿Y todos los niños que había en esas casas...?

TERESA.—Han muerto.

MARÍA.—¡Han muerto! No puede ser. ¡Mi niño, mi niño adorable!

TERESA.—Se han puesto enfermos poco después que el segador ha llamado a la puerta.

MARÍA.—¿Poco después de haber llamado?

TERESA.—Y cuando han abierto no lo han visto.

PEDRO.—Pero lo han visto muchos luego, por la noche, por los caminos, con una guadaña al hombro.

MARÍA.—¡Qué horror!

TERESA.—No, María, no temas; no vendrá por aquí.

MARÍA.—¡Mi niño, mi niño adorado!

De pronto se oyen gritos y llantos lejanos. Breve pausa.

TERESA.—¿Oís?

MARÍA.—¿Qué es?
PEDRO.—Se oyen gritos y lloros.
TERESA.—Lloran en la Casa de Arriba; ha muerto, sin duda, el niño.
MARÍA.—Sí lloran; ha muerto el niño. *Apretando contra su pecho al niño.* ¡Señor, sálvame al niño! ¡Virgen mía, que este niñito no ha hecho mal a nadie!
TERESA.—¡Cómo lloran!
PEDRO.—Teresa, vamos.
TERESA.—Vamos, Pedro.
MARÍA.—¿Se marchan ustedes?
PEDRO.—No hay más remedio.
TERESA.—Estate tranquila.
PEDRO.—Adiós, María.
TERESA.—Adiós, María.
MARÍA.—Adiós, adiós. *Se marchan; breve pausa. María queda en el centro de la escena, absorta, con el niño entre los brazos, mirándolo fijamente. Después, saliendo de su doloroso ensimismamiento, dice:* ¿Qué iba yo a hacer? No lo sé... No sé lo que me sucede... No puedo pensar en nada. Y sólo se me ocurre mirar, mirar mucho, mirar fijamente a los ojitos del niño. Ya es de noche... No sé lo que iba a hacer... ¡Dios mío, no me abandones! En tu bondad infinita confío. Dejaré al niño en la cuna; me da pena separarlo de mí; quisiera tenerle siempre cogido junto a mi pecho, apretado, muy apretado. ¿Es que teniéndole yo junto a mi pecho se lo puede llevar nadie? ¡Llevarse a mi niño! ¡Separarlo de mí! ¿Separarlo para siempre? No, no; voy a dejarlo un poco en la cuna. No es verdad lo que me ha dicho Teresa; no puede ser; son mentiras, embustes. Y dicen que lo han visto muchos... ¡Y que han muerto tantos niños! *Deja al niño en la cuna. Se oye sonar el «Angelus», lejano. La luz diurna ha ido decreciendo: crepúsculo.* El «Angelus»... Quiero rezar como todas las tardes... *Se arrodilla ante el retablo y va rezando.* «El ángel del Señor anunció a María y concibió por obra y gracia del Espíritu Santo... Dios te salve, María, llenas eres de gracia...» Se ha oído un ruidito... Es el viento; yo creo que no será nadie... «He aquí la esclava del Señor; hágase en mí según tu palabra.» ¡Virgen mía, libra de todos los males a mi niño! No, no, que no se lo lleven de mi lado... «Y el Verbo se hizo carne y habitó entre nosotros... Dios te salve, María...» *Con angustia.* ¿Hay alguien en la puerta? ¿Hay alguien? ¿Han llamado? Me parecía haber oído un golpe... ¡Un golpe en la puerta! No, no; habré oído mal... «Ruega por nosotros, Santa Madre de Dios, para que nos hagamos dignos de las promesas de Cristo...» Parece que se oyen pasos fuera... ¡Qué horror!... No, no; no es nadie... «Rogámoste, Señora, que derrames la gracia en nuestras almas, a fin de que...» *Se oyen, en este instante, dos o tres golpes en la puerta. María, gritando, andando de rodillas, con ademán de cubrir la cuna, se abalanza a ésta y coge al niño en los brazos.* ¡Socorro! ¡Auxilio!... ¡Qué angustia! ¡Qué horror! Sí, sí; han llamado a la puerta; han llamado... Yo he oído los golpes... ¡Virgen, Virgen mía, que no se lleven a mi niño! *Llorando amargamente, con su cara junto a la cara del niño.* ¡Que no se lo lleven!... ¡No quiero! ¡No quiero! ¡Virgen mía, qué pobrecita..., qué pobrecita soy!

TELÓN

DOCTOR DEATH, DE 3 A 5 *

Salita desmantelada. Tres paredes pintadas de azul claro. Puerta al fondo; puerta a la derecha. Una ventana a la izquierda. Ni cuadros ni cenefas ni más muebles que dos sillas y una mesita. Al levantarse el telón, se halla sentado ante la mesita—junto a la puerta de la derecha—, y leyendo un libro, el ayudante del doctor. Breve pausa. Se oye ruido de forcejeo en la puerta del fondo. El ayudante del doctor debe ir vestido en esta primera escena con el traje blanco que se usa en las clínicas operatorias.

EL AYUDANTE DEL DOCTOR.—¿Quién es?

LA ENFERMA.—*Desde fuera.* Soy yo, doctor.

EL AYUDANTE DEL DOCTOR.—Pase usted.

LA ENFERMA.—No puedo.

EL AYUDANTE DEL DOCTOR.—Empuje usted la puerta.

LA ENFERMA.—Pero si no se puede abrir.

EL AYUDANTE DEL DOCTOR.—¿Cómo que no? *Se levanta y se acerca a la puerta.*

LA ENFERMA.—¿Qué tiene esta puerta?

EL AYUDANTE DEL DOCTOR.—¿Está usted tirando en sentido contrario?

LA ENFERMA.—No, no; hago lo que usted dice.

EL AYUDANTE DEL DOCTOR.—Es raro; es decir, no es raro.

LA ENFERMA.—¿Dice usted que no es raro?

EL AYUDANTE DEL DOCTOR.—Ya está, ya está.

LA ENFERMA.—Sí, ya cede la puerta. *Entra la Enferma.* ¡Qué dichosa puerta!

EL AYUDANTE DEL DOCTOR.—¿Cree usted que es dichosa?

LA ENFERMA.—*Sonriendo.* No lo sé, doctor.

EL AYUDANTE DEL DOCTOR.—Perdone usted; no soy el doctor Death; soy su ayudante.

LA ENFERMA.—¡Ah, perdone usted también!

EL AYUDANTE DEL DOCTOR.—No hay de qué.

LA ENFERMA.—¿No es ésa la hora de la consulta?

EL AYUDANTE DEL DOCTOR.—De la consulta especial, de tres a cinco.

LA ENFERMA.—¿Y no hay nadie?

EL AYUDANTE DEL DOCTOR.—Los enfermos no faltan, señora. Ya verá usted.

LA ENFERMA. — ¡Qué sencillo es todo esto!

EL AYUDANTE DEL DOCTOR.—Excesivamente sencillo.

LA ENFERMA.—Paredes desnudas, pintadas de azul. Y nada de cuadros ni de adornos.

EL AYUDANTE DEL DOCTOR.—El doctor Death es un gran simplificador.

LA ENFERMA.—¿Le gusta lo sencillo?

EL AYUDANTE DEL DOCTOR.—Tiene un profundo amor a todo lo que es sobrio.

LA ENFERMA.—¡Qué sensación tan grata experimento aquí!

EL AYUDANTE DEL DOCTOR.—Lo celebro; todos dicen lo mismo... al principio.

LA ENFERMA.—¿Al principio? No comprendo.

EL AYUDANTE DEL DOCTOR.—Ya lo comprenderá usted; ahora está usted un poco cansada, tal vez nerviosa

LA ENFERMA.—Nerviosa, no. Siento una gran complacencia. Ya casi me creo curada de mi enfermedad.

EL AYUDANTE DEL DOCTOR.—Lo mismo que todos.

LA ENFERMA.—¡Qué bonito es todo esto! Yo no creía que el doctor Death tuviera tan buen gusto.

---

* Este final de la trilogía se estrenó el 28 de abril de 1927, en el teatro Pereda, de Santander, por la compañía de Rosario Pino, con el siguiente reparto:

La enferma, Rosario Pino; *La hermana de la Caridad,* Angeles Jiménez Molina; *Un viejecito,* Ramón Gatuellas; *El ayudante del doctor,* Manuel Bernardos.

EL AYUDANTE DEL DOCTOR.—Señora, en nombre del doctor, un millón de gracias.

LA ENFERMA.—*Acercándose a la ventana.* ¡Y por esta ventana se ve un jardín tan bello!

EL AYUDANTE DEL DOCTOR.—Es el jardín del patio de la casa.

LA ENFERMA.—¿Pasean ustedes mucho por él?

EL AYUDANTE DEL DOCTOR.—No tenemos tiempo.

LA ENFERMA. — ¿El doctor estará muy ocupado?

EL AYUDANTE DEL DOCTOR.—Todo el día trabajando... Y toda la noche.

LA ENFERMA.—¿Toda la noche? Es raro.

EL AYUDANTE DEL DOCTOR.—Cuando usted esté enterada de todo, verá usted que no es raro.

LA ENFERMA.—No comprendo algunas cosas de las que usted me dice. ¿He de estar yo enterada después de algo?

EL AYUDANTE DEL DOCTOR.—De algo importante.

LA ENFERMA.—Me intriga usted.

EL AYUDANTE DEL DOCTOR.—No sienta usted temor ninguno.

LA ENFERMA.—Me lo hace usted abrigar con sus alusiones, sus reticencias, sus equívocos, que no comprendo.

EL AYUDANTE DEL DOCTOR.—¿Quiere usted sentarse? Tenga la bondad.

LA ENFERMA.—¿Tardaré mucho en pasar?

EL AYUDANTE DEL DOCTOR.—Un momento nada más.

LA ENFERMA.—¿Tiene alguien dentro el doctor?

EL AYUDANTE DEL DOCTOR.—Siempre hay alguien que reclame sus cuidados.

LA ENFERMA.—¿Ha oído usted?

EL AYUDANTE DEL DOCTOR.—¿Qué?

LA ENFERMA.—Parecía que caía al suelo una cosa pesada. Se ha oído un ruido muy grande.

EL AYUDANTE DEL DOCTOR.—Tal vez. Si usted me permite, voy a ver. *Se marcha el Ayudante.*

LA ENFERMA.—¡Qué extraño es todo esto! No sé qué pensar. Me he sentido un poco molesta, inquieta; más que de costumbre; he pensado que debía poner remedio a esta inquietud mía, a este malestar, y aquí he venido. Me decían... ¿Quién me lo ha dicho? Me decían que este doctor Death remediaría mis inquietudes, mi malestar. No sé; ya no me acuerdo de nada. Parece como si entre el pasado y mi presente se haya interpuesto una nube. Todo, aquí, azul, limpio. Y el silencio es profundo. No entra nadie. Diríase que no habita nadie en la casa. *Da vueltas por la estancia.* No se oye nada. El jardín es bonito. Pero ¡qué aire fúnebre, trágico, tienen esos cipreses! No puedo apartar la vista de ellos; me atraen. ¡Qué cosas pienso! Por un lado me siento inquieta, y por otro experimento ahora un sosiego como no lo he experimentado jamás. Sí, es como una dulzura exquisita, inefable. *Volviendo a mirar al jardín.* ¡Cómo me atrae este jardín! ¡Ah, qué raro! Antes no había visto las siemprevivas; todo está lleno de siemprevivas... No sé qué pensar. ¡Y esos cipreses tan altos, tan rígidos, tan negros! Todo esto es un poco extraño. *Se queda absorta en la ventana. Pausa. Entra por la puerta del fondo un Viejecito. Tiene una larga barba blanca y marcha silencioso, apoyado en un bastón. Camina hasta colocarse detrás de la enferma.*

UN VIEJECITO.—*Tosiendo.* ¡Ejem, ejem!

LA ENFERMA. — *Volviéndose.* ¡Oh, qué susto!

UN VIEJECITO.—No se asuste, señora.

LA ENFERMA.—¿Quién es usted?

UN VIEJECITO.—Ya lo ve: un viejecito.

LA ENFERMA.—¿ Un viejecito enfermo?

UN VIEJECITO.—No, enfermo, no. Estoy sano. Digo, yo creo que no tengo nada.

LA ENFERMA.—Y si no tiene usted nada, ¿cómo está usted aquí, en casa del doctor?

UN VIEJECITO.—¿En casa del doctor? ¡Ja, ja, ja!

LA ENFERMA.—¿Es usted alegre?

UN VIEJECITO.—¡Oh, muy alegre! ¡Ja,

ja, ja! Ya lo ha visto todo el mundo.

La enferma.—¿Pero su presencia aquí...?

Un viejecito.—No estoy enfermo; pero he vivido mucho. Tengo noventa años.

La enferma.—¿Noventa años?

Un viejecito.—Ya lo creo; por eso estoy aquí.

La enferma.—No comprendo.

Un viejecito.—Ya lo comprenderá usted. ¡Ja, ja, ja! No me queda ya nada por ver en la vida. Y estoy cansado, agotado, sin fuerzas.

La enferma.—Me intranquiliza usted.

Un viejecito.—No, no se desasosiegue; serénese. Yo estoy aquí por viejecito. No podía vivir más; me iba consumiendo como una llamita. ¿Entiende usted?

La enferma.—No entiendo nada; es decir... *Hablando consigo misma, desasosegada.* ¡Qué desasosiego tengo! ¿Será verdad? No puedo creer tal cosa.

Un viejecito.—¿Qué iba yo a hacer en el mundo? Ya no conocía a nadie; todos, todos mis amigos, mis conocidos, mis camaradas, habían... pasado por aquí.

La enferma.—¿Habían pasado por esta consulta del doctor?

Un viejecito.—¿Consulta del doctor? ¡Ja, ja, ja!

La enferma.—Se ríe usted de un modo especial; tan especial, que me da miedo.

Un viejecito.—¿No se ha fijado usted en el nombre del doctor?

La enferma.—El doctor Death.

Un viejecito.—Eso es; cabal: el doctor Death; es decir, el doctor Muerte.

La enferma.—¿El doctor Muerte? ¡Qué horror! No, no; usted bromea.

Un viejecito.—¿Yo bromear? Aquí, señora, no se bromea.

La enferma.—¡Qué horrible! No, no puede ser... ¡Y siento un malestar!

Un viejecito.—¿Ha sido usted dichosa en la vida?

La enferma.—No; la dicha perfecta no existe.

Un viejecito.—¿Ha tenido usted muchos afectos, muchos cariños?

La enferma.—Como una sutil neblina se han disipado todos.

Un viejecito.—¿Ha tenido usted muchos amigos? ¿Amigos? ¡Ja, ja, ja! Yo pregunto unas cosas tan necias... ¿Verdad?

La enferma.—No, necias, no.

Un viejecito.—¡Amigos! ¿Ha encontrado usted alguna amistad leal, pura, fiel, en todos los momentos, y en los momentos terribles, difíciles, especialmente? ¡Amigos! ¡Ja, ja, ja!

La enferma.—Me da usted miedo.

Un viejecito.—No lo tenga usted. Ya no se puede tener miedo; es decir, un poquito todavía. Después, nada.

La enferma.—¿Después? ¿Cuándo?

Un viejecito.—Cuando entre usted a ver al doctor.

La enferma.—¿Y usted no va a entrar también?

Un viejecito.—¡Ya lo creo! ¿Ve usted esa puerta? *Señalando la puerta de la derecha.*

La enferma.—Sí; la puerta de la consulta.

Un viejecito.—Por esa puerta se entra a ver al doctor Death. Después ya no se sale.

La enferma.—¿No se sale por aquí? Habrá otra puerta.

Un viejecito.—No se sale por ninguna parte.

La enferma.—*Con creciente intranquilidad.* ¡Dios mío, Dios mío! Yo no sé lo que me sucede; me siento profundamente intranquila. ¿Dónde estaré yo? ¿Es todo un sueño? Diga usted, buen anciano: ¿es todo esto un sueño?

Un viejecito.—¿Un sueño? Puede ser. Y ahora vamos a despertar.

La enferma.—¿Despertar? No, no; yo no quiero. Yo me marcho, huyo; no quiero estar aquí.

Un viejecito.—Un poco de calma. ¿Para qué quiere usted desesperarse? No conseguiría usted nada. Cuando se ha llegado hasta aquí no se puede retroceder. ¿Ve usted lo tranquilo que yo estoy? No tengo nada, no estoy enfermo.

Pero mi vida estaba consumida, agotada. ¡Qué cosa tan rara! ¿Eh? ¡Noventa años! Noventa años de ver cosas. Y ahora no me acuerdo de nada. ¡Ja, ja, ja!

LA ENFERMA.—¡Qué malestar tan profundo siento! Consuéleme usted; no me desampare.

UN VIEJECITO.—Ahora, dentro de un momento, el doctor Death la consolará a usted. Yo me marcho a verle. Ea, querida señora, ánimo, no se desespere. Adiós, adiós. ¡Noventa años! ¡Ja, ja, ja! *Se marcha el Viejecito. Breve pausa.*

LA ENFERMA.—*Tras un momento en que ha permanecido absorta, tratando de serenarse.* ¡Bah! Son aprensiones mías. ¿Quién era ese anciano? Un loco, sí; indudablemente, un loco. No es extraño; en la clínica del doctor puede haber entrado un enfermo del cerebro, un desequilibrado. No tengo duda; ese hombre era un demente... Debo creerlo así. Lo que decía era disparatado, sin sentido. Yo me encuentro bien; antes parecía que estaba un poco desazonada, febril. No tengo ya fiebre. Parece que descanso. Me sentía anhelante, fatigada, rendida, y ahora experimento una tregua en mi desasosiego. Me encuentro bien; todo ha sido una pesadilla. Veré al doctor; me examinará, me trazará un plan... Y estaré tan sana, tan fuerte como antes. *Esforzándose por sonreír.* ¡Y qué estrafalario era el buen señor! Claro, con noventa años a cuestas... No sabía lo que decía. Un loco en una clínica; cosa corriente, natural. Lo extraño es que no haya nadie aquí; no se oye ningún ruido. Ni el ayudante del doctor vuelve. Debe de estar muy ocupado. Y va pasando el tiempo. La tarde avanza. Llega el crepúsculo. Sí; la luz va decreciendo. *Va menguando la luz.* Debieran traer ya luces. ¡Qué disparates ha dicho ese anciano! Intranquila no estoy; ahora me encuentro mejor, mucho mejor que antes. *Se pasa la mano por la cara y la posa en la frente.* No; un poco febril sí estoy, es verdad. ¡Y siento un poco de ansiedad! No quiero engañarme a mí misma. ¿Para qué serviría el engañarme? Estoy profundamente abatida. ¡Dios mío, sácame de este trance! ¡Cuántas cosas voy a hacer en la vida si salgo de este momento terrible! Decrece rápidamente la luz. ¿Por qué no traen luces? No se ve nada. ¿Y el jardín? Quiero ver otra vez el jardín. *Se aproxima a la ventana para contemplar el jardín y, de pronto, lanza un grito de angustia.* ¡Qué horror! ¡Horrible, horrible! ¡Socorro! ¡Auxilio! ¡Dios mío, Dios mío! Todo el jardín está lleno de cruces, de tumbas; no se ven más que sepulturas. ¿Estoy soñando? ¿Es esto una pesadilla? ¡Socorro! No quiero estar aquí; me siento desfallecer; no puedo tenerme en pie. *Se sienta, abatida, anonadada.* ¡Yo que estaba tan fuerte, tan sana! No puedo; no quiero... *Llora en silencio, con la cabeza entre las manos, los codos sobre las rodillas.* ¡No quiero, y no será! *Exaltada, se yergue con ímpetu.* No, no; no será. ¡Todavía soy fuerte! No, no quiero. Yo quiero vivir, gozar de la vida. ¡Y viviré! Huyo de aquí, me marcho. *Se acerca rápidamente a la puerta y trata de abrirla.* No se puede abrir. La abriré con mis uñas, con toda mi persona. Quiero abrirla... No se puede. ¡No es posible abrir la puerta, no es posible escapar! *Cayendo otra vez en un profundo abatimiento.* ¡Que sea lo que Dios quiera! *Se sienta de nuevo.* Yo no puedo luchar más. Y lloro, lloro como una niña. Todos en este momento somos como niños débiles, sin conciencia y sin deseos. *Respirando fuertemente, jadeante. Llora en silencio, con el cuerpo inclinado y la cabeza entre las manos. Entra por la puerta del fondo, despacito, en silencio, la Hermanita de la Caridad. Se aproxima a la Enferma y le pone suavemente la mano en la espalda. La Enferma levanta la cabeza.*

LA HERMANA DE LA CARIDAD. — ¿Llora usted?

LA ENFERMA.—Lloro. Pero sé que mi llanto es inútil.

LA HERMANA DE LA CARIDAD.—No llore usted; cálmese.

LA ENFERMA.—No puedo sosegar.

LA HERMANA DE LA CARIDAD.—Vamos, vamos; haga usted un ligero esfuerzo.

LA ENFERMA.—¡Qué angustiada estoy! Me acuerdo ahora de cuando yo era niña, de cuando tenía seis años. Yo llevaba un vestidito azul; mamá me ponía sobre sus rodillas y me daba en silencio unos besos muy apretados. Mamá era muy buena; estaba siempre triste; sufría mucho. Iba vestida de negro. Yo me acuerdo ahora de todo. Vivíamos muy alto y desde la ventana se veía la montaña azul, con sus picachos blancos en invierno.

LA HERMANA DE LA CARIDAD.—No se fatigue; descanse un poco.

LA ENFERMA.—¡Cuánto me acuerdo yo ahora de mi pobre madre! Con su traje negro, con su tez pálida, con sus anchas ojeras, se fué también. Yo quisiera ir a verla; yo quiero que otra vez me ponga sobre sus rodillas. Y que me bese. Y que me apriete contra su pecho... Yo soy ahora pequeñita otra vez. ¿No es verdad?

LA HERMANA DE LA CARIDAD.—Cálmese, cálmese. No se agite.

LA ENFERMA.—No, no. Si estoy tranquila...

LA HERMANA DE LA CARIDAD.—Está usted un poquito desasosegada.

LA ENFERMA.—Sí, es verdad; me desasosiega la idea de que ya no podré ver más el campo, el cielo, las montañas.

LA HERMANA DE LA CARIDAD.—No diga usted eso; los verá usted.

LA ENFERMA.—No, no los veré más.

LA HERMANA DE LA CARIDAD.—Tenga usted resignación.

LA ENFERMA.—*La escena se va iluminando con una claridad verde.* La luz tiene un color verde... Todo está iluminado de ese color. ¿Quién solloza en esta habitación? No hay nadie; no veo a nadie; pero es como si sollozaran. Y ahora oigo el murmullo de un rezo. Sí, rezan por mí. Pero ¿dónde? No sé ya dónde estoy. Yo quisiera marcharme, pero no tengo fuerzas para salir de aquí. Y, después de todo, ya lo mismo da.

LA HERMANA DE LA CARIDAD.—Piense usted en otra cosa; yo estoy a su lado para atenderla en todo.

LA ENFERMA.—¿A mi lado? Poco voy a necesitar a usted ni a nadie.

LA HERMANA DE LA CARIDAD.—No, eso no. No diga esas cosas.

LA ENFERMA.—Estoy resignada. Ya no quiero ni deseo nada. Ni campos, ni montañas. ¡Adiós a todo!

LA HERMANA DE LA CARIDAD.—Un poco de serenidad.

LA ENFERMA.—La tengo. Parece como si toda mi persona flotara en el aire. Soy tenue, impalpable; todas las cosas a mi alrededor son sutiles, etéreas.

LA HERMANA DE LA CARIDAD.—Debe venir el ayudante del doctor.

LA ENFERMA.—Se ha oído un ruido allá dentro.

LA HERMANA DE LA CARIDAD.—Sí, debe de ser el ayudante del doctor. *Se aproxima a la puerta de la derecha. Breve pausa. Se abre la puerta y aparece rígido, vestido de negro, severamente, fúnebremente, el Ayudante del Doctor. Avanza hacia la Enferma. La escena queda casi en tinieblas.*

EL AYUDANTE DEL DOCTOR.—Vamos, ya es hora; el doctor está esperando.

LA HERMANA DE LA CARIDAD.—Ya es hora.

LA ENFERMA.—Sí, sí; ya ha llegado el momento. Mi cuerpo es como si fuera de aire. *El Ayudante y la Hermana se aproximan a la Enferma; ésta se levanta de la silla; entre los dos la cogen suavemente y la van llevando despacio, con gran lentitud, hacia la puerta de la derecha.*

EL AYUDANTE DEL DOCTOR.—Cuidado, cuidado; camine usted despacio.

LA HERMANA DE LA CARIDAD.—Apóyese usted bien en mí.

LA ENFERMA.—No me importa ya nada. No siento terror. No, no. Antes, sí; ahora, ya no. Es como si todo fuera de una gran suavidad, de una gran dulzura.

EL AYUDANTE DEL DOCTOR.—Dentro de un momento...

LA HERMANA DE LA CARIDAD.—*Rezando la oración de los agonizantes.* «Sal, alma cristiana, de este mundo, en nombre de Dios Padre...»

LA ENFERMA.—¡Qué dulzura tan grande!

LA HERMANA DE LA CARIDAD.—«En nombre de Jesucristo, Hijo de Dios vivo, que por ti padeció...» *El grupo llega ante la puerta. En este instante la Enferma, con un movimiento brusco, se desase de su acompañante, se yergue y, rígida, enhiesta, hierática, la cabeza echada hacia atrás, dice con voz clara.*

LA ENFERMA.—Infinito... *La Hermana y el Ayudante caen de rodillas a cada* lado de la puerta. Y la Enferma, en *la misma actitud, añade:* Eternidad... *Y penetra en la estancia, en tanto que los acompañantes permanecen postrados de hinojos, con la cara entre las manos.*

TELÓN LENTO

CUENTOS

FABIA LINDE

ABIA Linde nació un mes de enero, de madrugada, poco antes de señalarse el alba en el horizonte. El parto de la madre fué terrible, angustioso; lastimada, sanguinolenta, retorcida, nació la niña. Nevaba copiosamente, sin parar, desde hacía seis horas. Las calles del pueblo tenían medio metro de nieve; todo estaba en silencio; la luz de la ventana—en el cuarto de la parturienta—ponía en la blancura vaga, fosca, de la calle, un débil resplandor dorado. La madre de Fabia murió a las ocho de la mañana. El médico, cuatro días después, fenecía también de una congestión pulmonar, cogida la noche del parto. Fabia Linde estaba tan débil, tan maltrecha—parecía una piltrafa amarillenta—, que nadie creyó que viviera. Mandaron ya a una cajería próxima a ver un ataudito para la criatura. Las asistentas de la madre lloraban, lloraban, y se enjugaban de cuando en cuando —¡ay Señor!—los ojos con la punta de los pañuelos. La madre, silenciosa, desvanecida, allá en el fondo de la alcoba, pajiza la cara, blanca la cara, entre lo blanco de las almohadas y de las sábanas, dejaba escapar, de tarde en tarde, un hondo gemido.

Y la niñita, en brazos de una vecina, estaba en un rincón. Los ojitos los tenía cerrados; las manecitas, cerradas, parecían dos pelotoncitos de nieve. A cada momento, la vecina, suavemente, con el índice y el pulgar, poniendo mucho cuidado en la operación, le abría los ojos a la niña. No, no se había muerto aún; todavía respiraba. La criatura, con los ojos abiertos, se revolvía un poco; sus puños subían y bajaban. No se había muerto aún; le quedaba todavía un soplo de vida. De la cajería habían vuelto, y el mensajero había dicho unas palabras al oído de la vecina que tenía a la niña.

Fabia Linde fué creciendo. El padre murió a los dos meses. Se halló la niña sola en el mundo; estaba al cuidado de unos parientes muy lejanos. Fué creciendo la niña. Su cuerpo era débil, fragilísimo; continuamente se veía la muchacha aquejada de males, de angustias. Sus días transcurrían en el dolor. Cuatro a seis veces estuvo a punto de morirse. Y en las anchas, negras ojeras, como un carbunclo brillador en la sombra, brillaban, fulgían, esplendían, magníficos, sus anchos ojos negros. Y a los ojos, al brillar maravilloso de los ojos, acompañaba el encanto de una voz dulce, insinuante, melodiosa.

Fabia Linde era toda ojos y voz; mirándola de pasada, un momento, su figura, su cara, sus manos, su talle, eran insignificantes. Poco a poco, una observación continuada y atenta iba descubriendo en la niña—tenía ya quince años—un hechizo que no se sabía en qué hacer consistir. La fisonomía iba adquiriendo, a lo largo de este mirar atento, una expresión que no tenían las demás mujeres. Sí; los ojos eran magníficos; la voz era dulce, melodiosa; pero había, además, en Fabia, algo que no se acertaba a expresar. ¿Era el silencio que su presencia inspiraba, un silencio inspirado por el respeto y la admiración? ¿Era la manera particular de moverse, de andar, de coger un objeto? ¿Era la sonrisa, una sonrisa en que había bondad, ironía, burla ligera? La salud de la niñita era precaria; a veces, muchas veces, en su sonrisa había una profunda tristeza. Andaba Fabia retraída, silenciosa, apartada de todas las muchachas de la vecindad. Cuando venían a buscarla, la anciana en cuya casa vivía se ponía en el hueco de la escalera, la llamaba gritando y esperaba un poco. La casa era de labradores pobres; habitaban todo el edificio estos labriegos. Transcurría un momento; en la camarilla de arriba se oían unos leves pasos, y a seguida, en la escalera, allá arriba, surgía como un fantasma, con los ojos brillantes en las anchas ojeras, la piel de la cara morena, ambarina; las manos cruzadas sobre el pecho —las largas y puntiagudas manos blancas—, aparecía Fabia, y rígida, erguida, iba en silencio, pausadamente, como una princesa misteriosa, descendiendo, uno a uno, los tramos de la escalera.

Y un día Fabia desapareció del pueblo; tenía entonces la muchacha veinte años.

Una tarde, al cabo de una cincuentena de años, bajó del expreso de Madrid, en la estación del pueblecillo, una anciana vestida de negro. No quiso subir en el autobús que llevaba los viajeros a la ciudad; había allí un coche desvencijado que hacía el servicio de una posada. La anciana montó en ese vehículo.

—¿Adónde?—preguntó el cochero.

—A Nebreda—respondió la viajera.

—Quiero decir que dónde va la señora a parar—repuso el conductor.

—Ve primero al pueblo; después, ya te diré.

El pueblo distaba de la estación diez minutos. El carricoche se puso en marcha. Cuando llegaron a las primeras casas, el conductor volvió a interrogar a la anciana.

—Vamos—le dijo ésta—a la plazuela del Herrero.

Y allá se encaminaron. Entraron en la plazoleta; al fondo se veía el magnífico palacio del duque de Udierna. Estaba cerrado hacía mucho tiempo; el duque, arruinado, lo había puesto en venta.

—Mira, allí—dijo la anciana, señalando al palacio.

—¿Allí?—preguntó, extrañado, el cochero—. ¡Ese es el palacio del señor duque de Udierna!

—Pues allí, pues allí—repetía, sonriendo, la anciana.

—¡Si está cerrado, señora! ¡No vive nadie en él!—exclamó el cochero.

—¡Pues allí! ¡Pues allí!—repetía la anciana.

El carricoche se detuvo en la puerta. Descendió la anciana y se puso de pie en el umbral. De pie sobre el alto escalón, silenciosa, enlutada, erguida, parecía la misma figura fantasmática, misteriosa, que descendía, hacía cincuenta años, uno a uno, los escalones de la casita de los labriegos. Y, tras una breve pausa, la anciana hizo golpear el llamador sobre la puerta. Resonó dentro, en la casa vacía, el ruido del aldabonazo. El conductor del coche miraba esta escena asombrado. La dama le miró a él en silencio y sacó una llave del bolsillo. Con esa llave abrió la puerta del palacio. Y poquito a poco, seguida del cochero, fué penetrando por el zaguán.

Fabia Linde vive en el viejo palacio del

duque de Udierna; un mes antes de llegar a la ciudad, un agente había comprado, por cuenta de la dama, el palacio y las heredades—extensísimas, magníficas—que el duque poseía en Nebreda. Ya el asombro del pueblo, al conocer la noticia, se ha ido disipando. Al asombro ha sucedido el respeto, el profundo, terrible respeto que en los pueblos inspira el dinero. ¿Cuántos millones tiene Fabia Linde? Nadie lo sabe. Nadie sabe de dónde viene ni qué es lo que ha hecho en los cincuenta años de ausencia. No la conocían los mozos de ahora; apenas si algún viejo se acuerda de aquella niña pálida, débil, de tez morena y anchos ojos.

Débil lo es ahora Fabia tanto como antes. Por el ancho palacio camina despacito, tácita, apoyada en un bastón de ébano. Todos los días cree que va a morirse; a todas horas ingiere estas o las otras drogas extrañas que le traen de Madrid. Todos la contemplan en silencio cuando por acaso sale a la calle, y se apartan respetuosos a su paso. La tez de Fabia está ahora tan lívida, tan pálida como antaño. Camina la anciana por los largos pasillos del palacio, y de cuando en cuando se detiene; le falta la respiración, titubea, respira jadeante; sus manos—una tiene cogido el bastoncito—se posan en el pecho. Sí, sí; se siente muy mala Fabia Linde. Como esta vez, no se ha sentido nunca. En la sala, la sientan en un sillón; la han traído en volandas desde el corredor; en la cama no quiere estar. Está ella mejor aquí, en este ancho sillón. Y junto a la anciana, de pie, un poco inclinado, observándola atento, se halla el médico, que ha llegado hace un momento. Se muere, se muere sin remisión la débil Fabia; eso, entre gemidos, afirma ella; el doctor, con una sonrisa levísima, casi imperceptible, la cara vuelta hacia la servidumbre, un poco distanciada, mueve la cabeza, negando, de un lado a otro. Sí, sí; la anciana se siente muy mal. De este trance no sale ella, la pobre. El doctor sonreía, sonreía...

Seis días después, la anciana caminaba, pasito a paso, por el huerto. Desde el huerto se divisa, allá lejos, la torre de una iglesia. De la torre de la iglesia llegaban, lentas, pausadas, sonoras, plañideras, fúnebres, las campanadas de un entierro. Había muerto el doctor.

Si miráramos desde la casa de enfrente, desde la ventanita de un desván, sin que nos vieran, lo que pasa en la sala principal del palacio de Udierna, contemplaríamos un espectáculo interesante. Fabia Linde se ha apoyado de pronto en una consola; ha dado un grito; suponemos que ha gritado; a esta distancia nosotros no hemos podido percibir el lamento. Ha acudido la servidumbre; rodean a la anciana; le traen corriendo una taza de un cordial; ella la aparta con un ademán delicado; han ido corriendo a llamar a un doctor. La anciana, esta vez, se ha dejado llevar en vilo, con suavidad, hasta la ancha cama de la alcoba. El médico ha llegado ya; se inclina ante la cara de la anciana; tiene cogida una de las manos de Fabia. Fabia respira débilmente; sus ojos están cerrados. Después de un largo silencio, la anciana dice:

—Doctor, doctor: me muero, me muero. ¿No es verdad, doctor, que me muero?

Y el doctor sonríe imperceptiblemente, con la mano de Fabia en una mano y con el reloj en la otra.

Ocho días después, la anciana va caminando lenta, despaciosa, por la ancha sala. La calle está en silencio. En la casa reina el silencio. De pronto se ha oído allá abajo, en el zaguán, una gran voz—la voz del muñidor de la Cofradía del Cristo del Arroyo—, que ha dicho:

—¡Esta tarde, a las seis, el entierro del doctor Mendoza!

El doctor Mendoza es el mismo que ha asistido, en su reciente trance, a Fabia Linde.

Otra vez Fabia se siente con una angustia indecible. Lo de ahora es más terrible que todo lo anterior. La alarma ha ganado a todos los servidores de la casa.

Fabia está inmóvil, con la cara pálida, cara de muerta, en su cama. Estaba hace media hora en el salón, y de pronto le ha dado un vahido y ha caído redonda al suelo. El médico se halla junto a la anciana. Y ahora el médico no sonríe. No es grave lo que tiene la anciana, pero es preciso que se cuide. Fabia abre los ojos un momento y mira en silencio al doctor... Ocho días más tarde, la anciana pasea lentamente por el huerto. Un criado acaba de traer una esquela; la esquela del doctor que la ha asistido.

La misma terrible escena—¿quién descifrará el misterio del azar?—se repite dos veces más. A mayor o menor distancia de una enfermedad de la débil Fabia, el médico que la ha asistido muere. Pero la anciana no puede estar sin asistencia; ella está muy débil; se siente morir cada mes o cada dos meses. Ahora, en esta angustia que le ha dado, han ido a buscar a otro médico. El doctor que han llamado es un viejecito limpio, de cara afeitada; detrás de su puerta tiene clavada una herradura, y cuando en la mesa le piden la sal, él señala con la mano el salero, pero no lo da nunca a quien se lo pide. El viejecito, ante el mandadero de Fabia, ha movido la cabeza, ha sonreído y ha hecho un gesto expresivo—demasiado expresivo—con la mano extendida...

El médico que han ido a buscar a un pueblo inmediato conoce el caso de Fabia Linde y de sus médicos, pero él no es supersticioso; a él no le importa nada del misterio. Los médicos de Nebreda no han querido acudir al palacio. Un automóvil de la casa ha ido a traer al doctor forastero. El médico es joven, animoso, pletórico de vida. El automóvil está ya entrando por las calles de la ciudad. El médico no sabe lo que le ha dado de pronto. No es nada; es algo así como esa sensación indefinible que experimentamos ante un hecho misterioso. No es nada, no es nada. Y, sin embargo, conforme va ascendiendo por las escaleras del palacio, diríase que el malestar indefinible de este mozo sano y robusto aumenta. Siente el médico oprimido su pecho; trata de sonreír de su propio malestar, y su sonrisa se malogra entre los labios. Diríase que este hombre ha entrado en una región misteriosa y que está respirando un ambiente—no terreno—que no ha respirado nunca. Sí, sí; es raro todo esto. Y otra vez la sonrisa fracasa al exteriorizarse. Se halla ya arriba, en el rellano de la escalera, el doctor. Y ahora, al trasponer el umbral del salón, sus pies han tropezado ligeramente, y por todo su cuerpo ha corrido un estremecimiento extraño, angustioso. Se ha detenido un segundo, y estaba pálido...

LOS NIÑOS EN LA PLAYA

¿Un cuento de niños en la playa? Perfectamente. Principiaremos. Pues, señor, una vez había un poeta; se llamaba Félix Vargas. El poeta está al lado del mar, en una casa ancha, clara, limpia. No es un poeta pobre; es, sí, una excepción entre los poetas. Y tiene buen gusto; esto no era preciso decirlo, tratándose de un ver-verdadero poeta. En la casa hay una terraza embaldosada con grandes losas; el poeta ama la piedra: la piedra granulienta —la del Guadarrama—, la piedra arenisca, fácil y blanda para el trabajo; dura en cuanto los vientos la van azotando y las aguas la mojan; la piedra tallada por el cincel ingenuo, en populares imágenes; la piedra tosca, irregular, que se traba en los muros con dura argamasa. El poeta ama la piedra y el agua. Desde la terraza de su casa de verano se divisa un panorama de mar espléndido. De día el mar es azul, verde, glauco, gris, ceniciento. De noche, allá arriba, fulge, con intermitencias, la luz de un faro, y las olas hacen, acompasadamente, un son rítmico y ronco, un son que en los primeros instantes del sueño, entre vigilia y sueño, el poeta escucha complacido, voluptuoso. Y aquí, en la playa, a dos pasos de la terraza, durante toda la mañana, entre los bañistas extendidos por la dorada arena, los niños, muchos niños, infinitos niños, van, vienen, triscan, devanean, corren delante de las olas cuando las olas avanzan; las persiguen, las pisotean, chapoteando con sus piececitos desnudos cuando las olas, después de haber hecho un esfuerzo avanzando hacia los bañistas, se retiran cansadas para arremeter luego de nuevo.

El poeta trabaja a primera hora de la mañana, cuando el aire es delgado y fresco, cuando la luz es cristalina y virginal; luego, próximo el mediodía, vienen a verle tres, cuatro o seis amigos. Félix Vargas en esa hora está un poco cansado de la meditación. Los tertulianos charlan; pero él, como si hubieran interpuesto una neblina entre los amigos y su persona, escucha vagamente, como en ausencia, como desde lejos, las palabras frívolas, ligeras, actuales, de señoras y caballeros. Y sólo cuando habla Plácida Valle parece que la neblina se desgarra y que el poeta escucha claras, distintas, las palabras. Plácida Valle es alta, esbelta, con el pecho armoniosamente levantado, sin exageración; todas sus líneas son llenas, henchidas, y en su faz—con tornasoles de gravedad, de alegría—, los labios forman un breve trazo rojo, carnosito, fresco. ¿Dónde vive Plácida Valle? Allá arriba, en un monte, en otra casita frente al mar. La soledad le place un poco a esta mujer; ya los años han ido pasando y el goce de la vida, para Plácida, ha de ser hondo, sosegado, estable. Toda la persona en Plácida respira serenidad y señorío. Cuando habla, sus palabras son lentas y discretas; su mano, una blanca mano gordezuela, se mueve con imperio y con gracia. No dice nunca nada Plácida; no profiere cosas agudas, profundas; pero estas palabras vulgares, corrientes, que ella pronuncia, al ser dichas de modo tan pausado, grave, producen en el poeta el encanto de una inaudita melodía.

Plácida Valle habla, y el poeta, tendido en una larga silla, se incorpora un poco, la mira, la escucha en silencio, embelesado. ¿Podrá haber para el poeta algo nuevo en la vida? La fama le ha dado sus goces; es popular y es selecto al mismo tiempo. Ser para pocos un artista, es vivir confinado en un ambiente estrecho, limitado, angosto; se tiene la aprobación, el fervor de unos pocos discípulos, de un puñado de admiradores. Pero ¿y esta mirada larga, curiosa, ansiosa, de un transeúnte que pasa y os reconoce? ¿Y esta sonrisa afable en el tren, en un restaurante, en un museo, de tal o cual lectora que sigue paso a paso vuestras obras? ¿Y esta resonancia grata, especial—y fecunda—, que vuestra obra produce en la inmensidad de la muchedumbre? De la muchedumbre que, dichosamente, con vuestras obras y con las similares de compañeros vuestros, va afinando poco a poco su sensibilidad para llegar a un nivel elevado de paz y de confraternidad mundiales. El poeta Félix Vargas gusta de lo selecto, de lo recoleto e íntimo; pero al mismo tiempo él padecería un poquito si, limitada su obra a un grupo, el público grande no la conociera. Hay en él, en el fondo de su espíritu, en lo más reservado, un suave desdén para los públicos grandes; pero la vanidad tal vez, tal vez la suprema piedad, piedad para todo ser humano, protestan y le sacan como a rastras, pero con suavidad, del estrecho círculo de los selectos al área grande, donde el sol es pleno y los vientos azotan.

Lo ha visto todo Félix Vargas, y está un poco cansado de la vida. El cielo es bajo y gris en esta mañana de verano; los niños, sobre la dorada arena, van y vienen y retozan. En la terraza del poeta se ha charlado un momento; todos los tertulianes han ido desapareciendo. Todos, no; queda aquí rezagada, como idealmente prendida de una redecita de ensueños, de deseos, de esperanzas, la señoril Plácida Valle. Plácida pasa las páginas de un libro sin ver el texto, y Félix lanza a lo alto una bocanada de humo. Estos días, un joven crítico le ha visitado para pedirle datos sobre su vida. Para el poeta es un tormento el regresar desde el momento presente al pretérito. Tiene la superstición del tiempo; la evocación del pasado le agobia; diríase que el evocar el pasado, su pasado—la niñez, la adolescencia, la juventud—, ese cúmulo de horas, de días, de meses y de años, se yergue frente a él y le anonada con su peso terrible. Para contestar—en las cuatro sesiones—al crítico, el poeta ha tenido que pensar y pensar muchas cosas. Y pensaba, evocando su niñez, su juventud, por las noches, a primera hora, en tanto que en la playa las olas, en la oscuridad, iban y venían sobre la arena.

Con Plácida habla ahora Félix de su pasado.

—¡Qué mundo de recuerdos tan angustiosos!—exclama Félix.

Y añade:

—Habitualmente, el pasado para mí es un caos negro, un espacio tenebroso. No quiero ver nada en él; es grato para mí el no distinguir nada en mi pasado; tengo así la sensación de ser siempre joven, de ver siempre nueva la vida. Y mi trabajo, estando yo siempre en el presente, siempre y con toda mi personalidad, es más grato, más fácil y más fecundo.

Plácida escucha de pie, majestuosa, al poeta, a su poeta; de poco tiempo a esta parte datan sus amistades. La mano gordezuela y rosada de la dama se ha posado, como una flor, en las páginas blancas del libro.

Y el poeta añade:

—Estos días he tenido que evocar mi niñez. Y la he visto toda, toda, con una claridad deslumbradora. Al hacer el más ligero esfuerzo para escrutar lo pretérito, se hace de pronto una luz en mi cerebro y desaparece la oscuridad, la grata, la fecunda oscuridad. Lo he visto todo, Plácida. ¿Y sabe usted lo que no he podido ver claro?

Félix Vargas se detiene, y Plácida posa en él, en sus ojos de poeta y de ensoñador, una mirada maternal, amorosa.

—¿Ve usted los niños que juegan en la playa? Obsérvelos usted—ha continuado el poeta—. Corren, saltan, se cogen de la mano y avanzan en hilera... Mire usted aquellos dos, un niño y una niña. ¿Los ve usted? Están allí, delante de aquel montón de arena; él tiene en la mano un bastón. Pues como ese niño y esa niña he estado yo... Yo, sí; yo he estado en esta misma playa, como ese niño, cuando yo lo era, en compañía de una niña como ésa. Todos los días, diez o doce amiguitos jugábamos en la arena. Y una vez me eché una novia; fué una novia de tres o cuatro días; no duró más el noviazgo. Como prenda de amor eterno, sí, eterno, ella me regaló a mí una caracolilla de mar, y yo a ella otra exactamente lo mismo. Encontré ayer, rebuscando papeles en un cajón, esa caracolita. ¡Y cuánta emoción me produjo el hallazgo! La voy a traer; la verá usted.

Félix Vargas se ha levantado rápidamente, ha entrado en la casa y ha traído la caracolita.

—Lo que yo quisiera saber—ha añadido el poeta—es quién era la niña que cambió conmigo esta prenda de eterno amor. ¡Eran tantas las niñas que he conocido en aquellos años de la infancia! No tengo ni la menor idea de ésta. ¡Y cuánto daría por verla ahora, ya mujer, después de tantos años!

Plácida miraba en silencio al poeta. Durante un momento sus mejillas se han encendido con vivo carmín, sus ojos han brillado con una luz misteriosa. Y al despedirse ha dicho:

—Félix, quiero que venga usted a mi casa. ¿Vendrá usted? Pasado mañana; tenemos que hablar. Le espero a usted.

Y había una ligera emoción en sus palabras. Y su mano se ha abandonado unos segundos entre las manos del poeta.

Dos días después, Félix Vargas ha ido a ver a Plácida Valle. La emoción del poeta ha sido tremenda. Ha quedado un rato en suspenso, indeciso, puesta su mirada en los ojos azules y dulces de Plácida. En la mano, el poeta tenía una caracolita igual, exactamente igual que la suya. Los mismos puntos negros en el reborde, en una y en otra, en la de Félix y en la de Plácida.

—¿Usted, Plácida? ¿Usted?—repetía el poeta—. ¿Era usted... o es usted... aquella niña? ¡Qué terribles coincidencias del mundo! ¡No puedo, Plácida; no puedo decir lo que siento! Me faltan las palabras...

Y la mano de Plácida, tan carnosita, tan rosada, tan suave, se ha posado un momento, maternal, amorosamente, en la frente del poeta.

De noche. Fuera, tinieblas. En las tinieblas, allá lejos, la luz que brilla, que desaparece, que torna a brillar, del faro. Y el ronco son de las olas, que tan bien se percibe desde la casita de Plácida. La dama está sentada ante una mesa, debajo del ancho y luminoso círculo de la lámpara. Con ella está su fiel y reservada camarista, Tomasita. Todo es serenidad y silencio. Por la ventana, abierta de par en par, se ven fulgir las estrellas, rutilantes, en la inmensa bóveda negra.

—La verdad—dice Plácida con voz grave y dulce—, la verdad, Tomasita, es que hemos trabajado bien. ¡Qué afanes y qué trabajos! ¿Eh? Yo creí que no íbamos a poder encontrarla. ¡Cuánto hemos corrido! Pero la caracolita es igual, completamente igual que la de don Félix, con sus pintitas negras...

ROSA, LIRIO Y CLAVEL

¡Eh, jovencitas! A ustedes les digo; sí, sí; atiendan un momento. ¿No me oyen? ¿No quieren oírme? Jovencitas, jovencitas. ¡Aquí! Quiero contarles un cuentecillo. ¿Alegre? Sí, sí. ¡Ja, ja, ja! Yo estoy muy viejo; soy viejecito. He corrido mucho mundo; he estado en todos los países de Europa, América, Africa y Oceanía. ¡Ja, ja, ja! No he perdido el buen humor, aunque he corrido tanto. ¿Eh, jovencitas? No tengáis miedo. ¿Veis mis ojos azules? ¿Y mi barba blanca? Mi barba está llena de polvo. Las polvaredas de los caminos han puesto esa espesa capa de tierra en mi cabeza, en mis vestidos, en mis manos. ¿Vosotras no habéis salido nunca de este pueblo? ¡Ah, si supierais las cosas bonitas que hay por el mundo! Bonitas y trágicas. ¿Eh, vamos, jovencitas? Acercaos, acercaos al buen anciano. Al buen anciano que anda con su zurrón al hombro por los caminos. ¿No creéis que el cuentecito que yo pueda contaros sea una historia alegre? ¿No veis mis ojos cómo ríen? No sintáis recelo; acercaos; vosotras sois la juventud, la alegría, el entusiasmo. Yo no encuentro satisfacción sino en la ingenuidad de los demás. ¿No os he dicho que soy un hombre alegre? ¡Ja, ja, ja! Ea, vamos a comenzar el cuento. ¿Os empeñáis en no aproximaros a mí? Pues estad quietecitas; escuchadlo desde lejos; yo levantaré un poco la voz. Y veréis qué bonito es. ¡Ja, ja, ja!

En un viejo palacio. La sala es ancha, clara, limpia. Hay espejos en las paredes. Muchos espejos. En la ciudad—una vieja ciudad—todo es silencio. Se podría partir el silencio con un cuchillo de plata: tan denso es. Por las amplias ventanas entran vívidos rayos de sol. ¿Del sol poniente? Sí; de un sol dorado, tenue, acariciador. De un sol que se despide, falleciente, hasta el otro día. Y nubes áureas, redondas, bellos cúmulos, caminan por el cielo. ¿Caminan por el cielo? No, no; están quietas, inmóviles, encima de las veletas. Los gallos, los angelitos, las estrellas, las palas de las veletas, resaltan entre lo dorado de las nubes. En el salón—todo claro, todo limpio—, van y vienen tres muchachas. Están vestidas con trajes sencillos y claros. Una se llama Lucila; otra, Evelia; la tercera, Violante. Cada una tiene los ojos de distinto color. Lucila los tiene negros; Evelia, azules; Violante, verdes. Y las tres—Lucila, Evelia y Violante—son gráciles, esbeltas, gallardas. En el ambiente de oro de la tarde—la tarde en su declinación—van y vienen ligeras, graciosas, por la estancia. Pronto comienzan a lucir las primeras estrellas. La primera estrella que luzca en el azul intenso, ya oscuro, parecerá, con su titileo brillante, una gotita de agua que tiembla un poco antes de caer. Pero la estrellita lucidora no caerá. Si cayera, si se desprendiera del translúcido azul, estas tres lindas muchachas correrían hacia ella y la recogerían en sus manos blancas y finas. Y entre sus manos —en tanto reían a carcajadas, como locuelas—la harían saltar como se hace saltar una piedra preciosa.

Van y vienen por la estancia Lucila, Evelia y Violante. Las tres son gráciles, esbeltas; tan finos y flotantes son los trajes que visten, que a veces, en el voltear continuado, se adivina, se columbra, se entrevé la carne rosada, blanda, flexible y resistente. Las tres ríen, no cesan de reír; están un poco ebriadas con el sosiego maravilloso, con el oro diluído en el ambiente por el sol que declina, por la frescura gratísima de la noche propincua. Del balcón van a un ancho diván; se sientan un instante; parecen, juntas, silenciosas ahora, que son ya viejecitas y van a recitar unos rezos; pero el recogimiento dura poco. De nuevo se levantan; sus cuerpos elásticos—tan duros y blandos a la vez—se yerguen, se enarcan, se lanzan rápidos hacia un extremo del salón. Resuenan en el ancho ámbito sus carcajadas cristalinas. El oro del sol crepuscular va desapareciendo. La ciudad se halla en un hondo sosiego. Por el balcón, allá en la plaza, en el centro, del tazón de una fuente caen hebras cristalinas de límpida agua con un murmurio leve.

En este minuto de la tarde, ya en el crepúsculo, las tres lindas muchachas —Lucila, Evelia y Violante—se han quedado otra vez absortas. Del mutismo ha brotado, de pronto, como el canto de un pájaro, la voz de Lucila.

—¡Yo quisiera ser una flor!—ha gritado Lucila.

—¡Y yo también!—ha gritado Evelia.

—¡Y yo lo mismo!—ha dicho Violante.

Y las tres han reído, a coro, con una estrepitosa carcajada.

Los cuerpos de las tres cimbrean en el aire suave, opaco, del crepúsculo. Las telas claras, un poco flotantes, dejan adivinar, entrever, las líneas armoniosas, duras, flexibles, de los cuerpos.

—¡Yo quisiera ser una rosa!—ha vuelto a gritar Lucila.

—¡Y yo un lirio!—ha gritado también Evelia.

—¡Y yo un clavel!—ha dicho Violante.

¡Una rosa, un lirio y un clavel! La tarde ya ha acabado. Comienza a brillar en lo alto una estrellita. Las tres gráciles muchachas van y vienen, un poco locas ya, por la ancha estancia.

Y un momento en que se hallan juntas, en silencio, tornan a decir, al mismo tiempo:

—¡Yo quisiera ser una flor!

Y después:

—¡La rosa que esté más cerca de aquí! —grita Lucila.

—¡El lirio que se halle más próximo a esta casa!—grita también Evelia.

—¡El clavel que se encuentre en la casa más cercana!—dice, por último, Violante.

En la misma ciudad—la vieja ciudad—, a la misma hora. En la hora en que Lucila, Evelia y Violante devanean por la ancha y clara estancia. En la misma hora en que las tres gráciles muchachas ansían ser una flor, ansían ser una rosa, un lirio y un clavel. La rosa, el lirio y el clavel que se encuentren más próximos a Lucila, Evelia y Violante.

Cerca del viejo caserón, tocando con sus paredes, hay una casita modesta. En la casita vive una muchacha; está intensamente pálida; su cuerpo casi es transparente. Los ojos, azules, profundos, tienen un intenso fulgor de tristeza. Por un milagro, cuando se levanta del sillón en que está sentada, se tiene en pie esta muchacha. Hace tiempo que su enamorado se halla en la guerra. No vienen noticias suyas; pero todos los días, en todos los momentos, pueden llegar. No llegan noticias del ausente; de tarde en tarde, a las manos pálidas, translúcidas, de esta muchacha, llega una carta. Y esta carta ¡con qué afán, con qué ansiedad es leída! Ahora ya hace mucho tiempo que no se tienen noticias del mozo; la inquietud turba el ánimo de la muchacha. Está ella sentada en un ancho sillón, con el busto un poco echado hacia atrás, para poder respirar mejor. Encima de la mesa, en un vaso, está puesta una rosa. Una sola rosa carnosa, blanca, fragante. Hay en el ambiente gran desasosiego; no se sabe lo que es; no se puede precisar; sin embargo, diríase que ha ocurrido un suceso terrible, siniestro, allá lejos, no sabemos dónde. Los ojos de la niña—tan pálidos—se han cerrado, como para no ver el espanto. En el pasillo han sonado pasos. La puerta va a abrirse. Tal vez va a aparecer alguien que, sonriendo forzadamente, recomiende a la niña que no se alarme. Y su recomendación será terrible, trágica.

La rosa blanca está reclinada en el borde del vaso. Horas después, la rosa más próxima al viejo caserón donde devanean Lucila, Evelia y Violante; horas después, esta rosa blanca, fragante, que parece pensativa, que parece dotada de inteligencia, se halla blanda, posada, con delicadeza puesta, en un almohadón blanco. La rosa es blanca; la almohada es blanca; la cara de la niña—de la niña eternamente dormida—es blanca.

Tenía un profundo amor a las flores. Entre todas las flores, prefería los lirios. Los lirios azules. En su celdita del convento, entre las paredes enlucidas con blanquísima cal, resaltaba lo morado de un manojito de lirios. Después de tenerlos aquí, de orar un largo rato por la Virgen, ella, esta monjita humilde, los llevaba, cogido el pomo con las dos manos, a lo largo de los claustros, hasta la capilla de la iglesia. Y en la capilla los ponía a los pies de la Virgen. El convento se halla al lado del viejo palacio. En la misma hora en que las tres gráciles muchachas desean ser flores, la humilde monjita descansa para siempre. Del ramo del altar—el último ramo llevado a Nuestra Señora por la monja—han desgajado un lirio y lo han traído para ponerlo a los pies de la Muerte. Y el lirio está allí, morado, vivaz, entre lo negro.

De pronto, allá lejos, en la plaza, en la

fila frontera de casas, se ha oído un terrible estrépito. Han sonado gritos en una taberna y han salido corriendo, desalentados, hombres del pueblo, labriegos y artesanos. El silencio del ancho ámbito ha sido roto. Algo trágico acaba, sin duda, de suceder. Y así ha sido: en el cafetín, en esta hora del crepúsculo, a la misma hora en que las muchachas del viejo palacio deseaban ser una flor, en el momento en que Violante ansiaba ser un clavel, en una pendencia de amores y de celos ha quedado muerto un mozo. Cuando ha venido la justicia y han levantado el cadáver, el mozo tenía en el ojal de su americana prendido, don tal vez de su amada, un clavel. Lo rojo del clavel era tan encendido como la sangre del mancebo.

—¡Yo quiero ser una rosa!

—¡Yo quiero ser un lirio!

—¡Yo quiero ser un clavel!

¿Eh, eh, mocitas? Acercaos, acercaos a mí. El cuento ha terminado. Es alegre, ¿verdad? Es alegre como la vida. ¡Ja, ja, ja! ¿No os reís? ¿Vosotras queréis ser flores también? ¿Rosa, lirio, clavel? ¡Ja, ja, ja!

TOM GREY

Salíamos del circo después de la función, por la noche. Ibamos el director de la compañía, Guillermo Pritz, y tres amigos suyos: Paco Rosas, Mariano Valero y yo. La noche era apacible, clara. Como Paco Rosas, al caminar, tropezara dos veces en un pedrusco, exclamó:

—¡Qué fatalidad!

Entonces Mariano repuso:

—No hable usted de fatalidad por tan poca cosa; no emplee tan gran vocablo para una fruslería.

—¿Fruslería?—pregunté yo—. No hay nada desdeñable en el mundo. Todo, desde lo más nimio a lo más grande, está encadenado en el universo. Un detalle insignificante, un pormenor imperceptible casi, han torcido a veces el curso de la Historia. Se ha dicho que un dedo que levante un hombre influye en la marcha de los astros. Y esa hipérbole es exacta. Todo se enlaza, combina y trata en la serie de causas y concausas universales.

—¡Bien dicho!—exclamó Guillermo Pritz—. ¿Ustedes conocen la historia del *clown* Tom Grey?

—¿Tom Grey, el gran *clown* de hace veinte años?—preguntó Paco Rosas.

—Sí, Tom Grey; el gran artista del circo—añadió Pritz—. Pues Tom Grey es un ejemplo elocuente y desdichado de lo que puede la fatalidad. Y por su historia se ve que no hay nada pequeño, insignificante, despreciable, en el mundo.

—¿Es interesante la historia de Tom Grey?—pregunté yo.

—Interesantísima—contestó Pritz.

—Entonces, si os parece—añadí yo—, que cuente Pritz esa historia cuando estemos sentados en la terraza.

—Perfectamente—dijo el director de la compañía.

Todas las noches, después de la función del circo, íbamos a casa de Mariano Valero; era por el verano; nos colocábamos en una amplia terraza, y allí, en tanto charlábamos amenamente, tomábamos una ligera colación. El silencio era profundo, y las estrellas, en el cielo despejado, brillaban en la inmensa bóveda diáfana. La noche de que hablo nos sentamos, como todas las noches, en la terraza, a pocos pasos del jardín. El aroma de los sauces y de los rosales subía suavemente hasta nosotros. Contemplábamos el titileo brillante, misterioso, de las perennales luminarias sidéreas.

Guillermo Pritz comenzó a contar la historia de Tom Grey:

—Tom Grey—dijo—ha sido el *clown* más extraordinario que yo he conocido;

he tenido siempre predilección por los payasos; el arte del *clown* es único, excepcional. Tom Grey era un humorista nativo; no decía nunca chistes, no inventaba ingeniosidades; todo lo que decía era vulgar, corriente; su gracia, profunda, cautivadora, estaba en el tono con que decía las cosas más triviales, en las inflexiones de la voz, en el gesto, en los silencios... Se desprendía de toda su persona una honda simpatía. Y no ha habido, por otra parte, hombre más desgraciado, más desastrado, más combatido por la adversidad que Tom Grey. No le salía nada bien; todo eran en su vida dificultades, obstáculos, inconvenientes. La fatalidad le perseguía. Poco a poco se había ido llenando de deudas; eran pequeñas deudas, que ascendían ya a una cantidad importante. Tom Grey en la pista, a la vista del público, lo olvidaba todo. El público le adoraba. Y Tom Grey correspondía al favor del público, trabajando siempre, indefectiblemente, con ardor, con entusiasmo, con verdadero fervor. «¡Si yo tuviera nada más que veinte mil duros!», solía exclamar. «¿Para qué quiere usted los veinte mil duros?», le pregunté yo. «¿Para qué quiero yo los veinte mil duros?—tornaba él a preguntar—. Para librarme de las deudas, para trabajar en paz, para tener seguro un pequeño retiro a la vejez.» Dos, tres, cuatra veces, Tom Grey había estado a punto de ser rico. La Fortuna se dirigía hacia él; iba a poner la mano en su persona; ya estaba cerca; esta vez sí que el gran artista iba a ser feliz... Y la Fortuna se detenía a dos pasos de Tom Grey; no acababa de llegar hasta él. Una vez no le tocó, por un número, el premio gordo de la lotería; otra vez estuvo a punto de heredar de un pariente lejano muerto en América. Nunca se lograban las esperanzas del pobre Tom. La fatalidad le tenía echada doble llave. Sí, doble llave. Y lo van ustedes a ver.

—¿Queréis más champán?—preguntó Mariano Valero—. Voy a mandar que suban más; beberemos otra copa a la memoria de Tom Grey.

—Sí, bebamos a la memoria del *clown* más grande que yo he visto y del hombre más desgraciado que he conocido—dijo Guillermo Pritz.

Y luego, cuando hubimos bebido, Pritz continuó hablando:

—Una noche, Tom trabajó como todas las noches. Estaba triste, triste en su cuarto, como lo estaba siempre. Yo no noté nada en él... Al día siguiente, a las ocho, vinieron a despertarme y a decirme que Tom se había suicidado. Y por la noche de ese mismo día los periódicos, bajo el título de «Dos suicidios», daban la noticia del suicidio de Tom y de otro: el de un señor de la ciudad, don Benito Carranza, que era famoso en todo el pueblo por su avaricia y por sus extravagancias. Don Benito vivía en un cuartito de un quinto piso; vivía solo; él mismo se guisaba su comida; su comida la componían algunas legumbres cocidas y un poco de queso. Al morir quemó toda su fortuna (que tenía en billetes de Banco) en la cocina de su chiribitil.

—¡Bebamos otra copa a la memoria de Tom Grey!—exclamó Pritz—. Bebamos, porque ahora van a saber ustedes cómo la Fatalidad tenía echada doble llave al destino de Tom.

—¡Bebamos!—dijimos todos.

Y el director del circo prosiguió su relato:

—El juez que fué al cuchitril de don Benito para levantar el cadáver se encontró con un papel, escrito por el suicida, que decía: «Voy a morir dentro de un momento; poseo veinte mil duros en billetes de Banco; es decir, cien billetes de mil pesetas. Esta noche he ido al circo; pensaba dejar mi fortuna al *clown* Tom Grey. Pero no estaba yo decidido todavía; la suerte había de ser quien decidiera. Soy un apasionado de los números impares. Todo lo bueno de mi vida ha sido causado por los números impares, y todo lo malo, por los pares. He querido rendir mi último homenaje a los impares. Dejaría o no mi fortuna a Tom Grey, según lo dispusieran los números impares. He ido al circo esta noche. Tom Grey se hallaba en la pista. Ha comenzado a elevar unas pesas. Al mismo tiempo que las elevaba, iba gritando: «Una, dos, tres, cuatro, cinco...» Yo, en mi interior, he dicho que si Tom Grey elevaba las pesas un número impar de veces, mi fortuna sería para él, y si no, no. Desgraciadamente para Tom, el número de veces que ha levantado las pesas ha sido par. No puede, por tanto, ser mi heredero. Lo siento mucho.»

—¡Qué fatalidad!—exclamó Valero.

—Es verdad—añadió Paco—. No pudo ser Tom heredero de ese extravagante; pero, aunque lo hubiera sido, habría llegado tarde la herencia.

—Sí, habría llegado tarde...—añadió Pritz—, porque Tom se suicidó al terminar la función del circo. Y lo verdaderamente extraño es esto que les voy a decir a ustedes ahora. Recuerden ustedes lo que decíamos antes de la Fatalidad. No hay nada desdeñable en el universo; todo está encadenado; todo depende de todo... Yo, la noche del suicidio de Tom, estaba en la pista del circo, junto a él, cuando se hallaba levantando las pesas, y don Benito, el extravagante, lo estaba mirando; es decir, en el momento en que se estaba decidiendo la suerte de Tom, yo estaba allí a su lado, y recuerdo perfectamente todo lo que pasó. El ejercicio que hacía Tom era el mismo de todas las noches; todo, en estos ejercicios repetidísimos, es siempre igual. Tom levantaba todas las noches las pesas el mismo número de veces: siete veces; él tenía, sin ser supersticioso, predilección por ese número. Y aquella noche levantó seis veces las pesas y, al irlas a levantar la séptima, en el público resonó un agudo *quiquiriquí*. Un chuco imitó el canto del gallo. Tom, que se estaba ya inclinando para coger las pesas, se detuvo, se volvió a erguir y respondió con otro *quiquiriquí*. Y no levantó más las pesas. Yo tengo presente, como si fuera ahora, la sonrisa de melancolía profunda con que lanzó al aire el grito del gallo... Sin saberlo, el gran artista sonreía con sonrisa inefable a la Fatalidad, que en aquel instante jugaba tranquilamente con él.

—Tal vez—dije yo—si hubiera levantado siete veces las pesas, allí mismo don Benito, el extravagante, se hubiera acercado a él y le hubiera dado la noticia de la herencia.

—Es posible—añadió Pritz—; pero lo más probable es que no hubiera dicho nada, y el suicidio de Tom se hubiera consumado del mismo modo. La Fatalidad tenía echada la doble llave al pobre Tom Grey.

—¡Bebamos a su memoria!—exclamó Mariano.

Y todos, en silencio, bajo el fulgir de las estrellas, en la noche callada y serena, elevamos las copas en recuerdo del grande e infortunado artista.

LA MARIPOSA Y LA LLAMA

—¿Se acuerda usted, Blanca, de aquella plazoleta que vimos en León hace seis años?

—¿Hace seis años? ¿Hace ya seis años?

Y Blanca Durán, recostada en un amplio sillón, indolentemente, pasea una mirada un poco triste por la estancia.

—Sí; hace ya seis años—replica el poeta Joaquín Delgado.

—¡Cómo pasa el tiempo! — exclama Blanca. Y lanza a lo alto una bocanada de humo. Con el cigarrillo entre los dedos se queda luego absorta, pensativa.

La comida ha terminado. Después de la comida—no en el comedor grande del palacio; en un comedor chiquito, íntimo—, después de la comida, los cuatro o seis comensales — poetas, novelistas, escritores independientes—charlan con entera libertad en la estancia cómoda, silenciosa. El tiempo transcurre plácidamente. En tanto que el humillo del cigarro se eleva en caprichosas espirales, Blanca piensa en la lejana y vieja ciudad. Una grata sensación—de melancolía, de voluptuosidad—embarga sus nervios.

—¡Cómo pasa el tiempo!—torna a exclamar la dama.

Los comensales se hallan también arrellanados en anchos divanes; fuman, y de cuando en cuando se incorporan y alargan el brazo para tomar una copita de licor en una mesilla próxima. La conversación es lenta, suave, apacible. No hay en la grata charla ni prejuicios, ni temores, ni escrúpulos. Se habla de todo libremente y con sencillez.

—¡Cómo pasa el tiempo!—dice por tercera vez Blanca.

Sus labios, rojos, sensuales, se entreabren para arrojar una bocanada de humo. Con la punta rosada del meñique derriba la ceniza del cigarrillo.

—¡Yo quisiera ver otra vez esa plazoleta de León!—dice, después de un momento de meditación.

—¿Se acuerda usted, Blanca, qué paz, qué silencio, qué profundo sosiego había en aquella placita?—pregunta el poeta.

—¡Sí, sí!...—exclama Blanca—. ¡Una paz maravillosa!

—¡Un silencio tan denso, tan profundo, como si fuera la muerte!—replica su interlocutor.

—¿Quién habla de muerte?—pregunta otro de los comensales, después de sorber, tumbado, una copita de licor.

—¡Un silencio maravilloso! —añade Blanca—. ¡Yo quisiera ver otra vez esa plazoleta!

—Las plazoletas de las viejas ciudades españolas—añade el poeta—tienen un encanto inexplicable, misterioso.

—¿Misterioso como la muerte?—pregunta desde lejos el comensal que había sorbido antes la copita de licor.

—¡No habléis de muerte!—grita otro—. ¡Viva la vida!

—¡Yo quisiera ver otra vez esa plazoleta!—repite Blanca.

Su mirada vaga por el ámbito del salón, ensoñadora, melancólica; de sus labios se escapa otra bocanada de humo. Y ahora, recostada en el sillón, permanece un largo rato absorta, ensimismada, pensando en lo indefinido.

Es el otoño. Las arboledas se tiñen de un amarillo pálido; luego, el amarillo es más intenso; luego, el matiz es de oro viejo. Blanca ha salido de Madrid para hacer, en automóvil, el viaje a León. Desea ver, en estos días melancólicos del declinar del año, la plazoleta que le encantara otra vez. El automóvil, poderoso, camina rápidamente. Blanca contempla, a lo lejos, la silueta azul de las montañas y no piensa en nada. A la salida del Guadarrama, un accidente hace detenerse al coche. No ha pasado cosa mayor; los viajeros no han sufrido ningún daño; pero es preciso volver a Madrid para reparar los desperfectos del coche. ¿Podrán a la mañana siguiente reanudar el viaje los distinguidos viajeros? La jornada ha comenzado mal. Dos días después del retorno a Madrid, Blanca recibe un telegrama de París. Es preciso que la dama se ponga inmediatamente en camino: asuntos urgentes reclaman su presencia en la capital de Francia. El viaje a León queda aplazado indefinidamente; pero Blanca piensa en la vieja ciudad, y con los ojos del espíritu ve la reducida plazoleta, donde ella quisiera volver a estar un momento. Un momento en que ella tornaría a gozar del silencio, de la paz, del sosiego profundo.

¿Por qué no emprender ahora mismo, en estos días, el viaje a León? ¿Por qué no ponerse de nuevo en camino? El automóvil se halla ya reparado; los asuntos de París tal vez puedan ser resueltos sin su presencia. De Madrid a París y de París a Madrid van y vienen telegramas. Blanca trata de excusar su presencia en la gran ciudad; a un telegrama urgente, conminatorio, contesta con otro terminante, categórico. Desea no hacer en estos días su viaje a París; que se arregle todo sin ella; que hagan lo que les parezca pertinente; ella irá más tarde... Y todo es en vano. La plazoleta de León—tan silenciosa, tan sosegada—no podrá ahora ser vista por la romántica dama. La presencia de Blanca en París es imprescindible. Y allá se va, entristecida, contrariada, nuestra bella viajera.

Pero de París puede irse a todas partes. De París, indudablemente, se puede ir a Roma, a Berlín, a Viena, a Constantinopla. De París se puede ir también a León. En su cuarto del hotel, en París, Blanca piensa en la placita de León. El cielo es gris, de plata, en estos días invernizos; la temperatura es templada; no aprietan los fríos; una sensación agridulce de frialdad, no mucha, incita al paseo, al paseo largo, tonificador. A lo largo de los pretiles del Sena, Blanca, la ensoñadora, la romántica; Blanca, la generosa, va marchando rápidamente bajo el cielo de color ceniza. De cuando en cuando se detiene un momento ante un puestecillo de libros viejos; sus finas manos cogen un volumen, pasan sus hojas negligentemente. Lo tornan a dejar con cuidado. Y el pensamiento de Blanca, divagador, ensoñador, va lejos, muy lejos: va a la plazoleta de la vieja ciudad.

Dentro de dos días, resueltos los asuntos de París, Blanca marchará a León. Ya es cosa decidida. Dos días en León, y después, a Madrid. Pero al volver esta tarde al hotel esperaba a la viajera una grata sorpresa. Han venido de Londres a verla unos antiguos amigos. La alegría de Blanca ha sido sincera, cordialísima. Los queridos amigos vienen a París a ver a Blanca, y luego han de proseguir su viaje hacia el Mediterráneo. ¡Qué hermoso viaje este que van a emprender los amigos de la distinguida madrileña! Y Blanca debía acompañarles; ellos no se consolarían nunca de que su amiga, su querida amiga, no fuera con ellos. Las instancias son tan reiteradas, tan cariñosas, que Blanca decide acompañarles en su peregrinación.

¡Qué azul es el Mediterráneo! En el azul del mar, bajo el azul del cielo, se ve allá, a lo lejos, emerger el resalto de una isla. No hay en toda la inmensidad —llana y plácida—más que dos colores, dos matices de azul: el del cielo y el del mar. Dos colores que son uno mismo; un mismo color de azul, con combinaciones y matices diversos. A veces, el del cielo más intenso; a veces, más intenso el del mar. Y de tarde en tarde, arriba y abajo, unos penachos, unos burujones blancos, espumosos, que se mueven y caminan lentos o rápidos. Arriba, las nubes; abajo, la crestería de las olas. Y ahora, a lo lejos, en la remota lejanía, después de la embriaguez del azul, los ojos comienzan a distinguir una pincelada—tenue, sutil—de violeta, de morado y de oro.

Sobre cubierta, Blanca, sentada en una larga silla, contempla este resurgimiento lejano de una isla. Y su pensamiento del cielo, del mar, de la isla remota, pasa en un instante a la placita silenciosa de la vieja ciudad.

Después del largo viaje por el Mediterráneo, por Oriente, Blanca ha invitado a sus amigos a pasar unos días en su casa de San Sebastián. Cuando, dentro de un par de semanas, sus amigos regresen a Londres, ella emprenderá el viaje a León. De camino a Madrid, torcerá un poco la ruta: se detendrá unas horas en la histórica ciudad y luego continuará su marcha hacia la capital de España.

Al día siguiente de marcharse los amigos de Londres, Blanca se siente un poco indispuesta. No es nada, sin embargo. No es nada; pero el médico le aconseja que no vuelva a Madrid. Lo indicado, dada la naturaleza de la enferma, es que Blanca vaya a pasar un mes o dos a Suiza. Blanca necesita, en realidad, hace tiempo haber estado en un clima de altura. El médico insiste en su recomendación. No es posible hacer por ahora el viaje a la ciudad castellana.

Y ya se halla la viajera en un hotel de la montaña suiza. Desde su cuarto, con las ventanas abiertas, Blanca contempla, ahí cerca, muy cerca, la cumbre alba, cana por las nieves, de un monte. ¿Cerca, muy cerca? La transparencia del aire es tal, que, estando muy distante la montaña, parece que se va a tocar con la mano. Y en el aire, tan sutil, tan transparente, se eleva y resalta la blancura de la montaña. Luego, debajo, en las vertientes, todo es oscuro, negro, hosco. Los barrancos son de una profundidad tenebrosa; acá y allá, en la negrura, brilla, resplandece una arista cubierta de nieve.

La mirada de Blanca se apacienta de lo blanco de la nieve, penetra en lo hondo de las quiebras, corre por el cielo translúcido. Y el pensamiento de la dama, ensoñador, corre en tanto hacia la plazoleta de la vieja ciudad.

Ya se divisa a lo lejos la vieja ciudad. El viaje ha sido, por fin, realizado. La fatalidad ha ido haciendo que esta visita a León se demore. Los días, los meses, han ido pasando. Diríase que una fuerza oculta, misteriosa, iba poniendo obstáculos para que el viaje no se realizase. Y diríase también que otra fuerza, igualmente misteriosa y potente, iba poco a poco, con perseverancia, luchando por destruir esos obstáculos. Una lucha terrible, trágica, entre dos fuerzas contrarias, enemigas, se había entablado alrededor de tal viaje. Como una brizna, como una hoja seca que rueda por el suelo, la vida de Blanca, en la región insondable del misterio, iba y venía, llevada y traída, agitada por un vendaval de fatalidad. En tanto que su destino se decidía—allá en lo infinito—, Blanca contempla el Guadarrama, el cielo de París, el Mediterráneo, las montañas suizas...

Ya está Blanca—tras tantos obstáculos vencidos—en la vieja ciudad. La plazoleta no es ya la misma; han derribado parte de sus casas; en un lado, en unas edificaciones nuevas, han establecido un bar... La dama se halla en la plazoleta. Se oyen, de pronto, furiosas vociferaciones en el bar. Salen dos hombres corriendo; suena un disparo; la dama vacila un segundo, se lleva las manos al pecho, cae desplomada.

En la región del insondable misterio, la batalla ha terminado. De las dos fuerzas contrarias, enemigas, ha vencido una: la muerte. Desde la nebulosa—la nebulosa del planeta—, acaso estaba dispuesto que una mujer ensoñadora, fina, delicada, romántica, había de vencer mil dificultades, mil obstáculos, que se oponían a su muerte, para ir—como la mariposa a la llama—a buscar su fin a una placita llena de silencio, de paz, de sosiego, en la vieja ciudad.

EL PRIMER MILAGRO

En Belén; año primero de la Era Cristiana.

La tarde va declinando; se filtran los postreros destellos del sol por el angosto ventanillo del sótano. Todo está en silencio. Las manos del anciano van removiendo, como si fuera una blanda masa, el montón de monedas de oro, relucientes, que está sobre la mesa. El anciano tiene una larga barba entrecana; los ojos aparecen hundidos. Los últimos fulgores del sol van desapareciendo; por el tragaluz ya sólo se escurre una débil y difusa claridad. Las monedas vuelven a la recia y sólida arca. El anciano cierra la puerta con un cerrojo, con dos, con una armella, con unas barras de hierro, y luego asciende, lento, por la angosta escalerita. Ya está en la casa. La casa se levanta en un extremo del pueblo, se halla rodeada de extenso vergel y tiene a un lado una accesoria para labriegos y servidumbre. El anciano camina lentamente por la casa; su índice—el de la mano derecha—pasa y repasa sobre la curvada nariz. Al pasar por un corredor ha visto el viejo una puerta abierta; esta puerta ha mandado él que esté siempre cerrada. Se detiene un momento el viejo; da una voz de pronto; le enardece la cólera; acude un criado; el viejo impropera al criado, se acerca a él, le grita en su propia cara. Tiembla el pobre servidor y prorrumpe en palabras de excusa. Y el viejecito de la barba blanca prosigue su camino. De pronto se detiene otra vez; ha visto sobre un mueble unas migajas de pan. La cosa es insólita. No puede creer el anciano lo que ven sus ojos. Llegarán, por este camino, a dispersar, destruir su hacienda. Han estado aquí, sin duda, comiendo pan—pan salido, indudablemente, de la despensa—y han dejado caer unas migajas. Y ahora su cólera es terrible. La casa se hunde a gritos; la mujer del viejo, los hijos, los criados, todos, todos le rodean suspensos, temblorosos, mohinos, tristes. Y el viejo prosigue con sus gritos, con sus denuestos, con sus improperios, con sus injurias.

La hora de cenar ha llegado. Antes ha conversado el anciano con los cachicanes que llegan todas las noches de las heredades cercanas. Todos han de darle cuenta—cuenta menudísima, detallada—de la jornada diaria. No puede acostarse ningún día el viejo sin que sepa concretamente en qué se ha gastado el más pequeño dinero y qué es lo que han hecho, minuto por minuto, todos sus servidores. La relación de los labrantines y cachicanes se desliza entreverada por los gritos y denuestos del anciano. Y todos sienten ante él un profundo pavor.

El pastor se ha retrasado un poco esta noche. El pastor regresa de los prados próximos al pueblo, todas las noches, poco antes de sentarse a la mesa el anciano. El pastor apacienta una punta de cabras y un hatillo de carneros. Cuando llega, después de la jornada, por la noche, encierra su ganado en una corraliza del huerto y se presenta al amo a darle cuenta de la jornada del día. El anciano, un poco impaciente, se ha sentado a la mesa. Le intriga la tardanza del pastor. La cosa es verdaderamente extraña. A un criado que tarda en traerle una vianda—retraso de un minuto—, el anciano le grita desaforadamente. El criado se desconcierta; un plato cae al suelo; la mujer y los hijos del viejo se muestran despavoridos; sin duda, ante esta catástrofe—la caída de un plato—, la casa se va a venir abajo con el vociferar colérico, iracundo, tempestuoso, del viejo. Y, en efecto, media hora dura la terrible cólera del anciano. El pastor aparece en la puerta; trae cara de quien va a ser ajusticiado; en mal momento va a dar cuenta de su misión del día.

—¿Ocurre alguna novedad?—pregunta el viejo al pastor.

El pastor tarda un instante en responder; con el sombrero en la mano, mira absorto, indeciso, al señor.

—Ocurrir, como ocurrir—dice al cabo—, no ocurre nada...

—Cuando tú hablas de ese modo es que ha ocurrido algo...

—Ocurrir, como ocurrir...—repite el pastor, dando vueltas entre las manos al sombrero.

—¡Sois unos idiotas, mentecatos, estúpidos! ¿No sabéis hablar? ¿No tienes lengua? Habla, habla...

Y el pastor, trémulo, habla. No ocurre novedad, no ha sucedido nada durante el día. Los carneros y las cabras han pastado, como siempre, en los prados de los alrededores. Los carneros y las cabras siguen perfectamente; han pastado bien; sí, han pastado como todos los días... El viejo se impacienta.

—¡Pero, idiota, acabarás de hablar!—grita colérico.

Y el pastor dice, repite, torna a repetir que no ha ocurrido nada. No ha ocurrido nada; pero en el establo que se halla a la salida del pueblo, junto a la era—establo y era propiedad del señor—, ha visto, cuando regresaba el pastor a casa, una cosa que no había visto antes. Ha visto que dentro del establo había gente.

El viejo, al escuchar estas palabras, da un salto. No puede contenerse; se levanta, se acerca al pastor y le grita:

—¿Gente en el establo? ¿En el establo que está junto a la era? Pero..., pero ¿es que no se respeta ya la propiedad? ¿Es que os habéis propuesto arruinarme todos?

El establo son cuatro paredillas ruinosas; la puerta — de madera carcomida, desvencijada — puede abrirse con facilidad; una ventanita abierta en la pared del fondo da a la era. Ha entrado gente en el establo; se han instalado allí; pasarán allí la noche; tal vez estén viviendo allí desde hace días. Y todo esto es la propiedad, la sagrada propiedad del viejo. ¡Y sin pedirle a él permiso! Ahora la tormenta de la cólera es tan grande, más grande, más estruendosa que antes. Sí, sí; indudablemente, todos se han propuesto arruinar al pobre anciano; todos, descuidados, manirrotos, sin parar atención en la hacienda, se han propuesto que este anciano acabe en la pobreza, en la miseria. El caso de ahora es terrible, no se ha visto nunca cosa semejante; nunca ha entrado nadie en una propiedad—casa o tierra—de este viejo señor. Y el viejo señor, ante hecho tan peregrino, estupendo, decide ir él mismo a comprobar el desafuero, a remediarlo, a echar del establo a esos vagabundos.

— ¿Qué gente era? — le pregunta al pastor.

—Pues eran..., pues eran—replica titubeando el pastor—; pues eran un hombre y una mujer.

—¿Un hombre y una mujer? Pues ahora veréis.

Y el viejo de la larga barba ha cogido su sombrero, ha empuñado el bastón y se ha puesto en camino hacia la era próxima al pueblo.

La noche es clara, límpida, diáfana; brillan—como las moneditas de oro antes—las estrellitas en el cielo. Todo está sosegado; el silencio es grato, profundo. El anciano va caminando solo, nerviosamente, vibrando de cólera. Da fuertes golpazos con el cayado en el suelo. La silueta del establo, ante la blancura de la era, se percibe a lo lejos, sobre el cielo de un azul oscuro. Ya va llegando el anciano a las paredillas ruinosas. La puerta está cerrada. La mano izquierda del viejo pasa y repasa por la luenga barba. No quiere el viejo penetrar de pronto por la puerta. Se detiene un momento, y luego, despacito, se va acercando a la ventanita que da a la era. Se ve dentro un vivo resplandor. El anciano va a aplicar su cara a la ventana. Ya sus ojuelos vivarachos están cerca del angosto hueco. La mirada del anciano penetra en lo interior. Y, de repente, el viejo lanza un grito, un grito que se esfuerza, un segundo después, por reprimir. La sorpresa ha paralizado los movimientos del anciano. A la sorpresa sucede la admiración; a la admiración, la estupefacción profunda. Todo el cuerpo del anciano está clavado junto a la pared con sólida inmovilidad. La respiración del viejo es anhelosa. Jamás ha visto el viejo lo que ha visto ahora; esto que el anciano contempla no lo han contemplado, sin duda, nunca ojos humanos. No se aparta la mirada del viejo de lo interior del establo. Pasan los minutos, pasan las horas insensiblemente. El espectáculo es maravilloso, sorprendente. ¿Cuánto tiempo ha pasado ya? ¿Cómo medir el tiempo ante tan peregrino espectáculo? Tiene la sensación el anciano de que han pasado muchas horas, muchos días, muchos años... El tiempo no es nada al lado de esta maravilla, única en la tierra.

Regresaba lentamente, absorto, meditativo, el viejo a su casa de la ciudad. Han tardado en abrirle la puerta, y él no ha dicho nada. Dentro de la casa, una criada ha dejado caer la vela cuando iba alumbrándole, y él no ha tenido ni la más leve palabra de reproche. Con la cabeza baja, reconcentrado, iba andando por los corredores como un fantasma. Su mujer, que le ha recibido en una sala, al hacer un movimiento brusco ha derribado un mueble; han caído al suelo unas figuritas y se han roto. El anciano no ha dicho nada. La sorpresa ha paralizado a la esposa del caballero. La sorpresa, el asombro ante la insólita mansedumbre del viejo, ha sobrecogido a todos. El anciano, encerrado en un profundo mutismo, se ha sentado en un sillón. Sentado, ha dejado caer la cabeza sobre el pecho, ha estado meditando un largo rato. Le han llamado después—como se llama a un durmiente—, y él, con mansedumbre, con bondad, dócilmente, cual un niño, se ha dejado llevar hasta la cama y ha consentido que le fueran desnudando. Y a la mañana siguiente, el viejo ha continuado silencioso, absorto; a unos pobres que han llamado a la puerta les ha entregado un puñado de monedas de plata. De su boca no sale ni la más leve palabra de cólera. La estupefacción es profunda en todos. De un monstruo se ha trocado en un niño el viejo señor. Su mujer, los hijos, están alarmados; no pueden imaginar tal cambio; algo grave debe de ocurrirle al viejo; durante su paseo, por la noche, a la era, al establo, algo ha debido de ocurrirle. Esta mansedumbre de ahora es acaso más terrible que las cóleras de antes; acaso pueda ser nuncio este abatimiento de algún grave mal. Todos miran, observan, examinan al anciano en silencio, recelosos, inquietos. No se deciden a interrogarle; él se obstina en su mutismo. Y la mujer, al cabo, dulcemente, con precauciones, interroga al anciano. El coloquio es largo, prolijo; el viejo no accede a revelar su secreto. Y al cabo, tras el mucho porfiar, con dulzura, de la mujer, el anciano revela su secreto. Junto al oído de la mujer ha puesto, para hablar, para hacer la revelación suprema, sus labios. El asombro se pinta en la cara de la esposa.

—¡Tres reyes y un niño!—exclama, sin poder contenerse.

Y el anciano le indica que calle, poniéndose el índice de través en la boca. Sí, sí; la mujer callará. Callará, pero pensará siempre lo que está pensando ahora. No sabe la buena señora qué es peor, si lo de antes—las cóleras de antes—o esta locura, sí, locura, de ahora. ¡Tres reyes en el establo y un niño! Evidentemente, durante su paseo nocturno debió de ocurrirle algo al anciano. Poco a poco se difunde por la casa la noticia de que la mujer del anciano conoce el secreto de éste; preguntan los hijos a la madre; la madre se resiste a hablar; al cabo, pegando la boca al oído de la hija, revela el secreto del padre. Y la exclamación no se hace esperar:

—¡Qué locura! ¡Pobre!

La servidumbre se entera de que los hijos conocen la causa del mutismo del señor; no se atreven, por el pronto, a interrogar a los hijos; al cabo, una sirvienta anciana, que lleva en la casa treinta años, pregunta a la hija. Y la hija, poniendo sus labios a par del oído de la anciana, le dice unas palabras.

—¡Oh, qué locura! ¡Pobre, pobre señor!—exclama la vieja.

Poco a poco, la noticia se ha ido difundiendo por toda la casa. Sí, el señor está loco; padece una singular locura; todos mueven a un lado y a otro la cabeza tristemente, compasivamente, cuando hablan del anciano. ¡Tres reyes y un niño en un establo! ¡Pobre señor!

Y el viejo de la larga barba, sin impaciencias, sin irritación, sin cólera, va viendo, en profundo sosiego, cómo pasan los días. A la mansedumbre se junta en su persona la liberalidad. Da de su dinero a los pobres, a los necesitados; tiene para todos palabras dulces, exorables. Y todos en la casa, asombrados, recelosos, entristecidos—sí, entristecidos—, le miran con mirada larga y piadosa. El señor se ha vuelto loco; no puede ser de otra manera. ¡Tres reyes en un establo! La mujer, inquieta, va a buscar a un famoso doctor.

Este doctor es un hombre muy sabio; conoce las propiedades de los simples, de las piedras y de las plantas. Cuando ha entrado el doctor en la casa le han conducido a presencia del viejo; ha dejado éste hacer al doctor; parecía un niño, un niño dócil y débil. El doctor le ha ido examinando; le interrogaba sobre su vida, sobre sus costumbres, sobre su alimentación. El anciano sonreía con dulzura. Y cuando le ha revelado su secreto al doctor, después de un prolijo interrogatorio, el doctor ha movido la cabeza, asintiendo, como se asiente, para no desazonarlo, a los despropósitos de un loco.

—Sí, sí—decía el doctor—. Sí, sí; es posible. Sí, sí; tres reyes y un niño en un establo.

Y otra vez tornaba a mover la cabeza. Y cuando se ha despedido, en el zaguán, a la mujer del anciano, que le interrogaba ansiosamente, ha dicho:

—Locura pacífica, sí; una locura pacífica. Nada de peligro; ningún cuidado. Loco, sí, pero pacífico. Ningún régimen especial. Esperemos...

NO ESTA LA VENUS DE MILO

DON Rodrigo de Carvajal, duque de Bracamonte, señor de Valflores, vive accidentalmente aquí, en París. La cuestión monetaria no le acongoja. Desde lejos vió llegar a España la catástrofe y situó grandes sumas —de tres a cuatro millones de francos— en Ginebra y Londres. El arquitecto Mansard ideó unos tejados especiales. Esos tejados imponen a los aposentos que se hallan inmediatamente debajo una configuración determinada. La buhardilla no es lo mismo que la *mansarde*. La *mansarde* tiene el techo de modo distinto. Sobre un escabel, durante largos ratos, puestos los codos en el alféizar del ventano, Rodrigo de Carvajal, en esta mansarda, solo, abstraído, bajo el cielo ceniciento de París, contempla la vasta y hermosa plaza de la Concordia. Cuando se sale de la mansarda, se recorre un pasillo, y a poco trecho se ven dos escaleras. Por una se desciende, de piso en piso, de rellano en rellano, hasta el suntuoso vestíbulo del hotel. El hotel es uno de los grandes y lujosos hoteles de París. Por la otra escalera se baja a las dependencias de la casa—tinelo, lavadero, despensa, cocina—, y se sale al exterior por una puerta de servicio. Rodrigo de Carvajal, cuando se cansa en su mansarda de contemplar el cielo gris o la ancha plaza, baja por esta última escalera y sale a la calle. No lee mucho el duque de Bracamonte. Los libros no le dicen nada. La vida se lo ha dicho todo. En un librito chico, de escasas páginas, que conserva—escrito no se sabe por quién, si por Tomás Kempis o por el francés Gerson—, se dice que un pobre rincón donde meditar, cuatro paredes, en suma, basta al hombre inteligente. El que no sepa permanecer entre cuatro paredes no sabrá nada.

Lo sabía todo Rodrigo de Carvajal, pero no sabía dónde ir cuando salía por la escalera de servicio del fastuoso hotel. No sabía tampoco qué hacer de su dinero. Generoso y liberal, lo había sido siempre. Desgracias, remediaba cuantas podía aquí, en París. Pero no veía a nadie. Las amistades que tenía en París no habían conseguido llevárselo consigo. Hospitalidad digna y cómoda la hubiera tenido en casa de estos amigos. No quiso el duque salir de su mansarda. Y el placer que experimentaba aquí, en este pobre cuarto de hotel, con el techo inclinado, era el de vivir míseramente, teniendo debajo los suntuosos cuartos donde podía morar. El odio que sentía ahora hacia el dinero le impulsaba a imponer al dinero esta humillación. La imponía en su propia persona. El dinero lo podía todo, y allí estaba la prueba de que el dinero no podía una cosa. En los bolsillos, atiborrados de billetes de mil francos, Rodrigo, caminando por París, metía las manos y estrujaba los delgados y valiosos papeles. Sus dedos estrujaban con rabia, y el pensamiento de Rodrigo vagaba por España.

Al museo del Louvre no había vuelto desde hacía tiempo. En su casa de España, el duque atesoraba cuadros y estatuas de grandes artistas. Sentía amor por la pintura. No estaba su espíritu ahora propicio a la contemplación estética. Pero fué una mañana al Louvre. Y como el arte griego—todo serenidad—le atraía, se detuvo largo rato en las salas de la estatuaria helénica. La Venus de Milo, tan graciosa, tan fina, se erguía en su pedestal. Y allí estaba, infusa en el mármol inmortal, Natividad Crespí, condesa de Ridaura, dama valenciana, esposa de Rodrigo de Carvajal. No había reparado en ello nunca el duque. La semejanza era pasmosa. Y ahora, de pronto, al advertir el parecido de la estatua con su mujer, se conmovía profundamente. Suspenso, absorto, la estatua fría, marmórea, era él y no la que tenía ante sí. Su mirada no se apartaba de la bella mujer helénica. Los ojos de la Venus de Milo eran los ojos de Natividad. El óvalo de su cara, idéntico. Y análoga la actitud que Natividad, en ciertos momentos, solía adoptar. ¿Soñaba o no soñaba Rodrigo de Carvajal? Dió un hondo suspiro y se sentó en uno de los bancos que hay en los cuatro ángulos. La Venus de Milo se encuentra en una sala de la planta baja. Colocada en el centro, la luz de un ancho ventanal la baña suavemente. El duque, en el silencio, no cesaba de contemplar la bella estatua. No se hallaba ya Rodrigo en el Louvre. No estaba en aquella sala de paredes enlucidas de un tenue amarillo. Ahora, allá en España, en la mansión señorial, se encontraba en una sala en que había cuatro o seis labranderas. Desplegaban blancos lienzos y mariposeaban sobre la blancura las rosadas manos. La blancura de los lienzos se confundía con la blancura de las paredes. En un costurero había carretes de hilo, cintas, tijeras, dedales. La duquesa Natividad sonreía siempre. Sus menudos dientes nítidos se mostraban, fresca la boca, entre los encendidos labios. Sus manos se mezclaban con las manos de sus criadas. De cuando en cuando, una vieja canción popular, entonada a media voz, venía a romper el dulce y afanoso silencio. Y por la ventana, abierta de par en par, entraba a ráfagas el penetrante perfume de los naranjales en flor. Rodrigo de Carvajal, en este momento, todos los días, indefectiblemente, aparecía en la puerta, enviaba una sonrisa a Natividad y se sentaba. Ahora no existiría ya nada de esto. La alegría no existiría jamás. Natividad había sido asesinada y el duque estaba en París.

Tres días después, Rodrigo ha vuelto al Louvre. Su asombro al penetrar en la sala griega ha sido enorme. No está la Venus de Milo. El pedestal aparece vacío. No se explica el duque cómo la Venus de Milo puede haber desaparecido. El guardián de la sala, interrogado, contesta lacónicamente a Rodrigo: «*Oui, monsieur, oui*», y lo mira con cierto recelo. Los periódicos no han hablado de la desaparición. Y estando el duque ensimismado, confuso, ve que se le acerca una dama enlutada. Al mirar la cara de esta mujer, ha tenido Rodrigo que contenerse para no dar un grito. Esta mujer es la propia Venus de Milo. Y la Venus de Milo es Natividad. Sí, Natividad está allí, ante él, y va a hablarle. Y todas las mañanas el milagro se repite. La Venus de Milo no está. Pero está la dama enlutada, que es la propia Venus de Milo, viva y auténtica.

Un día, Rodrigo encuentra en la calle una bella y cautivadora transeúnte. No ha sido un devaneo, sino un fugitivo instante de hechizo. Al día siguiente, al entrar en la sala griega, la Venus de Milo se halla en su pedestal. No aparece tampoco la dama enlutada. Y Rodrigo piensa: «Sí, sí, lo comprendo; ayer, durante unos minutos, he sido infiel, con el pensamiento, a Natividad, y Natividad no ha querido venir hoy.» Acongojado, Rodrigo contempla la estatua. Los días siguientes, como el arrepentimiento ha sido tan sincero y profundo como la aflicción, no está la Venus de Milo.

Del brazo de un amigo va bajando Rodrigo de Carvajal las escaleras del hotel. Ahora baja por las escaleras alfombradas, ricamente alfombradas, que llevan al vestíbulo. Se detienen los dos amigos en los rellanos. El duque está profundamente abatido. En el primer rellano, el amigo dice:

—Vamos, Rodrigo, ten valor. Tú has sido siempre animoso. Haz un esfuerzo y domínate a ti mismo.

En el segundo rellano, el amigo añade:

—Verás cómo estás allí muy bien. La casa está dirigida por un amigo mío. Desde la ventana contemplarás las montañas nevadas. En toda Suiza no hay un sitio más apacible.

En el tercer rellano, el amigo agrega:

—El doctor Bernheim, que dirige la casa, es todo cordialidad e inteligencia. Te acogerá con todo cariño. ¿No es verdad, querido Rodrigo, que vienes a gusto?

Y Rodrigo de Carvajal, duque de Bracamonte, señor de Valflores, sin contestar nada, llora como un niño.

UNA CARTA DE ESPAÑA

Daniel y Rosario, marido y mujer, viven aquí, en París. La familia no ha podido escapar de Madrid. No les falta a Daniel y Rosario lo preciso para vivir. El primer mes se han dedicado a ver París. Han visitado los museos y han visto los monumentos. La novedad vencía en ellos lo ingénito. La novedad eran las cosas nunca vistas de París, y lo ingénito es lo que hemos visto y gustado siempre. El cuarto en que paraban tenía doce metros de largo por ocho de ancho. El menaje lo componían dos camas, una butaca, dos sillones y una mesita. Como accesoria, cuenta con una camarilla de baño. El tiempo ha ido pasando; las semanas han sucedido a las semanas. Y lo ingénito ha ido recobrando su imperio sobre Daniel y Rosario. Desde lo remoto pretérito, a través de las generaciones, viene hasta ellos este acervo de lo ingénito. Convierne a lo moral y a lo físico. Se han cansado ya Daniel y Rosario de ver París. En Francia, ni el sustento ni el sueño—cosas tan esenciales—son idénticos a los de España. Al sustento le falta lo que tanto irrita a los galos que viajan por España: el aceite. El sueño no puede ser el mismo—no puede ser tan plácido—siendo distinto el modo de las camas. Cada noche, al acostarse, Daniel y Rosario dedican un recuerdo a las almohadas de España y a la molicie y blandura de los colchones españoles.

No saben ya qué hacer Daniel y Rosario. Llegan los días inacabables del tedio. No debemos decir «inacabables». Daniel y Rosario se hallan en la edad provecta, y en esta edad el tiempo es más breve que para la puericia y la juventud. Lo que no pueden sufrir Rosario y Daniel es el no tener noticias de casa. Las han tenido durante el primer mes. Ya no llegan hasta ellos ni postal, ni carta, ni telegrama. Han escrito y telegrafiado a la familia. Han escrito y telegrafiado a los amigos para que les envíen noticias de la familia. No han recibido respuesta alguna. Los días los pasan metidos en el cuarto del hotel. A la obsesión de lo que les habrá ocurrido a los familiares se une el desabrimiento de la inactividad. Rosario no cesaba en su ajetreo casero, de la cocina a la despensa, de la despensa al cuarto de costura, del cuarto de costura a los desvanes. Ahora, aquí, en París, Rosario está sentada, con los brazos cruzados, inmóvil. Daniel ha leído un rato, ha dejado el libro y parece soñar. A estas penosas sensaciones se van juntando otras que ellos no esperaban. Dinero tenían lo estrictamente necesario para el hotel. Les faltaba para otras cosas. De Madrid no habían podido sacar—en su fuga precipitada—más que dos maletas con un poco de ropa. Los trajes que habían sacado eran nuevos; pero poco a poco, un mes tras otro, esos trajes se iban traspillando. No se los podían cambiar. Y padecían un molesto agobio. Porque ponerse un traje distinto del que se ha llevado durante algún tiempo es un descanso. Todo se iba conjurando contra ellos. Todo, desde el cielo ceniciento y lluvioso de París hasta las mantenencias. Y cartas no llegaban. Dentro de un siglo, de dos o de diez, cuando se hable de estas cosas ocurridas ahora—ocurridas en España—, las gentes no las comprenderán. De París a Madrid la distancia no es larga. Existen muchos medios de comunicación. Van y vienen de una a otra ciudad muchos viajeros. Por telégrafo, por correo terrestre, por correo aéreo, por radiodifusión, pueden comunicar una y otra capital. Y, sin embargo, de casa de Daniel y Rosario, en Madrid, no venía nada al cuartito del hotel en que están Rosario y Daniel. Diríase que había más distancia de Madrid a París que de Madrid a una ciudad de Australia o de Nueva Zelandia. El espacio entre Madrid y París era impenetrable y terrible.

La ansiedad aumentaba en los dos expatriados. Se hacían la ilusión de que al día siguiente llegaría la carta, y al día siguiente no había nada. Debía ocurrir algo en la casa de Madrid. Indudablemente, cuando no tenían noticias es que alguna cosa ocurría. ¿Y por qué los amigos a quienes habían pedido noticias no las enviaban tampoco? No las enviaban por no darlas fatales. Y la certidumbre de una desgracia—desgracia horrenda—se imponía a Daniel y Rosario.

—No vienen cartas—decía Rosario—porque estamos siempre en el hotel esperándolas. ¿Tú no has notado, Daniel, que las cartas llegan siempre cuando se está fuera de casa?

Daniel se esforzaba por sonreír. Y salían a dar un largo paseo. Al regresar no había carta tampoco. Daniel, para olvidarse de sí mismo, para olvidarse un momento, dedicaba algún rato a la lectura. En los pretiles del Sena compró un día las obras de Esquilo. Y después de leída alguna de estas tragedias grandiosas, se las explicaba a Rosario. Sin advertirlo, al dolor auténtico sobreponía el dolor ficticio—ficticio, pero abrumador—de la fatalidad griega. La tragedia de Agamenón les conmovió. Comentaban sus incidencias. Agamenón, feliz triunfador, henchido de optimismo, regresa de Troya y se detiene en Argos, a la puerta de su palacio. Su esposa ha tendido sobre la escalinata del palacio una rica alfombra para que él pueda ascender muellemente hasta la puerta. La esposa, sonriente, le hace caricias y le mima. Y Agamenón traspone los umbrales del palacio, y tras la puerta, que se cierra, encuentra el horror y la muerte.

—¿No crees tú, Rosario, que Agamenón no debía haber entrado en palacio?—dice Daniel.

—Tienes razón, Daniel—replica Rosario—. Tras de aquella puerta estaba la desgracia que él no esperaba.

—¿Y no se detendrá un momento ante la puerta, como sobrecogido de un presentimiento instintivo?

Los días van pasando. Con los días, la ansiedad angustiosa aumentaba. Comer, comían muy poco. El dolor moral los había tornado inapetentes. No se tienen ganas de comer cuando se siente con tanta pena y con tal intensidad. Y un día, al volver a casa, al punto que traspasaban la puerta del cuarto en el hotel, vieron sobre la mesita una mancha blanca. Se sobresaltaron y quedaron suspensos. No cabía duda. Se hallaban ya ante la mesa y veían lo que era. La carta—carta con sello de España—estaba allí. No se decían nada uno a otro. Daniel miraba a Rosario y Rosario tenía la vista fija en Daniel. Sí, la carta, la suspirada carta, había llegado ya.

—No viene con sobre de luto—dijo, al fin, Rosario.

—¿Y crees tú, Rosario, que la escribirían con papel de luto para que advirtiéramos desde el primer momento la desgracia?—insinuó, dolorosamente, Daniel.

No se atrevían a abrir la carta. Una puerta se abre—como en la tragedia de Esquilo—y detrás está la muerte. Una carta se abre, como podía suceder ahora, y dentro está el espanto. No se decidía a abrir la carta. El miedo podía más que el deseo. Transcurrieron muchos minutos y la carta estaba allí sin tocar. Dolorosos presentimientos embargaban a marido y mujer. Preferían ahora no saber nada a saber la verdad. Y en este trance, Rosario coge el teléfono. Ya tiembla al cogerlo. Ya está trémula al hablar. Ya llama con angustia a un amigo. El amigo ha de venir —vive cerca—y ha de abrir la carta. Entre tanto, Daniel y Rosario se ausentarán del hotel, y a su regreso el amigo les dirá lo que dice la carta.

Daniel y Rosario han salido del hotel. Han dado vueltas por las calles, como alucinados, y caminan de vuelta a casa. La mano de Daniel prende la mano de Rosario. Ante el hotel hay un jardincito. Ya se acercan al jardín. Desde el jardín se ve la ventana del cuarto en que ellos moran. Los pasos de Daniel y Rosario son lentos. Dentro de un minuto van a tener descifrado el enigma. La esfinge habrá hablado. No se atreven a acercarse al hotel. Se sientan en un banco del jardín. La mano de Rosario se estremece en la mano de Daniel. En silencio, con el corazón oprimido, Daniel y Rosario levantan la vista y miran—en un instante que es un siglo— la ventana del cuarto.

HAY LOTO EN PARIS

—¡En París hay de todo!—exclamé yo.

—¿Quién ha dicho que en París hay de todo?—saltó Emilio Cantos—. ¡En París no hay nada! Y digo que en París no hay nada porque si no hay lo que yo necesito, es para mí como si no hubiera nada.

—¿Y qué es lo que tú necesitas?

—Loto.

—¿Y qué es loto?

—Un fruto. Hablan de él Herodoto y Plinio. Deben de hablar otros muchos autores. Y existe un dato bonito. Cuando Ulises estuvo en el país de los lotófagos, él y sus compañeros comieron loto. El fruto es delicioso y hace olvidar las penas. No es posible que un fruto tan conocido en la antigüedad haya desaparecido. Dicen que era algo así como un higo redondo, o un dátil, o una serba madura.

—¿Y qué darías tú por un loto?

—Todo lo que me pidieran.

Emilio Cantos hubiera dado por el loto cuanto le pidieran, porque quería olvidar. En España, durante los meses de convulsión que allí pasó, había llegado a un sopor doloroso. No podía escribir ni leer. Más allá Emilio del comedio de la vida, el trabajo y los afanes le habían quebrantado. Se sostenía gracias a un cuidado exquisito. Mantener ese equilibrio era cosa ardua. A la falta de salud se añadía un cierto estado espiritual extraño. No sabemos si la misma falta de salud daba pábulo a esa situación anímica. Emilio Cantos llegó a no distinguir la realidad de la idea. Para él todo eran ideas. Daba a veces una fuerte patada en el suelo para convencerse de que aquello—la tierra, la materia, la realidad—existía, y pensaba que aquello era también una idea. Y ahora, en París, después de cinco años de emigración, el equilibrio, tan penosamente mantenido en España, se rompía. El cerco de Madrid se iba estrechando y Emilio iba sintiendo cada vez más angustia. Tenía allí seres queridos y en ellos pensaba a todas horas. Todo el universo eran ideas, menos el dolor de España y el dolor de los familiares adorados. Y como esta obsesión era tan dilacerante, Emilio hubiera dado todos los tesoros del mundo por un cachito de loto; es decir, para olvidar. Olvidarlo todo no quería. Olvidarlo todo hubiera sido cometer una traición, indigna traición con España y con los suyos; pero ¿por qué de raro en raro no lograr un poco de mitigación en el dolor, que le permitiera escribir? ¿Y por qué el loto, el dichoso fruto del loto, no le iba a poder restablecer el equilibrio quebrantado?

Emilio Cantos se puso a buscar por París el loto. Buscar una aguja en un pajar, conforme el refrán dice, es más fácil que buscar el fruto del loto. Pero quien busca, encuentra. En una casuca sórdida, allí en las profundidades del París ignorado, un viejecito, venido de la India, tenía una caja de lotos. El loto apenas existe en el planeta. Sólo en una vertiente del Tibet cultiva un huertecillo de lotos una comunidad de monjes budistas. El anciano vendió a Emilio, por quinientos francos, un loto. Y lo vendió después de muchos encarecimientos y ponderaciones. Con amor, el viejo envolvió el loto en papel transparente y lo puso en la mano trémula—trémula por la emoción—de Cantos. El loto estaba ya en el bolsillo de Emilio. Lo metió en una cajita de plata. El loto era a modo de una blanda y brillante ciruela claudia. Iba de regreso al centro de París Emilio Cantos, y su mano, metida en el bolsillo, palpaba la cajita de plata con el loto. El problema lo tenía resuelto. Con una navaja cortaría un pedacito de loto y olvidaría como Ulises. Y luego, un tanto confortado, tornaría a recordar; día y noche pensaba Emilio Cantos en el loto. A solas, en el cuarto del hotel en sus largas horas de soledad, abría la caja de plata y contemplaba con éxtasis el loto. No acababa de decidirse todavía a comerlo. Lo comería un día cualquiera. Pero el loto, sin manducarlo, obraba ya en su espíritu. El equilibrio mental no se restablecía. Lo que ocurría era que el inveterado ideísmo de Emilio se acentuaba. Ya para él casi no existía rastro de realidad. Todo era ficción y todo se desvanecía en el tiempo como un sueño.

Un día estuvo en la Sorbona, escuchando la lección de un orientalista. Al salir se quedó rezagado, hablando con otro oyente. Este oyente era un anciano de larga y revuelta barba blanca. Su palabra sonaba cordial e insinuante. Sabía caudal inmenso de cosas. Hablaron del loto, y el anciano dijo:

—El loto es una especie de vegetal ficticio. En realidad, se duda que haya existido. Lo que positivamente se sabe es que las propiedades dichosamente amnésicas que se le atribuyen no las tenía. En la remota antigüedad ha existido una confusión entre el Leteo y el Loto. La afinidad de los vocablos ha hecho que pasen al loto las virtudes del Leteo. Y así como las aguas del Leteo hacen olvidar, hace olvidar también el loto, por contaminación fonética.

Al despedirse del anciano, Emilio quiso saber cómo se llamaba. El anciano, cogiéndole por la solapa y haciéndole que se encorvara, dijo a su oído, después de esparcir una mirada recelosa en derredor:

—Soy Simón el Mago.

Y se alejó con paso precipitado. No sabía Emilio qué pensar. Durante un rato dudó si estaba en París o en Asia. Todo, loto, monjes, budistas, orientalista en su cátedra, oyente de largas barbas, París, Madrid, se revolvía confuso en su cerebro. Y allí, en el fondo del bolsillo, estaba la cajita con el loto. Los días pasaron y la obsesión del loto se agudizaba dolorosamente. Emilio se daba cuenta del fenómeno. El loto podría no hacer olvidar. Lo cierto era que Emilio Cantos, gracias al loto, caminaba hacia la locura, y que la locura obraría los efectos del loto. Y así, por esta vía indirecta, el famoso fruto tendría su eficacia. Andando un día por la ribera del Sena, husmeando libros en los próvidos cajones, compró un librito que se titulaba *Appendix de diis et heroibus poëticis*. En él leyó, al tornar a su casa, unas líneas que le dejaron aterrado. Se decía en el libro, hablando del loto, que su fruto hace olvidar a la patria. *Cujus fructus tam suaves habebat illicebras, ut advenis ablivionem patriae afferret.* ¡Olvidar la patria! ¡Olvidar a España! ¡Y con España, los seres queridos! La sensibilidad de Emilio se conmovía profundamente. Sobre la mesa, en la caja de plata, estaba el loto. Si hacía olvidar la patria, Emilio Cantos no lo probaría. Pero tal vez esto fuera como lo aseverado por el anciano de la Sorbona, una fantasía. Pasaba el tiempo. No podía resistir más Emilio. La realidad para él había ya desaparecido en absoluto. Vivía en continua congoja, y así no podía vivir. Decidió, por tanto, acabar de una vez. En una *Guía de París* leyó lo relativo a los puentes sobre el Sena. Necesitaba para el trance fatal un puente. El Sena con sus aguas grises sería otro Leteo que lo acabaría todo. Fué, en efecto, una mañana al puente, el de San Miguel. Se puso de pecho en el pretil. Había llegado el momento trágico. Dentro de un instante estaría todo resuelto. Si en el lapso de cinco minutos pasaba un barco por debajo del puente, Emilio se comería el loto. Si no pasaba ninguno, lo tiraría al río. La cajita, abierta, estaba entre sus dedos. Emilio esperaba con ansiedad suprema y pasó un barco. Y pasó otro barco. Y pasó un tercer barco. De los dedos—al revés de lo que Emilio se había prometido—cayó a las aguas del Sena el legendario loto.

SU LLEGADA A PARIS

César Cuéllar—aquí, en París—se ha ido a ver al doctor Rodero y le ha dicho:

—Doctor, vengo a ver a usted porque estoy en un compromiso apretado. Puede usted salvarme. La cosa es peregrina. Usted visita a mi mujer. Sabe usted su delicada situación. Su corazón es un organismo frágil. Esa máquina está gastada, y es preciso proceder siempre con mucho tacto. Clara lo sabe. La cuidamos todos. Se esfuerza ella en ayudarnos. La emoción, querido doctor—¿Qué le voy a decir a usted?—, desgasta y mata. A Clara le evitamos toda clase de emociones. Una emoción intensa sería para ella la muerte. No sólo el dolor aniquila, sino también la alegría. La alegría produce emociones tan extremas y nocivas como el dolor. Y aquí viene el punto concreto de mi consulta. Consulto al amigo y a la autoridad científica. Mi hijo Fernando está en París. ¡Cuánto hemos luchado por sacarlo de España! En España ha estado tres o cuatro veces en peligro de muerte. Hora por hora, minuto por minuto, segundo por segundo, seguíamos Clara y yo, con la imaginación, la vida de Fernandito en España. Y ya hemos logrado que salga de España. Clara no sabe que Fernandito ha llegado a París. Se encuentra aquí mi hijo en un hotel. Le visito yo todos los días. Tratamos del modo de enterar a la madre de la fausta noticia. ¿Qué haremos, doctor, para ir dando la noticia, gradualmente, con maña, a la madre? Si Clara viera entrar de pronto a Fernandito en su cuarto, Clara sentiría tan profunda emoción que su vida se desvanecería. Poco a poco, por transiciones suaves, hay que prepararla. Y yo le pregunto al amigo: ¿cuáles son esos medios suaves? ¿Qué medios habrá para preparar esa transición necesaria? Hable usted, doctor. Sáqueme usted de este paso angustioso.

—Me plantea usted, querido amigo, un problema que no es de mi competencia. Puedo yo prevenir o remediar un mal. Pero ¿qué se me alcanza a mí de un problema como este que usted me expone? Les quiero a todos ustedes. Vengo visitándoles durante años. A Clara la conozco bien. Sé que su corazón hay que cuidarlo. La emoción la pondría en peligro. Pero del modo de disponer esa transición indispensable yo no sé nada. En concreto, prácticamente, yo no puedo salir de generalidades. Hay, con todo, un medio de resolver el problema. ¿Conoce usted a Diego Reyes, el autor dramático, nuestro compatriota, refugiado también en París? Sólo un autor dramático, habituado a la escena, conocedor de los efectos y recursos teatrales, puede ilustrar a usted. Visite usted a Reyes. Es hombre cordial. Lo acogerá cariñosamente. Preparen ustedes la comedia, puesto que de comedia se trata, y estudien los artificios a que haya que apelar.

César Cuéllar ha ido a ver al popular comediógrafo. Dos días más tarde, una mañana, al acercarse César a Clara, de regreso de la calle, Clara le ha dicho:

—César, ¿sabes en qué estoy pensando? Pienso en que huele a Fernandito. Te lo explicaré. Fernandito suele usar una gota de jazmín como perfume, y tú hoy hueles a jazmín. Al acercarme a ti y olerte he experimentado una profunda emoción. Veía no a ti, sino a nuestro Fernando.

Al día siguiente, sobre la mesa, en este hotel en que paran César y Clara, ha aparecido una corbata. Estaba allí olvidada, sin duda. En los cuartos de los hoteles no hay que pedir mucho orden. Las cosas suelen andar revueltas. Al ver Clara la corbata se ha sobresaltado. En silencio, pálida, la tenía entre sus manos. Diríase que su emoción era tal que estaba a punto de caer desvanecida. Lo ha advertido César y se ha aproximado a ella prestamente.

—¿Qué te sucede, Clara?—le ha preguntado.

Y Clara, como volviendo de una abstracción dolorosa, ha contestado:

—¡Ay, César, qué cosas se ven en la vida! Estaba yo aquí en este cuartito del hotel, y no estaba. Tenía entre mis manos esta corbata y me parecía que estaba abrazando a nuestro hijo. ¿Es que esta corbata es tuya? Pues ¿no es la corbata que llevaba y prefería Fernandito?

—Tienes razón, querida Clara—ha replicado César—. La corbata es de Fernando, y la llevo yo. ¿No lo habías visto hasta ahora? El día antes de nuestra partida, Fernando me la cedió. Quise yo tener este recuerdo suyo, y hoy, para pensar en él con más amor, me la he puesto.

Otro día, el objeto encontrado era distinto. Las explicaciones de César eran espaciosas. Clara le miraba fijamente, y se quedaba luego suspensa, meditativa. En su corazón entraba el dolor. Con la mano puesta en el pecho, parecía querer reprimir la angustia. César se detenía. Hacía un esfuerzo supremo por dominarse. No podía ya más. La penosa comedia duraba mucho. Y faltaban todavía algunos detalles. Pensando en el éxito final, pensando en el corazón de Clara, continuaba fingiendo.

En los días siguientes, Clara parecía insensible. No le decían ya nada las reminiscencias de Fernando que se le ofrecían. En vano César esperaba la reacción natural. Clara, sentada en una butaca, silenciosa, pasaba horas y horas indiferente a todo. A veces salía sola y estaba ausente del hotel algunas horas. No consentía que la acompañara nadie. César no comprendía la indiferencia de su mujer. Fallaba el plan urdido. Se había llegado a una situación que no previeran ni César, ni el doctor, ni el hábil comediógrafo. Ya era inútil todo. Ya no servía la bienhechora comedia. Ya habría que dar la noticia bruscamente, violentando el corazón. Y sobrevino una complicación más. Al llegar una mañana César al hotel en que vivía su hijo, éste le dijo:

—Papá, perdóname. Lo que ha sucedido es lo que tenía que suceder. Se ha pintado el caso muchas veces en novelas y comedias. Ahora se repite en la vida. Estoy en París varios días. He salido a corretear por la ciudad. París atrae por muchas cosas. La juventud suele ser atraída por la juventud. Eso es lo natural. No te hablaría yo de esto si no te considerara, a más de padre, como un amigo. El cariño que nos liga se cimenta en la sinceridad y llaneza de nuestro trato. Pues bien, y para no divagar más: he caído en la red. Estoy sentimentalmente preso, querido papá. París, en la persona de una de sus hijas, ha hecho de mí un prisionero. Mi corazón ya no es mío tan sólo. Y he de añadir que la persona a quien otorgo mi afecto es dignísima. La conocerás y quedarás prendado como yo.

El padre ha escuchado con asombro el parlamento de su hijo. Ladeando tristemente la cabeza, ha replicado:

—Fernando, querido Fernando, acabo de oírte con estupefacción. Sí, somos camaradas. Somos cordiales camaradas. Pero el trance en que me colocas excede a mi cariño. Nos encontramos ante una situación penosa, y tú, súbitamente, no quiero decir alocadamente, la agravas con tu sentimentalismo. Ansiamos todos resolver un conflicto, y tú nos traes una nueva complicación. No quiero saber nada de novelas y comedias. Pase lo que pase en las novelas, la realidad ahora es otra para nosotros. Te tenía por un hombre inteligente, y te has conducido como un simple. Por ser inteligente, sin duda, has cometido ese disparate. Los hombres discretos no hacen tonterías. Pero cuando hacen alguna, es tal que el más tonto, el tonto de remate, no la haría. ¡Qué me hablas de conocer yo esa persona! ¿Y qué ganas voy a tener yo de conocer el objeto de tu devaneo sentimental? Vamos, Fernando, un poco de seriedad. Hazlo por tu madre.

Fernando, ante César enojado, entristecido, se ha echado a reír estrepitosamente. En el mismo momento se ha abierto una puerta, y en el umbral, encuadrada en el marco, ha aparecido Clara, sonriente, transfigurada, que ha dicho:

—Pero, César, ¿es que tú creías que puede escapar algo al instinto de una madre?

POR GAIFEROS PREGUNTAD

Caballero, si a Francia ides,
por Gaiferos preguntad.

Así dice el viejo romance. Pues habrá que preguntar por Gaiferos en París. No cabe duda de que Gaiferos se halla en París. Lo difícil es encontrarlo. En su magín da vueltas a la dificultad Emeterio Pisa, poeta, triste refugiado en París. Hay que encontrar a Gaiferos. ¿Dónde vivirá este personaje? Realidad tiene más que otros personajes que codeamos en la calle. No se sabe si vivirá en una casa robada, como se dice, o en un palacio alhajadísimo. Ni si mora en la orilla derecha del Sena o en la orilla izquierda. Ni qué círculos, cafés o tertulias frecuenta. Lo positivo es que Emeterio Pisa desea, con vehemente deseo, encontrarle.

Lo más interesante de París son las iglesias. Emeterio Pisa las conoce todas. Siente atracción, tanto por las góticas como por las clásicas. Y aun mete en la cuenta una iglesia bizantina—la de San Agustín—construída con poca fortuna modernamente. Donde más se remansa Emeterio no es en las grandes iglesias. Ni en la catedral, ni en las dos góticas de los dos San Germán, ni en la grecorromana de San Pablo, en la calle de San Antonio, donde tiene su sepultura Bourdaloue. Le place, sobre todo, pasar largos ratos en San Julián el Pobre. San Julián es una iglesia del siglo XII. Ha sido muy maltratada por el tiempo y los hombres. Por defuera semeja un hacinamiento de ruinas denegridas. Se levanta en la orilla izquierda del Sena, no lejos de la Sorbona. A un lado se extiende un apacible jardincito, con una acacia centenaria. Se encuentra a dos pasos la catedral. Cerca también se yergue la iglesia de San Severino. Entre las dos moles—la de la catedral con sus dos cuadradas torres mochas y la de San Severino con su torre puntiaguda—, la iglesita de San Julián el Pobre parece sobrecogida, acoquinada, medrosa. Emeterio Pisa va todos los domingos a San Julián. La iglesia está dedicada al rito griego católico. León XIII, en su encíclica *Orientalium dignitas,* ha dicho de estos ritos: «La augusta antigüedad que ennoblece estos ritos diversos constituye una gran gloria para toda la Iglesia y afirma la divina unidad de la fe católica.» Los cantos rituales griegos tienen un hechizo profundo. No acompaña el órgano, ni acompaña cualquier otro instrumento, a la salmodia religiosa griega. Bajo las humildes bóvedas de piedra, en San Julián, bóvedas seculares, el canto llano griego se despliega, con suaves ondulaciones, con altos y bajos melodiosos, cual un canto de ensueño. De los siglos pretéritos, de cientos de años atrás, llegan hasta nosotros estas tonadas sacras que con la misma emoción que nosotros han escuchado generaciones y generaciones. Con su librito en la mano, Emeterio Pisa va siguiendo el ritual bizantino. La iglesia está llena de fieles. Todos tienen su devocionario en que leen y sobre el que meditan. Cuando el celebrante dice: *Irîni pâssi,* Emeterio sabe—porque allí está la traducción—que dice: «Paz a todos.» Y cuando el coro responde: *Ke to pnevmati sou,* sabe que esto significa: «Y a vuestro espíritu.» El poeta llega minutos antes de las diez. En ese momento es cuando el celebrante se dispone a bendecir el canastillo con los panecitos que se reparten entre los fieles acabada la misa.

Y al acabar la misa, después de haber comido su panecillo, el poeta, tras de estar un rato en el jardín, penetra otra vez en el ámbito sacro y departe con el cura. El cura de San Julián el Pobre es archimandrita de Antioquía. En Antioquía nació San Julián, que repartió su fortuna a los pobres y consagró su vida al socorro de los menesterosos. El cura es persona comunicativa y afable. El primer día que Emeterio Pisa estuvo en la misa griega, notó que cerca, dos o tres sillas más allá, había una señorita de tez morena y ojos negros. El tipo de esa joven era francamente español. De Gaiferos no se había olvidado Emeterio. Continuamente, en su imaginación, laboraba la idea de encontrar al personaje. No dudaba de su vivir actual. Lo encontraría al cabo. Preguntaría por Gaiferos, un día cualquiera, a cualquier transeúnte que topara por accidente en la calle. Y la respuesta—lo creía a ojos cerrados—sería satisfactoria. La figura de Gaiferos se enlazaba ahora con la de esta muchacha de pergeño español. Cada domingo se sentía más atraído por la desconocida. Estando una mañana conversando con el cura en la sacristía, Emeterio Pisa se quedó de pronto absorto. Experimenta en este instante la misma sensación que cuando, pluma en mano, se siente llevado por la vena poética. Sí, ahora ha dado con la clave del misterio. Si no con la clave completa, con parte de ella. El poeta se halla en camino de saber dónde vive Gaiferos. En la sacristía hay, entre dos rasgadas ventanas góticas, una estatua de Carlomagno. La estatua es del siglo XII, y fué encontrada en el XVII, al hacer unas excavaciones en la iglesia. ¿Cómo no había reparado antes Emeterio en el indicio luminoso que le proporciona esta estatua? Porque si allí está Carlomagno, no debe de andar muy lejos su yerno, Gaiferos, el marido de Melisendra. El poeta dice entre sí los cuatro versos famosos del apóstrofe de Carlomagno a su yerno:

> Melisendra está en Sansueña;
> vos, en París, descuidado;
> vos, ausente; ella, mujer...
> Harto os he dicho: miradlo.

El problema va a tener solución. Al salir de la iglesia, el domingo siguiente, Emeterio va detrás de la joven morena y de ojos negros. En el jardincito, la detiene cortésmente y le dice:

—Señorita, perdóneme usted. Deseo hacerle una pregunta. La pregunta le parecerá a usted absurda. ¿Sabe usted dónde vive Gaiferos?

—¿Habla usted de Octavio Maldonado?

—Hablo de Gaiferos.

—Lo mismo da.

—Como usted quiera, señorita.

—Vivo ahí enfrente. Voy ahora a mi casa. Sé quien es usted, porque me lo ha dicho el señor cura. Si mi padre supiera que usted ha preguntado por él y que yo me había opuesto a que le viera, no me lo perdonaría nunca. Ahora cuando suba a mi casa, saldré al balcón; usted puede subir en seguida.

Todo se ha hecho tal como la desconocida lo ha dicho. El poeta se ha encontrado en una sala donde había un caballero sentado en un sillón. Tenía ante sí, sobre una silla, una maleta abierta. Esparcidas por los muebles se veían ropas diversas.

—Perdone usted que no le atienda todo lo que usted se merece—ha dicho a Emeterio el caballero—. Como usted está viendo, hago los preparativos de un viaje. Nos marchamos está noche a España. Ya me ha dicho mi hija quién es usted. ¿No es bonita mi hija? ¡Qué tipo tan clásico de española! Y el nombre es también muy español: Fuensanta Maldonado. Tengo ansias de llegar a España. Hace veinte años que salí de España. Fuensanta, ¿dónde has puesto el traje azul a rayas? ¿Y las camisas de color? Perdone usted. Estoy algo nervioso. ¡Qué ganas tengo de ver España! Usted es muy español también. ¿Ha estado usted en el robledo de Corpes? En el robledo de Corpes fué donde los yernos del Cid maltrataron a sus mujeres. No debe de quedar ya nada de aquello. ¿Y en la iglesia de Santa Agueda, en Burgos? Seguramente que habrá estado usted en esa iglesia. Allí fué donde el Cid tomó juramento al rey. Y el rey se puso intensamente pálido de ira. ¿Y San Pedro de Cardeña? Pero le estoy hablando a usted del Cid y yo soy el yerno de Carlomagno. ¿Por qué me llaman a mí Gaiferos? Tenía yo antaño entusiasmo por esos romances y los recitaba con voz sonora. Y también escribí un centenar de artículos con el seudónimo de Gaiferos. Fuensanta, búscame el cepillito de viaje. Dentro de unas horas, amigo mío, estaré muy lejos de París. ¡España, España! Cuando estoy solo, repito en alta voz: Carrión de los Condes, Aranda de Duero, Puebla de Sanabria, Salas de los Infantes... Esos nombres, sonoros y solemnes, nombres de pueblos españoles, me dan la sensación honda de España.

Emeterio Pisa desciende por la escalera lentamente. Fuensanta baja con rapidez tras él. Los dos se detienen en un descansillo.

—¿Qué encuentra usted en mi padre? —pregunta Fuensanta con voz entrecortada—. Dígamelo sin rodeos.

—Su padre de usted—contesta el poeta—está un poco emocionado por el viaje.

—No nos marchamos. No podemos marcharnos.

—¿No se marchan ustedes?

—Hace seis años que mi padre no puede moverse del sillón en que usted lo ha visto sentado. Le habrá extrañado a usted el que no se levantara para saludarle. La parálisis le tiene inmovilizado. ¿Cómo vamos a ir a España? Le llevaría con gusto; pero es imposible. Y cada quince días hacemos la ficción de que nos marchamos. En ella estábamos ahora. ¡Qué cosa tan terrible! ¡Y qué pena tan grande!

Fuensanta llora. El poeta le coge afectuosamente la mano y le dice enternecido:

—Vamos, Fuensanta. ¿Es que quiere usted que llore yo también?

NO ROMPEN SU VOLUNTAD

En el nombre del padre, que fizo toda cosa. El personaje de quien vamos a hablar se encuentra en el pasillo de un tren expreso. Su figura, alta y cenceña, es señoril. El tren corre por las grasas tierras de Francia. El caballero contempla el paisaje, y el paisaje no le dice nada. Se abisma en sus propios pensamientos, y sus pensamientos tampoco le dicen nada. La sensación de tierra extraña—tierra que no es la suya—absorbe dolorosamente su sensibilidad. Ha estado antes en su departamento y ha salido al pasillo. En su departamento no había antes nadie. Al volver a su sitio, en un extremo encuentra dos figuras.

Uno de los viajeros es una señora. El otro es un eclesiástico. La señora va vestida de negro. Amplias tocas ocultan su cara. No se puede saber si es anciana o joven. Al removerse alguna vez las tocas, se ve que los ojos de esta dama están vendados con una ancha venda también negra. Callan los dos viajeros, par a par, la dama y el eclesiástico, y el caballero los observa en silencio. Se levanta el sacerdote y sale al pasillo. La atención del caballero por la dama redobla. ¿A qué obedece tan impenetrable cerramiento? ¿Por qué esta desconocida cela de tal modo su faz? Y la ancha venda negra que tapa sus ojos, ¿es que oculta dolorosa ceguera? La inmovilidad y recogimiento de la viajera son absolutos. Diríase el bulto orante de una iglesia. Orante porque, de cuando en cuando, la desconocida junta las manos y traba los dedos en guisa de oración. Y en este punto, al contemplar rápidamente las manos de la enlutada, el caballero se sobresalta. No sabe si ha visto bien o si padece una alucinación. Si él pudiera observar de modo más atento una de estas manos, saldría de dudas. Las manos, blancas y finas manos, están allí, descollantes sobre la negrura del arreo, y el caballero se esfuerza, acercándose con cuidado, por examinar el dorso de una de ellas. De pronto, respira ampliamente, como quien ha resuelto la duda que le atenaceaba. Ha visto bien, sí. No le cabe duda. En el dorso de la mano hay lo que él esperaba. De lo pretérito acuden, traídos por esta mano, recuerdos que le conmueven. La dama aparece impenetrable en su indumento. La mano, con todo, está allí presente, diciéndole al caballero muchas cosas. En esta tierra de Francia, que no es la suya—ni es la de la dama—, acaba, por virtud de la misteriosa mano, de establecerse una inefable corriente espiritual—lazo de honda hermandad—entre la dama enlutada y el caballero.

El clérigo ha salido al pasillo. El caballero va en su busca y le dice:

—Perdone usted, señor cura. Usted, sin duda, viene acompañando a esa señora. ¿No podría yo decirle dos palabras a esa señora?

El sacerdote responde:

—Perdone usted, caballero. No sé con quién tengo el gusto de hablar. ¿No podría usted decírmelo? La señora a quien acompaño es mi hermana.

—Soy el doctor Calatrava—contesta el caballero—. Sólo dos palabras quisiera hablar con su hermana.

—Y yo no respondo de que mi hermana quiera dialogar con usted. Las circunstancias en que viaja son especiales. No puedo decirle a usted más.

—Me lo dirá su hermana.

—Inténtelo usted.

El doctor Calatrava, rápidamente, torna a su departamento, se coloca junto a la desconocida y le pregunta, fingiendo una voz que no es la suya:

—*Vous êtes souffrante, madame?*

La dama contesta:

—*Je ne vous connais pas, monsieur.*

Hay un momento de silencio, y luego el doctor, con su propia voz, dulce y acariciadora, con esa voz que los enfermos conocen y que les hace tanto bien, dice lentamente:

—¿No me conoce usted, sor Anunciación? ¿No me conoce usted, Leonor Barrientos, marquesa de Pres, abadesa del convento de Santa Ana, en Lodosa?

—Doctor Calatrava—dice suplicante la dama—, ¿por qué me recuerda usted el mundo al hablarme de mi título? No pertenezco yo al mundo. El mundo no existe para mí

—¿No tiene usted nada, absolutamente nada, que le ligue al mundo? Pues ¿cómo va usted por estas tierras?

—Las palabras de usted, doctor, hacen surgir en mí la tragedia. Y no quiero volver los ojos a la tragedia.

—¿Y cómo los lleva usted vendados?

—¿Y cómo me ha conocido usted?

—¿No recuerda usted, sor Anunciación, los días de aquella enfermedad larga y penosa que usted tuvo? La recuerdo yo a usted. La veo yo a usted en su cama blanca, al lado de una ventana que daba al huerto florido. No me miraba usted nunca. Si ahora me viera usted, acaso no me conociera. Por la voz me ha conocido usted. Pero yo veía todas las mañanas y todas las tardes—iba a ver a usted dos veces al día—; yo veía, digo, en el dorso de su mano derecha una manchita triangular. Y esa manchita inconfundible es la que he visto ahora.

El sacerdote ha entrado en el departamento y tercia en la conversación. San Francisco de Sales decía en una carta a una abadesa: «*De la clôture dépend le bon ordre de tout le reste.*» La clausura es el fundamento de la vida religiosa femenina. Se han dado siempre ordenamientos sobre la clausura. Bonifacio VIII, muerto en 1303, es quien dió la constitución definitiva a este respecto con su decretal *Periculoso*. Y el Concilio de Trento no hizo más que corroborar la decretal del citado Pontífice. La comunidad que presidía sor Anunciación, Leonor Barrientos, ha sido dispersada. En París ha estado sor Anunciación unos días, y ahora, en compañía de su hermano, se encamina a Italia. No ha querido ver nada en París, y quiere ver la tierra nativa de San Francisco de Asís. ¿Será esto una relajación?

—Leonor—dice el eclesiástico—, ¿te vas a incomodar si le digo al doctor cómo has vivido en París?

—Dígame usted antes—ruega el doctor—por qué lleva su hermana los ojos vendados.

—Lo que iba a decirle a usted y el asunto de la venda es la misma cosa. ¿Puedo decirlo, Leonor?

La dama calla. Pero sus blancas y delicadas manos se mueven nerviosamente. El clérigo prosigue:

—En París, mi hermana no ha visto nada. No había estado nunca en París. No ha sentido curiosidad por nada. No ha salido de un cuartito de cuatro paredes blancas. Estaba allí como si estuviera en la más rigurosa clausura. Y antes de llegar a París y después de salir de París, mi hermana se ha puesto en los ojos una ancha venda para no ver tampoco nada.

—Sor Anunciación—dice el doctor—, admiro en usted la voluntad.

—Sí, la voluntad. La voluntad inquebrantable de mi hermana. La voluntad de permanecer en clausura, de proceder como si estuviera en clausura, estando en la más bella ciudad del mundo. Han podido hacerlo todo y no han podido quebrantar esta voluntad femenina. Han roto hierros de rejas y mármoles de altares, y no han podido romper lo que es tan etéreo. No rompen su voluntad.

—Sor Asunción, Leonor Barrientos, marquesa de Pres, ¡qué grande es una española cuando alienta en su corazón la fe! ¡Y qué cosa tan grande y maravillosa es la fe!

El tren corre por las feraces tierras de Francia. Los tres personajes guardan un silencio henchido de religiosa emoción.

> Siempre cobdicié esto e aun lo cobdicio:
> apartarme del mundo, de todo su bollicio;
> bevir solo en regla, morar en tu servicio.
> Sennor: merced te clamo, que me seas propicio.

LA MARAVILLA DE PARIS

No podía menos de ocurrir. Ha ocurrido porque era fatal. En dos palabras: he descubierto la maravilla de París. Y esta maravilla no es, naturalmente, la torre Eiffel. Ni el Louvre. Ni el Arco del Triunfo. Ni las Tejerías. Ni el admirable bosque de Bolonia. La ocupación mía en París es divagar por las calles. No tengo aquí mi biblioteca de Madrid. Ni el sillón —harto modesto—donde me siento. Ni la mesa—humilde—en que escribo. El ambiente que he respirado siempre no es éste. Y cuando se está fuera del ambiente habitual no se sabe qué hacer. Ni se está bien en la claustración del hotel, ni se sosiega en una sala de espectáculos o en un museo. A los espectáculos placientes no asisto. ¿De qué modo podré yo tener ánimos pensando lo que pienso, sintiendo lo que siento, para enfrentarme con un escenario en una sala henchida de público? La soledad es lo único que me agrada. Me agrada y conforta un poco mi espíritu. Nada más solitario que una calle en ciudad que no conocemos. Ni la lengua que hablo es entendida de los que me rodean; ni la lengua que los transeúntes parlan es de mí entendida. Aun siéndolo, aun conociéndola a la perfección, ¿cómo podrá haber analogía entre mis sentimientos y sentimientos, entre pensares y pensares? «Participa el agua las calidades de la tierra por donde pasa», escribe Gracián. Y de ello, por semejanza, deduce a seguida que el hombre está también moldeado por la tierra donde ha nacido. Mi tierra no es ésta. Mis pensamientos no son, por tanto, éstos. ¿Y no habrá nada en París que íntimamente evoque mi tierra y establezca un punto de contacto entre sensibilidad y sensibilidad, la mía y la de estos hombres que me rodean?

La deambulación por las calles es grata. Ese punto deseado de contacto espiritual lo voy a encontrar. Lo presiento. Como vivo cerca de la Magdalena, mis paseos son frecuentemente en el núcleo de esta barriada. La Magdalena y la estación de San Lázaro son como el tuétano de este barrio populoso y distinguido. Hay mucho espíritu de Lutecia por aquí. Las tiendas son elegantes. El buen gusto ordena con finura en los escaparates las ricas mercaderías. Las mercaderías en sí mismas son, en verdad, selectas. La línea y el color para el comerciante parisino no tienen secretos. En una mañana gris, invernal, de un invierno templado—hasta el momento—, el transeúnte camina despacio. El transeúnte ahora es quien escribe estas líneas. ¿Es que no hay color en París? ¿Es que los pintores de Francia pintan gris—gris de plata oxidada—porque en Francia el color no existe? Son muchos los días—lo he visto en dos meses—que el cielo, bajo, uniforme, se muestra ceniciento. Parece que va a llover y el tiempo se mantiene firme. Una luz suave llena el firmamento y envuelve las cosas. La suavidad de esta claror cenicienta de París no la habíamos visto nunca. Todo está como difuminado—tenuísimamente — con el matiz de las hojas de los olivos. Todo es plata sucia, vieja, que se acaba de sacar de un arcón al cabo de un siglo. Desde un altozano, desde un puente del Sena, la vista se espacia, con profundo agrado, por toda la tenue grisura ambiente. ¿Qué hay en las calles por donde voy caminando?

Las tiendas ofrecen sus tentaciones. Las voy observando todas, y de pronto me detengo ante una. No recataré el nombre de la calle donde he descubierto la maravilla de París. Lleva el título de Vignon. El número de la casa a que me refiero es el 24. No se puede dar más precisiones sobre el hecho insólito y peregrino. Todo en el mundo es la medida del hombre. Y si es la medida del hombre, así en abstracto, mucho más lo ha de ser del hombre en concreto. «Cada hombre es un mundo», dice el refrán. La realidad externa es esplendorosa o mísera, según sea el estado de nuestro espíritu. En París, yo continúo siendo el hombre del Levante español. Las comidas que he injerido durante tantos años, en la niñez, en la juventud, son las comidas que ansío. El cuerpo manda en nosotros. De lo intrínseco de nuestro organismo emanan imperativas órdenes que no podemos eludir. Se ha habituado el cuerpo, desde la infancia, a recibir tales alimentos, y esos alimentos se reclaman con ansiedad en la edad provecta. Todo esto quiere decir que yo no cambio mis yantares nativos por todas las delicadezas coquinarias de Francia. ¡Ay, aquellas mantenencias tan suculentas, tan elementales, tan sin sainetes refinados, servidas en blanca y gruesa talavera! ¿Y no habrá en París para el desamorado de estos manjares de Francia algún sustitutivo que corrobore sus fuerzas exhaustas por la inapetencia? En este punto de mis meditaciones dolorosas aparece de improviso la maravilla de París.

Sí; aquí está, no puedo dudarlo. La tengo ante los ojos. Repaso con delectación los escaparates de la tienda. Y luego, dentro, observo que el piso está pavimentado con un mosaico a estilo pompeyano y que en el centro hay una imagen que yo no quiero pisar. Tendré mucho cuidado en no poner mis pies en este trasunto de un ser vivo. Este ser, fino y sutil, es mirado por mí con respeto profundo. Este ser es una abejita. La tienda es la casa de la miel. Todo es miel lo que hay en la maravillosa tienda. Miel en tarros. Miel en frascos. Miel en caramelos. Miel en pastas pectorales. Miel en botellas llenas de dulcísimo licor. Hidromiel; es decir, aguamiel, que allá en Levante moruno sirve, entre otras cosas, para empapar las blandas y moras almojábanas. La Unión de los Apicultores de Francia tiene en esta tienda su despacho para el público. ¡Y cuántas cosas hace rememorar esta miel! Hay también aquí, en los escaparates, pedazos de panales. Delicioso es comer la miel. Mucha más delicia es exprimir en la boca un trozo de panal, un trozo de panal en que la miel, intacta, sin manipular, transparente, áurea, parece que llega directamente desde la flor a la cavidad gustativa. Bowles, en su *Introducción a la geografía física de España,* dice que la miel de Biar, en la provincia de Alicante, es la mejor de España, y que por eso se la llevaban a Roma. ¿Y se la llevaban para regalo de cardenales? ¡Qué lejos de París el paisaje desnudo, claro, luminoso de Biar, en tierra alicantina! Las abejitas aquellas no son las abejitas de Francia. La miel de Francia es excelente. La miel de Francia es, para mí, un alimento precioso. Las fuerzas que no pueden ser reparadas con los otros nutrimentos, son reparadas con la miel que adquisto en esta tienda. La apetencia que no se abre con los demás corroborantes franceses, se abre con esta miel. La miel me lleva a la abeja. La abeja me lleva al paisaje. Y el paisaje que veo con la imaginación, estando en esta tierra de cielo gris, es el paisaje de luz vívida y de añil intenso.

La abeja es sociable, y el hombre suele ser insociable. La abeja va de flor en flor. A veces sus viajes son larguísimos. Parece imposible que un ser tan diminuto pueda volar tanto. Se sabe todo de las abejas. Todo menos una cosa. No se sabe cuánto vive una abeja. Si son todas iguales, ¿cómo saberlo? Y si las ponemos en cautividad, ¿no acortaremos su vida? Y si acortamos su vida, ¿de qué modo sabremos cuál es su vivir normal? En el campo, gozando del silencio, venidos de la vorágine estruendosa, estamos tumbados —imaginamos que en el Levante de España—en una ladera tapizada de romero y tomillo. (¡Qué dolorosa es al presente esta evocación!) Las flores del romero son azules. De pronto, una abejita—como esta del mosaico de la tienda—revolotea sobre una flor y luego se posa blandamente en su cáliz.

¿Habrá todavía abejas en España?

(1.ª ed., 1939.)

SANCHO, ENCANTADO

París, 1939.

ABLEMOS en serio. Sancho ha salido de Argamasilla, su patria, y se encamina por jornadas a Pedrola. Le acompaña su convecino y amigo Tomé Cecial. Argamasilla pertenece a la hoy provincia de Ciudad Real, y Pedrola figura en la de Zaragoza. Don Quijote muriera ha seis años. El viaje es trabajoso. Sancho ha escrito al duque pidiéndole permiso para visitarle, y el duque le ha contestado diciéndole que le espera con ansiedad. Se encuentran ya los dos viajeros, Sancho y Tomé, al pie del Moncayo. Hace quince días que el duque Carlos de Borja, al recibir la misiva de Sancho, le dijo a la duquesa, María de Aragón:

—He tenido carta de Sancho. Debe de andar muy atropellado el pobre.

—¿Y tú qué vas a hacer?—repuso la duquesa.

—He pensado remediar sus necesidades. Y he pensado también propinarle un bromazo.

—¿Y no será eso cruel?

—No lo será, porque la broma que le preparo, en fin de cuentas, redundará en su provecho.

Sancho y Cecial se hallan próximos a rendir viaje. Han llegado a su penúltima etapa. Son los días primeros de la primavera, y el altivo Moncayo muestra todavía su cabeza cana. En el aire hay, empero, resuellos cálidos que anuncian el próximo y fecundo renuevo anuo. En un collado se levanta una venta. En esa venta descansan por última vez los viajeros. En ella harán su postrimera y confortativa refacción. La venta se llama del Judío. Ventas del Judío hay muchas en los puertos y collados de España. Y no sucede nada en ellas, pese a lo que quieren acreditar las animosidades furibundas de la política. Sancho ha preguntado al huésped, o sea el ventero, qué tiene para yantar. Y, ¡ay!, el ventero tiene—la contestación es clásica—«lo que traigan los viandantes».

—¿Y no hay nada absolutamente?

—Ni una piltrafa de carne, querido señor. Hoy me cogen ustedes desapercibido.

El zaguán de la venta es espacioso. Sancho y Tomé se encuentran en un cuartito del primer piso. Los dos se hallan sentados, un poco tristes ante una mesita.

—¡Y gracias—dice Cecial—que las alforjas no vienen horras!

—¿Traes repuesto bastante?

—Traigo unas lonjas de lunada o pernil, queso paisano nuestro, vamos al decir, manchego, el queso mejor del universo, y un puñado de cascaruja, o sea avellanas tostadas, garbanzos tostados también, nueces y almendras.

—¿Y de bebienda?

—Aloque del nuevo.

Callan los dos amigos. Y en silencio, Sancho aspira ruidosamente, como si, cual perro ventor, husmeara algo.

—¿No te has fijado en una cosa, Tomé?

—¿En qué quieres que me fije?

—Hace un momento el posadero nos ha dicho que no disponía de nada para comer. Y ahora estoy percibiendo un olorcillo penetrante a chuletas asadas y a especias.

La casa está henchida, en efecto, de excitativos olores. La carne asada, asada a las brasas, trasciende, y las alcamonías, las maravillosas alcamonías españolas—cominos, anís, azafrán, clavo, pimienta—, ponen su acento pronunciadísimo sobre el olor de las viandas.

—En fin, comeremos de lo que haya.

Y Tomé Cecial va poniendo en la mesa los sobrios mantenimientos que extrae de las bizazas.

—Lo bueno que tenemos es que aquí supongo que no extenderá el doctor Pedro Recio de Tirteafuera su varita sobre la mesa. ¡Qué tiempos aquéllos, amigo Tomé! En la ínsula Barataria yo me daba los grandes banquetes. ¡Qué ollas de canónigo y qué perdices escabechadas! Los tiempos han cambiado. Y hay que acomodarse a las pobreterías de ahora. Devoraremos esta sobria merienda y nos consolaremos, pensando que el famoso Pedro Recio no ha de venir a interrumpirnos.

Acaba de pronunciar Sancho estas palabras y la puerta se abre de par en par. El doctor Pedro Recio de Tirteafuera avanza sonriente.

—¿Cómo, señor gobernador?—grita—. ¿Qué es eso de comer esas miserias? El señor gobernador no puede desdeñar la comida preparada por su cocinero. ¡Vamos, vamos, un poco de sensatez! Y perdone el señor gobernador que me exprese de este modo.

En este punto, antes de que Sancho pueda responder, entran en el aposento dos criados, trayendo en un ancho azafate fuentes henchidas de viandas. Las van colocando en la mesa, en tanto que Sancho y Tomé contemplan asombrados la faena.

—El cocinero del señor gobernador —dice Pedro Recio—se adelantó unas horas para tener prevenido el condumio. Le acompañó, naturalmente, el sumiller de cava con su acervo de bebestibles. Y aquí lo tiene también el señor gobernador.

Y así era la verdad. Porque el tal sumiller, con un banasto repleto de limetas, entraba en el cuarto y decía risueño a Sancho:

—Hemos traído de todo, según se convino, señor gobernador. Aquí hay vino de Esquivias, ligero y fresco; meloso fondillón de Alicante, generoso vino de Málaga, aromático Jerez, y como estimulante, a modo de prefacio, antes de la comida, incomparable amontillado.

La comida es excelente. Viene primero una olla con su tocino, morcilla y jamón. Perdices en escabeche hacen su aparición después. «Para dos perdices, dos», dice el refrán. Y Francisco de Rojas lo confirma en su *García del Castañar:*

Y puestas al asador,
con seis dedos de un pernil,
que a cuatro vueltas o tres
pastilla de lumbre es
y canela del Brasil;
y entregárselo a Teresa,
que con vinagre, su aceite,
y pimienta sin afeite,
las pone en mi limpia mesa,
donde en servicio de Dios,
una yo y otra mi esposa
nos comemos: que no hay cosa
como a dos perdices, dos.

La minuta la cierran unas chuletas de carnero asadas a la parrilla. Un humanista y político francés, el cardenal Duperron (1556-1618), ha dicho que el carnero de Francia y el de España son los más suculentos de Europa. Y añade imparcialmente el cardenal: «*Je pense pourtant que l'Espagne passe la France.*» Bien podemos, consiguientemente, diputar el carnero español por *boccata di cardinale*, o por lo menos, si no genéricamente, bocado de este purpurado francés.

Ya en Pedrola, al ir a hospedarse en la posada, el doctor Recio grita:

—¡No, no, señor gobernador! Su excelencia el duque espera, y en palacio está dispuesto alojamiento para el señor gobernador.

Y al mismo tiempo, Sancho ve que se dirigen a él unos servidores de palacio y que, tras hacerle el debido acatamiento, le van conduciendo, con todo respeto, al palacio ducal. El duque le echa los brazos al cuello, así como le ve, y la duquesa le saluda afectuosa.

—¿Qué tal en la ínsula, amigo Sancho? Las noticias que tengo son excelentes. ¡Seis años de gobierno, y ni siquiera una queja de los gobernados! Mi enhorabuena más cumplida.

Va a hablar Sancho, y un correo de gabinete que acaba de llegar se presenta ante él con una abultada cartera.

—Perdone su excelencia—dice, dirigiéndose al duque—. El señor gobernador me encargó que con toda diligencia le trajese los asuntos de más urgente resolución para ponerlos a su firma. Y aquí los traigo.

—Nada, nada, amigo Sancho—contesta el duque—. El gobierno es el gobierno. No hay que dejar nunca asuntos atrasados. Y yo elogio, lo elogio con calor, el celo que pone usted en el desempeño de su cargo.

El correo ha extendido sobre una mesa una cantidad de papelotes y pone una pluma en la mano de Sancho. Sancho no sabe lo que le pasa. Ve seguramente visiones. Pero estas visiones son, sin duda, una realidad. ¿Y cómo pudieran no serlo? ¿De qué modo todo esto sería un embeleco? Sí, no lo duda. Sancho no viene de Argamasilla, sino de la ínsula Barataria. Y si ha creído otra cosa, sería porque está encantado. Los malos encantadores le han hecho creer que ha existido solución de continuidad en su gobierno de la ínsula. Y sin decir palabra va firmando —firmando como en barbecho—las providencias, bandos, órdenes, pragmáticas, ordenanzas, reglamentos que el correo de gabinete le va presentando. Don Ramón de Campoamor decía:

Aunque muy poco a poco,
ya llegué al gran saber: ¡sé que estoy loco!

Sancho Panza está por lo visto loco. Pero esta locura es el comienzo de la sabiduría. Sancho está encantado, y este encantamiento es la felicidad. Todos en palacio le tratan cual efectivo y no discontinuado gobernador. Todos dan por supuesto que ha salido de la ínsula hace pocas horas y acaba de llegar al palacio de Bonavía para conferir con el duque. Cuando estas conversaciones sobre materias graves de gobierno terminen, Sancho volverá a su gobierno. Y a solas en su cámara con Tomé Cecial, por la noche, Sancho va diciendo:

—Tomé, querido Tomé, convecino mío, amigo del alma, ¿has visto tú qué cosas tan extraordinarias? ¿Soy yo o no soy? ¿He venido de Argamasilla o de Barataria? Y cuando termine mi visita a los duques, ¿adónde voy a ir? Seguramente que me estarán esperando en la ínsula. Sí, no puedo dudarlo ya. Soy gobernador. Y lo soy sin haberlo dejado de ser un solo día desde hace seis años. El duque me nombró gobernador perpetuo y voy a ser gobernador de por vida. ¿Y qué mal hay en ello? Lo cierto es lo que se cree. Y aquí se da la feliz concomitancia entre lo que creo y la realidad.

Encima de la mesa se ve una limeta de vino generoso malagueño. Lentamente, Sancho escancia en dos copas. Beben con voluptuosidad él y Tomé Cecial. Y deciden—¡suprema sabiduría!—entregarse al Destino y que el Destino sea el que les lleve por la vida. El mismo Campoamor ha escrito también:

Con tal que yo lo crea,
¿qué importa que lo cierto no lo sea?

EL PRINCIPE SEGISMUNDO

París, 1939.

Conocí a don Pedro Calderón de la Barca en el café de Platerías. El café de Platerías está situado en el comedio de la calle Mayor. Calderón vivía en la calle de Ciudad Rodrigo. Hace de esto muchos años. Cuento setenta y cinco, y lo menos que han transcurrido son ocho lustros. La calle de Ciudad Rodrigo es cortita, con soportales de pilastras berroqueñas. Va de la calle Mayor a la plaza del mismo nombre. En uno de los soportales se ve una buñolería, y casi contigua, la tienda de un espadero. Don Pedro vivía en una casa vieja y silenciosa. La noche que se estrenó *La vida es sueño* fué memorable. Nunca emoción más intensa en el público. La estrenó Rafael Calvo. El modo que Calvo tenía de decir los versos era prodigioso. Ningún órgano más adecuado para el lirismo calderoniano. Estuve yo en el escenario. Calderón, nervioso, enfundado en su gabán de pieles, con sus bigotes y su perilla, iba continuamente de un lado para otro. En uno de los entreactos, le dije:

—Don Pedro, esto es maravilloso. Pero esto no es la Historia.

Calderón, sonriente, con el puro en la boca, su indefectible habano, me contestó:

—¿La Historia? ¡Eso es harina de otro costal!

Y de esa harina voy a hablarles a ustedes. La fábula de *La vida es sueño* se aparta de la verdad histórica. En la obra de Calderón—ustedes lo saben—, al rey Basilio, docto en astrología, le nace un hijo. Los astros anuncian que el niño será causa de hórridos desastres. El rey, para evitarlo, decide recluir al príncipe en agreste torre. Nadie sabe del caso. No conoce Segismundo, cuando despierta a la razón, quién es su padre. Llega un momento en que el rey resuelve hacer una prueba decisiva. Se le da un narcótico al príncipe. Dormido éste, se le lleva a palacio. Y al despertar Segismundo, se muestra en sus acciones selvático como una fiera. Se le aduerme de nuevo y abre los ojos Segismundo en su prisión de antes. Todo ha sido un sueño. Y puesto que todo fuera un sueño, conviene, para no encontrarnos desesperados al despertar, conducirnos bien en los sueños. ¡Sí, la vida es soñar! Todo esto, queridos amigos, es brillante fantasía del poeta. Como dijo don Pedro, pertenece esta harina a costal distinto. Al costal de la ficción, y no al costal de la Historia. Conocí yo al príncipe Segismundo. Estuve en Polonia y tuve el honor de que me concediera una audiencia. Por cierto que cuando yo entré en la cámara regia, vi que había sobre la mesa una biografía de Luis II de Baviera. El rey Basilio era dado, en efecto, a las artes mágicas. Sabía levantar un horóscopo. Nació Segismundo y tuvo el rey revelación de la futura vida desastrada del príncipe. No lo encerró en la torre solitaria. Lo envió al campo. El paraje a que fué destinado el niño era una hermosa labor. En la hacienda había tierras de pan llevar, viñedos, frutales y monte hueco. A los quince años, Segismundo daba largos paseos por la campiña. Su carácter era ensimismado. El cachicán de la labor le atendía solícitamente. Silencio impenetrable, en cuanto a la verdadera condición del adolescente, reinaba en la casa. No conocía el príncipe su filiación regia. ¿No la conocía? ¿Cuánto tiempo estuvo sin conocerla? Dice el refrán: «En labrar y hacer fuego se parece el que es discreto.» En sus caminatas por la hacienda, a veces, Segismundo se entretenía en alumbrar hogueras de ramaje seco y hojarasca. Tenía especial maña para encender fuegos. Y le gustaba hacerlo porque, después, sentado ante la lumbrarada, inmóvil, seguía con la vista fija la leve columna de humo que se elevaba hacia lo azul del firmamento. Sus pensares se abismaban entonces en lo infinito. Y otras veces le placía labrar; y puesta la firme mano en la esteva dejaba el haza, con sus líneas paralelas, con sus rectísimos surcos, parecida a inmensa falsilla.

Llegó un día en que el consejo de ministros, presidido por Ladislao Padeski, decidió aconsejar al monarca el acabamiento de la ficción. El príncipe contaba ya veinte años. Se ideó el propinarle un brebaje somnífero y que durante el sueño se le trajera a palacio. Y aquí empieza la divergencia entre la obra de Calderón y la Historia. El aperador de la hacienda tenía un hijo. Se llamaba Teobaldo, y no pudiera encontrarse entendimiento más agudo ni condición más apacible. Naturalmente que intimó con Segismundo. Teobaldo iba y venía del campo a la ciudad y de la ciudad al campo. Sus buenas partes le hacían acepto a todos. Con los ministros llegó a tener gran metimiento. Y Teobaldo, que adoraba en Segismundo, penetró el misterio que gravitaba sobre el príncipe. No tardó en conocerlo Segismundo. El momento en que Teobaldo reveló el enigma a Segismundo fué dramático. El príncipe cerró los ojos, se puso la mano en la frente y en tal guisa permaneció largo rato. Pareció después despertar de un sueño. Para él la vida había cambiado repentinamente. No sentía gozo. No veía cuitas tras sí. No podía exclamar, por tanto, al verse príncipe, lo que el personaje de otro poeta:

¡El cielo me debía,
tras de tanto dolor, tanta alegría!

Todo llega en el mundo. Llegan las alegrías y llegan las aflicciones. Llega el castigo y llega la grata recompensa. Cuando el castigo creemos que no ha de llegar, lo vemos aparecer, inexorable. «La pena es coja, mas llega», dice el refrán. He aquí que el instante en que, arteramente, ofrecen a Segismundo una copa de licor delicioso, ha llegado. Pero Teobaldo, campesino agudo, sagaz como las raposítas del monte, sabe lo que significa el bebedizo, y Segismundo se halla por él advertido. Segismundo bebe, sonriente, y finge caer en profundo letargo. Lo conducen a palacio. Lo tienden en rico lecho con dosel de damasco. En torno a la cama se agrupan el gobierno en pleno, los palaciegos y los jefes militares. Está allí también, emocionado y anhelante, el monarca. Todos esperan con ansiedad que el príncipe despierte. Pasan las horas. Y el príncipe sigue durmiendo. Pasan las horas. Y el príncipe no despierta. Pasan las horas. Y el príncipe permanece inerte en el lecho. (Entre paréntesis, contaba más tarde Segismundo que nunca estuvo en trance tan penoso como éste de fingir durante tanto tiempo un sopor profundo.) La inquietud del ilustre concurso dió paso a la alarma. La alarma fué puerta para el pánico. Precipitadamente se reunieron los médicos de cámara. Examinaron al príncipe y trataron de despertarlo. Todo fué en vano. Segismundo, en el lecho, estirado, rígido, cual cuerpo muerto, seguía durmiendo. El rey miraba airado al presidente del consejo. Los ministros todos estaban anonadados. Y se resolvió volver a Segismundo al campo y allí esperar a que el durmiente despertase. Se hizo así. El rey no se apartaba de la cabecera de la cama. Y de pronto, Segismundo salta del lecho, se pone ante el rey, le coge de la mano y grita:

—¡Padre, eres un iluso! Y lo eres porque tú y el presidente de tu consejo de ministros no os habéis enterado de nada. No os habéis enterado de que yo conocía el secreto de mi vida. No os habéis enterado de que yo estaba al tanto de la farsa del brebaje.

El rey no acertaba a pronunciar palabra. Con la mano de su hijo entre sus manos, lloraba silencioso. Ocho días más tarde el rey abdicaba en el príncipe. El cambio de persona en el trono implicó la crisis total del ministerio. No aceptó Segismundo la retirada del presidente del consejo. A Teobaldo, su áulico ahora, le dijo:

—No se enteró este presidente de nada y no se enteraría de nada tampoco el que le sucediese. ¿Para qué cambiar? Resignémonos con lo ineluctable.

Pero el reinado de Segismundo había de ser breve. No se dilató más allá de tres años. ¡Ay, queridos amigos: quien ha crecido en el campo, en contacto íntimo con la naturaleza, con su silencio, con su soledad, está ya prendido para toda la vida por la naturaleza! La naturaleza es, alternativamente, madre amorosa del hombre y madrastra despiadada. Añoraba Segismundo con toda su alma los años de soledad campestre. Encontraba desabrido el vivir palaciano. Los astros mandaban en él. Pero mandaban de otro modo que como imaginara el rey Basilio. Pasaba largas temporadas Segismundo en el campo y emprendía largos viajes. En un ligero barco, con un centenar de libros, salió un día de Kolberg, en Alemania, para los mares del Norte.

Y no se ha vuelto a ver más. El archiduque austríaco Juan Salvador, alias Juan Orth, tuvo en Segismundo su parigual. Los dos se desposaron, perdurablemente, con lo ignoto.

CERVANTES NACIO EN ESQUIVIAS

París, 1938.

Han sonado unos golpecitos en la puerta—la puerta del cuarto del hotel—, y he gritado:

—¡Adelante!

No ha entrado nadie y han vuelto a golpear. He gritado de nuevo:

—¡Adelante!

No ha entrado ahora nadie tampoco. Los golpes han tornado a sonar. Y con voz recia—acaso un tantín colérica—he proferido:

—¡Entre quien sea!

Se abre la puerta, avanza hacia mí un caballero y se cuadra militarmente. El pergeño es señoril y las facciones de bondad. Me cuadro yo también con la más correcta apostura marcial. No sé si hay un poco de ironía en la decisión. Transcurre en silencio un instante, y digo:

—Permítame usted, señor, que le cuente una anécdota. Viene de perilla en esta coyuntura. La señorita Clairon estaba sumamente agradecida a Voltaire. Fué a ver al escritor y se arrojó a sus plantas. Voltaire se arrodilló súbitamente también ante la señorita. Y ya de hinojos los dos, dijo: «Señorita, ya estamos los dos en el suelo. ¿Y ahora, qué hacemos?» Y yo pregunto a usted, señor mío: ¿qué hacemos los dos, cuadrados militarmente?

—Perdone usted—me dice el desconocido—. Soy caballero.

—Y yo también—le respondo.

—Pero yo lo soy andante—me retruca él con cierto énfasis.

—¡Ah, eso es otra cosa!

Hay tal bondadosa socarronería en mis palabras, que el caballero sonríe. Sonrío yo expansivamente también.

—¿Caballero andante y en tiempos calamitosos?

—Precisamente. Los tiempos son los más propicios para la profesión. Mi nombre es Miguel de Cortinas. Soy nativo de Esquivias. He venido de Esquivias por breves tránsitos. Creí no llegar nunca a París. Con mi pobre hato al hombro, he cabalgado en el caballito de San Francisco desde la Mancha hasta la isla de Francia. Y nadie me ha molestado. No se ha metido conmigo ni gente armada ni gente inerme. ¿Y por qué habían de desazonar a un caballero andante?

—¡La alegría que tengo yo, señor, al encontrarme mano a mano con un seguidor de Palmerín de Oliva! Y aumenta el contento el pensar que el caballero viene de Esquivias.

—¿Ha estado usted en Esquivias?

—Una noche de luna, en invierno, recorrí a campo traviesa, por viñas y olivares, el trecho que separa la estación ferroviaria del pueblo. Y dormí aquella noche en una cama de tablas, alta como una torre y con siete colchones mullidos.

Hemos vuelto a reír. Las facciones del caballero cobran de pronto visos de seriedad. Algo grave va a producir este señor. El prólogo del ceño lo revela. Y al cabo, este nuevo Felixmarte de Hircania, dice:

—¿Sabe usted de dónde era Cervantes?

—De Alcalá de Henares.

—¿Cree usted que Miguel de Cervantes era de Alcalá de Henares?

—Allí está la partida de bautismo.

—Sí, allí consta la partida de bautismo. Pero Cervantes, Miguel de Cervantes Saavedra, nació en Esquivias.

En ese momento he experimentado la sensación que se experimenta cuando se pasa un puente de tablas que se tambalea. No sabía lo que pensar de este hombre. El coranvobis era de persona sensata y las últimas palabras acusaban desvarío. Ha comprendido el caballero mis dubitaciones íntimas, y con toda calma ha comenzado a desenvolver un atadijo que traía en la mano. Luego ha puesto ante mi vista un cuadrito. Encuadrada en dorado marco, tras cristal límpido, se ve una fotografía.

—Tenga usted la bondad de leer esto —me dice Miguel de Cortinas—. Y leo lo siguiente: «Año de MDXLVII. En este aposento ha parido un niño Leonor de Cortinas, su mujer de Rodrigo de Cervantes, el Sordo. Octubre 3. Nisi sapiens, liber est nem. Cicerón. El licenciado Felipe de Cortina.»

—¿Y esto qué significa?—pregunto.

—Vivo en Esquivias. En Esquivias tengo mi casa solariega. Desciendo por línea recta de la madre de Cervantes. En uno de los aposentos de la casa hay grabada, a punta de navaja, una inscripción. Esa inscripción es la de esta fotografía. Don Tomás Tamayo de Vargas asienta que Cervantes nació en Esquivias. Lo sabía bien. El escrito parietal lo confirma. El amor de Cervantes a Esquivias fué férvido y constante. De Esquivias loa Miguel la nobleza y los vinos. Tamayo de Vargas estaba en lo firme.

—¿Y cómo no se ha utilizado este dato precioso hasta ahora?

—No he querido franqueárselo a nadie. Lo he reservado para mí sólo. Ignorada de todos, he querido fruir la verdad. He dejado la patria. Lo he abandonado todo. ¿Y a quién podrá importar aquí en París, donde los libros españoles no se estiman—yo he vendido algunos en la feria del Sena y no me han dado sino unos céntimos—; a quién podrá importar en Lutecia el lugar verdadero en que naciera Cervantes? Sí, para mí solo esta exquisita puridad. Para de este modo encontrarme, gozando del secreto, más cerca de Cervantes. ¿No ha oído usted hablar nunca de apasionados de pintura que celan un cuadro famoso a la vista de todos y no permiten el acceso a sus colecciones?

—¿Y este aforismo? Las palabras de Cicerón dicen: «*Nisi sapiens, liber est nemo.*» Fuera del sabio, ninguno es libre.

—Aparte del sabio, nadie es libre. Ni más ni menos. Sólo los sabios, los prudentes, los acuchillados por la adversidad, son libres. Esa inscripción, trazada por un humanista lugareño, ha gravitado sobre toda la vida de Cervantes. El niño que acaba de nacer nacía con ese signo. ¿Lo sabía, lo presentía, lo adivinaba el latinista que firma la anotación mural? La palabra sabio ha sido desnaturalizada. Se llama hoy sabio a cualquiera. Sabio se aplica a un investigador de laboratorio. Se necesita trabajar con el intelecto e inventar algo para ser sabio. Y no es eso. La verdadera tradición no es ésa. La moral tiene su corriente, cual la de un río, y la ciencia tiene otra. Y el sabio está en la corriente de la moral. Sabio es el hombre práctico en la vida. Sabio es el hombre desasido de las cosas que atraíllan a los demás. En el seno del Estado más liberal, ¿cómo podrá sentirse libre el que sea esclavo de sus pasiones? Y si Cervantes es grande, lo es porque de su obra se exhala ese efluvio de bondad que constituye el verdadero y eterno liberalismo. El liberalismo no pasa. No crea usted que el liberalismo es cosa anticuada. Ríase usted de tales propugnadores de la novedad. Por encima de todas las críticas que se hagan del liberalismo, está el hecho irrefragable que la doctrina liberal es un humanismo. El sabio, le iba diciendo a usted, es el hombre que sabe vivir con ecuanimidad. Hay sabios que no saben leer. Cansados del trato con los inventores de cosas, tendemos los brazos con afán hacia este labriego que, en su haza, nos habla con palabras reposadas en que se contiene una experiencia milenaria.

Entraban hasta el fondo de mi alma tales expresiones. La emoción me embargaba. No podía yo oponer nada al aserto histórico del caballero. Pero ¿cómo explicar el bautismo de Miguel en Alcalá?

—La cosa es obvia—me dice sonriendo Miguel de Cortina—. La familia de Cervantes pasaba una temporada en Esquivias. En Esquivias cogió el parto Leonor. Luego, vueltos los padres de Cervantes a Alcalá, el niño fué en Alcalá bautizado.

El caballero añade, en tanto que extrae del bolsillo una botella:

—¿Me permite usted? Esta es una botella de vino de Esquivias. Me ha costado mucho conservarla sin detrimento hasta mi llegada a París. La he traído para usted. ¿Tiene usted por ahí una copa? Con el vino elogiado por Cervantes, bebamos por España y por Cervantes.

Y hemos bebido. Por los cristales del balcón ha entrado un vívido rayo de sol de España. Hemos visto a lo lejos un pedazo de llanura—la Mancha—en que se levantaba un grupo de álamos tembladores. Se escuchaba una copla que, melancólicamente, decía:

Hasta los suspiros míos
son más dichosos que yo.
Ellos se van y yo quedo;
ellos se van y yo no.

EL POETA EN LA VENTANA

París, 1938.

El poeta está en la ventana. Puede ser de día o de noche. Puede la ventana dar al campo o a una calle. Puede estar el poeta alegre o triste. Un verdadero poeta lírico pocas veces está alegre. Su sensibilidad es extremada. Matices de dolor que no advertimos los demás mortales, él los percibe penetrantemente. Este poeta de que hablamos es antiguo. Ha nacido en el siglo XVI. Pero el tiempo para los poetas no cuenta. El poeta vive siempre en un ambiente de eternidad. Las horas pasan, y el poeta, compenetrado con el alma del mundo, tiene la sensación de que han transcurrido unos pocos minutos. El poeta de que hablamos es sencillo en su vida. No le importan las pompas vanas. Si Garcilaso se fué tras la gloria, la gloria militar—la única gloria, aparte de la divina, que se conocía entonces—, este poeta, Francisco de la Torre, entre los tráfagos del mundo sabe conservar el dominio de sí mismo. Ofreceríanse le todos los honores de la tierra y él no los trocaría por la posesión de su propio espíritu.

En estos momentos de meditación, junto a la ventana, la vista del poeta se esparce distraídamente por el paisaje. Decididamente, la ventana da al campo. Y como en los cuadros antiguos, existe en la lejanía una montaña azul. El poeta tiene a veces conciencia de lo que sus ojos miran, y otras, mira sin ver. Un macizo de pobos gráciles—trémulos en sus hojuelas—atrae a ratos su mirada. Como esas hojitas tembloteantes es su espíritu. No su espíritu, su sensibilidad. Las hojitas del álamo tiemblan al menor soplo del aire, y su sensibilidad, la del poeta, se estremece al más leve contacto con el mundo exterior. ¿Y no tiene Francisco de la Torre cierto desdén por la literatura de su tiempo? La literatura del tiempo de La Torre—y de todos los tiempos de España—es conceptuosa. Un artista literario cree, en España, que si no dice las cosas conceptuosamente no creerá nadie que es culto y exquisito. La gente no cree exquisitos a los artistas sencillos. Francisco de la Torre escribe con sencillez. ¿Y cómo va a esperar él que le estimen los doctos? Sus poesías, tan finas, tan sobrias, tan límpidas, quedarán sumidas en el olvido. Habrá de pasar mucho tiempo antes de que sean estimadas. Las publicará don Francisco de Quevedo; pero don Francisco de Quevedo las atribuirá a otro Francisco de la Torre. Se publicarán de nuevo más tarde. Y Velázquez—y con Velázquez, muchos—se las adjudicará al propio Quevedo. Si en este momento en que el poeta se halla junto a la ventana pudiera sospechar que sus poesías, tan sobrias y claras, habían de ser atribuídas a Quevedo, tendría la más pronunciada sonrisa de desdén para la Humanidad. No merecen estimación doctos y eruditos que confunden sus poesías con las del ingenio más artificioso y alambicado de toda la literatura española. A Francisco de la Torre, sencillo y claro, no le estimarán los doctos. ¿Y qué le importa a él? Siempre, en lo recoleto de una casa, en un bosque, en una montaña, habrá, a lo largo del tiempo, una sensibilidad fina que rime con la suya. Las almas selectas se ayuntan silenciosamente a través de las generaciones. La tarde va cayendo. El azul del cielo es más fosco. No dejan de temblar las hojitas de los pobos. El hombre es inconstante, versátil. ¿Y por qué se ha de condenar la propensión humana al cambio? La sensibilidad, cuando es fina, apetece todos los contactos y espectáculos. El caudal psicológico se va formando con la variedad. «Tengo derecho a cambiar», ha dicho, allá junto al Mediterráneo, entre la verdura, otro poeta, gran poeta, Ausias March. Y Francisco de la Torre, menos complicado que Ausias, igualmente apetente, sin embargo, de espectáculos humanos, confirma este desasosiego universal. Nadie se halla acorde con su suerte. Los poetas, menos que nadie, pueden vivir inmóviles en un punto. Francisco de la Torre lo ha dicho:

> Alexis, ¿qué contraria
> influencia del cielo
> persigue nuestros ánimos
> con las cosas del mundo?
> Ninguno con la suerte
> que le previno el hado,
> dichosa o miserable,
> alegremente vive.

No pueden ser estos versos ni más sencillos ni más bellos. Otro poeta expresaría este desasosiego en elegantes conceptos. Al mismo tema de la mudanza ha dedicado Lope de Vega en sus *Rimas sacras* una poesía, y no llega a ésta tan sencilla. La tarde va declinando y se apropincua el crepúsculo. La melancolía ingénita del poeta se acentúa. El acorde entre la Naturaleza que se recoge—con la llegada de la noche—, y el espíritu del poeta se estrecha. Las últimas golondrinas del día han pasado y repasado, rayando el cristal del cielo como con un diamante. En estos momentos de un crepúsculo sensual, templado y sereno, las golondrinas parecen, con sus gritos agudos y con su voltear incesante, que están ebrias de aire líquido. Han surgido ya las primeras estrellas. El poeta las contempla. Estas estrellas serán las mismas que otro poeta contemple dentro de dos mil años. Y son las mismas que Ovidio contempló la última noche que pasó en su casa de Roma, antes de partir para el destierro. Las estrellas dialogan con los poetas. A los poetas les dicen cosas que no comunican a los demás terrenales. Fija en la estrella la mirada de Francisco de la Torre, no sabe el poeta cuánto tiempo pasa. El tiempo es el tránsito de las cosas. La eternidad son las cosas sin tránsito. En este momento en que Francisco de la Torre mira la estrella no cambia nada. El tiempo no existe. El poeta se imagina, en efecto, que nada cambia: ¡Y sí cambia! Su espíritu va pasando por diversos estados. Una breve obra poética, un soneto, va germinando en la conciencia del poeta.

De lo hondo de lo subconsciente suben a la superficie imágenes y asociaciones de ideas. El poeta describirá luego en versos sobrios la sensación de la noche. Ha dejado la blanca hoja sobre la mesa, y podemos acercarnos a leer lo que el poeta ha escrito:

¿Cuántas veces te me has engalanado,
clara y amiga noche?
¿Cuántas, llena de oscuridad y espanto,
la serena mansedumbre del cielo me has turbado?

Estrellas hay que saben mi cuidado
y que se han regalado con mi pena;
que entre tanta beldad, la más ajena
de amor, tiene su pecho enamorado.

Ellas saben amar, y saben ellas
que he contado a su mal, llorando. el mío,
envuelto en los dobleces de tu manto.

Tú, con mil ojos, noche, mis querellas
oye y esconde; pues mi amargo llanto
es fruto inútil, que al amor envío.

¡Qué magnífico verso! Verso henchido de sentido profundo. «Estrellas hay que saben mi cuidado.» El poeta cuenta sus cuitas a las estrellas, fulgentes en la negra noche. Las estrellas van escuchando al poeta. Y se enteran de su dolor. Entre los humanos tal vez nadie conozca esos dolores. En la tierra acaso sean siempre ignorados. ¡Y una estrella los sabe! «Estrellas hay que saben mi cuidado.» Y si llora dulcemente el poeta, la noche también lo sabe. Se deslizarán los años. Pasarán los siglos. ¿Parará mientes alguien en estas congojas y en este llanto del poeta? Leer a un poeta no es fácil. Se lee en cualquier momento a un prosista. El poeta necesita su momento. Hemos de hallarnos, para leerlo, en determinadas situaciones psicológicas. En estos instantes del crepúsculo es cuando debemos leer a Francisco de la Torre. No es elocuente este poeta. Detesta la elocuencia. Una cierva herida, una tórtola triste, un árbol derribado le bastan para la efusión de su sentimiento. La noche ha cerrado ya. Y las estrellas titilan radiantes. Una, entre todas la preferida del poeta, la que sabe de los dolores secretos del poeta, tiene destellos rojos, verdes y azules.

PALOMA DEL CAMPO

París, 1939.

No sé si podré imaginar un nuevo cuento. El arte del contar me apasiona. Lo reputo por el más arduo. Pondré, al menos, en la cabecera de una cuartilla las palabras iniciales. Escribo. «Tengo predilección por los desvanes.» Los dos apellidos que llevo han tenido para mí sortilegio. No puedo dudarlo. Me llamo Federico Sobrado de Aliaga. La preposición «de» no implica en España ínfulas de nobleza. En Francia se perecen por la «partícula», como ellos dicen. En España indica, las más de las veces, procedencia. Procedo yo de los Sobrado de Aliaga, y no de los Sobrado de Mosquera. Y a lo que iba. El apellido Sobrado me inclina a las falsas. En cuanto a lo de Aliaga, mi vida tiene de la ginesta o retama el bello color en lo externo, color de oro coronario, cuando florida; y en lo intrínseco, la amargura de la planta.

Propendo al fayado. Soy el último eslabón de mi estirpe. En la casa solariega que vivo, casi palacio, moro yo solo. Y me paso lo más del día en el desván. Junto a una ventana he puesto una mesa de pino. El tablero está en contacto con el alféizar. Desde el asiento que ocupo veo, allá enfrente, allende un patio, la ventana de otro desván. Y en un rincón considero, con ascética consideración, cual restos de un naufragio, el naufragio del vivir, una maltrecha máquina de coser, la jaula de un loro, un quinqué anacrónico, una corambre rajada, dos caretas de castrar colmenas, un cofre centenario con pelambre rojiza. He dicho que no sé si podré escribir otro cuento, porque cada vez las cosas tienen sobre mí mayor mero y mixto imperio. Y encuentro dulce, con voluptuosidad honda, el dejarme arrastrar por la corriente de las cosas, ayuntadas con el tiempo. En este momento levanto la vista de la mesa y veo una nube blanca que camina tarda por el azul. Como esa, impelida por viento, es mi pobre persona.

Y de pronto se produce un acontecimiento inquietador. En la ecuanimidad y silencio de mi vida, sensibilizado al extremo el sistema nervioso, tal accidente fútil adquiere categoría de acaecimiento sensacional. La ventana de las falsas fronteras se abre, y en el vano aparece Paloma del Campo. La he visto en el teatro. Canta y baila maravillosamente. Esbelta, trigueña la color, ondulante, parladores los ojos, no se encontrará en el mundo gitanilla más seductora. Paloma es hija de Julián del Campo, el torero más elegante de los tiempos modernos. El toreo es el arte nacional de España. ¡Mucho que sí! Tiene su complemento—y con ellos se funde—en el arte de un Velázquez y el arte de un Cervantes. En dos palabras puede cuajar la magistratura taurina: claridad y reposo. Y Julián del Campo, en la plaza, es como nadie reposado y limpio en las suertes. Los ojos se encandilan cuando se contempla a Paloma. He estado en éxtasis breve lapso. Cuando escribí mi novela *Entre gallos y medianoche*, novela de costumbres gitanas, hube de aprender el caló. El modismo «entre gallos y medianoche», es decir, entre el alba, cuando cantan los gallos, y pasadas las doce, significa que es muy tarde. En mi novela, un poeta se enamorica de una gitanilla salerosa. Pero es ya tarde. El poeta acarrea con trabajo sus sesenta años, y la gitanilla es un pimpollo. La sazón del poeta, ¡ay!, ha pasado.

—*¿Madrilati?*—he gritado, encarándome con Paloma.

La gitanica ríe, mostrando dientes níveos—níveos entre la grana de los labios—, y vocea:

—*¡Sesé!*

—*¿Gabicote?*—torno a preguntar.

—*¡Gachapla!*—vuelve a decir Paloma.

El diálogo, trasladado al castellano, es éste:

—¿Madrid?

—¡España!

—¿Libro?

—¡Copla!

He voceado lo de «libro» al tiempo que mostraba uno que tenía yo sobre la mesa. Y a seguida de gritar «copla», Paloma ha cantado, con voz pastosa, dulce, acariciadora:

> Quien tiene penas, se muere;
> quien no las tiene, también;
> yo quiero vivir alegre;
> mañana me moriré.

Estoy muy lejos de mi caserón solariego. No he podido hurtarme al destino. El destino puso en una mesita del restaurante donde yo estaba comiendo el prospecto de una compañía de navegación. Y este papel—una cosa imperativa para mí—hizo que yo viniera hasta Madagascar. Vivo en Diego Suárez. El hotel es confortable. El tiempo pasa inadvertido. Han transcurrido ya veinte años. Allá en Lodosa, par de la ventana, estarán el tintero, con el libro, la pluma y la cuartilla, en que se dice: «Tengo predilección por los desvanes.» Tiene orden mi mayordomo de no tocar ni un tomo. Cuando yo vuelva, todo estará como de primero. Y es hora ya de retornar.

Junto a la ventana del sobrado estoy otra vez. La nube blanca camina por lo azul. Han pasado años, muchos años, y este vellón de nieve errático, cúmulo brillante, es el mismo de antaño. ¿Qué habrá tras la ventana opuesta? La ventana se abre y aparece Paloma del Campo. ¡Huyuñui, qué Paloma! A la mujer temprana ha sucedido una hembra hecha, llena, grave, de movimientos sosegados y cara espiritual.

—*¿Madrilati?*

—*¡Sesé!*

—*¿Gabicote?*

—*¡Gachapla!*

Y en seguida, la copla que penetra en

el corazón con tristeza y nos mece en dulce desvarío:

> El sueño tengo perdido,
> y no sé dónde buscarlo.
> Lo buscaré en el olvido,
> y el olvido, ¿dónde hallarlo?

Pero no puedo resistir a la fatalidad. La estrella que preside mi vida me impele a caminar. Leí un libro acerca de la isla de Santa Helena, y héteme aquí en un hotelito de la famosa ínsula. La ejecutoria literaria de Santa Helena la ha otorgado, a mi entender—soy español, y no francés—, fray Luis de Granada, más bien que Napoleón. Fray Luis, en su *Introducción del símbolo de la fe,* habla de la isla y dice que es a modo de venta —venta donde se descansa—que Dios ha puesto en la inmensidad del Atlántico. Y en esta venta lleva descansando Federico Sobrado unos quince años. ¿Cuándo volveré a España? En el tablero de pino me espera la cuartilla en que se lee: «Tengo predilección por los desvanes.»

¡Visto y no visto! He vuelto a mi camaranchón. He tornado a mi sillón de la ventana. No pasa ahora nube alguna por el azul. El día está gris y la luz es cernida. La ventana de enfrente se halla cerrada. Todo se encuentra cual hace quince años. Pero la cuartilla—la cuartilla que cuenta siete lustros—está abarquillada y amarillenta. ¡Y yo no soy el mismo! ¡Y yo me he mirado al espejo y he visto los estragos del tiempo! El contraste entre las cosas que son idénticas a lo que eran en la remota lejanía y mi persona, caduca ya, me entristece. La ventana se abre y aparece una anciana vestida de negro. La adolescente y grácil Paloma de antaño se ha transmutado en mujer provecta. He gritado:

—*¿Madrilati?*

Y lentamente, la anciana se lleva un blanco pañuelo a los flébiles ojos, y luego, con suavidad, cierra la ventana.

¡Ay, mísero de mí! ¡Ay, infelice! No sé cuánto tiempo transcurre. He caído en un hondo marasmo. De tal báratro me sacan unos golpecitos dados en la puerta. No me muevo. La puerta se abre y ya está ante mí una gitanilla maravillosa; semeja, rasgo por rasgo, la evanescida Paloma. ¡Divina juventud! ¡Dichoso renuevo del viejo tronco! La gitanilla ríe al ver mi asombro. Y de súbito, exaltado, grito:

—*¿Madrilati?*

—*¡Sesé!*—contesta, con carcajada argentina, la gitanilla.

AVENTURAS DE MIGUEL DE CERVANTES

París, 1938.

Miguel de Cervantes López Saavedra fué bautizado en Alcázar de San Juan el 9 de noviembre de 1558. Lo saben todos los buenos alcazareños. Los manuales literarios—que hablan de lo inútil y desdeñan lo esencial—no dicen pío de este Cervantes. Pero existe bibliografía copiosa de su existencia. Y en tiempos, los alcazareños se han batido denodadamente por su convecino, al cual adjudicaban la paternidad del *Quijote*. Y esta noble intrepidez los enaltece. El padre de Miguel se llamaba Blas de Cervantes Saavedra, y la madre, Catalina López. Alcázar es la capital del priorato de San Juan. La blanca lana de la cruz de San Juan resalta en la ropilla o el manteo tanto como la lana roja de Santiago. La cándida lana la ostentó Lope de Vega, y la bermeja, don Francisco de Quevedo. Las calles de Alcázar de San Juan son anchas, con casas bajas, blancas las paredes, el piso pavimentado de guijarros. Alcázar se halla a ciento cuarenta y ocho kilómetros de Madrid por ferrocarril, y a ciento sesenta y cuatro por carretera. En su estación se bifurca la línea de Madrid, y un ramal va a Andalucía y otro a Levante. En su casino, desierto a la mañana, puede el viajero meditar, ante una copa de coñac, solo en la vastedad de la sala, sobre la melancolía infinita —infinita y ensoñadora—de la inmensa y próvida Mancha.

La vida de Miguel de Cervantes se desenvolvió plácida. No estaba desprovisto Cervantes de dones de fortuna. Poseía varios predios rústicos y dos o tres predios urbanos. Los rústicos eran tierras de sembradura y viñedos; los urbanos, casas en Alcázar. El laboreo de sus tierras ocupaba la vida de Miguel. Acaso en el fondo del alma llevaba este hombre una levadura de tristeza. No podía él quejarse de la vida, y, sin embargo, consideraba la aridez de sus días. Día tras día se sucedían monótonamente los años, sin que nada extraordinario viniera a matizar la existencia del buen labrador. ¿Y era todo en la vida el sembrar, el segar, el trillar y el recoger en las trojes el grano? ¿Y se resolvía todo el vivir de un hombre en ver trocarse el agraz de los racimos en azucarados grumos, y en cortarlos, en pisarlos en el lagar y en henchir las cubas de oloroso y espeso mosto?

El destino tenía deparada otra cosa a Miguel. Necesitó ir a Madrid un día, y un convecino, buen amigo suyo, Leocadio Pascual, le dijo:

—Vas a Madrid y quiero hacerte un encargo. Visita en mi nombre a don Bernardo de Sandoval y Rojas, cardenal arzobispo de Toledo y presidente de la Junta Suprema de la Inquisición. No te atemoricen tantos títulos. El cardenal, a quien yo serví antaño, me dispensó su amistad. Te acogerá cordial. Su afabilidad es indefectible.

En Madrid, Miguel de Cervantes fué a visitar al cardenal Sandoval y Rojas, arzobispo de Toledo. El cardenal solía pasar temporadas en la corte. Esperó un rato en la antesala Miguel, y al fin vió venir hacia su persona, sonriente, a un familiar.

—El señor cardenal no puede recibir a usted—le dijo a Miguel el familiar—. Y me encarga que le manifieste que lo siente infinito. Se halla algo indispuesto y ha de regresar mañana a Toledo. Y me ha encargado también que tenga usted la bondad de aceptar este recuerdo suyo.

Y al mismo tiempo ponía en la mano de Cervantes una bolsita. Ya en la calle, Miguel vió, confuso, asombrado, que la bolsa estaba llena de monedas de oro. Había ido él, la verdad sea dicha, a visitar al cardenal con cierto recelo hacia los grandes personajes, él, que era un pobre labrador, y se encontraba con que este encumbradísimo señor llevaba su bondad hasta hacer don a un humilde visitante, desconocido para él, de un riquísimo presente. Miguel no sabía qué pensar. La aventura era realmente peregrina. No podía ya decir que su vida no estaba interrota por lo inesperado. Pero no fué esto sólo. Algo más habría de ocurrirle.

Alcázar de San Juan no está lejos de Argamasilla de Alba. Cerca de Argamasilla, a la margen del río Marañón, que se encuentra a catorce kilómetros de Alcázar, tenía Miguel algunos bancales. Pero al visitarlos no se acercaba nunca a Argamasilla. Y un día tuvo que entrar en el lugar. Por no hacer gasto en la posada, hizo lo que se suele hacer. Dejó el carrito en que iba en las afueras del pueblo, y desengachada la mula, en tanto que la mujer de Cervantes cocía sobre tres piedras a manera de trébedes un frugal yantar en la olla, Cervantes entró en el pueblo a desempeñar ciertas diligencias. También es hermoso pueblo Argamasilla. El Guadiana lo bordea y espesas arboledas ornan las márgenes del río. Miguel de Cervantes camina por las anchas calles. El sol reverbera vívidamente en la blanca cal de las fachadas. Miguel ha sacado del bolsillo un fajo de papeles y consulta unos apuntes relacionados con las gestiones que va haciendo. De pronto, una mano se posa en su hombro. Se vuelve Cervantes y ve ante sí a un caballero alto, cenceño, con una barbita rala en punta y con unos bigotes lacios. En los ojos del personaje hay una honda melancolía. Con voz dulce, insinuante, le dice a Miguel:

—¿Sabe usted quién soy yo?

—No tengo ese gusto—contesta Cervantes.

—¿Va usted a estar mucho en Argamasilla?

—Estaré unas horas.

—Pues entonces no puedo yo invitarle a que venga a mi casa, donde hablaríamos con todo reposo, y voy a decirle aquí lo que tengo que decirle. Y perdóneme usted, ante todo. Perdone usted, amigo, que un caballero desconocido para usted le detenga en la calle. Le llamo amigo porque todo manchego lo es para mí. Y le llamo amigo sin debérselo llamar. He dicho antes que yo soy desconocido para usted. Seguramente que no lo soy, cuando usted ha hecho contra mí lo que todo el mundo sabe. Esta carta que entrego a usted se le ha caído hace un momento. Lo estaba yo viendo desde lejos. No se ha percatado usted de la falta. La he recogido yo del suelo y he cometido la indiscreción de leer el sobrescrito. Vuelvo a rogarle que me otorgue su perdón. Por el sobrescrito he visto que usted es Miguel de Cervantes. Y yo le pregunto, señor mío: ¿qué daño le he hecho yo? ¿En qué puedo yo ser ridículo? ¿De qué manera tengo yo trazas de cómica estantigua? ¿Cómo podría tenerlas don Alonso Montalbán, caballero de Argamasilla, que vive pacíficamente y no ha hecho nunca mal a nadie?

Miguel de Cervantes contemplaba con asombro al caballero. No sabía qué contestarle. En esto se abre una puerta, sale una moza y le dice a Miguel:

—Perdone usted a este caballero. No tiene ánimos de ofenderle. He estado escuchando por el resquicio de la puerta todo lo que hablaba. Y usted, querido tío, deje seguir su camino a este señor y no piense en agravios quiméricos.

Y diciendo esto se lleva suavemente, cogido del brazo, al avellanado caballero.

En al venta de las Animas, camino de Segovia, se han encontrado dos viajeros. El uno es Miguel de Cervantes López Saavedra, y el otro es un señor ya provecto, de ancha y desembarazada frente, barbas blancas, dientes helgados y bigotes recios caídos. Sus ademanes y palabras son de reposo y de bondad. No hay ningún viandante más en la solitaria venta. Sentados en un poyo de la fachada, ante el camino que se pierde a lo lejos, en el crepúsculo de la tarde, los dos viajeros conversan como dos antiguos amigos. Miguel de Cervantes se siente atraído por el hechizo cordial de su compañero. El compañero de Miguel ha relatado su vida. La vida de este hombre es un tejido de extraordinarias aventuras. Ha peleado en la batalla de Lepanto. En Argel ha estado cautivo. De Lepanto libró la vida por milagro y con gloria, y en Argel ha estado expuesto a perder esa azarosa vida cuatro o seis veces. Y ha estado a pique de perderla, por querer salvar generosamente del cautiverio a compañeros suyos. No oculta el desconocido que ha estado preso también. ¿Y por qué ha de ocultarlo, si la inculpabilidad suya ha sido reconocida por todos? Al terminar su relato, el viandante pregunta:

—¿Y usted, compañero? ¿No le ha ocurrido a usted nada en la vida?

Entonces Miguel de Cervantes relata los dos hechos novelescos que le acontecieran: el regalo de la bolsa henchida de oro y el encuentro con el caballero avellanado en Argamasilla. El desconocido, tras el primer relato, se queda cabizbajo, pensativo.

—El cardenal don Bernardo de Sandoval y Rojas—dice—es buen amigo mío. Tengo la honra de que me dispense su protección. Celebro que haya sido también con usted generoso.

Y cuando Miguel acaba su segundo relato, el del encuentro en Argamasilla, el desconocido, un poco nervioso, le pregunta:

—Pero dígame usted, amigo: ¿cuál es su gracia?

—Miguel de Cervantes López—contesta Miguel.

—¿Miguel de Cervantes? — interroga con asombro el desconocido.

—Sí, Miguel de Cervantes, natural de Alcázar de San Juan.

En este momento, el desconocido se pone en pie. La tarde ha ido declinando, y el lucero vesperal fulge en el cielo límpido. En pie se ha puesto también Miguel. Hay un momento de silencio y de inmovilidad. Al cabo, el desconocido ha sonreído bondadosamente, y con gesto cordial ha tendido sus brazos hacia este otro Miguel de Cervantes, no infortunado como él, sino feliz, feliz en su condición mediocre, y le ha estrechado contra su pecho.

CLARO COMO LA LUZ

París, 1938.

Ha regresado Alonso Fernández de Avellaneda de su paseo vespertino, y entrega el caballo a un mozo de campo y plaza. «No hay hombre cuerdo a caballo», dice el refrán. Alonso es cuerdo, cabalgando y a pie. Tan ecuánime se muestra en un trotón criado en el soto, como en el caballito de San Francisco. Indómito hasta no más habría de ser un potro para que él perdiera el juicio. Maestro tal no lo hay en el arte de la jineta. La ilusión de los caballos mitiga su incurable melancolía.

Traspone Alonso Fernández de Avellaneda el portal de su casa y ve que, en el zaguán, sentado en un poyo, le aguarda un recuero. Viene de lejas tierras. El cosario pone en las manos del caballero una misiva y un maletín. Y ya está Alonso encerrado en su aposento, con la carta encima del bufete. La lectura le ha sumido en meditación profunda. Con la cabeza gacha, fruncido el entrecejo, se sienta luego a la mesa, cuando es hora de cenar.

—¿Tienes algo, Alonso?—le pregunta su mujer, Clemencia Díaz.

—Nada; no es nada—contesta con voz remisa, por contestar algo, Alonso.

En los días siguientes, la preocupación no desaparece. Alonso Fernández de Avellaneda se encierra todas las mañanas en su aposento durante dos horas. Nadie puede acceder a la cámara. El secreto de lo que el caballero hace en su encierro no transpira para persona. Y al cabo, yendo días y viniendo días, el misterio se transparenta. Alonso Fernández de Avellaneda está escribiendo un libro. Alonso Fernández de Avellaneda escribe una novela. La noticia causa estupor.

—Papá—dice Clemencia a Catalina, hija del matrimonio—está escribiendo una novela. No lo digáis a nadie.

—¿Es verdad, mamá, que papá escribe una novela?—pregunta Gerardo, hijo de la casa.

—Una novela—contesta la madre—. ¡Y que será bonita!

En el pueblo la noticia es comentada abundantemente. En sus paseos, Alonso cruza el Duero, y allá lejos se suele detener. Siéntase en una piedra del camino y permanece largo rato absorto. El caballo, arrendado a un árbol, ramonea, y el caballero, con la cabeza entre las manos, medita. ¡Y este hombre melancólico, ensimismado, amigo del cavilar solitario, es el que escribe un libro de burlas! A lo lejos, sobre el cielo de una pureza incomparable, el cielo alto castellano, se recorta la silueta de Tordesillas. No hay más remedio. Las cosas son como son. Había, fatalmente, Alonso Fernández de Avellaneda de plumear una novela. No lo querían creer en la farmacia del licenciado Retamoso, donde se reúne tertulia discreta de amigos. Tertuliano en la rebotica es el propio Alonso.

—¡Señores, el fin del mundo!—ha exclamado una tarde, al entrar, Federico Sobrado—. ¡Alonso Fernández está es-

—¡Dios nos la depare buena!

cribiendo una novela!

—¡Caray!

—¡La gente está loca!

—¡Por mi santiguada!

Tales exclamaciones son proferidas por los contertulios. Y un viejecito marrullero, atesorador de experiencia, maestro en callar—que es la gran ciencia—, se limita a decir en toda la tarde:

—¡Vivir para ver!

La cerradura del aposento en que se encierra Alonso tiene, como casi todas las cerraduras, un agujero. Aplicando el ojo al horado, se ve no la mesa en que trabaja Alonso, sino una camita de correas en que él se tiende cuando está cansado. Clemencia ha sido curiosa. Y ha visto por el agujero de la cerradura que Alonso está tumbado indolentemente en la cama. Clemencia torna al cabo de un rato, pasito, y ve lo mismo. Clemencia, al día siguiente, presencia el mismo espectáculo. Clemencia todos los días no ve otra cosa, en las dos horas de encerramiento marital, que a Alonso tumbado en la blanda lana. ¿Cómo puede ser esto? ¿Y la novela? Pero ¿es que así se escriben novelas? ¿Por qué ha mentido Alonso? Alonso Fernández de Avellaneda no engaña a nadie jamás. Decir una mentira le parecería descender de su dignidad. Entonces, ¿cómo explicar esta contradicción irrefragable? ¿No escribe nada Alonso y dice que escribe? ¿A quién engañará? ¿Por qué engañar? Retirados en camarilla solitaria, a cubierto de las curiosidades de los fámulos, conversan la madre y los hijos. Ninguno de los tres da en la clave del enigma. El enigma se alza ante ellos incitador e impenetrable.

—¿Alonso, qué tienes?—le pregunta un día, en la mesa, Clemencia al marido.

Y el caballero, ya un tanto tranquilo, casi risueño, responde:

—¿Te intriga, Clemencia, mi novela? Pues ya la llevo muy adelantada. ¡Veréis qué interesante es!

—¿Dices que la llevas muy adelantada?—torna a preguntar, ahora con retintín, Clemencia.

—¿Y quién lo duda? ¿Es que no lo creéis vosotros?

No lo cree nadie. Los días se suceden y la preocupación de mujer e hijos crece. La situación se hace insostenible. No sería delicado que Alonso la prolongara. Una mañana, estando Clemencia atisbando por la cerradura, la puerta se entreabre suavemente y en el resquicio aparece, risueño, Alonso. Coge el caballero de la mano a Clemencia, la entra en el aposento, torna a cerrar la puerta, y dice:

—Vas a conocer el misterio de lo que tanto te desazona. Hace un mes me trajeron una carta y un maletín. Te voy a leer la carta. Dice así: «Querido Alonso: eres un amigo probado. En ti he confiado siempre. Y ahora te voy a pedir un gran favor. He escrito una novela. Lo que he escrito es la segunda parte apócrifa de *Don Quijote*. No me preguntes por qué caminos he llegado a tal extremo. No lo he podido remediar. El impulso era más fuerte que yo. Y al presente me encuentro con que no puedo firmar esa novela. El escribirla me ha costado muchos berrinches. ¿Cómo podría yo sacar a luz un libro tal? El escándalo sería formidable. Te pido, pues, que seas tú el que ponga su nombre en la portada. Y te lo pido, si es preciso, de hinojos. No discutamos lo que está hecho. Cierra los ojos y firma.»

Ha habido en la estancia un silencio patético. Clemencia miraba a Alonso y Alonso miraba a Clemencia.

—¿Y tú vas a firmar ese libro?—ha dicho, al cabo, Clemencia—. ¿Y tú vas a legalizar con tu firma una obra en menoscabo de Cervantes? ¿Y tú vas a convalidar una vejación? ¡Cuántas veces, querido Alonso, hemos leído los dos, en el silencio de la noche, las verdaderas aventuras del gran caballero de la Mancha!

—Sí, Clemencia, sí—responde Alonso—. Pero tú sabes que yo no puedo negarme a la demanda. ¡Imposible de todo punto! Porque tú sabes que este buen amigo nuestro nos ha sacado de apretados trances cuando a él acudimos. Nos quiere con afecto entrañable. Nos salvó de la ruina y dotará a nuestra hija, cuando se case, y abrirá camino para nuestro hijo. ¿Cómo podría yo negarme a sus deseos? Pero puedes estar tranquila. La obra está de tal suerte escrita que nadie creerá que es mía, sino de nuestro amigo. La siembra hecha en sus páginas de reminiscencias, citas y evocaciones con carácter religioso es tan copiosa, que nadie dudará. Con el dedo señalarán todos a nuestro amigo. ¿Concebirá nadie, estando la cosa tan clara, dentro de un siglo, de tres o de cuatro, que la obra pueda ser de otro que de quien es? ¡Claro como la luz!

En este momento, Alonso Fernández de Avellaneda cierra los ojos e inclina la cabeza. Le sobrecoge un leve desvanecimiento. En la lejanía—una lejanía ideal, lejanía del tiempo y de las cosas—, Alonso ve un tropel de gente que pasa y le mira sonriendo burlonamente. Los que pasan son: Lope de Vega, Guillén de Castro, fray Luis de Aliaga, fray Luis de Granada, Tirso de Molina, Alfonso Lamberto, Ruiz de Alarcón, fray Andrés Pérez, Juan Blanco de Paz, Bartolomé Leonardo de Argensola, Gaspar Schöppe, Pedro de Liñán de Riaza, Antonio Mira de Amescua, Juan Martí... A todos estos hombres ha sido atribuído el falso *Quijote*. ¡Cuánto desvarío! Edgardo Poe ha escrito el cuento de la carta robada. Un precioso documento, buscado con afán por la policía, está en una casa colocado a la vista de todos, entre papeles sin importancia. Como es sobremanera inverosímil que tan preciadísimo papel esté en tal sitio, al alcance de todas las manos, nadie sospecha en ello. El *Quijote* de Avellaneda es como la carta robada de Poe. Nada hay más claro y, sin embargo, nada más secreto. Un solo erudito ha dicho la verdad, y nadie le ha prestado asenso. El autor del *Quijote* contrahecho lo tenemos ante la vista y no lo ven ni los más linces.

SE HA DORMIDO EL TIEMPO

París, 1939.

Cuarto número 16, en la fonda llamada La Confianza, Pellejeros, 33, Ladosa. Las vidrieras del balcón están abiertas. Tarde primaveral. En frente se ve, en el dintel de una puerta, una muestra en que se lee: «Antigua botería del siglo.» Un caballero, sentado par del balcón, tiene un cuadernito y un lápiz en las manos y va anotando de cuando en cuando algunas breves frases. Su mirada llega a la muestra frontera y el contemplador piensa:

—Antigua botería del siglo. Pero ¿de qué siglo? ¿Del XX o del XV? Esa botería estará seguramente en correspondencia con algún viejo curtidor de la cuesta del río. Y de esa botería saldrán los odres que andarán de venta en venta por los caminos de España, y las botas que en el cujón de las alforjas también viajarán y serán consuelo cierto de los caminantes cansados. Continúo estudiando el tiempo en una antigua ciudad española. No pasa nada en estas ciudades. Se ha dormido el tiempo. El tiempo aquí es la eternidad. Voy perdiendo el gusto por la lectura, mi placer de siempre, y voy cobrándolo por la meditación. Pensando en el tiempo, a solas conmigo mismo, se me van las horas como en un soplo. Del siglo XX al siglo XV, un hombre, en la antigua botería, habrá estado cortando cueros y cosiendo pellejos y botas. Y un viandante, en cualquier venta perdida en fragosa montaña, empinará una de esas botas, en el siglo XX, como la empinaba en el siglo XV, y dejará caer en sus fauces secas un hilito de vivificante vino de España. ¡Ah, estas milenarias ciudades en que no pasa nada y pasa todo! No sé qué vibración levísima me conmueve. Presiento algo sin saber lo que pueda ser. Está tan sensibilizado mi organismo, que el menor accidente es para mí capital. ¿Y cómo, siendo así, puedo decir que en esta vieja ciudad no me va a suceder cosa?

El caballero se levanta, toma su sombrero y se marcha a la calle. Comienza su divagar por las callejitas de la ciudad histórica. Camina lentamente, abstraído, en soñación dulce. De cuando en cuando le saca de sus imaginaciones un pormenor significativo, ora una casa, ora un transeúnte, ora el grito largo de un vendedor ambulante, ora las campanas de una iglesia. Ha llegado un momento en que lo que tenía que ocurrir ha ocurrido. Y estaba predicho desde el siglo XV que esto había de ocurrir. La escena inicial la ha presenciado el caballero con todos sus pormenores. La calle estaba solitaria. Se abre la puerta de una casita baja y aparecen un eclesiástico y dos ancianas enlutadas. Las mujeres se muestran llorosas. El eclesiástico viste pobremente, con manteo raído y sotana desteñida. En el instante de aparecer en la puerta, se está guardando en el bolsillo interior un tarjetero. Presume el contemplador lo que el clérigo habrá sacado de esta cartera y habrá entregado a estas cuitadas mujeres. Pero ¿cómo se concilia la pobreza del clérigo con el donativo presunto? El caballero que se hospeda en la fonda La Confianza—Pellejero, 33, Lodosa—se ha perdido en la maraña de las callejas. El clérigo comienza a caminar, y el caballero, deseoso de salir de este laberinto, se acerca a él.

—Perdone usted, señor cura—le dice—. Soy forastero en Lodosa y me he perdido...

No puede continuar. De pronto le embarga viva emoción. El clérigo le observa y también parece conmovido por algo inesperado. Tras un breve silencio, embarazoso silencio, el sacerdote dice con voz dulce:

—Prosiga usted. Le escucho con gusto. ¿Se ha perdido usted? ¿Se ha perdido usted en este enredijo de callejitas?

—Y si usted tuviera la bondad...

—Estará usted fatigado de la caminata. ¿Quiere usted tener la bondad de venir conmigo?

El caballero y el eclesiástico del manteo raído se ponen en marcha. No se veía a nadie en esta parte de la ciudad. De raro en raro, un labriego, una anciana enlutada o un artesano presuroso.

—¿Hace muchos días que está usted en Lodosa?—ha preguntado el sacerdote.

—Hace tres días, y no sé si son tres días o tres años. Tres años o tres siglos.

—¿Y por qué no lo sabe usted?

—Porque para mí se ha dormido el tiempo.

—Cuando el tiempo se duerme, es que nos sentimos en la eternidad.

—¿Y tan pronto en la eternidad?

Pero los interlocutores han llegado a una calle en que se ve una larga y alta tapia. Por encima de las bardas asoma, resaltante en el límpido azul del cielo, el boscaje verde de unos árboles. El sacerdote saca una llave del seno y abre una puertecita. Penetran los dos en un jardín. El jardín es bello. Se ven en su área cuadros de mirtos, adelfas blancas y adelfas rojas, cipreses centenarios, acacias, que en esta época del año, ya avanzada la primavera, van dejando caer, como nevada silenciosa, sus ajadas florecillas blancas. El agua de un brollador cae en un tazón de mármol y se deshilacha por los bordes hasta una alberca.

Sentémonos un instante y descansemos —dice el eclesiástico—. Este es un jardín de principios del siglo XVI.

—¿No estamos en el jardín que respalda el palacio del obispo?

—Así es. Ese edificio que se ve en el fondo, entre el ramaje, es el palacio episcopal.

El silencio es profundo. La paz, una paz secular, milenaria, se respira en el ambiente. Emana dulce quietud de los cipreses vejísimos, del agua que se desprende en flecos del tazón, de las lejanas piedras doradas del palacio, de las nubes que pasan por el azul.

—No sé qué decir a usted, señor cura —profiere el caballero.

—Y no sabe usted qué decir por lo mucho que tiene que decir—contesta el eclesiástico.

—Cuando se viene del extranjero es cuando se ve, con el contraste, el verdadero valor de España. He paseado esta tarde por las cercanías de la ciudad y he hecho un descubrimiento que me emociona. Hace una semana, en París, asistía yo, en una iglesita en que se practica el rito católico bizantino, o sea el griego, la iglesita de San Julián el Pobre, a una misa pontifical celebrada por el patriarca de Antioquía, Cirilo IX. Todavía tengo delante de los ojos la figura venerable de este varón apostólico. Su faz era pálida y había en su entrecejo un fruncido constante que denotaba preocupación honda. ¿Y por qué esa preocupación que yo suponía dolorosa? El canto llano, maravilloso canto llano de los primitivos tiempos, se iba desenvolviendo melódico y yo no pensaba más que en la palidez de esta cara y en el ceño penoso. Y esta tarde, en las afueras de la ciudad, he tropezado con una ermita. Y esta ermita está consagrada a San Ignacio de Antioquía. En el centro de su única nave se encuentra una imagen orante del santo rodeada de una verja, como la imagen de San Segundo en la capilla que se ve en las afueras de Avila. En mi mente se ha hecho, en esos instantes, una paridad súbita y misteriosa entre el patriarca de Antioquía, que yo contemplaba en París, y esta imagen española del mártir San Ignacio, obispo de la misma Antioquía. ¿Y por que no he de decirlo? He sido presa de una alucinación angustiosa. Se había dormido el Tiempo. El Tiempo no existía.

—Cálmese usted—ha contestado, sonriendo levemente el eclesiástico—. Le veo a usted un poco excitado. No se deje arrastrar por las impresiones del momento. El tiempo existe. Y vamos todos caminando hacia la eternidad. En la eternidad volveremos a encontrarnos todos.

—Este silencio, esta paz, esta quietud, señor cura, se me entran en el alma. ¡Qué sosegada debe de ser la vida de un obispo en Lodosa! A ratos bajará de su despacho a este jardín y paseará en la soledad, entre los mirtos, las adelfas y los cipreses.

—¿Cree usted en ese sosiego? ¿Y es que no sabe usted que existe el dolor humano? ¿Y es que usted, señor forastero, no tiene presente las pobres mujeres enlutadas que tienden suplicantes sus manos, ni los niños hambrientos, ni los ancianos desvalidos? El dolor humano, el eterno dolor humano, se enlaza, con lazo inefable, al sentimiento de la eternidad. Y sólo cuando tenemos ese sentimiento arraigado en el alma, es cuando sentimos también profundamente el dolor de nuestros hermanos. Porque no merecemos esa eternidad, si no tendemos nuestras manos a los afligidos.

—Esas palabras tan dulcemente dichas, señor cura, sosiegan mi ánimo. No sé qué hará en estos momentos el prelado que vive en aquel palacio. ¿Estará ante una mesa con la mano reclinada en la mejilla? ¿Tendrá ante sí, en audiencia, a un pobre y abnegado cura rural y estará escuchando el relato de sus afanes penosos? ¿Escribirá acaso en las blancas cuartillas sus meditaciones sobre la vida y la muerte?

—La vida es fragilísima, como dice fray Luis de Granada. Un aire, un vaso de agua, un accidente trivial pueden acabar nuestros días. Habla usted de la vida de un obispo en una vieja ciudad española. ¿Y la vida de un poeta? ¿Y la vida de un poeta que se sienta solidario del gran pasado español? Ese poeta convertirá en su alquitara misteriosa el pretérito en presente. Lo que ha ocurrido hace siglos, lo viviremos, gracias a su estro, como si fuera actual. El Tiempo, para este poeta, no existirá. El Tiempo, como usted dice, se habrá dormido y sólo permanecerá la sensación bienhechora que salva los siglos y es igual a través de todas las edades. Y esa sensación es, precisamente, la que experimentamos al hacer el bien, es decir, cuando acabamos de estrechar entre nuestras manos la mano de un ser dolorido y lleno de gratitud.

—¡Ah, qué dulce ensueño, señor cura!

—¡Ah, qué bonitos versos escribe usted, Román Solano!

—¡Y qué bellas palabras las de usted, señor obispo! ¡Y qué bella vida la de usted cansagrada, como acabo de comprobar hace un momento, al verle salir de una casita pobre, al bien, de un modo silencioso y discreto!

En la catedral, la campana ha comenzado a tocar el *Angelus* de la tarde. Ya, a respetuosa distancia, han aparecido dos familiares del obispo que esperaban órdenes, encuadrados entre dos pomposas adelfas de flores blancas.

El señor obispo se ha levantado. En silencio, dirigiéndose al poeta, ha trazado en el aire una bendición. Los dos familiares se han acercado. Ha marchado uno con Su Ilustrísima y se ha quedado otro con Román Solano para conducirlo a la puertecita del jardín.

EL PINTOR DE ESPAÑA

París, 1939.

Encima de un sexto piso, en la colina de Montmartre, allá en lo alto de una calle empinada. Espacioso camaranchón con amplia vidriera que da al cielo y al panorama inmenso de los tejados parisinos. Tarde cenicienta y lluviosa. De cuando en cuando, caen espesos chubascos y el agua resbala por los cristales. La luz es opaca. En la dulzura—melancólica dulzura—del claroscuro, resaltan tres notas de color. Sobre tres divanes han sido tendidas tres telas de seda. La una es blanca con floripondios áureos. Azul la otra, y amarilla la tercera. En las blancas paredes, cuatro o seis copias de maestros: Velázquez, Ribera, Goya... Un caballete vacío y un gran lienzo blanco en el suelo, arrimado a la pared. El silencio se entra en el espíritu. Sólo cuando la lluvia arrecia, el fuerte gotear marca un sonoro ritmo.

En uno de los divanes, dos caballeros sentados. Los dos son provectos. El uno de ellos es alto, recio, de ancho tórax, de cabeza sólida y erguida. Va para los setenta y ha pintado en su vida unos seiscientos cuadros. La mayor parte de su obra no está divulgada, y hay coleccionistas que poseen, recatados, seis u ocho cuadros suyos que nadie conoce. Trabaja ahora el caballero como en su mocedad. No pasa día sin que mueva los pinceles ocho horas. Lleva vivir sobrio. Sin la sobriedad en la vida, no podría conservar las energías que en la senectud le restan. «Más mató la cena que sanó Avicena», dice el refrán castellano. Por la mañana, a primera hora, el desayuno de este hombre es breve ración de frutas. No se alarga en la comida meridiana. Y vuelve a un plátano o una naranja, cuando anochece. La profusa vida mundana se lleva las fuerzas del artista e impide toda concentración espiritual. El caballero necio y erguido tiene, por tanto, para su salud mental, el santo temor del té de las cinco. El té de las cinco, si nos hace comunicarnos con personas gratas, nos derrama en confidencias inútiles y parlerías que nos sacan de nuestras casillas. ¿Y cómo un hombre que está fuera de sus casillas podrá trabajar y crear?

—En París, al cabo de tres años de constante París, he acabado de ver yo a España—dice el otro caballero—. He procurado estudiar a España en la Historia, en los clásicos, en los paisajes, en los hombres. Pero sólo cuando he estado fuera de España he sentido con toda intensidad a España.

El recio caballero, al escuchar estas palabras, se vuelve hacia su compañía y le mira en silencio. En su semblante se muestra asombro.

—¿Es usted o soy yo el que está hablando?—pregunta al cabo—. Porque a mí me ha sucedido lo mismo. De este estudio ha salido mi España. Y no hubiera podido salir, tal como es, de un estudio español. De España yo venía con los ojos cargados de imágenes. Y al llegar aquí, en la soledad de este estudio parisién, a tantas leguas de España, advertía que, por contraste con el medio y con el estímulo de la añoranza, esas imágenes iban adquiriendo una intensidad, una emoción, un lirismo, que me sorprendían a mí propio.

Hay un claro en el cielo y a poco torna la opacidad triste. El agua, cuando los turbiones, continúa llorando, es decir, lagrimeando en el ventanal de cristales.

—¡Cuánta gente he conocido!—exclama con honda melancolía el caballero apuesto—. Por este estudio han pasado Anatole France, Mauricio Barrés, D'Annunzio, la condesa Noailles...

—¡Y todos muertos ya!—exclama el otro caballero—. Han pasado todas esas personalidades ilustres y falta alguien.

Va a contestar el caballero erguido, cuando la cortina del fondo, cortina que oculta la puerta, se mueve. Alguien ha subido por la escalera pina y crujiente. Pero el golpear de la lluvia ha impedido oír el crujido de la escalerita. La cortina se separa y aparece un caballero alto, cenceño, amojamado, con barba corta en punta y ademanes afables y resueltos. Viste cual hace treinta años. El cuello de la camisa es de pajaritas y en la corbata luce una de aquellas diminutas herraduras de brillantes que antaño se gastaban. En la mano izquierda trae el visitante un bombín y en la derecha un bastón con puño en bola de plata. Al estar ante nosotros, se inclina respetuosamente y dice con voz amable:

—¡Ah, mi señor don Ignacio Zuloaga! Hace tiempo que deseaba echarle a usted la vista encima. Usted es el magno pintor de España y yo soy un caballero de España. Veo la mirada de asombro y de resignación que usted dirige al señor que le acompaña. Esa mirada parece decir: «Ya tenemos aquí al inevitable chusco.» No soy un maulero. No soy una visión tampoco. Mi nombre es Gonzalo Pacheco y mi patria Argamasilla de Alba. No es pingüe mi hacienda. Pero me permite ostentar rocín, que no está flaco, como el rocín de marras, y galgo corredor. Con este galgo corro yo las liebres en los llanos manchegos. Y en cuanto a la lanza en astillero, yo no la tengo. Tengo, sí, una vieja escopeta con la que cazo a la volatería, no en los chozos, las cantoras perdices. ¿Y por qué yo, manchego estante, me encuentro en París? Trastornos del pueblo y viceversa de la fortuna. Pero, estando yo en París, no podía dejar de visitar al gran pintor de España. En Argamasilla de Alba tengo un ancho y viejo caserón. La nitidez de la cal de la Mancha concierta bellamente con la limpidez del azul celeste. Las paredes de mi casa son blanquísimas y el cielo en la Mancha resplandece de azul lo más del año. El Guadiana cruza el pueblo. Detrás de mi casa se extiende un huerto. Y en el tapial lejano se abre una puertecita que da al río, bordeado de altivos álamos. Si ustedes aportan alguna vez por Argamasilla, para mí sería honroso el darles cobijo en mi humilde choza. Pero voy a hacer a usted una reconvención, mi señor don Ignacio Zuloaga. Y la voy a hacer, naturalmente, en tono respetuoso y de súplica. La hace Gonzalo Pacheco, descendiente de Rodrigo Pacheco, que tiene su retrato en la iglesia de Argamasilla. Quieren decir que ese don Rodrigo es el original de don Quijote. No lo sé. No importa el caso. Lo cierto es que yo soy un caballero español y manchego. Y como tal, y como vecino de Argamasilla de Alba, yo dirijo a usted mi ruego. Ha pintado usted muchos lienzos realmente quijotescos. Por usted conoce, pictóricamente, el mundo las ventas manchegas, los gordos y pacíficos venteros, los trajinantes que llevan los pellejos a cuestas, cogidos por el piezgo; los cosarios que van de un pueblo a otro, las maritornes, los caballeros que son trasunto del inmortal caballero. Pero yo pregunto al señor don Ignacio Zuloaga: ¿y el cuadro de la apoteosis de Cervantes? ¿Es que no está usted en el deber de pintar ese cuadro en que se condensaría todo el espíritu de su obra, tan profundamente española? ¿Y es que el mundo no tiene derecho a que usted lo pinte?

Ha habido una pausa. Nos mirábamos en silencio Zuloaga y yo, embargados de honda emoción. Y al recobrarnos y volver la vista al extraño personaje, el caballero había desaparecido. Zuloaga se ha pasado la mano por la frente, como despertando de un sueño. De improviso me he puesto en pie y he exclamado:

—¡Vamos a pintar, Zuloaga, vamos a pintar! El lienzo espera. Esa tela que está arrimada a la pared, póngala usted en un caballete. Coja usted el carboncillo y comience a dibujar los contornos. A dibujar la apoteosis de Cervantes. Ese cuadro se titulará *Cercantes de vuelta*. Cervantes, a los sesenta y ocho años, enfermo, herido ya de muerte, ha ido de Madrid a Esquivias en busca de alivio. No lo ha encontrado y vuelve a la corte, a lomos de un mal rocín. Cervantes cuenta este postrer viaje en el prólogo del *Persiles*. No hay en toda la literatura española página, ni más sentida, ni más perfecta en su técnica. Cervantes había llegado en la senectud a expresar sólo lo esencial de las cosas. Como usted, Zuloaga, ha llegado también a lo escueto esencial. Y el tema de su cuadro, el tema de la apoteosis de Cervantes, es éste: Cervantes enfermo, entristecido, pobre, llega a las puertas de Madrid. Entra en Madrid por la puerta toledana. Y le esperan sus amigos dilectos. Ha hecho Cervantes un viaje en el espacio y en el tiempo. De Esquivias va a Madrid y del siglo XVII viene al siglo XX. Cervantes viste la ropilla negra antigua, en que resalta el blanco y escarolado cuello, y sus amigos visten trajes de ahora. La arqueología se limita tan sólo a la figura de Cervantes. Los demás viven en el día y son coetáneos nuestros. Y aquí está Don Quijote, con la lanza y arreos de este caballero que acaba de visitarnos, caballero de pueblo, trajeado anticuadamente, con aire digno y noble. Y aquí está Sancho, con terno de pana negra y con gruesa cadena de plata, que le asemeja a uno de esos manchegos andariegos que se alargan a Levante a vender quesos o garbanzos. Y aquí está Dulcinea, que es una de esas señoras recogidas, austeras, envueltas en su manto, que viven en un viejo caserón con las ventanas y las puertas perpetuamente cerradas. Y aquí está Sansón Carrasco, que es, no bachiller, sino abogado popular con pujos de orador, y que se dispone en vano, puesto que nadie le escucha, a dirigir a Cervantes una elocuente arenga. Y aquí tenemos, sin que pudiera faltar, a Nicolás el barbero, que ya tiene en su barbería dos modernísimos sillones giratorios, traídos de Norteamérica, y que, como no podía ser menos, viste largo y blanco blusón. Y aquí está el Cura del pueblo, que se dispone a hacer oposiciones a una canonjía y que viste sotana nueva, sobre la que brilla, en el pecho, según uso, la cadenita de oro del reloj que se esconde en el falsopeto. Todas las criaturas más descollantes creadas por Cervantes en el *Quijote* están aquí, a su llegada a Madrid, y rodean a Miguel para darle la bienvenida. Bienvenida que es, ¡ay!, al mismo tiempo, saludo de adiós a quien se parte eternamente a lo Infinito.

Ignacio Zuloaga, sentado en el bajo diván, escucha con la cabeza gacha, casi oculta entre las manos. La actitud es de meditación, de melancolía y de ensueño. Y la lluvia, en esta tarde gris, continúa llorando en los cristales.

(1.ª ed., 1940.)

EL SANTUARIO ABANDONADO

AULINO Sojo, en una reunión de amigos, de unos pocos amigos íntimos, habla de esta manera:

—Todos habéis hablado del espectáculo que más os agrada. Ahora me toca a mí. Voy a decir yo qué es lo que más me place en el mundo. No son los libros. No es el teatro. No son los viajes. No son los museos. No es el campo. De todo esto tomo un poco. En todas estas cosas se agrada, sí, mi espíritu. Pero lo que yo más prefiero es contemplar en silencio, con avidez, el espectáculo de la psicología humana. ¿Y dónde se puede observar este espectáculo mejor que en las multitudes? Lo individual me place; pero lo colectivo me seduce irresistiblemente. Y en lo colectivo, el sentimiento es la flor de la psicología. El sentimiento, en su forma más prístina y sincera, es para mí el espectáculo más delicado que se pueda contemplar. Suelo ir de tarde en tarde a Lourdes. No voy ni como creyente, ni como artista, ni como crítico, ni como historiador. Me lleva a esos parajes el deseo de ver en vivo el sentimiento humano. Y siempre que voy me precede la visión de un rostro pálido detrás de los vidrios de una ventana, durante meses y meses. El rostro de un ser humano que sufre en silencio, rodeado de los seres queridos, que saben irremediable el mal y que sonríen contra su voluntad para animar al doliente. En Lourdes, el dolor humano alienta la esperanza. La esperanza, en estos parajes, se nos muestra pura, limpia, etérea, vibrando en el aire que se respira. Paso a paso sigo yo en mis visitas a Lourdes las muchedumbres endoloridas. El mundo no existe. Las riquezas y maravillas del mundo desaparecen. El color, las formas, las exterioridades brillantes se han desvanecido. Intacto y doloroso está allí el sentimiento. Hay rostros de una expresión inenarrable y manos que se crispan con movimientos que no se pueden expresar. Y en este punto dejo a Lourdes y emprendo otro viaje.

—Vamos donde quieras.

—Te acompañamos todos.

—Nos llevas contigo.

—¿Que os lleve yo conmigo? No os arrepentiréis de venir en mi compañía. En mi vida existe un punto central y recatado. Estamos hablando aquí en la intimidad. No hablaría yo de esto si no fuera con vosotros. Lo más íntimo de mi espíritu es la atracción que siento hacia los caídos. Los vencidos me atraen. La actitud muda, reposada, dolorosa, de un vencido me hace acercarme a ese hombre con profundo respeto. La prosperidad se lleva tras sí a las gentes. En torno a los caídos se hace un círculo de silencio. La Saleta se encuentra en decadencia. He ido varias veces a la Saleta. En 1846, la Virgen se apareció a dos muchachos, Maximino y Melania, en los Alpes franceses, en el obispado de Grenoble. La aparición no prosperó. El arzobispo de Lyon se opuso, desde el primer momento, al nuevo culto. En 1858, la Virgen se apareció en los Pirineos a una muchacha. Bernarda tuvo más fortuna que Melania y Maximino. La Saleta quedó desierta. Las muchedumbres corrieron a Lourdes. Y en la Saleta yo me abismaba pensando en las fortunas del mundo. ¿Conocemos el mundo? ¿Sabemos todo lo que encierra el cosmos? No creo en el azar. El azar es azar porque no conocemos lo insondable. Siempre, ante un caso de azar, me siento estremecido. No es la Saleta el único santuario abandonado que he visto en mis andanzas. El que más me ha impresionado se halla en España.

—A ese santuario vamos nosotros también.

—En España estamos todos.

—Todos queremos a España.

—Nadie me gana a mí en amor a España. De todo lo de España, lo que más me agrada son los días grises. Soy un coleccionista de días grises. Conozco los días grises de Galicia, y los de Vasconia, y los de Castilla, y los de Andalucía. En Alicante, el cielo es siempre de un azul purísimo y elevado. No llueve apenas. El aire vibra en su sequedad. El paisaje es gris. La tierra es gris. Las montañas son grises. Los grises se desenvuelven suavísimamente. El azul del cielo, sobre las cosas y sobre el paisaje, hace realzar la tenuidad de lo gris. En los días grises—rarísimos días—es cuando en esta tierra el paisaje surge con todo su valor profundo. Entonces una dulzura inefable impregna las cosas. En uno de estos contados días grises visité yo el santuario de la Virgen del Hinojar. Hace treinta años, en un matorral de hinojos, se descubrió una Virgencita gótica. Construyóse un santuario. Los devotos de los contornos acudían el 15 de junio, día de la Virgen, en bulliciosa romería. Centenares de carros se colocaban en torno a la iglesia. Se pasaba allí la noche. Multitud de fogatas elevaban sus llamas en las tinieblas, en tanto que arriba fulgían en el límpido cielo las estrellas. Se supo años después que la Virgen había sido colocada en el hinojar por un devoto indiscreto. Se perdió la fe. Antes se producían curaciones maravillosas. El milagro es la recompensa de la fe. Desde que se descubrió el misterio de la aparición, no se volvió a producir ningún milagro. Y al santuario no acudió nadie. El valle de Elda es uno de los más bellos de la provincia de Alicante. En el fondo corre el Vinalapó entre cañares y se aleja la vía férrea. Allá, en un recuesto, se halla Petrel. Y en lo hondo del valle está Elda. Arriba, sobre una colina desnuda, aparece Monóvar. La Peña del Cid se levanta a un lado. Tiene de elevación mil ciento once metros. La Peña del Cid avanza cuadrada, sólida, fornida, sobre el valle. Se descubre por encima de los otros montes desde muchas leguas a la redonda. Por delante, en la parte que se asoma al valle, se corta como un acantilado. Por detrás se forma una larga rampa que llega hasta la inmensa terraza. En una de las estribaciones posteriores de la Peña del Cid fué edificado el santuario de la Virgen del Hinojar. Un matrimonio joven, Pepeta y Chimo—es decir, Pepa y Joaquín—, guarda la iglesia. Las paredes del santuario relucen de blanca cal. El piso está pavimentado con anchas baldosas rojas. De la reducida sacristía parte una escalerita que conduce al camarín de la Virgen. Al lado de la iglesia se halla una casa donde viven Pepeta y Chimo y donde se puede alojar algún huésped efímero. Desde el camarín de la Virgen contemplaba yo el reducido y blanco ámbito de la iglesia. Ni una desconchadura, ni una grieta. Todo limpio, alto e intacto. El placer estético era profundo. Llegué por la tarde, andando desde la carretera, donde había dejado el autobús de línea, y quería regresar al día siguiente. Fué emocionante el momento de la despedida. Pepeta y Chimo eran ya mis amigos queridos. Subí otra vez al camarín. Otra vez gocé del breve espacio blanco y silencioso. Al salir del camarín noté en la pierna algo extraño. Había estrenado yo dos días antes un traje. El paño, finísimo, de color azul, me lo habían enviado de Londres. Al detenerse mi mano en el paño me complacía yo en palpar esta suavidad de la fina urdimbre. Y ahora, de pronto, al salir del camarín, un clavo inoportuno abría un terrible siete en mi pantalón.

—¡Ahí tienes el milagro!

—¡Ahí está el portento!

—¡Ya está ahí el hecho peregrino!

—No os contesto. Continúo mi narración. No hago comentarios. Expongo el hecho escueto. Y el hecho es que no pude yo salir aquella mañana a la carretera a tomar el autobús. Dejé el viaje para el día siguiente. Había que arreglar el desastre. Las manos diligentes y cuidadosas de Pepeta lo hicieron. El zurcido fué perfecto. Nos sentamos luego los tres, Chimo, Pepeta y yo, en la puerta de la hospedería. El día gris era maravilloso. En el aire trinaba, invisible, una alondra. Pocos momentos después supimos la catástrofe. El autobús que yo debía haber tomado acababa de despeñarse por un hondo barranco.

SENTADO EN EL ESTRIBO

Juan Valflor se había despedido ya dos veces del toreo. Volvía ahora por tercera vez al redondel. No había podido resistir a la tentación. Durante el invierno no se había acordado de los toros. De tarde en tarde los amigos charlaban de toros y Juan permanecía indiferente. Llegó la primavera. Los periódicos comenzaron a publicar informaciones de toros. Se celebraban las primeras corridas. Todo esplendía, rejuvenecido, en el aire. La luz era intensa y los árboles se vestían nuevo follaje. Juan Valflor se sentía fuerte y ágil. No había perdido ni la menor de sus facultades. El impulso de la primavera le arrastraba. Evocaba sin quererlo sus pasadas hazañas. La plaza, henchida de un público fervoroso, llena de luz y colores, se le representaba a cada momento. Y Juan se ponía triste. No podía coger un periódico en que se hablara de toros, ni podía soportar una conversación sobre el arte. Su tristeza aumentaba. En la familia observaban todos su cambio con vivísima contrariedad. No podía Juan continuar de este modo. Casi era preferible que volviese al toreo a que continuase con esta murria dolorosa. Al fin, una voz femenina le dijo: «Torea y pase lo que pase.» Juan repuso vivamente, como saltando de alegría: «Toreo y no pasa nada.»

Juan Valflor está en el cuarto del hotel, vistiéndose para torear la primera corrida de la temporada. Con él se halla su íntimo amigo Pepe Inesta. Desde la muchachez, Pepe ha ayudado en todas sus luchas a Juan. Le ayudó pecuniariamente cuando principiaba como novillero. Le ha aleccionado con sus consejos. No se aparta de él ni un minuto. Le acompaña a todas las corridas.

—Pepe—dice Juan—, tú no me has visto todavía torear. No me has visto torear nunca. No te rías. Esta tarde me vas a ver torear por primera vez. A gusto mío no he toreado yo nunca. Y no he toreado porque no he tenido toros. No podía yo retirarme sin torear bien, aunque no fuera más que un toro. Me habéis hablado del cuarto de esta tarde. Decís que es un toro noble, claro y poderoso. Si los hechos responden a la lámina, esta tarde tú y toda la plaza me veréis torear. Juan Valflor toreará por primera vez esta tarde. ¿Te sigues riendo?

—¿No me he de reír, Juan? Tú has toreado siempre superiormente. ¿El toro de esta tarde? ¿El toro cuarto? Un gran toro. *Careto* es un toro soberbio.

Juan Valflor hizo un movimiento brusco al ponerse las medias, y un espejito de mano que había sobre una mesa cayó al suelo y se hizo pedazos. Juan y Pepe quedaron absortos. Durante un instante reinó en la estancia un silencio profundo. Pepe continuó luego hablando. No daba importancia al accidente. Juan había olvidado ya la aciaga rotura. La conversación proseguía cordial y animada. Un perro se puso a aullar en la casa de enfrente. Su aullido era largo, triste, plañidero. En los primeros instantes, ni Juan ni Pepe advirtieron tan fúnebres aullidos. La persistencia en el ladrar hizo que los dos amigos pararan su atención en el hecho. En el silencio resonaban malagoreros los ladridos del can. Salió un momento del cuarto Pepe y volvió al cabo de un rato. «¿No podías hacer que callara ese perro?», dijo Juan. «Ya he mandado recado—contestó Pepe—, pero resulta que los dueños de la casa se han marchado y han dejado al perro en el balcón.» El tiempo pasaba. Se iba acercando la hora de la corrida. La expectación en toda la ciudad por ver a Juan Valflor era enorme. Los pasillos del hotel estaban llenos de amigos y admiradores que aguardaban a que Juan acabara de vestirse para irle acompañando a la plaza. Pepe había dado orden terminante de que no entrase nadie en el cuarto. El perro continuaba aullando lúgubremente. La alegría con que antes se deslizaba la conversación de los dos amigos había cesado. Juan se iba vistiendo con movimientos lentos. Había en el ambiente algo que causaba tenaz preocupación.

De pronto, la puerta se abrió y se precipitó en el cuarto un caballero que se arrojó en los brazos de Juan. Era un antiguo e íntimo amigo a quien Juan no había visto desde hacía muchos años. Cuando se separaron, Juan pasó por su amigo la vista de arriba abajo y vió que iba vestido de riguroso luto. Se le había muerto a este caballero un deudo cercano hacía poco tiempo. No sabía Juan lo que decir. No decía nada Pepe. Callaba el recién venido. En este denso y embarazoso silencio los persistentes aullidos del perro resaltaban trágicamente. Todo había cambiado ya. No era el mismo Juan. Ni era el mismo Pepe. A veces Pepe, violentamente, con alegría forzada, soltaba algún chiste. No se reía nadie. Otras veces, venciendo su emoción, evocaba recuerdos pasados. Nadie le secundaba en la charla. La hora de partir estaba próxima. Faltaban sólo algunos momentos para abandonar el cuarto. El caballero enlutado había desaparecido. Ante el espejo, Juan daba los últimos toques a su atavío. Durante un instante, al volverse del espejo, Juan se encontró cara a cara con Pepe. Fué éste un momento largo, interminable, eterno. Los dos entrañables amigos parecía que se estaban viendo por primera y por última vez. Lo que Juan estaba pensando no quería decirlo. Y Pepe por nada del mundo hubiera dicho lo que él tenía en este minuto en el cerebro. Lentamente, sin quererlo ni uno ni otro, avanzó el uno hacia el otro y se fundieron en un estrechísimo y silencioso abrazo.

En la puerta resonaron unos golpes. «En marcha», dijo Juan. Y dejaron el cuarto. En el pasillo, el tropel de los admiradores envolvía a Juan. El cariño y el halago afectuoso de todos logró atenuar momentáneamente la preocupación penosa de Juan. Aquí estaba ya Juan Valflor, el gran torero, el único. Y se encontraba dispuesto a torear, bien toreado, como no había toreado nunca, a ese toro que había de saltar al redondel en cuarto lugar. Sí, se despedía para siempre, con esta temporada, de los toros. Pero se despedía después de haber toreado bien, al menos, un solo toro. Los demás no contaban. Y ya en el automóvil, camino de la plaza, bajo el cielo azul, al pasar raudo por la calle, la mirada de Juan se detuvo un instante en una mancha negra. Al mismo tiempo Juan se estremecía profundamente. Lo había olvidado todo y todo volvía. La mancha negra era un féretro. El entierro se cruzaba un momento con el coche, camino de la plaza. Y de nuevo, Pepe y Juan sintieron en el espíritu un peso formidable. La plaza estaba atestada de un público pintoresco y clamoroso. En el momento de despedirse de Pepe, Juan dijo en voz baja, casi imperceptible: «Pepe, daría cualquier cosa por no torear esta tarde.» Estaba ya Juan en el redondel. Había tirado con desgaire su rico capote de paseo a una barrera. Desde los tendidos le saludaban a voces. Había hecho el paseo de un modo desgarbado. Parecía que se le desmadejaban los miembros. Pero en este momento de abrir el capote por primera vez ante el toro, Juan era otro. Se había transformado. De desmañado y caído se había trocado en un hombre rígido, apuesto, señoril en todos sus ademanes. Despacio, con elegancia insuperable, parados los pies, Juan, en la cabeza del toro, iba llevando a éste suavemente de un lado para otro entre los pliegues de la tela. Su primer toro lo toreo bien. Llegó el cuarto.

El toro salió lentamente del toril y se paró con la cabeza alta en medio de la plaza. Su actitud era soberbia. El magnífico animal entusiasmó a todos. La plaza entera vibraba de pasión. Y allí está Juan, reposado, elegante, con un gesto de supremo estoicismo. Con ese mismo gesto lento cogió la muleta y el estoque. El momento supremo había llegado. En la plaza se produjo un profundo silencio. Arriba, el cielo purísimo esplendía en su azul. Los primeros trasteos arrancaron ovaciones entusiastas. Juan Valflor no había toreado nunca como toreaba ahora. Dueño de sí mismo y dueño del toro, sin alegrías inoportunas, sobriamente, con elegancia austera, el gran torero jugaba con el noble animal. La muleta pasaba y repasaba y las astas del toro cruzaban bajo los brazos de Juan. Y, de pronto, sobrevino la tragedia.

Juan estaba con la muleta desplegada a un paso del toro. Se produjo en la barrera que ocupaba Pepe Inesta un ligero rumor. Los espectadores cercanos a Pepe se levantaban y lo rodeaban. Juan se apartó del toro y fué hacia la barrera. Transcurrieron unos minutos de confusión. Al fin se vió que se llevaban a Pepe entre varios espectadores. Comprendió Juan lo que había sucedido. Las voces de los circunstantes lo decían. «¿Ha muerto Pepe? —preguntó Juan a uno de los peones—. Dime la verdad. No me engañes.» «Sí —repuso el peón—; ha muerto.» Juan Valflor estaba intensamente pálido. Impasible, más erguido que antes, volvió al toro y continuó la faena. El silencio en la plaza era imponente. Juan Valflor, pálido, inmóvil, citó a recibir y consumó la suerte de un modo prodigioso. El toro se desplomó en el acto. En la plaza resonó una ovación delirante. Bajó Juan la cabeza y levantó la muleta en señal de saludo. Lentamente se fué al estribo, se sentó, puso los codos en los muslos, escondió la cara entre las manos y rompió a llorar como un niño.

DIEZ MINUTOS DE PARADA

—¡Eh! ¡Eh! Aquí...

—¿Me dice usted a mí?

—¿A quién le he de decir? Estoy llamando hace media hora.

—Hace media hora, no.

—¿Me va usted a dar ahora una lección?

—No, señor; digo la verdad.

—¿Está usted en el restaurante de la estación para decir la verdad o para servir a los viajeros?

—Todo se puede hacer, caballero.

—¿Acabará usted de cobrar? Se marcha el tren.

—Y yo no tengo la culpa; yo creí que se quedaba usted en la estación.

—¿Puedo yo saber los secretos de usted?

—Yo no tengo secretos.

—Eso usted lo sabrá.

—¿Se ríe usted, señorita?

—Perdone usted, caballero; yo no me río de usted.

—¡Ah! Creí que...

—¿Por qué me iba a reír de usted?

—Podría parecerle a usted el lance gracioso.

—Gracioso, ¿por qué?

—Por ver a un viajero que se queda en tierra.

—He visto ya muchos, señor.

—¿Quiere usted que sea yo uno de ellos?

—¿Tiene usted interés en quedarse aquí?

—Antes no tenía ninguno; ahora voy teniendo ya un poquito.

—¿De veras?

—Con toda sinceridad.

—¿Y por qué tiene usted ya un poquito de interés de quedarse en la estación?

—Por ver los dientecitos blancos y menudos y los labios rojos de una señorita cuando se ríe.

—¿Le atrae a usted ese espectáculo?

—Una barbaridad. ¡Ni que decir tiene!

—Está pitando el tren, señor.

—Déjelo usted que pite, señorita.

—Le llaman a usted desde la plataforma del *sleeping*.

—Déjelos usted que llamen.

—¿Se llama usted Adonfo?

—¿Por qué lo sabe usted?

—Porque lo están diciendo a voces aquellos amigos que están en la plataforma.

—¡Ay, qué cansado estoy!

—Siéntese, siéntese; hágame el favor.

—Aquí, en el andén, sentado ante una mesita de éstas se está perfectamente. ¿Usted no se sienta?

—Decía usted que estaba cansado...

—¿Usted no se sienta?

—No, señor; yo soy la dueña del restaurante; es decir, el dueño es mi padre, pero yo soy la encargada.

—¡Caray, qué encargada! ¿Quiere usted que le diga una cosa, señorita encargada?

—Ya está marchándose el tren. ¡Ya lo ha perdido usted!

—Lo que he perdido yo es otra cosa.

—¿Qué ha perdido usted?

—El juicio, la serenidad, la ecuanimidad. Todo eso, viéndola a usted, naturalmente. ¿Quiere usted que le diga una cosa, señorita?

—Si no es inconveniente la cosa.

—Yo no tengo cosas inconvenientes. ¿Sabe usted que voy creyendo en esa cosa que dicen los novelistas que se presenta, algunas veces, de pronto?

—¿Una cosa que algunas veces se presenta de pronto? El tren se habrá llevado—¡ya lo creo!—el equipaje de usted...

—¡Deje usted mi equipaje! ¿Quiere usted saber cómo se llama ese sentimiento que a veces se presenta repentinamente?

—¿Se va usted a marchar al pueblo o va usted a esperar a otro tren?

—Yo no espero nada, señorita; yo espero tan sólo... Yo espero...

—El pueblo está un poco lejos, pero seguramente hay todavía ahí algún coche.

—Yo espero, señorita; yo espero...

—¡Ah, el pueblo es precioso! ¿Le gustan a usted las iglesias románicas?

—Yo espero, señorita; yo espero...

*

—Oídme, Pepe, Antonio; estamos ya llegando...

—Sí, querido Adolfo; estamos llegando a la estación, a la célebre estación. ¿Tú vas a bajar?

—¡Yo bajar! No he bajado nunca

desde que salí de ella; cuando paso por aquí, y paso muchas veces, siempre me pongo en el costado opuesto del coche. No quiero ni ver la estación.

—Exageras un poco, querido Adolfo.

—Pepe, Antonio, vosotros podéis suponer la emoción que yo siento al pasar por esta estación. Veinte años he vivido en ella; vosotros conocéis la historia. Paso muchas veces por aquí; pero siempre que paso me pongo en el lado opuesto del coche. No quiero ni ver el sitio en que he vivido los mejores años de mi vida.

—Y si han sido los mejores...

—Han sido, sí, los mejores; pero la muerte de mi mujer trastornó mi vida; todo se marchó con ella; todo: reposo, felicidad, calma dulce de un días tras otro... Antonio, Pepe, vosotros, cuando lleguemos a la estación, ahora dentro de un instante, bajad a desayunaros; yo os espero aquí.

—No, no; no bajamos.

—Te acompañamos aquí; si tú no bajas, no bajamos nosotros.

—¿Por qué no? Si tú, Antonio, no quieres bajar, que baje Pepe; Pepe es joven; en dos saltos se pone desde el coche en el andén. Yo no podría ver esas mesitas puestas en el andén, donde yo un día...

—A ver si Pepe se queda también, como tú hace veinte años, en la estación.

—Hace veinte años; parece que me está ocurriendo ahora el lance. Yo estaba sentado en una mesita del restaurante en el andén. El mozo no venía a cobrar el desayuno. Yo le llamé; discutimos; vi que una señorita se estaba riendo...

—¿Se reía de ti?

—No, no se reía de mí; pero entablamos conversación. Yo os digo que eso del amor repentino que cuentan los novelistas es la pura verdad.

—¿Perdiste el tren?

—Perdí el tren..., y me casé con la señorita de la estación.

—Ya hemos llegado. ¿De veras? ¿No quieres bajar, Adolfo?

—No, no. Perdí el tren y me casé con la señorita de la estación... Que baje Pepe, que es joven... Y me puse al frente del restaurante. El padre de mi mujer era viejo; estaba cansado de trabajar. Yo estaba cansado también, pero de correr por toda España de viaje. No paraba yo en ninguna parte... Oye, Pepe, si Antonio se quiere estar aquí conmigo, vete tú al restaurante... Veinte años estuve en esta estación; me encantaba escuchar el paso de los trenes, entre sueños, por las noches, y ver, a la madrugada, alguna vez, cuando tenía que levantarme, disolverse en la luz del alba, allá a lo lejos, los faros rojos y verdes... ¿Por qué no bajas tú también, Antonio? Yo os espero aquí.

—No, no; yo te acompaño.

—Oye, Antonio: cuando yo liquidé el negocio del restaurante se quedó con él un señor viejo con una hija muy guapa; era la muchacha más bonita del pueblo. Y no la conozco.

—¿Cómo es eso? ¿No interviniste tú en el transpaso?

—No; veréis... Pero ya estamos en la estación. Diez minutos de parada... Diez minutos de parada, como aquella vez. Diez minutos que fueron veinte años. Yo no conozco al nuevo dueño del restaurante ni a su hija... Pepe ya estará sentado en las mesitas del andén.

—Sí, ya está sentado. ¿No quieres asomarte?

—No, no. Yo aquí, en el fondo del coche, en el lado opuesto... Cuando se murió mi mujer todo acabó para mí. Ya el restaurante de la estación me era insoportable... Un día, al paso del primer expreso, subí a un coche para saludar a un amigo... Y no descendí... El tren se puso en marcha y yo seguí en el tren.

—Lo contrario de antes.

—Eso es; todo lo contrario... Cuando llegué a la frontera telegrafié a un amigo para que liquidara el negocio del restaurante... Y comencé a viajar constantemente por toda España. Desde entonces mi vida es un trajín perpetuo.

—Es curioso.

—Como decía Heráclito... Me lo dijo

una vez en el restaurante un señor con melenas, un filósofo, sin duda... Como decía Heráclito: «El Tiempo es un niño que juega a los dados.»

—¡Qué le vamos a hacer! Así es la vida: azares, casualidades...

★

—¡Eh, Pepe, Pepe! ¡Que se marcha el tren! ¡Que nos vamos!

—¿No viene?

—No, no; no se mueve del andén.

—¿Qué hace? Yo no quiero mirar.

—Está hablando con una señorita.

—¿Y había estado llamando antes al camarero?

—No sé; ahora charla muy animadamente con esa joven.

—¿Y es bonita?

—¡Preciosa! ¡Pepe, Pepe! ¡Qué nos marchamos! ¿No vienes?

—¿No quiere venir?

—No se mueve.

—Pues nosotros ya nos movemos. El tren está en marcha.

—Pepe se está riendo con la señorita.

—¿Se ríen los dos?

—Se ríen los dos.

—¡Diez minutos de parada! Veinte años... Adiós, adiós, querido Pepe. ¡Adiós, juventud! El Tiempo es un niño que juega a los dados...

UN LIBRITO DE VERSOS

Todo el mundo sabe que, entre la poesía lírica española moderna, resalta—como un purísimo brillante—el librito *Jardín del divino amor,* de fray Damián Ovalle, religioso franciscano. Y todo el mundo sabe también, no lo habrá olvidado nadie, que Ovalle murió joven, en plena juventud, a los veinticuatro años. *Jardín del divino amor* se publicó en 1900; dos años más tarde moría el gran poeta; moría en el convento de la Pasión, cerca de Vitoria, donde Ovalle profesara. El convento de la Pasión se halla—lo hemos dicho—no lejos de la capital de Alava; le precede un extenso huerto. Está colocado el edificio muy próximo a la vía de Madrid a París, dando espaldas al camino de hierro. En los primeros días de otoño pasado, una tarde de fines de septiembre, di yo un paseo por los alrededores de Vitoria y llegué hasta el convento de la Pasión. Me detuve un momento en la puerta. Ya he dicho que ante el edificio se extiende un vergel—flores y frutos—extenso, tupido y verde; una alta cerca de sillarejos lo cierra. La puerta es ancha, con grueso enrejado. Estaba entornada; al tratar yo de abrirla más para pasar sonó una campanita. Entré; a mi vista se ofreció un pomposo menzanal; brillaban, relucientes, con manchas sonrosadas, como mejillas de niño, las manzanas entre el follaje. Suave fragancia—en la frescura del crepúsculo—ascendía de unos cuadros de flores. Me detuve un poco; espaciaba mi vista por los manzanos, por las flores; la elevaba después hasta las redondas nubes que, en la serenidad de la tarde, de la tarde muriente, caminaban lentas, pesadas, por un cielo de azul claro. De pronto, entre las hileras de manzanos, vi avanzar una figura parda; la figura de un religioso. Llevaba en las manos unas relucientes manzanas; era gordezuelo, un poco mofletudo, con los ojillos vivarachos, joviales. Se inclinó ante mí cuando estuvo a dos pasos de mi persona, y me dijo:

—Yo me llamo Francisco, para servir a Dios y a usted; soy donado en el convento.

Y al decir esto sonreía, con sonrisa inocente, con sonrisa de niño. Yo le dije también quién era; comenzamos una cordial conversación.

—Si el señor no tiene prisa—me dijo luego—, en cuanto yo acabe de coger unas manzanas le acompañaré al convento.

No tenía yo prisa; había venido al

convento de la Pasión para visitar la celda en que fray Damián Ovalle escribiera su maravilloso librito. Me senté en un ribazo; el donado Francisco iba palpando, acariciando, entre las hojas, las manzanas que le parecían más en sazón; después, con un movimiento suave, como si temiera hacerles daño, hacer daño también al árbol, las arrancaba y las ponía en una cestita. Yo había venido a visitar la celda de fray Damián.

—Sí, sí; fray Damián—dijo con cierta enigmática sonrisa el donado Francisco.

Yo hice la observación, tantas veces hecha por la crítica, de que es raro, muy raro, que siendo Ovalle un gran poeta, flúido, espontáneo, originalísimo, no escribiera más que los sesenta sonetos de su librito.

—¿Que no escribiera más?—preguntó, con otra sonrisa enigmática, el donado.

—Sí; que no escribiera más; tuvo tiempo para haber publicado otros libros. Y, sin embargo, no publicó más que el *Jardín del divino amor*.

Y entonces el donado pronunció estas palabras:

—No lo escribió él.

—¿No lo escribió él?—pregunté yo, extrañado.

El donado Francisco se apartó un poco del manzano cabe el cual estaba; subió al caminito, al borde del cual me hallaba yo sentado; este caminito, bordeado de álamos, conducía al convento. Echó una mirada por el camino adelante el donado para cerciorarse de que no venía nadie, y añadió:

—El librito del padre Ovalle no lo escribió él; lo escribió la Virgen.

Y calló, un poco pálido. Me miraba en silencio; yo callaba también. Después, el donado Francisco me contó la historia de fray Damián Ovalle.

★

Fray Damián, joven impetuoso, se halla en su celdita. La celdita tiene una ventana. La ventana se abre en la trasera del edificio, y por ella se columbra la vía. La vía está cerca. Se ven, con todos los pormenores, pasar vertiginosos los trenes. Por las mañanas, por las noches corren los trenes, frente a la ventana, sobre los brillantes rieles. Estos rieles que pasan por aquí llegan a Madrid; llegan a la frontera de Francia. Fray Damián se ha inclinado ante una blanca hoja de papel; va escribiendo renglocitos cortos con un ligero son de la pluma. Ya es de noche; el convento se halla en profundo sosiego. De pronto rasga los aires un profundo silbido... Cruza rápido un tren; la luz vivísima de las ventanillas ilumina el campo. Se rompen un instante las tinieblas. Fray Damián se estremece todo. Ese tren vertiginoso es el misterio, el renombre, la gloria. Ese tren va a Madrid; va a París. La mano del religioso, que estaba escribiendo—escribiendo renglocitos cortos—, ha tembloteado. Fray Damián se ha levantado y ha ido a colocarse en la ventana.

★

De pronto, el donado Francisco se ha echado a reír y ha dado un manotazo en el aire. Una mariposita blanca revolaba en torno a su persona.

—¿Ha visto usted? Las mariposas me conocen; todas las tardes viene alguna a visitarme.

El donado, sonriendo, corre un instante tras la mariposa; manotea en el aire; no puede atraparla. No quiere él tampoco atraparla; pero les dice cosas; las regaña; las llama «picaruelas» «traviesas», «loquitas».

★

Fray Damián está en la ventana inmóvil, silencioso. Las estrellas brillan en lo alto. Ya el farol del tren, el farol del último coche del tren, se ha perdido, como una luciérnaga, en la lejanía. El religioso vuelve a sentarse ante la mesa, pero no puede escribir; con la pluma en alto, pensativo, permanece un largo rato. No, no;

él no puede escribir; es decir, sí, sí escribe; pero lo que escribe no es lo que escribiría si él estuviera en otra parte, si escribiera en otro ambiente. Las poesías que hasta ahora ha escrito Ovalle están todas dedicadas a la Virgen. En su celdita blanca, él tiene una imagen de Nuestra Señora, y cada vez que se sienta a escribir, él pone antes sus ojos en la imagen, como pidiéndola inspiración.

En el convento conocen todos la íntima desesperanza del padre Damián. Todas las mañanas, el prior entra un momento en la celda del joven religioso.

—¡Padre Damián, padre Damián!—le dice cariñosamente el prior a Ovalle.

Y es sabido que Ovalle alarga al prior dos o tres cuartillas que el poeta ha emborronado la noche antes, y que el prior, hombre fino, culto, un sabidor profundo de cosas divinas y humanas, con dulzura, con suavidad, después de haber leído la poesía de Ovalle, rasga las cuartillas. Las rasga procurando que el papel no haga ruido, no se queje. El poeta, en prueba de humildad aprueba esta decisión del prior. Hoy todavía no están inspirados los versos; mañana, sí; mañana u otro día pueden estarlo. Y todas las mañanas las cuartillas son rasgadas, callandito, por el buen superior.

—¡Mírela usted, mírela usted!—exclama de pronto el donado Francisco, y señala con la mano extendida a una blanca piedra.

En la piedra quietecita ha vtnido a colocarse una lagartija.

—¡Qué modosita es!—vuelve a exclamar Francisco.

La lagartija, brillante, con su piel matizada de puntitos, levanta la aguda cabeza y mira al donado. En los ijares, la piel se levanta y se deprime, como si el animalito viniera de un largo camino y estuviera jadeando.

—Nos conocemos; somos amigos—añade el donado—; todas las tardes viene y nos miramos un rato en silencio; después ella se marcha a su agujerito.

*

El paso de los trenes, de los trenes vertiginosos, fastuosos, llenaba de emoción a fray Damián. No podía escribir. Cuando la puerta del hogar se abría en las locomotoras, el vivísimo resplandor rojizo se reflejaba en las nubes bajas. Todo el campo parecía incendiado. Y luego, a lo lejos, el farolito de cola, rojo, se disolvía en las tinieblas. ¡Y fray Damián podía escribir un libro tan hermoso en loor de Nuestra Señora! Pero aquí no, no podía escribirlo, le faltaba el estimulante de una atmósfera intelectual. Necesitaba respirar otro ambiente. Deseaba vivir, conocer el mundo y los hombres. Las estrellas fulgían en la altura y un silbido agudo resgaba el sosiego profundo de la noche.

Una mañana, con las cuartillas de Ovalle en la mano, después de leídas, el prior posó su mirada largo rato en el semblante del poeta. La cara del buen religioso mostraba profunda extrañeza. El poeta espera ansioso a que el superior hablara.

—¡Oh!—exclamó, al cabo, el religioso—. Esto sí que está bien, muy bien.

Y después, tras una pausa, en tanto doblaba cuidadosamente las cuartillas y las colocaba en la manga, añadió:

—Siga, siga; esto ya es otra cosa; mañana veremos...

Y a la mañana siguiente se repetía la misma escena. El superior no salía de su asombro; este poeta, que no había acertado a escribir hasta entonces sino versos mediocres, duros, ramplones, ahora, de pronto, era como el hilo fresco, flúido y armonioso de una fuentecita

—Siga, siga, padre Ovalle; hasta mañana—repetía el prior.

Así, poco a poco, un soneto cada día, fueron escritos los setenta sonetos del maravilloso librito *Jardín del divino amor.*

*

El donado Francisco se ha detenido de nuevo; escuchaba atento.

—¿Oye usted?—ha dicho luego—. Ya ha comenzado a cantar.

—¿Quién?—le pregunto yo.

—Un grillo que canta en aquel tablar; es el primero que canta todas las noches; yo le conozco; él me conoce también a mí. Todas las tardes yo le pongo una hoja de lechuga a la puerta de su agujero, y él sale mansito a comérsela.

★

Una mañana, apenas rota el alba, entraba por el caminito del huerto, hacia el convento, fray Damián. Estaba escuálido, palidísimo. Caminaba con la cabeza baja, las manos metidas en las mangas, cruzados los brazos sobre el pecho. A pocos pasos andados, le salió al encuentro el padre guardián.

—Padre Damián, padre Damián—le dije cariñosamente—; pronto ha salido al campo hoy; no olvide la tarea.

La tarea consistía en corregir unas pruebas—las pruebas del *Jardín del divino amor*—que estaban sobre la mesa de Ovalle, en la celdita blanca. La emoción del religioso fué profunda; se arrodilló, primero, ante la imagen de Nuestra Señora y juntó la frente con el suelo. Dos meses había estado ausente del convento. Y en esos dos meses otro Damián Ovalle, gran poeta, fino poeta, había ido escribiendo cada día — por disposición de Nuestra Señora—un soneto maravilloso. La colección de esos sesenta sonetos, únicos en nuestra lírica moderna, forman el libro *Jardín del divino amor,* purísimo como un diáfano diamante.

★

—¿Eh? *¡Palomito! ¡Palomito!* — exclama el donado Francisco.

Y dice estas palabras dirigiéndose a un perrito que ha venido corriendo hasta colocarse entre las piernas del donado.

—¿Cómo ha sido tardar tanto hoy? ¡Cuidadito, cuidadito con hacer esas faltas! ¿Sabes, *Palomito?* Yo no te lo voy a perdonar.

El perrito escuchaba humilde la reconvención del donado; meneaba el rabo, ponía su cuerpo a ras de tierra y se hacía un ovillito.

—Ahora toma esta cestita de manzanas —añadió el donado, dirigiéndose al can—; toma esta cesta de manzanas y vámonos a casa.

El perrito ha cogido entre sus dientes la cesta, y los tres—el donado, el can y yo—nos hemos ido por el camino de los álamos hacia el convento...

(1.ª ed., 1942.)

LA FAMILIA DE CERVANTES

EGUÉ a Lucena, provincia de Córdoba, a boca de noche. Hay otra Lucena, L u c e n a del Cid, en la provincia de Castellón. De la Lucena andaluza han salido los velones que alumbraran, en las noches campesinas, mis lecturas. Las capuchinas, lamparitas manuales, servían para ir de una parte a otra, de aposento en aposento. En la ciudad imperaba Quinquet, es decir, la lámpara que este hombre inventara y que lleva su nombre. La Lucena cordobesa es una bella ciudad. La recorrí yo toda despaciosamente, y de mis largos paseos descansaba en el casino ante un copa de áureo montilla. No soy bebedor. Pero estos vinos andaluces, vinos ligeros y olorosos, hacen de mí, ineludiblemente, un bebedor ocasional. Al día siguiente de mi llegada recibí la visita de un joven, que me dijo:

—Soy secretario de don Elías Cervantes. Don Elías saluda a usted con todo afecto, y le agradecería que tuviera la bondad de honrar su pobre mesa mañana a la una de la tarde.

Poco antes de la hora prefijada para el yantar llegué a la casa del cortés caballero. La mansión es espaciosa, limpia y clara. Patio con enlosado de mármol blanco se abre en el centro. Brollador susurrante de agua cristalina se eleva en una taza también de blanco mármol. Recibióseme cordialísimamente. La familia estaba compuesta de don Elías Cervantes, doña Angustias, granadina, mujer de don Elías, y las hijas, Consolación y Carmen. El ambiente de la casa era gratísimo. Nada en sus moradores de extremosidad empalagosa en la cortesía, ni de pujos insoportables de suficiencia. Un trato llano en todos, sincero, afable y que daba la impresión al visitante de estar en charla amena con antiguos amigos. La comida a manteles límpidos, con cristalería refulgente, fué gustosa y limpia. A los postres tomé yo de una bandeja de dulces unas almendras garrapiñadas, y dije:

—De estas almendras he comido yo en Alcalá de Henares, la patria de Cervantes.

Entonces, don Elías, sonriendo afectuosamente, exclamó:

—¡Alto allá, mi señor don Antonio! La patria de Cervantes no es Alcalá de Henares, sino Lucena.

Al manifestar yo extrañeza por tales palabras—lo hice en términos corteses—, el caballero añadió:

—Ha tocado usted el punto neurálgico de mi vida. Y de la vida de todos en esta casa. O como se dice vulgarmente: ha puesto usted el dedo en la llaga. Treinta años llevo consagrado a Cervantes. Miguel de Cervantes es de la familia. Desciendo yo de Cervantes. Y a Cervantes le llamamos el abuelo Miguel. Por tanto, ésta es, en realidad, la familia de Cervantes.

—El abuelo Miguel está siempre con nosotros—dice doña Angustias.

—Sí, don Antonio—exclama Consolación—, el abuelo Miguel vive con nosotros.

—¡Y es tan bondadoso el abuelo Miguel!—dice a su vez Carmencita.

No he dicho todavía que las dos muchachas son preciosas. Tipos más andaluces no se encontrarán. Y Andalucía es criadero de mujeres hermosas, discretas y corteses. En la tez, de un moreno claro, brillan con relampagueos misteriosos, e incitan al ensueño, unos ojos negros, brillantes. El dueño de la casa ha proseguido:

—A usted le extrañará, sin duda, amigo don Antonio, lo que acaba de oírme. No le extrañe a usted. Esas palabras mías son el resultado de ímprobos trabajos. No he publicado todavía el libro en que consigno las noticias por mí descubiertas. Pero puedo ya hablar con toda claridad. Cervantes no nació en Alcalá de Henares. Cervantes vió la luz primera en Lucena. Fíjese usted que nunca se ha tenido a Alcalá por la patria de Cervantes. Siete ciudades se han disputado el honor de ser cuna de Cervantes. Ninguna de esas ciudades es Alcalá. Esas ciudades son: Madrid, Toledo, Sevilla, Esquivias, Consuegra, Lucena y Alcázar de San Juan. Nada de Alcalá. Eso es lo tradicional. Y en la tradición hay siempre un fondo de verdad indiscutible.

—¿Y cómo explica usted, don Elías, la partida de bautismo de Alcalá de Henares?

Don Elías sonríe. Hay en esta sonrisa conmiseración y disculpa. Tiene piedad don Elías, piedad mezclada con afecto, para los que han cometido una mixtificación impulsados por su adoración a Cervantes, y al propio tiempo—una cosa es secuela de la otra—el caballero disculpa a esos mixtificadores.

—La partida de bautismo de Alcalá —prosigue don Elías—no prueba nada. Y no lo prueba porque está falsificada esa partida. También lo está la de Alcázar de San Juan. Pero si en la de Alcázar la superchería es paladina, en la de Alcalá se ha hilado más sutilmente. La interpolación ha sido hecha de mano maestra.

—Papá ha estudiado muy detenidamente ese asunto—dice Carmencita.

—Crea usted, don Antonio, que papá no se engaña—agrega Consolación.

—No me engaño, aunque esto sea inmodestia el decirlo—continúa el caballero—, porque he examinado escrupulosamente el papel del libro parroquial de Alcalá de Henares y porque otros datos de gran importancia, que expongo en mi obra inédita, han venido a confirmar plenamente las observaciones hechas por mí en el citado libro parroquial.

—En suma, don Elías...—atajo yo, impaciente.

—En suma, mi buen amigo, que esa partida bautismal de Alcalá de Henares es una interpolación evidente.

—¿Y quién la ha hecho?

—Quien podía hacerla. La persona que era omnipotente en toda la archidiócesis y que mandaba en todas las iglesias. La hizo, sencillamente, don Bernardo de Sandoval y Rojas, arzobispo de Toledo, cardenal y amigo y protector de Cervantes. Tengo de ello pruebas irrecusables. Las verá usted cuando se publique mi libro. Sandoval y Rojas, celoso de que Cervantes fuera andaluz, ha querido que sea castellano, y castellano de su propia archidiócesis. ¡Qué cosas hacen los hombres! Pero el arbozispo de Toledo no contaba con que, andando el tiempo, pudiera nacer un investigador que descubriera su engaño, dicho sea con todo respeto. Ni contaba con el propio tono de toda la obra cervantina. Ese tono es netamento andaluz. Y dentro de Andalucía, cordobés castizo. No le quito yo a Sevilla la parte que Sevilla tiene indudablemente en la inspiración de Cervantes. Pero lo esencial en Cervantes es hondamente cordobés. ¿Y cuál es el genio de Córdoba y, en consecuencia, el genio de Cervantes? En dos palabras lo condensaré: elegancia desafeitada; es decir, sin afeites, sin aprestos. Y como fondo, estoicismo, sereno y humano estoicismo. La elegancia de Cervantes es la verdadera elegancia. Los mismos toreros andaluces nos demuestran lo que voy diciendo. En Rafael Molina, *Lagartijo,* hemos visto revivir modernamente ese estilo elegante que se muestra como al descuido y de trapillo en las páginas cervantinas. Ningún torero ha habido más elegante que Rafael Molina.

—Papá, perdona — dice Carmencita—. Pero yo te he oído decir alguna vez que no ha habido torero más elegante que Antonio Fuentes, y Antonio Fuentes era sevillano.

Don Elías se queda un momento suspenso y luego, torciendo la cabeza, añade resignadamente:

—Sí, es verdad. Pero ya sabes, Carmencita, ya saben todos ustedes, que las reglas generales tienen una excepción. Iba diciendo que esa elegancia descuidada es la más bella de todas. Parece un abandono o descuido en la persona, y en la realidad es un adueñamiento señoril. No se da importancia al accidente efímero y se pone la atención en lo intrínseco, que no pasa. Todo parece que se descuida y todo lo tenemos presente. El artista, ya sea en el coso, ya sea en las cuartillas, se siente por encima de los accidentes del mundo y se resigna serenamente a los embates, si los hubiere, de la adversidad.

—Crea usted a papá—dice sonriendo Consolación.

—Puede usted creer en él a ojos cerrados—añade Carmen.

—Elías ha trabajado mucho—agrega por su parte doña Agustias.

—¡Y cómo no he de ceerlo yo, queridos amigos, si lo escucho de personas tan finas, discretas y amables!

—El abuelo Cervantes vive con nosotros—dice doña Angustias.

—A mí se me figura—corrobora Carmencita—que lo veo todos los días.

—Y a mí—añade Consolación—, que todas las mañanas, cuando se levanta y sale de su cuarto, soy yo quien le sirve el desayuno.

—Todo es admirable en Cervantes dice don Elías—. La obra novelesca no digamos. Pero es que el teatro es hermoso también. *El tratros de Argel,* por ejemplo, es una comedia muy bonita. Pues ¿y las poesías?

—¿No cree usted, don Antonio, que es poeta Cervantes?—pregunta Consolación.

—Cervantes ha dicho—contesto yo— que no lo era.

—Y nada más absurdo que prestar asenso a lo que los autores dicen de sus obras—sentencia don Elías— Los autores son los que menos saben de sus propias creaciones. Sobre todo, los poetas no saben lo que hacen. Y sería una gran desgracia que lo supieran. Porque entonces no serían poetas. Ni saben los poetas de dónde vienen, ni adonde van. Quiero decir que se engañan siempre, sinque en esta regla haya excepción, cuando atribuyen tales o cuales orígenes a su poesía como sus progenitores. Cervantes tiene poesías muy bonitas.

—Los mismos primeros versos de Cervantes son bonitos—dice Carmencita—. Los versos que hizo siendo discípulo de López de Hoyos.

Y Consolación:

—Verá usted, don Antonio, Isabel de Valois, tercera mujer de Felipe II, ha muerto. Isabel era hija de Enrique II de Francia. Los franceses, en guerra con España, han sufrido la derrota de Gravelinas. Y piden la paz. Para que la paz sea más sincera y durable, Felipe II se casa con la hija del rey de Francia. Isabel es llamada Isabel de la Paz. Isabel es encantadora. Su carácter dulce cautiva a todos.

Y cuando todo sonríe a Isabel, la muerte siega su vida. Cervantes le dedica dos o tres poesías. Oiga usted ésta, don Antonio.

Tras una breve pausa, pausa henchida de emoción sincera, Consolación, con voz dulcísima, sencillamente, sin pedantería, comienza a recitar. No sé ya ni en qué tiempo vivo ni dónde me hallo. No lo dudo ya. Esta es la familia de Cervantes. Vive aquí, en Lucena, su patria, Cervantes, en el seno de su propia familia. Si no asiste a la comedia, a esta comedia, es porque ha tenido ineludiblemente que hacer un viaje. Pero lo veré a su retorno. Consolación recita esta bella elegía de Cervantes a la muerte de Isabel de la Paz, elegía que nos transporta mágicamente (poder del arte) a regiones etéreas e inefables:

Cuando dejaba la guerra
libre nuestro hispano suelo,
con un repentino vuelo
la mejor flor de la tierra
fué trasplantada en el cielo.

Y al cortarla de su rama
el mortífero accidente,
fué tan oculta a la gente,
como el que no ve la llama
hasta que quemar se siente.

EL HONOR CASTELLANO

La comitiva llega el pueblo, ya entrada la noche, y rinde viaje en la iglesia. Ha sido erigida la iglesia en los comienzos del siglo XVI y es de orden gótico. Amplia capilla accesoria acaba de ser labrada. Ha costeado la edificación don Gonzalo de Rojas, caballero del hábito de Santiago, doctor en ambos derechos—el canónico y el civil—por la Universidad de Salamanca y vecino del pueblo. El retablo que se ostenta en el testero de la nueva capilla es magnífico. Lo ha trazado un pintor de la localidad, Juan de Dios Pedroso. Las imágenes del retablo esculpidas han sido en Toledo. Y allá han ido a traerlas—envueltas en blancas sábanas—diez o doce labradores del pueblo, al frente de los cuales estaba Juan de Dios.

A la mañana siguiente, de buena mañana, Juan de Dios Pedroso se ha plantado en el palacio de los Rojas. La casa es venerable y bella. De sillares dorados, ostenta, sobre la puerta, un labrado blasón. Y en el centro de la vivienda se abre un ancho patio con galerías de columnas dóricas. Don Gonzalo de Rojas recibe a Juan de Dios afablemente. Dechado de bondad es el caballero. No lo hay más observante de las leyes inflexibles del honor. Pero la inflexibilidad es compatible en su persona con la cautivadora indulgencia. Severo para sí, es laxo, dulcemente laxo, laxo sin llegar a lo vitando para los demás. Don Gonzalo es viejo. Ha vivido mucho y en su larga vida ha sufrido amarguras sin cuento. De tantos lances penosos, se le ha resentido el corazón. Su faz aparece pálida, y cuando el caballero asciende por las escaleras—naturalmente que en esta edad no hay ascensores—, jadea penosamente y se siente fatigado al llegar arriba. Sobre el negro terciopelo de la ropilla resalta lo rojo, rojo encendido de la cruz de Santiago. Y su barba está en punta, según es rigor en los letrados. Don Gonzalo no ejerce. Tirso de Molina ha dicho en su comedia *Don Gil de las calzas verdes:*

Unos empinabigotes
hay a modo de tenazas
con que se engoma el letrado
la barba que en punta está.

—Vamos a ver, Juan de Dios—dice el caballero—. Siéntate y dame cuenta de tu viaje.

Los dos interlocutores se sientan; don Gonzalo en un sillón de nogal, con respaldo y brazos de terciopelo rojo, y Juan de Dios—guardando las debidas distancias—, ya que no en taburete, que es lo más humilde, sí en una silla. Juan de

Dios comienza la relación del viaje. Las imágenes son bellísimas. Vienen San Jorge, San Martín, Santiago, San Pablo y otros santos. La capilla está advocada a Santiago. Y todas las imágenes han sido pagadas a un precio razonable.

—El precio es lo de menos—dice el generoso don Gonzalo—. Si las esculturas son bellas, no es prodigalidad todo cuanto se pague al artista. Pero dime, Pedroso, ¿no os ha ocurrido nada durante la viajata?

Juan de Dios se rasca la cabeza y se dispone a contestar. El rascarse la cabeza en un lagriebo o en gente pueblerina es síntoma de titubeo. Pero Juan de Dios, tras una pausa, se decide a desembuchar.

—Como ocurrir, don Gonzalo, algo ha ocurrido...

—Te escucho con interés. ¿Qué ha sido ello?

—Pues ello fué que estábamos comiendo en la cañada de la Perdiz, a la margen de la fuente del Juncal, cuando se nos presentó un caballero.

—Nada de particular tiene eso. El caballero viajaba como vosotros.

—Sí, don Gonzalo, viajaba. Pero el caballero era todo un caballero andante.

—¡Caramba! ¿Cómo es eso?

—Lo que usted oye: un caballero andante, sí, señor. Y le acompañaba su escudero. El caballero traía armadura, se cubría con una celada y empuñaba un lanzón. Deseó ver las imágenes que estaban liadas en sábanas y habló a propósito de ellas cosas muy bonitas e interesantes. Y el escudero era hombre gracioso, a juzgar por lo que también dijo.

—¡Hola, hola! ¿Sabes, Juan de Dios, que todo eso me parece asaz extraordinario? ¡Allí es nada; todo un caballero andante, un émulo de Amadís de Gaula en estos prosaicos tiempos que vivimos! Y dime, ¿bebisteis mucho en la comida? ¿Qué vino llevabais?

Juan de Dios Pedroso sonríe. La incredulidad le parece natural. Pero la verdad es la verdad. Pedroso y todos sus compañeros vieron al caballero y con él hablaron.

—¿Vino, don Gonzalo?—replica Pedroso—. Pues verá usted. Compramos un vino excelentísimo de Yepes. Llevábamos dos zaques.

—¿Dos zaques para doce personas? Tribulación, hermanos; entre dos, tres pollos. Ahora comprendo que vierais al tal caballero andante. ¿No comprendes, Juan de Dios, que eso no puede ser? ¿No ves que un viandante cualquiera pudo antojárseos un paladían de otras edades? Yepes obró en vosotros. No lo digo en son de censura. Llevabais una jornada trabajosa y habíais de aliviar esos trabajos con algún confortativo. Pero ya se ha dicho, lo dice el refrán, que *vino usado y pan mudado*. Vosotros, en esa jornada, cambiasteis sin duda de vino y el vino os traicionó.

—No, no, don Gonzalo; yo no estaba chispo, sino sereno, muy sereno, cuando hablé con Don Quijote de la Mancha y con Sancho Panza, su escudero.

El caballero sonríe indulgentemente y replica:

—Cálmate, Juan de Dios. No te censuro. Tú y los demás porteadores de las imágenes habéis sido víctimas de una alucinación. El hecho está ocurriendo todos los días. ¿Quién, en la vida, no es víctima de sus propias imaginaciones? Pero yo te llamo a la realidad y te amonesto cariñosamente para que huyas de vanas quimeras.

Un mes más tarde don Gonzalo de Rojas recibía con su afabilidad acostumbrada a Baltasara Díez, mujer de Juan de Dios.

—Señor, perdóneme usted—dijo humildemente y entre sollozos la pobre mujer—. No he tenido más remedio que venir a ver a usted. Mi marido está loco. Mi marido se va consumiendo día tras día. Dice que no sabe lo que es la realidad y lo que es el ensueño. Lo que hace todos los días cree que lo hace soñando. No puede ya trabajar. Ha perdido la fe en la vida. Está desmejoradísimo. Desde el día en que usted le persuadió de que no había visto lo que él decía haber visto, no vive. Sus días son dolorosos. Si no ve lo que ve, no existirán las obras en que trabaja. Y si no existen, ¿para qué trabajar? Siempre mi marido ha sido un poco lunático. Y ahora el mal se ha agravado. ¡Qué pena, don Gonzalo! La casa, que antes era un paraíso, ahora es un infierno. El dolor de Juan de Dios, sus lamentos, sus increpaciones, nos acongojan a todos. Y prevemos el momento en que esta vida toque a su fin.

En la clepsidra invisible, las gotas de agua han ido cayendo, una a una, por millares, a lo largo del tiempo. El tiempo ha pasado, inexorable. *Todos somos locos, los unos de los otros,* dice el refrán. Y no se ha querido ver que existe un loco, un loco cuerdo, Don Quijote, y que para él los demás podemos ser también locos. ¿Quién en la Humanidad no adolecerá de un ramo de locura? La locura puede ser venturosa. Venturosa para la propia Humanidad. Porque todo lo heroico y sabio que se acomete en el mundo participa de la enajenación. Nos sentimos enajenados, héroes y sabios; nos sentimos fuera de nosotros mismos, colocados en un terreno misterioso, el terreno de las grandes cosas extrahumanas, y a esa fuga de nuestra prosaica vida cotidiana debemos las cosas peregrinas que hacemos en el mundo. Pero ¿cuántos ven que la locura no es locura, sino heroicidad o sabiduría?

Diez meses después, don Gonzalo de Rojas regresa a casa en el crepúsculo de la tarde. Viene abatidísimo. Su cara, de pálida ha pasado a ser terrosa. Impone —conmueve e impone— ver a esta noble figura vestida de negro, al pecho la bermeja cruz, caída la cabeza, con la barba en punta sobre el pecho. En su casa espera al caballero un amigo íntimo, que acaba de llegar al pueblo. Al verse uno y otro se funden en estrecho abrazo. El recién llegado es don Alvaro de Tarfe.

—Siéntate, Alvaro; yo me voy a sentar también. El dolor y este achaque del corazón me rinden. Hoy es un día nefasto para mí. Vengo del cementerio, de enterrar a un amigo. Figúrate que este amigo ha muerto de melancolía. Tenía la obsesión de que había fracasado en la vida. Era un hombre candoroso. Y tenía esa obsesión desde un día que tuvo cierta conversación conmigo. Estaba creído de que había visto un caballero andante. Dijo que se llamaba Don Quijote de la Mancha. Yo me esforcé en convencerle de que había sido víctima de una alucinación. Insistió él; pero, al fin, ante mis razones, se retiró perplejo y confuso. ¡Y ya no tuvo hora tranquila! Comenzó a cavilar, oscilante entre el sueño y la realidad, y poco a poco se fué ahilando, hasta dar el postrer suspiro.

Don Alvaro de Tarfe ha escuchado con atención profunda las palabras de su querido amigo. Poco a poco le iba ganando la emoción. Cuando ha tenido que responder, ha dicho:

—¡Qué trágica es a veces la verdad, Gonzalo! En este momento, yo dudo dolorosamente entre decirte la verdad o callar con piedad. No puedo callar, Gonzalo, querido Gonzalo: Don Quijote de la Mancha existe. Yo mismo le he visto. Yo he hablado con él. Yo he visto cómo el alcalde de un lugar firmaba un acta en que se acreditaba su existencia.

Don Gonzalo de Rojas, el noble caballero, ha escuchado estas palabras fatídicas con los ojos muy abiertos. Abiertos por el espanto, el pesar y el remordimiento.

—¡Estoy en lo hondo de un abismo! —ha exclamado con voz trémula y llorosa—. ¡Sí; lo que acabo de escuchar me ha precipitado en un abismo de donde ya no podré salir! ¡He faltado a lo que era norte de toda mi vida! ¡He faltado al honor! La base del honor es el respeto. No puede haber civilización sin honor y no puede haber honor sin respeto. Respeto a la personalidad ajena y a la propia. Respeto a las opiniones de los demás. Respeto a la inteligencia. Respeto a la senectud. Respeto al caído en las luchas de la vida. Respeto a la pobreza. Y respeto a la palabra empeñada. Y a la lealtad. Y a la fidelidad en los demás a un ideal que no es el nuestro... Respeto de los hijos a los padres; respeto a los enfermos; respeto a las personas constituídas en dignidad; respeto a los viejos soldados que han aventurado su vida en la guerra; respeto al escritor que ha trabajado fervorosamente en su arte; respeto a los eclesiásticos; respeto a la mujer infeliz que ha sido burlada. He faltado yo, querido Alvaro a esos respetos. Una sociedad en que no se guarde el respeto será siempre una sociedad bárbara. He faltado yo con la mejor intención del mundo al honor castellano. ¡Yo he querido hacer del honor, el honor de nuestra Castilla. la norma más alta de mi vida! Porque en la Castilla histórica es donde el honor se ha acendrado más y ha llegado a su más alto punto. Sí; yo no he respetado la visión, la creencia, el convencimiento de ese pobre amigo, Juan de Dios Pedroso. Yo, criminalmente, he destruído en él un germen fecundo de vida. Y tal bárbara destrucción le ha ocasionado la muerte.

No puede hablar más el buen caballero. Ha apoyado el codo en el brazo del sillón y ha reclinado la cabeza en la mano. Respiraba penosamente. Sus ojos estaban cerrados. Tras unos momentos de quietud, como don Gonzalo no se moviera, don Alvaro de Tarfe, alarmadísimo, le ha levantado suavemente la cabeza. Y la cabeza se ha inclinado pesadamente a un lado con gesto de quien está dormido. Dormido en la eternidad.

EL CURA DE MAQUEDA

Maqueda es lugar corto de la provincia de Toledo. No pasará su población de seiscientos habitantes. Se halla entre Escalona y Torrijos. Escalona fué de don Alvaro de Luna y en Torrijos elevó una bella iglesia doña Teresa Enríquez, dama de Isabel la Católica. La tierra toledana es noble y severa. Tierra de olivares y sembrados. Las gentes hablan un castellano sonoro y castizo. Solía decir la gran reina citada que se sentía necia en Toledo. La agudeza de los toledanos es tal, que entre los agudos de Toledo el más perspicaz es lerdo. He estado en casa del cura de Maqueda hace cuarenta años. No sé ahora, al cabo de tanto tiempo, si estuve o no estuve. No sé ahora tampoco si en estos momentos, aquí en París, me encuentro en Lutecia o en el pueblecito toledano. Y oigo en este punto una voz que me dice:

—¿Y por qué no lo ha estar usted? Acaba usted de decir que como han transcurrido tantos años desde su venida a Maqueda y como entre las dos fechas se han interpuesto tantas cosas, tantos dolores, aflicciones tantas, duda usted de la realidad de la vida. Y si no está usted cierto de tal hecho, ¿cómo puede usted asegurar que en estos momentos no se encuentra usted de nuevo en Maqueda? ¿No me está usted viendo a mí? ¿Y es que usted cree que yo no tengo también mi problema angustioso de tiempo? Vivo en el siglo XX y no vivo en tal centuria. El siglo en que vivo es el XVI. Y usted es un viajero que desde lejanas tierras llega a mi puerta. Fíjese usted en mí y tranquilícese. Llevo una sotana raída y un balandrán astroso. Soy pobre. Pero mi casa es acogedora. No vacile usted y entre. No le quiero decir a usted que mis brazos le estrecharán como estrechan a los menesterosos. De los menesterosos no quiero hablar. Las caridades han de silenciarse. Soy pobre, y si puedo socorrer a tal o cual cuitado, lo socorro. No se lo diga usted a nadie. En esta tierra, como en todas las tierras, hay muchos desventurados. La felicidad no es de este mundo. Pero ¿qué hace usted inmóvil y absorto en el umbral? ¡Vamos, valor, decisión! Vénzase usted a sí mismo. Despierte usted a la realidad.

Y como un alucinado traspongo el umbral y penetro en la casa del cura. El cura de Maqueda es un hombre alto, apuesto, de atezadas facciones y ojos endrinos. Bajo apariencia de brusquedad, hay en todos sus ademanes cordial señorío. La casa es limpia y modesta. A la derecha del zaguán se abre una puerta que franquea el aposento donde el cura medita y ora. A la izquierda, otra puerta de paso a la cocina.

—¿No se encuentra usted bien aquí? No olvide usted que ha hecho un largo viaje. Llega usted de remotas tierras y ha remontado usted en el tiempo. El viaje ha sido realizado en el tiempo y en el espacio. Le iré guiando. Nos hallamos en el zaguán de mi pobre vivienda, y ahora pasamos a la salita donde me recojo sobre mí mismo. Verá usted después que detrás de la casa se extiende una huertecilla con un cigüeñal para su riego. Ese artefacto milenario lo muevo yo mismo en mis ratos de labrador. Siéntese usted. En este sillón de caoba y baqueta estuvo sentado, hace algunos siglos, otro cura de Maqueda. Aquel cura, el cura que se pinta en el *Lazarillo de Tormes,* soy yo mismo. Expláyese usted conmigo y ábrame su corazón. El mayor consuelo humano es el comunicar las cuitas con quien está dispuesto a remediarlas. Y ésa, la de consolar, es la misión, en cuanto a lo terreno, de quienes vestimos sagradas ropas talares. Viene usted, sin duda, de lueñes países. Pero ¿de dónde? ¿Y cuál es el estado de su espíritu? La aflicción la leo en su semblante y en sus maneras. Muchas veces ya en la vida, en mi pobre vida, me he inclinado hacia el enfermo en su lecho y muchas veces he estrechado la mano del apretado por algún trance moral angustioso. Tengo cierta clarividencia del dolor. No extrañe usted que me exprese de este modo. En tierras toledanas, la dicción pura es corriente. Y además, a ratos, en los ratos que me dejaban libres la cura de almas y las faenas de la labranza, repaso los clásicos. Leo a Santa Teresa. San Juan de la Cruz, Malón de Chaide, Rivadeneyra, fray Luis de León, nacido éste no lejos de aquí, en Belmonte, provincia de Cuenca. Sobre todo me extasía la lectura de fray Luis de Granada, tan flexible y dulce, tan comprensivo de todas las aflicciones humanas. Y dejo para lo último al gran Cervantes.

En el despacho del cura de Maqueda estoy sentado frente al buen sacerdote. Y no sé si este cura es del siglo XX o del siglo XVI. No sé si es cura de hoy o el cura del *Lazarillo de Tormes.*

—¿No cree usted que soy el mismo cura que pintó el autor anónimo de la famosa novela? Estoy leyendo en sus pensamientos. En este instante se encuentra usted como soñando. No lo dude usted: soy de ahora y soy de antes. Soy el eterno clérigo rural español que, con parquísimas temporalidades, ha de tener mesa franca para el viandante que llame a su puerta. ¡Dios mío, cuánto dolor hay en el mundo, querido amigo! Permítame usted que le dé este nombre. Estamos próximos a la Mancha. Parte de la provincia de Toledo es también Mancha. Y en la Mancha, cuando un labriego cruza en su camino con un caminante, le saluda de esta manera: «¡Vaya usted con Dios, amigo!» Tal costumbre hace resaltar la nobleza innata del manchego. Sólo de la tierra manchega podía salir el más cabal caballero que han visto los siglos. Pero veo que desvarío, y ruego a usted que me perdone. He dado ya las órdenes, y dentro de un instante le van a traer a usted una ligera refacción. La está cocinando la buena y anciana mujer que me asiste en la vida vernácula. No extrañe usted que, siendo yo el cura del *Lazarillo,* haya mantenimientos en mi casa. La abundancia no es grande; pero no falta con qué hacer, en un periquete, un yantar. ¿Quiere usted que le haga una confidencia? Creo que el autor del *Lazarillo,* fuere quien fuere, se le ha ido la mano al pintarme. Lázaro ha sido mi criado. Lázaro ha vivido bajo mi techo. Lázaro no es avieso. Pero Lázaro, o su pintor el novelista, se ha dejado arrastrar por la fantasía. Sabe usted que el autor del *Lazarillo* me describe cual clérigo sórdido y tacaño. En mi casa no hay más vituallas que una horca de cebollas colgadas en una cámara en lo alto de la casa, y un arcaz en que se encierran las obladas de los fieles. Y yo hago pasar hambre a mi criado. No quiero murmurar. Pero la verdad es que Lázaro, aun teniendo buen natural, era un tragantón. Y yo me creía en el deber, estando mi casa razonablemente abastecida, de irle a la mano en sus laminerías. Y en desquite a esa sobriedad sana que yo le imponía, ha ido, sin duda, esparciendo esas especies mendaces. Y ha habido un escritor que ha prestado fe a sus embustes. No quiero creer que la novela sea de mano de un gran señor, como don Diego Hurtado de Mendoza. Quien tan brillantemente se condujo en el concilio de Trento, había de repugnar la detracción de un clérigo. Bien es verdad que dicen que el tal juguete literario es obra de los años mozos. La pobreza no baldona. Dice el refrán que «ni madre vieja ni camisa rota son deshonra». La pobreza, si es digna, enaltece. Adivino en usted a un hombre delicado y sensitivo. Y un hombre de esa guisa no ha de ser menospreciador de la pobreza. Ahora voy a contarle a usted una de las pocas cosas extraordinarias de mi vida. Guarda relación con el tema de la indigencia noble de que le estoy hablando. Hace años llegó a mi puerta un clérigo viajero. Su aspecto era nobilísimo. Pero contrastaba su pergeño con los clérigos españoles. Traía larga y blanca barba. Y su tez era marfileña. Azules tenía los ojos. Venía del Líbano y era sacerdote maronita. Católico ortodoxo, practicaba el rito oriental. Sabe usted que los ritos orientales son varios: el asirio, el bizantino, el copto o alejandrino, el armenio. Los practican ciento cincuenta millones de católicos y tienen un encanto profundo. Los apóstoles se esparcieron por el mundo, y en la lengua de cada país donde predicaban crearon el rito. Grandes padres de la Iglesia, como San Balisio, como San Juan Crisóstomo, han ilustrado esos ritos. El sacerdote maronita de que hablo tenía un carácter dulce y una palabra persuasiva. Estaba escribiendo un libro sobre la misa en los ritos orientales y se encaminaba a Toledo. Cuando se habla en el extranjero de los ritos de Oriente se los enumera todos, pero se comete un olvido. Nadie se acuerda de la misa mozárabe que se celebra en la mozárabe capilla de la catedral de Toledo. Y ese clérigo oriental iba a Toledo a estudiar el rito mozárabe. Le hospedé en mi casa. Guardaré siempre un recuerdo vivaz de aquellos días. Expresándose en un castellano arcaico, sus palabras tenían apacibilidad inefable. Al despedirse de mí me regaló, como recurso, un libro. Y ese libro lo tengo yo constantemente a la cabecera de mi cama. No pasa noche sin que después de las oraciones habituales lea dos o tres páginas en ese volumen. Una de las cosas que más me atraen en él es lo que dice de la pobreza. Voy a buscarlo..., aquí lo tiene usted. Se titula *Les Proverbes de Salomon traduits en français avec une explication.* Está impreso en París, en 1689. Hablo de la quinta edición a que pertenece este ejemplar. Sin duda, a su paso por París, lo compró el sacerdote en alguno de los tabancos del Sena. ¡Qué maravillosos los proverbios de Salomón! ¡No pasarán jamás, como jamás pasará la poesía de David! ¡Y qué dos grandes figuras las de estos dos hombres excelsos!

Entra en el aposento la cincuentona ama del cura. Trae una fuente con huevos fritos y torreznos. Dicen los cervantistas que este plato es lo que se llamaba *duelos y quebrantos.* Sentado a la mesa, sobre la que se ha extendido rugoso y blanco mantel de lino, voy comiendo lentamente. El cura de Maqueda ha abierto los comentarios a los proverbios y lee en voz alta:

—He abierto el libro al azar. Y vea usted lo que se dice de la pobreza: Las riquezas del rico son su fortaleza; la indigencia del pobre le mantiene en el temor. *Substancia divitis urbs fortitudinis ejus: pavor pauperum egestas eorum.*

La pobreza no es lo más acongojador. Lo que más acongoja es el temor que la pobreza pone en el indigente. Vea usted esas miradas de recelo, esos gestos tímidos, esa actitud toda de la persona que revela encogimiento, ese considerar y temer peligros en todas partes y en todos los momentos. Ha sorteado el pobre una dificultad y otra asoma ya en el horizonte. Lo que es fácil para el rico es arduo para el pobre. Las puertas se abren para el rico y las puertas se cierran para el pobre. *Pavor pauperum egestas eorum,* clama Salomón. *El dinero llama al dinero,* dice el refrán castellano. El dinero acude al rico feliz, que no lo necesita, puesto que tiene bastante, y no al pobre que podría remediar con él sus estrecheces. ¿Quién tenderá su mano al pobre? ¿Dónde hallará el pobre amparo?

Y el cura de Maqueda, al decir esto, tenía una expresión tal de bondad infinita, que le transfiguraba y hacía que su persona estuviera como circuída de una vívida luz divina.

DON QUIJOTE, VENCIDO

Don Quijote vuelve vencido al pueblo natal. Lo ha vencido el caballero de la Blanca Luna en la playa de Barcelona. Las glorias del mundo se acaban. No importa el pueblo a do retorna Don Quijote. Puede tratarse de Argamasilla de Alba, o de Criptana, o de Quintanar, o de Herencia, o del Tomelloso. Lo que importa es que en el pueblo nativo espera el caballero la confortación de la casa manchega. Ninguna morada, entre las españolas, más acogedora y reposante. Don Quijote transpone los umbrales. Allí le aguardan la blanca y limpia cal, la espetera y los gazpachos. Esos tres elementos son fundamentales de la casa en la Mancha. La Mancha es vasta, llana y de horizontes remotos, que excitan a la contemplación. El espíritu se asume en sí mismo. Es un trasunto terreno de lo infinito; el pensamiento del morador o viajero en la Mancha, parte con ímpetu hacia lo desconocido. La nítida cal recubre las paredes de la casa. Desde la lejanía se columbran las mansiones manchegas enteramente blancas, destacando en lo pardo del paisaje. Periódicamente, a breves intervalos, ha de ser renovado el enjalbiego. No puede haber ni veladura ni mácula en la nitidez de la cal. Y a veces, por todo lo bajo de los muros, en lo interior, corre un zócalo de vivo azul. Lo blanco y lo azul están departidos por una resaltante rayita negra.

En la blancura de la casa resalta, puesta en el zaguán, la espetera. No hay casa manchega, si es de pro, que no tenga a gala el ostentar crecida y brillante espetera. En el *Diccionario muy copioso de la lengua española y francesa,* publicado en 1604 por Juan Palet, médico ordinario de Enrique de Borbón, príncipe de Condé, se nos dice que la espetera es *liue ou l'on attache les broches.* No es eso en la Mancha. *Broche,* en francés, vale por asador en castellano. Y ni en la la Mancha, ni en la comarcana Murcia, ni en toda la orla mediterránea, conocen los asadores. Y menos los asadores andados por perros. No los ha visto en su vida el autor de estas líneas. La espetera está llamada a más altos destinos. Comprende, en sus múltiples artefactos, la universalidad de los menesteres caseros. Allí están, labrados primorosamente en azófar, braserícos varios, unos para encender pajuelas y cigarros y otros para que no se enfríen las viandas en la mesa. Y allí jarros y picheles de cabida diversa. Y allí, la bacía que puede semejar yelmo de Mambrino. Y allí cazos grandes y chicos. Y allí, en suma, la fundamental chocolatera, que rememora a perpetuidad el descubrimiento de América.

¿Y qué diremos de los gazpachos? Inseparable es de la casa su gastronomía. Tal región, tales guisos. España ha abandonado, en las posadas y figones ciudadanos, en los más aupados, su cocina tradicional. Y España tendrá que volver, si quiere ser España del todo, a sus condimentos gloriosos. Y no hay plato en todo el orbe hispano más suculento que los gazpachos. Los gazpachos representan la alianza, en breves y exquisitos términos, entre Oriente y Occidente. Entre el sedimento godo y los posos árabes, entre la meseta castellana y el litoral mediterráneo, entre España peninsular y la España trasfretana. Nada menos hay en esas pizcas guisadas de torta leve. La lección es instructiva y nos invita a meditar. El genio de España dimana de esa alianza. Temerario sería, a más de injusto, desdeñar nuestro pueblo. No hay plato ni más sencillo ni más arduo que los gazpachos. La torta que ha de espizcarse debe haber sido amasada no en artesa campesina o ciudadana, sino en rústicas pieles de cabra. Y ha de ser torta ázima. Alcuzcuz perfecto no se puede guisar con harina de trigo blando, sino que ha de ser hecho con harina de trigo duro. Sus afines, los gazpachos, han de hacerse también con la harina de que se amasan los panes bazos. Y el cocer la torta en el rescoldo, entre brasas, exige arte delicadísimo. No hablemos del gazpacho andaluz. Son el plato manchego y el plato andaluz cosas dispares. Aun en la apelación difieren radicalmente. El plato manchego no tiene singular, y es siempre gazpachos; en tanto que el plato andaluz no tiene plural, y es en todo momento gazpacho.

Don Quijote de la Mancha está ya en su casa. Han venido a verle los amigos más íntimos; y como le saben vencido, respetan todos su dolor. Las palabras son mesuradas, y largos intervalos corren de frase en frase. La tarde cae, se allega ya el crepúsculo, y en el ancho y blanco zaguán la concurrencia muestra aspecto entristecido y solemne. La cosa no es para menos. El más alto caballero que tiene España se ve forzado, por su juramento, por su honor, a no campear más. ¡Y ay de las viudas pobres, de los desvalidos, de los acosados injustamente por los mandones, de los cautivos, de los tristes que necesitan consolación! Los últimos fulgores del crepúsculo entran por la ancha puerta y la espetera los refleja en su fulgente azófar.

Tres días después, Don Quijote sienta a su mesa amigos queridísimos. Entre otros, son comensales el cura Pedro Pérez, el bachiller Sansón Carrasco, Nicolás el barbero. Todos habían recibido una invitación que envolvía cierto misterio. Estaban intrigados todos por la convocatoria que en estos momentos, momentos de tribulación para Don Quijote, se les hacía. ¿Por qué les congregaba el sin par caballero? ¿Qué manifestaciones tendría que hacerles? ¿A qué nuevo desvarío estaban abocados? La comida fué excelente. Los clásicos gazpachos—y de los más ricos, gazpachos con paza—hicieron el gasto. A los postres, ante las tazas de digestivo y oloroso cantueso, Don Quijote tomó la palabra.

—Les he invitado a ustedes, queridos amigos—dijo—, para hablarles de un asunto que me atosiga. Y ustedes, tan bondadosos, han tenido la gentileza de aceptar mi convite. Señores: aquí estoy en el pueblo nativo desde hace muchos años. No he faltado de él ni un solo día. Ustedes han podido verme sin ausencias a lo largo de treinta años.

Al llegar aquí el caballero hace una pausa, y los circunstantes se miran con cierto recelo. Lo que temían asoma. La nueva locura de Alonso Quijano va a ser enunciada.

—Estos días ha habido para mí un motivo de hondas preocupaciones—prosigue Don Quijote—. Creo un deber, deber de amistad, el exponerlo a ustedes. No sé si ustedes creerán en los sueños. Los sueños son famosos en la historia humana. De los sueños se ha formado la oniromancía o arte de adivinarlos. Son muchos y autorizados los autores de la antigüedad que tratan de los sueños. Verdad es que las Sagradas Escrituras condenan los sueños siniestros. Verdad es también que ese mismo divino libro nos ofrece como aleccionamiento los más espléndidos sueños. Honda huella han trazado en la Humanidad los sueños de José. Y yo estoy viendo en este momento a Jacob que, reclinada la cabeza en una piedra, duerme y tiene un sueño maravilloso. Queridos amigos: yo también, salvadas las distancias, colocado en terreno puramente humano, no en el divino, que es el de Jacob, he tenido un suño admirable. He soñado que era caballero andante. En un castillo, después de veladas, me ciñeron las armas. Era mi dama una singular beldad. Por el mundo he recorrido defendiendo a quienes habían menester defensa. He bajado a las profundidades de la tierra y he ascendido a las alturas del firmamento. Hospedóme un duque y me aposentaron alcaides en sus castillos. Luché con gigantes y me vi a veces míseramente atropellado por bárbaros. No había miedo en mi corazón, y un fervor dulcísimo y poderoso me llevaba en vilo por el mundo. ¡Y todo, ay, ha sido un sueño! Artemidoro Daldiense, el autor más sabio en sueños, no ha podido conocer sueño más peregrino que el mío. Ya todo se desvanece y, al desvanecerse, deja en mi alma la dicha pasada un reguero inextinguible de melancolía. He sido Don Quijote de la Mancha durante una noche, y he vuelto a ser Alonso Quijano al rayar el día.

—¡Menos mal!—exclamaban los amigos, comentando el nuevo desvarío del caballero, al regresar a sus casas.

Sansón Carrasco ha quedado con Don Quijote. Encerrados los dos en el aposento, Sansón pregunta:

—¿Será de veras, como tú crees, que has soñado? ¿No serás víctima de una alucinación?

Don Quijote de la Mancha, sonriendo melancólicamente, contesta:

—No, Sansón querido, no. No soy víctima de ninguna alucinación. No he soñado nada. Pero ha terminado irremisiblemente un período de mi vida. Ese período, el de mis andanzas por el mundo, ha sido el más feliz de mi existencia. Y al terminar, yo quiero que permanezca imperecedero en mi memoria. Lo real vale menos que lo soñado. El hombre vive no por las realidades, sino por los sueños. Si no soñáramos, no habría interés en vivir. Y yo, al convertir en sueño una realidad, realidad auténtica, tangible, aspiro a que, siendo más tenue, más alada, sea para mí más verdadera, más benéfica y más fecunda.

LA VIDA EN PELIGRO

La cueva está excavada en un recuesto. Y el recuesto se halla en la huerta. Hay en la huerta copia de vegetales. Aquí se ven cuadros de hortalizas, más allá se yergue un grupo de árboles de sombra; a esa otra parte se extiende variedad gustosa de árboles fructíferos, y no faltan las matizadas y olorosas flores. La amenidad del sitio hace en él apacible la estancia. No está lejos el mar. Si el cronista no estuvo nunca en estos parajes—ni leyó sobre ellos relación circunstanciada—, se los imagina a su talante. Y al imaginárselos, pone en su pintura fantasía meridional de España. En España, la flora es casi idéntica a la de Africa. Hablamos de la España del litoral mediterráneo. Y aquí en la huerta y en sus contornos, nos place hallarnos en plena tierra alicantina. De este modo, en tales parajes, podrán verse una huerta feraz, unos terrenos no rompidos, que bajan hasta el mar; y, por último, una playa extensa, interrumpida a trechos por peñascales, que rememora las playas de Alicante. La cueva es una de tantas cuevas como los alicantinos cavan propincuamente a los pueblos, como, por ejemplo, en Monóvar y Petrel. Se sale de la huerta y se comienza a caminar entre coscojas y sabinas, entre gamones y retamos, entre atochas y tomillos, hasta perderse el caminante en la montaña. Y por la otra banda se desciende suavemente hasta el mar.

El paraje, a tres millas de Argel, es solitario. ¿Y para qué sirve la cueva? No sabemos si subsistirá hoy tal cobijo. En 1577 la cueva sirvió para que se refugiaran en su seno algunos cautivos españoles. Juan, el jardinero, labrador navarro, cultiva la huerta. No transita nadie por aquí. El lugar se encuentra a trasmano. Pueden esperar en la cueva su salvación quienes en ella se oculten. Pero ¿cómo preparar la huída de Argel, la caminata hasta la huerta, la estancia en la cueva y, finalmente—y esto es lo más importante—, la salvación en un barco? El barco habrá de acercarse a la playa y los cautivos saltarán precipitadamente y gozosos a su bordo. ¡Y hacia la libertad! ¡Y hacia España! Pero para todo esto se necesita una cabeza y un corazón. La cabeza para concertar todos los detalles y el corazón para no desmayar.

Los fugitivos de Argel han llegado a la huerta. Aquí están sentados en la cueva. La cueva es honda, espaciosa, seca, limpia, y puede contener ocho, diez, catorce personas. El momento en que los fugitivos se han visto ya en la cueva, lejos de Argel, ha sido conmovedor. Respiran, al fin, de sus acciones. Esta soltura les prestaba momentánea alegría. Han recorrido la huerta en el trecho que va desde su acceso hasta la cueva, y han sentido ligeros y elásticos sus miembros. En la huerta puede meditar un filósofo o versificar un poeta. Su apacible amenidad presta ánimos al soñador. Para el poeta y el filósofo que vayan, lentamente, paseando por entre la verdura, el tiempo no será nada. Pasará el tiempo sin sentir. Todo será bello a los ojos del descuidado paseante; los cuadros de hortalizas, los árboles frutales, las tablas de flores, la clara fuente que mana de un caño susurrador, el terreno inculto que precede a la playa, la playa misma que baja hasta el mar y recibe en su planicie el vaivén manso de las olas. Y por encima de todo, el cielo azul, alto y límpido, de esta Africa litoral, que es el mismo cielo del ibérico litoral alicantino. Pero ¿qué sentirá un hombre que ha logrado escapar del déspota, que ha llegado a la apartada y solitaria huerta y que se encuentra en trance próximo de salvación? La primera impresión de estos hombres es de contento. Gozan afanosa y voluptuosamente de estos instantes. El tiempo transcurre, la alegría se va disipando y apunta la inquietud. Fomenta tal inquietud la consideración del estrecho en que se ven. Han logrado huir, sí. Han logrado llegar hasta estos parajes, sí. Se hallan aquí, en una huerta solitaria, lejos de Argel, refugiados en una cueva, sí. Pero ¿qué va a pasar ahora? ¿De qué modo van a desenvolverse los acontecimientos? Un hombre animoso—que la Historia marcará por genio—ha preparado la huída. El hermano de este hombre ha sido rescatado en el presente año de 1577... Ya en España, Rodrigo trabajará para que una embarcación pueda llegar hasta estas playas y recoger a los fugitivos. ¿Se cumplirá este proyecto? ¿No fallará? ¿No se vendrá todo abajo por causa de algo que no se ha podido prever? Y el tiempo que los fugitivos estén en la cueva, ¿de qué modo van a poder alimentarse? ¿Y cuánto va a durar la angustiosa espera? Persona diligente y reservada traerá las vituallas desde Argel. ¿Y no podrán hacer fuego para cocinar? La columna de humo que se elevara sería delatora. ¿Y han de permanecer constantemente en la cueva? Un viandante extraviado podría verlos y denunciarlos, si de ella salieren. Peligros que no habían visto al llegar, embriagados por el alborozo, los van viendo al presente. Y esos peligros se hacen más pavorosos a medida que pasan los días. La situación, en el transcurso del tiempo, se concreta del modo siguiente: un grupo de cautivos españoles ha huído de Argel;

a estas horas en Argel se ha advertido ya su falta; fuerzas que los buscan han sido puestas en movimiento; los fugitivos se encuentran ocultos en una cueva; han de comer, naturalmente, todos los días; trae los bastimentos un mensajero que viene de Argel. ¿Es de fiar en absoluto ese mensajero? ¿Y habrá logrado equiparse un barco que arribe a la playa? ¿Y podrá arrimar a costa esta embarcación sin que nadie lo advierta? La empresa es ardua. Todo parecía antes hacedero y todo semeja ahora que pende de un hilo quebradizo. Y aquí están en la cueva, frente al mar, los cuitados cautivos. La vida en la cueva es monótona. El vocablo desesperante no sería inadecuado. Los días van pasando con lentitud congojosa. Y sucede que como no ocurre nada en esos días, esos días son despaciosos en su tránsito, pero luego de pasados dejan en la sensibilidad la sensación de que han durado un solo instante. La zozobra dolorosa es perpetua. Por fortuna, de cuando en cuando aparece el tramador de la fuga, es decir, «un tal Saavedra», como él mismo se ha llamado. Le ve un vigía llegar desde lejos y todos se reaniman súbitamente. En lámpara próxima a extinguirse acaba de chorrear una alcuza porción vivificante de aceite. Miguel es entero y alentador. Hay en toda su persona algo que pone sosiego en quien, conturbado, le mira y le escucha. Miguel de Cervantes Saavedra, cautivo en Argel, abraza cariñosamente a todos. Todos le rodean y recogen ávidamente y en silencio sus palabras.

—Vamos a ver, Pablo, ¿qué le pasa a usted?—le dice a un cautivo que gime y llora—. No me gusta que se acoquine usted. Eso no debe hacerlo un español. ¡Animo! ¡Confianza en Dios! ¿Y usted, González? ¿Por qué pasa usted los días, según me dicen, desocupado, jadeante por sus cuitas, sin salir a dar un paseo? ¿Y usted, Madueño? ¿Qué es eso de entregarse a la desesperanza? Pueden ustedes salir por la puerta. No sucede nada. Todo se cumplirá bien. Vendrá un barco, nos recogerá a todos y llegaremos felizmente a nuestra España.

Y cuando Miguel de Cervantes Saavedra se marcha, todos le siguen con la mirada, hasta que desaparece tras una loma. Su estancia breve en la huerta ha alimentado la serenidad para unos días. Pero ¿Cervantes va y vuelve o está aquí también perenne? Lo mismo da. Lo importante es el espíritu maravilloso de este hombre sin par.

El lector que no haya vivido en peligro unos días, unos meses o unos años, no podrá imaginar fácilmente cuál es el estado de la sensibilidad en este tiempo. La vida se hace más sutil. No pensamos en nada que sea ajeno a la situación en que nos hallamos. Ni podemos leer, ni podríamos escribir. Al menos no podríamos escribir sin hacer un esfuerzo penoso y sin que alguien nos dé una inyección de esperanza. El tiempo se transforma. Es más tenue el tiempo. En estas situaciones, un pormenor que antes no tenía importancia, la tiene considerable. En todo se ve ocasión de complicaciones peligrosas. No sabe el hombre dónde se teje su destino. Seguramente en lo que Saavedra Fajardo llama *los telares de la eternidad*. Pero es lo cierto que para el que vive en peligro, todo se concatena funestamente. En la apacibilidad de la vida ordinaria, un desastre aparece aislado y pronto se repara. En estas situaciones de espera trágica, los desastres suceden a los desastres. Una dificultad llama a otra dificultad. Con la sucesión de congojas llegamos a vivir una vida en el estiaje más bajo de la vitalidad. Y al final, cuando las aflicciones se acumulan sobre el doliente, advertimos que en el fondo de nuestra alma renunciamos ya a todo: al mundo, a los recuerdos dilectos, a los libros, a los paisajes, a la libertad, a la vida. «Ultima filosofía, conformarse con todo lo que viniere»—decía Antonio Pérez, abrumado por las persecuciones.

Pero ¿ha aparecido en el horizonte, sobre la llanura azul del mar, una vela blanca? ¿Está ya a la vista nuestra liberación? Atalayado entre los árboles se encuentra un vigía. No, no es el barco que ha de salvarnos. La vela blanca desaparece en el horizonte. La congoja torna a los cautivos. Pero aquí llega Miguel.

—¡Animo, amigos queridos! ¡Esperanzas! ¡Dios está con nosotros! ¿Qué es eso de amilanarse? ¡Que no vea yo esas caras compungidas! Y no hay que estar quietos. Cuando se está inactivo, un grano de arena parece un monte. Hay que ocuparse en algo para olvidar. Observad las plantas, jardinead un poco, coged insectos, coleccionad piedras, medid la distancia que hay de un sitio a otro, cazad pájaros para soltarlos luego y proporcionarles la alegría que nosotros ansiamos de la liberación. ¡Y siempre en alto los corazones! ¡La libertad está ya próxima!

¡Ay, la libertad no estaba próxima! Y esta segunda tentativa de Cervantes para libertar a sus compatriotas había de malograrse cual la primera. El castigo será terrible. Pero Cervantes, heroico, toma sobre sí todas las responsabilidades de la fracasada empresa.

(1.ª ed., 1942.)

LOS SIETE DOLORES DE LA VIRGEN:

TERCER DOLOR

MARIA BUSCA A SU HIJO

UANDO era niña, niña de ocho o diez años, la recogieron en el caserón que los señores habitaban en la ciudad. Ella era hija de unos servidores antiguos de la casa; su padre, jornalero del campo, había trabajado durante treinta, cuarenta años, en las huertas de los señores próximas a la casa, en las afueras de la ciudad; su madre había sido criada, recadera, asistenta, en la misma familia. Cuando la niña tenía ocho, diez años, murieron sus padres; la recogieron en la casa; le dieron por vivienda un cuartito en una accesoria, al lado del huerto. Desde su ventanita la niña veía a lo lejos, por encima de los árboles del jardín, la torre de la catedral.

A los veinte años, un labrador que venía a la casa todos los sábados desde un lejano heredamiento, se enamoricó de la muchacha. Estuvieron en relaciones un año. No había tenido la niña todavía en la vida ni un momento de gozo, de alegría. Había trabajado mucho: hasta medianoche la hacían coser, zurcir, componer las ropas de la casa. Palabras dulces no había nunca para ella; su cara era pálida; anchas ojeras cercaban sus ojos.

En la pared, encima de una arquita con su ropa, tenía una estampa religiosa: una Virgen, vestida de negro, juntaba sus manos sobre el pecho. Y en el mismo pecho se veía un corazón atravesado por siete espadas.

Durante años, a lo largo de su adolescencia, la moza había contemplado, al levantarse, al acostarse, a todas las horas del día, esta Dolorosa. Y, sin querer, muchas veces, como componemos instintivamente nuestro rostro sobre otro rostro acongojado, la moza se ponía triste sin saberlo, sin quererlo, al contemplar el semblante triste, trágico, de la Virgen. Y el rostro de la Virgen, en este minuto de ignorado dolor—de ignorado dolor para la moza—, parecía animarse y sonreír con una sonrisa de bondad suprema y de inefable melancolía.

Los amores de la muchacha y del jayán fueron turbulentos, borrascosos. El mozo era violento y áspero. Gritaba y se encorajinaba por cualquier futesa. Las lágrimas asomaban a los ojos de la niña; las palabras de amor iban mezcladas con sollozos. Y, tras estas horas de recriminaciones y de violencias, cuando la moza miraba a la Dolorosa de las espaditas, la Virgen parecía sonreír dolorosamente y decir que aún había más, mucho más, en la región de los dolores.

El matrimonio no fué feliz. Los recién casados dejaron la ciudad y se marcharon al campo. Habitaban, en lo alto de la montaña, una casita estrecha. Los señores de la ciudad habían cedido al mozo en arrendamiento un rodal de terrazgo con un mísero cobijo. La buena mujer tenía su cuartito en el único alto de la casa. La estampa de la Virgen, con sus siete espaditas, se veía en la pared. Desde la ventana se columbraban las cimas de los montes lejanos. Dos meses después del matrimonio, un día en que el marido se sintió poseso de una terrible cólera, le dió un ataque de perlesía. Un año estuvo paralítico en un sillón; vociferaba el enfermo y se agitaba en violentas convulsiones de furor. Cuando la buena mujer se quedaba sola allá arriba en su cuartito, miraba a la Dolorosa, y la Dolorosa, con una sonrisa inefable—bondad, piedad—, parecía decir que todavía, en el número de los dolores humanos, había más, mucho más...

El marido murió. Del matrimonio había nacido un niño. El niño era enfermizo. Tenía la misma cara pálida, afilada, de la madre; pero sus ojos—ojos azules, melancólicos—relucían de inteligencia. La madre concentraba toda su vida en la vida del niño. Trabajaba ahora la madre más que había trabajado nunca; cuatro o seis labriegos cultivaban las tierras; la buena mujer trabajaba también con ellos y cuidaba de que no granjeasen dañinamente en su hacienda. La hacienda era del niño, para cuando fuera hombre, y la madre, que no había pensado nunca en sí misma, pensaba en el niño. Un día, sin saber cómo, comenzaron a arder las mieses en la era; otro día, unos labrantines colindantes le pusieron pleito por los hitos de la heredad; otro día, del corto hato de ganado que la viuda tenía, desaparecieron cuatro o seis ovejas. La buena mujer era una mujer sola. Todo el mundo se le atrevía. Los jornaleros no quisieron venir a trabajar sus tierras. Se vió sola, desamparada. Y cuando miraba al levantarse, al acostarse, la imagen de la Dolorosa, una sonrisa de bondad, de inefable bondad, parecía animar el rostro de la Virgen. En la tierra, en el planeta, entre los hombres, todavía había más, muchos más dolores. Y la Dolorosa, la triste, trágica Virgen, los había sufrido todos.

Y otro día—entre tantos días de amarguras y de desastres—, el niño se fué a la montaña con el pastorcito que cuidaba del ganado. Por la noche, cuando volvió el zagal con su ganado, el niño no volvió. Se había quedado atrás, y no acababa de llegar. Y la madre sufrió una congoja terrible. Se marchó también por la montaña. Daba gritos angustiosos en la soledad y en las tinieblas. Flotaba sobre sus hombros su cabellera deshecha. No aparecía el niño ni por las lomas ni en lo hondo de los barrancos. Y a la mañana, tras una noche trágica, cuando el alba iluminaba vagamente el paisaje, la madre encontró al niño. Lo encontró dulcemente dormido debajo de un árbol frondoso.

De retorno en la casa, la madre, en su cuartito, tenía en su regazo al niño, apretado contra su pecho. Estaba pálida la cara del niño. Estaba pálida la cara de la madre. La madre contemplaba la imagen de la Dolorosa. La Virgen parecía sonreír; sonreír con una infinita sonrisa de piedad de los dolores del mundo. En el mundo había más, todavía más dolores. El dolor de una madre cuando ha perdido a un hijo—extraviado en una populosa ciudad, descaminado en el campo—no es el dolor supremo. Todavía hay más en el mundo. El niño puede parecer, parecerá seguramente. Hay más dolores aún. La Dolorosa, triste, trágica, los ha sentido todos en su corazón; siete espadas traspasan su corazón... Y cuando, después de haber encontrado al niño, la buena mujer piensa que todavía hay más dolores en la tierra, que todavía el Destino puede guardar más amargura para este niño, lo aprieta convulsamente en su pecho y pone una mirada suplicante, de infinita imploración, en la otra Madre que ha pasado por todos los dolores.

(De la revista *Blanco y Negro*, 1926.)

RETRATO DE UNA ESPAÑOLA

MARIA GONZALEZ

El señor obispo de la diócesis llega en su visita pastoral a Valflor. El pueblo se muestra en lo hondo de un valle, orillas de un riachuelo que riega feraces huertas. Más allá de los floridos cortinales se extienden las tierras de pan llevar. El cultivo, como en casi toda Castilla, es de dos hojas, y en estos comienzos de la primavera los cuadros de barbecho labrado forman mosaico con las hazas de trigales en cierne. El señor obispo se hospeda en casa del párroco. Su ilustrísima es hombre de media edad—está en la cincuentena—, y un matiz de melancolía tiñe su semblante. Poco a poco, con esfuerzo, ha ido elevándose desde la pobre cuna en que naciera hasta la prelacía. Y acaso no hubiera podido hacerlo sin la asistencia solícita y constante de su madre. Nunca se diera madre más amante de un hijo. Desde primera hora, la madre consagró su hijo a la Iglesia. Los designios de la madre coincidían con la vocación sincera del muchacho. Pero se necesitaban posibles. La familia era pobre. La tierra —unos míseros pegujales—la sustentaba malamente. Y la buena mujer hubo de afanarse, pasando privaciones sin cuento, para que el hijo pudiera estudiar en el seminario. ¡Y qué regocijo el día que asistió a la primera misa del misacantano! Los años pasaron. El nuevo clérigo trabajó para ser nombrado cura párroco de un pueblo. La madre estaba solícita a su lado. Todos admiraban la piedad y el saber del joven sacerdote. En su parroquia, el celo del cura por sus feligreses era ardiente y continuado. Silencioso, abstraído, el señor cura repartía el tiempo entre la caridad y el estudio. De aquel tiempo data el magnífico estudio sobre don Antonio Agustín, el prelado humanista, que el cura publicó. La Historia de España atraía al párroco, y dentro del área de España, era natural que los anales eclesiásticos se llevasen su preferencia.

Pasaron más años. Nunca dispuso de grandes recursos el señor cura párroco. Lo que daba su mano derecha, lo ignoraba su mano izquierda. Y era mucho, para la condición modesta del sacerdote, lo que la diestra repartía. Pero allí estaba la madre, que se ingeniaba para que el hijo pudiera, a pesar de su santa prodigalidad, comprar libros en que estudiar. Y tenía que comprarlos, porque la madre, venciendo la humildad del hijo, le incitaba a las oposiciones para una canonjía. Memorables fueron esas oposiciones en la Diócesis. De los estudios que, parar opositar, hubo de hacer el sacerdote, salió otro de sus libros: un concienzudo trabajo sobre el tomismo en España.

El tiempo no se detiene y los años se deslizaron rápidos. La madre ya no estaba satisfecha. Necesitaba algo más. Cuando veladamente, en sus conversaciones con el hijo, aludía a ese algo más, el canónigo sonreía. No pensaba él en tal cosa. No la ambicionaba. Vivía satisfecho. Pero a medida que avanzaba en la vida, su melancolía ingénita se acentuaba. ¡Cuánto dolor entre los humanos! ¡Y cuánto afán estéril por pompas y vanidades mundanas despreciables! De pronto, un día llegó la noticia. La madre entró, palmoteando, en el reducido cuarto del hijo. Sus ojos despedían luz de vivísimo contento. Ninguna madre nunca había sido más feliz. El triunfo del hijo la envanecía. Y el hijo, al conocer la nueva, la fausta nueva, bajó la cabeza y estuvo un largo rato silencioso.

Dos semanas más tarde, en el lecho de muerte, la bondadosa anciana expiraba, teniendo entre sus manos la mano diestra de su hijo. Y cuando llegó al día de la consagración, la tristeza que velaba habitualmente el rostro del canónigo se hizo más densa. Allí estaba él, asistido de otros dos obispos, y su madre no estaba. Los guantes, en el obispo, representan el respeto con que han de ser tratadas las cosas eclesiásticas. Esos guantes, en el acto de la consagración, han de ser del mismo color que los ornamentos del día. Las medias y las sandalias, también de igual color al de los ornamentos, significan el celo con que ha de desempeñarse el ministerio episcopal. Y el anillo simboliza el desposorio del obispo con la eternal Iglesia. La ceremonia se iba desenvolviendo, y la madre no estaba presente. ¡Y cuál hubiera sido su contento! Al pensar en esa satisfacción de la madre, la melancolía del nuevo obispo se acentuó todavía más. La postrera parte del juramento que presta el obispo consagrado atañe a los bienes de la Diócesis. El consagrado jura no venderlos, donarlos ni empeñarlos, aun contando con el beneplácito del Cabildo, si Roma no lo aprueba. *Possessiones vero ad mensam meam pertinentes non vedan, nec donabo, neque impignorabo nec de novo infeudabo vel aliquo modo alienabo, etiam cum consensum Capituli Ecclesiae meae, inconsulto Romano Pontifice,* etc. En su Diócesis, el nuevo prelado puso empeño en que se conservara en todas las iglesias, las grandes y las humildes, todo lo que la tradición había ido allegando. Ni faltaba el cuadro del más modesto pintor de mala mano, ni era posible que se perdiese la más humilde obra de percocería.

—Vamos a ver, señor cura—dice, sonriendo, el obispo—, ¿qué es lo que hay de notable en el lugar?

El señor cura duda. En el lugar no hay nada extraordinario. El lugar es un pueblo de labradores, que todo el año se inclinan hacia la tierra y viven con trabajo.

—¿Y no hay nada, absolutamente nada?—insiste el prelado.

Cuando comenzó su visita pastoral, ya sabía el obispo lo que había de extraordinario en Valflor. No hay en la diócesis ninguna cosa que ignore su ilustrísima. Sigilosamente se hace informar de todo. El cardenal Lorenzana, arzobispo de Toledo, vivía en análoga compenetración con los fieles de su archidiócesis. Tal solicitud es de tradición en el episcopado español. El cardenal Lorenzana, en su cariño por las cosas de su Iglesia, llegó a enviar una carta a los labradores toledanos en que se dan instrucciones sobre el modo de coger la aceituna. La aceituna se ha de coger, no por apaleo, lisiando el árbol, sino por ordeño suave. Y en la tierra toledana, tierra de ricos aceites, importa mucho el modo. El obispo de nuestra historia estaba enterado, como decimos, de todo lo que atañía a su diócesis. Y sabía que en Valflor lo notable era María González. ¿Y quién era María González? En torno a María González, mujer pobre, viuda de un labriego, se había hecho un círculo de dolor. María González era la propia bondad, y la fortuna adversa la había combatido sañudamente. En regiones elevadas ha habido egregias personalidades que, rodeadas del esplendor del poder, han visto cómo el dolor las circuía. Tal ha sido la Reina Católica doña Isabel, tan desgraciada con sus hijas, que vió morir con honda pena al heredero del trono, el príncipe don Juan, dotado de tan bellas prendas, en quien España entera tenía fundadas esperanzas y que está enterrado en Avila, en el convento de Dominicos de Santo Tomás. Y tal fué Felipe II, solo y enfermo en su vejez, en El Escorial. Y tal ha sido, modernamente el emperador Francisco José de Austria. En su esfera humilde, María González había ido pasando por la angustia acerbísima de ver cómo iban muriendo todos sus hijos, todos sus familiares más queridos. Su vida era la de una santa, y la desgracia la abrumaba. Y todo lo soportaba María González con serenidad admirable. Repetía ella constantemente el bello refrán castellano que dice: «No hiere Dios con dos manos, que a la mar hizo puertos y a los ríos vados.» Los puertos y los vados de la pobre María González eran su caridad y su fe. Vestida de luto perpetuo, limpia, silenciosa, no había enfermo en el pueblo que ella no asistiera. No profería nunca quejas ni tenía movimientos de impaciencia irritada. La muerte iba dejando desierta el área familiar en que ella se movía, y ella, serenamente —aunque con tristeza infinita en el corazón—, iba conllevando la vida. Estar en presencia de María González era sentirse confortado en la desventura. De su persona emanaba como un efluvio dulcísimo de resignación.

—Ea, señor cura—dijo el obispo—, vamos a ver a María González.

El señor cura había tenido que decir, al cabo, que esta pobre mujer era lo más notable de Valflor. Su ilustrísima va caminando hacía la casa de María González. La casa es chiquita y está toda ella sumamente aseada. María González no espera, en su humildad, la visita del prelado. Al poner el pie en el umbral, algo que no sabe lo que es le sucede al señor obispo. En el zaguán de la casa se ven unas toscas sillas. María está trajinando en el piso de arriba. La llaman y va a bajar. Va descendiendo ya por la escalera, y su figura enlutada descuella en el blanco yeso de las paredes. Y al estar en presencia del señor obispo, el prelado ha de contenerse para no lanzar un grito. María González es el trasunto fiel de la madre del prelado. El mismo semblante, el mismo modo de tener cruzados los brazos sobre el pecho. Hay un instante de silencio profundo. La concurrencia no sabe qué pensar. Y de pronto, el señor obispo se levanta de la silla en que está sentado, avanza hacia la anciana y exclama:

—¡María, María! ¡Cuán dolorida está en estos momentos mi alma! María, María, tú eres elegida entre los buenos porque tienes fe. Tú has podido vencerte a ti misma, porque la fe te sostenía. Todos los dolores, tú los has soportado serenamente por tu fe. ¡Y tú no puedes saber qué posos de tristeza ha removido tu figura en el fondo de mi alma! María, hija mía, hija aunque pudieras ser mi madre, yo te doy mi bendición, y estampo un beso en tu frente casta.

La más profunda emoción se había apoderado de la concurrencia. Todo el pueblo estaba allí e invadía la casa. El prelado ha bendecido a María y luego la ha besado en la frente. La ha besado como se besa a una madre. Y nunca la ilusión de la identidad entre dos personas pudo ser más consoladora.

(De la revista *Vértice*, 1941.)

LO QUE DIJO ANGULO

Espaciosa cocina de mesón en un pueblo; un pueblo pasajero y de remuda de tiros: Ocaña, Buitrago, Adamuz, el Pedernoso. Cocina con chimenea de ancho manto en la campana; en el revellín o repisa del manto se ven puestos jarros y platos de Talavera; hay también dos o tres hacecitos de resinosas teas con que encender el fuego; penden de sus garabatos diez o doce candiles, que irán siendo encendidos cuando la noche llegue. A uno y a otro lado de la cocina, largos poyos en que los arrieros ponen sus enjalmas para dormir. Se ve también, abierta en el muro, una alacena cerrada por una puertecilla, que tiene en la parte alta un enrejado de listones; en la alacena se hallan, naturalmente, la alcuza, el salero, las alcomanías en sus orcitas vidriadas, las hierbas de aliño, como el tomillo salsero. El hogar lo forma amplia losa, que sobresale del suelo cuatro dedos. En el hogar, a lumbre de leños de olivo y de sarmientos, reposan, sostenidos por gruesos sesos, cuatro o seis borbollantes pucheros; en las trébedes descansa una honda cazuela de pollos lampreados.

Los personajes: el mesonero, hombre gordo y cachazudo; cuando le preguntan algo a que no le conviene responder con claridad, se rasca primero la redonda testa y profiere luego palabras ininteligibles a modo de gruñidos; a la hora de las cuentas, toda su crematística la reduce a la clásica fórmula de «dos de la vela y de la vela dos». Un oidor—no podía faltar un oidor—, que va a tomar posesión de su destino, pronuncia de raro en raro y sibilíticamente algunas frases cultas; enreda a Justiniano con Aristóteles. Dos tías del pueblo, no fingidas, claro está, sino autétnicas y de otro pergeño que las entremetidas, traen sendos refajos tiesos en forma de campana y el moño de picaporte. Un diestro, que cabecea adormecido, con la espada entre las piernas, con gruesos bigotes ganchudos y a su lado un atadijo de cuatro o seis espadas negras. Tres estudiantes ricos con sus mayordomos, estudiantes de Alcalá de Henares o de Salamanca, entran, salen, bullen y alborotan; han sustituído el atadijo de de las espadas negras del diestro con una gavilla de sarmientos; esperan a que el diestro despierte y eche mano a los adminículos de su oficio. Un arbitrista, escuálido y pobre; un arbitrista a quien no dan oídos en Madrid—el rey se lo pierde—y que tiene remedio infalible para salvar a España y lo ha explanado ya inútilmente en cuatro o seis memoriales que ha echado. Una señora con ancho sombrero de viaje, que juguetea con la mascarilla que las damas se colocan cuando van de camino para resguardar su cutis de las inclemencias del sol y del viento, habla también en lenguaje escogido, y a las rebanadas de pan las llama planicies, como aconseja Quevedo. En un rincón de la cocina, un hombre sentado en una silla baja; su frente es ancha y claros tiene sus ojos; las barbas tiran ya de rojizas a cenicientas; tiene en la mano las tenazas y tizonea con ellas de cuando en cuando.

Hace un momento acaba de comer en la cocina una compañía de actores; marchan en seguida a otro pueblo; se han levantado todos y ha quedado apoyado en la mesa y de canto el director de la tropa. Ha pimplado tal cual durante la comedia y está chirlomirlo, sin llegar a curdela. Trasladamos al lenguaje moderno y con cierto orden sus incoherentes despropósitos.

—¡Ah, el teatro! ¡La vida y el teatro! ¡El público, el incomprensible público! ¿Quién soy yo? El más grande actor de España, Pedro Angulo, hijo de Andrés, llamado Angulo el Malo. ¿Y por qué le llamaban malo a mi padre? Yo he nacido con él a la vida del arte; desde chiquitito estoy pisando las tablas. ¡Sí, yo sé más que todos! ¿Quién conoce al público? ¡Que levante el dedo! Al público no le conoce nadie. ¿Y las comedias? ¿Las conoce alguien? Yo, Pedro Angulo, afirmo que nadie sabe si una comedia va a gustar o a desplacer. Hablan de comedias desatinadas y de otras escritas con orden. ¡Pataratas todo! Nadie podrá decirme lo que es una comedia ordenada.

El viandante de las tenazas, que estaba inclinado ante el fuego, yergue el busto, mira al actor y pronuncia algunas palabras.

—¿Quién es el que habla?—pregunta Pedro Angulo—. ¿Qué dice usted, señor? —añade, dirigiéndose a Miguel de Cervantes—. ¿Qué es lo que usted estaba murmurando?

Cervantes ha dado unos golpecitos en el suelo con las tenazas, ha vuelto a mirar al actor y ha dicho, al cabo, desabridamente:

—Digo que usted no sabe lo que dice.

—¡Ah, que no sé lo que digo! Llevo

treinta años en el teatro y he trabajado en toda España. Nadie sabe lo que es el arte del actor: sale uno a escena, creyendo que va a hacer una cosa y hace otra. ¡El público, el público! Nada más despreciable y nada más admirable. No hay un solo público, sino multitud de públicos. He representado yo en un barrio de una ciudad una comedia preciosa y ha sido silbada; la he representado después en el barrio opuesto y ha sido ovacionada. El público no sabe nunca si una obra es buena o mala; necesita un punto de referencia a otras obras conocidas para decidirse en pro o en contra. Si ese punto falta y se halla el público desorientado, fallará siempre en contra de la obra. Hablan de las obras de Lope de Vega; en cambio menosprecian las de Cervantes; yo he puesto obras de Lope y han fracasado, y he puesto obras de Cervantes y han sido muy aplaudidas.

Cervantes deja las tenazas, acerca la silla a la mesa y, encandilado y con voz melosa, no la agria de antes, pregunta:

—¿Y dónde, dónde ha sido eso?

—¡En Barcelona!—vocifera Angulo.

—¡Ah, en Barcelona!—comenta Cervantes—. ¡Claro, en Barcelona!

Aparece en una puerta una mujer gallardísima, de encanto irresistible en sus ojos, en sus facciones todas y en su caminar airoso; dirigiéndose al actor, le grita:

—¡Vamos, tú, que ya han enganchado! ¿El arte? ¿El teatro? El arte y el teatro soy yo.

(De la revista *Vértice*, 1942.)

EN EL MESON DE ADAMUZ

En Adamuz hay un mesón. No sería España lo que es si no hubiera en sus pueblos mesones. Adamuz, en tierras de Córdoba, pertenece hoy al partido judicial de Montoro, la ciudad de los finos aceites. Rodrigo de Cervantes acaba de atravesar el patio del mesón. Este patio es histórico. En él se verificó el encuentro de una fingida fregona con un indiano que la tomó a su servicio. Relata el caso, con los antecedentes y consiguientes, Lope de Vega en su comedia *La moza de cántaro:*

INDIANO

Pasaremos de Adamuz
si este recado nos dan.

MOZO

Por eso dice el refrán:
"Adamuz, pueblo sin luz."
Mas mira que desde aquí
comienza Sierra Morena.

INDIANO

Tú las jornadas ordena;
eso no corre por mí.

(*Sale el mesonero.*)

MESONERO

Bien venidos, caballeros.

INDIANO

Pues, huésped, ¿qué hay de comer?

Pero el momento ahora es otro. Distintos personajes van a tejer al presente la Historia. Rodrigo de Cervantes atraviesa el patio y entra en la cocina. Amplia es la cocina. Gran humero ostenta. Panzudos pucheros borbollan en el fuego, sostenidos por sendos sesos. Se sienta Rodrigo de Cervantes al amor de la lumbre y se dispone a comer de lo que en una alforja trae. En los mesones españoles hay de todo... lo que los viandantes traigan. Ante el fuego hay sentado también otro viajero. Este viajero, al ver a Rodrigo, se queda mirándole un momento. Y luego se levanta y, encarándose con él, le dice:

—Perdone usted, señor. ¿No es usted Rodrigo de Cervantes?

—El mismo que viste y calza, para servir a usted—replica Rodrigo.

La cocina da paso a la cuadra, que así se llama, con perdón, en buen romance. Y junto a la puerta de la cuadra está el arca de la cebada, y en la pared, encima del arca, se ve la tablilla con el arancel de los piensos. Todo esto es rigurosamente clásico y así está mandado.

Rodrigo de Cervantes mira a su vez con atención a quien le interpela y, tras un instante de perplejidad, exclama:

—¡Caramba, hombre, si usted es Juan Nestosa!

Y Juan Nestosa echa los brazos al cuello a su antiguo amigo. La amistad de los dos personajes es larga. Pero no se han visto desde un sinfín de años. Ahora van a desquitarse, con una charla cordial, de tan prolongado apartamiento. Rodrigo de Cervantes está un poco triste y Juan Nestosa revela también una íntima melancolía. La vida no debe de irles bien ni a uno ni a otro. ¿Y a qué mortal le va la vida plácidamente? Los contados que se creen felices, no lo son en el fondo.

—¡Qué vida ésta, querido Rodrigo! —exclama a su vez Juan—. Tú por esos mundos y yo por esos andurriales. ¡Cuánto tiempo sin vernos! Te encuentro muy cambiado, y yo lo estoy también. Di, ¿y aquel hermano que tú tenías? Hablo de Gabriel.

—No, Miguel—corrige Rodrigo.

—¡Es verdad, Miguel! ¿Qué hace Miguel? ¿En qué se ocupa? Yo apenas lo traté. Pero recuerdo que tenía aficiones literarias. Y lo siento. La literatura no conduce a nada.

En este momento, un caballero que se ha sentado cerca de los dos amigos, ante una mesita, vuelve la cabeza y contempla a Nestosa con ojos relampagueantes. El caballero es anciano, viste ricamente, con ropilla de negro terciopelo, y en su pecho resalta la roja cruz de Santiago. Le asiste en pie, en tanto come, un doctor. El doctor luce en un dedo—y esto es también clásico—un sortijón con bella esmeralda. Prendidos de la pretina, trae algunos papeles. El caballero de la cruz al pecho prosigue en su comida y los dos amigos continúan en su charla.

—No sabes, querido Juan, no sabes cuántos infortunios ha sufrido mi pobre hermano Miguel. Sí, tiene aficiones literarias. Pero ¿quién no las tiene en España? Lo importante es tener genio. Miguel ha escrito algunos versos y ha publicado un libro.

—¿Ha publicado un libro? No lo sabía. Y será seguramente ese libro... como todos los libros que se publican. Perdona, Rodrigo. Contigo tengo bastante confianza para hablarte así.

Y otra vez el caballero contiguo vuelve la cabeza y torna a contemplar a Nestosa. La faz del caballero está ahora pálida y sus manos temblotean.

—Miguel—responde don Rodrigo—ha publicado una novela pastoril, que se titula *La Galatea*. ¿Qué quieres que te diga, Juan? Si Miguel es algo, lo es por su bondad, no por sus literaturas. Hemos estado los dos cautivos en Argel. ¡Y qué abnegación en el infortunio, en el cautiverio, la de mi pobre hermano! Y abnegación, sacrificios, audacia generosa, no para él, sino para sus compañeros de cautiverio. En cuanto a sus poesías y su libro...

—Es lástima, Rodrigo, que tu hermano pierda el tiempo en esas cosas. Para ser escritor hay que nacer siéndolo. Y yo no creo que Miguel haya venido al mundo con esa estrella.

—¡Y cualquiera le convence de lo contrario! Tiene mil planes de libros y a veces me cuenta a mí sus proyectos. ¿Y qué he de hacer yo? Quiero con cariño sincero a Miguel, y si deploro sus desvaríos, trato de ocultar mi contrariedad cuando con él converso.

—¿Y por qué no le disuades? Pudiera dedicarse a otra cosa. Miguel es despejado. No le costaría mucho hacer carrera en el mundo.

—Se dedica a otros menesteres. Negocia y se afana por ganar algún dinero. No creas. Miguel se desenvuelve bien. Pero la suerte no le acompaña.

El caballero del hábito de Santiago está

tan tembloroso, que una copa que se llevaba a los labios la ha dejado caer sobre la mesa. El doctor que le asiste se muestra inquieto y mira con irritación a los dos amigos. Su entrecejo se contrae. Con palabras apacibles trata de aplacar la inquietud alarmante de su ilustre cliente.

—¿Y por dónde anda Miguel?—pregunta Juan Nestosa.

—Si quieres que te diga la verdad, no lo sé. Vengo de Córdoba y voy a Madrid. Miguel se casó en Esquivias. Claro está que con lo que le produce su pluma no puede vivir. Pero su mujer tiene algunos bienes.

—¡Ahí tienes la eterna historia del escritor que comienza con mucho entusiasmo y después se retira a un pueblo para llevar una vida oscura! Esa *Galatea* de que me hablas habrá sido la ilusión de Miguel, y de esa ilusión vivirá toda su vida. En el pueblo, sus días serán monótonos. ¡Adiós proyectos literarios! Todos los días tendrá que ir a sus majuelos, a sus olivares o a sus viñas. A la noche habrá de pagar sus jornales a los trabajadores de sus tierras. Habrá de tener cuidado con que no le engañe el pastor de un hato de ovejas, que seguramente tendrá para que las ovejas pasten los rastrojos y las hierbas en las faldas de los montes. Para que no le engañe el pastor al fingir que una oveja se ha perniquebrado por accidente. Los mozos de mulas intentarán hacer también de las suyas, robando la cebada y teniendo hambrientas las bestias. Y como a medianoche y a la madrugada se dan piensos, tendrá que levantarse también Miguel, como se levantan los muleros, para que éstos cumplan con su oficio. En fin, querido Rodrigo, una desdicha.

El caballero, que ha estado nerviosísimo durante esta perorata, no puede ya contenerse más y se pone en pie. Su figura, a pesar de la edad, es majestuosa. El doctor mira con alarma creciente al caballero. Y éste, con voz cortada por la cólera, comienza a hablar, vuelto hacia los dos conversadores.

—Rodrigo de Cervantes... Juan Nestosa..., la incomprensión..., la falta de fe... Y la falta de fe, en Rodrigo, con relación a su hermano Miguel... Perdonen ustedes, señores. No sé ocultar la verdad. Esta cruz que llevo al pecho me impone sinceridad absoluta. ¡Y me la impone, cuando no me la impusiera mi condición de español! ¡Y cuando no me la impusiera la cruz de esta espada que ciño! (Da una fuerte palmada en la mesa. Su cólera se hace terrible.) ¿Quién soy yo? Nadie, nadie, nadie. (Otra fortísima palmada que hace saltar vasos y platos.) No soy nadie. No soy más que un hombre que siente el honor, el inmortal honor castellano. ¿Y es que se puede salvar España sin el culto al honor? ¿Y es que puede darse el honor sin un ambiente densamente espiritual? No puede haber armas sin letras, ni letras sin armas. ¡Y el espíritu, el inmortal y fecundo espíritu, es imposible que se dé sin la hermandad de las armas y las letras! (Puñetazo formidable en la mesa. Han acudido a las voces el mesonero y los moradores del mesón, y forman, ante el caballero frenético, un semicírculo. La presencia de espectadores aviva el ímpetu incontrastable del caballero. Su aspecto es imponente. El desdén, supremo desdén, se mezcla a la ira.) Si España se ha de salvar, ha de salvarse por el honor. Miguel de Cervantes, óiganlo todos bien, representa esa hermandad suprema y exquisita de las armas y las letras. Miguel de Cervantes ha peleado heroicamente en Lepanto y ha publicado un bello libro. Yo he combatido también en Lepanto. Y he combatido en el mismo barco en que se batía Cervantes. No puede darse más heroísmo que el de Miguel. Y en cuanto a su libro, yo afirmo rotundamente, absolutamente, categóricamente, que algunas de las poesías que figuran en *La Galatea* son de las más bellas que se han escrito en lengua castellana. ¡Sí, de las más bellas! (Golpe en la mesa con un plato que se hace tiestos.) ¿Y cómo no ha de tener un gran porvenir literario quien escribe esos versos? Creo en Miguel de Cervantes. Creo en España. Creo en la moral cristiana. Concepción moral más alta que la de Cristo no la ha producido ni la producirá jamás la Humanidad. ¿Quién lo dice? ¡Yo, don Nadie, caballero español! (Otro golpe furioso con una botella que se hace mil fragmentos.) Siento una ira profunda que me conmueve todo. Y estoy orgulloso de que... en mi vejez... todavía unas palabras escuchadas por acaso... hagan brotar en mi alma... este frenético entusiasmo... Perdonen..., perdonen ustedes, señores.

La voz del caballero se ha ido haciendo más débil y entrecortada. El caballero se sentía fatigadísimo por el esfuerzo realizado. Se sienta de pronto, y el doctor echa en un vaso de agua unas gotas del licor que encierra una limeta y da a beber el agua al caballero. Este va bebiendo a sorbos lentos. Y tiene la mano izquierda posada en el muslo. La concurrencia guardaba silencio medroso. El profundo sentido de la dignidad humana, dignidad que heroicamente atropella por todo, siempre impone. No hay fuerza más alta en el mundo que la del espíritu encarnado en un hombre entero. La emanación de ese sentimiento alcanza a quienes presencian tan bello espectáculo y parece como que a sí mismo los dignifica. En lo alto brilla para todos la luz de una esperanza inefable. *Non omnis moriar*. No todo muere. No todo es deleznable en este triste mundo.

Rodrigo de Cervantes se levanta emocionado, se dirige al caballero, le toma la mano y la besa en silencio.

1939.

PEOR ESTA QUE ESTABA

Don Quijote se echa de la cama, y Pepa Vicenta le va dando de vestir. Pepa Vicenta es el ama de Don Quijote. Don Quijote ha estado enfermo. Ya convalece. Pero todavía no echa piernas. Se sienta en un sillón, y entra Antonia, su sobrina, y toma asiento por suyo. Pepa Vicenta y Antonia no las tienen todas consigo. Parecen mirar a otra parte y están mirando con el rabillo del ojo a Don Quijote. Sospechan que se avecina una trifulca. Con paso tardo, Alonso Quijano comienza a recorrer la casa. Le siguen, medrosicas, Pepa y Antonia. Llega Alonso al aposento que precede a la librería, y allí se detiene. Antes había una puerta en aquel lugar, y ahora no hay nada. Quédase suspenso Don Quijote. El nublado está encima. Pero Alonso sale, al cabo, de su meditar profundo y no dice nada. La tormenta se deshizo. Pepa y Antonia respiran satisfechas.

El lugar de la escena está dispuesto del arte que voy a decir. La casa de Alonso está en las afueras del pueblo. Obra de cien pasos se levanta la morada de Sansón Carrasco. En el riñón del pueblo, cabe la iglesia, se ve la rectoral, o sea la mansión del cura. En casa del cura Pedro Pérez se reúne selecta tertulia pueblerina. En este momento no sé lo que me pasa. No me atosiguen ustedes. Inebriado no estoy, puesto que no lo cato. Lo que me sucede ahora, sucédeme hartas veces. Creo en ocasiones que no soy Crescente Moral, redactor-jefe del *Eco de Lodosa*, sino otra persona. Y lo que es más raro, que soy una escudilla talaverana, de las que brillan en el vasar, o una puerta, o las trébedes de la cocina, o las despabiladeras del velón. (Uso luz de aceite, grata a los ojos más que ninguna.) Ahora me imagino que soy Joaquina Sánchez, mujer cincuentona, ama del cura Pedro Pérez. En la tertulia —congregada en la cocina de ancha campana—se habla de Alonso.

—¿Qué tal va ese hombre?—pregunta el cura.

Y Sansón Carrasco responde:

—Curado completamente. Ni por asomo piensa en las aventuras. Ha sido todo como mano de santo. No ha echado de menos su biblioteca. Puede decirse que es otro hombre.

Voy yo, Joaquina, trasteando por la casa. Entro en la cocina; con la espumadera espumo el puchero. Y pongo este comentario a lo que se está diciendo de Alonso:

—A hierba mala no la empece la helada.

—¿Qué murmura Joaquina?—pregunta Sansón Carrasco.

El cura acude con este latinajo:

—*Quod matura dedit, tollere nemo potest.* «No quita nadie lo que la Naturaleza da.» Joaquina quiere decir que lo que tiene raíces hondas, tarde o nunca se desarraiga. Alonso tiene la chaveta perdida por las aventuras, y ya verán ustedes como vuelve a su tema.

El tiempo pasa. Y con el tiempo va pasando todo. Las nubes cruzan por el cielo y los árboles brotan y pierden luego las hojas. Alonso encanta a las gentes todas. Alonso es un ejemplar de caballeros. Sabe ser digno, a la par que condescendiente. No cree menoscabada su dignidad con abajarse a los humildes. No es como los que parece que se han tragado el molinillo. Alonso va todos los días a casa de su vecino Sansón Carrasco, y allí, metido en retirado aposento, sin que ningún quisque le importune, pasa horas y horas. Y una tarde, al llegar Sansón Carrasco a la tertulia, ven los amigos que trae sombra en el entrecejo. Pienso yo entonces: «¡El Señor nos tenga de su mano!»

—¿Y ese hombre?—interroga Nicolás, el barbero.

—Pues ese hombre parece que se nos ha ladeado—contesta Sansón.

—¿Cómo dice usted?—pregunta a su vez, vivamente, el cura.

Estoy con un papelito de azafrán en la mano—aquí en la cocina—y exclamo entre mí: «¡Dios nos acorra!»

—¿Qué dice entre dientes Joaquina? —pregunta Sansón.

—Digo que querer quitarle los desvaríos a Alonso es como soldar el azogue o coger agua en cesto.

—Barrunto que Joaquina tiene razón —corrobora Sansón Carrasco—. Verán ustedes lo que pasa. Yo tenía un tío. Pero el tío que teníamos todos en Graná, que ni era tío ni era na. Mi tío era maestre de campo, y murió en la batalla de San Quintín. ¡Se portó como un valiente! Dejóme por su heredero. No era rico. Lo que me legó fueron dos docenas de libros. Todos, sí, eran primorosos. Habían salido de los tórculos plantinianos. Allí, en esos cuerpos, estaban los filósofos griegos trasladados al latín. No los he leído. No me entusiasman las sutilezas filosóficas. Pero Alonso se pasa las horas muertas leyéndolos. No sabía latín y lo ha aprendido a fuerza de darle vueltas a un viejo tesauro que yo tengo. Nadie más temático que Alonso. ¡Ay, suspiro! Y suspiro porque la cabra, que siempre tira al monte, al monte ha vuelto. Alonso Quijano ha dado en otro tema más estupendo que el anterior. Pepa Vicenta y Antonia están desoladas. Alonso, después de pasar horas y horas sobre mis mamotretos, llega a casa y arma la de Dios es Cristo. Se sienta a la mesa y echa por el aire los platos. Coge un cacharro y lo estrella contra el suelo. Agarra un hacha y la emprende a hachazos con una ventana. ¿Qué género de locura es éste? No lo sé todavía.

Estaba yo, Joaquina Sánchez, con el rabo de la sartén en la mano, friendo unas magras, y exclamo: «¡Señor, acuérdate de nosotros!» Y apenas acabo de pronunciar entre mí tal súplica, ve aquí que entra desolada por la puerta Pepa Vicenta. No puede casi hablar. Ni decir pío. Los sollozos interrumpen su voz. Lo que sucede es que Alonso está como una espuerta de gatos. Por poco si tira por la ventana a la propia Pepa Vicenta. Como decían en una comedia que vi siendo muchacha:

Ayer, con cólera insana,
si no le van a la mano,
echa por una ventana
a una dueña y un enano.

Soy la misma Joaquina la que continúa hablando. Y digo, a más de lo dicho, que Alonso ha intentado darle una manta de palos a un perro. Pero el perro se ha revuelto contra Alonso y le tiraba las grandes dentelladas. Y la casa se hundía con los gritos de Alonso, los ladridos del can y los ayes lastimeros de Pepa y Antonia. Bien puede decirse que éste ha sido el gran escalzaperros, o si ustedes quieren, tiberio. Y lo raro es que Alonso se reía a carcajadas. «¡Zenón de Elea! ¡Heráclito!», gritaba desaforadamente. Pepa Vicenta no ha sabido dar estos nombres. Pero el cura los ha colegido. Don Quijote ha dado, al fin, en otra y más descomunal locura.

Sansón Carrasco ha esclarecido el misterio. ¿Qué locura es ésta, novísima y peregrina, de Don Quijote? Alonso Quijano no cree en la realidad. En fuerza de leer y más leer en los sofistas griegos, el buen caballero ha llegado a negar la realidad. No existe este plato que él tiene ante sí, en la mesa, al tiempo de comer, y él lo hace tiestos en el suelo. No existe este fiel can que a su lado espera una piltrafa, y él le casca las liendres. No existe la propia Pepa Vicenta, y él intenta defenestrarla. (Entre paréntesis, me creo Joaquina Sánchez, y, sin embargo, escribo a las veces como redactor-jefe del *Eco de Losada.*) En la tertulia reina la consternación. Caramente acepto a todos es Alonso. Pensaron el cura y el barbero atajar la locura de Alonso con tabicar la puerta de la biblioteca y ahora ven que el través en que ha dado Don Quijote es mucho más grave. Los sofistas griegos son peores que los novelistas de caballería. No se me ocurre más que decir: «¡Dios mío, ten compasión de nosotros!» ¿Y qué va a pasar ahora? En la tertulia se delibera solemnemente acerca del caso. Uno dice pitos, y el otro dice flautas. Y al fin—¡no podía ser otra cosa!—, el señor cura resume así el debate:

—Peor está que estaba. Mira, Nicolás, te vas a ir ahora mismo a casa de Nemesio el albañil, y le vas a decir que mañana, sin falta, le espero. Mientras Alonso esté en casa de Sansón, derribaremos la cítara de la puerta. ¡Y que el buen amigo vuelva a leer todos los libros de caballerías que quiera! Del lobo, un pelo, y ése de la frente.

1941.

MEMORIAS

Los espectadores.

«Los seres inteligentes son los que tienen una existencia más positiva, más llena, más enérgica; por ellos tiene el mundo espectadores.»

José Soriano García, abuelo paterno de X, en su libro *El contestador a una carta que se quiere suponer escrita por el (ahora) príncipe Tayllerand (sic) al Sumo Pontífice Pío VII*. Alcoy, 1838, página 248.

MEMORIAS INMEMORIALES

A ANGEL CRUZ RUEDA, a quien tanto debo y a quien con tan poco puedo corresponder.

AZORÍN.

I

NADIE

QUIS no es nadie; X es un antiguo amigo mío. El amigo de nadie es nadie; dicho se está que yo también soy nadie. No sé cómo conocí a X; fué hace unos cincuenta años. Y en estas cuartillas —no publicables—me propongo escribir de los gestos y dichos de X. Adviértase que no trato de pergeñar una biografía. No tengo preparación para el caso. Si la tuviera, no la escribiría tampoco. Por mucho color que se ponga en una vida ajena, siempre resultará incolora. Por mucho sabor que pongamos en ella, siempre será insípida. Recuerdo que X me decía que era imposible, a un escritor, reconstruir su propia vida; es decir, hacer vivir, con su propia esencia, lo que ya pasó hace treinta o cuarenta años. Siempre, en lo que se cuenta—aventuras de niño o de adolescencia—se pone la sensibilidad actual. Nada más ridículo, por tanto, que ser viejos y niños al mismo tiempo. El río no corre el mismo dos veces; el río que ahora vemos no es el que vimos antaño. La vida no se torna a vivir; lo que antes quisimos, no podemos quererlo ahora con el mismo amor.

No escribiré una biografía; imposibles las autobiografías, y más imposibles las biografías. No quiero más que acervar, sin orden, lo que vi en X y lo que escuché de sus labios. Será, pues, mi libro una de esas *anas* que en otras partes se estilaban tanto: *Menagiana, Sorbierana, Scaligerana.* En suma, trozos más o menos coherentes de una personalidad. Al comenzar mi tarea me asalta un escrúpulo: no sé si respetar el tiempo o no respetarlo. Para mí—y para muchos—no hay ni presente, ni futuro, ni pasado: todo es presente. Y si todo es presente, ¿por qué voy yo a guardar un orden sucesorio que en realidad no existe? En este punto la tendencia mía a la infracción se halla estimulada por mi ideísmo absoluto. Digo ideísmo, y no idealismo, por parecerme este último vocablo más exacto. No creo que en arte sea más bella la ordenación tradicional que la indiscriminación. Lo mismo puedo tomar una imagen antigua de mi amigo que una imagen moderna. Y ello indistintamente, poniendo lo moderno antes que lo antiguo, y volviendo a colocar en su sitio apropiado lo vetusto para darlo antes que lo reciente.

Como estas cuartillas son para mí, no me importa el que resulte un conglomerado incoherente. Tan incoherente como pueda ser mi libro es la vida. Y nadie le reprocha su incoherencia. He conocido a X hace cincuenta años y lo he visto hace tres o cuatro. Vivo al presente retirado de todo en un guardillón. No me importa nada de nada. Soy nadie. Y con nadie no quiere nadie amistades. He llegado a tener horror a la realidad. No digo bien: la realidad que yo estimo es una realidad como destilada por alquitara. No comprendo cómo novelistas, poetas, ensayadores y demás literatos—digo lo propio de los que pintan—ponen todo su conato en darnos la realidad en todos sus accidentes. No sirve para nada esa realidad, ni nada nos dice. Una imagen puede ser bella desgarrada de todo, sin relación alguna con lo de suso o lo de yuso, con lo de la derecha o lo de la izquierda. Y ensamblando con esa imagen puede ser colocada otra. Y con la otra, una tercera. Así, poco a poco, según nuestro talante, según nuestra sensibilidad, podemos ir formando la obra. No habrá razón para que lo que hemos imaginado sea menos real, menos bello, menos humano que la irreprochable coherencia.

Tal es mi idea; la tengo ya metida —hace tiempo—en el fondo de la personalidad. No habrá nadie que me haga abdicar de mi estética. Y ahora, con la supuesta vida de X, voy de nuevo a lanzarme a los espacios siderales. Lectores, no los tendré. Si publicara el libro, no los querría tampoco. ¿Quién me iba a entender? ¿Cómo iban a compaginarse, cómo se compaginan en un libro dos sensibilidades diversas, acaso antagónicas? Voy por mi camino; van los demás por el suyo. En el camino puedo encontrar un crucero; habrá, sin duda, caminantes que han llegado también a ese cruce de los caminos. Lo más que puedo hacer es sonreír, estrechar cordialmente sus manos, y continuar. ¡Qué bonitas son las nubes que pasan! ¡Y el álamo junto al río! ¡Y en la lejanía, el mar azul!

II

EL SUELO Y EL CIELO

Había nacido X bajo un cielo de azul blanquecino y sobre un suelo de piedra. El mar estaba a treinta y siete kilómetros. Daba él importancia al suelo; se la daba ya en edad provecta. Nunca en su juventud se había ocupado de su persona. No supo jamás, siendo joven, la edad que tenía; a los que le pedían datos de su nacimiento les daba siempre—de mala gana—cifras aproximadas. En las enciclopedias y biografías la fecha de su nacimiento estaba equivocada. Iba en todo momento a lo suyo: escribir y más escribir. Lo demás, incluso su propia persona, no le importaba. Cuando pasaron los años, comenzó a preocuparse de lo que antes le era indiferente: salud, terapéutica, macrobiótica, temperatura, altitud, clima... Entre todas estas especies vagaba él un poco desconcertado. Y constantemente volvía al cielo de azul desleído y al yesar sobre el que viera la primera luz. «No es indiferente—decía él— el suelo en ciertas enfermedades; no se dan unas en ciertos suelos y se dan otras en suelos distintos.» La ciudad nativa estaba asentada en la falda de una colina: en lo hondo se veían huertos en los que descollaban dos o tres palmeras; sus troncos eran finísimos. Llovía poco en tal tierra; llovía generalmente en turbiones violentos, con cielo anubarrado negramente y vivísimos lampos y retembladores truenos. De las altas callejas bajaban torrentes impetuosos. Resbalaba el agua por un piso de yeso limpio, casi brillante. Al otro lado del pueblo, doblada la colina, había algezares que elevaban sus humachos en el blanquizco azul. Pocas veces doblaban funerariamente las campanas en el pueblo; había viejecitos que caminaban apoyados en sus blancos báculos. Daban impresión de serenidad, imperturbabilidad y vitalidad. Todas esas cualidades quería tenerlas X.

Se negaba a entrar en pormenores íntimos. No quería especificar cuáles enfermedades eran las que, a su juicio, a causa del suelo, estaban excluídas del pueblo nativo. Diré yo que alguna vez le oí decir que el cáncer. Pero paso rápidamente sobre esto. Lo que interesa es el instinto de vida que él tenía; instinto que le hacía evitar lo hórrido y que le llevaba algunas veces a la impasibilidad. Cuando se hallaba en algún conflicto íntimo, volvía la vista al suelo duro, liso, limpio, del lejano pueblo y al cielo desteñido de añil. La relación entre el suelo y su estado de espíritu, el de X, sí la entreveía yo; no así la ilación entre el trance arduo y lo blanquecino del cielo. Y tampoco podía relacionar ese azul deteriorado y su modo de escribir. Caso de que ese cielo estuviese frecuentemente en su imaginación, no había medio de concordarlo con la prosa estricta de X. Pero advierto, al llegar a este punto, que en la vida de X se entrecruzan dos influencias esenciales: la de la tierra nativa y la de la tierra adoptiva. Ocho meses del año pasó X, en los tiempos de su niñez, en distinta comarca; ocho meses todos los años y durante ocho años. Y ello en la época de la vida en que se forma nuestro núcleo espiritual. Si el poblado antes, en lo nativo, estaba al Mediodía desparramado en un altozano, ahora estaba al Norte, también esparcido en los bajos de otra colina. La temperatura era otra; el clima, más áspero; rigurosos los fríos en la larga invernada. Siempre en los años de la puericia, al entrar en la ciudad adoptiva, patria de su padre y abuelos paternos, aspiraba un nuevo olor. Lo que más había calado en su ser, a lo largo de su infancia y su adolescencia, era ese olor que disentía del nativo olor, en su pueblo. Las calles eran anchas y blancas; los porches de las casas—porches se llamaban allí—eran blancos. En la blancura, bajo otro cielo, a su más altitud, el olor que penetraba a su ser era el de leña quemada; olor de que estaba todo impregnado. Y a este olor se juntaba en las casas, discreto, insinuante, el perfume de los membrillos que se guardaban hasta que amarilleaban del todo y estuvieran completamente azucarados. De niño, en esta anchurosa ciudad—con más de veinte mil almas—, había X hincado con vehemencia los dientes en la dura carne de esos membrillos. En todo lo bajo del pueblo, lindando con las casas, estaban los huertos donde crecían los membrilleros.

Entre dos especies sensitivas, ha fluctuado constantemente el espíritu de X; las dos especies son: la sensación de la ciudad levantina, casi mediterránea, y la sensación de la anchurosa ciudad casi manchega, de antiquísima historia. Monedas de emperadores romanos se habían encontrado en su suelo; una iglesia gótica, con un friso de mascarones en torno a su torre, había sido comenzada en 1512. Allá en lo más alto de la ciudad se levantaba. Y abajo había otras iglesias y ermitas en que entraba X. Le placía sentarse en la sacristía y estar viendo una ventanita enrejada, con tela de alambre, que sólo dejaba filtrar en el recinto una turbia luz. La voz de un clérigo pitancero, con el balandrán raído, sonaba.

No sé si habré expuesto las sensaciones capitales que dominaron la primera etapa de la vida de X. Seguramente que no. ¿Y los pisos de yeso cuajado en las casas del pueblo nativo? ¿Y los arcaces de pino sin pintar, llenos de blancas y olorosas ropas, plegadas cuidadosamente? ¿Y las capuchinas o lamparitas de aceite; lamparitas que, al apagarlas, efundían olor de pavesas y aceite? ¿Y los quinqués con sus tubos, ahumados a veces? Sobre todas estas sensaciones, la lectura intensa, la lectura de libros que nadie nos ha recomendado y a los que vamos derechamente y por instinto.

III

OTRAS INFLUENCIAS

Sus padres fueron longevos y sus abuelas vivieron mucho; los bisabuelos tuvieron también dilatada vida. Tenía X, considerando tales antecedentes, cierta confianza en su vida. La tenía a pesar de sus enormes tragantadas de trabajo, a los setenta años y malgrado su ascesis que le llevaba a la más parva alimentación. Pero no se le ocultaba que en cualquier momento la máquina podía desconcertarse: el fin podría sobrevenir súbitamente. Entre tanto trabajaba como un muchacho y vivía, para él solo, sin dispersión de fuerzas, en su casi hosca soledad. A su padre lo veía, a prima noche, antes de cenar, sentado de costado ante su mesa y leyendo un libro de historia. Siempre su lectura favorita fué la historia. Y a su madre la adivinaba retraída en su cámara y escribiendo en su cuaderno—el libro verde de la casa—los gastos del día. No se podía llegar en estos apuntes, escritos con letra grande y fina, a mayor sobriedad. Lo que en estos cuadernos se decía era lo que habíamos comido, la caza y las vituallas que, del campo, de la casa familiar, traían todos los sábados. Y el aceite que también venía en sus cueros. Y la temprana fruta que de otra casa, con su huerta cercana al pueblo, venía también en cesta cubierta de lozana pámpana.

No reparó X hasta sus setenta años que el día de su nacimiento fué un domingo y que la hora fué la de las tres y media de la madrugada. Sin dar importancia excesiva a este pormenor, si es que era pormenor, se complacía en pensar en él y en relacionarlo con la costumbre que en su senectud adoptó de comenzar su tarea diaria a las dos o las tres de la madrugada. No podía discernir si había relación entre las dos similitudes y cuál podía ser ésta. Se habla de la influencia de los astros: tenemos buena o mala estrella. Si el clima, la altura, la topografía, tienen influencia sobre nosotros, no es lógico que se la neguemos a los astros, ni que sean indiferentes el día y la hora en que nacemos.

La máquina se podía romper de un momento a otro: continuaba X trabajando y se veía trabajando en la niñez, en la adolescencia y en la mocedad. Había continuidad en el trabajo, y el trabajo, naturalmente, no era el mismo: la estofa del trabajo era otra; la urdimbre era distinta. Podía ser antes de seda y podía ser ahora anjeo. «Me preocupa al presente, en la vejez—solía decirme—, la calidad de mi trabajo. ¿En qué se diferencia lo que escribo actualmente de lo que escribía hace cuarenta años? No puedo decirlo. Si lo supiera, naturalmente, no lo diría.»

He examinado yo muchas veces con atención producciones de X antiguas y producciones recientes. Hecha la lectura, para mi placer, sin pensar en nada, volvía a leer para darme cuenta de lo que no había tal vez visto antes. Precaución inútil: siempre en una primera lectura, hecha con avidez, se ve lo que place y lo que desabre. En los escritos de X advertía yo ahora un mayor dominio de la técnica y una mayor eliminación de lo accesorio. Y aparte de esto, como es natural, estaba la materia de la obra. Había variado enteramente el procedimiento en X; había variado, con el procedimiento, la estética formativa. Paralelamente, por afinidad espiritual, he ido variando yo también. Sentía X en su senectud un profundo desamor a la forma tradicional; cultivaba el cuento y la novela; tenía horror al ensamblamiento conocido de episodios y lances. Había una medula en la vida, independiente de la acción, y era preciso extraerla. No importaban ni las inconexiones, siempre aparentes y no reales, ni las faltas de ilación en el relato. Si se llegaba a lo de dentro, ¿para qué se quería lo de fuera?

Daba X mucha importancia a la influencia materna; le gustaba rebuscar en los diccionarios biográficos cómo había sido la madre de tal o cual personaje. Ni los biógrafos ni las enciclopedias se solían preocupar de cota tan vital. En un cuartito hondo de la casa nativa está la madre de X; ha cerrado la puerta con llave y ha sacado de un armario el abultado cartapacio. Va luego escribiendo en sus páginas lo más notable del cotidiano trajín. Acabada su labor, vuelve el cuadernito al armario y nadie lo puede ver. En X había, según su juicio, este recato y tal aplicación. Le manifesté yo algunas veces que el subjetivismo de sus primeros años de escritor—el uso del *yo* que tanto se le reprochaba—era cosa encimera y que lo más recóndito y personal continuaba escondido. Sonreía él y callaba. Pero he de insistir ahora: esa exteriorización, en X, era cosa transitoria y periférica; lo hondo no gustaba de manifestarlo nunca. Ni en los escritos, ni a mí de palabra, ni a nadie, ha revelado nunca X sus íntimos sentimientos. Ha guardado siempre el cartapacio de sus sensaciones en un armario: el armario donde guardaba su madre el libro verde.

IV

LLANO Y MONTE

Cuando supo que me proponía escribir una *Equisana,* advertí que no le gustaba el propósito. «Procura—me dijo—atender a los conceptos puros y no a las cosas. Si hablas de las cosas, procura rodearlas de ambiente que las ennoblezca.» Tales palabras me sumieron en confusión. Si X aspira a lo concreto, como ha aspirado siempre, lo concreto son las cosas. No puede desagradarle, en buena lógica, que se hable de las cosas. No quise pedirle aclaraciones. Supongo que con la frase copiada lo que quería significar X es que no se desparrame la atención en menudencias. Y menos que a las cosas se las trate sin amor. Sobre todo, insisto en esta última idea. Y al hablar de idea ya estoy dentro de su prescripción. Sin salir, naturalmente, del círculo de lo concreto. Creo también que todo esto es un tantico logomáquico. Pero como nadie ha de leerlo, sino yo, lo dejo cual está. El amor a las cosas lo tenía en grado eminente X; se ha distinguido como escritor por su afección a las cosas. Nunca ha perdido contacto con lo real. Tiene sabor una página suya por este apegamiento a lo que se puede tocar y sentir.

La ciencia no es otra cosa; si mostramos desvío por la ciencia, no podremos en arte hacer nada. Voy repitiendo lo que muchas veces he escuchado de labios de X. No es que vayamos a escribir un cuento, novela o poema científico; sí que debe preceder al escribir una observación exacta y minuciosa de la realidad. ¿Y cuántos son los literatos que tienen amor a las cosas y que las observan con cuidado? Se advierte desde la primera página de un libro si el autor está huero o no, si está compenetrado con lo que le circuye o no. X pasaba, de niño y de adolescente, largas temporadas en el campo. Había una casa vieja con pisos desiguales: en el principal, al pasar de pronto—o pensadamente— de un aposento a otro, había que subir y bajar unas escaleras. Se abrían también, allá en el fondo de un pasillo o en el amplio rellano de la escalera, puertecitas de pino sin pintar. Y esas puertas daban a cámaras blancas, con el célebre piso de yeso cuajado. Delante de la masada—no es éste el nombre que allí se da a las casas rústicas—había viñedos, olivares y almendrales. Ya en los primeros días de febrero los almendros florecían: unos con flores blancas y otros con flores rosadas. Detrás de la mansión se eleva un monte cubierto a trechos por susurrante legión de pinos.

—¿Qué te gusta más, X, esta alcuza, estas trébedes, este candil o este zarzo para cribar?

—Las trébedes, indudablemente.

—¿Y no el candil milenario?

—También son milenarias las trébedes.

—Y fundamentales.

—Fundamentales, en cierto modo. Si apelamos al seso, como se apela en otras tierras, no necesitaremos trébedes.

—Lo dejo todo, como botín de guerra, para ti. Y me atengo al almirez cantador, con la mano que lo hace cantar, y al mortero con su majadero de boj.

Frecuentemente trabábamos este diálogo. Y en seguida evocábamos el estimulante olor de aceite frito, en la cocina. Lo entremezclábamos con el otro olor, tan agudo, del ajo, de la pimienta y las demás alcamonías. Y salía, irremisiblemente, en nuestras evocaciones, el blanquecino cielo azul. Con el azul venían lo blanco de las paredes y lo amarillo de las puertas de pino inmaculadas.

—Cuando ha pasado mucho tiempo y han caído muchos soles—decía X—las paredes exteriores, en el campo, se tornan doradas. Ese leve áureo de los muros dilectos es lo que yo más estimo. Se vuelve todo suavemente dorado y con una rugosidad venerable; aparecen los cristales del yeso, y, como en su torno todo ha menguado, la pared es rasposa y casi rojiza. Te doy todos estos detalles para que veas que tengo bien hincadas en la memoria mis observaciones de hace cincuenta años. Si viviera mil, conservaría el mismo amor a esos muros patrios y la misma vivacidad de evocación.

V

LO ANTIGUO Y LO MODERNO

Algunas veces trataba yo de que tocáramos, en nuestras conversaciones, el tema de lo antiguo y lo moderno. Quiero decir, de los escritores pasados y de los actuales. Pero X siempre, con la sonrisa en los labios, se me escabullía. La cuestión es muy antigua; en Francia llegó, en ciertos momentos, a encrespar los ánimos.

Y en España, mucho más atrás, un ingenio que viajó por Turquía, siendo en su larga estada turco adventicio, tocó también el tema con relación a todas las artes. No recuerdo sus conclusiones; sospecho que el tal se declaraba por lo moderno. En eso estoy yo, pero mi opinión no es la que impera, sino la de X.

—¿No quieres que discutamos el tema?

—¿Y para qué lo vamos a discutir?

—¿Son mejores los poetas y novelistas antiguos, o lo son los modernos?

—Si tú quieres que sean unos, que lo sean. Y si quieres que sean otros, que lo sean también.

—¡Eso no es decir nada!

—¡Pues nada quería yo decir!

Consideraba la cuestión estéril; había quien instintivamente fuese a unos autores; habría quien fuese a otros. Sí, es cierto, pero lo interesante es saber si se va a los antiguos con pleno gusto. Barrunto que X estaba por los modernos. Y lo estaba tanto en letras como en pintura. Creo haberle oído decir que él tendría en su cuarto, ante sí constantemente, mientras escribía, un paisaje de Renoir. La predilección por tal impresionista era ya un síntoma. Al preferir este moderno, automáticamente descartaba los antiguos. Había sido X uno de los primeros propulsores del culto al *Greco*. No pudo saber si en su senectud, enamorado de lo directo y límpido, conservaba este culto al cretense. Lo que sí hacía era hablarme con entusiasmo de Rembrandt, a quien consideraba como el pintor intelectual por excelencia.

—¿Y Leonardo de Vinci?—le preguntaba yo.

Sonreía X y me hablaba de *San Mateo,* cuadro de Rembrandt, que figura en el Louvre. Tenía predilección por este retrato; veía al retratado con la pluma en alto, ceñudo, con el ceño de la meditación, abstraído, pensando en lo que iba a escribir. A sus espaldas asomaba un ángel inspirador: el hijo de Rembrandt. Supuse yo que tal querencia a ese cuadro —contemplado por X en sus cerca de trescientas visitas al Louvre—provenía de la similitud que establecía él entre el retratado, en función de escribir, y el propio X, obsesionado siempre, la pluma en el aire, con el afán de las cuartillas.

Diré la verdad, o lo que yo sospecho verdad: X se placía más con los modernos que con los antiguos. Hablando neutralmente me dijo en cierta ocasión algo que merece referirse:

—Cuando leemos a los antiguos, somos víctimas de una ilusión. El arte es fugaz; no podemos prolongar la vida de lo fallecedero. Hemos de resignarnos a que lo más sensitivo del arte pierda su flexibilidad. Pero la Naturaleza—o quien sea—es sabia y ocurre a tal contingencia desdichada. Y así, al leer un autor antiguo, dilecto, sin darnos cuenta, transferimos el estado de nuestro espíritu cuando leemos un moderno, al autor antiguo. Se puede decir, por tanto, que los modernos, poetas o novelistas, hacen revivir a los antiguos. Leo, por ejemplo, a Gustavo Flaubert, y llevo, sin proponérmelo, a un novelista del siglo XVII la atmósfera espiritual que se ha formado en mí con la lectura de Flaubert. Y esa atmósfera moderna y vivaz transforma lo que puede estar ya fosilizado.

Al enunciar tales juicios, X volvía a sonreír. Y yo le acompañaba en su sonrisa. Sabía yo que X tenía criterio especial sobre el teatro, y me arriesgaba a interrogarle sobre la antigua escena. Tenía yo la convicción de que una comedia del siglo XVII, sea de quien sea, no puede darnos el placer que otra de nuestros días. Y que si se tolera la representación, es merced a la arqueología en el vestuario, los muebles y las costumbres. Hay siempre cierto pudor que impide confesar que tal obra famosa nos produce enfado. Y, sin embargo, en nuestro interior, cuando acaba una de esas representaciones, nos sentimos libres de un agobio. Decía yo todo esto a X. Y él tornaba a su sempiterna sonrisa.

VI

SU ESTETICA

Había en su mente como dos espejos: en uno se reflejaba la ciudad nativa y en el otro la ciudad electiva; la primera avecinaba al Mediterráneo, y la segunda la llanura manchega; en la primera se hablaba una hijuela del catalán, y en la segunda el castellano. El castellano lo había hablado desde niño, entre parlantes castellanos, nuestro amigo; en los clásicos, leídos con avidez en su infancia, lo había trabajado bien. De las dos imágenes no se decidía por ninguna; con las dos estaba, pero a veces iba con resolución de una a otra, y en ésa se rebalsaba su sensibilidad. De la corona de Aragón, a la que pertenecía la nativa ciudad, pasaba a Castilla o viceversa. Los cambios—repudios y amores íntimos y transitorios—respondían a cualquier accidente, contrariedad, mal humor y desabrimiento. Y todo ello causado por un desaire o una friccion sensible del amor propio. El tiempo pasaba con su rastrillo nivelador, y la ecuanimidad se restablecía en el ánimo de X. Las dos sensibilidades, la mediterránea y la manchega, eran necesarias en su personalidad; las dos se completaban y colaboraban en la obra de X.

La ciudad nativa era la de su madre, y la electiva la de su padre. Intervenía, supongo, un influjo hereditario en este fluctuar de X de una a otra imagen. Pude entender, por alusiones, ya que no por manifestaciones paladinas, que, al encontrarse, imaginativamente, en la ciudad electiva, se entregaba X a un acendramiento de las antiguas sensaciones. Podría decirse, haciendo plástico el pensamiento, que X tenía una alquitara en la que iba destilando la antigua realidad depositada en su ser cual primitivo líquido. Por la piquera salía gota a gota un licor exquisito: era el que bebía, en sus soledades, nuestro amigo.

En la ciudad electa se veía él en un vasto edificio cuadrado, moderno, pegado a otro antiguo, junto al cual se levantaba una iglesia. El edificio viejo era un convento evacuado, cuando la exclaustración, por los religiosos. Detrás de todas estas fábricas se extendía la huerta; cerrando el horizonte se elevaba un monte desnudo y pardo. Desde las ventanas del estudio, en su niñez, infinitas veces había levantado X la vista de los libros y la había posado en la breve vega. La vida se desenvolvía en el colegio, un colegio de religiosos, ordenadamente. Había allí un buen gabinete de física y un muestrario en miniatura de aperos y máquinas agrícolas. Se salía a la vega jueves y domingos, en largas caminatas, y se entretenía el paseo cogiendo insectos; luego, en el colegio, se clasificaban y ordenaban en insectarios. Decía X que de todas las lecciones de su niñez y adolescencia, esta de la insectología le había sido la más provechosa. Siempre se acordaba del momento en que, al levantar una piedra, veía debajo rebullir una escolopendra, con sus múltiples pies—no cien, naturalmente—o un escorpión de color de ámbar que enarcaba ya su cola, en cuyo cabo se erizaba el temible aguijón.

El paso del moderno edificio al antiguo estaba vedado; alguna vez X se aventuró a la exploración. El misterio le atraía. El misterio estaba en las escaleritas penumbrosas, en las cámaras solitarias y en un patizuelo, con un pozo en el centro y con ventanas que daban a los claustros. Ventanas—las veía siempre X—que, en vez de cristales, tenían finas y rojizas láminas de alabastrina. El recorrer, como furtivamente, con atentados pasos, estas dependencias vedadas, era para X conmovedor. Allí estaba el misterio. Y el misterio es elemento del arte. No lo veía él entonces; lo ha podido ver luego. A la paciente observación que requiere la entomología, asocia X el misterio inescrutable. Toda su estética se halla compuesta de esos dos factores. Y como uno y otro han entrado en su ser cuando era niño, necesariamente, haga lo que haga X, el misterio y la observación, es decir, ciencia e incognoscible, son la base de su sentir.

—¿Y no hay algo más en tu doctrina? —le he preguntado yo alguna vez.

—Hay lo formal; hay también las atracciones y repulsiones. No toda la realidad la acepto yo, naturalmente. No todas las maneras de decir me placen. Ante todo, lo que me irrita—digo mal, yo lo veo impasible—es el divagar inoportunamente, como se suele hacer en el siglo XIX, antes de entrar en materia. No se saben decir las cosas en forma de modo conciso. No hay observación, ni método científico. En resumen, creo que esto es una cuestión de pigricia: tendencia al menor esfuerzo. Porque esfuerzo—y grande, continuado—se requiere para la condensación.

VII

LA SILLA

La silla—la silla en que se sienta X—es de las llamadas de costillas; su respaldo es de caoba, los pies de carrasca y el asiento está tejido con enea. Debió de labrarse hace cuarenta o sesenta años; la enea es acentuadamente amarillenta, con lustre, y la madera brilla por el largo uso. Siempre que penetro en un cuarto de trabajo, trabajo mental, pongo la mirada en el asiento que se encuentra ante la mesa; suele ser, como es sabido, un sillón. En el caso presente no hay en el asiento brazos acogedores y en que pueda estribar el estudioso. Nada más que una simple silla: una pobre silla de enea. El recinto se encuentra a tono con el asiento: nada de muebles profusos, ni cuadros en los muros, ni estantes con libros, ni cornucopias, ni rinconeras, ni cortinajes. La silla descuella ante la mesa; espera que su dueño venga a ocuparla.

De todos los muebles de una casa, es la silla—o el sillón—el que más cosas nos sugiere. En esta silla, la de X, se han sentado cuarenta años de trabajo; ha visto la silla la faz compungida o leda de X; ha asistido a los conflictos íntimos del personaje; ha presenciado el esfuerzo constante de quien luchaba por conseguir una prosa precisa y clara. Y aquí, en el ámbito desnudo, está la silla. En ausencia del dueño la he estado yo contemplando muchas veces. No sé, naturalmente, quién fué su anterior propietario. No sé, mucho menos, quién se sentará en ella después de X. Pero la silla, en el actual estado, llena toda la estancia. De todo este humilde mueble emana un efluvio que nos envuelve y nos hace soñar. De la silla vamos mentalmente a la persona, y de la persona a la filosofía. Quisiéramos que se eternizase este momento de nuestra contemplación. Debe, lógicamente, estar ocupada la silla; en ella debe sentarse nuestro amigo, pero—perdónesenos este contrasentido—nos dice más la silla vacía que ocupada. Vacía, nos complacemos en imaginar, ocupándola, la persona ausente; trazamos su dintorno y vamos, gradualmente, pintando sus facciones y detallando sus miembros. Tenemos ya delante, sin tenerlo, a X. Y lo tenemos, gracias a la silla vacía, con un relieve que no tendría imaginado en otro lugar.

Todos los sentimientos que evoca la silla se resumen en uno: esperanza. La silla espera; espera cuando su dueño no está presente; espera que venga a ocuparla y que dé comienzo a sus escritos o sus meditaciones. Hasta este momento, la silla no cobra su plena actividad. Pero ¿es más humana la silla en su desmayo que en su exaltación? ¿Nos dice más cuando horra que cuando llena? Nos inclinamos, con viva simpatía, hacia la esperanza. Estamos casi seguros de que X, en la silla, ya sabe lo que va a hacer; lo indefinido está a punto de concretarse; ha terminado un período de gestación—la gestación literaria—y va a comenzar la exteriorización. Ya la incógnita termina. Y este final es lo que nos desabre un tantico. Preferimos los libros lejanos en que todavía la obra soñada está indistinta. Desde la lejanía se va aproximando poco a poco a la silla la obra en nebulosa; a medida que se acerca, la nebulosa se densifica. Y llega un instante en que todo concluye: el ensueño es realidad; hay que soñar otra cosa.

La silla, con su asiento de amarilla enea, está esperando. Preguntando nosotros a X en cierta ocasión por su fórmula literaria, calló durante unos minutos; habló luego de otra cosa; parecía sentir pudor en revelar su fe íntima. Estábamos en un zaguán campesino en que había dos o tres sillas con el asiento de esparto. A lo lejos, en un rincón, se veía un cantarito de amarillento barro. Entraba un fulgor vívido de pleno sol por la puerta. Hubo un largo silencio; cuando yo no me acordaba ya de mi pregunta—que tuve por indiscreta—, X dijo lentamente:

—Para mí el secreto del arte, o si se quiere de un arte, el que prefiero, consiste en hacer valer un mínimum de realidad, creando en su torno un ambiente especial.

Reinó de nuevo el silencio; no sé el escollo que X ponía mentalmente a sus palabras; pensaba yo que de todas las normas estéticas que conozco, ésta es la más inaccesible.

VIII

EN EL FONDO

Siempre quería estar en el fondo, según su expresión: el fondo del tiempo, de las cosas y de las gentes. Con esto deseaba significar que ansiaba permanecer como borroso en la lejanía. Cuando yo le anuncié que iba a escribir un *ana* de su persona, torció el gesto, calló y luego me dijo: «Te ruego que no digas nada de mi persona física.» Como estas cuartillas no han de llegar a sus manos, yo me permito ser una pizca indiscreto. Ni era alto ni bajo, sino de regulares proporciones. De temperamento nervioso, su sensibilidad se exasperaba con el aislamiento. Siendo en su mocedad lleno de carnes, se tornó cenceño en su vejez. Como le hiciera una estatuita, sentado, con un libro en la mano, un escultor amigo suyo, Sebastián Miranda, alguien que no conocía a X exclamó al ver la imagen: «¡Qué raro debe de ser este señor!» Si X viera lo que estoy escribiendo, perderíamos las amistades.

—No puedo imaginarme una imagen mía vista desde fuera por alguien que, no siendo yo, fuera yo.

Escuché estas palabras singulares y contesté:

—Pues en mi mente se confunden varias imágenes tuyas: la de niño, la de adolescente, la de madurez y esta de tu senectud, que tengo ante mi vista ahora.

—He visto yo a los viejos de un modo, cuando era joven. ¿De qué modo me verán a mí ahora los jóvenes? No puedo tampoco imaginármelos. Porque al presente, al ver a los viejos, no tengo la misma sensación que cuando muchacho. Y este problema de psicología será eterno; está ínsito en la misma naturaleza del hombre. Resignémonos, pues, a no saber cómo somos físicamente. No lo sabemos tampoco en cuanto al espíritu. El espejo, la fotografía, la pintura y la estatuaria no resuelven el primer aspecto del problema. Ni la introspección, el aspecto más importante.

Siempre en el fondo, procuraba cerner cuidadosamente sus amistades. Recibía a poca gente y contestaba contadas cartas. Caminaba, a medida del avance de los años, hacia la mayor simplicidad. En su misma vivienda quiso simplificarlo todo. Le embarazaban, molestándole para sus pensamientos, los muchos muebles. Acabó por reducir las alhajas de su aposento a una cama, dos sillas, un estantito de libros y una mesa de pino. Fué en su mocedad atildado; lucía siempre camisa limpia; se la mudaba tres días a la semana. Con el tiempo, sus ideas sobre indumentaria se modificaron; sin que se lo propusiere él, la modestia en el traje fué de par con la simplificación de su prosa. Creo que pensaba que, al tener cierta personalidad, no necesitaba apatuscos inútiles; lo espiritual lo ponía él sobre lo accesorio. Y a X ya no le importaba el traer una americana raída o un pantalón raboseado. Sobre este particular tuvimos alguna vez debate.

—¿Crees tú que es mi ansia de simplificación, consciente o inconsciente, la que me hace dejar galas, o es la vejez, con su desidia?

El problema de la indumentaria lo trasladaba él, naturalmente, al problema del estilo. Procuraba escribir ahora, setentón, de modo más claro que antes. Evitaba el doblar adjetivos; desdeñaba los efectos; decía las cosas directamente y sin aparatosas preparaciones. Se mostraba satisfecho, hasta cierto punto, de su nueva escritura; pero, a veces, inopinadamente, abría un libro suyo de la mocedad, leía una página y se quedaba pensativo. ¿Era mejor o era peor, en su concepto, lo leído?

—Lo que me atosiga—llegó a decirme una vez—es no saber con exactitud una cosa: procuro yo la lisura del estilo; he renunciado a la profusión de vocabulario; por nada del mundo escribiría en el estilo charro en que escriben algunos compañeros; con la mayor pobreza de léxico intento la más exacta expresión... ¿Tú crees que todo es voluntad, o necesidad? ¿Se debe a un propósito deliberado, o a la vejez que me resta fuerzas? La poquedad en los recursos puede encubrir flaqueza; lo que se juzga progreso puede ser atraso; lo que es deseo de simplificación puede ser, en realidad, impotencia. ¿Qué me dices tú de tal problema psicológico? ¿Crees tú que para un viejo, amante de su arte, lo puede haber más grave?

IX

SU CARACTER

En su juventud fué inquieto; en su vejez fué sosegado. En su juventud quiso singularizarse y en su vejez quiso pasar inadvertido. Desgraciadamente para él —desgraciadamente desde su punto de vista—, era ahora en la vejez cuando más solicitado estaba. Pero él, aun corriendo el riesgo de ser esquivo, se hurtaba a todos. Ningún escritor de su tiempo fué más discutido; sólo conservaba dos o tres libros que se habían escrito sobre su persona. Había llegado a cierta ataraxia. Si él leyera estas líneas, sonreiría al ver lo de ataraxia; con un poco de serenidad se contentaba; no había que aupar tanto su sosiego.

Las detracciones orales, cuando indiscretamente se las transmitían, le irritaban al pronto. Las críticas vejatorias le entristecían. Pero bastaban pocos minutos de meditación para volverle a su tranquilidad. Se establecía en el ánimo de X una diferenciación entre su persona y el ofensor; los dos pertenecían a dos categorías distintas del *homo sapiens*. Hombre civilizado era él, y no el otro.

No le importaba ya lo que dijeran de él; no le importaba lo avieso. Puedo decir que tampoco se preocupaba de lo halagüeño. Respecto a lo favorable, sólo rarísimas cosas leía. No tenía que hacer esfuerzo alguno para desasirse de censuras y elogios. Se dice que el elogio sirve para estímulo y la censura para enmienda. Nada más falso; he hablado yo de ello muchas veces con X. El elogio infatúa; X los evitaba porque, atendiendo a tales o cuales cualidades de su persona que en las loanzas se indicaban, instintivamente, sin darse cuenta, insistía en ellas, con depresión de las demás, y establecía en su carácter —trascendente a su literatura—un nocivo desequilibrio. Y ese desnivel en la persona y en el arte era lo que trataba de evitar él a toda costa.

Y las censuras, ¿para qué leerlas? No corregían nada; el escritor continuaba, si tenía personalidad, si tenía confianza en sí mismo, haciendo lo que había estado haciendo. He de añadir algo que me confesó él y que tiene su gracia. Decía que a veces recibía visitas en que le elogiaban su obra, o que había leído escritos en que se hacía su elogio. En esas ocasiones, con la mayor buena fe, el loador o el visitante decían: «Créame usted: los dos escritores que yo admiro más son usted y Fulano.» Fulano era un novelista mediocre, muy elogiado por los periódicos. Si se admiraba a Fulano, ¿cómo se podía admirar a X? Y me añadía X que al escuchar a su visitante tal elogio, hacía un gran esfuerzo para no levantarse de la silla y poner en la puerta al confusionista. Después, claro está, reía y se prometía no recibir más a admiradores indiscretos.

No pude saber si se preocupaba X de lo que se llama fama póstuma. Alguna vez escuché de sus labios una sentencia, no recuerdo si de Marco Aurelio: «Si Adán y Eva hubieran vivido mil años, ya estarían muertos.» No creo que tal dicho sea del emperador romano. Sea de quien fuere, encierra una provechosa lección. La nombradía a lo largo de las generaciones tiene también sus límites. ¿Cuántos son los que leen a Homero, con ser Homero? ¿Y de qué le va a compensar al escritor desgraciado la posibilidad de que a los cincuenta, o cien, o doscientos años, de su muerte se hable de su persona? Cuando yo iniciaba tal tema en presencia de X, en seguida, como pudoroso, como temeroso, X ladeaba la conversación por otro camino. Advertía yo que no quería añadir tristeza a tristeza: la de hoy y la de mañana; el pensamiento de sus ahogos de hoy y el pensamiento de que acaso de su obra no iba a quedar nada.

X

LA INDEPENDENCIA EN ARTE

Hablábamos en cierta ocasión del Madrid contemporáneo, y me dijo:

—He conocido hace muchos años una cierta familia madrileña que para mí representa el esfuerzo callado y digno. Necesito, ante todo, situarla en el tiempo y en el espacio.

Como después de estas palabras callara, yo le dije:

—¿Es una novela que estás imaginando y que vas a escribir?

—No voy a escribirla—contestó—. Se trata de un haz de sensaciones que me es dilecto. En las turbonadas de los recuerdos, a veces cae en mi memoria ese grupo de evocaciones; desaparece tan inesperadamente como ha venido, y luego, cuando tampoco lo espero, resurge en mi mente.

—Algo misterioso estás; aclara lo que acabas de decir.

Sonreímos los dos; volvió él a guardar un breve silencio, y al cabo se decidió a hablar. Digo se decidió, porque no era obra fácil hacerle entrar en cierto género de confidencias, aun siendo puramente estéticas.

—Te decía — prosiguió — que necesito situar esa familia en el tiempo y en el espacio. El tiempo, naturalmente, es la sucesión de los siglos; el espacio puede ser España. Y ese esfuerzo continuado, digno y silencioso, se inserta, a mi ver, en la tradición española.

—¿Lo enlazas acaso con Séneca?

—Séneca es, en efecto, ese esfuerzo; pero en Séneca, si mal no recuerdo, existe disparidad entre la doctrina y la vida. Séneca acumula riquezas que, con razón o sin razón, ocasionan su muerte. Séneca acaba por ser un palaciego; está, con toda su doctrina de abnegación, de austeridad, aupado en el culmen de la fortuna. Te estoy hablando de memoria; no sé si mis recuerdos son fieles. El esfuerzo de que te hablo yo es cosa, si no contraria, divergente. Sí, es muy español; entramos con él en una de las más auténticas corrientes de la tradición española. Y al decir esto, lo digo con toda clase de reservas; no quiero emplear palabras absolutas. Sabes lo que evito—evito y me repugna—la interpretación de cualquier realidad histórica. Con los hechos escuetos basta. ¿Desvarío?

—No desvarías; sigue.

—Sigo, pues. Se inserta en el tiempo el esfuerzo de esa familia al enlazarse con unos hombres, de que nos habla Berceo, que están en sus casas, encogidos como garfios—como garfios dice—, padeciendo hambre y frío, y no consiente en decirlo a nadie, ni en pedir nada a nadie. Y más tarde Santa Teresa, en su *Libro de las Fundaciones*, nos habla también de otros hombres que, lo mismo que los anteriores, padecen necesidades angustiosas en sus casas y no quieren que lo sepan los de fuera. ¿Y qué te voy a decir del hidalgo del *Lazarillo de Tormes*, que sabes que es una de mis grandes predilecciones, de mis sinceras simpatías? ¡Sí, esto sí que es netamente español, español lirondo, sin mezcla de extranjería! Sitúa la familia dicha en un barrio de Madrid, donde yo he vivido de estudiante y que me es simpático. Como hace de esto mucho tiempo, no sé si vivía esa familia en la calle del Pez, en la de la Puebla, o en alguna de las transversales: Valverde, Barco, Ballesta. La casa era una de esas casas típicamente madrileñas; había un largo portal penumbroso, y al fondo una escalera pina y también sombría; la luz la recibía de un angosto patizuelo. Sabes mi predilección por el olor, el olor como elemento de arte, con tantos títulos, o un poquito menos, que el color. Estas casas de que te hablo huelen de un modo especial; Madrid, como todas las ciudades, tiene su olor, y las casas tienen el suyo. ¿Te hablaré del espliego en el invierno, de humedad, de vejez en muebles y ropas? No te lo sabré decir; pero, con los ojos vendados, reconocería yo una casa de Madrid. Y te digo más: una casa de la calle de Valverde, donde he morado, o de la Ballesta, donde he tenido también mi posada. Al transponer la puerta donde habita esta familia, advertimos al instante cierta reserva; podemos ser unos acreedores intempestivos. Siempre en esta casa los acreedores, naturalmente, vienen a destiempo. Pero, examinado nuestro porte, se ve que no amagamos con nada. El tono de la familia lo dan tres o cuatro mujeres; hay también, para hacer más atrayente la atmósfera espiritual, un niño. Y hay un varón. Pero lo femenino es lo que prevalece. Y lo femenino se ingenia en que un paño raído no lo parezca, y en que unos pantalones, los del varón o los del niño, que están ya raboseados, no muestren sus hilachas, y en que los muebles de la sala, resto de la antigua prosperidad, se conserven indemnes. El casateniente, hombre machucho, ha tenido un cargo en la Administración pública; ya no lo tiene, pero aspira, con aspiración continuada y penosa, a tenerlo otra vez. Lo va a tener de un momento a otro; se lo aseguran en la antigua oficina donde ha servido; ese momento se va difiriendo. Y a medida que se difiere, el esfuerzo digno y callado de la familia va siendo más angustioso. Los semblantes son apacibles, y luego, en la intimidad, la aflicción reaparece en ellos; no se puede ya continuar de aquel modo. Lo van advirtiendo, cada vez más claramente, las amistades. ¡Y cuidado que se hacen prodigios de serenidad para que nadie advierta la íntima y desgarradora pobreza! No entro en pormenores: los he vivido yo; los conozco, los he sentido. Esos detalles son, por ejemplo, los restos de una parva comida que se dejan para cenar; son los pacientes zurcidos que celan el roce o el siete inesperado; son las insolencias del abastecedor no pagado hace mucho tiempo; son las sonrisas forzadas a una visita conocida; son las dos o tres pobres monedas que hay que dar al jefe de la casa para que las lleve y ocurra a cualquier evento...

—¿Y qué pasa al final? ¿Cómo acaba esa tragedia íntima e ignorada?

—Acaba o no acaba, con el suicidio del casateniente. En resolución, no le reponen en su antiguo destino; no ve el caballero en su congoja más salida que la voluntaria muerte. Y se acabó la historia. Se acabó la historia contada por Benito Pérez Galdós en su novela *Miau*.

—¿Fué un fracaso esa obra?

—Sí, fué un fracaso por la razón de que era una hermosa obra y de que, además, encarnaba, como el hidalgo del *Lazarillo*, como los caballeros de Santa Teresa, la neta tradición española. ¿Por qué el autor hace que se suicide el jefe de la casa? ¿Por qué acabar la novela de un modo que nos desplace? ¿Acaso es más lógico ese desenlace desgraciado que otro dichoso? De ningún modo. Vuelto a su empleo el casateniente, no recuerdo cómo se llama, la novela no hubiera padecido como obra de arte. Pero en un tiempo de teatro truculento y de versos altisonantes, había que poner al libro un final violento. El autor se doblegó ante un modo pasajero; le faltó independencia para concluir su obra de una manera plácida. El hacer un libro en que, al final, todos hubieran quedado satisfechos, le pareció una vulgaridad. Y esa ofrenda a lo que el público pide, en un momento dado, esa falta de independencia artística, es lo que yo condeno.

XI

EN UNA ESTACION

Hablábamos de las muertes de los escritores; sobre todo, de los escritores predilectos. Decía X que había que morir en pie; es decir, sosteniendo las ideas estéticas que se habían sostenido siempre; es decir, estando trabajando siempre como siempre se había trabajado. No todos los escritores finaban así. La mengua en las facultades creadoras lo impedían; lo estorbaban también el desmayo en la fe que se tiene en la declinación de la vida. Citábamos el caso de Cervantes: pobre y borrajeando, poco antes de morir, unos elogios a quien sólo tal vez debía una menguada ayuda. Pero, si él iba a morir y no necesitaba ya nada, en el mundo quedaba una mujer, su viuda, necesitada de auxilio, sin más recursos que su corta hacienda. Explica tal circunstancia el halago, por parte de Cervantes, a quien se le había mostrado mezquino; no denota, como se pretende, generosidad por parte del elogiador y correspondencia lógica y desinteresada, puesto que se hacía en los momentos en que el hombre se desprende definitivamente de todo lo mundano. Aparte de que Cervantes dejaba, inédita, su más querida obra; esposa y libro necesitaban, pues, protección.

—¿Y la muerte de nuestro querido poeta Carlos Baudelaire?—pregunté yo.

—¡Poseer la más fina, delicada, exquisita sensibilidad, y perderla y sobrevivir a la pérdida!—exclamó X—. ¡Ser clarividente y sensitivo, y ser luego piedra inerte! El final es trágico; trágico, pero lógico. No se puede usar tan desenfrenadamente la sensibilidad sin gastarla.

—¿Y la muerte de Federico Nietzsche? —torné a interrogar.

Entonces hubo un momento de silencio; algo pasaba, invisible, por el aire; sentíamos los dos la misma preocupación. Sin duda el pensamiento de X iba, desde donde nos hallábamos, a las altas montañas del centro de Europa; penetraba en un albergue montañero y veía, a la hora de comer, que entraba en el comedor un caballero, un poco encorvado, más por sus pensamientos que por su edad. Parecía receloso; caminaba lentamente y con precauciones. Algo guardaba aquel personaje que no había visto nunca nadie en el mundo y que podía causar la más formidable subversión si se divulgaba. Y, sin embargo, él estaba dispuesto a divulgarlo, pero nadie compraba sus libros. Y dueño de su tesoro, iba de una montaña a otra, y de la montaña a una ciudad silenciosa, propicia a las meditaciones. Había encontrado ya la ciudad ideal; vivía en un pupilaje modesto; comía parcamente; ponía él siempre mucho cuidado en lo que ingería. Sus jornadas de trabajo eran largas y agotadoras; para dormir allí tenía el cloral, que absorbía en grandes dosis. De pronto, la visión cambia: el hombre fuerte en su pensamiento, el más fuerte de su tiempo, es ahora un niño; ha vuelto a la infancia; ha perdido su lucidez; no sabe pensar; lo que ha hecho toda la vida, ahora lo ignora. Vive su madre y lo vuelve a tratar su madre como cuando era niño. Lo lleva de la mano, como lo llevaba tiempo atrás; va de visita la madre, y el niño se queda en la antesala, sentado ante el piano y tecleando como los niños. Tecleando horas y horas sin pensamiento, el antiguo férreo pensamiento, sin sensibilidad, la antigua finísima sensibilidad. ¿Conoces tú un caso más trágico?

Y al cabo de un largo silencio, lo recuerdo perfectamente—estas cosas no se olvidan—, exclamo:

—¡Ah, la estación! ¡Sí, una estación chiquita perdida en la llanura!

Decía tales palabras cual respondiendo a una ilación interior. Su pensamiento había ido de una a otra cosa, y había acabado por llegar, como un tren, a una estación.

—La estación se halla en la dilatadísima estepa helada—continuó—; sólo acaso pasan ante ella uno o dos trenes diarios. De uno de ellos se apea un viajero. Su porte es alto y señoril, pero se adivina en él, lo sabemos nosotros, una honda preocupación. Su fin se acerca; es rico; su estirpe es noble; lleva un título nobiliario. No podemos explicarnos, al pronto, por qué viene a tal estación y pide al jefe que le dé hospitalidad. Cuando se yergue, impone con sus largas barbas y sus ojos claros. En este caballero hay algo que los demás no tienen. Dos conceptos llenan nuestra mente en estos instantes: el caballero y la inmensa estepa. No hay más ahora, en el mundo, para nosotros. ¿Y es que el viajero ha descendido en la estación porque se encontraba ya enfermo? En el lecho, que ha de ser el mortuorio, está ya; allí yace, pensando en lo Infinito. Tiene un ideal de austeridad, y a ese ideal ha querido ser fiel. En contra de ese ideal estaba la familia; un gran caballero no podía labrar zapatos, como un maestro de obra prima, en un cuartito de su palacio. Y eso es lo que hacía, como símbolo de su ideal, ese gran señor. El desacuerdo íntimo con los suyos era trágicamente insoluble: el gran señor ha huído de su casa a la ventura. En la estación expira.

—¿Corolario a lo comentado?—he dicho yo.

—El que tú quieras; el corolario ya lo hemos puesto, invirtiendo el orden, al principio de nuestra charla. Hay que morir en pie.

XII

EL PAN DE ESPAÑA

Comíamos una vez en un albergue campesino, allá en Levante, no lejos del Mediterráneo. No había mantel de lienzo en la mesa, sino a modo de mantel una estera de esparto sin majar. Todo estaba muy limpio; cada cual, X y yo, teníamos nuestra escudilla llena de olla con fríjoles y arroz; y la fuente, por si queríamos escudillarnos más, estaba en el centro de la mesa. El pan era bazo y de orejas. Al sentarnos, X cogió el pan y con un cuchillo de cachas de asta partió unas rebanadas. Con una en la mano dijo:

—¡Cuántos nombres que tiene el pan de España! ¡Y cómo en España es más que en ningún otro país el alimento fundamental! Tenemos la hogaza; dicen los diccionarios que la hogaza es un pan mayor de dos libras; otros reducen el vocablo a pan casero. Pero antes hay que hacer la distinción esencial entre pan leudado, con levadura—eso es leuda—, y pan sin ella, pan ázimo o cenceño. Y no olvidemos tampoco que hay pan con sal y pan no salado. De niño el pan que yo comía, pan prieto o moreno, no tenía sal; no se le ponía sal en mi tierra para que los servidores y labriegos, a quienes se mantenía, comieran menos pan. Eso me dijeron alguna vez, y eso, sin creerlo, repito. La sal es un estimulante; si falta, la avidez es menor. He comido también en mi niñez pan de cebada; no es que lo comieran en casa; alguna vez se hacían tortas de cebada que, calientes todavía, estaban sabrosas. En algunos campos, en casas del término, sí se daba a los jornaleros pan de cebada. En las casas rústicas que nosotros poseíamos era tradición que siempre los labriegos habían comido pan de trigo. ¡Cuántos nombres, te repito, tiene entre nosotros el pan! No sé si los recordaré todos. Hogaza, sea o no de dos libras; mollete, amasado con harina de flor; bodigo, doblado, que es un aragonesismo, según creo; telera, oblada; la oblada es, no sé si me equivoco, el panecito que se ofrenda en la iglesia. No sé tampoco si por los fieles, como en el *Lazarillo de Tormes* se lee, o por el celebrante. Ahora caigo en que es bodigo y no oblada lo que se menciona en la citada novela; tal vez las dos cosas. En fin, la oblada, en forma de panecitos, la he comido yo, dada, por el celebrante, después de la misa del rito griego católico. La he comido en París, en la iglesia de San Julián el Pobre, el mismo santo retratado por Flaubert en páginas admirables. Estoy, como siempre, desvariando. Desbarro a veces sin querer, y otras, para ahuyentar al importuno, queriendo. ¿Y todos los vocablos que pululan en torno al pan? En el cuartito donde en mi casa se amasaba, no todos los días, vi una pintadera. Y en unas fiestas vi panes pintados. Todo esto está muy lejos y son accidentes incorporados a mi biografía. Puedes tomar nota de todo. Cuando se amasaba en mi casa, los panes se llevaban al horno en un tablero, llamados en el diccionario añacales, cubiertos los panes con mantitas de lana a fajas verdes, azules, rojas, amarillas. He visto también en los lexicones que el precio de la cochura en el horno se llama hornaje. Y que la leña con que se calienta el horno lleva el nombre de hornija. ¡Cuántas veces he visto yo a un viejecito, incapaz para otras cosas, traer del monte, monte comunal, a la ciudad, una carga de hornija, fagotes de pino, de sabina, de enebro, que iban dejando un reguero de olor sano y grato! ¡Y cuántas veces, en el monte, he presenciado la tozudez del borriquito, que no quería avanzar con la carga, y la desesperación del anciano!

En su juventud, X se afanaba por la carne; en su vejez, ni probaba carne ni pescado. Le preocupaba mucho el alimento que había de ingurgitar. Decía él que antes de introducir un manjar en el estómago había tiempo de pensarlo; entonces éramos nosotros dueños del manjar; una vez comido, era dueño el manjar de nosotros. Las consecuencias de una indebida ingestión debíamos sufrirlas fatalmente. No llegó X a comer tan sólo las doce onzas que comían, si no yerro, Luis Cornaro; pero sí era frugalísimo en su alimentación. No estaba satisfecho sino cuando se levantaba de la mesa con apetito. Comiera una pizca más de lo acostumbrado, y necesariamente se producía en su organismo un penoso desequilibrio. Ya no podía trabajar a gusto y sus pensamientos no eran los mismos; ya había perdido, con el empacho, la ligereza y ductilidad en la estimativa.

Las frutas le atraían; gustaba también de toda clase de hortalizas. Alboronía creo que es un guiso de berenjenas, tomate, calabazas y pimientos. Pues alboronía era el mejor manjar con que se le podía obsequiar en una mesa extraña. Ollas de habichuelas, lentejas, fríjoles, almortas, las había comido como yantar usual en su casa; permanecía fiel a esos condumios. Temía yo por su salud, dada la parvedad asombrosa de su alimentación y dado el trabajo a que se entregaba. Trabajaba más, mucho más, a los setenta años que a los treinta. Y decía que nunca había escrito con más placer que en estos años de su vejez.

—No temas nada; no me compadezcas; no tengo más, como se dice, que el día y la noche. He de trabajar, por tanto, para vivir. Y para vivir con el decoro de que se ha de exornar un escritor nombrado. Pero no puedes figurarte el contento mío cuando me siento ante la máquina de escribir y voy tecleando, allá a las altas horas de la noche.

XIII

LAS INFLUENCIAS

—Toda mi vida anímica ha ido desde la ciudad apacible a la ciudad adusta; la una se asentaba en la falda del Mediodía de un monte, y la otra, en la falda Norte de una colina. La ciudad apacible, si no era la nativa de mi madre, sí era la de uno de sus deudos más importantes; cerca estaba del pueblo nativo. La ciudad era la de mi padre, mis abuelos y mis bisabuelos; se remontaba mucho la progenie conocida. En la ciudad apacible, cercana al mar, encontraba yo—no sé si es figuración — comprensión rápida; en la ciudad adusta hallaba cordialidad amplia. El espíritu de la primera podría condensarse en esta fórmula: «Sí, entendido.» El espíritu de la segunda, en esta otra frase: «Vamos allá.» Cuando ahora, en la vejez, pienso en las dos ciudades, me veo sujeto a la misma fluctuación de siempre. Pero si antes la indecisión era subyacente, ahora es reflexiva. Y además, penosa por instantes. No sé hacia qué lado inclinarme, ni puedo discernir cuál de las dos ciudades, con sus gentes, con sus costumbres, habrá sido más eficaz y decisiva en mi obra.

—¿Y por qué no las dos con igual repartimiento?

—Porque la sensibilidad no puede tener partijas, al menos en mí; o me entrego a un bando, o me doy al otro. Siempre este apasionamiento, este fervor, este entusiasmo, han sido los móviles de mi trabajo. Y si no, el trabajo hubiera sido estéril. Ahora, en estos momentos, en tanto hablo contigo, me veo, a los ocho o diez años, llegando a la ciudad severa y aspirando su olor característico, digo el olor de la casa en donde yo paraba unas horas antes de entrar en el colegio. De la otra ciudad habíamos salido, en un carro, a las ocho de la mañana; tiraba el carruaje un caballo percherón llamado *Noble;* siempre me acordaré de este dócil bruto, que tantas veces me llevó al cautiverio docto. Emprendíamos la caminata por un caminejo pedregoso con hondos baches; el carro saltaba en las piedras y rechinaba. Había comenzado octubre; en el colegio había de estar yo, con intermisión de las Navidades, desde octubre hasta junio. A mediodía, en el caminar lento, comíamos de fiambre; no he comido nunca con más ganas. Nuestro ordinario lo formaban lomo adobado, tortilla de tres dedos de grosor, longaniza fría, longaniza con ajo o sin ajo, peras o manzanas y gruesas nueces todavía tiernas Al ascender a un puerto comenzábamos a divisar la ciudad; estaba todavía muy lejos, aunque semejaba que la estábamos tocando con la mano. La transparencia del aire era maravillosa; del aire me he preocupado yo mucho y me sigo preocupando; del aire en la vida y del aire en la pintura y en las letras. Sobre la ciudad se levantaba la cúpula de su magnífica iglesia; la descripción de tal templo la he hecho yo al comienzo de mi novela *La voluntad.* Siempre esa cúpula—que un arqueólogo ha calificado de tuberosa, aludiendo a la raíz de ciertas plantas—estará presente en mi memoria. La iglesia, de orden corintio, sencilla, toda de blancos sillares, estaba inundada de luz y con grandes claros aéreos. Sobre la luz interna, asociada invisiblemente a la luz sempiterna, se elevaba la airosa cúpula. Por cima de los siglos, de las civilizaciones varias que por la ciudad habían pasado, algunas desconocidas, se levantaba también esa cúpula limpia. En el museo del colegio yacían las estatuas que habían sido exhumadas, estatuas de damas, no se sabía de qué tiempo, tiempo remotísimo, y aquí, bajo la cúpula, alentaba la nueva civilización occidental. Perdóname: en mi ensoñación no sabía lo que iba diciendo. Desde primera hora he estado en contacto con dos elementos constitutivos de mi obra. No sé si debo seguir; no dirás tú nada a nadie. Esos dos elementos son, por una parte, el pasado, que estaba representado en las misteriosas y remotísimas estatuas que yo contemplaba; por otra, en el espíritu científico, o, dígase simplemente, de observación, que los paseos en que nos dedicábamos a la entomología imbuyeron en mí. Volveré tal vez, no lo aseguro, a percibir el olor de la casa aludida, en la ciudad severa; aspiraré con ansia, queriendo evocar mi juventud, ese olor de cuarto cerrado, de aceite frito, de especias y de membrillo y de cal reciente en las enjalbes; pero no podré hacer que la sensación sea la misma. Y si tengo constantemente esta obsesión, ¿cómo no ha de repercutir en mi obra? ¿Cómo no ha de estar en ella la claridad de la ciudad apacible y el idealismo y doloroso sentido del pasado, que encarnan en la otra ciudad la cúpula y las milenarias estatuas? Por fuera, la cúpula se perfilaba limpia en el añil del cielo: estaba tachada con listas en espiral de tejas blancas y azules.

XIV

LA HERENCIA

De la ciudad apacible se salía a las ocho de la mañana en el carro, y se llegaba a la ciudad adusta, en el otro reino, a las cuatro de la tarde. En ocho años de internado en el colegio hizo X treinta y dos viajes: uno, de ida, a principios del curso; otro, de vuelta, al final; además, los de ida y vuelta por las Navidades. Las ocho horas de carro de cada viaje se convirtieron, por tanto, en la suma respetable de doscientas cincuenta y seis horas de caminar lentamente, arrastrado por *Noble* y guiado por Chochim, Joaquín. A Joaquín se le llamaba de mote *l'oncle Blau;* es decir, el *tío Azul*. El nombre es bonito. No sé yo lo que el *tío Azul* hacía desde el momento en que, apeado X del carro, en la puerta de tío Antonio, desaparecía; no me lo ha sabido decir X; el *tío Azul* volvía a la mañana siguiente a la ciudad nativa de X. Pero ¿en qué empleaba las horas intermedias? Ha olvidado decir X que su ascendencia materna radicó en la ciudad apacible; de allí era todo su abalorio por parte de madre; entre esos antecesores había un hidalgo y un familiar del Santo Oficio; no se podía figurar en la Inquisición sin irreprochable limpieza de sangre. He visto yo la ejecutoria del hidalgo y el nombramiento del familiar. Conserva esos documentos X. En la ejecutoria se dice que el agraciado «no podrá ser preso ni encarcelado por ninguna deuda que proceda de causa civil, así como atormentado en causas criminales ni castigado pública o secretamente». Las siete hojas, de fina vitela, con portada en que figuran las armas del caballero, están pintadas en oro, carmín y verde. Y al final viene la firma del rey, en veinticinco de febrero de 1709, o sea en plena guerra de Sucesión.

En su vejez, no antes, X daba mucha importancia a la cuestión de la herencia: la herencia fisiológica y psicológica, naturalmente. Creía él que la madre tenía decisiva influencia en el hijo. Y trataba de averiguar cómo habían sido las madres de ciertos escritores que él leía repetidamente. De la madre de Cervantes, con su derecho a usar el *don*, que el padre no tenía, no sabemos nada. Acaso debió de ser persona entonada y digna, muy sobre sí siempre. Y acaso también la dignidad de Cervantes en todo momento y el sentido de abnegación proceden de la madre. De otros escritores dilectos sí sabía X: Schopenhauer, por ejemplo; Federico Nietzsche también. Sonreía X al imaginar lo que ese viejecito de boca ancha y de mirar inquisitivo, el autor de *La voluntad de la Naturaleza*, libro traducido por Unamuno, pensaría de las novelas sentimentales de su madre. Creía X recordar —no descartaba el error— que las novelas de la madre de Schopenhauer eran sentimentales, no sabía si sensibleras. Y se arriesgaba a suponer que el elemento de piedad que introduce el filósofo en su obra y que elimina su discípulo Nietzsche, procedía del lado materno. Al pasar ante un puesto de libros viejos había comprado X un manual, que se titulaba *Heredity* (London y Edimburgh, 1919). Continuamente me estaba hablando de la cuestión de la herencia; discutíamos sobre las leyes de Mendel; leíamos páginas del librito y nos quedábamos absortos. La honda preocupación de X consistía en sustraerse, en ciertos momentos, con ocasión de ciertos actos, a lo que pudiera haber de determinista en la acción. Y en otras ocasiones—pensando, por ejemplo, en su madre—se placía en todo lo opuesto. El tirón hereditario, no quería decir ancestral, llegó a preocuparle. Como su padre tuviera a veces arranques de impetuosa violencia, él quedaba postrado cada vez que, sin poder sofrenarse, tenía los mismos ímpetus. Y, en cambio, pensaba con gusto en que esta minuciosidad suya en la observación derivaba de la mujer, que se encerraba para escribir en un cuaderno los gastos de la casa y que la recorría toda, comprobando si estaba limpia o no.

—¿Y a ti qué te parece de las leyes de Mendel?—me preguntaba X en ocasiones.

—Me parece—contestaba yo, riendo—que el *tío Azul* era más interesante que Mendel.

—¡Ah, el *tío Azul!* No sabes tú quién era el *tío Azul.* No he visto nunca comer con más sosiego; en nuestros viajes, a la hora del yantar, conforme el carro iba dando tumbos, el *tío Azul,* puesto un trozo de lomo en una rebanada de pan, iba cortándolo con cuidado y comiendo con una prodigiosa lentitud. No he visto hombre que yantara más lenta y cuidadosamente. ¿Por qué te ríes?

—Por el epíteto de «prodigiosa» que has dado a la despaciosidad del *tío Azul.*

—¿Y no crees tú que su sosiego era una lección?

—¡Vaya si lo era! Y lo era en una época de prisas. La prisa no la he comprendido nunca; la prisa nos atosiga y hace que nuestras obras sean imperfectas. El pensar perspicuamente ha de tener su complemento, no puede ser menos, en el sosiego de los modales.

—Yo me imagino sosegada a la madre de Cervantes. No puede emanar de otra la serenidad de Miguel en los apretados trances de su vida.

—Y en su escribir.

—Y en su escribir.

XV

LA CIUDAD ADUSTA

El pensamiento de X volvía de cuando en cuando a los años pasados en la severa ciudad; eran para él sus mejores años. La agudeza de su sensibilidad procedía de ese tiempo en que él de una tierra pasó a otra tierra; lo que había en él de indígena se matizó con lo exótico. Existe una rudimentaria historia de la vetusta ciudad, publicada, en segunda edición, en 1865, y X la leía de tarde en tarde. Asociaba tales páginas a sus sensaciones. En el acervo de éstas, no sabía en cuál ahincar; iba de una a otra. Al entrar, a las cuatro de la tarde, en la vieja ciudad, entraba en otro mundo. Las calles eran anchas, de casas blancas, encaladas nítidamente. Había cambiado el olor: en un reino, el de Valencia, era uno, y en éste, el de Murcia, era otro. Las gentes eran diversas también. La disposición de las viviendas variaba asimismo. El habla, castellana, era también otra. El *tío Blau* tenía ahora que hablar en un castellano rudimentario. No se imaginaba X al *tío Blau,* a Chochim, hablando en la misma lengua en que estaban escritos los libros clásicos que X leía. Y tal vez por el contraste entre el habla nativa de X y el habla clásica de España, calaba más X en el castellano y le encontraba más sabor.

Veo en la citada historia que la severa ciudad consta, de Sur a Norte, de tres leguas y cuarto; hablo de su término. Catorce leguas tiene de circunferencia. Hay montes poblados y montes incultos; el terreno se dedica a sembradío, viñedo y olivares. En las afueras de la ciudad sombrea un paseo de umbrosa olmeda; se disfruta también de huertas que—el dictado nos place—se apellidan «huertas viejas». Existen en el pueblo tres o cuatro iglesias y seis u ocho ermitorios. Hay un antiguo edificio de las Tercias, donde se depositaban los diezmos, y había un

Pósito que se convirtió en teatro. Como cubre la tierra inmenso viñedo, existen multitud de lugares. Y la aceituna se muele en almazaras o trujales. Al hablar de las almazaras, X se recrea; ha llegado a un punto en que su sensibilidad de muchacho se excita. Evoca los días invernales en que la aceituna se cogía y en que se amontonaba en las almazaras. Salían los colegiales, los días de fiesta, por la tarde, de paseo, en fila de dos en dos, y, al pasar ante las almazaras, X hundía su vista en el fosco interior. Las almazaras solían ser hondas y lóbregas. Allá dentro, en las tinieblas, se veía la lucecita de un candil. Y ese candil, naturalmente, estaba ya alimentado con aceite nuevo. A veces salía a la calle un almazarero, todo lustroso; lo miraba X como ahora mira la imagen de un esquimal, alimentado con grasa de focas. Pero la aparición era rápida: de nuevo el almazarero se sumía en el hondo misterio negro.

Hay muchos puntos sensibles en la niñez de X, pasada en el colegio, puntos que otra sensibilidad no podrá percibir. No podemos nunca entrar de lleno en la ajena personalidad. Algunos días festivos, por la tarde, los parientes o encargados sacaban del colegio a los colegiales. Tío Antonio iba por X. Correteaba X por la ciudad; al anochecer, de regreso a la casa de tío Antonio, esperaba la vuelta al colegio; no había retornado a casa tío Antonio; había que esperar. A veces esa espera se dilataba. X, en el porche, junto a una mesa, se sentaba. Todo estaba ya en tinieblas; lucía tan sólo, para alumbrar el ámbito, la luz de una capuchina. Capuchina es una diminuta lámpara de aceite. En el recazo de la que estaba en la mesa se veían algunas cerillas gastadas; con ellas, encendiéndolas en la llama de la capuchina, se encendían otras luces. No había, por tanto, que gastar un fósforo nuevo. Permanecía X sentado, silencioso, solo, en el blanco zaguán, en ocasiones más de una hora. Su carácter reconcentrado se afianzaba en su ensimismamiento todavía más. Acaso de estas largas estadas en la penumbra, en los anocheceres de invierno, proceda la propensión de X a meditar, a solas, consigo mismo. De todas suertes, tal vez lo más saliente en los recuerdos infantiles de X sean estas esperas junto a la mesa, en que lucía, vigilante, como es vigilante la inteligencia del hombre perspicuo, la lucecita de la capuchina. Y luego, al lado, imaginativamente, de la luz chiquita, ve la breve vega que desde el salón de estudio, en el colegio, se atalayaba al levantar la vista del libro. Cerrando el horizonte, la montaña: la montaña parda, desnuda, al aire la dura piedra, tal como siempre X las ha amado.

XVI

SOGORB

—José María Sogorb ha sido uno de los hombres más notables que han cruzado por mi vida. Y, además, era un amigo mío excelente.

Ha callado X; esperaba yo que continuase; le he dicho, para animarle:

—El nombre es raro.

—En cierta ocasión, Balzac estuvo paseando por París horas y horas para encontrar, en las muestras de las tiendas, un nombre que le llenase; al fin encontró el apellido Zarcas. Sogorb es más bonito que Zarcas. En mis rebuscas de nombres para mis novelas y cuentos, yo no he hallado ningún otro Sogorb. Pero, sobre todo, José María Sogorb puede ser considerado como el símbolo de la reserva y la voluntad. No era ni grueso ni flaco; sus proporciones eran regulares. Su color, moreno; negros los ojos. El pelo, cortado siempre casi al rape, negro asimismo. Vestía siempre de negro y traje limpio. Hablaba poco; no por melancolía ni por desconfianza, sino por discreción. No interrogaba jamás a nadie; se necesitaba que una persona tuviera mucha intimidad con él para que Sogorb le dirigiese alguna pregunta. Su juicio, cuando lo aventuraba, era siempre exacto. Los dominios de José María Sogorb eran su fábrica y el casino. Su fábrica constituía, en la ciudad apacible, una de sus tradiciones. De padres a hijos debió de llegar hasta Sogorb este viejo caserón, con amplio zaguán, en que había un alambique igualmente viejo que la morada. Por antonomasia, esta fábrica de Sogorb se llamaba la «fábrica». En ella pasaba el día Sogorb; no tenía más colaborador que un aprendiz. Pero Sogorb, con su actividad, se bastaba para todo. Elaboraba en el alambique un exquisito aguardiente; destilaba también, con flores de cantueso, otro licor altamente estomacal. Todo lo hacía Sogorb estrictamente. No había en él, ni en actos ni en palabras, nada superfluo o con redundancia. Veo aún el ámbito claro de su fábrica, la «fábrica», y percibo, en la viva claridad solar, el olor penetrante del alcohol. La ciudad apacible se ha significado de antiguo por sus aguardientes; estaba ya un tanto decaída la fama de esta bebida, pero Sogorb mantenía, estrictamente, con gesto limpio, la venerable tradición.

—¿Y el otro dominio de Sogorb?

—El otro dominio de Sogorb era el casino. Sabes, no sé si te lo he dicho, que en la apacible ciudad el casino era un edificio de salas claras, en planta baja, rodeado de umbrío jardín. Sogorb iba un rato al casino después de comer. A las doce sonaba una campana en la ermita de lo alto del cerro; era la señal para volcar las ollas. Se comía entonces en punto de mediodía. Y tras el yantar, reposadamente, Sogorb se iba al casino. Si era verano, se sentaba un momento en una tertulia de las que se formaban al aire libre, en una terraza levantada cosa de un metro del suelo y pavimentada con grandes losas blancas y limpias. A lo lejos, por entre el boscaje del jardín, más allá de una alameda, más allá de las huertas, pasada una rambla, se veía un monte desnudo, donde se encontraban bellos jacintos, blancos o bermejos; he ido yo de muchacho algunas veces a tal monte y he cogido esas piedrecitas preciosas. De pronto, desaparecía Sogorb del casino; he de añadir que la temperatura es tan clemente en aquella tierra, cercana al Mediterráneo, que casi todo el año se puede estar en la terraza del casino. Cuando Sogorb verdaderamente gozaba de este su segundo dominio era por la noche; la noche en el casino, en la ciudad apacible, en toda la comarca, pudiéramos decir, pertenecía a José María Sogorb. Allí estaba, en el casino, Sogorb desde primera hora hasta la madrugada. Comenzaba a quebrar el día y allí permanecía Sogorb. Decía él que «se llevaba todas las noche la llave del casino». Iba de una en otra tertulia, sin palabrear, sin opinar nunca nada, y si había juego, subía al piso principal, donde en el tapete verde se ponían las cuatro cartas del monte o giraba la ebúrnea bolita de la ruleta. No era un jugador inveterado Sogorb; le gustaba sentarse ante la mesa y jugar de tarde en tarde, muy de tarde en tarde, alguna peseta. Se propuso una temporada ganar todas las noches cuatro duros, y estuvo ganándolos meses y meses, en tanto que hubo juego. No poseía para el caso secreto alguno. Sogorb no tenía en la mesa ante sí el tradicional papelito y el lápiz; no anotaba jamás los números que en la ruleta iban saliendo. Su secreto consistía en la voluntad.

—¡Vas a perder, José María!—exclamaban los amigos.

Y él, sin sonreír, plácidamente, con el sosiego que siempre tuvo, contestaba:

—No puedo perder.

No decía más; no era preciso que dijera más; si hubiese entrado en explicaciones, ya no hubiera sido José María Sogorb estricto y sobrio. El secreto consistía en dejar que pasaran boladas y boladas sin jugar. Había que tener una firme voluntad para tal abstención. No jugaba nunca Sogorb sino cuando él creía, al cabo de mucho rato, que debía jugar. Y por más que le soplase la fortuna, sabía siempre también levantarse ganando. Y esto último es lo más difícil para un jugador. Serenamente, con el codo hincado en el tablero, con la mejilla apoyada en la mano, Sogorb dejaba correr el tiempo... y la bolita de marfil. Al acercarse el alba, se levantaba con sus cuatro duros en el bolsillo. Abajo, en las espaciosas salas, ya no quedaba nadie, pero Sogorb estaba hablando un rato con el conserje, y juntos dejaban el casino cuando ya había terminado también el juego. Nunca Sogorb habló de sus jugadas, ni de sí mismo. Cuando en la intimidad daba una opinión, cosa rarísima, lo hacía en pocas palabras y con faz impasible. Y lo que él decía era lo cierto. Nunca, en el juicio de un hombre o de un suceso, marró Sogorb. Y un día sintió un ligero malestar. No era nada; no era nada, y el desasosiego fué creciendo. Tres o cuatro meses pudo sobreponerse Sogorb a su indisposición; al cabo hubo de acostarse. No supieron los médicos lo que tenía; no le apreciaron lesión alguna, ni observaron en él alguna de esas cien enfermedades que llevan el nombre del patólogo que las ha escrito por vez primera. En cuanto a las vulgares, tampoco adolecía Sogorb de ninguna. Y el caso era que Sogorb, sin tener nada, no podía ya levantarse de la cama. En la cama leía algún periódico y escribía sus pocas cartas comerciales. No pudo, con el tiempo, ni hacer eso tampoco. Gradualmente, sin sentirlo, le iba faltando la vida. Tan estricta y sobriamente como había vivido, iba a morir. El aposento en que estaba era claro, de paredes desnudas y con piso de yeso cuajado. Entraba por la ventana vivamente el sol. En un viaje rápido que hice yo a la ciudad apacible, visité a mi amigo, a este amigo a quien yo profesaba un sincero afecto. Al verme, trató de incorporarse en la cama; hice yo un gesto para impedirlo. Hablamos; su voz era natural. No dijo nada de su enfermedad. Como le interrogara yo, esquivó la respuesta con un gesto, más que de resignación, de serenidad. Cuando me dió la mano para despedirnos, la retuve yo un momento entre las dos mías. Regresé a Madrid y pocos días después supe que José María Sogorb había muerto.

XVII

EL TEATRO

Del teatro evitaba hablar: lo juzgaba innecesario. Tenía el teatro por un género falso. Alguna vez, sin embargo, hablé yo del tema con él; recorrimos los diversos teatros europeos. No le gustaba el teatro y había leído mucho de teatro. Lo conocía minuciosamente. Decía que eran pocas las obras que se sostenían.

—Ya ves: el *Prometeo*, de Esquilo, es un drama que no sabe el autor de qué modo acabar; acaba trapaceramente. Claro que del mismo modo acaban casi todas las obras. El tercer acto de las obras, aun en las más perfectas, es siempre violento. No te diré nada del *Edipo* de Sófocles, que yo he leído seis u ocho veces. Conozco también los diversos *Edipos* que se han escrito después. El *Edipo* es un burdo melodrama: se están viendo todos los hilos de los fantoches. Basta que Edipo reflexione un poco, es decir, que piense lo que los demás mortales pensamos, para que el drama termine. ¿Y qué es eso de casarse Edipo, joven, con una mujer machucha, a quien en realidad no conoce? Todos los lances de la obra son inverosímiles.

—Confesarás que en el teatro moderno hay tal cual obra aceptable.

—¿Y dónde está esa obra? ¿En Lope de Vega? Lope reprocha a Cervantes, que valía mil veces más que Lope, su falta de espíritu científico. Quien no tiene ni pizca de espíritu científico es el propio Lope. No existe ni rastro de observación en Lope; yo he leído y vuelto a leer multitud de comedias suyas y obras en prosa. Acaso sólo he tolerado el *Isidro,* poema sencillo, pero también sin reflejo del medio que en él se retrata. De la despreocupación de Lope puede servir de ejemplo su descripción de la cartuja de Grenoble. ¿La conoces tú?

Y después de una pausa, sonriendo, comenzó a declamar con su voz recia:

«—Pásase a este admirable prodigio de la Naturaleza por dos excelsas peñas, torres de su artificio y espantosa arquitectura de su estrecha entrada, cuyos términos abraza una fuente, por quien se dan las manos, a pesar de un arroyo que, cuando fuera caudaloso río, le hicieran del gigantesco nombre los mismos riscos.» Supongo que no te habrás formado idea del paisaje de la cartuja. Y éste es el hombre que tachaba de anticientífico a Cervantes.

Reía yo y reía él también. No podría decir si hablaba veras o burlas. Le seguía la corriente.

—¿Y no habrá en toda la inmensa labor de Lope algo que nos detenga?

—¿Algo que nos detenga? ¿Y qué es lo que nos va a detener en la contemplación serena y deleitosa de lo bello? Lope escribía atropelladamente; si se examina técnicamente una obra suya, cualquier obra, se ve en seguida la trapacería. No creo tampoco que, limitándose Lope a unas pocas obras, escritas con cuidado, hubiera podido escribir algo importante. Se tiene o no se tiene el instinto de escribir; se nace o no se nace con el amor al arte. Y yo creo que, a pesar de sus tres o cuatro centenares de comedias, los que sean, Lope no estimaba el arte. Quien lo estimaba era Cervantes. No puedo coger una comedia de Lope sin desesperarme; escribe y escribe el autor, para llegar a la situación que ha imaginado, y al llegar, como ha escrito desbordadamente, sin proporciones arquitectónicas, resulta que le falta espacio y ha de despachar esa situación interesante con cuatro palabras. Tal acontece, por ejemplo, con *El mejor alcalde, el rey;* estamos esperando que llegue la escena culminante, cuando el rey se presenta disfrazado a hacer justicia, y nos encontramos que en un periquete, en un abrir y cerrar de ojos, se acaba la escena. Y es que Lope no tiene ni matices ni gradaciones. Y no los tiene porque no siente.

—Pero, al menos, confesarás que en el teatro moderno hay algunas cosas bellas.

—En el teatro moderno no hay nada, como no lo hay en el antiguo. Ibsen, si acaso. Y de Ibsen (creo que ésta es también la opinión de Jorge Brandés), de Ibsen, *Hedda Gabler*. Realmente ese drama es magnífico. Hace poco he releído el *Juan Gabriel Borkmann*. ¿Cómo Ibsen, que ha pergeñado dos actos excelentes, cae en el tercero? Porque ese tercer acto, además de ser una concesión al público, público al que siempre fué hostil Ibsen, es de un efectismo baladí. Y después de Ibsen, más bajo, en tono menor, *Los cuervos*, de Enrique Becque. No te concedo más, y haz lo que quieras. Hay algo en el teatro que me es más insoportable que en la novela: la sensiblería. No la puedo tolerar. Y con la afectación del sentir, la vulgar filosofía que en sus parlamentos explayan los personajes. ¡Y cuánto entusiasman esas filosofías a la gente vulgar!

—Y, sin embargo, tú has hecho teatro.

—Sí, he hecho teatro por hacer todos los géneros. He hecho teatro sin sensiblerías ni filosofías. He hecho teatro que creo que será representado cuando no se representen muchos teatros que ahora son muy aplaudidos. Y ya va siendo juzgado no ofuscadamente, sino con serenidad.

XVIII

CARPINTERIA, ALFARERIA

Dice X que cuando ha de pensar en el valle nativo de su madre, se lo representa como un tablar de alfalfa y un olivo, copado redondamente y con las ramas péndulas; el olivo es ceniciento, y la alfalfa, de un verde azul; cuando florece, sus florecitas son violetas. En el fondo del valle ha de colocar X las aguas claras de un riachuelo que corren entre blancos guijos, y allá en lo alto sobresale del monte, en forma cuadrada, como un bastión poderoso, una peña, llamada del Cid, que se eleva a mil ciento once metros sobre el mar. El mar se encuentra del valle a unos cuarenta kilómetros. Cuando el tren sale del único túnel que hay en la línea—la línea de Madrid a Alicante—, la temperatura cambia; se goza ya de un aire templado en pleno invierno. Y el tren se desliza por una pendiente hacia el Mediterráneo. Al lado del olivo, con sus ramas caídas sobre lo azul verdoso, no puede menos de situar X un almendro: almendro de fruto mollar. Y acude a su mente el recuerdo de las almendras verdes que en el hotel de París, como en muchos restaurantes, se daban a los postres: almendras comunes, recubiertas de pelusilla, no de las mollares, lisas, relucientes, que X había comido él muchas veces siendo niño y que son ligeramente ácidas. En París no sabía si había que descortezar la almendra para comer la blanca pepita interior; en las mollares se hincaba el diente y se comía toda. Alguna vez, por el verano, iba la familia de X al pueblo nativo de la madre; poseía allí una casa. Nada más grato para X. La casa era capaz, con una escalera en el fondo del recibimiento; en el piso principal había una sala alhajada con muebles del tiempo de Isabel II; se ve sobre una consola un reloj bajo fanal, y a cada lado estatuitas en porcelana de una dama y un caballero del tiempo de Luis XIV. El piso es lo que más atrae ahora, después de tantos años, la atención de X: estaba solado con baldosines blancos rameados de azul. Y las paredes se encontraban recubiertas de un papel con grandes ramos también. El paso de una a otra casa, a través del valle, suponía para X el traslado de un mundo a otro. Respiraba otra atmósfera más íntima y veía a otras gentes.

—¿Por qué más íntima?—le preguntaba yo.

—No te lo podré decir; tal vez por la situación de la casa en que vivíamos; tal vez por la carpintería que enfrente de casa teníamos, como espectáculo de trabajo y de afán. Entro con todo esto en lo indeterminado; concretar, llegar a concretar, no me agradaría. El pueblo era limpio y claro, más chico que el otro. Tenía una plaza central y en medio se levantaba una fuente de mármol rojo con cinco caños que manaban día y noche. En las horas de soledad, nocturnamente, el murmurio del agua llenaba toda la plaza. En uno de los costados de esta plaza, todas las casas tenían a sus espaldas huertos amenos, con árboles fructuosos y parrales de uvas blancas.

En la falda de un cerro estaban establecidas dos o tres alfarerías; cuando se cocían las vasijas, se distinguían de todo el valle, desde las lejanas alturas fronteras, donde se asentaba el pueblo de X, los humachos negros y lentos de los hornos. Alguna vez subió X a las cantererías, como allí se dice, y vió girar las ruedas de los alfareros. Poco a poco, bajo las manos del artesano, un artesano milenario, iban surgiendo las rotundidades de los cántaros en sus formas multiseculares e inmutables. Lo frágil de la materia contrastaba con lo eternalmente definitivo de la forma. Ni el más grande artista, un Miguel Angel, hubiera podido mejorar el contorno de uno de esos humildes recipientes. Y ello es ahora, cuando medita en el caso, una lección, lección de estilo, para X. Lo sencillo y primario no cambia: cambia todo, y lo irreductible permanece. Cambian los modos de escribir, según el gusto del público; no sufre mudanza lo que está reducido a su expresión elemental.

—¡Cuántas veces—me decía X—me paraba yo en la puerta de la carpintería! La casa estaba sita en una plazoleta; ante ella teníamos el taller del carpintero. Oíamos a todas horas el golpear del mazo en el formón, o el chirrido de la sierra o la lima. No me molestaban, como me han molestado luego, estos ruidos. No tenía hiperestesiada entonces la sensibilidad. El trabajo concienzudo de aquel buen carpintero entró para siempre en mi espíritu; la carpintería completaba, en mi subconsciencia, el trabajo del alcaller. Hoy veo *in mente* con simpatía el cepillo, la garlopa, el guillame, la repasadera, instrumentos todos que van sacando de la madera bienoliente cepilladuras o virutas que tapizan el suelo. Hay que cepillar de adjetivos embarazosos el estilo. Y hay que machihembrar con cuidado las especies intelectivas que manejamos.

XIX

CARICAS

Caricas para X es lo misterioso y lejano: lejano en su adolescencia. Caricas, siendo inconcreto, es definido. No tiene cuerpo Caricas en los años verdes de X, y lo llena todo. En todo el pueblo se sabe quién es Caricas. No tiene X noción de su figura. Y, sin embargo, lo presiente más que lo siente. Cuando la conversación se pierda con frivolidades, el nombre de Caricas la vuelve a lo grave. Caricas impone; todos hemos de ser tributarios, más o menos pronto, de Caricas. Ha pensado algunas veces X en este nombre de Caricas. Lo incorpora, cincuenta años después, al *Hamlet* y a los dibujos de Delacroix, sobre motivos del *Hamlet*, que vió en París en el estudio del pintor, que se conserva allá cerca de una de las iglesias que más ha querido X: la de San Germán de los Prados.

—Pero, sepamos, ¿quién es o era Caricas?—le pregunté yo la primera vez que escuché de sus labios tal nombre.

—No te sabré decir si existía o no; Caricas puede ser o no ser un símbolo. Caricas ha conmovido mi sensibilidad de niño y de adolescente. En Caricas he pensado de cuando en cuando. No me sobrecogía en los años juveniles su noción; lo que Caricas representaba no preocupa cuando se tiene mucha vida por delante. Preocupa, sí, al ir avanzando en los años. Entonces cierta escena del *Hamlet* cobra para el provecto su plena significación. Y para mí surgen, con su verdadera trascendencia, el nombre y el pergeño de Caricas. La vida es una cosa grave; no es frivolidad, no es desparramamiento del pensar y el sentir, sino reconcentración. Y ese repliegue sobre nosotros mismos es una de las condiciones que nos impone Caricas.

Escuchando, la primera vez, disertar a X sobre Caricas, quedé perplejo. No suelo interrogar ni aun a los íntimos. Tengo el culto del respeto; lo que nuestro interlocutor nos dice, no debemos forzarle a que lo exprese. A pedazos he ido más tarde sabiendo quién es Caricas. Los personaje son grandes cuando lo son en sí mismos, sin relación con nada. Y lo son en el ambiente de un hombre, sea el hombre ilustre o humilde. Caricas es magno en la vida de X. En el pueblo nativo de X existe, creo que ya lo sabe el lector, un bello casino cercado de jardín. No lejos del jardín, al final de una alameda, se veían unas paredes por las que sobresalían las cimas agudas de unos cipreses. Ya este recinto, con el ensanche de la población, ha sido destruído. Desapareció en su totalidad el dominio de Caricas. Caricas sufrió él mismo la ley que imponía a todos, y sus reales la sufrieron también. No queda, por tanto, ni rastro de Caricas. Pero Caricas, muerto, es inmortal; otros Caricas, en otra parte, reemplazan al primitivo. Otros Caricas se encuentran esparcidos por todo el mundo. Donde vayamos, allí estará Caricas. Y dentro de nosotros, en nuestra conciencia, se halla Caricas.

—¿Y tú no lo llegaste a ver alguna vez? —pregunto a X.

—No te lo podré decir. Se le pintaba de distintos modos; yo lo veía bajito, deforme, astroso, sigiloso, silencioso. Y ésa es la imagen que en mí perdura. Tal vez Caricas fuera hombre alto y fuerte, expansivo y alegre. Con tal imagen yo no transijo; Caricas es el que te he pintado. Y Caricas, descrito como acabo de hacerlo, es el compañero ejemplar de los Caricas de *Hamlet*. Si quisiera sutilizar, románticamente te diría que Caricas ha puesto en mí, en no pequeña parte, la propensión al meditar que yo estimo tanto. El arte no vale si no lleva ínsito un átomo de misterio; la lejanía espiritual ha de abrir en toda obra de arte perspectivas al lector. Y nada como lo que representa Caricas para hacernos ser nosotros mismos en la inmensidad de los Cosmos. Caricas lo disuelve todo, como por arte de magia, y deja sólo lo sustancial. Y lo sustancial es nuestro destino y nuestro dominio de las cosas fallecederas.

—Caricas es...

—No digamos lo que es; existiera o no —si es que existía— Caricas, ya sabemos lo que encarnaba. No nombremos esa entidad que Caricas simboliza. No necesitamos nombrarla. Está presente y está ausente. De un momento a otro, en nuestra senectud, Caricas puede llamar a nuestra puerta. Y en los años mozos, en plena vida, también.

XX

LA ORATORIA

—¿Y tú crees que la oratoria es un género literario?

—¿Y por qué no? Tan literato como los otros géneros.

—Se habla bien y se habla mal.

—Como se escribe bien y se escribe mal. Pero te voy a decir una cosa. Y es que no se llega a dominar la realidad circundante sino cuando nos hallamos desasidos de esa realidad. Y entonces es cuando el artista es artista. De otro modo, se mezclan al arte elementos que lo desnaturalizan. ¿Te imaginas tú un orador que, como lejano del mundo, hable de las cosas del mundo? ¿Y un poeta que, desasido de las cosas, hable de las cosas?

—¿Y cuántos llegan a ese estado?

—¿Y cuántos, para llegar a ese estado, renuncian a todo?

X ha conocido los más grandes oradores de su tiempo; los ha escuchado hablar en el Parlamento y fuera del Parlamento. Durante cuarenta años ha estado escuchando discursos en la Cámara popular. No tiene secretos para él la técnica de la oratoria. No puede decir que la oratoria, sin embargo, es para él un género predilecto. Tiene mucho de utilitarismo la oratoria. Y X aprecia, sobre todo, lo que pudiéramos llamar inservibilidad del arte. El arte no debe servir para nada.. Sólo cuando no sirve para nada es cuando verdaderamente es arte. En los grandes oradores que ha escuchado X, el defecto más corriente que ha encontrado es la uniformidad de tono. Siendo grandilocuentes, siempre, a lo largo de toda la oración, se mantenían en un mismo acento. Y claro que esta uniformidad restaba belleza a la oratoria y la hacía cansada. Al hablar de tal defecto, no quiere X citar nombres; no es preciso. A Castelar no le escuchó X, pero sí estuvo presente en una disertación del orador, allá en Levante, una tarde, en un huerto, al pie de un frondoso frutal. La oratoria, como el arte de escribir, es variedad. Se comienza en un tono, generalmente bajo, y se va cambiando a lo largo de la oración. Hay en un discurso sus silencios y sus arrebatos, sus palabras sencillas y sus confidencias, sus imprecaciones y sus aparentes desmayos. Todo ello compone un conjunto armónico. El verdadero orador dispone de tres registros: el grandilocuente, el medio y el bajo o familiar. No será orador completo quien no domine los tres. Claro está que a la palabra han de acompañar el gesto y el ademán. Hay quien ora con movimientos pueriles y afectados. No pueden hablar con todo el cuerpo, como habla el verdadero orador. Ni saben, en las pausas, caso de que sepan hacerlas, qué gesto debe ser el que dé expresión al silencio. Como ves, el verdadero arte de hablar es cosa sumamente complicada. Decía yo estas palabras a X, que conocía mejor que yo la oratoria, y a seguida le preguntaba:

—¿Te gusta a ti hablar? ¿No es como un deporte peligroso al hablar? Digo el hablar ante un público hostil.

—Puesto que me invitas a la confidencia, aquí, entre nosotros, te diré que no me ha gustado hablar. Durante mucho tiempo estuve sin hacerlo. Se decía que yo no sabía hablar. He sido cinco veces diputado y sólo he hablado una sola vez, brevemente, para defender una enmienda al proyecto del Teatro Nacional, entonces proyectado. No cuenta las interrupciones violentas. Hablar, he hablado mucho y en muchas partes después. Y a veces en discursos de hora, hora y media y aun dos horas. Siempre lo hice con palabra precisa. Y acabó la leyenda de mi mutismo por incapacidad. Hablaba lo mismo que escribía: en cláusulas cortas. Un querido amigo, Melchor Fernández Almagro, dijo a este respecto que yo «había sepultado el clausulón», es decir, el período largo. Pero cada vez necesitaba cuatro o seis días de estudio previo.

—¿Qué orador de todos te ha gustado más?

—Indiscutiblemente, don Antonio Maura. Y ahora, José Ortega y Gasset. El primero dominaba los tres registros. El segundo los domina también. Hay similitud entre uno y otro, como hay similitud entre un estilo escrito perspicuo y otro perspicuo estilo. El agua limpia de una fontana es el agua limpia de otra fontana. Diferirán en sus elementos, en la proporción de sus elementos, en sus virtudes tal vez. Difieren también uno y otro orador perfectos, Antonio Maura y José Ortega y Gasset, en sus ideas.

XXI

PARIS

Estaba yo intrigado por la estancia de X en París; deseaba pormenores y se los pedí. X me dijo:

—Ya te hablaré de mi modo de vivir en París otro día; ahora quiero referirme a mis moradas. Salí yo de Madrid con

Julia, en un tren de la noche, en los primeros días de octubre de 1936. Hice el viaje por Valencia y entré en Francia por Cerbère. Me detuve una noche en Toulouse y continué a París. A la gran ciudad llegué de noche, a las once; me alojé en el hotel de la estación, un magnífico hotel. Ocupábamos Julia y yo un espacioso cuarto al final de un anchuroso y largo pasillo. Para llegar a nuestro cuarto había que recorrer mucho espacio; cuando, por fin, llegábamos, teníamos la sensación de haber realizado a pie un interminable viaje. En la habitación, alfombrada, con chimenea de mármol blanco, teníamos un cuartito adjunto de baño. La estación debía de estar allí mismo, digo, tocando al hotel, pero no oíamos las sirenas de las locomotoras. Sí notábamos la trepidación que los trenes producían. Después, andando el tiempo, al frecuentar las estaciones de París, he advertido que las locomotoras no aúllan con sus gritos. Perdóname esta imagen un poco atrevida. Era cara la vida en aquel soberbio hotel y hubimos de buscar acomodo en otro, con ayuda de buenos amigos. Y aquí comienza el amparo de los generosos directores de *La Prensa*, de Buenos Aires, periódico en el que yo venía escribiendo desde hace unos veintitantos años. Lo que pasamos antes de contar con este asidero, no quiero ponderártelo. Julia y yo, en el cuarto del lujoso hotel, nos mirábamos entristecidos y sin saber lo que decirnos. Estábamos prisioneros en una soberbia cárcel, magníficamente aderezada, de la que no podíamos salir. Y no lo podíamos porque no teníamos *conquibus* para el pago. Y ya sabes que en París y en otras muchas partes pagan los huéspedes por semana; el término de los siete días se acercaba y nosotros no sabíamos cómo saldar la cuenta.

—Pero os quedaba siempre la esperanza del auxilio que has dicho.

—Sí nos quedaba esa esperanza; pero perdidos en una gran ciudad, sin hablar yo francés, desorientados, todo era aciago para nosotros. No pensábamos en lo halagüeño, sino en lo infausto. Julia, animosa siempre, siempre optimista, era la que, al cabo, se sobreponía a la situación y acababa por animarme. Y pasamos a otra morada; era un hotelito de segundo orden, como hay infinitos en París, limpio, ordenado y silencioso. Se encontraba en un sitio histórico y apacible: casi enfrente del jardincito en que se levanta la capilla expiatoria; parte de ese jardín era un resto acotado de un cementerio en que no se enterraba. Había estado allí el antiguo cementerio de la Magdalena; en él se enterraron los cadáveres de Luis XVI y su mujer Maria Antonia. Hazme el favor, si escribes lo que te voy diciendo, de no poner María Antonieta. *Antoniette* no es diminutivo; si lo fuera, tendríamos que traducir Antoñuela o Antoñita.

En francés existen pocos diminutivos de nombres propios; yo no recuerdo ahora sino el de *Manon*, que es nuestra Mariquita. Se entraba en el hotel y se estaba en un chico recibimiento. No te he dicho que estaba situado en la calle de Mathurins, 43 y 45; *mathurins* creo que vale en castellano por frailes. En el centro del frondoso jardincito frontero se había edificado una capilla, la llamada Expiatoria, y allí habían estado los restos de los reyes que fueron guillotinados. A la derecha del recibimiento, en el hotel, había un espacio sin puerta, con mesitas y sillones; solían verse en las mesas periódicos y revistas, que, como acontece en las antesalas de los médicos y en los demás hoteles, eran atrasados. Y a la izquierda se abría un saloncito, también de conversación. Teníamos nosotros nuestro cuarto en el principal; era el mejor de la casa; contaba con un completo cuarto de baño; dos anchas camas ocupaban todo el espacio. Sólo junto a la ventana había un claro con dos sillones y una mesita de tocador. La alfombra, nunca quitada, era de color rojo; así son todas las alfombras de París. Había calefacción día y noche, sin interrupción.

Más de un año permanecimos en este simpático hotel: el hotel Buckingham.

A un lado del edificio está la calle de la Arcade, y al otro, la de Pasquier. Cuando llegaron la hermana de mi mujer, Gregoria, y su hijo Julio, buscamos un cuarto amueblado; nos saldría más barato que el hotel. En el hotel, cada miércoles—fué ése el día en que entramos—, al descender yo a primera hora para salir a la calle, me detenía ante el mostrador de la cajera y entregaba algo más de mil francos. Nos costó encontrar lo que deseábamos; al fin hallamos una casa en que todos eran pisos que se alquilaban con muebles. Conseguimos el entresuelo; el techo era bajo, y en el salón, al que se pasaba tras un brevísimo recibimiento, había dos ventanas; estaba también alfombrado de rojo, como los demás aposentos y los pasillos. Los muebles—consola, cómoda, sofá, sillones, sillas—eran blancos, con filetes dorados. Parecía todo como la escena en un teatro. Y eso es lo que decía Pío Baroja, que nos visitaba de cuando en cuando. «Estamos—decía, retrepándose en un sillón—en pleno teatro; hay que dialogar, por tanto, de la manera falsa con que se dialoga en el teatro.» El cuarto en que yo trabajaba y dormía recibía luz por un amplísimo ventanal, sin maderas; se corría por las noches un cortinaje. Y en todos los aposentos había un lavabito con grifo de agua fría y grifo de agua caliente. No faltaba el agua caliente en ningún momento del día o de la noche. Trabajaba yo placientemente en este cuartito. Entonces fué cuando comencé a escribir de madrugada. No porque hubiera ruidos vecinales, sino por compenetración con la noche profunda. No sé si olvido algo. Sí; he olvidado que la casa se levantaba en la calle de Tilsitt y tenía el número 14. Tilsitt es el nombre de una ciudad alemana, donde Napoleón firmó un tratado con el rey de Prusia y con el emperador ruso. El zaguán de la casa era también simpático: había en él un sofá, como pudiera haberlo en un salón, y una mesa, en la que todos los días la portera colocaba un ramo de flores. La calle de Tilsitt está tocando a la plaza de la Estrella. Desde una de las ventanas de la sala veíamos la plaza. Y en la esquina, esquina a la avenida de Wagram, se abría—cosa importante para mí—una boca del Metro. Salimos de París el 23 de agosto de 1939, por la noche; llegamos a Hendaya a la mañana siguiente; ese día estuvimos en Hendaya, en el hotel Imaz, y al otro pasamos el Bidasoa y entramos, con honda emoción, en España.

XXII

JULIA EN PARIS

En el cuartito, de techo bajo, alfombrado de rojo, con muebles blancos y filetes de oro, Julia va y viene afanosamente. Quiere que todo esté limpio. No perdona rincón, no ahorra fregoteos.

—¡Pero si todo está ya limpio!—implora X.

—No, no está limpio; mira este tamo que está debajo del sofá, o esta pelusilla que hay en el rincón, o el polvo que empaña el espejo.

Hay que resignarse a la más estricta limpieza. Julia es de estatura proporcionada, esbelta, con delgadez que se ha acentuado al correr de los años. X es esquivo, y Julia, comunicativa. X vive frecuentemente en un futuro que él presume aciago, y Julia vive en un presente henchido de esperanzas. No se sabe lo que hubiera sido de X sin Julia; cuando sus dolencias le hacen quejarse, Julia insiste en que X no tiene nada. Y son tan afectuosos sus razonamientos, que X acaba por creerse sano. No suele Julia pasarse las horas leyendo: tiene una penetrativa natural, que vale más que todo lo que puede aprenderse con la lectura. Razona a veces, diré mejor, razona siempre como un niño, y su argumentar no tiene réplica. X tiene plena confianza en Julia; cuanto gana se lo entrega a Julia: con una mano lo recibe y con la otra se lo da a su mujer. Y Julia, sin que X pida cuentas, hace del dinero lo que le place. «Alguna compensación le debo—suele decir X—por mis lamentos y enfurruños.»

Julia se empeña en un imposible: en que X sea sociable. Y como en X es condición natural su esquividad, no quiere derramar su tiempo en conversaciones vanas. En París, a las nueve de la mañana sale Julia y vuelve a las once, cargada de paquetitos y con un ramo. Ni aun en los más angustiosos ahogos ha podido prescindir Julia de sus flores. Las bellas flores son símbolo de su carácter. No he dicho todavía que Julia tiene el instinto de hacer que cualquier cosa que se vista sea elegante y le caiga bien. X no acierta a hacerse entender en un francés elemental, y Julia, sin saber decir más que *oui, madame,* o pocas frases más, es comprendida por todo el mundo. Hay que ver a Julia correteando por los grandes almacenes: Printemps, Louvre, Bon Marché. En todas partes la conocen y se lo consienten todo de buen grado; Julia lo revuelve todo y nadie tiene ni el menor refunfuño. Y es que su don de gentes se impone dulcemente a todos. No hablemos de entremetimiento: nunca Julia se propasa a la oficiosidad impertinente; por instinto se detiene siempre en el justo límite. Al contemplar la accesibilidad de Julia a todas partes y con todas las gentes, X piensa en que hay algo en la persona humana que es superior a la materia. Existe un cierto efluvio que nos hace desde el primer contacto con alguien ser simpáticos o antipáticos.

Oui, madame; oui, madame: repitiendo estas palabras, sonriendo siempre, Julia es amada de todos nuestros abastecedores y de quienes no la conocen. ¿Por qué en nuestro teatro clásico no hay madres? ¿Y por qué los literatos no hablan de sus mujeres? Disponemos nosotros de la celebridad y no les donamos una partecilla a nuestras compañeras; ellas están siempre junto a nosotros: nos asisten en nuestros dolores, nos consuelan cuando estamos tristes, lo preparan todo para que nuestro trabajo sea fácil, nos brindan, como Julia a X, con la esperanza... Y nosotros, metidos en nuestros mundo artístico, no nos acordamos de ellas; todo lo más que les concedemos, cuando esto ocurre, es una dedicatoria. X no está incurso en tal censura: ha retratado a Julia, con el nombre de Gabriela, en su libro *Tomás Rueda.* Los pintores son más generosos que nosotros.

—¿De dónde es Julia? ¿Castellana, vasca, andaluza?

—De las Cinco Villas, del partido judicial de Sos, el pueblo en que nació Fernando el Católico. Y Julia tiene, en efecto, de Aragón, la franqueza y la perseverancia. Tanto en lo chico como en lo grande, tanto en no cejar en su limpieza, con el consiguiente trasiego de muebles, como en la lealtad y la fidelidad. Hago este retrato según lo que yo conozco y conforme a los datos que me ha suministrado X. He visto un retrato de Julia en su juventud y he comprobado que era bonita y esbelta; hay en su persona una distinción que no se adquiere; se nace con ella o no se nace.

XXIII

MARTINEZ DEL PORTAL

He consultado a X sobre estas notas y me ha dicho lo siguiente: «Puesto que yo no he de escribir mis Memorias, escríbelas tú. Las puedes escribir en forma de conversaciones.» Y eso es lo que estoy haciendo. Ahora quiero hablar de un deudo de X, muy estimado por él. José Martínez del Portal es hijo de una hermana del padre de X, Agueda. El padre y la madre, según tengo entendido, murieron en la severa ciudad. Martínez del Portal escribió versos en su juventud; arregló también a la escena *La Celestina;* trató en Madrid vanamente de que le representaran su drama. Pero su vocación no era ésa; no tenía tampoco sus dilecciones el estudio del Derecho; al Derecho se consagró, sin embargo; dentro del Derecho, a la especialidad notarial. En unas oposiciones ganó la notaría de una ciudad populosa; acabó, con el tiempo, siendo notario en Madrid. Y, por jubilación, se retiró a Levante. Estuvo casado con una hermana de X, María, la que seguía a X. Recibió María en herencia, a la muerte de los padres, parte de una heredad. Se levantaba la casa en un collado y era amplia y cómoda. Parte de la heredad eran tierras de sembradío, viñas y olivares, con almendros plantados en los ribazos y lindes, y parte, monte de pinos. En el Collado pasaba largas temporadas Martínez del Portal; allí, en el silencio y en la soledad, iba a emprender su obra predilecta. Martínez del Portal era más bien bajo que alto; sus ademanes eran reposados; usó barbita hasta entrada la vejez; se rasuró y ahora muestra faz cuidadosamente afeitada. Su tez es rubescente; se ve que transpira salud Martínez del Portal. Y, sin embargo, algo hay en él que le inspira cuidado; como principiara los estudios para su obra, estudios adustos, tuvo un vahido. Los médicos le aconsejaron que no continuara en el trabajo que había emprendido. Y, con harto dolor, Martínez del Portal renunció a su ensueño. He de decir que habrá hombres probos en el mundo; pero que la probidad, la integridad, la escrupulosidad, no pueden ser llevadas a mayor extremo que en la vida de Martínez del Portal.

En 1838, el bisabuelo de Martínez del Portal y de X, José Soriano, publicó en Alcoy un libro de apologética. Lo he leído yo dos o tres veces; hay en él páginas sutiles. El autor posee verdadero genio filosófico. X me ha hecho notar cierto pasaje del libro, que hemos comentado juntos. Dice así: «Yo medito y conozco que los seres inteligentes son los que tienen una existencia más positiva, más llena, más enérgica; por ellos tiene el mundo espectadores; sin ellos faltaría esta admirable correspondencia que resulta de ser el Universo expectable e inteligible y de haber quien lo contemple, y lo estudie, y lo admire; correspondencia que no existiría en la hipótesis del ateísmo. Los seres inteligentes son los únicos que conocen su propia existencia y gozan de ella; son los únicos que conocen la existencia de los demás; para ellos parece que existen las otras cosas. La inteligencia, pues, es un grado de ser y de existir el más efectivo y, de consiguiente, el más real. La inteligencia es la fuerza, la actividad y la energía de más entidad que se reconoce. Ahora bien: un ente ha debido existir y debe existir eterna y necesariamente; en esto convienen los ateos. ¿Y será posible que el ente eterno que existe por sí mismo y tiene en sí la plenitud del ser careciese del atributo y del grado más positivo, más enérgico, más real y efectivo del ser, que es el que constituye la inteligencia?» He leído y releído este pasaje y siempre ha abierto en mi espíritu perspectivas ilimitadas. Nótese que un año después de publicado este libro, en 1839, publicaba Arturo Schopenhauer su primer trabajo. Y sobre la doctrina de la voluntad, base de la filosofía de Schopenhauer, he meditado yo mucho también. Y ahora el espíritu de X, estimulado por esos dos recuerdos, iba de la voluntad a la inteligencia. Y veía al cabo la inteligencia como motor del mundo.

Vuelve X al librito, el comprado en un tabanco, la *Heredity*, de J. A. S. Watson. Y siente cierta complacencia al advertir que el espíritu filosófico del autor de la página copiada se ha transmitido a Martínez del Portal. Porque lo que él ambiciona es escribir un libro de metafísica. Achaques de la senectud lo impiden. Y yo lo veo en los pinares del Collado, bajo el azul desleído de Levante, caminar despacio, sobre el tapiz resbaladizo de las hojas de pino, y pensando en los problemas del conocimiento y de nuestra esencia, que él con entendimiento perspicuo hubiera escrutado.

XXIV

RAMON EL CAZADOR

Los personajes notables son notables en sí por sí mismos o lo son por el lugar que han ocupado en la vida mental de una persona. Las Memorias que se escriben no pueden ser todas de la misma textura; han de variar, según varía el temperamento de quien las escribe. ¿Por qué no he de hablar yo en estas páginas de Ramón el Cazador? En mi mundo psíquico, reducido cuanto se quiera, es tan significativo, tan ilustre—no retiro el dictado—, como en otras Memorias puedan ser los más eminentes. Y lo mismo digo de otros personajes. El caso es que Ramón el Cazador tenía, naturalmente, una escopeta; sin ella no hubiera podido ser cazador. Conozco y me adelanto a la objeción: se caza con escopeta y se caza con liga, lazo o perro. ¿Pero cómo iba Ramón el Cazador a usar de tales artificios? Ramón servía en el Collado, la heredad que es hoy en gran parte de Martínez del Portal. La escopeta que tenía Ramón era vieja y su cañón estaba afianzado con hilo de alambre.

No se imagina X—ni yo tampoco—a Ramón con una escopeta modernísima. ¿Y para qué la hubiera querido, si con la deteriorada hacía él tantos prodigios como hubiera hecho con otra de fabricación reciente?

No puedo decir en qué servía en el Collado Ramón el Cazador; no lo sabe tampoco X. Recuerda que cuando se cogía la aceituna, Ramón estaba en la almazara. Allí sacaba un ejemplar de las fábulas de Esopo, libro con grabados en madera, impreso en Segovia en el siglo XVIII, y se ponía a leerle a X algunas páginas. No carecía de relación la querencia de Ramón por las fábulas con su pasión dominante. Veía en el texto de Esopo y contemplaba en los toscos grabados las mañas y sabiduría de los animalejos del campo. Pero es claro que Ramón sabía más de artimañas que las propias alimañas. Con su menguada escopeta Ramón lo hacía todo. Era Ramón, con tanto andar—y andar entre breñas—cenceño, musculoso, ligero, presto en sus movimientos; tenía los ojos azules, alegres, y el pelo rojizo. No se le vió nunca a Ramón enfurruñado; sin duda, el contacto con la Naturaleza le hacía inmune a toda malsana irritación. Y pienso ahora—se lo he repetido a X—que daría cualquier cosa por hurtarme de los libros y vivir en el campo. No tendría los malhumores que de cuando en cuando me atosigan. Digo, si es que en el campo no hay también, como se dice, sus más y sus menos.

Pero volvamos a Ramón. Ha salido ya a campaña; acaba de quebrar el día. Aún los conejos no habrán salido de sus vivares ni las perdices habrán levantado el vuelo. Pero las libres, que son noctámbulas, sí que habrán tenido sus retozos en la noche. Ramón conoce todo el extenso ruedo de la heredad: no hay escondrijo de que él no tenga noticia. Sabe dónde se encaman las libres y dónde se encuentran las conejeras. Al cruzar un barranco, está cierto de que una banda de perdices volará con ese ruido característico que semeja el de abrir un abanico. No hay que decir que Ramón no caza al aguardo y que tiene también antipatía al sangriento hurón. Corriendo es como ha de cobrar sus piezas Ramón el Cazador. Y anda distancias prodigiosas; no se cansa nunca. De regreso a la casa, con un par de perdices en bandolera o con unos conejos, Ramón volvería otra vez a salir. Y eso que regularmente ha recorrido seis u ocho leguas; las ha recorrido en su ir, tornar, volver a repasar el camino ya recorrido, subir a un monte, bajar y tornar a subir. Las raposas deben de conocer a Ramón; mala reputación, naturalmente, tendrá Ramón en la cofradía. No hay zorrera en que Ramón no haya hurgado. «Zorras en zorrera, el humo las echa fuera», dice el refrán. Nunca Ramón ha recurrido al humo para hacer salir a las raposas y aprisionarlas. No se dejan tan fácilmente tomar las astutas alimañas. Duermen una noche en un sitio y otra en paraje distinto. Y alguna vez, me lo decía X, se ha visto que una raposita muerta, yacente en el suelo, de pronto daba un brinco y echaba a correr.

Y yo creo que esto es lo que debemos hacer nosotros: se nos quiere aprisionar espiritualmente; se nos considera ya vencidos; estamos, como la raposa, tendidos en el suelo, a merced de nuestros enemigos. Y de pronto, como no estábamos muertos, es decir, convictos del error, saltamos y emprendemos la fuga. Nos vamos a nuestro ideal, a nuestras convicciones, a nuestros amores en arte... Ha transcurrido el tiempo; las cosas han cambiado; la propiedad del Collado pasó a otras manos. Ramón se labró una casita en las inmediaciones del pueblo. Compró en torno de la casa terreno inculto y lo roturó. Y ya, después de tantos años, X no sabe más: Ramón desapareció y marchó lejos. Dicen que una familia aristocrática de Valencia le había cobrado afecto y que lo tenía a su servicio. No puede asegurar nada X. Lo que sí conserva, como ejemplo que imitar, es la presteza de Ramón el Cazador en sus empresas y su fervor y su infatigabilidad. Condiciones todas que X quisiera tener en su trabajo.

XXV

QUECHE

La página del antecesor de Martínez del Portal y de X, páginas sobre la inteligencia, es sugestiva. Se me ha quedado prendida la frase de que los seres inteligentes son los que tienen «una existencia más positiva, más llena, más energica; por ellos tiene el mundo espectadores.» Sí, somos espectadores del mundo. La doctrina es para mí más aceptable que la de la voluntad—la voluntad cósmica—, del filósofo alemán. Todo en el Universo es inteligencia. Y la inteligencia tiene expresa culminación en el Creador. Naturalmente que, a mi entender, lo que expresa el filósofo se refiere a toda la especie humana; es decir, al llamado *homo sapiens*. Pero, aun con esta generalidad, a mí me complace el ser uno de los espectadores del mundo. Y serlo por mi inteligencia. ¿Qué ocurriría en el mundo si no hubiera espectadores? El espectador, aun cuando no juzgue, no juzgue en voz alta, siempre piensa. Y aunque no quiera pensar, siempre su cerebro refleja la realidad. La refleja de un modo u otro; la refleja de un modo, sea el que sea, que en realidad es un juicio. Desde que he hecho el comento de las palabras copiadas siento más veneración por este viejecito que, ochentón, fué retratado por un pintor de no mala mano. He contemplado el retrato en casa de X: su faz es alargada y en sus ojos hay todavía cierta luz misteriosa. Embozado en la capa, junto a unos libros, saca la mano, aguda y pálida, y parece señalar algo con el dedo. ¿Qué es lo que señala? El mundo que él, con su inteligencia, está contemplando. Otras obras escribió y dejó inéditas. A veces lo fecundo y bello se frustra. Y esto me lleva—nos llevó a X y a mí—a dedicar unas palabras a Queche.

Queche es digno de que lo hubiera retratado Velázquez: retratado par de Mari Bárbola. Queche, popular en la ciudad severa, es un hombre diminuto, pálido; no recuerdo—no lo recuerda X—si con alguna deformación. En todas partes estaba Queche, y Queche no hacía nada. Intervenía en todas las parlas y todos comentaban sus dichos. Queche era consustancial con la ciudad; no se concebía la ciudad sin Queche. Macilento, enano, sin fuerzas para un trabajo esforzado, Queche era como la equivalencia, en muchos, a las deformaciones que no vemos, las deformaciones del espíritu. De su imperfección moral se consolaban pensando en Queche.

—¿Tú crees que era Queche una equivocación de la Naturaleza?—le he preguntado a X.

—En los pueblos hay muchos Queches, unos de una traza y otros de otra. Velázquez mismo ha pintado varios. Y nuestro Zuloaga ha pintado también algún ejemplar. ¿Para qué vienen los Queches al mundo? ¿Qué papel representan entre los hombres normales?

—¿Los normales físicamente?

—Desde luego. Hablo de los constituídos como todos lo estamos.

—¿Y dejas fuera a los imperfectos? Pues entonces vienes a mi teoría, caso de que tal desvarío sea una teoría. Queche sirve para restablecer el equilibrio: equilibrio entre lo anatómico y lo espiritual inaceptable.

—Te pierdes en sutilezas que no entiendo. Si hubiera de hacer la exégesis de tus palabras, diría que lo deforme se condensa en un determinado punto para que no se esparza por espacios ilimitados. Y que nuestro personaje Queche era una de esas condensaciones, como lo era Mari Bárbola, de Velázquez.

—¿Y si falta en una ciudad un Queche, una Mari Bárbola o un Gregorio el Botero, el retratado por Zuloaga?

Tenía X en la mano un papel; lo hizo añicos; abrió el balcón y tiró al aire los pedacitos blancos. Como esos añicos que revolaban un momento en el aire, habían sido nuestras palabras. Y Queche, muerto hacía muchos años, quedaba allá en la remota lejanía. El epílogo de la aventura lo supe mucho tiempo después. El mismo X me lo refirió. Al marcharme yo a casa, después de nuestra conversación, X cogió un libro nuevo, envío de un escritor de fama, fama artificiosa, y lo comenzó a leer. Hubo de dejarlo a las tres páginas: su estilo charro intentaba encubrir la carencia de ideas. Y pensó en Queche.

XXVI

CONCEPTO DE LAS MEMORIAS

Como voy escribiendo a destajo y echando las cuartillas en una excusabaraja en la leonera, en el fondo de la casa, no sé si habré insinuado ya algo sobre mi idea de las Memorias. Debo ser exacto: no bastaría que yo arrojara las cuartillas en la excusabaraja de la trastera, si no añadiese que no me acuerdo de lo que escribo y que no curo de releerlo. He de explicarme, y como tales explicaderas no son más que para mí mismo, no se perderá nada con la repetición, si la hubiere. Los géneros literarios no son cosa en sí, sino en relación con el escritor. Excluyo, naturalmente, el teatro, sujeto al canon del vulgo y, por tanto, género inferior. He de recordar el aforismo de Gracián que dice: «Sépase que hay vulgo en todas partes, aun en la familia más selecta.» Decía que la novela es novela y el cuento es cuento, conforme sean el novelador y el cuentista. De la poesía, género privilegiado, no hay que hablar. El poeta hace cuanto quiere, y lo hace siempre bien si tiene estro. Creer que la novela—el género que yo practico—es uniforme y regular en todos tiempos y en todos los países, adaptada a todos los escritores, es no ser artista. Varía todo según el temperamento: la materia artística es blanda arcilla, y cada alcaller hace en su rueda lo que le viene en mientes; es decir, lo que su imaginación le dicta. Cuando yo comencé a escribir se dijo, por voz autorizada, que mi novela *La Voluntad* era un amasijo de incongruencias. En efecto, no guardaba relación alguna aquel libro con *Pepita Jiménez* o con *La Puchera.* Ha pasado el tiempo; las ediciones de *La Voluntad* se multiplican; se busca con afán por los lectores la primera edición. Y el grupo de lectores independientes—que es el que impone la ley—considera que *La Voluntad* es una novela tan cabal en su género como las otras y que la pretensa incongruencia es tan sólo apariencia; en lo interior—y eso es lo que importa—es donde reside la vida coherente.

Y ahora vamos a las Memorias. Tengo sobre la mesa lo que se ha publicado hasta la fecha en que escribo de las Memorias de Pío Baroja. He ido leyendo esas Memorias con ansiedad; nada de mi autor predilecto, al par que amigo, me es indiferente. Baroja me indemniza de superfluidades charras que encuentro a cada paso. ¿Cómo habrán de ser las Memorias de Baroja? Pues como son. Son un producto lógico de su complexión de escritor. El género ha sido para el autor y no el autor para el género. Aparte de la textura de la obra—y entro con esto en otro terreno—, las Memorias de Baroja son una reedición de los *Ensayos* de Montaigne, en especial del célebre capítulo dedicado a Raimundo Sabunde; vemos en las páginas de Baroja la incertidumbre del juicio humano. Nada más difícil que juzgar lo que se tiene ante los ojos; todos podemos leer una novela de Baroja y pocos podemos decir lo que es esa novela. No sabemos si tiene o no estilo ni si es arte o no. Aun los más perspicaces desbarran. En el capítulo del estilo los prejuicios son notables; se cree, generalmente, que tiene estilo el que por algún concepto se singulariza: se singulariza en el fraseo puro, elegante, con falsa elegancia; en lo redundante y sobrecargado. No puede, por tanto, Baroja, sencillo y sin aprestos, ser estilista. Y precisamente el que no lo sea es lo que, entre otras cosas, nos atrae en su escribir.

Siendo lo más subjetivo las Memorias,

no podría sujetarse a un canon preestablecido; habrían de adaptarse al artista que las escribe. Y todos los sucesos que narre el memorista serán importantes por la sensibilidad del escritor. Si el escritor ha tratado grandes personajes y no le dicen cosa notable, aun sintiendo por ellos admiración, no habrá por qué hablar de esos personajes. No caerán dentro de la atmósfera espiritual del memorista y sería cosa insulsa el pergeñar sus figuras. En cambio, hombres vulgares para los demás pueden ser interesantes en las Memorias de tal o cual escritor; esos hombres cuadrarán a la sensibilidad del artista como no cuadran los otros. Ni Baroja podía hacer unas Memorias como las de Fernández de Córdoba, o las de Alcalá Galiano, o las de Mesonero Romanos, ni yo puedo hacerlas tampoco. El remedo sería risible; lo menos que se podría decir de la simulación es que estaba en pugna con toda nuestra obra y que no valía la pena de leer el libro. Que cada cual siga su instinto. Y no hay en arte fórmula más segura.

XXVII

BERNABEU

—Bernabéu me ha enseñado a mí sosiego. Y otra cosa además: el estar fijo en una idea a despecho de la hostilidad circundante.

—¿Y quién era Bernabéu?

—Don José Pérez Bernabéu, médico.

—¿Y de quién era don José Pérez Bernabéu médico?

—Veo a Bernabéu todos los días emprendiendo el camino de su casita de placer, una hora después del yantar, cuando ya se ha reposado la comida. José Pérez Bernabéu era el médico más antiguo de la apacible ciudad. Había profesado—y seguía profesando—ideas extremas. No las de la derecha. Vivía, viudo, con sus dos hijas, en una casa clara. Y como todas las del pueblo, un pueblo limpio, tenía los pisos solados con mosaico multicolor, y ese mosaico se fregoteaba con petróleo. Había, pues, en la casa, como en todas las casas del pueblo, un vago olor a petróleo. Pero en ésta, en la de Bernabéu, el petróleo tenía una trascendencia misteriosa. Como el petróleo había jugado papel devastador en la primera República y Bernabéu era republicano, se establecía, con lógica y sin ella, cierta relación entre el petróleo y Bernabéu. Estaba contrabalanceado ese renombre funesto con la ciencia de Bernabéu. Podría ser Bernabéu lo que fuera; pero a la hora de las angustias, en casa del enfermo, se acudía a Bernabéu. Y allá iba Bernabéu con su pasito lento, con sus modales reposados, tosiendo de cuando en cuando con una tosecilla nerviosa. Era muy limpio en su persona; su casa estaba muy limpia. Su pasar le permitía vivir sin necesidad de un trabajo abrumador. Visitaba particularmente a los pobres, que le adoraban, y no les cobraba nada. Lo que desencantaba un poco es que Bernabéu no solía recetar. No se concibe que un médico ponga extremado cuidado en el diagnóstico, y pregunte por los antecedentes del enfermo, y averigüe las taras de los colaterales, y luego no extienda una receta. A lo sumo, lo que hacía Bernabéu era ordenar al paciente unas cucharadas de agua con azúcar. Y por eso, los maldicientes—los que le tenían por petrolero—le llamaban «el médico del agua».

El médico del agua era, con todo, una autoridad. Sí, se inclinaban ante él las familias más opuestas a sus ideas. Cuando en los pueblos, por lo menos en éste, la opoterapia era desconocida, él la practicó con éxito feliz. Recuerdo que, en nuestros paseos, me refirió un caso de aplicación de suero, un suero especial, que me sorprendió. El enfermo, como una lámpara exhausta a la que ponen aceite, se sintió de pronto sano y alegre. Bernabéu tosía al contarme el caso y una leve sonrisa aparecía en sus labios.

La casa de campo que Bernabéu poseía se hallaba a unos dos kilómetros del pueblo. Vivía en ella, para cuidarla, un casero, y tenía delante un hermoso tilo. Veré siempre que hable de Bernabéu este tilo frondoso. Como estaba la casa en el comedio de una ladera, se gozaba desde su puerta de un extenso paisaje. Bernabéu, cuando yo le conocí, era ya viejo; caminaba lentamente. Y con despaciosidad hacía el camino, todas las tardes, del pueblo a la casa. No he conocido hombre que cuidara más de la higiene; aunque la marcha había sido lentísima, siempre que llegaba a lo alto se sentía un poco sofocado y sudoroso. El ambiente en esta tierra es templado. Sin embargo, Bernabéu, al llegar a la casa, no se sentaba en la puerta, sino dentro de la vivienda. Reposaba un rato hasta perder la sofocación del camino. No quiero olvidar que una sombrilla era en todo tiempo, verano e invierno, inseparable de Bernabéu. No puedo yo ver ahora a Bernabéu sin su sombrilla. Ni puedo, mentalmente, escuchar su voz sin escucharla entrecortada por su tosecilla nerviosa. Sabía esperar Bernabéu, ciencia la más difícil de todas; esperaba siempre en el enfermo rico y contrario a él, que acababa por solicitarle. Y no había entonces en Bernabéu muestra alguna de desquite; como si todos los días hubiera entrado en casa de este enfermo, entraba ahora, tosiendo, sí, con su tosecilla, que en estos momentos parecía irónica.

Acompañaba yo muchas tardes a Bernabéu en su ascensión a la casa del tilo. Joven yo e impetuoso, tenía que sofrenarme, acomodando mi paso al paso lentísimo de Bernabéu. Y un día, en Madrid, me dieron la noticia de la muerte de Bernabéu. Su muerte fué crudelísima; enfermo de los riñones, no podía moverse en la cama sin agudísimos dolores. Pregunté cómo se comportó el enfermo y me dijeron que con el sosiego, la serenidad, la ecuanimidad de siempre. Vayan, imaginativamente, unas florecitas de siempreviva para la memoria de don José Pérez Bernabéu.

XXVIII

ICONOGRAFIA

—¿Y por qué quieres que hable de los retratos que me han hecho?

—Para saber si sabes la semejanza o desemejanza del retrato con tu persona.

—¿Y cómo lo puedo yo saber? ¿Cómo puedo salir de mí mismo y ponerme delante de mi persona? Han pintado mi retrato varios pintores: el primero, Ricardo Baroja, en mis tiempos de incertidumbre; luego, Ramón Casas; después, José Villegas; después, Joaquín Sorolla; tiempo más adelante, Juan Echevarría; más recientemente, Ignacio Zuloaga. Y actualmente, Daniel Vázquez Díaz.

—¿Y cuál te gusta más?

—El de Ricardo Baroja, un bello pastel, era bonito; estaba allí retratado el autor de *La Voluntad;* debe de estar ese retrato en poder de algún deudo. No sé qué se hizo del de Villegas; iba yo todas las mañanas a su estudio, en el pasaje de la Alhambra; llevaba un traje a cuadritos y una bermeja corbata. El de Sorolla es un bello lienzo de luz: negro en blanco sillón de mimbre. Para el de Echevarría posé—no hay vocablo castellano adecuado—unas ochenta veces, en varias tandas. La obra está sólidamente construída; al fondo aparece Avila, con sus murallas; la tonalidad es severa. El retrato del querido Zuloaga es soberbio; se yerguen a lo lejos, como sabes, las ruinas de un castillo en su mota. Y en cuanto al retrato de Vázquez Díaz, te diré que me complace en alto grado; soy en él un viejecito del siglo XVIII, con arreos modernos; un viejecito que, con el lente en la mano, se dispone a examinarlo todo. El color, en Vázquez Díaz, me seduce. Lo gris domina en todo mi retrato. Y lo gris, lo quedo, lo que se dice a media voz, es mi elemento.

—¿Parecido o no parecido en Zuloaga y en Vázquez Díaz?

—No importa el parecido físico, sí el moral. Moralmente sí podemos salir, no mucho, de nosotros mismos; podemos juzgar de nuestras obras; nos arrepentimos de ellas o nos envanecemos. Y yo creo que Zuloaga y Vázquez Díaz han puesto en sus retratos la atmósfera espiritual que todo retrato debe tener.

—La debe tener cuando el retratado la tiene.

—Naturalmente. Y por eso vemos tantos retratos que, siendo de mano maestra, no nos dicen nada. El arte del retrato es difícil; ante el retrato de Angerstein, con su mujer, por Lawrence, yo he pasado muchas horas, muchas, porque son alrededor de trescientas las visitas que en mis tres años de París he hecho al Louvre. Los ingleses han sido maestros en el retrato. Ese de Lawrence de que acabo de hablarte es magnífico. Veo en este momento el color caoba de la casaca del caballero. Se le dijo a Lawrence que no sabía dibujar. ¿Has advertido tú que ése es el reproche que se dirige a todos los grandes pintores discutidos? No sabía dibujar Lawrence, como no sabe escribir Baroja. Sin embargo, los que no saben dibujar ni escribir son los que hacen las más admirables obras. Arduo es el retrato; lo es tanto en pintura como en las letras. Lawrence decía a los principiantes: «Coge dos o tres rasgos significativos del retrato, y lo demás no te importe.» Y ésa es la fija. Pero ¿cómo saber cuáles son los rasgos dominantes? Cuando los ha aprendido el pintor, desdeñando por superfluo todo lo demás, es cuando triunfan sus detractores. Se apoyan, naturalmente, en lo desdeñado, que suele ser desmaño, y no ven lo esencial. No puedo salir de mí mismo. No puedo contemplar con objetividad mis retratos. Y esto me lleva a una cuestión ajena a la pintura. Cuando yo era adolescente veía de un modo, mi modo, a los viejos; poco más o menos los verían de la misma manera los demás jóvenes. ¿Y cómo, ahora que soy viejo, me ven a mí los mozos? ¿Qué sensación, no digo idea, no digo juicio, tienen de mi persona? Los jóvenes de mi tiempo han envejecido también, claro está; pero no veo a esos viejos como veía a los de antaño. Siempre habrá, pues, entre los hombres, barreras psicológicas infranqueables. No podremos nunca tener idea de cómo la juventud nos ve a nosotros, los viejos. Nos consolamos replegándonos sobre nosotros mismos. Somos de nosotros, ahora que ya no esperamos nada, y no de nadie. Pero en cuanto a mí, te confieso que, con respecto a los jóvenes, me inclino a la bondad. Y es porque perpetuamente me veo yo joven. Y me veo cometiendo las mismas demasías—no pudiendo cometerlas—que cometen los jóvenes. En tanto que yo tenga esta propensión a la juventud, me creeré joven. No importa que me desdeñen los jóvenes; ley perdurable es que los jóvenes se rebelen contra los viejos; ellos escriben mejor que los viejos; los viejos están atrasados y los jóvenes van al día. Sí, es verdad; pero el viejo puede tener una despierta curiosidad que lo abarque todo y lo curiosee todo. Y la curiosidad es la madre del arte y de la ciencia.

XXIX

AMANCIO

Hablábamos de su familia, la de X, y surgió el nombre de Amancio, uno de los dos hermanos varones de mi amigo; el otro es Ramón. X me dijo:

—Si hubiera que escribir una semblanza de Amancio, habría que titularla: *Amancio o la dignidad integral.* Todo está supeditado en Amancio a la dignidad. Amancio es comunicativo, y Ramón es callado. Ejerce Ramón la profesión de médico en un pueblo, donde se casó y tiene buenas raíces. En Madrid se hubiera colocado pronto entre las eminencias; no sé de alguien que ponga más escrupulosidad en su ciencia que Ramón: examina al enfermo con toda despaciosidad, se informa de todo, pregunta a los propincuos, quiere saber cuáles achaques tiene habitualmente el doliente, palpa y ausculta con minuciosidad y perseverancia. Y todo ello sin pronunciar más que las precisas palabras que atañen al mal. Ha seguido Ramón, en Madrid, varios cursos especiales de algún ramo de la ciencia y lee las revistas profesionales. En contraste con Ramón, contraste sólo de sobrehaz, está Amancio; su expansividad encubre un meditar continuo; merecía un pasar holgado, que otros, gente baldía, tienen. En Madrid, Amancio ha vivido doce o quince años en una pensión; ocupaba un cuartito interior y sombrío; pero él había arreglado en el aposento las cosas, con amaño, para que la estancia le fuera lo menos áspera. El juicio de Amancio sobre las cosas y los hombres es siempre certero. No torcería nunca su juicio por nada del mundo. Digno y recto, dice siempre lo que debe decir. Y con sus posibles escasos, que apenas le dan para vivir, camina por la vida. Nunca le he oído quejarse de sus achaques; los tiene pertinaces y dolorosos, pero se esfuerza en ocultarlos y poner buen rostro al dolor.

—¿Y dónde vive ahora Amancio?

—Tú conoces el Collado, en los términos de Monóvar y el pueblo de Salinas. La casa es amplia; la forman, en realidad, dos viviendas juntas: una, del mediero o aparcero; otra, de los señores. Tocó en herencia parte de ese predio a mi hermana María, casada con Martínez del Portal. El paisaje es magnífico; digo magnífico para mi gusto, que he pasado muchas temporadas en tal finca. Hay labrantío, viñas, almendrales, olivares y montes de pinos. Lo que a mí me placía más era marcharme al monte con un libro y leer en tanto que el leve céfiro hacía en el boscaje como un zumbo de olas que van y vienen. Pero tratemos ahora de Amancio. Cuando Amancio vió que avanzaban los años, consideró con cierta melancolía su reclusión en el cuartito lóbrego. Al abandonar Madrid, abandonaba lo más dilecto para él: la vida ciudadana y su tertulia en el café. En el café, en la calle de Alcalá, había fundado una tertulia para la que había escrito un reglamento; el preámbulo es una obra curiosa de humor y de conocimiento idiomático. Amancio metió en tres o cuatro cajones grandes sus efectos, sus libros, y se marchó al Collado de Salinas. Martínez del Portal, nuestro cuñado y primo hermano, le brindó acogimiento. Y allí está Amancio, aposentado en otro cuartito, en lo más alto de la casa.

—¿Y no se aburre?

—Amancio es un estoico y sabe sobreponerse a la adversidad. Cuando van parientes al Collado, se esparce con ellos; cuando está solo, divaga por el monte y lee; le envío yo cada semana revistas y libros para que pueda conservar su contacto con el mundo y forjarse la ilusión de que vive en Madrid. No puedo calcular los efectos de la soledad. El tema es complejo. Hace cuarenta años hice, en la biblioteca de San Isidro, cuyo índice repasé todo, un extracto de un libro titulado *Tratado del pro y el contra de la vida solitaria;* el autor escribe en el siglo XVI y se llama Cristóbal Acosta. En la portada se titula «africano»; debió, pues, de nacer en Africa, como San Agustín y Tertuliano. Por ahí debo de tener los papeles; no recuerdo, sin embargo, las razones que en favor de la soledad y en su opugnación da Cristóbal Acosta. Cada cual, colocado en paraje solitario, puede hacer la experiencia. No estoy ahora para psicologías; Amancio vive tranquilo; de cuando en cuando me escribe, siempre con estilo limpio. La soledad para mí es indispensable; pero necesito que, cuando quiera salir de ella, pueda salir pronto.

XXX

LA ACADEMIA

—No volveré a la Academia; ése es un propósito firme en mí. De los propósitos puede uno volver; podemos revocarlos; no sabemos lo que las contingencias de la vida harán de nosotros. Pero ahora te digo que no me tienta ya la Academia. Y te lo digo cuando, después de haber renunciado definitivamente a ella, he escrito varios artículos, en España y en América, halagüeños para la Academia; no había en ellos ni la más leve reticencia molesta para la casa.

Al hablar de los propósitos, recuerdo el dicho que se pone en boca de un parlamentario eminente—no sé si es verdad o fantasía—; decía el tal: «Cuando yo digo jamás, me refiero siempre al momento actual.» La frase, al parecer absurda, encierra un profundo sentido. El futuro no podemos comprometerlo; no podemos disponer nunca del futuro. Lo que nos es dado únicamente a los pobres humanos, partecillas invisibles en el Universo, es hablar del presente y auspiciar el futuro. Nada más augurar, sin seguridad, lo venidero. Ese es el fondo, que nadie podrá conmover, de la frase citada. ¿Y qué iba yo a decir de la Academia? Ha quedado la docta institución trascordada en mi memoria.

—Decías que para ti la Academia había concluído.

—Y ha concluído, como concluye un sueño gratísimo que no deseamos que concluya. En la Academia cuento con buenos amigos. Para todos los académicos tengo respeto; para algunos, respeto y admiración juntamente. No podré nunca olvidar a los compañeros que ya no existen: a Daniel Cortázar, por ejemplo. No he conocido representante más genuino de un siglo, el XIX, que Daniel Cortázar. Gozaba de gran autoridad en la Academia; era un geólogo eminente y se preocupaba, por otra parte, de la pureza del idioma.

Fuí elegido académico por unanimidad; lo fuí después de varios fracasos. Hice el discurso de entrada con verdadero cariño; de ese discurso, que es un libro, van hechas ya varias ediciones. Era director de la Academia don Antonio Maura; no he visto nunca hombre más noble y más cortés. Gran orador, orador perfecto, sus discursos en tono bajo, con motivo de la muerte de algún académico, eran maravillosos. Las discusiones entre los académicos se desenvolvían con cordialidad y mesura. No había, como suele en los corros en que todos hablan, atajamientos de palabra; quiero decir que nadie osaba interrumpir al que estaba hablando. Si alguien amagaba con la interrupción, Maura, con un movimiento leve de la mano, imponía silencio. Y cuando el debate estaba en sazón, Maura, con palabras corteses para todos los contendores, dictaba sentencia. Su parecer era siempre acatado con gusto. Había tal señorío en Maura, señorío sin esfuerzo, señorío natural, que todos nos inclinábamos ante sus decisiones.

—¿Y no tienes que decir más?

—En realidad, no tengo más que decir. Hay una causa que es un obstáculo para mi asistencia a la Academia: la hora de las juntas o sesiones. Esa hora es la de las ocho, y a esa hora es cuando yo hago mi postrera refacción. No la tomo a otra hora por nada del mundo. Media hora después estoy metido entre sábanas. Y al comienzo de la madrugada principio a trabajar. La asistencia a la Academia trastorna, por tanto, mi vida cotidiana. Y la calefacción, en invierno, me congestiona. Y no puedo ya dormir. A mis años, tales razones son de peso. No hablemos más del caso; no queramos buscar a mi ausencia de la Academia motivos que no existen. Si existieran, algo hubiese rezumado, como las gotitas de cántaro poroso, en los artículos que he escrito.

XXXI

MARIA

En María he comprobado yo la fuerza del ambiente; llamo ambiente al medio físico y al medio moral. Era yo el mayor de los hermanos; después venía María; siempre de niños, a los seis, a los ocho años, hubo entre los dos regañinas; existía una cierta rivalidad entre los dos, pero yo siempre advertí en María un respeto a mi persona que fué creciendo con el tiempo y que me halagaba; era yo, muertos los progenitores, el jefe de la familia. María casó con nuestro primo hermano José Martínez del Portal; ni Pepe podía desear mejor mujer, ni María mejor marido. Se completaban: Pepe era condescendiente, y María, inflexible en ocasiones. El día que se casaron, de madrugada, se fueron al Collado de Salinas; por la tarde hubo una tormenta horrorosa; los retumbantes truenos y los lampos vivísimos no fueron presagio funesto; el matrimonio fué feliz. No podía ser otra cosa. Pepe y María se marcharon a la severa ciudad; María pasaba de un reino a otro; dejaba un ambiente y entraba en otro distinto. El trecho de una tierra a su opuesta era breve—ocho horas de lentísimo carro y hora y media de automóvil—, pero la mutación era total.

María, como los demás hermanos, tenía resistente fibra; era incansable en el trabajo y no se acoquinaba con las contrariedades. En la ciudad severa tenía el matrimonio una casita limpia y blanca, al principio; luego pasó a otra amplia, con patio y traspatio o antepatio, según se mire, que Pepe compró; tenía puerta por la trasera a la calle que corría detrás de la vivienda. Nada faltaba en la casa para la comodidad de los habitadores; podían éstos, naturalmente, vivir felices. No habría de atosigarlos ningún ahogo. Pepe era notario en la populosa ciudad y sus ingresos eran considerables. Para esparcirse contaban con el Collado, gran parte del cual era suyo; poseían también una casa de labor, que en el propio término de la ciudad habían adquirido. No estaba mano sobre mano María, no era el reposo su natural. Lo tenía todo limpio y andaba por la casa de un lado a otro continuamente. Saben las levantinas, especialmente las de Alicante, elaborar multitud de pastas que denotan ascendencia morisca. Sabía María, por tanto, hacer esos *rollets*, rosquillas, y esas *coquetes*, tortitas, con que se obsequia en las casas a los amigos dilectos o simplemente a los conocidos. Y, sobre todo, María tenía un amor entrañable a los hijos; el amor maternal se sobreponía en ella a todos los afectos humanos. La veo yo ahora, con mi memoria visual, andando por la casa y parándose de pronto, acometida de una idea. Hay en las personas que amamos ciertas frases triviales que nos son familiares y en las que vemos reflejado todo su carácter. María era apacible, dulce, transigente; pero de pronto, cuando algo se oponía a un designio razonable suyo, fruncía el entrecejo y decía muy seria: «No, no; eso, de ningún modo.» Y no era preciso que dijera más; su resolución estaba tomada y nadie la apeaba de ella. Otras veces, ante un hecho insólito, en titubeos íntimos, María miraba fijamente y profería: «Pero ¿tú crees? ¿Lo crees de veras?» Y en seguida venía un razonamiento con el que demostraba la absurdidad de la idea o del hecho.

Sí, todo era felicidad en el matrimonio; pero en el horizonte se columbraba una nubecita: María añoraba la tierra nativa; su vehemente deseo era acabar sus días en el pueblo en que naciera. Hacia eso tendían todos sus esfuerzos, ya declarados, ya ocultos. Pepe llevaba con gusto tales manejos, si así podemos decir, de María. Mucho le tiraba a Pepe lo nativo; pero al cabo, por complacer a María, solicitaría el cambio de su despacho de notario: de un pueblo pasaría a otro. Y con esta esperanza vivía María. Entre tanto, María se afanaba, como siempre, por la casa y cuidaba solícita a los hijos. En la ciudad se los quería a uno y a otro; el ambiente no podía ser para mujer y marido más afectuoso. Pero cuando salía María a las afueras de la ciudad, contemplaba a lo lejos la mole azul de una montaña, y tras aquella mole de añil estaba el pueblo nativo. Y María sentía revivir en ella con más fuerza lo ingénito. «Pero ¿tú crees? ¿Lo crees de veras?», preguntaba María. Su frase habitual se refería ahora a la posibilidad del cambio de pueblo. No había duda en ella: acabaría el matrimonio por ir a la ciudad apacible. María, en el ambiente apropiado, podría elaborar, como elaboraba mi madre, las *coquetes* y los *rollets* seculares.

Estando un día sofocada por el trabajo afanoso, se enfrió repentinamente. A las pocas horas sintió tal malestar, que hubo de acostarse. No se levantó más; se le había declarado una violenta pulmonía. Soportó con resignación el dolor; murió con serenidad extática.

XXXII

EL ESTILO

Le he encontrado tecleando en su máquina; se ha levantado y ha venido hacia mí.

—Charlemos—me ha dicho—; no estaba haciendo más que probaturas. Nada, en suma.

—¿Probaturas de qué?

—Probaturas de escribir sin adjetivos.

—¿Y para qué querías escribir sin adjetivos?

—Para acostumbrarme al estilo estricto.

—¡Pero tú me habías dicho repetidas veces que no tienes estilo!

—El estilo era un punzoncito con el que se escribía en las tablas recubiertas de cera. Y yo, claro está que no tengo ese punzón. El estilo es una entelequia; se habla de estilo cuando no se tiene estilo y entre quienes no saben lo que es escribir. Si quieres que te dé una definición del estilo, te diré lo siguiente: Tener estilo es no tener estilo. Cuando se lee a alguien que de veras tiene estilo y se cierra el libro, no se sabe cómo ha escrito el autor de la prosa que acabamos de leer. No sabemos tampoco del olor y del sabor del agua cristalina que hemos bebido en una fontana. Si lo supiéramos, ya esa agua no sería límpida. Algo habría en ella ajeno a su transparencia y a su insipidez. Fíjate en que todos los reputados por estilistas no tienen ideas. Ni tienen ideas, ni hay sensaciones en su prosa. La prosa de los estilistas es cosa muerta, sin vitalidad. He usado yo de un vocablo expresivo para designar esas prosas; éste: charro. O sea, artificioso, artificioso el estilo, por recargado o por alambicado. Cervantes no es, por fortuna, estilista; lo es, por ejemplo, Cristóbal Suárez de Figueroa, enemigo, por cierto, de Cervantes. Leemos con curiosidad una página de Suárez de Figueroa: la descripción de un jardín, al comienzo de su libro *La constante Amarilis*, pero dejamos pronto el libro.

Escuchaba yo, entretenido, las paradojas de X; paradojas, porque bajo la corteza de lo absurdo se encubría, a mi ver, una verdad. Dejé que, sin objeciones de mi parte, X continuara en su divagar. Y siguió diciendo:

—El estilo es un enigma. No se sabe en qué consiste. No se sabe si consiste en la supresión intrépida de las transiciones. Esa supresión, tan difícil, estriba en pasar de un salto de una especie esencial a otra especie esencial. ¿Y cómo se hace el milagro? ¿Cómo suprimimos lo embarazoso y accesorio? No te lo podría decir. El caso es que los que quieren hacer estilo recargan adjetivos y nos dan una prosa que, a los que entendemos algo de técnica, nos hace sonreír. Advertimos al punto que esa prosa es, como quien dice, de cartón pintado. Y no nos arredramos ante la admiración que tales estilistas suscitan entre los lectores, algunos delicados. ¿Será acaso el estilo la eliminación de lo superfluo? En realidad, tal fórmula viene a ser la misma que la anterior. El novelista Fulano, por ejemplo, no quiero dar su nombre, describe ampliamente, con empuje, con minuciosidad, sus paisajes, sus personajes. Su prosa exuberante nos anonada, hay en ella multitud de pormenores. ¿No crees tú que con unos, con los significativos, bastaría? Pero ¿cómo saber cuáles son los rasgos dominantes en un personaje, las particularidades significativas en un paisaje? Instintivamente, el estilista, sin ser estilista, va a esos rasgos y particularidades y deja los demás. Y como para llegar a ese resultado no pone aliño, ni lo necesita, resulta que el verdadero estilista no tiene estilo.

—¿No tiene estilo Cervantes?

—No tiene estilo Cervantes.

—¿No tiene estilo Stendhal?

—No tiene estilo Stendhal.

—¿Hay que escribir desaliñadamente?

—¡El desaliño! ¡Cuánta puerilidad! Lo que se tiene por desaliño, ¿qué importará en una prosa rica de ideas y sensaciones?

XXXIII

LUGARES

Lugares salientes en la sensibilidad de X no eran, con ser dilectísimos, ni el pretil del Sena, con sus álamos y sus libros, en las dulces y plateadas primaveras de París, ni el panorama que se atalaya desde el Alto del León, en Madrid, ni el cauce del Guadalaviar, en Valencia, ni la olmeda secular de la ciudad estricta. Llegaba la vereda hasta la misma casa, una antigua vereda que, con las cañadas y cordeles, servía de tránsito a los rebaños. Se había roturado el terreno, mermándola a un lado y a otro. Desde allí, a espaldas de la casa, comenzaba la ascensión; había un poco de aguas salobres, que no se utilizaban casi nunca; los pinos que en aquel terrazgo hundían sus raíces, mostraban su lozanía a causa de la humedad que encontraban en lo profundo. Se pasaba también par de una casita, cuatro paredes, en que habitaban los expertos en la recolección de aceituna cuando venían de Onil, pueblo olivarero, a practicar el próvido ordeño. Y se echaba un vistazo también a un colmenar, con sus filas de pajizas colmenas, situado al resguardo de los vientos, en un abrigaño. Se iba poco a poco subiendo; en la tierra rojiza, por el verano, por la primavera, descollaban los pámpanos verdes de las vides. La ladera del monte se empinaba suave; estaba tapizada por atochas, romeros, tomillos, espliegos, alguna sabina y tal cual enebro. De raro en raro se elevaba en el azul, sobre lo pardo del monte, la fronda de un grupo de pinos. Allá arriba se veía un picacho al que era preciso ascender; pero, llegado a su cumbre, aparecía otra cima más alta. Y de cuando en cuando había que descansar. El ascensionista se sentaba en una atocha. Ante sí se había ya desplegado con cierta amplitud el panorama. Todavía el extenso paisaje que habían de contemplar los ávidos ojos estaba replegado. Ya a media ladera, cerca de la cumbre, se podían recoger conchas petrificadas y trozos de peces extraños. Todavía hoy, el paleontólogo podrá hacer su recolecta sabia. El lugar se hallaba a unos cuarenta kilómetros del mar, el Mediterráneo, y a unos cincuenta metros de altura. En otras edades, en edades milenarias, debieron, sin duda, de arribar hasta allí las aguas de un piélago. Ahora la alfombra de olorosas plantas silvestres lo cubría.

Llegados a lo alto, acezantes, sudorosos, el panorama era magnífico. Lo familiar en él se mezclaba a lo agreste. Lo familiar eran las casitas que se divisaban en lo hondo y los terrenos labrantíos; lo agreste eran los altozanos y quiebras del monte, con sus pinos y sus plantas odoríferas. La carretera daba vueltas y más vueltas, blanca, por su cimentación caliza, y los caminitos estrechos, como sendas de cabras, torcían entre los olivares y los viñedos, reptaban por las laderas y se perdían, al cabo, en la montaña de enfrente. Detrás de ella estaba el pueblo.

Y éste es uno de los predilectos lugares en lo más sensible de X; veamos el otro. Casi todas las tardes salía X del pueblo y se encaminaba a una casa rústica de la famila. El camino era angosto y torcido; a un lado, a cierta distancia ya del caserío, se veían las ruinas de una casa y, junto a ellas, una palmera enhiesta y otra tronchada. Casi seca estaba ya la indemne; había muerto su compañera y ella había de permanecer estéril. El contraste de las palmeras con los paredones derruídos hacía meditar a X, meditar ya en la niñez. Y meditar melancólicamente. Pero pronto llegaba la compensación leda; esa compensación era un ramblizo, con su hilito de agua, con su molinejo, que había que atravesar. Siempre en lo más sensitivo de X han estado estas ramblas nativas, ramblas de guijeros desnudos y agrietados. Cosas distintas son una rambla y un cauce de río. En el ramblizo, la sequedad del terreno se matiza a veces en lo hondo, con los juncares y con algún cañar, en que la multitud de sus flámulas puntiagudas—las hojas — tembloteаn al más leve céfiro. Y por encima de todo está el cielo; el cielo, de un azul tierno, como de blanda porcelana, casi blanco en su desvaído azul. Bajaba X, en su caminar, hasta el fondo de la rambla; vadeaba, pisando piedra tras piedra, el menguado caudal; volvía luego a ascender por el opuesto lado. Arriba se erguía la casa; sus paredes, de yeso, estaban casi doradas por tantos soles, y en la parte posterior levantaban sus palas rígidas, de un azul ceniciento, las chumberas. La serenidad del sitio era maravillosa. Junto a la casa, como contraste con lo placentero del ambiente, un sauce llorón dejaba caer sus péndulas ramas. Y en la lejanía, como telón de fondo, se elevaba soberbio, cual potente bastión dominador del valle, el peñón cuadrado, llamado del Cid, con sus mil ciento once metros de altura.

XXXIV

CASAS

Hora es ya de que descansemos; el viaje, topográficamente, no ha sido largo; sí, en lo ideal. Descansemos en el canapé, con su colchoneta y sus dos cabeceras a cada extremo. Nuestros pies se hunden en la lana blanca y muelle de una zalea de carnero. Desde nuestro asiento podremos ir induciendo las dependencias de la casa: la primera casa en que ha vivido X, su casa nativa. El zaguán en que nos hallamos, sentados en el canapé, está pavimentado con anchas losas; frontera de la puerta de la calle está la del patio. Pero hemos de detenernos en la consideración de una escalera, una escalera que, en su primer rellano, forma a modo de una tribuna, con su barandilla, que domina el recibimiento. Estas tribunas de las escaleras, escaleras de Levante, las encontrará X en las otras dos casas, casas patrimoniales, en que después ha morado. En esta de ahora hay una cocina interior, independiente de la guisandera, en que nos confortamos por los inviernos. Y existen cuartos amplios y aireados, en que las paredes están enlucidas brilladoramente. Los pisos, siendo casa levantina, son de mosaicos formados con menudas piezas. Y se aljofifan con el oliente petróleo. Este olor y el del cloruro, con que se fregotean las maderas de puertas y ventanas, han sido los dos dominantes en las sensaciones olfativas de X. Si ascendemos al piso segundo, vemos una escalerita angosta y pina; en ese piso no hay más que las cámaras donde se guardan las semillas, las frutas colgadizas y las ristras de caseros embutidos colgados también de largas cañas para su desecación. La escalerita de que hemos hablado conduce a un gallinero; nunca han estado las gallinas, con sus gallos, más aupadas. Pero, aparte de la grey de corto vuelo, se divisa desde las ventanas el panorama de los tejados y la torre de la iglesia. En la memoria tiene X el son de las campanas, tantas veces oído, desde aquella altura, en su puericia.

De tal morada—y por herencia—se trasladó la familia a otra situada en la parte alta. La anterior estaba en una corta callejita, llamada primitivamente de la Cárcel; no había allí cárcel alguna; después, de San Andrés, y posterior, de X. Posible es que, con el tiempo, se llame de otro modo; las glorias del mundo pasan. La segunda casa era un respetable caserón que daba a tres calles. Su recibimiento era anchuroso. Había en él un magnífico armario de roble, luciente por la edad, con cajoncitos múltiples y tallas primorosas. Y no faltaba el reloj de caja que con su tictac ha acompañado a X en su adolescencia; sobre todo, ese incesante martilleo se hacía angustioso en los momentos de espera que precedían al coche que había de llevar a X a sus lejanos estudios universitarios. La parte trasera de la vivienda era más elevada, no mucho, que la delantera; había que ascender un escalón. Placía esta desigualdad, como era grata la asimetría de toda la morada. Aposentos y cámaras se sucedían sin orden. Al instalarnos en la nueva casa, había sido ésta modernizada; desaparecieron los balcones de forja, con sus bolas de cobre en los ángulos, y fueron sustituídos por balcones de hierro colado. Y algo tan inestético hubo todavía: se quitaron las puertas cuadradas con cuarterones, unos cuadrados y otros cuadrilongos, puertas pintadas de bermellón, puertas como se ven en las pinturas del siglo XVII, y se pusieron otras modernas. El patio era espacioso. Como la ciudad está asentada en una ladera, hubo que excavar en la parte baja y dejar la alta—había en realidad dos patios—con su altura natural. Ese patio alto, al que se subía por una escaleras de dos ramales, era parador y cuadra; tenía también un poco de verdura en un cuadro de flores; puso empeño la madre de X, curiosa en todo, en beneficiar con cuidado sumo ese jardincito. Cuando X lo ha visto inculto, ya muerta su madre, ha sentido en lo más íntimo de su ser honda pena. Parecía que con la desaparición de las antiguas flores, desaparecería también el recuerdo de quien con tanto amor las cuidara.

Y la tercera morada habitada por X, morada también propiedad familiar, estaba en el pueblo situado en la opuesta banda del valle, allá en lo alto de una falda del monte, estribación de la Peña del Cid. El pueblo le producía a X impresión sosegada; era más claro que el nativo; estaban allí las cantarerías con sus humazos negros; en un huerto, de la familia también, había frondosos almeces de los que X cogía las dulces bolitas, cuyos huesos arrojaba con ímpetu por una cerbatana. Y lo que más recuerda de la casa—con su tribuna también en la escalera—es el pavimento de una clara sala, en el piso principal, pavimento de baldosines blancos con ramos azules. Los muebles eran de 1850. Todo en la casa inspiraba ideas modernas y arcaicas a la vez. Y todo era como aéreo al lado de la masa anchurosa y pesada de la segunda morada en el pueblo nativo.

XXXV

PAPELES

Papeles, muchos papeles, muchísimos papeles, incontables papeles, papeles todos con invectivas para X. Habrá sido seguramente X el escritor más improperado de su tiempo. Y desde primera hora, X ha manifestado indiferencia por el denuesto. Sólo una vez, como se le acusara de «falta de valor personal», hubo de enzarzarse a puñetazos con el articulista y con el director del periódico. Lo creyó un deber; hoy no lo creería; el valor debe guardarse para más altos fines. Si X conservara todo cuanto se ha escrito contra su persona, tendría su casa abarrotada de periódicos, revistas, folletos y libros. No guarda nada; su impasibilidad ante el grosero ataque se ha consolidado con los años. Ha habido tiempo en que todo escritorcito barbiponiente había de comenzar su carrera con un denuesto para X. Los papeles quedan atrás y la vida sigue; los papeles vuelan con el viento—el viento del olvido—y las obras permanecen. ¿Y por qué nos vamos a conmover ante el desmán de un adversario? La vida de X sería imposible si tuviera que atender, con irritación, a los ataques de los contrarios. ¿Y es que saben muchos de los que atacan el motivo por el que atacan? Unas palabras cordiales, un simple apretón de manos, disiparían en el enfurruñado su encono. No quiero dejar en el olvido un cierto lance que en este constante combatir le aconteció a X; lo sé por el mismo interesado. Había llegado a lo más recio la batalla de X y los críticos teatrales; únicamente se denostaba a X; estaba nuestro amigo caído y maltrecho en el suelo; era aquél un momento en que sus fuerzas, sus arrestos, su vitalidad, decaían. Se hallaba una noche para acostarse cuando le pasaron una carta que, con el carácter de urgente, se acababa de recibir. No quiere X que una vez terminada la labor del día, ya en el lecho, se le entren recados ni cartas; necesita, en el recogimiento de la noche, aperdigar fuerzas para el trabajo del día siguiente. La emoción, cualquier emoción, en esos instantes en que esperamos el sueño, nos desasosiega toda la noche. Pero como la carta que se acababa de recibir venía presurosa, no hubo más remedio que comunicarla al destinatario. La abrió X, pasó su mirada por ella y se quedó absorto. Sí, indudablemente; no había leído mal. Firmaba la carta un señor a quien X no conocía; no tenía noticias tampoco de ningún pariente del firmante. Cuando X se hallaba más combatido por todos, más vejado, este caballero de la carta le decía, en suma, algo muy curioso. Con la carta en la mano X, entomólogo de afición, se figuraba que, de pronto, tenía ante sí un insecto raro. En la carta le decía el ignorado caballero que se alegraba mucho de que estuvieran ultrajando y pateando a X. Por tal hecho, mostraba su contento al desconocido. Y se trataba de un asunto, no de lesa patria, no de ofensa a los sentimientos tradicionales, sino escuetamente literario. El problema psicológico que la carta planteaba era de sumo interés. Ni había nunca dañado X al caballero, ni le conocía, ni dañado tampoco había a sus deudos. ¿De qué modo y por qué móviles este hombre cogía un plieguecillo de carta y lo llenaba jubilosamente por el descalabro de un conciudadano suyo?

La injuria es infecunda en arte. La injusticia en el juicio de la obra ajena no prevalece. No insistamos en nuestro pesar, si es que, al recibir la injusticia, lo sentimos. Pensemos en los empecimientos que han tenido que vencer altos ingenios. Ahora recuerdo que Ramón de Campoamor llama «sabio de temporada»—será una temporada muy larga—a Agusto Comte. Y que Juan Valera califica a uno de los más grandes poetas del siglo XIX, Carlos Baudelaire, de «afectadísimo, falso y extravagante». La historia literaria está llena de tales absurdos. Lo original es, en definitiva, lo natural. Y nada más difícil que discernir lo que es natural. Sólo cuando pasa el tiempo se ve el enlace de lo que reputábamos como extravagante con lo más íntimo, el núcleo, del pensamiento de un pueblo.

A lo largo de cincuenta años, X ha subido y ha descendido alternativamente en la estimación de los escritores, sus compañeros. Estaba unas veces en pinganitos y estaba otras abismado. No se alteraba ya por tales vaivenes de la fortuna. Trabajaba ahincadamente, como siempre, y en el afán diario encontraba su consuelo. Desconsolado no se sentía jamás por el improperio; diremos mejor que con el trabajo se sentía fortalecido.

XXXVI

LOS FRACASADOS

En estos momentos especiales de confidencia, me ha dicho X algo que considero esencial y que he querido reservar para estas últimas páginas. Había cierta animosidad—no quiero decir iracundia—en las palabras de X; a sus setenta años, habíase levantado a las dos de la madrugada y estando trabajando en su máquina con brevísimos respiros, cinco horas seguidas, X me habló así:

—Cuando veo alguno de esos seres a quienes llaman f r a c a s a d o s, me siento atraído hacia él; es en mí éste un movimiento espontáneo. Quiero decirte que no acompaño a Nietzsche, apoyado en La Rochefoucauld, en su repudio de la piedad. No es para mí previsión egoísta la piedad; no creo que el hombre compasivo ante la desgracia ajena piense que, en alguna ocasión, se verá él en tal trance y podrá necesitar de la piedad que ahora efunde en el desdichado. El razonamiento del filósofo me pareció baladí; su agudeza psicológica, que tanto admiro, falla en esta ocasión.. Y falla acaso deliberadamente en Nietzsche, porque, de admitir la piedad, se vendría abajo todo su sistema ético. Sabes que Nietzsche no es un metafísico original—en metafísica se atiene a la concepción de su maestro *in partibus,* Schopenhauer—; no es un metafísico original, digo, sino un moralista y un químico de los sentimientos humanos; él posee su laboratorio, con sus retortas y sus cubetas, y en él va descomponiendo lo afectivo de los seres humanos. En el asunto de la piedad, repito, el análisis quiebra. Y volvamos a los fracasados.

Sí, este hombre con el traje raído, con los zapatos maltratados, con sombrero grasiento, es un fracasado de la vida. Y junto a él estoy yo. De una parte está el formidable poder der dinero. y de otra el fracasado. Sabes que uno de mis odios latentes e irreductibles es el odio al poder del dinero; he imaginado que la orientación de la vida depende de si se tiene miedo a la pobreza o no se tiene miedo. De si se tiene mido a la soledad, que acompaña a la pobreza, o no se tiene. Cuando el escritor siente el miedo a la pobreza, como lo sentía Juan Valera, sus cartas lo atestiguan, se ansía el elogio del libro, el elogio a toda costa y sea el que sea. El mismo Valera, en su correspondencia con Menéndez Pelayo, no se cansa de implorar una y otra vez un «bombo», como él dice, al modo vulgar. ¡Y qué cosa tan terrible es el ansiar un elogio para la obra que con toda conciencia, para nosotros mismos, hemos escrito! ¿En dónde estábamos? Ante el fracasado, con su pobre indumento, pienso, pienso yo en un niño o en un adolescente que ha inspirado fundadas esperanzas; las tienen sus deudos y las tiene él; todo serán para él en la vida, cuando sea hombre, felicidades sin cuento. Todo le sonríe ahora. Y si hay que hacer en su pro sacrificios, los hace con gusto la familia. El porvenir es seguro. Un ambiente de simpatía rodea al niño o al adolescente. Y el tiempo va pasando. El tiempo pasa y no llegan los triunfos. El tiempo pasa y la desilusión se hace en torno al hombre. Acaso ya los padres de este hombre han muerto; ha muerto la madre, que era, naturalmente, la más solícita, la más esperanzada. No podrá ver, con angustia, cómo los halagüeños augurios no se cumplen. Y llega un instante en que el resto de las esperanzas se desvanece. El que parecía que iba a levantarse sobre la masa, se sume en la masa. Y ahora tú me vas a decir algo que estás pensando: la Naturaleza es múltiple y prolífica; sus energías son inagotables; crea tipos excepcionales, y para cada uno de esos hombres de genio que forja, desparrama estérilmente su fuerza en otros, millares y millares. Esos fracasados son, por tanto, el precio de lo esencial. No existiría lo eminente si no existieran, como escorias, los fracasados. Tu filosofía no me convence. Hacia el fracasado van mis manos. Y hacia los perseguidos. Nunca en mi vida he escarnecido yo el mediocre libro de un fracasado. Y pocas veces me he negado a amparar a un perseguido. No; pensamiento en lo futuro, en un futuro semejante al desgraciado de hoy, amparado por mí, no. Todos, en realidad, somos fracasados. Nadie podrá decir que no ha fracasado en algo. Aun los más afortunados llevan dentro —Goethe, por ejemplo—un secreto fracaso.

XXXVII

CABANES

—Cabanes representa otra de las eficientes influencias en mi vida; a Cabanes le miraba yo con ojos de curiosidad y de admiración, pero no era fácil contemplar a Cabanes durante el día. Cabanes había embarnecido por la vida sedentaria; su faz estaba pálida y como abotargada; sus movimientos e r a n dificultosos; llevaba unos gruesos cristales, que remediaban su corta vista. A Cabanes siempre me lo he representado en un gesto habitual: metiendo la mano derecha en el bolsillo interior de la americana y sacando una cartera abultadísima con billetes de Banco. No he dicho—y es rasgo esencial—que el abdomen de Cabanes aparecía cruzado por gruesa cadena de oro de dos ramales. El valenciano es jugador por naturaleza; en mi pueblo se ha jugado siempre; se jugaba al monte; jugaban también las señoras, especialmente en tertulias formadas por ellas, durante la fiestas de Navidad. Cabanes era un banquero conocido en todo el reino de Valencia; estaba mucho tiempo ausente, y de pronto hacía una rápida aparición en el pueblo. Y entonces es cuando yo podía atisbarle.

He tenido siempre el gusto por asistir a las salas de juego; de estudiante concurría en Valencia, con algunos condiscípulos jugadores, al Fum-Club, el Humo-Club. Y más adelante, en San Sebastián y Biarritz, he gustado también de permanecer en pie ante la mesa verde, viendo cómo la bolita de marfil giraba en la concavidad. Lo que yo escrutaba era el enfrentamiento del ser humano—el gran jugador—con el misterio del Universo. Ya comprenderás, te lo he dicho, que para mí el Universo es inteligencia. No existe el azar; la historia, como se complacen en imaginar algunos, no depende del accidente. Si la batalla de Waterloo no la hubiera perdido Napoleón, o no hubiera perdido la de Almansa Carlos de Austria, a la larga, con más o menos complicaciones, todo hubiera sido lo mismo; el curso de la vida en Europa no hubiera sido distinto de lo que fuera con el triunfo de Napoleón o de Carlos. Somos por nuestra inteligencia los espectadores del Universo, como decía mi antecesor. Y lo que contemplamos es una inteligencia que no podemos, en muchos de sus aspectos, descifrar. Hace poco he leído una semblanza de Tomás García; fué Tomás García, en la segunda mitad del siglo XIX, un hombre extraordinario. Asombró a Europa con sus jugadas fabulosas; vivía magníficamente; viajaba en trenes especiales. He pensado que Tomás García debió de coincidir en alguna parte con Dostoyevski, ruletista impenitente y autor de *El jugador*. No en balde Dostoyevski es uno de los autores modernos que nos hacen meditar más en el misterio y el destino humanos. Tomás García acabó pobre; «de enero a enero, el dinero es del banquero». En Baden-Baden—no era entonces aún Montecarlo cenáculo de los grandes jugadores—, Tomás García quiso poner un pleno de cien mil francos al trece. Hubo terror en los gariteros; se telegrafió al Consejo de Administración, en Viena; llegó la respuesta al cabo de unos días; decía así: «Admítase por una sola vez.» Y Tomás García puso en el trece sus cien mil francos. No se habrá dado en la Historia momento más emocionante; el misterio de lo Impenetrable se manifestaba, en aquellos segundos, en tanto que la bolita rodaba, con fuerza dramática. Y cayó la esferita ebúrnea en el casillero del trece; Tomás García cobró tres millones quinientos mil francos.

No existe el azar; he intentado yo leer

algún libro, por ejemplo, el de Bernouille, no sé si recuerdo bien, en que se trata de esta materia. No entendí, naturalmente, lo que iba leyendo. No soy matemático. Soy, si acaso, un curioso de la psicología humana. ¿Y dónde podremos estudiarla mejor que en una sala de juego, en torno al tapete verde? Cabanes, desde primera hora, siendo yo niño, me hizo presentir el arcano del Universo; si la literatura ha de tener un valor, lo tendrá gracias a la preocupación que el artista sienta por el eterno misterio. Veré, en tanto viva, a Cabanes con su faz pálida, con sus movimientos embarazosos y con su gesto de echar mano a la abultadísima cartera llevada en el bolsillo interior.

XXXVIII

CORTAZAR

Encontré a X leyendo un tomo de discursos forenses; discursos de un famoso jurista que lo fué todo en España, incluso jefe del Estado, momentáneamente. Hablo de un alicantino, natural de Villena: don Joaquín María López. Lo que leía X era un informe sobre un pleito motivado por el codicilo de un señor Cervantes, de Tembleque, provincia de Toledo, relativo a una señora Palacios. Claro que no se trataba de Miguel ni de Catalina, pero era curioso este acoplo, al cabo del tiempo, del apellido del autor del *Quijote* y de su mujer, en la propia tierra toledana en que se casó Cervantes. Como X y yo habíamos hablado largamente del azar, y yo en esta ocasión sonriera, él sonrió también. En la mesa tenía la vida de Dostoyevski, por Sergio Persky.

—Leo con sumo gusto los informes forenses—me dijo—porque son novela en acción. Y novela auténtica. Los más raros problemas psicológicos los encuentro planteados en esas defensas; suelen ser enredijos pasionales de pueblos. Y muchas veces, con acentos dramáticos. Puedo decirte que no he calado tanto en los libros de historia el carácter de España como en esos discursos. Y, antes de que se me olvide, quiero decirte que sigo sospechando que coincidieron en Baden-Baden, entonces emporio del azar, y no en Montecarlo, Tomás García y Dostoyevski. Estuvo el novelista en Baden-Baden en junio de 1867, y allí jugó. Tenía cien francos para arriesgar y quería ver si con ellos ganaba dos mil que necesitaba para salir de sus apuros. En tres días ganó no los dos mil francos indispensables, sino cuatro mil. Y siguió jugando. «Lo malo —decía el padre del cuento—no es que mi hijo juegue, sino que juegue y gane.» Eso le pasó a Dostoyevski: ganó y se cebó en el juego. Y lo perdió todo. Hasta tuvo que empeñar sus ropas y hubo de malvender su mujer las alhajas de su pertenencia. Las complejidades psicológicas de los pleitos me han llevado al gran planteador de complicaciones psicológicas. Y de este planteador paso a un caso de complejidad de que ya te he hablado. En mi la personalidad de Cortázar ha influído bastante. Le miraba yo con respeto y con curiosidad. Cortázar había ingresado en la Academia en 1899, y yo ingresé en 1924; me llevaba veinticinco años de antigüedad. Nos sentábamos juntos en la sala de sesiones. Era Cortázar un hombre más bien bajo que alto, regordete, nervudo, vivo en sus movimientos. Vestía con cierto abandono. En su discurso de entrada en la Academia él dice, al comienzo: «He pasado la mayor y mejor parte de mi vida lejos del bullicio cortesano, entre toscos operarios y montaraces camperos, ocupado en oscuras y penosas faenas.» Y añade que ha recorrido, «casi siempre con gravísima molestia, a pie y no pocas veces a caballo, por lo regular, cosa de cien kilómetros por las más apartadas y agrestes regiones de nuestra Península». Podría inferirse de tales palabras que Cortázar era un hombre rudo y esquivo. Se equivocaría quien tal pensase. Había en Cortázar una mezcla indefinible de independencia, en ciertos momentos agresiva, y de delicadeza. No llegué yo a entenderle por completo, pero me atraía su carácter. Nos sentábamos en la parte de la mesa que da a la puerta de salida; la parte en que se solían sentar, no sé si ahora lo hacen, los académicos más transigentes. Guardaba casi siempre silencio Cortázar en las discusiones. Pero de pronto, cuando el debate estaba más empeñado, lanzaba con voz chillona una interrupción destemplada. Ante su autoridad, todos callábamos. Comprendíamos que estábamos discutiendo algo irrazonable y que aquella sentencia de Cortázar venía a poner las cosas en punto. Detrás de él, para autorizarle, estaban, entre otras cosas, los siete tomos de las *Memorias del mapa geológico de España,* sus trabajos en los Congresos científicos a que había asistido, en París, en Bolonia, en Zurich, en Bruselas. Había sido jurado también en la Exposición de Filadelfia, en 1876. Cuando en las sesiones de la Academia, Cortázar, inopinadamente, daba agriamente su dictamen, no había más que hablar. Había hablado por su boca el buen sentido.

Muchos años antes de ser yo académico, hice a Cortázar una visita memorable. Vivía Cortázar en la calle de Velázquez, en un hotelito circundado de jardincillo raquítico, con las paredes desconchadas. Había presentado a un concurso de la Academia, contrariando a Baroja, una novela de Baroja. Fuí, pasado algún tiempo, a husmear, por Cortázar, cuál ambiente tenía la obra en la casa. Cortázar y el padre de Baroja eran amigos; los dos eran ingenieros de Minas. Esperé un instante en el recibimiento, y al aparecer Cortázar me dijo, antes de que yo le preguntara nada: «Baroja, *enfoncé.*» Siempre he recordado estas palabras: «Baroja, *enfoncé.*» Es decir, hundido, descartado del concurso. Y claro que no podía ser otra cosa. No hubiera podido imaginar entonces Cortázar que yo me había de sentar a su lado en la Academia, y que había de admirarle sinceramente. Ni hubiera mucho menos imaginado que, andando el tiempo, Baroja, el Baroja *enfoncé,* había de ser también académicó.

El discurso de entrada en la Academia, de Cortázar, es notabilísimo; versa sobre el neologismo, asunto de interés siempre para los que escribimos. El criterio del autor es comprensivo. De ese trabajo tomo, para terminar, estas palabras: «Aun tratándose del lenguaje vulgar, sería perjudicial e inútil tarea condenar radicalmente al neologismo, ya que el significado de las palabras se transforma sin cesar, y, al aplicar nuevas acepciones, sabios e ignorantes, aristócratas y plebeyos, escritores y artistas, ingenieros y operarios, todos trabajamos en el vocabulario del porvenir, sin que la variación léxica tenga más límite que la necesidad de permanecer los vocablos antiguos y los modernos con acepción bastante clara para que no se borre en ellos el pensamiento de nuestros antecedentes, ni se dude acerca del que haya guiado a las innovaciones.» Debiera hacerse un tomito con este trabajo y divulgarse entre los estudiosos. Daniel de Cortázar, intachable, tuvo en los últimos años de su vida un hondo disgusto. Y tal vez la melancolía que le ocasionó esa contrariedad precipitó su muerte.

XXXIX

LOS ZOOFITOS

—Cuando leo un tratado de astronomía me entran ganas de leer, como contrapeso, un libro en el que se hable de los zoófitos. ¿De qué modo como contrapeso?—dirás tú—. Como contrapeso o equivalencia, si quieres, del misterio celeste. Cuando yo vi por primera vez una anémona de mar, un zoófito, quedé absorto. No sabía, ni lo sabe nadie, si aquello era planta o animal. Parecía una flor y tenía la sensibilidad de un ser viviente. Ante mí tenía sin duda el tránsito de un reino a otro: del vegetal al animal. Y no salía yo de mis cavilaciones. El misterio de la vida residía en aquella extraña flor; allí estaba un secreto que tal vez perdurablemente sería inescrutable. No me atrevía a tocar, ni aun con la punta de los dedos, aquel cáliz orlado de vivos pistilos. Entre la nebulosa, que en las noches vemos en la bóveda infinita, y este organismo misterioso establecía yo cierta relación. No conocemos las leyes de la Naturaleza. Sabemos únicamente que esas leyes son inflexibles. Repito yo muchas veces mentalmente, ante casos como el del zoófito, la frase de Leonardo de Vinci: «*Natura non rompe sua legge.*» He sentido atracción por los insectos; debo a los insectos el espíritu de observación que tengo, poco o mucho, poco desde luego, y había de sentirme atraído también por el misterio de los zoófitos. Y si los literatos no tenemos espíritu científico, ¿qué valor van a tener nuestras obras? El espíritu científico es universal y se comunica de unas naciones a otras. Al decir esto, pienso en nuestra literatura del siglo XIX. ¿De qué modo ha podido, en tal medida, sustraerse al espíritu de observación, a lo exacto y auténtico, esa literatura? Piensa que cuando tal novelista admiraba a Alfonso Karr, ya había publicado, en 1857, su obra capital Gustavo Flaubert. Y ya con respecto al teatro, cuando tal otro autor estrenaba, ya había escrito su *Hedda Gabler*, Enrique Ibsen. Pero vuelvo a mis zoófitos.

Leyendo la *Silva militar y política*, del conde de Rebolledo, encontré la mención de los zoófitos. Ese libro está fechado en Copenhague, el año 1661; fué impreso en Amberes. Rebolledo pasó casi toda su vida fuera de España, empleado en misiones diplomáticas. No fué, como debiera, recompensado; él se queja de su infortunio; sus últimos años debieron de ser tristes. En el libro citado habla así de los zoófitos:

> El cetro de justicia,
> y corona de gracia despojada
> quedó Naturaleza
> en el humano ser deteriorada;
> manifestando la común flaqueza,
> y el orden que compone
> como el zoófito de animal y planta,
> el hombre de principios más extremos...

XL

LA PINTURA

Desvariaba X al hablar de la pintura; me gustaba a mí escuchar sus juicios arbitrarios; juzgaba de la pintura poco más o menos como Diderot: con la sola sensibilidad. Decía él que al entrar en la exposición de un pintor desconocido, al punto se sentía atraído o repelido. Y que si se trataba de este último caso, nunca fallaba en contra del pintor; siempre procuraba explicarse las divergencias entre el pintor y su sensibilidad, la de X. Y acababa por encontrar un motivo plausible a la pintura que a él no le agradaba. Desde niño se había sentido atraído por el arte pictórico; había gastado muchos tubitos de colores pintarrajeando; recordaba que su asunto favorito era siempre un barco en alta mar. En el colegio, cuando interno, concurría a una clase de pintura; le causaban emoción los cielos que pintaba otro compañero más aventajado que él; en todo momento, al contemplar el cielo, veía no la realidad auténtica, sino los cielos, ya despejados, con cúmulos blancos, ya cenicientos, de su condiscípulo. Andando el tiempo había de contemplar, en 1938, en el Louvre, estando en París, los más bellos cielos de Constable, en una exposición de pintura inglesa formada con los mejores cuadros que se enviaron de los museos, de los palacios reales y de las colecciones particulares. Hacía unos sesenta años que había entrado en contacto con una reducida, simpática e independiente escuela de pintura que fundó en Alicante don Lorenzo Casanova, que había trabajado mucho en Roma; en aquel grupo figuraban—se complacía X en citar los nombres—López Tomás, Bañuls, escultor también, con algún monumento en la ciudad nombrada; Adelardo Parrilla, pintor con indudables condiciones nativas, autor de paisajes primorosos y bodegones expresivos; Luis Pérez Bueno, que, con los años, había de ser director del Museo de Artes Decorativas, en Madrid, y erudito historiador de cosas de arte españolas. De Adelardo Parrilla tenía X en su cuarto de trabajo un paisaje; cuando levantaba la vista del libro podía posarla y reposarla en un verde prado, con dos o tres álamos tembladores que se espejeaban en las aguas mansas de un río. Había siempre en los paisajes de Parrilla cierta veladura gris, suavísima, que era a modo de un ambiente de tristeza que los espiritualizaba.

Decía X que los pintores eran, en general, más independientes que los literatos; esa independencia connatural a los pintores motivaba en X una de las causas de su inclinación a la pintura. Lo esencial residía, creo yo, en que, siendo su memoria visual, como lo demostraban sus libros, la pintura daba pábulo a ese instinto suyo. Lo cierto es que constantemente se sintió X atraído por los pintores. Veía su propia vida no como la de un escritor, sino como la de un pintor. Se imaginaba, al sentarse ante la máquina, que estaba con pincel y paleta en mano. Y tenía a los pintores como más independientes que un poeta o un novelista, por varias razones curiosas que alegaba en su aserto: primero, una razón histórica; siempre en las revoluciones estéticas los pintores habían precedido a los literatos. Luego, por otras causas que no dejaban de ser ciertas. Continuaba diciendo X que la obra de un pintor es única, es decir, que el pintor no cuenta más que con un solo ejemplar de su obra, en tanto que el literato, una vez impreso el manuscrito, cuenta con millares y millares. Un incendio u otro accidente cualquiera puede destruir el único ejemplar de la obra del pintor; el novelista o el poeta no corren ese riesgo. Para conocer la obra del pintor hace falta o acceder a su estudio, o visitar un museo, o poder examinar la colección del curioso que la posea. No es fácil a todos ponerse en relación con una obra pictórica; facilísimo es a todos entrar en una librería y comprar la obra del literato. Por todas estas condiciones—concluía X—, el pintor se siente más apegado a su obra dilectísima, más reconcentrado en su labor, más de sí mismo, con fiereza, con desasimiento de todo, que el literato. Su obra, la del pintor, es frágil, y a esa fragilidad se aferra el pintor, como una madre se encariña, más que con ninguno, con el hijo enfermizo.

No sé si traslado con fidelidad las palabras de X; le gustaba a éste contarme cómo en cierto viaje de Palma de Mallorca a Sóller se había detenido en una rústica casa de campo donde vivía un pintor; a dos pasos estaba el mar con sus calas, en que el agua, a ciertas horas, cobra tonalidades de morado, oro y violeta. El cielo es de una transparencia de cristal veneciano. Ante la casa daba su sombra una copuda higuera. Y en el anchuroso porche, con grandes losas, adonde se entraba por una puerta de medio punto, con sillares dorados, tenía su caballete el pintor. Nunca X había podido gozar de la serenidad que, en tan espléndido decorado, gozaba ese pintor.

XLI

ZULOAGA

Hubo una época en que X estuvo verdaderamente obseso con la pintura de Zuloaga y con la pintura de Vázquez Díaz; a los dos pintores los admiraba sinceramente; los dos habían pintado de X sendos retratos. Y su pensamiento, queriendo desentrañar el secreto de las dos pinturas, iba de Zuloaga a Vázquez Díaz, y tornaba de Vázquez Díaz a Zuloaga. Complacíame yo en escuchar las razones que de su admiración por uno y otro pintor me daba X; siempre, en su razonar de la pintura, había el desvarío, a veces seductor, con que X acompañaba sus palabras.

—Vamos a ver—le decía yo—, dime cómo explicas la pintura de Zuloaga.

—Tú crees que desbarro y yo lo creo también. Pero dime tú, a tu vez, si un Diderot, por ejemplo, no desbarra también cuando explica la pintura de un pintor, su predilecto. Y si en literatura los desbarros de un espíritu fino no son verdaderos aciertos. No quiero decir con esto que yo acierte cuando explico a Zuloaga; doy mi explicación, sin más ni más, y con eso cumplo. Zuloaga ha creado un mundo poético. Ese mundo está formado con materiales de España. No se puede ver lo que es la España de Zuloaga; no se ve enteramente sino cuando se ha vivido algunos años fuera de España. No la he visto yo, que he pintado pueblos españoles, tipos españoles, hasta después de haber vivido tres años en París. Tres años sin visión material, sí imaginativa, de la realidad española. Al volver a España me dió en rostro, de pronto, la verdad de la pintura de Zuloaga. Sí, aquellos tipos eran los de la España auténtica. Sí, aquellas escenas eran netamente españolas. La visión interior que yo tenía de España enlazaba con la visión de Zuloaga. Pero lo fundamental en Zuloaga no era la veracidad o no veracidad de su pintura; el artista, en fin de cuentas, crea la verdad; la realidad circundante es una creación del artista.

Lo esencial en Zuloaga era la psicología que motivaba su pintura; había que desmontar, como se desmonta un reloj, la psiquis del pintor. Creía yo que esto era tan aleccionador como hablar del color, del dibujo y de la luz en Zuloaga. Y a eso me aplicaba.

Hubo un silencio y yo presentí, sin mover un músculo de mi rostro, que iba a venir el descarrío usual. Y lo esperé con cierta ansiedad. X prosiguió de este modo:

—Existen en Zuloaga dos imposibilidades. Y existen por fortuna para él y para nosotros. Ante todo, Zuloaga, pintor mundial, tiene ocasiones en que traicionarse a sí mismo. Se lo piden, con palabras más o menos explícitas; hace retratos de encargo y se encuentra en presencia de una dama que le halaga y quiere, a su vez, ser halagada. Y si no es una beldad, es otra personalidad cualquiera. Llevado del ambiente momentáneo, Zuloaga intenta, hasta cierto punto, traicionarse. Y no lo consigue. Zuloaga, en el retrato hipotético de que hablamos, a pesar de sus buenos deseos, sigue siendo el Zuloaga de siempre; es decir, un hombre independiente, el mismo hombre de cuando en su juventud vivía y pintaba, allá en París, en la islita del Sena, próxima a la catedral... No se traiciona, al menos, totalmente; alguna vez siente Zuloaga que no se ha dejado llevar de su natural; es una vana aprensión; Zuloaga, cuando cree que se ha traicionado, ha permanecido fiel a sí mismo. El volumen psicológico en Zuloaga, en esos momentos raros, no ha sufrido merma. Podemos, pues, tener confianza en el pintor; viviría mil años y sería siempre el mismo pintor independiente. Y ahora entra la gran cuestión del mundo de Zuloaga. ¿Cuál es ese mundo? ¿Y cómo es ese mundo? Ese mundo implica una segunda imposibilidad en Zuloaga. Imposibilidad también, para nosotros y para él, afortunada. Zuloaga es vasco; el paisaje vasco es severo; la luz de ese paisaje es velada. Todo en ese paisaje implica austeridad. No me digas que el vasco es sensual; corroborando con ello mi sentir, Zuloaga es un pintor de luz; la luz lleva consigo la apetencia de las formas y del mundo. Todo, en los limbos de lo increado, en Zuloaga, tiende hacia el mundo apetente y expansivo. Y todo, por imposibilidad de llegar a ese mundo, se reconcentra en arte definido, severo, noblemente altivo. Nos encontramos, al estar ante Zuloaga, con un conflicto que se resuelve del modo más feliz para el arte. No; de ningún modo; Zuloaga no puede captar lo voluptuoso de los italianos, ni lo íntimo vulgar de los holandeses. Zuloaga, en su imposibilidad, parece rebotar sobre un muro invisible. Y de ese rechazo sale la más austera y digna, en su severidad, pintura moderna. He estado yo durante días y días, en la antesala de un doctor, en París, ante un paisaje de Zuloaga. Y he podido comprobar en mis largas contemplaciones—el paisaje era castellano—esa trasmutación de lo sensual fracasado a lo ascético. Lo ascético, en el sentido en que es asceta un Rembrandt, un Ribera o un Zurbarán. No ha necesitado Zuloaga llevar a sus lienzos asuntos místicos; toda su obra, aun la que parece más lejana del ascetismo, rezuma aspiración a lo Infinito. Y ésta es la explicación que doy yo de las dos imposibilidades de Zuloaga.

XLII

VAZQUEZ DIAZ

Transcurrió una semana y no volví a hablar a X de pintura. Sentía, sin embargo, curiosidad por conocer su opinión sobre Vázquez Díaz. No siempre estaba X de humor para la paradoja. Y ya con todo lo dicho sobre Zuloaga tenía él para una larga temporada. El nombre de Vázquez Díaz sonó inesperadamente en una de nuestras conversaciones. Y entonces X, como despertando de un sueño, al cabo del tiempo, comenzó a disertar sobre el arte de Vázquez Díaz.

—¡Ah, Vázquez Díaz! —exclamó—. Cuando entro en su estudio, a poco me siento embriagado por el color y los planos. Todo en la casa de Vázquez Díaz está cubierto de cuadros del pintor. El estudio de Zuloaga tiene las paredes desnudas; el de Vázquez Díaz se halla tapizado con lienzos grandes y chicos, de la mocedad y de la madurez. Cuando penetré yo por primera vez en el estudio, después de esparcir la mirada por todo el ámbito, la detuve en el retrato de Zuloaga pintado por Vázquez Díaz. Nada más patente que las dos maneras, en ese retrato: la manera de un expansivo y la de un reconcentrado. Ante todo, he de decirte que en Vázquez Díaz admiro, primero, la independencia, y luego el arte; o si lo prefieres—y ello es mejor—, las dos cosas a la par. En Zuloaga la independencia en el juicio, cuando se trata de juzgar otras maneras de pintar, es fragmentaria y cauta; en Vázquez Díaz es franca y resuelta. Nos encontramos, al hallarnos ante Vázquez Díaz, ante un pintor seguro de sí mismo. Y eso en arte, en la vida toda, es una gran fuerza. De la austeridad, al venir del estudio de Zuloaga al de Vázquez Díaz, hemos pasado de lo severo—ya lo he dicho—a lo halagüeño. Nos encontramos en otro mundo artístico. Nos son igualmente necesarios para nuestro espíritu, para nuestra vida mental, uno y otro. Zuloaga pinta como en éxtasis, y Vázquez Díaz es un malabarista maravilloso de volúmenes y colores. Sepamos, cuando penetramos en su estudio, que vamos a presenciar el divertimiento de un deportista. Y en este punto entra la consideración del mundo creado por Vázquez Díaz.

Y otra vez, como con ocasión de Zuloaga, me vi en el umbral del desbarro. Y me dispuse a escuchar atento y silencioso. En cuanto al silencio, no me era preciso esforzarme; nunca me hubiera yo arriesgado a interrumpir una lucubración de X. El cual prosiguió:

—Vázquez Díaz ha practicado una pintura que es la más ardua y la más noble; hablo de la pintura al fresco. En el convento de la Rábida se pueden admirar hermosos frescos de Vázquez Díaz. Y quien se ha hecho la mano a tan difícil pintura, ya supondrás que es un maestro dueño de los recursos todos del arte. De los grandes escritores—un Stendhal, un Dostoyevski, un Baroja — se ha dicho siempre que no saben escribir; de los grandes pintores se ha dicho también que no sabían dibujar. Por fortuna, ni unos ni otros escribían ni pintaban como los demás. ¿De qué modo dibuja Vázquez Díaz? Nuestro pintor se siente hechizado por el color; color y dibujo son una misma cosa; creo que ya lo hizo observar Diderot. Vázquez Díaz es tenaz, pertinaz; no ceja en su captación de los volúmenes. Ni cede en la aprehensión del color. No habrá existido pintor más fervoroso que Vázquez Díaz. Pero los colores forman, tanto para el pintor como para el literato, un piélago con sus procelas. Si no se sabe navegar, naufraga el pintor y naufraga el escritor. Entre el color se siente perdido el artista inexperto y sin arte. ¿De qué manera resolverá el conflicto del color? Si lo resuelve, será artista; si no lo domina, fracasará. Y aquí, ante él, tiene el pintor el mundo de los colores. Hay, sin duda, uno que es el adecuado a su personalidad artística; entre todos, ése ha de ser el dominante en su obra. Vázquez Díaz, de un salto, como por instinto, ha ido derecho a la gama suavísima de los grises. Nada más tenue y más delicado. El dominio del gris es el supremo dominio del arte. El mejor retrato de Goya, el de Bayéu, es un retrato en gris. Y mi retrato, pintado por Vázquez Díaz, es una maravilla de grises. Toda la gradación casi imperceptible de los grises está en ese lienzo. El gris da a esa pintura su carácter; quiero decir—y lo digo como significado del arte de Vázquez Díaz—que el color ha hecho, en ese retrato, que el personaje retratado tenga la realidad del arte de Vázquez Díaz, y no la suya aparente; o sea que, gracias a los grises, Vázquez Díaz ha extraído del retrato su verdad psicológica. Y ahora dime tú si todos los pintores pueden hacer lo mismo. Con el pincel en la mano y la paleta, Vázquez Díaz se mueve ante el lienzo como alucinado: no está en sí mismo; se halla fuera de sí, en el mundo de los volúmenes y de los colores. No pasemos ligeramente la vista por sus cuadros; no se trata aquí de un mero colorista. Detrás del color, sugestionándonos, hay una perspectiva espiritual lejana. En ella pensamos y ella embarga nuestro espíritu, cuando, apacentados ya con volúmenes y color, ansiamos penetrar más adentro. Nos aventuramos, en los cuadros de Vázquez Díaz, hacia la lontananza.

XLIII

MARCELIANO SANTAMARIA

Anochecido, esperaba yo en su casa a X; llegó éste y me dijo:

—He estado viendo unos paisajes de Marceliano Santamaría; son paisajes de Burgos; he sentido, al contemplarlos, la tierra burgalesa. He visto también el paseo del Espolón, en Burgos, por el cual yo he andado en ocasiones distintas, con emociones distintas, en trances distintos. No he perdido la jornada. Marceliano Santamaría nos ofrece un problema curioso. Vamos a examinarlo. Burgos es uno de los puntos más sensibles de España; es Burgos cabeza de Castilla. El castellano que en Burgos se habla es puro; hay opiniones sobre dónde se habla más puramente el castellano, si en Toledo o en Burgos. Navarro Ledesma, buen amigo mío, que en los últimos días de su vida recorrió la provincia de Burgos y que había vivido muchos años en Toledo, manifestó a Marceliano Santamaría que iba a escribir un trabajo para hacer ver que la parla burgalesa es la más castiza. Vino ya de Burgos a Madrid enfermo; guardo yo alguna carta suya que me escribiera desde Burgos, pintándome pueblos y campos. No pudo, lo atajó la muerte, cumplir su propósito. En Burgos el cielo es alto y límpido; el paisaje, sobrio y riente. Cuando yo abro al azar las antiguas *Ordenanzas* de Burgos y leo una página, evoco, con tan expresiva prosa, la tierra de Burgos. Vas a ver lo que se dice, por ejemplo, en ese libro, de la venta de pescados de río.

Y tomando de sobre la mesa un volumen, el de las dichas *Ordenanzas,* X leyó:

—«Item, ordenamos y mandamos que ningún regatón ni otra persona compre pescado de río dentro de tres leguas de esta ciudad, ni tampoco en ella, para volverlo a vender, sino que el mismo que lo trajere lo venda en la dicha plaza Mayor; y que ningún regatón o regatona, ni otra persona, se junte con el tal vendedor, ni tenga parte en ello, ni se le tome para venderlo, aunque sea en nombre del dueño que lo trae...»

Dejó el libro y continuó. En Burgos, Marceliano Santamaría habita y pinta en el mismo paraje en que vivieron multitud de antecesores suyos. A los setenta y siete años, Marceliano trabaja como a los treinta. Lleva una vida regalada; dice él que con orden en el vivir, se puede vivir todo lo que se quiera. No sale jamás de noche; su comer es frugalísimo. Y lo que me ha sorprendido, conformándose con mi sentir, condena el afán de andar. No es preciso, en un viejo, para la salud, el caminar largamente. Creo haber leído en un escrito autobiográfico de Martín Sarmiento la misma opinión. De hijos a padres, subiendo hasta la Edad Media, Marceliano Santamaría ha podido ir trazando su ascendencia. Toda esta larga cadena de burgaleses ha estado viviendo aquí, donde pinta, cuando está en Burgos, Marceliano Santamaría. No podremos desear, por tanto, más autenticidad de España, en uno de los puntos más sensibles de España. Y en este momento ocurre la compaginación de Burgos y París. París está representado ahora por Augusto Rodin. He visitado yo mucho al museo de Rodin; me son familiares las obras del escultor; de todas ellas, lo he dicho algunas veces, la que más me atrae es la cabeza del hombre desnarigado. Rodin concentra en sí el espíritu de Francia; de la Francia antigua con sus catedrales, que amaba tanto Rodin, y de la Francia moderna, de intenso pensamiento, que se refleja en la obra del escultor. No en balde es Rodin el estatuario del *Pensador*. Y, además, del *Pensa-*

miento, dos obras magníficas. ¿Y cree tú que fué mera casualidad que el acompañante de Rodin en España, cuando Rodin vino a España, fuera Marceliano Santamaría? ¿No ves tú en esa conjunción espiritual algo más que el azar? Me ha dicho Marceliano que Rodin venía a España estando perfectamente enterado de las características de España. En Madrid se le dió un banquete en un restaurante de las afueras. No se logró reunir un número lucido de comensales. Marceliano tuvo que ir hablando con amigos y regalándoles invitaciones. En esa comida—se lo he oído contar a Zuloaga—se levantó éste para pronunciar unas palabras en honor de Rodin, pero fué tal la grita, que hubo de sentarse en el acto. Eran aquéllos los tiempos en que indignaba la pintura de Zuloaga. Quiso Rodin asistir a una corrida de toros; Marceliano estaba pintando el retrato de un deudo de *Machaquito,* y pidió a éste que brindara un toro a Rodin. En la plaza, Rodin estaba impaciente por ver llegar el momento del prometido brindis. Preguntó qué es lo que se hacía en tal caso, y Marceliano le dijo: «Nada más sencillo; usted, cuando le dirija el matador su brindis, se pone en pie y se descubre; luego, le envía usted al diestro un regalo, el que usted quiera.» Hasta el cuarto toro no pudo *Machaquito* dirigir su brindis. Y llegado el momento ansiado, sin saber cómo ni por qué, Rodin había desaparecido de la plaza. Da tú el valor que quieras a la anécdota. Ya en la estación, en el tren Rodin para regresar a París, Marcelino le preguntó:

—¿Qué impresiones se lleva usted de España, maestro?

—Dos soberanas: Velázquez y las llanuras—contestó Rodin.

—¿Y por qué—he preguntado yo a Marceliano—no ha pintado usted la Bureba? En la Bureba, con su capital Briviesca, hay cabezos y altozanos desnudos, que al declinar el día se tiñen de un color rosa suavísimo. En la Bureba la luz, tan límpida, nimba una tierra austera..

—No he pintado la Bureba—me contesta Marceliano—; alguna vez Sorolla manifestó su sorpresa por esta negligencia mía. Pero he recorrido la provincia de Burgos en todas direcciones. Y conozco sus pueblos y sus gentes. ¡Ah, la Bureba! Sí, hay allí, al anochecer, un rosal finísimo que yo quisiera pintar.

XLIV

HELIODORO VIDAL

Heliodoro Vidal era—en la ciudad apacible—un hombre arrogante, forzudo y valeroso. Rebosaba optimismo. Tenía arrebolada la faz y su barba era roja. Constantemente había en sus labios una sonrisa. Se le veía con frecuencia en el casino; intervenía con gesto decisivo en las discusiones. Su palabra tenía acentos tajantes. Cuando la discusión era más empeñada, Heliodoro sonreía, con sonrisa todavía más pronunciada que la habitual. Entonces exclamaba, tras una breve pausa en que se producía la expectación:

—*Axó y res, tot es res!*

Eso y nada, todo es nada. No era nada lo que se estaba discutiendo; porque los discutidores, o discutían sobre un asunto absurdo, o no estaban enterados. Y Heliodoro Vidal, con palabras sucintas, enérgicas, daba una explicación definitiva, inapelable, de su sentencia. Sí, *axó res, tot era res.* Aquello y nada, todo era, en efecto, nada. Poseía Heliodoro, cerca del pueblo, junto a un gran estanque o zafareche, una tenería. Del nombre árabe del estanque debía de provenir el nombre del lugar: Zafarich. En el Zafarich pasaba Heliodoro gran parte del día. Su aparición en el casino solía hacerla por la noche. Y entonces, con Heliodoro, entraba en las claras y limpias salas una ráfaga de optimismo. Ya estaba allí Heliodoro; ya en las tertulias podían contar, al discutir algo intrincado, con un fallo aclaratorio y concluyente. Con su perdurable sonrisa, Heliodoro asistía a la discusión; dejaba que hablaran todos; escuchaba los más desvariados pareceres; le miraban todos y él callaba; continuaba el debate y los ánimos se enardecían; alguien alegaba en su abono, alguna vez, una autoridad indiscutible, una referencia respetabilísima. Creo que era entonces, al escuchar estas referencias u opiniones inconfutables, cuando Heliodoro sonreía con más satisfacción. Y en segunda venía su tajante:

—*Axó y res, tot es res!*

No había que decir más; el pleito estaba fallado; había que pasar a otra cosa. Se pasaba, en efecto, después de las explicaciones de Heliodoro. Fuí yo una tarde a verle en su tenería; parecía otro. Sonreía, pero iba afanosamente de una parte a otra. Vi entonces, en la persona de Heliodoro Vidal, dos hombres distintos: uno el hombre del casino, y otro el hombre del Zafarich. En el Zafarich, a pesar de lo risueño, parecía algo abrumado. En los labios asomaba la sonrisa y un ambiente de melancolía parecía envolver toda su persona. Supe, luego, que no le iban bien los negocios. Y entonces pensé en el contraste de este hombre optimista, corajudo, fornido, afanoso al trabajo, y el destino que no quería favorecerle. Desde entonces tuve más simpatía por Helidoro Vidal. Falté yo del pueblo durante muchos años; al volver pregunté, naturalmente, por Heliodoro; ya no tenía su tenería en el Zafarich; tuvo que dejarla. Ahora trabajaba en una imprenta que había establecido. No había en el pueblo sino una prensita de mano. La imprenta de Heliodoro Vidal estaba bien organizada y provista de todo. Pero Heliodoro ya no era el mismo; continuaba sonriendo a veces; su sonrisa no era la misma. Su faz, al presente, aparecía habitualmente seria. Al casino iba poco; pasaba el día metido en su imprenta; parte de la noche estaba trabajando también. Le acompañé yo algunas horas en sus quehaceres; me placen las imprentas. El olor de la tinta de imprimir lo olfateo yo desde muy lejos: tantas veces, en las redacciones, junto a las rotativas, se han impregnado mis ropas de ese penetrante olor.

—¿Trabajo usted mucho, Heliodoro? ¿Hay mucho trabajo en el pueblo?

Heliodoro no contestó directamente; levantó los hombros con un gesto de resignación. Luego, dijo que algún trabajo había. Pero en sus palabras, en su gesto, advertí yo el mismo sino del Zafarich. Volvía la vista al pasado y veía, no al Heliodoro Vidal que tenía ante mí, sino al otro, que antaño, en el casino, se acercaba risueño a las tertulias y de pronto soltaba su *axó y res, tot es res*. No quería yo convencerme, ante el Heliodoro Vidal de ahora, de que la vida había sido para él, tan merecedor de éxitos fecundos, lo que se encerraba en su modismo favorito: *eso y nada, todo es nada.*

Al escribir esta semblanza de un hombre bueno y esforzado, pienso en mí mismo, en mis afanes cotidianos, en mis bregas y en mi lucha con el Destino. Y repito entre mí: *Esto y nada, todo es nada.*

XLV

EN LA NOCHE ESTRELLADA

Hablaba X y me decía:

—Has ido escribiendo estas memorias como quien transita un camino voladero: a cada paso se está a pique de caer en el precipicio. Has sorteado tú la indiscreción y la reticencia. No hay en estas páginas nada lesivo para nadie. Hemos procurado no ser difusos, ni usar, sino moderadamente, vocablos expletivos. Hubiera yo querido insistir más en el asunto de las sensaciones. No me explico de qué modo un poeta, por ejemplo, Federico Mistral, escribe sus *Memorias* y no prefiere a los episodios domésticos, iguales para todos, el mundo de la sensación propia. La sensación es lo que nos une y nos separa de los humanos. El mundo exterior entra en nosotros por los sentidos. La memoria de una sensación remota aglutina alrededor de tal sensación, en el artista, un mundo de otras sensaciones y de distintas ideas. Pero advierte el corto número de vocablos que para designar las diversas percepciones de los sentidos tenemos. En cuanto a los olores, no pasamos de olores fuertes, débiles, aromáticos, fétidos, nauseabundos, ambrosíacos, aliáceos, amoniacales... Te estoy repitiendo el vocabulario de un cierto autor. En lo que respecta a los sabores, no es tampoco copioso el léxico: tenemos las calificaciones de dulce, salado, ácido, acerbo, amargo, acre, seco. Las resumimos todas groseramente diciendo que unos sabores son agradables y otros desagradables. Más pobre todavía es lo que atañe al oído: ni siquiera existe para las sensaciones auditivas un término que las abarque, con propiedad, todas. Decimos sonido; añadimos ruido, si el sonido es desapacible. La voz amada, que nos halaga o nos consuela, ¿es, por ejemplo, un sonido? El latido remoto del can en la noche callada, latido que resuena en nuestro espíritu y lo conmueve, ¿es sonido?

Hubiera yo querido ahincar más en las cosas y en sus emanaciones, o sea, la sensación. Son esos a modo de puntos fúlgidos en una vida: lucecitas que, cuando todo en nuestro torno se ha oscurecido, brillan y nos hablan, desde el remoto pretérito, de muchas cosas. No quiero despedirme de estas páginas sin tener un recuerdo para una mesa, una puerta, un reloj de caja, un armario. Todas esas cosas suscitan sensaciones pasadas. Y esas sensaciones me vuelven al ambiente familiar o profesional; profesional en los primeros años de escritor. La mesa era la en que yo he escrito alguno de mis primeros libros. El reloj de caja, puesto en la entrada de la casa, ha esparcido por la morada, durante cuarenta años, sus campanas, y ha llevado a mis oídos su tictac incesante en momentos para mí angustiosos. En el armario, el de la ropa blanca, manos femeninas, maternas manos, ordenaban cuidadosamente la mantelería y las ropas de cama. Se abría el armario y fluía de su seno un olor suave de lienzo limpio. El silencio del ropero, donde estaba el armario, casaba con la blancura que, en la penumbra, se entreveía dentro. Y la puerta la veo en una blanca pared moruna, con tres ventanitas angostas, enrejadas. Había sido arrancada esta puerta de uno de los aposentos de la casa y traída al patio: un patio ancho, con un resplandeciente cielo en lo alto. Estaba pintada la puerta de bermellón, pero los años habían amortiguado el vivo color. Era ancha, cuadrada, con cuarterones cuadrados unos y cuadrilongos otros. El sol la estaba batiendo toda la mañana; miraba a Oriente. Dentro, transpuesto el umbral, se veía una mesita baja, con reborde, en la que había carretes, tijeras, acerico, madejitas de seda. Junto a la pared, estaba la tabla de planchar. Las sillas para coser eran bajas, con asiento de esparto. Mediada la mañana, en pleno invierno, venía yo hasta esta puerta y observaba unas arañitas a modo de felinos minúsculos—la *calliethera scenica*—, que, al ver una mosca posada en la puerta, se iban acercando lentísimamente a ella, y de pronto, de un salto, en ella hacían presa. El azul blanquecino del cielo de Levante se unía, en mi sensación, al rojo desleído de esta puerta de cuarterones.

En la noche callada, en las horas de la alta noche, muchas veces, de niño, de adolescente, me he levantado yo, en el campo, y he abierto el balcón. La majestad silenciosa de la noche imponía. Todo callaba y fulgían los astros. Ya había callado el cuclillo que, a prima noche, había estado escondido en el hosco olivar, lanzando su nota de flauta. Sólo de tarde en tarde llegaba a mí el ladrido lejano de un perro, ese ladrido de que te hablaba al principio. El perro lejano vela en la noche; no sabemos el motivo de su ladridos. La oscuridad es densa; apenas si, con el fulgor de las estrellas, distinguimos enfrente, más allá de viñedos y olivos, la ceja de un monte, que resalta en un fondo lóbrego. Y van nuestras miradas a las eternales lumbres; el Carro, con su lanza, ya no está donde en las primeras horas de la noche estaba. Hay algunas estrellas que parpadean: tienen destellos blancos, azules, verdes. Todas nuestras sensaciones las resumimos en este minuto—hace cincuenta o sesenta años—de la noche estrellada. Por los sentidos entra en nosotros el mundo. Y de las sensaciones saltamos, como ahora en la noche estrellada, a lo que no puede expresarse, a lo Infinito.

XLVI

PACO NAVARRO

Paco Navarro vive en Levante; tiene su casa, una casa con jardín, en la ciudad que se asienta en una colina. A pocos kilómetros, está el Mediterráneo. De cuando en cuando, viene Paco Navarro a Madrid; viene para sus negocios, puesto que Paco tiene, con su casa, en la ciudad, la ciudad en lo alto de la colina, una fábrica. Y todo el tiempo lo da Paco Navarro a su fábrica y a los asuntos anejos a su fábrica. X tiene amistad cordial con Paco Navarro; admira su vitalidad fuerte, inexhaustible. No hay negocio que toque Paco Navarro que no le salga bien; todo prospera en sus manos. Y si todo es éxito en Paco Navarro, con facilidad, sin esfuerzo, sin tensión, ¿cómo no ha de admirar X a Paco Navarro? Y decimos esto porque ahora, cuando se sienta X ante su mesa, ante la rima de cuartillas, siente de pronto una angustia especial: no sabe si podrá o no escribir; pensaba antes de sentarse que podría hacerlo con la facilidad que antes, que siempre; pero ahora se siente encogido, cohibido, entristecido. Y piensa en Paco Navarro; conoció al padre de Paco, y conoce ahora al hijo. El padre tenía una ancha barba negra y los ojos reidores; sonreía siempre, con sonrisa afectuosa; era serenamente jovial. Los hijos, Paco y Silvino—Silvino, a quien vivamente estimo también—, han heredado esta afectuosidad serena. Y tal vez a esta condición deben el éxito en sus empresas. ¿Cómo unos hombres que todo lo contemplan serenamente y que ven el pro y el contra de las cosas no han de lograr brillante salida en sus asuntos? Paco Navarro, cuando viene a Madrid, en su coche, le trae saudades a X; a más de saudades, digámoslo con franqueza, le envía también gustosas frutas levantinas, frutas de secano. Quiere Paco Navarro llevarse consigo a X a la ciudad que se levanta en lo alto de la colina; dice X que ahora, por el trabajo, no puede ir, que irá más adelante, en otro viaje; pero, en realidad, si no acompaña X a Paco Navarro es por inercia, inercia que ha cobrado de tanto estar sentado en la mesa, la mesa de trabajo, ante las cuartillas. Su ansia es la de volver a la ciudad nativa; allí le esperan las calles blancas, los huertos que, en lo bajo, respaldan las casas, huertos con algún ciprés, con alguna palma y con baladres; le esperan también las montañas desnudas, tan amadas por X, y le esperan, finalmente, el cielo azul, de un azul desleído, y el mar, próximo, con su azul intenso. No va X con Paco Navarro cuando Paco regresa al pueblo, y se entristece X. ¿Y no sería conveniente que por una vez, la última vez, se arrancara X de esta mesa que le tiene esclavizado?

Como las estaciones se suceden, así se suceden las venidas a Madrid de Paco Navarro y sus regresos a la ciudad que se yergue en lo alto de la colina, no lejos del Mediterráneo. Con las venidas y los retornos, se suceden también las alegrías y las tristezas en X: alegrías, por ver a Paco; tristezas, por no poder acompañarle. ¡Cómo siente X, sentir con toda el alma, no estar un momento sentado en ese jardín de Paco Navarro, en la ciudad que se levanta en lo alto de la colina! ¡Y cómo queda absorto, meditativo, cuando piensa en la ciudad nativa, que tiene enfrente un monte desnudo, gris, pardusco, y que eleva en lo azul blanquecino sus palmeras, con algún rígido ciprés! No sabe, en este momento X nos lo confiesa, si hay en la ciudad, en los huertos, tras las casas, algún ciprés. Tal vez se trate de un deseo de X; pero esta duda, en sí misma, desazona a X. Y durante un momento piensa en los cipreses presuntivos y en las palmeras indubitables. Y hace firme propósito de acompañar a Paco Navarro a su regreso a la ciudad, situada en lo alto de la colina, cuando Paco Navarro, sereno y jovial, venga la próxima vez a Madrid.

Añadimiento

Y cuando esté el deseo cumplido, ¿qué quedará después? ¿Y no será mejor no cumplir el deseo para no tener luego el desabrimiento de lo satisfecho? Pero si no tenemos la esperanza de que podemos cumplir el deseo, ¿de qué modo tendremos el propio deseo?

XLVII

SIGUE PACO NAVARRO

Hay algo más que las sutilezas psicológicas. Pueden encerrar esas consideraciones una parte de verdad: no la encierran toda. Y se hace preciso aclarar, modificar, añadir. Cuando X piensa en Paco Navarro, buen amigo, conterráneo, indefectiblemente, al verle con la imaginación, ve también a su padre: Amador Navarro. Y lo ve sonriente, comprensivo, con el diario madrileño *El Globo* en la mano. Ese periódico, de que Amador Navarro era constante lector, interpretaba entonces el pensamiento de Castelar; es decir, el «posibilismo», lo posible, lo comprensible. Con todos estos pormenores en la mente, se explicaba la actitud de X. Encontraba, mejor dicho, una corrección, en el pasado y en el presente, su actitud. ¿Y corrección en qué forma? ¿Con qué consecuencias? Paco Navarro era una lección perpetua: lo era siendo, como es, conversable, intuitivo. Las condiciones de afabilidad y de comprensión las tenía siempre X presentes.

Trataba, en este caso, de conciliarlas con la posición que, intelectualmente, había adoptado. Cada vez se estabilizaba más X en la literatura clásica; la mayor parte de los libros que leía eran libros clásicos. En el siglo XVII y en el XVI, los más frecuentados por él, estaba libre de las «contradicciones» que encontraba en la literatura moderna. Las contradicciones de lo moderno desazonaban a X, y le hacían divagar, y perder mucho tiempo; estaba todo esto en pugna con su afán de reposo. Y necesariamente, para encontrar la quietud se remontaba a una edad en que la literatura, ya clarificada, ya decantada, no ofrecía las turbiedades del momento. Rara vez X descendía al siglo XVIII; alguna vez se asomaba al siglo XIX; en cuanto a la centuria en que vivía, en que vive, procuraba, al recibir un libro, al comprar un libro, que este contacto fuera el indispensable. Inmediatamente, si la impresión había sido desapacible, volvía a sí sus siglos amados en busca de la serenidad perdida. Y no implicaba esta estabilización en los tiempos antiguos el que no se resolviera, a veces, contra ellos y no expusiera sus objeciones. Y avecindado, como si dijéramos, en la edad antigua, avezado cada vez más a lo antiguo, ¿cuál, físicamente, sería su actitud? ¿No correría el riesgo de hacerse imposible el cambio? ¿No llegaría a repugnar el tránsito? ¿No tendría sus temerosos peligros de fosilización?

Contra estos inconvenientes no veía X más remedio que la afabilidad y la comprensión de Paco Navarro. Paco, con su antecedente de *El Globo,* en los años de su niñez; *El Globo,* órgano de lo «posible», o sea, del tránsito, del cambio. La actitud espiritual llevaba a X a su estabilización física; se proponía descender de la meseta al Mediterráneo, y, efectivamente, descendía... con la imaginación. Imaginativamente, acompañaba a Paco Navarro. No sólo volvía a ver las dos o tres palmeras efectivas, reales, sino que también contemplaba los ilusivos cipreses, entes de razón. Bajaba X hasta el Mediterráneo, en grato viaje con Paco Navarro, y permanecía en los altos de Castilla. Tenía miedo, a sus años, al hiato en su actividad mental: la estabilización en el siglo XVII se conpaginaba con la repugnancia al tránsito de una tierra a otra. Pero al propio tiempo corregía tal posición con la tolerancia, con la afabilidad, con la transigencia. Y ésta era, en suma, la lección de Paco Navarro. Desde la lejanía, ésta era la lección de *El Globo. El Globo* llevado en la mano por un amigo afectuoso, sonriente, que avanzaba hacia X en el tiempo y en el espacio, y que, indefectiblemente, dichosamente, ve X cada vez que piensa en Paco Navarro.

Añadimiento

Inútil decir que, en lo antiguo, donde mentalmente moraba, X prefería a los más quietos: los ascéticos y los místicos. Había, además, una razón para esta preferencia: esos escritores dominaban, más que ningunos, el idioma. Y X tenía miedo de que «se le escapase el idioma», como él decía. Con cualquier cambio, con el más ligero trastorno, podía amenguarse su posesión del idioma; ya la edad le hacía temer la merma. Calladamente, con cierto recelo, se iba observando; anotaba cada falla que sufría en la aprehensión de un vocablo. Y decididamente, con ímpetu, se entregaba a la lectura de los debeladores del lenguaje.

Si en fuerza de ausentarse del presente, de retraerse en el trato humano, de escatimar la palabra hablada, limita considerablemente X su persona, ¿qué sería si amenguara o flaqueara la palabra escrita, literaria? ¿No se desvanecería su personalidad? ¿Cómo se encontraría a sí mismo? Y en cuanto al arte, ¿es que el arte no desaparecería también, falto de medios de expresión, y no se encontraría X sin el apoyo interior que el arte le da para sostenerse en la vida? De nuevo, la visión del periódico—en su tiempo el más literario—en que, años andando, había de colaborar X.

(Lee, relee y medita X la norma que no ofrece fray Luis de Granada para las conversaciones; esa norma está constituída por siete circunstancias: *Memorial de la vida cristiana,* tratado IV, capítulo II, páginas 366 y 367, tomo III, parte I, en la edición Sancha, Madrid, 1782.)

XLVIII

RUIZ CONTRERAS

Luis Ruiz Contreras tiene ahora el mismo entusiasmo, la misma perseverancia, la misma curiosidad de hace cincuenta años; imagino que dentro de otros cincuenta años tendría el mismo entusiasmo, la misma perseverancia, la misma curiosidad. Como a X le entusiasma todo lo que es sinceramente literario, siente simpatía por Ruiz Contreras. Lo ve en su casa de la calle de la Madera, hace medio siglo. De aquella época sólo quedamos algunos escritores; éramos un grupo de amigos que escribíamos bajo la inspiración de Luis Ruiz Contreras; tenía Ruiz Contreras libros franceses, novísimos, que nos prestaba, y que en nosotros despertaban, avivaban, acrisolaban el gusto por la literatura. De aquellos amigos sólo quedamos Pío Baroja, Jacinto Benavente, Eduardo Marquina, Manuel Machado. Machado, con su hermano Antonio, se incorporó a la grey un poco más tarde. Pío Baroja continúa con el mismo espíritu vivaz; Jacinto Benavente y Eduardo Marquina continúan dando al teatro obras con la misma lozanía; Manuel Machado continúa escribiendo versos con la misma tenuidad y gracilidad. Asistimos todos, con Ruiz Contreras, al estreno de *El pastor,* de Marquina; estoy viendo a Emilio Thuillier que baja del monte, donde tiene su rebaño, por un declive formado con unas tablas cubiertas de un felpudo verde. Recuerdo unas palabras de la obra; unas palabras que no sé cómo arreglar para que formen verso: «Las cumbres serán paseo de los hombres libres comulgando en el sol.» Hace poco encontré casualmente a Marquina; le cité estas palabras y él continuó, sonriente, todo el pasaje. ¿Y qué conducta tenía con nosotros Ruiz Contreras? Ruiz Contreras era el animador de todos; tuvo constantemente por nosotros una viva preocupación; quería que hiciéramos tal o cual cosa, que escribiéramos de este o del otro modo. Y esa preocupación continúa teniéndola. El tiempo no ha pasado para Luis Ruiz Contreras; nos juzga ahora como hace cincuenta años. Y yo, por mi parte, se lo agradezco, aunque algunas veces muestre cierta inquietud. Hace cincuenta, cuarenta, treinta años, Ruiz Contreras nos inspiraba, nos alentaba, nos impulsaba; ahora nos impugna. No me irrito, pero veo que los demás, los demás de los que quedamos, descubren alguna irritación. A Eduardo Marquina y a Manuel Machado no los menciona Ruiz Contreras; se limita a oponerse a Pío Baroja, a Jacinto Benavente y a mí.

Y no es de extrañar tal reiterada solicitud; es la preocupación que por nosotros tenía Ruiz Contreras antaño la que continúa, pero en distinta forma. Si Ruiz Contreras no hiciera lo que hace—y lo que hace es perfectamente lícito—, no sería Ruiz Contreras. Su entusiasmo por todo lo literario no se resigna a que los antiguos amigos, los antiguos discípulos, sean de distinto modo a como él querría que fuesen. Y si somos de otra manera, ¿qué le vamos a hacer? El tiempo ha pasado y cada cual ha seguido su camino. También Ruiz Contreras lo sigue. Y lo sigue con la perseverancia de siempre. De tarde en tarde veo a Luis Ruiz Contreras por la calle; nos paramos y cambiamos cuatro palabras. Va siempre tan enhiesto con su mocedad; no pasan los años por Ruiz Contreras; pasan por nosotros y no pasan por él; Ruiz Contreras, con su bufandita en invierno, ágil, risueño, da la impresión de perpetua juventud, una juventud con las ingenuidades de la juventud. Creo que Ruiz

Contreras, al cabo de toda una larga vida de trabajo, vive austeramente; lleva su estrechez con suma dignidad. Y haga lo que haga respecto a nosotros, Pío Baroja, Jacinto Benavente y yo, merecedor es de que pasemos por alto sus regañinas; él puede hacer eso, escribir eso, y nosotros podemos, naturalmente, hacer otra cosa. No se cansa Ruiz Contreras; escribe una larga serie de artículos en alguna revista; pasa algún tiempo; creemos que Ruiz Contreras se nos ha cansado, se nos ha olvidado de escribir. Y, de pronto, nos encontramos gratamente con otra serie de artículos, con algún folleto, con algún libro. Y todo encaminado a que sus antiguos amigos, sus antiguos discípulos, sean de esta o de aquella traza. No creo que en literatura haya ocurrido un caso semejante; no hay ejemplo de tanta perseverancia, de tanto entusiasmo y de tanta curiosidad. Y si Ruiz Contreras conserva lozanas todas estas preciosas cualidades, ¿cómo no lo hemos de admirar? Quisiera yo para mí todas estas preciosas prendas, sin las cuales el arte literario no existe, o por lo menos no existe con la vivacidad, con la expresividad. Pienso en Luis Ruiz Contreras y le veo ante las cuartillas; no supongo que en esos momentos tenga desfallecimientos; con todo candor, con todo fervor, se pondrá a escribir.

¿Y es que yo tengo siempre la fe que tiene Ruiz Contreras ante los papelitos blancos? ¿Y es que yo no desfallezco alguna que otra vez? Entonces, ante el caso de Ruiz Contreras, ¿cómo no he de sentirme subyugado?

Añadimiento

¡Si viera el lector el esfuerzo que he tenido que hacer para disimular la emoción! He tenido que adoptar un tono inadecuado, de leve displicencia. No quería aparecer sensiblero. Porque el caso de Ruiz Contreras es, exactamente, el caso de tantos escritores antiguos y modernos. El pensamiento se desviaba de Ruiz Contreras y emprendía otros rumbos; la gravedad suplantaba a la ironía. ¡Y qué importaban ya las críticas, justas o injustas, de Ruiz Contreras! Ruiz Contreras se convertía en lo más a que puede aspirar un escritor: en un símbolo.

XLIX

RAMON, SENCILLAMENTE

X dice: «Ramón, sencillamente; no hay que decir más.» ¿Y para qué decir más? Ramón, hermano de X, vive en las escarpas de la sierra Segura; tiene allí una casa amplia, limpia y cómoda; tiene cerca un cortijo. El paisaje es placentero, el cielo es benigno. No le falta nada a Ramón; se le quiere en la contornada y se le admira. Las admiraciones de gente humilde valen tanto como las de gentes aupadas; lo que se estima en este caso no es el rango, sino la afectuosidad. ¿Y cómo no hemos de estimar a un buen la brador, a un buen aperador, en su taller, tanto como a un rico en populosa ciudad? Pero dejémonos de filosofías, si es que esto son filosofías; atendamos a Ramón, sencillamente Ramón. Siempre que X piensa en Ramón convierte también el pensamiento a una obra cumplida, ignoradamente, con amor, con escrupulosidad, con ecuanimidad. Esta última condición es la que predomina en Ramón; es Ramón médico; atiende a todos, trata módicamente a todos. No descuida Ramón, viviendo en lo apartado de un pueblo apartado, los adelantos de la ciencia; sabe lo que se piensa por el mundo, lee los libros nuevos, está suscrito a las revistas. Y, juntamente con su práctica, posee la curiosidad que le impele al conocimiento de la doctrina. ¿Habrá médico más escrupuloso que Ramón? ¿Pondrá alguien en la observación del enfermo más atención, más continuada y perspicaz atención? En la *Lección de Anatomía,* de Rembrandt, el cirujano que el pintor nos muestra parece pasmado ante el cadáver, ante los discípulos; su gesto diríase de embobamiento. No es ése el gesto de Ramón a la cabecera del enfermo; entonces su atención reviste suma intensidad; parece entonces como si toda la vitalidad de la persona se condensara, prodigiosamente, en esos momentos breves. ¿Y cómo no ha de agradecerlo el enfermo, y cómo no sentirse alentada la familia?

Ramón, después de tantos años de práctica, comienza cada día su aleccionamiento; es un perpetuo estudiante; sabía algo la víspera, y ahora ha de comenzar de nuevo sus estudios. Esta perpetua curiosidad se entreteje con una cierta desconfianza de sí mismo. Y esa prudente desconfianza le hace ser cauto; hay cosas en la enfermedad que no están en los libros; la Naturaleza tiene en los cuerpos dolientes sus fueros. ¿Y es que no vamos a reconocer esos fueros? Ramón los reconoce, pero trabaja él por su parte, en tanto que la Naturaleza puede trabajar por la suya. Y cuando la dificultad es insoluble, Ramón aconseja al doliente, si es posible, que se traslade a Madrid y que en Madrid vea a un compañero: un especialista, que, seguramente, sabrá más que Ramón. ¿Y es que sabrá más de veras? ¿No es esto una modestia excesiva en Ramón?

Muy de tarde en tarde viene Ramón a Madrid; viene con su gesto de quien no sabe nada, de quien no sigue el curso de la ciencia en el mundo. No creería nadie, al ver a Ramón, tan modesto, tan sin ínfulas, que éste es un clínico notabilísimo. En Madrid, si los hay cuando él viene, sigue algún curso especial en la Facultad de Medicina, o donde sea; asiste a las conferencias, si se dan entonces, de algún especialista; no deja tampoco de visitar algún hospital. ¿Y cómo pudiera hacer otra cosa Ramón? Necesita estos pábulos a su ciencia para ir rumiándolos poco a poco cuando esté de retorno en sus soledades. Los enfermos afluirán, como antes, como siempre, y él tendrá un íntimo apoyo moral para seguir en su labor: el apoyo que sus rápidas inspecciones en Madrid le han proporcionado. Aquí está otra vez, en su limpia casa, en su cuarto claro, lleno de libros, tan callado, tan morigerado, tan escrupuloso como siempre. Y así continuará toda la vida. Da en ocasiones grandes caminatas para ver un enfermo; no le producen enfado las importunidades que suelen los enfermos tener; considera que el dolor no repara en nada. ¿Qué hubiera sido Ramón en Madrid? ¿Se ha hecho él alguna vez esta pregunta? ¿Y para qué se la iba a hacer? La vida pasa para todos; la vida es trabajo; el trabajo escrupuloso se puede realizar tanto en Madrid como en un pueblecito. El pueblo en que vive Ramón, con toda holgura, sin acucios, sin ambiciones, es delicioso; tiene montaña abrupta y follaje verde. Los olivares que posee Ramón le dan olio para sus freiduras; los sembrados, pan para sus companages; los viñedos, vino para sus parvas ingestiones. No sé, en verdad, no lo sabe X, si Ramón usa o no vino en sus comidas. No lo sabe, y, por tanto, no sabe tampoco si Ramón podrá decir: «Con pan y con vino se anda el camino.» Pero de todos modos, sin vino también se puede caminar. Sobre todo cuando se cuenta con la ecuanimidad de Ramón, que le hace bienquisto de las gentes.

AÑADIMIENTO

La frase «parvas ingestiones» no me gusta; es pedantesca, presuntuosa. Y necesito un sustantivo o un verbo para sustantivizar, para expresar bien la idea. No podría expresarla con tragantada; un sorbo grade, lo más grande que se pueda, es, en este caso, improcedente. Decir «sus sorbos», lo creo vulgar; habría que encontrar algo que fuera entre doméstico y noble. ¿Y cómo? ¿Y de qué manera? ¿Y dónde? Provisionalmente, dejo las parvas ingestiones. Saborear, paladear... ¡Difícil cosa el tener un dominio absoluto del idioma! ¡Difícil cosa paladear, saborear, ingerir, lentamente, parvamente, el idioma, sin tragantadas! X no bebe del idioma sino un chisguete, es decir, un traguito. He aquí que, sin pensarlo, he encontrado la palabra adecuada: chisguete. Ramón, sencillamente bebe, si lo bebe, sus chisguetes.

Hemos equivocado, injustamente, *un chupito*, gracioso, pero bajo; madrileñísimo, creemos, simpático, expresivo. Un chupito de Méntrida, o de Arganda, o de Montilla, o de Tío Pepe, o de Pedro Jiménez, o de tintilla de Rota. Chupito no está registrado en los diccionarios; son demasiado graves los diccionarios para ocuparse en estas niñerías. Pero valía la pena; es éste un diminutivo de un sustantivo que no existe. Y aquí otra dificultad del idioma: no sabemos cómo designar los vocablos en su estado normal, no agrandados por el aumentativo, ni disminuídos por el diminutivo. Para expresar esa situación acabo de emplear dos términos: *estado* y *normal*. ¿No existirá un solo vocablo para designar la condición vital de otro vocablo? Y nos da pena contemplar el diminutivo chupito sin tener amparo de nadie, esporádico, expósito. «¡Qué disparates!», exclamarán los gramáticos. Sí, pero también nosotros, los artistas que no sabemos gramática, decimos otras cosas de los gramáticos que no sean artistas. Digo no *sean*, y no digo *son;* no es lo mismo. Ahora, un chupito, en esta ocasión, de tostado del Ribero, si es que todavía existe ese compañero indefectible de los grelos y los lacones, en el guiso insuperable de Galicia.

L

ANGEL CRUZ RUEDA

Cruz Rueda es el perfecto biógrafo: ha escrito una larga biografía de X; después, otra biografía más corta, pero con datos nuevos; luego, una tercera biografía. Y en todas pone la misma escrupulosidad, la misma precisión que en todos sus trabajos. Escrupuloso y circunspecto es, ante todo, Angel Cruz Rueda; hace cuarenta años comenzó a formar un archivo con mis artículos, con mis libros, con lo que decían de mi en los periódicos, en las revistas. Y continúa formándolo. Sigo yo escribiendo, y sigue Cruz Rueda guardando, clasificando, todo lo que escribo. No sé yo, a estas alturas, qué es lo que he escrito; no quiero saberlo; me causaría cierto impedimento para continuar escribiendo el saberlo. Pero estoy salvado: lo sabe Cruz Rueda. Y cuando me piden algún dato respecto a mi persona, respecto a mis libros, respecto a mis artículos, doy al peticionario la dirección de Cruz Rueda. Y Cruz Rueda atiende amablemente a todos. Limpio, atildado, correcto siempre, Angel Cruz Rueda viene a visitarme de cuando en cuando; me avisa previamente por teléfono; no podría venir a visitarme Cruz Rueda si no precediera este discreto aviso; no creería Cruz Rueda proceder correctamente si no practicara este requisito. Y nuestra conversación siempre es cordial; no hace falta decirlo.

—¿Sucede algo?—suele preguntarme Cruz Rueda al final de nuestras entrevistas.

—No sucede nada, querido Cruz Rueda; no hay novedades. No hay en arte nada nuevo.

Y siempre Cruz Rueda replica en esta forma:

—Usted está enterado; quedo convencido.

Y yo protesto en esta forma:

—No estoy enterado; no me entero de nada; vivo retirado de todo, sin saber nada de nada.

No existe entre Cruz Rueda y yo otro motivo de discrepancia sino éste: él me cree enterado y yo no estoy enterado. ¿Y de qué voy a estar enterado? No sé lo que sucede en el mundo literario; no sé lo que sucede en ningún mundo. ¿Y para qué voy a saberlo? Basta con que sepa que tengo que escribir; me veo en la precisión de escribir; he de escribir; tengo que sentarme ante la mesa de escribir. No es posible que me zafe de la tarea; no podré evitar el escribir. ¿Y es que esta pensión no basta para ocupar mis horas y evitar el que me preocupe de lo demás? Pero aquí está ya, otra vez, gratamente para mí, Angel Cruz Rueda; viene después de haber avisado por teléfono; viene a solicitar un dato, a consultar una fecha, a llevarse un ejemplar de una traducción mía que he recibido del extranjero y que él incorporará a su archivo; viene tan escrupuloso, tan circunspecto, tan correcto como en todas las ocasiones; charlamos con la cordialidad de siempre.

No existe entre Cruz Rueda y yo otra causa de disentimiento; no nos separa la estética; no nos desune el sentido de la Historia; no nos apartan, uno de otro, las lecturas. Sólo esta creencia de Cruz Rueda respecto a mi penetrativa de las causas segundas, es lo que suscita en nosotros una leve discrepancia. Con ello, no hay que decir que me honra Cruz Rueda, puesto que supone en mí un recóndito conocimiento del mundo, del mundo literario. De tarde en tarde, recibo una carta de Cruz Rueda, siempre tan atenta, tan circunspecta; me dice que alguien le ha pedido tal o cual dato referente a mis libros o a mi persona; me anuncia una nueva y más completa bibliografía de mis obras. Y esta solicitud afectuosa hace que se avive en mí, que se renueve, que se fortifique, el cariño que siento por Angel Cruz Rueda. ¿Qué escritor habrá tenido un biógrafo más atento, más circunspecto, más correcto que Angel Cruz Rueda? En su cátedra, Cruz Rueda, ante la grey simpática de sus discípulos, es tan atento, tan cuidadoso, como en sus relaciones conmigo; se le quiere; se le respeta; se le admira, por el tacto y la discreción que pone en sus actividades pedagógicas. Nunca ni una palabra áspera; nunca ni un movimiento de irritación; nunca ni un gesto de cansancio. Limpio, atildado, enterándose de todo, poniendo en todo su habitual escrupulosidad, va caminando por la vida Angel Cruz Rueda. No pasa nada en los insondables espacios del Cosmos; no puede pasar nada. Tachonarán eternamente el cielo las constelaciones. Y nosotros pasaremos, como pasa todo en el mundo. ¿Y es que las mismas constelaciones que fulgen en la noche no han de pasar también?

Añadimiento

Cruz Rueda profesa ahora en un instituto femenino, el de Lope de Vega; su clase es exclusivamente femenina. No podría darse más adecuado profesor para tal discipulado. No podría darse con más tacto y delicadeza. Pondera Cruz Rueda la inteligencia y la agudeza de sus discípulas; la asignatura que Cruz Rueda enseña es la filosofía. «No puede usted imaginar —me dice Cruz Rueda—la sencillez y comprensión con que una de mis discípulas, a quien encargué el tema, ha resumido en pocas cuartillas, de un modo original, la filosofía de Kant.»

Cruz Rueda ha reunido todo lo que yo he escrito sobre el arte de escribir. Forma *El artista y el estilo* un grueso volumen de unas quinientas páginas; ha colaborado en la tarea Salvador Fernández Ramírez, perspicaz filólogo, culto humanista, catedrático en el mismo Instituto; ha aportado textos Mariano García Hortal, el buen amigo. No todo está acervado en el tomo que menciono; Cruz Rueda prepara un segundo volumen, que tendrá aproximadamente las mismas proporciones. ¡Cuánto y cuánto escribir sobre el arte de escribir! ¡Y todo para no saber escribir!

LI

LOS «SQUARES» DE PARIS

—¿Qué está usted haciendo, querido maestro?

—Ya lo ve usetd; ordeno unas notas; voy a escribir un libro sobre los *squares* de París.

—Y tendrá usted que decir algo, como preliminar, de los *squares* de Madrid.

—¡Ah, naturalmente! Le diré a usted...

—Lo que me va a decir usted, querido maestro, lo sé; ante todo, se impone, en el proyectado libro, una fundamental distinción entre jardines, parques y *squares;* distinción, digo, tratándose de París. Y a seguida, o antes, deberá usted explicar lo que son *squares* y lo que son *pelouses.* Sabe usted que en los *squares* desempeñan un papel importante las *pelouses.* Usted, querido maestro, dirá que la voz *square* es un anglicismo importado en Francia y en ese país adoptado.

—¡Ah, naturalmente! También agregaré que los *squares*...

—Sé lo que quiere usted decir; estoy en ello, permítame usted que complete su pensamiento. El *square* es un jardincito interior, más chico que los jardines y los parques, con menos exuberancia que los parques y los jardines. Y en cuanto a la voz *square,* podrá ser o no ser cuadrado el jardincito de París o Madrid, pero eso no tiene importancia ninguna; lo esencial es que el *square* sea a modo de una de las antiguas glorietas. ¿No hablará usted, querido maestro, de las glorietas españolas a propósito de los *squares* de París?

—¡Ah, naturalmente! Pero si usted me lo permite, yo le diré que...

—Comprendido, querido maestro; usted lo que quiere decirme es que, si los *squares* no son cuadrados, como debieran ser, tampoco las glorietas son tales como las define el diccionario. Pero todo jardincito interno, en las ciudades españolas, es una neta y clásica glorieta. ¿Y por qué no denominamos ya glorietas, en España, a los jardincitos en que, cansados de trafagar por la ciudad, o sin haber trafagado, nos sentamos un momento para descansar? ¿Y cree usted, querido maestro, que los *squares* de París son más bonitos que las glorietas de España?

—¡Ah, naturalmente; No lo creo; lo que afirmo en mi libro, es decir, lo que pienso afirmar, es que...

—No se canse usted; estoy al cabo de la calle; usted dirá que si los *squares* de París tienen su encanto, también cuentan con su hechizo las glorietas de Madrid. Querrá usted, querido maestro, hacer una síntesis sentimental, poética, con los *squares* de París y con las glorietas de Madrid. Y ha de enumerar usted, antes que nada, las glorietas de Madrid y los *squares* de París. En Madrid existen muy pocas glorietas, pero algunas de las que hay no ceden ante cualquier *square* de París. Ejemplo de ello es la glorieta de la plaza de las Cortes. Habrá que decir algo de la glorieta de Santo Domingo, ahora ordenada, y de la que vemos en la plaza de Santa Ana, y de la que acaban de arreglar en la plazuela de las Vistillas, con magníficas perspectivas al Guadarrama; mole ingente de azul intenso, coronada, en invierno, por una crestería de nítida nieve; glorieta en que está el estudio de un pintor muy español, Ignacio Zuloaga. ¿Y a la plaza Mayor, donde había antes una glorieta, y ahora, talados los árboles, no existe más que una vista limpia, desnuda, de un cuadro magnífico, enlosado, presidido por la estatua equina de Felipe III, no dedicará usted también unas palabras?

—¡Ah, naturalmente! Debo decir a usted...

—No se canse, querido maestro; conozco los entresijos de su pensamiento; su pensar no tiene para mí secretos. La plaza Mayor no es la plaza de los Vosgos; Madrid no es París; Madrid tiene sus peculiaridades, y París tiene las suyas. Cada cosa en su sitio; no despreciemos Madrid, en provecho de París, ni posterguemos París con ventaja de Madrid. Nada más bonito que la glorieta de la plaza de las Cortes, y nada más encantador que el *square* de Cluny o de la Capilla Expiatoria. Pero debe usted, querido maestro, explicar en su libro lo que se entiende por *pelouse;* las *pelouses* son elemento constitutivo de los jardines grandes y de los diminutos, o sea de los *squares.* ¿Cómo traduciremos *pelouse?* ¿Diremos pradito? ¿Es en realidad un pradito la *pelouse?* Pero dejemos esta ardua cuestión y sigamos con los *squares,* los *squares* de París. ¿Cuántas *squares* cree usted, querido maestro, que existen en París? Lo sabe usted; lo sé yo, tanto como usted; perdóneme usted la inmodestia. He vivido algunos años en París; ha vivido usted también algunos años en París. Las guías, la de Hachette, por ejemplo, nos dicen que existen en París unos cuarenta y tantos *squares;* existen, desde luego, muchos más. Y uno de ellos es el *square* de que usted seguramente habrá de hablar; ya se lo diré a usted después; ahora voy a enumerar algunos de los *squares* más nombrados. ¿No se ha detenido usted, querido maestro, en alguno de los dos *squares* de la iglesia de San Germán de los Prados?

—¡Ah, naturalmente! Y no sólo en el *square* de la izquierda, el más lindo, con sus vestigios de antiguas esculturas, sino que también...

—Basta, basta, querido maestro; el de la derecha es también primoroso, está junto al bulevar de San Germán; su área es mucho más reducida que la que comprende el *square* de la izquierda. No importa mucho, tratándose de jardincitos interiores, la anchura o lo angosto. En los *squares* diminutos, si con fronda, si con suaves *pelouses,* gozamos de más paz, de más sosiego, de más serenidad espiritual. Y todo eso es lo que pedimos a los *squares,* los de París y los de Madrid. Pero no nos olvidemos, en cuanto a París, del *square* de la Capilla Expiatoria, ni del *square* del Temple. Los dos tienen una íntima relación; íntima y dolorosa. El *square* de la Capilla está en parte de lo que fué un tiempo el cementerio de la Magdalena; en ese cementerio fueron enterrados Luis XVI y María Antonieta, cuando estos reyes fueron guillotinados en la plaza de la Concordia. En el *square* del Temple se levantaba la prisión de este nombre, en donde estuvieron presos Luis XVI y María Antonieta; de allí salió para el cadalso el rey, y de allí fué trasladada María Antonieta a la Conserjería, prisión de la que salió para ser llevada a la dicha plaza de la Concordia; un pintor, David, que la vió pasar por la calle, cuando iba en la funesta carreta, tomó de ella un croquis que nos conmueve cada vez que lo contemplamos. No olvide usted, querido maestro, el decir que un historiador, Michelet, traza un cuadro magnífico, emocianante, de la estancia, en el Temple, de los reyes; Michelet tenía datos curiosos por su padre, uno de los soldados que montaban la guardia en la prisión, y que pudo ver a la familia real muchas veces. Y en el museo de Grevin, que usted, querido maestro, habrá visitado en muchas ocasiones, habrá visto representado a Luis XVI en el adarve del torreón del Temple, tratando de escuchar los ruidos de la calle; sabe usted que habían sido tapados todos los huecos para que el rey no tuviese el consuelo, o la distracción, de ver algo: algo que le pusiese en autos de su situación verdadera. En el *square* del Temple he pasado yo, en meditación, muchos ratos: absorbido, sumido el pensamiento en el lejano tiempo y en el lejano espacio. ¿Y qué es lo que ha pensado usted, querido maestro, en el *square* de Saint-Jacques, en donde se levanta la magnífica torre? ¿Y qué es lo que ha pensado en el *square* de Cluny, con sus restos de estatuas y capiteles, entre la verdura? ¿No se ha sentido usted emocionado en estos *squares* de París?

—¡Ah, naturalmente! Pero en todos los *squares* de París, con ser tantos, el que más me ha hechizado es un *square*, no opulento, digámoslo así, no con praditos suaves, no con frondas sombrosas, no con paseantes o estantes varios y pintorescos, sino modesto, humilde, ignorado, no incluído en las guías, no digno de que los turistas se remansen en su recinto: el *square* de Carpeaux.

—Ya sé, ya sé; ese *square* apenas es *square;* se baja a él desde la calle de Marcadet por una escalerita; se está entonces en una plazoleta con unos altos árboles y con unos bancos. Al fondo vemos un monumento sencillo, un busto, que no sabemos, cuando visitamos el *square* por primera vez, de quién se trata. Sabemos luego que el bustificado es el estatuario que da nombre al *square:* el propio Carpeaux. Y nuestro pensamiento se remonta con el escultor a su tiempo, al tiempo en que el artista vivió: el segundo imperio, con Napoleón III y con Eugenia de Guzmán. Justamente Carpeaux tuvo empeño en hacer el busto de Eugenia, la cual rehuía satisfacer el deseo del artista. Y un día, estando en la mesa, la mesa imperial, en uno de los sitios imperiales, entre los demás invitados, Carpeaux, ni corto ni perezoso, como decimos en España, desentendiéndose de la etiqueta, comenzó a sacar un apunte de la emperatriz, para poder luego labrar el busto. Naturalmente, como usted dice, querido maestro, que la emperatriz y los otros comensales se percataron del manejo: la emperatriz tomó un berrinche, un berrinche de española; el audaz escultor fué invitado a dejar su habitación para otro huésped; lo cual significaba que se le despedía. Y, sin embargo, el busto de Eugenia de Guzmán se hizo: se hizo por Carpeaux, como se hizo el del emperador. Y los dos bustos son dos obras de arte y de expresión psicológica. Los habrá usted admirado alguna vez, querido maestro, siquiera en fotografía. Y no en fotografía, sino en la realidad auténtica, habrá usted pasado y repasado la mirada con voluptuosidad, con viva complacencia, al cruzar la plaza de la Opera, por el famoso grupo de la Danza, mancillado un día por un fanático, con estrellar en él una botella de tinta.

—¡Ah, naturalmente! Carpeaux es uno de mis escultores favoritos; después, o antes, no sabré decirlo, que Augusto Rodin. Ante el hotel Biron, donde está el museo de este escultor, también existe un *square,* si podemos incluir en el grupo de los *squares,* los *squares* de París, estas enramadas y estas *pelouses.*

—¿Y por qué no hemos de poder, querido maestro? Y si forzamos un poco las cosas para incluirlas, ¿qué mal habría en ello? Hagamos una síntesis de los *squares* de París y de las glorietas de Madrid. Queramos estar a la vez, imaginativamente, en un *square* de París y en una glorieta de Madrid; estemos en el jardincito de la plaza de las Cortes, con una sencilla y simpática estatua de Cervantes, y en el jardincito de la calle de Marcadet, con el busto de Carpeaux. Cervantes nos representará la Humanidad y la tolerancia, y Carpeaux simbolizará la independencia, sin la cual no puede existir el arte ni puede darse ningún verdadero artista.

—¡Ah, naturalmente!

LII
EN LA ESPAÑA PROFUNDA

Esto no es más que el acta levantada por el fiel de fechos de un lugar: tal es de rudo el estilo. No cabrían aquí primores, ni yo, Antonio Seijas, sabría hacerlos. Y comienzo mi relato. Conversé con un psiquíatra amigo mío y tuve que salir de Madrid. Se hacía insostenible mi situación en la capital de España. El amigo a quien fuí a consultar me escuchó con suma atención. Poco más o menos, yo le hablé de este modo: «Doctor, yo no soy yo; quiero decir que yo no soy el mismo que antes; no sé si me explico; antes tenía una personalidad, y ahora tengo otra; tampoco creo que esto está claro; antes contaba con un yo distinto y fuerte, y al presente no tengo ninguno. No puedo leer. Y eso representa para mí la supremo desgracia; puesto que usted sabe, o no sabe, que yo me paso la vida leyendo. Si escribo, es porque leo; la lectura me sirve de estimulante para la gestación artística. Pruebo a leer y dejo el libro al cabo de unos momentos. Antes sabía yo presto lo que era interesante en un libro y lo que no lo era. Naturalmente, con este instinto, el instinto de un perro pachón que se queda de muestra, evitaba los pasajes inútiles y aprovechaba los fructuosos. No tenía que perder tiempo; siempre en un libro existe lo desdeñable y lo proficuo. Veo que me estoy repitiendo. He expresado dos veces la misma idea, aunque, éste es mi atenuante, con variación. No sé ya lo que le iba diciendo a usted, querido doctor. Ello es que, como ahora no tengo el instinto de la lectura, creo que cierto paso es lo que debo leer y que otro es lo que debo esquivar. Y no lo sé; pongo toda mi atención en una parte y me fatigo leyendo lo que en realidad me repugna. Y al cabo de un momento me siento desorientado. Lo que me producía antes deleite, me es enojoso actualmente. Como corolario de este estado anímico, me abruma el desaliento. En fin, doctor, que yo no soy el mismo que era hace un mes. Y he pensado si no sería conveniente el poner una pausa en mi vida. ¿No habrá que atribuir este desfallecimiento a la edad? Son muchos los años que llevo a cuestas, querido amigo. Y el tiempo no se puede abolir.» El doctor sonrió y me dijo: «Váyase usted un mes a lo que usted llama la España profunda; es decir, el reino de León; no quiere esto decir que las demás regiones de España, más concretamente de Castilla, Castilla la Vieja, no sean interesantes; todas esas provincias le servirían a usted para el caso; pero es precisamente en Zamora, por ejemplo, donde usted se encontraría más lejos de sus libros y más cerca de su antiguo yo; es decir, de un yo evanescido y que usted ansía recobrar. Emprenda usted sin tardar un viaje y no piense más en su cojijo. Y lo llamo de ese modo, llamo así su congoja, porque en realidad no pasa de ser una desazón transitoria. No sonría usted con cierta melancolía. ¡Al tren, y después de un mes, o dos, o los que sean, venga usted a verme!»

No cabía dudar, dudar en cuanto a la necesidad del viaje. Dudaba, sí, en lo referente a su eficacia. En Zamora me hospedé en la pensión Cadaval, situada en el centro de la ciudad; cuando llegué era de noche; a la mañana siguiente comencé mis exploraciones. Como acostumbro, al arribar a una población desconocida, no pregunté a nadie. Gozaba con ir descubriendo gradualmente la ciudad y su alfoz. Pronto elegí un sitio predilecto: a la otra parte del Duero, el paraje llamado Aceñas de Requejo. No faltaba día sin una estada en las Aceñas que llevan este apellido de

Requejo. Y la ciudad toda me encantaba. En verdad que, estando en Zamora, me sentía en las profundidades de España. Mentalmente, repetía yo esta frase: de «la España profunda». Y el tiempo iba pasando: pasaba sin que me diera yo cuenta. Todavía, al leer, no sabía lo que debía salvar y dónde debía detenerme; me causaba esto un ligero desasosiego. Digo ligero, porque instintivamente advertía yo que estaba próximo el momento de la recuperación de mi antiguo yo. Se lo debería a Zamora; mejor dicho, a las Aceñas de Requejo. En la provincia tenía a Toro, el de las Leyes que llevan su nombre, a Benavente y a Puebla de Sanabria. Podía yo, si me cansaba en la capital, hacer una excursión por esas poblaciones históricas; seguramente que en ellas me encontraría todavía más dentro de la España profunda.

No pasaba nada: en la pensión Cadaval se deslizaba mi vida plácidamente; me parecía que Madrid estaba a cien leguas de mí, no a las cuarenta y dos que en realidad separan a Zamora de la capital de España. Y un día, al cabo de quince, se vino todo abajo; me encontraba ya casi curado, y comencé a empeorar; regresé al punto de partida. Cuando me di cuenta, experimenté una verdadera angustia; todo esto parecerá enigmático al lector; debo apresurarme a dar una explicación. Había yo preguntado quién era la persona de más visos en Zamora: se me contestó que don Joaquín Gustios. Naturalmente que me faltó tiempo para visitar a este caballero. Encontré en él a un hombre de unos sesenta años, bien llevados; era atento y cordial; agradeció profundamente mi visita.

—Sabía que estaba usted en Zamora —me dijo—. Le he visto a usted varias veces por los alrededores de la población; frecuenta usted las Aceñas de Requejo; le gusta a usted ver correr las aguas de nuestro viejo Duero. Aplaudo, no hay que decirlo, su predilección. Desde el primer instante, sin tener el gusto de conocerle personalmente, he sentido por usted viva simpatía. Y de algo más que de simpatía debo hablar a usted. No quiero que tan reciente amigo, como usted, me tenga por indiscreto, pero ansío desahogar mi pecho.

Hizo una pausa el caballero y lo estuve yo mirando con atención profunda durante este interregno; presentía yo que de sus palabras iba a depender mi suerte en Zamora; en Zamora y en Madrid. Don Joaquín Gustios continuó:

—Desde que está usted en Zamora me siento mejor. Y usted dirá: ¿Y qué enfermedad padece este señor? Pues la enfermedad que padezco es una dolencia singularísima. No la curará ningún doctor; lo presiento; sé que mi achaque no tiene remedio. No sé por dónde principiar a contarle a usted mis desdichas. Hace diez años que estoy trabajando en una obra histórica: el famoso pleito de Zamora. Permítame usted que entre un poco en pormenores; me sentía ya un tanto mejor; la presencia de usted en Zamora me da alientos que antes no tenía. ¿Y sabe usted por qué? La serenidad, la ponderación, la mesura de sus escritos, emanan como un efluvio que envuelve mi persona. Experimentaba, sí, cierto alivio en mi mal; lo que dudaba yo que hicieran los especialistas, lo lograba con la sola presencia de usted en Zamora. Las Aceñas de Requejo, para usted tan dilectas, hacían por tabla el milagro. He perdido el hilo de mi narración. La obra que me ocupaba la consideraba yo como decisiva en la historia de Zamora. Y había renunciado con profundo dolor a proseguirla. Pero vamos a lo que importa: en 1065 muere Fernando el Grande, rey de Castilla y de León. Deja cinco hijos: tiene la desdichada idea de repartir el reino entre todos sus vástagos. Al primogénito, Sancho, corresponde Castilla; a García, Galicia; a Alfonso, León; a Elvira, Toro; a Urraca, Zamora. Sancho quiere apoderarse de todas las partidas de la herencia. Ya sabe usted lo que ocurrió; llegó su torno a Zamora, y Sancho puso cerco a la ciudad. Después de siete meses de asedio, un día salió de Zamora un ciudadano y mató a Sancho. Esto es todo: parece nada y es mucho. Siempre se ha tenido por abominable la conducta de Vellido Dolfos, el matador de Sancho; yo, en mi libro, trato de reivindicar su memoria. Y esto es todo también. Pero no podré continuar mi libro: se ha apoderado de mí un mal curioso. No soy yo; quiero decir que no tengo la personalidad que antes tenía; antes era uno, y al presente soy otro. No puedo leer; imposible fijar mi atención en una página, pero repare usted en el prodigio: la serenidad de usted, que yo tanto admiro en sus escritos, ha comenzado a influir en mí; me siento otro desde que se encuentra usted en Zamora. ¿Va usted a estar mucho tiempo entre nosotros? ¿Tendremos el gusto de contarle entre nosotros, como un amigo cariñoso? Cada día que pasa estando usted en Zamora, me siento más alentado. ¡Ojalá que fuera luenga su estancia en la vieja ciudad! ¿Que las Aceñas de Requejo puedan verlo a usted mucha mañanas!

Han pasado varios días; estoy ahora en mi cuarto de la pensión Cadaval, sita en la calle de Renova. Lo que había adelantado en mi curación, ha sido en vano. Debo confesármelo crudamente: don Joaquín Gustios me ha transmitido su malestar; mejor dicho, mi achaque se ha recrudecido a medida que el de Gustios aminoraba. Llegará un momento en que el caballero zamorano recobrará su serenidad y en que yo me encontraré de nuevo sumido en lo hondo del desaliento. No servirán ya de nada las Aceñas de Requejo, junto al Duero. ¿Y qué es lo que debo hacer en este trance: marcharme y dejar desamparado a don Joaquín Gustios? ¿Interrumpir esta obra de caridad? Caridad a mi costa, a costa de mi propia salud. ¿Y la gran historia de Zamora, que gustios no podrá continuar? Sin saber lo que hago, me levanto de la silla y encamino mis pasos a las Aceñas de Requejo.

LIII

VIVIR EN GRANADA

Voy a contarles a ustedes, en dos palabras, la aventura más rara que he conocido en mi vida. No me ocurrió a mí, sino a un amigo mío a quien ustedes no habrán conocido: Jaime Torres. Y he de comenzar pergeñando ligeramente la persona de mi amigo.

Hizo una leve pausa Antonio Amaro y nos dispusimos a escuchar, no sin cierto recelo, lo que iba a contarnos. Digo sin cierto recelo porque nuestro compañero de letras era un hombre dado a las ficciones novelescas, quiero decir, a las sofisticaciones. Pero, en fin de cuentas, tanto nos daba que lo que nuestro amigo narrara fuera real o inventado.

—Están ustedes pensando que voy a intrigarles con alguna sofisticación. Sé que tengo fama de urdir embrollos novelescos que doy por acaecidos. No se trata en la presente ocasión de un enredo imaginario, sino de algo que muchos pueden atestiguar. Y entro en materia sin más preámbulos. Jaime Torres era un hombre bien apersonado; su talante era digno; sus ademanes, señoriles. Gustaba de la lectura; tenía posibles para permitirse el vagar, el dulce vagar, entregado al ensueño. Añadiré que su edad le inclinaba a la meditación: había pasado ya, cuando ocurrió lo que voy a contar, de los setenta años. Sosegado, amante del silencio, amigo de la soledad, Jaime Torres se mostraba desengañado de todo después de haber leído mucho y de haber viajado por todo el mundo. Llegaba a la senectud sin esperanzas de nada y sin temer nada; era el hombre, como dice el refrán, que «ni teme ni debe». Pero yo no sé si ese refrán expresa denigración o loa; dejemos esto por el momento. El caso es que Jaime Torres se fué a Granada. Como en su adolescencia había estado estudiando en esta ciudad, quiso Jaime recordar sus tiempos antiguos. No digo hacer revivir, pero ése es el vocablo que debiera emplear; ése precisamente es el que usó el propio Torres cuando habló conmigo del proyecto. Lo malo es que en la vida no se pueden revivir dos veces las mismas cosas. Y el lance ocurrido a Jaime lo demuestra. Pero no quiero adelantar la filosofía de este asunto. Cuando, siendo muchacho, Jaime Torres hacía el viaje a Granada, no existía aún ferrocarril directo a dicha ciudad; para ser exacto añadiré que ni directo ni indirecto. Había que ir a Jaén, tomar allí una diligencia y llegar a Granada al anochecer, después de haber salido de Jaén en las primeras horas de la mañana. Jaime Torres no quiso hacer el viaje en tren; fué a Jaen y tomó allí un coche; le placía el rememorar con tal modo de viaje sus años de juventud. Entraría en Granada como había entrado cincuenta años antes, cuando él iba a estudiar a aquella universidad. Naturalmente que Jaime se iba forjando ilusiones durante todo el camino. Esas ilusiones debían de ser tan frágiles como un quebradizo vidrio; pero torno a decir a ustedes que no quiero adelantar el epílogo de la aventura. El afán de Jaime Torres—un tantico o un mucho soñador—era el de experimentar en Granada las sensaciones que había experimentado en su muchachez. De pronto, como en un arrebato, con la sensibilidad hipertrofiada, se asomaría de Granada, a sus calles, a sus paseos, a la Alhambra, al Generalife, al Albaicín, y gozaría de la bella ciudad como había gozado antaño. No le cabía duda a Jaime de esto: otra fué la realidad. Para que la repentinidad que buscaba Jaime, en su goce de Granada, fuera más absoluta, mi amigo buscó un pupilaje modesto y se acomodó en un cuartito empanado. Acaso no sabrán ustedes lo que es un cuarto empanado; algunas veces, siendo yo estudiante, me he aposentado en uno de esos cuartos; un cuarto empanado es un cuarto que no recibe la luz directamente de la calle o de un patio, sino que llega la luz a su ámbito procedente de otro cuarto paredaño. Estando en ese aposento empanado, Jaime Torres no vería nada: estaría así, como ciego, hasta que súbitamente, de antuvión, como si dijéramos, saldría a la calle y se empaparía de la realidad granadina. Y aquí tenemos a Jaime en su cuartito empanado, con una cama, una palangana, una silla y una mesa en la que Torres ha puesto un ejemplar del libro de Washington Irving *The Alhambra*, publicado, como ustedes saben o no lo saben, en 1832. La luz del aposento es tan vaga, tan turbia, que Jaime apenas puede leer; se contenta con palpar amorosamente el volumen, en tanto que su imaginación vuela por las regiones de los incircunscrito. Perdonen ustedes esta última frase; me he jurado muchas veces el no hacer frases fantaseadoras, y siempre incido en lo reprobado. La noche de su llegada, no salió de su diversorio, o sea pupilaje, Torres; dejó para otro día, a pleno sol, el entrar en contacto con la prometedora realidad. ¡Cuántas ilusiones se forjaba en la sonochada, antes de dormirse, Jaime, el iluso! He estado a punto de proferir que se hacía ilusiones, pero los puristas no quieren que se diga hacer, sino forjar. A otro día, de buena mañana, Jaime se preparó para echarse a la calle; estaba realmente emocionado; lo sé por él mismo, naturalmente. Llevaba en la mano el libro de Irving y se proponía leer unas páginas en la Alhambra, como las había leído a los veinte años. En pie, ya para trasponer el umbral del cuarto, se detuvo un momento; creyó que debía sentarse antes un poco, y se sentó ante la mesita; sentado ya, adoptó la actitud clásica del meditativo: hincó el codo en el tablero, puso la mejilla en la mano y en esta guisa permaneció largo tiempo. Iban pasando las horas, y Jaime Torres no se decidía a salir de su empanado cuarto. ¿Y por qué no se resolvía al éxito Jaime Torres? ¿Qué causa le impedía la salida?

Con una sola palabra lo expresaré: miedo. Sí, Jaime Torres, el tan corrido y tan leído, sentía miedo; lo sentía ante la realidad que pudiera ofrecerse a su sensibilidad. Pensaba que pudiera sucederle algo así como la caída subitánea en un precipicio. Desde lo alto de sus antiguas sensaciones, caería en las sensasiones actuales; el desnivel podría ser dolorosísimo. Y Jaime Torres, sensitivo, con una cenestesia agudísima, no se resolvía a abandonar su aposento. El pasado podía en él más que el presente. Se aferraba a lo antiguo—su vida entera—como un náufrago a la tabla. Y así pasó el día. Y así pasaron otros días. El pupilero extrañó la conducta de Torres; pero como Jaime era muy dadivoso y sembraba a chorrillo las propinas, todos en la casa, amos y sirvientes, acabaron por respetarlo y quererlo. No; no salía de su cuarto mi amigo; al cubiculario que le limpiaba la habitación, alguna vez interrogaba Jaime sobre cosas de Granada: ¿Existía aún el café Suizo? ¿Tenía ese café, en un fondo, un saloncito que daba a otra calle, como antaño? ¿Había en una callejita una cierta sombrerería? El dueño de esa sombrerería era espiritista, y Jaime, con varios amigos, solía ir a escuchar sus desvaríos. No viviría ya el sombrerero espiritista, como no viviría tampoco un tipo popular al que llamaban el Suplente. ¿Y eran muy frondosos, como antaño, los árboles del Salón y de la Bomba, dos paseos magníficos de Granada? ¿Y los arrayanes del Generalife? ¿Por qué alguna de estas sirvientas amables, si subía al Generalife, no le traía un ramito de mirto? No necesito decir a ustedes que cuantos, en el pupilaje, escuchaban a Jaime Torres sonreían, y, sin que él lo viera, hacían el gesto de barrenarse la sien con el dedo. Pero repito que en los aposentamientos, sean modestas casas de huéspedes o grandes hoteles, el dinero prodigado a los servidores la dulcifica todo. Y no hubo más: dos meses permaneció en Granada Jaime Torres y no salió de su cuarto: no olviden ustedes que era un cuarto empanado. Como llevaba una maquinita fotográfica de gran potencia, sacó varias fotografías del aposento. Voy por ellas, es decir, por unas copias que me regaló Jaime, y se las enseñaré a ustedes.

Se levantó presto Antonio Amaro y los que le escuchábamos nos miramos sonrientes. Me atreví yo a preguntar:

—¿Pero es verdad todo esto?

—Ni en un ápice—me contestó un antiguo amigo de Amaro—. Antonio narra un cuento en el que ha querido simbolizar la tenacidad del recuerdo; con la tenacidad, el amor, profundo amor, que tenemos a todo lo que es pretérito y placentero en nuestra vida. Jaime Torres es el mismo Antonio Amaro. Y Antonio Amaro, en la vejez, no quiere que con una visión nueva de las cosas se desvanezca la visión primigenia y dilectísima. No hay más en este símbolo, y eso es todo.

LIV

LA NOVELA

Escribo con cierta emoción; la emoción de quien va a tocar una materia delicada. No sé cuándo ocurrieron los hechos que voy a narrar; debió de ser hace unos cincuenta años. No puedo precisar la fecha; no querría tampoco precisarla. Igualmente no he guardado en la retentiva la figura del personaje; sólo quedan en la memoria los rasgos esenciales; es como si en el fondo de la copela quedara una porción de materia purificada, o bien como si, cribado el trigo, estuviera en el suelo el grano limpio, y en la zaranda, los granzones. Pero veo que estoy empleando imágenes, para mí lo vitando. En literatura, el uso de las imágenes es como jugar fulleramente; se debe escribir en forma escueta y monda, a la manera que está escrito el *Discurso del método;* ya salió la obra que me sirve de guía, literariamente, en mis empresas. No sé dónde vivía yo entonces; debía de ser allá por Puebla, Desengaño, Barco o Valverde; no es menester—ni quiero—poner precisión en lo que estoy contando. Y se me dirá: «Entonces, ¿por qué se evoca el *Discurso del método?*» A esa pregunta puedo yo contestar triunfalmente; contestaré, desde luego, al final. La casa en que yo vivía era un pupilaje limpio y silencioso; estábamos allí de asiento cuatro o seis huéspedes; todos con asistencia. Esto significa—se ha perdido ya la terminología de los pupilajes—que comíamos y dormíamos en la casa. Cuándo llegó el héroe de esta narración, no lo sé; un día vimos sentado a la mesa un huésped desconocido; la mesa era larga; mesa redonda, en donde pronto se hacían amistades. Por más que busco y rebusco en los escondrijos de la memoria, no encuentro el recuerdo de las primeras palabras que cambié con el personaje, al modo como en un sombrío camaranchón no hallamos el trasto viejo que buscamos, desechado ha tiempo, pero que ahora necesitamos. Y veo, con desabrimiento, que vuelvo, con la imagen, a trampear en el juego.

Quisiera recordar su tierra nativa: la tierra de donde venía a Madrid; no importa, en último término, el no fijar en el papel este dato. Lo cierto es que el nuevo huésped vivía en la casa en un cuarto frontero al mío; yo regresaba del periódico a las tres de la madrugada y me levantaba a las diez; ahora tengo otras costumbres; no es esto lo sustantivo. Cuando yo salía a la calle, por las mañanas, indefectiblemente me encontraba con él; abría él la puerta de su cuarto y la abría yo al mismo tiempo. Esta coincidencia es lo que acentúa la emoción con que escribo; creo que, fatalmente, había de cruzarse en mi camino este personaje, a modo de un símbolo de mi vida literaria. Los rasgos que conservo de su persona son pocos, pero indelebles. Cuando el personaje salía a la calle, llevaba un paquete envuelto en papel amarillento y atado con balduque color rosa: lo que allí se contenía era nada menos que un libro inédito. Traté yo en alguna ocasión de averiguar qué clase de libro era, si novela, si centón de versos, si ensayo filosófico, si historia. No lo supe nunca; cuando aventuraba mi pregunta, el huésped sonreía; había en su sonrisa una bondad que me cautivaba; no encontraba yo en este hombre el amargor del desengaño. Digo esto porque a lo que salía el personaje, con su libro inédito, era a la busca de editores, y que—lo supe con certeza—los editores rechazaban su oferta. En alguna ocasión encontré en los pasillos de la casa, al regreso de sus infructuosas pesquisiciones, al héroe de esta historia; no advertí nunca en su faz contrariedad; venía de sufrir un nuevo descalabro, y ni un músculo de su cara se alteraba en lo más mínimo. Hablaba, no mucho, en la mesa redonda como si acabara de alcanzar un triunfo. Y yo, que me precio de un poco psicólogo, tenía la sospecha de que la publicación de aquel libro constituía para él lo más importante de su vida. Si lo publicaba, sería famoso o comenzaría a serlo; si no lograba verlo impreso, volvería a su tierra natal y allí le considerarían fracasado.

No pude menos de entrar en su cuarto cierto día, no sé a qué; aproveché la coyuntura para hablar despaciosamente con el personaje. El diálogo que se entabló entre nosotros sí que lo tengo grabado en la memoria. Todo estaba ordenado y limpio en el aposento; en la mesita no se veía ningún libro.

—¿No lee usted?—le pregunté.

—No; no leo nunca—contestó él sonriendo levemente.

—¡Es raro!—exclamé yo—. Conozco muy pocos hombres que no lean, siendo escritores. ¿Por qué no lee usted?

—Porque observo la Naturaleza, y eso me basta.

—La Naturaleza es un buen libro, pero hacen falta otros.

—¿Ve usted esa faja de sol que hay en la pared de enfrente?

Interrumpo la narración para decir que el cuarto que ocupaba el huésped era interior; daba a un patio blanco y silente. Cercano se veía un muro enjalbegado de cal amarillenta; era a media tarde y caía sobre la amarillez un fúlgido rayo de sol. Reanudo la confidencia de mi compañero.

—¿Ve usted esa faja luminosa de la pared frontera? Poco a poco, diré mejor, gradualmente, va subiendo por el muro y va tornándose, con la progresión de la tarde, más flúida, más etérea, más delicada, más falleciente. No sonría usted al escuchar la copia de mis expresiones. ¿No somos los dos escritores?

Hay muchas cosas en lo copiado que merecen comento: lo merece, primeramente, la distinción entre el modo «poco a poco» y el de «gradualmente»; no son la misma cosa; advertía yo que estaba en presencia de algún captador de sutilidades. En segundo lugar, quisiera decir algo de la prodigalidad léxica que en lo trasladado se manifiesta; sería pedantesco tal derroche, si no fuera preciso para la expresión exacta, y si no hubiera atenuado sus palabras mi compañero con su constante sonrisa de bondad.

—Pues en contemplar cómo ese sol de la tarde va desapareciendo por grados, en la pared amarilla, en un ámbito de silencio, me entretengo yo largo rato. ¿Y no es mejor esto que estar leyendo? Fuera de que la lectura entristece.

Al sentarme un día a la mesa no vi al personaje; se había marchado a su pueblo a primera hora de la mañana. No hablé ni palabra en toda la comida. Y en este momento—y en otros muchos—, el recuerdo de este hombre innominado es para mí, en mi senectud, como un aparecido que surge del fondo del tiempo para decirme estas dos palabras capitales: bondad, meditación. Quisiera tramar una novela, novela nueva, en el sentido de inusitada, con este personaje, y no sé cómo arreglármelas. Se me plantea un problema que tengo por insoluble: ¿precisión o imprecisión? ¿He de dejarlo sumido todo en vaguedad? ¿He de precisar, a riesgo de que la creación pierda su encanto? ¿Y no es para mí como si me desgarraran algo en mi ser el tocar a este recuerdo incircunscrito en el espacio y en el tiempo? Tengo plena seguridad de que en cuanto empiece a imaginar pormenores precisos, se desvanecerá el ensueño: algo así como si un perfume preciso, un franchispán, se desbravara al dejar largo tiempo destapado el frasco. Con esto torno a las imágenes que yo repudio. El *Discurso del método*, mi pesadilla perdurable, me condena. Y me condena también al mostrar propensión—en este caso proclividad—a crear en la novela un estado de vaguedad, de imprecisión y de irrealidad. Sí, de irrealidad: batallan en mí, con opugnación dolorosa, Descartes y Berkeley. No sé en este momento—lo confieso—si pueden completarse los dos filósofos o se repelen.

LV

LA PEÑA DEL CID

¿Adónde irá Juan Ardal? ¿A qué punto encaminará sus pasos atentados o desatentados Juan Ardal? ¡Eh, señor, Juan Ardal soy yo! No confundamos; hablo de mí de este modo para mayor objetividad; si hay algo en el mundo que me encante es la objetividad. Necesito yo marcharme a alguna parte con el fin de escribir mi libro; no puedo escribirlo en Madrid; lo tengo ya pensado; he trazado *in mente* sus principales líneas; no tengo más que ponerme al telar, pero el telar no está en Madrid. Se requiere para este libro un ambiente especial; he de encontrarlo; no sé si acertaré. Juan Ardal ha de salir de Madrid; pero no sabe Juan Ardal adónde encaminará sus pasos, ya sea con tiento, ya titubeantes y atropellados. ¿Y por qué han de ser atropellados mis pasos? Es tiempo ya de que yo diga cuál es el tema de mi libro; cuando yo laboro un libro, no pienso en otra cosa; me doy todo a mi tema; estoy día y noche obseso con mi tema; pienso en mi tema despierto y entre sueños. El tema que ahora traigo entre manos es un asunto histórico: un momento en la vida del Cid. ¡Eh, señor! ¿No le parece a usted bien mi asunto? ¿No he elegido bien? Dudará usted al contestarme; no se decidirá usted a decirme nada. Y es porque espera usted la especificación: la especificación del asunto. La vida del Cid es, si no larga, muy intensa; no quiero yo—ni podría—abarcarla toda en mi libro. Lo que me propongo hacer no es una nueva biografía de Rodrigo Díaz de Vivar, sino la psicología de un momento, un solo momento, en esa vida. Las biografías pecan de laxas; no se puede zafar ningún biógrafo del desmadejamiento; se llega a un punto en que el biógrafo, por fervoroso que sea en su labor, siente desmayo; conozco yo estas fallas del escritor, que pasan inadvertidas para los profanos. Como soy leal conmigo, no caeré yo en tal desánimo; prefiero un momento en la vida de un personaje, que toda su largura. Los desánimos en literatura me aterran. Y bien, Juan Ardal, ¿qué es lo que has elegido en la vida del Cid: su juventud o su madurez? ¿El Cid de las mocedades o el Cid de la conquista de Valencia? ¿El Cid de Corneille o el Cid del Poema que copió Pedro Abad? Pues he escogido el Cid en su madurez; me atrae este hombre desterrado por su rey, lloroso, a pesar de toda su fortaleza, volviendo la cabeza de cuando en cuando al dejar su casa en Vivar, donde queda todo desguarnecido. ¿Y por qué, en este bello Poema, escrito a mediados del siglo XII, se dice que ya en la casa del Cid no hay nada de lo que había antes, es decir, las alhajas de todas las casas? ¿Quién se las ha llevado, si el Cid estaba en la casa y podía impedir la depredación? No he comprendido nunca este pasaje del *Poema del Cid*. Pero no nos perdamos en sutilidades; vamos a nuestro asunto. Y nuestro asunto, el mío, el de Juan Ardal, es que yo pinto al Cid en unos momentos de reconcentración: recogimiento sobre sí mismo. Triste, puesto que llora, el Cid, en este trance de su vida, me es profundamente simpático; yo lo veo como un hombre bondadoso y fuerte; se encuentra en plena vida; sus fuerzas, tanto físicas como intelectivas, son grandes; se abre todavía la vida ante él en dilatada perspectiva. ¿Qué hará el Cid, desterrado, vagante por Castilla? ¿En qué piensa el Cid en estos momentos? Le han segundo varios amigos; le acompañan en su desgracia algunos leales; pero vea usted, querido amigo, el temor de la gente, en Burgos, cuando el Cid entra para despedirse de la ciudad; vea usted la medrosidad de la gente; todos lloran al verle; todos plañen su infortunio; pero nadie se le acerca; temen la iracundia del rey; sólo una niña, una niña de nueve años, le dice al Cid que todos lo sienten mucho, pero que anoche llegó precisamente una carta del rey que amenaza con graves penas a quienes acorran a Rodrigo. Dice esto la niña, una niña de nueve años, y se entra en la casa otra vez y cierra la puerta. ¡Ah, qué cansado estoy de dar vueltas en el magín a este asunto de mi libro!

(Dos días después, Juan Ardal continúa su soliloquio; es hombre afable; no rehuyamos el acercarnos a su persona; habla consigo mismo, y, después de todo, no razona mal; no se puede decir de él que es un venático. ¿Y por qué ha de tener el juicio decentado un escritor que trabaja con tanta conciencia? Lo tendríamos todos los que ponemos conato en nuestras quimeras; todos seríamos gente afilosofada; creo que el ser afilosofado es ser un poquitín dementado; ahora soy yo quien parece Juan Ardal, es decir, quien semeja que desvaría. Sigo copiando, con más o menos fidelidad, las palabras del erudito.)

—He resuelto ya mi problema; creo que lo he resuelto; no estoy seguro de ello; he estudiado tanto estos días, que no respondo de mí; no sé, a veces, lo que me digo. ¡Eh, señor, que esto no es más que una figura retórica! No vaya usted a creer que Juan Ardal está mal de la cabeza; el vulgo se expone a este error cuando juzga a los escritores. En fin, declaremos lo esencial. He consultado con un amigo: dudaba yo entre ir a Burgos o a Valencia. En Burgos estaría en pleno ambiente cidiano, y en Valencia también. Lo malo es que yo tengo muy en cuenta mi salud; estoy siempre muy sobre mí; no doy paso que no sea atentado; lo que dijo el otro de los desatentados pasos, es pura eutrapelia. Burgos está muy alto y Valencia está muy bajo; no me convienen ni Burgos ni Valencia para mi salud; si he de trabajar en mi libro con eficiencia, no de un modo frustráneo, necesitaré que no se produzca en mí desasosiego ninguno. Ni el más leve. Y si no voy a Burgos, ni vay a Valencia, ¿adónde me encaminaré? ¿Es que hay en España algún otro paraje cidiano? Este era el problema: el amigo citado me lo ha resuelto. Me encuentro un poco febril; preparo los bártulos para marcharme. Consulto la guía de ferrocarriles; consulto la guía del automovilista. Voy a Elda; lo repetiré: voy a Elda. Elda se encuentra de Madrid, por tren, a cuatrocientos diecisiete kilómetros; por carretera, a trescientos setenta y siete. He de hacer el viaje en auto; me conviene más; es más entretenido. Elda está en la provincia de Alicante, a treinta y ocho kilómetros de la ciudad; podré ir a Alicante cuando quiera, con facilidad. ¿Y donde está el lugar cidiano? Elda se asienta en un valle, un pintoresco valle; lo domina un ingente monte; ese monte no acaba en punta, como los demás, sino que su cumbre es una terraza que avanza sobre la hondura de la depresión. Sé todo esto porque mi amigo, alicantino castizo, me lo ha contado. Y no les digo a ustedes las ponderaciones que me ha hecho del valle de Elda. Pero ¿y qué tiene que ver todo esto con el Cid? Tiene que ver, porque ese monte de mil ciento once metros sobre el nivel del Mediterráneo lleva el nombre de Peña del Cid; sé que también se le llama Peña Negra o Peña del Enebro, pero corrientemente se le aplica el cognomento del Cid. En una casita de campo, en las laderas de la Peña del Cid, iré escribiendo mi obra; el ambiente es apropiado; digo el ambiente espiritual; en cuanto al físico, no podrá ser más placiente; la amenidad del valle y la templanza del clima darán más fuerza a mi ímpetu en la labor.

(No sabrá a qué carta quedarse el lector de Juan Ardal. ¿Decentado en su juicio, o no decentado? Pormenor significativo; lo que ha acabado por hacerle desear con vehemencia el viaje, es el haber consultado, a más de la guía de ferrocarriles y automovilista, un librito que él posee y tiene en gran estimación; está encuadernado primorosamente en tafilete rojo, con cantos dorados, y lleva este título: *Pocket gazeiteer*. En este librito, diccionario geográfico, se dice de Elda: «Elda, tn. Spain, 26m n. W. on the Elda, P. 4337.» Nada más cabalístico. Y eso, precisamente, es lo que ha hechizado a Juan Ardal.)

—Todo esto es precioso; mi vida se desliza en el valle de Elda, bajo la alta Peña del Cid, con una suavidad indecible; voy descubriendo poco a poco nuevos aspectos de la Naturaleza; doy grandes paseos; todavía no he desembalado los libros; abriré el cajón uno de estos días; el Cid, tan bondadoso, puede esperar. Ayer estuve toda la tarde en un molino, charloteando con el molinero; corre por el valle un riachuelo, el Vinalapó; hay remansos deleitables; en algunos sitios, el álveo del río se estrecha; se ven en lo alto el azul blanquecino del cielo, y abajo, las claras aguas del río, que se escurren entre cañares; las hojitas de las cañas, como grímpolas, flamean al suave céfiro. En el molino me enteré de todo: maquila, cibera, muelas, caz del molino, cítola, no quiero que se me olvide la cítola; todos estos vocablos andan joviales por mi cerebro. Pienso escribir un libro sobre el valle de Elda; me obsesiona ya el asunto, no puedo dejar de pensar en él; veo a todas horas las flámulas del cañar, oigo el rumor del agua cristalina; escucho, sí, con profunda atención, el sonsonete advertidor de la taravilla cuando falta trigo en la tolva. Hablo, naturalmente, del molino. ¿Y pondré a mi libro el título de *El valle de Elda* o el de *El molino en el valle?*

LVI

NADA PARTICULAR

Voy a contar un suceso rigurosamente histórico; no tiene nada de particular. Conocí a Lucio González Abellán; vivía en el hotel de Rusia, en la carrera de San Jerónimo, hotel ya hace tiempo desaparecido; iba de tertulia al café de la Iberia, enfrente del hotel, donde se reunían algunos asturianos: Celleruelo, Melquiades Alvarez, Ulpiano Díaz, con algún otro tertuliante no nacido en Asturias, don Manuel Troyano, por ejemplo, redactor entonces de *El Imparcial,* donde escribía los artículos de fondo: artículos notables por su clarividencia y su perspicacia. Desapareció ya también el café de la Iberia. González Abellán tenía caudalejo; poseía algunos bienes raíces en el partido judicial de Alcázar de San Juan, ciudad que ha sido considerada como la patria de Cervantes, un Cervantes real o supuesto; de todos modos, otro Cervantes, Miguel de Cervantes y López. No he conocido hombre más mirado que González Abellán: procedía siempre con irreprochable corrección; alguna vez se le retrasaron los arrendadores en enviarle sus rentas, y González Abellán, que se veía en trance angustioso, no quiso decir nada a nadie; seguramente que alguno de sus amigos—los tenía muy afectuosos — le hubiera adelantado, con gusto, alguna cantidad. Era conocido en todo Madrid González Abellán; concurría a todos los estrenos; no faltaba, por supuesto, en ir a casa de doña Mariquita, chocolatería en la calle de Alcalá, a tomar un pocillo de chocolate después del estreno, a la madrugada; eso era lo estrictamente madrileño. Frecuentemente se citaba su nombre en los periódicos; no sé si alguna vez publicó algo en el *Madrid Cómico;* tenía vena para ello.

Las fincas que González Abellán tenía en la Mancha—él era manchego—eran de rendimiento pingüe; vivía al principio González Abellán con cierto fausto; fausto en lo que cabe, dada su modestia. Pero poco a poco esas fincas fueron desapareciendo; quiero decir que su propietario las iba enajenando. Hay un refrán que dice: «Hacienda, tu amo te vea.» Y como González Abellán no podía ver sus fincas, puesto que vivía en Madrid, los arrendadores hacían en las fincas lo que les placía; las esquilmaban para obtener el mayor rendimiento con el menor gasto. González Abellán, para ir viviendo en la corte con el mismo atuendo que antes, fué paulatinamente, sintiéndolo en el alma, vendiendo sus fundos. Y llegó un momento en que no pudo, con sus propios recursos, vivir en Madrid. Hubo de retirarse a su tierra: le quedaba una finca, llamada La Palomera, y a ella se fué; distaba La Palomera bastante de Alcázar de San Juan; González Abellán no aportaba nunca por Alcázar. No podíamos creer sus amigos que un hombre tan madrileñista se aviniera a vegetar, como un anacoreta, en un páramo manchego. Pero es lo cierto que González Abellán, cuando nos escribía, no manifestaba ningún disgusto. He dicho al comienzo que nuestro amigo era muy mirado. Pero González Abellán tenía la ambición, muy puesta en razón, de volver a su antiguo esplendor. Y un día, cavilando, se le ocurrió comprar un décimo de lotería, no sé si de la de Navidad o de alguna otra notable; creo, sin embargo, que fué la del día veintidós de diciembre. Envió González Abellán un billete de Banco dentro de una carta a su amigo Alfredo Nodales; le suplicaba que le comprase un décido de lotería y se lo enviase; cuando estaba a punto de cerrar el sobre puso, en una posdata, que, en vez de enviar el décimo, lo retuviese en su poder. La lógica con que justificó esta rectificación pinta de cuerpo entero a González Abellán. Vamos a ver si el lector logra comprender el razonamiento de nuestro amigo: ante todo, no quería él causar molestias a nadie por nada; ésta fué la norma de toda su vida. No quiso certificar la carta en que enviaba el billete por no someter a su amigo al engorro, nimio, de tener que firmar en el libro de recepción que llevan todos los carteros. Ahora, al tratarse del décimo, si pedía a Nodales que certificara la carta o que mandara el documento por valores declarados—era lo natural—, imponía a su amigo, con todos los formulismos imprescindibles, una verdadera molestia. Y si le pedía que metiera simplemente en un sobre el décimo y lo enviara, ¿qué es lo que podría ocurrir? Podría ocurrir que no llegara. Y si no llegaba, ¿quién le quitaba a González Abellán el pensar que no se había enviado? ¿Y cómo evitar que Alfredo Nodales, al no llegar el décimo, pensara que González Abellán pensaría, a su vez, que no le había mandado Nodales? Procediendo Nodales limpiamente, siempre González no podría eludir el pensamiento sospechoso. Y esto es lo que él deseaba que no ocurriera. Ni la más leve molestia quería González Abellán ocasionar a su amigo. Por tanto, puso la posdata consignada. El décimo quedó en poder de Alfredo Nodales; conocía, naturalmente, Lucio, el número de su décimo. ¡Y a esperar! Esperó el sorteo, y vió, con asombro, atolondrado, que su número, el del décimo, salió premiado con el gordo. Lo vió en la lista de un periódico que recibía. Ya podía González Abellán volver a su Madrid, ya podía levantar las dos hipotecas que pesaban sobre La Palomera: ya podía tornar a la tertulia del café de la Iberia; ya podía ir a todos los estrenos, y después de los estrenos, a la chocolatería de doña Mariquita, en la calle de Alcalá. Tardó algunos días en ir a Madrid a cobrar el premio; se regodeaba pensando que allí, en La Palomera, en el término de Alcázar de San Juan, había un hombre que volvía a ser rico, y que ese hombre demoraba, con voluptuosidad, el tomar posesión de su fortuna. Por fin se decidió a emprender el viaje; en la estación de Alcázar compró un periódico. Al echar la vista por sus planas leyó algo que comenzó a intranquilizarle; no se daba él cuenta del motivo de su desasosiego; lo comprendió segundos más tarde. El periódico daba cuenta de una catástrofe ferroviaria: la de Quintanapalla, entre Miranda de Ebro y Burgos, catástrofe famosa en que perecieron muchos pasajeros. En la lista de los muertos estaban estos dos: Alfredo Nodales, Margarita Carreño. No cabía, por tanto, duda; digo por tanto, puesto que tales apellidos no son vulgares y no podía tratarse de otros homónimos. Al llegar a Madrid, dudó largo rato. ¿Iría en seguida o esperaría? ¿Iría a la casa de Nodales o aguardaría un poco tiempo? El ir súbitamente le parecía indiscreto; supondrían, desde luego, que la visita era interesada; el demorar la visita suponía también, aparte de la incorrección, una falta de piedad. Fué a la casa y se encontró con que las dos hijas del matrimonio Nodales habían salido, como es natural, para el lugar de la catástrofe; en la casa, una vieja criada se mostraba desoladísima. No había que hablar de la cuestión del décimo. Cuando regresaron a Madrid las hijas, Carmen y Margarita—recuerdo los nombres—, venían rendidas de dolor y de fatiga; no se les podía hablar del asunto que tanto interesaba a nuestro amigo. Pasaron unos días, y todo fué normalizándose; González Abellán pudo entonces hablar. Y la primera frase del asunto fué ésta: «No sabemos nada; no hemos oído nunca hablar del asunto a nuestros desgraciados padres.» (Hubo en este punto, naturalmente, sus gemidos y sus llantos.) La segunda fase fué la siguiente: «El décimo debe estar guardado en algún cajón; con la confusión de la casa, confusión propia de esta horrible desgracia, no hemos tenido tiempo todavía de ocuparnos del asunto; pero, desde luego, no pase usted cuidado: el décimo lo tendrá usted, con toda seguridad.» Pasaron los días; el décimo fué buscado; no estaba en los cajones en donde Nodales solía guardar los documentos de valor; tal vez estaría en la caja que en un Banco tenía la familia. No había tiempo para ir a ese Banco; todo era cosa de esperar un poco; el estado de ánimo de las dos jóvenes era verdaderamente deplorable; González Abellán tenía que hacerse fuerte para hablar de sus intereses con estas dos muchachas llorosas y angustiadas. Se abrió, por fin, la caja del Banco, y en ella no estaba el décimo. Entonces González Abellán hizo lo que debió hacer desde el primer momento; cuando leyó en el periódico que su décimo salió premiado, su deber estaba en no permanecer ni un momento más en La Palomera; al llegar a Madrid debió presentarse en la lotería en donde había sido comprado el décimo; no sabía cuál era, pero los periódicos lo decían; en sus amplias informaciones, todos los diarios hablaban de la afortunada lotería y de los afortunados adquirentes. Cuando González Abellán fué a preguntar a la lotería, en las Cuatro Calles—lo recuerdo también—, se enteró de que todo el billete había sido cobrado. Y Lucio González Abellán, resignadamente, sin aspavientos, sin lamentarse de su mala suerte, sin entrar en más averiguaciones, tomó el tren aquella misma noche y se volvió a La Palomera. Este es el suceso rigurosamente histórino; no tiene nada de particular.

LVII

LAS MANZANAS DE ATALANTA

Un gran pintor pintó tres manzanas en un lienzo; le regaló la pintura a un escultor amigo suyo. El escultor colocó la obra en una estancia en que él meditaba sobre sus figuraciones. Entró un día en la estancia un poeta, se paró ante el cuadro, lo estuvo contemplando y dijo:

—Estas manzanas valen más que si fueran de oro; son las manzanas de Atalanta. En realidad, las manzanas no eran de Atalanta, sino de Hipómenes; lo que sucedió es que con las manzanas fué vencida Atalanta; si no hubiera sido por las manzanas, Hipómenes no se hubiera casado con Atalanta. Es preciso aclarar el misterio de estas palabras: Atalanta era amiga de la caza; nadie la aventajaba en la carrera; su agilidad y su celeridad eran extraordinarias. Tenía muchos prentendientes; ella los desdeñaba a todos; no quería enajenar su libertad. Al fin hubo de rendirse a la evidencia: la evidencia es que las bellas mujeres—y las que no son bellas—contraigan matrimonio. Había que elegir entre la muchedumbre de los solicitantes. Y Atalanta puso como condición que entregaría su mano al que la venciese en la carrera. Venus protegía a uno de los pretendientes: Hipómenes. Había entregado a éste tres manzanas de oro, cogidas en el jardín de las Hespérides. El jardín en que nuestro pintor ha cogido estas tres manzanas es más bello que el de las Hespérides, porque es el jardín de su genio, el genio de la pintura. Se concertó la carrera entre Atalanta y sus pretendientes; parece ser que el padre de la beldad era tan fiero, que había prometido matar al que saliera vencido en la prueba. Y mató a varios de los jóvenes que tuvieron la desgracia de no ser triunfadores. Le llegó su turno a Hipómenes; la prueba era peligrosa, pero el mancebo estaba seguro de vencer; llevaba consigo las tres manzanas de oro. Comenzo a correr el mozo; Atalanta le había concedido la delantera. Salió luego la bella cazadora; Hipómenes, conforme corría, sin detenerse, dejó caer al suelo las tres manzanas; se detuvo Atalanta para recogerlas, y perdió tiempo en su carrera. Hizo, desde luego, mal; pero ¿qué mujer no se hubiera parado para recoger tres manzanas, y manzanas de oro? El pretendiente había vencido. Y esto es todo: falta aquí el retrato de Atalanta. Falta completar la sensación que nos dan estas tres manzanas, más preciadas que si fueran áureas.

Pasaron dos semanas; al cabo de este tiempo llegó el poeta con el retrato de Atalanta; lo había pedido a París a un amigo suyo. En el Museo del Louvre, en la sección de escultura griega, figura una bella estatua de Atalanta, en la actitud de correr; pertenece esta escultura al período que va del I al III siglo antes de nuestra era. Atalanta corre: tiene un pie en el suelo y otro en el aire; sus brazos avanzan, y en su cara hay la expresión de quien anhela llegar pronto a alguna parte, aunque en esa parte no tenga que hacer nada. La fotografía de Atalanta fué colocada en la sala, cerca de donde estaba el cuadro del gran pintor. Y el poeta, en esta reunión de amigos que le escuchaba, dijo estas palabras:

—Las tres manzanas de oro sirvieron para que Atalanta fuera vencida; pero estas tres manzanas del gran pintor deben servirte a ti, escultor, para triunfar en la vida y en el arte. La primera manzana representa el amor a la Naturaleza; un artista debe amar a la Naturaleza; si el arte es grande, lo es porque se inspira en la Naturaleza. En la contemplación de los bellos paisajes, de las montañas, de los bosques, del mar, de todos los espectáculos que la Naturaleza nos ofrece, debemos buscar la inspiración. No nos detengamos en lo artificioso; seamos sencillos y naturales, como lo es la Naturaleza. Y cuando nos sintamos rendidos por el trabajo, acudamos a la Naturaleza, es decir, al campo, al sol, al aire, al cielo. De esta inmersión en la Naturaleza volveremos fortalecidos. La segunda manzana simboliza la soledad. No puede haber tampoco gran arte sin la colaboración de la soledad; seamos amigos del trato humano; no nos neguemos nunca al amigo; no huyamos de las gentes. Gustemos de los variados matices que la civilización, a lo largo de los siglos, ha ido creando en la vida social; pero tengamos un momento, un momento en el día, un momento, si queréis, en el transcurso de varios días, en que seamos de nosotros mismos y no de los demás. Con la meditación, apartados del tráfago mundano, en la soledad, el amor al arte, móvil de nuestra acción estética, se condensa y afina. Salimos de nuestra soledad teniendo un concepto más firme, más claro, más concreto, de la obra que proyectamos. Y la tercera manzana significa la comprensión: la comprensión de todas las escuelas, de todas las tendencias, de todas las épocas del arte. No seamos nunca recelosos, no embaracemos el camino de nuestro compañero, de nuestro émulo, de nuestro rival. El campo del arte es ancho; todos tenemos cabida en su área. Cada cual marcha por su camino; si nosotros creemos poseer la verdad, es decir, la belleza, los demás, nuestros émulos, tienen también la misma certidumbre. Y valen siempre más la comprensión, la cordialidad, la tolerancia, que el odio y las rencillas.

Como había en la estancia una mesita con varias botellas de un vino oloroso, un vino de la antigua Vandalia, han escanciado en las copas, y todos han bebido, ante las manzanas del gran pintor, por la Naturaleza, la soledad y la comprensión.

(¿Mito o Historia? Mitad y mitad: mito, por Atalanta y por Hipómenes; Historia, por Ignacio Zuloaga, el pintor de las manzanas, y por Sebastián Miranda, el escultor a quien las manzanas fueron regaladas.)

LVIII

EL DIRECTOR DEL MUSEO

Hablo, naturalmente—no se extrañe el adverbio—, del director del Museo del Prado. Tengo el gusto de conocerlo hace muchos años; no lo había visto desde hace ocho o diez. Vive el director del Museo en la calle de Juan de Mena, en las proximidades, claro está, del Museo que dirige; mora en una casa cómoda en el número diez, esquina a la calle de Alfonso XI; cerca está también el Retiro, por el cual da sus paseos el director cuando se cansa del arte; entonces se entrega a la Naturaleza. El Retiro es un bello parque; hay en él, como en los paisajes de Troyon, seculares árboles. No he citado a Troyon, distinguido paisajista francés, a humo de pajas, como se dice vulgarmente; luego habrá de verse. El director del Museo del Prado es un hombre en plena juventud, bien apersonado, ni grueso ni ahilado; viste pulcramente; usa una larga barba sedeña, que él, de cuando en cuando, mesa con suavidad; el gesto de pasarse la mano por la barba es característico en el director del Museo del Prado. Y lo tiene, singularmente, cuando está abstraído en algún alto pensamiento o cuando se encuentra en algún trance apretado. De estos trances ha tenido algunos el director de nuestro Museo; pero, dicho sea en honor a la verdad, siempre ha salido de ellos fácil y dignamente; no se podía esperar de él otra cosa, sabida su competencia. Claro que me refiero a lances atañederos a su dirección: a la del Museo del Prado. Aunque bien pudiera entrar en la cuenta, no hay que decirlo, las dificultades que nuestro querido director ha tenido que vencer cuando era director del Museo del Louvre, y cuando lo fué del British Museum.

La casa en que vive el director del Museo del Prado es amplia y cómoda; se traspone el umbral y nos encontramos con ocho escalones de mármol blanco; los subimos y nos hallamos en un rellano; es aquí donde está el ascensor. Subimos al cuarto y tenemos la grata sorpresa de estar en unas habitaciones claras, sencillamente amuebladas, con algunos cuadros modernos y antiguos en las paredes, con alfombras muelles, si es en invierno. Las veces que he ido a visitar al director del Museo del Prado, si no estaba él en casa, me ha recibido, con suma amabilidad, ni que decir tiene, su mujer, Clara Ponce de León, de los Ponce de León, de Cuenca. En ocasiones se unía a la madre la hija del matrimonio, Isabelita Aguado y Ponce de León. Sabido es que el querido director del Museo del Prado se llama Epifanio. Con don Epifanio Aguado he mantenido yo, en tiempos, largas discusiones. No era cosa de política ni de cuestiones de sociología; lo natural era que se tratara de arte. Y así era, en efecto; no contrariaba yo nunca, por respeto, a don Epifanio; lo que hacía era presentarle con cortesía mis objeciones; alguna vez tuve el gusto de ver que el director del Museo se rendía a ellas. En la ocasión presente, hace dos días, en mi visita a don Epifanio, no ha habido discrepancia entre los dos; el acuerdo, como en las conversaciones diplomáticas, ha sido perfecto. He ido a ver al director del Museo del Prado ya entrada la mañana; casualidad ha sido que le haya encontrado en casa; de no estar en su morada, hubiera ido a verle al mismo Museo que él con tanto acierto dirige. De todos modos, encontrándolo o no en casa, siempre tengo el gusto de parlotear un tantico con Clara, su mujer, y con Isabelita. Retirados en esta ocasión don Epifanio y yo en el despacho del director, sentados ambos en cómodos sillones, frente a frente, se ha entablado una viva conversación entre el director y su visitante, que era quien estas líneas escribe.

—Vamos a ver, don Epifanio: cuénteme usted sus impresiones del Museo del Prado; hace mucho que no nos vemos; deseo que usted, tan bondadoso siempre conmigo, me diga las ordenaciones principales que acaba de hacer en el Museo; ya sabe usted que los cuadros de un museo están siempre en movimiento.

—Sí, ya lo sé, ya lo sé—ha contestado don Epifanio Aguado, pasándose la mano por su ancha barba—. Y lo sé a causa de que yo también, aun siendo partidario de la inmovilidad, he realizado algunas mutaciones, tanto en el Prado, que ahora dirijo, como en el Louvre, que dirigí una temporada, y como en el British Museum, del que fuí director dos años. Pero ningún museo me ha dado tanto trabajo como el del Prado. ¡Es mucho museo el nuestro! No sabe usted lo que hay que trabajar para colocar tanto y tanto cuadro como poseemos en tan corto espacio. Porque he de decir a usted que el edificio del Museo no se destinó, al construirlo, a pintura, sino a Historia Natural, cosa que ya sabrá usted. Lo que no sabrá es el tacto que he tenido yo que usar para no contrapuntarme con el subdirector; es hombre conversable este subdirector; no se propasa nunca en nuestras discusiones; tiene también una ciencia envidiable de la pintura, en su historia y en su técnica. Pero el subdirector piensa a veces una cosa y el director piensa otra. Y yo, que no soy zahareño, que no soy un insociable—deje usted que me alabe—, he de tascar el freno, como un caballo impaciente, ante las objeciones que algunas veces me hace el subdirector. No es que sean disparatadas; discrepan, simplemente, de las ideas que yo siempre he tenido. Estos días, por ejemplo, hemos discutido sobre el valor real del *Greco;* sostenía yo que se ha exagerado un poco; en cambio, el subdirector estaba con el *Greco* tan entusiasmado como lo estaban los artistas que lo descubrieron, digámoslo así, hace cincuenta años. Era yo partidario de colocar los *Grecos,* no donde están ahora, en una de las salas delanteras, sino más atrás, en una de las altas y un tanto celadas. No intentaba yo con esto menoscabar al pintor de Toledo, es decir, de Creta; sólo me proponía que su sala actual fuera ocupada por un pintor indiscutido y que el *Greco* pasara a la categoría que, con todo derecho, le corresponde: la de un artista curioso y no completo, como lo es Velázquez, o lo es Rembrandt, o lo es Rubens. ¿Y es que usted, querido amigo, cree también, como el subdirector — y como cree la generalidad de las gentes—, que el cretense es un pintor completo, perfecto, irreprochable?

Como yo, naturalmente, no quería contrariar a don Epifanio, asentí a lo dicho por el director del Museo del Prado; el *Greco* no había de ser motivo de disentimiento entre mi querido amigo y yo; afirme, por tanto, que el pintor de Creta era un pintor incompleto, cuyo valor había sido aupado a una altura exagerada. Agradecióme don Epifanio la adhesión que yo prestaba a su doctrina, llamémosla así, y continuó cordialmente nuestra conversación.

—En el Museo del Louvre—me confesó don Epifanio—tuve también un pique con el subdirector; no era la cosa de gran entidad, pero tenía su trascendencia. Verá usted; usted sabe que en el salón llamado de los Estados se encuentra, en un caballete, el retrato de la madre de Whistler, hecho por el propio pintor. Si nos sentamos en el diván central, de cara al cuadro de Eugenio Delacroix titulado «Mujeres de Argel», a la derecha tendremos el cuadro de Whistler, y a la izquierda, un bronce de Barye que representa un león y una sierpe. Pues bien: toda la cuestión estuvo en que yo quería que el cuadro de Whistler estuviera a la izquierda y el bronce de Barye estuviera a la derecha. Y también hubo algo más: recordará usted que en el mismo salón, que era mi preferido, hay un Troyon magnífico al lado de la puerta, la puerta por donde se entra a la galería larga, llamada de junto al agua, y ese Troyon, que representa una encina centenaria, quería yo que fuera reemplazado por un Daubigny; a este pintor le tenía yo vivísima simpatía. ¿Por qué, dirá usted? Porque en París yo vivía, con otros amigos, en la calle que lleva su nombre, cerca del bulevar de Malesherbes, a dos pasos de una glorieta, que allí llaman *square*, como todas las glorietas, en donde están las estatuas de Dumas, el padre, y Dumas, el hijo. Pero le estoy cansando a usted; el incidente del Troyon tuvo fatales consecuencias; parecía baladí y ocasionó mi dimisión de conservador del Museo. En cambio, cuando fuí director del British Museum no tuve ninguna dificultad; todo anduvo sobre ruedas, como se dice. La pintura inglesa me encanta; sobre todo, los retratistas son admirables. ¿Qué hace usted ahora, querido amigo? ¿Escribe usted mucho? Ya leo por esos periódicos algunos artículos de usted. ¿Sigue usted escribiendo en *La Prensa*, de Buenos Aires? ¡Gran diario! Lo leía yo asiduamente cuando fuí director del Museo de la capital de la Argentina. Pero éste es atro cantar; ya hablaremos de ello otro día.

Cuando me despedí de Clara Ponce de León y de Isabelita—don Epifanio quedaba en su despacho—, la mujer y la hija se apresuraron a interrogarme:

—¿Cómo encuentra usted a Epifanio?

—¿Qué tal encuentra usted a papá?

Y yo he contestado:

—Perfectamente bien; tranquilo, sereno. No desvaría; su razonar encanta. No le llevarán ustedes la contraria, supongo. ¿Y por qué no hemos de creer, ustedes y yo, que don Epifanio es director del Museo del Prado? ¿Qué mal hay en ello, si don Epifanio no hace mal a nadie tampoco? Cada cual, en el mundo, tiene sus fantasías. ¡Y ay, infeliz del que no las tenga!

LIX

CURSO BREVE DE AMOR

Estábamos en el jardín de la condesa de Nebreda, el jardín que respalda la casa. Nos reuníamos allí, todos los jueves, varios amigos de la condesa. Pedimos una tarde a Paco Neira que nos contase el episodio del «curso breve de amor», el último curso que profesó don Felipe Briones. Paco nos dijo:

—Soy uno de los más entusiastas brionistas; muerto el maestro, leo y releo todos sus libros. Y una advertencia previa, aunque vosotros no la necesitéis: he sido en mi juventud aficionado al teatro; si hubiera seguido mis impulsos, sería a estas horas uno de los actores más célebres de España; vosotros lo sabéis; perdonad mi inmodestia; hablo entre amigos. Representé en teatros de sociedad; tuve en esas escenas aristocráticas éxitos que vosotros no ignoráis. Tanto es mi fervor por el arte histriónico, que a veces me sorprendo a mí mismo, en mi cuarto, declamando un parlamento de Lope, Tirso o Calderón. Por otra parte, he de hacer también algunas advertencias atinentes de don Felipe Briones. No necesitáis vosotros, ciertamente, que las haga; pero son una introducción necesaria a mi historia. Briones ha sido uno de los profesores más ilustres de la Universidad española; tenía don de gentes; emanaba de él un efluvio misterioso que cautivaba; le gustaba, como a Sócrates, con versar; su clase no era un magisterio severo, sino una charla cordial con los discípulos. Cuando lo jubilaron, tuvo unos días en que todos creímos que «se nos moría»; hablo así porque yo, con su intimidad, me consideraba como de la familia. Desde el momento en que don Felipe se vió lejos de su aula, ya no fué el mismo; quiero decir que perdió la bella serenidad que nos encantaba a todos. Suspiraba de continuo por su pasada profesión; tenía el pensamiento, no en su casa, sino en el amado recinto universitario. Nosotros, contempladores entristecidos de su congoja, nos preguntábamos: «¿Cómo podrá vivir el querido maestro, con este dolor íntimo y reconcentrado que le concome?» Y ahora permitidme que aplace la continuación de mi relato para el jueves venidero; lo necesito; lo necesito, como veréis en la próxima reunión.

No faltamos al jardín de la condesa el jueves siguiente; allí estábamos todos, ansiosos del relato de Paco Neira. Tardó nuestro amigo en llegar; supimos después que llegó con puntualidad, pero que estuvo en la casa, ocupado en lo que va a saber el lector. Apareció Paco transformado en un anciano: su caracterización era perfecta. Teníamos delante, no a Paco Neira, sino a don Felipe Briones. Estaba Briones en sus últimos tiempos, cuando anunció su curso breve de amor, muy achacoso; apenas si podía tenerse en pie; su comer era frugalísimo. No le placía la mesa; tenía un desasimiento profundo de las cosas, las cosas del mundo. Gradualmente había su persona cobrado un aspecto de ahilamiento, de tenuidad, que imponía más respeto, más admiración, más veneración que antes. Todo era espíritu, por decirlo con dos palabras. Para consolarse de algún modo anunció que daría un último curso: un curso breve de amor. No admitiría sino contados alumnos. El curso sería dado en una finquita rústica que el maestro poseía en las afueras de Madrid; estaba rodeada de arbolado y tenía un ameno jardín. El maestro solía pasar en la Arboleda, así se llamaba el predio, algunas temporadas. Supimos que la emoción que el anunciado curso le producía a Briones, le hacía estar suspenso, como en éxtasis, muchos ratos. Y llegó el día de la primera lección. En este punto, Paco Neira, trasunto de Briones, sale de la casa, figurando que es el propio maestro, que aparece para dar la lección introductiva. Nos hemos agrupado todos frente a una puerta, la puerta de un pabellón del jardín, que suponemos que es la puerta de la cátedra. Paco aparece lentamente; camina un poco titubeante; gasta una barbita entrecana y lleva los brazos cruzados sobre el pecho, al marchar un tantico inclinado, como cediendo al peso de sus pensares. Hay un poyo junto a la puerta de salida; al salir, el maestro ha extendido la mirada por la inmensa bóveda azul. Ha estado un instante arrobado, y luego, rendido por la contemplación, se ha dejado caer en el poyo. Todos le miramos silenciosos y absortos. Por fin, se levanta Briones y avanza hacia nosotros. Como si volviera de un sueño, parece despertar; sonriente, nos va estrechando la mano a todos. Paco Neira está admirable en su papel; no es Paco, sino Briones pintiparado. Creemos que el maestro va a entrar en la clase, pero se desvía de la puerta. Le rodeamos todos afectuosamente. Coge una rosa, rosa blanca, el maestro y va disertando sobre las rosas en las letras españolas. Cita un verso de Góngora que dice: «Aljófar fresco *sobre* blancas rosas.» Briones afirma que en algunos textos no pone fresco, sino blanco: «Aljófar blanco sobre blancas rosas.» Y añade que así, de este modo, con blanco sobre blanco, el verso de Góngora es más expresivo. No contaremos todas las finas, delicadas, profundas observaciones del maestro sobre la Naturaleza; lo que él nos quiere inculcar es el amor a esa Naturaleza en todas sus manifestaciones. De la rosa pasa Briones, en su sabio divagar, a una nube que cruza por el azul. Habla de cúmulos, nimbos, estratos y cirros. Recuerda las nubes del pintor Constable; el cielo, en la pintura del paisaje, es cosa sustancial. El maestro recorre los principales pintores. Para Velázquez tiene observaciones curiosas. Más que escuchar, bebemos sus palabras, como se suele decir. Y de pronto, inclina el busto, que había tenido erguido, y se apoya en un árbol, como si tuviera miedo de caer al suelo. En esa actitud permanece un rato —angustioso para nosotros—, y al cabo, lentamente, sin despedirse, sin pronunciar palabra, se encamina a la puerta y desaparece. Y éste fué el breve, muy breve, curso de amor.

LX

UN ESTRENO SENSACIONAL

Para los amigos de las novedades teatrales a ultranza.

No se habla de otra cosa en todo Madrid: el estreno ha sido verdaderamente sensacional. *Cambio a la vista,* la obra estrenada, abre perspectivas ilimitadas al arte teatral. No voy al teatro; lo empece mi trabajo; lucubro, generalmente; quiero decir que trabajo de noche. El autor tuvo la bondad de visitarme, el mismo día del estreno, para traerme un palco. Me visitó, en primer lugar, por mi respetabilidad; perdone el lector que lo diga; en segundo lugar, por ser yo quien más atronadoras zalagardas ha promovido en las salas teatrales. Agradecí la visita; departimos cordialmente. El autor, Nemesio Pajares, es joven, unos veintidós años; ha nacido en San Esteban de Pravia. En su conversación se manifestó animoso; todos los autores, el día del estreno están un tanto encogidos y atemorizados. Nemesio Pajares, con sus veintidós años, se mostraba confiado.

—Pero tengo, lo diré, un leve recelo —me confesó.

—¿Y qué recelo es ése, señor Pajares? ¿No tiene usted fe en su obra?

—Fe tengo para dar y vender. Lo que me sobra es fe; lo que recelo es que el público no comprenda la obra.

—¿Y por qué no ha de comprender?

—Sencillamente, por su atrevimiento.

—¿Tan atrevida es su obra, señor Pajares?

—De lo más atrevido que se ha presentado en las tablas. No hay ejemplo en la historia del arte de una audacia mayor.

—Me deja usted estupefacto, amigo Nemesio; permita usted que le nombre familiarmente; he promovido yo los grandes tumultos en el teatro, y ahora se me presenta un joven que va a promover uno más grande que todos los míos. Y eso, Nemesio Pajares, me enternece.

Llegó la noche; me acuesto yo a las ocho y media; me levanto a las dos de la madrugada; hice mi composición de lugar: me acostaría a las siete; me levantaría, para ir al teatro, a las once menos cuarto, y luego de la función, de regreso en casa, me sentaría ante las cuartillas. La función, según me comunicó Pajares, comenzaría, sin falta, a las once. El teatro estaba henchido de un público selecto; estaba allí, congregado en su recinto, lo más florido de las letras y las artes, junto con las personalidades más ostensibles de la aristocracia, tanto de la sangre como del dinero y la industria. Entré en mi palco momentos antes de las once. A esta hora, la de levantarse el telón, permaneció corrido el telón. No sonaron tampoco los tres rituales golpes de bastón en el tablado del escenario.

No se apagaron las luces de la sala. Pero, indudablemente, la función había comenzado ya; digo esto como atisbo *a posteriori;* en aquellos momentos del primer acto, yo permanecía tan perplejo como el resto de los espectadores. Detrás del telón, en el escenario, se dialogaba; se oía un confuso rumor de voces; de cuando en cuando llegaba a la sala un grito; sonó la bocina de un automóvil, ladró un perro; se oyó el *Angelus,* supongo que el de la tarde, no el de mediodía, con campanadas lentas, sonoras. A todo esto habían transcurrido treinta minutos, duración acostumbrada de un acto. Y de pronto, se apagaron las luces y sonaron los tres acompasados golpes tradicionales: el telón se levantaba lentamente. Vimos en la escena el decorado de una casa en las proximidades de una aldeíta; los carpinteros y tramoyistas se apresuraban a cambiar la decoración; lo hacían despaciosamente, con arte, sin atropellamientos. Desapareció, primero, la casa de placer; luego, la aldeíta; por fin, la sierra que se columbraba en la lejanía. Comencé yo entonces a comprender: Vi que Nemesio Pajares, con intuición genial, había comprendido, a su vez, que lo que actualmente interesa en las obras dramáticas no son los actos, sino los entreactos. Y valientemente, convirtió los entreactos en actos. Cuando el público se dió cuenta de la genial innovación, estalló en la sala una estruendosa ovación, una ovación que se prolongó durante largo rato. Por fin, un autor—y autor novel—había librado al público de la pesadilla de los actos; el público que asiste a los teatros ya no tendría que soportar, tascando el freno, los actos que se le ofrecen. En cambio, gozaría de la novedad, por primera vez ofrecida, de ver los entreactos en su pristinidad.

El segundo acto duró poco más o menos lo que el primero; detrás del telón se percibía el rumor de las conversaciones; se escuchó la música de un piano; creímos escuchar también un llanto plañidero; no faltó el grito desgarrador que anuncia la tragedia. Pero el público estaba ansioso de ver el segundo entreacto. Se apagaron las luces, sonaron los tres golpes y se levantó el telón. Vimos una sala «decentemente amueblada», como dicen las acotaciones de las viejas comedias. Los carpinteros apenas nos dieron tiempo de contemplar a nuestro sabor este delicioso entreacto; rápida y ordenadamente, cambiaron la decoración; descolgaron los cuadros de las paredes; desaparecieron, como por arte de mágica, los muebles; se llevaron el piano; quitaron los cortinajes. Cuando la escena quedó desnuda y bajó el telón, sonó, lo mismo que anteriormente, una formidable ovación. La obra resultaba de una novedad sorprendente; el público había ya «entrado» en la obra, como se dice en la fraseología de los escenarios; llevaba camino *Cambio a la vista* de ser uno de los más grandes éxitos del teatro, no sólo en España, sino en Europa. Y pasamos al tercer acto; por los ruidos que percibimos a través del telón supusimos que se trataba de una calle; se oían todos los ruidos característicos del tráfago callejero: rumor de automóviles, sirenas, gritos de vendedores, pasos continuados. El acto tuvo la duración de los otros dos. Y pausadamente, apagadas las luces, después del rito de los golpazos, se levantó el telón. Lo que estábamos viendo era, en efecto, una calle; podría ser la de Tudescos, una calleja antigua de las que quedan en el cogollo de Madrid. Pero duró poco la delicia de este entreacto: los tramoyistas y carpinteros hicieron desaparecer las casas de la callejita, todo con un arte tan exquisito y refinado, que el público aplaudió con fervor, con exaltación, con delirio. Y aclamó al autor, que tuvo que presentarse repetidamente en la escena. El éxito estaba logrado. Y de un modo soberbio. Creí que debía entrar en el escenario, como se acostumbra, para felicitar a Nemesio Pajares. Lo encontré radiante de alegría; le estreché entre mis brazos y le dije: «¡Pajares, ha puesto usted el mingo!»

LXI

EN EL CASTILLO

¿He estado yo en algún pueblo o no me he movido de Madrid? Y si he estado en un pueblo, ¿en qué pueblo ha sido? ¿En Castilla la Vieja o en León? ¿En Andalucía o en Levante? Tengo las ideas muy confusas; confusas no; es que trabuco las imágenes. No me cansaré de decirlo: lo imaginado es en mí más eficiente que lo vivido. Tengo a la vista siempre una fotografía de cierto pueblo español; no quiero decir en qué parte de España se halla; es indiferente que sea en una región o en otra. El caso es que yo contemplo de cuando en cuando el panorama de este pueblo; voy señalando los diversos lugares de la población; en una parte está la Casa Consistorial, toda de cantería; en otra, la iglesia, edificada en el siglo XVIII, en estilo herreriano; en la de más allá, un antiguo convento, con una extensa huerta que lo respalda, en la cual se elevan dos palmeras; no me canso yo de mirar estas dos datileras; con esto casi he dicho ya dónde se encuentra el pueblo de que voy hablando; pero dudo, a pesar de la fotografía, de que sea éste el pueblo adonde yo me he encaminado. Pondré orden en la narración: antes de partir, si es que he partido, he ido a consultar a un médico. Tengo predilección por los galenos; sé yo también mi poquito de medicina; por lo menos me sé a mí mismo, que no es poco saber; digo que me sé y no sé si me sé; en fin, estoy en casa del doctor, el cual me mira y me remira, me palpa y me torna a palpar, me ausculta y me vuelve a auscultar. Cuando termina su escrupulosa inspección, me pregunta si tengo familia. No me ha extrañado la pregunta. Y no me ha extrañado porque sé que cuando, en un caso grave, vamos a ver un especialista, éste nos dice sólo vagas generalidades, por no alarmarnos inútilmente; pero luego un individuo de nuestra familia va a ver al doctor, sin que lo sepamos nosotros, y el doctor, con paliativos y salvedades, le declara cuál es nuestro verdadero mal y qué es lo que se puede esperar del desenvolvimiento de la dolencia. Como no tengo a nadie, el doctor se ha resignado y me ha dicho que haga un viaje y que me tome un descanso. Y he seguido su consejo, naturalmente.

Ahora estoy escribiendo estas cortas líneas y no sé dónde estoy: si en Madrid, si en el pueblo, si en París. He estado tres años en París y me acuerdo mucho de la gran capital; no sé si volveré algún día; quisiera poder hacerlo. En el pueblo, si es que he ido al pueblo, ¿me hallo al pie del castillo? ¿Me encuentro en el jardín del casino, un vicioso jardín, con un cenador, con rosales y con algún que otro naranjo? No puedo decirlo; lo que sí diré es que hay momentos en que creo que he efectuado el viaje aconsejado por el doctor. ¿Y por qué no he de haberlo efectuado? El pueblo es limpio y claro; está asentado en la falda de una colina; digo mal, son dos colinas las que dan asiento al pueblo: una es de piedra yeso, y en su cumbre está erguida una ermita; la otra es de arcilla rojiza, y en su cima se levantan las ruinas de un castillo. Y al nombrar este castillo me estremezco. No es propiamente, o no era, un castillo, sino una atalaya para avisar desde ella cuando los mahométicos se acercaban a las costas de Levante. De día servía de señal el humo de una almenara; de noche, la llama de esa hogura; inmediatamente las otras atalayas iban encendiendo otras piras. Y así por todo el litoral. La casa en que me encuentro es, como todas las levantinas, aseada y luminosa; no se percibe ni el menor rumor en toda ella; voy de un aposento a otro y gusto de divagar lentamente por toda la mansión. Claro que conozco el pueblo al dedillo; he nacido en su área; he pasado aquí la niñez y la adolescencia. Por todas las calles he pasado incontables veces; en todos los parajes he estado en infinitas ocasiones. No hay rincón que yo no haya brujuleado; en la ermita de San Roque, en lo alto de la colina, una de las dos colinas, he reflexionado profundamente. Desde esta eminencia contemplaba yo el valle que aparece en lo hondo; al otro lado de la hondura se yergue un picacho de más de mil metros de alto. Lo que en el valle me atrae más, son los cañaverales que bordean el riachuelo que se desliza entre blancos guijos. La música de las cañas me embelesa. Pero ¿adónde voy a parar? ¿No diré cuál es el objeto de esta confusión? Tengo en la uña, como se dice, todo el pueblo, y, sin embargo, me atenacea una duda. ¡Ah, el castillo! Eso es lo doloroso; el castillo lo tengo en el corazón. No me apesadumbra el no haber ascendido hasta la cima de la alta peña que señorea el valle; me causa íntima y profunda tristeza el no haber, de muchacho, subido al castillo. Se lo confieso a los amigos dilectos que me suelen acompañar en mis ocios en este pueblo. No sé por qué digo «este»», con cierta indiferencia, como con desdén, al hablar del pueblo. Debiera tenerle más consideración; en efecto, no sé cómo ha sucedido tal desliz; más amor que yo tengo a mi cuna, no podrá tenerle nadie a la suya. Digo a los amigos, con profunda tristeza, que no he subido nunca al castillo y que me voy a morir sin haber subido, y los amigos sonríen. No puedo subir ahora porque la subida es peligrosa; aunque se tomaran todas las precauciones, siempre resultaría que, con mis achaques, sería una temeridad la ascensión. Como no me doy por vencido, trato de recordar si, en efecto, no he subido al castillo, o si, olvidado de haber subido, no me es posible la recordanza. Y en estas dudas, paso noches crueles. Lo digo como lo siento: verdaderamente crueles. Condenso en este sentimiento toda una vida que he dedicado a los libros, y no a la ralidad. Y esta vida inaprovechada se me va acabando ya. Se me acaba sin haber subido yo al castillo. No es el castillo propiamente, repito, sino el símbolo. Pienso en este momento que lo que el doctor observara en mí, allá en Madrid, sería una hipertrofia de la sensibilidad, si no era cosa más grave. Como los amigos me ven tan caviloso, tratan de persuadirme de que yo una vez estuve en el castillo. Corroboran este aserto diciendo que uno de estos piadosos compañeros de niñez estuvo conmigo el día que subí al castillo; él subió conmigo, y los dos atalayamos desde lo alto todo el valle que se abría al pie de la colina. ¿Y qué he de hacer yo? ¿Creo o no creo? Por otra parte, tengo mis dudas: este amigo me parece que dice la verdad; creo recordar que el día citado por mi camarada subimos efectivamente a la atalaya. Recogido sobre mí mismo, por las noches no ceso de cavilar sobre este asunto. ¿Estoy o no convencido? ¿Es éste un asunto pragmático? Pragmático en el sentido de que yo he de creer que es cierto—o hacer como que creo—para apoyarme en esta certeza y seguir viviendo con serenidad. ¡Y cuántas cosas son pragmáticas en la vida!

LXII

EN LA PLAZA MAYOR

Soy un cliente de la plaza Mayor; no la frecuento mucho, pero soy apasionado fervoroso. Sé los pies de largo y de ancho que tiene la plaza Mayor; en su largura, cuatrocientos treinta y cuatro, y en su anchura, trescientos treinta y cuatro; lo que ignoro, lo confieso, es cuántas pilastras cuenta; pilastras de bella piedra berroqueña, traída, sin duda, del Guadarrama. (Hablo, naturalmente, de la plaza Mayor de Madrid; hay otras en Castilla: la de Salamanca, la de Medina del Campo, la de Valladolid; he dicho Castilla y he de rectificar; Valladolid no es de Castilla, sino de León. Lo mismo creo que le suceda a Salamanca, e igual a Medina; ustedes perdonen.) La plaza Mayor de Madrid es una hermosa plaza; en sus soportales se dan cita distinguidos ciudadanos; no son tan selectos, claro está, como los que se congregan en la Puerta del Sol; en los soportales de la plaza Mayor hay diversas tiendas: son tiendas de baratijas, donde se venden relojes gruesos de níquel y chucherías que semejan, sin su finura, a las que se expenden en los soportales de la calle de Rívoli, en París, y que llevan el nombre de «artículos de París». Hay también en los soportales madrileños, no podíamos olvidarlo, gorrerías, o, si se quiere aupar el concepto, sombrererías. Hace cincuenta años yo llevaba de continuo sombrero de copa alta; todos llevábamos hace cincuenta años sombrero de copa. No creo que, a pesar de esta universalidad, hubiera entonces sombreros de copa en las sombrererías de la plaza Mayor; mi estupor ha sido enorme al descubrir ahora, al cabo de los tiempos, chisteras en los escaparates de las sombrererías de la plaza Mayor. Y me pregunto, sin salir de mi confusión, para quién serán estos sombreros con ocho reflejos—ès lo clásico—que se ostentan en la plaza Mayor. La clientela de la plaza Mayor es pueblerina; la componen los aludidos personajes que gastan abultados relojes de níquel, los hombres de los pueblos y algún que otro madrileño curioso como yo. (No he de dejar de decir que al presente existen en los soportales de la plaza Mayor puestecillos de libros viejos, donde las jóvenes de corazón tierno que manejan la máquina *Singer* o la *Underwood*, encuentran volúmenes que están acordes con sus íntimos anhelos. ¿Y cómo podría yo olvidarme de una tienda en que sólo se venden alimentos propios para los vegetarianos? Al lado está de un depósito de botellas vacías, botellas que sirvieron una vez y que servirán otras; no podían tener estas limetas mejor vecindad que la de los mantenimientos que sustentaban a los que han renunciado a todo alcohol y a todo excitante.)

Placiente es divagar por los soportales de la plaza Mayor, entre las buenas mujeres que vienen de los pueblos y entre los consabidos personajes, no menos pueblerinos, que compran los relojes de níquel. Andaba yo de un lado para otro uno de estos días, sin pensar en nada, cuando de pronto se me puso delante un caballero de pelo cano, con perilla calderoniana, el traje limpio, los ojos vivaces y una varita en la mano, a modo de batuta. Con el bastoncillo, agitándolo cual un manuductor agita su batuta, el caballero, ante mí, no me dejaba pasar. Intentaba yo ladearme; se ponía él del mismo lado, cerrándome el paso; procuraba yo dejar los soportales y penetrar en el vasto ámbito de la plaza, y él acudía a deshacer mi treta y se me ponía también delante; manejaba en todo el tiempo la varita como si estuviera dirigiendo una orquesta. Y sí que la dirigía en su imaginación. Al fin, cuando me vió amoscado, me dijo:

—Pero, Antonio, querido Antonio, ¿es que no me conoces? ¿No te acuerdas de Vicente Samper, tu condiscípulo, allá en Valencia, cuando estudiábamos juntos las Pandectas? ¡Ven a mis brazos, querido condiscípulo!

Vicente Samper me estrechó fuertemente entre sus brazos, apretándome contra su pecho. (No recordaba yo quién fuese Vicente Samper, pero contesté a su saludo con palabras cordiales. En Valencia, lo recordaba bien, no había tenido yo ningún condiscípulo de ese nombre.)

—¡Qué vida la mía, querido Antonio! —continuó Vicente—. Tú recordarás que yo abandoné los estudios de Derecho al llegar al Derecho administrativo; no pude nunca tragar el tal Derecho administrativo. Vivía yo en Liria; es bonita Liria; su nombre es musical; tal vez por el nombre me ocurrió lo que vas a saber; el nombre de Liria fué para mí una predestinación. No sé si digo algún disparate; tú que sabes tanto, sabrás también perdonarme. Decía que vivía tranquilamente en Liria. Y de pronto... ¿Qué dirás tú que me ocurrió de pronto? Pues se me murió una tía en Valencia; a todos, naturalmente, se nos muere una tía; pero mi tía difunta no era como las demás tías. Heredé yo; heredé, por precaución, a beneficio de inventario. No fué precisa, como vas a ver, esta precaución. ¿Te molesta mi cháchara? Si te molesta, me callo; yo no quiero enfadar a un buen amigo como tú.

(No creo nada de lo que me está contando Vicente Samper; sin duda, Vicente Samper es un humorista; el humorista desconocido. Como me interesa el tipo, continúo escuchándolo atentamente, como si en realidad hubiese sido un condiscípulo mío, en la amada Valencia.)

—No era mi tía como las demás, porque todo su capital lo había invertido... ¿En qué dirás? En música; sí, en música; vamos, en poner una tienda de instrumentos de música y de partituras de óperas y zarzuelas. Figúrate mi compromiso. ¿Qué iba yo a hacer con tanto instrumento para banda y orquesta? ¿De qué me iban a servir tantas solfas? Los instrumentos logré liquidarlos; los vendí a las bandas y charangas del reino de Valencia. No sabía qué hacer de las partituras. Tenía yo un amigo, Ramón Llagaria, que era capitán de barco; hablando del asunto con él un día, me dijo:

—Salgo para Nueva York; te propongo que traigas todo el cargamento de música y que pongas en Nueva York una tiendecita de música española; te aseguro que harás negocio.

—¿Te gustan las zarzuelas españolas? Las tenía yo todas; allí estaban Arrieta, Gaztambide, Barbieri, Fernández Caballero, Tomás Bretón, Chapí y los demás grandes músicos de la época. Recuerdo que yo aprendí a cantar una cierta canción de la zarzuela *El marqués de Caravaca,* de Ventura de la Vega, nacido en Buenos Aires, y de Barbieri. Decía de este modo:

¿Quién me verá a mí
con mantilla de encajes de a tercia
salir por Madrid?

Perdona, Antonio, esta digresión; el caso es que despaché en Nueva York toda la música española; todo el mundo cantaba canciones de las bellas zarzuelas que tanto se han representado. Bien es verdad que tuve la suerte de conocer a un caballero neoyorquino cuyo padre había sido íntimo del coronel Ingersoll. ¿Sabes tú quién fué el coronel Ingersoll? Uno de los hombres más populares de los Estados Unidos; pocos abogados más elocuentes que el coronel Ingersoll—que no era coronel—ha habido en Norteamérica; vivía en Nueva York, en un hotel de la Quinta Avenida. El entusiasmo que siempre alentaba en el coronel Ingersoll se transmitió a su admirador, el caballero con quien intimé. Y ese entusiasmo lo puso en la empresa de difundir por Nueva York la música española. La vendí, te lo confieso, al precio que quise; gané con ello un capital. He venido a España por más música, y dentro de unos días me vuelvo a Nueva York. Te veo como alelado. ¿Es que dudas de mí? Soy Vicente Samper; el mismo, el mateix, *the same*. Con estas palabras últimas, en inglés, no dudarás de mí identidad.

(No; no creía ni una palabra de lo que me decía Vicente Samper; ni sabía si tal individuo era Vicente Samper o no lo era; pero la aventura sí era curiosa; indudablemente, hay humoristas que no conocemos y mueren ignorados. Y este Vicente Samper era uno de ellos; por todos tengo viva simpatía.)

LXIII

EL FANTASMA DE VILLENA

Tengo predilección por Villena; no me toquéis a Villena. Villena es una ciudad alicantina, en la parte central y alta de la provincia, comarcana con Albacete y Murcia. Los elementos primordiales de Villena son la luz y el agua: luz tiene la clara de Levante, reflejada en sus paredes albas; agua tiene en abundancia, cristalina y delgada. He ido muchas veces a Villena; quisiera ir cuantas me encontrara enervado por el trabajo. Véome ya descender del tren y llamar a la puerta de los señores de Amorós. ¡Ay, lo malo es que los señores de Amorós no viven! Quiero decir no vive don Vicente; vive todavía —y viva muchos años—su consorte, Clara Puig. Villena cuenta con una extensa planicie, donde se cosechan los mejores ajos de España. Se encuentra la ciudad a trescientos noventa y siete kilómetros de Madrid, por ferrocarril, y trescientos cincuenta y cinco, por carretera. Pero cuando yo fuí a Villena, en la ocasión que voy a relatar, todavía el automóvil no se había divulgado en España. Hice el viaje, por tanto, en un tren que llegó a la ciudad en las primeras horas de la mañana. Pero no quiero adelantar los sucesos; esto mismo es lo que dicen los novelistas antiguos de folletín, y claro está que dicen bien. Hay una norma novelística que yo no quiero romper. He de decir, antes de pasar adelante, que en Villena existen las ruinas de un castillo medieval con su torreón casi intacto. Se dispone, asimismo, de un bello paseo por donde divagar cuando nos encontramos cansados de la casa. Los señores de Amorós habitan una casa lindera con la huerta; disponía de agua copiosa, naturalmente, para poder regar los cuadros de flores de un jardín y los tablares de hortalizas de un huerto. Muchas mañanas he pasado yo en ese ameno huerto, sobre todo en otoño, cuando cuelgan melosos racimos de los parrales, ya con los pámpanos amarillentos.

Pero voy a mi asunto. Y mi asunto es nada menos que un fantasma: el fantasma de Villena. Cuando yo, hace mucho tiempo, descendí una mañana del tren, en Villena, me sentía fatigadísimo: había yo escrito de un tirón una novela. (He de decir a ustedes que yo soy Juan Antonio Robles, autor de más de cincuenta novelas y de unos treinta libros de ensayos; ya estoy un poco más cansado que cuando, en la ocasión referida, llamé a la puerta de los señores de Amorós. No importa esto y continúo con mi narración.) No abría nadie la puerta; volví a dar con el aldabón. Entonces se asomó en un balcón de la casa de al lado una mujer que me preguntó por qué llamaba. Contesté que iba a visitar a mis amigos los señores dichos, y entablamos una corta conversación. Había muerto don Vicente, y quedaba, como dueña de la vivienda, Clara Puig; pero esta señora no vivía en la antigua casa, aporreada por mí, sino en la contigua. Cuando momentos después departí con Clara, supe algo de que voy a enterar a ustedes. No se lo refiero a todo el mundo: tengo cierto pudor en confesar estas perplejidades mías, pero como mi oficio de novelista me arrastra a ello, no dudo ya ni un momento. En resolución, en la antigua morada de los Amorós aparecía un fantasma; la familia tuvo que trasladarse a la vivienda paredaña; nadie quería habitar una casa embrujada. Y la casa, con sus muebles y con su fantasma, continuaba cerrada.

—¡Y qué bonita que era la habitación que ustedes, amiga Clara, me daban cada vez que yo venía a Villena! ¡Y qué pena el no poder estar en ella ahora!

Clara Puig, la viuda de Amorós, me refirió diversos lances del fantasma; no era terrorífico, pero su misma benignidad, si es posible expresarse así con motivo de un fantasma, le hacía más temeroso. No se trataba, naturalmente, de un fantasma como los demás: una sombra alta y blanca. Digo naturalmente, porque tratándose de Villena, ciudad tan bonita, no podía aparecer en su ámbito un fantasma adocenado. El fantasma era un puntito fulgurante, a veces; otra, un zigzag fosforescente en la pared. No faltó noche en que toda la fantasmagoría se redujo a un haz de vívidos y blancos rayos de luz. Pero aun siendo apocado el fantasma, vamos al decir, no se encontraba inquilino para la casa. Aparte—y esto es lo más cierto—de que Clara Puig no quería alquilarla a gente mofadora. En el fondo, sentía cierto afecto por el fantasma. Lo sentía, pero no quería verlo inesperadamente, cuando en la noche abriera los ojos y dirigiera la mirada a un espejo. Esto del espejo merece párrafo aparte.

El aposento ocupado por mí daba a una galería: la galería miraba al jardín. En la galería, al alcance de la vista, cuando alguien estuviera acostado, había un claro espejo. Clara Puig había ocupado ese aposento, y en el espejo vió cierta noche reflejado el fantasma. Porfiamos Clara y yo a propósito del cuarto de la galería; quería yo dormir en él; se resistía Clara a satisfacer mi capricho. Por fin, puede convencerla: me tendí, cerca de la medianoche, en una mullida cama; no podía yo apetecer más. El sueño, sin consideración al fantasma, me sumió en un dulce letargo. ¿Y nada más? ¿Y no pasó otra cosa? ¿Y no hubo fantasma? Aquí entran las perplejidades de que antes hablaba. De madrugada, como saliera del sueño a pierna tendida para entrar en un duermevela, vi, sin darme cuenta, una blancura sutilísima en el espejo. Había yo olvidado el famoso fantasma; necesité ir recobrándome, saliendo del entresueño, como antes había salido del sopor, para convencerme de que lo que estaba viendo era el vestiglo. No; no lo veía; lo que veía era un rayo de luna. No; no podía ser el fantasma; no existen entes fantasmáticos. El sueño me invadió otra vez y abrí los ojos cuando ya era día claro.

Y ahora, serenamente, digo: ¿Vi el fantasma o no lo vi? El problema—que implica otros más graves problemas—merece ser examinado con imparcialidad. Estoy cierto de que vi una luz en el espejo. He comprobado que en la noche de marras no había luna. Al día siguiente creía con toda firmeza que no había atisbado el fantasma. Al cabo de algunos años, pensando en esta visión extraña—un suave reflejo en límpido cristal azogado—entré en dudas; de lo que yo había visto, con toda claridad, no podía nadie dudar; no dudaba yo tampoco, si consultaba con serenidad mi conciencia. Tenía la certeza absoluta de lo que había visto. Pasaron algunos años más; la leve duda de antaño se convirtió en afirmación. Otras muchas personas corroboraban mi aserto. Sí, el fantasma de Villena existía. ¿Y qué razón podía haber para que no existiese? ¿Y no nos ocurre tal cosa con muchas otras especies que declaramos asertivas? ¿Y no vamos, por sus pasos contados, de la negación a la duda y de la duda a la fe? Y ahora lo más terrible: si no existía el fantasma, ¿por qué no inventarlo?

LXIV

EL VERDADERO DON JUAN

Escribía yo mis artículos en el blanco mármol de un café; de esto hace ya muchos años. El café ha desaparecido tiempo ha. Entristéceme volver la vista hacia estos años de mi mocedad. El café se hallaba entre la calle de Atocha, donde estaba la puerta principal, y la plazuela del Angel, por donde se entraba a un saloncito angosto, refugio de los amantes cautos. Lo que amaba yo era la literatura; escribía febrilmente, al anochecer, y dejaba reposar el artículo unas horas; en la nocturnancia, tiempo de las nueve a las doce de la noche, llevaba mis cuartillas a la redacción del periódico; de madrugada corregía las pruebas y me retiraba a descansar. Claro que en aquel tiempo de los años verdes, apenas descansaba: permanecía en la cama leyendo hasta bien entrada la mañana, y luego echaba un ligero sueño; a las diez ya estaba yo de nuevo en pie, corriendo las librerías. Digo todas estas cosas para que se vea la fe, el entusiasmo y la constancia con que se escribe a los treinta años. Verdad es que ahora tengo setenta y cinco y escribo con el mismo ardimiento de la edad pasada. Pero vamos a mi cuento. No había reparado yo que en un rincón del saloncito, en el café de San Sebastián, había un caballero que a veces leía en un periódico y a veces en un libro; en otras ocasiones, apoyaba la mano en la mejilla y permanecía absorto largo rato. En aquel tiempo, la realidad era, para mí, la de los grandes maestros: la de un Cervantes, un Flaubert, un Meredith, un Galdós; la verdadera realidad, la de la calle y de la casa, contaba poco para mí. No es extraño que yo no advirtiese, al pronto, la singular traza del caballero que compartía conmigo la soledad del saloncito en el café de San Sebastián. Estando yo un anochecer enfrascado en mis escrituras, había yo levantado la cabeza de las cuartillas para tomar un respiro, cuando oí que el misterioso caballero me interpelaba:

—¿Tiene usted imaginación, joven? —me preguntó.

Y como yo me quedara sorprendido por la rara pregunta, el interpelante continuó:

—No se sorprenda usted; en la vida no hay que sorprenderse de nada. Leo sus artículos; no los elogio porque basta que los haya nombrado; no gusto de ponderaciones; esos artículos tienen ímpetu, coraje, entusiasmo y fervor. Creo que acabo de desmentir las palabras dichas en abono de mi sobriedad en el elogio. Y lo he dicho con gusto en honor de usted. ¿Sabe usted quién soy yo? Pues yo me llamo Juan García Tenorio. Si usted es aficionado a la onomancía, o arte de adivinar por las palabras, le doy tiempo de aquí a mañana para que descubra, en estas tres palabras, Juan García Tenorio, el sino de mi vida.

Diciendo esto se puso en pie, se embozó en la capa y desapareció. Debo dar algunas señas de este extraño personaje: era alto, varonil, esbelto, cenceño, la barbita cana y corta, los ojos fúlgidos, la apostura briosa. Había pasado ya, hacía muchos años, de la juventud; tendría los años que su actual cronista tiene. Esperé con cierta ansiedad que pasaran las horas, y fuí, como todos los anocheceres, al día siguiente, al café de San Sebastián. La realidad del arte podía ser bella, pero esta auténtica realidad podía serlo más. Ya el caballero estaba en su rincón.

—¿Ha pensado usted mucho en mí? —me interrogó.

—He pensado y no he pensado, querido señor—contesté yo.

—¿Y por qué me llama usted querido señor?

—Por la costumbre de llamar de ese modo a las personas que me son simpáticas.

—Muchas gracias, joven; pero espere usted al final; el final de lo que voy a contarle.

Traía el caballero una carterita de marroquín rojo; la abrió y puso ante mi vista cuatro fotografías; eran fotografías de bellísimas jóvenes. Las contemplaba yo en silencio; el caballero, Juan García Tenorio, sonreía levemente de mi admiración.

—La onomancía puede haber dicho a usted que en mi caso, en el caso de Juan García Tenorio, el García antepuesto al Tenorio ha sido como un antemural que me ha librado de caer en la vulgaridad. Digo en la vulgaridad del otro Tenorio. Y yo soy, sin disputa, el verdadero Tenorio. El otro era grosero y sensual al lado de lo que yo he sido. Siempre este García vulgar es el que ha puesto, por antítesis, la delicadeza en mi vida. Está usted contemplando cuatro beldades seducidas por mí; no se alarme usted; no adelante juicios; vayamos con calma. ¿Ve usted esta joven al pie de cuyo retrato está escrito su nombre? Así, en efecto, se llamaba: Emilichu; era guipuzcoana, de San Sebastián. Y esta otra, Visenteta, valenciana. Y esta tercera, Blanquita, castellana vieja, de Burgos, capital de Castilla. Y la cuarta, Carmen, de Sevilla. Las cuatro me hicieron pasar horas deliciosas; no he traído los retratos de algunas otras; basta, para mi explicación, con estas cuatro efigies. He de decir a usted, puesto ya en la vía de las confidencias, que heredé de mis padres un caudal considerable; lo gasté casi todo en mis burlerías; burlaba a las mujeres y no sentía remordimiento. El otro don Juan tampoco, naturalmente, los sentiría; pero el otro, por su grosería, estaba inmune del torcedor de la conciencia, y yo sentía después del engaño una viva satisfacción. Si el otro permanecía indiferente tras sus seducciones, yo me regodeaba con las mías. Veo que pone usted cara de pasmo; vuelvo a decirle que no se apresure en sus juicios.

—Habla usted un lenguaje que no entiendo. Y de ahí mi confusión—me apresuré a decir.

—Confusión que voy a disipar en pocas palabras. Sí, soy el verdadero don Juan. Y lo soy, es decir, lo he sido, porque he dado y no he quitado nada. Daba la ilusión y no despojaba a mis víctimas de nada. Daba la ilusión y algo más. Las mujeres que yo buscaba iba a buscarlas entre las humildes; no he querido seducir nunca a ninguna mujer rica. Y verá usted el motivo: lo que yo hacía, ante todo, era trasladarme con mi escudero a una región de España; mi edecán se informaba de la condición de mi elegida; sabía yo, pues, cómo vivía la joven que iba a seducir. Entrábamos en relaciones; mi figura era arrogante; mi labia, hechizadora. Cuento a usted todos estos pormenores para que se forme idea exacta de la situación. Ya éramos novios; todo se desenvolvía como en una senda sembrada de flores. Y de pronto, venía lo absurdo. No lo creerá usted, pero hay muchos en Madrid que me conocen. Lo absurdo era lo siguiente: nos citábamos un día en un paraje céntrico. Se me olvidaba decir a usted que nunca, en mis seducciones, traspasé los límites de lo más austero, lo más honesto, lo más idealista. De otro modo, con la sensualidad, no sería yo el verdadero Juan Tenorio. Citaba yo, digo, a mí víctima, por última vez, en un punto céntrico, una hora antes de la salida del tren para Madrid. Había yo encargado a mi amada que me trajera su retrato; yo le daba, en cambio, una cajita. Tenía mi seducida curiosidad vivísima por saber lo que había dentro de la cajita. Yo la conjuraba para que no la abriese hasta que estuviera en su casa. Y llego a la clave de este enigma. ¿Sabe usted lo que había en la caja? Pues un brillante magnífico que valía una verdadera fortuna. Allí tenía mi víctima, víctima rodeada siempre por mí de un profundo respeto, un capital con que vivir el resto de sus días. Había yo llevado la felicidad a un hogar humilde. Y a medida que se alejaba el tren pensaba en lo que ocurriría en aquella casa pobre cuando se percataran de que tenían entre las manos una fortuna con que vivir ya holgados. Alguna vez, se lo confieso a usted, quise ser diabólico en mis dones: en cierta ocasión se me ocurrió poner en la misma cajita donde depositaba el magno y purísimo diamante, otros varios de grosero vidrio. ¿Qué hubiera ocurrido entonces? Al ver la falsedad del vidrio, ¿no hubieran arrojado la preciosa piedra a la calle, creyéndola falsa como las demás? Supe contenerme en lo lícito. Aun así, yo no puedo con certeza imaginar lo que ocurriría en un hogar pobre al ver, abierta la misteriosa cajita, lucir un soberbio brillante. ¿Lo creían auténtico? ¿Lo suponían falso? En la época de que hablo, hace cincuenta años, las comunicaciones no eran tan fáciles y múltiples como al presente. No supe nunca nada de la suerte de mis seducidas. Y aquí tiene usted al verdadero don Juan, autor de seducciones en Castilla, en Andalucía, en Galicia, en Valencia, en Barcelona. ¡Y qué bonita era aquella joven de Pontevedra que seducí! ¡Qué castos fueron nuestros amores! ¡Y qué soberbio brillante le entregué en la misteriosa cajita! De todas mis víctimas, acaso Salvadoriña fué la que más quise...

LXV

UN MARIDO IDEAL

Entró en el salón y se quedó un momento inmóvil: parecía abstraído de todo; diríase que estaba soñando. Era Emilio Bances más bien alto que bajo, con la barba cenicienta, el pelo, que conservaba tupido, entrecano también; brillaban sus ojos, de un claro azul, y había en toda su persona como un aire de abandono y de melancolía. Estaba yo sentado con Ricardo Ulecia, en un rincón de la sala, y le pregunté al gran pintor:

—¿Qué le parece a usted de Bances?

—Interesante; figura muy pictórica —me contestó Ulecia.

Amigo íntimo de Emilio Bances, le conocía yo desde la adolescencia; nos habíamos sentado juntos en los bancos de la Universidad y habíamos sido compañeros antes en el colegio; conocía yo, por tanto, toda la vida de Emilio Bances. Al darse cuenta Bances de que se encontraba en un salón lleno de gente que le esperaba, salió de su ensueño; vivía retirado, en absoluto retraimiento, y sólo a instancias reiteradas y cariñosas había accedido a venir esta noche a esta tertulia amena, donde se podía hablar de todo discretamente y sin aspavientos. Al penetrar Emilio Bances en la sala se acalló el rumor de las conversaciones; entonces Bances, ya despierto—o que semejaba estarlo—, tuvo una sonrisa para los concurrentes. Y se formó, con presteza, un corro en torno a su persona. Nada podía ser más halagador para un artista que esta expectación que causaba su persona, y yo, que le había asegurado a Bances el buen recibimiento que tendría, estaba satisfecho de haber conseguido que saliera por un rato de su retraimiento. Al reanudarse las conversaciones en torno a Bances, Ricardo Ulecia, ya vivamente interesado por la figura pictórica de Bances, como él decía, me preguntó:

—¿Quiere usted que nos acerquemos al corro?

—Con mucho gusto.—le contesté—; vamos a escuchar lo que se le ocurra a Emilio Bances.

—¿Cómo lo que se le ocurra?—preguntó con cierta extrañeza el pintor—. ¿Es que Emilio Bances es algún ser raro?

—Raro no, o sí, como se quiera mirar a Bances, pero usted, querido Ulecia, lo va a ver dentro de unos minutos.

La conversación se había animado; estaba allí, en la grata reunión, todo lo más selecto de la juventud femenina: Clarita, Pepa, Jesusa, Asunción, Carmen, Carolina, Paz, Consuelito... No sigo nombrando más de estas encantadoras jóvenes porque tendría que ocupar mucho espacio. La charla había derivado hacia un tema simpático a la juventud: el amor. Y con el amor, naturalmente, al matrimonio. Conocían todas la vida ejemplar de Bances; admiraban todas su bondad nativa e inagotable, unas conociéndole personalmente, y otras, de referencia. En el transcurso de la deleitosa conversación, se le ocurrió a Pepa, Pepa Ardales, la admirable morena de ojos relucientes y pelo de ébano, el decir:

—¿Por qué no se casó usted, don Emilio? Usted hubiese sido un marido ideal.

Se quedó pensativo un momento el delicado artista, como arrobado, como vuelto de nuevo a su ensueño, y al cabo, como despertando otra vez, dijo lentamente:

—¡Ah, un marido ideal! ¿Saben ustedes lo que es el Destino? «*Destiny forms designs, dispositions and connections.*» Digo esto repitiendo una frase que he visto en un libro que estaba leyendo esta tarde. Y perdonad todas que lo diga en inglés. Traducida, con cierta libertad, al castellano, esta frase quiere decir: «El Destino forma o traza órdenes, suertes y concatenaciones.»

—¿Y por qué dice usted eso, don Emilio?—preguntó la encantadora Jesusa Reyes, una rubia espléndida, con ojos también de ensueño, el ensueño del propio Emilio Bances.

Sonrió al escuchar la nueva pregunta el escritor, se caló el monóculo para mirar a Jesusa, y al cabo de unos segundos continuó en su divagación:

—Divago siempre, cuando tengo que decir algo; no sé constreñirme al mundo real; ustedes habrán de perdonarme. Decía yo antes «*Destiny forms designs, disposition and connections*». ¿Sabemos lo que es el Destino? ¿Conocemos adónde nos llevará el Destino? Dicen ustedes que yo hubiera sido un marido ideal. ¡Ah, el marido ideal! ¡Nadie sabe lo que es un marido ideal!

Se levantó un tumulto de protestas: todas las bellas jóvenes gritaban alegres y reconvenían cariñosamente al escritor.

—¿Cómo es eso, don Emilio? ¿Usted dice que no se sabe lo que es un marido ideal? Pues un marido ideal es un hombre como usted: bueno, condescendiente, afectuoso, en fin, cordial y tolerante.

—Por tercera vez, queridas amigas, les repito a ustedes la frase, llena de sentido y de misterio, que he leído en un libro y que me ha dejado absorto: «*Destiny forms desings, dispositions and connections.*» Dicen ustedes, haciéndome mucho favor, que yo hubiera sido un marido ideal. Pues bien, voy a confesarles en secreto—no se lo digan a nadie—que yo he estado apasionadamente enamorado y que no ha faltado nada, casi nada, para que yo me casara.

—¿Ha estado usted a punto de casarse, don Emilio? Explíquenos usted ese misterio. Todas deseamos conocerlo.

—¡Sí, sí; que lo explique don Emilio! —gritaron todas.

Y Bances, después de haberse calado otra vez el monóculo y de quitárselo y tenerlo pendiente del cordón, balanceándolo con suavidad, dijo:

—Puesto que os empeñáis, voy contar la historia de mis tres amores. Decís que hubiera sido un marido ideal, el marido que todas vosotras ansiáis, y vais a ver lo que le sucedió al candidato a marido ideal. Mejor dicho, lo que aconteció a las tres jóvenes que estuvieron a punto de ser esposas de ese marido.

Hubo un nuevo y breve silencio; todos, en la concurrencia, esperaban la explicación de Emilio Bances; yo, que era su amigo íntimo, que le conocía a fondo, tuve un momento de inquietud; no acertaba adónde iba a parar Emilio con esta introducción; sospechaba algo que no me atrevía aún a afirmar. Y Emilio Bances —poeta, novelista, ensayista genial—, prosiguió:

—Sí, amigas mías; he estado enamorado tres veces, y apasionadamente. No me casé porque así lo quiso el Destino. El destino mío y el destino de las tres mujeres que fueron mis prometidas. La primera la llamaré, por no ser indiscreto, Clara; quería yo a Clara como se puede querer a una madre; ella me correspondía a mí del mismo modo; todo estaba ya dispuesto para nuestra boda. Y de pronto, vino la ruptura: no tuve yo la culpa; no quiero cargar agravios sobre mi prometida; pienso que conveniencias de familia impidieron a última hora el que se celebrara el casamiento. Sospeché que la pobre Clara, a quien no quise ver más, sufría tanto como yo de esta determinación de sus padres. Y pasó el tiempo; el tiempo se lleva unas cosas y trae otras. Vino el olvido suave que todo lo modifica; ya no me acordé yo más de la pobre Clara. Un día, encontrándome en París y sentado en un banco del Metro, vi que se me acercaba una señora. Volví de lo irreal, donde me hallaba con el pensamiento, y puse la vista en la desconocida, la cual me dijo:

—¿No me reconoces, Emilio? ¿Es posible que te hayas olvidado de mí? ¿Tan cambiada me encuentras? Soy Clara; sí, soy la misma Clara de hace tantos años.

—¿La m i s m a Clara?—pregunté ya, sintiéndome profundamente conmovido—. Y había para estarlo; Clara había cambiado hondamente; estaba pálida y escuálida; parecía haber sufrido mucho.

—¿Has sufrido mucho, querida Clara? —le pregunté con entera franqueza.

—No lo sabes tú bien, Emilio; me casé, y desde el primer instante comenzaron mis sufrimientos. No he tenido un momento plácido en mi matrimonio. ¡Contigo sí que yo hubiera sido enteramente feliz! Tú hubieras sido para mí el marido ideal.

Calló Emilio Bances, y en la concurrencia comenzó a advertirse un cierto matiz de gravedad; a las risas alocadas y simpáticas había sucedido la meditación. Continuó Bances:

—Mi segunda prometida se llamaba Amalia; era bonita y delicada, pero un poco ambiciosa; yo tenía la esperanza de reducirla a la sencillez con mi conducta en la vida matrimonial. Estábamos los dos ilusionados con nuestra próxima boda. Y, de repente, cuando ya estaba todo dispuesto para el casamiento, recibí una carta de Amalia; lo que en ella me decía, a vuelta de muchos circunloquios, no quiero decordarlo. Todo acabó entre nosotros; supe que un mozo de una gran fortuna, un hombre riquísimo, la había pretendido y que Amalia, llevada de su ambición, se había rendido a ese hombre, con gran satisfacción de la familia. Y volvió a pasar el tiempo; no me apesaraba a mí la ruptura: comprendía que si el esposo de Amalia era más rico que yo, Amalia debía preferirlo; estas cosas se caen de su peso. Encontrándome yo un verano en San Sebastián, un día que estaba sentado en la playa, vi que junto a la tienda de campaña donde yo me encontraba había una señora que, al advertir mi presencia, se levantó y vino hacia mí. Me puse yo en pie; la señora, puesta ya delante de mí, esperaba que yo la reconociera; dudaba yo; permanecía silencioso; al fin, la dama profirió:

—Pero de veras, ¿no me conoces, Emilio? Soy Amalia, tu antigua novia. Cuánto tiempo ha transcurrido y cómo yo he meditado con honda tristeza en la locura que hice al abandonarte. Tú, querido Emilio, hubieras sido, con tu bondad, el marido ideal para mí. Ya te contaré despacio el drama de mi vida. Sí, un verdadero drama, querido Emilio. No te lo puedes figurar, por más que aguces tu imaginación.

—Querida Amalia, yo siempre soy el mismo para ti—le contesté yo, al mismo tiempo que cogía su mano y la estrechaba entre las mías.

Tras otra pausa, en que Bances se caló de nuevo el monóculo, balanceándolo luego, el escritor genial prosiguió:

—La tercera pasión que tuve me la inspiró Rosa; con perdón vuestro, no he visto nunca mujer más bonita y más simpática. Digo, las estoy viendo ahora; porque todas vosotras sois un compendio de hermosura y de discreción. Voy a mi asunto; estábamos ya para ir a la iglesia y unirnos en santo matrimonio cuando, inopinadamente, todo acabó entre Rosa y yo; también en este caso, lo diré con franqueza, la culpa fué de Rosa y no mía. No quiero entrar en pormenores dolorosos; aquella ruptura me dejó doliente de espíritu para mucho tiempo. Pero el tiempo lo dulcifica todo, como os he dicho antes. Y un día, no sé dónde, encontré un amigo que me dijo:

—¿A que no sabes a quién he visto en Londres? Vengo de Inglaterra; he encontrado allí, en el mismo hotel en que yo vivía, a Rosa, tu antigua novia. Hablamos mucho de ti. No puedes figurarte la suerte desgraciada de esa mujer. Para no entristecerte, no te refiero su calvario. Al despedirme, como ella sabía que habría de verte, me dijo: «Dígale usted a Emilio Bances que siempre está presente en mi memoria. Ya conoce usted mi desventura. Con Emilio hubiera sido yo feliz. Hubiera sido Emilio para mí el marido ideal.»

Calló Emilio Bances, y en la concurrencia hubo como una sensación de malestar; la alegría del comienzo había desaparecido; un soplo de intensa melancolía había entrado en el salón. Y Bances, después de quitarse de nuevo su monóculo y hacerlo oscilar de un lado a otro, profirió lentamente:

—«*Destiny forms designs, dispositions and connections.*»

LXVI

EL EPISODIO DE LERMA

No es cosa: un episodio sin importancia. No vale la pena; si contiene algún aliento de idealidad, mis amigos se lo habrán imbuído. Conté yo este episodio, sobremesa, en un corro de algunos viejos amigos; se entabló debate sobre el asunto. No puse yo por mi parte sino el relato escueto; son mis antiguos compañeros quienes lo han exornado con su fantasía. Habló primero Pepe Brull, novelista, y dijo:

—El escenario donde se desenvolvió el episodio de Lerma es bonito: Lerma, vieja ciudad, ciudad de Castilla la Vieja, provincia de Burgos, orillas del Arlanza, con un palacio del duque y cardenal, ministro de Felipe III. En esa ciudad, situada en la carretera general de Francia, hay un caserón noble y anchuroso; en él viven dos hermanas: Melchora y Leandra. Como tú nos has dicho, querido Antonio, que los actores de tal episodio han muerto hace tiempo, se puede hablar de ellos con serenidad: pertenecen ya a la Historia. Melchora y Leandra perdieron a su madre, siendo muy niñas; no la recuerdan apenas; han vivido bajo la égida del padre. Y al padre, Juan Porcel, lo adoraban. Pero el padre murió también cuando las hermanas eran adolescentes; quedaron huérfanas. No tenían a nadie que mirara por ellas; no necesitaban tampoco que nadie mirara. Eran inteligentes y fuertes; poseían un pingüe caudal; sabían de las cosas de la hacienda doméstica. A más de lo dicho, poseían hermosura de sobra. Más bonitas que Leandra y Melchora no las había en toda Lerma. ¡Qué digo en Lerma! En toda la provincia de Burgos. ¡Qué digo en la provincia de Burgos! En toda Castilla la Vieja. ¡Qué digo en toda Castilla la Vieja! En toda España. Pero Melchora y Leandra no pensaban en casarse; iba pasando el tiempo propicio al casorio, y las dos hermanas se mostraban indiferentes al connubio. ¿Y por qué, siendo bonitas, simpáticas y adineradas, no querían inclinar el cuello al dulce yugo? Pretendientes tenían a manta; los mejores partidos de la provincia las pretendieron; pero cuando se hablaba de casamiento, sonreían. Lo más que se aventuraron fué a tener alguna garzonería, chichisveo o cosa parecida: algo leve y efímero, en suma. A su padre habían oído muchas veces hablar de un hermano que tenía en América; se había marchado hacía cuarenta años; no lo conocían las dos hermanas; sentían, empero, simpatía por este tío que vivía, ignorado, tan lejos. Nunca el tío de América había escrito; nunca nadie que de allende viniera había traído noticias suyas. Y un día, cuando menos lo esperaban, se presentó en Lerma el tío de América. Antes de pasar adelante he de plantear un problema interesante de psicología: ¿porqué no quisieron casarse ni Melchora ni Leandra? Se hacían conjeturas diversas y no se acertaba con la clave del enigma; se rugía por el pueblo que no se casaban por no sufrir dueño; estaban mejor, siendo libres, que ligadas a un consorte.

En este punto intervino Diego Arróniz crítico, y a su vez profirió:

—El tío de América se presentó en la casa con sólo una maletita de cartón; no era el tradicional tío de América que regresa millonario; no traía doblonada conque satisfacer a deudos y amigos; caso éste de ser dadivoso el tío de América. Melchora y Leandra tuvieron, naturalmente, una gran sorpresa. No se cansaban de mirar al tío de América. Y el tío de América lo primero que hizo fué pedir, para restaurarse del viaje, un buen vaso de ginebra. Se instaló en la casa el tío de América. Comenzó a manifestar su verdadero carácter: era cascarrabias y se enfurruñaba por cualquier cosa; vivía en completo desorden; la casa, antes tan ordenada, aparecía ahora cual un caos; en vano Melchora y Leandra se esforzaban en reparar los desaguisados del buen tío; digo «buen», naturalmente, en sentido irónico. Repuestas de la primera impresión, Melchora y Leandra recapacitaron. ¿Sería verdad que este señor era el tío de América, es decir, el tío de las dos hermanas? ¿Y cómo se habían precipitado a acogerle en la casa sin tener la seguridad de que el tío era el tío? El buen señor—repito lo de buen—daba toda clase de pormenores respecto a su hermano; Leandra y Melchora supieron por él detalles de la vida del padre que no conocían y que se comprobó que eran ciertos. No embargante, las dos hermanas no se atrevían a asegurar que el tío de América fuera el verdadero tío. Y la casa seguía cada vez en el más espantoso desorden por causa del desarreglo del famoso tío. Cuantas lacras sociales existen, las tenía, como en primoroso surtido, el tío de América. La gente de Lerma estaba escandalizada: no comprendían cómo las dos hermanas tenían en su casa, con santa paciencia, al desdichado sujeto. Esperaban de un día para otro que el extraño caso concluyera: algún día, cuando menos se esperase, el tío de América sería arrojado de la mansión de los Porcel. Y ese día no llegaba nunca. El tío de América, a fuerza de escándalos, tenía alborotado el pueblo. Y ahora un problema de psicología, tan interesante, a mi ver, como el planteado por el preopinante. Si el tío de América, con todas sus máculas, continuaba en casa de las Porcelas, ¿es que las Porcelas se ignoraban a sí mismas? ¿Habían huído falsamente de la coyunda, creyéndose ineptas para el matrimonio, y ahora, al imponerse un nuevo yugo, un yugo mil veces peor que el más detestable que hubieran podido imponerse, demostraban todo lo contrario de lo que pensaban y sentían? Necesitaría todo un volumen para explanar, con claridad y precisión, este problema; lo dejo tan sólo apuntado, insinuado.

En este momento tomó la palabra Marcial Deza, poeta, y pronunció las que van a continuación:

—Me habéis dejado a mí las escurrimbres del episodio de Lerma. No me queda casi más que epilogar. Pero en las heces de este licor todavía se puede alambiar algo: empleo el vocablo alambicar, pensando en las operaciones de la destilación. Voy a ver si logro yo destilar alguna cosa. Tan desarreglado era el tío de América, que nadie le consideraba en Lerma; sólo tenía trato con las gentes de poco pelo. Y como se daba a empinar el codo cada mañana y cada tarde, un día que estaba más alumbrado que de costumbre, se cayó al río, el Arlanza, y se ahogó. Finó el tío de América. No había ya más tío de América: tío sin caudalejo y sin poder, por tanto, ser dadivoso. ¿Descansaron Melchora y Leandra? ¿Qué efecto causó en ellas la desaparición del tío de América, que tantos y tantos disgustos les diera? Aquí entra un tercer problema psicológico, tan curioso como los anteriores: muerto el tío, se formó una verdadera leyenda en torno a su figura; si antes se le soportaba, con paciencia, estando vivo, ahora se tenía un verdadero culto por su memoria. Melchora y Leandra hicieron todo cuanto podían hacer por honrar la memoria del tío de América. Y yo pregunto: ¿lo hacían por ansia de idealidad? ¿Necesitaban algo en torno a lo cual agrupar, digámoslo así, su favor, sus ansias de cariño, sus amores no satisfechos con la coyunda a la cual se habían negado? Nadie en Lerma supo responder a estas preguntas. ¿Lo sabéis vosotros? ¿Sabéis si el episodio de Lerma, que nos ha contado nuestro amigo, es tan sólo una alegoría, un símbolo?

Callé yo y miré a los tres comentadores, sonriendo. Entonces el novelista dijo:

—Yo escribiría con el episodio de Lerma una novela.

El crítico profirió:

—Yo haría un ensayo.

El poeta declaró:

—Yo contemplaría las nubes, pensando en Melchora y Leandra, y no escribiría nada. Porque lo que sentiría, al pensar en Leandra y Melchora, no se podría expresar con palabras.

LXVII

DESCANSE EN PAZ

Felipe Sacedón era un pobre hombre; había estado trabajando cuarenta años en la pampa argentina; había regresado a España y retirádose a su pueblo natal. Vivía, el pobre, pobremente; no comía apenas; sus trajes eran raídos. Caminaba lentamente y encorvado; no tenía ya fuerzas para nada. En su pueblo nativo, Trilueque, en la provincia de Toledo, poseía cuatro casas en la Correduría, tres lagares en la calle de la Asunción, y dos almazaras, donde se molía mucha aceituna por noviembre, en otra calle, llamada de los Fragueros. Y por fin, cabe al río, eran suyas dos tenerías, donde se curtían bellos cueros. El cajero de la sucursal del Banco de España en la capital de la provincia era de Trilueque; no decía nunca nada, por ser muy reservado; pero vino una vez su hijo al pueblo y manifestó que Felipe Sacedón tenía en cuenta corriente tres millones de pesetas. El pobre no contaba con ánimos para nada; si a veces deseaba fumar un cigarrito para esparcir el ánimo, se lo pedía a un amigo. Si en su cocina, al hacer la comida, no encontraba aceite la cocinera, una pobre mujer, en la alcuza, tenía que pedirle prestada una panilla a un vecino. Hubo día en que en casa de Felipe Sacedón apenas se pudo comer. No sé si lo he dicho ya; conviene repetirlo. Y ello para demostrar la pobreza suma de este pobre hombre, el cual tenía en el pueblo dos hermanas: Claudia y Demetria; vivían, sí, en verdad, con suma estrechez las dos mujeres. ¡Qué le vamos a hacer! El mundo es así. El hermano no podía socorrerlas, y ellas se conformaban. Junto a la casa de Felipe Sacedón moraba un clérigo pitancero; es decir, que vivía de la caridad de las buenas almas; no se ha visto nunca hombre tan bueno. Sus hábitos tenían color de ala de mosca y su alma era blanquísima. Pasaba algunos ratos el buen clérigo en casa de Felipe y le animaba en sus adversidades, porque ya se habrá comprendido que las adversidades de Felipe eran muchas y acerbas. Nunca pudo acorrer en sus necesidades Felipe al bondadoso clérigo; no tenía en la ciudad Felipe amigo más leal, y no pudo, el pobre, darse nunca la satisfacción de auxiliar, aunque con poco, a don Pascual Illana, que así se llamaba el sacerdote. Estoy refiriendo un suceso auténtico y no un cuento. Debo hacerlo constar así.

—Pero ¿no se cansa usted, don Pascual, de ir a casa de don Felipe y hacerle la tertulia? ¿Le ha dado a usted ni siquiera un bodigo en todos los días de su vida?

Así hablaban los que extrañaban la dulce perseverancia del clérigo pitancero. Y el buen sacerdote contestaba:

—¿Y qué quieren ustedes que haga? El pobre don Felipe no tiene ni siquiera para remediarse él. ¿Cómo me va a remediar a mí?

—Pero ¿habla usted en serio o en broma?

—¿Puede hablar en broma quien tiene por misión el consuelo de los afligidos?

—¿Y don Felipe Sacedón es un afligido?

—¿Y quién no tiene aflicciones en la vida?

No había efugio; la dulzura y la caridad de don Pascual Illana se sobreponían a todo; con esas virtudes contrastaba la pobreza de Sacedón. El tiempo iba pasando. A pesar de tener en cuenta corriente tres millones de pesetas y de poseer en Trilueque casas de vecindad, lagares, almazaras, y en el término del pueblo sembradíos, viñedos y olivares, el tiempo pasaba también para Felipe Sacedón. Y, en previsión de lo que pudiera ocurrir—seguramente, claro está, que ocurría—, Sacedón llamó un día a un notario e hizo testamento. Nadie lo supo en el pueblo; ya se sabe que los notarios tienen el deber de ser reservados. Pero, con el tiempo, algo se traspiró del suceso. Tuvo noticias de los comentarios que el suceso había suscitado, y Felipe Sacedón hizo, sin saber por qué, otro testamento. Llegó lo que había de llegar, la Parca fiera, y Felipe, en los postreros instantes de su vida, llamó de nuevo al notario y dictó su última voluntad. La última voluntad estaba en contradicción con las anteriores y con otro testamento ológrafo, que cierto día, disgustado de todo, manuscribió, con firma en todas las carillas, según mandaba la ley, el testador. Y don Felipe Sacedón, el pobre, expiró. ¡Dios lo tenga en su gloria!

En el testamento que fué abierto no dejaba Felipe sino unas pizcas de la hacienda a sus hermanas. Lo demás eran mandas extravagantes; quiero decir que caían no en los deudos, sino que extravagaban y caían en personas ajenas a la familia.

Como Claudia y Demetria, no sé si he dicho que así se llamaban las hermanas de Felipe, eran unas bonazas y sus maridos lo mismo, se conformaron con su suerte. Ellas habían nacido para ser pobres, pobres de verdad, y continuarían siéndolo. Pero ocurrió que el hijo de Demetria, que vivía desde hacía muchos años en el extranjero, regresó a Trilueque. Era hombre arrestado y resuelto: no le arredraba nada. Al saber lo del testamento se indignó. Rebuscando en el desván de la casa en que expiró Sacedón encontró un bufetillo; abrió uno de los cajones, cajón secreto, y encontró en él un papel amarillento. Lo leyó con estupefacción; el papel era el testamento ológrafo de Felipe, pero la fecha estaba borrosa. No se podía colegir del contexto cuándo Sacedón había escrito esta su voluntad, ni si, por tanto, era la postrera o no. Pero, ni corto ni perezoso, el hijo de Demetria fué a consultar a un abogado. Los abogados existen, naturalmente, para abogar. Cuanto sea más arduo lo que se abogue, tanto más entusiasmo debe tener un abogado. Hubo, por tanto, pleito, como no podía ser menos. Ya la resignación de las pobres hermanas y de sus maridos había desaparecido; en su lugar habían entrado en los ánimos la ambición y la animosidad. Indudablemente, en opinión del abogado de las dos hermanas, el testamento encontrado en el desván era el legítimo y auténtico. Los demás eran írritos. No servían, pues. El pleito con los demás herederos, los ajenos a la familia, fué empeñado. Había ya en el pueblo dos bandos: uno, el de los partidarios de los testamentos notariales, y otro, el defensor del testamento ológrafo. Y entre estos dos bandos se revolvían otras parcialidades. El pueblo todo, en suma, era un semillero de pasiones ardorosas y de rencillas. Por causa de los testamentos habían llegado a reñir deudos que se estimaban sinceramente. En tanto, Felipe Sacedón, el pobre, descansaba en paz.

—No sé lo que sucede ahora en el pueblo—decía el buen clérigo Illana—; antes vivíamos tranquilos, y al presente vivimos engrescados. ¡Dios mío, qué cosa es la riqueza!

Sí, la riqueza es una cosa muy rara; todos quieren tenerla, y cuando la tienen suelen vivir peor que cuando no la tenían. Trilueque se hizo célebre en la provincia por sus banderías suscitadas por los testamentos. Los viajantes de comercio que pasaban por el pueblo solían contar los incidentes múltiples de esta lucha feroz. No había ya paz en Trilueque, y Felipe Sacedón descansaba en paz. Y al fin se esclareció que no hubo tercer testamento notarial; Felipe no llamó tercera vez, como se dijo, al notario. El testamento ológrafo entró en vigor. Y todos los años, las hermanas favorecidas en ese testamento y los demás deudos celebraban en el aniversario de Felipe Sacedón un funeral en la iglesia del pueblo. Pero el sedimento de rencores había quedado permanente en Trilueque. Y siempre, al salir de la iglesia los parientes, se cruzaban en la calle con los desposeídos, y entre unos y otros había palabras agresivas y aun golpes. En tanto, Felipe Sacedón descansaba en paz.

—¡Y es justo que descanse!—exclamaba, con su admirable candor, el clérigo pobre y antiguo vecino de Felipe.

LXVIII

NO HAY INSTANTE SIN MILAGRO

Encontré a Joaquín Jara en donde no pensaba hallarlo; hacía mucho tiempo que no sabía de este querido y antiguo amigo. Viajaba yo por Levante en automóvil, y al pasar ante una casa de campo, distante de un pueblo sobre ocho kilómetros, me dió la idea de detenerme unos momentos. Desde lejos vi, entre las frondas de los pinos, la techumbre de la rústica vivienda; bajo el alero asomaba la ventana de un desván. He de decir a ustedes que siempre he tenido simpatía por los camaranchones. «Cansado estoy de trajinar desvanes», dice Lope de Vega, con el nombre de Tomé Burguillos, en un soneto de sus rimas burlescas. No me he cansado yo nunca de andar por los sobrados, entre trastos viejos; la caducidad de esos enseres, ya retirados de la vida vernácula, me da una profunda idea del tiempo. Y es el concepto del tiempo lo que me subyuga y forma el núcleo de mi personalidad espiritual.

(Al llegar a este punto nuestro amigo, nos hicimos señas silenciosas todos los que estábamos escuchándole; veíamos a las claras que comenzaba a desvariar. Sin duda, como otras muchas veces, nos daría sus propias impresiones, bajo la sobrehaz de un cuento o un apólogo.)

—Sí, encontré a Joaquín Jara donde menos lo esperaba—continuó nuestro amigo—. El lugar era placiente; todo allí invitaba al reposo. Se gozaba de una dulce quietud en el silencio y en la soledad. Todas estas impresiones las iba yo recogiendo en tanto nos acercábamos a la casa entrevista desde la lejanía. Se detuvo el auto ante la morada y yo dudé entonces si bajar o pasar de largo. No me explico ahora mis titubeos; toda la vida, naturalmente, es una continuada perplejidad; dudamos siempre, ya ante lo grande, ya ante lo minúsculo. Pero voy a mi relato. Cuando estaba sumido en mis dubitaciones oí una gran voz que me llamaba. Al pronto no reconocí esa voz, pero en seguida me sentí conmovido; la voz que acababa de escuchar era la de uno de mis mejores amigos, condiscípulo en los años lejanos de la Universidad. Eché pie a tierra, desde el pescante—yo gobernaba el auto—, y minutos después me vi en un cuartito blanco, con una cocina de mármol negro con vetas blancas, al lado de Joaquín Jara. Y como si viniéramos los dos de las profundidades del tiempo, se entabló un cordial y lento diálogo; lento, porque parecía que íbamos sopesando las palabras. No podía ser menos, acabando de llegar, uno y otro, de tan remoto pretérito.

—Ya ves, querido Paco: yo me encuentro aquí después de recorrer una trayectoria espiritual tan fatigosa como el caminar por una sesga y pedregosa ruta. No podrás tú comprender al punto estas palabras; necesito explicártelas.

(Los que íbamos comprendiendo, si no nuestro amigo y el supuesto Joaquín, éramos nosotros, los que escuchábamos a nuestro amigo con el encanto de siempre. Comenzaba la aventura ideológica; no podíamos sospechar todavía por dónde se encaminaría en su divagación nuestro amigo.)

—Sí, estoy aquí—me dijo Joaquín Jara—, a treinta kilómetros del Mediterráneo; éste es un mar único, un mar que me atrae, un mar del cual depende mi existencia mental. Digo esto pensando en que, para mí, la inquietud lo es todo; muchas veces pienso en Benito Espinosa, el que filosofaba y pulía vidrios; pero Espinosa, para quien no existía el mundo aparente, no contaba con el Mediterráneo. Lo necesito yo porque la vecindad de ese mar produce una temperatura clemente; ya estás experimentando aquí su dulzura. Y yo no puedo pensar, digo pensar con plenitud de pensamientos, si estoy desazonado por el frío o por otro descomodo. Todo aquí, durante el año entero, se desenvuelve en un ambiente templado; todo es dulce y suave. El pensamiento puede vacar a sus elaboraciones. Si tengo en mi cuarto esta chimenea tan bella, en su negro mármol veteado de blanco y con adornos de bronce, es por precaución; en realidad no la necesito; lo que me distrae a ratos es el crepitar de las brillantes centellas que suelen saltar de los leños y de los ceporros. Vivo en estas horas tiempos lejanos. Y mira lo que son las cosas: en este momento, cuando el automóvil se detenía ante la casa, yo estaba leyendo, ante la chimenea, un libro viejo que hace relación, precisamente, a la chimenea: *The chimneycorner,* de Harriet Beecher Stowe, libro publicado en 1868. Tengo aquí muchos libros curiosos. Quiero decirte que yo leo de un modo especial: a veces comienzo por el final y a veces por el comedio. Y voy siempre leyendo a saltos. La vida es así; yo corrijo de este modo la coherencia y uniformidad de los novelistas. ¿Has leído tú el auto sacramental de Calderón titulado *No hay instante sin milagro?* En ese título se compendia toda mi vida, mi vida desde que no nos hemos visto, hace cerca de cincuenta años; tú tendrás, como yo, alrededor de setenta. ¿Qué iba yo a decirte? He leído mucho; sigo leyendo con afán. De mis lecturas he extraído una teoría; te la explicaré en dos palabras. No temas lo abstruso ni lo prolijo; no te has detenido aquí conmigo para que yo te enfade. La teoría es ésta...

(Entraba ya nuestro amigo en el descarrío; pero era tanta su modestia y había tal mesura en sus palabras, que a todos nos subyugaba. Nos dispusimos, por tanto, a acoger con aplauso la teoría que iba a exponernos. Era suya, evidentemente, y no del imaginario Joaquín Jara.)

—Antes de pasar adelante, os diré que Joaquín Jara es un hombre afectuoso en extremo y sencillo; a la sencillez lo sacrifica todo. Su habla es parva; sus gestos, sobrios. Cuenta Joaquín Jara cierta anécdota de Fontenelle en un salón y la aplica a su persona. Como preguntara una dama a Fontenelle: «Usted, Fontenelle, ¿no se ríe nunca?», el interrogado contestó: «Sí, señora; pero ustedes hacen: ¡Ja, ja, ja!; yo me río por dentro.» Joaquín Jara añadía: «También yo, por ahorrar gastos de energía nerviosa, me río por dentro.» Joaquín había recorrido toda la literatura española; sus estudios habían sido muy sólidos; conocía minuciosamente nuestras letras. Y de ese conocimiento había venido a deducir que lo más sustancial, lo más profundo—profundo en el tiempo y en la sensibilidad—, era el Romancero. Se extasiaba Joaquín Jara hablando del Romancero; los romances viejos, sobre todo, los tenía por una maravilla de fluencia y de tenuidad; todo lo demás le parecía craso. Y ese manantial de los romances lo veía Joaquín continuado en los dos más grandes hombres de nuestra Edad de oro: Cervantes y Lope. La inefable tenuidad del Romancero había ido continuándose en la obra de Cervantes y Lope. Al par que Joaquín iba gustando literalmente de tal tenuidad, su vida iba también haciéndose más tenue: dejó Madrid con su barahunda, y se vino al campo; no quería que sensaciones extrañas se mezclasen a la sensación de su vivir tenue y delicado. Su vida habría de ser como un precioso cristal veneciano, propenso a quebrarse a cualquier ligero choque. Al llegar al campo tuvo la gran sorpresa: descubrió a Pedro Calderón de la Barca, a quien no había querido leer nunca. No lo había querido leer por parecerle abstracto. Se equivocaba; lo que Joaquín Jara reputaba aridez era, en realidad, cendal tenue. Calderón había cerrado el ciclo de la tenuidad; su obra era tan límpida, tan flúida, tan aérea, que semejaba irse de entre los dedos, como se nos va el azogue. En Calderón encontró Joaquín el título que ahora dominaba su vida: *No hay instante sin milagro.* ¿Cuándo se produce en nuestra vida el hecho decisivo? ¿Cuándo lo sorprendente? ¿Cuándo lo extraño? ¿Al estar en el arranque de una escalera y poner el pie en el primer peldaño? ¿Al abrir una puerta para entrar en un aposento? ¿Al saludar en la calle a un conocido, desde lejos, que nos es indiferente? No lo sabemos. Tomás Carlyle ha dicho que «ninguna campana suena en el reloj del Tiempo cuando se pasa de una era a otra era». Y eso mismo se puede aplicar a las individualidades. Aquí me tienes, querido Paco: he reducido mi vida a lo mínimo; procuro no hacer nada que pueda ocasionarme extorsiones; en mi horror a la complicación enojosa, ni escribo cartas a los amigos ni quiero leer las que recibo. Pienso en el instante en que se va a producir en mi vida lo extraordinario. Y siento, no complacencia, sino pánico. ¡No hay instante sin milagro! ¡Ah, todos, todos son los instantes, sí, en que se produce el milagro! ¡Y toda la vida, nuestra vida orgánica y la espiritual, es un puro milagro!

LXIX

LA HECHICERA DE CUENCA

Comencemos por el principio. No conocía yo Cuenca. Cuenca es una de las ciudades más bonitas de España. Tiene una parte alta y una parte baja; siempre que me acuerdo de Cuenca—y me acuerdo mucho—viene a mi memoria el nombre de Annabel Lee. ¿Quién es Annabel Lee? Aurelio de Beruete, el paisajista, tenía predilección por Cuenca; en muchos de los paisajes que Beruete pintó en Cuenca se admira lo dorado de la piedra, lo azul del cielo y lo verde de las frondas.

He citado antes el nombre de Annabel Lee; no he dicho quién era; seguramente lo sabe el lector; era esa muchacha, Annabel Lee, la heroína de uno de los poemas más bellos de Edgar Allan Poe. Experimento cierta inquietud al ir pronunciando el nombre de Edgar Allan Poe; el misterio que envuelve sus creaciones es el mismo misterio que circuye el nombre de Catalina Caballero. El nombre de la heroína de Poe trae a mis mientes el nombre de Catalina Caballero. Pero divago. Cuando pensé ir a Cuenca, fuí primero a ver a mi amigo Fausto Cerro; conoce Fausto Cerro toda España; la conoce minuciosamente; había, por tanto, de darme preciosas noticias de Cuenca. Y otra vez he estado a punto de citar el nombre de Annabel Lee. No quiero intrigar más al lector, en el supuesto de que estos desvaríos se publiquen. Digo que fuí a ver a mi amigo Fausto Cerro, el cual me preguntó:

—¿Ha estado usted alguna vez en Cuenca?

—No—le contesté—, no he estado en Cuenca; no tengo noción alguna de Cuenca; vengo a ver a usted para que me diga, ante todo, si la visita a Cuenca puede ser interesante.

—¿Cómo interesante? ¿Qué es eso de interesante?—gritó estentóreamente Fausto Cerro—. La visita a Cuenca es interesante; es interesantísima, extraordinariamente interesante. Y lo es por varios modos: en primer lugar, la ciudad es una de las más curiosas de España; lo es por su catedral, por sus callejitas viejas, por sus seculares caserones, por sus rincones misteriosos...

Se detuvo Fausto Cerro, me miró fijamente, estuvo largo rato en silencio y, al cabo, prosiguió:

—¡Y lo es por la Hechicera de Cuenca!

—¿Y quién es la Hechicera de Cuenca? —pregunté yo, receloso, temeroso.

Y Fausto, advirtiendo, naturalmente, mi recelo, mi temor, continuó de este modo:

—No se alarme usted; la Hechicera de Cuenca no es hechicera; quiero decir que lo que se ha formado en su torno es una falsa leyenda; Catalina Caballero es una mujer como todas las mujeres; no deje usted de visitarla.

—Pero, en fin, ¿no me dice usted más? —añadí yo, todavía más receloso que antes.

—No le digo a usted más porque quiero que tenga usted la sorpresa grata de desvanecer por sí mismo una leyenda.

¿Cuál sería esta leyenda? No cesaba yo de preguntármelo en tanto corría el automóvil hacia Cuenca; ahora que, sentado ante mi mesa de trabajo, rememoro esta visita, vuelvo a recordar, al recordar a Catalina Caballero, el nombre de la muchacha de Poe: Annabel Lee. Y recito *in mente* los primeros versos del poema, traducido por un ingenio español:

Hace ya muchos años, muchos años,
allá en un reino junto al mar turquí,
vivía una muchacha cuyo nombre
os daré a conocer: Annabel Lee...

Pero divago. Vuelvo a mi tema. La visita a Cuenca se deslizó placenteramente; al ir, comí en Huete, una ciudad también curiosa; al regresar, hice una parada en Arganda; pero veo que sigo con mis divagaciones. No perdí un momento en Cuenca después de verlo todo; no quise que, ya visitada la catedral, paseadas las torcidas callejas, entrado en los vetustos caserones, pasase un minuto, sólo un minuto, sin ver a Catalina Caballero; es decir, a la hechicera de Cuenca. ¿Y qué es lo que vi yo en la hechicera de Cuenca? ¿Cómo es la hechicera de Cuenca? Alguna vez he leído los antiguos procesos de la Inquisición; he visto en ellos que muchas de las brujas condenadas eran, no viejas, sino jovencitas atrayentes; no podía yo suponer que una hechicera tuviese menos de sesenta años. Pero divago. Catalina Caballero no es una niña: cuenta sus sesenta y cinco años; viste con pulcritud; su traje era el siguiente: falda de color caoba, corpiño del mismo color y, cubriendo el busto, un pañolito sedeño del color desvaído de heces de vino. El blanquísimo pelo resbalaba en lo oscuro del traje. No podré ponderar la brillantez de los ojos de Catalina Caballero: no he visto nunca ojos más refulgentes. Pero todavía no he dicho cómo vive la hechicera de Cuenca; vive en una casa vieja, junto al río, en la parte baja de la ciudad; todo está limpio en la casa y todo está ordenado. No he visitado yo tampoco jamás una casa que me produjera más grata impresión. Pero divago. Entré en la casa; me hizo sentar amablemente Catalina Caballero; comenzamos a charlar; como yo di, a guisa de presentación, el nombre de mi amigo Fausto Cerro, Catalina no pudo menos de ser cortés y afable conmigo; ella misma me lo dijo.

—¡Ah, Fausto Cerro!—exclamó—. ¡Sí, un señor muy correcto, un señor que vino a esta casa creyendo, como creerá usted, que Catalina Caballero es una hechicera! Sí, hechicera fuí cuando joven, y perdone usted la inmodestia. Fuí realmente bonita; se formó a mi alrededor una cierta leyenda; no sé cómo explicárselo a usted. Contaba yo con una regular fortuna; no necesitaba, por tanto, acudir a nadie para vivir. Y voy a confesar a usted mi pecado: me enamoré; tuve unos amores apasionados; mi novio era un mozo de altas y delicadas prendas; nos queríamos con ardor; estaba ya cerca el momento de nuestra boda cuando, inesperadamente, murió el hombre que yo tanto quería. No volví a pensar en el mundo; me retiré de todas las vanidades; me encerré en esta casa y no quise ver a nadie; mi retraimiento hizo que en torno a mi persona se fuera formando una leyenda. No sé lo que la gente imaginaba: me llamaban la hechicera de Cuenca. Y ya está usted viendo, como vió su amigo, de qué modo es esta hechicera.

Y al decir esto, Catalina Caballero sonreía. Sonrío yo también ahora; sonrío de mi ingenuidad de entonces; entonces no podía yo sospechar lo que iba a acontecerme. Pero divago. Lo cierto es que, así como iba pasando el tiempo, me sentía yo más desasosegado; todo era placiente en la casa; nada había en Catalina Caballero que pudiera intranquilizarme. Sentados frente a frente Catalina y yo, veía sonreír a Catalina y contestar a mis preguntas con entera naturalidad. No había en la casa y en Catalina nada que pudiera desasosegarme, y con todo, yo, en esta sala clara, limpia, ordenada, me sentía por momentos más intranquilo. Seguramente que Catalina Caballero advertía mi desasosiego; su sonrisa había desaparecido; ahora me miraba con unos ojos más relucientes todavía que antes; no podía yo explicarme mi malestar. Sin embargo, la opresión que sentía en el pecho y el abatimiento no podían ser más reales. No continúo. Temo divagar otra vez, una vez más. No divagaré yo ni me andaré con circunloquios. Al regresar a Madrid, lo primero que hice fué ir a visitar a Fausto Cerro; le conté la impresión que recibí en mi visita a la hechicera de Cuenca, y Fausto se limitó a comentar:

—Sí, sí; un cierto malestar; lo mismo, exactamente lo mismo que me ocurrió a mí...

Hace ya muchos años, muchos años,
allá en un reino junto al mar turquí,
vivía una muchacha cuyo nombre
os daré a conocer: Annabel Lee...

LXX

DISCRETO Y ATENTO

Conocí a don Fructuoso Cencillo, hace cuarenta años, en una clara y limpia ciudad levantina: Nebleza. Don Fructuoso era un caballero senecto, extremado en su delgadez; su faz era escurrida, un tanto pálida; sombreaba su labio superior un bigote blanco, de largas guías caídas. Caminaba don Fructuoso a pasitos cortos, apoyándose levemente en un nudoso roten con puño en forma de bola; se levantaba temprano y permanecía en casa, leyendo, casi toda la mañana; leía autores españoles y extranjeros; entre estos últimos, con preferencia los ingleses; su preferencia obedecía a razones familiares: su padre había sido exportador de vinos generosos a Inglaterra; en Londres tenía abierta una tiendecita en que se despachaban al por menor los caldos cosechados en los viñedos de Nebleza. En las temporadas que el padre de don Fructuoso pasaba en Londres, se había dado al estudio de las obras de Jeremy Bentham; llegó a sentir verdadero entusiasmo por este pensador; en el despacho de su casa, en Nebleza, se conservaba el retrato de Bentham pintado por Andrew Geddes; quiero decir una copia sacada del original que se ve en el Colegio de la Reina, en Oxford. Don Fructuoso había heredado del padre este culto al pensador británico; con frecuencia repetía su frase famosa, frase que condensa toda la doctrina de Bentham; la repetía en los momentos que luego examinaremos. Estoy viendo ahora, en tanto escribo, a don Fructuoso Cencillo saliendo de su casa, pasito ante pasito, y encaminarse al casino de la ciudad llamado Primitivo, por ser el que primero se fundó en Nebleza y al que concurren todos los señores de la población. Viste, en estos instantes en que le estoy viendo, un traje gris de chaqué, el pantalón estrecho, como se llevaba hace medio siglo; la bota de charol, siempre lustrada; la tirilla alta, al modo diplomático, con corbata de peto, clavado en el negro raso un alfiler con una gruesa perla.

La ciudad está edificada en una ladera; en lo más alto se levanta la casa de don Fructuoso; no llegan hasta aquí los estrépitos de la parte baja. El caballero, ya en el recibimiento, dispuesto a salir para dar su paseo mañanero, camina unos pasitos ante su mujer, doña Amalia Cremades, que le contempla con atención; en sus manos tiene un cepillo, y nunca sale de casa, por las mañanas, don Fructuoso sin que doña Amalia le pase y torne a pasar con cuidado el cepillo por toda la ropa. Con mano nerviosa, el caballero se alisa el bigote, golpea con su bastón en el suelo repetidas veces. Y, sin que la pregunta falte un solo día, doña Amalia le interroga:

—¿Te sientes bien, Fructuoso?

—Perfectamente bien, querida Amalia

—contesta también indefectiblemente el caballero. ¿Y por qué había de sentirse mal?

Decimos que la respuesta es indefectible porque la salud de don Fructuoso es firme y constante, aunque la persona sea alfeñicada. Nunca ha estado enfermo don Fructuoso, y, según asegura él, no piensa estarlo ni una sola vez en lo que le resta de vida; acabará su existencia por falta de «húmedo radical», como decían los antiguos. En las horas matinales, sobre todo en el invierno, el caballero se dirige al casino; rodea este edificio un ameno jardín, con limoneros, palmeras y frondosos plátanos. Va caminando por la alameda central don Fructuoso, y de cuando en cuando se detiene para cambiar algunas palabras con un amigo. Todos le quieren y respetan en Nebleza; el cabaro se muestra amable con todos, a todos atiende cordialmente; pero existe algo que debemos considerar con cierta atención: don Fructuoso jamás se arriesga a dar un consejo; le desasosiega la idea de que su consejo pudiera salir fallido.

—Pero, Fructuoso: tú, que sabes tanto y que eres tan cortés, ¿por qué te niegas a aconsejar a algún amigo cuando te lo pide y cuando tu consejo pudiera serle de mucha utilidad?

—¿Qué quieres que le haga, querida Amalia?—contesta el caballero—. No lo puedo remediar; el solo pensar que algo que yo dijera pudiera ocasionar una complicación en la vida de alguien, me detiene siempre que me encuentro dispuesto a ceder a las solicitaciones de los amigos.

—Entonces, querido Fructuoso, ¿para qué te ha servido lo mucho que has aprendido en el ejercicio de tu carrera?

Alude con tales palabras doña Amalia al tiempo en que don Fructuoso ha sido, primero, juez, y luego, magistrado. A lo largo de tantos años de práctica en los Tribunales, el caballero ha podido conocer toda la gama de las pasiones humanas; no hay recoveco en el corazón del hombre que don Fructuoso no haya escrutado. Y bien pudiera ser provechoso un consejo dado por persona de tanta experiencia; pero siempre, indefectiblemente, cuando se llega al trance de tener que aconsejar a un íntimo, el caballero se zafa del compromiso con su salida acostumbrada:

—¿Conocen ustedes la doctrina de Jeremy Bentham?—pregunta—. Perdonen ustedes que diga Jeremy, y no Jeremías; la costumbre de oír nombrar tantas veces a mi padre de este modo al filósofo inglés me excusa. La doctrina de Bentham es sencilla; se resume en cuatro palabras; no hay más que decir lo siguiente: *The greatest happiness of the greatest number*. Habrán de perdonarme ustedes de nuevo. Traduciré estas palabras: «El mayor bienestar para el mayor número.» Nada más halagüeño; no sé si este ideal podrá ser; pero recuerdo que mi padre, siempre que venía de Londres, solía repetir esta frase hasta que todos los de la casa la voceábamos a coro.

Los contertulios de don Fructuoso le escuchan atentos; han oído de sus labios multitud de veces las palabras con que Jeremías Bentham condensa su doctrina; saben que el caballero las cita para desviar la conversación. Sonríen, y don Fructuoso Cencillo sonríe también.

—¿Dice usted, don Fructuoso, que Jeremías Bentham resumía su doctrina en tales palabras?

—Naturalmente que sí. ¿Y no son bonitas? ¿No quisiéramos todos que ese ideal se realizara?

—¡Ah, desde luego, don Fructuoso! —exclaman en la tertulia.

Y el caballero vuelve a sonreír, pensando en que una vez más ha eludido el trance, temido por él, de dar un consejo. A tal extremo lleva su discreción el caballero de Nebleza. Cuando regresa a su casa y le cuenta el incidente a su mujer, ésta torna a reprochar al caballero su esquividad.

—Has hecho mal, Fructuoso—le dice—. Tu experiencia del mundo no te servirá para nada con tal hurañía; no se puede negar a un amigo lo que tan poco cuesta.

—¿Tú crees que cuesta poco el dar un consejo, querida Amalia? Es lo más difícil de todo.

—¿Lo más difícil?

—Salvo que consideremos lo más difícil el seguir el consejo, cuando lo que se aconseja no agrada al aconsejado.

—¡No te entiendo entonces, querido Fructuoso!—exclama la buena señora.

—Ni yo tampoco me entiendo la mayoría de las veces; lo más seguro...

—Sí; lo más seguro es lo que vas a decirme: *The greatest*...

—¿Y cómo puedes dudarlo?—pregunta sonriendo don Fructuoso.

En el recibimiento todo está limpio y ordenado; la casa es silenciosa; ha dormido bien el caballero; correctamente vestido, con su chaqué gris, con su sombrero hongo, con su roten de bola de plata, don Fructuoso, después de haber sido cepillado por su mujer, se encamina a la puerta paso ante paso y transpone el umbral para dirigirse al casino y pasear por su ameno jardín. Y si se ve en el compromiso de hablar, ya sabe el lector lo que don Fructuoso Cencillo ha de decir: atento y discreto, tendrá para todos palabras cordiales y no se aventurará nunca a inclinar, con su consejo, una voluntad hacia un lado o hacia otro.

LXXI

EL JUGADOR

Vicente Verdú y María Albert, consortes, viven en la provincia de Alicante, término de Monóvar, cerca de la ciudad, en su finca del Raconet, el Rinconcito, donde yo escribo estas líneas, aunque las haya fechado en Madrid. Vicente tiene setenta y cinco años, y María, sesenta y dos. Cuando se casaron se completaban: María era el sosiego y Vicente la movilidad. Digo que entonces se completaban a causa de que, andando el tiempo, Vicente adquirió el sosiego de María, y en cambio, María no se contagió de la febrilidad de Vicente. No creo que cometa indiscreción al contar la vida de Vicente Verdú; he interrogado sobre el caso a mi amigo y él ha sonreído.

—¿Mi vida?—preguntaba—. ¡Pero si mi vida no tiene nada de particular!

El Raconet, la heredad en que moran largas temporadas al año Vicente y María, se encuentra a ocho kilómetros de Monóvar; hay en la finca extensos almendrales, no menos dilatados olivares, sembradío y algo de frutales. El Rinconcito es algo más que un diminutivo. Mejor que resumir yo la vida de Vicente Verdú será que le deje a él la palabra. Hemos hablado del caso muchas veces, en apacibles sobremesas: el caso es el juego. El juego, a que se entregó en su tiempo, desenfrenadamente, Vicente Verdú.

—No tiene nada de particular tampoco que yo jugara; jugaban todos, en mi tiempo, en el reino de Valencia. Los grandes jugadores, en España, han sido valencianos. Sobre todo, los alicantinos. Y de los alicantinos, los de esta parte central de la provincia, la parte montuosa, la más bonita, para mi gusto. Pero he de comenzar mi relato por el principio. Fué mi abuelo un gran jugador; lo fué también mi padre. En todo el reino, el juego preferido era el monte. Presidente casi perpetuo del Casino de Monóvar, mi padre me solía llevar con él algunas noches para que fuera adiestrándome en el juego.

—Pero ¡eso es absurdo! — exclamo yo—. ¡Un padre avezando a un hijo al más terrible de los males sociales!

—No hay que espantarse de ello; el juego al monte, en mis tiempos, era... un juego; es decir, un deporte. ¡Y qué difícil es entender el monte, y eso que parece cosa muy fácil! Destinábame mi padre al comercio; deseaba que yo fuera exportador de frutos del país. Se cosechaban en Monóvar y pueblos comarcanos las mejores almendras de España; hablo de las finas y no de las más «comunes»; que son las que se conocen generalmente. Nuestros aceites, los alicantinos, han sido declarados en Congresos olivareros internacionales los más finos del mundo. Y en cuanto a los vinos, poseemos exquisitos vinos de pasto y el rico fondillón, que es un vino generoso que nadie sabe por qué se le llama con tal nombre. Estuve en Londres dos o tres veces y aprendí a maravilla el idioma inglés. Cuando volvía de una de estas expediciones, todos se me quedaban mirando en el pueblo; de viaje en viaje cambiaba mi personalidad, tanto en lo exterior como en lo intrínseco.

Pero el gran cambio vino después, como usted verá.

—¿Y el juego?—pregunté yo un poco impaciente—. ¿Es que ya no pensaba usted en el monte o en la ruleta?

—Deje usted, que todo se andará—replicó, sonriendo, Vicente Verdú—. Y digo que todo se andará porque primero he de dar a usted cuenta de dos hechos capitales en mi vida: la muerte de mi padre y mi casamiento. Sin María yo no hubiera sido nada en la vida; nos queremos entrañablemente y no nos separamos nunca. Encontré lo que yo ansiaba: una mujer inteligente, comprensora de mi modo de ser y reposada en sus palabras y en sus decisiones. Cuando murió mi padre lo abandoné todo. Di el vale definitivo a las almendras, al aceite y al vino. El espíritu de mi padre entró en mí: entró su pasión por el juego. Y al juego me consagré de lleno. No había yo jugado a la ruleta y procuré ejercitarme en tal juego donde se tirara; no se tiraba en Monóvar, donde sólo se tallaba, y fuí a Valencia, a Madrid y a Barcelona. En todos mis viajes, naturalmente, me acompañaba María. Y por un favor especial, María venía conmigo a las salas de juego. Los dos urdíamos nuestras combinaciones, como un tejedor puede urdir su tela. Unas veces ganábamos y otras perdíamos. No nos acordábamos ya del Raconet, que teníamos dado en arrendamiento. La finca producía mucho: su aceite era muy pesado y su vino el mejor del término.

—¡Y vivían ustedes descansadamente! —exclamo yo un tantico irónico.

—¡Claro, descansadamente!—dice sonriendo Vicente Verdú—. Ya se sabe que la vida del jugador es de una extrema apacibilidad. No nos bastaban las ciudades recorridas, y nos llegamos hasta San Sebastián. En el antiguo casino hice yo jugadas formidables. Tuve una racha de suerte. Y quise volar más alto. Montecarlo me atraía; no podía yo dejar de pisar aquellas salas famosas. María encontró plausible la idea. Sentía en mí, cada vez con mayor fuerza, un impulso de los antecesores que me ataba al tapete verde; no podía yo prescindir del juego; el juego era más fuerte que yo. Cuando me senté ante la mesa de una ruleta, en Montecarlo, experimenté una profunda emoción: la mayor de mi vida. En este punto he de hacer una observación: he sido yo apasionado del número dos; todo lo que me ha ocurrido de bueno en la vida, me ha sucedido bajo el signo del número dos. Un día dos me casé; he tenido dos hijos; el trato más ventajoso de mis primeras andanzas, la de exportador, lo cerré un dos; jugué una vez a la lotería, llevaba el dos y me tocaron veintidós mil duros... No sigo enumerando las prosperidades que el dos me ha traído. En Montecarlo, el número del cuarto que nos dieron en el hotel era el dos; lo que me ocurrió en ese cuarto es cosa notable; representa el hecho más fundamental de mi vida, después de los apuntados. Encontré en un armario un libro que, sin duda, había dejado olvidado mi antecesor en el aposento: era un libro del poeta norteamericano Longfellow. Lo abrí al azar y me encontré con una poesía que se titulaba *Cansancio*. Comencé a leer. «¡Oh piececitos! Vosotros caminaréis largamente, en el invierno, en el verano, con el temor, con la alegría, con la duda...» De toda la bella poesía se exhalaba una fatiga profunda. Con el libro en la mano, yo estaba absorto. Sentía que en aquellos instantes se resolvía en el fondo de mi conciencia una crisis de que yo no tenía noticias. Sí, iba a ser ya otro; iba a proceder, en palabras y obras, como si estuviera cansado, con la misma lentitud que presta el cansancio. Y eso se lo debería a Longfellow. No, no se lo debería a Longfellow, como yo me figuraba; el poeta norteamericano no era sólo la causa inmediata del cambio; el cambio se lo debía, en realidad, a mi mujer. Poco a poco, sin darme yo cuenta, había ido impregnándome del espíritu, del sosiego, de la serenidad de María. Y al leer la poesía de Longfellow, hizo crisis mi espíritu. En el casino de Montecarlo jugué y gané locamente; mis jugadas eran despaciosas; no se movía, ante la bolita giratoria de marfil, ni un músculo de mi cara. Quise poner a un pleno tres veces más de lo que autorizaba el reglamento, y hubo una breve consulta. Se me concedió lo que deseaba y puse el pleno. Salió el número mío; lo puse todo luego al encarnado y salió también este color; tres veces más dejé lo ganado al rojo y volvió a salir tres veces más el color apuntado. Tenía ante mí una formidable cantidad; valía más todo aquello de lo que vale el Raconet. María estaba un poco pálida. Cuando yo iba a jugarlo todo, dieron las dos de la madrugada en el reloj y al mismo tiempo se me caían dos fichas al suelo. Entonces tuve un presentimiento: el dos, que me había sido siempre propicio, iba en aquel trance a serme funesto por primera vez. Dejé pasar la bolada y no jugué. No jugué tampoco en la siguiente. No jugué más. Salí de Montecarlo con una fortuna y hasta la fecha. Quiero decir que ya no he vuelto a poner los pies en una sala de juego. Se había transformado por entero mi carácter. ¿Cómo explica usted esto? Ha sido sencilla mi vida y, sin embargo, ¡qué rara!

LXXII

SALVADORA DE OLBENA

Este es el embrión de mi novela Salvadora de Olbena; *puede verse la evolución del pensamiento.*

AZORÍN.

Olbena, en la altiplanicie castellana, es ciudad que tiene unos doce mil habitantes. La parte alta de la ciudad es la más antigua y se asienta en la falda de un cerro; la parte baja linda con un riachuelo, en cuyas riberas hay establecidas unas tenerías. Cuenta la ciudad, en su término, con huertas amenas, cortinales, extensas manchas de olivos, algún viñedo y mucha tierra de pan llevar. Hace exactamente treinta años acampó en un olivar, tocando al pueblo, un rancho de gitanos, y al marcharse de madrugada atravesó la ciudad y dejó en un portal una niña recién nacida. La casa en cuyo umbral la criatura fué depositada era la de don Pedro Lorenzo, casado con doña Remigia Roldero, matrimonio anciano, rico, que adoptó con gusto a la niña. Pasaron los años, y la niña fué mostrando lo que era: en su exterior, bonita, de faz expresiva; su color, trigueño; sus ojos, negros; ovalado el rostro, un tanto adunca la nariz y el pelo también como la endrina. En lo intrínseco, no podía ser su entendimiento más agudo; aprendía con facilidad cuanto se le enseñaba y tenía un poder de seducción irresistible; hechizaba a todos; con sus melosidades y filaterías traía a todos de cabeza; porque la niña, si dulce de carácter, tenía, con todo, un don imperativo nativo. Lo que ella mandara, era lo que se había de hacer en la casa. Y todos, naturalmente, lo hacían, seducidos por su labia y sus modales encantadores. Pasó más tiempo; murieron los padres putativos; dejaron a Salvadora todos sus bienes. Salvadora tomó estado: su marido era un buenazo que falleció a los cuatro años de matrimonio; dejó a Salvadora dos hijos: un niño y una niña. Salvadora, que debiera llamarse Salvadora Lorenzo, era llamada comúnmente Salvadora de Olbena.

El tiempo no deja de fluir; nos atropella; cuando queremos recordarnos, ya ha pasado la vida. Transcurrieron los años; los dos hijos de Salvadora de Olbena murieron; prometían ser tan inteligentes como la madre, y tan enlabiadores, y tan bondadosos, y todo se desvaneció en un punto. Con diferencia de unos días se acabaron los dos hermanos. Su muerte fué rudísimo golpe para Salvadora de Olbena; diríase, al verla, que de la noche a la mañana se había trocado en otra mujer. Estaba entonces Salvadora en la plenitud de su hermosura y de su talento; la reconocían por señora—señora en lo espiritual—en muchas leguas a la redonda. Salvadora, que vivía en una casa de la parte baja de Olbena, la parte nueva, se trasladó a un caserón que poseía en lo alto de la ciudad; era un caserón sombrío, viejísimo, con techos altos, corredores penumbrosos y salas espaciosas. Cuando Salvadora entró en la casa, lo primero que hizo fué entornar todas las ventanas. Si antes había en la morada una esplendente luz, ahora reinaban las tinieblas. Salvadora, en su dolor, no quería ver nada; no recibía tampoco a nadie. Continuaba siendo afable para todos, pero a distancia; las limosnas y auxilios decorosos que se hacían, los hacía el mayordomo, no la propia Salvadora, como antes cuando ella iba recorriendo los barrios altos de la ciudad y repartiendo a manos llenas los benéficos dones. Su salud declinó; la que fué varona fuerte e imperativa, era ahora blanda y flébil mujer. Se afectaba de todo; muchas veces, ante el relato de una desgracia, las lágrimas asomaban a sus ojos, sus bellísimos y negros ojos. Había decaído Salvadora de Olbena; pero su hermosura, con este decaimiento, al hacerse más femenil, se había hecho también más seductora. Un craso ambiente de espiritualidad fué hinchiendo la casa; había en esta atmósfera algo de misterio. En la semioscuridad en que estaba sumida toda la casa, cualquier ruidito, una voz, las campanadas de una iglesia, el grito de un vendedor callejero, adquirían acentos emotivos; no se podía decir en qué consistía esta emoción, pero el visitante se encontraba, de pronto, sobrecogido. Salvadora de Olbena continuó perdiendo la salud. Ya, decididamente, no era la misma; su espíritu, empero, tenía al presente una agudeza que no había tenido nunca. Sin tratar de conocer las novedades del pueblo, Salvadora, como por instinto, estaba enterada hasta de las menores ocurrencias. Salía poco de casa; en sus soledades había aprendido, como entretenimiento, varios idiomas; su cultura llegó a ser copiosa y selecta; tenía siempre a la cabecera de su cama, como uno de sus libros más gustados, una primorosa edición del *Hamlet*. Ocurrió que un día, como uno de los criados de la casa fuese a abrir un cuarto que hacía mucho tiempo que no se había abierto, Salvadora le dijo: «Ten cuidado con la puerta; debe de estar muy encajada.» Así era, en efecto; forcejeó el doméstico para abrir la puerta y dió la casualidad—o no casualidad—de que tres días después muriera de repente el criado. Al mes siguiente, como otro fámulo, en su trajín por la casa, llevara en la mano un delicado vidrio antiguo, muy estimado de Salvadora, ésta le previno: «Pon atención para que no se te escurra de entre los dedos.» La prevención fué ineficaz; cayó al suelo el fino vaso y se hizo añicos. No habían transcurrido ocho días cuando el sirviente desmañado entregó su alma al Creador. Esta segunda casualidad puso a todos en guardia. El ambiente de la morada fué haciéndose más craso; el dejo de misterio que antes había, ahora era más pronunciado. Y cuando ocurrió el tercer lance, ya el ambiente llegó a ser dramático. Salvadora de Olbena disuadía a todos de sus quimeras; no había tal embrujo en la vivienda; sonreía del pavor, o por lo menos del recelo que tenían moradores de la casa y visitantes. La tercera casualidad a que he aludido fué como sigue: un viajante de comercio, hombre vivo y despreocupado, llegó a Olbena y se enteró de la leyenda que envolvía la casa de Salvadora. Ni corto ni perezoso, quiso ver a Salvadora de Olbena. Se resistió Salvadora a la audiencia; pero tantos fueron los recados del forastero, que al fin hubo de rendirse. Al entrar el visitante en la casa tropezó en la losa del umbral y cayó a tierra; cuando se levantó estaba pálido; no provenía su palidez de la caída, sino de su siniestro presentimiento.. Cuatro días más tarde, estando apoyado en el mostrador de una tienda, encareciendo los artículos que viajaba, sintió un desvanecimiento, y algunas horas después finaba en el cuarto de la fonda.

Al llegar a este punto en la historia de Salvadora de Olbena, Paco Gaucín, el narrador, continuó de este modo:

—Llegué yo también, en el azar de mis correteos, a Olbena. Y quise ver a Salvadora; comprenderéis que no iba a desaprovechar un documento tan curioso para mis novelas futuras. Como Salvadora me conocía de nombre—había leído algunos de mis libros—, al momento me concedió la audiencia que yo solicité. La casa me pareció interesante; era una mansión del siglo XVII, labrada de sillares, con escudo berroqueño en el dintel y con anchuroso porche, al fondo del cual estaba la escalera. Os confesaré que habiendo entrado en la casa con absoluta despreocupación, gradualmente fuí sintiéndome sobrecogido. Me pasaron a una sala vasta con muebles antiguos; dijéronme que tuviera la bondad de esperar unos instantes. Salvadora estaba con el médico y no podía recibirme en el acto. Entretuve el tiempo con el examen de la pieza donde me hallaba; como apenas había luz, yo, desde mi asiento, no veía más que lucir vagamente el azogue y el dorado de las cornucopias. Frente a mí se mostraba una consola que tenía el tablero de mármol blanco y las patas, en curva, doradas. Encima, en la pared, lucía un espejo. Creí percibir sobre el mármol un librito; la curiosidad, curiosidad de bibliófilo, hizo que me levantara y que fuera a la consola y que tomara en mis manos el referido volumen. Sentí, al ver de lo que se trataba, como un escalofrío: el libro era una traducción, publicada en 1828, de la obra de Edward Young *Night thaughts*. En castellano llevaba el título de *Lamento nocturno*. Tenía yo la vaga idea—no sé si historia o realidad—de que esta obra la había compuesto Young entristecido por la muerte de su mujer. He de añadir también que, para mí, esta espera en la antesala la había preparado Salvadora con objeto de ver si yo, en último momento, desistía de la entrevista. Y lo confieso con verdadero bochorno: sí que desistí; andando con la punta de los pies salí de la sala, baje al zaguán y, al verme en la calle, respiré. Pero, desgraciadamente, todo fué inútil; al llegar al hotel me entregaron un telegrama, lo abrí... Y todos sabéis el gran dolor que acibara mi vida.

LXXIII

LA TOLEDANA

Primera idea de mi novela
María Fontán.
AZORÍN.

Edit Maqueda, soberana por su belleza, dueña de la perfumería que acaba de abrirse en una céntrica calle, tiene una historia que voy a procurar contar sucintamente. Don Eladio Pintado tenía en la calle de la Abada una tiendecita de herbolario. La calle de la Abada se llama así porque en tiempos, allá en la edad antigua, en estos mismos parajes donde la calle está, entonces desiertos, expusieron un rinoceronte hembra, es decir, una abada que cazaron unos portugueses. La calle es céntrica y parece, con todo, apartada de todo tráfago y ruido; va desde la plazuela del Carmen a la avenida de José Antonio; hace primero un torcimiento, baja hasta un ancho badén por donde corren las aguas los días de lluvia, y torna a torcer y a subir, hasta desembocar en la dicha vía espaciosa. La tiendecita de don Eladio era estrecha, angosta y lóbrega; en su comedio estaba dividida por un ancho mostrador de tablero lustroso. Y en anaqueles, colocadas cajas y vasijas que contenían los odoríferos artículos que en la tienda se despachaban. Don Eladio Pintado estuvo treinta años fuera de España; al volver, nadie le conocía; algún viejo tan sólo se acordaba de su persona. Pronto se rugió que traía parneses en abundancia; Eladio vivía modestamente. Por ocuparse en algo—y también por analogía con sus aficiones, como vamos a ver en seguida—puso la tienda de hierbas salutíferas en la calle de la Abada.

Siempre que al principio se entraba en la tienda se le veía de codos en el mostrador, leyendo atentamente. Tenía Eladio una larga y abundosa barba blanca y sus ojos eran azules. Ya conociéndole—y siendo un tanto eruditos—, se explicaba el afán que tenía Eladio Pintado por parecerse a un determinado personaje. Lo que leía con tanto fervor Pintado era un libro que se titulaba *Leaves of grass*. En un estante, al lado del romero, del tomillo y de la manzanilla, tenía el mismo libro, en la edición de 1856. Y otra de 1860. Y otra de 1867... En fin, tenía todas las ediciones, con aumentos, de este libro precioso. La que él se placía en leer era la príncipe, de 1855. Cuando se le preguntaba qué es lo que significaba *Leaves of grass*, Eladio contestaba, levantándose las antiparras para mirar al preguntón:

—Hojas de hierba.

—¿Estudia usted, don Eladio, en ese libro las virtudes de las plantas?

—Las virtudes de las plantas y otras virtudes más.

Y siempre este hombre, que se asemejaba prodigiosamente con sus barbas nevadas a Walt Whitman, estaba estudiando, con el fervor de un niño aplicado, el libro de su maestro. En la tiendecita, con tanta flor silvestre, se respiraba un fuerte olor gratísimo. Hemos dicho ya que, como cumple a una tienda de herbolario, había allí copia de manzanilla, tanto dulce como amarga, tanto del Moncayo como de los Pirineos; tila, salvia, flor de malva, tomillo, espliego, o alhucema, o también, de su nombre latino, lavándula. De cuando en cuando se ausentaba don Eladio y hacía viajes a Levante. Decía él que las plantas silvestres de Levante eran más fuertes y encerraban más vitales virtudes que las de Castilla. No lo creemos, pero por no detenernos no refutamos la falsa creencia de don Eladio Pintado. Se ausentó cierta vez nuestro personaje y estuvo fuera de Madrid más tiempo que el que acostumbraba. Al regresar, todos vieron en la tienda algo verdaderamente maravilloso. Eladio había estado en Toledo; murió en dicha ciudad un cuñado suyo, casado con una hermana; era viudo y, al morir, dejaba sola a una hija. La familia del difunto procedía de Maqueda, pueblo del partido judicial de Escalona, en la provincia de Toledo. El cuñado de Eladio se llamaba Enrique Maqueda; su hija, Edit Maqueda. Y allí, en la tienda, estaba Edit. ¿Cómo era Edit? No es fácil la descripción. Ni alta ni baja, ni gruesa ni ahilada; esbelta; esbelta, sí; negro, grandes y brilladores los ojos; negro, con irisaciones azules, el pelo; la cara, armónicamente ovalada; los labios, gruesezuelos y carnosos, naturalmente bermejos; las manos, alargadas y suavísimas. De toda la persona de Edit se desprendía un irresistible efluvio de simpatía. En la tienda, ella era la dueña. Con modales corteses, sonriendo siempre, servía a los parroquianos. Se cobraba un poco más por los hierbajos desde que Edit se encargó de la tienda; pero, por contemplar a la maravillosa tendera, se daba con gusto el sobreprecio. Don Eladio Pintado, el buen tío, continuaba, no es preciso decirlo, leyendo a más y mejor sus *Leaves of grass*. Alguna vez echaba un párrafo con algún antiguo parroquiano. Y si éste, intrigado por los treinta años que Eladio había permanecido fuera de España, le interrogaba sobre el caso, Pintado, levantándose como siempre las antiparras, contestaba:

—Muy lejos de España.

—¿Muy lejos? ¿Dónde?

—Más allá de los mares.

—¿Y en qué país?

—En un país—decía sonriendo Eladio—fundado por un hombre que no se quitaba el sombrero para saludar a nadie, y que hablaba de tú a todo el mundo, tanto al esportillero como al rey.

Volvía a sonreír Eladio y no le sacaba nadie de ahí. El interrogador quedaba, naturalmente, intrigado. Para que el lector de esta historia no lo esté también, diremos que el país a que aludía Pintado era Pensilvania. La fama de hermosa y de amable de Edit Maqueda se iba extendiendo por todo Madrid. Sólo por contemplarla un momento venían a la tienda jovencitos y vejestorios, muchachas espigadas y mujeres maduras, en fin, gentes varias y numerosas. Edit, hemos de decirlo, tenía una intuición admirable para el comercio; en sus manos el dinero se multiplicaba. Ya la tiendecita primitiva era insuficiente para la variedad de artículos anejos, artículos de higiene y de perfumería que la industriosa joven había anejado al primitivo comercio. Partidos no le faltaron; era ya mayorcita; los rehusó ella a todos. Deseaba permanecer soltera hasta hacer una fortuna. Ya la tenía hecha cuando murió su querido tío. Edit cerró la tienda y no se la vió más en algunos años. No se sabe en dónde estuvo. El caso es que reapareció en un elegante piso de la calle de Velázquez. La casa estaba alhajada con gusto; sentía pasión Edit por los pintores impresionistas. Y allí colgaban de las paredes preciosos lienzos de Renoir, Sisley, Pissaro y Claudio Monet. Comenzó la bella toledana, como se la llamaba, a tratar artistas y escritores. Sin afectación ni empaque, en su casa se reunía un grupo selecto de poetas, novelistas y pintores. No era lenguaraz, naturalmente, Edit; discretamente, con fino tacto, conversaba con todos. Y todos salían encantados de estas reuniones.

Ha pasado el tiempo; Edit no podía renunciar a su vocación por el comercio; la habilidad que posee para multiplicar el dinero, no podía ella dejarla estéril. Y hace sólo unas semanas acaba de abrir en una de las calles más centrales de Madrid una perfumería, que más que tienda semeja un museo. El gusto con que está puesta es exquisito, y la amabilidad de la dueña, tan admirable como siempre.

—¿Se acuerda usted, Edit, de su tío Eladio?—le preguntamos alguna vez los que vamos a la perfumería para estar un rato de tertulia en la trastienda.

Y Edit Maqueda, sonriendo, contesta:

—¿Cómo no me he de acordar? *Leaves of grass! Leaves of grass!* Y siempre *Leaves of grass!*

LXXIV

LA HORA Y EL MINUTO

Simple nota—escribe Roberto Alponte, el novelista—; breve nota. No quiero extenderme; me causa aflicción el explayarme. Renuevo con ello, dolorosamente, mi confusión de la realidad y el ensueño. Todo anda revuelto para mí; no acierto a salir de mi laberinto; no saldré ya nunca. Confundo lo que he soñado y lo que he vivido; no sé lo que es auténtico y lo que es ficticio. No crea el lector que la vejez conserva la lozanía intelectiva de la mocedad. Ahora reparo que estoy escribiendo para un lector supuesto, cuando, realmente, escribo para mí mismo; esta nota no ha de trascender al público; escribo por necesidad fisiológica de escribir; escribo para mitigar, si puedo, mi congoja. No; en la vejez la luz mental se amortigua; no me forjo ilusiones; soy viejo, pero conservo la perspicacia suficiente para ver las faltas de técnica en lo que escribo y en los escritos de los demás. Y me digo a mí mismo, aunque no necesito decírmelo, que siento una profunda tristeza; no puedo exteriorizar artísticamente la visión que llevo dentro; veo las cosas—todavía las veo—y no acierto a expresarlas en forma de cuento, de novela o de comedia; me tengo lástima; sabía yo que había de llegar a este resultado, y, cuando estoy ya en él, siento un descorazonamiento infinito. Ahora mismo me he puesto a escribir esta simple nota y voy viendo que no es lo mismo que cuando yo escribía antes; antes, en mis años mozos; antes, hace un año. El bajón que he dado sólo data de pocos meses. Como quien desciende de una escalera, peldaño a peldaño, he ido yo bajando en facultades mentales. A veces abro al azar un libro mío de hace veinte años y tengo miedo de comenzar a leer; presumo que me va a causar la lectura una profunda desesperanza. Compararé lo que yo hacía y lo que hago ahora. En tal estado de espíritu emprendí el viaje; un viaje a una ciudad que no quiero nombrar; si lo quisiera, tampoco podría nombrarla. Habiendo yo pintado, allá en mis años verdes, las ciudades españolas, ahora tornaba al lugar de mis triunfos—triunfos relativos—para comprobar mi incapacidad.

No sé si esta ciudad es Soria, Zamora, Palencia, Burgo de Osma, Toro, León, Burgos; como revuelvo ensueño y realidad, aunque quisiera decirlo no me sería posible. Conforme voy escribiendo, voy advirtiendo las faltas, los desmayos, los deshilvanamientos, la flojera de lo que escribo. Si escribiera para el público, no me atrevería a dar a la imprenta esta sucinta nota. Sí, me encaminé a una ciudad de la honda España: así, honda, llamaba yo en tiempos a la España que describía en los Campos Góticos, en León, en Zamora, en Soria, en Burgos. Y cuando llegué a la ciudad, la de mi cuento, la de mi ensueño, me alojé en una de esas fonditas provincianas que yo también describí antaño. Estoy viéndome en un cuartito limpio, con una cama de hierro, con un armario, con una mesita y con dos o tres sillas. Da el balcón a la calle. No sé qué hacer. ¿Es que en los sueños sabemos lo que hacer? ¿Es que nos damos cuenta de lo que hacemos en los sueños? Y yo he soñado, sí; he soñado que me encontraba en una milenaria ciudad castellana. Y que no sabía lo que hacer. Después de haber pasado por todas las molestias del viaje, siendo ya caduco, débil, me encontraba ahora desorientado. Había en la mesa—dejado allí no sé por quién—un grueso cuaderno o guía del teléfono local; maquinalmente, fuí pasando las hojas; tenía que entretenerme en algo. De pronto, sonaron las capanadas sonoras del reloj de la catedral; aunque viviera mil años —no viviré ni uno—, estaré constantemente escuchando las campanadas de la catedral, en la vetusta ciudad; esas campanadas han sido el motivo de una de mis mayores emociones. Y si escribo esta sucinta nota es para recordar el lance que me ocurrió en Soria, Burgo de Osma, Toro, Palencia, Zamora o Burgos; lance en que esas campanadas que se esparcían por la ciudad toda, desde lo alto de la torre, desempeñaban un papel importante.

Y sigo narrando mi aventura: vi en la guía de teléfonos un nombre conocido, conocido de mí, entendámonos. El santo y los dos apellidos eran idénticos a los de un condiscípulo mío; estudié yo en Madrid; estudió él también; los dos cursábamos la carrera de Derecho. Salí de mi marasmo: fuí a ver a este antiguo condiscípulo. No estaba en casa; vivía en apartada callejita, en una vieja mansión. Todo era paz y silencio en la calle; la puerta estaba cerrada y tuve que dar unos recios aldabonazos; resonaron escandalosamente en la calle. He dicho que no estaba mi amigo en casa; tuve que volver; tampoco en esta segunda visita tuve fortuna; no lo encontré tampoco. Ya mi curiosidad se había convertido en ansia; ansia con un poquito de despecho. No importaba lo que yo reputé desaire, no de mi condiscípulo, sino del azar. Insistí en mi empeño; volví, creo que por cuarta vez. Y ahora me hicieron pasar a una salita en donde se encontraba el visitado. No estaba él solo; con él se hallaba reunida su familia: tres mozas, sólo tres mozas; ésta era la familia de mi amigo; mi amigo que no era mi amigo; no era el condiscípulo que tuve en Madrid. No es posible imaginar mi desazón; di cuantas excusas me sugirió la cortesía; hablaba yo como alucinado; no era real lo que estaba viendo, sino soñando. El padre, anciano de larga y nítida barba, vestía de negro; las tres hijas, de negro vestían también. Como era invierno, estaban sentadas en torno a un brasero. No siendo mi amigo, este caballero me habló, desde el primer instante, como si lo fuera: como si lo hubiera sido toda la vida. No es otra la llaneza castellana aliada a la dignidad. Y repentinamente ocurrió el hecho capital en mi vida, en esta mi última jornada del vivir: las campanadas de la catedral comenzaron a sonar una hora. Y en el mismo momento, silenciosos, severos, rígidos, se levantaron todos y estuvieron en pie, callados, como rezando mentalmente, un minuto. No es preciso decir que me puse yo también en pie. Acabado el minuto se volvieron a sentar todos; la conversación continuó como si nada hubiera ocurrido; de nada me dieron explicaciones; no las pedí yo, naturalmente. Todo ocurría como en una tragedia muda; el ambiente vetusto de la casa realzaba lo negro de las figuras y lo automático de los movimientos, cuando, silenciosos, se levantaban y se tornaban a sentar. Volví dos o tres o cuatro veces a la casa; siempre esperando el misterioso minuto. Y ahora, al escribir, tengo esa hora y ese minuto gravitando sobre mi cerebro; no he vivido ni esa hora ni ese minuto: todo ha sido un sueño. Y, sin embargo, acabo, para comprobar la realidad, de echar un vistazo a la cuenta que conservo de la fonda. Pero ¿no será también un sueño ese pedazo de papel? Aun estrujándolo en mis manos, dudo. Aun dando en la mesa un fuerte puñetazo, no me convenzo de que no estoy soñando. Y ésta es la callada e ignorada tragedia de mi senectud.

LXXV

EL HOMBRE DE MUNDO

¿Han acabado los trastornos de Europa con el hombre de mundo? ¿Existe todavía un tipo de hombre de mundo? No lo sabemos; no sabemos tampoco a punto fijo en qué consiste un hombre de mundo. Si el tipo de hombre de mundo ha existido en determinado tiempo, el siglo XIX, por ejemplo, debe de haber existido también en otros siglos, en otros tiempos. En 1845 se estrena en Madrid la comedia de Ventura de la Vega *El hombre de mundo.* La representan actores significados: Julián Romea hace de Don Luis; su hermano Florencio, de Don Juan; Matilde Díez, de Clara; Teodora Lamadrid, de Emilia. Se levanta el telón y nos encontramos en el comedor de una casa: casa rica. Luis vive en ella; se ha casado Luis en ausencia de su amigo Juan, que se halla en el extranjero. El matrimonio es feliz; lleva sólo tres meses de coyunda. De pronto aparece Juan; entra en el comedor con el sombrero puesto; entra de este modo porque cree que su amigo Luis, compañero de mocedades, tan mujeriego como él, está soltero. Ve en la sala a una señora y supone que es la combleza de su amigo. Y comienza la intriga. Hablamos pensando en una comedia de caracteres, y nos encontramos con una comedia de enredo; un enredo endeble, pueril. De buenas a primeras, el marido de Clara, que viene de la joyería de comprar unos pendientes para su mujer, se los regala al criado para que éste, a su vez, soborne a la criada; le interesa a Luis saber si su mujer le es fiel o no. Y ello por causa de los recelos que su amigo Juan ha logrado introducir en su ánimo. Va desenvolviéndose la obra y vamos comprobando que no se trata, en este caso, de un hombre de mundo; el autor quiere que dicho hombre de mundo sea Luis; pero tanto Luis como su compañero Juan, lejos de ser hombres de mundo, son hombres suspicaces, desconfiados, sin altura espiritual bastante para ser verdaderos hombres de mundo. ¿Qué tendrá que ver con el mundanismo toda esta serie de equivocaciones pueriles y de cambios de joyas? El hombre de mundo se nos antoja que debe ser otra cosa. ¿Y qué será un hombre de mundo?

Ante todo, el tipo de hombre de mundo supone un estado de civilización. No todos alcanzan a ser hombres de mundo. Quien lo sea habrá de levantarse por encima de las pasiones. Con esta altura mental, habrá de poseer también algo que es consustancial con el hombre de mundo: la comprensión de todo y el aceptar la contradicción. No podremos concebir un hombre de mundo que no comprenda todos los extravíos humanos; que los comprenda y que los perdone. No aceptaremos tampoco un hombre de mundo que no sepa aceptar, a su vez, la contradicción. Ha viajado mucho el hombre de mundo; ha leído bastante. Sabe, por tanto, que la verdad no puede estar en su mano. La verdad es cosa contingente: puede ser y no puede ser. Hablamos de las verdades humanas. Y en una reunión de personas cultas, ¿qué papel haría un hombre de mundo que no aceptara el ser opugnado y contradicho? Poco a poco, en esta discriminación, vamos acercándonos a un tipo de hombre que no es de este ni del otro siglo: es de todos los siglos; su inactualidad es su nota genuina. Queríamos establecer un tipo variable de hombre de mundo, estimulados por la comedia de Ventura de la Vega, y nos encontramos con un tipo de aristócrata; aristócrata que tendremos también que definir. Cada nación tendrá su ejemplar del aristócrata. Y si estuviéramos en Italia, ¿a quién convertiríamos nuestra mirada en este caso? La mirada se nos va tras Felipe Neri. En España, la mirada se nos va hacia el hombre que, despojado de todas las pasiones, se está quieto entre cuatro paredes: las cuatro paredes de su celda humilde. ¿Podrá llegar a estas alturas, en aristocracia, quien hace vida llamada de sociedad, y en la sociedad pasa por un hombre de mundo? Y si el hombre de mundo es, ante todo, desasimiento de las cosas, ¿qué mayor desasimiento que el de este anacoreta? ¿Quizá el hombre de mundo llegue en su vivir a una concepción de la vida análoga a la del monje: su comprensión se resuelve en piedad; su olvido se trueca en abnegación. En este caso contemplaremos una dichosa conjunción de quien está en el mundo y de quien está fuera del mundo. Por fuerza, nuestro ideal hombre de mundo habrá de pensar, estando en un salón, entre damas distinguidas y distinguidos caballeros, que él donde está, en efectividad, espiritualmente, no es en este ámbito, sino en el otro cenobítico. Y por fuerza también, este pensamiento suyo acrecerá en intensidad, en delicadeza, en sentido aristocrático de la vida, cuanto diga y cuanto haga. ¡Y qué lejos nos encontramos ya del escenario en que se está estrenando, por actores eminentes, *El hombre de mundo*, de Ventura de la Vega! ¿Qué nos importará este enredo pueril de las joyas frente a la alta idealidad que supone el haberlo visto todo, el haberlo leído todo, el haberlo sentido todo, y poder, con suavidad, con finura, sin herir a nadie, desasirse de todo, desdeñarlo todo, estando en un salón aristocrático, como en una remota lejanía de siglos? Y éste será, a nuestro juicio, el verdadero hombre de mundo: un hombre que está, a la par, en el mundo y fuera del mundo.

LXXVI

MARIA DEL VAL

En mis divagaciones por el Retiro, el verano pasado, me sentaba, cuando cansado, en un determinado banco, siempre el mismo banco. Hay en el terreno desigual del Retiro una hondonada en que la arboleda es densa, y forma, aun en las horas más radiantes del estío, una grata y espesa penumbra. Iba yo leyendo, con paso tardo; sin presuras, me dirigía al sitio en que había de descansar. Como ya tenía, por la costumbre, cierta orientación, no necesitaba mirar para ver cuándo había llegado a mi meta; cuando llegaba, levantaba la cabeza del libro y me sentaba sosegadamente. Sucedió una tarde—y entro con esto en materia—que al levantar yo la vista del volumen, vi con alguna sorpresa que en el banco en que yo, por habituación, me sentaba, estaba sentada una anciana. No me gusta compartir el descanso, en estas horas de huelgo, con persona alguna: parece que esta compañía involuntaria nos roba algo de nuestros íntimos pensamientos; no sé si en la ocasión presente esbocé, sin quererlo, algún gesto desabrido; no lo supe nunca; si lo hice, me arrepiento ahora de tal displicencia. Y me arrepiento por lo que va a ver el lector. La anciana que ocupaba mi banco era de aspecto simpático; se veía desde el primer momento; había en toda su persona como un efluvio que atraía. Ignoro si al presente, cuando pergeño estas líneas, transmuto mis sensaciones de antaño: un antaño reciente; un antaño en la verdadera significación del vocablo. No dudé de sentarme, y me senté. Naturalmente que pedí antes, por hacerlo, perdón a la anciana; ésta, con un mohín gracioso, me concedió lo que yo, por cortesía, demandaba. Confieso a ustedes que, aunque yo seguía leyendo, no me enteraba de lo que decía el libro que tenía entre las manos. Era delgada, sutil, acecinada, la anciana; vestía con pulcritud; sus ojos lucían como debieron de lucir en la adolescencia. De pronto, mi compañera de banco se levantó, dejando el libro que leía en el asiento, y comenzó a dar, ágilmente, unos paseítos por la olmeda Al encaminarse de espaldas a mí, aproveché la ocasión para curiosear el libro que leía la anciana; no sé si he dicho que la dama de quien hablo estaba leyendo un libro cuando yo llegué al banco. El libro era un libro inglés, norteamericano, una novela de Henry James: *The wheel of time. La rueda del tiempo,* ni más ni menos; tal era la novela que la desconocida estaba fruyendo en una umbría del Retiro. Confieso que me sorprendió: obseso yo con la idea del tiempo, el encuentro de esta anciana que leía *La rueda del tiempo* me conmovió. Algún misterioso augurio veía yo, presentía yo, en esta coincidencia. Cuando volvió a sentarse la provecta —aunque lozana—señora, cogió el libro abierto, con una tarjeta por señal, y me dijo, sonriendo:

—Perdóneme usted, señor; sé que usted ha visto el libro que yo estoy leyendo; ha visto usted también mi tarjeta; como yo le conozco a usted, por los retratos y por sus libros, no es extraña esta curiosidad; precisamente yo había dejado el libro para que usted lo escudriñase, y había puesto una tarjeta de visita, a fin de que usted supiese mí nombre. Sí, me llamo María del Val. Y María del Val no tiene nada de particular. ¿Le gusta a usted la literatura norteamericana? ¿Le place Henry James? A mí me encanta; no desdeño por eso mis autores ingleses; me hechiza también, por ejemplo, Tomás Hardy. Y Hardy, ¿le gusta a usted?

Hablamos un rato de literatura, cuál dos viejos amigos, y, como la tarde declinaba, nos despedimos. María del Val vivía cerca: en una de las casas fronteras al Retiro. No dejaba yo, como es lógico, de rumiar el encuentro peregrino. Seguramente iba a servirme de sustancia para algún cuento o novela: vean las señoras que tratan con literatos a qué se exponen; todo para el artista creador es materia de creación; la charla cordial que la dama habrá tenido con el novelista, tendrá para éste un fin utilitario; en resumen de cuentas, lo que parecía desinteresado no es más que una vil granjería. Digo vil y no me arrepiento. Porque ¿cuál cosa puede ser más desplaciente y baja que entregar al vulgo, en unas páginas, la sensación fina, delicada, que una mujer selecta nos habrá hecho experimentar? No sé si desvario; como he escrito ya tanto, he perdido, en cierto modo, el sentido de la realidad. No hago más filosofías. La misma noche del encuentro, pregunté a un amigo, noticioso de las cosas de Madrid:

—¿Tú sabes quién es María del Val?

—¿Y quién no lo sabe? No te lo digo para que ella te lo cuente; será más bello oírlo de sus labios, naturalmente, que de los míos.

No falté al Retiro al día siguiente; en el mismo banco, mi banco, estaba ya María del Val.

—¡Ah! ¡La rueda del tiempo!—exclamé después de saludarla—. *The wheel of time.* Somos esclavos, sin posibilidad de exención, del tiempo inexorable.

—Usted, Antonio Armenta, ha preguntado por mí a algún amigo. ¿No es cierto? Y ese amigo le habrá contado mi vida. Si no se la ha contado—veo que deniega usted—, yo voy a referírsela en cuatro palabras. No lo hago por vanidad; no puede haber vanidad; no puede haber vanidad en referir mis fastos. Lo hago para que no esté usted intrigado con mi persona, cuando venga a sentarse aquí. Fuí educada esmeradamente, cuando niña; mi familia era pudiente; al ser mayorcita, me enviaron a París; tenía yo una bonita voz, que fué creciendo con el tiempo; logré poseer una flexibilidad, una extensión y una dulzura que eran admiradas por todos. Había yo, pues, de ser cantante. En París asistí muy frecuentemente a la ópera; me di a conocer en algunos conciertos íntimos. Todos me auguraban una espléndida carrera. Volví a Madrid, y mis triunfos se renovaron; canté en algún teatro, y me permitirá usted que le diga que el asombro, ante mi voz y ante mi arte escénico, fué general. Estaba yo entusiasmada; sentía por el arte una pasión loca; estaba ya apalabrada con un gran empresario para cantar en París, Londres y Nueva York. Y de pronto..., lo inesperado: una ligera indisposición, que poco a poco se va convirtiendo en una laringitis grave. En resolución, cuando, ya convaleciente, me levanté de la cama, había perdido la voz. Todo fué en vano: no logré recobrarla; digo que no recobré mi antigua y magnífica voz. No le quiero a usted decir cuál fué el estado de mi espíritu. Para distraerme, para no pensar en mi desgracia, comencé a viajar. Pero estos viajes lo que hacían era avivar mi íntimo dolor. Y lo avivaban porque yo, lo primero que hacía al llegar a París, Londres o Nueva York, era ir al teatro en donde hubiera cantado. No me contentaba con asistir a una o varias representaciones, sino que, en las horas de soledad en los escenarios, lograba yo que me permitieran pisar las tablas. Ya sabe usted que en el lenguaje de los actores «pisar las tablas» significa representar. Yo, por tanto, en París, en Londres y en Nueva York, al pisar las tablas del escenario, en silencio, desierto, me hacía la ilusión de que estaba representando. Y como una de las obras que a mí me gustaban más era *Carmen,* tarareaba la música de Bizet, en tanto que iba y venía por el callado ámbito. Y aquí tiene usted mi historia en pocas palabras, amigo Armenta. Hubiera podido tener una carrera brillante y no la he tenido. El tiempo ha ido pasando: la rueda del tiempo, título de la novela de Henry James *The wheel of time.* El tiempo todo lo amortigua y lo borra; no pienso yo casi nunca en lo que pudiera haber sido y no he sido. No pienso más que cuando un hombre como usted tiene interés en conocer mi vida: una vida frustrada.

LXXVII

LAS INFLUENCIAS

No repudiemos las traducciones; no nos escandalicemos con las traducciones. ¿Podemos leer todos la *Imitación de Cristo* en latín? ¿Y la *Odisea* en griego? Y si tenemos que leer las obras maestras, ciertas obras maestras, en traslados más o menos fieles, ¿por qué hacer esos gestos de desabrimiento ante las traducciones? Se dirá que lo que se pide es que las obras traducidas sean buenas. ¿Y qué importa que sean buenas o malas? Hablamos en lo que toca a la estética, no en cuanto a la moral. ¿Qué más da que lo traducido sea óptimo o mediocre? No sabemos cuál resonancia tiene una lectura en determinado lector; conocemos el efecto que una obra produce en nosotros; no podemos asegurar lo que sucederá en el fondo de otra sensibilidad. En este punto, María Angela Martí, viudad, nos tiende su mano, una mano protectora; suponemos también que una mano blanca. ¿Y quién es María Angela Martí? Una barcelonesa, a menos que no sea una tarraconense; a menos que no sea una leridana; a menos que no sea una gerundense. Pero es más natural que la supongamos barcelonesa, puesto que en Barcelona tiene establecida su imprenta: en la plaza de San Jaime. Y precisamente de esa imprenta ha salido el libro que nos va a servir de apoyo para nuestra argumentación. Las *Fábulas de Isopo,* traducidas desaliñadamente por alguien que no se expresa, forman un tomito tosco, rudo, con grabados en madera, igualmente rudos y toscos. El año de la impresión en la dicha imprenta de María Angela Martí, viuda, no lo olvidemos, es el de 1770. Estos grabados elementales con sus líneas recias, con sus figuras groseras, tienen un encanto de que carecen los más primorosos libros modernos. Con la tosquedad de las ilustraciones ensambla, perfecta y armoniosamente, el conjunto de la tipografía. ¿Y por qué este libro, leído de niño, en el campo; leído hoy, hombre senecto, en el silencio de una casa en la capital de España, no ha de tener sobre nuestra sensibilidad un efecto hondo, bienhechor? La más artística edición, con el texto más fiel, si se trata de una obra traducida, ¿podrá ejercer el mismo placentero influjo que este tosco librito que la viuda María Angela Martí ha impreso en su imprenta de la plaza de San Jaime?

Entramos en el terreno misterioso, insondable, de las influencias; nunca nadie resolverá este problema literario. Cuando decimos que no nos dejaremos influir por tal autor, ya estamos por él influídos. Cuando decimos que no puede acusarse en nuestro libro la influencia de otro libro, puesto que no lo hemos leído, está ya patente en el nuestro; en el ambiente estaba esparcido el efluvio de ese libro o de una escuela estética: romanticismo, naturalismo, novela rusa. Y ese efluvio misterioso, ineluctable, es el que se ha posado, sin que lo queramos, en las páginas de nuestro libro. ¿Y qué le vamos a hacer, si en el mundo moderno, con sus cambios y recambios internacionales, nadie puede escapar al elemento espiritual que envuelve, en ciertos momentos históricos, todo el planeta? ¿Y es que hemos de lamentarlo? ¿Queremos vivir aislados de los demás mortales? ¿Y podríamos conseguirlo? Y cuando, por un prodigio, pudiéramos escribir nuestra obra sin contaminaciones ni infiltraciones, ¿cómo sería esa obra? Pensamos y repensamos, y no comprendemos de qué modo pudiera darse obra tal. No puede existir una obra producida en tales condiciones. Resignémonos a sufrir las influencias. Y a sufrirlas de los libros que rechazamos y... de las cosas.

El libro impreso por María Angela, leído cuando niños, en el campo, nos hace rememorar ese campo: una campiña en Levante, con montañas desnudas, con laderas tapizadas de romero, tomillo, espliego, cantueso. Y de trecho en trecho, a largas distancias, un pino. Corre un leve viento; es azul, con un azul desleído, el cielo; el silencio es profundo. Se percibe, apenas, sobre las florecitas azules del romero, el zumbido de una abeja. El paisaje todo entra en nuestro espíritu; no podremos ya olvidarlo cuando estemos sentados ante las cuartillas, en nuestra mesa de trabajo. ¿Y será lo que escribamos lo mismo que sería si no hubiéramos contemplado este panorama? El paisaje tiene una dulce serenidad, y nosotros, instintivamente, tendremos esa serenidad; si no la logramos, tenderán todos nuestros esfuerzos sin proponérnoslo, a conseguirlo. Cuando en el zaguán de la casa, cansados de escribir, desde antes del alba, contemplamos en la losa de la cantarera las figuras amarillentas, rezumantes, de cuatro cántaros, nos sentimos también influídos. Desde que el mundo es mundo, no han variado las líneas elementales de estos primitivos cántaros; son estas vasijas lo inicial y lo eterno. Pasa todo en torno a esta frágil arcilla; se esfuerzan los artistas, en todas las edades, por crear otras formas más bellas; pero la simplicidad, la elementalidad, de estos humildes cántaros sobrepujan a todo lo que esas mentes imaginan. ¿Y es que nosotros, ante las cuartillas, no apeteceremos esa elementalidad y esa perdurabilidad a través del tiempo? ¿Y qué mejor influencia que ésta? Un libro magnífico, que leemos y releemos con entusiasmo, no causará en nosotros la impresión que recibimos en este porche, ante el fresco cantarero.

La enumeración de las cosas que pueden afectarnos sería larga: en un regato, en la montaña, el agua límpida que va corriendo nos persuade de que nosotros podemos lograr, en nuestra prosa, esa limpidez. Las piedrecitas entre las cuales se desliza la corriente, piedrecitas blancas, nos despiertan también la apetencia de su blancura para nuestros escritos; blancura que es todo lo contrario de lo oscuro y revesado. Y la nube que en estos momentos cruza por el radiante cielo azul nos trae el gusto de lo tenue, de lo flúido, de lo vaporoso, cualidades todas que también ambicionamos para nuestro estilo. ¡Ay, no las tendremos! La influencia no llegará a esos extremos. Nos contentaremos con una aspiración hacia el ideal. Todo pasa en la incontrastable corriente de las cosas; todo se desvanece. Y nosotros, ante las cuartillas, pensando en la montaña, en la piedra, en el agua, pugnamos con ahinco, con perseverancia, con tesón, porque en estas cuartillas que estamos ennegreciendo, al menos, una partícula de la vida: universal y eterna.

(Con esto, con las influencias impalpables, queda dirimida, creo yo, la contienda entre Américo Castro y Marcel Bataillon acerca de la influencia que sobre Cervantes haya podido tener Erasmo, del cual no se pueden citar muchos textos influidores, en este caso; influye el ambiente, no la letra.)

LXXVIII

UNA ACTITUD EXPECTANTE

¿Y por qué esa actitud expectante? ¿Por qué darlo todo a la contemplación y nada a la acción? Hablo de X. Vive X modestamente; no pide nada a nadie. No se entromete en nada. Sus recursos son parcos, pero se atiene a sus recursos. Antes leía mucho; ahora, medita más que lee. Y he de comenzar por lo fundamental, en concepto de X: lo fundamental, más que el comer, es el filosofar. Para comer, comer como debemos comer, es preciso filosofar previamente. Se refiere X a la filosofía según la entiende el vulgo; existe, naturalmente, otra más alta filosofía. ¿Y cuál es esa filosofía, a juicio de X? ¿Qué sistema filosófico sigue X? Según nuestro amigo, no hay más que dos filosofías; creo que, como X es profano en filosofía—y él lo proclama—, al tratar de este asunto desvaría un tantico. Las dos filosofías fundamentales, únicas, ecuménicas, diríamos, son: el *Génesis* y la de Benito Espinosa. Todas las demás son variantes de estas dos filosofías. X gusta de seguir, profanamente, el desarrollo del pensamiento filosófico en el mundo; él cree que, de tarde en tarde, cada treinta o cuarenta años, aparece una hijuela de esos dos grandes sistemas. El *Génesis* y Espinosa son demasiado graves, demasiado serios, demasiado profundos para ser tratados por las gentes, las gentes elegantes, cultas, selectas, en un salón de té o sobremesa de una comida aristocrática. No se puede hablar en esos lugares de tales filosofías. Y, sin embargo, se necesita hablar de filosofía. La apetencia de lo misterioso lo exige. Aparecen entonces unas variantes, más o menos ingeniosas, de los dos grandes sistemas. Se puede ya, con tales accesorias filosofías, disertar de filosofía. Se puede, en las cátedras, con decoro, sin miedo a la frivolidad, hablar de estas hijuelas; se puede, en los salones de té, en las comidas aristocráticas, hablar también de filosofía, es decir, de estas adherencias, sin temor a la gravedad, a la pesadez, a la pedantería. Y cuando la hijuela filosófica ha cumplido su ciclo, surge otra; X ha visto, a lo largo de su vida, nacer, desenvolverse, acabar dos o tres de estas chicas metafísicas; con verdadera simpatía ha ido siguiendo su evolución; con pena ha contemplado también cómo expiraban. ¿Y podremos aprobar estas fantasías de nuestro amigo? ¿No habrá en todo esto un poco—o un mucho—de ignorancia, de malicia, tal vez extemporánea?

De la necesidad se suele hacer virtud, como es sabido. Si X vive inhibido de todo, es porque la edad y los achaques no le permiten otra cosa: es ya viejo y achacoso; las fuerzas que tiene las reserva para sus lecturas y sus lucubraciones; digo lucubraciones, es decir, trabajos que se realizan nocturnamente, porque X trabaja exclusivamente de madrugada. ¿Y de qué modo compagina nuestro amigo su vivir sano, su parvedad en la comida, su miedo a las emociones—las emociones que desgastan—, con la irregularidad del trabajo? ¿Y qué importa trabajar de noche o de día, si el trabajo que se cumple es eficiente? Complemento de la filosofía, en X, es su gusto por lo sencillo; si filosóficamente X no cree más que en las dos grandes metafísicas indicadas, esa misma simplificación le ha llevado a sus gustos literarios. Se dice que debe leerse poco; hay que rectificar, según X. Debe leerse poco cuando ya se ha leído mucho. X recibe muchos libros. ¿Y los lee todos? Para saber lo que es un libro basta con pasar la vista por las primeras diez o doce páginas; tal vez hemos aumentado el número de páginas; no se arriesgaría a tantas X. Todo libro tiene su acento; lo percibimos cuando vamos leyendo esas primeras páginas. Y si el acento del libro no nos gusta, ¿para qué vamos a seguir leyendo? Aparte de que no todos los libros poseen acento propio; muchos no lo tienen; sólo lo tienen los libros de los escritores originales. Al gusto por lo sencillo, en literatura, hemos de añadir, en X, las preferencias en artes plásticas. Comenzó, hace muchos años, por la admiración hacia ciertos pintores: el *Greco,* por ejemplo, fué uno de sus entusiasmos. No creo que lo sea ahora. Aunque X no ha sido explícito sobre este asunto, presumo. al escucharle hablar de sus visitas al museo del Louvre, que sus preferencias han variado. Suele decir X que pasaba largos ratos ante las pinturas de Rembrandt. No lejos de este pintor están, en el mismo Louvre, los fastuosos y exuberantes Rubens: los Rubens de la sala Médicis. Y también X hacía largas estadías en dicha sala. Ha leído X, recientemente, una biografía de Espinosa, en que se proclama el barroquismo de la pintura de Rembrandt; también es barroca la metafísica de Espinosa, la metafísica de la sustancia única. No podía sospechar X—se lo hemos oído varias veces—que cuando él estaba en éxtasis, como quien dice, ante *El buen samaritano,* se hallaba entregado, con decisión, con ímpetu, al más pronunciado barroquismo. Claro está que al decir esto sonríe levemente; sonríe y confiesa que no debiera sonreír; acaso—y con esto estamos dentro de su actitud expectante—sería más prudente el callar, sin dar opinión alguna.

Callar, callar discretamente, es la norma fundamental en X. Cuanto más avanza en edad—y está ya en edad muy avanzada—, tanto más siente el desagradar a alguien; siempre, en su actitud expectante, tiene un elogio, privadamente, en carta particular, para el amigo o desconocido que le envía un libro. Y cuando ha de dar en público una opinión, inexcusable, lo hace con todas las salvedades y reservas; reservas y salvedades con relación a algo que no acaba de agradarle, pero que puede ser interesante, bello, magnífico. Su espíritu pugna por sobreponerse a las pasiones; quiere vivir X por encima de lo contingente y efímero. Trata de reducir el mundo y la vida a un esquema esencial. Si lo consigue o no, es cosa que no diremos. En lo esencial, ¿qué lugar cabe a lo episódico y pasajero? En lo esencial, ¿cómo podremos dispersar nuestro espíritu? Forzosamente, X, en su labor empeñada por lo que considera la esencia de las cosas, ha de de reducirse a vivir de un modo sobrio; no importa ahora que tenga o no tenga medios X para hacer otra cosa. Si tuviera esos medios, su vida, a creerle a él, sería la misma. Como si estuviera a una distancia inmensa de lo actual, contempla X el espectáculo de la vida moderna. Cada vez se siente más en posesión de sí mismo. Su salud, con los achaques, con la edad, es como un hilito quebradizo. Y X trata de que no se rompa ese hilo. ¿Cómo lo va consiguiendo? En primer término, por su sobriedad; en segundo término, por su especial terapéutica en los casos de vacilación biológica; es decir, en las dolencias. Para X lo fundamental es la limpieza interior, como él dice. Al llegar a este punto hemos de citar uno de los libros predilectos de X: la *Histoire d'une idée. L'oeuvre de Metchnikoff*, por A. Besredka, profesor en el Instituto Pasteur (París, Masson, 1921). No sabe a punto fijo X cuál es el valor científico de las ideas que se exponen en este libro; pero juzga de las cosas no por su objetividad, no por los demás, sino subjetivamente y por lo que él ha experimentado. Hablando el autor de la multitud enormísima de microbios que aposentamos en los intestinos, pregunta, con relación a tan gigantesca masa: «¿Ese aglutinado fecal de microbios, tan imponente, recorre el canal intestinal sin dejar rastro en la economía?» La interrogación se la ha repetido muchas veces X. Como resultado de sus meditaciones—y de acuerdo con lo que se asienta en el libro—, X concluye que todos los males, todas las dolencias, todos los achaques, provienen de la falta de limpieza en los intestinos. No existirán peligros—o los peligros serán menos—con la mundificación de esta parte del cuerpo humano. Y a eso tienden todos los esfuerzos de X. ¿Esfuerzos o naturalidad? ¿Se esfuerza en esta dirección X o sigue su inclinación espontánea? Al mismo tiempo que X se convertía al vegetarismo, no por precepto, sino por gusto, caía en sus manos otro libro para él fundamental: *Le jeune qui guérit*, por el doctor Edward Hooker Dewey (París, Maloine, sin año). Tampoco sabe X el valor científico de este libro, pero no le preocupa; ha llegado él a las mismas conclusiones que el autor. Es sobrio X; pero si no quisiera serlo, no podría. Su capacidad estomacal es muy reducida; cree X que el predominio del cerebro sobre los demás órganos ha motivado tal reducción. Y formula así su creencia, sentencia que otros han dado ya: «Lo que la Naturaleza da por un lado, lo quita por otro.» Nunca, con repleción, ha podido trabajar eficazmente X. Siempre ha tenido temor, al viajar en automóvil, de que el gobernador del coche lo rigiera después de una comida copiosa. El mayor cuidado de X es el de observarse; se dice—y con razón—que quien no se conoce a los treinta años está expuesto a todos los peligros; X, al repetir la máxima, aumenta el número de años; pongamos que se ha vivido descuidadamente hasta los cuarenta o cincuenta años; ya a tales alturas no podremos—no deberemos—desconocernos. ¿Medicamentos o no medicamentos? ¿Completaremos la actitud expectante de la abstención de medicinas? No llega X a tales extremos. Estando en París, alojado en un hotelito limpio y confortable, el de Buckingham, 45 y 47, calle de Mathurins, tenía enfrente una buena farmacia; siempre ha tenido X simpatía por las farmacias. En esta de París, frente a su casa, entraba a menudo X. Observaba, con motivo de comprar algo—la botica era también perfumería—, los medicamentos que, puestos en sus cajitas o en sus tubos, contenía la farmacia. Y siempre acababa por comprar alguno. ¿Y qué hacía con él? Prefería siempre las tabletas o las grageas, ya blancas, ya rosadas. Considerábalas con atención; servían para algo que alguna relación guardaba con su temperamento. Y X, sin vacilar, hacía la prueba. He de añadir algo que creo indispensable si he de dar idea aproximada de X. Sobriedad, sí; impasibilidad ante la posible emoción desgastadora, sí; leve sueño, sí. Pero ¿y el cansancio? Pero ¿y la fatiga, cuando allende el cansancio se llega a la fatiga? La fatiga en el intelectual, la fatiga después de un trabajo gustoso, eficaz, es una especie de agridulce voluptuosidad. Pero hay algunos momentos en que deseamos partir al campo y llevar una temporada de vida más sosegada. Se cree que con el reposo, con la inacción, nuestras fuerzas habrán de aumentar. Llegados aquí, vamos a exponer otra de las ideas fundamentales de X. Afirma nuestro amigo que sólo con el funcionamiento constante, a plena tensión del organismo, es como se precaven las enfermedades y se logra una euforia perfecta. La quietud, el reposo, la inactividad, producen un efecto contrario. El vigor en todo momento, la intensidad en todo momento, la plenitud en todo momento, inmunizan con la más eficaz inmunición. Ha repugnado siempre—o por lo menos desde hace ya muchos años—nuestro amigo X el interrumpir con unas vacaciones el trabajo en marcha. El hierro ha de estar siempre candente en el yunque. Y al emplear esta imagen doy por terminada mi tarea; la doy con un dato curioso, importantísimo, respecto a X. Dice X que es ilícito el usar imágenes en arte literario; la imagen es siempre infiel, la imagen revela que no se tiene fe en las propias escuetas fuerzas; necesitamos algo que en nuestro razonamiento nos facilite, con artería, con engaño, nuestra tarea. Y acudimos al juego sucio; es decir, a las socorridas imágenes.

(Conste que «el hilito quebradizo de la salud», de que se habla en este capítulo, también es, ¡ay!, una imagen.)

LXXIX

EL ASUNTO MARTA

Hay que hablar del asunto Marta; hay que examinar el asunto Marta. Existe un asunto Marta: el asunto de Marta, la de Tirso, *Marta la piadosa.* Y esa Marta ha sido citada, alegada, en escritos tendenciosos. Se trata de un pequeño asunto Dreyfus, como si dijéramos. ¿Y cuál será nuestra actitud en el asunto Marta? ¿Qué partido escogeremos? ¿A qué lado nos habremos de inclinar? Insistimos en que este asunto ha de quedar esclarecido; es preciso que la opinión sepa a qué atenerse. No podemos consentir que Marta sea citada, alegada, en materias en que no debe ser citada ni alegada. Comencemos, naturalmente, por el principio. ¿Qué es lo que se le imputa a Marta? ¿De qué se hace responsable a Marta? En el seno de una familia distinguida, en Madrid, hay dos hermanas, Marta y Lucía; las dos son sencillas y bondadosas. No ha ocurrido nada hasta ahora, hasta levantarse el telón, que pueda decirse en contra de Marta y de Lucía, que pueda alegarse contra Marta y Lucía. En este caso, Lucía no nos interesa; el asunto candente, ardiente, apasionante, es el de Marta. No ha ocurrido nada que pueda desdorar a Marta, y de pronto las cosas cambian. Ha venido de allende el mar un amigo del padre de Marta, hombre machucho y riquísimo. Tratan de Marta el padre y este señor: Marta se casará con el indiano. Y Marta repugna casarse con el indiano; no le peta, naturalmente, aparte de que siente simpatías por otra persona, la misma por quien siente lo mismo su hermana Lucía. Y aquí, en este punto, comienza el asunto Marta. ¿Qué hará Marta para no casarse con el viejo indiano? ¿Qué hará para evitar esta coyunda y quedar libre para la otra? Marta, con gran asombro de todos, dice que no puede entregar su mano, puesto que idealmente la tiene entregada a otro. Y este otro es el Señor. Marta, sin que nadie se entere, ha hecho voto de doncellez. Y claro está que este impedimento no habrá de servirle mucho a Marta. Y no le servirá, puesto que lo que se le arguye es que se puede lograr una dispensa del voto. Y si se puede conseguir la dispensa, el plan de Marta habrá fracasado. Pero lo comprende Marta y agrega que, habiendo hecho tal voto, su vida está consagrada por entero a obras de caridad. Aunque se le dispensara del voto, su ardor caritativo es tal, es tan constante, es tan recio, es tan exclusivista, que, casada, no tendría tiempo para otra cosa que para estas obras caritativas que ella practica.

No dice Marta explícitamente lo que acabamos de insinuar, pero lógicamente se desprende de su actitud. El asunto está, pues, planteado. Marta se dedica a obras caritativas; Marta no tiene en todo el día un minuto libre. Marta nos dice —esto sí que nos lo dice—que antes podía salir de casa con dificultad; no era fácil que la dejaran salir; tenía que pensar mucho para encontrar un motivo plausible de salida. Y ahora, con haber dicho que ha de hacer sus obras de caridad, puede salir en cualquier momento, cuando se le antoje. Y ya tenemos a Marta en campaña; sale de casa cuando quiere; sale a hacer sus obras caritativas. Esas obras, según nos dice, son hacer en los hospitales las camas, visitar los enfermos, lavar los pies a los pobres. En este trance es cuando se acusa de «hipócrita» a Marta; en este trance es cuando se pronuncia, tendenciosamente, con cierta intención la palabra «piadosa». Y decimos nosotros, los martistas: ¿Hay o no motivo para emplear este vocablo como un banderín político? ¿Se puede decir que Marta es una hipócrita? Si no lo es, ¿tendrá virtualidad el argumento político, tendencioso? Vayamos precisando: Madrid es en aquel tiempo una capital reducida; no es, claro, tan grande como ahora. Ahora se dice que «Madrid es un pueblo»; se dice porque en Madrid todo se sabe. Si se sabe al presente, más se sabría en tiempos de Marta. ¿Adónde podrá ir Marta cuando sale de casa y está horas y horas fuera de casa? Hoy podría ir a muchos sitios, con objeto de entretener esas horas y fingir que ha estado en esas horas realizando obras de caridad; podía ir, por ejemplo, a un salón de té; podría ir por la tarde a un teatro. Y con todo, como Marta es conocida, como en Madrid todo se sabe, como ha causado extraordinaria sorpresa la decisión de Marta, al cabo vendría a saberse la artimaña de Marta; todos repararían en que Marta, que debiera estar en los hospitales o en las casas de los pobres, está en otra parte no caritativa: en un salón de té, en un teatro, en una tertulia más o menos elegante. Y si esto ocurriría hoy, ¿cómo, con más motivo, no había de ocurrir antaño, en el Madrid chico de antaño? Marta, pues, tiene que realizar con efectividad, con autenticidad, las obras caritativas de que ella nos habla y de que hablan los personajes de *Marta la piadosa*. Quieran o no quieran los antidreyfusistas, digo los antimartistas, Marta practica esas obras de caridad que son la clave de obra. Marta va a los hospitales, Marta lava los pies a los pobres. Todo el mundo puede verla en esos menesteres; si no todo el mundo, los bastantes para atestiguar el celo caritativo de Marta y hacer con ello que el propósito de Marta no se frustre. Y si Marta practica, en efecto, obras de caridad, ¿hasta qué punto podremos decir, lo podrán decir los antimartistas, que Marta es una hipócrita? ¿Y hasta qué punto habrá logrado el propio autor, Tirso de Molina, ver justificado el vocablo «piadosa» que, con ironía manifiesta, pone en el título de su comedia? ¿No habrá ido Tirso un poco más lejos de lo que se proponía? ¿Hipócrita Marta? ¿Hipócrita Marta, que se pasa el día o parte del día empleada en obras de caridad? Esas obras serán, desde luego, un ardid de amante; obedecerán a lo que obedezcan; al fin, son obras de caridad. No se puede dudar de ello. Y si no se puede dudar, ¿no será hora ya de que los antidreyfusistas, digo los antimartistas, confiesen su derrota, derrota en que también tiene su parte el gran antimartista, o sea, Tirso de Molina?

Conclusión irrebatible: al final de la obra, Marta le dice a su hermana Lucía que «pensará que fué fingida su mesura artificial y engañosa en la apariencia», y añade: «No, hermana; pero el que es bueno—con su virtud natural—, licencia tiene unos días para poderse alegrar.» Notemos lo de «virtud natural». Y alegrémonos todos también, los martistas y los antimartistas. Dreyfus fué rehabilitado y Marta queda rehabilitada.

LXXX

TIPOS DE MUJER

Fernán Caballero ha pintado en *La farisea* el tipo de una mujer hipócrita. ¿Es realmente Bibiana una simuladora, una hipócrita? No, por cierto; Bibiana tiene orgullo y es egoísta; eso nos dice Fernán; pero nosotros vemos en la novela que Bibiana es simplemente una mujer con escasa inteligencia; todo lo que hace, inspirada en el «orgullo», respondiendo al «egoísmo», son cosas ridículas, sencillamente necias, con necedad leve, por cierto, y que una mujer realmente orgullosa y egoísta, mujer farisea además, no haría. ¿Farisea por qué Bibiana? Al final de la novela, Bibiana se consagra a obras benéficas. ¿Y puede decir el joven que la acusa de farisaísmo que esas buenas obras no están hechas con sinceridad? Y si se hacen, con sinceridad o sin ella, ¿no se hacen al cabo? Fernán Caballero, tan cordial, ha querido pintar una mujer perversa y no lo ha logrado; en alguna de sus cartas nos dice que esa mujer de *La farisea* es «perversa»; no recuerdo si ése es el adjetivo que usa Fernán; pero será otro equivalente, lo que viene a ser lo mismo. ¿Y por qué cuando Fernán Caballero ha querido pintar una mujer mala no ha sabido hacerlo? ¿Y por qué Tirso, cuando nos pinta una mujer mala, no da la impresión de que es mala? ¿Acaso no existen en España mujeres malas? ¿O no sabrán los escritores describirlas? Maravilla sería que entre tantos escritores, antiguos y modernos, no hubiera sabido alguno pintar una mujer perversa, verdaderamente perversa. Y ésa es, afortunadamente, la realidad. Alfonso Daudet es un escritor fino; ha presentado en sus novelas tipos de mujeres encantadoras; ha descrito también, excepcionalmente, algún tipo de mujer depravada. Compárense, pues, esos retratos de Daudet con los retratos de mujeres perversas de Tirso o de Fernán Caballero; compárense los retratos hechos por el novelista francés con la Bibiana de Fernán o con Marta la piadosa de Tirso. ¿Y es que Marta la piadosa representa el tipo de la hipócrita? ¿Y por qué hemos de sentir aversión por una mujer que se dedica a obras de caridad para eludir lo que le repugna? No hay en la vida de Marta otro motivo de reproche. Marta, piadosa, en efectividad, escoge ese ardid con el fin de lograr sus deseos sentimentales. ¿Y qué más noble ardid amoroso podría usar Marta que esas obras piadosas?

Pero Tirso de Molina, cuando pinta una mujer, lo hace con prevención. Se ha elogiado a Tirso como psicólogo femenino; se ha dicho que tal penetrativa procedía, en Tirso, de la práctica del confesonario. Ninguna mayor vulgaridad. Tirso tiene, respecto de las mujeres, un prejuicio, y con arreglo a ese prejuicio las retrata. Y el prejuicio que tiene Tirso está contraído — preciso es decirlo — a un solo aspecto del pecado. Curiosa es esta obsesión de Tirso, porque se trata, en efecto, de una obsesión. ¿Por qué motivos constriñe Tirso la condenación de la mujer a este solo aspecto? Si la mujer mala que pinta Tirso lo es mala en cualquier otro aspecto—y seguramente lo será—, ¿cómo el poeta no ve en la mujer sino este matiz constantemente, reiteradamente? En la comedia que he citado antes, *Marta la piadosa,* el autor dice que Marta y su hermana Lucía «son dos hermanas muy bellas, que en sustancia son doncellas». Y a seguida de estos versos viene la reticencia injuriosa; viene sin motivo para que venga; viene absurdamente, sin nada que lo justifique. ¿Y habremos de recordar que cuando Tirso habla de las gallegas, muestra repetidamente la misma obsesión denigrativa, reticente, injuriosamente reticente? ¿Y no la muestra asimismo cuando habla en términos generales de las doncellas de la corte, Madrid? Y volvemos a preguntar: ¿Cómo un psicólogo, apasionado del análisis femenino, limita ese análisis a un aspecto vejatorio, aspecto limitado a su vez a una sola maldad? ¿Por qué un pintor de mujeres ha de ver éstas de un modo condenatorio y no de un modo laudatorio? ¿No habrá motivos para la finura analítica tanto en lo bueno como en lo malo, más si cabe en lo bueno que en lo malo? Adviértase que Tirso está tan obsesionado de su prejuicio, que cuando intenta pintar una mujer buena, noble, digna, no acierta a hacerlo.

He citado ya repetidamente el caso de María de Molina en la comedia *La prudencia en la mujer*. ¿Dónde está la prudencia de esta mujer imprudente, descuidada, imprevisora, que cuando ha de castigar — y castigar severamente — una traición, la perdona y se pone en el trance de ser traicionada otra vez? La segunda vez que otorga su perdón, María sorprende en la puerta del dormitorio del rey niño, el rey por quien María vela, al médico del niño enfermo, que lleva un vaso en que se contiene un veneno para propinárselo al enfermito. No es la idea del envenenamiento propia del médico; se la ha imbuído el personaje al cual María ha perdonado ya una vez; María hace beber el veneno al médico, que perece en el acto; pero vuelve a perdonar al traidor. ¿Y podrá darse un caso más merecedor de inexorabilidad?

No hay materia en España para la pintura de una mujer verdaderamente perversa; ésta es nuestra conclusión optimista. Nuestras mujeres no dan motivo para tales pinturas. ¿Se puede aplicar el adjetivo de «perversa» a Rufina, la garduña de Sevilla; a Justina, la pícara; a Elena, la ingeniosa en la novela? Y en el teatro, ¿a la citada Marta, a Fenisa, con su anzuelo; a Belisa, con sus bizarrías; mujeres las dos de Lope, quien sabía lo que eran las mujeres? Son todas, en la novela y en el teatro, mujeres, como la doña Estefanía de Caicedo, en Cervantes, que ansían vivir bien, con alguna comodidad, y que a ese fin dedican sus actividades, que en ocasiones son lícitas y en ocasiones podemos llamar artimañas o taimerías.

LXXXI

EPILOGO EN LA SOLEDAD

PRIMER TARAZÓN

Tengo propensión a los libros verdes; debo decir propensión y no proclividad; proclividad es tendencia a lo malo. Y los libros verdes son buenos; pero no se encuentran ya libros verdes; son raros los libros verdes; recuerdo haber tenido en mis manos el libro verde de Tortosa; no lo compré; hice mal; ahora me pesa; no sé cómo sería; pero en cambio tengo aquí, sobre la mesa, *El libro verde de Barcelona;* está escrito por un Juan y un José; está impreso en la imprenta de Tomás Gorchs; está publicado en 1848. Varias veces lo he leído; siempre quiero releer el pasaje, en la página 234, en que se pinta al «payés antenapoleoniano»: chaqueta y calzón negros, chaleco de terciopelo rayado y botón de cascabel de plata, ceñidor de seda, polainas de cuero encima de unas medias cenicientas, zapatos de hebilla de plata, gabán de paño. El retrato es bonito; de buena gana me vestiría yo de payés antenapoleoniano, como dice el autor, es decir, los dos autores, Juan y José; pero voy ahora a lo que iba. Y a lo que iba es a esto: se me plantea un conflicto psicológico; no sé si el deseo de escribir un libro verde curioso me ha traído a la soledad o si el ansia de soledad me ha hecho caer en la tentación de escribir este libro, un verdadero libro verde. Sea de ello lo que quiera, el caso es que estoy ya dentro del ambiente que ambicionaba para escribir mi libro verde. Hay libros verdes de ciudades, como este de Barcelona; de familias, de individuos. De estos últimos va a ser mi libro verde. ¿Y de qué modo he llegado yo, espiritualmente, a esta ciudad en que al presente me encuentro? He cancelado mi antigua notoriedad; me pesaba el ser un hombre notorio; no quiero serlo; a la edad suma que tengo, la notoriedad es cosa vana y superflua. No seré ya escritor conocido; desde que puse el pie en esta ciudad soy perfectamente ignorado, no me conoce nadie aquí; llevo una vida placentera. ¿Continuará por mucho tiempo esta dulce y lícita ignorancia?

SEGUNDO CACHO

Gozo de un modesto pasar; menos mal que a los setenta años me permito el lujo de no necesitar de nadie, cosa rara en el escritor; digo el escritor en España. Con este modesto pasar me permito también el lujo de cumplir mi deseo: el de vivir ignorado de todos. Y vivir ignorado después de haber sido un escritor notorio. La casa en que vivo es antigua y espaciosa; la mandé alquilar antes de venir a esta ciudad; despedí a mi criado de Madrid y he tomado aquí una vieja criada y un criado ya también machucho. Con ellos vivo tranquilo; no tiene este viejo criado las oficiosidades inaguantables, insufribles, exasperantes, de los criados que, haciendo las cosas bien, quieren hacerlas mejor. Y al hacerlas mejor, resulta que las hacen peor que antes y que es preciso deshacerlas y volverlas a hacer como estaban cuando estaban bien. ¡Y cuánto tiempo y cuánta paciencia en tales hacer y deshacer! Pero me descamino; voy a lo que iba. La casa es bonita en su género. Será del siglo XVII, si es que no es del siglo anterior. Tiene un espacioso patio con un pozo en medio, con su carrucha chirriante, con dos parradas adelfas, con dos cipreses austeros. En julio y agosto es cuando las adelfas purpurean con sus flores bermejas; en ello están ahora. El ambiente, sobre todo en los días lluviosos, densos, se carga del penetrante olor de tantas odoríficas flores; aspiro yo con delicia ese perfume inebriador. Y permanezco de bruces en el barandado largos ratos. Este barandado de madera, de vieja madera, es el de una galería que sobresale en el patio con su tejadillo cubierto de rompidas tejas. Y ésa es mi vida, casi toda mi vida, en esta secular ciudad. No la conozco; no me conoce a mí nadie en ella; de todas las ciudades milenarias de España, ésta es una excepción para mí; no tengo, por visión directa, ni la más chica noción de la urbe; las fotografías sí me han hecho ver todas sus vetustas hermosuras; pero al proponerme escribir mi libro verde tenía que buscar una población en que yo no fuera conocido y que yo no conociera. ¿Estoy seguro de que aquí no me conoce nadie? ¿Y por qué no? Ya cuando inicié el desasimiento de todo, no me conocían las nuevas generaciones; por lo menos, no me conocían personalmente, aunque hubieran goloseado en mis libros. Golosear o golosinear es comer golosinas. He empleado este verbo y no he debido hacerlo; supone golosear gusto, desde luego. ¿Y quién va a tener gusto de picar en mis libros? Creo que me excedo; aunque yo tenga indiferencia por mis libros, no por esto esas obras han de ser febles. No lo son, pero para mí, como si lo fueran; no quiero acordarme de ellas; mi ansia de soledad se extiende al desconocimiento de mis propias obras. Y claro que al desconocimiento voluntario de cosas y personas. ¿Y qué es lo que conozco de sus viejas piedras, de sus viejas mansiones, de sus viejos hombres?

TERCER TROZO

Los días van pasando; los meses pasan; pasarán los años, naturalmente, si es que yo continúo viviendo. Y aunque no viva pasarán, muerto yo, para los que sobrevivan. En esta antigua morada me levanto a primera hora, leo, escribo, contemplo el cielo, me extasío, de bruces en la barandilla de madera, ante los dos cipreses y las dos adelfas. Aspiro ahora, en julio, el olor penetrativo de las flores purpúreas. Y dejo que transcurra el tiempo; si no lo dejara, sería lo mismo. Lo que quiero decir es que no me preocupo del paso de las horas. De casa he salido raramente; la calle, una callejita angosta, la conozco bien. Pero ¿y lo demás? ¿Y la catedral, las murallas, el río, los vetustos palacios, la plaza con sus soportales? Tengo cierta voluptuosidad, lo confesaré, en saber que todas estas maravillas están a mi alcance y no siento curiosidad por conocerlas. Podría en unas horas recorrer toda la ciudad; no lo hago. Podría escudriñar todos sus escondrijos; no lo hago. Para mí no existe el mundo. ¿Cuánto tiempo podré permanecer en este dulce no hacer nada ni conocer nada?

CUARTO PEDAZO

Estoy bastante desfigurado; me miro frecuentemente al espejo. No soy el que era con esta luenga barba alba, espesa, venerable; yo, que he sido siempre a cureña rasa. He traspasado, lo confieso, las fronteras de la calle; he estado en una plazoleta a la que se sale cuando se avanza un trecho desde la puerta de la casa. He avanzado hacia la izquierda, ya que a la derecha veo puesto en el umbral la fronda verde de una arboleda. La casa está situada cerca de las afueras; el río debe de correr en lo hondo de una depresión que no alcanzo. No tengo curiosidad por averiguarlo; me basta con mis baladres y mis aciculares cipreses. Gusto de escribir el vocablo «acicular»; es decir, en forma de aguja, al tratarse de los escuetos cipreses. Son estos cipreses mis mejores amigos. Clavan sus cimas agudas, como agujas, en el añil intenso del cielo. Y hay en todo el patio, en toda la casa, en toda la ciudad, un profundo silencio. El tiempo se ha remansado en el patio, en la casa, en la ciudad.

QUINTO FRAGMENTO

Sí; he caído en la tentación; he estado en la plaza, en el mercado. He ido de mañanita, a la hora en que vienen de la contornada los labriegos con sus verduras y sus frutas. El color abigarrado de estos mercados, en ciudades viejas, es siempre un bello espectáculo para el artista. Y luego la parla, la expresiva y ruda parla de los campesinos; parla con modismos curiosos, con refranes seculares. Debo decir que la contemplación de este ameno lugar ha puesto en mi espíritu cierta sensación rara; llevo ya cerca de un año en la ciudad; no ha dado nadie señales de advertir mi ausencia de Madrid; no me conoce aquí nadie. Puedo a mi talante escribir, como lo estoy haciendo, este libro verde, si es que esto, cosa que dudo, es un verdadero libro verde. Sin embargo, no sé lo que en esta mañana en que escribo estas líneas me sucede: ¿Me pesa ya la soledad? ¿Estoy desabrido por mi riguroso aislamiento? No, no es esto un libro; es un borrón informe, es un avance para el libro que he de escribir. Acabo de estar puesto de codos en el carcomido barandado: contemplaba por centésima vez los cipreses y las adelfas; ha pasado un año; vine el julio anterior y estamos en julio del presente. El aroma de las flores bermejas se exhala como el año anterior. Pero, en estos momentos de silencio y de paz profunda, ¿es el estado de mi ánimo como el del año pasado? Estoy pensando que esta mañana, cuando me encontraba en el mercado, absorto ante unas seras de multicolores verduras y frutas, se ha detenido ante mí un personaje con aire, no de estas tierras, sino de Madrid. Y ese personaje me ha estado mirando atentamente, con cierta impertinencia. Y aquí entra el conflicto. Sí, no quiero ocultármelo, se trata de un conflicto psicológico. Acabo de escribir el vocablo «impertinencia», al tratarse de un forastero que, sin duda, quería reconocerme. ¿Impertinencia o lícita curiosidad? ¿Impertinencia o deseo natural de reconocer a un escritor a quien se lee, por quien se siente simpatía? ¿Impertinencia o explicable extrañeza por ver transfigurado a un novelista y autor dramático a quien se ha conocido, por lo menos en fotografía, de distinta traza de como se le ve ahora? Y a seguida la pregunta que arranca del fondo del alma y que me causa cierto bochorno: ¿Y por qué ese desconocido no ha osado el saludarme y trabar conmigo conversación? Veo que estas palabras que acabo de escribir echan por tierra todo un estado de espíritu y descubren otro que estaba soterrado y que, tarde o temprano, habría de alumbrarse. ¿No soy el mismo que era hace unos días, hace unas horas, hace unos minutos? Los cipreses aciculares y los parrados baladres, ¿no me dicen ya lo que me decían antes? ¿Y no me sonrojo al conocer el cambio que se ha operado en mi ser? ¿Y era yo el que abominaba del tráfago mundano y buscaba la soledad? ¿Y todo ello se ha operado porque un forastero no se ha atrevido en la plaza a saludarme?

Madrid, abril de 1943 y octubre de 1946.

AUTOBIOGRAFIA

NI UNA PALABRA MÁS

No conozco al autor de estas páginas; para mí es muy difícil conocerle. Sé de él lo que, poco más o menos, sabe todo el mundo. Nació en Monóvar, provincia de Alicante, el domingo 8 de junio de 1873, a las tres y media de la madrugada. No creo que conozca este detalle la gente que habla de tal autor. La parte de la provincia de Alicante en que nació la persona de quien hablo es la central, montuosa, de paisaje desnudo, de coloraciones grises, con grises que van desde el ceniciento oscuro hasta el claro tenue. Nada más difícil de pintar; un pintor puede dominar los recios colores, mas arduo le será captar lo gris con todas sus tonalidades. El pueblo nativo de nuestro personaje se asienta en la ladera pétrea de un monte. Y ese monte se eleva a una banda de un valle: el valle de Elda. En el fondo corre el Vinalapó; frente a la colina en que se halla el pueblo se yergue una muela inmensa a mil ciento once metros sobre el Mediterráneo. El mar latino se encuentra a treinta y siete kilómetros de la ciudad. El valle es fértil: se ven en su amplia concavidad tablares de huerta; cuadros de alfalfa, con su azul cinéreo; olivos, con su ramaje péndulo; almendros, que ya en febrero, a los comienzos del mes, brotan sus florecitas blancas o rosadas, según sea la variedad del árbol. La temperatura es clemente. La vía férrea de Madrid a Alicante corre por lo hondo del valle. Allá arriba, frente por frente del pueblo de que hablamos, se ve otro pueblecito, con sus alfarerías, donde el milenario alcaller da vuelta a su rueda como pudiera hacerlo otro alcaller de siglos y siglos atrás. De cuando en cuando, al tiempo de cocer el amarillo barro, se elevan en el azul límpido los humazos negros de los hornos.

Estudió nuestro personaje en un colegio religioso, en Yecla, provincia de Murcia; estuvo allí ocho años; de un reino, el de Valencia, pasó a otro reino, el de Murcia; el habla, en uno, es la valenciana, y en otro, el castellano. La primera ciudad es clara, y la segunda, severa; una casi no tiene historia, y otra cuenta con historia antiquísima; en los lindes de su término, los de esta adusta ciudad, se han desenterrado estatuas de civilizaciones remotas, estatuas que hoy figuran en los museos. Estudió Derecho nuestro biografiado en varias universidades: la de Valencia, la de Granada y la de Madrid,

En Madrid comenzó a formalizar sus trabajos literarios, ya incoados en la ciudad del «río blanco», o sea, el Guadalaviar. Y a partir de este punto, la vida de este personaje es más conocida; digo su vida externa, que en cuanto a la intrínseca, nadie, ni él mismo, la sabe. No contaré el número de sus libros, obra de cincuenta, ni la profusión de sus artículos periodísticos. Lo que ha escrito en los periódicos, a lo largo de cincuenta años, formaría otros quince o veinte volúmenes, si se aparvara.

Sigue, naturalmente, escribiendo nuestro personaje. No cesa en su empeño. No tiene más confortación en sus desmayos que el pergeñar artículos, cuentos, novelas y comedias. Al hacerlo, piensa en el alfarero que vió algunas veces, en su infancia, allá en el pueblo levantino. Se ve él mismo cual otro alfarero, con su rueda, con su arcilla, afanado todo el día en dar vueltas al disco milenario de madera. Y no me pidan ustedes más cuenta de la vida de este caballero. No diré más. Con esto basta y sobra. Ni una palabra más.

Mayo, 1943.

Sí, ALGUNAS OTRAS PALABRAS

Escribí la biografía del personaje hace algún tiempo; salió al frente de una edición popular de la comedia *Old Spain*; esa edición constituye un número de la publicación madrileña *Novelas y Cuentos*. ¿Y qué he de añadir yo a lo ya dicho? Tendré que hacer algunos añadimientos. No pasa el tiempo en balde, no nos bañamos nunca en el mismo río, como ha dicho uno de mis filósofos predilectos, Heráclito; no nos bañamos, aunque nos bañemos todos los días; de un día a otro, ya no somos los mismos, ni el río tampoco es igual. En la vida del personaje biográfico han ocurrido cosas; la principal, naturalmente, es que el personaje es algo más viejo. Y al serlo, cuenta con un poco más de experiencia. Y esa experiencia le hace querer ser lo que es, un anciano, y no querer ser lo que no es, un joven. Nada más risible, siendo machucho, que afectar lozanía. Nada más incómodo para los jóvenes que un viejo que se empeña en formar corro con ellos: está allí y los estorba en sus palabras y en sus movimientos. *In mente* están deseando para sus expansiones, para su libre decir, que el carcamal se ausente. No le acontece tal a nuestro amigo; quiero decir que acaso no habrán deseado nunca su ausencia. La más elemental discreción le impulsa a dejar que la mocedad sea mocedad con todas sus derivaciones. No será él quien, por escrito o de palabra, le vaya a la mano a un joven. Que cada cual siga su carrera y obedezca—o no obedezca—a su sino.

En dos vocablos puedo compendiar la vida actual del personaje: *recepto* y *receso;* dos parónimos que tienen un serio contenido. Recepto es refugio, y receso, apartamiento. En su recepto y su receso vive nuestro personaje cada día con más decisión. Y no le sacará nadie de su retiro, ni le hará abandonar nadie su actitud retirada. Ordena su vida, es frugal. Duerme bien; restaura con el sueño la usura nerviosa. Cuando ha cerrado la puerta de su alcoba, no la puede abrir nadie, ni aun para lo más sensacional. La sensación desgasta, aparte de quitar el sueño. Dice Miguel Sabuco, en su *Nueva filosofía de la naturaleza del hombre,* que los tristes duermen más que los contentos. No lo creo; no lo cree tampoco el biografiado. Procura el personaje acostarse en estado sereno, para dormir a pierna suelta. Se acuesta a las ocho y media —después de leve colación—y se levanta a maitines; quiero decir a las dos de la madrugada. No le importa el frío en invierno; piensa en los cartujos y trapenses muy ancianos, que también por las madrugadas habrán de echarse de la cama, una cama que es una dura tabla. ¿Y por qué el personaje, que duerme en mullido colchón, ha de emperezarse cuando andan listos para sacudir el sueño el cartujo y el trapense? (Reflexiono al escribir esto, después de escribir esto, que más fácil le será levantarse a quien tiene por lecho unas tablas que a quien yace en lana esponjada. Pero ¿estoy seguro de ello? Que resuelvan la ardua cuestión los lectores, cada uno con su criterio.)

Y en cuanto a la lectura, ¿para qué leer tanto libro nuevo, que dicen lo que han dicho los libros antiguos, acaso un poquito peor? El biografiado se acosta a los libros nuevos, pero no hace sino oliscarlos. Su instinto de lector, aquistado a lo largo de millares de libros, le avisa que el libro que tiene entre manos es obra chirle; se lo avisa a poco que el personaje haya leído unas páginas. Entre sus libros, apartado de todos, receso en su recepto, va pasando la vida este caballero. Los días van pasando; pasan las semanas; pasan los meses; pasan los años. Nada es eterno y nada es inmutable.

Enero de 1945.

TODAVÍA MÁS PALABRAS

Releído, al cabo de unas semanas, el anterior aditamento, no me gusta: desmadejadito y presuntuoso. He debido insistir, con referencia al primer bosquejo, en los efectos de la claustración, la claustración de ocho años en el colegio, con intermitencias vacacionales; de los ocho a los quince ha permanecido el nuestro personaje sujeto a una norma cotidiana y uniforme; en su vida habrá de producirse un cierto gusto por el apartamiento, apartamiento conciliable con la errabundez imaginativa. No está mal lo de *receso* y *recepto,* dos vocablos cultos que debieran entrar en el uso corriente. ¿Son perfectos parónimos? El Larousse manual dice que parónimo es todo vocablo «que guarda relación con otro por su forma, su etimología, como *abstraire* y *distraire*». Casares dictamina que «paronímico aplícase a cada uno de dos o más vocablos que tienen entre sí comunidad de origen o semejanza en la pronunciación». Son parónimos, por tanto, *río* y *rio, canto* y *cantó, suelo* y *suelo.* Pero he cogido hace un momento un librito en la biblioteca y lo he traído a la mesa; ilustrará la cuestión. Aludo al titulado *Maximes de La Rochefoucauld avec leurs paronymes,* por el barón Massias (París, Fermín Didot, 1825). Abro al azar este limpio volumen y leo: «Más fácil es ser cuerdo con los otros que consigo mismo.» Al lado, en otra columna, correspondiendo con esta máxima, se ve la parónima: «Yo haría esto en vuestro lugar.—Yo lo haría también en el vuestro.» Abro por otra parte: «El que vive sin ramo de locura no es tan cuerdo como él cree.» Y junto: «Creerse cuerdo es un comienzo de locura, si no es locura consumada.»

No ha sido en balde la digresión; con ella he querido imitar la minuciosidad y el ansia de precisión que acucia al presente a mi biografiado. ¿Y no será ello, como opinaría tal vez La Rochefoucauld, un principio de leve dementación? Quede esto a juicio de los lectores. Y así acabo este aditamento, en la misma forma que rematé el precedente.

Febrero de 1945.

¿Es cantaleta? ¿Es cordelejo? ¿Es vaya? Todas estas denominaciones clásicas, de las cuales sonrío levemente, las aplico a este marcharme para volver al instante. Ya estoy otra vez aquí; ya he de añadir unas palabras más a las dichas. Y ello porque he caído en la tentación, la tentación de leer al biografiado estos borrones. He debido excusarlo, pero ha podido más la vanidad que la discreción. El biografiado no ha dicho cosa condenatoria; he advertido yo, sin embargo, que le desplacía en lo escrito cierto paso; aludo a su actitud respecto a los libros nuevos. Sin duda, ese vocablo *chirle,* que yo me supongo dicho—o pensado—por el personaje, lo encuentra éste impudente. No es su conducta con los primerizos en las letras la del desdén; no acoge el libro nuevo con solapado menosprecio. Sabe que en todo libro nuevo, libro mediocre, hay una partícula de acierto. Y no olvida que si no hubiera libros medianos, no lucirían tanto los excelentes. Estoy por decir, usando la paradoja, que si no existieran libros malos, no los habría buenos. (Creo, dicho entre paréntesis, que esto no es ningún aserto paradojal.) No tendríamos módulo para regular los libros buenos si no se produjeran los flojos. Y sobre todo, la actitud del biografiado, en su vivir, excluye la suposición del desdén para una forma cualquiera de vida: vida en la realidad y vida en el arte. Un libro menguado es a manera de un pobre al que damos una limosna; limosna de nuestra indulgencia, limosna de nuestra comprensión, limosna de nuestra lectura, siquiera de unas páginas. Si el personaje no desalienta nunca a ningún joven con palabras, ya no condenatorias, sino dubitativas, evasivas, ¿cómo no ha de tener la misma tolerancia con los libros? ¿Qué sabemos adónde llegará este novel que se acerca a nosotros con un libro que luego no nos place? ¿Cómo podremos afirmar que tras ese estreno infeliz no vendrá el esplendor? Y en último término, ¿qué perdemos con la dulce lenidad? Todas estas consideraciones —expresadas por mí desmañadamente— me las iba haciendo el biografiado en tanto dábamos un paseo, tras la lectura fatal; fatal porque, aun siendo discreto el personaje, adivinaba yo su desabrimiento por el desdichado vocablo *chirle*. Pero no he querido borrarlo; no ha querido el personaje que borre nada de mi escrito; he de dejarlo como expresión de espontaneidad. Y ahora sí que exclamo, según la fórmula en desuso, fórmula de despedida que me agrada: ¡Adiós y veámonos! (No; no nos veremos más, querido lector. No nos veremos más, y yo lo siento, puesto que había tomado gusto a esta cantaleta, cordelejo o vaya. ¡Y vaya si sonrío con estos vocablos anticuados que se me ocurren!)

Días después, en el mismo mes de febrero de 1945.

ULTIMAS OBRAS
(SELECCION)

EL CINE Y EL MOMENTO

En el cine encuentro yo dos cosas: la explicación del tiempo y la comunicación, lícita, con el resto del mundo. Las películas extranjeras—sobre todo, las norteamericanas—son las que prefiero. El tiempo, en el cine, se resuelve todo en momentos; todo es momentáneo en el cine. Todo caduca rápidamente en el cine: películas —frágiles, friables—, actores, estéticas, modos, escuelas. En el cine nos embarga la sensación de la inestabilidad y de la fugacidad de la vida. La vida moderna, vida universal, es instantaneidad: confluyen, como he dicho, en la vida moderna, la radio, el avión y el cine. Lo fugaz de la imagen, en el cine, corresponde a la onda sonora que pasa y al avión que cruza. ¿Será lo momentáneo una ilusión de nosotros, los modernos? ¿No habrán tenido los antiguos, relativamente a sus comunicaciones, relativamente a sus cosas, la misma sensación? ¿Puede darse en la continuidad universal una sensación nueva?

El cine apacigua el ánimo; entregados al presente, nos desentendemos de la obsesión del ayer y de los cuidados del mañana. Estas imágenes que ahora contemplamos no las verán las generaciones futuras; las películas que se salven—a costa de precauciones—serán, si lo son, un documento para los eruditos, y no un placer para la multitud. Las multitudes—la Humanidad, en suma—no pueden vivir del pasado. Un gran poeta, fray Luis de León, inspirándose en otro gran poeta, le dice «a una desdeñosa» que goce—honestamente—del momento, de su momento, de su juventud. Gocemos todos del momento en las imágenes: en las imágenes que se van sucediendo, inacablablemente, con fugacidad, en la blanca pantalla.

Madrid, 1953.

CINE DE FANTASIA

La más extraordinaria película de fantasía que conozco se titula *Las aventuras de Pánfilo.* Su autor es... Lope de Vega. No se sobresalte el lector. Se trata del cuento de espantos que Lope narra en *El peregrino en su patria.* Hay una edición, separada, moderna—con curiosas ilustraciones—, de la que ha cuidado Alfonso Reyes. Los maestros de Hollywood harían con ese cuento una película maravillosa. En la lectura, la obra dura de doce a quince minutos; en la película podría extenderse a media hora. Toda película de fantasía que exceda de esos límites—hágala quien la haga—resultaría insoportable. Hora y media de fantasía es demasiada fantasía. En un salón, un cuadro del Bosco, entre otros cuadros, agrada. Doce cuadros del Bosco, ellos solos, nos hacen tomar la puerta antes de ver el tercero. Nietzsche, en *Humano, demasiado humano,* tomo I, capítulo VIII, ha dicho: «Cuando el arte se viste de la tela más gastada, es cuando se le conoce mejor por arte.» El aforismo se titula *Contra los originales.* Gracián ha escrito: *Contra la figurería.*

No condenamos el humor en el cine; no somos alguien para condenar nada; pero preferimos siempre la ironía al humor. *Sucedió en la Quinta Avenida* es una película irónica. Cervantes es irónico; lo es Laurence Sterne. No siempre uno y otro. La ironía nos seduce, apacible; no nos conmueve; no nos sorprende. No sabemos, a veces, si se trata o no de ironía; la duda nos deja meditativos, absortos. ¿Nos deja también perplejos, pensativos, el humor? Cuando queremos recobrarnos, en una obra irónica, en que no sabemos si sonreír o no—siempre sonreír y no reír—, ya ha pasado. Nos encontramos en un nuevo estado espiritual, más satisfechos de nosotros que antes. Hemos presentido; hemos adivinado. Edgardo Neville, conde de Berlanga del Duero, ha hecho cine de fantasía—sin incoherencia—y cine de observación. Neville aporta al cine las características de su temperamento literario: delicadeza y elegancia. En la Academia francesa hace tiempo que entró el cine en la persona de Marcel Pagnol...

LA INTERPRETACION

Resumo en pocas palabras varias lecturas, observaciones personales varias. Inconvenientes para el actor en la interpretación: el guión no se representa seguido, sino en trozos inconexos. Un viajero llega a su destino; no se ha despedido todavía, en su casa, de la familia. Se interpretará la segunda escena cuando se hayan interpretado otras. El actor no entra, desde el primer momento, en su papel, y no va, gradualmente, animándose, enardeciéndose, con la progresión de la fábula. Otra cosa: el actor no tiene público; no se establece, por tanto, entre el actor y el público esa corriente magnética que hace que el actor vaya reaccionando instintivamente, sin darse cuenta, según la sensibilidad del concurso. Ventajas ahora para el actor: en cada escena, en cada pedazo de guión, el actor actúa plenamente; preparado bien, se da todo en ese momento. Prescinde de todo y el momento presente lo es todo para él. No necesita el actor del público. El público, con sus reacciones, le estorbaría. El público haría más dificultosa su impasibilidad. El cine ha venido a dar la razón a Diderot: el arte del actor no es inspiración, sino reflexión. El actor ha de ser en todo momento dueño de sí. En el estudio, sin público, podrá serlo. Toda la preparación, la observación, la reflexión del actor se condensarán en un momento único, ante el objetivo. Ese momento de perfección, sin más y sin menos, será definitivo. Centenares, millares de veces el actor será irreprochable, ante una sala henchida de público o vacía. Su frialdad le habrá salvado. Mi consejo, el consejo de un espectador: ponga el actor en el espejo ante el cual se pinta estas palabras de un hombre frío, Mérimée, en la primera de sus *Cartas a una desconocida,* al hablar del arte del actor: «*Pour juer parfaitement, il faut avoir le plus grand sang-froid, pas la moindre illusion.*»

Diré dos palabras del cine francés y del cine italiano. Una particularidad del cine francés es la que apunta Jean Cocteau en sus *Entretiens autour du cinématographe,* recogidos por André Fraigneau (París, 1951). Las tablas—el *plateau*—, en el estudio francés, son como una escuela de artesanado. Todos los que trabajan allí se sienten unidos por el entusiasmo y en el afán —pura artesanía—del trabajo fino, acabado. La página es curiosa. «Mi gran descubrimiento—comienza diciendo Cocteau—consiste en que el cinematógrafo es el último refugio de la artesanía.» Y eso da a las películas la interior coherencia que vengo pidiendo en España.

En cuanto al cine italiano, su auge es evidente. Aquí tengo retratado a Vittorio de Sica, con la corbata desceñida, como es de rigor. Signo de una promoción de bellísimas italianitas, entre los veinte y veinticuatro años; esas cineastas, ya famosas, no se pintan. No lo quiero creer, y aquí tengo también iluminados, coloreados, sus retratos. La historia y estado actual del cine italiano pueden verse en el libro de Nino Frank *Cinema dell'arte* (París, 1951).

Acabo de hablar del cine francés y quiero tener un recuerdo para Max Linder, un olvidado. Su vida fué cómica y su muerte trágica. Trabajó con Chaplin. La hija de Max Linder, en París, en un hotelito de Neuilly, cuida piadosamente de la memoria del padre: allega—a costa de mil trabajos—películas dispersas por el mundo, rotas, gastadas, con las gestas del actor. Otro ejemplo doloroso de la fugacidad del cine.

EL DIRECTOR

Los múltiples afanes del director—que yo no especifico—los expone con minuciosidad, con elocuencia, Alexandre Arnoux en su libro *Du muet au parlant* (París, 1946), en la parte en que trata de discernir cuál es el verdadero autor de una película. Lo que separa al cine del teatro—artística y financieramente—puede verse comparando las actividades del director de cine con las actividades del director de teatro; por ejemplo, la Comedia Francesa. En cuanto a los directores de la Comedia Francesa, consúltese, en la serie de *Cuarenta años de teatro,* el curioso volumen de Sarcey *La Comédie Française; souvenirs; les lois du théâtre* (París, 1900).

Claro que a los actores de cine no les vendría mal tampoco echar un vistazo —para aprender por analogía—al volumen en que han sido reunidas las interpretaciones que Sarcey hace de los grandes comediógrafos: *La Comédie* (París, sin año, librería de *Los Anales*). La interpretación, por ejemplo, de la «sevillana» Rosina, en *El barbero de Sevilla,* es singularmente aleccionadora. ¿Qué interpretación de Rosina haría la bellísima Greer Garson? ¿Andaluza, parisiense, neoyorquina? ¿Y qué Fígaro haría Glark Gable, con su sonrisa irónica, su mirar picaresco, tipo el más adecuado a Fígaro? ¡Y qué doctor

Bartholo—trágico reír—Charlie Spencer Chaplin?

Aparte del dominio del tráfago, en el estudio, que el director ha de tener, ¿qué otra preparación necesitará el director? ¿La que implica la técnica? Se supone. ¿La que requiere el conocimiento de la óptica? Se supone. ¿La que pide la psicología de los personajes? Se supone. Ninguna preparación para el director como el estudio de las Ciencias Naturales. Esas ciencias nos obligan a la observación. La observación nos impone en los detalles, en los accidentes, en las circunstancias de la vida. Y el director, como el novelista, como el comediógrafo, debe saber si el trasunto de la vida que se está haciendo corresponde—en todos sus detalles—a la vida misma. Con las Ciencias Naturales lo tendremos todo. ¿Cuál será, sin embargo, el novelista, el comediógrafo, el director de cine que no crea que esto es un desvarío?

SIN ARQUEOLOGIA

—¿Trabaja usted, productor?

—Trabajo, entrevistador. ¿Le gusta a usted Hollywood?

—¡Interesante, muy interesante Hollywood!

—¿Le atrae a usted su ambiente?

—Advierto en Hollywood un ambiente de fatalidad, de inexorable fatalidad.

—¡Curiosa, muy curiosa, su opinión sobre Hollywood!

—¿El título de su nueva película?

—*El recuerdo.*

—El recuerdo, como en las *Coplas* de Jorge Manrique, en mi país, España; como en *El lago*, de Lamartine; como en *La tristeza de Olimpio*, de Víctor Hugo, en Francia.

—Demasiada literatura.

—Soy un europeo saturado de literatura.

—¿Y de arqueología?

—No tanto, aunque nativo de un continente viejo.

—Sin arqueología; estoy empeñado en realizar una película histórica con un mínimum de arqueología. Las colosales producciones históricas me dan grima.

—¿Personaje de su película?

—Una noble dama, hermosa y generosa.

—¿Su nombre?

—Berenice.

—¿*Berenice*, de Racine, en la pantalla?

—No, no; la otra Berenice, la buena y magna.

—¿La Verónica?

—Exactamente; yo veo a Berenice en blanco, con una veste blanca, nítida, en un ámbito blanco. Berenice no vive más que del recuerdo y para el recuerdo; mi película gira en torno a una calle trágica y a la persona de Berenice. Evitaré todo lo que, en muebles, trajes, edificaciones, puede separarnos de Berenice. Viaja Berenice; la estoy viendo en diversos paisajes; va siempre pensativa, ensimismada. Los enemigos no se le atreven; los discípulos—discípulos del Maestro, del divino Maestro—la veneran; besan la orla de su manto. De la mente de Berenice no se aparta nunca el recuerdo: el recuerdo de calle angustiosa, inmortal.

—¿Y al fin?...

—Todavía no veo bien el final, el desenlace.

—¿Vuelve, finalmente, Berenice a la calle de sus recuerdos?

—No sé; no sé. He realizado quince o veinte películas de gran éxito; siento ahora, con ésta, una desazón íntima.

—¿Lo fatal, lo ineluctablemente fatal en Hollywood?

—En Hollywood todo es momentáneo y decisivo. La necesidad del éxito inmediato y fructuoso se impone a todo. Se pasa, en un momento, con el fracaso, de la suma popularidad a la oscuridad absoluta. Fracasado, ni para barrer pisos en los estudios le quieren a uno.

—¡Ah, querido productor! En España decimos: «Haz ciento y no hagas una, como si no hubieras hecho ninguna.»

EL TIPO MEDIO

En la producción cinematográfica debemos considerar, a mi parecer, no lo excepcional, sino el tipo medio; el tipo medio de película. Se impone, sigo pensando, esa consideración, tanto en el cine como en un género literario, en un autor, en una época. Da el tipo medio la medida de los valores, en su ambiente. Lope de Vega tiene su tipo medio. ¿Podremos citar, a este propósito, *El jardín de Vargas*? ¿Podremos citar también *Los hidalgos del aldea*, especie de película anticipada, entretenida en extremo? Ninguna de las dos comedias ha sido exhumadas. A fines del siglo XVIII, a principios del XIX, Moratín crea un tipo medio de comedia urbana. Las superproducciones, en el cine—y en lo que sea—, suponen un esfuerzo; admiramos, caso de admirar, y nos sentimos cansados. No encontramos allí, naturalmente, la contención, la moderación, que admiramos en la famosa escultura de Laocoonte, puesta de modelo de moderación por Lessing; moderación en la expresión dolorosa. *La ruina de Pompeya* —ya película histórica, casi primitiva— nos suministra el ejemplo de superproducciones felices. El modelo de aventuras, de películas entre comedia y lances peligrosos, nos produce, a la larga, el mismo cansancio. Advertimos, en su curso, los desmayos y las interpolaciones. Gregory Peck, actor admirable, acaba por borrarse, por fundirse, en las inextricables aventuras de *El mundo en sus manos*. El mismo Gregory Peck, en *Almas en la hoguera*, se nos muestra en su plenitud, al interpretar un personaje que concuerda con su natural carácter: el de un general del Aire, ordenancista, inteligente, escrupuloso. He visto las dos películas que acabo de citar en un mismo día; he podido comparar imparcialmente. Un actor de cine—igual que un actor de teatro—debería temer las complejidades de la fábula: el relieve en la personalidad, el gesto apropiado, el ademán expresivo, el carácter, en fin, desaparecen; la muchedumbre de peripecias llama la atención del espectador hacia otra parte.

La personalidad del actor sólo puede darse, con plenitud, en el tipo medio de película. Si la película es cómica, en *Sucedió en la Quinta Avenida*, por ejemplo. Si la película es dramática, de carácter psicológico, en *Brigada 21:* todos los personajes están aquí escrupulosamente estudiados; todo se ensambla en un conjunto armónico. Lo mismo se puede decir de *Un lugar en el sol*, en que triunfa Montgomery Clift. *Un lugar en el sol*, que, dicho sea de paso, debe ser *Un lugar al sol*. (El título francés es *Une place au soleil*, es decir, cada uno puede tener su partecita de dicha.) ¿Podremos lograr en España un tipo medio de película? ¿Y por qué no? ¿No tuvimos, repito, un tipo medio de teatro, en el teatro clásico?

EL PUBLICO

Frecuento los cines populares; los de lujo no los conozco. Las películas que se estrenan en los cines de lujo pasan después—no todas—a los populares. En los populares el espectador puede ver, por un precio módico, dos películas. He visto en tres años unas seiscientas; no es mucho; algunas, deliberadamente o por las circunstancias, las he visto dos, tres o más veces. Entrado en un cine por curiosidad, he ido viendo que el cine es un mundo: en lo artístico, en lo social, en lo psicológico, en lo financiero. No se puede dominar una materia, sea en la esfera que fuere, sino en fuerza de aplicación reiterada, en fuerza de observación persistente. Puesto que ya estaba yo dentro del cine —en un mundo nuevo para mí—, he querido saber hasta qué punto podía comprenderlo. He visto, primero, las obras; he leído, después, los libros. En los libros he visto confirmadas conclusiones a que yo había llegado. Una de estas conclusiones atañe al público. No creo yo que el público de cine tenga similar, en el teatro, sino con el público del siglo XVII. Conocemos los teatros del siglo XVII en su materialidad: un patio, un «corral»; en el fondo, un tablado. Nicolás Evreinoff, director de teatro y autor—de quien traduje una obra—, representó en Rusia, en la Rusia imperial, obras de Calderón en un teatro a usanza del siglo XVII, en España, que él había dispuesto; vi fotografías; era una reconstitución curiosa. En un teatro madrileño del siglo XVII hay balcones o aposentos, palcos; un lugar destinado para las mujeres; un patio acomodado, en parte, con bancos; en la otra parte—tal vez la más espaciosa—los espectadores permanecen en pie. Muchos de estos espectadores han entrado sin pagar. Felipe Pérez y González—poeta cómico, fino erudito—dedica, en su libro *Teatralerías,* páginas interesantes a esta clase de espectadores forzosamente gratuitos. Lo que no acaban de explicarse los historiadores es la comprensión, la inteligencia, las reacciones en el público del siglo XVII. Generalmente toda obra en ese siglo comprende dos acciones: una principal, otra accesoria. Forman las dos una trabazón inextricable. ¿Entendía el público los argumentos entrelazados, enmarañados? No falta en cada obra un largo, larguísimo parlamento; uno de ellos —descripción de Hungría—de doscientos cuarenta versos. ¿Cómo podía el público soportar estos parlamentos, que hoy, en las «refundiciones», acortamos? Se nos dice que no sólo los soportaba, sino que los pedía con insistencia, los gustaba con entusiasmo. Los actores modificaban a su talante los textos. Los declamaban enfáticamente, con grandes ademanes, con aspavientos. Ese era el gusto de la época, que llegó, a principios del siglo XIX, hasta Isidoro Máiquez, renovador, con la naturalidad, del arte del actor. ¿Es aventurado suponer que el público en el siglo XVII, en su mayor parte, no en su totalidad, no comprendía lo que estaba presenciando?

Un crítico de cine, Nino Frank, en su historia del cine italiano, ya citada, dice que el número de espectadores comprensivos, inteligentes, en el cine, es muy escaso; los reduce, en Francia, a cincuenta mil. Los demás asisten al espectáculo sin darse cuenta, cabal o parcialmente. He llegado a pensar lo mismo en mi continuado contacto con los públicos en los cines populares. El público lo acepta todo; no protesta nunca. Bastantes de las películas que se proyectan resultan, por su defectuosa composición, ininteligibles. El público no las entiende; yo no las entiendo. El público las soporta; yo, a veces, me impaciento y me marcho. Las imágenes encandilan al público y suplen por la comprensión; yo, por mi parte, necesito algo más que la imagen. Lo que en el siglo XVII obraban las palabras retumbantes, expresivas de conceptos encrespados y resplandecientes, lo obra hoy el sucederse rápido, vivo, de las figuraciones en la pantalla.

HOLLYWOOD

Hollywood continúa siendo la capital del mundo cinematográfico. Los momentos de languidez pueden vencerse. El esplendor del cine en otros países puede ser acicate en provechosa emulación. He visto en una película—la titulada *Así nació una fantasía*—las techumbres de unos estudios en Hollywood. La cámara debía de estar en un avión. Después de ver centenares de películas, se sienten deseos de ver Hollywood. ¿Cómo será Hollywood? Nos lo han descrito críticos, viajeros, novelistas; hemos visto por dentro en la mencionada película—y en otras—un estudio. La verdad sea dicha, el rodaje de una película tiene mucho de cómico; cómico es todo este tráfago de la numerosa grey cinematográfica; este ir y venir presuroso, con afán, de tantos cooperadores en la obra. Nos parece que no saben adónde van, ni lo que hacen. La cámara, el micrófono, el complicado mecanismo, con señales luminosas, con voces extrañas de mando, nos dan la impresión de un mundo de alucinados: *El mundo por de dentro,* de Quevedo; pero, naturalmente, de otra índole. A mi entender—y por lo que he leído—, dos preocupaciones dominan en Hollywood: hacer una cosa grande, que pasme a todos, y lograr un éxito inmediato, presentáneo. Las cosas grandes, en Hollywood, son las superproducciones. ¿Qué sentimiento nos inspiraría una Venus de tres metros de altura? ¿Qué efecto nos hacen estas inmensas máquinas—siempre de carácter histórico—que promueven y arman en Hollywood? Nos atruenan los oídos los gritos laudatorios con que se exaltan tales producciones. Se nos dice, por ejemplo, que en alguna de esas películas, en que se ha reconstruído el viejo Egipto, ha sido edificada una gigantesca ciudad egipcia; la ciudadela de Faraón tenía doscientos cincuenta metros de ancha y más de treinta de alta. En una avenida fueron colocadas veinticuatro esfinges que pesaban, cada una, cuatro toneladas. Trescientos mil metros de tela necesitaron para los trajes de los personajes; dos mil quinientos litros de glicerina fueron precisos para el maquillaje, etc. Todas estas superproducciones, al cabo del tiempo, son como las ruinas de Palmira. Palmira pasó y el viajero—melancólico, romántico—medita, entre sus ruinas, sentado en un roto capitel. Asistimos también, desencantados, sin ilusión, a estas otras superproducciones menores, en tecnicolor, en que se nos presentan, deshilvanadamente, aventuras de mar y de tierra. Siempre, no hay que decirlo, con lo indefectible en toda película: las agarradas con revolcones.

El éxito inmediato es natural que se tenga en Hollywood. Se arriesgan capitales enormes; se ansía su rendimiento sin demora. El mayor peligro que en Hollywood—y en todas partes—tiene la industria cinematográfica es la imaginación. ¡Cuidado con la imaginación! La imaginación nos lleva a la originalidad y la originalidad puede hacernos elaborar obras que no sean—de momento—comprendidas por las multitudes. «De momento», he dicho. ¡Ay, ese momento puede ser indefinido! Con que dure unos meses, el capital, el voraz capital, se malogra. ¿Y quién, por otra parte, podría reprochar a Hollywood su ansiedad de éxito? ¿Tú, comediógrafo? ¿Tú, novelista? ¿Tú, filósofo? Fray Luis de León, al pintarnos un varón feliz, tranquilo, nos dice: «No cura si la fama canta con voz su nombre pregonera.» Pocos serán los queridos compañeros que no curen de que la fama—sin transposición violenta—cante su nombre con voz pregonera.

HASTA LUEGO

No me despido definitivamente del lector; sólo digo: «Hasta luego.» Deseo, sin embargo, hacer algunas observaciones finales, en cuanto al decorado, en cuanto a las figuras secundarias. Todo consuetudinario del cine advertirá al momento—si conoce la casa editora—si la película es buena, mediana o mala. El decorado—interiores o exteriores—se lo dirá concluyentemente. En los exteriores no hay más que copiar la Naturaleza; pero en la copia, siendo bella la realidad, cabe desplegar habilidad. Lo impondrá la luz; lo reclamarán los detalles, el conjunto. El paisaje, como en pintura, tiene sus secretos. ¿Quién, en pintura, ha distanciado el horizonte? ¿Quién ha hecho que, con el alojamiento, se abra en el arte pictórico una nueva época? Los interiores nos dicen con más precisión cuál es la calidad de la obra. Casas editoras existen en Hollywood que son irreprochables; todo en sus películas concuerda; todo forma un conjunto armónico: actores, trajes, muebles, caracteres. La impresión de cosa nueva desentona la obra. En un hospital, por ejemplo, todo es blanco, nítido, brillante. Las paredes acaban de ser edificadas, enlucidas; las ropas de los médicos, de las enfermeras, las han traído hace un momento de casa del sastre, de la costurera. En tanto que los actores son perfectos, esta sensación de lo nuevo, de lo acabado de hacer, nos desplace. ¿Y cómo hacer que lo nuevo no sea nuevo? ¿Y cómo quitar esta rigidez molesta? ¿Es que vamos a raspar los interiores, como el gran elegante, Brummel, raspaba los trajes nuevos? Dejémonos de ironías; la falta es leve—leve e irremediable—. Si los actores visten siempre ropita nueva, no hay motivo para que lo demás no sea también flamante. Lo grave en este asunto es el cartón-piedra, la pobreza, la impropiedad, la incongruencia.

Diré algo de las figuras secundarias, las figuras del fondo. Siempre, en el cine, observo con curiosidad los personajes secundarios: en un salón, en una sala de fiestas, en la calle, en un teatro. El arte de la composición se ostenta en esos personajes; el director tiene ahí materia en donde mostrar su arte; los actores, a su vez, han de ser artistas en la actitud, en lo tocante a la atención, a la ansiedad con que se mira, o a la estudiada indiferencia. Rembrandt, maestro en la luz, es también maestro en la composición. Veamos la *Lección de anatomía* (1632). Siete discípulos asisten a la demostración que está haciendo el doctor Deymann; se hallan colocados en tres alturas; dos de los cuatro de abajo prestan una atención profunda a lo que expone el maestro. Cada uno de los otros cinco tiene su matiz psicológico. La colocación de todos es perfecta. El maestro maneja unas pinzas en la mano derecha; acaba de disecar un brazo del cadáver, tendido, rígido, blanco. La mano izquierda, en alto, con los dedos doblados, parece reforzar lo que el maestro va diciendo. Todos los discípulos, los siete, están descubiertos; el maestro se cubre con un ancho sombrero.

(Este cuadro de Rembrandt lo estuve yo viendo desde niño—reproducido en oleografía—en casa de un tío mío, médico eminente. Luego, he visto en París, en el Louvre, los dos cuadros de Rembrandt en que aparecen los *Discípulos en Emaús:* lección de luz, lección provechosa al director de cine.)

Este es un libro íntimo; es una Agenda; es un libro para mí. *No voy yo, naturalmente, a ponerle el mismo título que Marco Aurelio al suyo. Consigno aquí muestras de cariño y—muy pocas—de desvío. Considérese—y no otra cosa—el deseo vehemente de concentración, depuración, al término de tantas experiencias literarias, al término de una vida.*

AZORÍN.

Madrid, 1959.

LA LECTURA

EN el casino de Monóvar, el gabinete de lectura estuvo, primero, en una salita, entrando a mano izquierda; después se trasladó al fondo, pasado el salón octógono, centro del edificio. De todos los periódicos de Madrid, el más solicitado era *La Epoca*. Un cierto socio del casino, un señor discreto, silencioso, se apoderaba de *La Epoca* y la estaba leyendo lentamente—con intervalos de meditación—unas dos horas. Nos resignábamos los demás a no contar con el periódico durante ese tiempo. No se trataba con nadie ese caballero; terminaba su meditativa lectura y se marchaba a su casa. El primer gabinete sólo tenía una ancha ventana que daba al compás del casino, cerrado por una verja. El segundo, amplio, tenía ventanas, a un lado y a otro, que daban al jardín. A un lado había plantado un naranjo, y al otro lado, otro. Creo también trepaba un jazminero; había en Monóvar pasión por los jazmines; se vendían ramitos de jazmines por las calles. En la estación correspondiente, veíamos las áureas esferas de las naranjas, y las florecitas aromosas de los jazmines. La lectura se acrecía con ello en agrado. Por las mañanas no iba nadie al casino; estaban desiertos el salón central, donde tenían, por la tarde, su tertulia los señores graves, los conservadores de Cánovas; el salón de billar; el salón de los juegos permitidos, con su piano. No había por las mañanas acaparamiento de periódicos. Los periódicos de Madrid llegaban a primera hora. En primavera, con las flores del jardín, con la viva y suave luz de Levante, se gozaba leyendo: el silencio armonizaba con la luz y con las flores. La lectura depende siempre del sitio donde se lee y de la disposición (humor) de quien lee. Se ha escrito mucho sobre el leer; Marcel Proust ha escrito un largo ensayo sobre la lectura; pero lo más curioso que yo he leído es lo que dice Schopenhauer. Y es esto, en resumen: «Cuando hagamos una lectura precipitada, no creamos que no nos aprovecha; siempre queda en nosotros, en nuestra sensibilidad, alguna semilla, que germinará en su momento.» Esta observación holgaría para el señor que leía *La Epoca* con tanto espacio. ¿Le aprovechará a él su lectura tanto como a los que leemos, en ocasiones, con prisa? ¡Horas deliciosas aquellas de la juventud, de mi juventud, en el casino de Monóvar, con silencio, con jazmines, con sosiego y... con una vida por delante!

AÑADIMIENTO.—Pascal dice: *Quand on lit trop vite ou trop doucement, on n'entend rien.* (Texto Brunschvicg.)

Un crítico dice hablando de un libro: *Je n'ai mis qu'un jour à lire ces trois cent quatorze pages serrées.* (Emile Henriot, en *Le Monde*. París, 13 de mayo de 1959, pág. 8.)

LA VID Y EL VINO

De los tres cultivos fundamentales—el de los cereales, el del olivo, el de la vid—, era el de la vid el predominante en Monóvar. Desde la niñez, me familiaricé con todas las labores concernientes al cultivo de la vid y a la crianza de los vinos. A dos pasos de casa, la primera casa, funcionaba una tonelería, la de Justo Verdú; era Justo Verdú habilísimo tonelero; solía visitarnos. Enfrente de la segunda casa, poseíamos una bodega—penumbrosa—y un lagar claro. ¿Por qué dentro de los toneles en construcción ardía una hoguera en tanto que se martillaba en los flejes que sujetaban las duelas? ¿Por qué se ponía yeso en el vino? Hubo una cuestión de más y de menos en el enyesado legal de los vinos. Las vides enferman; cunde rápidamente el contagio; había que sustituir la vid muerta por otra americana, invulnerable. De todos los trabajos del campo, este de abrir hoyos para plantar vides era el más penoso. Un tratado beneficioso con Francia esparcía la riqueza por el pueblo; venían vinateros franceses con sus resplandecientes tacitas para catar vinos. La extinción de ese tratado sembraba la ruina; andábamos todos tristes y lacios. Había que descepar; nos resistíamos, en esta espera—delusiva—de mejores tiempos; al fin, arrancábamos las amadas cepas. Ya en Alicante, el puerto, tan poblado antes de toneles, estaba yermo de pipería. Ya en París, en las riberas del Sena, en los depósitos de Bercy—que yo había de visitar mucho tiempo después—no verían llegar toneles de Alicante, toneles de Monóvar. Francia no tenía ya incentivo palpable; pero la afición en mí a Francia, a las cosas de Francia, a los libros de Francia, estaba ya creada.

¡Cuánto vino antes, con el esplendor, y cuán poco ahora, con la decadencia! Monóvar, que en tiempos había sido industrial—con la premidera, con el telar—, hubo de derivar nuevamente a la industria. En Petrel poseíamos también una bodega. En la de Monóvar guardábamos celosamente un barril de fondillón. Sacábamos todos los años un cántaro y lo reponíamos con otro nuevo. Cuando se habla de Alicante se suele encarecer el fondillón.

Cada país cría sus vinos. El fondillón es un vino rancio, centenario; su sabor es dulce, sin empalago; por su densidad, empaña el cristal; huele a vieja caoba. Una vez traje a Madrid seis botellas de fondillón, bien lacradas. Se las regalé a don Antonio Maura. Desde entonces, cuando don Antonio Maura se levantaba en el Congreso para pronunciar un discurso largo y le traían un vaso de agua con unas gotas de café, yo pensaba: «Más confortativa sería una copita de fondillón.»

EN LO ALTO

La carretera general—de Madrid a Alicante—no pasa por Monóvar; el ferrocarril tiene la estación a dos kilómetros del pueblo. Desde la estación hay que ir subiendo; la cuesta—de carretera polvorienta, entre lo verde de los viñedos—es pronunciada. El pueblo—asentado en una colina—es más largo que ancho; una calle central lo va atravesando. A la salida del pueblo hay que ir otra vez subiendo; al cabo de una pina cuesta se goza de un panorama espléndido: ámbito ancho, luminoso, de dilatado horizonte, cerrado, al cabo, por montañas, con un río, el Vinalapó, y dos pueblos, Elda y Petrel. Aparece ahora, en nuestro caminar, el cauce de una rambla a la izquierda; en las escarpaduras de esta rambla hemos estado viendo—durante muchos años—una casa minúscula con la puerta, siempre hermética, pintada de vivo azul; después de sesenta, setenta años, ya se habrá ese azul desteñido. No vamos a Pinoso; esta carretera es la de Monóvar a Pinoso; torcemos a la derecha y entramos en la carretera provincial. En lo alto de un repecho nos estaba esperando otra casa, menos concisa, con la puerta también cerrada. Las casitas oclusas, en los campos, nos hablan de inacción: no comprendemos un campo sin cultivo; pero nos gusta el matorral modesto—oloroso o no—que crece descuidado. Damos a veces un bancal fecundo por un pedazo de estepa. El camino va sesgando, levantándose, descendiendo. A nuestra derecha, sube una ladera desnuda; a nuestra izquierda, se atalaya una hondonada—el Hondón—con su caserío, con sus tierras de siembra, con sus olivos. Y surge la visión inolvidable; en una depresión del terreno, recatándose, como con desdén, una casa rodeada de cipreses: la casa de don Joaquín Arnal. Recordaré siempre el nombre del propietario, como recordaré la melancolía—un poco altiva—de estos cipreses. Vivir aquí, en esta casa—adonde querríamos que no llegaran ni periódicos ni telegramas—, ya sería singular; veríamos pasar el mundo, los tráfagos del mundo, por la carretera, ahí arriba, y nosotros permaneceríamos lejos del mundo. Nadie pensaría en nosotros, ni nosotros en nadie. ¿Qué libros leeríamos? ¿Qué autor nos imantaría? ¿Qué desvaríos serían los que pasaran por nuestra mente? El Hondón es el fondo de un lago ultramilenario; su tierra es oscura y feraz. Vamos torciendo por nuestro camino, y vamos haciendo que la mirada, que antes se ha retirado de la casa de los cipreses, se vaya retirando ahora, amorosamente, de la hondonada fértil. Se nos va a revelar el lecho de otro piélago anterior a la Historia; en el fondo de una anchísima cuenca ha quedado como recuerdo una laguna de sal; es a modo de un espejo clarísimo que espejea vivísimamente al sol. A un lado, un pueblo—Salinas—; a otro, casas blancas de labor. Y en la remota lejanía, las ruinas de un viejo castillo que emergen indecisas; al pie, un pueblo, Sax, y la vía férrea de Alicante a Madrid. En una de estas montañas, tras unas casas, se encuentran extrañas conchas fosilizadas. El tiempo del castillo no es nada junto al tiempo de esas conchas. Y es menos que nada el tiempo de los pensamientos literarios de quien antaño anduvo por estas tierras desvariando.

LA TORRE DEL RELOJ

La torre del reloj—en Monóvar—es una torre cuadrada. Cerca, en el castillo de Novelda, hay una torre triangular. Cerca, no tan cerca, en el castillo de Sax, hay otra torre de tres lados. No me gusta ni subir a las torres, ni bajar a las minas. En las torres siento el vértigo y en las minas me angustio. He subido a dos torres: al Miquelete, en Valencia, y—con Ramón Pérez de Ayala—a la torre de la catedral, en Oviedo. He bajado, siendo colegial en Yecla, a unas antiguas minas abandonadas. No comprendo la inquina de Jovellanos a las torres en las ciudades: disimulo que Víctor Hugo—en las *Orientales*—mezcle en Alicante campanarios y alminares. En pocas ciudades habrá, como en Monóvar, una torre solitaria, destinada a dar la hora a la ciudad. La hay también en Yecla; pero ni es tan alta, ni está colocada en una eminencia. En Monóvar era tradición sonar las doce del día en la torre y sonar—sincrónicamente—la campanita de Santa Bárbara el *Angelus* del mediodía. En las mesas, en ese momento, se volcaba la olla. Ya se perdió esa costumbre del yantar meridiano. Desde el pie de la torre del reloj, desciende una calle estrecha hasta la plaza del Ayuntamiento; desciende de rellano en rellano, a modo de suave escalera. La torre del reloj se yergue ladeada, levemente ladeada; parece que se va a caer, y no se cae. Una torre inclinada es un peligro; la de Pisa tendrán que abatirla. Una torre inclinada siente la proclividad de ir inclinándose cada vez más. Acostumbra a los ciudadanos al peligro, y con el peligro, a ser valerosos. En Monóvar somos ciudadanos tranquilos; no hemos perdido nunca la serenidad. La torre del reloj no es un beodo que se tambalea y acaba por caerse; es una fiel amiga, una constante compañera. Descuella sobre la ciudad serenamente, y lo más que puede hacer es sentirse inquieta porque el reloj dé la hora, un minuto antes o un minuto después.

CINE ANTES DEL CINE

Como esto es una *Agenda*... En realidad, no sé si es *Agenda* o *Libro verde*. No sé qué diferencias existen entre una cosa y otra. En fin, consignemos el hecho; tan extraordinario es que casi no lo creo yo mismo. He visto el cine—he fruído del cine—antes de su invención. Debió de ser esto hacia 1900. No me daba yo cuenta aún de los fenómenos de la Naturaleza. Y eso que en el colegio—Colegio de Escolapios, en Yecla—teníamos un buen gabinete de Física y otro de Historia Natural. Vamos al fenómeno inaudito. Estaba yo en el campo; era verano; después de comer, en las horas ardientes, me dejaba caer unos momentos. La estancia era clara y blanca. A la manera de aquel tiempo, junto a la sala estaba la alcoba. No tenía esta alcoba, como las demás de la casa, vidrieras con cortinillas encarnadas. La cama era de bancos, como la que figura en una de las ventas del *Quijote*, y figuraba en todas las casas. Sobre dos caballetes se tienden cuatro anchas tablas, y sobre las tablas se enciman tres colchones, es decir, dos mullidos colchones de fina lana y debajo un crujiente jergón; digo «crujiente», porque se suele henchir de bálago o perfolla, hojas de maíz.

Cuando yo me tendí en la cama, el balcón estaba cerrado. No se veía apenas nada. No se veía el apostolado que colgaba en las paredes: doce bellísimas estampas antiguas en color. Las solía yo contemplar. Las maderas del balcón eran muy viejas; estaban alabeadas y tenían hendiduras. El sol resplandecía fuera. Y, de pronto, en la pared blanca se estampan unas figuras: imágenes de dos o tres personas que pasaban frente a la casa. Fué un momento nada más, una rapidísima *secuencia.* ¿Es esto todo? No, esto no es todo. Lo estupendo fué que esas figuras aparecían en color. ¿Qué cúmulo de circunstancias se habían podido dar para producir el fenómeno? En los preliminares del invento del cine en color me acordé del prodigio. Fuí amigo de Cajal; pude preguntarle. No lo hice. Hasta después de su muerte no he leído—en la Biblioteca Nacional—su libro sobre la fotografía en colores.

Pascal dice: «*Tout ce qui est incompréhensible ne laisse pas d'être.*»

LA LIMPIEZA EN LA CASA

La limpieza de una casa en Monóvar y en 1885. Tenía yo entonces doce años. La vida comienza, en todo tiempo, a las cinco de la mañana; a esa hora en invierno todavía es noche; todavía queda un rato de noche. La iluminación se hace con aceite, con petróleo, con velas de cera, excepcionalmente con bujías de estearina. Hay que encender el fuego; se inicia el fuego con sarmientos, y se prosigue con ceporros, con leños de olivo, con troncos de carrasca. Preciso es apercibir escobas, zorros, cepillos, despalmadores *(espalmaors)*, con lo que se apalean alfombras. No hay que olvidar el cepillito para limpiar por dentro el tubo del quinqué. Entran en acción las escobas; comienzan sus tareas los zorros, los sempiternos zorros. Grandes desazones me han dado a mí los sempiternos zorros; atruenan la casa con su repetido golpear; levantan el polvo, que vuelve a caer. Lo práctico sería recoger silenciosamente, con un trapo, el polvo de los muebles. Y eso es lo que acaba por hacerse..., y tornan luego los zorros, los sempiternos zorros, en esta casa, en todas las casas del pueblo, en todas las casas de España. Ya están dispuestos los elementos esenciales de la otra limpieza: jabón—blando y duro—, *polvos* (cloruro de cal), petróleo, arena. Los pisos son de mosaicos chiquitos; se fregotean con petróleo. Los muebles batallones, muebles de pino sangrado y sin pintar, se friegan con jabón, con *polvos,* con arena; se friegan con tal saña, que se los rae y aparecen salientes las venas. En la cocina hay que fregar la vajilla, la espetera; ha de brillar de limpia la espetera. Con los olores del jabón, del cloruro de cal, del petróleo, se ha formado en la casa un compuesto particular. Así huele toda la casa; así huelen en el pueblo todas las casas. La limpieza de las ropas ha de acompañar a la limpieza de los pisos y de los muebles. No podremos sentarnos a la mesa sin la nitidez en la blancura de las servilletas y del mantel. No haremos las camas—con inmaculadas sábanas—a seguida de levantarnos; dejaremos que las ropas se aireen. ¿Y qué le vamos a hacer, si somos así? La limpieza es innata en Monóvar. La limpieza es innata en Levante. Estaba escrito que tenían que fundarse en Monóvar varias fábricas de jabón, y que una de ellas—la del *Jabón Sol*—había de ser de las primeras de España. Vaya con estas líneas un recuerdo a su fundador, el querido amigo Francisco Navarro Rico.

¿Una posdata para añadir o para enmendar? ¿Una posdata después de tantos años de escribir? En la vida se puede rectificar o se puede perseverar. Pasan los años, y da lo mismo una cosa que otra. No deben inquietarnos las contradicciones, ni envanecernos las perseverancias. Seamos sinceros. Si bien lo miramos, encontraremos que en el mundo—como en la Historia—todo es contingente. Cuanto va en este volumen chico ha sido escrito por instinto; mi ideal ahora, en lo tocante al estilo, es escribir a la pata la llana. Lo elegante me desabre. ¿Pensar con lucidez y escribir con claridad? ¡Qué cosa tan fácil y qué cosa tan difícil! La precisión es el mayor tormento del escritor. Y eso es lo esencial; lo demás son... habladurías. Sentiré haber pergeñado un librito estridente.

AZORÍN.

1959.

SUPREMA CONFESION

I yo tuviera que resumir mi vida mental desde los cuatro años (1877) hasta este momento (1959), lo haría en dos palabras: «lo concreto». Y aclararía: «necesidad de lo concreto, del hecho definido, de las cosas tangibles». Detesto la disertación vaga. No hay, para mí, en la novela, en la poesía, ni clásicos ni románticos. Hay hombres que sienten lo concreto y saben expresarlo. La prosa puede correr clara y limpia; no dejará estela si no es concreta. No podremos tampoco leerla sin fatiga. Los preceptos novelísticos no existen. Nadie puede decir cómo ha de ser una novela. Se aplaude casi siempre por contagio mental. Y si viene de lejos la novela, tanto mejor. ¿Podrá darse, en poesía, nada más vago e insípido que el *Canto a Teresa*? ¡Qué camino inacabable y árido! ¡Cuánta tautología! Y lo diré brutalmente: ¡Qué vileza con una pobre mujer! En *El lago,* de Lamartine—evocador también de un pasado—, ¡qué transparencia y qué espiritualidad! En la novela me inclino a Pedro Antonio de Alarcón. Observa mal Alarcón; a cada momento tropezamos con lo absurdo, como el clavo del famoso cuento, como multitud de circunstancias en otro cuento famoso—*El sombrero de tres picos*—. Pero allí, fija, está nuestra atención; allí está prendida nuestra sensibilidad. El relieve de las cosas es prodigioso. No quiero hablar de los prejuicios de Alarcón. El antifrancesismo es en Alarcón —que no conoce Francia—insoportable.

¿Tener o no tener imaginación? Esta es la otra parte del problema. Acabo de leer que Baudelaire no tenía imaginación. Lo dice el prologuista de *Las flores del mal*—prologuista imparcial—en la edición Lemerre (1917). He sonreído. Se tiene un concepto errado de la imaginación. Se cree que tener imaginación es inventar prodigiosas aventuras. No se comprende —no se quiere comprender—que hace falta imaginación, mucha y fina imaginación, para escribir una novela en que *no pase nada*. En que no pase nada complicado e inextricable, y en que lo que pase sea todo fino, delicado y etéreo. Lo estático, señores, puede ser tan novelesco como lo dinámico. La *sensación* puede darse con más intensidad.

EL CULTO A UNA FLOR

Un pueblo—Monóvar—que crea el culto a una flor suscita la curiosidad, la simpatía. ¿Cómo ha sido creado ese culto? ¿De qué flor se trata? Es conocido el pregón—melódico lírico—del pregón de las flores en Andalucía. Aquí no hay pregón; en voz queda, discretamente, se ofrece un ramito, un *ramellet*. Se acepta—por un cuarto, por dos cuartos—o no se acepta. La gentil oferta pasa. Creo que no le importa no vender. No he dicho todavía cuál es la flor venal. Valencia es la ciudad de las flores. En Valencia no existe—entre tantas flores—la flor a que aludo. En 1898 el «jardinero de los paseos públicos del Excelentísimo Ayuntamiento», don Pascual Peris y Pérez, publica (Terraza, Aliena y Compañía, editores) un libro titulado *El jardinero valenciano*. Pasad hoja por hoja, con sus láminas; allí están las ostentosas flores. Falta una; ésa—oficialmente—no existe; mejor dicho, es desdeñable. Y esa flor es la flor a que se rinde culto en Monóvar. Es el jazmín. El olor del jazmín compite con los olores de la rosa, del nardo, del clavel. La blancura del jazmín emula la blancura de la nieve. El jazmín, en su planta, parece que se esquiva, que se nos huye. Trepa, repta, asciende por las paredes.

Un pueblo, asentado en una colina, al margen de un hondo valle, evitado por la carretera que va de Madrid a Alicante —que pasa por Elda y no por Monóvar— había de ser el preferido por el jazmín. «El jazmín—se me dirá—es ilustre; tiene su panegirista en un poeta, un gran poeta, Rioja.» En efecto, aquí está lo que dice Rioja:

> ¡Oh, en pura nieve y *púrpura* bañado,
> jazmín, gloria y honor del seco estío!
> ¿Cuál habrá tan ilustre entre las flores,
> hermosa flor, que competir presuma
> con su fragante espíritu y *colores?*
> Tuyo es el principado
> entre el copioso número que *pinta*
> con su pincel y con su *tinta*
> el florido verano.

¿Ha leído bien el lector? ¿Se ha fijado en las palabras en bastardilla? El jazmín, encendido, coloreado, rubescente, no es el nuestro; es el jazmín llamado «de España». El jazmín de Monóvar es nítidamente blanco. Y la cuestión, para mí, es la cuestión de cómo se formaban los ramitos. No puedo explicármelo. Juega aquí un papel un corimbo, un corimbo de anís (matalahuva) que puede ser también de hinojo, planta que se da en Monóvar. La matalahuva se requería para la destilación del aguardiente.

Escribo a Monóvar por si quieren aclararme el enigma del corimbo. Pero yo vi todo esto hace ochenta años. ¿Quedará alguien que lo recuerde?

LOS AMIGOS

Dice La Rochefoucauld que el más grande esfuerzo (*effort*) de la amistad no es declarar nuestros defectos al amigo, sino hacerle ver los suyos. He tenido muchos amigos; he ido viendo, a lo largo de una larga vida, que los más de los que llamamos amigos son simples conocidos. En la vida moderna, tan expansiva, tan varia, tan múltiple, se anudan y se desanudan fácilmente las amistades. No esperemos nunca de los amigos lo que no debemos esperar. No debemos nunca poner a prueba una amistad. He tenido amigos que han llegado a lo sumo; otros, lastimosamente, sin culpa suya, han venido a menos. El más encumbrado conocido que yo he tenido—en la monarquía—ha sido el propio rey, don Alfonso XIII. He contado la anécdota: necesitaba su majestad un «pensamiento» para una publicación extranjera, y yo—a bondadosos requerimientos suyos—tuve el honor de escribírselo. Los más constantes amigos que he tenido eran hombres humildes; ni ganaban nada con avivar su amistad, ni perdían nada amenguándola.

Lo que dice La Rochefoucauld es harto peligroso. No hay necesidad de que declaremos nuestras máculas al amigo. No nos arriesguemos nunca a ponerle patentes al amigo sus faltas. Su semblante, si lo hacemos, no variará; pero, por muy dulcemente que procedamos, siempre, en su fondo, quedará un sedimento que nos será contrario. He recibido muchas cartas en que se me pedía mi opinión sobre una obra inédita; siempre he contestado con el más vivo elogio.

He sido rudamente discutido. No he contestado jamás; he dejado pasar el tiempo, y cuando ya nadie se acordaba de nada, he escrito sobre el asunto—puesto que había de restablecer la verdad—serenamente, sin alusiones a nadie. Y esto es una lección a los polemistas y a todos los escritores. No he querido propagar yo mismo, al refutarlo, lo que se me había imputado. Y, sobre todo, tenía que dejar el camino expedito para un posible retorno conciliador.

EN NOVELDA

Novelda goza de sus opimas huertas; se encuentra a dos pasos de Monóvar; la señorea un castillo; en ese castillo hay un santuario, y en ese santuario se venera a Santa María Magdalena. Aparte del ambiente religioso que rodea a la Magdalena, otro ambiente profano, fundado en las letras y la pintura, la circuye. ¿Recordaremos *La Magdalena*, de Malon de Chaide? En ese libro son más bellos los versos que la prosa. Quisiéramos volver a leer un librito elocuente: *La Magdalena*, de Lacordaire; quisiéramos también, vueltos al museo del Louvre, echar una mirada al *Lacordaire*, de Chassériau: en pie, con su ropaje blanco, los ojos del gran orador destellan viva luz. José Ribera ha tenido predilección por *La Magdalena*. En nuestro museo del Prado tiene dos o tres. ¿Cuál preferimos? Por su tristeza profunda, la que apoya la cara en las manos con los dedos enclavijados. Nos sentimos de nuevo en Francia: nos llama Bourdaloue. En la iglesia de San Pablo y San Luis tiene su lauda, en una pilastra del templo. Lo que ahora nos atrae es *La Magdalena*, de Bourdaloue, su «conversión de la Magdalena». De esa oración copiamos el siguiente párrafo, traducido literalmente, a fin de que no se pierda la contraposición de conceptos. Dice Bourdaloue: «El desorden de la Magdalena fué en mucho amar, y, por un cambio visible de la mano del Altísimo, la santidad de Magdalena consistió en amar mucho.» Bourdaloue es un maestro en fina y compleja psicología. Habló sin ambages a una corte equívoca.

Cada pueblo de los que integran el valle de Elda tiene su matiz propio. Novelda nos da la sensación de lucidez y palidez, de vida intensa y vida apacible. La vemos como recostada cabe a sus próvidas huertas. Pero la clara ciudad no vaga. No puede vagar el levantino. Hay en Levante una sutil idealidad que se expresa en el cielo, casi azul, casi blanco; en la luz, desleída; en el color, atenuado; en la vegetación, sobria. La Naturaleza se recoge y el espíritu se expande.

HE TERMINADO

¿Y ahora? ¿Qué hago yo ahora? ¿Sigo escribiendo? ¿Y para qué? ¿Y para quién? No sé si este librito tiene tono bastante; podría añadir vagas consideraciones; me disgusta lo largo y enfadoso; propendo, cada vez más, a lo concreto y esencial. El libro está terminado. No las ganas de escribir. Fuerzas no me faltan; caduquez no es impotencia. Recuerdo lo que Eduardo Benot nos dice del no paralelismo entre la vida fisiológica y la vida mental. La gestación de la obra literaria nadie la conoce; tal vez los que escriben más la conozcan menos. Generalizar es peligroso. Cada cual crea de un modo. Hablaré por mí. Descuidadamente, surge en el cerebro un embrión de idea. No es nada y puede ser mucho; no sirve para nada y puede servir de mucho. No pensaba yo por ahora en tal cosa. ¿Ensayo? ¿Novela? ¿Cuento? ¿Comedia? No pienso al presente escribir nada. Y, sin embargo... Un ápice de idea está allí escondido. No puedo prescindir de su presencia; por entretenerme en algo, voy a simular que le doy pábulo. Lo malo es—si es malo—que, al cabo de unos días, yo, que jugaba, me encuentro que soy el esclavo de la idea; ya lo que era un embrión es todo un organismo. Ha enraizado; forma todo un conjunto que va creciendo, floreciendo. Día y noche me complazco en completarlo; a un detalle añado otro; es bonito—yo creo que es bonito—lo que estoy imaginando. Y así hasta ver acabada la obra; un rimero de cuartillas está en la mesa. He recorrido hasta aquí un camino; voy ahora a recorrer otro. La obra no está perfecta; no es esto lo que me place. ¿Y la precisión en los vocablos? ¿Y la concisidad de los períodos? ¿Y la alusión directa que es preciso sesgar? ¿Y la redundancia que hay que simplificar? ¿Y el doble objetivo que necesito reducir a unidad? Veo de pronto una falta, y no la había visto en el pasar y repasar. El trabajo de precisión es lento y enfadoso. No me faltan arrestos. ¡Qué bello el ensayo de Eduardo Benot sobre los viejos! Nos dice Benot lo que queríamos saber los viejos para tranquilizarnos. Con muchos años, muchísimos años, se puede tener cerebro lúcido. ¿Y ahora? ¿Qué hago yo ahora? No podré recorrer los dos caminos: el de la creación y el del perfeccionamiento. ¿En qué me voy a... entretener?

Septiembre, 1959.

¿Unos ejercicios de castellano sin gramática y sin filología? Con gramática y con filología pudieran ser bellos otros ejercicios. No éstos. A campo traviesa—y alguna vez echando los pies por alto—he ido escribiendo el castellano. No sé si servirá esto para que otros hagan lo mismo. He tenido yo aquí el vivo placer de sentir el castellano. El idioma en una patrio no es la patria entera. La patria entera es el idioma y el territorio. Y más entera todavía: el idioma, el territorio y la Historia. La Historia es la que han hecho nuestros antecesores para nosotros. La que nosotros estamos haciendo para los venideros. Las animalias no tienen nuestra Historia. Su Historia es... natural. *Mucho más natural. En la fábula de La Fontaine* Los compañeros de Ulises, *los hombres, convertidos por Circe en animales, no quieren volver después a ser hombres*

Madrid, 1960.

AZORÍN.

CERVANTES SE RETRATA

ERVANTES se retrata a sí mismo con la pluma, no con el pincel, puesto que Cervantes no es pintor. Los pintores son los que se retratan con el pincel. Rembrandt, a mi cuenta, es quien más veces se ha retratado. La autobiografía no es el autorretrato. Don Juan Valera ha escrito su autobiografía; cuando la escribió—es corta—, todavía le quedaban por vivir muchos años. Castelar escribió también su autobiografía; cuando la escribió—no se extendió mucho—, había de vivir todavía bastante. Cervantes hace su retrato, y no es profuso: quince o veinte líneas. Cuando ha dibujado sus facciones se detiene; no pasa adelante; no pasa a pintarnos su carácter. La Rochefoucauld se autorretrata también, con más minuciosidad y más complacencia que Cervantes. Al llegar a cierto momento, no se detiene; pasa adelante: nos pinta su espíritu. Y nos lo pinta con sinceridad..., al parecer. El rasgo esencial de este gran señor, en este agudo «moralista», es la timidez.

El autorretrato de Cervantes es sencillo; merece—en un aula—comentarios. Cada buen discípulo de Cervantes, cada joven devoto de Cervantes—y con Cervantes de la literatura española—formularía sus glosas. La frente de Cervantes es ancha, lisa, sin rugosidades; los ojos lucen alegres; la nariz se encorva levemente; los bigotes son gordos, no puntiagudos, romos; fueron rubias las barbas—ha veinte años—y ahora son canas. No camina Cervantes con presteza; los pies no le obedecen. El entero talante del escritor se inclina hacia la tierra, no mucho, sino un tantico, como de hombre que estuviera absorto, meditativo. ¡Ah!, los dientes son, en Cervantes, no más que seis, y ellos desconcertados, sin correspondencia. ¿De qué modo podría masticar Cervantes? ¿Como el emperador, el César que murió en Yuste? ¿Cuándo se ha hecho este autorretrato? Posiblemente hacia 1600. ¿Qué edad tenía Cervantes? Tendría unos cincuenta y tantos años.

Si nos describiera su retrato una escritora, ¿se diferenciaría mucho su sinceridad de la de un hombre? ¡Cuántas escritoras han existido en España en el siglo XIX que no es posible recordar! Recuerdo yo algunas; no ando mal de retentiva. Una es Julia de Asensi; otra, Enriqueta Mendoza de Vives, creo que granadina; otra, Angela Grassi; otra, Sofía Tartilán, que en uno de sus libros describe una «gloria» en la Tierra de Campos. ¿Quién sabe lo que son las «glorias» de la Tierra de Campos? No hay mejor calorífico. Son un hogar redondo en medio de la estancia, que calienta la casa, y en el cual creo que se cocina. Todos están a su amor. ¿Se autorretratarían las escritoras —en lo físico—con entera sinceridad? ¿Serían sinceras al hablarnos de sus ojos, de su pelo, de su boca, de sus dientes—como con sus dientes ha sido sincero Cervantes—, de su talle, de sus manos, de sus...?

LOS NOVIOS

«¡Ya vienen los novios!» (A la iglesia.) «¡Vivan los novios!» Estos dos gritos son tradicionales en España. Estos dos gritos se habrán lanzado en Esquivias cuando se casaron Miguel y Catalina. ¿Por qué Miguel ha ido a Esquivias en busca de novia? Ha podido ir a Quintanar de la Orden, a Ocaña, a Tomelloso—donde se retiró Cánovas del Castillo cuando se le murió su primera mujer—, hasta a Argamasilla, alguna de las dos Argamasillas, ha podido ir Cervantes. Pero en Esquivias tendría conocidos, amigos, parientes, contraparientes. Repitamos esto de contraparientes, a ver si el vocablo entra en los diccionarios; estamos aquí haciendo ejercicios de español. ¿Cuál fué la primera *vista* de los novios? «Ir a vistas» significa verse por primera vez los novios. ¿En qué momento este hombre tan hecho vió por vez primera a una chiquilla? Y en seguida—o poco menos—comienzan las conversaciones. Lo cual se llama en valenciano *festechar* (festejar); pero cortejar en castellano es lo genérico, y en valenciano es este momento concreto que estamos presenciando ahora. También se dice: «Fulano habla con Fulana» o «Fulano y Fulana se hablan». ¿Festechan Miguel y Catalina en casa de la madre de la novia? ¿En casa del tío de la novia? ¿Hablaba más Miguel que Catalina? Hablaría Miguel de sus campañas, de su cautiverio, de Lepanto—«la más alta ocasión que vieron los siglos», etc., etc.—, de su rescate, de sus planes para lo por venir. ¿Le oía, quiero decir, le escuchaba Catalina con gusto? ¿Pensaba Miguel que estaba aburriendo a su novia? Tantas aventuras, tantos peligros, tantas hazañas—por más que todo sea heroico—acaban por cansar. La madre, la futura suegra, si estaba presente, tal vez escuchara estas cosas, al cabo del tiempo, como si «oyera llover». En España decimos, para significar nuestra indiferencia o nuestro enfado ante cualquier tema, que lo oímos como quien «oye llover». También decimos como «el llover y el freír». Otro día explicaré este modismo. Los novios están sentados en un rincón, al atardecer o a prima noche, boca con oído. Cuchichean. Los ojos les brillan; estaban viendo el porvenir «de color de rosa». Siempre el porvenir de los novios es de «color de rosa». Lo que sucedía en Esquivias con Miguel y Catalina es lo que sucede en el Universo mundo, porque en el Universo mundo lo más importante que hay es el amor.

CERVANTES SE CASA

Al fin se casa Cervantes. ¿Podremos decir «al fin», como decimos cuando creemos que no se va a lograr lo que tanto esperamos? ¿Sí o no? ¿Lo decimos? ¿Cuánto tiempo ha tenido relaciones Miguel con Catalina? Miguel pertenece al siglo XVI —nace en 1574—y Catalina también es del siglo XVI, algo menos, bastante menos, que Miguel. Todavía en el siglo XVI hay en España—sobre todo en los pueblos—frescura, esponteneidad, lozanía. Estamos aún lejos del siglo de las fórmulas, lejos de la desecación del siglo XVII. La literatura está viva. Esquivias es un pueblo menos pueblo que hoy; tiene la ventaja de no estar lejos de Toledo ni lejos de Madrid. Catalina cuenta diecinueve años, y Miguel, treinta y siete. Y no es que Miguel sea machucho, como se dice, sino que Miguel, aparte de estar lisiado, inútil de una mano, es un hombre cansado, muy corrido, gastado. Eso es lo que deben de andar diciendo por ahí las gentes. ¿Con quién se va a casar Catalina, una niña? Debe de ir diciéndolo la gente y debe de sermonearlo también el tío de Catalina. Y eso de la mañana a la noche. ¿Y la madre de Catalina? Pues, por lo que sabemos, no dice ni oxte ni moxte. ¿Y de qué dispone Miguel? Es poeta. ¿Y qué es ser poeta? ¿Qué hacienda tienen los poetas? Una mano detrás y otra delante. Catalina, tal como está Esquivias en el siglo XVI y tal como se vive en España, puede llamarse rica; posee unos majuelos y un corral de averío, gallinas, pollos, tal vez un pavo. ¿En qué piensa Catalina? ¿Es que tiene la ilusión de vivir en Madrid? ¿De librarse de las tabarras del tío? Y ha de tener en cuenta Catalina otra cosa: las hermanas de Miguel. Y además, por si fuera poco, la hija natural de Miguel. ¿Va a vivir con todas Catalina en Madrid? ¿Qué vida le van a hacer todas a Catalina?

Hasta dos años después de la boda no tratan de intereses Miguel y Catalina. Hasta dos años después no ha firmado Catalina un documento de intereses. ¿Cómo se han llevado en esos dos años marido y mujer? Y cuando la corte se vaya a Valladolid, ¿irá también Catalina con Miguel? ¿De qué modo van a vivir allí, en un tabuco, codeándose todos los días Catalina, las hermanas de Miguel y la hija de ocultis de Miguel? ¿Irá Catalina? ¡Qué va! ¡Pobre Catalina! Podemos decir *ya:* ¡pobre Catalina! Y de antiguo venimos diciendo: ¡pobre Cervantes! Unos veinte años habrán estado separados Miguel y Catalina... involuntariamente.

LA MANCHA

La Mancha tiene un concepto geográfico, un concepto agrícola, un concepto catastral, un concepto geológico, muchos otros conceptos. Nos atenemos—nos contentamos—al y con el concepto meramente literario. Y en ese concepto entran Don Quijote y Sancho. La Mancha es una llanura frumentaria: primero, verde, con los sembrados incipientes; después, amarilla, con los trigos encañados; luego, parda, con los rastrojos. Esa llanura la estamos gozando desde el tren, desde el automóvil, al penetrar en ella—no sé en qué momento, no lo recuerdo—, hasta que llegamos al bien amado Albacete. ¡Y qué bello viajar! ¡Cómo nos vamos empapando de un paisaje que amamos! La Mancha es llana, pero en la Mancha hay montes, con sus cazadores de perdices; en la Mancha hay arboledas; en la Mancha hay arroyos, con el dulce murmurio de las aguas; en la Mancha hay encinares y, por tanto, bellotas. ¿Y nísperos? ¿Existen nísperos en la Mancha? Nos parece esto harto raro; pero Sancho nos dice, en alguna parte, que, a veces, su amo y él se tienden en un prado y se ahitan de bellotas y nísperos. El texto es el texto y no podemos —¿a quién?—apelar del texto.

En fin, que estamos plenamente en la Mancha. Nos encontramos — hipotéticamente—en la llanura y en una casa de labor, de las que columbramos al pasar en el tren, al pasar en el automóvil. Las paredes, encaladas, son blancas; el sembrado es verde; el cielo es azul. Tenemos aquí lo que más ambicionamos: soledad y silencio. Vamos a intentar la suprema experiencia del tiempo; la experiencia de Marcel Proust y nuestra propia experiencia. Vamos a comprobar cuál es la elasticidad del tiempo—que se alarga o se encoge como una tira de goma—en estas claras y resonantes cámaras, resonantes con nuestros pasos, en el silencio. ¿Cuál será en esta casa de labor, en que no hacemos nada, la elasticidad del tiempo? ¿Cuál su máxima elasticidad y cuál su mínima elasticidad? Y todo en una hora, que podemos sentirla como tres horas o como diez minutos.

SER TRADUCIDO

Equis y Zeda son dos escritores; Equis tiene una condición y Zeda tiene otra. Dialogan, exponiendo, oponiendo, sus pareceres:

EQUIS

¿No ambiciona usted ser traducido?

ZEDA

No me han preocupado nunca las traducciones. No las ambiciono.

EQUIS

Dan prestigio; hacen estimable al escritor en su nación y fuera de su nación.

ZEDA

¿Estimable? Puede ser; pero ¿en qué aumentan su esencia, digámoslo así, su ser íntimo, la conciencia que el escritor tiene de sí mismo?

EQUIS

Comienza usted a desviar; no es ése el caso.

ZEDA

El caso será el que sea; cada escritor, en último término, hará lo que le convenga.

EQUIS

¿Y a usted no le conviene que le traduzcan?

ZEDA

No suelo contestar las cartas en que se me piden autorizaciones. No creo que mis libros puedan interesar en el extranjero; en el extranjero en que no se hable el castellano.

EQUIS

¡Pesimismo! ¡Misantropía! ¡Displicencia!

ZEDA

No; verdad. Mis libros son demasiado españoles, si es que son algo.

EQUIS

Por eso de que son españoles, de que son demasiado españoles, pueden interesar.

ZEDA

El ser demasiado español, en este caso, es recoger lo íntimo de lo español; el matiz sutil, imponderable. Y eso se evapora al pasar a otra lengua. Lo español aquí no son las costumbres pintorescas, los modos de vivir extraños y coloreados. Lo español es un crepúsculo vespertino en un campo solitario, o un rayo de sol que entra por la ventana en una estancia encalada, o el sonido de una campana—con retiñir—en una vieja ciudad, a lo lejos; o un hombre que camina, meditativo, por uno de los llamados «viejos caminos»; o un joven que escribe en una mesa y que de pronto se detiene y reclina la mano en la mejilla; o una bella mujer que en la declinación de su vida—en la declinación de su hermosura—se encuentra sola, de noche, en el salón iluminado de su palacio provinciano.

EQUIS

Se va usted, ¡por qué andurriales!

ZEDA

En efecto, mis paisajes no son los paisajes—paisajes espirituales—del turismo; son andurriales, paisajes de soledad y de silencio, en que *no pasa nada.* En mis libros no *pasa nada.*

EQUIS

Pero en la *Berenice* del gran poeta tampoco pasa nada.

ZEDA

No pasa nada; pero ¿qué es la *Berenice* traducida? ¡Ser traducido! Comer—los extranjeros—un manjar insípido. ¿Y el idioma? ¿Y las particularidades del idioma? Sbarbi ha demostrado que muchos de los paisajes del *Quijote* no se pueden traducir.

UNA LECCION DE ESTILO

En un librito sobre ejercicios de castellano, creo que debo dar una lección de estilo. La novela de Clarín *Su único hijo* (1891 en la cubierta, 1890 en la portada) es una de las bellas novelas contemporáneas; yo la he leído cuatro o seis veces. Es todo un curso de romanticismo provinciano y retrasado; en el teatro de Oviedo todavía las candilejas son de aceite. *Su único hijo* comienza así: «Emma Varcárcel fué una hija única mimada.» Son siete palabras, pero estas siete palabras sulfuraron a un crítico. ¿Qué es eso de Emma? Emma se llama la protagonista de una famosísima novela; Clarín se siente atraído por esa novela—la novela de Flaubert—. ¿Qué va a hacer Clarín? ¿No va a dar una imitación de la novela de Flaubert? ¿Una imitación o algo más que una imitación? Emma Varcárcel es una mujer caprichosa, voluntariosa, derrochona, dilapidadora, romántica, en suma. La protagonista de Flaubert es también una romántica desatada. Y luego, ¿por qué esas siete palabras? Una hija única mimada. ¿Se puede escribir así? ¿Por quién mimada y para qué mimada? ¿No se podría decir eso en el cuerpo de la obra y no tan de súbito? Clarín ha podido llamar a la Valcárcel con otro nombre; por ejemplo, Victoria, Isabel, Asunción. A mujer extraña—se dirá—, nombre extraño. Emma cuadra, y nada más. Nombre extraño es Edda—en Ibsen—, pero Edda Gabler no podía ser más que Edda. Lo de una hija única no suena bien. ¿Una... única? Pues ¿cuántas únicas pueden existir? La Valcárcel es rica; vive en Oviedo; tiene un marido que toca la flauta... Estamos ya muy lejos del pueblecito francés en que vivía la Bovary. El estilo de Flaubert es directo; el estilo de Clarín es sinuoso. No interviene Flaubert en la narración; Clarín—satírico, humorista—siente pujos de intervenir, o interviene resueltamente. Doña Berta—la protagonista de otra novela de Clarín—, ¿no es el mismo Clarín? Doña Berta, con su idealismo, con su misticismo, ¿no es el Clarín idealista y místico? ¡Las siete palabras! ¿Cómo las hubiera escrito Galdós? ¿Y cómo Baroja? ¿Y cómo Valle-Inclán? ¿Y cómo...?

EPILOGO

Mi casa—en Monóvar—era bilingüe. Hablábamos los señores, entre nosotros, en castellano; hablábamos a la servidumbre en valenciano. Mi padre nunca habló valenciano; mi padre sabía bien el castellano. El pueblo de mi padre—Yecla—es una severa ciudad de larga Historia; el pueblo de mi madre—Petrel—es un pueblo limpio y alegre; una guía le llama *jolie petite ville*. Cada idioma tiene sus ternuras, sus dulzuras. No hay que temer las contaminaciones de los idiomas. Yo creo que un idioma se beneficia con el roce de otro idioma. El castellano se ha corroborado y acendrado en mí, primero con el valenciano, luego con el francés. He necesitado la construcción del valenciano y del francés. El valenciano tiene su medida y su sabor; la concisión del valenciano se ve cuando se compara, texto con texto, con otro idioma; el sabor se gusta cuando se lee la *Rondalla de rondalles*, de fray Luis Galiana.

Y si pasamos del vocablo al todo, a la literatura, ¿cómo no ver que para la evaluación de una literatura necesitamos el conocimiento de otra? Las palmeras se fecundan a distancia; las literaturas se fecundan también—sin perder su raigambre, su originalidad—desde lejos.

Noche de Reyes, las cuatro de la madrugada, 1960.

RECUADRO DE TOROS

LGUIEN dice que el espectáculo de los toros no es «nacional» (Jovellanos). Alguien dice que es «el más nacional» (el conde de las Navas). He visto muchas corridas de toros, y no sé si son los toros nacionales, y si lo son, en qué medida, con qué intensidad. En mi adolescencia vi—en cuanto a toros—una cosa rara, curiosísima: un torero saltaba la valla, al huir del toro, y se encontraba con otro toro que podía también acometerle. Pocos aficionados de ahora habrán asistido al espectáculo de «plaza partida», dos corridas al mismo tiempo. Y tampoco a ningún empresario actual se le habrá ocurrido—ahora que el espectáculo es tan caro—tener dos grandes presupuestos a la vez. Vi antaño toros y he vuelto ahora a verlos. Los veo en el cine. De antaño guardo varias imágenes, que son, unas, casi desteñidas, desvanecidas, y otras—pocas—, que son como si acabaran de imprimírseme en la mente. De estas últimas es una sonrisa: en una cara triste, una sonrisa que quiere ser alegre y es también triste. Resuenan aplausos atronadores en la plaza, y el torero de la sonrisa triste va dando la vuelta, la vuelta al ruedo, como no queriendo dar la vuelta, indolente, con una dejadez natural, simpática, que no se puede imitar ni en el teatro ni en el cine. Y una tarde, en Valencia, abrí un periódico y vi que aquel torero que yo, en la misma Valencia, había visto torear, acababa de ser cogido y expiraba al entrar en la enfermería. No digo el nombre; no hace falta. Estoy pensando en el nombre; pero, al escribirlo, parecería que la perspectiva de poesía, de tristeza, de ternura—también de ternura—, se iba a perder, a esfumar. ¡Y con qué eficacia estas imágenes remotas—remotas y vivas—obran en nosotros! Y más las imágenes de estos hombres que viven del público y para el público, y que son como eremitas solitarios en medio de las muchedumbres. ¿Ha visto alguien al *Gordito*? ¿Y a *Cara Ancha*? ¿Y a Hermosilla? ¿Ha visto alguien poner una silla en el ruedo y sentarse en ella teniendo en la mano el sentado un par de banderillas? Más raro será lo que voy a decir. ¿Ha conocido alguien a Cándido Martínez, alias el *Mancheguito*, natural de Albacete? El *Mancheguito* va a torear en un pueblo; los toros, novillos-toros, son de Flores, también de Albacete. ¡Ah, antes que se olvide! Uno de estos mismos toros de Flores es el que da, en Albacete, una cornada ¿a quién? Lo cuenta el mismo corneado. Pues a Henry de Montherland, que ahora va a ser académico de la

Academia Francesa porque los académicos se lo han pedido. Estábamos ¿dónde? En el encierro de unos toros en una plaza de pueblo. Hay público en las graderías El *Mancheguito* está recostado en una barrera. Pasan los toros por el ruedo; se detiene uno en el centro; no quiere andar; levanta la cabeza y mira a los espectadores. Y de pronto, uno de esos espectadores—lo que hoy creo que se dice un «espontáneo» o un «capitalista»—se echa al ruedo con un capote. Llega hasta el toro y le da unas verónicas. No pasa nada: el toro es bravo y noble. Sentado en el tendido, este espectador ha pensado que si él baja al ruedo, tendría miedo. Y se encuentra—ante el toro—con que no lo tiene. Diríamos, hablando en culto, que antes era «pávido» y ahora es «impávido». No sucede nada; todo es fácil, natural. ¡Todo es elegante! ¿Quién era este capitalista? ¿Es que estoy obligado a decirlo yo? Los toros son nacionales, más o menos nacionales, pero son nacionales. Ahora acabo de ver una corrida—varias corridas sucesivas—en una película. Y también el matador—hijo de un matador que yo vi antaño—sonreía con una sonrisa simpática, pero no era la sonrisa shakespiriana de aquel matador remoto. Los toros, decididamente, son nacionales; lo afirmo yo, convicto y confeso. Y lo son porque en los toros advertimos, sentimos con toda nuestra sensibilidad—sensibilidad española—que algo trágico se decide en un momento. Y que ese momento resume toda una nación que ha descubierto un mundo—que ha conquistado un mundo—y que ha guerreado siete siglos.

AZORÍN.

(*A B C*, miércoles 23 de marzo de 1960.)

RECUADRO DE LA VEJEZ

La vida es más larga ahora que en el siglo XVI, por ejemplo. Han contribuído a este resultado la patología, la terapéutica, la higiene pública y privada, la bromatología o ciencia de la alimentación. Debemos añadir que también otras ciencias han cooperado; se han atenuado —o suprimido—los esfuerzos innecesarios con los aviones, con los automóviles, con los grandes expresos y los grandes barcos, con los ascensores en las casas y con los varios artefactos domésticos. En cambio, la vida ha perdido en valor. Los desastres de las guerras antiguas, siendo mucho, no son nada comparados con los desastres modernos. Pinta los antiguos Nieremberg en su libro *Diferencia entre lo temporal y eterno*. No nos acordemos, en nuestros días, de las cámaras asfixiantes. La vejez es una limitación progresiva—en un individuo—del tiempo y del espacio. Del tiempo no hay para qué hablar; dure la vida lo que dure, siempre se llega al fin. Se ha dicho que si Adán y Eva hubieran vivido mil años, ya hace tiempo que se hubieran muerto. En cuanto al espacio, un ochentón no puede recorrerlo lo mismo que a los treinta años: de edad en edad se nos va restringiendo el espacio. No vale decir que tenemos a la puerta el coche, propio o alquilado. No es lo mismo el placer que se fruye al recorrer una ciudad a pie, un jardín a pie, un campo a pie, que en vectación artificiosa o animal. Nos despedimos, por tanto—y paulatinamente—, del gustoso vagabundeo. ¿Nos quedará alguna compensación? ¿Los libros? Hemos leído tanto—si es que hemos leído—, que ya lo sabemos todo. Sabemos algo que no dicen los libros; sabemos lo que la vida nos ha enseñado. Cada etapa de la vida tiene su enseñanza. Se ha dicho que la enseñanza de una etapa no sirve para otra. No hilemos tan por lo fino; a los ochenta años llegamos con un saber que resume todos los saberes. Ahora recuerdo—y tal vez mal—haber leído en un gran poeta, gran humanista también—Leopardi—, algo que viene a cuento: Un islandés, un natural de Islandia, cansado de su brega con el mundo, de su contender con los hombres, ansía la soledad. No quiere tampoco que un acto suyo origine, sin que él lo quiera, extorsiones e injusticias. Se retira a las soledades de Africa. Hoy se llevaría el gran chasco. En Africa, ese islandés está solo. ¿Solo y consigo mismo? De pronto, escucha una voz que le habla: es la Naturaleza personificada. Y la Naturaleza es resueltamente hostil. No tendrá ese solitario la soledad; no tendrá la paz. Pascal es más obvio y sencillo; recomienda las cuatro paredes. Quien no sepa estar quieto entre cuatro paredes, no tendrá la felicidad. La vejez nos lleva hacia las cuatro paredes, es decir, a la renuncia—quiérase o no—de toda acción.

Fray Antonio de Guevara, en el siglo XVI, en la primera mitad de ese siglo, habla extensamente de la vejez. En una de sus *Cartas familiares* establece cincuenta y una proposiciones, que él llama «privilegios», y que son rasgos referentes a los viejos. Guevara confunde, a veces, vejez y decrepitud. No todos los viejos, por muy viejos que sean, son decrépitos. En uno de esos «privilegios»—que después copiaremos—, Guevara dice: «Pasados setenta años.» El setentón no es hoy un viejo, y menos un hombre decrépito. Quevedo nos habla de una señora de cincuenta años a quien llama vieja, una «vejezuela». ¡Ah, no! Hoy, esa vejezuela puede ser—es, decididamente—una atractiva mujer. El «privilegio» de Guevara que íbamos a copiar es el siguiente, y perdone el lector el realismo de la pintura, más realista, mucho más, que el *Mendigo*, de Murillo, en el Louvre: «Es privilegio de viejos, digo, de los que pasan de setenta años, dar blancas a los muchachos porque les maten una gría, y que les saquen los arados de las palmas, y se los muestren andar sobre la una.»

Resumen de todo: Cada uno hace su vejez contando con su diátesis. Y contando con su herencia. Estamos ligados a la tierra. El ambiente nos envuelve y nos forma.

AZORÍN.

(*A B C*, viernes 15 de julio de 1960.)

RECUADRO A LOS ADIOSES

Burgalesas, adiós. «De fuera vendrá quien...», etc. Burgalesas, las que habéis nacido en las tierras famosas, las que habéis visto correr el agua del Arlanzón, las que habéis habitado en las montañas, también famosas, adiós. No «adiós, y vámonos», como me hicieron decir a mí, repetidamente, en un libro, sino «adiós, y veámonos». ¿Podremos vernos, volver a vernos, alguna vez? ¿Cuándo tendremos esa dicha? Adiós, burgalesas. Muchas de vosotras habréis estado en Vivar. Muchas de vosotras—claro que sí—habréis pisado la histórica «glera», es decir, el arenal que figura en el primitivo poema. Ya no sois nadie, como quien dice. ¿Lleváis vosotras el traje severo, sencillo, oscuro, de las burgalesas, de las españolas? ¿Cruzáis los brazos sobre el pecho, sobre la cintura, como las españolas, en momentos, sobre todo, de resignación, de melancolía, de sosiego, de serenidad inalterable? Burgalesas, adiós. Nos despedimos de vosotras, y vosotras os despedís del arte, de la poesía, del... ¿Lo comprendería Corneille, que situó su *Cid*, no en Burgos, sino en Sevilla, que no era de los cristianos? ¿Lo comprendería el noble y altivo Leconte de Lisle, que con trazos tan vigorosos pinta a Rodrigo, que vuelve de vengar a su padre y trae...? No quiero decir lo que trae. Vosotras, burgalesas, haríais bien la secuencia en que Jimena reprocha a Rodrigo sus ausencias maritales. No puede faltar esa secuencia. Todo el romancero se levantaría contra nosotros. ¡Qué arte y qué delicadeza se necesita para esa secuencia! Un punto más, y entramos en la chocarrería inadmisible; un punto menos, y caemos en lo anodino. Fijaos bien: Jimena es casta y delicada; está, naturalmente, en su derecho al sentir las ausencias conyugales de su marido. Y, por tanto...

Burgalesas, oigo, escucho vuestros pasos en los vastos ámbitos de la catedral de Burgos; los escucho al nacer el día y al acabarse. Los escucho en la soledad y en el silencio. Y estoy tan compenetrado con vosotras, como español, que en el ritmo de esos pasos, en el ruido del andar, adivino que sois vosotras. No se anda en todas las naciones lo mismo. No se tienen en todas las naciones los mismos gestos, los mismos ademanes, las mismas inflexiones de la voz; hasta son otros los silencios. ¡Y cómo calláis vosotras, burgalesas! ¡Qué modo tienen las españolas de callar! No es necesario que vuestros ojos ni vuestra boca digan nada; lo dice todo el silencio. Y en la poesía, en el teatro, en todo, el modo de callar es esencial. Yo voy a callar también dentro de un instante, en cuanto acabe estas cuatro líneas, escritas rápida y cálidamente.

Pero antes quiero que sepáis, burgalesas, que el adiós que os doy yo, que os darán todos los españoles, os lo dan todos los lugares que llevan el nombre del Cid, pueblos de Castellón, de Alicante; os lo da la empinada Sierra del Cid, que señorea el delicioso valle de Elda. Os lo da Valencia entera. Vosotras, burgalesas, desde una azotea, en Valencia, habéis atalayado el mar, el Mediterráneo. No ven el mar las altas tierras de España, y vosotras lo habéis visto. En esa noble visión que vosotras tenéis de la meseta y del mar está toda España, toda la España del Cid, toda nuestra querida España. Adiós, adiós y adiós.

AZORÍN.

(*A B C*, viernes 25 de noviembre de 1960.)

EL PUEBLO PERDIDO

Creo yo, señor presidente, que un pueblo perdido tiene derecho a figurar en un debate sobre los pueblos. Hace de esto muchos años; no es que se haya perdido el pueblo; es que se me ha perdido a mí. Y tampoco se me ha perdido a mí, sino que... El problema de la memoria en los que escriben Memorias es un problema. ¿Hasta dónde alcanza la memoria? Y luego, ¿es fiel o no es fiel la memoria de lo muy remoto, la memoria de un niño? ¿Qué años tendría yo cuando me ocurrió lo que voy a contar? ¿Tres años? ¿Dos años? ¿Se me perdió el pueblo a los dos años? No es—o ha sido—desgraciada mi memoria; pero ha sido extraordinaria. ¿Alcanzaba a tanto? En fin, íbamos de viaje por país conocido. ¡Y tan conocido! Pero yo era un niño de dos años; habíamos quedado en los dos años. Todo era nuevo para mí. La mañana era clara; supongo que fría. Llegamos a un pueblo y entramos en una casa. Este pueblo está cerca de otro pueblo que es del mismo cariz: un pueblo claro, limpio, blanco. Todo esto no podía yo apreciarlo entonces. Lo he visto luego. ¿He dicho que la mañana era fría? Lo que no he dicho aún es que la cocina de la casa tenía un gran hogar. Y supongo que también, este hogar, una gran campana. Estábamos allí, al amor de la lumbre; se estaban quemando unos leños, o ardían unos leños. (Como se diga mejor.) La lumbre se iba extinguiendo. (Mejor sería decir amortiguando.) De pronto, surge alguien con un brazado de leños; todos nos alegramos. Soy reparón, señor presidente. He dicho todos nos «alegramos», y veo que hablo al mismo tiempo en pasado y en presente. Las gramáticas tienen estas arterías. Son cosas del... tiempo. Todos nos alegramos, decía. Echan el brazado de ramaje al fuego, y de repente—o al cabo de un minuto—se levanta una gran llamarada, creo que clara, creo que también rojiza. No insisto sobre este particular. No quiero que el señor presidente me llame al orden por ser prolijo. Sin embargo, necesito aclarar ciertos detalles. Y lo hago por... Si el ramaje era de pino, y de seco pino, crujiría también. Como también, si no estaban sangrados los pinos, olerían agradablemente; la resina desprendería un buen olor. Pero no era todo esto lo que excitó mi curiosidad de niño, un niño de dos años. Voy a concretar, señor presidente. Lo que he guardado en la memoria son las chispas que se desprendían de la hoguera, unas chispas brillantes, fulgurantes. He llegado al núcleo de la cuestión; aquí están mis recuerdos de los dos años. Han desaparecido todos, y sólo en un pasado remoto quedan estas centellitas brillantes que resaltan en el hogar sobre la negra piedra llamada trashoguera. ¿En qué pueblo? En uno de los dos conocidos por mí. El otro, en realidad, está perdido. Y en realidad, también éste. Y en realidad, en todos los pueblos de España. ¿En qué pueblo de España no habrá una cocina acogedora? ¿O, por lo menos, una «gloria»? Permítame, señor presidente. ¿Su señoría sabe lo que es una «gloria»? Pero ¿lo sabe quien no haya nacido donde hay «glorias»? ¿Es que existen aún «glorias»?

Y ahora la segunda parte de esta historia. Han pasado años, muchos años. ¿Treinta, cuarenta, cincuenta? No importan los años. El señor conde de las Navas—un perfecto caballero andaluz—saca del bolsillo un papelito, en el cual lee: «Chamarasca». Estamos en la Academia Española. Se comienza a debatir «chamarasca». El señor director, don Antonio Maura, dice: «Es lo mismo que *chamarasca.*» Se aprueba «chamarasca». Y es ésta la definición que da el Diccionario: «Leña menuda, hojas y palillos delgados, que, dándoles fuego, levantan mucha llama, sin consistencia ni duración.» El señor secretario, que se sienta a la derecha del presidente—hablo de don Emilio Cotarelo, a la derecha del presidente y al lado del conde de las Navas—, ha tomado nota de este nuevo término. Y un señor académico, que no ha dicho nada, piensa en aquella chamarasca antigua, y recuerda, como si las estuviera viendo, las chispitas brillantes de la hoguera.

Nada más, señor presidente. Muchas gracias.

AZORÍN.

(*A B C,* miércoles 2 de agosto de 1961.)

RECUADRO DEL «LAZARILLO»

Existen dos erudiciones: la erudición de los libros y la erudición de las cosas. Pueden dominar en una literatura una u otra. El *Lazarillo* pone a prueba las dos erudiciones. Se le examina según los libros y según las cosas. No mucho—o casi nada—según las cosas. Veamos algo de lo que pasa en ese librito (1554), según las cosas. El que la madre de Lázaro — Lázaro González Pérez — entregue el niño a un ciego no es cosa extraña. Sabe muchas cosas ese ciego; entre otras, ayudar a misa. Le enseñará a ayudar a misa al niño. Caminan Lázaro y el ciego a través de la Sierra de Gredos, camino de Salamanca, a Toledo. ¿Dónde y cuándo ha podido el ciego enseñar a ayudar a misa al niño? El ciego lleva un jarrito de loza con vino. Ha de llevar también, como es uso, el cayado en que apoyarse. Llevar por los vericuetos de un monte un jarrito de loza con vino es un poco extraño; existen los botillos, las botas, los corambres, los zaques, en que se transportan vinos y aceites. No hay peligro de que se quiebren. Todo el artificio de la plastita en el fondo del jarro, plastita que se derrite y se torna a poner, es un embeleco; no se puede hacer lo que allí se hace. El primer pueblo que el ciego y Lázaro encuentran, ya en tierras de Toledo, es Almorox. Se separan amo y criado en Escalona. Lázaro entra, en Maqueda, a servir a un sacerdote. Todo el lance del arca y el pan es absurdo. Lázaro ha de dormir, en fin de cuentas, con una llave en la boca, la llave del arcón. ¿Por qué el autor del libro piensa en las conservas de Valencia—al encarecer la sordidez del clérigo—y no en las conservas de Toledo, que estarán allí más cerca? Lázaro deja al cura de Maqueda y entra, en Toledo, a servir a un hidalgo que encuentra en la calle. Este hidalgo sale de la iglesia mayor (catedral), en donde acaba de oír misa y todos los oficios. Va a misa en la catedral todos los días. No es este hidalgo de Toledo; es extranjero (forastero), de Valladolid. Ni él ni su criado tienen nada que comer. El criado limosnea: en una tripería le dan un pedazo de uña de vaca, cocida, y algunas tripas; le dan también abundantes mendrugos. ¿Dónde está situada la casa que habitan amo y criado? Al lado existe un taller de boneteras; unos dicen que bonete es gorra, y otros, que es *chechia,* especie de barretina roja que se exporta al norte de Africa. Creo en las gorras.

Lázaro baja al río por agua; baja con un jarrito desportillado. En las márgenes del Tajo, en una huerta, columbra a su señor, que está parloteando con unas mujercitas de las que allí bajan a deportarse por las mañanas. ¿Dónde estaba la huerta? ¿Está todavía? ¿Podríamos encontrarla? En la casa que habitan Lázaro y el hidalgo no existen más muebles que una infame cama y... un zambullo, en lo alto, en el cual el hidalgo hace sus menesteres. No se nombra este trasto. Lázaro ha querido barrer la casa y no ha encontrado escoba. En momentos de confidencias, el hidalgo hace al criado la crítica de las grandes casas. Y esta crítica coincide con la crítica de las grandes casas que se hace en el *Diálogo de los pajes,* de Diego de Hermosilla, en el mismo siglo XVI. La casa está alquilada por meses, y la cama, también. Como el hidalgo no puede pagar las mensualidades, un día desaparece. En la aventura del bulero (expendedor de bulas), se nos dice que el bulero, para tener propicios a los párrocos, les regala alguna naranja. ¿De dónde las naranjas? Suele regalarles también alguna lechuga, y murciana. ¿Una lechuga traída de Murcia? ¿Quién escribe este libro? ¿Dónde se escribe? ¿Lo escribe un erasmista, que hace ir todos los días a misa a un hidalgo español?

AZORÍN.

(*A B C,* domingo 2 de julio de 1961.)

MAQUEDA Y TOLEDO

Un pueblo y una ciudad: Maqueda y Toledo. En los dos sitios he estado. Cuando Lázaro llega a Maqueda (primera mitad del siglo XVI), entra a servir a un sacerdote: el cura de Maqueda. En la casa no hay nadie más que el cura. La prosa en que se nos cuenta lo que va a ocurrir—lo que va a ocurrir en *El lazarillo de Tormes*—es una prosa amorfa, pobre en vocabulario, indigente en giros —alguna vez, al describir una cama, se enredan las palabras—; sencilla, agradable, con todo. Es ésta la prosa de quien ha aprendido el idioma, lejos de España, para enseñarlo; la prosa de los Oudin y los Franciosini. En la casa del cura, en Maqueda, repito que no vive más que el cura. Si viviera alguien más, no podría ocurrir lo que va a ocurrir. Si viviera con el cura su hermana, su sobrina, alguna parienta lejana... En la casa hay un arcón donde el cura guarda el pan, con algún vino. Y en un desván—cerrado con llave—cuelga una horca de cebollas. El autor quiere pintar un clérigo avaro, y atropella por todo. Y lo que va ocurriendo es que Lázaro se ingenia por comerle al cura el pan del arcón, y el cura se ingenia porque no se lo coma. Alguna vez, como gracia, el cura le da la llave del desván a Lázaro y le permite que se coma una cebolla. Y el autor dice irónicamente que el cura procede como si tuviera en el desván las conservas de Valencia. «No hagas sino golosear, Lázaro.» En este momento se nos presenta un problema de psicología novelística. Si el autor escribiera cerca de Maqueda, sería absurdo acordarse de Valencia para la comparación. Surgiría el nombre de Toledo, en que siempre han existido conservas famosas. Escribiendo en Amberes, en los Balcanes, ya la cosa es natural; las distancias se han acortado; han desaparecido; lo mismo ocurrirá con las naranjas y la lechuga murciana, que aparecen después. Un calderero que pasa por la calle proporciona a Lázaro una llave con que abrir el arcón, y para que el cura no se la encuentre, Lázaro ha de dormir con la llave en la boca. Y una noche, al respirar fuerte Lázaro, silba la llave.

El autor del libro no conoce Toledo. Cuando entramos en Toledo con el autor —reciente el drama de las Comunidades—, entramos en una ciudad tranquila, idílica. ¡Hay que ver cómo Martínez de la Rosa pinta a Toledo, en el ensayo que precede al drama *La viuda de Padilla!* El hidalgo a quien entra a servir Lázaro no dispone de nada; vive en una casa sin muebles, que ha alquilado por meses. ¿En qué parte de Toledo? Lázaro ha de ir por agua al río, con un jarro. Por cerca que esté el río, lejos estará. Y tener bastante agua con la de un jarro para todo el día, también es beber poco. Y en aquella casa no se bebe más que agua. Y en ir al río y en volver del río, ¿cuánto se tardará? La calle es angosta y larga. Un entierro que pasa atemoriza a Lázaro. Llevan al muerto a la casa en que «no se come»; esto es lo que sobresalta a Lázaro. ¿Dónde se enterraba en aquel tiempo en Toledo? He bajado—con Pío Baroja—, en Toledo, a la bóveda de una iglesia; estaba llena de momias. Hay, al lado de la casa en que viven el escudero y Lázaro, un taller de bonetería. Bonete es gorra. Bonetería es gorrería. ¿Y las triperas que regalan a Lázaro un pedazo de uña de vaca, aderezada, cocida, y algunos pedazos de tripas? El autor será lo que sea, pero pinta devoto al escudero. Va ufano este hidalgo con su espada y su rosario. Oye misa todos los días en la iglesia mayor, la catedral. La casa no estaría muy lejos ni de la catedral, ni del Tajo, ni del mercado. Lo mismo le daba una cosa que otra al que escribía—con prosa tan sencilla—en Amberes, en los Balcanes, en... luengas tierras. Contrario al emperador no es.

AZORÍN.

(*A B C*, jueves 10 de agosto de 1961.)

Bibliografia

LISTA COMPLETA DE LAS OBRAS

DE

D. JOSE MARTINEZ RUIZ (AZORIN)

PRIMERA EPOCA

LA DE MARTINEZ RUIZ Y SEUDONIMOS DE «CANDIDO» Y «AHRIMAN»

1. 1893.—*La crítica literaria en España (Discurso pronunciado en el Ateneo Literario de Valencia, en sesión del día 4 de febrero de 1893)*, JOSÉ MARTÍNEZ RUIZ (CÁNDIDO).—Valencia, imprenta de Francisco Vives Mora, Lauria, 20. 14 × 21,5 cm., 22 págs.
2. 1893.—*Moratín (Esbozo)*, CÁNDIDO (J. MARTÍNEZ RUIZ).—Precio: 50 céntimos. Madrid, Librería de Fernando Fe, Carrera de San Jerónimo, 2 (impreso en Valencia, ídem). 11 × 17 cm., 55 págs.
3. 1894.—*Buscapiés (Sátiras y críticas)*, por AHRIMÁN.—Madrid, íd. (impreso en Valencia, íd.) 11 × 17 cm., 212 págs., erratas e índice.
4. 1895.—*Notas sociales (Vulgarización)*, J. MARTÍNEZ RUIZ.—Precio: 50 céntimos. Madrid, íd. (impreso en Valencia, íd.). 11 × 17,5 cm., 34 págs.
5. 1895.—*Anarquistas literarios (Notas sobre la Literatura española)*, J. MARTÍNEZ RUIZ.—300. Madrid, íd. (imp. en Valencia, íd.)—11 × 17 cm., 70 págs.
6. 1896.—*Literatura, folleto primero* («La juventud española» y «Revista literaria». *Fray Candil*, Galdós, *Clarín*, Altamira, Ruiz Contreras, Bonafoux, etc.), J. MARTÍNEZ RUIZ.—Madrid, íd., íd. 11 × 17 centímetros, 48 págs.
7. 1896.—*La Intrusa*, de MAETERLINCK (con una carta del autor en la cual se autoriza expresamente la traducción de J. MARTÍNEZ RUIZ.—Valencia, íd.
8. 1896.—*De la Patria*, por A. HAMON (traducción de J. MARTÍNEZ RUIZ).—Barcelona, Tipografía «La Publicidad», Conde de Asalto, 45. 12 × 17 cm., 30 págs.
9. 1897.—*Charivari (Crítica discordante)*, por J. MARTÍNEZ RUIZ.—Una peseta. Madrid, Imprenta: Plaza del Dos de Mayo, 4. 11 × 18 cm., 55 págs.
10. 1897.—*Las Prisiones*, PEDRO KROPOTKINE (traducción y notas de J. MARTÍNEZ RUIZ).—Valencia, Imprenta Unión Tipográfica, calle del Embajador Vich, 19. 15 × 21 cm., 34 págs.
11. 1897.—*Bohemia (Cuentos)*, J. MARTÍNEZ RUIZ.—Madrid. V. Vela, impresor, Conchas, 4. 8,5 × 13,5 cm., 115 págs.
12. 1898.—*Soledades*, J. MARTÍNEZ RUIZ.—Madrid, Librería de Fernando Fe. 10,5 × 18 cm., 111 págs.
13. 1898.—*Pécuchet, demagogo (Fábula)*, J. MARTÍNEZ RUIZ.—Bernardo Rodríguez (Imprenta de «Madrid Cómico»). 8,5 × 13,5 cm., 46 págs.
14. 1899.—*La evolución de la crítica*, por J. MARTÍNEZ RUIZ.—Madrid, Librería de Fernando Fe. 10,5 × 17 cm., 72 págs.
15. 1899.—*La sociología criminal*, J. MARTÍNEZ RUIZ (Prólogo de F. Pi y Margall).—Madrid, íd. 11 × 17 cm., XV + 210 págs.
16. 1900.—*Los Hidalgos (La vida en el siglo XVII)*, J. MARTÍNEZ RUIZ.—Madrid, ídem. Ricardo Fe. 10 × 17 cm., 78 páginas. Es parte de:
17. 1900.—*El alma castellana (1600-1800)*, por J. MARTÍNEZ RUIZ.—Madrid, Librería Internacional, Fernández Villegas y Compañía, calle del Carmen, 16. 10,5 × 16 cm., 213 págs. e índice.
18. 1901.—*Diario de un enfermo*, publicado por J. MARTÍNEZ RUIZ.—Madrid, Establecimiento Tipográfico de Ricardo Fe, calle del Olmo, 4. 10 × 17 cm., 107 páginas.

19. 1901.—*La fuerza del amor (Tragicomedia)*, J. MARTÍNEZ RUIZ (Prólogo de Pío Baroja).—Madrid, La España Editorial, Cruzada, 4, bajo derecha (aunque sin año, es de 1901). 11 × 18 cm., 159 págs.

SEGUNDA EPOCA

AZORIN COMO PERSONAJE LITERARIO Y COMO SEUDONIMO

20. 1902.—*La Voluntad (Primeras andanzas de Antonio Azorín)* (Novela), J. MARTÍNEZ RUIZ.—Barcelona, editores Henrich y Cía. (Biblioteca de Novelistas del siglo XX). En 8.º mayor, 301 págs. e índice. Al reeditarla, en 1913, la Biblioteca Renacimiento (Madrid), ya figura con el seudónimo de *Azorín*. Nuevas ediciones en la «Biblioteca Nueva».
21. 1903.—*Antonio Azorín (Pequeño libro en que se habla de la vida de este peregrino señor)*, J. MARTÍNEZ RUIZ.—Madrid, Vda. de Rodríguez Serra. En 8.º, 231 págs., sin índice. Sucede lo mismo que con al obra anterior, al reeditar esta Renacimiento, también en 1913. Id., Biblioteca Nueva.
22. 1904.—*Las confesiones de un pequeño filósofo (Infancia de Antonio Azorín)*. Novela por J. MARTÍNEZ RUIZ.—Madrid, Librería de Fernando Fe. En 8.º, 120 páginas con el índice. (Aumentada en 1909 y en las ediciones sucesivas.) Ed. Escolar, por Luis Imbert, con estudio de Federico Onís, de *Heath's Modern Language Series* (Boston, New York, Chicago; Heath y C.ª, editores).
23. 1905.—*Los Pueblos (Ensayos sobre la vida provinciana)*, AZORÍN.—Madrid, Biblioteca Nacional y Extranjera, Leonardo Williams, editor, Lista, núm. 8. En 8.º, 207 págs. e índice. Cubierta en color por Sancha. (Es el primer libro en que emplea el seudónimo que ha de utilizar en adelante.) En las siguientes ediciones—acaba de aparecer la 9.ª en la Biblioteca Nueva—se agregan los cinco artículos de *La Andalucía trágica*, publicados en abril de 1905 en el diario «El Imparcial». En febrero de 1917 se publicó una selección de *Los pueblos* en el núm. 57 (extraordinario) de «La Novela Corta».
24. 1905.—*La ruta de Don Quijote (Viaje por la Mancha)*.—Idem, íd. En 8.º, 201 páginas. (La 2.ª ed., ilustrada con fotografías, es de 1912, Madrid, Imp. de la «Revista de Archivos», Olózaga, 1; en 8.º, 203 págs., índice literario e índice de las 32 láminas; la 3.ª ed. es de 1915, Imp. de Regino Velasco, Viuda de P. Pérez; la 4.ª, ilustrada, de 1916, Renacimiento, etc., y un extraordinario de «Crisol» (Aguilar, S. A. de Ediciones, con un epílogo). Esta obra fue traducida al francés por Mac. Devisnes de Saint-Maurice *(Sur les pas de Don Quichotte)*, en la revista bimensual de París «Le Correspondant, números del 25 de marzo de 1914 (págs. 1101-1128), con un prólogo de Alfredo Morel-Fatio, y el del 10 de abril (págs. 126-151); al alemán, por Ana María Ernst-Jemoli *(Auf den spuren Don Quijotes)*, con reproducciones en color y en negro de cuadros de Fritz Widmann e introducción de Fritz Ernst, impresa elegantísimamente en Zurich (1923) por Raccher & Comp.ª, editores; y al noruego, por el Prof. Magnus Grönvold *(Paa Don Quijotes vei)*.
25. 1908.—*El político (Arte de conducirse en la vida)*.—Madrid, Librería de los Suc. de Hernando, calle del Arenal, número 11. En 8.º, 215 págs. con el índice. Trad. al italiano por Gilberto Beccari (Florencia, Ferrante Gonnelli, editor, 1910). Nueva ed. íd. *(L'Uomo politico)*, «Rinascimento del libro», ídem, 1931-IX, 181 págs. con el índice y prólogo de J. MARTÍNEZ RUIZ para esta edición. Hay 3.ª ed. italiana.
26. 1909.—*España (Hombres y paisajes)*.—Madrid, Librería de Francisco Beltrán, Príncipe, 16. En 8.º, 166 págs. con el índice. Trad. al francés y prologada por Jorge Pillement, con introducción de Azorín acerca de las varias Españas. *(Les prosateurs étrangers modernes*, París, Les éditions Rieder, 7-Place Saint-Sulpice, 1929.) En las 181 págs. recoge catorce artículos de *España*, nueve de *Los pueblos* y tres de *Castilla*.
27. 1912.—*Lecturas Españolas (Escritores clásicos y modernos)*.—Madrid, Imp. de la «Revista de Archivos». En 8.º, 200 páginas e índice. Reeditada por la Colección Española Nelson. Aumentada en las siguientes ediciones (O. C. por Caro Raggio, 1920) con *Nuevo Prefacio, Retratos de algunos malos españoles y de un mal español honorario* y con *Otro epílogo*. La dedicatoria, a la memoria de Próspero Merimée, en vez de serlo a la de Larra.
28. 1912.—*Castilla*.—Madrid, íd. 10 × 15.5 centímetros, 156 págs. e índice. Reedi-

tada por Biblioteca Nueva (6.ª ed., 1943). Traducida al francés por J. Gadea-Fernández y Jeanne Lafon, con prefacio original. Ediciones G. Subervie, Rodez, 1952.

29. 1913.—*Clásicos y Modernos.*—Madrid, Renacimiento, Pontejos, 3. En 8.º, 346 páginas con el índice.
30. 1914.—*Los valores literarios.*—Madrid, ídem, de 1914, aunque tiene impresa la fecha de 1913. En 8.º, 334 págs. con el índice.
31. 1914.—*Un discurso de La Cierva (comentado por Azorín).*—Madrid, íd. En 8.º, 176 págs. e índice. (A estudiar la obra de este hombre público dedicó un folleto, 1910, con los artículos publicados en el diario «A B C»—en el cual escribía Azorín desde 1905—con el título *La obra de un ministro* y sendos prólogos a tres opúsculos con discursos del insigne murciano. Del folleto *La Cierva* se hizo edición profusa en la Argentina.)
32. 1915.—*Al margen de los clásicos.*—Madrid, «Publicaciones de la Residencia de Estudiantes» (serie II, vol. 2). En 8.º, 232 págs. e índice.
33. 1915.—*El Licenciado Vidriera (visto por Azorín). En el tricentenario de Cervantes. MCMXVI.*—Madrid, íd. (serie II, vol. 4). En 8.º, 161 págs. e índice. La Colección Austral, de Espasa Calpe, ha publicado en la Argentina un *Tomás Rueda*, titulado así en esta ed. por delicadeza del autor, el cual nunca pensó emular a Cervantes. Hay, además, edición para el estudio del español, con introducción, ejercicios, notas y vocabulario en inglés por la Prof. Margarita de Mayo Izarra (New York, Oxford, University Press, 1939, en 8.º mayor, 143 págs., encuadernada).
34. 1916. *Rivas y Larra (Razón social del romanticismo en España).*—Madrid, Renacimiento. En 8.º, 287 págs. e índice.
35. 1916.—*Un pueblecito (Riofrío de Avila).*—Madrid, «Publicaciones de la Residencia de Estudiantes» (serie II, volumen 6). En 8.º, 164 págs. e índice. (Este libro inspiró el celebrado ensayo de crítica rotulado *Azorín: Primores de lo vulgar*, de D. José Ortega y Gasset, inserto en «El Espectador», II, págs. 73-154, Madrid, mayo de 1917.)
36. 1916.—*Parlamentarismo español (1904-1916).*—Madrid, Casa Editorial Calleja. En 8.º, 430 págs. e índice.
37. 1917.—*Páginas escogidas* (con prólogo y notas del mismo autor a las distintas secciones: *El paisaje, Los pueblos, Los tipos, Los clásicos, La crítica* y *La política.* 10 × 15 cm., 396 págs. e índice. Edición encuadernada, con un retrato.
38. 1917.—*Entre España y Francia (Páginas de un francófilo).*—Barcelona, Bloud y Gay, editores, calle del Bruch, 35; París, 3, Rue Garancière (sin año, pero de 1917). En 8.º, 221 págs. e índice.
39. 1917.—*El paisaje de España, visto por los españoles.*—Madrid, Renacimiento, calle de San Marcos, núm. 42. En 8.º, 180 págs. e índice. Obra aumentada en nuevas ediciones. En la de la Colección Austral, núm. 164, figura un apéndice con estos trabajos: *Jardines de España, España y Africa, Las mujeres de España* y *Las provincias.* 2.ª ed. Austral, 1942.
40. 1818.—*Madrid, guía sentimental.*—Madrid, Biblioteca Estrella. 7 × 10 cm., 80 págs., sin índice (12 artículos, caricatura por Bagaría). Tomito encuadernado en tela o piel.
41. 1919.—*París, bombardeado (mayo-junio 1918).*—Madrid, Renacimiento. En 8.º, 79 págs. e índice. (Esta obrita y la anterior integran el tomo XXII de las Ob. Comp. editadas por Caro Raggio.) Además de esta selección de artículos publicados en «A B C» como enviado especial a París, fueron coleccionados en folleto los que con el título de *Los norteamericanos* aparecieron en el popular diario en junio de 1918.
42. 1920.—*Fantasías y devaneos (Política, Literatura, Naturaleza).*—Madrid, Rafael Caro Raggio, ed., calle Ventura Rodríguez, 18. En 8.º, 247 págs. e índice. Tomo VII de las Obras Completas de Azorín, de las que conocemos 27 títulos, algunas de las cuales no aparecieron. (Todas las páginas recogidas en *Fantasías y devaneos* fueron escritas en 1904, según declaración del autor.)
43. 1921.—*Los dos Luises y otros ensayos* (Fr. Luis de Granada, Fr. Luis de León, Garcilaso, Góngora, Calderón, Cervantes y Ercilla).—Madrid, íd., tomo XXVI de las Obras Completas. En 8.º, 192 págs. e índice.
44. 1922.—*Don Juan* (Novela).—Madrid, íd. En 8.º, 181 págs. e índice.
45. 1922.—*De Granada a Castelar* (Fray Luis de Granada, el «Diálogo de la Lengua», Saavedra Fajardo, Lope de Vega, Meléndez Valdés y Castelar).—Madrid, íd., tomo XXVII de las Obras Completas. En 8.º, 244 págs. e índice.
46. 1923.—*El chirrión de los políticos (Fan-*

tasía moral).—Madrid, íd. En 8.º, 240 páginas e índice.

47. 1924.—*Una hora de España (Entre 1560-1590)*.—Discurso leído ante la Real Academia Española en la recepción pública del Ilmo. Sr. D. José Martínez Ruiz el día 26 de octubre de 1924. Contestación del Excmo. Sr. D. Gabriel Maura Gamazo, conde de la Mortera. Madrid, Imp. de Rafael Caro Raggio, Mendizábal, 34. 14 × 21 cm., 121 págs. Nueva ed. en Biblioteca Nueva.
48. 1924.—*Racine y Molière*, por... (de la R. A. E.).—Madrid, Cuadernos Literarios de «La Lectura». 9,5 × 14 cm., 86 páginas e índice. Retrato a la pluma por J. M. V.
49. 1925.—*Los Quinteros y otras páginas*, por... (de la R. A. E.).—Discurso leído ante la Real Corporación el 19 de abril de 1925 en la recepción pública de don Joaquín Alvarez Quintero. Las *Otras páginas* son 17 fantasías sobre otros tantos libros recién publicados, seguidas de un epílogo. Madrid, íd. En 8.º, 261 páginas e índice.
50. 1925.—*Doña Inés (Historia de amor)*, por... (de la R. A. E.).—Madrid, íd. En 8.º, 272 págs. e índice. Reimpresa en «El Libro Para Todos», de C. I. A. P., S. A., 1929, con retrato por Solís Avila. Nueva ed. por la Biblioteca Nueva, Madrid. Trad. francesa por Jorge Pillement. Sorlot, editor, París, 1943.

TERCERA EPOCA

TEATRO Y NUEVAS OBRAS

51. 1926.—*Old Spain*.—Comedia en tres actos y un prólogo, estrenada en el teatro Reina Victoria, de Madrid, el 3 de noviembre, por la compañía de Díaz-Artigas. Publicada por «El Teatro Moderno», núm. 148, y núm. 61 de esta bibliografía. En 1943, la 4.ª ed., con nota autobiográfica, en «Novelas y Cuentos». Ed. para el estudio del español, con introducción, notas, ejercicios y vocabulario en inglés por el prof. Jorge Fundeburg. New York & London. The Century Co. 1928. En 8.º mayor, 116 págs., encuadernada.
52. 1927.—*Brandy, mucho brandy*.—Sainete sentimental en tres actos, estrenado en Madrid, en el teatro del Centro, el 17 de marzo, por la compañía de Manuel París. Ed. por «El Teatro Moderno», núm. 137, y núm. 61 de esta bibliografía.
53. 1927.—*Comedia del Arte*.—En tres actos, estrenada en el teatro Fuencarral, de Madrid, el 25 de noviembre, por la compañía de Francisco Fuentes. Editada por «El Teatro Moderno», núm. 157, y núm. 61 de esta bibliografía.
54. 1928.—*El doctor Frégoli o la Comedia de la Felicidad, de Evreinoff*.—Traducción. Tres actos. Estrenada en el teatro Alcázar, de Madrid, el 3 de febrero, por la compañía de Alba-Bonafé. Publicada por «El Teatro Moderno» el 3 de marzo de 1928, año IV, núm. 131.
55. 1928.—*El Clamor*.—Farsa en tres actos en colaboración con don Pedro Muñoz Seca, estrenada en el teatro de la Comedia, de Madrid, el 2 de mayo, por la compañía de Ortas-Zorrilla. Publicada por «El Teatro Moderno», 27 de octubre de 1928, año IV, núm. 166.
56. 1928.—*Lo invisible*.—Trilogía. Estrenada en la Sala Rex, de Madrid, el 24 de noviembre. *(La arañita en el espejo* lo había sido en el teatro Eldorado, de Barcelona, el 15 de octubre de 1927, por la compañía de Rosario Iglesias; *El Segador*, en el teatro Pereda, de Santander, por Rosario Pino, el 30 de abril, y *Doctor Death, de 3 a 5*, ídem, íd., por la misma actriz, el 28 de igual mes). Publicada por «El Teatro Moderno», 1 de diciembre de 1928, año IV, número 171. y 65 de esta bibliografía.
57. 1928.—*Félix Vargas (Etopeya)*.—Madrid, Biblioteca Nueva. En 8.º, 276 págs. e índice. (En este derrotero literario, en el cual es su editor directo don José Ruiz Castillo, en la cubierta y portada figura, bajo el seudónimo de *Azorín*, sin título de académico, el rótulo «Nuevas Obras».) Traducido al francés con introducción de F. de Miomandre. Editions Fourcade, 22, Rue de Condé, París (6e), 1931. En 8.º, 196 págs., con el índice. Al italiano, por Luis Panarese. Editor, Ugo Guanda, Módena, 1943.
58. 1929.—*Andando y pensando (Notas de un transeúnte)*.—Madrid, Biblioteca de Ensayos, núm. 10. Edit. Páez, calle de la Bolsa, 10. En 8.º, 238 págs. e índice.
59. 1929.—*Blanco en azul (Cuentos), Azorín, Nuevas Obras*.—Madrid, Biblioteca Nueva. En 8.º, 274 págs. e índice.
60. 1929.—*Superrealismo (Prenovela)*.—Id., íd. Madrid, íd. En 8.º, 322 págs. e índice.
61. 1929.—*Teatro. I. Old Spain.—Brandy, mucho Brandy.—Comedia del Arte*.—Con un «Prólogo sintomático» del au-

tor. Tomo I de las Obras Completas empezadas a editar por la Compañía Ibero-Americana de Publicaciones (Sociedad Anónima). Renacimiento, Madrid-Buenos Aires. En 8.º, 356 págs. e índice.

62. 1930.—*Maya.*—Espectáculo en un prólogo, nueve cuadros y un epílogo, de SIMÓN GANTILLON. (Traducción.) Estrenada en el teatro de la Zarzuela, de Madrid, el 25 de enero, por Lola Membrives y Ricardo Puga. (Ed. en número extraordinario de «La Farsa», 15 de febrero de 1930, año IV, núm. 127. En la faja que envolvía el ejemplar se leía: «Esta obra no debe ir a manos de quienes puedan escandalizarse por el relato sincero de una pecadora del puerto de Marsella».)

63. 1930.—*Angelita* (Auto sacramental).—Estrenado en el teatro Principal, de Monóvar, el 10 de mayo por una compañía de excelentes aficionados de la localidad. Madrid, Biblioteca Nueva. En 8.º, 247 págs., más un apéndice con las notas incluidas en el programa y comentario a un libro de Evreinoff. Con fotografías.

64. 1930.—*Pueblo (Novela de los que trabajan y sufren).*—Madrid, Biblioteca Nueva. En 8.º, 284 págs. e índice, con una lámina.

65. 1931.—*Teatro. II. Lo invisible.—Cervantes o la casa encantada.*—Precedido de un estudio sobre el teatro de Azorín, por Guillermo Díaz-Plaja. Tomo II de las Obras Completas editadas por C. I. A. P. (S. A.). Según nota del prologuista, *Cervantes* fue publicada, en parte, en la revista «Nueva España», y no ha sido representada. En 8.º, 316 págs. e índice.

66. 1935.—*Lope en silueta (Con una aguja de navegar Lope)*, por Azorín, presidente de «Los Amigos de Lope de Vega». Madrid, Ediciones del Arbol, «Cruz y Raya». En 8.º, 64 págs., índice y un dibujo.

67. 1936.—*La guerrilla.*—Comedia en tres actos, el tercero dividido en tres cuadros, estrenada en el teatro Benavente, de Madrid, por Milagros Leal y Salvador Soler Mary, el 11 de enero. (La obra tiene un epílogo que no pudo representarse, porque la angostura del escenario no permitía lograr el efecto buscado.) Ed. por «La Farsa», 7 de marzo de 1936, año X, núm. 442.

CUARTA EPOCA

DESDE EL MOVIMIENTO NACIONAL (17 DE JULIO DE 1936)

68. 1938.—*Trasuntos de España (Páginas selectas).*—Lo son de *Los pueblos y Castilla*, más un prólogo del autor sobre las bibliotecas grandes y pequeñas; completan el libro *El arte de vivir* y *Los viejos y los jóvenes*. Buenos Aires, núm. 47 de la Colección Austral de Espasa-Calpe Argentina, S. A. En 18 × 11,5 centímetros, 186 págs. e índice.

69. 1939.—*Españoles en París (Cuentos).*—Con un prólogo titulado *Otra vez en París*, por el cual se conoce su penosa entrada en Francia. Colec. Austral Argentina. Buenos Aires, núm. 67 íd. En 18 × 11,5 cm., 188 págs. e índice. 2.ª ed., 1942.

70. 1939.—*En torno a José Hernández (Nueve fantasías acerca del autor de «Martín Fierro»).*—Buenos Aires, Edit. Sudamericana. En 8.º, 125 págs. e índice.

71. 1940.—*Pensando en España (Cuentos o evocaciones del pasado español, escritos en París, 1939).*—Madrid, Biblioteca Nueva. En 8.º, 240 págs. con el índice.

72. 1941.—*Valencia (Recuerdos autobiográficos).*—Madrid, Biblioteca Nueva. En 8.º, 215 págs. con el índice.

73. 1941.—*Madrid (La generación y el ambiente del 98).*—Madrid, íd. En 8.º, 198 págs. con el índice.

74. 1941.—*Visión de España (Páginas escogidas por Erly Danieri).*—Son 32 capítulos de unos cuantos libros de Azorín, adecuados para la lectura en el Bachillerato, agrupados por la profesora argentina en las secciones «De otros días», «El paisaje español», «Siluetas españolas», «Estampas españolas» y «Crítica». Los acompaña un prólogo de Azorín también («El otro y el mismo»), henchido de ternura para los niños. Buenos Aires, núm. 226 de la Colec. Austral de Espasa-Calpe Argentina, S. A.—En 18 × 12 cm., 157 págs. con el índice.

75. 1941.—*Tomás Rueda.*—Núm. 248 de la Colec. Austral de Espasa-Calpe, Madrid. 160 págs.

76. 1942.—*El Escritor (Novela).*—Madrid, núm. 261 de la Colec. Austral de Espasa-Calpe, S. A. 18 × 11,5 cm., 150 págs. con el índice, 2.ª ed., 1943.

77. 1942.—*Cavilar y contar (Cuentos).*—Bar-

celona, Colec. Anfora y Delfín de Ediciones Destino, S. L. En 8.º mayor, 250 págs. con el índice.

78. 1942.—*Farsa docente*.—Comedia en tres actos estrenada por Loreto Prado y Enrique Chicote en Burgos el jueves 23 de abril. (Publicado por «Fantasía», semanario de la invención literaria, editado por la Delegación Nacional de Prensa, 1945.)

79. 1942.—*Sintiendo a España (Cuentos)*.—Barcelona, vol. I de la Bib. de Escritores Hispánicos de la Edit. Tartessos, Condal, 32. En 8.º, 249 págs. e índice.

QUINTA EPOCA

DESDE LOS SETENTA AÑOS DE AZORÍN

80. 1943.—*El Enfermo (Novela)*.—Madrid, Colec. La Tortuga, de las Ediciones Adán. 12 × 18 cm., 182 págs. con el índice.

81. 1943.—*Obras Selectas de Azorín* (Semblanza, bibliografía, ordenación y corrección por A. Cruz Rueda.)—Madrid, Biblioteca Nueva, 16 × 23 cm., 1520 págs., en papel biblia. Encuadernado en piel, con estampaciones en oro. Retrato en color por Zuloaga. 2.ª ed., considerablemente aumentada, 1953.

82. 1943.—*Capricho (Novela)*.—Núm. 380 de la Colec. Austral, de Espasa-Calpe, S. A., Madrid. 152 págs. con índice.

83. 1944.—*La isla sin aurora (Novela)*.—Barcelona, Ediciones Destino, S. L., Colección Anfora y Delfín. 12 × 19 cm., 160 págs., encuadernada.

84. 1944.—*Tiempos y cosas (Obras pretéritas de Azorín)*, coleccionadas por J. García Mercadal. Zaragoza, Librería General, Colec. Variorum. 13 × 19,5 cm., 224 págs.

85. 1944.—*Veraneo sentimental*.—Id., íd., 200 págs.

86. 1944.—*Palabras al viento*.—Id., íd., 176 páginas.

87. 1944.—*María Fontán (Novela rosa)*.—Núm. 525 de la Colec. Austral, de Espasa-Calpe. 178 págs.

88. 1944.—*Salvadora de Olbena (Novela romántica)*. Zaragoza, Librería General, Edit. Cronos, 12 × 18,5 cm., 212 págs.

89. 1944.—*Los valores literarios*.—Colección Contemporánea, Edit. Losada, Buenos Aires. 222 págs.

90. 1945.—*Leyendo a los poetas (Obras pretéritas)*.—232 págs.

91. 1945.—*París (Memorias)*.—Madrid, Biblioteca Nueva, 14 × 22 cm., 304 págs., encuadernada.

92. 1945.—*La Farándula (Obras pretéritas)*.—222 págs.

93. 1945.—*Los clásicos redivivos. Los clásicos futuros*.—Núm. 551 de la Colec. Austral, de Espasa-Calpe Argentina. 152 páginas.

94. 1946.—*Prosas Selectas* (Selección y prólogo de Agustín Basave).—Núm. 88 de la publicación semanal «Biblioteca Enciclopédica Popular», Secretaría de Educación Pública, México.

95. 1946.—*Ante Baroja (Obras pretéritas)*.—Prólogo inédito de Azorín. Bibliografía de Baroja, por A. Cruz Rueda. 284 páginas.

96. 1946.—*Memorias inmemoriales*.—Madrid, Biblioteca Nueva. 14 × 22 cm., 346 páginas, encuadernada.

97. 1946.—*El artista y el estilo* (Colección de ensayos, ordenados y precedidos de nuevo estudio acerca de la vida y obra de Azorín, por A. Cruz Rueda).—Prólogo inédito de Azorín.—Núm. 191 de la Colec. Crisol, de Aguilar, S. A. de Ediciones, Madrid. 8,5 × 12,5 cm., 524 páginas.

98. 1947.—*Escena y sala (Obras pretéritas)*.—13 × 19,5 cm., 232 págs.

99. 1947.—*Con Cervantes*.—Núm. 747 de la Colec. Austral Argentina. 210 págs.

100. 1947.—*Ante las candilejas (Obras pretéritas)*.—226 págs.

101. 1947.—*Obras Completas* (Tomo I).—Introducción, notas preliminares, bibliografía y ordenación, por A. Cruz Rueda. Colec. Joya, de M. Aguilar, editor, Madrid. 14 × 10 cm., encuadernada, con retrato, 1166 págs.

102. 1947.—*Obras Completas* (Tomo II).—Idem íd., 1186 págs.

103. 1947.—*Obras Completas* (Tomo III).—Idem íd., 1306 págs.

104. 1948.—*Obras Completas* (Tomo IV).—Idem íd., 1152 págs.

105. 1948.—*Obras Completas* (Tomo V).—Idem íd., 1096 págs.

106. 1948.—*Obras Completas* (Tomo VI).—Idem íd., 1087 págs.

107. 1948.—*Obras Completas* (Tomo VII).—Idem íd., 1256 págs.

108. 1948.—*Obras Completas* (Tomo VIII).—Idem íd., 1184 págs.

109. 1948.—*Con permiso de los cervantistas* (Con *Minuta de cervantismo*, por A. Cruz Rueda). Madrid, Biblioteca Nueva. 13 × 19 cm., 241 págs.

110. 1950.—*Con bandera de Francia* (Prólogo inédito del autor).—Madrid, Biblioteca Nueva. 13,5 × 20,5 cm., 293 págs.
111. 1950.—*La cabeza de Castilla.*—Núm. 951 de la Colec. Austral, de Espasa-Calpe Argentina, S. A. 147 págs.
112. 1952.—*El oasis de los clásicos* (Edición recogida y ordenada por J. García Mercadal).—Madrid, Biblioteca Nueva. 13 × 19 cm., 294 págs.
113. 1952.—*Trasuntos de España* (Páginas selectas, con prefacio, notas marginales y biográficas al final, por Alfred Akerlund. Prólogo de Azorín).—14,5 × 20,5 cm., 80 págs. (14 trabajos de Azorín, la mayoría de *Los Pueblos)*, Svenska Bokforlaget Bonnier, Estocolmo. Además, hay ediciones populares de algunas de estas obras en la Colec. Austral y en la Biblioteca Contemporánea Argentina.
114. 1953.—*Verano en Mallorca.*—Monografías de «Panorama Balear», núm. 21, serie 3.ª, Galerías Costa, Palma. 12 × 17 cm., 16 págs., con fotografías.
115. 1953.—*El cine y el momento.*—Obra enteramente inédita. Madrid, Biblioteca Nueva. 13 × 19 cm., 190 págs.

SEXTA EPOCA

DESDE LOS OCHENTA AÑOS DE AZORÍN

116. 1954.—*Azorín.*—Obras completas. Tomo IX. Aguilar, S. A., Madrid.
117. 1955.—*El efímero cine.*—Colec. Más Allá. Afrodisio Aguado, S. A., Madrid, 174 páginas.
118. 1956.—*Cuentos.*—Con un prólogo del autor sobre «la estética del cuento». Colección Clásicos y Maestros. Recopilación hecha por J. García Mercadal. 288 págs.
119. 1956.—*De Valera a Miró.*—Con un prólogo del autor. Colección Clásicos y Maestros. Afrodisio Aguado, S. A. Trabajos recogidos y ordenados por J. García Mercadal. 260 págs.
120. 1957.—*Dicho y hecho.*—Colec. Ancora y Delfín. Ediciones Destino, S. L., Barcelona. Edición recogida y ordenada por J. García Mercadal. 242 págs.
121. 1957.—*Escritores.*—Biblioteca Nueva, Madrid. Edición recogida y ordenada por J. García Mercadal. 306 págs.
122. 1957.—*Los valores literarios.*—Colección Contemporánea. Edit. Losada, S. A., Buenos Aires. 2.ª ed., 222 págs.
123. 1958.—*Sin perder los estribos.*—Colección Persiles. Taurus Ediciones, S. A., Madrid. Recopilación hecha por J. García Mercadal.
124. 1958.—*De un transeúnte.*—Colec. Austral, núm. 1.288. Espasa-Calpe, S. A., Madrid. Trabajos recogidos y ordenados por J. García Mercadal. 172 págs.
125. 1959.—*Andando y pensando (Notas de un transeúnte).*—Colec. Austral, número 1.257. Espasa-Calpe, S. A., Madrid, 148 págs.
126. 1959.—*Pasos quedos.*—Colec. 21. Escelicer, S. A., Madrid. Escritos dispersos coleccionados y ordenados con permiso del autor, por J. García Mercadal, 240 páginas.
127. 1959.—*Agenda.*—Biblioteca Nueva, Madrid. Edición de trabajos inéditos. 180 páginas.
128. 1959.—*Posdata.*—Biblioteca Nueva, Madrid. Edición enteramente inédita. 174 páginas.
129. 1960.—*Ejercicios de castellano.*—Biblioteca Nueva, Madrid. 216 págs.
130. 1960.—*Lope en silueta.*—Colec. Contemporánea. Edit. Losada, Buenos Aires. 2.ª ed., aumentada, preparada por J. García Mercadal. 110 págs.
131. 1961.—*La generación del 98.*—Edición de Angel Cruz Rueda. Biblioteca Anaya, Salamanca. Serie Textos Españoles, tomo XII, extra. 94 págs.

EN TURNO DE PUBLICACION

La muy amada España (Taurus Ediciones).
España clara (Ediciones Doncel, de la Delegación Nacional de Juventudes, Madrid).
Ni sí ni no (Col. Ancora y Delfín. Ed. Destino, S. L., Barcelona).
Historia y Vida (Col. Austral, Espasa-Calpe, S. A., Madrid.

TRADUCCIONES

Al francés: *La ruta de Don Quijote, España, Doña Inés, Félix Vargas* (hoy *El caballero inactual)* y *Castilla.* Al italiano: *El Político, Félix Vargas* y las versiones que prepara Flaviarosa Rossini. Al alemán y al noruego: *La ruta de Don Quijote.* Al ucraniano: los cuentos traducidos por el Dr. Dmytro Buchynskyj y estudios del Dr. Simón Fediuk y Rowenchuk. Ediciones para el estudio del español, en Inglaterra y los Estados Unidos, de *Las confesiones de un pequeño filósofo, El Licenciado Vidriera, visto por Azorín,* y *Old Spain,* y en la antología de *Cuentos de acá y de allá*, por el profesor Batchelor, y para Suecia, *Trasuntos de España.*

Además, pueden leerse trabajos de Azorín en diversos libros. Sin pretender enumerar todos, recordaremos los siguientes:

Génesis del Quijote, en «Iconografía de las ediciones del Quijote de Miguel de Cervantes Saavedra». Henrich y Comp.ª, Barcelona, 1905.

Don Quijote en casa del Caballero del Verde Gabán, en «El Ateneo en el 3.er Centenario de El Ingenioso Hidalgo Don Quijote de la Mancha». Madrid, 1905.

La psicología de Pío Cid, en «Angel Ganivet», por F. Navarro Ledesma, Miguel de Unamuno, Azorín y C. Román Salamero. Librería Serret, Valencia, 1905.

Jardín junto a la vía, en «Jardines de España», por Santiago Rusiñol. Renacimiento, Madrid, 1914.

Páginas escogidas de Clarín (Leopoldo Alas). Selección, prólogo y comentarios. Editorial Calleja, Madrid, 1917.

Tres momentos de Mérimée, en «Ernest Mérimée (1846-1924)». Discursos en la sesión necrológica, del 25 de abril, en el Instituto Francés. Casa Editorial Orrier, Madrid, 1924.

Descripciones de ciudades, en *Visiones contemporáneas de España. La Patria vista por sus escritores (Textos descriptivos)*, prólogo y vocabulario por Guillermo Díaz-Plaja, 2.ª ed., Lib. Bosch. Barcelona, 1936.

Artículo de costumbres, de Larra. Antología dispuesta por Azorín, con un comento a Larra y sincronismo de Larra. Núm. 306 de la Colec. Austral Argentina, 1942.

Discursos y discursillos, de los Quinteros, con uno de Azorín y otro de Ricardo León. «Biblioteca Nueva», Madrid, 1943.

Fragmentos en *La novela española contemporánea (antología)*, por «Juan del Arco» (Francisco Mota). Edit. Aldecoa, 1943.

Idem en *La preocupación de España en su literatura (antología)*, por Dolores Franco. Edit. Adán, Madrid, 1943.

Costumbristas españoles, por E. Correa Calderón, catedrático, tomo 2.º, Colec. Obras Eternas. Aguilar, S. A. de Ediciones, Madrid.

El concepto contemporáneo de España. Antología de ensayos (1895-1931), por Angel del Río y M. J. Benardete. Edit. Losada, S. A., Buenos Aires, 1946.

Cuentistas españoles del siglo XX, por Federico C. Sáinz de Robles. Colec. Crisol de Aguilar, S. A. de Ediciones.

Prosa Moderna (Antología para la Enseñanza Media), por el prof. Albino G. Sánchez Barros. Edit. Studium, Buenos Aires, 1953.

Opiniones o artículos como prólogos en:

Artistas levantinos, de L. Pérez Bueno. Madrid, 1899.

Aires murcianos, de Vicente Medina. Colección de Obras Completas editadas por el propio autor, XIV. Rosario de Santa Fe (República Argentina), 1923.

Ordenación y prosperidad de España, de Pedro González-Blanco.

Verba, de Gabriel Alomar.

Lazarillo español, de Ciro Bayo.

Obras completas de Gabriel Miró, vol. I. Edición conmemorativa, 1932.

España, pueblos y paisajes, de José Ortiz Echagüe. 2.ª ed. Edit. Internacional, San Sebastián, 1942.

Y en obras de La Cierva, Matheu, Losada de la Torre, Casariego, Maragall, Escrivá, Cruz Rueda y, sobre todo, en las *Obras Completas de Valle-Inclán*, ya magnífica 2.ª edición artística (1952). Igualmente deben tenerse en cuenta trabajos de Azorín tan perdurables como el prefacio (1927) a *La mojiganga de la Muerte*, de Calderón de la Barca; *Leer y leer*, 1941; *Diario de una mujer*, 1942; *Castillos de España*, en la obra de Sarthou Carreres (1943); *Ortega o el orador*, 1945; *El sitio de Baler*, en la 4.ª ed. (1946); *Cecilia de Rianzares*, 1948, en el homenaje al profesor Walter Starkie, primer director del Instituto Británico de Madrid; el del catálogo de una Exposición de Libros Españoles en París; *Maura, orador*, en la celebración de su centenario en la Real Academia Española (cuartillas enviadas, a ruego de su director Menéndez Pidal, en mayo de 1953); y las de gratitud en una conferencia de Starkie en los ochenta años de Azorín (conferencia en dicho Instituto el 17 de junio de 1953), y muchos más que pudieran citarse.

LIBROS Y ESTUDIOS ACERCA DE AZORIN

AGUSTÍ, IGNACIO: *Alma y tierra* («Destino», Barcelona, 6 diciembre 1941).

«ALCALÁ» (Revista Universitaria Española), Madrid, 10 de febrero de 1954. El núm. 50, extraordinario de homenaje a Azorín. En él aparecen trabajos originales de Jaime Ferrán, Juan Castella Gassol, José Luis Ortiz-Cañavate, Santiago Riopérez y Milá, Juan Emilio Aragonés.

ALFARO, JOSÉ MARÍA: *El París de Azorín* («Escorial», Madrid, 1945).

ALFONSO, JOSÉ: *Azorín (De su vida y de su obra).* Cuadernos de Cultura, Valencia, 1931.—*En Monóvar, con don Amancio, el hermano de Azorín* («La Estafeta Literaria», Madrid, núm. 1, 5 marzo 1944).—*Azorín íntimo* (vol. 151 de la Colec. «La Nave», Edit. Calleja, Madrid, 1950).—*La medalla de oro de Monóvar, creada para el maestro Azorín* («A B C»).—*En torno de Azorín y del mar* («A B C»).—*Geografía monovera de Azorín* («A B C»).—*Azorín en torno a su vida y a su obra* (Edit. Aedos, Barcelona, 1958).

ALONSO, MARÍA ROSA: *Al margen de las últimas obras de Azorín* («Cuadernos de Literatura Contemporánea», núm. 8, Madrid, 1943).

ALONSO SCHOKEL, LUIS, S. J.: *Estilo y estilos* (aparte de «Humanidades», II, 1, 1950, Universidad Pontificia de Comillas, Santander, España).

AMAYA, PABLO: *Azorín* («Ya», Madrid, 7 diciembre 1947).—*Cosas menudas* (íd., 12 septiembre 1950).

ANDERSON IMBERT, E.: *El pasado literario de Azorín* («Nosotros», Buenos Aires, 1930, LXIV).

ANGULO, JULIO: *Instantánea del día: El maestro caminante* (trabajo radiado por la Emisora Madrid en sus Actualidades el 23 noviembre 1947, y premiado en el concurso de Editores y Libreros en honor de Azorín).

ARAQUISTÁIN, LUIS: *Azorín en la Academia* («El Arca de Noé», Valencia, 1926).

«ARBOR» (Revista General de Investigación y Cultura, del C. S. I. C., núm. 36, tomo XI, diciembre 1946, extraordinario conmemorativo de 1898. Premiado por la Dirección General de Propaganda en el Concurso al mejor número monográfico de revista literaria en 1948. Colaboran en él los señores I. Núñez, M. Fernández Almagro, José María García Escudero, P. Laín Entralgo, Gerardo Diego, E. La Fuente Ferrari, F. Sopeña, G. Bleiberg, A. Gallego Morell, J. L. Aranguren, G. Torrente Ballester, Hans Juretschke, C. Castro Cubélls, J. L. Pinillos, M. Baquero Goyanes y J. María Valverde.

ARCE MONZÓN, BAUDILIO: *La Voluntad*, de Azorín, por Franco Meregalli, profesor de Lengua y Literatura Españolas en la Universita Bocconi, de Milán. (Trad. de ... Rev. de la Universidad de Oviedo, 1950. Cap. de la obra acerca de Azorín publicada por dicho profesor en Milán en la casa Rodolfo Malfasi, 1948.)

ARCO, JUAN DEL: *Una juventud literaria* («Haz», 4.ª época, núm. 1, Madrid, febrero de 1943).—*Novelistas españoles contemporáneos* (págs. 83-98, Edit. Aldecoa, Madrid-Burgos, 1944).—*Papeles del 98*, con el verdadero nombre de Francisco Mota (páginas 101-103, núm. 92 de la Colec. Más Allá, Afrodisio Aguado, S. A., Madrid, 1950).

ARCONADA, ANGEL MARÍA: *Azorín, el terrible* («La Hora»).

ASTRANA MARÍN, LUIS: *Las Memorias de Azorín* («A B C», Madrid, 5 enero 1944).

AUNÓS, EDUARDO: *Azorín, en París* («A B C», 18 noviembre 1945).

AZCOAGA, ENRIQUE: *La isla sin aurora* («La Estafeta Literaria», núm. 7, 15 junio 1944).—*Azorín* («El Alcázar», 10 diciembre 1947).

BAER FUNDEBURG, GEORGE: Introducción a la edición neoyorquina de *Old Spain* (Nueva York-Londres, The Century Co.).

BAEZA, RICARDO: *Azorín y la generación del 98* («El Sol», diario de Madrid, 31 agosto, 4, 10 y 12, 1926).

BAHR HERMANN: *Notizen zur neueren spanischen Literatur* (Noticias acerca de la nueva literatura española). Serie de folletos publicados como anejos de los «Preuss. Jahrbucher», núm. 20. G. Stilke, Berlín, 1926.

BALSEIRO, JOSÉ A.: *Azorín y Cervantes* («Modern Language Journal», Nueva York, 1935, XIX).—*Nueve escritores contemporáneos juzgados por un crítico angloamericano* («Cuba Contemporánea», La Habana, 1926, XLI).—*El Vigía* (Ensayos de crítica literaria, tomo III. Biblioteca de Autores Portorriqueños. San Juan de Puerto Rico, 1942. Conferencia leída en la Universidad de Nueva York el 3 de enero 1936).

BAQUERO GOYANES, MARIANO: *Elementos rítmicos en la prosa de Azorín* («Clavileño», rev. de la Asoc. Intern. de Hispanismo, págs. 25-32 del núm. 15 mayo-junio 1952).

BARJA, CÉSAR, profesor de la Universidad de California en Los Angeles: *Literatura española: Libros y autores contemporáneos (Ganivet, Unamuno, Ortega y Gasset, Azorín, Baroja, Valle-Inclán, A. Machado, Pérez de Ayala)*. Librería General de Victoriano Suárez. Madrid, 1935. Págs. 264-298. Abundante bibliografía, referente a Azorín, de libros, revistas y periódicas en las págs. 478-480.

BAROJA, PÍO: Prólogo a *La fuerza del amor*, de J. Martínez Ruiz, 1901. (Carta desde París en «Fiesta de Aranjuez en honor de Azorín». Publicaciones de la Residencia de Estudiantes, serie IV, vol. 4, Madrid, 1915).—*Juventud, egolatría* (Caro Raggio, editor. Madrid, 1917).—*Desde la última vuelta del camino. Memorias* (tomos I, II, III, IV y V, Biblioteca Nueva, Madrid, 1944, 1945, 1947 y 1948). Discurso en el «Homenaje de la Hemeroteca Municipal de Madrid a Azorín» el 29 diciembre 1947.

BAROJA, RICARDO: *Gente del 98* (195, Editorial Juventud, Barcelona).

BASAVE, AGUSTÍN: *Una visita a Azorín* (Prólogo a Azorín: «Prosas Selectas, núm. 88 de la «Biblioteca Enciclopédica Popular». Secretaría de Educación Pública, México, 1946).

BAUDIZZONE, L. M.: *Silverio Lanza, un precursor de la generación del 98* («Nosotros», 1940, XII).

BELL AUBRY, F. G.: *Contemporary Spanish Literature* (Literatura española contemporánea. Nueva York, Alfred A. Knopf, 1925).

BELLO SANJUÁN, FLORENCIO: *Ensayo bibliográfico. Libros de viaje y Libreros de viejo* G. A. I. C. E., Madrid, 1949, págs. 341-343).

BELLO, LUIS: *Una hora de España. El discurso de Azorín* («La Esfera», Madrid, 22 noviembre 1924).

BERKOWITZ, H. C.: *Galdos and generation of 1898* («Philological Quartely», Iowa, 1942, XXI).

BLANCO-GARCÍA, P. FRANCISCO, Agustino: *La literatura española en el siglo XIX* (Madrid, 1891-1894, 3 tomos).

BLANCO FOMBONA (R.): *Doña Inés* («Motivos y letras de España», Madrid, 1939).

BOYD, ERNEST: *Studies from ten literatures* (Estudios de diez literaturas) (Londres, Scribner, 1925).

BUENO, MANUEL: *Azorín, académico* («Los Lunes de 'El Imparcial'», 18 mayo 1924).

BUFFUM, M. E.: *Literary Criticism in the Essay of the Generation of 1893* («Hispania», California, XVIII).

BURELL, CONSUELO: *Azorín, en el Instituto* («A B C», 1 marzo 1946).

EL CABALLERO AUDAZ (JOSÉ M.ª CARRETERO): *Galerías*, tomo I (Más de cien vidas extraordinarias contadas por sus protagonistas y comentadas por...) (Ediciones E. C. A., Madrid, 1943, págs. 431-438).

CALVO, LUIS: *Azorín* («A B C», 2 febrero 1947).—*El estilo de Azorín* (íd., 11 diciembre íd.).

CALVO SERER, RAFAEL: *Del 98 a nuestro tiempo. Valor de contraste de una generación* («Arbor», núm. 37, tomo XII, Madrid, enero 1949).

CAMÓN AZNAR, JOSÉ: *El espacio en la estética de Azorín* («A B C», 8 febrero 1947).

CAMPO, AGUSTÍN DEL: *Valencia en Azorín* («Escorial», tomo VIII, julio 1942).

CAMPOS, JORGE: *Conversaciones con Azorín* (Editorial Taurus, Madrid).

CAMPOY, ANTONIO M.: *Azorín o la serenidad* («Hoja del Lunes», Almería, 8 diciembre 1947).

CANDAMO, BERNARDO G. DE: *Azorín y su polifonía monocorde* («Informaciones», Madrid, 9 diciembre 1947).

CANO, J. L.: *Los libros del mes.* (Trata del tomo I de las Obras Completas de Azorín.) (Revista bibliográfica «Insula», Madrid, 15 diciembre 1947).—Id: *Con permiso de los cervantistas* (íd., 15 septiembre 1948).

CANSINOS-ASSÉNS, RAFAEL: *Poetas y prosistas del novecientos* («España y América», Madrid, 1912).—*La nueva literatura*, 2 tomos (I, «Los Hermes»; II, «Las escuelas»). 1.ª ed., Madrid, 1917-1918; 2.ª, 1925 (I, páginas 87-107).

CAPILLA BELTRÁN, JOSÉ: Suplemento literario de «Idella», semanario de Elda, 1 febrero 1930.—*Azorín y Monóvar* (con fotografías en el semanario de Madrid «El Español», 8 enero 1944).—*Elda en Azorín* (Programa para las fiestas de Elda).

CARABIAS, JOSEFINA: *Arte de ganar dinero. Una entrevista por...* («Informaciones», Madrid, 1 agosto 1950).—*Azorín no escribirá más* (íd., 19 noviembre 1952).

CARPINTERO, HELIODORO: *Una lección ejemplar: Azorín* («A B C»).

CASARES, FRANCISCO: *Azorín* («A B C», de Sevilla, 2 febrero 1944).

CASARES, JULIO: *Crítica profana (Valle-Inclán, Azorín, Ricardo León)*. (Madrid, 1916, particularmente págs. 131-242).

CASSOU, JUAN: *Panorame de la littérature contemporain* (París, Kras, 1929).

Castán Palomar, Fernando: *¿Qué hizo usted ayer? Azorín* (Semanario «Dígame», 13 mayo 1941).

Castaneiras, A.: *Leopoldo Alas, Menéndez Pelayo, Azorín, J. E. Rodó, González Olmedilla y Benito Pérez Galdós* («Nosotros», 1920, XXXIV).

Castillo Puche (José L.): *Azorín nos da una lección de sintaxis y literatura* («El Español», 2-8 agosto 1953).—*Agradecido a Yeclas* («El Español»).—*Azorín y los pueblos* («A B C»).—*El viento, Yecla, Azorín..., la ceniza* («A B C»).

Castro, Cristóbal: *Azorín académico* («Informaciones», 20 abril 1924).—*La evolución de la novela y los novelistas españoles* («La Esfera», 29 mayo 1926).

Cejador y Frauca, Julio: *Historia de la lengua y literatura castellana* (tomo X, Madrid, 1919. Amplias indicaciones bibliográficas).

Cepeda, José Antonio: *Azorín, escritor de España* y *Azorín o la elemental maravilla* («Nueva España», Huesca, 29 noviembre y 10 diciembre 1947).

Clavería, Carlos: *Cinco estudios de literatura moderna* (uno de éstos consagrados a Azorín). C. S. de I. C. (Instituto de Antonio de Nebrija), 1945.

Cossío, Francisco de: *La virtud del estilo* («A B C», febrero 1942).—*La importancia del estilo* (íd., 17 marzo 1945).—*Las palabras* (íd., 7 diciembre 1947).—*Una evocación del 98* (íd., 17 agosto 1948).—*El escritor* (íd., 30 noviembre 1952).

Criado del Val, M.: *Dos matices del tiempo (Sobre Azorín: Cavilar y Contar)*, en los núms. 9-10 de los «Cuadernos de Literatura Contemporánea», 1943.

«Criterio» (Revista de problemas contemporáneos, núm. 19, 1 agosto 1948: *Con permiso de los cervantistas.*

Critile, Víctor Bouillier: *Le théatre d'Azorin* («Mercure de France», 15 julio 1929).

Cronos: *Azorín ha practicado en su juventud el juego de pelota* («Marca», Madrid, 18 enero 1953.

Cruz Hesles, José: *Azorín habla para la prensa egabrense* («El Popular», Cabra, 29 abril 1953).

Cruz Rueda, Angel: *Sobre la fiesta de Aranjuez en honor de Azorín* (Diario «Hoy», de Madrid, noviembre 1913).—*Azorín en Francia* (Revista «Ensayos», Jaén, julio y agosto 1919).—*Don Juan, semblanza* (Diario «Norte Andaluz», íd., 2 noviembre 1924).—*Azorín en la R. A. E.* («La Regeneración», íd., 20 y 22 noviembre 1924).—*Doña Inés. semblanza* («Norte Andaluz», 14 noviembre 1925).—*Andando y pensando* («Diario de Córdoba», 7 abril 1929).—*Blanco en Azul: Cuentos de Azorín* (Crónica de la provincia de Jaén, «Don Lope de Sosa», septiembre de 1929).—*Significación de Azorín en la literatura contemporánea.* Conferencia pronunciada en la Real Academia de Ciencias, Bellas Letras y Nobles Artes de Córdoba el 21 de enero de 1928 («Boletín de la Academia», año VII, núm. 22, abril a junio; en edición separada y en el Apéndice 3.º de la traducción de Mulertt).—Tres apéndices en la traducción (1930) de Mulertt, por Carandell, y corrección de la obra con autorización del autor.—*Azorín en el tricentenario de El Fénix: Lope en silueta* («La vida literaria», suplemento de la Revista «España y América», Cádiz, octubre de 1935).—*La fina Valencia de Azorín* («El Popular», semanario de Cabra, Córdoba, 15 octubre 1941.—*La generación del 98 en el Madrid de Azorín* (íd., día 22 íd.).—Prólogo, ordenación, corrección y apéndices en las *Obras Selectas de Azorín* (ed. de lujo, «Biblioteca Nueva», Madrid, 1943. 2.ª ed., aumentada, 1953).—*Quién es quién... Azorín* («Bibliografía Hispánica», Madrid, noviembre 1944).—*Mujeres de Azorín* («El Español», 10 febrero 1945).—*María Fontán: Novela rosa de Azorín* («La Estafeta Literaria», núm. 23, 15 marzo 1945).—*París visto con el lente escrutador de Azorín* (íd., núm. 34, 25 septiembre 1945).—*Azorín, prosista,* y *Bibliografía* (núms. 16-17, reunidos, de los cuadernos de «Literatura Contemporánea», 1945).—*Los clásicos redivivos. Los clásicos futuros,* por Azorín (Colección Austral de Espasa-Calpe Argentina, S. A., noviembre 1945. Ordenación por).—*Obras pretéritas* («Bibliografía Hispánica», febrero 1946).—*Ante Baroja* («Paisaje», crónica de la provincia de Jaén, núms. 26-27, reunidos, julio y agosto 1946).—*Azorín y sus Obras pretéritas* («Insula», 15 noviembre 1946).—*El artista y el estilo,* de Azorín (Prólogo, ordenación y corrección. Col. Crisol, de M. Aguilar, librero-editor, Madrid, 1946).—*Mujeres de Azorín. A los toros* (Extraordinario de «Dígame», 9 mayo 1947).—*Mujeres de Azorín* («Cuadernos de Literatura», segunda época, núm. 4, julio-agosto 1947).—*España y trabajo* (lectura en la sesión de homenaje a Azorín celebrada por Radio Madrid en 6 diciembre de 1947, homenaje en el cual colaboraron también el doctor Marañón y el actor del teatro Español Adriano Domínguez. *España y trabajo* fue publicado en «El Popular», Cabra, del día 31).—*José Martínez Ruiz (Azorín)* («Boletín Bibliográfico Mexicano», mayo-junio de 1948, Librería de Porrúa Hermanos y Compañía).—*Obras Completas de Azorín* (Colección Joya, de M. Aguilar, editor-librero, Madrid, 1947 y 1948, ocho tomos, únicas completas hasta el día. Introducción, notas preliminares, bibliografía y ordenación por).—*Con permiso de los cervantistas*, por Azorín (Biblioteca Nueva, Madrid, 1948). — Tres notas con veredero y Minuta de cervantismo).—*El cervantismo de un cervantista* («Cuadernos de Literatura», fasc. 13-14-15, enero-junio de 1949).—*Realidad y fantasía en los personajes de Azorín (El Abuelo Azorín)*. («Rev. Nacional de Educación», núm. 99, año X, 2.ª época, 1950).—Prólogo a *Salvadora de Olbena*, en «Novelas y Cuentos», 18 junio 1950.—Idem a *María Fontán*, en íd., 2 marzo 1952.—*Psicología literaria de Azorín* (Conferencia en el Instituto de Estudios Alicantinos, Palacio de la Diputación, 20 mayo 1953).—*Los ochenta años de Azorín* (diario «A B C», Madrid, 7 junio 1953).—*Mujeres de Azorín* (Silueta del autor, por Azorín), Biblioteca Nueva, Madrid, 1953.

CUEVAS, JOSÉ DE LAS: *Azorín y los pueblos* («A B C»).

CHISPERO (seudónimo de Víctor Ruiz Albéniz): *Azorín en la Casa Concejo* («Informaciones», 30 diciembre 1947).

DARANAS, MARIANO: *Azorín y Benavente* («A B C», 30 mayo 1945).

DARÍO, RUBÉN: *La joven literatura* (en «España Contemporánea», Obras Completas, tomo XIX, pág. 74).

DEL PAN, ISMAEL: *Azorín, naturalista* (separata del «Boletín de la Real Sociedad Española de Historia Natural», tomo XLIV, páginas 123-151, 1946).

DELEITO PIÑUELA, J.: *La tristeza en la literatura contemporánea* (Madrid, 1911).

DENNER, DR. HEINRICH: *Das stilproblem bei Azorín* («El problema estilístico en Azorín»). Rascher y Comp.ª, editores. Zurich, 1932.

DÍAZ-CAÑABATE, ANTONIO: *Una hora en Monóvar* («A B C», 27 abril 1947).—*Azorín va al cine* («A B C» de 12 agosto 1961).

DÍAZ-PLAJA, GUILLERMO: *El teatro de Azorín* (Estudio en tomo 2.º de este teatro. C. I. A. P., Renacimiento, Madrid, 1931).—*El arte de quedarse solo y otros ensayos* (E. Juventud, Barcelona, 1936).—*La ventana de papel* (Ensayos sobre el fenómeno literario. Ed. Apolo, Barcelona, 1939).—*El primer Azorín* («Destino», Barcelona, 11 octubre y 22 noviembre 1941).—*Azorín, el tiempo y la magia*, conferencia en el Instituto de Estudios Alicantinos, mayo de 1953.

DÍEZ-CANEDO, ENRIQUE: *Azorín: Rivas y Larra y Un pueblecito* («España», 15 junio 1916).—*Un escritor y unos críticos* (ídem, 21 junio 1917).—*Azorín y la política (El chirrión de los políticos)*, en «Revista de Occidente», vol. II, noviembre 1923.—*La vida literaria en 1923* («Bol. de la Inst. Libre de Enseñanza», Madrid, 1924, XLVIII).—*Azorín, antiguo y nuevo* («El Sol», 23 diciembre 1928).—*Azorín, antiguo y nuevo: Superrealismo azoriniano* (ídem, 5 marzo 1930). — *Conversaciones literarias (1915-1920)*. Ed. América, Madrid, 1921.—*Panorama del teatro español desde 1914 hasta 1936* («Hora de España», núm. 16, 1938).

DIEGO, GERARDO: *El poeta Azorín* («A B C», 16 febrero 1949).

«DÍGAME» (rotativo gráfico semanal): *El niño Azorín* (24 febrero 1953).—*Azorín cumple ochenta años* («Informaciones», 5 junio 1953).

ELÍAS, A.: *Los métodos de entonces: Acotaciones al margen de un libro de Azorín* («Hispania», California, 1944, XXVII).

ENGLEKIRK, J. E.: *El hispanoamericanismo y la generación del 98* («Revista Iberoamericana», II).

ENGUÍDANOS, MIGUEL: *Azorín en busca del tiempo divinal* («Madrid», Palma de Mallorca, 1959).

ENTRAMBASAGUAS, J. DE: *Leyendo a Valle-Inclán. Notas al margen* («Cuadernos de Literatura Contemporánea», núm. 18, 1946).

ENRÍQUEZ UREÑA, PEDRO: *En torno a Azorín*, en el libro *En la orilla* («Mi España», Méjico, 1922).

ERNEST, FRITZ: *Azorín* (Prólogo a la traducción alemana de *La ruta de Don Quijote*, por Ana María Ernst-Jemoli). Rascher y Comp.ª, editores. Zurich, 1932.

ESCRIVÁ, VICENTE: *El escritor descubre el cine* (diario «Informaciones», 7 noviembre 1950).

ESLA, C. DE: *La tristeza de Azorín* («Correo de Asturias», Buenos Aires, 19 julio 1943).

ESPASA: *Enciclopedia Universal Ilustrada*, en los apellidos *Martínez Ruiz*, tomo XXXIII, pág. 561.

ESPINA, ANTONIO: *Azorín: Félix Vargas* («Revista de Occidente», vol. VII, enero 1929).—*Superrealismo* (ídem, vol. VIII, abril 1930).

FABIO VARELA, H.: *El mundo poético de Azorín* («Rev. del Colegio Mayor de Nuestra Señora del Rosario», Bogotá, 1934, XXXIV).

FERNÁNDEZ ALMAGRO, MELCHOR: *Vida y obra de Angel Ganivet* (Madrid, 1925, 2.ª ed.).—Prólogo a las *Obras Completas de Angel Ganivet* (Tomo I, 1943, Ed. de M. Aguilar).—*Valencia, Madrid* («A B C», 24 septiembre 1941).—*El enfermo* (ídem, 23 diciembre 1943).—*Vida y literatura de Valle-Inclán*, especialmente el capítulo 6.º: *Los del 98: los modernistas* (Editora Nacional, Madrid, 1943).—*Los del fin del siglo* («El Español», núm. 7, 1943).—*Obras selectas de Azorín* («A B C», 13 enero 1944).—*La isla sin aurora* (ídem, 29 mayo 1944).—*París* (ídem, 9 septiembre 1945).—*Memorias inmemoriales* (ídem, 9 febrero 1947).—*Pre-Azorín* (ídem, 3 diciembre 1947).—*En torno al 98* (Política y literatura). Ediciones Jordán, Madrid, 1948.—*Azorín, cervantista* («La Vanguardia Española», Barcelona, 8 julio 1948).—*Con permiso de los cervantistas* («A B C», 20 agosto 1948).—*El cine y el momento* (14 junio 1953).

FERNÁNDEZ CUENCA, CARLOS: *El autor y su obra preferida* («Correo Literario», año III, núm. 57, 1 octubre 1952).—*De un cuento corto nació «Salvadora de Olbena», novela de Azorín* («Correo Literario»).

FITZMAURICE-KELLY, JAIME: *Historia de la literatura española* (Librería General de Victoriano Suárez, Madrid, 1914, págs. 438-439).

FLAQUER, JOSÉ ANTONIO: *Azorín en la intimidad* («Madrid»).

FRANCÉS, JOSÉ: *Miradas sobre la vida* («Escoliario», Madrid, 1925, págs. 183-85).

FRANK, WALDO: *España, virgen* («Revista de Occidente», Madrid, 1.ª ed., 1927, y 2.ª, 1930, cap. XIII).

FRAY CANDIL (Emilio Bobadilla): *Impresiones literarias. La Voluntad*, por J. Martínez Ruiz («Nuestro Tiempo», Madrid, 1902, número 19, tomo II, págs. 92-99).

FROBERGER, JOSEF: *Die Hauptrichtungen des spanichen Literatur der Gegenwart* (Las tendencias principales de la actual literatura española). «Mitteilum gen aus Spanien», II (Anales de España), 1918, 225-238.

FUENMAYOR, DOMINGO: *El secreto de la generación del 98.*

GALÁN PACHECO, MANUEL: *Críticos* (semanario «España», 24 mayo 1917, trabajo incluido en el libro del autor «La espada del Samuray», Madrid, 1924).

GALLEGO MORELL, ANTONIO: *Azorín a distancia* («A B C»).

GAMALLO FIERROS, DIONISIO: *El alma taciturna de Rosalía, en la «soledad verde» del pueblo gallego, y la sensibilidad de Azorín* («El Español», 9 septiembre 1944).

GARCÍA BLANCO, M.: *Un libro memorable* (se refiere a las *Memorias* de Azorín). Trabajos y días, «Revista universitaria de Salamanca», marzo-abril 1947.

GARCÍA Y GARCÍA DE CASTRO, RAFAEL, actual arzobispo de Granada: *Los intelectuales y la Iglesia* (Ediciones Fax, Madrid, 1934, páginas 332-337).

GARCÍA GÓMEZ, EMILIO: *Una carta a Azorín* («A B C», 7 febrero 1947).

GARCÍA SERRANO, RAFAEL: *Las obras selectas de Azorín* («La Estafeta Literaria», Madrid, núm. 1).

GARCÍA VENERO, MAXIMIANO: *El escritor y la vocación* («Arriba», Madrid, 9 septiembre 1941).—*Glosario Urbano.* Con motivo del homenaje de la Hemeroteca (en «Ya», 2 enero 1948).

GIBSON, P.: *Semblanza de Azorín* (Comer L., 18 septiembre 1938).—*Azorín o la estética del adjetivo* (del libro en preparación, 1953, «Motivos Ibéricos», Lima).

GIMÉNEZ CABALLERO, ERNESTO: *Ficha sobre Azorín* («El Sol», 17 octubre 1928).

GÓMEZ DE BAQUERO, EDUARDO: *Revista literaria (Las confesiones)*, en «El Imparcial», 29 mayo 1904.—*Letras e ideas (Crítica).* Barcelona, Henrich y Comp.ª, 1905.—*El renacimiento de la novela en el siglo XIX (Los ensayistas. La enseñanza de la literatura).* Ed. Mundo Latino, Madrid, 1924, págs. 110-111 y 164-166.—*Azorín en la Academia* («El Sol», 28 octubre 1924).—Con el seudónimo de «Andrenio»: *Félix Vargas y Azorín* (diario «La Voz», Madrid, diciembre 1928).—*Azorín, cuentista* («El Sol», 20 julio 29).

GÓMEZ DE LA SERNA, RAMÓN: *La sagrada cripta de Pombo* (En dos tomos; nueva ed. argentina en un tomo).—*Retratos contemporáneos* (Buenos Aires, 1941).—*Los grandes escritores: Azorín* (Ed. La Nave, Madrid, 1930. 2.ª ed. popular, corregida y aumentada. Bibl. Contemporánea. Ed. Losada, S. A., Buenos Aires, 14 agosto 1942).

GÓMEZ SANTOS, MARINO: *Azorín cuenta su vida* (Diario «Pueblo», los días 20 de enero a 25 de enero de 1958).

GONZÁLEZ, J. B.: *En torno a la moderna estilística* («Nosotros», Buenos Aires, 1933, LXXVIII).

GONZÁLEZ-BLANCO, ANDRÉS: *Los contemporáneos.* Apuntes para una historia de la literatura hispanoamericana a principios del siglo XX (1.ª serie, tomo I, Garnier Hnos., París, págs. 1-73).—*Historia de la novela en España desde el Romanticismo a nuestros días* (Sáenz de Jubera Hnos., editores, Madrid, 1909).

GONZÁLEZ-BLANCO, EDMUNDO: *Azorín, primer período de su evolución mental* («La Esfera», diciembre 1918).

GONZÁLEZ-DELEITO: *Los escritores no juristas, ante los problemas de la Justicia: Azorín* («Foco»).

GONZÁLEZ LÓPEZ, EMILIO: *Azorín: Valencia* («Revista Hispánica Moderna». Casa Hispánica, Columbia, University, vol. XV, número 1-4).

GONZÁLEZ LÓPEZ, LUIS: *Cruz Rueda, escritor* (Diario «Jaén», 2 marzo 1944).—*Al maestro Azorín, en la fuerte Jaén* (con motivo del *París*, en «Paisaje», núm. 20, enero 1946).

GONZÁLEZ-RUANO, CÉSAR: *Azorín, Baroja. Nuevos ensayos y otros ensayos* (Editor F. Fe, Madrid, 1923).—*Siluetas de escritores contemporáneos* (Editora Nacional, Madrid, 1949, págs. 69-71).—*Memorias: Mi medio siglo se confiesa a medias* (Ed. Noguer, S. A., Barcelona, 1951, págs. 133-135).—*Visitas intemporales: Azorín* («A B C»).

GONZÁLEZ RUIZ, NICOLÁS: *En esta hora: Ojeada a los valores literarios* (Ed. Voluntad, S. A., Madrid, 1925, págs. 177-185).—*La literatura española* (Col. La Cultura del Siglo XX. Ed. Pegaso, Madrid, 1943, capítulo IV).—*El 98 en la literatura* (Premio Luca de Tena en 1948), «A B C», 12 mayo 1949.

GONZÁLEZ SERRANO, URBANO: *Siluetas* (con retratos y autógrafos. Bib. Mignon, Madrid, 1889, págs. 87-93).

GRANJEL, LUIS S.: *Retrato de Azorín* (Editorial Guadarrama, Colección de Crítica y Ensayo, 1958).

GRANELL, MANUEL: *Estética de Azorín* (Biblioteca Nueva. Almagro, 38, Madrid, 1949).—*Azorín en la intimidad* («España», Tánger, 24 julio 1949).

GRAU, J.: *Azorín* («Argentina Libre», Buenos Aires, 9 mayo 1940).—*La generación del 98* (ídem, 9 mayo 1940).

GUILMAIN, ANDRÉS: *Los primeros ochenta años de Azorín* (Madrid, 25 junio 1953).

HELMAN, EDIT F.: Sobre la *Estética de Azorín*, de Manuel Granell («Hispanic Review», volumen XVIII, 1950, Filadelfia).

HENRÍQUEZ UREÑA: *Los valores literarios de Azorín* (C. Ave., 1916, IX, núm. 2).

HURTADO Y J. DE LA SERNA, JUAN, y GONZÁLEZ PALENCIA, ANGEL: *Historia de la Literatura española* (Madrid, 1921; 6.ª ed., 1949, págs. 946-47 y 1055).

«HERALDO DE ARAGÓN»: *Kirón*, Horno Liria, L., y Blecua, J. Manuel (27-XI-52), con motivo de la retirada de Azorín).

HOMENAJE AL MAESTRO AZORÍN, tributado por los poetas de España e Hispanoamérica en el Instituto de Cultura Hispánica el día 18 de marzo de 1958. Intervinieron Vicente Aleixandre, Dámaso Alonso, Eduardo Carranza, José Coronel Urtecho, Gerardo Diego, Muñoz Rojas, Leopoldo Panero, Dionisio Ridruejo, Luis Rosales, José María Souvirón y Luis Felipe Vivanco.

IBARRA, JAIME: *Azorín* («La Gaceta Literaria», 1 mayo 1931).—*Azorín, único genuino ensayista contemporáneo* («Arriba», 24 noviembre 1943).

«INFORMACIÓN» (Alicante, 20 mayo al 9 junio 1953: Homenaje a Azorín).

INSÚA, ALBERTO: *Memorias: Mi tiempo y yo* (Ed. Tesoro, Madrid, 1952. Publicado el tomo 1.º e impreso el 2.º Martínez Ruiz, en el índice onomástico).

IVÁN D'ARTEDO (seud. de B. G. de Candamo): *Azorín y Baroja* («Hoja del Lunes», Madrid, 15 octubre 1945).—*Los del 98* y el *Doloroso sentir* (ídem, 10 diciembre 1945).—*Aquel, el otro y este Azorín* (ídem, 17 febrero 1947).

JAÉN, RAMÓN: *Pío Baroja y Azorín, dos modernos escritores españoles* («La Lectura», Madrid, 1917, I, 419-428).

JESCHKE, HANS: *La generación de 1898 en España: Ensayos de una determinación de su esencia* (Trad., int. y notas de Y. Pino Saavedra. Ediciones de la Universidad de Chile. Santiago de Chile, 1946).

JIMÉNEZ, JUAN RAMÓN: *Antonio Azorín* (Revista «Helios», Madrid, 1903, I, 497).—*España en tres mundos: Viejo mundo, nuevo mundo y otro mundo* (Caricaturas líricas 1914-1940. Buenos Aires, 1942).—*Carta a Carmen Laforet* («Insula», Rev. bibliográfica, Madrid, 15 enero 1948).

KRAUSE, ANA: *Doña Inés* («Hispania», California, 1926, IX).—*Azorín, The little philosopher (Inquiry into the Birth of a Literary Personality)* («University of California publications in modern philology», vol. 28, núm. 4, págs. 159-280, 1948).

LAFORET, CARMEN: *Azorín se retira* («Destino», Barcelona, 10 enero 1953).

LAÍN ENTRALGO, PEDRO: *La generación del 98* (Madrid, 1945).—*Azorín* («A B C», 28 enero 1948).—*Notas azorinescas* («Revista», Barcelona, 15-22 enero 1953).

LATINO, A.: *La nueva literatura* (Barcelona, 1924).

LAUXAR, OSWALDO CRISPO ACOSTA: *Azorín* («Hispania», vol. XIV, núm. 5 noviembre 1931, págs. 351-392).

LEDESMA MIRANDA, RAMÓN: *Presencias y mensajes. Tras el secreto de Azorín* («Arriba», 12 marzo 1944).—*El «heptálogo» de Azorín* (Idem, 25 marzo 1945).

LISARRAGUE, SALVADOR: *La sensibilidad de Azorín* (Revista «Santo y Seña», 31 agosto 1942).

LOBOS PORTO: *Azorín, el hombre y la obra* (Córdoba, Rep. Argentina, 1939).

LÓPEZ CLEMENTE, J.: *Azorín y tiempo* («El Alcázar», 5 mayo 1947).

LÓPEZ PRUDENCIO, J.: *Blanco en azul* («A B C», 3 julio 1929).—*Fray Luis de León, Gabriel y Galán y Azorín* («Cuadernos de Literatura», tomo 2.°, núm. 6, 1947).

LORENZO, PEDRO DE: *Sintiendo a Azorín* («Ya», diciembre 1947. Trabajo premiado en el Concurso de Editores y Libreros en honor de Azorín).—*Las Inmemoriales de Azorín* («El Alcázar», 9 ídem).—*Pensando en Azorín* («Ya», 10 ídem).

LOSADA, LUIS: *Azorín, las algas y una capa de paja* («A B C»).

LUNA, JOSÉ CARLOS DE: *Cosas que pasan* («A B C» del día 23 de marzo de 1960).

MACHADO, ANTONIO: *Elogios al libro «Castilla» del maestro Azorín, con motivo del mismo* (Poesía leída en la fiesta de Aranjuez y recogida en el libro de la Residencia de Estudiantes, 1915, y en «Soledades, Galerías y otros poemas», segunda ed. Calpe, MCMXIX.—*Al maestro Azorín, por su libro «Castilla»*, en «Campos de Castilla» (1907-1917).—*Azorín, retrato en «Nuevas Canciones»* (1917-1930).

MADARIAGA, SALVADOR DE: *Azorín y Gabriel Miró* («Hermes», junio 1922).—*Semblanzas literarias contemporáneas* (Ed. Cervantes, Barcelona, 1924, págs. 220-9).

MAEZTU, RAMIRO DE: *Renace Martínez Ruiz* («Nuevo Mundo», Madrid, 25 abril 1912).—*El alma de 1898* (Idem, 6 marzo 1913).

MARAÑÓN, DR. GREGORIO: *Tiempo viejo y tiempo nuevo* (Vol. 140 de la Col. Austral, 2.ª ed., 1943).—*Discurso* en su recepción de la R. A. de Ciencias Exactas, Físicas y Naturales (3 diciembre 1947).—*Discurso* en el Altavoz de las Letras y de las Artes (Emisora Radio Madrid), el 6 diciembre 1947, sesión en que actuaron también Adriano Domínguez y Angel Cruz Rueda.—*Simpatías y antipatías* (Declara que su autor contemporáneo preferido es Azorín, en «A B C», 7 noviembre 1948).—*Discurso* en memoria del Marqués de Valdecilla en la Universidad de Madrid, noviembre de 1950.

MARCO MERENCIANO, DR. F.: *Fronteras de la locura: Tres personajes de Azorín vistos por un psiquiatra* (Ediciones Metis, S. L. Valencia, 1947).

MARÍAS, JULIÁN: *Cima de la delicia* («A B C», 16 junio 1953).

MARQUINA, RAFAEL: *A propósito de Mulertt sobre Azorín* («La Gaceta Literaria», 1 y 15 septiembre y 1 octubre 1930).

MARTÍNEZ CACHERO, JOSÉ M.ª: *Cuando José Martínez Ruiz empezaba...* («A B C»).—*Las novelas de Azorín* (Ed. Insula, Madrid, 1960).

MARTÍNEZ RUIZ, AMPARO: *Ideas y recuerdos* («A B C»).

MARTÍNEZ SIERRA, GREGORIO: *Obras completas: Motivos.* (Madrid, 1920; págs. 13-20. La 1.ª edición es de 1905, Garnier Hermanos, París.)

MARTÍNEZ DE UBEDA, J.: *Azorín y Cruz Rueda* («Jaén», 19 noviembre 1947).

MARTÍNEZ VAL, JOSÉ M.ª: *Azorín en la escuela* («El Magisterio Español», 3 abril 1947).—*Entrevista imaginada: Azorín y su obra* («Lanza», Ciudad Real, 12 diciembre 1947).

MAS Y PI, JUAN: *Azorín* («Letras Españolas», Buenos Aires, 1911).

MASSA, P.: *La generación del 98* («La Prensa», Buenos Aires, 22 junio 1941).

MATA, RAMIRO W.: *La generación del 98* (Ed. Independencia, Montevideo, Uruguay).

MATEO, JOSÉ VICENTE: *El 98: Azorín* («Pueblo»).

MATEU LLOPIES, FELIPE: *Autores contemporáneos: Baroja y Azorín* (Seix y Barral, Barcelona, 1945).

MAYO, MARGARITA DE: Introducción a la ed. escolar de *El Licenciado Vidriera visto por Azorín* (Nueva York, Oxford University Press, 1939).

MEDINA GONZÁLEZ, M.: *Azorín bajo los almendros en flor* (Diario «Córdoba», 5 de marzo 1944).

MÉNDEZ ARRANZ, JUAN: *Martínez Ruiz, hombre terrible* («Indice»).

MENESES, E.: *Valle-Inclán y Azorín* («La Prensa», Buenos Aires, 17 julio 1938).

MÉRIMÉE, ERNEST: *Précis d'histoire de la literature espagnole, éditions entierement refondue* (Garnier, París, 1922, págs. 638-39).

MÉRIMÉE, HENRI: *El libro español en Francia* («Bibliografía general española e hispanoamericana», núm. 5, mayo 1923).

MIOMANDRE, FRANCIS DE: Introducción a su trad. francesa de *Félix Vargas.* (Ed. Fourcade, París, 1931).—*Eternel retour*, en «Les Nouvelles Littéraires», París, 29 enero 1953).

MIRÓ, GABRIEL: *El párrafo. La palabra. Azorín* («Diario de Barcelona» y «Diario de Alicante», 22 y 24 octubre 1911).—*Noticia de un libro de Azorín* (se refiere a *Castilla)*, en «Cataluña» y «Diario de Alicante», 21 diciembre y 26 noviembre 1912.

MIQUEL Y MACAYA, J.: *Azorín* («Manresa», 28 febrero 1953).

MONTORO, ANTONIO: *¿Cómo es Azorín?* («Biblioteca Nueva», Madrid, 1953).

MONNER SANS, J. M.: *La generación del 98* (en el de Jeschke). BINC, 41, VI.

MORALES, SOFÍA: *Azorín posa para Pilar Calvo* («A B C»).
MOREL FATIO, A.: *Un écrivain espagnol de la jeune école*. D. J. Martínez Ruiz («Le Correspondant. Neuvelle série», t. CCXVIII, 25 marzo 1924, págs. 1097-1100).
MORENO, J. M.: *La crítica literaria en España. Un libro que hace ronchas. Valle-Inclán, Martínez Ruiz, Ricardo León, discutidos* (R. J. L. Quito, 1915, XLVI).
MULERTT, WERNER: *Azorín (José Martínez Ruiz). Zur Kenntnis spanischen Schrifttums um die Jahrhundertwende Azorín:* J. M. R. Contribución al estudio de la literatura española a fines del siglo XIX). Versión directa, adiciones y correcciones de Juan Carandell Pericay y Angel Cruz Rueda. 1.ª ed., agotada, Bib. Nueva, Madrid, 1930. (Max Niemeyer, Verlag, Halle [Saale], 1926).
MUÑOZ CORTÉS, MANUEL: *La isla sin aurora*, de Azorín («Escorial», núm. 42, abril 1944).—*Azorín: «París»* («Arriba», 19 agosto 1945).—*Proclama por Azorín* (Idem, 30 noviembre 1947).
MUÑOZ, ANDRÉS: *Una charla con Azorín* («La Nación», Buenos Aires, 14 octubre 1951).
NAVARRO LEDESMA, F.: *Las confesiones de un pequeño filósofo*, de J. Martínez Ruiz («A B C», 23 junio 1904).
NAVEROS BURGOS, JOSÉ MIGUEL: *Azorín como marco de los libros* («Hoja del Lunes», Almería, 24 noviembre 1947).
NÉSTOR, NÉSTOR LUJÁN: *La retirada del maestro Azorín* («Destino», Barcelona, 27 noviembre 1952).
NUEDA, LUIS: *Mil libros* (Nuevas ediciones por Aguilar, S. A. de Eds., Madrid).
OLIVERA LAVIÉ, HÉCTOR: *Apuntes y notas sobre Azorín* («Nosotros», vol. XLIV, 1923, págs. 27-40).
ONÍS, FEDERICO DE: *Contemporary Movements in Literature* (Spain by...), en «Romanic Review», Lancaster, 1925 (abril-junio).—*Azorín, estudio literario* («Mercurio Peruano», núms. 63 y 64, reproducido, en parte, al frente de la edición escolar de *Las confesiones de un pequeño filósofo*, hecha por Luis Imbert para la «Heath Modern Language Series». Boston, Nueva York, Chicago. Heath y Comp.ª, editores, con bibliografía de los libros y estudios sobre Azorín).
ORTEGA Y GASSET, JOSÉ: *Azorín, primores de lo vulgar* («El Espectador», tomo II, Madrid, 1921, págs. 65-152, primera ed.—*Diálogo sobre el arte nuevo* («El Sol», 26 octubre 1924).
ORTEGA MUNILLA, JOSÉ: *Releyendo antiguas páginas* (Diario «El Día», Madrid, 14 febrero 1918).
ORTIZ DE PINEDO, J.: *Viejos retratos amigos* (Madrid, S. G. E. L., 1949).
ORTS ROMÁN, JUAN: *Azorín y la cultura española* («La Verdad», Murcia, 7 diciembre 1947).
PANERO, LEOPOLDO: *La isla sin aurora* («Arriba», 2 abril 1944).
PARDO BAZÁN, EMILIA: *La nueva generación de novelistas* («Helios», marzo 1904).
PASTOR, A. R.: *Contemporary movements in european literature. Spain:* «Movimientos contemporáneos en la literatura europea. España». (Routledge, 1928).
PASTOR, J. P.: *La generación del 98, su concepto del estilo* («Die Neuren Sprachen», Marburg, 1930, XXXVIII).
PEDRO GONZÁLEZ, MANUEL: *A propósito del último libro de Azorín: Una hora de España* («Modern Language Journal», volumen X, 1926, págs. 299-304.
PENAGOS, RAFAEL DE: *Visión primera del maestro Azorín* («A B C»).
PÉREZ DE AYALA, RAMÓN: *La personalidad. Azorín y los varios géneros* («La Prensa», Buenos Aires, 1 marzo 1931).
PÉREZ FERRERO, MIGUEL: *Azorín visto y oído* («La Prensa», 12 noviembre 1939).—*Nuevos papeles sobre Pío Baroja* («El Español», 7 julio 1945.—*Azorín, París y Dulcinea* («A B C», 24 marzo 1946).—*Vida de Antonio Machado y Manuel* (Ediciones Rialp, Madrid, 1947).—*Parangón de Azorín y Miró* (Id., 23 septiembre 1947).—*El cincuentenario de la generación del 98* («Revista Nacional de Educación», núm. 76, 1948).—*Cincuentenario de una generación: los del 98* («Informaciones», 7 mayo 1948).—*Azorín, el maestro* («A B C»).
PÉREZ RIOJA, JOSÉ ANTONIO: *Azorín y su obra literaria* («La Voz de Castilla», Burgos, 20 noviembre 1947).
PETRICONI, H.: *Die spanische Literatur der Gegenwart* («La literatura española contemporánea desde 1870» (Wiesbaden, 1926).
PILLEMENT, JORGE: Anteprólogo a su traducción titulada *Espagne* («Les éditions Rieder», París, 1929).
PORTO LOBOS, A.: *Azorín: El hombre y la obra* (Córdoba, Argentina, 1939).
«PRIMER PLANO» (Revista española de cinematografía): *Azorín escribe de cine* (21 junio 1953).
PÉREZ, QUINTÍN, S. J.: *Orientación bibliográfica. Cultura literaria* (Acerca de *Valencia)*. «Ecclesia», Madrid, 21 marzo 1942.
PUCCINI, MARIO: *Ritratto dell'uomo politico*

(La semana literaria de L'Ambrosiano), Milán, 7 diciembre 1932.

QUESADA, JAIME: *Azorín ante sus Obras Completas* («Hoja Oficial del Lunes», Córdoba, 29 diciembre 1947).

RAMÍREZ-ANGEL, EMILIANO: *Españoles ilustres: José Martínez Ruiz (Azorín)* («El Hogar y la Moda», 15 junio 1924).

RAMOS Y PÉREZ, VICENTE: *Voz derramada* (Loa 3.ª, págs. 93-94. Alicante, 1946).

RAND, MARGUERITE C.: *The vision of Castille in the works of Azorín:* «La visión de Castilla en los trabajos de Azorín» (Voluminosa y documentada tesis doctoral de Filosofía en la Univ. de Chicago. Chicago, Illinois, diciembre de 1951).—*Azorín, poeta en prosa y hombre pintor* («Books Abroad», Universidad de Oklome, núm. de primavera de 1953).

REDING, K. P.: *The generation of 1898 in Spain as seen through its Fictional Hero* («Northmpton-Mass: Smith College Stud.», 1936, XVII, núms. 3-4).

RÉPIDE, PEDRO DE: *Recuerdos literarios. La generación del 98* («Rev. Nacional de Cultura», Caracas, 1941, II, núm. 27).—*Letras hispánicas. Recuerdos literarios de la generación de los del 98 a los del año 7* (Idem, núm. 28).—*Recuerdos literarios. Las tertulias de los cafés* (Idem, núm. 29).

«REVISTA» (Semanario de Información, Artes y Letras), Barcelona, 11 a 17 junio 1953: *Azorín cumple 80 años.*—El núm. 68, extraordinario de homenaje a Azorín (30 julio al 5 agosto 1953), contiene más de 50 fotografías, un retrato por Vázquez Díaz y trabajos literarios por J. Capilla, A. del Campo, Carmen Castro, A. Cruz Rueda, G. Díaz Plaja, M. Fernández Almagro, G. Gómez de la Serna, M. Gómez Santos, C. González Ruano, F. Gutiérrez, P. Laín Entralgo, P. de Lorenzo, José M.ª Lladó, G. Marañón, E. Molist Pol, Elisabeth Mülder, I. del Pan, L. Panero, R. Roquer, C. Riba, Dionisio Ridruejo, M. Riera, J. Rubió, L. Santa Marina, R. Serrano Súñer, E. Sordo, C. Talamás, José M.ª Valverde y J. M. Velloso. El acierto de este número monográfico hay que agradecerlo a Dionisio Ridruejo y a Alberto Puig Palau.

«REVISTA NACIONAL DE EDUCACIÓN», núm. 76, año VIII, 2.ª época, 1948: *Homenaje a Azorín* (el del Ayuntamiento de Madrid), páginas 29-32.

«REVISTA DE OCCIDENTE»: *Diccionario de Literatura Española* (Redactado por 17 autores). Madrid, 1949, págs. 57, 58 y 59, escritas por D. F., Dolores Franco de Marías.

REYES, ALFONSO: *Apuntes sobre Azorín*, en «Los dos caminos», Madrid, 1923.—*Tertulia de Madrid* (Col. Austral, Espasa Calpe, S. A., 1949).

RICO DE ESTASEN, JOSÉ: *Los dos mejores retratos de Azorín* («Dígame», 21 julio 1953).

RÍO, ANGEL DEL, y BENARDETE, M. J.: *El concepto contemporáneo de España. Antología de Ensayos (1895-1931)*. Ed. Losada, S. A., Buenos Aires, 1946, págs. 178-183.

RIOPÉREZ Y MILÁ, SANTIAGO: *Meditando los libros de Azorín*, «UCE» (Unión Escritores Compositores) de noviembre-diciembre de 1952. — *La novela azoriniana* («Alcalá», 1955).—*Azorín, a través de Angel Cruz Rueda* («La Hora», 1958).—*Azorín y Gómez de la Serna* («La Hora», 1958).—*El problema de la muerte en la obra de Azorín* («La Estafeta Literaria» de 26 de julio de 1958).—*Azorín y la vocación* («La Hora», 1958.—*Azorín con nosotros* («La Estafeta Literaria», 1958).—*De un transeúnte: viejos artículos de «A B C» en un nuevo libro de Azorín* («A B C» de 31 de enero de 1958).—*El problema de la muerte en la obra de Azorín* («Cuadernos Hispanoamericanos» de mayo de 1959).—*La renovación estética de Azorín* («La Hora», 1959).—*Azorín fue un niño melancólico* («A B C» de 8 de junio de 1960).—*La infancia de Azorín* («Familia Española» de 10 de agosto de 1960).—*Semblanza de Azorín: su vida y su obra* («Afán», cuatro artículos aparecidos en los números correspondientes al 9, 16, 23 y 30 de septiembre de 1960).—*Azorín en las madrugadas* («A B C» de 7 de octubre de 1960).—*Azorín: evocación de un destino glorioso* («La Vanguardia Española» de 10 de febrero de 1961).—*Angel Cruz Rueda, biógrafo de Azorín* («A B C» de 8 de marzo de 1961).—*Una sonrisa de Azorín a sus 88 años* («Semana» de 6 de junio de 1961).—*Tres conferencias:* «Renovación literaria de Azorín» (Aula del Estudiante, en la Facultad de Derecho de Madrid, el día 10 de diciembre de 1954); «Azorín» (Instituto Italiano de Cultura, el día 11 de junio de 1960), y «Azorín, el último del 98» (Instituto de Cultura Hispánica, Cátedra «Ramiro de Maeztu», el día 15 de marzo de 1961).—*Azorín íntegro* (Biblioteca Nueva, Madrid).

ROIG, ROSENDO: *Azorín se ha construido la casa del silencio* («La Hora»).

ROMANO, JULIO: *Azorín, elogiado por Baroja* («A B C», 20 noviembre 1952).

ROMERA, ANTONIO R.: *En busca de tiempo ido* («La Nación», Chile, 13 enero 1947).—*Caricatura y anécdota en la generación del 98* («Atenea», Rev. mensual de Ciencias, Letras y Artes, de la Univ. de Concepción, Chile. Año XXIV, tomo LXXXVI, núm. 263, mayo de 1947).—*Baroja y la generación del 98* («La Nación», 30 junio 1947).—*Obras pretéritas de Azorín* (Idem, 2 febrero íd.)

ROMERO MENDOZA, PEDRO: *Azorín: Ensayo de crítica literaria* (C. I. A. P., Madrid, 1933).

ROVIRA Y PITA, PRUDENCIO: *... Cartas son cartas* (Varias fichas del archivo de don Antonio Maura), Espasa-Calpe, Madrid, 1949.

RUIZ CONTRERAS, LUIS: *Memorias de un desmemoriado* (Núm. 142 de la Col. Crisol, de M. Aguilar. Madrid, 1946).

SABATER, GASPAR: *Azorín o la plástica* (Editorial Juventud, Barcelona, 1944).

SAINZ DE ROBLES, FEDERICO C.: Nota preliminar en *Cuentistas españoles del siglo XX* (Núm. 126 de la Col. Crisol, del editor M. Aguilar, Madrid).—*Advertencia importante: Fragmento de un diálogo con Azorín* (en el tomo I de las «Obras completas de Azorín», M. Aguilar, editor, 1947).—*Ensayo de un Diccionario de Literatura* (Tomo II, Aguilar, S. A. de Ediciones).

SALAVERRÍA, JOSÉ M.ª: *Nuevos retratos* (páginas 51-98. C. I. A. P., Madrid, 1930).

SALCEDO RUIZ, ANGEL: *La literatura española. Resumen de historia crítica* (2.ª edición, Casa Editorial Calleja, Madrid, MCMXVII, en especial el tomo IV).

SAMPELAYO, JUAN H.: *El escritor y la ciudad* («La Estafeta Literaria», núm. 32, 25 agosto 1945).—*Las tareas y las horas de un escritor* («Redención», Madrid, 6 diciembre 1947).—*Azorín anuncia su retirada de las letras* («A B C», 19 noviembre 1952).—*Azorín cumple mañana 80 años* (Diario «Arriba», 7 junio 1953).—*Itinerario madrileño de Azorín* («Foco», 27 íd., íd.—*Intimidad de una dedicatoria. Azorín y Wenceslao Fernández Flórez* («Correo Literario», 15 julio íd.).

SÁNCHEZ, FRANCES: *José Martínez Ruiz (Azorín): Astudy of his criticism and ideas on Literature and Art*: «J. M. R. Estudios de sus ideas críticas sobre Literatura y Arte» (Según la noticia, leída en «Arriba» [2 mayo 1943], se trata de tesis para doctorado o licenciatura en los Estados Unidos, y por el resumen que conoce, «estudia preferentemente las ideas sobre los clásicos y sobre el arte de las viejas ciudades castellanas»).

SÁNCHEZ CASTAÑER, FRANCISCO: *El teatro de Azorín* (Conferencia en el Instituto de Estudios Alicantinos, junio de 1953).

SÁNCHEZ OCAÑA, V.: *El pecado del 98* («La Nación», Buenos Aires, 27 junio 1939).—*La generación sin mujeres (la del 98)* (Id., 7 abril 1940).

SÁNCHEZ, TRINCADO, J. L.: *Azorín en Madrid* («El Universal», Caracas, 7 enero 1940).—*Azorín en la gloria* («Repertorio Americano», 12, San José de Costa Rica, octubre de 1940).

SANDER, CARLOS: *El último del 98* («A B C»).

SANTIAGO, ALFONSO: *Valencia y Azorín* («El Popular» egabrense, 26 noviembre 1941).

«SANTO Y SEÑA»: *Visitas de... Azorín* (Anónimo: 5 noviembre 1941).

SASSONE, FELIPE: *Del verso y las ideas... y una frase feliz* («A B C», 16 diciembre 1943).—*Azorín..., la lección de siempre y una nueva inquietud* («A B C»).

SEELEMAN, R.: *The Treatment of Landscape in the Novelist of the generation of 1898* («Hispania Review», 1936, IV).

SEGURA OTAÑO, E.: *Un capítulo olvidado por Azorín* («Cuadernos de Literatura», tomo 1.º, núm. 2, marzo-abril 1947.

SEMINARIO DE LITERATURA ESPAÑOLA (Universidad de Granada, 1955): *Cinco ensayos sobre Azorín.* Recoge trabajos de María del Rosario Sáinz Trápaga, María Dolores González Guzmán, Pilar Gil Sanjuán, Merced Corróns Graélls, José Mondéjar Cumpián.

SERRANO ANGUITA, F.: *Adiós a Azorín* («Madrid», 20 noviembre 1952).

«SIGÜENZA» (Artes y Letras Alicantinas): II época, año II, núm. 5, abril 1953. Entre los diversos trabajos se lee *La casa de Azorín (Los visitantes. La biblioteca)*, por Amparo Martínez Ruiz, hermana de Azorín, que en número anterior publicó *Mi hermano Pepito.*

SORIANO, CARMEN: *Azorín cumple ochenta años* («Destino», Barcelona, 27 junio 1953).

SORIANO PASTOR, JOSÉ: *Azorín: Breve estudio...* («La Tarde», Málaga, 10 diciembre 1947).

TAMAYO RUBIO, JUAN A.: *Azorín: Obras Selectas* («Bibliografía Hispánica», marzo de 1944).—*Un amable y silencioso señor: Fantasía crítica* (En los periódicos «Menorca», 6 abril; «El Correo Español», «El Pueblo Vasco», 9 íd. 1944, y otros).

TARÍN IGLESIAS, JOSÉ: *La vocación periodística de Azorín* («Correo de Mallorca», suplemento, año I, núm. 29).

«TIMES» de Londres: *The plays of Azorín* (Suplemento literario de 1 mayo 1930).

TORRE, G. DE: *Félix Vargas* («Síntesis», Buenos Aires, 1929, VIII).—*La generación española de 1898 en las revistas de su tiempo* («Nosotros», ídem, 1941, XV).—*Los del 98 escriben sus Memorias. Azorín* («La Nación», 4 enero 1948).

TRIGO, DRA. LUISA: *La infancia de Azorín*, en su sección bisemanal de Radio Madrid titulada «El mundo de los niños» (18 julio 1950).

VALDÉS, FRANCISCO: *Notas de un lector* («Letras», págs. 13-26. Espasa-Calpe, S. A., Madrid, 1933).

VEGA, MANUEL: *Prosa y espíritu* («A B C», 15 febrero 1947).

VÉZINET, F.: *Les Maîtres du roman espagnol contemporain:* «Los maestros de la novela española contemporánea» (París, 1907).

VIDAL, REYMOND: Estudio sobre Azorín y traducción al francés de unos fragmentos de *La ruta de Don Quijote* (Suplemento literario en un periódico de prisioneros de guerra en Alemania): «Lueurs» (France), Oflag III. C. Camps de Lubben et Flauenberg, núm. 49, Vendredi 7 février 1941. Ilustraciones del Lt. Millot.

VILLARONGA, LUIS: *Azorín: su obra, su espíritu* (Espasa-Calpe, 1931).

VILLARRAZO, BERNARDO: Segunda conferencia del ciclo *Los del 98* (Asoc. de Escritores y Artistas, Madrid, 19 diciembre 1950).

VITERI LAFONTE: *Azorín, periodista* («Letras», 1916, III).

WARREN, L. A.: *Modern Spanish literature* (Londres, 1929).

YALE: *Usted tiene la palabra: Azorín en sus ochenta años* («Informaciones», 9 junio 1953).

X: *Azorín: Los dos Luises y otros ensayos* («Rev. de Filología Española», Madrid, 1921, VIII).

XENIUS (Eugenio d'Ors): *Las obras y los días* («España», núm. 9, pág. 7, 1915).—*Azorín* («La Lectura», vol. II de 1915, págs. 189-199).—*Glosas* («A B C», 20 noviembre 1925).

ZUGÁZAGA, JOSÉ MARÍA: *El Azorín de ayer y el de hoy* («Diario de Burgos», 20 mayo 1944).

ANGEL CRUZ RUEDA.

Madrid, 1 octubre 1961.

ICONOGRAFIA

Retrato (cubierta en color de la primera edición de *Los Pueblos)*, por Francisco Sancha; al pastel, por Ricardo Baroja; otros, por Ramón Casas, José Villegas (perdido); Joaquín Sorolla, en la Sociedad Hispánica de Nueva York; Juan Echevarría, propiedad de la familia del pintor; Ignacio Zuloaga, regalado a Azorín por el artista; Daniel Vázquez Díaz, propiedad del pintor; Jenaro Lahuerta, premiado en la Exposición Nacional de 1948, en el Museo de Arte Moderno, y otro distinto que pintó para don Francisco Navarro, de Monóvar (Alicante), merecidamente dilecto amigo de Azorín. Estatuita, por Sebastián Miranda, propiedad del escultor; busto en bronce, por el valenciano Palacios, ante los Grupos Escolares de Monóvar; busto costeado por don Paco Navarro, así como el primitivo que se levanta en el jardín de una de las casas del ilustre monovero. Las caricaturas de Azorín son numerosísimas, desde la dibujada por *Lengo*—hermano de Sancha—hasta las de Fresno, Bagaría y Cebrián. Fotografías por Alfonso (José), Antonio de la Fuente Ruiz, Albero y Segovia y *Gyenes*.

COLECCIONISTAS

De libros y artículos de Azorín y sobre las obras de Azorín: Don José Capilla Beltrán, escritor residente en Elda, que nos facilitó y a quien agradecimos en su tiempo los libros de Azorín señalados en la lista completa de sus obras con los núms. 1, 4, 5, 8, 10, 11 y 15; don José García Mercadal, en Madrid; don Antonio Montoro, don José Macías Martínez, Angel Cruz Rueda y otros muchos, también en la capital de España. En Buenos Aires, S. Saiaci-Couto.

ADICIONES FINALES

Desde que en abril del presente año feché las adiciones que terminan la semblanza de Azorín con que empieza este libro, hay que anotar varios sucesos: coincidiendo con los ochenta años del maestro, publicó un libro inédito totalmente *(El cine y el momento)*, que nada tiene que ver con otro del mismo tema ya anunciado. El Ayuntamiento murciano de Yecla, haciendo honor a su título de excelentísimo, aprobó el 30 de abril reciente, en sesión del pleno, la propuesta que formuló la Comisión de Cultura referente al homenaje que se rendirá a Azorín en otoño, para que se recuerde en forma perdurable que José Martínez Ruiz estudió el bachillerato en el Internado de los Padres Escolapios de la hermosa ciudad y que en ésta se desarrolla gran parte de su novela *La Voluntad*, tan famosa con el tiempo.

El Instituto de Estudios Alicantinos, que dirige el presidente de la Diputación Provincial, don Artemio Payá, y que preside en su sección de Literatura don Enrique Márquez, presidente también de la Audiencia, organizó una Exposición bibliográfica e iconográfica, y a la vez un curso de conferencias, pronunciadas en el salón de sesiones del palacio de la Diputación, ciclo que empezó el 20 de mayo con la del autor de estas líneas y tema *Psicología literaria de Azorín;* la del día siguiente fue *Estilo y paisaje en Azorín*, por el director de la Biblioteca Nacional, don Luis Morales Oliver, y, pasadas unas fechas, actuó don Guillermo Díaz-Plaja, *Azorín, el tiempo y la magia*, y a este renombrado catedrático y publicista sucedió el de Literatura en la Universidad de Valencia, don Francisco Sánchez Castañer, que disertó acerca de *El teatro de Azorín*. En el Principal de la capital levantina—«casa de la primavera», según frase afortunada de Fernández Flórez—alumnos del Instituto y de la Escuela de Comercio, dirigidos por el profesor don José Ferrándiz Casares, representaron en función de gala *Old Spain*, la primera obra teatral de Azorín, con plausible éxito. El 7 de junio fue realizado un viaje colectivo a Monóvar, la ciudad «apacible» y nativa del maestro; los excursionistas visitaron los lugares donde nació, fue bautizado, estudió las primeras letras y vivió con sus padres y hermanos Azorín. (Una de sus hermanas, doña Amparo, culta señora que escribe muy bien, cuida de la biblioteca instalada en la casa solariega.) Las autoridades y amigos de Monóvar atendieron y obsequiaron a los expedicionarios puntual y generosamente. En todos estos actos debe destacarse la actuación incansable de Isidro Vidal, periodista monovero residente en Alicante. Y el conjunto del amplio homenaje respondió a la cordialidad de los levantinos. Han de seguir otros, en diversos lugares, después de este verano de 1953.

A. C. R.

ADIOS..., HASTA LA VISTA

«A B C», el miércoles, 19 de noviembre de 1952, recogió la noticia de que Azorín, a los cincuenta y seis años de su llegada a Madrid y a los setenta y nueve de su edad, se retiraba de la vida periodística. Después de recibir en un saloncito con mesa de camilla y brasero a un periodista, cuando éste, luego de un rato de amena y evocadora charla, le anunció su propósito de retirarse, el maestro le dijo:

—Por mi parte, he terminado no sólo esta conversación, sino mi carrera literaria. Así lo he manifestado públicamente. Paso de actor a espectador.

La noticia, al ser conocida, sorprendió hasta a sus amigos más inmediatos y afligió a la grey numerosísima de sus lectores y admiradores.

«A B C», con tal motivo, publicó una nota de redacción que decía lo siguiente:

«AZORIN RENUNCIA A LA VIDA LITERARIA

Don José Martínez Ruiz ha hecho pública su decisión de poner fin a las actividades literarias que hace cincuenta y seis años, viniendo de su Levante natal, inició en el Madrid entrañable de la Regencia. Era un mozo de veintidós años; su cortedad de ánimo se disfrazaba de intrepidez temeraria. Escribió en los más famosos periódicos de la época. La audacia de sus juicios llamó en seguida la atención de los lectores madrileños: aquellos lectores que formaban entonces una especie de familia numerosa esparcida, como en las novelas galdosianas, por cafés y mentideros, al ojeo de noticias y murmuraciones políticas, mundanas, teatrales y literarias. La «cosa pública» afectaba íntimamente a todos los madrileños, y tan público era un estreno de don Eugenio Sellés o de don José Echegaray como un traslado de poderes del partido conservador al partido liberal. «Beber en buenas fuentes» y ser un poco mordaz constituían ejecutorias en los cenáculos, y quien no las poseía por privilegio natural, las simulaba con admirable artificio. José Martínez Ruiz ganó fama rápida, porque no sólo se distinguió en su juventud por la desenvoltura entre hombres desenvueltos, sino por una forma peculiar, ordenada, graciosa, irónica y algo culterana, de expresar sus gallardías. Al poco tiempo las juventudes del 98 vieron en Azorín una nueva gloria literaria.

Día tras día, en diarios, en revistas, comentando libros o comedias, cuadros o costumbres, pergeñando semblanzas, apasionadas unas veces y despiadadas otras, semblanzas de hombres políticos o de literatos chirles, haciendo, en suma, la historia plural de su tiempo, José Martínez Ruiz no dio nunca ocio a su pluma. Visitó los pueblos y las ciudades de España. Atravesó las fronteras... El fue el primer corresponsal telegráfico de la Prensa española, en ocasión, por cierto, memorable, en 1905, cuando el Rey Don Alfonso XIII estuvo en París como huésped de M. Loubet. Azorín acompañó al séquito como representante de «A B C», y sus crónicas, dadas al telégrafo, provocaron sensación en toda España, y singularmente aquella en que describía el atentado contra el Monarca en la plaza de la Opera. Azorín era ya un gran escritor, un raro escritor que había roto todas las normas sintácticas del periodismo al uso; que tenía un amplio vocabulario exclusivo; que se afanaba por la pulcritud, elegancia y armonía de sus locuciones; que estudiaba los grandes modelos clásicos españoles, ingleses y franceses; que enseñaba a sus compañeros de generación a ver y a pintar—una concisa paleta en la mano—los paisajes y los tipos abigarrados de España. Ese magisterio cundió en seguida, y hoy podemos decir que el idioma español tiene dos vertientes: la anterior y la posterior a Azorín. Podemos decir que hoy se escribe el castellano de modo muy distinto a como se escribía antes de Azorín. He ahí la trascendencia de su magisterio.

Desde la fundación de «A B C», José Martínez Ruiz ha cultivado en nuestras columnas todos los géneros de la crónica periodística, y en todos ellos ha ejercido el mismo supremo magisterio, y ha dado la ley y la norma a sus seguidores en la glosa parlamentaria, socarrada por la zumba; en la crítica de libros y teatros, en la exegesis de nuestros clásicos, en la pintura de nuestras costumbres. Tocaba todos los temas pasajeros del periodismo con un tirso mágico que les infundía vida perdurable. Nadie como él tuvo el secreto de hacer perenne el momento que transita, el céfiro que alienta, la nube que pasa, la corriente cristalina que discurre, siempre renovada y uniforme. La grandeza de Azorín reside tanto en los primores de estilo y en los sentimientos tornasolados que cruzan por toda su obra cuanto en la transcripción estética de la diversidad en la uniformidad, y ese don misterioso es el que ha distinguido también su ingente labor periodística.

Azorín no volverá a escribir para el público. Hace algunos meses nos decía: «Cada vez me doy más cuenta de que no sé escribir. ¡Es tan difícil!... Lo mejor que podrían ustedes hacer es arrojar este artículo al cesto de los papeles.» Y recientemente, al solicitarle una colaboración de homenaje a su amigo Ramiro de Maeztu: «No puedo—nos advirtió—. He renunciado a escribir, porque es demasiado arduo y dificultoso.» Hizo, sin embargo, aquel artículo como tributo al amigo ido. «El último artículo», nos dijo. Y así ha sido. Azorín se despide de su profesión, más que fatigado, más que desesperanzado, vencido, al cabo de cincuenta y seis años de ejercicio diario, por las dificultades del arte. ¡Admirable lección de sabiduría! Sólo aquellos que han aprendido a escribir y que, escribiendo, han creado una obra duradera, saben, en el augusto declinar de su existencia, que el arte es esquivo y que el primero de los secretos que guarda es mayor que el que los revela generosamente. Tonel de las Danaides. Sólo los elegidos de Dios, los que realmente han conseguido la gloria de penetrar en el sagrado recinto del arte; sólo los verdaderamente grandes acaban por saber que no saben.

Es llegado el momento de rendir a Azorín el homenaje nacional que su copiosa obra y la austeridad de toda su vida, consagrada a la literatura y a la erudición creadora, merecen.»

*

Se diría que después de tal lectura habíamos asistido a unos solemnes funerales semejantes a los que el Emperador Carlos V hubo de presenciar en Yuste.

Pero... el hombre decide y la afición dispone. El gesto azoriniano pudiera definirse con aquello de «hace que se va y vuelve». La vocación de escribir para el periódico es superior a toda meditada decisión, cuando se siente con el imperio con que Azorín supo sentirla siempre.

Después de aquella pública declaración y de los solemnes y justos funerales, no sólo han aparecido numerosos libros en que se reunieron trabajos suyos no recogidos con anterioridad en volumen, sino que han surgido otros enteramente inéditos, compuestos por su propia voluntad de producir o brotados de sus labios, por arte de inteligentes conversadores acudidos a recoger de aquellos, en la serena quietud y dulce silencio del despacho de Azorín, nuevas pruebas de su incontenible actividad cerebral.

Pero todavía más. En las columnas de «A B C», desde las que se despidieran, han ido surgiendo sus famosos *Recuadros*, que algún día formarán volumen, clarín resonante del brío espiritual de un anciano glorioso, el maestro Azorín, que sigue impertérrito en su atalaya, alerta centinela de su magisterio, en las proximidades de cumplir sus primeros noventa años.

Aere perennius.

NOTA GRATULATORIA

(De la 1.ª edición)

En el remate de esta obra he de dar cumplidas gracias a Angel Cruz Rueda, escritor, catedrático en el Instituto Lope de Vega, de Madrid, caballero limpio y leal, querido amigo, guardador de todos mis libros y escritos sueltos, los cuales yo no conservo. Cruz Rueda ha ordenado las obras, ha escogido en la selva de mis trabajos periodísticos, ha corregido una y otra vez las pruebas con minuciosidad y paciencia, penosamente, como pudiera hacerlo un corrector, hace siglos, en la oficina tipográfica de Plantino o Aldo Manucio. Sin Angel Cruz Rueda no hubiera podido formarse esta selección; me declaro yo incapaz para la empresa. Y lo que ahora quisiera, lector, es que hubieras encontrado amena—por lo menos amena—la presente poliantea.

AZORÍN.

Madrid, 1943.

(La presente edición ha sido aumentada, ordenada y corregida por José García Mercadal.)

INDICE

INDICE

LOS PUEBLOS

LA RUTA DE DON QUIJOTE

ESPAÑA

CASTILLA

TOMAS RUEDA

UN PUEBLECITO

(RIOFRIO DE AVILA)

DON JUAN

UNA HORA DE ESPAÑA

DOÑA INES

EL CABALLERO INACTUAL

EL LIBRO DE LEVANTE

VALENCIA

PENSANDO EN ESPAÑA
(SELECCION)

CAVILAR Y CONTAR
(SELECCION)

SINTIENDO A ESPAÑA
(SELECCION)

CUENTOS VARIOS

MEMORIAS
MEMORIAS INMEMORIALES

QUEDABA ALGO

ULTIMAS OBRAS

(SELECCION)

EL CINE Y EL MOMENTO

AGENDA

POSDATA

EJERCICIOS DE CASTELLANO

RECUADROS

BIBLIOGRAFIA

ESTA
TERCERA EDICION DE LAS
OBRAS SELECTAS DE AZORIN
ACABO DE IMPRIMIRSE EN
ENERO DE MIL NOVECIENTOS SESENTA Y DOS
EN LOS TALLERES
E. SANCHEZ LEAL, S. A. DE ARTES GRAFICAS,
CALLE DE DOLORES, NUM. 9, DE MADRID.
ILUSTROLAS
JOSE GONZALEZ DE UBIETA